文學博士瀧川龜太郎著

史記會注考證

文史哲出版社印行

一　太史公像

五　司馬遷墓　陝西韓城南芝川鎭

六　太史廟及司馬坡全景　陝西韓城南芝川鎭

史記會注考證目錄

史記索隱序

朝散大夫國子博士弘文館學士河內司馬貞

史記者、漢太史司馬遷父子之所述也。遷自以承五百之運、繼春秋而纂是史。其襃貶覈實、頗亞於丘明之書。於是上始軒轅、下訖天漢、作十二本紀·十表·八書·三十系家·七十列傳、凡一百三十篇。考證 司馬貞唐人、諱世作系、下文系本亦世本也、全文倣之、始變左氏之體。而年載悠邈、簡冊闕遺、勒成一家。其勤至矣。又其屬槀、先據左氏·國語·系本·戰國策·楚漢春秋及諸子百家之書、而後貫穿經傳、馳騁古今、錯綜櫽括、各使成一國一家之事。故其意難究詳矣。比於班書、微爲古質。故漢·晉名賢、未知見重。所以魏文

侯聽古樂則唯恐臥。考證 事見禮樂記、史記樂書、良有以也。逮至晉末、有中散大夫東莞徐廣。始考異同、作音義十三卷。宋外兵參軍裴駰、又取經傳訓釋作集解。合爲八十卷。雖麤見微意、而未窮討論、南齊輕車錄事鄒誕生、亦作音義三卷。音則微殊、義乃更略。爾後其學中廢。貞觀中、諫議大夫崇賢館學士劉伯莊、達學宏才。鉤深探賾、又作音義二十卷。比於徐·鄒音則具矣。殘文錯節、異音微義、雖知獨善、不見旁通。考證 乾隆四年經史館校刊本、音作旨、欲使後人從何準的。貞謏聞陋識、頗事鑽研。而家傳是書、不敢失墜。初欲改更舛錯、裨補疏遺。義有未通、兼重注述。然以此書殘缺雖多、實爲古史。忽加穿鑿、難允物情。今止探求異

聞、採摭典故、解其所未解、申其所未申者、釋文演注、又重爲述贊。凡三十卷。號曰史記索隱。雖未敢藏之書府、亦欲以貽厥孫謀云。

考證 錢大昕曰、司馬貞注高祖紀母曰劉媼云、今近有人云母溫氏、貞時打得班固泗水亭長古碑文、其字分明作溫字、云母溫氏、貞與賈膺復徐彥伯魏奉古等執對反覆、沈歎古人未聞、按膺復當作膺福、先天二年、爲右散騎常侍昭文館學士、以預太平公主逆謀誅、今河內縣有大雲寺碑、卽膺福書也、徐彥伯卒於開元二年、見唐書本傳、而司馬貞張守節二人、新舊唐書無傳、守節正義序、稱開元二十四年八月殺青斯竟、而小司馬兩序則不載譔述年月、以此注驗之、其與賈徐諸人談議、當在中宗之世、計其年蹟、似在張守節之前、補史記序自題國子博士弘文館學士、唐制、弘文館皆以他官兼領、五品以上爲學士、六品以下曰直學士、國子博士、係正五品上、故得學士之稱、神龍以後、避孝敬皇帝諱、或稱昭文、或稱修文、開元七年、仍爲弘文、小司馬充學士、蓋在開元七年以後也、唐書劉知幾傳、開元初嘗議孝經鄭氏學、非康成注、當以古文爲正、易無子夏傳、老子書無河上公注、請存王弼學、宰相宋璟等不然其論、奏與諸儒辨質、博士司馬貞等共黜其言、請二家兼行、唯子夏易傳請罷、詔可、又考唐藝文志稱貞開元潤州別駕、蓋由弘文館出爲別駕、遂蹭蹬以死也、

史記索隱後序

夫太史公紀事、上始軒轅、下訖天漢。雖博采古文及傳記諸子、其間殘闕蓋多。或旁搜異聞、以成其說。然其人好奇而詞省。故事覈而文微。是以後之學者多所未究。其班氏之書、成於後漢。彪既後遷而述、所以條流更明。且又兼采衆賢、羣理畢備。考證索隱單本且又作是。故其旨富、其詞文。是以近代諸儒共所鑽仰。考證單本所作行。其訓詁蓋亦多門。蔡謨集解之時、已有二十四家之說。所以於文無所滯、於理無所遺。而太史公之書、既上序軒黃、中述戰國、或得之於名山壞宅、或取之以舊俗風謠。考證單本宅作壁。故其殘文斷句難究詳矣。然古今爲注解者絕省。音

義亦希。始後漢延篤、乃有音義一卷。又別有音隱五卷、不記作者何人。考證單本、音隱作章隱。近代鮮有二家之本。宋中散大夫徐廣作音義十三卷。考證張文虎曰、十三卷、原誤一十卷。依前序及集解序正義改。唐志亦云十三卷。唯記諸家本異同、於義少有解釋。又中兵郎裴駰、亦名家之子也。作集解注本、合爲八十卷、見行於代。仍云亦有音義。前代久已散亡。南齊輕車錄事鄒誕生、亦撰音義三卷。音則尚奇、義則罕說。考證隋經籍志、日本現在書目、作梁輕車錄事參軍鄒誕生。釋玄應一切經音義引誕生史記音、隋秘書監柳顧言、尤善此史。劉伯莊云、其先人曾從彼公受業。或音解隨而記錄、凡三十卷。隋季喪亂、遂失此書。伯莊以貞觀之初、奉勑於弘文館講授。遂采鄒・徐二說、兼記憶柳公音旨、遂作音義二十卷。音

乃周備、義則更略。惜哉。考證日本現在書目云、史記音義廿卷、唐大中大夫劉伯莊撰。二十卷、諸本作三十卷。今從金陵書局本、古史微文、遂由數賢祕寶。故其學殆絕。前朝吏部侍郎許子儒、亦作注義。不覩其書。崇文館學士張嘉會、獨善此書。而無注義。貞少從張學、晚更研尋。初以殘闕處多、兼鄙褚少孫誣謬、因憤發而補史記、遂兼注之。然其功殆半。乃自惟曰、千載古史、良難紬繹。於是更撰音義、重作述贊。蓋欲以剖盤根之錯節、遵北轅於司南也。凡爲三十卷。號曰史記索隱云。考證單本、惟作唯、紬繹作間然、於是更作因退、述贊作贊述、

三皇本紀

小司馬氏撰 幷注

(小司馬氏云、太史公作史記、古今君臣宜應上自開闢、下迄當代、以爲一家之首尾、今闕三皇、而以五帝爲首者、正以大戴禮有五帝德篇、又帝系皆敍自黃帝已下、故因以五帝本紀爲首、其實三皇已還、載籍罕備、然君臣之始、教化之先、既論古史、不合全闕、近代皇甫謐作帝王代紀、徐整作三五歷、皆論三皇已來事、斯亦近古之一證、今並採而集之作三皇本紀、雖復淺近、聊補闕云、)

太皞庖犧氏、風姓。代燧人氏、繼天而王。母曰華胥。履大人迹於雷澤、而生庖犧於成紀。蛇身人首。(按伏犧風姓、出國語、其華胥已下、出帝王世紀、然雷澤、澤名、卽舜所漁之地、在濟陰、成紀亦地名、按天水有成紀縣、)有聖德。仰則觀象於天、俯則觀法於地、旁觀鳥獸之文、與地之宜、近取諸身、遠取諸物。始畫八卦、以通神明之德、以類萬物之情。造書契以代結繩之政。於是始制嫁娶、以儷皮爲禮。(按譙周古史考、伏犧制嫁娶、以儷皮爲禮也、)結網罟以敎佃漁。故曰

宓犧氏。(按事出漢書歷志、宓音伏、)養犧牲以庖厨。故曰庖犧。(考證 索隱單本、以下無庖厨故曰四字、)有龍瑞。以龍紀官。號曰龍師。作三十五弦之瑟。木德王。注春令。故易稱帝出乎震、月令孟春其帝太皞。是也。(按位在東方、象日之明、故稱太皞、皞、明也、)都於陳。東封太山。立一百一十一年崩。(按皇甫謐、伏犧葬南郡、或曰冢在山陽高平之西也、)其後裔、當春秋時、有任·宿·須·句·顓臾、皆風姓之胤也。女媧氏亦風姓。蛇身人首。有神聖之德。代宓犧立。號曰女希氏。無革造。惟作笙簧。(按禮明堂位及系本皆云、女媧作笙簧、)故易不載。不承五運。一曰。女媧亦木德王。蓋宓犧之後、已經數世。金木輪環、周而復始。特擧女媧、以其功高而充三皇。故頻木王也。當其末年也、諸侯有共工氏。任智刑、以强霸而不王。以水承木。(考證 各本、承作乘、今從單本、)乃與

祝融戰、不勝而怒。乃頭觸不周山。崩。天柱折、地維缺。女媧乃鍊五色石以補天、斷鼇足以立四極、聚蘆灰以止滔水、以濟冀州。(按其事出淮南子也、)於是地平天成、不改舊物。女媧氏沒、神農氏作。(按三皇說者不同、譙周以燧人爲皇、宋均以祝融爲皇、而鄭玄依春秋緯、以女媧爲皇、承伏犧、皇甫謐亦同、今依之爲說也、)炎帝神農氏、姜姓。母曰女登。有媧氏之女。爲少典妃。感神龍而生炎帝。人身牛首。長於姜水。因以爲姓。(按國語、炎帝黃帝皆少典之子、其母又皆有媧氏之女、據諸子及古史考、炎帝之後、凡八代、五百餘年、軒轅氏代之、豈炎帝黃帝、是昆弟而同母氏乎、皇甫謐以爲少典有媧氏諸侯國號、然則姜姬二帝、同出少典氏、黃帝之母又是神農母氏之後代女、所以同是有媧氏之女也、)火德王。故曰炎帝。以火名官。斲木爲耜、揉木爲耒、耒耨之用、以敎萬人。始敎耕。故號神農氏。於是作蜡祭、以赭鞭鞭草木。始嘗百草、始有醫藥。又作五弦之瑟。敎人日中爲市、交易而

退、各得其所。遂重八卦爲六十四爻。初都陳、後居曲阜。(按今淮陽有神農井、又左傳、魯有大庭氏之庫、是也、)立一百二十年崩。葬長沙。神農本起烈山。故左氏稱、烈山氏之子曰柱。亦曰厲山氏。禮曰。厲山氏之有天下。是也。(按鄭玄云、厲山、神農所起、亦曰有烈山、皇甫謐曰、厲山今隨之厲鄉也、)神農納奔水氏之女曰聽詙。爲妃。生帝魁、魁生帝承、承生帝明、明生帝直、直生帝氂、氂生帝哀、哀生帝克、克生帝楡罔。凡八代、五百三十年。而軒轅氏興焉。(按神農之後、凡八代、事見帝王代紀及古史考、然古典亡矣、況譙皇二氏、皆前聞君子、考按古書而爲此說、豈至今鑿空乎、此紀示據以爲說、其易稱神農氏沒、卽楡罔、楡罔猶襲神農之號也、考證 生帝魁以下二十字、各本脫、今依單本、)其後有州·甫·甘·許·戲·露·齊·紀·怡·向·申·呂。皆姜姓之後。並爲諸侯。或分掌四岳。當周室、甫侯·申伯、爲王賢相。齊·許列爲諸侯。霸於中國。蓋聖人德澤廣、

大故其祚胤繁昌久長云。一說、三皇謂天皇·地皇·人皇爲三皇。既是開闢之初。君臣之始。圖緯所載、不可全弃。故兼序之。天地初立、有天皇氏。十二頭。澹泊無所施爲、而俗自化。木德王。歲起攝提。兄弟十二人。立各一萬八千歲。蓋天地初立、神人首出、行化、故其年世長久也、然言十二頭者、非謂一人之身有十二頭、蓋古質、比之爲獸頭數故也、地皇十一頭。火德王。姓十一人。興於熊耳·龍門等山。亦各萬八千歲。人皇九頭。乘雲車、駕六羽、出谷口。兄弟九人、分長九州。各立城邑。凡一百五十世。合四萬五千六百年。天皇已下、皆出河圖及三五歷也、自人皇已後有五龍氏。五龍氏兄弟五人、並乘龍上下、故曰五龍氏也、燧人氏、按其君鑽燧出火、教人熟食、在伏犧氏前、譙周以爲三皇之首也、大庭氏、栢皇氏、中央氏、卷須氏、栗陸氏、驪連氏、赫胥氏、尊盧氏、渾沌氏、昊英

氏、有巢氏、朱襄氏、葛天氏、陰康氏、無懷氏、斯蓋三皇已來有天下者之號、按皇甫謐以爲大庭已下一十五君、皆襲庖犧之號、事不經見、難可依從、然按古封太山者、首有無懷氏、乃在太昊之前、豈得如謐所說。但載籍不紀、莫知姓·王年代·所都之處。而韓詩以爲自古封太山禪梁甫者、萬有餘家。仲尼觀之、不能盡識。管子亦曰。古封太山七十二家。夷吾所識十有二焉。首有無懷氏。考證單本、無無字。然則無懷之前、天皇已後、年紀悠邈、皇王何昇而告。但古書亡矣。不可備論。豈得謂無帝王耶。故春秋緯稱自開闢至於獲麟、凡三百二十七萬六千歲、分爲十紀。凡世七萬六百年。一曰九頭紀。二曰五龍紀。三曰攝提紀。四曰合雒紀。五曰連通紀。六曰序命紀。七曰脩飛紀。八曰回提紀。九曰禪

通紀。十曰流訖紀。蓋流訖當黃帝時、制九紀之間。是以錄於此補紀之也。考證趙翼曰、大戴禮五帝德、及史遷五帝本紀、皆專言五帝、而不言三皇、然三皇之號、見於周禮外史掌三皇五帝之書、不得言三代以前無此稱也、第未有專指其名者、其見於秦博士所議、但云天皇地皇人皇而已、孔安國書序、乃以伏羲神農黃帝爲三皇、少昊顓頊高辛堯舜爲五帝、司馬遷以黃帝入五帝之內、而無少昊、鄭康成依運斗樞註尚書中候、乃以伏犧女媧神農爲三皇、帝鴻金天高陽高辛唐虞爲五帝、司馬貞因之作三皇本紀、亦以伏犧女媧神農爲三皇、孔穎達註尚書最尊安國、故其駁鄭注、謂女媧但修伏犧之道、無所改作、不得列三皇、既不數女媧、則不可不取黃帝爲三皇、又曰、安國之意、以月令春曰太昊、夏曰炎帝、中央曰黃帝、依次以爲三皇、秋曰少昊、冬曰顓頊、自此以下、合之高辛堯舜、乃爲五帝耳、然穎達又云、諸儒說三皇、或數燧人、或數祝融以配犧農、其五帝皆自軒轅、不數少昊、帝繫本紀家語、又以少昊卽黃帝子青陽、是穎達雖尊安國、亦未敢竟以黃帝入三皇之內、少昊列五帝之中、而顯與史記相戾也、宋五峯胡氏直斷以孔子繫詞所述伏犧神農黃帝堯舜爲五帝、元人胡一桂又從而引伸之、謂孔子家語自伏犧以下皆稱帝、易大傳春秋內外傳、有黃帝炎帝之稱、月令有帝太昊帝炎帝帝黃帝之文、可見太昊伏犧氏炎帝神農氏黃帝軒轅氏本皆稱帝、秦以前未嘗列之於三皇也、其三皇之號、終不可泯、則仍以秦博士所謂天皇地皇人皇當之、而不必附會其人、此論較爲直捷、然近日王西莊又謂繫辭以羲農爲上古聖人、黃帝堯舜爲後世聖人、則羲農宜爲皇、黃帝宜爲帝、惟三皇中少一人、則司馬貞據康成說以女媧充數、亦未爲無據、西莊最尊鄭學、故持論如此、要之、去古愈遠、載籍無

考、傳聞異詞、迄無定論、愚按三皇之名既無定說、何問其事有無、司馬貞爲補本紀、非也、今錄之索隱序後、以與史文區別、

史記正義序

諸王侍讀宣議郎守右淸道率府長史張守節上

史記者、漢太史公司馬遷作。遷生龍門、耕牧河山之陽、南遊江·淮、講學齊·魯之郡、紹太史繼春秋、括文魯史、而包左氏·國語、采世本·戰國策、而摭·楚漢春秋、貫紬經傳、旁搜史子、上起軒轅、下旣天漢。作十二本紀、帝王興廢悉詳。三十世家、君國存亡畢著。八書、贊陰陽禮樂。十表、定代系年封。七十列傳、忠臣孝子之誠備矣。筆削冠於史籍、題目足以經邦。裴駰服其善序事理、辯而不華、質而不俚、其文直、其事核、不虛美、不隱惡、故謂之實錄。自劉向·楊雄、皆稱良史之才。況墳典湮滅、簡

冊闕遺。比之春秋、言辭古質。方之兩漢、文省理幽。守節涉學三十餘年。六籍九流、地里蒼雅、銳心觀採評史漢、詮衆訓釋而作正義。郡國城邑、委曲申明、古典幽微、竊探其美、索理允愜、次舊書之旨、兼音解注、引致旁通、凡成三十卷。名曰史記正義。發揮膏肓之辭、思濟滄溟之海。未敢侔諸祕府、冀訓詁而齊流。庶貽厥子孫、世疇茲史。于時歲次丙子開元二十四年八月、殺青斯竟。

考證 錢大昕曰、張守節正義、成于開元廿四年、小司馬索隱前後序、則不著撰述之年、而唐書藝文志注貞、開元潤州別駕、是兩人生于同時、而其書不相稱引、司馬長于駁辨、張長于地理、要皆龍門功臣、難以偏廢、守節官諸王侍讀右淸道率府長史、唐志失書、小司馬序自題國子博士弘文館學士、而唐志云潤州別駕、殆終于別駕者與、正義索隱兩書、唐時皆單行、不附于正史、今索隱尙有汲古閣所刊單行之本、正義舊本失傳、卷帙次第、无可考矣、四庫全書提要、是書據自序三十卷、晁公武陳振孫二家所錄則作二十卷、蓋其標字列注、亦如索隱、後人散入句下、已非其舊、至明代監本、採附集解索隱之後、更多散節、失其本旨、地理脫十七

條、故實注二十五條、音注脫二十三條、其他一兩字之出入、殆千有餘條、尤不可毛舉、苟非震澤王氏刊本具存、無由知監本之妄刪也、愚按我永正中有僧桃源者、著史記桃源抄、補記今本所刪落正義、一千有餘條、多者二三百字、少者亦十字二十字、皆震澤王氏刊本所無也、蓋依僧幻雲所錄、幻雲題三注會刻本云、吾邦有索隱本、有正義本、索隱與此注所載大同、至正義則此注所不載甚多、故標記諸欄外、東北大學藏史記古活字本二種、一爲慶長本、一爲寬永本、欄外補記正義、蓋依桃源抄也、前田侯爵書庫有博士家本史記異字五卷、所錄正義、概與桃源抄合、今依此數本補訂、以略復張氏之舊云、

史記正義論例

諸王侍讀宣議郎守右清道率府長史張守節上

論史例

古者帝王、右史記言、左史記事。言爲尚書、事爲春秋。太史公兼之。故名曰史記。并採六家雜說、以成一史。備論君臣父子夫妻長幼之序、天地山川國邑名號、殊俗物類之品也。太史公作史記、起黃帝·高陽·高辛·唐堯·虞舜·夏·殷·周·秦、訖于漢武帝天漢四年。合二千四百一十三年。作本紀十二、象歲十二月也。作表十、象天之剛柔十日、以記封建世代終始也。作書八、象一歲八節、以記天地日月山川禮樂也。作世家三十、象

一月三十日、三十輻共一轂、以記世祿之家、輔弼股肱之臣忠孝得失也。考證 史公自序云、二十八宿環北辰、三十輻共一轂。作三十世家。張氏所本。 作列傳七十、象一行七十二日。言七十者舉全數也。餘二日象閏餘也。以記王侯將相英賢、略立功名於天下可序列也。合百三十篇、象一歲十二月及閏餘也。而太史公作此五品、廢一不可以統理天地、勸奬箴誡、爲後之楷模也。

論注例

史記文與古文尚書同者、則取孔安國注。若與伏生尚書同者、則用鄭玄·王肅·馬融所釋。與三傳同者、取杜元凱·服虔·何休·賈逵·范甯等注。與三禮·論語·孝經同者、則取鄭玄·馬融·王

肅之注。與韓詩同者、則取毛傳·鄭箋等釋。考證 錢泰吉曰、韓詩下疑脫薛君注云云。 與周易同者、則依王氏之注。與諸子諸史雜書及先儒解釋善者、而裴駰並引爲注。又徐中散作音訓、校集諸本異同、或義理可通者、稱一本云又一本云。自是別記異文。裴氏亦引之爲注也。

論字例

史·漢文字、相承已久。若悅字作說、閑字作閒、智字作知、汝字作女、考證 以上采經典釋文序。 早字作蚤、後字作后、既字作漑、勑字作飭、制字作劕、此之般流、緣古少字、通共用之。考證 班馬字類、此之般流作如此之類。 史·漢本有此古字者、乃爲好本。程邈變篆爲隸、楷則有常。後

代作文、隨時改易。衛宏官書數體、呂忱或字多奇、鍾·王等家、以能爲法、致令楷文改變。非復一端。咸著祕書、傳之歷代。又字體乖日久。其黼黻之字法從黹。丁履反。 今之史本則有從耑。音端。 秦本紀云、天子賜孝公黼黻。考證 錢泰吉曰、孝公當作獻公。 鄒誕生音甫弗。而鄒氏之前、史本已從耑矣。如此之類、並卽依行、不可更改。若其黿鼉從龜、辭亂從舌、覺學從與、泰恭從小、匱匠從走、考證 張文虎曰、走疑辵。唐玄宗御書道德經匠作近。 巢藻從果、耕籍從禾、席下爲帶、美下爲火、裛下爲衣、極下爲點、析旁著片、惡上安西、餐側出頭、離邊作禹。此之等類、例直是訛字。考證 各本火作大、依班馬字類改。淩本之等倒、字類無之字。 寵勑勇反。字爲寵、錫字爲鍚音陽。以支章移反。代文、問分反。將无混无。若茲之流、便

成兩失。

論音例

史文與傳諸書同者、劉氏竝依舊本爲音。至如太史公改五帝本紀、便章百姓、便程東作、便程南譌、便程西成、便在伏物、咸依見字讀之。太史變尚書文者、義理特美。或訓意改其古澀。何煩如劉氏依尚書舊音。斯例蓋多、不可具錄。著在正義、隨文音之。君子宜詳其理。庶明太史公之達學也。然則先儒音字、比方爲音。至魏祕書孫炎、始作反音。又未甚切。今竝依孫反音、以傳後學。【考證】顏氏家訓音辭篇云、孫叔言創爾雅音義、是漢末人、獨知反語、至於魏世、此事大行、陸德明經典釋文序云、古人音書、止爲譬況之說、孫炎始爲翻語、魏朝以降、蔓衍寔繁、其說皆與張守節合、唐元和十年、景審序慧琳一切經音義云、古來音反、多以傍紐而爲雙聲、始自服虔、史記張耳陳餘

傳、吾王孱王也、索隱、案服虔音鉏閑反、服虔先於孫炎、梁玉繩瞥記云、翻切起於孫叔然、而涿郡高誘在孫之前、其注呂氏春秋淮南子、有急氣緩氣閉口籠口之法、已爲反切萌芽矣、鄭康成云。其始書之也、倉卒無字。或以音類、比方假借爲之。趣於近之而已。受之者非一邦之人。其鄉同言異、字同音異。於茲遂生輕重訛謬矣。然方言差別、固自不同。河北江南、最爲鉅異。或失在浮淸。或滯於重濁。【考證】顏氏家訓音辭篇云、南方水土和柔、其音淸舉而切詣、失在浮淺、其辭多鄙俗、北方山川深厚、其音沈濁而鈋鈍、得其質直、其辭多古語、陸方言切韻序云、吳楚則時傷輕淺、燕趙則多傷重濁、秦隴則去聲爲入、梁益則平聲似去、今之取捨、冀除茲弊。夫質有精麤、謂之好惡。竝如字、心有愛憎、稱爲好惡。竝去聲、當體則爲名譽。音預、論情則曰毀譽。音餘、自壞乎怪反、壞徹。上音怪、【考證】鄭康成云以下、采經典釋文序、顏氏家訓音辭篇云、夫物體自有精麤、精麤謂之好惡、人心有所去取、去取謂之好惡、此音見於葛洪徐邈、而河北學士讀尙書云、好生惡殺、是爲一論物體、一就人情、殊不通矣、愚按此釋文序所本、又按顧炎武音論云、先儒兩聲各義之說、不盡然、余考惡字、如楚辭離騷有曰理弱而媒

拙兮、恐導言之不固、時溷濁而嫉賢兮、好蔽美而稱惡、閨中既已邃遠兮、哲王又不寤、懷眹情而不發兮、余焉能忍與終古、又曰何所獨無芳艸兮、爾何懷乎故宇、時幽昧以眩曜兮、孰云察余之美惡、漢趙幽王友歌、我妃既妒兮、誣我以惡、讒女亂國兮、上曾不寤、此皆美惡之惡、而讀去聲、漢劉歆遂初賦、何叔子之好直兮、爲羣邪之所惡、賴祁子之一言兮、幾不免乎徂落、魏丁儀厲志賦、嗟世俗之參差兮、將未審乎好惡、咸隨情而與議兮、固眞僞以紛錯、此皆愛惡之惡、而讀入聲、乃知去入之別、不過發言輕重之閒、而非有此疆爾界之分也、盧文弨曰、顧氏此言極是、但不可施於今耳、自斷、徒緩反、自去離也、刀斷、端管反、以刀割令相去也、耶、也奢反、未審之辭也、也、亦且反、助句之語也、復、音伏、又扶富反、重也、過、古臥反、越度也、解、核買反、自散也、閒、紀莧反、隙也、【考證】張文虎曰、依下畜字例、復過解閒四字、當有重文異言今失、畜、許又反、畜、許六反、養也、先、蘇前反、仙、屑然反、尤、羽求反、侯、胡溝反、治持、竝音直之反、之、止而反、脂砥祗、竝音旨夷反、惟維遺唯、竝音以佳反、怡貽頤詒、竝音與之反、夷寅彝姨、竝音以脂反、私、息脂反、綏雖睢荾、竝音息遺反、偲司伺絲、竝音巨支反、【考證】張文虎曰、上下紐皆非、蓋涉下祇岐而誤、危枝祇肢、竝音章移反、祇歧、竝音巨支反、其期旗基騏、竝音渠之反、祈頎旂幾畿、竝音渠希反、僖熙嬉嘻、竝音許其反、希睎晞稀、竝音虛幾反、霏妃

菲騑、竝音芳非反、飛非扉、竝音匪肥反、尸屍蓍、竝音式脂反、詩、書之反、巾、居人反、斤筋、舉欣反、篇偏、竝音芳連反、穿、詳連反、【考證】張文虎曰、上紐非、又穿及上篇偏竝當有聲混異呼之字、今失、里李裏、竝音良止反、至贄、竝音脂利反、志、之吏反、利涖、竝音力至反、吏、力置反、寺嗣飼、竝音辭吏反、字牸、竝疾置反、自、疾二反、致躓鷙、竝陟利反、【考證】張文虎曰、置在志部、致躓在至部、不當同音、蓋傳寫錯亂、器、去冀反、氣、去既反、亟、去吏反、冀穊、几利反、既、居未反、覆、敷救反、又敷福反、副、敷救反、富鍑、竝府副反、若斯淸濁、實亦難分。博學碩材、乃有甄異。此例極廣。不可具言。庶後學士幸畱意焉。

音字例

文或相似、音或有異。一字單錄、乃恐致疑。兩字連文、檢尋稍易。若音上字、言上別之。所音下字、乃復書下。有長句在文中、

須音則題其字。

發字例

古書字少、假借蓋多。字或數音、觀義點發。皆依平上去入。【考證】錢大昕曰、自齊梁人分別四聲、而讀經史者、因有點發之例、觀守節所言、知唐初已盛行之矣、若發平聲、每從寅起。又一字三四音者、同聲異喚、一處共發。恐難辯別。故略舉四十二字。【考證】錢大昕曰、今止三十九字、如字初音者皆爲正字、不須點發。畜許六反、養也、又許救反、六畜也、又他六反、聚也、從訟容反、隨也、又縱容反、南北長也、又但容反、又子勇反、相勸也、又從用反、侍從也、又足用反、慫也、【考證】子勇反下、當有脫字、數色具反、歷數、術數也、又色五反、次第也、又色角反、頻也、傳逐戀反、書傳也、又逐全反、相付也、又張戀反、驛也、卒子律反、卒終也、又蒼忽反、急也、尊忽反、兵人也、字體各別、不辯、故發之也、【考證】張文虎曰、體疑當作義、卄二句當在注上觀義點發句下、辟君也、徵也、又頻亦反、罪也、開也、疋亦反、邪也、又疋豉反、諭也、又音避、隱也、又普覓反、辟歷也、【考證】張文虎曰、君也上、脫必亦反一音、施書移反、張也、又式豉反、與也、又羊豉反、延也、閒紀閑反、隟也、又紀莧反、閒也、又莧閒反、靜也、

射蛇夜反、射也、又食亦反、音石、夏胡馬反、禹號也、又胡嫁反、春夏也、又格雅反、陽夏縣也、復符富反、重也、又音伏也、又音福、除役也、重直拱反、尊也、直龍反、疊也、又直用反、累也、適聖石反、寬也、之也、又丁歷反、大也、又張革反、責也、又音敵、當也、汜音祀、水在成臯、又音凡、邑名、在襄城、又孚劒反、爲水、在定陶、高帝即位處也、又音夷、楚人呼土爲汜橋、【考證】錢大昕曰、音祀者从巳、凡音孚劒者从巳、形聲俱別、張文虎曰、汜字从巳、音怡、不音夷、恐按末句當作楚人呼土橋爲汜、此誤倒、樂音岳、謂音樂也、又音洛、歡也、又音五教反、好也、情願也、覆敷富反、蓋也、又敷福反、再也、恐曲用反、疑也、又丘拱反、懼也、惡烏各反、蠢也、又烏路反、憎也、又音烏、謂於何也、斷端管反、有物割截也、又段緩反、自相分也、又端亂反、斷疑事也、解佳買反、除結縛也、又核買反、散也、又佳債反、怠墮也、又核詐反、縫解、幾音機、庶幾也、又音祈、近也、又音記、亦冀望字也、又音紀、錄也、過光臥反、度也、罪過也、又音戈、經過也、度前也、率所律反、率例也、率伏也、又音類也、又音刷、徐廣云、率即鍰也、又音色類反、將帥也、屈丘勿反、曲也、又君勿反、姓也、又羣勿反、盡也、強也、上時讓反、位也、元在物之上、又時掌反、自下而上、王于方反、人主也、又于放反、霸王也、又盛也、長直良反、久也、又張丈反、長上也、藉才昔反、名籍也、又薦藉也、又租夜反、卽借也、培勃回反、補也、又蒲口反、冢也、勝音升、又式證反、難乃丹反、艱也、乃旦反、危也、使所里反、又所吏反、相息羊反、又息匠反、沈針甚反、又針禁反、又直今反、又沈禁反、厭沒也、【考證】張文虎曰、沈字無針甚針禁二音、上紐皆誤、任入今反、又入禁反、棺音官、又古玩反、又古患反、斂之也、造曹早反、七到反、

至也、妻七低反、切帝反、費非味反、用也、又音祕、邑也、扶味反、姓也、

諡法解【考證】洪頤煊曰、隋書經籍志、大戴禮記十三篇、注云、梁有諡法三卷、後漢安南太守劉熙注、亡、案大戴禮本有諡法篇、見白虎通、北堂書鈔卷三、引大戴禮諡法、其時尚未亡、太平御覽卷五百六十二引大戴禮曰、周公旦太師望相嗣王、作諡法一段、與周書諡法篇同、

惟周公旦·太公望、開嗣王業、建功于牧野。終將葬乃制諡、遂敘諡法。諡者行之迹。號者功之表。古者有大功、則賜之善號以爲稱也、車服者位之章也。是以大行受大名、細行受細名。行出於己、名生於人。名、謂號諡、【考證】盧文弨曰、古書兩重排列者、皆先將上一列順次排訖、而後始及於下一重、自後人誤以一上一下讀之、至改兩重爲一列、亦依今人所讀、而大失乎本來之次第矣、史記正義所載諡法解、亦本是兩重、改爲一列、文多間雜、亦當移正、張文虎曰、諡法解原本、蓋上下兩排、傳刻錯亂、惟游本尚存舊式、王本兩行相間、猶可攷尋、今參盧氏文弨鍾山札記訂本移正、其末三十餘諡、善惡雜糅、無可訂改、略依游本、

民無能名曰神不名一善　　一德不懈曰簡一不委曲

靖民則法曰皇靖安　　平易不訾曰簡不信訾毀

德象天地曰帝同於天地　　尊賢貴義曰恭尊事賢人寵貴義士

仁義所往曰王民往歸之　　敬事供上曰恭供奉也

立志及衆曰公志無私也　　尊賢敬讓曰恭敬有德讓有功

執應八方曰侯所執行八方應之　　既過能改曰恭言自知

賞慶刑威曰君能行四者　　執事堅固曰恭守正不移

從之成羣曰君民從之　　愛民長弟曰恭順長接弟

揚善賦簡曰聖所稱得人所善得實所賦得簡　　執禮御賓曰恭迎待賓也

敬賓厚禮曰聖厚於禮　　芘親之闕曰恭修德以蓋之

照臨四方曰明以明照之　　尊賢讓善曰恭不專己善推於人

譖訴不行曰明 逆知之故不行
經緯天地曰文 成其道
道德博聞曰文 無不知
學勤好問曰文 不恥下問
慈惠愛民曰文 惠以成政
愍民惠禮曰文 惠而有禮
賜民爵位曰文 與同升
綏柔士民曰德 安民以居安士以事
諫爭不威曰德 不以威拒諫
剛彊直理曰武 剛無欲彊不屈懷忠恕正曲直

威儀悉備曰欽 威則可畏儀則可象
大慮靜民曰定 思樹惠
純行不爽曰定 行一不傷
安民大慮曰定 以慮安民
安民法古曰定 不失舊意
辟地有德曰襄 取之以義
甲胄有勞曰襄 亟征伐
小心畏忌曰僖 思所當忌
質淵受諫曰釐 深故能受
有罰而還曰釐 知難而退

威彊敵德曰武 與有德者敵
克定禍亂曰武 以兵征故能定
刑民克服曰武 法以正民能使服
夸志多窮曰武 大志行兵多所窮極
安民立政曰成 政以安定
淵源流通曰康 性無忌
溫柔好樂曰康 好豐年勤民事
安樂撫民曰康 無四方之虞
合民安樂曰康 富而教之
布德執義曰穆 故穆穆

溫柔賢善曰懿 性純淑
心能制義曰度 制事得宜
聰明叡哲曰獻 有通知之聰
知質有聖曰獻 有所通而無蔽
五宗安之曰孝 五世之宗
慈惠愛親曰孝 周愛族親
秉德不回曰孝 順於德而不違
協時肇享曰孝 協合肇始
執心克莊曰齊 能自嚴
資輔共就曰齊 資輔佐而共成

中情見貌曰穆 性公露
容儀恭美曰昭 有儀可象行恭可美
昭德有勞曰昭 能勞謙
聖聞周達曰昭 聖聖通合
治而無眚曰平 無災罪也
執事有制曰平 不任意
布剛治紀曰平 施之政事
由義而濟曰景 用義而成
耆意大慮曰景 耆強也
布義行剛曰景 以剛行義

甄心動懼曰頃 甄精
敏以敬慎曰頃 疾於所慎敬
柔德安衆曰靖 成衆使安
恭己鮮言曰靖 恭己正身少言而中
寬樂令終曰靖 性寬樂義以善自終
威德剛武曰圉 禦亂患
彌年壽考曰胡 久也
保民耆艾曰胡 六十曰耆七十曰艾
追補前過曰剛 勤以補過
猛以剛果曰威 猛則少寬果敢行

淸白守節曰貞 行淸白執志固
大慮克就曰貞 能大慮非正而何
不隱無屈曰貞 坦然無私
辟土服遠曰桓 以武正定
克敬動民曰桓 敬以使之
辟土兼國曰桓 兼人故啓土
能思辯衆曰元 別之使各有次
行義說民曰元 民說其義
始建國都曰元 非善之長何以始之
主義行德曰元 以義爲主行德政

猛以彊果曰威 彊甚於剛
彊義執正曰威 問正言無邪
治典不殺曰祁 秉常不衰
大慮行節曰考 言成共節
治民克盡曰使 克盡無恩惠
好和不爭曰安 生而少斷
道德純一曰思 道大而德一
大省兆民曰思 大親民而不殺
外內思索曰思 言求善
追悔前過曰思 思而能改

聖善周聞曰宣 聞謂所聞善事也

兵甲亟作曰莊 以數征爲嚴

叡圉克服曰莊 通邊圉使能服

勝敵志强曰莊 不撓故勝

死於原野曰莊 非嚴何以死難

屢征殺伐曰莊 以嚴釐之

武而不遂曰莊 武功不成

柔質慈民曰惠 知其性

愛民好與曰惠 與謂施

夙夜警戒曰敬 敬身思戒

行見中外曰慤 表裏如一

狀古述今曰譽 立言之稱

昭功寧民曰商 明有功者

克殺秉政曰夷 秉政不任賢

安心好靜曰夷 不爽政

執義揚善曰懷 稱人之善

慈仁短折曰懷 短未六十折未三十

述義不克曰丁 不能成義

有功安民曰烈 以武立功

秉德尊業曰烈

合善典法曰敬 非敬何以善之

剛德克就曰肅 成其敬使爲終

執心決斷曰肅 言嚴果

不生其國曰聲 生於外家

愛民好治曰戴 好民治

典禮不愆曰戴 無過

未家短折曰傷 未家未娶

短折不成曰殤 有知而夭殤

隱拂不成曰隱 不以隱括改其性

不顯尸國曰隱 以閉主國

剛克爲伐曰翼 伐功也

思慮深遠曰翼 小心翼翼

外內貞復曰白 正而復終始一

不勤成名曰靈 任本性不見賢思齊

死而志成曰靈 志事不忝命

死見神能曰靈 有鬼不爲厲

亂而不損曰靈 不能以治損亂

好祭鬼怪曰靈 瀆鬼神不致遠

極知鬼神曰靈 其智能聰徹

殺戮無辜曰厲

見美堅長曰隱 美過其令

官人應實曰知 能官人

肆行勞祀曰悼 放心勞於淫祀言不修德

年中早夭曰悼 年不稱志

恐懼從處曰悼 從處言險圮

凶年無穀曰荒 不務耕稼

外內從亂曰荒 家不治官不治

好樂怠政曰荒 淫於聲樂怠於政事

在國遭憂曰愍 仍多大喪

在國逢囏曰愍 兵寇之事

愎很遂過曰刺 去諫曰愎反是曰很

不思忘愛曰刺 忘其愛己者

蚤孤短折曰哀 早未知人事

恭仁短折曰哀 體恭質仁功未施

好變動民曰躁 數移徙

不悔前過曰戾 知而不改

怙威肆行曰醜 肆意行威

壅遏不通曰幽 弱損不淩

蚤孤鋪位曰幽 鋪位即位而卒

動祭亂常曰幽 易神之班

禍亂方作曰愍 國無政動長亂

使民悲傷曰愍 苛政賊害

貞心大度曰匡 心正而用察少

德正應和曰莫 正其德應其和

施勤無私曰類 無私唯義所在

思慮果遠曰明 自任多近於專

嗇於賜與曰愛 言貪悋

危身奉上曰忠 險不辭難

克威捷行曰魏 有威而敏行

克威惠禮曰魏 雖威不逆禮

柔質受諫曰慧 以虛受人

名實不爽曰質 不爽言相應

溫良好樂曰良 言其人可好可樂

慈和徧服曰順 能使人皆服其慈和

博聞多能曰憲 雖多能不至於大道

滿志多窮曰惑 自足者必不惑

思慮不爽曰厚 不差所思而得

好內遠禮曰煬 朋淫於家不奉禮

去禮遠衆曰煬 不率禮不親長

內外賓服曰正 言以正服之

教誨不倦曰長。以道教之

肇敏行成曰直。始疾行成言不深

疏遠繼位曰紹。非其弟過得之

好廉自克曰節。自勝其情欲

好更改舊曰易。變故改常

愛民在刑曰克。道之以政齊之以法

除殘去虐曰湯

彰義揜過曰堅。明義以蓋前過

華言無實曰夸。恢誕

逆天虐民曰抗。背尊大而逆之

名與實爽曰繆。言名美而實傷

擇善而從曰比。比方善而從之

隱、哀也。景、武也。施德爲文。除惡爲武。辟地爲襄。服遠爲桓。剛克爲僖。考證張文虎曰、剛克爲僖、此有脫文、逸周書作剛克爲發、柔克爲懿、履正爲莊、有過爲僖、施而不成爲宣。惠無內德爲平。亂而不損爲靈。由義而濟爲景。餘皆象也。以其所爲諡、象其事行、和、會也。勤、勞也。遵、循也。爽、傷也。肇、始也。怙、恃也。享、祀也。胡、大也。秉、順也。就、會也。錫、與也。典、常也。肆、放也。康、虛也。叡、聖也。惠、愛也。綏、安也。堅、長也。耆、彊也。考、成也。周、至也。懷、思也。式、法也。布、施也。敏、疾也、速也。載、事也。彌、久也。

以前周書諡法、周代君王、竝取作諡、故全寫一篇、以傳後學、考證張文虎曰、以前周書云云二十三字、各本連上大書、今依下文分野題例、別行細書、

列國分野　考證張文虎曰、游本王本、並連諡法解後、無題目、

漢書地理志云。本秦京師爲內史。顏師古云、京師、天子所居畿內也、秦幷天下、改立郡縣、而京畿所統、特號內史、言其在內、以別於諸郡守也、百官表云、內史、周官、秦因之、掌治京師、景帝二年、分置左內史右內史、武帝太初元年、更名京兆尹、左內史名馮翊、主爵中尉、秦官、掌列侯、景帝六年、更名都尉、武帝太初元年、更名右扶風、治內史右地、與左馮翊京兆尹、是爲三輔也、

秦地。於天官、東井·輿鬼之分野。其界自弘農故關以西。京兆·扶風·馮翊·北地·上郡·西河·安定·天水·隴西。南有巴·蜀·廣漢·犍爲·武都。西有金城·武威·張掖·酒泉·敦煌。又西南有牂柯·越巂·益州。

魏地。觜·觿·參之分野。其界自高陵以東。盡河東·河內。南有陳留及汝南之召陵·㶏彊·新汲·西華·長平、潁川之舞陽·郾陵、河南之開封·中牟·陽武·酸棗·卷。卷、去權反、考證張文虎曰、依志、鄢陵當作鄢許偃陵、

周地。柳·七星·張之分野。今之河南·洛陽·穀城·平陰·偃師·鞏·緱氏。

韓地。角·亢·氐之分野。韓分晉得南陽郡及潁川之父城·定陵·

襄城·潁陽·潁陰·長社·陽翟·郟。東接汝南、西接弘農、得新安·宜陽·鄭、今河南之新鄭、及成皋·滎陽、潁川之崇高·陽城。

趙地。昴·畢之分野。趙分晉得趙國。北有信都·眞定·常山。考證張文虎曰、脫中山、又得涿郡之高陽·莫州鄉。東有廣平·鉅鹿·淸河·河閒。又得渤海郡之東平·舒·中邑·文安·東州·成平·章武河以北也。南至浮水·繁陽·內黃·斥丘。西有太原·定襄·雲中·五原·上黨。

燕地。尾·箕之分野。召公封於燕。後三十六世。與六國俱稱王。東有漁陽·右北平·遼西·遼東。西有上谷·代郡·鴈門。南有涿郡之易·容城·范陽。北有新成·故安·涿縣·良鄉·新昌。及渤海之安次。樂浪·玄菟、亦宜屬焉。

齊地。虛・危之分野。東有菑川・東萊・瑯邪・高密・膠東。南有泰山・城陽。北有千乘・淸河以南・渤海之高樂・高城・重合・陽信。西有濟南・平原。

魯地。奎・婁之分野。東至東海。南有泗水至淮。得臨淮之下相・睢陵・僮・取慮。

宋地。房・心之分野。今之沛・梁・楚・山陽・濟陰・東平及東郡之須昌・壽張、今之睢陽。

衞地。營室・東壁之分野。今之東郡、及魏郡之黎陽、河內之野王・朝歌。

楚地。翼・軫之分野。今之南郡・江夏・零陵・桂陽・武陵・長沙、及漢中・汝南郡。後陳・魯屬焉。

吳地。斗・牛之分野。今之會稽・九江・丹陽・豫章・廬江・廣陵・六安・臨淮郡。考證 張文虎曰、志作斗分野

粵地。牽牛・婺女之分野。今蒼梧・鬱林・合浦・交阯・九眞・南海・日南。

以前是戰國時諸國界域、及相侵伐、犬牙深入、然亦不能委細、故略記之、用知大略。

史記集解序

裴駰【索隱】駰字龍駒、河東聞喜人、宋中郎外兵曹參軍、父松之字世期、太中太夫、注三國志、宋書父子同傳、【正義】裴駰採九經諸史幷漢書音義及衆書之目、而解史記、故題史記集解序、序、緒也、孫炎云、謂端緒也、孔子作易序卦、子夏作詩序、序之義其來尚矣、【考證】諸本裴駰上有宋中郎外兵曹參軍七字、游王本止署裴駰二字、今從之、錢大昕曰、索隱序稱外兵參軍、後序稱外兵郎、互有不同、考隋書經籍志、史記八十卷、宋南中郎外兵參軍裴駰撰、又宋書南史本傳俱云、南中郎參軍、葢龍駒爲南中郎府之外兵參軍、宋齊之世、四中郎將、皆以皇子爲之、得開府置官屬、外兵其一曹也、南中郎者、所仕府之名、外兵者所署曹之名、參軍則其職也、中郎之上當有南字、索隱後序、稱外兵郎、則誤甚矣、

班固有言曰。【索隱】固撰漢書、作司馬遷傳、評其作史記所採之書、兼論其得失、故裴駰此序、先引之爲說也、案固字孟堅、扶風人、後漢明帝時、仕至中護軍、祖穉廣川太守、父彪徐令、續太史公書也、司馬遷【正義】字子長、左馮翊人也、漢武帝時爲太史令、撰史記百三十篇、父談亦爲太史令、據左氏·國語、【索隱】仲尼作春秋經、魯史左丘明作傳、合三十篇、故曰左氏傳、國語亦丘明所撰、上起周穆王、下訖敬王、其諸侯之事、起魯莊公、迄春秋末、凡二十一篇、采世本·戰國策、【索隱】劉向云、世本、古史官明於古事者之所記也、錄黃帝已來帝王諸侯及卿大夫系謚名號、凡十五篇也、戰國策、高誘云、六國時縱横之說也、一曰短長書、亦曰國事、劉向撰爲三十三篇、名曰戰國策、案此是班固取其後名而書之、非遷時已名戰國策也、述楚漢春秋、【索隱】漢太中大夫楚人陸賈所撰、記項氏與漢高祖初起、及說惠文閒事、接其後事、訖于天漢。【索隱】武帝年號、言太史公所記、迄至武帝天漢之年也、其言秦·漢詳矣。至於采經摭傳、【索隱】案字書、摭、拾也、音之赤反、分散數家之事、甚多疏略。或有抵捂。【索隱】抵、音丁禮反、捂、音吾故反、抵者觸也、捂亦斜相抵觸之名、案今屋梁上斜柱曰柱梧、是也、直觸横觸皆曰抵、斜觸謂之捂、下觸謂之抵、抵捂、言其參差也、以言彼此二文同出一家而自相乖舛也、亦其所涉獵者廣博、貫穿經傳、馳騁古今上下數千載閒、斯已勤矣。【正義】言史記、採經傳百家之事、上下二千餘年、此其甚勤於撰錄也、又其是非頗謬於聖人。【索隱】聖人、謂周公孔子也、言周孔之教、皆宗儒尚德、今太史公乃先黃老崇勢利、是謬于聖人也、【正義】太史公史記、各顯六家之宗、黃老道家之宗、六經儒家之首、序游俠則退處士、述貨殖則崇勢利、處士賤貧、原憲非病、夫作史之體、務涉多時、有國之規、備陳臧否、天人地理、咸使該通、而遷天縱之才、述作無滯、故異周孔之道、班固詆之、裴駰引序、亦通人之蔽也、而固作漢書、與史記同者五十餘卷、謹寫史記、少加異者、不弱卽劣、何更非剝史記、乃是後士妄非前賢、又史記五十二萬六千五百言、敘二千四百一十三年事、漢書八十一萬言、敘二百二十五年事、司馬遷引父致意、班固父修而蔽之、優劣可知矣、論大道、則先黃·老而後六經、【正義】大道者皆稟乎自然、不可稱道也、道在天地之前、先天地生、不知其名、字之曰道、黃帝老子、遵崇斯道、故太史公論大道、須先黃老而後六經、序游俠、則退處士而進姦雄、【索隱】游俠、謂輕死重氣、如荊軻豫讓之輩也、游、從也、行也、俠、挾也、持也、言能相從游行挾持之事、又曰、同是非曰俠也、【正義】姦雄、姦猾雄豪之人、述貨殖、【正義】殖、生也、言貨物滋生也、則崇勢利【正義】趨利之人、而羞貧賤。此其所蔽也。【正義】此三者是司馬遷不達理也、【考證】馮班曰、游俠貨殖之傳、詞旨激揚、有爲而言之、其志有可傷者、孟堅之言、未免深文、至於先黃老後六經、自是史談所論、談當文景之後、尚黃老者隨時也、至遷則不然矣、老子與韓非同傳、仲尼爲世家、自序言禮以節人云云、止言六經、不及黃老、父子自不同、班孟堅楊子雲、言無分別、葢未審耳、然自劉向·楊雄博極羣書。皆稱遷有良史之才、服其善序事理、辯而不華、質而不俚。【索隱】俚、音里、劉德曰、俚卽鄙也、崔浩云、世有鄙俚之語、則俚亦野也、俗也、不俚、謂詞不鄙樸也、其文直、其事核。不虛美、不隱惡。故謂之實錄。【考證】以上漢書司馬遷傳贊、駰以爲固之所言、世稱其當。【正義】駰、音因、當、音丁浪反、裴駰以班固所論司馬遷史記是非、世人稱班固之言、雖時有紕繆、【索隱】紕、音匹之反、紕猶錯也、亦作𢘿、字書云、織者兩絲同齒曰𢘿、繆亦與謬同、實勒成一家。【正義】雖有小紕繆、實編勒成一家之書矣、總其大較、【索隱】較、音角、較猶略也、則大較猶言大略也、【正義】較、猶明也、信命世之宏才也。【索隱】案孟子云、五百年之閒、必有名世者、趙岐曰、名世、次聖之才、物來能名、正一世者、生於聖人之閒也、此言命者名也、言賢人有名於世也、宏才、大才、謂史遷也、考較此書、文句不同、有多有少、莫辯其實。而世之惑者、定彼從此、是非相貿、眞僞舛雜。【正義】貿、音茂、舛、音昌轉反、言世之迷惑淺識之人、或定彼從此本、更相貿易、眞僞雜亂、不能辯其是非、故中散大夫東莞徐廣、研核衆本、爲作音義。【正義】作音義十三卷、裴駰爲注、散入百三十篇、具列異同、兼述訓解、【正義】徐作音義、具列異同之本、兼述訓解釋也、麤有所發明。而殊恨省略。【索隱】殊、絕也、左傳曰、斬其木不殊、言絕恨其所撰大省略也、【正義】省、音山景反、【考證】王鳴盛曰、考宋書五十五卷徐廣本傳云、字野民、東莞姑幕人云云、此傳敘述頗詳、並不言廣注史記、晉書八十二卷本傳、南史三十三卷本傳並同、葢偶然漏略、聊以愚管【索隱】案東方朔云、以管窺天、以蠡測海、皆喻小也、然此語本出莊子、文、今云愚管者、是駰謙言已愚陋管見、所識不能遠大也、增演徐氏。【正義】演、音羊善反、增、益也、言裴駰

更增益演徐氏之說、**采經傳百家、并先儒之說、**[正義]采、取也、或取傳說、採諸子百家、兼取先儒之義、先儒謂孔安國鄭玄服虔賈逵等是也、言百家、廣其非一、**豫是有益、悉皆抄內、**[正義]竝採經傳之說、有裨益史記、盡抄內其中、抄、音楚交反、**删其游辭、取其要實。**[正義]删、音師顏反、删、除也、去經傳諸家浮游之辭、取其精要之實、**或義在可疑、則數家兼列。**[正義]數家之說不同、各有道理、致生疑惑、不敢偏弃、故皆兼列、**漢書音義、稱臣瓚者、莫知氏姓。**[索隱]案卽傅瓚、而劉孝標以爲于瓚、非也、據何法盛晉書、于瓚以穆帝時爲大將軍誅死、不言有注漢書之事、又其注漢書、有引祿秩令及茂陵書、然彼二書亡于西晉、非于所見也、必知是傅瓚者、案穆天子傳目錄云、傳瓚爲校書郞、與荀勗同校定穆天子傳、卽當西晉之朝、在于之前、尙見茂陵等書、又稱臣者、以其職典祕書故也、瓚、音殘岸反、[考證]洪頤煊曰、臣瓚劉昭續漢志補注、劉孝標類苑、杜氏通典、俱作于瓚、史記索隱李善文選注、俱作傅瓚、酈道元水經注又作薛瓚、顏氏漢書敘例不載薛瓚之說、**今直云瓚曰。又都無姓名者、但云漢書音義。**[正義]漢書音義中有全無姓名者、裴氏注史記直云漢書音義、案大顏以爲無名義、今有六卷、題云孟康、或云服虔、蓋後所加、皆非其實、未詳指歸也、**時見微意、有所裨補。**[正義]見、音賢見反、裨、音卑、又音頻移反、裨、益也、裴氏云、時見己之微意、亦有所補益也、**譬嘒星之繼朝陽、**[索隱]嘒、微小

貌也、詩云、嘒彼小星、三五在東、言衆無名微小之星、各隨三心五噣、出在東方、亦能繼朝陽之光、嘒、音火慧反、朝陽、日也、嘒星繼朝陽、喻己淺薄而注史記也、**飛塵之集華嶽。**[正義]西嶽華山、極高大、裴氏自喻才藻輕小、如飛塵之集華嶽、亦能成其高大、管子云、海不辭水、故能成其大、山不辭土、故能成其高、華、音胡化反、又如字、[考證]一句謙辭、正義亦能成其高大六字可刪、**以徐爲本。**[正義]徐廣音義、辨諸家異同、故以徐爲本也、**號曰集解。未詳則闕、弗敢臆說。**[正義]有未詳審之處、則闕而不論、不敢以胷臆之中而妄解說也、**人心不同、**[正義]言人心既不同、所見亦殊別也、**聞見異辭。**[正義]耳聞目見、心意既乖、其辭所以各異也、**班氏所謂疏略抵捂者、依違不悉辯也。**[索隱]裴氏言今或依違不敢復更辯明之也、案周公世家敘傳曰、依之違之、周公綏之也、**愧非胥臣之多聞、**[索隱]晉大夫臼季、名曰胥臣、案國語稱晉文公使趙衰爲卿、辭曰、欒枝貞愼、先軫有謀、胥臣多聞、皆可以爲輔、又胥臣對文公、黃帝二十五子、及屯豫皆八等事、是多聞也、**子產之博物。**[索隱]鄭卿公孫僑字子產、案左氏傳、子產聘晉、言晉侯之疾、非實沈臺駘之祟、乃說飲食哀樂及內官不及同姓則能生疾、晉侯聞子產之言曰、博物君子也、**妄言末學、蕪穢舊史。豈足以關諸畜德。庶賢無所用心而已。**[索隱]關、預也、畜德、謂積德多學之人也、裴氏謙言已、今此集解、豈足關預於積學多識之士乎、正是冀望聖賢、勝於飽食終

日無所用心、愈於論語不有博弈者乎之人耳、[考證]庶幾、也、言區區編摩、亦勝羣居終日無所用心之人耳、[索隱]聵聵、

史記會注考證卷一

漢　太　史　令　司　馬　遷　撰

宋　中　郎　外　兵　曹　參　軍　裴　駰　集　解

唐　國　子　博　士　弘　文　館　學　士　司　馬　貞　索　隱

唐　諸　王　侍　讀　率　府　長　史　張　守　節　正　義

日　本　出　雲　瀧　川　資　言　考　證

五帝本紀第一　　史記一

【集解】凡是徐氏義、稱徐姓名以別之、餘者悉是駰注解、幷集衆家義、【索隱】紀者記也、本其事而記之、故曰本紀、又紀、理也、絲縷有紀、而帝王書稱紀者、言爲後代綱紀也、

【正義】鄭玄注中候勅省圖云、德合五帝坐星者稱帝、又坤靈圖云、德配天地、在正不在私、曰帝、案太史公依世本大戴禮、以黃帝顓頊帝嚳唐堯虞舜爲五帝、譙周應劭宋均皆同、而孔安國尚書序、皇甫謐帝王世紀、孫氏注世本、竝以伏犧神農黃帝爲三皇、少昊顓頊高辛唐虞爲五帝、裴松之史目云、天子稱本紀、諸侯曰世家、本者繫其本系、故曰本、紀者理也、統理衆事、繫之年月、名之曰紀、第者次序之目、一者擧數之由、故曰五帝本紀第一、禮云、動則左史書之、言則右史書之、正義云、左陽、故記動、右陰、故記言、言爲尚書、事爲春秋、案春秋時置左右史、故云史記也、【考證】史公自序曰、維昔黃帝、法天則地、四聖遵序、各成法度、唐堯遜位、虞舜不台、厥美帝功、萬世載之、作五帝本紀第一、柯維騏曰、五帝之名、見於孔子家語及大戴禮、其說有二、其一孔子答季康子、以伏犧配木、神農配火、黃帝配土、少昊配金、顓頊配水、此言數聖人革命改號、取法於五行之帝、非五帝之定名也、其一則孔子所答宰予五帝德、曰黃帝、曰顓頊、曰帝嚳、曰堯、曰舜、太史公所述五帝紀是也、厥後皇甫謐作帝王代紀、蘇子由作古史、鄭樵作通志、竝祖孔安國、以伏犧神農黃帝爲三皇、少昊顓頊帝嚳堯舜爲五帝、五峰雙湖胡氏、又主秦博士天皇地皇人皇之議、而以伏犧神農黃帝堯舜爲五帝、道原劉氏遂以爲定論、竊謂皆不如太史公之說爲可徵耳、林伯桐曰、古來制作、自黃帝而定、禮記祭法曰、黃帝正名百物、孔疏云、上雖有百物、而未有名、黃帝爲物作名、正名其體也、然則史記託始、自有深意、既以黃帝爲始、固當援大戴禮五帝之論爲據、不容任意增損、後來胡五峯劉道原謂五帝當冠以伏羲神農、而削去顓頊帝嚳、論似近正、然非史公自黃帝始之意矣、又以秦博士天皇地皇之議爲三皇定名、此則載在秦始皇紀、而史公終不以爲據者、顧欲拾其所棄、以相難、不亦異乎、中井積德曰、凡帝紀稱本者、對諸侯明本

統也、本、幹也、謂宗也、詩云、本支百世、紀是綱目之紀、謂相比次有倫理也、林駉曰、子長以事之繫于天下、則謂之紀、秦始皇已幷六國、事異于前、則始皇可紀也、項羽政由己出、且封漢王、則項羽可紀也、孝惠高后之時、政出房闈、君道不立、雖呂后亦可也、趙翼曰、文心雕龍云、太史公取式呂覽、著本紀以述皇王、今按呂覽十二紀、非專述帝王之事、而史記大宛傳贊則云、禹本紀言河出崑崙、高五百丈、又云、禹本紀及山海經所有怪物、予不敢言之也、是遷之作紀、非本於呂覽、而漢以前別有禹本紀一書、正遷所本耳、島田重禮曰、歐陽永叔曰、孔子修書、以堯舜爲斷、而子長上述黃帝、蓋以此爲詆厲、是亦不深考耳、夫宗其道、則欲詳其人、詳其人、則欲幷其父祖曾高而詳之、子長紀五帝、乃所以著堯舜所自出、孔子傳周文之易、而遂及羲黃堯舜、子長亦祖述其意焉耳、且其所採、出於戴記世本等、歷歷可徵、一則曰不離古文、二則曰取其最雅馴者、其取舍不苟如此、尚可目以好奇哉、

黃帝者、【集解】徐廣曰、號有熊、【索隱】案有土德之瑞、土色黃、故稱黃帝、猶神農火德王、而稱炎帝、然也、此以黃帝爲五帝之首、蓋依大戴禮五帝德、又譙周宋均亦以爲然、而孔安國皇甫謐帝王代紀、及孫氏注系本、竝以伏犧神農黃帝爲三皇、少昊高陽高辛唐虞爲五帝、注號有熊者、以其本是有熊國君之子故也、亦號軒轅氏、皇甫謐云、居軒轅之丘、因以爲名、又以爲號、又據左傳、亦號帝鴻氏也、【正義】輿地志云、涿鹿本名彭城、黃帝初都、遷有熊也、案黃帝有熊國君、乃少典國君之次子、號曰有熊氏、又曰縉雲氏、又曰帝鴻氏、亦曰帝軒氏、母曰附寶、之祁野、見大電繞北斗樞星、感而懷孕、二十四月而生黃帝於壽丘、壽丘在魯東門之北、今在兗州曲阜縣東北六里、生日角龍顏、有景雲之瑞、以土德王、故曰黃帝、封泰山、禪亭亭、亭亭在牟陰、

少典之子、【集解】譙周曰、有熊國君少典之子也、皇甫謐曰、有熊、今河南新鄭是也、【索隱】少典者、諸侯國號、非人名也、又案國語云、少典娶有蟜氏女、生黃帝炎帝、然則炎帝亦少典之子、炎黃二帝、雖則相承、如帝王代紀中間凡隔八帝、五百餘年、若以少典是其父名、豈黃帝經五百餘年而始代炎帝後爲天子乎、何其年之長也、又案秦本紀云、顓項氏之裔孫曰女脩、吞玄鳥之卵而生大業、大業娶少典氏而生柏翳、明少典是國號、非人名也、黃帝即少典氏後代之子孫、賈逵亦謂然、故左傳高陽氏有才子八人、亦謂其後代子孫而稱爲子是也、譙周字允南、蜀人、魏散騎常侍、徵不拜、此注所引者、是其人所著古史考之說也、皇甫謐字士安、晉人、號玄晏先生、今之所引者、是其所作帝王代紀也、**姓公孫、名曰軒轅。**【索隱】案皇甫謐云、黃帝生於壽丘、長於姬水、因以爲姓、居軒轅之丘、因以爲名、又以爲號、是本姓公孫、長居姬水、因改姓姬、【考證】大戴禮帝繫篇、少典產軒轅、是爲黃帝、博士家本史記異字引鄒誕生音云、作軒冕之服、故曰軒轅、愚按大戴禮五帝德無姓公孫三字、未詳史公所本、崔述曰、公孫者、公之孫也、公族未及三世、則無氏、氏之以公孫、非姓也、況上古之時、安有是哉、**生而神靈。弱而能言。**【索隱】弱謂幼弱時也、蓋未合能言之時、而黃帝即言、所以爲神異也、潘岳有哀弱子篇、其子未七旬曰弱、【正義】言神異也、易曰、陰陽不測之謂神、書云、人惟萬物之靈、故謂之神靈也、【考證】林伯桐曰、曲禮二十曰弱、在幼之後、黃帝紀弱而能言、則在幼之前、與曲禮不同、下文云、成而聰明、此成字、乃曲禮所謂弱也、**幼而徇齊。**【集解】徐廣曰、墨子曰、年踰十五、則聰明心慮、無不徇通矣、駰案徇、疾、齊、速也、言聖德幼而疾速也、【索隱】斯文未明、今

禮、竝作叡齊、一本作慧齊、叡慧皆智也、太史公採大戴禮而爲此紀、今彼文無作徇者、史記舊本亦有作濬齊、蓋古字假借徇爲濬、濬、深也、義亦竝通、爾雅齊速俱訓爲疾、尚書大傳曰、多聞而齊給、鄭注云、齊、疾也、今裴氏注云、徇亦訓疾、未見所出、或當讀徇爲迅、迅於爾雅與齊俱訓疾、則迅濬雖異字而音同也、又爾雅曰、宣徇遍也、濬通也、是遍之與通義亦相近、言黃帝幼而才智周徧、且辯給也、故墨子亦云、年踰五十、則聰明心慮不徇通矣、俗本作十五、非是、案謂年老踰五十不聰明、何得云十五、【正義】幼謂七歲已下時也、【考證】杳德甚曰、徇當作侚、說文人部、侚、疾也、徐諧繫傳引史記幼而侚齊、羣書治要引同、張文虎曰、如索隱所言、則相承作徇久矣。**長而敦敏。成而聰明。**【正義】成謂年二十冠成人也、聰明聞見明辯也、此以上至軒轅、皆大戴禮文、【考證】以上採五帝德、**軒轅之時、神農氏世衰。**【集解】皇甫謐曰、易稱庖犧氏沒、神農氏作、是爲炎帝、班固曰、敎民耕農、故號曰神農、【索隱】世衰、謂神農氏後代子孫道德衰薄、非指炎帝之身、卽班固所謂參盧、皇甫謐所云帝榆罔是也、【正義】帝王世紀云、神農氏姜姓也、母曰任姒、有蟜氏女、登爲少典妃、遊華陽、有神龍首、感生炎帝、人身牛首、長於姜水、有聖德、以火德王、故號炎帝、初都陳、又徙魯、又曰魁隗氏、又曰連山氏、又曰列山氏、括地志云、厲山在隨州隨縣北百里、山東有石穴、曰神農生於厲鄉、所謂列山氏也、春秋時爲厲國、【考證】張文虎曰、正義山東有石穴、曰神農生於厲鄉、疑有脫誤、**諸侯相侵伐、暴虐百姓。而神農氏弗能征。於是軒轅乃習用干戈、以征不**

享。【索隱】謂用干戈以征諸侯之不朝享者、本或作亭、亭訓直、以征諸侯之不直者、【考證】博士家本史記異字引楓山三條南化本云、能征之征作正、洪頤煊曰、詩韓奕、榦不庭方、國語周語、以待不庭不虞之患、左氏襄十六年傳同、討不庭、不亭乃不庭、古字通用、**諸侯咸來賓從。而蚩尤最爲暴、莫能伐。**【集解】應劭曰、蚩尤古天子、瓚曰、孔子三朝記曰、蚩尤庶人之貪者、【索隱】案此紀云、諸侯相侵伐、蚩尤最爲暴、則蚩尤非爲天子也、又管子曰、蚩尤受盧山之金而作五兵、明非庶人、蓋諸侯號也、劉向別錄云、孔子見魯哀公問政、比三朝、退而爲此記、故曰三朝、凡七篇、竝入大戴記、今此注見用兵篇也、【正義】龍魚河圖云、黃帝攝政、有蚩尤兄弟八十一人、竝獸身人語、銅頭鐵額、食沙石子、造立兵仗刀戟大弩、威振天下、誅殺無道、不慈仁、萬民欲令黃帝行天子事、黃帝以仁義不能禁止蚩尤、乃仰天而歎、天遣玄女下授黃帝兵信神符、制伏蚩尤、帝因使之主兵、以制八方、蚩尤沒後、天下復擾亂、黃帝遂畫蚩尤形像、以威天下、天下咸謂蚩尤不死、八方萬邦、皆爲弭服、山海經云、黃帝令應龍攻蚩尤、蚩尤請風伯雨師、以從大風雨、黃帝乃下天女曰魃、以止雨、雨止、遂殺蚩尤、孔安國曰、九黎君號蚩尤是也、【考證】尚書呂刑、蚩尤惟始作亂、延及於平民、罔不寇賊、鴟義姦宄、奪攘矯虔、呂氏春秋蕩兵篇、蚩尤作兵、非作兵也、未有蚩尤之時、民固剝林木以戰矣、**炎帝欲侵陵諸侯。諸侯咸歸軒轅。軒轅乃修德振兵、**【正義】振、整也、**治五氣、**【集解】王肅曰、五行之氣、【索隱】謂春甲乙木氣、夏丙丁火氣之屬、是五氣也、**蓺五種、**【集解】駰案、蓺、樹也、詩云、蓺之荏菽、周禮曰、穀宜五種、鄭玄曰、五種、黍稷菽麥稻也、【索隱】蓺、種也、

樹也、五種卽五穀也、音朱用反、此注所引見詩大雅生民之篇、爾雅云、荏菽、戎菽也、郭璞曰、今之胡豆、鄭氏曰、豆之大者是也、【正義】蓺、音魚曳反、種、音腫、【考證】五帝德作設五穀、**撫萬民、度四方。**【集解】王肅曰、度四方而安撫之、【正義】度、音徒洛反、**教熊羆貔貅貙虎、**【索隱】書云、如虎如貔、爾雅云、貔、白狐、禮曰、前有摯獸、則載貔貅是也、爾雅又曰、貙獌似貍、此六者猛獸、可以教戰、周禮有服不氏、掌教擾猛獸、卽古服牛乘馬、亦其類也、【正義】熊、音雄、羆、音碑、貔、音毗、貅、音休、貙、音丑于反、羆如熊、黃白色、郭璞云、貔、執夷、虎屬也、案言教士卒習戰、以猛獸之名名之、用威敵也、【考證】林伯桐曰、正義之說最確、後世軍陣之名、實昉於此、愚按林說雖巧、難從、史文但當以字解耳、**以與炎帝戰於阪泉之野。**【集解】服虔曰、阪泉、地名、皇甫謐曰、在上谷、【正義】阪、音白板反、括地志云、阪泉今名黃帝泉、在嬀州懷戎縣東五十六里、出五里至涿鹿東北、與涿水合、又有涿鹿故城、在嬀州東南五十里、本黃帝所都也、晉太康地理志云、涿鹿城東一里有阪泉、上有黃帝祠、案阪泉之野、則平野之地也、【考證】五帝德、炎帝作赤帝、僖二十五年左傳、遇黃帝戰于阪泉之兆、阪泉今在直隸保定境、**三戰然後得其志。**【正義】謂黃帝克炎帝之後、【考證】崔述曰、漢書律歷志、以炎帝爲神農氏、太皞爲庖羲氏、後人纂古史、皆遵之、無異詞、以余考之不然、易傳曰、包犧氏沒、神農氏作、神農氏沒、黃帝堯舜氏作、是庖羲神農在黃帝之前也、春秋傳曰、黃帝氏以雲紀、炎帝氏以火紀、共工氏以水紀、太皞氏以龍紀、是炎帝大皞在黃帝之後也、然則庖羲氏之非大皞、神農氏之非炎帝也、明矣、史記五帝紀曰、軒轅氏之時、神農氏世衰、諸侯相侵伐、暴虐百姓、而神農氏弗能征、又曰、炎帝欲侵陵諸

侯、軒轅乃脩德振兵、以與炎帝戰於阪泉之野、三戰然後得其志、夫神農氏既不能征諸侯矣、又安能侵陵諸侯、既云世衰矣、又何待三戰然後得志乎、且前文言衰弱、凡兩稱神農氏、皆不言炎帝、後文言征戰、凡兩稱炎帝、皆不言神農氏、然則與黃帝戰者自炎帝、與神農氏無涉也、其後又云、諸侯尊軒轅爲天子、代神農氏、又不言炎帝、然則帝於黃帝之前者神農氏、與炎帝無涉也、封禪書云、古者封泰山禪梁父者七十二家、而夷吾所記者十有二焉、神農封泰山禪云云、炎帝封泰山禪云云、夫十有二家中、既有神農、復有炎帝、其爲二人明甚、烏得以炎帝爲神農氏也哉、戰國策曰、神農氏伐補遂、黃帝伐涿鹿而擒蚩尤、亦列神農於黃帝前、而不云炎帝、晉語曰、黃帝以姬水成、炎帝以姜水成、亦列炎帝於黃帝後、而不云神農、神農之非炎帝也、明矣、愚按治五氣蓺五種以下、采五帝德、慶長本引古鈔本楓山三條南化本、得下有行字、**蚩尤作亂、不用帝命。**【正義】言蚩尤不用黃帝之命也、**於是黃帝乃徵師諸侯、與蚩尤戰於涿鹿之野。**【集解】服虔曰、涿鹿、山名、在涿郡、張晏曰、涿鹿在上谷、【索隱】或作濁鹿、古今字異耳、案地理志、上谷有涿鹿縣、然則服虔云在涿郡者誤也、【考證】涿鹿、今直隸宣化保安州南、**遂禽殺蚩尤。**【集解】皇覽曰、蚩尤冢在東平郡壽張縣闞鄉城中、高七丈、民常十月祀之、有赤氣出、如匹絳帛、民名爲蚩尤旗、肩髀冢在山陽郡鉅野縣重聚、大小與闞冢等、傳言黃帝與蚩尤戰於涿鹿之野、黃帝殺之、身體異處、故別葬之、【索隱】案皇甫謐云、黃帝使應龍殺蚩尤于凶黎之谷、或曰、黃帝斬蚩尤于中冀、因名其地曰絕轡之野、注、皇覽、書名也、記先代冢墓之處、宜皇王之省覽、故曰皇覽、是魏人王象繆襲等所撰也、【正義】髀、白米反、【考證】殷本紀引湯誥云、昔

蚩尤與其大夫作亂百姓、戰國策、黃帝伐涿鹿而擒蚩尤、而諸侯咸尊軒轅爲天子、代神農氏。是爲黃帝。天下有不順者。黃帝從而征之、平者去之。【正義】平服者卽去也、披山通道、未嘗寧居。【集解】徐廣曰、披、他本亦作陂字、蓋當音詖、陂者旁其邊之謂也、披語誠合今世、然古今不必同也、【索隱】披音如字、謂披山林草木而行以通道也、徐廣音詖、恐稍紆也、東至于海、登丸山、【集解】徐廣曰、丸一作凡、駰案地理志曰、丸山在郎邪朱虛縣、【索隱】注丸一作凡、凡音扶嚴反、【正義】丸音桓、括地志云、丸山卽丹山、在青州臨胸縣界朱虛故縣西北二十里、丹水出焉、丸音紈、守節案地志唯有凡山、蓋凡山丸山是一山耳、諸處字誤、或凡或丸也、漢書郊祀志云、禪丸山、顏師古云、在朱虛、亦與括地志相合、明丸山是也、及岱宗。【正義】泰山東岳也、在兗州博城縣西北三十里也、【考證】成孺曰、徐堅初學記九引史記、丸山作桓山、丸桓同音、據此知唐本史記作丸不作凡、西至于空桐、【集解】應劭曰、山名、韋昭曰、在隴右、登雞頭。【索隱】山名也、後漢王孟塞雞頭道、在隴西、一曰崆峒山之別名、【正義】括地志云、空桐山、在肅州福祿縣東南六十里、抱朴子內篇云、黃帝西見中黃子、受九品之方、過空桐、從廣成子受自然之經、卽此山、括地志又云、笄頭山一名崆峒山、在原州平高縣西百里、禹貢涇水所出、輿地志云、或卽雞頭山也、酈元云、蓋大隴山異名山、也、莊子云、廣成子學道崆峒山、黃帝問道於廣成子、蓋在此、案二處崆峒皆云黃帝登之、未詳孰是、【考證】成孺曰、崆峒、古祇作空桐、當是隴西地名、非山也、史記於丸山岱宗雞

頭熊湘、竝繫以登、而東至于海、西至于空桐、南至于江、空桐但與江漢類列、則其爲地名、而非山可知、韋昭曰、在隴右、索隱前說云、在隴西、最合、應劭及索隱後說竝非也、南至于江、登熊湘。【集解】封禪書曰、南伐至于召陵、登熊山、地理志曰、湘山在長沙益陽縣、【正義】括地志云、熊耳山在商州上洛縣西十里、齊桓公登之以望江漢也、湘山一名艑山、在岳州巴陵縣南十八里也、【考證】成孺曰、黃帝所登熊耳、與湘山相近、自當以在益陽者爲是、集解以桓公所登者釋之誤、北逐葷粥、【集解】匈奴傳曰、唐虞以上有山戎獫狁葷粥、居于北蠻、【索隱】匈奴別名也、唐虞已上曰山戎、亦曰熏粥、夏曰淳維、殷曰鬼方、周曰玁狁、漢曰匈奴、【正義】葷音薰、粥音育、合符釜山、【索隱】合諸侯符契圭瑞、而朝之於釜山、猶禹會諸侯於塗山然也、又案郭子橫洞冥記稱、東方朔云、東海大明之墟、有釜山、山出瑞雲、應王者之符命、如堯時有赤雲之祥之類、蓋黃帝黃雲之瑞、故曰合符應於釜山也、【正義】括地志云、釜山在嬀州懷戎縣北三里、山上有舜廟、而邑于涿鹿之阿、【正義】廣平曰阿、涿鹿山名、已見上、涿鹿故城在山下、卽黃帝所都之邑、於山下平地、遷徙往來無常處。以師兵爲營衛。【正義】環繞軍兵爲營以自衛、若轅門卽其遺象、官名皆以雲命。爲雲師。【集解】應劭曰、黃帝受命、有雲瑞、故以雲紀事也、春官爲青雲、夏官爲縉雲、秋官爲白雲、冬官爲黑雲、中官爲黃雲、張晏曰、黃帝有景雲之應、因以名師與官、命、名也、【考證】昭公十七年左傳引郯子言曰、昔者黃帝氏以雲紀官、故爲雲師、而雲名、史公所本、又見家語辨物篇、置左右大監、監于

萬國。【正義】監、上監去聲、下監平聲、若周邵分陝也、萬國和、而鬼神山川封禪、與爲多焉。【集解】徐廣曰、多一作朋、【索隱】與音羊汝反、與猶許也、言萬國和同、而鬼神山川封禪祭祀之事、自古以來帝皇之中、推許黃帝以爲多、多猶大也、【正義】與猶比也、【考證】中井積德曰、言鬼神封禪之事、於其政理中許多也、徐孚遠曰、此皆武帝時方士附會、詳在封禪書中、本紀略舉其遠、獲寶鼎、迎日推筴。【集解】晉灼曰、策、數也、迎、數之也、瓚曰、日月朔望、未來而推之、故曰迎日、【索隱】封禪書曰、黃帝得寶鼎神策、下云、於是推策迎日、則神策者神蓍也、黃帝得蓍以推算歷數、於是逆知節氣日辰之將來、故曰推策迎日也、【正義】筴音策、迎、逆也、黃帝受神筴、命大撓造甲子、容成造曆、是也、舉風后・力牧・常先・大鴻以治民。【集解】鄭玄曰、風后、黃帝三公也、班固曰、力牧、黃帝相也、大鴻見封禪書、【正義】舉任用四人、皆帝臣也、帝王世紀云、黃帝夢大風吹、天下之塵垢皆去、又夢人執千鈞之弩、驅羊萬羣、帝寤而歎曰、風爲號令執政者也、垢去土后在也、天下豈有姓風名后者哉、夫千鈞之弩、異力者也、驅羊數萬羣、能牧民爲善者也、天下豈有姓力名牧者哉、於是依二占而求之、得風后於海隅、登以爲相、得力牧於大澤、進以爲將、黃帝因著占夢經十一卷、藝文志云、風后兵法十五篇圖二卷、孤虛二十卷、力牧兵法十五篇、鄭玄云、風后黃帝之三公也、案黃帝仰天地、置列侯衆官、以風后配上台、天老配中台、五聖配下台、謂之三公也、封禪書云、鬼臾區號大鴻、黃帝大臣也、死葬雍、故鴻冢是、藝文志云、鬼容區兵法三篇也、【考證】崔述曰、黃炎之世、卿相之名、未有見於傳者、則四人恐亦後人託言、縱使有之、而其時未有典冊、則兵法非其所著明矣、順天地

之紀、【正義】言黃帝順天地陰陽四時之紀也、【考證】李笠曰、順字蒙下三句、爾雅釋詁、順、陳也、幽明之占、【正義】幽、陰、明、陽也、占、數也、言陰陽五行、黃帝占數而知之、此文見大戴禮、【考證】五帝德、家語、占作故、李笠曰、占疑是故之爛文、死生之說、【集解】徐廣曰、一云幽明之數、合死生之說、【正義】說、謂儀制也、民之生死、此謂作儀制禮則之說、存亡之難、【索隱】存亡猶安危也、易曰、危者安其位、亡者保其存、是也、難猶說也、凡事是非未盡、假以往來之詞則曰難、又上文有死生之說、故此云存亡之難、所以韓非著書有說林說難也、【正義】難、音乃憚反、存亡猶生死也、黃帝之前、未有衣裳屋宇、及黃帝造屋宇、制衣服、營殯葬、萬民故免存亡之難、【考證】李笠曰、家語云、以順天地之紀、知幽明之故、達死生存亡之說、曰知曰達、亦卽陳順之意、以死生存亡和作一句者、避說字之複也、小司馬云、難猶說、是矣、然韓子說難、謂游說之不易、辨難之義、與彼無涉、愚按、難猶變也、時播百穀草木、【集解】王肅曰、時、是也、【索隱】爲一句、【正義】言順四時之所宜、而布種百穀草木也、【考證】時讀爲蒔、淳化鳥獸蟲蛾、【索隱】爲一句、蛾音牛綺反、一作豸、豸言淳化廣被及之、【正義】蛾、音魚起反、又音豸、豸音直氏反、蟻、蚍蜉也、爾雅曰、有足曰蟲、無足曰豸、【考證】索隱豸下脫音言字、當在化字下、旁羅日月星辰、水波土石金玉、【集解】徐廣曰、波一作沃、【索隱】旁非一方、羅、廣布也、今案大戴禮作歷離、離卽羅也、言帝德旁羅日月星辰水波及至土石金玉、謂日月揚光、海水不波、山不藏珍、皆是帝德廣被也、【正義】旁羅猶遍布也、日月陰陽時節也、星二十八宿也、辰、日月所會也、水波瀾漪也、言天不異災、土無別害、水少波浪、

山出珍寶、【考證】淩稚隆曰、旁羅、乃測天度之器、如今之日晷地羅也、愚按百穀草木鳥獸蟲蛾、日月星辰、土石金玉、心力耳目、水火材物、皆物也、時播淳化、旁羅水波、勞勤節用、皆事、水波未詳、或云、水、壞字扁旁存者、波當從徐氏一本作沃、大戴禮作極畋、阮氏補注云、畋、治也、極、言至於四邊、亦不通、**勞勤心力耳目、節用水火材物。**【正義】節、時節也、水、陂障決洩也、火、山野禁放也、材、木也、物、事也、言黃帝教民、江湖陂澤山林原隰、皆收採禁捕以時、用之有節、令得其利也、大戴禮云、宰我問於孔子曰、予聞榮伊曰、黃帝三百年、請問黃帝者人耶、何以至三百年、孔子曰、勞勤心力耳目、節用水火材物、生而民得其利百年、死而民畏其神百年、亾而民用其敎百年、故曰三百年也、【考證】中井積德曰、材物是一件、泛稱、愚按順天地之紀以下、采五帝德、**有土德之瑞。故號黃帝。**【索隱】炎帝火、黃帝土代之、卽黃龍地螾見、是也、螾、土精、大五六圍、長十餘丈、螾、音引、【正義】螾、音以刃反、【考證】呂氏春秋應同篇、黃帝之時、天先見大螾大螻、黃帝曰、土氣勝、土氣勝、故其色尚黃、其事則土、史記封禪書云、黃帝得土德、黃龍地螾見、崔述曰、近代纂古史者、咸云伏羲以木德王、神農以火德王、黃帝以土德王、少皞以金德王、顓頊以水德王、帝嚳堯舜以降、皆以五行周而復始、余按帝王之興、果以五行終始、則此乃天下之大事也、二帝之典、三王之誓誥、必有言之者、卽不言、若易春秋傳、竆陰陽之變、徵黃炎之事、述神怪之說詳矣、猶絕無一言及之、然則是戰國以前原無此說也明矣、洪範曰、水曰潤下、火曰炎上、木曰曲直、金曰從革、土爰稼穡、不言其爲帝王受命之符也、夫天下之事、孰有大於帝王受命者、曲直從革之屬、抑末矣、何故舍其大者不言、而但言其細者乎、傳曰、黃帝氏以雲紀、炎帝氏以火紀、共工氏以水紀、太皞氏以龍紀、少皞氏以鳥紀、是帝王

之興、各因物以取義、不必於五行也、各因義以立名、無所謂終始也、不然以水以火、可矣、以雲龍鳥何說焉、傳曰、陳、水族也、又曰、衞、顓頊之虛也、其星爲大水、此自謂顓頊之應乎、水耳、非謂帝王皆以五行相終始也、若皆以五行相終始、則舜以土德王、何以論陳者、不近係之舜之土、而反遠係之顓頊之水乎、夫五行之說、昉於洪範、上古帝王之事、詳於春秋傳、洪範不言、春秋傳之說不合、然則是爲五德終始之說者、乃異端之說、而非聖賢之旨也明矣、五德終始之說、起於鄒衍、而其施諸朝廷政令、則在秦幷天下之初、史記封禪書、及始皇本紀、孟子荀卿列傳、言之詳矣、其說以爲黃帝得土德、黃龍地螾見、夏得木德、青龍止於郊、殷得金德、銀自山溢、周得火德、有赤烏之符、皆以所不勝者遞推之、是以秦之代周、自謂水德、而漢賈誼公孫臣、皆謂漢當土德、太初改制、服色尚黃、用衍說也、蓋自周道既衰、異端並起、大略分爲六術、史記自敍所謂儒墨道德名法陰陽是也、而衍以陰陽專門名家、漢志九流、次陰陽於道家法家之間、而其書目有鄒子四十九篇、鄒子終始五十六篇、史記亦云、騶衍以陰陽主運顯於諸侯、燕齊海上之方士傳其術、怪迂阿諛苟合之徒、自此不可勝數也、則是司馬遷固已非之矣、且龍止銀溢、皆荒唐無可證、赤烏之符雖見於河內女子之泰誓、然白魚入舟、不又爲金德乎、此固大雅君子所不道也、以秦之愚、至於焚詩書求神仙、其爲衍說所欺固宜、後之學者、何爲而亦爲其所欺耶、**黃帝二十五子。其得姓者十四人。**【索隱】舊解破四爲三、言得姓十三人耳、今案國語胥臣云、黃帝之子二十五宗、其得姓者十四人、爲十二姓、姬酉祁己滕葴任荀僖姞嬛依是也、唯青陽與夷鼓同己姓、又云、青陽與蒼林爲姬姓、是則十四人爲十二姓、其文甚明、唯姬姓再稱青陽與蒼林、蓋國語文誤、所以致令前儒共疑、其姬姓青陽、當爲玄囂、是帝嚳祖、本與黃帝同姬姓、其

國語上文青陽、卽是少昊金天氏、爲己姓者耳、既理在不疑、無煩破四爲三、【正義】僖、音力其反、姞、其吉反、嬛、音在宣反、【考證】黃帝二十五子以下、本晉語胥臣言、崔述曰、上古之時、人情樸略、容有未受姓者、故因錫土而遂賜之、所以禹貢有錫土姓之文、非每人皆賜之以姓也、安有同父而異姓者哉、姓也者、生也、有姓者所以辨其所由生也、苟同父而各姓其姓、則所由生者無可辨、有姓曷取焉、且十二姓之見於傳者、姬祁己任姞五姓而已、然皆相爲昏姻、后稷取於姞、王季取於任、春秋時、晉之欒與祁昏、魯之孟與己昏、而姬劉祁范、乃世爲昏姻、皆無譏者、果同祖也、可爲昏乎、若同祖者易其姓而卽可爲昏、則吳之孟子何譏焉、春秋傳云、任宿須句顓臾風姓也、實司大皞與有濟之祀、又云、炎帝爲火師、姜姓其後也、觀其文、皆似古帝王之子孫、世守其姓而不改者、唯虞後本姚姓、而陳乃嬀姓、故晉史趙以爲周之所賜、蓋偶然之事、時或有他故焉、要之嬀猶姚耳、非姚與嬀之遂可以相爲昏也、自國語始有一人子孫分爲數姓之說、而大戴記從而衍之、史記又從而采之、遂謂唐虞三代共出一祖、而帝王之族姓遂亂雜而失其眞矣、然則是誣古聖而惑後儒者、皆國語爲之濫觴也、**黃帝居軒轅之丘、**【集解】皇甫謐曰、受國於有熊、居軒轅之丘、故因以爲名、又以爲號、山海經曰、在竆山之際、西射之南、張晏曰、作軒冕之服、故謂之軒轅、**而娶於西陵氏之女。是爲嫘祖。**【集解】徐廣曰、祖一作俎、嫘、力追反、【索隱】一曰雷祖、音力堆反、【正義】西陵、國名也、嫘一作傫、【考證】陵下氏字、各本脫、依古鈔本、楓山本、三條本、及御覽引史記補、大戴禮帝繫篇亦有、**嫘祖爲黃帝正妃。生二子。其後皆有天下。**【索隱】案黃帝立四妃、象后妃四星、皇甫謐云、元妃西陵氏女、曰累祖、生

昌意、次妃方雷氏女、曰女節、生青陽、次妃彤魚氏女、生夷鼓、一名蒼林、次妃嫫母、班在三人之下、案國語、夷鼓蒼林是二人、又案漢書古今人表、彤魚氏生夷鼓、嫫母生蒼林、不得如謐所說、太史公乃據大戴禮以累祖生昌意及玄囂、玄囂卽青陽也、皇甫謐以青陽爲少昊、乃方雷氏所生、是其所見異也、**其一曰玄囂。是爲青陽。**【索隱】玄囂、帝嚳之祖、案皇甫謐及宋衷皆云、玄囂青陽卽少昊也、今此紀下云、玄囂不得在帝位、則太史公意青陽非少昊明矣、而此又云、玄囂是爲青陽、當是誤也、謂二人皆黃帝子、竝列其名、所以前史因誤以玄囂青陽爲一人耳、宋衷又云、玄囂青陽是爲少昊、繼黃帝立者、而史不敍、蓋少昊金德王、非五運之次、故敍五帝不數之也、【考證】杭世駿曰、按戴德禮有孝昭冠辭、則其後於太史公明矣、集解意以爲太史公乃據大戴禮、疑有誤、沈家本曰、太史公所據帝繫篇、在今大戴禮中、故裴注云然、大戴禮亦漢初相傳之書、戴德刪篇八十五篇、遂名大戴、實非德所撰述也、**青陽降居江水。**【正義】括地志云、安陽故城、在豫州新息縣西南八十里、應劭云、古江國也、地理志亦云、安陽、古江國也、【考證】帝繫篇、江水作泜水、**其二曰昌意。降居若水。**【索隱】降下也、言帝子爲諸侯、降居江水、若水、皆在蜀、卽所封國也、水經曰、水出旄牛徼外、東南至故關爲若水、南過邛都、又東北至朱提縣爲盧江水、是蜀有此二水也、**昌意娶蜀山氏女。曰昌僕。生高陽。**【考證】黃帝居軒轅以下、采帝繫、古鈔、楓山、三條、南化本、慶長本標記引鄒誕本、僕作漢、與帝繫合、**高陽有聖悳焉。**【正義】華陽國志及十三州志云、蜀之先、肇於人皇之際、黃帝之子昌意、娶蜀山氏、後子孫因封焉、帝顓頊高陽氏、

黃帝之孫、昌意之子、母曰昌僕、亦謂之女樞、河圖云、瑤光如蜺、貫月正白、感女樞於幽房之宮、生顓頊、首戴干戈、有德文也、**黃帝崩。**【集解】皇甫謐曰、在位百年而崩、年百一十一歲、【索隱】案大戴禮、宰我問孔子曰、榮伊言黃帝三百年、請問黃帝何人也、抑非人也、何以至三百年乎、對曰、生而人得其利百年、死而人畏其神百年、亡而人用其教百年、則士安之說略可憑矣、【正義】列仙傳云、軒轅自擇亡日、與羣臣辭還、葬橋山、山崩棺空、唯有劍舄在棺焉、【考證】林伯桐曰、史記於黃帝紀最慎、所謂擇其言尤雅者也、正義於蚩尤則引龍魚河圖、於風后力牧則引帝王世紀、於黃帝崩則引列仙傳、皆不雅馴之言、豈史公之意乎、**葬橋山。**【集解】皇覽曰、黃帝冢在上郡橋山、【索隱】地理志、橋山在上郡陽周縣、山有黃帝冢也、【正義】括地志云、黃帝陵在寧州羅川縣東八十里子午山、地理志云、上郡陽周縣橋山南有黃帝冢、案陽周隋改爲羅川、爾雅云、山銳而高曰橋也、**其孫昌意之子高陽立。是爲帝顓頊也。帝顓頊高陽者、黃帝之孫、而昌意之子也。**【集解】皇甫謐曰、都帝丘、今東郡濮陽是也、【索隱】宋衷云、顓頊名、高陽有天下號也、張晏云、高陽者所興地名也、【考證】張文虎曰、案史記篇自爲卷、脈絡相貫、後人取便簡閱、中斷提行、然亦有改之未盡者、舊刻毛本、此紀帝堯接帝嚳不提行、是其迹也、他合傳亦有類是者、今槩不提行、以歸一例、後倣此、愚按、南化本云、顓音專、頊許錄反、**靜淵以有謀。疏通而知事。養材以任地、**【索隱】言能養材物以任地、大戴禮作養財、**載時以象天。**【索隱】載、行也、言行四時以象天、大戴禮作履時以

象天、履亦踐而行也、**依鬼神以制義、**【索隱】鬼神聰明正直、當盡心敬事、因制尊卑之義、故禮曰、降于祖廟之謂仁義、是也、【正義】鬼之靈者曰神也、鬼神、謂山川之神也、能興雲致雨、潤養萬物也、故已依馮之剬義也、剬古制字、**治氣以教化、**【索隱】謂理四時五行之氣以教化萬人也、**絜誠以祭祀。北至于幽陵、**【正義】幽州也、**南至于交阯、**【正義】阯音止、交州也、**西至于流沙、**【集解】地理志曰、流沙在張掖居延縣、【正義】濟渡也、括地志云、居延海南甘州張掖縣東北千六十四里是、**東至于蟠木。**【集解】海外經曰、東海中有山焉、名曰度索、上有大桃樹、屈蟠三千里、東北有門、名曰鬼門、萬鬼所聚也、天帝使神人守之、一名神荼、一名鬱壘、主閱領萬鬼、若害人之鬼、以葦索縛之、射以桃弧、投虎食也、【考證】錢大昕曰、蟠木、扶木也、呂覽爲欲篇、西至流沙、東至扶木、又求人篇、禹東至榑木之地、說文、榑桑神木、日所出也、榑與扶通、扶木即扶桑、古音扶如酺聲、轉爲蟠也、**動靜之物、**【正義】動物、謂鳥獸之類、靜物、謂草木之類、**大小之神、**【正義】大、謂五嶽四瀆、小、謂丘陵墳衍、**日月所照、莫不砥屬。**【集解】王肅曰、砥、平也、四遠皆平而來服屬、【索隱】依王肅、音止屬、據大戴禮作砥礪也、【正義】砥、磨石也、取其平也、【考證】帝顓頊以下采五帝德篇、**帝顓頊生子曰窮蟬。**【索隱】系本作窮係、宋衷云、一云、窮係諡也、【正義】帝舜之高祖也、【考證】以上采帝繫、**顓頊崩。**【集解】皇甫謐曰、在位七十八年、年九十八、皇覽曰、顓頊冢在東郡濮陽頓丘城門外廣陽里中、頓丘者、城門名、頓

丘道、【索隱】皇甫謐云、據左氏、歲在鶉火而崩、葬東郡、又山海經曰、顓頊葬鮒魚山之陽、九嬪葬其陰、**而玄囂之孫高辛立。是爲帝嚳。帝嚳高辛者、**【集解】張晏曰、少昊以前天下之號象其德、顓頊以來、天下之號因其名、高陽高辛皆所興之地名、顓頊與嚳皆以字爲號、上古質故也、【索隱】宋衷曰、高辛地名、因以爲號、嚳名也、皇甫謐云、帝嚳名夋也、【正義】炎帝作耒耜以利百姓、敎民種五穀、故號神農、黃帝制輿服宮室等、故號軒轅氏、少昊象日月之始、能師太昊之道、此謂象其德也、帝王紀云、俈母無聞焉、【考證】楓山三條南化本云、嚳一作俈、音國、**黃帝之曾孫也。高辛父曰蟜極。**【正義】蟜、音居兆反、本作橋、音同、又巨遙反、帝堯之祖也、**蟜極父曰玄囂。玄囂父曰黃帝。自玄囂與蟜極、皆不得在位。至高辛即帝位。**【集解】皇甫謐曰、都亳、今河南偃師是、【考證】帝嚳以下、采帝繫、**高辛於顓頊爲族子。高辛生而神靈、自言其名。**【正義】帝王紀云、帝俈高辛、姬姓也、其母生見其神異、自言其名曰岌、齠齔有聖德、年十五而佐顓頊、三十登位、都亳、以人事紀官也、**普施利物、不於其身、聰以知遠、明以察微、順天之義、知民之急、**【考證】急字當依戴記作㥯、讀如勤恤民隱之隱、楓三南本、無物字、**仁而威、惠而信、脩身天下服。取地之財而**

節用之、撫教萬民而利誨之、歷日月而迎送之、【正義】言作歷、弦望晦朔、日月未至而迎之、過而送之、上迎日推策是也、【考證】中井積德曰、歷、謂推步之、張文虎曰、尚書、寅餞納日、與寅賓出日相對、歷日月而迎送之、蓋即賓餞之意、**明鬼神而敬事之。**【正義】天神曰神、人神曰鬼、又云、聖人之精氣謂之神、賢人之精氣謂之鬼、言明識鬼神而敬事也、**其色郁郁、其德嶷嶷。**【索隱】郁郁、猶穆穆也、嶷嶷、德高也、今案大戴禮郁作神、嶷作俟、【考證】今本大戴禮與史文同、**其動也時、其服也士。**【索隱】舉動應天時、衣服服士服、言其公且廉也、【正義】服、士之祭服、緇衣纁裳也、【考證】服、行也、士、事也、言服事不懈也、**帝嚳溉執中而徧天下。**【集解】徐廣曰、古既字作水旁、徧字一作尹、【索隱】即尚書允執厥中、是也、【正義】溉音既、言帝俈治民若水之溉灌、平等而執中正、徧於天下也、【考證】戴記無溉字、徧作獲、洪頤煊曰、溉古通作概字、概、平也、言執中以徧及於天下、沈濤曰、集解引徐廣曰、古既字作水旁、既之作溉、猶夷之作銕、是史遷書古字之僅存者、此外爲小司馬張守節輩所竄改者不少矣、五帝紀曰暘谷、索隱曰、史記舊本作湯谷、今竝依尚書字、則小司馬所改也、曰竝、蓋不止一字、孫詒讓曰、徧、大戴作獲、獲當爲護、護猶云辨護、理董監治之義、李笠曰、偏即辨之叚音、古字通、大戴禮當作護、史記當作辨、字異義同、竝理董監治之義、**日月所照、風雨所至、莫不從服。**【正義】以上大戴文也、【考證】高辛生而神靈以下、五帝德、**帝嚳娶陳鋒氏女。**【索隱】鋒、音峯、案系

本作陳鄷氏、皇甫謐云陳鋒氏女曰慶都、慶都名也、【正義】鋒音峯、又作豐、帝王紀云、帝俈有四妃、卜其子皆有天下、元妃有郃氏女曰姜嫄、生后稷、次妃有娀氏女曰簡狄、生卨、次妃陳豐氏女曰慶都、生放勛、次妃娵訾氏女曰常儀、生帝摯也、**生放勳。**【正義】放音方往反、勳亦作勛、音許云反、言堯能放上代之功、故曰放勛、諡堯、姓伊祁氏、帝王紀云、帝堯陶唐氏祁姓也、母慶都、十四月生堯、**娶娵訾氏女、生摯。**【索隱】案皇甫謐云、女名常宜也、【正義】娵、足須反、訾、紫移反、【考證】以上帝繫、**帝嚳崩。**【集解】皇甫謐曰、在位七十年、年百五歲、皇覽曰、帝嚳冢在東郡濮陽頓丘城南臺陰野中、**而摯代立。**

帝摯立不善。崩。【索隱】古本作不著、音張慮反、俗本作不善、不善謂微弱不著、猶不著明、衞宏云、摯立九年、而唐侯德盛、因禪位焉、【正義】帝王紀云、帝摯之母、於四人中班最在下、而摯於兄弟最長、得登帝位、封異母弟放勛爲唐侯、摯在位九年、政微弱、而唐侯德盛、諸侯歸之、摯服其義、乃率羣臣造唐而致禪、唐侯自知有天命、乃受帝禪、乃封摯於高辛、今定州唐縣也、**而弟放勳立。是爲帝堯。**【考證】論語泰伯篇正義引尚書大傳曰、堯年十六、以唐侯升爲天子、遂以爲號、皃裕垂曰、堯嗣摯統、兄弟相及也、堯卽帝位、經無明文、於是滋生異說、有謂摯服義而致禪者、有謂摯荒淫而見廢者、此皆亂賊之徒、欲飾篡爲其禪、附會其說、以自文耳、太史公所謂百家之言、其文不雅馴者、莫甚於此、故博採羣書、擇其尤雅者著爲本紀、以爲帝摯不善既崩、而後放勳立、可謂折衷至正、傳萬世人臣無所藉口矣、

帝堯者、【集解】諡法曰、翼善傳聖曰堯、【索隱】堯、諡也、放勳、名、帝嚳之子、姓伊祁氏、案皇甫謐云、堯初生時、其母在三阿之南、寄於伊長孺之家、

故從母所居爲姓也、【正義】徐廣云、號陶唐、帝王紀云、堯都平陽、於詩爲唐國、徐才宗國都城記云、唐國、帝堯之裔子所封、其北帝夏禹都、漢曰太原郡、在古冀州太行恆山之西、其南有晉水、括地志云、今晉州所理平陽故城是也、平陽河水、一名晉水也、**放勳。**【集解】徐廣曰、號陶唐、皇甫謐曰、堯以甲申歲生、甲辰卽帝位、甲午徵舜、甲寅舜代行天子事、辛巳崩、年百一十八、在位九十八年、【考證】崔適曰、依舜本紀名曰重華、夏本紀名曰文命、此當補名曰二字、愚按此承上文弟放勳而言、與舜禹本紀異、不必補二字、又按堯舜禹皆名、放勳重華文命、皆其徽號、當時尚未有諡、注諡法可刪、舜禹皆倣之、古鈔本無者字、**其仁如天、**【索隱】如天之函養也、【正義】郭璞注爾雅云、仁覆憫下、謂之昊天也、**其知如神、**【索隱】如神之微妙也、**就之如日、**【索隱】如日之照臨、人咸就之、若葵藿傾心以向日也、**望之如雲。**【索隱】如雲之覆渥、言德化廣大而浸潤生人、人咸仰望之、故曰、如百穀之仰膏雨也、【考證】中井積德曰、如日謂其溫仁也、猶炙背于陽、如雲謂其高大覆冒、索隱非、**富而不驕、貴而不舒。**【索隱】舒、猶慢也、大戴禮作不豫、【正義】淩上慢下、謂之爲驕、言堯有天下之富、而不驕人也、**黃收純衣**【集解】徐廣曰、純一作絞、駰案太古冠冕圖云、夏名冕曰收、禮記曰、野夫黃冠、鄭玄曰、純衣、士之祭服、【索隱】收、冕名、其色黃、故曰黃收、象古質素也、純讀曰緇、【考證】大戴禮作黃黼黻衣、**彤車乘白馬。**【考證】以上采五帝德、彤、戴記作丹、義同、**能明馴德、以親九族。**【集解】徐廣曰、馴古訓字、【索隱】史記馴字、徐廣皆讀曰訓、訓、順也、言聖德能順人也、案尚書作俊德、孔安國云、能明用俊德之士、與此文意別也、【考證】順德、尚書作俊德、大學作峻德、卽大德、大德光明、可以睦九族、可以便章百姓、可以合和萬國、**九族既睦、便章百姓。**【集解】徐廣曰、下云便程東作、然則訓平爲便也、駰案尚書並作平字、孔安國曰、百姓、百官、鄭玄曰、百姓、羣臣之父子兄弟、【索隱】古文尚書作平、此文蓋讀平爲浦耕反、平既訓便、因作便章、其今文作辯章、古平字亦作便、音婢緣反、便則訓辯、遂爲辯章、鄒誕生本亦同也、**百姓昭明、合和萬國。**【考證】尚書能作克、便作平、合作協、國作邦、邦字漢高祖名、史公諱改、自內及外、自近及遠、是堯之所以有天下致太平也、尚書皐陶謨、皐陶曰、都愼厥身修思永、惇叙九族、庶明勵翼、邇可遠在茲、亦述此意、詩大雅思齊稱周文王曰、刑于寡妻、至于兄弟、以御于家邦、論語爲政篇或謂孔子曰、子奚不爲政、子曰、書云、孝乎惟孝、友于兄弟、施於有政、戴記大學篇云、古之欲明明德於天下者、先治其國、欲治其國者、先齊其家、欲齊其家者、先脩其身、孟子離婁篇、孟子曰、人有恆言、皆曰天下國家、天下之本在國、國之本在家、家之本在身、蓋聖賢相傳之道如此、**乃命羲和、**【集解】孔安國曰、重黎之後、羲氏和氏、世掌天地之官、【正義】呂刑傳云、重卽羲、黎卽和、雖別爲氏族、而出自重黎也、案聖人不獨治、必須賢輔、乃命相天地之官、若周禮天官卿地官卿也、**敬順昊天、**【正義】敬、猶恭勤也、元氣昊然廣大、故云昊天、釋天云、春爲蒼天、夏爲昊天、秋爲旻天、冬爲上天、而獨言昊天者、以堯能敬天大、故以昊大言之、**數法日月星辰、**【索隱】尚書作歷象日月、則此言數法、是訓歷象二字、謂命羲和以歷數之法、觀察日月星辰之早晚、以敬授人時也、【正義】歷數之法、日之甲乙、月之大小、昏明遞中之星、日月所會之辰、定其天數、以爲一歲之歷、

敬授民時。【正義】尚書考靈耀云、主春者張昏中、可以種稷、主夏者火昏中、可以種黍菽、主秋者虛昏中、可以種麥、主冬者昴昏中、可以收斂也、天子視四星之中、知民緩急、故云敬授民時也、【考證】崔述曰、漢書律歷志云、歷數之起上矣、傳述顓頊命南正重司天、火正黎司地、其後三苗亂德、二官咸廢、而閏餘乖次、孟陬殄滅、攝提失方、堯復育重黎之後、使纂其業、故書曰、乃命羲和欽若昊天、歷象日月星辰、敬授人時、余按經文四時之紀、閏之疏密、朞之日數多寡、皆至堯而後定、非舊已有成法而中廢至堯又修復之也、重黎之司天地本於楚語、然楚語云、重司天以屬神、黎司地以屬民、所司者乃天神之祭祀、非天象之贏縮也、故曰九黎亂德、民神雜糅、曰夫人作享、家爲巫史、皆謂宗祝祭祀事耳、與羲和之司歷法者無涉也、歷象之官、自在帝畿、三苗之亂、自在蠻夷、相距數千里、三苗安能廢帝廷之二官而乖其閏餘乎、至楚語所稱堯復育重黎之後者、乃本呂刑之文、非襲堯典之語、堯自命羲和、自育重黎、今因其皆爲堯所命、遂取而合之、然則堯在位百年、所命之官、止有此二族乎、嗟夫、自劉歆班固誤合楚語於堯典、後學祖而述之、遂謂黃帝以來歷數已有成法、然則堯典之累累而驗之、諄諄而命之、與夫史臣之瑣瑣而記之者、不皆贅乎、韋昭國語解、及尚書孔傳蔡傳、並以重黎爲羲和、皆沿漢志而誤、**分命羲仲居郁夷、曰暘谷。**【集解】尚書作嵎夷、孔安國曰、東表之地稱嵎夷、日出於暘谷、羲仲治東方之官、【索隱】舊本作湯谷、今並依尚書字、案淮南子曰、日出湯谷、浴於咸池、則湯谷亦有他證明矣、又下曰昧谷、徐廣云、一作柳谷、亦日入處地名、太史公博採經記而爲此史、廣記異聞、不必皆依尚書、蓋郁夷亦地之別名也、【正義】郁音隅、陽或作暘、禹貢青州云、嵎夷既略、案嵎夷青州也、堯命羲仲理東方青州嵎夷之地、日所出處、名曰陽明之谷、羲仲主東

方之官、若周禮春官卿、考證沈濤曰、釋文云、堯典宅嵎夷、史記及攷靈耀作禺銕、是陸氏所見史記本與小司馬張守節不同、又曰、索隱云、史記舊本暘谷作湯谷、今並依尚書字、然則暘谷者小司馬所改也、史遷從安國問故、則古文尚書必作湯谷、山海經、黑齒國下有湯谷、湯谷上有扶桑、十日所浴、楚辭天問云、出自湯谷、至蒙汜、淮南天文訓云、日出于湯谷、浴于咸池、拂于扶桑、古書皆以湯谷爲日出之地、錢大昕說同、敬道日出、便程東作。集解孔安國曰、敬道出日、平均次序東作之事以務農也、索隱劉伯莊傳、皆依古史作平秩音、然尚書大傳曰、辯秩東作、則是訓秩爲程、言便課其作程者也、正義道、音導、便程、竝如字、後同、導訓也、三春主東、故言日出、耕作在春、故言東作、命羲仲恭勤道訓萬民東作之事、使有程期、考證尚書敬道日出作寅賓出日、便程作平秩、下同、日中、星鳥、以殷中春。集解孔安國曰、日中、謂春分之日也、鳥、南方朱鳥七宿也、殷、正也、春分之昏、鳥星畢見、以正仲春之氣節、轉以推孟季、則可知也、正義下中、音仲、夏秋冬竝同、其民析、鳥獸字微。集解孔安國曰、春事既起、丁壯就功、言其民老壯分析也、乳化曰字、尚書微作尾、字說云、尾交接也、考證呂覽尾生高、注云、卽論語微生高、尾微古通用、申命羲叔居南交。集解孔安國曰、夏與春交、此治南方之官也、索隱孔注未是、然則冬與秋交、何故下無其文、且東嵎夷、西昧谷、北幽都、三方皆言地、而夏獨不言地、乃云與春交、斯不例之甚也、然南方地有名交阯者、或古文略舉一字、名地南交、則是交阯不疑也、正義羲叔主南方官、若周禮夏官卿也、考證韓非子十過篇、堯有天下、其地南至交阯、北至幽都、東西至日月之所出入者、莫不賓服、便程南爲。

敬致。集解孔安國曰、爲、化也、平序南方化育之事、敬行其教、以致其功也、索隱爲、依字讀、春言東作、夏言南爲、皆是耕作營爲勸農之事、孔安國強讀爲訛字、雖則訓化、解釋亦甚紆回也、正義爲、音于僞反、命羲叔、宜恭勤民事、致其種殖、使有程期也、考證張文虎曰、南爲、各本作南譌、依尚書撰異改、錢大昕梁玉繩說同、日永、星火、以正中夏。集解孔安國曰、永、長也、謂夏至之日、火、蒼龍之中星、舉中則七星見可知也、以正中夏之氣節、馬融王肅謂日長晝漏六十刻、鄭玄曰、五十五刻、考證中井積德曰、六十刻者、以日出入而言、五十五刻者、以晨昏而言、愚按、據下文注、集解五十五刻下當有失之二字、其民因、鳥獸希革。集解孔安國曰、因、謂老弱因就在田之丁壯以助農也、夏時鳥獸毛羽希少改易也、革、改也、申命和仲居西土。集解徐廣曰、一無土字、以爲西者今天水之西縣也、駰案鄭玄曰、西者隴西之西、今人謂之兌山、正義和仲主西方之官、若周禮秋官卿也、曰昧谷。集解徐廣曰、一作柳谷、駰案孔安國曰、日入于谷而天下冥、故曰昧谷、此居治西方之官、掌秋天之政也、敬道日入、便程西成。集解孔安國曰、秋西方、萬物成也、考證尚書作寅餞納日、夜中、星虛、索隱虛、舊依字讀、而鄒誕生音墟、案虛星主墳墓、鄒氏或得其理、以正中秋。集解孔安國曰、春言日、秋言夜、互相備也、虛、玄武之中星、亦言七星、皆以秋分日見、以正三秋也、其民夷易、鳥獸毛毨。集解孔安國曰、夷、平也、老壯者在田、與夏平也、毨、理也、毛更生曰毨理、考證尚書無夷字、史公以易代夷、今本夷字、後人旁注誤入正文、夷易義

複、博士家異字云、中彭中韓本南化本無易字、蓋誤、倒、集解毛更生曰毨理、書傳作毛更生整理、申命和叔居北方。曰幽都。集解孔安國曰、北稱幽、都謂所聚也、索隱山海經曰、北海之內有山、名幽都、蓋是也、正義案北方幽州陰聚之地、命和叔居理之、北方之官、若周禮冬官卿、考證尚書、北作朔、便在伏物。索隱使和叔察北方藏伏之物、謂人畜積聚等、冬皆藏伏、尸子亦曰、北方者伏方也、尚書作平在朔易、今案大傳云、便在伏物、太史公據之而書、考證尚書大傳云、北方者何也、伏方也、伏方者萬物伏藏之方、伏藏之方、則何以謂之冬、冬者萬物方藏於中也、故曰北方冬也、日短、星昴、以正中冬。集解孔安國曰、日短、冬至之日也、昴、白虎之中星、亦以七星竝見、以正冬節也、馬融王肅謂日短、晝漏四十刻、鄭玄曰、四十五刻、失之、其民燠、鳥獸氄毛。集解徐廣曰、氄音茸、駰案孔安國曰、民入室處、鳥獸皆生氄毳細毛以自溫也、正義冬時其民因鳥獸生氄毳細毛之時、當服精綿絮褚衣溫之服、以禦冬寒也、褚、音竹呂反、歲三百六十六日。以閏月正四時。索隱夫周天三百六十五度四分度之一、是天度數也、而日行遲、一歲一周天、月行疾、一月一周天、日一日行一度、月一日行十三度十九分度之七、至二十九日半強、月行天一帀、又逐及日而與會、一年十二會、是爲十二月、每月二十九日過半、年分出小月六、是每歲餘六日、又大歲三百六十六日、小歲三百五十五日、舉全數云六十六日、其實一歲唯餘十一日弱、未滿三歲已成一月、則置閏、若三年不置閏、則正月爲二月、九年差三月、則以春爲夏、十七年差六月、則四時皆反、以此四時不正、歲不成矣、故傳曰、歸餘於終、事則不悖、是也、

信飭百官、衆功皆興。集解徐廣曰、古勑字、考證尚書云、帝曰、咨汝羲暨和、朞三百有六旬有六日、以閏月定四時成歲、允釐百工、庶績咸熙、蓋在書歷成、堯戒羲和之言、而史公改爲敍事之文、崔述曰、歷有三率、一曰晝夜、爲日率、一盈虧爲月率、皆易知者、獨一寒暑爲歲率、其閒贏縮奇零最爲難齊、故歷法以成歲爲要、然歲之終始、非有定界、不可以徒求、故分以爲四時、而命二仲二叔分居四方以考驗之、時之終始、尤無定界、益不可以徒求、故但求定天下四時之中、中得則前推之卽爲始、後推之卽爲終、日永日短者、考之以晷漏、星鳥星虛者、考之以躔度、猶懼其未也、復驗之於人物出入變化之節、而後四時之可定、四時定則日數可得、月閏不差而歲成矣、又曰、歷法政事之一端耳、何爲詳記之如是也、曰、帝王之治、莫先於授時、四時不爽、然後農桑可興、政令可布、人物之性可盡、天地陰陽之化、可得而輔相燮理、書契史册之文、可得而次第考核、故堯典載堯之政、特詳於此、而孔子答顏淵爲邦之問、亦以行夏時爲第一義也、所謂夏時、卽堯所定之歷、堯曰、誰可順此事。正義言將登用之嗣位也、考證正義嗣位二字當倒、放齊曰、嗣子丹朱開明。集解孔安國曰、放齊、臣名、正義放、音方往反、鄭玄云、帝堯胤嗣之子、名曰丹朱、開明也、案開、解而達也、帝王紀云、堯娶散宜氏女、曰女皇、生丹朱、汲冢紀年云、后稷放帝子丹朱、范汪荊州記云、丹水縣在丹川、堯子朱之所封也、括地志云、丹水故城在鄧州內鄉縣西南百三十里、丹水故爲縣、考證尚書作胤子朱啓明、堯曰、吁、頑凶。不用。集解孔安國曰、吁、疑怪之辭、正義左傳云、口不道忠信之言爲嚚、心不則德義之經爲頑、凶、訟也、言丹朱心既頑嚚、又好爭訟、不可用之、考證尚書作吁嚚訟可乎、中井積

德曰、不用、不中用也、堯又曰、誰可者。【考證】尚書無又字、誰可者、作疇咨若予采、讙兜曰、共工旁聚布功、可用。【集解】孔安國曰、讙兜、臣名、鄭玄曰、共工、水官名、【正義】兜、音斗侯反、【考證】尚書作都共工方鳩僝功、堯曰、共工善言、其用僻、似恭漫天、不可。【正義】漫、音莫干反、共工善爲言語、用意邪僻也、似於恭敬、罪惡漫天、不可用也、【考證】尚書作吁靜言庸違象恭漫天、堯又曰、嗟、四嶽。【集解】鄭玄曰、四嶽、四時官、主方嶽之事、【正義】嗟、歎、鴻水、問四嶽、誰能理也、孔安國云、四嶽、卽上羲和四子也、分掌四嶽之諸侯、故稱焉、【考證】尚書嗟作咨、語詞、四岳、鄭說爲是、下曰皆曰、非一人也、與羲和四子異、湯湯洪水滔天、浩浩懷山襄陵。下民其憂。有能使治者。【集解】孔安國曰、懷、包、襄、上也、【正義】湯、音商、今讀如字、湯湯、廣平之貌、言水奔突有所滌除、地上之物、爲水漂流湯湯然、案懷、藏、包、裹之義、故懷爲包、釋言以襄爲駕、駕乘牛馬、皆在上也、言水襄上乘陵、浩浩盛大、勢若漫天、【考證】尚書作湯湯洪水方割、蕩蕩懷山襄陵、下民其咨、有能俾乂、楓三南本湯作蕩、南本洪作鴻、皆曰、鯀可。【集解】馬融曰、鯀、臣名、禹父、【考證】尚書作僉曰於鯀哉、堯曰、鯀負命毀族。不可。【正義】負、音佩、依字通、負、違也、族、類也、鯀性很戾、違負教命、毀敗善類、不可用也、詩云、貪人敗類也、【考證】尚書作吁咈哉、方命圮族、李笠曰、負、偝、佩、背、聲義竝相通、嶽曰、异哉。試不可用而已。【正義】异、音異、孔安

國云、异、已、退也、言餘人盡已、唯鯀可試、無成乃退、【考證】尚書作异哉、試可乃已、陳仁錫曰、洞本可下無用字、張文虎曰、舊刻無用字、審經文及傳、無者是、錢大昕曰、古人語急、以不可爲可也、古經簡質、得史記而義益明、堯於是聽嶽用鯀。【考證】尚書作帝曰往欽哉、九載、功用不成。【正義】爾雅釋天云、載、歲也、夏曰祀、周曰年、唐虞曰載、李巡云、各自紀事、示不相襲也、孫炎云、歲、取歲星行一次也、祀、取四時祭祀一訖也、年、取禾穀一熟也、載、取萬物終更始也、載者年之別名、故以載爲年也、案功用不成、水害不息、故放退也、至明年得舜、乃殛之羽山、而用其子禹也、【考證】尚書作九載績用弗成、愚按尚書又云、三載考績、三考黜陟幽明、鯀蓋歷三考也、舜所以黜之、又按以上略與尚書對比、以示史公剪裁之法、以下做之、堯曰、嗟、四嶽。朕在位七十載。女能庸命。踐朕位。【集解】鄭玄曰、言汝諸侯之中、有能順事用天命者、入處我位、統治天子之事者乎、【正義】孔安國云、堯年十六、以唐侯升爲天子、在位七十載、時八十六、老將求代也、【考證】陳仁錫曰、湖本女作汝、誤、篇內同、王觀國曰、伊訓曰、朕載自亳、此伊尹自稱朕也、洛誥曰、朕復子明辟、此周公自稱朕也、離騷曰、帝高陽之苗裔兮、朕皇考曰伯庸、此屈原自稱朕也、秦始皇帝初幷天下、以命爲制、令爲詔、自稱曰朕、自是惟人君稱朕、臣下不敢稱也、嶽應曰。鄙悳忝帝位。【正義】四嶽皆云、鄙俚無德、若便行天子事、是辱帝位、言己等不堪也、堯曰、悉舉貴戚及疏遠隱匿者。衆皆言於堯曰、有矜在民閒、曰虞舜。【集解】孔安國曰、無妻曰矜、

【正義】矜、古頑反、【考證】崔述曰、古者三十而娶、三十未娶、常事耳、何以鰥稱也、以下釐降二女、故於此稱鰥焉、明舜之未娶也、堯曰、然。朕聞之。其何如。嶽曰、盲者子、父頑、母嚚、弟傲、能和以孝、烝烝治不至姦。【集解】孔安國曰、不至於姦惡、【正義】烝、之升反、進也、言父頑母嚚弟傲、舜皆和以孝、進之於善、不至於姦惡也、【考證】王引之曰、烝烝、卽孝德之形容、謂之烝烝者、言孝德之厚美也、大雅文王有聲云、文王烝哉、韓詩云、烝、美也、魯頌泮水云、烝烝皇皇、傳云、烝烝、厚也、愚按、不至姦、不使至於姦惡也、堯曰、吾其試哉。【正義】欲以二女試舜、觀其理家之道也、於是堯妻之二女、【正義】妻、音七計反、二女、娥皇女英也、娥皇無子、女英生商均、舜升天子、娥皇爲后、女英爲妃、觀其德於二女。【正義】視其爲德行於二女、以理家而觀國也、【考證】楓三南本德作自爲、尚書作刑、舜飭下二女於嬀汭、如婦禮。【集解】孔安國曰、舜所居嬀水之汭、【索隱】列女傳云、二女長曰娥皇、次曰女英、系本作女瑩、大戴禮作女匽、皇甫謐云、嬀水在河東虞鄉縣歷山西、汭、水涯也、猶洛汭渭汭然也、【正義】飭、音勑、下音胡亞反、汭、音芮、舜能整齊二女以義理、下二女之心於嬀汭、使行婦道於虞氏也、括地志云、嬀汭、水源出蒲州河東南山、許愼云、水涯曰汭、案地記云、河東郡青山東山中有二泉、下南流者嬀水、北流者汭水、二水異原、合流出谷、西注河、嬀水北曰汭也、又云、河東縣二里、故蒲坂城、舜所都也、城中有舜廟、城外有舜宅及二妃壇、【考證】尚書飭下作釐降、句下有帝曰欽哉四字、蔡沈云、堯治裝下嫁二女於嬀水之北、使爲舜婦於虞氏之家也、欽

哉、堯戒二女之辭、經義蓋如此、史公句上冠以舜字、與經殊、正義得之、堯善之。乃使舜愼和五典。五典能從。【集解】鄭玄曰、五典、五教也、蓋試以司徒之職、【考證】五典、五教、說詳布五教條下、乃徧入百官。百官時序。賓於四門。四門穆穆。諸侯遠方賓客皆敬。【集解】馬融曰、四門、四方之門、諸侯羣臣朝者、舜賓迎之、皆有美德也、堯使舜入山林川澤。暴風雷雨、舜行不迷。【索隱】尚書云、納于大麓、穀梁傳云、林屬於山曰麓、是山足曰麓、故此以爲入山林不迷、孔氏以麓訓錄、言令舜大錄萬機之政、與此不同、【考證】尚書大傳云、納之大麓之野、野卽山林川澤也、是史公所本、漢書王莽傳、張竦稱莽功德曰、比三世爲三公、登大行、秉冢宰、職塡國家、四方輻湊、靡不得所、書曰、納于大麓、烈風雷雨弗迷、公之謂矣、又莽曰、予前在大麓、論衡正說篇云、入于大麓、烈風雷雨不迷、言大錄三公之位、居一公之位、大總錄二公之事、衆多並吉、若疾風大雨、王肅注尚書曰、麓、錄也、是以大麓爲大錄萬幾之政、與史公義異、堯以爲聖、召舜曰、女謀事至、而言可績三年矣。女登帝位。【集解】鄭玄曰、三年者、賓四門之後三年也、【考證】亦三載考績之義、舜讓於德不懌。【集解】徐廣曰、音亦、今文尚書作不怡、怡、懌也、【索隱】古文作不嗣、今文作不怡、怡卽懌也、謂辭讓於德不堪、所以心意不悅懌也、俗本作澤、誤、爾亦當爲懌、【考證】史公自序云、唐堯遜位、虞舜不台、台、怡通、釋詁、怡、懌、樂也、史公以故訓代之、

正月上日、舜受終於文祖。【集解】馬融曰、上日、朔日也。【正義】鄭玄云、帝王易代、莫不改正、堯正建丑、舜正建子、此時未改、故依堯正月上日也。【考證】以上采尚書堯典。**文祖者、堯大祖也。**【集解】鄭玄曰、文祖者五府之大名、猶周之明堂。【索隱】尚書帝命驗曰、五府、正帝之廟、蒼曰靈府、赤曰文祖、黃曰神斗、白曰顯紀、黑曰玄矩、唐虞謂之五府、夏謂世室、殷謂重屋、周謂明堂、皆祀五帝之所也。【正義】舜受堯終帝之事於文祖之也。尚書帝命驗云、帝者承天立五府以尊天重象也。五府者、黃曰神斗、注云、唐虞謂之天府、夏謂之世室、殷謂之重屋、周謂之明堂、皆祀五帝之所也。文祖者、赤帝熛怒之府、名曰文祖、火精光明文章之祖、故謂之文祖、周曰明堂。神斗者、黃帝含樞紐之府、名曰神斗、斗主也、土精澄靜、四行之主、故謂之神斗、周曰太室。顯紀者、白帝招拒之府、名曰顯紀、紀法也、金精斷割萬物、故謂之顯紀、周曰總章。玄矩者、黑帝汁光紀之府、名曰玄矩、矩法也、水精玄昧、能權輕重、故謂之玄矩、周曰玄堂。靈府者、蒼帝靈威仰之府、名曰靈府、周曰青陽。【考證】受終者、孟子所謂堯老而舜攝者、就政而言、不就位而言、段玉裁曰、堯太祖、蓋謂黃帝、姚範曰、以文祖爲堯太祖、此疑太史公從安國問故而得之者、今書傳乃云、堯文德之祖廟、則謬悠之說矣、康成以緯書解經、裴氏不當取以解此、愚按、五天帝之說、自五人帝而生、皆以五德配五色、周末始有之、唐虞所無。**於是帝堯老、命舜攝行天子之政、以觀天命。**【考證】於是以下、本孟子萬章篇、觀天命、卽薦諸天也。**舜乃在璿璣玉衡、以齊七政。**【集解】鄭玄曰、璿璣玉衡、渾天儀也。七政、日月五星也。【正義】說文云、璿、赤玉也。案舜雖受堯命、猶不自安、更以璿璣玉衡以正天文。璣爲運轉、衡爲橫簫、運璣使動於下、以衡望之、是王者正天文器也。觀其齊與不齊、今七政齊、則己受禪爲是。蔡邕云、玉衡長八尺、孔徑一寸、下端望之、以視星宿、並懸璣以象天、而以衡望之、轉璣窺衡、以知星宿。璣徑八尺、圓周二丈五尺而强也。鄭玄云、運轉者爲璣、持正者爲衡。尚書大傳云、政者齊中也、謂春秋冬夏天文地理、人道所以爲政也。道正而萬事順成、故天道政之大也。蔡邕天文志言、天體者有三家、一曰周髀、二曰宣夜、三曰渾天也。尚書大傳云、七政布位、日月時之主、五星時之紀、故以此爲七。日月有薄食、五星有搭聚、七者得失、在於人君之政、故謂之政。易繫辭云、天垂象見吉凶、聖人象之。日月五星有吉凶之象、因其變動爲占、七者自異政、故曰七政也。按五星名、木曰歲星、火曰熒惑星、土曰鎭星、金曰太白星、水曰辰星也。【考證】崔述曰、此舜成天之政、所以補堯授時之未備、故首及之。**遂類于上帝、**【集解】鄭玄曰、禮祭上帝于圜丘。【正義】五經異義云、非時祭天謂之類、言以事類告也。時舜告攝、非常祭也。王制云、天子將出、類于上帝。鄭玄云、昊天上帝、謂天皇大帝北辰之星。**禋于六宗、**【集解】鄭玄曰、六宗、星辰司中司命風師雨師也。駰案、六宗義衆矣、愚謂鄭說爲長。【正義】周語云、精意以享曰禋也。孫炎云、禋、絜敬之祭也。案星、五緯星也。辰、日月所會十二次也。司中、司命、文昌第五第四星也。風師、箕星也。雨師、畢星也。孔安國云、四時寒暑也、日月星也、水旱也。禮祭法云、埋少牢於大昭、祭時也。禳祈於坎壇、祭寒暑也。王宮、祭日也。夜明、祭月也。幽禜、祭星。雩禜、祭水旱也。司馬彪續漢書云、安帝立六宗、祀於洛陽城西北亥地、禮比大社。魏因之、至晉初荀顗言新祀以六宗之神、諸家說不同、乃廢之也。【考證】六宗、自漢以來無定說、歐陽及大小夏侯皆曰、所祭者六、上不謂天、下不謂地、旁不謂四方、在六者之間、助陰陽變化、實一而名六宗矣。孔光

劉歆曰、六子、水火雷風山澤也。賈逵曰、天宗三、日月星辰、地宗三、河海岱。馬融曰、天地四時。鄭玄曰、星辰司中司命風師雨師。王肅曰、四時寒暑日月星水旱、與某氏書傳合。張髦曰、三昭六穆。未知孰是。**望于山川、**【集解】徐廣曰、名山大川。【正義】望者遙望而祭山川也。山川、五嶽四瀆也。爾雅云、梁山晉望也。**辯于羣神。**【集解】徐廣曰、辯音班。駰案、鄭玄曰、羣神若丘陵墳衍。【正義】辯音遍、謂祭羣神也。【考證】封禪書辯作徧、王先謙曰、黃圖載元始儀、說苑辨物篇、漢書王莽傳、論衡祭意篇、白石神君碑、魏公卿上尊號表、皆作徧。愚按、辯又或作班、徧辯班音近、蓋與類禋望同祭神也。其義未詳。**揖五瑞、擇吉月日、見四嶽諸牧、班瑞。**【集解】馬融曰、揖、歛也。五瑞、公侯伯子男所執以爲瑞信也。堯將禪舜、使羣牧歛之、使舜親往班之。【正義】揖音集。周禮典瑞云、王執鎭圭、尺二寸。公執桓圭、九寸。侯執信圭、七寸。伯執躬圭、五寸。子執穀璧、男執蒲璧、皆五寸。言五瑞者、王不在中也。孔文祥云、宋末會稽修禹廟、於廟庭山土中得五等圭璧百餘枚、形與周禮同、皆短小、此卽禹會諸侯於會稽、執以禮山神而埋之、其璧今猶有在也。【考證】楓三南本無月字。封禪書班作還。崔述曰、此記布政於內之事、先事神而後治人者、奉天而以出治、明不敢自專也。**歲二月、東巡狩、至於岱宗、祡、**【集解】馬融曰、舜受終後五年之二月。鄭玄曰、建卯之月也。祡、祭東嶽者、考績祡燎也。【正義】案既班瑞羣后、卽東巡者、守土之諸侯會岱宗之嶽、焚柴告至也。王者巡狩、以諸侯自專一國、威福任己、恐其壅遏上命、澤不下流、故巡行問人疾苦也。風俗通云、太山之尊者、一曰岱宗。始也、長也、萬物之始、陰陽交代、故爲五嶽之長也。案二月仲月也、仲、中也、言得其中也。**望秩於山川。**【正義】乃以秩望祭東方諸侯境內之名山大川也。言秩者、五嶽視三公、四瀆視諸侯。**遂見東方君長、合時月正日、**【集解】鄭玄曰、協正四時之月數及日名、備有失誤。【正義】既見東方君長、乃合同四時氣節、月之大小、日之甲乙、使齊一也。周禮、太史掌正歲年以序事、頒正朔於邦國、則節氣晦朔、皆天子頒之、猶恐諸侯國異、或不齊同、因巡狩合正之。**同律度量衡。**【集解】鄭玄曰、律、音律。度、丈尺。量、斗斛。衡、斤兩也。【正義】律之十二律、度之丈尺、量之斗斛、衡之斤兩、皆使天下相同、無制長短輕重異也。漢律歷志云、虞書云、同律度量衡、所以齊遠近立民信也。律有十二、陽六爲律、陰六爲呂。律以統氣類物、一曰黃鍾、二曰太蔟、三曰姑洗、四曰蕤賓、五曰夷則、六曰無射。呂以旅陽宣氣、一曰林鍾、二曰南呂、三曰應鍾、四曰大呂、五曰夾鍾、六曰中呂。度者、分寸尺丈引也、所以度長短也。本起黃鍾之管長、以子穀秬黍中者、一黍爲一分、十分爲一寸、十寸爲尺、十尺爲丈、十丈爲引、而五度審矣。量者、龠合升斗斛也、所以量多少也。本起黃鍾之龠、以子穀秬黍中者千有二百實爲一龠、合龠爲合、十合爲升、十升爲斗、十斗爲斛、而五量嘉矣。衡權者、銖兩斤鈞石也、所以稱物輕重也。本起於黃鍾之重、一龠容千二百黍、重十二銖、二十四銖爲兩、十六兩爲斤、三十斤爲鈞、四鈞爲石、而五權謹矣、衡平也。權、重也。【考證】正義本起黃鐘之管以下十七字、與漢書律歷志同、訛、館本依宋史律志改作本起黃鐘之長、以子穀秬黍中者、一黍之起積千二百黍之廣度之九十分、一爲一分、十分爲寸。**脩五禮。**【集解】馬融曰、吉凶賓軍嘉也。【正義】周禮以吉禮事邦國之鬼神祇、以凶禮哀邦國之憂、以賓禮親邦國、以軍禮同邦國、以嘉禮親萬民也。尚書堯典云、類于上帝、吉禮也。如喪考妣、凶禮也。羣后四朝、賓禮也。大禹謨云、

汝徂征、軍禮也、堯典云、女于時、嘉禮也、女音女慮反、**五玉、**集解鄭玄曰、卽五瑞也、執之曰瑞、陳列曰玉、**三帛、**集解馬融曰、三孤所執也、鄭玄曰、帛所以薦玉也、必三者、高陽氏後用赤繒、高辛氏後用黑繒、其餘諸侯皆用白繒、正義孔安國云、諸侯世子執纁、公之孤執玄、附庸之君執黃也、案三統紀、推伏羲爲天統、色尙赤、神農爲地統、色尙黑、黃帝爲人統、色尙白、少昊黃帝子、亦尙白、故高陽氏又天統、亦尙赤、堯爲人統、故用白、**二生、**正義羔鴈也、鄭玄注周禮大宗伯云、羔、小羊也、取其羣不失其類也、鴈、取其候時而行也、卿執羔、大夫執鴈、案羔鴈性馴、可生爲贄、**一死**正義雉也、馬融云、一死雉、士所執也、案不可生爲贄、故死雉、取其守介、死不失節也、**爲摯。**集解馬融曰、摯、二生、羔鴈、卿大夫所執、一死、雉、士所執、正義摯、音至、贄、執也、鄭玄云、贄之言至、所以自致也、韋昭云、贄六、贄孤執皮帛、卿執羔、大夫執鴈、士執雉、庶人執鶩、工商執雞也、**如五器、卒乃復。**集解馬融曰、五器上五玉、五玉禮終則還之、三帛已下不還也、正義卒、音子律反、復、音伏、**五月南巡狩。八月西巡狩。十一月北巡狩。皆如初。歸至于祖禰廟、用特牛禮。**正義禰、音乃禮反、何休云、生曰父、死曰考、廟曰禰、考證尙書祖禰廟作藝祖、馬融云、藝禰也、蓋用史公義、錢大昕曰、藝禰、音近、崔述曰、此記布政於外之事、亦先神而後人、**五歲一巡狩。羣后四朝。**集解鄭玄曰、巡狩之年、諸侯見於方嶽之下、其閒四年、四方諸侯分來朝於京師也、考證崔述曰、此總上內外之政言之、又曰、於舜攝政之日、何以詳記其朝覲巡狩也、曰、朝覲巡狩之制、始於舜也、自堯以

前、聖帝迭興、其時亦必有朝覲巡狩之事、但尙未有定制、至舜而後垂爲帝典、故記之也、**徧告以言、**正義徧音遍、言遍告天子治理之言也、**明試以功、車服以庸。**正義孔安國云、功成則錫車服、以表顯其能用也、考證崔述曰、此因上布政之文、及其進賢之大略、**肇十有二州。決川。**集解馬融曰、禹平水土、置九州、舜以冀州之北廣大、分置幷州、燕齊遼遠、分燕置幽州、分齊爲營州、於是爲十二州也、鄭玄曰、更爲之定界、濬水害也、考證崔述曰、此舜平地之政、所以開禹敷土之先聲、首成天、次治人、次平地、三才之道備矣、又曰、肇、始也、前此未有而始設之之謂肇、若前此固有九州、析九以爲十二、是但增之、非肇也、舜攝政之初、但曰日覲四岳羣牧、不曰九牧、牧未有定數也、及舜卽位、前曰咨十二牧、不曰咨於羣牧、已有常額也、其後禹別九州、亦曰九牧、不曰羣牧、州之肇於舜、而非增於舜、明矣、至十二州之名、經傳皆無之、幽幷營之爲州、雖見於周官爾雅、然彼自記九州之名、與舜之十二州初無涉也、**象以典刑。**集解馬融曰、言咎繇制五常之刑、無犯之者、但有其象、無其人也、正義孔安國云、象、法也、法用常刑、用不越法也、**流宥五刑。**集解馬融曰、流、放、宥、寬也、一曰幼少、二曰老耄、三曰蠢愚、五刑、墨、劓、剕、宮、大辟、正義孔安國云、以流放之法寬五刑也、鄭玄云、三宥、一曰弗識、二曰過失、三曰遺忘也、**鞭作官刑。**集解馬融曰、爲辨治官事者爲刑、**扑作教刑。**集解鄭玄曰、扑、檟楚也、扑爲教官爲刑者、**金作贖刑。**集解馬融曰、金、黃金也、意善功惡、使出金贖罪、坐不戒愼者、**眚裁過赦、**集解鄭玄曰、眚裁爲人作患害者也、過失雖有害則赦之、**怙終賊刑。**

集解徐廣曰、終一作衆、鄭玄曰、怙其姦邪、終身以爲殘賊、則用刑之、考證孔穎達曰、易繫辭云、象者象此者也、又曰、天垂象、聖人則之、是象爲倣法、徐孚遠曰、馬說象刑、卽王莽所謂畫衣冠也、書蔡傳云、象如天之垂象、以示人也、於說爲長、過、赦、尙書作肆赦、崔述曰、象以典刑、流宥五刑、五刑之大者也、五刑、呂刑所述墨劓剕宮大辟是也、刑重則流遠、刑輕則流近、故刑有五、流亦有五、所謂五刑有服、五流有宅是也、當刑而宥之者、蔡傳所謂情可矜、法可疑、與夫親貴勳勞而不可加以刑者是也、鞭作官刑、扑作教刑、金爲贖刑、刑之小者也、官刑者、在官之人、因官事而得罪、教刑者、居學校而不率師長之教訓、贖刑則常人之犯小罪者、三者皆不麗於五刑、故得不殘其肢體、不流之遠方、眚災肆赦、怙終賊刑、刑之變也、蔡沈曰、終、謂再犯、**欽哉欽哉。惟刑之靜哉。**集解徐廣曰、今文云、惟刑之謐哉、爾雅曰、謐、靜也、索隱注惟刑之謐哉、案古文作恤哉、且今文是伏生口誦、卹謐聲近、遂作謐也、考證舜乃在璿璣玉衡以下、采尙書堯典、梁玉繩曰、漢書儒林傳言、史公從孔安國問古文尙書、故史記載堯典禹貢洪範微子金縢諸篇、多古文說、則是爲壁中眞古文、而非史公之不循經典、自任胸懷矣、然字句之閒、每與今所傳迥異、何歟、蓋古字多通借、又漢儒各習其師、不能盡同、許愼生于東漢和安閒、從賈逵受古學、而其所撰說文解字、引經甚別、亦以雜舉衆家之本也、宋洪适隸釋所錄諸碑、俱後漢人、其引經亦殊、況當西漢之世乎、因知史公之于尙書、兼用今古文、復旁搜各本、皆薈萃成一家言、索隱所謂博采經記而爲此史、不必皆依尙書是也、而古人用舊籍、不拘定本、文則增損竄易、誠所不免、但今之尙書、自東晉元帝之時、汝南梅賾奏上、古文遂至眞僞雜廁、非安國之舊、文字體數更、迨唐天寶時、詔學士衞包改從俗書、不但科斗古文廢絕、卽兩漢以來之隸書、亦多淩失、安得無譌、此經文所由異

也、王觀國曰、司馬遷好異而惡與人同、觀史記用尙書戰國策國語世本左傳之文、多改其正文、改績用爲功用、改厥田爲其田、改肆覲爲遂見、改宵中爲夜中、改咨四嶽爲嗟四嶽、改協和爲合和、改方命爲負命、改九載爲九歲、改格姦爲至姦、改愼徽爲愼和、改烈風爲暴風、改克從爲能從、改濬川爲決川、改恤哉爲靜哉、改四方爲四海、改熙帝爲美堯、改不遜爲不訓、改胄子爲稚子、改維清爲維靜、改天工爲天事、改底績爲致功、如此類甚多、又用論語文、分綴爲孔子弟子傳、亦多改其文、改吾執爲我執、改毋固爲無固、改指諸掌爲視其掌、改性與天道爲天道性命、改未若爲不如、改便便爲辯辯、改沿沿爲悠悠、如是類又多、子長但知好異、而不知反有害於義也、馮班曰、尙書多古語、不易通、遷所藏頗易其文字、卽太史公之書傳也、愚按、孟子之時、百篇具存、而解尙書曰、洚水者洪水也、去齊景未遠、而釋其詩曰、畜君者好君也、太史公後孟子百五六十年、文字既與三代異、言語亦不同、其以今辭解古書、苦心可想、馮班所謂書傳者也、王觀國譏之何也、亦是泥古之病矣、**讙兜進言共工。**正義讙兜、渾沌也、共工、窮奇也、鯀、檮杌也、三苗、饕餮也、傳云、舜臣堯、流四凶、投諸四裔、以禦魑魅也、考證讙兜共工鯀三苗、與左氏四凶族自異、說詳于舜紀、**堯曰、不可。而試之工師。**正義工師、若今大匠卿也、考證古鈔南化本無曰字、**共工果淫辟。**正義匹亦反、**四嶽舉鯀治鴻水。堯以爲不可。嶽彊請試之。試之而無功。故百姓不便。三苗**集解馬融曰、國名也、正義左傳云、自古諸侯不用王命、虞有三苗、夏有觀扈、孔安國云、縉雲氏之後爲諸侯、號饕餮也、吳起云、三苗之國、左洞庭而右彭蠡、案

洞庭、湖名、在岳州巴陵西南一里、南與青草湖連、彭蠡、湖名、在江州潯陽縣東南五十二里、以天子在北、故洞庭在西爲左、彭蠡在東爲右、今江州、鄂州、岳州、三苗之地也、**在江淮荊州。**【正義】淮讀曰匯、音胡罪反、今彭蠡湖也、本屬荊州、尙書云、南入于江、東匯澤爲彭蠡、是也、【考證】通鑑輯覽云、考三苗即今湖南溪峒諸苗、其種不一、故唐虞時即號三苗、**數爲亂。於是舜歸而言於帝。請流共工於幽陵、**【集解】馬融曰、北裔也、【正義】尙書及大戴禮皆作幽州、括地志云、故龔城在檀州燕樂縣界、故老傳云、舜流共工幽州居此城、神異經云、西北荒有人焉、人面朱髮、蛇身人手足、而食五穀禽獸、頑愚、名曰共工、**以變北狄、**【集解】徐廣曰、變一作燮、【索隱】變、謂變其形及衣服同於夷狄也、徐廣云、作燮、燮、和也、【正義】言四凶流四裔、各於四夷、放共工等爲中國之風俗也、【考證】變、於變之變、**放驩兜於崇山、以變南蠻、**【集解】馬融曰、南裔也、【正義】神異經云、南方荒中有人焉、人面鳥喙而有翼、兩手足扶翼而行、食海中魚、爲人很惡、不畏風雨禽獸、犯死乃休、名曰驩兜也、**遷三苗於三危、以變西戎、**【集解】馬融曰、西裔也、【正義】括地志云、三危山有三峯、故曰三危、俗亦名卑羽山、在沙州敦煌縣東南三十里、神異經云、西荒中有人焉、面目手足皆人形、而胳下有翼、不能飛、爲人饕餮、淫逸無理、名曰苗民、又山海經大荒北經云、黑水之北、有人有翼、名曰苗民也、**殛鯀於羽山、以變東夷。**【集解】馬融曰、殛、誅也、羽山、東裔也、【正義】殛、音紀力反、孔安國云、殛竄放流皆誅也、括地志云、羽山在沂州臨沂縣界、神異經云、東方有人焉、人形而身多

毛、自解水土、知通塞、爲人自用、欲爲欲息、皆曰云是鯀也、**四辠而天下咸服。**【考證】流共工於幽陵以下、采大戴記五帝德、參以尙書堯典孟子萬章篇、梁玉繩曰、罪四凶見于尙書、述于孟子、至大戴禮五帝德、始有變四夷之說、豈眞孔氏語哉、舍經文而從別記、史公之好異也、乃又謂舜巡狩歸而言于堯以罪之、與夏紀同誤、流放遷殛、不同一時、特尙書總紀于舜攝位之後、見天下咸服帝堯、以起下如喪考妣耳、崔述曰、此因上文恤刑之文、遂及其退不肖之大略、**堯立七十年得舜、二十年而老、令舜攝行天子之政、薦之於天。堯辟位凡二十八年而崩。**【集解】徐廣曰、堯在位凡九十八年、駰案皇覽曰、堯冢在濟陰城陽、劉向曰、堯葬濟陰、丘壟皆小、呂氏春秋曰、堯葬穀林、皇甫謐曰、穀林即城陽、堯都平陽、於詩爲唐國、【正義】皇甫謐曰、堯即位九十八年、通舜攝二十八年也、凡年百一十七歲、孔安國云、堯壽百一十六歲、括地志云、堯陵在濮州雷澤縣西三里、郭緣生述征記云、城陽縣東有堯冢、亦曰堯陵、有碑、是也、括地志云、雷澤縣本漢城陽縣也、【考證】尙書堯典、二十有八載、帝乃殂落、孟子釋之曰、舜相堯二十八載、而本書下文舜紀云、舜得舉用事二十年、而堯使攝政、攝政八年而堯崩、二說不同、崔述曰、史記二十有八歲、自舉舜時數之也、蔡沈書傳歷試三年、居攝二十八年、則是自舜受終時計之矣、余按堯典云、乃言底可績三載、不容舜舉已二十年、而底可績者止三載、孟子云、舜相堯二十有八載、不容初舉歷試之時、即以相堯稱之、蔡氏之說是也、愚按、薦之於天、采孟子萬章篇、**百姓悲哀、如喪父母三年。四方莫舉樂以思堯。**

【正義】尙書、三載四海遏密八音、是也、【考證】辟堯位以下、本尙書堯典、孟子萬章篇、三年二字屬上、**堯知子丹朱之不肖不足授天下、**【索隱】鄭曰、肖、似也、不似、言不如父也、皇甫謐云、堯娶散宜氏之女曰女皇、生丹朱、又有庶子九人、皆不肖也、**於是乃權授舜。**【索隱】父子繼立、常道也、求賢而禪、權道也、權者反常而合道、【正義】五帝官天下、老則禪賢、故權試舜也、【考證】索隱是、**授舜則天下得其利、而丹朱病。授丹朱則天下病、而丹朱得其利。堯曰。終不以天下之病而利一人。而卒授舜以天下。堯崩、三年之喪畢、舜讓辟丹朱於南河之南。**【集解】劉熙曰、南河、九河之最在南者、【正義】括地志云、故堯城在濮州鄄城縣東北十五里、竹書云、昔堯德衰、爲舜所囚也、又有偃朱故城、在縣西北十五里、竹書云、舜囚堯、復偃塞丹朱、使不與父相見也、案濮州北臨漯大川也、河在堯都之南、故曰南河、禹貢至于南河、是也、其偃朱城所居、即舜讓避丹朱於南河之南處也、**諸侯朝覲者、不之丹朱而之舜。獄訟者、不之丹朱而之舜。謳歌者、不謳歌丹朱而謳歌舜。**【考證】三條、南化本、獄訟作訟獄、與孟子合、**舜曰。天也夫。而後之中國踐天子位焉。**【集解】劉熙曰、天子之位、

不可曠年、於是遂反格于文祖、而當帝位、帝王所都爲中、故曰中國、【正義】堯崩以下孟子文也、【考證】孟子萬章篇、洪頤煊曰、以河在冀州南、故曰南河、與九河無涉、禮記王制尙書禹貢左傳閔二年可證、梁玉繩曰、孟子自言舜爲天子是天也、史誤以爲舜之言、**是爲帝舜。虞舜者、**【集解】諡法曰、仁聖盛明曰舜、【索隱】虞、國名、在河東大陽縣、舜、諡也、皇甫謐云、舜字都君也、【正義】括地志云、故虞城在陝州河北縣東北五十里虞山之上、酈元注水經云、幹橋東北有虞城、堯以女嬪于虞之地也、又宋州虞城大襄國所封之邑、杜預云、舜後諸侯也、又越州餘姚縣、顧野王云、舜後支庶所封之地、舜姚姓、故云餘姚、縣西七十里有漢上虞故縣、會稽舊記云、舜上虞人、去虞三十里有姚丘、即舜所生也、周處風土記云、舜東夷之人、生姚丘、括地志又云、姚墟在濮州雷澤縣東十三里、孝經援神契云、舜生於姚墟、案二所未詳也、【考證】古鈔、南化本無者字、舜名、非諡、諡自周始、都君見孟子、猶言一都之君、非字、**名曰重華。**【集解】徐廣曰、皇甫謐云、舜以堯之二十一年甲子生、三十一年甲午徵用、七十九年壬午即眞、百歲癸卯崩、【正義】尙書云、重華協於帝、孔安國云、華謂文德也、言其光文重合於堯、瞽叟姓嬀、妻曰握登、見大虹意感而生舜於姚墟、故姓姚、目重瞳子、故曰重華、字都君、龍顏大口、黑色、身長六尺一寸、【考證】閻若璩曰、古帝王有名有號、如堯舜禹其名也、放勳重華文命皆其號也、非史臣之贊辭、孟子引古堯典曰、放勳乃徂落、許氏說文正同、他日引堯之言爲放勳曰、則可知其以是爲號也矣、屈原賦二十五篇、最近古、離騷曰、就重華而陳詞、涉江曰、吾與重華遊兮瑤之圃、懷沙曰、重華不可遻兮、重華凡三見、皆實謂舜、豈得云重華本史臣贊舜之辭、屈子因以爲舜號也乎、**重華父曰瞽叟。**【正義】先后反、孔安國云、無目曰瞽、舜父有目不能

分別好惡，故時人謂之瞽，配字曰叟，叟無目之稱也。【考證】上文云，盲者子，瞽叟是名，身實無目，叟，尙書左傳孟子新序諸書作瞍，戴記作叟、**瞽叟父曰橋牛。**【正義】橋，又音嬌、**橋牛父曰句望。**【正義】句，古侯反，望，音亡、【考證】戴記橋作蟜，望作芒、**句望父曰敬康。敬康父曰窮蟬。窮蟬父曰帝顓頊。顓頊父曰昌意。以至舜七世矣。**【考證】三、南本，重昌意二字，重華父曰瞽叟以下，采帝繫，趙翼曰，左傳昭公八年云，自幕至于瞽瞍無違命，者舜重之以明德，國語魯語，幕能帥顓頊者也，有虞氏報焉，則舜之先有名幕者，史記無之、**自從窮蟬以至帝舜，皆微爲庶人。舜父瞽叟盲。而舜母死。**【索隱】皇甫謐云，舜母名握登，生舜於姚墟，因姓姚氏也、**瞽叟更娶妻而生象。象傲。瞽叟愛後妻子，常欲殺舜。舜避逃。及有小過則受罪。順事父及後母與弟，日以篤謹，匪有解。**【考證】崔述曰，史記此文采之書及孟子，而書孟子，皆未言爲後母，則史記但因其失愛，故億之耳，愚按帝王世紀云，舜能和諧，大杖則避，小杖則受，蓋敷演史文有小過則受罪六字、**舜冀州之人也。**【正義】蒲州河東縣，本屬冀州，宋永初山川記云，蒲坂城中有舜廟，城外有舜宅及二妃壇，括地志云，嬀州有嬀水，源出城中，耆舊傳云，卽舜釐降二女於嬀汭之所，外城中有舜

井，城北有歷山，山上有舜廟，未詳，案嬀州亦冀州城是也、**舜耕歷山，**【集解】鄭玄曰，在河東、【正義】括地志云，蒲州河東縣雷首山，一名中條山，亦名歷山，亦名首陽山，亦名蒲山，亦名襄山，亦名甘棗山，亦名猪山，亦名狗頭山，亦名薄山，亦名吳山，此山西起雷首山，東至吳坂，凡十一名，隨州縣分之，歷山南有舜井，又云，越州餘姚縣有歷山舜井，濮州雷澤縣有歷山舜井，二所又有姚墟，云生舜處也，及嬀州歷山舜井，皆云舜所耕處，未詳也、**漁雷澤，**【集解】鄭玄曰，雷夏，兗州澤，今屬濟陰、【正義】括地志云，雷夏澤在濮州雷澤縣郭外西北，山海經云，雷澤有雷神，龍首人頰，鼓其腹則雷也、**陶河濱，**【集解】皇甫謐曰，濟陰定陶西南陶丘亭是也、【正義】案於曹州濱河作瓦器也，括地志云，陶城在蒲州河東縣北三十里，卽舜所都也，南去歷山不遠，或耕或陶，所在則可，何必定陶方得爲陶也，舜之陶也，斯或一焉、【考證】崔述曰，虞乃冀州境，舜不應耕稼陶漁於二千里外，則以爲冀州者近是，愚按孟子公孫丑篇，大舜善與人同，自耕稼陶漁以至爲帝，無非取於人者，韓非子難篇，歷山之農者侵畔，舜往耕焉，朞年甽畝正，河濱之漁者爭坻，舜往漁焉，朞年而讓長，東夷之陶者器苦窳，舜往陶焉，朞年而器牢，墨子尙賢中篇，舜耕歷山，陶河瀕，漁雷澤，史公所本、**作什器於壽丘，**【集解】皇甫謐曰，在魯東門之北、【索隱】什器，什數也，蓋人家常用之器非一，故以十爲數，猶今云什物也，壽丘，地名，黃帝生處、【正義】壽音受，顏師古云，軍法，伍人爲伍，二伍爲什，則共器物，故謂生生之具爲什器，亦猶從軍及作役者十人爲火，共畜調度也、**就時於負夏。**【集解】鄭玄曰，負夏，衞地、【索隱】就時，猶逐時，若言乘時射利也，尙書大傳曰，販於頓丘，就時負夏，孟子曰，遷于負夏是也、【考證】作什器於壽丘，就時於負夏，又見尸子、

舜父瞽叟頑，母嚚，弟象傲。皆欲殺舜。舜順適不失子道。兄弟孝慈。欲殺不可得。卽求嘗在側。【考證】兄疑當作友，古鈔、楓、三、南本，嘗作常、**舜年二十以孝聞。三十而帝堯問可用者。**【正義】可用，謂可爲天子也、【考證】五帝德云，舜二十以孝聞於天下、**四嶽咸薦虞舜曰，可。於是堯乃以二女妻舜，以觀其內，使九男與處，以觀其外。舜居嬀汭，內行彌謹。堯二女不敢以貴驕，事舜親戚，甚有婦道。**【正義】二女不敢以帝女驕慢舜之親戚，親戚，謂父瞽叟後母弟象妹顆手等也，顆，音苦果反、**堯九男皆益篤。**【正義】篤，惇也，非唯二女恭勤婦道，九男事舜，皆益惇厚謹敬也、【考證】孟子盡心篇，帝使其子九男二女，百官牛羊倉廩備，以事舜於畎畝之中，淮南子泰族訓，四岳舉舜薦之於堯，堯乃妻以二女，以觀其內，任以百官，以觀其外，既入大麓，烈風雷雨而不迷，乃屬以九子，洪頤煊曰，呂氏春秋去私篇，堯有十子，不與其子而授舜，高誘注孟子曰，堯使九男二女事舜，此云十子，殆丹朱爲胤子，不在數中、**舜耕歷山，歷山之人皆讓畔。**【正義】韓非子，歷山之農相侵略，舜往耕，朞年，耕者讓畔也、**漁雷澤，雷澤上人皆讓居。陶河濱，河濱器皆**

不苦窳。【集解】史記音隱曰，音游市反，駰謂窳，病也、【正義】苦讀如盬，音古，盬，麤也，窳音庾、【考證】舜耕以下，采韓非子難篇，楓、三、南本，澤下有之字，李笠曰，上當作之，以歷山之人句例之，可知也，新序雜事第一，作漁於雷澤，雷澤之漁者分均、**一年而所居成聚，**【正義】聚，在喩反，謂村落也、**二年成邑，三年成都。**【正義】周禮郊野法云，九夫爲井，四井爲邑，四邑爲丘，四丘爲甸，四甸爲縣，四縣爲都也、【考證】尸子及呂氏春秋貴因篇云，舜一徙成邑，再徙成都，三徙成國，莊子徐無鬼篇，舜有羶行，百姓悅之，故三徙成都，至鄧之虛而十有餘萬家，與是史微異，中井積德曰，邑大於聚，都又大於邑，如是而已矣，不當引周官制度，梁玉繩曰，耕稼陶漁，乃舜微時事，在堯妻舜前，上文已載之矣，則讓畔讓居，以成聚成都，宜幷入上文，何又重見于釐降後邪，疑當時舜耕歷山至苦窳三十一字，置上文舜冀州之人也下，而上文衍舜耕歷山漁雷澤陶河濱十字，再移一年成都十五字，置上文就時于負夏之下，蓋史文之複出錯見者也，崔適曰，舜耕歷山至三年成都，皆四嶽薦舜之辭，當移上文四岳咸薦虞舜曰可之下，愚按，崔說尤捷、**堯乃賜舜絺衣與琴，爲築倉廩，予牛羊。**【正義】絺，勑遲反，細葛布衣也，郗氏音竹几反、**瞽叟尙復欲殺之，使舜上塗廩。瞽叟從下縱火焚廩。舜乃以兩笠自扞而下去，得不死。**【索隱】言以笠自扞己身，有似鳥張翅而輕下，得不損傷，皇甫謐云，兩繖，繖，笠類，列女傳云，二女教舜鳥工上廩，是也、【正義】通史云，瞽叟使舜滌廩，舜告堯二女，女曰，時其焚汝，鵲汝衣裳，鳥工往，舜既登

得免去也、【考證】楓南本無塗字、正義鵲作借、後瞽叟又使舜穿井。舜穿井、爲匿空旁出。【索隱】音孔、列女傳所謂龍工入井是也、【正義】言舜潛匿穿孔、旁從他井而出也、通史云、舜穿井、又告二女、二女曰、去汝裳衣龍工、往入井、瞽叟與象、下土實井、舜從他井出去也、括地志云、舜井在嬀州懷戎縣西外城中、其西又有一井、耆舊傳云、竝舜井也、舜自中出、帝王紀云、河東有舜井、未詳也、舜既入深。瞽叟與象共下土實井。【索隱】亦作塡井、舜從匿空出去。【集解】劉熙曰、舜以權謀自免、亦大聖有神人之助也、瞽叟象喜、以舜爲已死。象曰。本謀者象。象與其父母分。【正義】扶問反、於是曰。舜妻堯二女與琴、象取之。牛羊倉廩、予父母。象乃止舜宮居、鼓其琴。【正義】宮卽室也、爾雅云、室謂之宮、禮云、命士已上、父子異宮也、舜往見之。象鄂不懌。曰。我思舜正鬱陶。舜曰。然。爾其庶矣。【集解】言汝猶當庶幾於友悌之情義也、如孟子取尙書文、又云、惟玆臣庶、女其于予治、蓋欲令象共理臣庶也、【考證】楓三南本、鄂下有然字、瞽叟尙復欲殺之以下、又見孟子萬章篇、微異、梁玉繩曰、焚廩揜井之事、有無未可知、疑是戰國人妄造也、卽果有之、亦非在妻二女之後、新序雜事篇、以耕稼陶漁及井廩等事、爲未爲天子時、論衡吉驗篇謂事在舜未逢堯時、蓋近之矣、不然四岳薦舜、何

以言格乂、伯益贊禹、何以稱允若乎、此萬章隨俗之誤、孟子未及辯、而史公相承、未察爾、宋司馬光史剡、程子遺書、洪邁容齋三筆、及古史大紀、路史發揮、通鑑前編、俱糾其謬、舜復事瞽叟愛弟彌謹。於是堯乃試舜五典百官。皆治。【考證】堯典云、愼徽五典、五典克從、納于百揆、百揆時敍、昔高陽氏有才子八人。【集解】名見左傳、【考證】昔字疑衍、下同、世得其利。謂之八愷。【集解】賈逵曰、愷和也、【索隱】左傳、史克對魯宣公曰、昔高陽氏有才子八人、倉舒、隤敳、檮戭、大臨、尨降、庭堅、仲容、叔達、【考證】梁玉繩曰、左傳無得利語、以下文世謂之八元例觀、當衍、高辛氏有才子八人。【集解】名見左傳、世謂之八元。【集解】賈逵曰、元善也、【集解】左傳、高辛氏有才子八人、伯奮、仲堪、叔獻、季仲、伯虎、仲熊、叔豹、季貍、此十六族者、世濟其美、不隕其名、至於堯。【集解】謂元愷各有親族、故稱族也、濟、成也、言後代成前代也、【考證】中井積德曰、十六族、猶十六家、堯未能擧。舜擧八愷、使主后土、【集解】王肅曰、君治九土之宜、杜預曰、后土、地官、【索隱】禹爲司空、司空主土、則禹在八愷之中、【正義】春秋正義云、后、君也、天曰皇天、地曰后土、以揆百事、莫不時序。【考證】言禹度九土之宜、無不以時得其次序也、擧八元、使布五教于四方。【索隱】契爲司徒、司徒敷五敎、則契在八元之數、父義母慈

兄友弟恭子孝。內平外成。【正義】杜預云、內、諸夏、外、夷狄也、案契作五常之教、諸夏太平、夷狄向化也、【考證】內謂室家、外謂鄉黨、中庸、天下之達道五、君臣也、父子也、夫婦也、昆弟也、朋友之交也、未嘗以五道爲唐虞之五教、至孟子則曰、人之有道也、飽食煖衣、逸居而無教、則近於禽獸、聖人有憂之、使契爲司徒、教以人倫、父子有親、君臣有義、夫婦有別、長幼有序、朋友有信、淮南子人間訓亦云、百姓不親、五品不治、契教以君臣之義、父子之親、夫妻之辯、長幼之序、是與左傳史記異、愚按父母兄弟子、一家之事也、君臣朋友、一國之事也、孟子以周代具備之道、推唐虞之古耳、左傳史記、蓋得古意、昔帝鴻氏有不才子。【集解】賈逵曰、帝鴻、黃帝也、不才子、其苗裔讙兜也、掩義隱賊、好行凶慝。天下謂之渾沌。【正義】慝、惡也、一本云、天下之民謂之渾沌、渾沌卽讙兜也、言掩義事、陰爲賊害、而好凶惡、故謂之渾沌也、杜預云、渾沌、不開通之貌、神異經云、崑崙西有獸焉、其狀如犬、長毛四足、似羆而無爪、有目而不見、行不開、有兩耳而不聞、有人知性、有腹無五藏、有腸、直而不旋、食徑過、人有德行、而往抵觸之、有凶德則往依憑之、名渾沌、又莊子云、南海之帝爲儵、北海之帝爲忽、中央之帝爲渾沌、儵忽乃相遇於渾沌之地、渾沌待之甚善、儵與忽謀、欲報渾沌之德、曰、人皆有七竅、以視聽食息、此獨無有、嘗試鑿之、日鑿一竅、七日而渾沌死、案言讙兜性似、故號之也、少皞氏有不才子。【集解】服虔曰、少皞、金天氏帝號、毀信惡忠、崇飾惡言。天下謂之窮奇。【集解】服虔曰、謂共工氏也、其行窮而好奇、【正義】謂共工、言毀敗信行、惡其忠直、有惡言語、高粉飾之、故謂

之窮奇、案常行終必窮、極好諂諛、奇異於人也、神異經云、西北有獸、其狀似虎、有翼能飛、便勦食人、知人言語、聞人鬬、輒食直者、聞人忠信、輒食其鼻、聞人惡逆不善、輒殺獸往饋之、名曰窮奇、案言共工性似、故號之也、【考證】楓三本、無毀信惡忠崇飾惡言八字、顓頊氏有不才子。不可教訓、不知話言。天下謂之檮杌。【集解】賈逵曰、檮杌、頑凶無疇匹之貌、謂鯀也、【正義】檮、音道刀反、杌、音五骨反、謂鯀也、凶頑不可教訓、不從詔令、故謂之檮杌、案言無疇匹、言自縱恣也、神異經云、西方荒中有獸焉、其狀如虎而大、毛長二尺、人面虎足、豬口牙、尾長一丈八尺、攪亂荒中、名檮杌、一名傲很、一名難訓、案言鯀性似、故號之也、【考證】楓三南本、無不可教訓不知話言八字、此三族世憂之、至于堯。堯未能去。縉雲氏有不才子。【集解】賈逵曰、縉雲氏、姜姓也、炎帝之苗裔、當黃帝時、任縉雲之官也、【考證】今括州縉雲縣、蓋其所封也、字書云、縉、赤繒也、貪于飲食、冒于貨賄。天下謂之饕餮。【正義】謂三苗也、言貪飲食、冒貨賄、故謂之饕餮、神異經云、西南有人焉、身多毛、頭上戴豕、性很惡、好息、積財而不用、善奪人穀物、強者奪老弱者、畏羣而擊單、名饕餮、言三苗性似、故號之、【考證】楓三南本、無貪于飲食冒于貨賄八字、愚按依楓三南本、上文掩義隱賊好行凶慝八字、亦當衍、天下惡之、比之三凶。【集解】杜預曰、非帝子孫、故別之以比三凶也、【正義】此以上四處、皆左傳文、或本有、竝文次相類、四凶故書之、恐本錯脫耳、【考證】正義有訛脫、館本刪之、舜賓於四門、【正義】杜預云、闢四

門達四聰、以賓禮衆賢也、乃流四凶族、遷于四裔、【集解】賈逵曰、四裔之地、去王城四千里、以御螭魅。【集解】服虔曰、螭魅、人面獸身、四足、好惑人、山林異氣所生、以爲人害、【正義】御、音魚呂反、螭、音丑知反、魅、音媚、案御魑魅、恐更有邪諂之人、故流放四凶以禦之也、故下云無凶人也、於是四門辟。言毋凶人也。【考證】昔高陽氏以下、采左傳文公十八年文、通鑑輯覽云、自孔安國書傳以饕餮爲三苗、而杜預左傳注遂幷以渾沌窮奇檮杌卽驩兜共工鯀、由是經之四罪、傳之四凶、混而爲一、不知四凶之投裔在舜賓門之時、四罪之咸服在舜攝位之後、時殊人異、經傳可據、且鯀則殛死、而四凶不過投諸四裔、又何可强爲牽合、梁玉繩曰、堯之放四罪、共驩苗鯀也、事出尙書、舜之流四凶族、不才子也、事出左傳太史克語、事既各出、時亦相縣、史公分載堯舜兩紀、未嘗言四罪卽四凶族、後儒察見人數之同、遂幷八憝爲一、豈非賈服杜孔之謬哉、舜入于大麓。烈風雷雨不迷。【考證】楓、三、南本、無烈風雷雨不迷六字、堯乃知舜之足授天下。堯老使舜攝行天子政巡狩。舜得擧用事二十年、而堯使攝政。攝政八年而堯崩。【考證】中井積德曰、舜徵用三載、攝位又二十八載而堯崩也、此年數差誤、且與堯紀不合、三年喪畢、讓丹朱。天下歸舜。而禹・皐陶・契・后稷・伯夷・夔・龍・倕・益・彭祖、【索隱】彭祖、卽陸終氏之第三子籛鏗之

後、後爲大彭、亦稱彭祖、【正義】皐陶、高姚二音、字庭堅、英六二國、是其後也、契、音薛、殷之祖也、伯夷、齊太公之祖也、夔、巨龜反、樂官也、倕、音垂、亦作垂、內言之官也、益、伯翳也、卽秦趙之祖、彭祖自堯時擧用、歷夏殷封於大彭、【考證】彭祖之名、不見於尙書、大戴禮五帝德亦但言帝堯擧舜彭祖、而不言舜用彭祖、史記下文亦無彭祖分職、自堯時而皆擧用、未有分職。【正義】分、符問反、又如字、謂封疆爵土也、【考證】梁玉繩曰、既曰擧用、又曰未有分職、語意相戾、中井積德曰、未有分職、元來訛舛之語、注更錯謬、於是舜乃至於文祖、謀于四嶽、辟四門、明通四方耳目、命十二牧、論帝德、行厚德、遠佞人、則蠻夷率服。【正義】舜命十二牧、論帝堯之德、又敎之於民、遠離邪佞之人、言能如此、則夷狄亦服從也、【考證】牧下當補曰字、崔述曰、四岳十二牧皆舊官、以舜新卽位、故申儆之、使敬厥職也、舊官故書其官於前、然則稷契皐陶之非舊官可知矣、四岳不載命詞者、統率羣僚無專責也、十二牧共一命詞者、域異職同、無分別也、舜謂四嶽曰。有能奮庸美堯之事者、使居官相事。【集解】馬融曰、奮、明、庸、功也、皆曰。伯禹爲司空。可美帝功。舜曰。嗟然。禹。汝平水土。維是勉哉。禹拜稽首讓於稷・契與皐陶。舜曰。然。往矣。【集解】鄭玄曰、然其擧得其人、汝往居此官、不聽其所讓也、舜

曰。弃。黎民始飢。【集解】徐廣曰、今文尙書作祖飢、祖、始也、【索隱】古文作阻飢、孔氏以爲阻難也、祖阻聲相近、未知誰得、汝后稷、播時百穀。【集解】鄭玄曰、時讀曰蒔、【正義】稷、農官也、播時謂順四時而種百穀、舜曰。契。百姓不親、五品不馴。【集解】鄭玄曰、五品、父母兄弟子也、王肅曰、五品、五常也、【正義】馴音訓、【考證】尙書馴作遜、汝爲司徒、而敬敷五敎。在寬。【集解】馬融曰、五品之敎、舜曰。皐陶。蠻夷猾夏、【集解】鄭玄曰、猾夏、侵亂中國也、寇賊姦軌。【集解】鄭玄曰、由內爲姦、起外爲軌、【正義】亦作宄、汝作士。【集解】馬融曰、獄官之長、【正義】案若大理卿也、五刑有服。五服三就。【集解】馬融曰、五刑、墨劓剕宮大辟、三就、謂大罪陳諸原野、次罪於市朝、同族適甸師氏、既服五刑、當就三處、【正義】孔安國云、服從也、言得輕重之中正也、案墨、黥其額涅以墨、劓、截鼻也、剕、刖足也、宮、淫刑也、男子割勢、婦人幽閉也、大辟、死刑也、五流有度。【正義】度、音徒洛反、尙書作宅、孔安國云、五刑之流、各有所居也、五度三居。【正義】案謂度其遠近、爲三等之居也、維明能信。【集解】馬融曰、謂在八議、君不忍刑、宥之以遠、五等之差、亦有三等之居、大罪投四裔、次九州之外、次中國之外、當明其罪、能使信服之、【考證】崔述曰、禹於堯之季年、已成司空、但莅事不久、水土猶未平、故舜仍其官、而專責之以平水土、水土平、然後耕耨可興、故命稷次之、衣食足、然後禮義可敎、故命契次之、不敎而殺、謂之虐、敎之不從、然後齊之以刑、故命皐陶次之、此四官皆

救民之急務、正民之要術、故舜先之、舜曰。誰能馴予工。【集解】馬融曰、謂主百工之官也、皆曰。垂可。於是以垂爲共工。【集解】馬融曰、爲司空、共理百工之事、【考證】徐孚遠曰、是時禹爲司空宅百揆、垂亦何得亦爲司空、抑禹自宅揆解司空之職、以授垂邪、將共工別爲一官、與司空分職、而馬說誤邪、梁玉繩曰、史依尙書、並載禹益諸臣之讓、而垂獨缺、疑有脫文、舜曰。誰能馴予上下草木鳥獸。【集解】馬融曰、上謂原、下謂隰、皆曰。益可。於是以益爲朕虞。【集解】馬融曰、虞、掌山澤之官名、【考證】梁玉繩曰、書所謂朕虞、舜自言之也、此連文爲官名、非、王莽改水衡都尉曰予虞、漢書百官表序亦曰、益爲朕虞、地理志曰、爲舜朕虞、豈皆誤讀尙書邪、愚按朕字後人從漢書誤補、益拜稽首、讓于諸臣朱虎・熊羆。【索隱】卽高辛氏之子、伯虎仲熊也、【正義】孔安國云、朱虎熊羆二臣名、垂益所讓四人、皆在元凱之中也、舜曰。往矣。汝諧。遂以朱虎・熊羆爲佐。【正義】爲益之佐也、【考證】尙書無諸臣二字、蓋注文竄入、又不言以朱虎熊羆爲佐、或今本尙書訛脫邪、抑史公以意推之也、崔述曰、本務擧而後末務可圖、人性盡而後物性可遂、故命垂命益次之、舜曰。嗟。四嶽。有能典朕三禮。【集解】馬融曰、三禮、天神地祇人鬼之禮也、鄭玄曰、天事地事人事之禮也、皆曰。伯夷可。舜曰。嗟、伯夷。以汝爲秩宗。【集解】鄭玄曰、主次秩尊卑、【正義】若太常也、漢書百官

表云、王莽改太常曰秩宗、依古也、孔安國云、秩、序、宗、尊也、主郊廟之官也、【考證】張文虎曰、正義百官表、當作王莽傳、**夙夜維敬、直哉維靜絜。**【正義】靜、清也、絜、明也、孔安國云、職典禮施政教、使正直而清明、**伯夷讓夔・龍。舜曰、然。**【正義】孔安國云、然其推賢、不許其讓也、**以夔爲典樂、教稺子。**【集解】鄭玄曰、國子也、案尚書作胄子、稺胄聲相近、【正義】稺、胄雉反、孔安國云、胄、長也、謂元子以下至卿大夫子弟、以歌詩蹈之舞之、教長國子中和祗庸孝友、**直而溫。**【集解】馬融曰、正直而色溫和、**寬而栗。**【集解】馬融曰、寬大而謹敬戰栗也、**剛而毋虐。簡而毋傲。**【正義】孔安國云、剛失之虐、簡失之傲、教之以防其失也、**詩言意、歌長言。**【索隱】馬融曰、歌所以長言詩之意也、【正義】孔安國云、詩言志以導其心、歌詠其義以長其言也、【考證】尚書意作志、長作永、邵晉涵曰、以意易志、疑後漢人避桓帝所改也、**聲依永、律和聲。**【集解】鄭玄曰、聲之曲折、又依長言、聲中律、乃爲和也、【正義】孔安國云、聲、五聲、宮商角徵羽也、律、謂六律六呂、十二月之音氣也、當依聲律和樂也、**八音能諧、毋相奪倫、神人以和。**【集解】鄭玄曰、祖考來格、羣后德讓、其一隅也、【正義】八音、金石絲竹匏土革木也、孔安國云、倫、理也、八音能諧、理不錯奪、則神人咸和、命夔使勉也、**夔曰、於、予擊石拊石、百獸率舞。**【集解】鄭玄曰、百獸、服不氏所養者也、率舞、言音和也、【正義】於、音烏、孔安國云、石、磬、音之清者、拊、亦擊也、舉清者和、則其餘皆從矣、樂

感百獸、使相率而舞、則神人和可知也、案磬、一片黑石也、不、音福尤反、周禮云、夏官有服不氏、掌服猛獸、下士一人、徒四人、鄭玄云、服不服之獸也、**舜曰、龍、朕畏忌讒說殄僞、振驚朕衆。**【集解】徐廣曰、一云齊說殄行、振驚衆、駰案鄭玄曰、所謂色取仁而行違、是驚動我之衆臣使之疑惑、【正義】僞、音危睡反、言畏惡利口讒說之人、兼殄絕姦僞人黨、恐其驚動我衆、使龍遏絕之、出入其命惟信實也、此僞字太史公變尚書文也、尚書僞字作行、音下孟反、言己畏忌有利口讒說之人、殄絕無德行之官也、【考證】尚書畏忌作堲、僞讀爲爲、尚書作行、字異義同、讒說殄爲、對言、殄、傷絕也、殄爲、傷絕之行、**命汝爲納言。夙夜出入朕命、惟信。**【正義】孔安國云、納言、喉舌之官也、聽下言納於上、受上言宣於下、必信也、**舜曰、嗟、女二十有二人。敬哉。惟時相天事。**【集解】馬融曰、稷契皐陶、皆居官久有成功、但述而美之、無所復勅、禹及垂已下、皆初命、凡六人、與上十二牧四嶽、凡二十二人、鄭玄曰、皆格于文祖時所勅命也、【正義】相、視也、舜命二十二人、各敬行其職、惟在順時視天所宜而行事也、【考證】蔡沈曰、二十二人、謂四岳九官十二牧也、崔適曰、自禹至彭祖、共爲十人、加以十二牧、乃爲二十二人也、愚按、在尚書則當如蔡說、在史則崔說近是、但彭祖無分職、未審史公之意、相天事、堯典作亮天功、**三歲一考功、三考絀陟遠近。衆功咸興。分北三苗。**【集解】鄭玄曰、所竄三苗、爲西裔諸侯者猶爲惡、乃復分析流之、【考證】於是舜乃至文祖以下、采尚書堯典、絀陟遠近、尚書作黜陟幽明、慶長本標記云、絀、丑律反、北如字、又爲

背、鄒誕生音步代反、愚按、三苗有生熟之別、或既從化、或猶抗命、所以分處之、**此二十二人、咸成厥功。皋陶爲大理平、民各伏得其實。**【正義】皋陶作士、正平天下罪惡也、【考證】大當作士、字之訛也、故正義以作士解之、戴記五帝德、皋陶作士、忠信疏通、本書夏本紀亦云、皋陶作士以理民、張文虎曰、御覽八十一引史伏作服、李笠曰、伏通作服、項羽紀、一府中皆慴伏、下文作諸將皆慴服、又衆乃皆伏、漢書項籍傳、伏作服、**伯夷主禮、上下咸讓。垂主工師、百工致功。**【正義】工師、若今大匠卿也、**益主虞、山澤辟。**【正義】婢亦反、開也、**棄主稷、百穀時茂。契主司徒、百姓親和。龍主賓客、遠人至。十二牧行、而九州莫敢辟違。**【正義】禹九州之民、無敢辟違舜十二牧也、**唯禹之功爲大。披九山、**【正義】披、音皮義反、謂傍其山邊以通、**通九澤、決九河、定九州、各以其職來貢、不失厥宜。方五千里、至于荒服。**【考證】披九山以下、采尚書禹貢、楓、三、南本、九河作九川、**南、撫交阯・北發、**【正義】一句、**西、戎・析枝・渠廋・氏羌。**【正義】一句、【考證】南本、廋作搜、**北、山戎・發・息慎。東、長・鳥夷。**【集解】鄭玄曰、息慎、或謂之肅慎、東北夷、【索隱】此

言帝舜之德、皆撫及四方夷人、故先以撫字總之、北發、當云北戶、南方有地名北戶、又案漢書、北發是北方國名、今以北發爲南方之國、誤也、此文省略、四夷之名錯亂、西戎上少一西字、山戎下少一北字、長字下少一夷字、長夷也、鳥夷也、其意宜然、今案大戴禮亦云長夷、則長是夷號、又云鮮支渠搜、則鮮支當此析枝也、鮮析音相近、鄒氏劉氏云、息竝音肅、非也、且夷狄之名、古書不必皆同、今讀如字也、【正義】注鳥或作嶋、括地志云、百濟國西南海中有大嶋十五所、皆置邑有人居、屬百濟、又倭國西南大海中嶋居凡百餘小國、在京南萬三千五百里、案武后改倭國爲日本國、【考證】南撫交阯以下、采大戴記五帝德、但北發作大教、大戴記少間篇云、舜以天德嗣堯、海外肅愼北發渠搜氏羌來服、查德基曰、北發疑當作大發、西戎之戎、發息愼之發、疑皆衍字、說苑修文篇、南交阯大發、西析支渠搜、北山戎息愼、東長夷島夷、似可據以正史、鳥島古通用、愚按、北發國名、又見管子及漢武紀韓安國傳、大教大發北發三者未知其孰是、又按西北東下、亦當有撫字、以上文撫字該之、是古文簡處、**四海之內、咸戴帝舜之功。**【正義】爾雅云、九夷八狄七戎六蠻、謂之四海、**於是禹乃興九招之樂、致異物。鳳皇來翔。**【索隱】招、音韶、卽舜樂、簫韶九成、故曰九招、【考證】楓、三、南本、招作韶、尚書皋陶謨、簫韶九成、鳳凰來儀、德齡曰、禹字當作夔、敍禹于諸臣之後者、以禹功最大也、而大樂之作、所以告成功、故又敍夔于禹之後、其次序固秩然不紊也、夏本紀舜德大明、于是夔行樂一段、尤可爲夔字明證、**天下明德、皆自虞帝始。舜年二十以孝聞。年三十堯舉之。年五十攝行天子**

事。年五十八堯崩。年六十一代堯踐帝位。【集解】皇甫謐曰、舜所都、或言蒲阪、或言平陽、或言潘、潘、今上谷也、【正義】括地志云、平陽、今晉州城是也、潘、今嬀州城是也、蒲阪、今蒲州南二里河東縣界蒲阪故城是也、踐帝位三十九年。南巡狩崩於蒼梧之野。葬於江南九疑。是爲零陵。【集解】皇覽曰、舜冢在零陵營浦縣、其山九谿皆相似、故曰九疑、傳曰、舜葬蒼梧、象爲之耕、禮記曰、舜葬蒼梧、二妃不從、山海經曰、蒼梧山、帝舜葬于陽、丹朱葬于陰、皇甫謐曰、或曰、二妃葬衡山、【考證】堯典云、舜生三十徵庸、三十在位、五十載陟方乃死、孟子離婁篇云、舜生於諸馮、遷於負夏、卒於鳴條、禮記檀弓篇云、舜葬於蒼梧之野、蓋三妃未之從也、大戴記五帝德云、舜之少也、惡顇勞苦、二十以孝聞乎天下、三十在位、嗣帝所、五十乃死、葬于蒼梧之野、史公蓋采檀弓五帝德、崔適曰、年三十堯舉之、卽尚書所謂三十徵庸也、年五十攝行天子事、卽上文所謂舜得舉用事二十年、而堯使攝政也、堯崩時年六十一、代堯踐帝位、卽上文所謂攝政八年而堯崩、三年喪畢、讓丹朱、天下歸舜也、踐帝位三十九年崩、乃尚書所謂五十載陟方乃死、自攝政八年、居喪三年、在位三十九年、合爲五十載也、愚按史公之意與尚書孟子異、說見上文、舜之踐帝位、載天子旗、往朝父瞽叟。夔夔唯謹、如子道。【集解】徐廣曰、夔夔、和敬貌、【考證】孟子萬章篇、書曰、祗載見瞽瞍、夔夔齊栗、瞽瞍亦允若、封弟象爲諸侯。【集解】孟子曰、封之有庳、音鼻、【正義】帝王紀云、舜弟象封於有鼻、括地志云、鼻亭神在營道

縣北六十里、故老傳云、舜葬九疑、象來至此、後人立祠、名爲鼻亭神、輿地志云、零陵郡應陽縣東有山、山有象廟、王隱晉書云、泉陵縣北部東五里、有鼻墟、象所封也、【考證】孟子萬章篇、吳裕垂曰、道州之有庳亭、猶靈博之有象祠也、南蠻苗夷所建、不必問其所自始、而有庳之封、必近帝都、方得常常而見、原原而來、舜子商均亦不肖。【集解】皇甫謐曰、娥皇無子、女英生商均、【正義】譙周云、以虞封舜子、今宋州虞城縣、括地志云、虞國舜後所封邑也、或云、封舜子均於商、故號商均也、舜乃豫薦禹於天。十七年而崩。【索隱】薦於天、謂告天使之攝位也、【考證】楓、三本、無乃字、三年喪畢。禹亦乃讓舜子、如舜讓堯子。【正義】括地志云、禹居洛州陽城者、避商均、非時久居也、【考證】楓、三、南本、崩下重崩字、無乃字、諸侯歸之。然後禹踐天子位。【考證】舜子商均亦不肖以下、采孟子萬章篇、堯子丹朱、舜子商均、皆有疆土、【集解】譙周曰、以唐封堯之子、以虞封舜之子、【索隱】漢書律歷志云、封堯子朱於丹淵爲諸侯、商均封虞、在梁國、今虞城縣也、【正義】括地志云、定州唐縣、堯後所封、宋州虞城縣、舜後所封也、以奉先祀。服其服、禮樂如之。以客見天子。天子弗臣。示不敢專也。【正義】爲天子之賓客也、【考證】尚書皐陶謨云、虞賓在位、傳云、丹朱爲王者後、故稱賓、禮記郊特牲云、王者存二代之後、猶尊賢也、尊賢不過二代、自黃帝至舜禹皆同姓。而

異其國號、以章明德。【集解】徐廣曰、外傳曰、黃帝二十五子、其得姓者十四人、虞翻云、以德爲氏姓、又虞說以凡有二十五人、其十二人同姓姬、又十一人爲十一姓、酉祁己滕葴任荀釐姞儇衣是也、餘十二姓、德薄不紀錄、【正義】釐、音力其反、姞、音其吉反、儇、音在宣反、【考證】外傳、國語晉語、崔述曰、上古之時、人情樸略、容有未受姓者、故因錫土而遂賜之、所以禹貢有錫土姓之文、非每人皆賜之以姓也、安有同父而異姓者哉、姓也者生也、有姓者所以辨其所由生也、苟同父而各姓其姓、則所由生者無可辨、有姓曷取焉、自國語始有一人子孫分爲數姓之說、而大戴記從而衍之、史記又從而采之、遂謂唐虞三代共出一祖、而帝王之族姓遂亂雜而失其眞矣、然則誣古聖而惑後儒者、皆國語爲之濫觴也、且晉語前既云青陽與夷鼓爲己姓、後又云青陽與倉林爲姬姓、是青陽一人而有兩姓矣、晉語既云黃帝之子青陽夷鼓皆爲己姓、鄭語又云祝融之後、己姓昆吾蘇顧溫董、是己一姓而又有兩祖矣、其自矛盾如是、焉可爲信哉、梁玉繩曰、黃帝至禹、諸帝王竝非一族、安得同姓、史于五帝之姓多缺不具、而夏之姓姒、下文已明書之、何云同姓哉、此史通所謂連行接句、頓成乖角者也、歐陽修曰、司馬遷所作本紀出於大戴禮世本諸書、今依其說、圖而考之、堯舜夏商周皆同出於黃帝、堯之崩也、下傳其四世孫舜、舜之崩也、復上傳其四世祖禹、而舜禹皆壽百歲、稷契於高辛爲子、乃同父異母之兄弟、今以其世次而下之、湯與王季同世、湯下傳十六世而爲紂、王季下傳一世而爲文王、二世而爲武王、是文王以十五世祖臣事十五世孫紂、而武王以十四世祖伐十四世孫而代之王、何其繆哉、故黃帝爲有熊。【考證】黃帝爲有熊、傳記無所概見、帝顓頊爲高陽。帝嚳爲高辛。帝堯爲陶唐。

【集解】韋昭曰、陶唐皆國名、猶湯稱殷商矣、張晏曰、堯爲唐侯、國於中山唐縣是也、帝舜爲有虞。【集解】皇甫謐曰、舜嬪于虞、因以爲氏、今河東大陽西山上虞城是也、帝禹爲夏后、而別氏。姓姒氏。【考證】梁玉繩曰、夏代稱后、故云夏后氏、王則間稱之、何論帝也、帝禹之稱、且以帝與后連書亦複、又曰、三代以前、必著功德、然後賜姓命氏、故人不皆有姓、三代以降、族類繁亂、皆所謂姓、但有氏而已、姓一定而不易、雖百世弗改、氏遞出而不窮、卽再傳可變、史公承秦項焚之餘、譜學已紊、姓氏遂混、有以姓爲氏者、如夏之姒、商之子姓也、非氏也、而連氏于其下、曰姒氏子氏、有以氏爲姓者、如秦之趙、漢之劉、氏也、非姓也、而加姓于其上、曰姓趙姓劉、然其謬非始于史公、穀梁隱九年、南季來聘傳云、南氏姓也、則已混稱之矣、或問春秋書姜氏子氏、姜與子俱姓、而書氏何居、曰、古者男子稱氏、婦人稱姓、而姓之與氏、散亦得通、是以通志氏族序云、姓可呼爲氏、氏不可呼爲姓、從未有姓氏幷稱之者、易言黃帝堯舜氏作、則又以號爲氏、以名爲氏、亦稱姓爲氏之比矣、契爲商。姓子氏。【索隱】禮緯曰、禹母脩已呑薏苡而生禹、因姓姒氏、而契姓子氏者、亦以其母呑乙子而生、弃爲周。姓姬氏。【集解】鄭玄駮許愼五經異義曰、春秋左傳、無駭卒、羽父請諡與族、公問族於衆仲、衆仲對曰、天子建德、因生以賜姓、胙之土而命之氏、諸侯以字爲氏、因以爲族、官有世功、則有官族、邑亦如之、公命以字爲展氏、以此言之、天子賜姓命氏、諸侯命族、族者氏之別名也、姓者所以統繫百世使不別也、氏者所以別子孫之所出、故世本之篇、言姓則在上、言氏則在下也、

太史公曰。〔正義〕太史公、司馬遷自謂也。自敘傳云、太史公曰、先人有言、又云、太史公曰、余聞之董生、又云、太史公遭李陵之禍、明太史公司馬遷自號也。遷爲太史公官、題贊首也。虞憙云、古者主天官者、皆上公、非獨遷、〔考證〕姚鼐曰、太史公係後人尊稱之辭、漢官儀乃云其官本名太史公、此謬說也。漢書臣瓚注引茂陵書、司馬談以太史丞爲令、又孔北海告高密縣曰、昔太史公、廷尉吳公、謁者僕射鄧公、皆漢之名臣、世嘉其高、皆悉稱公、然則公者仁德之正號、不必三事大夫也。據此則凡史記內以太史公稱談者、卽子長所加、以稱子長者、皆後人所益、又何疑焉。若文選載報任安書首云、太史公牛馬走、公字乃令字之譌耳、稱太史令、猶後人之列銜、稱牛馬走、猶後人稱僕稱弟之類。梁玉繩曰、太史公之稱、今上紀及自序傳注引桓譚新論云、東方朔所署、又引韋昭云、遷外孫楊惲所加、又引衞宏漢儀注、謂太史公武帝置、位在丞相上、遷死後、宣帝以其官爲令、行文書而已、又引虞喜志林謂古主天官者、皆上公、由周至漢、其職轉卑、然朝會坐位、猶居公上、其官屬仍以舊名尊之。攷史記遷死後稍出、至宣帝時始宣布、東方朔安得見之、索隱非之矣。遷傳有楊惲祖述其書之語、韋昭所本、索隱亦從之、但一部史記均稱太史公、惟自序中遷爲太史令一句稱令、然正義引史作公、疑今本傳譌、或依漢書改、豈盡惲增之邪。索隱以爲姚察非之矣。蓋太史公是官名、衞宏漢人、其言可信、又曰、史記祇天官書太史公推古天變、及封禪書兩稱太史公、自序前篇六稱太史公、指司馬談、文義顯白、餘皆自謂。愚按太史令官名、太史令之稱太史公、猶太倉令之稱太倉公、自是當時官府通稱、固非官名、亦非尊加、姚梁之說恐皆非是、說又見于太史公自序。

學者多稱五帝尚矣。〔集解〕尚、上也、言久遠也。然尚矣文出大戴禮。然尚書獨載堯以來。

而百家言黃帝、其文不雅馴。〔正義〕馴、訓也、謂百家之言、皆非典雅之訓。薦紳先生難言之。〔集解〕徐廣曰、薦紳、卽縉紳也、古字假借。〔考證〕五帝德云、夫黃帝尚矣、先生難言之。孔子所傳宰予問五帝德及帝繫姓、〔正義〕繫、音奚計反。儒者或不傳。〔索隱〕五帝德、帝繫姓、皆大戴禮及孔子家語篇名、以二者皆非正經、故漢時儒者以爲非聖人之言、故多不傳學也。余嘗西至空桐、〔正義〕余、太史公自稱也。嘗、曾也。空桐山、在原州平高縣西百里、黃帝問道於廣成子處。北過涿鹿、〔正義〕涿鹿山、在嬀州東南五十里、山側有涿鹿城、卽黃帝堯舜之都也。東漸於海、南浮江淮矣。至長老皆各往往稱黃帝・堯・舜之處、風教固殊焉。〔考證〕楓、三、南本、無至字、固作國。總之不離古文者近是。〔索隱〕古文、卽帝德帝系二書也、近是聖人之說。〔考證〕沈濤曰、總之不離古文者近是、是古文卽謂尚書、太史公自序、年十歲則誦古文、亦謂古文尚書、小司馬于紀贊則以爲帝德帝繫等書、于自序則以爲左傳國語等書、皆非是。又曰、漢書儒林傳曰、司馬遷亦從安國問故、遷書載堯典禹貢洪範微子金縢諸篇、多古文說、是史記之用古文、孟堅言之鑿然矣、自漢以來、皆無異說、惟史遷每以訓詁字易經文、又兼裴駰司馬貞張守節所據本、每多互異、蓋已爲六朝人所竄亂、然藉此以求古文之眞、尚可存十一於千百。愚按古文謂以古文書者、不止尚書一經、而是主斥尚書、說又見十二

諸侯年表序。予觀春秋國語、其發明五帝德帝繫姓章矣。〔索隱〕太史公言己以春秋國語古書博加考驗、益以發明五帝德等說甚章著也。〔考證〕中井積德曰、言春秋國語中多說五帝之事。顧弟弗深考。〔集解〕徐廣曰、弟、但也、史記漢書見此者非一、又左思蜀都賦曰、弟如滇池、而不詳者多以爲字誤、學者安可不博觀乎。〔正義〕顧、念也。弟、且也。太史公言博考古文、擇其言表見之不虛、甚章著矣、思念亦且不須更深考論。〔考證〕錢大昕曰、弟但聲相近。中井積德曰、弗深考、譏儒者不傳也。其所表見皆不虛。〔索隱〕言帝德帝系所有表見者、皆不爲虛妄也。書缺有閒矣。〔正義〕言古文尚書缺失、其閒多矣、而無說黃帝之語。〔考證〕中井積德曰、書缺有閒、尚書殘缺有年載也。其軼乃時時見於他說。〔索隱〕言古典殘缺有年載、故曰有閒、然帝皇遺事散軼、乃時時旁見於他記說、卽帝德帝系等說也、故己今採案而備論黃帝已來事耳。非好學深思、心知其意、固難爲淺見寡聞道也。余并論次、擇其言尤雅者、故著爲本紀書首。〔正義〕太史公據古文并諸子百家、論次擇其言語典雅者、故著爲五帝本紀、在史記百三十篇書之首。〔考證〕趙恆曰、此論本紀所以首黃帝之意、蓋尚書獨載堯以來、而史記始黃帝、史記之所據者、五帝德帝繫姓也、乃儒者或不傳之書也、然遷以所涉歷、驗之風教而近是、參之春秋國語、而所表見爲不虛、是以尚書雖缺、而其軼之見於他說、如五帝德帝繫姓者、不可不言而傳之也、要在學

者博聞深思、精擇而愼取之耳、故以黃帝著爲本紀首、則顓頊高辛在其中矣。

〔索隱〕述贊、帝出少典、居于軒丘、既代炎曆、遂禽蚩尤、高陽嗣位、靜深有謀、小大遠近、莫不懷柔、爰洎帝嚳、列聖同休、帝摯之弟、其號放勳、就之如日、望之如雲、郁夷東作、昧谷西曛、明敭仄陋、玄德升聞、能讓天下、賢哉二君。〔考證〕中井積德曰、索隱述贊百三十篇、無一篇可觀、並削之可也。

五帝本紀第一

史記一

史記會注考證卷二

漢　太史令　司馬遷　撰

宋　中郎外兵曹參軍　裴駰　集解

唐　國子博士弘文館學士　司馬貞　索隱

唐　諸王侍讀率府長史　張守節　正義

日本　出雲　瀧川資言　考證

夏本紀第二　史記二

[考證]史公自序云、維禹之功、九州攸同、光唐虞際、德流苗裔、夏桀滛驕、乃放鳴條、作夏本紀第二、陳仁錫曰、夏紀自啓以前、多本諸尚書、故紀事詳悉、至太康以下、事不經

見、則不免疎略矣、

夏禹　[集解]謚法曰、受禪成功曰禹、[正義]夏者、帝禹封國號也、帝王紀云、禹受封爲夏伯、在豫州外方之南、今河南陽翟是也、名曰文命。[索隱]尚書云、文命敷于四海、孔安國云、外布文德敎命、不云是禹名、太史公皆以放勳重華文命爲堯舜禹之名、未必爲得、孔又云、虞氏舜名、則堯舜禹湯皆名矣、蓋古者帝王之號、皆以名、後代因其行、追而爲謚、其實禹是名、故張晏云、少昊已前、天下之號象其德、顓頊已來、天下之號因其名、又按系本、鯀取有辛氏女、謂之女志、是生高密、宋衷云、高密禹所封國、[正義]帝王紀云、父鯀妻脩己、見流星貫昴、夢接意感、又吞神珠薏苡、胷坼而生禹、名文命、字密、身九尺二寸長、本西夷人也、大戴禮云、高陽之孫、鯀之子、曰文命、揚雄蜀王本紀云、禹本汶山郡廣柔縣人也、生於石紐、括地志云、茂州汶川縣石紐山、在縣西七十三里、華陽國志云、今夷人共營其地、方百里、不敢居牧、至今猶不敢放六畜、按廣柔、隋改曰汶川、[考證]禹、名、文命、徽號、說已詳五帝紀、禹之父曰鯀。鯀之父曰帝顓頊。[索隱]皇甫謚云、鯀、帝顓頊之子、字熙、又連山易云、鯀封於崇、故國語謂之崇伯鯀、系本亦以鯀爲顓頊子、漢書律歷志則云、顓頊五代而生鯀、按鯀既仕堯、與舜代系殊懸、舜卽顓頊六代孫、則鯀非是顓頊之子、蓋班氏之言、近得其實、顓頊之父曰昌意。昌意之父曰黃帝。禹者、黃帝之玄孫、而帝顓頊之孫也。禹之曾大父昌意、及父鯀、皆不得在帝位、爲人臣。[考證]以上、本帝繫篇、劉知幾曰、顓頊紀中已具云黃帝是顓頊祖矣、此篇下云禹是顓頊孫、則其上不得更言黃帝之玄孫、張照曰、夏本紀、禹之父曰鯀、鯀之父曰帝顓頊、五帝紀、瞽叟父曰橋牛、橋牛父曰句望、句望父曰敬康、敬康父曰窮蟬、窮蟬父曰帝顓頊、是禹爲帝顓頊之孫、而舜爲帝顓頊六世孫矣、禹爲舜之高祖行、得相見已屬僅事、必年大長於舜矣、乃舜命禹治水時、禹方娶塗山之女、復受舜禪、十七年而崩於會稽、則禹年幼於舜又可知、豈理也哉、歐陽修辯而闢之、當矣、

當帝堯之時、鴻水滔天、浩浩懷山襄陵、下民其憂。[索隱]一作洪、鴻、大也、以鳥大曰鴻、小曰鴈、故近代文字大義者皆作鴻也、堯求能治水者。羣臣四嶽皆曰。鯀可。堯曰。鯀爲人負命毀族。不可。四嶽曰。等之未有賢於鯀者。願帝試之。於是堯聽四嶽、用鯀治水。九年而水不息。功用不成。於是帝堯乃求人。更得舜。舜登用、攝行天子之政。巡狩行視鯀之治水無狀。[索隱]言無功狀、乃殛鯀於羽山以死。[正義]殛、音紀力反、鯀之羽山、化爲黃熊、入于羽淵、熊、音乃來反、下三點爲三足也、東晳發蒙紀云、鼈三足曰熊、天下皆以舜之誅爲是。於是舜舉

鯀子禹、而使續鯀之業。堯崩。帝舜問四嶽曰。有能成美堯之事者、使居官。皆曰。伯禹爲司空。可成美堯之功。舜曰。嗟。然。命禹。女平水土。維是勉之。禹拜稽首、讓於契·后稷·皋陶。舜曰。女其往視爾事矣。[考證]以上采堯典、巡狩行視鯀之治水無狀、史公以意增、禹爲人敏給克勤、其悳不違、其仁可親、其言可信。聲爲律、[索隱]言禹聲音應鍾律、身爲度　[集解]王肅曰、以身爲法度、[索隱]按今巫猶稱禹步、稱以出。[集解]徐廣曰、一作士、[索隱]按大戴禮見作士、又一解云、上文聲與身爲律度、則權衡亦出於其身、故云稱以出也、[正義]言出敎命、皆合衆心、是稱以出也、出一作士、按稱者衣服也、禹服緇衣纁裳、是士之祭服也、孝經鉤命決云、禹吾無閒然矣、菲飲食而致孝乎鬼神、惡衣服而致美乎黻冕、是也、其義亦通、不及出字之義也、[考證]律、律呂也、度、尺度也、稱、適事之宜也、出猶爲也、行也、言聲之高下疾徐、合於律呂、身之進退屈伸、合於尺度、皆稱其宜而行也、亹亹穆穆、爲綱爲紀。[考證]以上采五帝德、禹乃遂與益·后稷奉帝命、命諸侯百姓、興人徒以傅土、行山表木、[集解]尚書傅字作敷、馬融曰、敷、分也、[索隱]尚書作敷

土隨山刊木、今案大戴禮作傳土、故此紀依之、傳卽付也、謂付功屬役之事、若尙書作敷、敷分也、謂令人分布理九州之土地也、表木、謂刊木立爲表記、與孔注書意異、定高山大川。集解 馬融曰、定其差秩祀禮所視也、駰案尙書大傳曰、高山大川、五嶽四瀆之屬、考證 以上采尙書禹貢、孟子滕文公篇、命諸侯百姓興人徒八字、史公以意增、禹傷先人父鯀功之不成受誅、乃勞身焦思、居外十三年。過家門不敢入。考證 張文虎曰、父鯀疑衍、御覽引作禹傷先人之功不成受誅、梁玉繩曰、此及河渠書及漢書溝洫志、皆言禹在外十三年、與孟子言八年異、薄衣食、致孝于鬼神、集解 馬融曰、祭祀豐絜、卑宮室、致費於溝淢。集解 包氏曰、方里爲井、井閒有溝、溝廣深四尺、十里爲成、成閒有淢、淢廣深八尺、考證 薄衣食以下、采論語泰伯篇、中井積德曰、此論語論其爲天子之事也、史援引失次、愚按包說據周考工記、然可以概夏制、陸行乘車、水行乘船、泥行乘橇、集解 徐廣曰、他書或作蕝、駰案孟康曰、橇形如箕、擿行泥上、如淳曰、橇、音茅蕝之蕝、謂以板置其泥上、以通行路也、正義 按橇形如船而短小、兩頭微起、人曲一腳、泥上擿進、用拾泥上之物、今杭州溫州海邊有之也、擿、天歷反、今乘船、猶云擿舡也、山行乘檋。集解 徐廣曰、檋一作橋、音丘遙反、駰案如淳曰、檋車、謂以鐵如錐頭、長半寸、施之履下、以上山、不蹉跌也、又音紀錄反、正義 按上山前齒短、後齒長、下山前齒長、後齒短也、檋音與上同也、考證 陸行乘車以下、釋尙書皐陶謨予乘四載也、張文虎曰、山行乘

檋、漢書溝洫志檋作梮、如淳云、以鐵如錐頭、長半寸、施之履下以上山、據此則今之屐也、檋梮同、紀錄反、今音屐、爲渠戟反、蓋其轉音、河渠書作橋、疑屩之借字、說文、屩屐也、屐、屩也、是橋亦屐矣、左準繩、右規矩、集解 王肅曰、左右言常用也、索隱 左所運用堪爲人之準繩、右所擧動必應規矩也、載四時。集解 王肅曰、所以行、不違四時之宜也、考證 張文虎曰、準所以求平、繩所以求直、規矩所以求高低遠近、治水者宜測量地形水勢以施功、故一日不可離、又曰、四時、此謂測中星候晷景漏刻、定方向、四時當時亦必有其器、故云載、周禮太史抱天時、與太師同車、蓋亦其器、姚鼐曰、四時、四方之時也、蓋指南之法、禹時已有、其時道路不通、非以候時日定方嚮不能行也、以開九州、通九道、正義 通達九州之道路也、陂九澤、度九山。正義 釋名曰、山者產也、按洪水已去、九州之山川所生物產、視地所宜、商而度之、以致貢賦也、考證 左準繩以下、采五帝德文、令益予衆庶稻可種卑溼、命后稷予衆庶難得之食。食少。調有餘相給、以均諸侯。考證 以上本尙書皐陶謨、楓三南本、令作命、梁玉繩曰、尙書曰、曁益奏庶鮮食、曁稷播、奏庶艱食鮮食、此不言鮮食、而以益稷皆奏庶艱食者、誤也、下文言與益予衆庶稻、亦非、禹乃行、相地宜所有以貢、及山川之便利。禹行自冀州始。冀州既載。集解 孔安國曰、堯所都也、先施貢賦役、載於書也、鄭玄曰、兩河閒曰冀州、正義 按理水及貢賦、從帝都爲始也、黃河自勝州東、直南

至華陰、卽東至懷州南、又東北至平州碣石山入海也、東河之西、西河之東、南河之北、皆冀州也、壺口治梁及岐。集解 鄭玄曰、地理志、壺口山、在河東北屈縣之東南、梁山在左馮翊夏陽、岐山在右扶風美陽、索隱 鄭玄曰、地理志、壺口山、在河東北屈縣之東南、梁山在左馮翊夏陽、岐山在右扶風美陽、正義 括地志云、壺口山、在慈州吉昌縣西南五十里、冀州境也、梁山在同州韓城縣東南十九里、岐山在岐州岐山縣東北十里、二山雍州境也、孔安國曰、從東循山理水而西也、考證 何焯曰、史漢皆以既載爲句、又曰、鄭康成釋禹貢、惟以漢地理志爲據、是先儒之精愼也、陳仁錫曰、冀州句、既載壺口句、治梁及岐句、載、始也、梁岐皆冀州山、鄭注誤、張文虎曰、壺口集解全同索隱、小司馬注本以補裴、不當相襲、蓋傳寫錯亂、今不能別、各仍之、後放此、不復記、既脩太原、至于嶽陽。集解 孔安國曰、太原今爲郡名、太嶽在太原西南、山南曰陽、索隱 嶽、太嶽、卽冀州之鎭霍太山也、按地理志、霍太山在河東彘縣東、凡如此例不引書者、皆地理志文也、正義 括地志云、霍太山、在沁州沁原縣西七八十里、覃懷致功、集解 孔安國曰、覃懷、近河地名、鄭玄曰、懷縣屬河內、索隱 按河內有懷縣、今驗地無名覃者、蓋覃懷二字、或當時共爲一地之名、至於衡漳。集解 孔安國曰、漳水橫流、索隱 案孔注以衡爲橫非、王肅云、衡漳二水名、地理志、淸漳水、出上黨沾縣東北至阜城縣入河、濁漳水、出上黨長子縣、東至鄴入淸漳也、正義 括地志云、故懷城、在懷州武陟縣西十一里、衡漳水在瀛州東北百二十五里平舒縣界也、衡、音橫、其土、白壤。集解 孔安國曰、土無塊曰壤、賦、上上錯。集解 孔安國曰、上上、第一、錯、雜也、雜出第二之賦、田、中中。

集解 孔安國曰、九州之中、爲第五、常衛既從、大陸既爲。集解 鄭玄曰、地理志、恆水出恆山、衛水在靈壽、大陸澤在鉅鹿、索隱 此文改恆山恆水皆作常、避漢文帝諱故也、常水出常山上曲陽縣、東入滱水、衛水出常山靈壽縣、東入虖沱、郭璞云、大陸、今鉅鹿北廣河澤是已、爲亦作也、正義 水去大陸以成澤、鳥夷皮服。集解 鄭玄曰、鳥夷、東北之民搏食鳥獸者、孔安國曰、服其皮、明水害除、正義 括地志云、靺鞨國、古肅愼也、在京東北萬里已下、東及北各抵大海、其國南有白山、鳥獸草木皆白、其人處山林閒、土氣極寒、常爲穴居、以深爲貴、至接九梯、養豕食肉、衣其皮、冬以豬膏塗身、厚數分、以禦風寒、貴臭穢不潔、作廁於中、圜之而居、多勇力、善射、弓長四尺、如弩、矢用楛、長一尺八寸、青石爲鏃、葬則交木作椁、殺豬積椁上、富者至數百、貧者數十、以爲死人之糧、以土上覆之、以繩繫於椁、頭出土上、以酒灌酹、繩腐而止、無四時祭祀也、考證 鳥讀爲島、古島作鳥、今本尙書作島者、蓋後人依孔傳改、集解所引鄭注可證、夾右碣石、入于海。集解 孔安國曰、碣石、海畔之山也、徐廣曰、海一作河、索隱 地理志云、碣石山、在北平驪城縣西南、太康地理志云、樂浪遂城縣有碣石山、長城所起、又水經云、在遼西臨渝縣南水中、蓋碣石山有二、此云夾右碣石入于海、當是北平之碣石、考證 梁玉繩曰、海字誤、徐廣曰、一作河是也、禹貢及漢地理志作河、崔述曰、碣石、海畔之山、島夷在渤海東、其貢必由海、乃入于河、而海道漫瀾無可指、故以山誌、曰夾右碣石而西行、然後入于河也、皮服、島夷所貢、又曰、尙書禹貢篇名以貢、紀貢制也、貢冠以禹、誌禹功也、水土既平、經制既定、天下諸侯、懷帝之德、感禹之勤、己各擇其土宜之貴重者、以薦於帝畿、以致其愛戴之誠、史臣因而紀之於冊、以表禹之功、以見舜德之盛、是故九州之文、皆主言貢、篚亦貢

奉天子也、故以賦先之、有田而後有賦、有土而後有田、故又以土與田先之、然使九山未刊、九川未滌、九澤未陂、何由辨土之色與性、而況於田賦貢乎、故又以平水土之事先之、水土之平、往日事也、故其文曰既載、既修、既作、於山則曰既藝、既旅、於水則曰既道、既入、於澤則曰既瀦、皆以明其爲前日之事、而因原貢所由致、故追溯之也、每州爲一章、章各分三節、第一節平水土之事、第二節土田賦之別、第三節貢篚包之制、而以冀州一域始之、以識貢道終之、此九州之章法次第也、愚按以上敍冀州、又案古來注尚書者數十百家、而朱鶴齡長箋、胡渭錐指、丁晏集釋諸書、專解禹貢、採摭繁富、討論詳明、讀史者就而究之可也、

也、包亦貢也、貢之盛於篚包者也、有賦而後有貢、賦者庶人所以奉國君、貢者國君所以

濟·河維沇州。 集解 鄭玄曰、言沇州之界、在兩水之閒、考證 錢大昕曰、沇州本以沇水得名、尚書作兗州、由隸變立水爲橫水、在上、又譌爲六耳、

九河既道、 集解 馬融曰、九河名、徒駭、太史、馬頰、覆釜、胡蘇、簡絜、鉤盤、鬲津、

雷夏既澤、雍·沮會同、 集解 鄭玄曰、雍水沮水、相觸而合、入此澤中、地理志曰、雷澤在濟陰城陽縣西北、索隱 爾雅云、水自河出爲雍也、正義 括地志云、雷夏澤在濮州雷澤縣郭外西北、雍沮二水、在雷澤西北平地也、

桑土既蠶。於是民得下丘居土。 集解 孔安國曰、大水去、民下丘居平土、就桑蠶、考證 何焯曰、兗地勢下、俟水地畢乾、後乃可濬畎澮、畫井疆也、

其土黑墳。 集解 孔安國曰、色黑而墳起、

草繇木條。 集解 孔安國曰、繇茂、條長也、

田中下。 集解 孔安國曰、第六、

賦貞、作十有三年乃同。 集解 鄭玄曰、貞、正

也、治此州、正作不休十三年、乃有賦與八州同、言功難也、其賦下下、

其貢漆絲。其篚織文。 集解 孔安國曰、地宜漆林、又宜桑蠶、織文、錦綺之屬、盛之筐篚而貢焉、

浮於濟·漯、通於河。 集解 鄭玄曰、地理志云、漯水出東郡東武陽、索隱 濟水出河東垣縣王屋山、其流東至濟陰、故應劭云、濟水出平原漯陰縣東、漯水出東郡東武陽縣北、至千乘縣、而入于海、考證 以上叙沇州、

海·岱維青州。 集解 鄭玄曰、東自海、西至岱、東嶽曰岱山、正義 按舜分青州爲營州、遼西及遼東、

嵎夷既略、 集解 馬融曰、嵎夷、地名、用功少曰略、索隱 孔安國云、東表之地稱嵎夷、按今文尚書及帝命驗、竝作禺鐵、在遼西、鐵古夷字也、考證 古鈔本嵎字從土、與札記所引宋本、舊刻本合、古文也、索隱本作嵎、蓋後人依今文改、見尚書撰異、

濰·淄其道。 集解 鄭玄曰、地理志、濰水出琅邪、淄水出泰山萊蕪縣原山、索隱 濰水出琅邪箕縣、北至都昌縣入海、淄水出泰山萊蕪縣原山、北東至博昌縣入濟也、正義 括地志云、密州莒縣濰山、濰水所出、淄川、淄川縣東北七十里原山、淄水所出、俗傳云、禹理水功畢、土石黑、數里之中波若漆、故謂之淄水也、

其土白墳、海濱廣潟。 集解 徐廣曰、一作澤、又作斥、

厥田斥鹵。 集解 鄭玄曰、斥謂地鹹鹵、索隱 鹵音魯、說文云、鹵、鹹地、東方謂之斥、西方謂之鹵、考證 錢大昕曰、上文既有海濱廣潟句、斥與潟文異義同、不當重出、禹貢漢志皆無之、此後人妄增、史記引禹貢厥皆作其、此獨作厥、此亦其一證、愚按王念孫說同、楓三本索隱鹵下有可煑爲鹽者也六字、

田上下。賦中上。 集解 孔安國曰、田第三、賦第四、

厥貢鹽絺、

海物維錯。 集解 孔安國曰、絺、細葛、錯雜非一種、鄭玄曰、海物、海魚也、魚種類尤雜、考證 依文例厥當作其、

岱畎絲枲鉛松怪石。 集解 孔安國曰、畎、谷也、怪異好石似玉者、岱山之谷、出此五物、皆貢之、

萊夷爲牧。 集解 孔安國曰、萊夷、地名、可以牧放、索隱 按左傳云、萊人劫孔子、孔子稱夷不亂華、又云、齊侯伐萊、服虔以爲東萊黃縣、是今按地理志、黃縣有萊山、恐卽此地之夷、

其篚畬絲。 集解 孔安國曰、畬、桑蠶絲、中爲琴瑟弦、索隱 爾雅云、檿、山桑、是蠶食檿之絲也、

浮於汶、通於濟。 集解 鄭玄曰、地理志、汶水出泰山萊蕪縣原山、西南入濟、考證 以上敍青州、

海·岱及淮維徐州。 集解 孔安國曰、東至海、北至岱、南及淮、

淮·沂其治、蒙·羽其藝、 集解 鄭玄曰、地理志、沂水出泰山蓋縣、蒙羽、二山名、孔安國曰、二水已治、二山可以種藝、索隱 水經云、淮水出南陽平氏縣胎簪山、東北過桐柏山、沂水出泰山蓋縣艾山南、過下邳縣入泗、蒙山在泰山蒙陰縣西南、羽山在東海祝其縣南、殛鯀之地、

大野既都、 集解 鄭玄曰、大野在山陽鉅野北、名鉅野澤、孔安國曰、水所停曰都、考證 尚書都作豬、

東原底平。 集解 鄭玄曰、東原、地名、今東平郡卽東原、索隱 張華博物志云、兗州東平郡卽尚書之東原也、正義 廣平曰原、徐州在東、故曰東原、水去已致平復、言可耕種也、考證 依文例底當作致、下同、

其土赤埴墳。 集解 徐廣曰、埴、黏土也、

草木漸包。 集解 孔安國曰、漸、長進、包、叢生也、

其田上中。賦中中。 集解 孔安國曰、田第二、賦第五、

貢維土五色。 集解 鄭玄曰、土五色者、所以爲大社之封、正義 韓詩外傳云、天子社廣五丈、東方青、南方赤、西方白、北方黑、上冒以黃土、將封諸侯、各取方土、苴以白茅、以爲社也、太康地記云、城陽姑幕、有五色土、封諸侯錫之茅土、用爲社、此土卽禹貢徐州土也、今屬密州莒縣也、考證 中井積德曰、土五色、爲壝繪之用也、

羽畎夏狄。 集解 孔安國曰、夏狄、狄雉名也、羽中旌旄、羽山之谷有之、

嶧陽孤桐。 集解 孔安國曰、嶧山之陽、特生桐、中琴瑟、鄭玄曰、地理志、嶧山在下邳、正義 括地志云、嶧山在兗州鄒縣南二十二里、鄒山記云、鄒山、古之嶧山、言絡繹相連屬也、今猶多桐樹、按今獨生桐、尚徵、一偏似琴瑟、

泗濱浮磬。 集解 孔安國曰、泗水涯、水中見石、可以爲磬、鄭玄曰、泗水出濟陰乘氏也、正義 括地志云、泗水至彭城呂梁、出石磬、

淮夷蠙珠臮魚。 集解 孔安國曰、淮夷二水、出蠙珠及美魚、鄭玄曰、淮夷、淮水之上夷民也、索隱 按尚書云、徂茲淮夷、徐戎竝興、今徐州言淮夷、則鄭解爲得、蠙一作玭、竝步玄反、臮古曁字、臮、與也、言夷人所居水之處有此蠙珠與魚也、又作濱、濱、畔也、

其篚玄纖縞。 集解 鄭玄曰、纖、細也、祭服之材尚細、正義 玄、黑、纖、細、縞、白繒、以細繒染爲黑也、

浮于淮·泗、通于河。 正義 括地志云、泗水源在兗州泗水縣東陪尾山、其源有四道、因以爲名、考證 何焯曰、河讀曰菏、說文菏字下注云、菏澤在山陽胡陵、禹貢浮于淮泗達於菏、乃作河者、乃寡學者因經文之訛而妄改也、愚按說詳禹貢錐指、史記志疑、以上敍徐州、

淮·海維揚州。 集解 孔安國曰、北據淮、南距海、

彭蠡既都。陽鳥所居。 集解 鄭玄曰、地理志、彭蠡澤、

在豫章彭澤西。孔安國曰：隨陽之鳥，鴻鴈之屬，冬月居此澤也。【索隱】都，古文尚書作豬，孔安國云：水所停曰豬。鄭玄云：南方謂都為豬，則是水聚會之義。【正義】蠡音禮。括地志云：彭蠡湖在江州潯陽縣東南五十二里。**三江既入。**【索隱】韋昭云：三江謂松江、錢唐江、浦陽江。今按地理志，有南江、中江、北江，是為三江。其南江從會稽吳縣南東入海，中江從丹陽蕪湖縣西南東至會稽陽羨縣入海，北江從會稽毗陵縣北東入海。故下文東為中江，又東為北江。孔安國云有北有中，南可知也。**震澤致定。**【集解】孔安國曰：震澤，吳南太湖名。言三江已入，致定為震澤。【索隱】震，一作振。地理志會稽吳縣，故周泰伯所封國，具區在其西，古文以為震澤。又左傳稱笠澤，亦謂此也。【正義】澤在蘇州西南四十五里。三江者，在蘇州東南三十里，名三江口。一江西南上七十里至太湖，名曰松江，古笠澤江。一江東南上七十里至白蜆湖，名曰上江，亦曰東江。一江東北下三百餘里入海，名曰下江，亦曰婁江。於其分處號曰三江口。顧夷吳地記云：松江東北行七十里，得三江口，東北入海為婁江，東南入海為東江，并松江為三江，是也。言理三江入海，非入震澤也。按太湖西南湖州諸溪從天目山下，西北宣州諸山有溪並下太湖，太湖東北流，各至三江口入海。其湖無通彭蠡湖及太湖處，並阻山陸。諸儒及地志等解五江既入，皆非也。周禮職方氏云：揚州藪曰具區，川曰三江。按五湖、三江者，韋昭注非也。其源俱不通太湖，引解三江既入，失之遠矣。五湖者，菱湖、游湖、莫湖、貢湖、胥湖，皆太湖東岸五灣為五湖，蓋古時應別，今並相連。菱湖在莫釐山東，周迴三十餘里，西口闊二里，其口南則莫釐山，北則徐侯山，西與莫湖連。莫湖在莫釐山西及北，北與胥湖連。胥湖在胥山西南，與莫湖連，各周迴五六十里，西連太湖。游湖在北二十里，在長山東，湖西口闊二里，其口東南岸樹里山，西北岸長山，湖周迴五六十里。貢湖在長山

西，其口闊四五里，口東南長山，山南即山陽村，西北連常州無錫縣老岸湖，周迴一百九十里已上，湖身向東北，長七十餘里。兩湖西亦連太湖。河渠書云：於吳則通渠三江、五湖。貨殖傳云：夫吳有三江、五湖之利。又太史公自敘傳云：登姑蘇，望五湖。是也。**竹箭既布。**【集解】孔安國曰：水去布生。**其草惟夭。其木惟喬。**【集解】少長曰夭，喬，高也。【考證】依文例，其字、惟字當刪。段玉裁曰：地理志無，後人增之。**其土塗泥。**【集解】馬融曰：漸洳也。**田下下。賦下上上雜。**【集解】孔安國曰：田第九，賦第七，雜出第六。**貢金三品、**【集解】孔安國曰：金、銀、銅。鄭玄曰：銅三色也。**瑤琨竹箭、**【集解】孔安國曰：瑤琨皆美玉也。**齒革羽旄。**【集解】孔安國曰：象齒、犀皮、鳥羽、旄牛尾也。【正義】周禮考工記云：犀甲七屬，兕甲六屬。郭云：犀似水牛，豬頭，大腹，庳腳，橢角，好食棘也，亦有一角者。按西南夷常貢旄牛尾，為旌旗之飾，書詩通謂之旄，故尚書云右秉白旄，詩云建旐設旄，皆此牛也。【考證】羽旄下，禹貢有維木二字，此及漢志無之，可以正今書之訛。**島夷卉服。**【集解】孔安國曰：南海島夷草服葛越。【正義】括地志云：百濟國西南渤海中有大島十五所，皆邑落有人居，屬百濟。又倭國，武皇后改曰日本國，在百濟南，隔海依島而居，凡百餘小國。此皆揚州之東島夷也。按東南之夷草服葛越，焦竹之屬，越即苧祁也。【考證】史記原本島作鳥，此後人所改，上文可證。中井積德曰：日本必不在此列，注誤。**其篚織貝。**【集解】孔安國曰：織，細繒也。貝，水物也。鄭玄曰：貝，錦名也。詩云成是貝錦，凡織者先染其絲，織之即成矣。【考證】集解細繒，書傳作細紵，書疏引鄭注成下有文字。愚按織貝鄭說近是。**其**

包橘柚。錫貢。【集解】孔安國曰：小曰橘，大曰柚。錫命乃貢，言不常也。鄭玄曰：有錫則貢之，或時乏則不貢。錫所以柔金也。【考證】錫貢，孔義為長。皮錫瑞云：史記錫大龜、錫土姓皆改作賜，惟此與與錫貢磬錫作錫，是今文說亦當為貢錫，皮說與鄭同。愚按史下文云帝錫禹玄圭，宋微子世家云天乃錫禹鴻範九等，史公未必悉改錫作賜，皮說未得。**均江海通淮泗。**【集解】鄭玄曰：均讀曰沿。沿，順水行也。【考證】以上敍揚州。沈濤曰：禹貢沿于江海，釋文云：沿，鄭本作松，松當作沿，馬本作均，云均平。按史記夏本紀、漢書地理志皆作均，與馬本同，可見古文作均不作沿。集解引鄭玄曰均讀曰沿，是鄭本亦作均。**荊及衡陽維荊州。**【集解】孔安國曰：北據荊山，南及衡山之陽。**江漢朝宗于海。**【集解】孔安國曰：二水經此州而入海，有似於朝，百川以海為宗。宗，尊也。【正義】括地志云：江水源出岷州南岷山，南流至益州，即東南流入蜀，至瀘州，東流經三峽，過荊州，與漢水合。孫卿子云：江水其源可以濫觴也。又云：漢水源出梁州金牛縣東二十八里嶓冢山。**九江甚中。**【集解】孔安國曰：江於此州界分為九道，甚得地勢之中。鄭玄曰：地理志九江在尋陽南，皆東合為大江。【索隱】按尋陽記，九江者，烏江、蚌江、烏白江、嘉靡江、沙江、畎江、廩江、隄江、箘江。又張湞九江圖所載有三里、五畎、烏土、白蚌，九江之名不同。【考證】尚書中作殷。河渠書云：太史公曰：余南登廬山，觀禹疏九江。江聲曰：中，猶言水由地中行也。孫星衍曰：九江在豫章，非荊州水，而水經云沔至江夏沙羨縣北，南入于江，沔水與江合流，又東過彭蠡澤，是九江入此澤而合大江，故云甚中。皮錫瑞曰：禹貢所言，必合治水源流，施功次序，非必一州之水不可旁及他州，冀州云治梁及岐，梁岐即不在冀州境。合觀諸說，亦可無疑於九水不屬

荊州矣。**沱涔已道。**【集解】孔安國曰：沱，江別名。涔，水名。鄭玄曰：水出江為沱，漢為涔。【索隱】涔亦作潛。沱出蜀郡郫縣西，東入江。潛出漢中安陽縣，直西北入漢。故爾雅云：水自江出為沱，漢出為潛。【正義】括地志云：繁江水受郫江。禹貢曰：岷山導江，東別為沱。源出益州新繁縣。潛水一名復水，今名龍門水，源出利州綿谷縣東龍門山大石穴下也。**雲土夢為治。**【集解】孔安國曰：雲夢之澤在江南，其中有平土丘，水去可為耕作畎畝之治。【索隱】夢，一作瞢，鄒誕生又音蒙。案雲土夢本二澤名，蓋人以二澤相近，或合稱雲夢耳。知者，據左傳云楚子濟江入于雲中，又楚子鄭伯田于江南之夢，則是二澤各別也。韋昭曰：雲土今為縣，屬江夏南郡華容。今按地理志云江夏有雲杜縣，是其地。【考證】張文虎曰：雲土夢，柯凌本與索隱本合，錢大昕三史拾遺引淳熙耿秉本同，館本作雲夢土，辨見撰異。李笠曰：夢字衍，雲土即雲杜，為漢江夏雲杜縣。**其土塗泥。田下中。賦上下。**【集解】孔安國曰：田第八，賦第三。**貢羽旄齒革、金三品、杶榦栝柏、**【集解】鄭玄曰：四木名。孔安國曰：榦，柘也。柏葉松身曰栝。**礪砥砮丹、**【集解】孔安國曰：砥細於礪，皆磨石也。砮，石中矢鏃。丹，朱類也。**維箘簬楛。**【集解】徐廣曰：一作箭足杆，杆即楛也，音怙。箭足者，矢鏃也，或以箭足訓釋箘簬乎。駰案：鄭玄曰：箘簬，聆風也。**三國致貢其名。**【集解】馬融曰：言箘簬楛，三國所致貢其名善也。**包匭菁茅。**【集解】鄭玄曰：匭，纏結也。菁茅，茅有毛刺者，給宗廟縮酒，重之，故包裹又纏結也。【正義】括地志云：辰州盧溪縣西南三百五十里有包茅山。武陽記云：山際出包茅，有刺而三脊，因名包茅山。**其篚、**

玄纁璣組。【集解】孔安國曰、此州染玄纁色善、故貢之。璣、珠類、生於水中。組、綬類也。九江入賜大龜。【集解】孔安國曰、尺二寸曰大龜、出於九江水中。龜不常用、賜命而納之。浮于江・沱・涔・于漢、踰于雒、至于南河。【考證】以上敍荊州。古鈔本漢上無于字、與禹貢及漢書地理志合。陳仁錫曰、此衍。荊・河惟豫州。【集解】孔安國曰、西南至荊山、北距河水。【正義】括地志云、荊山在襄州荊山縣西八十里。韓子云、卞和得玉璞於楚之荊山、卽此也。河、洛州北河也。伊・雒・瀍・澗、既入于河。【集解】孔安國曰、伊出陸渾山、洛出上洛山、澗出澠池山、瀍出河南北山、四水合流而入河。【索隱】伊水出弘農盧氏縣東、洛水出弘農上洛縣冢領山、瀍水出河南穀城縣替亭北、澗水出弘農新安縣東、皆入于河。【正義】括地志云、伊水出虢州盧氏縣東巒山、東北流入洛。洛水、出商州洛南縣冢領山、東流經洛州郭內、又東合伊水。瀍水出洛州新安縣東、南流至洛州郭內、南入洛。澗水源出洛州新安縣東白石山、東北與穀水合流、經洛州郭內、東流入洛也。滎播既都。【集解】孔安國曰、滎、澤名、波水已成遏都。【索隱】古文尚書作滎波、此及今文竝云滎播、播是水播溢之義。滎是澤名、故左傳云、狄及衞戰於滎澤。鄭玄云、今塞爲平地、滎陽人猶謂其處爲滎播。【考證】古鈔、楓、三、南本播作潘。張文虎曰、宋本舊刻作潘、與說文合。段注謂潘正字、播假借是也。然小司馬謂播是播溢之義、則所見史文作播。道荷澤被明都。【集解】孔安國曰、荷澤在胡陵、明都澤名、在河東北、水流洪覆被之。【索隱】荷澤在濟陰定陶縣東。明都音孟豬。孟豬澤在梁國睢陽縣東北。爾雅左傳謂之孟諸、今文亦爲然、唯

周禮稱望諸、皆此地之一名。【正義】括地志云、荷澤在曹州濟陰縣東北九十里定陶城東、今名龍池、亦名九卿陂。【考證】理之曰道、某已理曰某道。其土壤、下土墳壚。【集解】孔安國曰、壚、疏也。馬融曰、豫州地有三等、下者墳壚也。田中上、賦雜上中。【集解】孔安國曰、田第四、賦第二、又雜出第一。貢漆・絲・絺・紵、其篚纖絮。【集解】孔安國曰、細緜也。錫貢磬錯。【集解】孔安國曰、治玉石曰錯、治磬錯也。浮於雒、達於河。【考證】以上敍豫州。古鈔、南化本達作通。錢大昕曰、史公引禹貢皆改達爲通。兗州云通於河、青州云通於濟、徐州云通於河、揚州云通淮泗、獨豫州云達、此轉寫之誤。華陽・黑水惟梁州。【集解】孔安國曰、東據華山之南、西距黑水。【正義】括地志云、黑水源出梁州城固縣西北太山。汶・嶓既藝。【集解】鄭玄曰、地理志、岷山在蜀郡湔氐道、嶓冢山在漢陽西。【索隱】汶一作崏、又作岐、岐山、封禪書一云瀆山、在蜀都湔氐道西徼、江水所出。嶓冢山在隴西西縣、漢水所出也。【正義】括地志云、岷山在益州溢樂縣南一里、連緜至蜀二千里、皆名岷山。嶓冢山在梁州金牛縣東二十八里。湔、音子踐反。氐、音丁奚反。沱・涔既道。【集解】孔安國曰、沱、潛發源此州、入荊州。蔡・蒙旅平。【集解】孔安國曰、蔡蒙、二山名、祭山曰旅、平言治功畢也。鄭玄曰、地理志、蔡蒙在漢嘉縣。【索隱】此非徐州之蒙、在蜀郡青衣縣、青衣後改爲漢嘉。蔡山不知所在也。蒙、縣名。【正義】括地志云、蒙山在雅州嚴道縣南十里。和夷底績。【集解】馬融曰、和夷、地名也。【考證】依文例、底績當作致功、下同。其土青驪。

【集解】孔安國曰、色青黑也。【考證】尚書驪作黎。田下上、賦下中三錯。【集解】孔安國曰、田第七、賦第八、雜出第七第九三等。貢璆・鐵・銀・鏤・砮・磬。【集解】孔安國曰、璆、玉名。鄭玄曰、黃金之美者謂之鏐。鏤、剛鐵、可以刻鏤也。熊・羆・狐・貍・織皮。【集解】孔安國曰、貢四獸之皮也。織皮、今罽也。西傾因桓是來。【集解】馬融曰、治西傾山、因桓水是來、言無餘道也。鄭玄曰、地理志、西傾山在隴西臨洮。【索隱】西傾、在隴西臨洮縣西南。桓水、出蜀郡岷山西南、行羌中、入南海也。【正義】括地志云、西傾山、今嵹臺山、在洮州臨潭縣西南三百三十六里。【考證】朱熹曰、西傾雖在雍州、其人有事於京師者、必道取梁州、因桓水而來、故梁貢道及之。浮于潛、踰于沔、【集解】孔安國曰、漢上水爲沔。鄭玄曰、或謂漢爲沔。【考證】楓、三本潛作灊、與漢志合。入于渭、亂于河。【集解】孔安國曰、正絕流曰亂。【考證】王鳴盛曰、經例、由水而陸、以入水曰逾、由水入水曰入。此經不可兩言逾、故變言入、非沔渭有相通之理。傅寅云、上言逾沔、可以該下而省文、是也。金履祥曰、潛沔于渭、無水道可通、必踰山而後入渭。史文當是入于沔、踰于渭、如荊州踰于洛之例。愚按金說較長。黑水・西河惟雍州。【集解】孔安國曰、西距黑水、東據河。龍門之河、在冀州西。【索隱】地理志、益州滇池有黑水祠。鄭玄引地說云、三危山、黑水出其南。山海經、黑水出崑崙墟西北隅也。弱水既西。【集解】孔安國曰、導之西流、至于合黎。鄭玄曰、衆水皆東、此獨西流也。【索隱】按水經云、弱水出張掖刪丹縣西北、至酒泉會水縣、入合黎山腹。山海經云、弱水出崑崙墟西南隅也。涇屬渭

汭。【集解】孔安國曰、屬、逮也。水北曰汭。言治涇水入於渭也。鄭玄曰、地理志、涇水出安定涇陽。【索隱】渭水出首陽縣鳥鼠同穴山。說文云、水相入曰汭。【正義】括地志云、涇水、源出原州百泉縣西南笄頭山涇谷。渭水、源出渭州渭源縣西七十六里鳥鼠山、今名青雀山。渭有三源、竝出鳥鼠山、東流入河。按言理涇水及至渭水、又理漆沮、亦從渭流、復理灃水、亦同入渭者也。漆・沮既從。【正義】括地志云、漆水源出岐州普潤縣東南岐山漆溪、東入渭。沮水、一名石川水、源出雍州富平縣東、入櫟陽縣南。漢高帝於櫟陽置萬年縣、十三州地理志云、萬年縣南有涇渭、北有小河、卽沮水也。詩云、古公去邠度漆沮、卽此二水。【考證】正義十三州地理志、當作十三州志。愚按十三州志、闞駰著。灃水所同。【集解】灃音豐。孔安國曰、漆沮之水、已從入渭、灃水所同、同于渭也。【索隱】漆沮、二水。漆水出右扶風漆縣西。沮水、地理志無文、而水經以沮水出北地直路縣、東過馮翊祋祤縣、入洛。說文亦以漆沮各是一水名。孔安國獨以爲一、又云是洛水。灃水、出右扶風鄠縣東南、北過上林苑。【正義】括地志云、雍州鄠縣終南山灃水出焉。荊・岐已旅。【集解】孔安國曰、荊在岐東、非荊州之荊也。【正義】括地志云、荊山在雍州富平縣、今名掘陵原。岐山在岐州岐山縣東北十里。尚書正義云、洪水時、祭祀禮廢、已旅祭、言理水功畢也。按雍州荊山、卽黃帝及禹鑄鼎地也。襄州荊山縣西荊山、卽卞和得玉璞者。終南・敦物、至于鳥鼠。【集解】孔安國曰、三山名、言相望也。鄭玄曰、地理志、終南・敦物、皆在右扶風武功也。【索隱】按左傳、中南山、杜預以爲終南山。地理志云、太一山、古文以爲終南、華山、古文以爲敦物、皆在扶風武功縣東。【正義】括地志云、終南山一名中南山、一名太一山、一名南山、一名橘山、一名楚山、一名秦山、一名周南山、一名地肺山、在雍州

萬年縣南五十里、考證張文虎曰、索隱華山、漢志作垂山、蓋小司馬所見本誤、**原隰底績、至于都野。**集解鄭玄曰、地理志、都野在武威、名曰休屠澤、正義原隰、幽州地也、按原、高平地也、隰、低下地也、言從渭州致功、西北至涼州都野沙州三危山也、括地志云、都野澤在涼州姑臧縣東北二百八十里、**三危既度、**索隱鄭玄引河圖及地說云、三危山、在鳥鼠西南、與岐山相連、度、劉伯莊音田各反、尙書作宅、**三苗大序。**集解孔安國曰、西裔之山、已可居、三苗之族、大有次序、禹之功也、考證云三危既度、三苗大序、則分北之後、蓋經數年、**其土黃壤。田上上。賦中下。**集解孔安國曰、田第一、賦第六、人功少、**貢璆琳琅玕。**集解孔安國曰、璆琳、皆玉名、琅玕、石而似珠者、**浮于積石、至于龍門西河、**集解孔安國曰、積石山、在金城西南、河所經也、龍門山、在河東之西界、索隱積石、在金城河關縣西南、龍門山、在左馮翊夏陽縣西北、正義括地志云、積石山、今名小積石、在河州枹罕縣西七里、河州在京西一千四百七十二里、龍門山、在同州韓城縣北五十里、李奇云、禹鑿通河水處、廣八十步、三秦記云、龍門水懸船而行、兩旁有山、水陸不通、龜魚集龍門下數千、不得上、上則爲龍、故云暴鰓點額龍門下、按河在冀州西、故云西河也、禹發源河水小積石山、浮河東北下、歷靈勝北而南行、至于龍門、皆雍州地也、**會于渭汭。**正義水經云、河水又南至潼關、渭水從西注之也、**織皮昆侖析支渠搜西戎卽序。**集解孔安國曰、織皮、毛布、此四國、在荒服之外、流沙之內、羌髳之屬、皆就次序、美禹之功及戎狄也、

索隱鄭玄以爲衣皮之人、居昆侖析支渠搜、三山皆在西戎、王肅曰、昆侖在臨羌西、析支、在河關西、西戎在西域、王肅以爲地名、而不言渠搜、今按地理志、金城臨羌縣有昆侖祠、敦煌廣至縣有昆侖障、朔方有渠搜縣、考證以上敍雍州、併及西戎、逸周書王會解正西昆侖狗國、鬼親祝已翕耳、丹旬雕題離止、漆齒、孔晁注、九者西戎之別名、是西戎亦有昆侖也、五帝紀、西戎析支渠度氏羌、渠度卽渠搜、愚按冀州既載至此、爲第一段、敍禹平九州水土、定土田賦貢之制、**道九山。**索隱汧、壺口、砥柱、太行、西傾、熊耳、嶓冢、內方、岐、是九山也、古分爲三條、故地理志、有北條之荊山、馬融以汧爲北條、西傾爲中條、嶓冢爲南條、鄭玄分四列、汧爲陰列、西傾次陰列、嶓冢爲陽列、岐山次陽列、考證梁玉繩曰、此導九山及下道九川之文、皆史公所增、本九山刊旅、九川滌源而立言也、索隱以汧壺口底柱太行西傾熊耳嶓冢內方岐爲九山、未知何據、夫禹之所導、自汧至敷淺原、凡二十六、奚取于此九山、若謂擧其大者、則雷首、太岳、太華、外方、衡山、豈小阜乎、且蔡、蒙、荊、岐、終南、惇物、鳥鼠之旅、奚又不在此數、有以知其說之難通、至以黑弱河漾江沇淮渭爲九川、則據經立義、未可厚非、獨九澤缺而不注、余依禹貢采舊說補之曰、兗有雷夏、徐有大野、揚有彭蠡、震澤、荊有雲夢、豫有滎播、菏澤、孟豬、雍有豬野、是之謂九澤、惟九山莫定主名耳、愚按九山、九州之山、九川、九州之川、九澤、九州之澤、若此而已、梁說、太拘、下文九山九川集解得之、崔述曰、導山凡兩章、其山川分四重、由近而遠由北而南、河渭以北爲第一重、岍岐至太岳爲西幹、底柱至碣石爲東幹、壺口二句、與冀之壺口太原四句相表裏、底柱四句、與冀之覃懷恆衞四句相表裏、河渭以南爲第二重、西傾以下爲西幹、熊耳以下爲東幹、淮漢以南爲第三重、嶓冢爲西幹、內方爲東幹、江南爲第四重、惟岷山一幹耳、以近者文詳、遠者文略、故岍岐以下所記凡十二山、西傾以下八、嶓冢以四、

下四、岷山以下幷敷淺原乃三耳、猶導水之獨詳於河、九州之獨詳於冀也、**汧及岐、至于荊山。**集解鄭玄曰、地理志、汧在右扶風也、索隱汧一作岍、按有汧水、故其字或從山、或從水、猶岐山然也、地理志云、吳山在汧縣西、古文以爲汧山、岐山在右扶風美陽縣西北、荊山在岐州、**踰于河、**考證崔述曰、蔡傳云、逾者禹自荊山而過於河也、孔氏以爲荊山之脈、逾河而爲壺口雷首者、非是、禹之治水、隨山刊木、其所表識諸山之名、必其高大可以辨識疆域、廣博可以奠民居、故謹而書之、以見其施功之次第、初非有意推其脈絡之所自來也、余按導水諸章、文云至于合黎、至于三危者、水至之也、云過三澨過九江者、水過之也、乃至云迆、云會、云溢、云入者、皆水也、非禹也、何獨導山諸章則至爲禹至之、過爲禹過之、逾爲禹逾之哉、文同說異、何以別焉、且禹八年於外、所至所過之地多矣、其來而復往、往而復來者、蓋不可以悉數、何以獨記此數章乎、山之脈絡、正與治水相表裏、欲使水之軌道、必先取地高下左右俯仰之形、而詳辨之、然後能知某水當左、某水當右、某水於某處可出、某水與某水可合、而凡地之高下左右俯仰、皆視山之起伏分合屈折、山脈安可以不問哉、由是言之、經之逾于河、當屬山、不當屬禹明矣、**壺口雷首、**索隱雷首山、在河東蒲阪縣東南、**至于太嶽。**集解孔安國曰、三山在冀州、太嶽在上黨西也、索隱卽霍太山也、已見上、正義括地志云、壺口、在慈州吉昌縣西南、雷首山、在蒲州河東縣、太嶽、霍山也、在沁州沁源縣、**砥柱析城、至于王屋。**集解孔安國曰、此三山在冀州之南河之北、索隱析城山、在河東濩澤縣西南、王屋山、在河東垣縣東北、水經云、砥柱山、在河東大陽縣南河水中也、正義括地志云、底柱山、俗名三門山、在陝州硤石縣東北五十里、黃

河之中、孔安國云、底柱、山名、河水分流、包山而過、山見水中若柱然也、括地志云、析城山、在澤州陽城縣西南七十里、注水經云、析城山甚高峻、上平坦、有二泉、東濁西清、左右不生草木、括地志云、王屋山、在懷州王屋縣北十里、古今地名云、山方七百里、山高萬仞、本冀州之河陽山也、**太行常山、至于碣石、入于海。**集解孔安國曰、此二山、連延東北、接碣石而入于滄海、索隱太行山、在河內山陽縣西北、常山恆山是也、在常山郡上曲陽縣西北、正義括地志云、太行山、在懷州河內縣北二十五里、有羊腸阪、恆山在定州恆陽縣西北百四十里、道書福地記云、恆山高三千三百丈、上方二十里、有太玄之泉、神草十九種、可度俗、**西傾朱圉鳥鼠、**集解鄭玄曰、地理志曰、朱圉在漢陽南、孔安國曰、鳥鼠山、渭水所出、在隴西之西、**至于太華。**集解鄭玄曰、地理志、太華山、在弘農華陰南、索隱圉、一作圄、朱圉山、在天水冀縣南、鳥鼠山、在隴西首陽縣西南、太華卽敦物山、**熊耳外方桐柏、至于負尾。**集解鄭玄曰、地理志、熊耳、在盧氏東、外方、在潁川、嵩高山、桐柏山、在南陽平氏東南、陪尾、在江夏安陸東北、若橫尾者、索隱熊耳山、在弘農盧氏縣東、伊水所出、外方山、卽潁川嵩高縣嵩高山、古文尙書亦以爲外方山、桐柏山、一名大復山、在南陽平氏縣東南、陪尾山、在江夏安陸縣東北、地理志謂之橫尾山、負音陪也、正義括地志云、華山、在華州華陰縣界八里、熊耳山、在虢州盧氏縣南五十里、嵩高山、亦名太室山、亦名外方山、在洛州陽城縣北二十三里也、桐柏山在唐州桐柏縣東南五十里、淮水出焉、橫尾山、古陪尾山也、在安州安陸縣北六十里、考證負尾、禹貢作陪尾、漢書地理志作倍尾、陪倍負音近、**道嶓冢至于荊山。**

【集解】鄭玄曰、地理志、荊山在南郡臨沮、【索隱】此東條荊山、在南郡臨沮縣東北隅也、【正義】括地志云、嶓冢山在梁州、荊山在襄州荊山縣西八十里也、又云、荊山縣本漢臨沮縣地也、沮水卽漢水也、按孫叔敖激沮水爲雲夢澤、是也、【考證】荊山與雍州荊山別、**內方至于大別。**【集解】鄭玄曰、地理志、內方在竟陵、名立章山、大別在廬江安豐縣、【索隱】內方山、在竟陵縣東北、大別山、在六安國安豐縣、今土人謂之甑山、【正義】括地志云、章山、在荊州長林縣東北六十里、今漢水附章山之東、與經史符會、按大別山、今沙洲在山上、漢江經其左、今俗猶云甑山、注云、在安豐、非漢所經也、**汶山之陽、至于衡山。**【索隱】在長沙湘南縣東南、廣雅云、岣嶁謂之衡山、【正義】括地志云、岷山、在茂州汶川縣、衡山、在衡州湘潭縣西四十一里、**過九江、至于敷淺原。**【集解】徐廣曰、淺一作滅、駰案孔安國曰、敷淺原一名博陽山、在豫章、【索隱】豫章歷陵縣南有傅陽山、一名敷淺原也、【考證】道九山至此、爲第二段敘禹治九州之山、**道九川。**【索隱】弱、黑、河、瀁、江、沇、淮、渭、洛爲九川、【考證】九川、九州之川、說見前、崔述曰、導水凡九章、其次第有五、弱水黑水、在九州之上游、故先之、中原之水、患河爲大、故次河、自河以南、水莫大於江漢、故次江漢、河以南、江漢以北、惟濟淮皆獨入于海、故次濟淮、雍水多歸于渭、豫水半歸于洛、然皆附河以入于海、故以渭洛終之、先漢於江、先濟於淮、先弱水於黑水、先北而後南也、先渭於洛、先上而後下也、**弱水至於合黎、**【集解】鄭玄曰、地理志、弱水出張掖、孔安國曰、合黎、水名、在流沙東、【索隱】水經云、合黎山在酒泉會水縣東北、鄭玄引地說亦以爲然、孔安國云、水名、當是其山有水、故所記各不同、【正義】括地志云、蘭門山一名合黎、一名窮石山、在

甘州刪丹縣西南七十里、淮南子云、弱水源出窮石山、又云、合黎一名羌谷水、一名鮮水、一名覆表水、今名副投河、亦名張掖河、南自吐谷渾界流入甘州張掖縣、今按合黎水、出臨松縣臨松山東而北流、歷張掖故城下、又北流經張掖縣三十三里、又北流經合黎山、折而北流、經流沙磧之西、入居延海、行千五百里、合黎山張掖縣西北二百里也、**餘波入于流沙。**【集解】孔安國曰、弱水餘波、西溢入流沙、鄭玄曰、地理志、流沙在居延西北、名居延澤、地記曰、弱水西流入合黎山腹、餘波入于流沙、通于南海、馬融王肅皆云、合黎流沙是地名、【索隱】地理志云、張掖居延縣西北有居延澤、古文以爲流沙、廣志、流沙在玉門關外、有居延澤居延城、又山海經云、流沙出鐘山、西南行昆侖墟入海、按是地兼有水、故一云地名、一云水名、馬鄭不同、抑有由也、**道黑水、至于三危、入于南海。**【集解】鄭玄曰、地理志、益州滇池有黑水祠、而不記此山水所在、地記曰、三危山、在鳥鼠之西南、孔安國曰、黑水自北而南、經三危、過梁州、入南海也、【正義】括地志云、黑水源出伊州伊吾縣北百二十里、又南流二千里而絕、三危山在沙州燉煌縣東南四十里、按南海卽揚州東大海、岷江下至揚州、東入海也、其黑水源在伊州、從伊州東南三千餘里至鄯州、鄯州東南四百餘里、至河州入黃河、河州有小積石山、卽禹貢浮於積石至於龍門者、然黃河源從西南下、出大崑崙東北隅、東北流經于闐、入鹽澤、卽東南潛行、入吐谷渾界大積石山、又東北流、至小積石山、又東北流、來處極遠、其黑水當洪水時、合從黃河而行、何得入于南海、南海去此甚遠、阻隔南山隴山岷山之屬、當是洪水浩浩處、西戎不深致功、古文故有疏略也、**道河積石、**【索隱】爾雅云、河出昆侖墟、其色白、漢書西域傳云、河有兩源、一出葱嶺、一出于闐、于闐河北流與葱嶺河合、東注蒲昌海、一名鹽

澤、其水停居、冬夏不增減、潛行地中、南出積石、爲中國河、是河源發昆侖、禹導河自積石而加功也、**至于龍門、南至華陰、**【集解】孔安國曰、至華山北而東行、【正義】華陰縣、在華山北、本魏之陰晉縣、秦惠文王更名寧秦、漢高帝改曰華陰、**東至砥柱、**【集解】孔安國曰、砥柱、山名、河水分流、包山而過、山見水中若柱然也、在西虢之界、【正義】砥柱山、俗名三門山、禹鑿此山、三道河水、故曰三門也、**又東至于盟津、**【集解】孔安國曰、在洛北、【索隱】盟、古孟字、孟津在河陽、十三州記云、河陽縣在河北、卽孟津是也、【正義】杜預云、盟、河內郡河陽縣南孟津也、在洛陽城北、都道所湊、古今爲津、武王度之、近代呼爲武濟、括地志云、盟津、周武王伐紂與八百諸侯會盟津、亦曰孟津、又曰富平津、水經云、小平津今云河陽津是也、**東過雒汭、至于大邳、**【集解】孔安國曰、洛汭、洛入河處、山再成曰邳、【索隱】爾雅云、山一成曰邳、或以爲成皋縣山是、【正義】李巡云、山再重曰英、一重曰邳、括地志云、大邳山今名黎陽東山、又曰青壇山、在衞州黎陽南七里、張揖云、今成皋、非也、**北過降水、至于大陸、**【集解】鄭玄曰、地理志、降水在信都南、孔安國曰、大陸、澤名、【索隱】地理志、降水字從糸、出信都國、與虖池漳河水竝流入海、大陸、在鉅鹿郡、爾雅云、晉有大陸、郭璞以爲此澤也、【正義】括地志云、降水源出潞州屯留縣西南、東北流、至冀州入海、**北播爲九河、同爲逆河、**【集解】鄭玄曰、下尾合名曰逆河、言相向迎受也、【考證】王念孫曰、逆河、本作迎河、後人依古文改、而溝洫志同爲迎河、河渠書贊、余東觀洛汭大邳、迎河則改之未盡者、段玉裁撰異說同、**入于海。**【正義】播、布也、河至冀州、分布爲九河、下至滄州、更

同合爲一大河、名曰逆河、而夾右碣石、入于渤海也、**嶓冢道瀁、東流爲漢、**【集解】鄭玄曰、地理志、瀁水出隴西氐道、至武都爲漢、至江夏、謂之夏水、【索隱】水經云、瀁水出隴西氐道嶓冢山、東至武都沮縣爲漢水、地理志云、至江夏謂之夏水、山海經亦以漢出嶓冢山、故孔安國云、泉始出山爲瀁水、東南流爲沔水、至漢中東流爲漢水、【正義】括地志云、嶓冢山水始出山沮洳、故曰沮水、東南爲瀁水、又爲沔水、至漢中爲漢水、至均州爲滄浪水、始欲出大江爲夏口、又爲沔口、漢江一名沔江也、【考證】正義始欲二字疑衍、**又東爲蒼浪之水、**【集解】孔安國曰、別流也、在荊州、【索隱】馬融鄭玄皆以滄浪爲夏水、卽漢河之別流也、漁父歌曰、滄浪之水清兮、可以濯吾纓、是此水也、【正義】括地志云、均州武當縣有滄浪水、庾仲雍漢水記云、武當縣西四十里、漢水中有洲、名滄浪洲也、地記云、水出荊山、東南流爲滄浪水、**過三澨、入于大別、**【集解】孔安國曰、三澨水名、鄭玄曰、在江夏竟陵之界、【索隱】水經云、三澨地名、在南郡邔縣北、孔安國鄭玄以爲水名、今竟陵有三參水、俗云是三澨水、參音去聲、【考證】禹貢入作至、**南入于江、東匯、澤爲彭蠡、**【集解】孔安國曰、匯、回也、水東回爲彭蠡大澤、**東爲北江、入于海。**【集解】孔安國曰、自彭蠡江分爲三道入震澤、遂爲北江而入海、**汶山道江、東別爲沱、又東至于醴、**【集解】孔安國及馬融王肅皆以醴爲水名、鄭玄曰、醴、陵名也、大阜曰陵、長沙有醴陵縣、【索隱】按騷人所歌、濯余佩於醴浦、明醴是水、孔安國馬融解得其實、又虞喜志林、以醴是江沅之別流、而醴字作澧也、**過九江、至于東陵、**

集解孔安國曰、東陵、地名。**東迆、北會于匯、**集解孔安國曰、迆、溢也、東溢分流、都共北會彭蠡、考證鳳會敍曰、下文云、東北會于汶、東會于澧、東北會于澗瀍、東會于伊、諸言會于某者、皆水名、則匯亦水名也、匯疑當讀爲淮、朱錦綬曰、淮之爲匯、猶非之爲匪耳、愚按今水路淮自入海、不合于江、而孟子滕文公篇云、排淮泗而注之江、鳳朱二說、不爲無據、書以備考。**東爲中江、入于海。**集解孔安國曰、有北有中、南可知也。正義括地志云、禹貢三江、俱會于彭蠡、合爲一江、入于海。**道沇水、東爲濟、入于河、泆爲滎、**集解鄭玄曰、地理志、沇水出河東垣縣王屋山東、至河內武德入河、泆爲滎、孔安國曰、濟在溫西北、滎澤在敖倉東南、索隱水經云、自河東垣縣王屋山東、流爲沇水、至溫縣西北爲濟水、正義括地志云、沇水出懷州王屋縣北十里王屋山頂巖下石泉渟不流、其深不測、既見而伏、至濟源縣西北二里平地、其源重發而東南流、爲汜水、水經云、沇東至溫縣西北爲泲水、又南當鞏縣之北、南入于河、釋名云、濟、濟也、下濟、子細反、按濟水入河而南、截度河南岸、溢滎澤、在鄭州滎澤縣西北四里、今無水、成平地。考證張文虎曰、正義流爲汜水、汜當作沇、**東出陶丘北、**集解孔安國曰、陶丘、丘再成者也、鄭玄曰、地理志、陶丘在濟陰定陶西北、正義括地志云、陶丘在濮州鄄城西南二十四里、又云、在曹州城中、徐才宗國都城記云、此城中高丘、卽古之陶丘。**又東至于荷、**集解孔安國曰、荷澤之水、**又東北會于汶、**正義汶、音問、地理志云、汶水出泰山郡萊蕪縣原山、西南入泲。**又東北入于海。**考證張文虎曰、毛本東北作北東、與禹貢合、傳云、北折而東也、漢志顏

師古注竝同、段玉裁曰、作東北者、古文尚書、**道淮自桐柏、**正義地理志云、桐柏山、在南陽平氏縣東南、淮水所出、按在唐州東五十餘里、**東會于泗・沂、東入于海。**集解孔安國曰、與二水合入海也。**道渭自鳥鼠同穴・**集解孔安國曰、鳥鼠共爲雄雌、同穴處此山、遂名曰鳥鼠、渭水出焉、正義括地志云、鳥鼠山、今名青雀山、在渭州渭源縣西七十六里、山海經云、鳥鼠同穴之山、渭水出焉、郭璞注云、今在隴西首陽縣西南、山有鳥鼠同穴、鳥名鵌、鼠名鼵、如人家鼠而短尾、鵌似鵽而小、黃黑色、穴入地三四尺、鼠在內、鳥在外、鵌音余、鼵音扶廢反、鵽音丁刮反、似雉也、**東會于灃。**正義灃、音豐、括地志云、雍州鄠縣終南山、灃水出焉、北入渭也、**又東北至于涇**正義括地志云、涇水出原州百泉縣西南笄頭山涇谷、東南流入渭也、考證東北至于涇、禹貢作東會于涇、張文虎曰、舊刻無北字、與經文及漢志合、疑此衍、然水經注引此紀云、導渭水東北至海、則所見本有北字矣、**東過漆沮、入于河。**集解孔安國曰、漆沮一水名、亦曰洛水、出馮翊北、**道雒自熊耳、**集解孔安國曰、在宜陽之西、正義括地志云、洛水出商州洛南縣西冢嶺山、東北流入河、熊耳山在虢州盧氏縣南五十里、洛所經、**東北會于澗・瀍、**集解孔安國曰、會于河南城南、正義括地志云、澗水出洛州新安縣東白石山之陰、地理志云、瀍水出河南穀城縣替亭北、東南入於洛、**又東會于伊、**集解孔安國曰、會於洛陽之南、**東北入于河。**集解孔安國曰、合於鞏之東也、考證道九川至此爲第三段、敍禹治九州之川、**於**

是九州攸同考證依文例、攸當作所、**四奧既居**集解孔安國曰、四方之宅、已可居也、**九山栞旅、**集解孔安國曰、九州名山、已槎木通道而旅祭也、**九川滌原、**集解孔安國曰、九州之川、已滌除無壅塞也、**九澤既陂、**集解孔安國曰、九州之澤、皆已陂障無決溢也、**四海會同、六府甚脩、**集解孔安國曰、六府、金木水火土穀、**衆土交正、致愼財賦、**集解鄭玄曰、衆土美惡及高下得其正矣、亦致其貢篚、愼奉其財物之稅、皆法定制而入之也、**咸則三壤、成賦中國。**集解鄭玄曰、三壤、上中下各三等也、**賜土姓。祇台德先、不距朕行。**集解鄭玄曰、中、卽九州也、天子建其國、諸侯祚之土、賜之姓、命之氏、其敬悅天子之德既先、又不距違我天子政敎所行、考證鄭氏讀中國下屬、恐非、說文台下云、悅也、與鄭義合、**令天子之國、以外五百里甸服、**集解孔安國曰、爲天子服治田、去王城面五百里內、考證禹貢無令天子之國以外七字、蓋史公以意增、**百里賦納總、**集解孔安國曰、甸服內近王城者、禾稾曰總、供飼國馬也、索隱說文云、總、聚束草也、考證總、全禾、**二百里納銍、**集解孔安國曰、所銍刈、謂禾穗、索隱說文云、銍、穫禾短鎌也、考證銍、半稾、**三百里納秸服、**集解孔安國曰、秸、稾也、服稾役、索隱禮郊特牲云、蒲越稾秸之美、則秸是稾之類也、考證秸輕於銍、重於粟、或云、去其穎也、或云、半稾去皮也、蔡沈曰、三百里內、去王城爲

近、非惟納總銍秸而又使之服輸將之事也、獨於秸言之者、總前二者而言也、**四百里粟、五百里米、**集解孔安國曰、所納精者少、麤者多、**甸服外五百里侯服、**集解孔安國曰、侯、候也、斥候而服事也、考證甸服外三字、史公以意增、下文侯服要服亦同、**百里采、**集解馬融曰、采、事也、各受王事也、**二百里任國、**集解孔安國曰、任王事者、考證禹貢任國作男邦、**三百里諸侯、**集解孔安國曰、三百里同爲王者斥候、故合三爲一名、**侯服外五百里綏服、**集解孔安國曰、綏、安也、服王者政教、**三百里揆文教、**集解孔安國曰、揆、度也、度王者文教而行之、三百里皆同、**二百里奮武衛、**集解孔安國曰、文教之外二百里奮武衛、天子所以安之、**綏服外五百里要服、**集解孔安國曰、要束以文教也、**三百里夷、**集解孔安國曰、守平常之敎、事王者而已、**二百里蔡、**集解馬融曰、蔡、法也、受王者刑法而已、考證鄭玄曰、蔡之言殺、減殺其賦、**要服外五百里荒服、**集解馬融曰、政教荒忽、因其故俗而治之、**三百里蠻、**集解馬融曰、蠻、慢也、禮簡怠慢、來不距、去不禁、**二百里流、**集解馬融曰、流行無城郭常居、考證崔述曰、書蔡傳云、每服五百里、五服則二千五百里、然堯都冀州、冀之北境、並雲中涿易、亦恐無二千五百里、藉使有之、亦沙漠不毛之地、而東南財賦所出、則反棄於要荒、以地勢考之、殊未可曉、但意古今土地盛衰不同、當舜之時、冀北之

地、未必荒落、如後世耳、余按禹貢山川、以今地圖考之、具在也、淮海惟揚州、荊及衡陽惟荊州、東南之地、未嘗棄也、恆山碣石而北、別無山川見於經者、沙漠之地、未嘗不荒落也、孟子曰、滕絕長補短、將五十里也、說者亦謂周之王畿、豐鎬八百里、鄭鄗六百里、共爲百同、以成千里、然則古之所謂千里、百里、皆絕長補短而計之、非必四面八方截然不可增損於其間也、蓋九州之地、約方三千餘里、故孟子云、海內之地、方千里者九、記云、四海之內九州、州方千里、內除甸服千里、故侯服綏服、共二千里、然則侯綏二服乃九州以內地、所謂州十二師者也、其外羈縻之國、則附於九州、謂之要服、又外則來去不常、聖人聽其自然、不勤於遠、不受其貢、謂之荒服、其遠近略與內地等、故亦以二千里計之、然則要荒二服、乃九州以外地、所謂外薄四海、咸建五長者也、由是言之、五服之地、蓋南有餘而北不足、綜計之爲五千里耳、非拘拘焉必四面皆二千五百里、無少欹斜、無少有餘不足而後可也、

東漸于海、西被于流沙、朔南暨、聲教訖于四海。〔集解〕鄭玄曰、朔、北方也、〔正義〕朔、北方、南、南方也、言南北及於聲教皆從之、

於是帝錫禹玄圭、以告成功于天下。〔正義〕帝、堯也、玄、水色、以禹理水功成、故錫玄圭以表顯之、自此已上、並尚書禹貢文、〔考證〕禹貢無于天下三字、張照曰、下字當衍、應作以告成功於天、愚按以上爲第四段、敘禹治水以後事以結、又按禹行自冀州始以下、采尚書禹貢、梁玉繩曰、史公所錄尚書次第、與書序異、如置禹貢于皐陶謨之前、置夏社於典寶之後、蓋行文敘事不盡依書之次第、況今所傳者、是晉梅賾本、並非賈鄭之舊、則安知史之次第非原本乎、禹告成功、在堯時、陳謨在舜世、至于成湯因伐桀而作湯誓、因敗桀而伐三朡、既勝夏而作夏社、于義爲順、或以爲誤、

非也、

天下於是太平治。〔考證〕羣書治要太作大、

皐陶作士以理民。〔正義〕士、若大理卿也、

帝舜朝。禹·伯夷·皐陶相與語帝前。〔考證〕中井積德曰、添一箇伯夷、即閑了伯夷矣、馬驌曰、伯夷當作伯益、

皐陶述其謀曰。信其道德、謀明輔和。〔考證〕信其道德、皐陶謨作允迪其德、則史文當作信道其德、

禹曰。然。如何。皐陶曰。於、愼其身脩、〔正義〕絕句、下文亦云、道吾德、乃女功序之也、道德二字連用、尚書未見、於、音烏、歎美之辭、

思長、〔集解〕孔安國曰、愼脩其身、思爲長久之道、

敦序九族、衆明高翼、近可遠在已。〔集解〕鄭玄曰、次序九族而親之、以衆賢明作羽翼之臣、此政由近可以及遠也、〔考證〕楓三南凌本高作亮、皐陶謨云、惇敘九族、庶明勵翼、邇可遠在茲、孫星衍曰、據史公說、堯典明明、此庶明、當爲衆貴戚、王先謙曰、釋詁、茲已、此也、故史公易茲爲已、

禹拜美言曰。然。皐陶曰。於、在知人。在安民。禹曰。吁、皆若是、惟帝其難之。〔集解〕孔安國曰、言帝堯亦以爲難、

知人則智。能官人。能安民則惠。黎民懷之。〔考證〕皐陶謨人下無能字、此疑衍、

能知能惠、何憂乎驩兜、何遷乎有苗、何畏乎巧言善色佞人。〔集解〕鄭玄曰、

禹爲父隱、故言不及鯀、

皐陶曰。然。於、亦行有九德。亦言其有德、乃言曰。始事事。〔集解〕孔安國曰、言其人有德、必言其所行事、因事以爲驗、使新行事以試之也、事事、人人德殊、所長之事不一也、〔考證〕始、尚書作載采采、

寬而栗。〔集解〕孔安國曰、性寬弘而能莊栗、柔而立。〔集解〕孔安國曰、和柔而能立事、愿而共。〔集解〕孔安國曰、愨愿而恭敬、治而敬。擾而毅。〔集解〕徐廣曰、擾一作柔、駰案、孔安國曰、擾、順也、致果爲毅、直而溫。簡而廉。剛而實。彊而義。章其有常、吉哉。〔集解〕孔安國曰、章、明也、吉、善也、

日宣三德、蚤夜翊明、有家。〔集解〕孔安國曰、三德、九德之中有其三也、卿大夫稱家、明行之、可以爲卿大夫、

日嚴振敬六德、亮采、有國。〔集解〕孔安國曰、嚴、敬也、行六德、以信治政事、可爲諸侯也、馬融曰、亮、信、采、事也、

翕受普施、九德咸事、俊乂在官、〔集解〕孔安國曰、翕、合也、能合受三六之德而用之、以布施政教、使九德之人皆用事、謂天子也、如此則俊德理能之士、並皆在官也、

百吏肅謹。毋敎邪淫奇謀、非其人、居其官。是謂亂天事。〔考證〕此取尚書皐陶謨、爲文斷絕、殊無次序、卽是也、今亦不能深考、班固所謂疏略抵捂、〔考證〕皐陶謨云、無敎逸欲有邦、兢兢業業、一日二日萬幾、無曠庶官、天工人其代之、史公以十七字、約說經意、天事卽天工、

天討有辠。五刑五用哉。〔集解〕孔安國曰、言用五刑必當〔考證〕皐陶謨云、天敘有典、勑我五典、五惇哉、天秩有禮、自我五禮、同寅和衷哉、天命有德、五服五章哉、天討有罪、五刑五用哉、而史公特錄天討一事者、其意謂淫邪奇謀、亂天事者、宜用五刑以討其罪也、索隱未得、

吾言底可行乎。禹曰。女言致可績行。皐陶曰。余未有知。思贊道哉。〔正義〕皐陶云、我未有所知、思之審、贊於古道耳、謙辭也、已上並尚書皐陶謨文、略其經不全備也、

帝舜謂禹曰。女亦昌言。禹拜曰。於、予何言。予思日孳孳。皐陶難禹曰。何謂孳孳。禹曰。鴻水滔天、浩浩懷山襄陵、下民皆服於水。予陸行乘車、水行乘舟、泥行乘橇、山行乘檋、〔正義〕檋、昌芮反、

行山栞木〔正義〕行、寒孟反、栞、口寒反、

與益予衆庶稻鮮食、〔集解〕孔安國曰、鳥獸新殺曰鮮、〔索隱〕予音與、上與、謂同與之與、下予、謂施予之予、此禹言其與益施予衆庶之稻糧、〔考證〕張文虎曰、與益之與、亦當作予、故索隱別之云、上予、謂同與之與、下予、謂施予之予、後人以兩予相混、改爲與益、而并改索隱上予之予、亦作與、

以決九川致四海、浚畎澮致之川。〔集解〕鄭玄曰、畎澮、田閒溝也、

與稷予衆庶難得之食、食

少、調有餘補不足、徙居。衆民乃定、萬國爲治。皋陶曰。然。此而美也。【考證】而、汝也、禹曰。於、帝愼乃在位、安爾止、【集解】鄭玄曰、安汝之所止、無妄動、動則擾民、輔德天下大應。淸意以昭待上帝命、天其重命用休。【集解】鄭玄曰、天將重命汝以美應、謂符瑞也、帝曰。吁、臣哉臣哉。臣作朕股肱耳目。予欲左右有民。女輔之。【集解】馬融曰、我欲左右助民、汝當翼成我也、余欲觀古人之象、日月星辰、作文繡服色。女明之。【考證】南化本、象下有以字、予欲聞六律五聲八音、來始滑、以出入五言。女聽。【集解】尚書滑字作曶、音忽、鄭玄曰、曶者臣見君所秉、書思對命者也、君亦有焉、以出內政教於五官、【索隱】古文尚書作在治忽、今文作采政忽、先儒各隨字解之、今此云來始滑、於義無所通、蓋來采字相近、滑忽聲相亂、始又與治相似、因誤爲來始滑、今依今文音采政忽三字、劉伯莊云、聽諸侯能爲政、及怠忽者是也、五言、謂仁義禮智信五德之言、鄭玄以爲出納政教五官、非也、【考證】歸有光曰、子長用書文有改者、或以易曉語代之、必不反爲難解之文、其繼絕不可曉者、蓋其所見乃伏生今文、故與世傳古文有異、古書宜略會文義、疑者闕如可也、如來始滑、弔由靈之類、自不可解、愚按史公從孔安國問故、則其所見不獨伏生今文、而壁中之書、

亦多錯簡、宜矣、其有難解之語也、張文虎曰、女聽下游本有之字、與女輔之、女明之句法一例、似勝他本、予卽辟、女匡拂予。女無面諛、退而謗予。【考證】辟、邪辟、拂、讀爲弼、李光縉曰、尚書只有予違汝弼四字、太史公却衍云、予卽辟、女匡拂予、終不及尚書簡當、敬四輔臣。【集解】尚書大傳曰、古者天子必有四鄰、前曰疑、後曰丞、左曰輔、右曰弼、【考證】陳櫟曰、敬四輔臣、言爾不可不敬、爾爲四鄰近臣之職也、諸衆讒嬖臣、君德誠施、皆淸矣。【集解】徐廣曰、君、一作吾、【索隱】諸衆讒嬖臣爲一句、君字、且屬下文、禹曰。然。帝卽不時、布同善惡則毋功。【集解】孔安國曰、帝用臣不是、則賢愚並位、優劣共流、故也、【考證】書傳訓時爲是、猶言如是也、布、皋陶謨作敷、徧也、三南本、無布字、帝曰。【正義】此二字及下禹曰、尚書並無、太史公有四字、帝及禹相答、極爲次序、當應別見書、【考證】二字衍、毋若丹朱傲、維慢游是好、毋水行舟、朋淫于家、用絕其世。【集解】鄭玄曰、朋淫、淫門內、予不能順是。禹曰。予辛壬娶塗山、癸甲生啟。予不子。【集解】孔安國曰、塗山、國名、辛日娶妻、至于甲四日、復往治水、【索隱】杜預云、塗山、在壽春東北、皇甫謐云、今九江當塗有禹廟、則塗山在江南也、系本曰、塗山氏女、名女憍、是禹娶塗山氏、號女憍也、又按尚書云、娶于塗山、辛壬癸甲、啓呱呱而泣、予弗子、今此云辛壬娶塗山、癸甲生啓、蓋今文尚書脫漏、太史公取以爲言、亦不稽其本意、豈有辛

壬娶妻、經二日生子、不經之甚、【正義】此五字爲一句、禹辛日娶、至甲四日、往理水、及生啓不入門、我不得名子、以故能成水土之功、又一云、過門不入、不得有子愛之心、帝繫云、禹娶塗山氏之子、謂之女憍、是生啓也、【考證】禹曰二字衍、皋陶謨作予創若時、娶于塗山、辛壬癸甲、啓呱呱而泣、予弗子、張文虎曰、辛壬錯在塗山上、傳寫偶誤、裴引傳文、但增四日二字、餘無所辨、張亦祗依集解爲說、似所見本皆不誤、小司馬據誤本、不能辨正、反謂今文脫漏、不思甚矣、愚按癸甲下當補出往等字、面生啓予不子五字一句、言塗山氏有孕生啓、予過門不入、不得子視之也、楚辭天問篇王逸注曰、以辛酉日娶、甲子日去、而有啓、蓋亦此意、錢大昕曰、史公書於漢諱皆回避、如恆山作常山、微子啓作微子開、盈數作滿數是也、亦有不盡然者、周本紀邦內甸服、邦外侯服、封禪書五岳皆在天子之邦、犯高帝諱、殷本紀盈鉅橋之粟、樂書盈而不持則傾、晉世家其盈數也、以從盈數、春申君列傳、盈滿海內、犯惠帝諱、天官書、壬癸恆山以北、恆山之北、氣下黑上青、封禪書、北岳恆山也、至琅邪過恆山、田齊世家、以爲非恆人、張儀傳、獻恆山之尾五城、犯文帝諱、夏本紀益讓帝禹之子啓、禹子啓賢、諸侯皆去益而朝啓、啓遂卽天子位、是爲夏后帝啓、殷本紀、帝乙長子曰微子啓、啓母賤、不得嗣、孝文本紀、夏啓以光、燕世家、禹薦益、已而以啓人爲吏、及老而以啓不足任乎天下、啓與交黨攻益奪之、犯景帝諱、此非史之駁文、後人以意改易耳、若呂后諱雉、而殷本紀封禪書不避雉字、或史公本文如此、蓋呂氏傾危社稷、史臣未必爲避諱也、以故能成水土功、輔成五服、至于五千里、州十二師、外薄四海、【集解】孔安國曰、薄、迫、言至海也、【正義】爾雅云、九夷八狄七戎六蠻、謂之四海、釋名云、海、晦也、按夷蠻晦昧無知、故云四海也、咸

建五長、各道有功。【集解】孔安國曰、諸侯五國、立賢者一人爲方伯、謂之五長、以相統治、苗頑不卽功。帝其念哉。【集解】孔安國曰、三苗頑凶、不得就官、善惡分別、帝曰。道吾德、乃女功序之也。【考證】皋陶述其謀以下、采皋陶謨、乃語詞、皋陶於是敬禹之德、令民皆則禹。不如言、刑從之。舜德大明。【索隱】謂不用命之人、則亦以刑罰而從之、【考證】皋陶謨云、帝曰、皋陶方祗厥敍、方施象刑惟明、與史異義、於是夔行樂。【正義】若今太常卿也、祖考至、羣后相讓、鳥獸翔舞。簫韶九成、鳳皇來儀、百獸率舞、百官信諧。【集解】孔安國曰、簫韶、舜樂名、備樂九奏、而致鳳皇也、【考證】依皋陶謨、祖考至以下、夔自贊之言、史公采以爲記事、帝用此作歌曰。陟天之命、維時維幾。【集解】孔安國曰、奉正天命以臨民、惟在順時、惟在愼微、【考證】皋陶謨、陟作勑、勑、謹也、乃歌曰。股肱喜哉。元首起哉。百工熙哉。【集解】孔安國曰、股肱之臣、喜樂盡忠、君之治功乃起、百官之業乃廣、【考證】每句押韻、此古法、下二歌同、皋陶拜手稽首、揚言曰。念哉。【集解】鄭玄曰、使羣臣念帝之戒、率爲興事、愼乃憲。敬哉。【集解】孔安國曰、率臣下爲起治之事、當愼汝法度、敬其職、乃

更爲歌曰。元首明哉。股肱良哉。庶事康哉。舜又歌曰。元首叢脞哉。股肱惰哉。萬事墮哉。【集解】孔安國曰、叢脞、細碎無大略也、君如此、則臣懈惰、萬事墮廢也、【考證】皐陶謨無舜字、此衍、錢大昕曰、自有文字、卽有聲韻、虞廷賡歌、股肱叢脞、卽雙聲之權輿、皮日休雜體詩序、以蝃蝀在東、鴛鴦在梁、爲雙聲始興、何所見之不廣也、愚按雙聲疊韻文字之法爲然、不獨詩歌也、姑就堯典皐陶謨言之、黜陟搏拊黼黻等字面、豈非雙聲乎、平章遏密蒼生等字面、豈非疊韻乎、錢氏所見亦未廣也、帝拜曰。然。往欽哉。【考證】帝用此作歌以下、采皐陶謨、於是天下皆宗禹之明度數聲樂、【集解】徐廣曰、舜本紀云、禹乃興九韶之樂、【考證】梁玉繩曰、此因聲律身度之言而誤也、爲山川神主。【考證】南本、爲上有以字、帝舜薦禹於天爲嗣。十七年而帝舜崩。【集解】劉熙曰、若此則舜格于文祖、三年之後、攝禹使得祭祀與、三年喪畢、禹辭辟舜之子商均於陽城。【集解】劉熙曰、今潁川陽城是也、天下諸侯皆去商均而朝禹。禹於是遂卽天子位。【集解】皇甫謐曰、都平陽、或在安邑、或在晉城、【考證】帝舜薦禹以下、采孟子萬章篇、南面朝天下。國號曰夏后。姓姒氏。【集解】禮緯曰、祖以吞薏苡生、【正義】禮緯云、

禹母脩己、吞薏苡而生禹、因姓姒氏、顧野王云、薏苡、干珠也、【考證】梁玉繩曰、旣云國號夏后、又云帝禹、下文又云夏后帝啓、此與五帝紀帝禹爲夏后同一語病、國語商王帝辛亦同、蓋史公謂夏殷亦稱帝、故連加之、說在殷紀中、帝禹立、而擧皐陶薦之、且授政焉。而皐陶卒。【正義】帝王紀云、皐陶生於曲阜、曲阜偃地、故帝因之而以賜姓曰偃、堯禪舜、命之作士、舜禪禹、禹卽帝位、以咎陶最賢、薦之於天、有將禪之意、未及禪、會皐陶卒、括地志云、咎繇墓在壽州安豐縣南一百三十里故六城東、東都陂內大冢也、封皐陶之後於英六。【集解】徐廣曰、史記皆作英字、而以英布是此苗裔、【索隱】地理志、六安國六縣、咎繇後偃姓所封國、英地闕、不知所在、以爲黥布是其後也、【正義】英、蓋蓼也、括地志云、光州固始縣、本春秋時蓼國、偃姓、皐陶之後也、左傳云、子燮滅蓼、太康地志云、蓼國先在南陽故縣、今豫州郾縣界故胡城是、後徙於此、括地志云、故六城在壽州安豐縣南一百三十二里、春秋文五年秋、楚成大心滅之、【考證】禹薦皐陶、未知所本、左傳文公五年、楚成大心滅六、公子燮滅蓼、臧文仲曰、皐陶庭堅不祀忽諸、本史黥布列傳、太史公曰、英布者其先豈春秋所見楚滅英六皐陶之後哉、陳杞世家、皐陶之後、或封英六、或在許。【集解】皇覽曰、皐陶冢在盧江六縣、【索隱】許在潁川、【正義】括地志云、許故城在許州許昌縣南三十里、本漢許縣、故許國也、【考證】梁玉繩曰、許、太岳之後也、姜姓、安得以爲皐陶後哉、史誤、而后擧益、任之政十年。【考證】張文虎曰、十年、孟子作七年、形近易亂、疑今本史文傳寫誤、帝禹東巡狩、至于會稽而崩。【集解】皇甫謐曰、年百歲也、【考證】禹巡

狩葬會稽之事、起春秋後諸子雜說、不足依據、史公于論云、或云禹會諸侯江南、計功而崩、因葬焉、命曰會稽、或之者疑之也、而于此直書其事、以實之、何歟、以天下授益。三年之喪畢、益讓帝禹之子啓、而辟居箕山之陽。【集解】孟子、陽字作陰、劉熙曰、崇高之北、【正義】按陽卽陽城也、括地志云、陽城縣在箕山北十三里、又恐箕字誤、本是嵩字、而字相似、其陽城縣在嵩山南二十三里、則爲嵩山之陽也、禹子啓賢。天下屬意焉。及禹崩、雖授益、益之佐禹日淺、天下未洽。故諸侯皆去益而朝啓曰。吾君帝禹之子也。於是啓遂卽天子之位。是爲夏后帝啓。【考證】以天下授益以下、采孟子萬章篇文、愚按黃帝至堯、父子相繼、或兄弟相及、常也、堯舜傳賢、權也、至禹、復父子繼承之舊耳、孟子云、天與賢則與賢、天與子則與子、韓子云、堯舜之傳賢也、欲天下之得其所也、禹之傳子也、憂後世爭之之亂也、二說吾未之信、夏后帝啓、禹之子、其母塗山氏之女也。有扈氏不服。【集解】地理志曰、扶風鄠縣是扈國、【索隱】地理志曰、扶風縣鄠是扈國、【正義】括地志云、雍州南鄠縣、本夏之扈國也、地理志云、鄠縣古扈國、有戶亭、訓纂云、戶扈鄠三字、一也、古今字不同耳、啓伐之、大戰於甘。【集解】馬融曰、甘、有扈氏南郊地名、【索隱】夏啓所伐、鄠南有甘亭、將戰、作甘誓。乃召

六卿申之。【集解】孔安國曰、天子六軍、其將皆命卿也、啓曰。嗟、六事之人、【集解】孔安國曰、各有軍事、故曰六事、【考證】鄭玄曰、變六卿言六事之人者、容軍吏下及士卒也、予誓告女。有扈氏威侮五行、怠棄三正。【集解】鄭玄曰、五行、四時盛德所行之政也、威侮、暴逆之、三正、天地人之正道、【考證】五行三正、始見於此、而其目未詳、或曰、洪範云、在昔鯀陻洪水、汨陳其五行、又云、五行、一曰水、二曰火、三曰木、四曰金、五曰土、左傳文七年、晉郤缺解夏書曰、水火金木土穀、謂之六府、五行之外加穀耳、以水火木金土爲五行、夏初或既有之、而未有子丑寅三正也、鄭說似是、天用勦絶其命。【集解】孔安國曰、勦、截也、今予維共行天之罰。【集解】孔安國曰、共、奉也、左不攻于左、右不攻于右、女不共命。【集解】鄭玄曰、左、車左、右、車右、御非其馬之政、女不共命。【集解】孔安國曰、御以正馬爲政也、三者有失、皆不奉我命也、用命、賞于祖。【集解】孔安國曰、天子親征、必載遷廟之祖主行、有功卽賞祖主前、示不專也、不用命、僇于社。【集解】孔安國曰、又載社主、謂之社事、奔北則僇之社主前、社主陰、陰主殺也、予則帑僇女。【集解】孔安國曰、非但止身、辱及女子、言恥累之、【考證】有扈氏不服以下、采尙書甘誓、帑孥同、梁玉繩讀爲奴隸之奴云、古之用刑、父子兄弟不相及、寧有三代盛時罪及妻子之事乎、愚按軍律重於常刑、舊說自通、遂滅有扈氏。天下咸朝。

夏后帝啓崩。集解徐廣曰、皇甫謐曰、夏啓元年甲辰、十月癸丑崩、子帝太康立。帝太康失國。集解孔安國曰、盤于遊田、不恤民事、爲羿所逐、不得反國、昆弟五人、索隱皇甫謐云、號五觀也、須于洛汭。作五子之歌。集解孔安國曰、太康五弟、與其母待太康于洛水之北、怨其不反、故作歌、考證太康失國以下、采書五子之歌序、太康崩、弟中康立。是爲帝中康。帝中康時、羲和湎淫、廢時亂日。集解孔安國曰、羲氏和氏、掌天地四時之官、太康之後、沈湎于酒、廢天時亂甲乙也、胤往征之。作胤征。集解孔安國曰、胤國之君、受王命往征之、鄭玄曰、胤、臣名、考證羲和湎淫以下、采書胤征序、中康崩、子帝相立。帝相崩、子帝少康立。索隱左傳魏莊子曰、昔有夏之衰也、后羿自鉏遷于窮石、因夏人而代夏政、恃其射也、不修人事、而信用伯明氏之讒子寒浞、浞殺羿烹之、以食其子、子不忍食、殺于窮門、浞因羿室、生澆及豷、使澆滅斟灌氏及斟尋氏、而相爲澆所滅、后緡歸于有仍、生少康、有夏之臣靡、自有鬲收二國之燼、以滅浞而立少康、少康滅澆于過、后杼滅豷于戈、有窮遂亡、然則帝相自被篡殺、中間經羿浞二氏、蓋三數十年、而此紀總不言之、直云帝相崩子少康立、疏略之甚、正義帝王紀云、帝羿有窮氏、未聞其先何姓、帝嚳以上、世掌射正、至嚳賜以彤弓素矢、封之於鉏、爲帝司射、歷虞夏、羿學射於吉甫、其臂長、故以善射聞、及夏之衰、自鉏遷于窮石、因夏民以代夏政、帝相徙于商丘、依同姓諸侯斟尋、羿恃其善射、不修民

事、淫于田獸、棄其良臣武羅伯姻熊髡尨圉、而信寒浞、寒浞伯明氏之讒子、伯明后以讒棄之、而羿以爲己相、寒浞殺羿於桃梧、而烹之、以食其子、其子不忍食之、死于窮門、浞遂代夏立爲帝、寒浞襲有窮之號、因羿之室、生奡及豷、奡多力、能陸地行舟、使奡帥師滅斟灌斟尋、殺夏帝相、封奡於過、封豷於戈、恃其詐力、不恤民事、初奡之殺帝相也、妃有仍氏女曰后緡、歸有仍、生少康、初夏之遺臣曰靡、事羿、羿死、逃於有鬲氏、收斟尋二國餘燼、殺寒浞、立少康、滅奡於過、后杼滅豷於戈、有窮遂亡也、按帝相被篡、歷羿浞二世、四十年、而此紀不說、亦馬遷所爲疏略也、奡音五告反、豷音許器反、括地志云、故鉏城在滑州韋城縣東十里、晉地記云、河南有窮谷、蓋本有窮氏所遷也、括地志云、商丘今宋州也、斟灌故城、在青州壽光縣東五十四里、斟尋故城、今青州北海縣是也、故過鄉亭、在萊州掖縣西北二十里、本過國地、故鬲城、在洛州密縣界、杜預云、國名、今平原鬲縣也、戈在宋鄭之閒、寒國、在北海平壽縣東寒亭也、伯明其君也、臣瓚云、斟尋在河南、蓋後遷北海也、汲冢古文云、太康居斟尋、羿亦居之、桀又居之、尚書云、太康失邦、兄弟五人、須于洛汭、此即太康居之、爲近洛也、又吳起對魏武侯曰、夏桀之居、左河濟、右太華、伊闕在其南、羊腸在其北、又周書度邑篇云、武王問太公、吾將因有夏之居、即河南是也、括地志云、故鄩城、在洛州鞏縣西南五十八里、蓋桀所居也、陽翟縣、又是禹所封爲夏伯、考證索隱所引后羿之亂、本左傳襄公四年、哀公元年文、梁玉繩曰、自太康失河北、夏統中絕、其後少康滅寒浞、中興、亂幾百年而始定、故魏高貴鄉公、推尊少康、優于漢高祖、則歷代中興之主、當以少康爲冠、乃紀表全逸不言、直敍世次、若守成無事然、深所未曉、索隱正義及左傳疏、皆譏史公疎略、信矣、而宋黃震日鈔、謂少康之事、遷時已無可考、殊非、豈未檢吳世家乎、不載紀表、而別出于世家、亦失作史之體、愚按吳太伯世家、伍子胥引少康事、帝

少康崩、子帝予立。索隱音佇、系本云、季佇作甲者也、左傳曰、杼滅豷于戈、國語云、杼能帥禹者也、考證表作杼、索隱引哀元年左傳、國語、魯語、帝予崩、子帝槐立。索隱音回、系本作帝芬、帝槐崩、子帝芒立。索隱芒、音亡、鄒誕生又音荒也、帝芒崩、子帝泄立。帝泄崩、子帝不降立。索隱系本作帝降、帝不降崩、弟帝扃立。帝扃崩、子帝廑立。索隱音覲、鄒誕生又音勤、帝廑崩、立帝不降之子孔甲。是爲帝孔甲。考證崔述曰、禹之後嗣、見於傳記者、曰啓、曰相、曰杼、曰皋、皆其名也、上古質樸、故皆以名著、無可異者、惟太康少康、則不似名而似號、不知二后何故獨以號顯、且太康失國、少康中興、賢否不同、世代亦隔、又不知何以同稱爲康也、仲康見於史記、當亦不誣、何故亦豈康號而以仲別之、至孔甲、則又與商諸王之號相類、沿商之取號於甲乙、已彷於此與、古書散失、不可考矣、帝孔甲立、好方鬼神、事淫亂。夏后氏德衰、諸侯畔之。考證李笠曰、方、讀如論語子貢方人之方、謂孔甲好比方鬼神、而事淫亂、愚按方字疑衍、三代世表、好鬼神淫亂、封禪書、郊祀志、滛德好神、皆下無方字、天降龍二、有雌雄。孔甲不能食、未得豢龍氏。集解賈逵曰、豢、養也、穀食曰豢、正義食音寺、陶唐既衰、其後有劉累。集解服虔曰、后、劉

累之爲諸侯者、夏后賜之姓、正義括地志云、劉累故城、在洛州緱氏縣南五十五里、劉累之故地也、學擾龍于豢龍氏、以事孔甲。集解應劭曰、擾、音柔、擾、馴也、能順養得其嗜慾、孔甲賜之姓、曰御龍氏。集解服虔曰、御亦養、受豕韋之後。集解徐廣曰、受一作更、駰案賈逵曰、劉累之後、至商不絕、以代豕韋之後、祝融之後、封於豕韋、殷武丁滅之、以劉累之後代之、索隱按系本豕韋、防姓、龍一雌死、以食夏后。夏后使求。懼而遷去。集解賈逵曰、夏后既饗、而又使求、致龍、劉累不能得而懼也、傳曰、遷於魯縣、考證天降龍二以下、采左傳昭公二十九年蔡墨言、中井積德曰、不知其龍、食而甘之、已又求之、龍肉不可得、故懼而去耳、方苞曰、天降龍二、此何關典要、不宜入本文、愚按此史公記劉氏所自出耳、孔甲崩、子帝皋立。帝皋崩。集解左傳曰、皋墓在殽南陵、考證國語周語、孔甲亂夏、四世而隕、正義依僖卅二年左傳、子帝發立。帝發崩、子帝履癸立。是爲桀。索隱桀、名也、按系本帝皋生發及桀、此以發生桀、皇甫謐同也、帝桀之時、集解謚法、賊人多殺曰桀、自孔甲以來、而諸侯多畔。夏桀不務德、而武傷百姓。百姓弗堪。迺召湯而囚之夏臺。索隱獄名、夏曰均臺、皇甫謐云、地在陽翟、是也、考證書湯誓云、夏王率遏衆力、率割夏邑、有衆率怠弗協、曰、時日曷喪、予與汝皆亡、

立政云、桀德惟乃弗作、往任是惟暴德、國語晉語、史蘇曰、昔夏桀伐有施、有施人以妹喜女焉、妹喜有寵、於是與伊尹比而亡夏、左傳昭公四年、椒擧曰、夏桀爲仍之會、有緡叛之、古書記桀事、可信者、不過若是、崔述曰、韓詩外傳云、桀爲酒池、可以運舟、糟邱足以望十里、而牛飲者三千人、新序云、桀作瑤臺、罷民力、殫民財、爲酒池糟堤、縱靡靡之樂、按古者人情質樸、雖有荒淫之主、非有若後世秦始隋煬之所爲者、且桀豈患無酒、而使之可運舟、望十里、欲何爲者、皆後世猜度附會之言、如子貢所云、紂之不善、不如是之甚者、

已而釋之。湯修德、諸侯皆歸湯。湯遂率兵以伐夏桀。桀走鳴條。【集解】孔安國曰、地在安邑之西、鄭玄曰、南夷地名、遂放而死。【集解】徐廣曰、從禹至桀十七君、十四世、駰案、汲冢紀年曰、有王與無王、用歲四百七十一年矣、【索隱】徐廣曰、從禹至桀十七君、十四世、案汲冢紀年曰、有王與無王、用歲四百七十一年、【正義】括地志云、廬州巢縣有巢湖、卽尚書成湯伐桀、放於南巢者也、淮南子云、湯敗桀於歷山、與妹喜同舟浮江、奔南巢之山而死、國語云、滿於巢湖、又云、夏桀伐有施、施人以妹喜女焉、女、音女慮反、【考證】書湯誓序云、伊尹相湯、與桀戰于鳴條之野、崔述曰、湯之伐桀、傳記皆未詳載其事、孟子書中有湯放桀之文、國語云、桀奔南巢、史記云、桀走鳴條、遂放而死、則是桀兵敗出奔、未嘗死也、尚書大傳、亦稱士民奔湯、桀與其屬五百人南徙、則是桀逃於外、湯未嘗追襲之、以是謂之放也、雖其言或不能無附會、要其情形大概於理爲近、李笠曰、正義云滿於巢湖、案國語無此語、桀謂人曰。吾悔不遂殺湯於夏臺、使至此。【考證】吳王夫差曰、吾悔不用子胥之言、自令陷此、梁惠王曰、

寡人恨不用公叔座之言也、韓信曰、吾悔不用蒯通之計、乃爲兒女子所詐、悔恨之言、如出一口、湯乃踐天子位、代夏朝天下。湯封夏之後。【正義】括地志云、夏亭故城、在汝州郟城縣東北五十四里、蓋夏后所封也、至周封於杞也。【正義】括地志云、汴州雍丘縣、古杞國城也、周武王封禹後、號東樓公也、【考證】梁玉繩曰、禹後封杞、卽湯封之、武王特因其舊封重命之耳、大戴禮少間篇云、湯放移桀、遷姒姓于杞、漢書梅福傳云、武王克殷、封殷于宋、紹夏于杞、史公於留侯世家、亦述酈生之言、湯伐桀、封其後於杞、而此乃謂周封夏後于杞、何哉、

太史公曰。禹爲姒姓。其後分封、用國爲姓。故有夏后氏・有扈氏・有男氏・斟尋氏・【集解】徐廣曰、一作斟氏尋氏、彤城氏・褒氏・費氏・【索隱】系本男作南、尋作鄩、費作弗、而不云彤城及褒、按周有彤伯、蓋彤城氏之後、張敖地理記云、濟南平壽縣其地卽古斟尋國、又下云斟戈氏、按左傳系本、皆云斟灌氏、【考證】錢大昕曰、索隱本斟氏戈氏作斟戈氏、卽斟灌也、戈灌聲相近、上氏字衍、杞氏・繒氏・辛氏・冥氏・斟氏・戈氏、【考證】楓、三、南本、冥上有白字、崔述曰、此所記禹之後裔、得失參半、有扈氏爲啓所伐、戈爲豷所封、其非禹後明甚、疑司馬氏誤也、辛冥有男彤城、亦莫知其所本、孔子正夏時。學者多傳夏小正云。【集解】禮運稱孔子曰、我欲觀夏道、是故之杞而不足徵也、吾得夏時焉、鄭玄曰、得夏四時之書、其存者有小正、【索隱】

小正、大戴記篇名、正征二音、【考證】論語衛靈公篇、子曰、行夏之時、自虞・夏時、貢賦備矣。或言禹會諸侯江南、計功而崩。因葬焉。命曰會稽。會稽者會計也。【集解】皇覽曰、禹冢在山陰縣會稽山上、會稽山本名苗山、在縣南、去縣七里、越傳曰、禹到大越、上苗山、大會計、爵有德、封有功、因而更名苗山曰會稽、因病死、葬、葦棺、穿壙深七尺、上無瀉泄、下無邱水、壇高三尺、土階三等、周方一畝、呂氏春秋曰、禹葬會稽、不煩人徒、墨子曰、禹葬會稽、衣衾三領、桐棺三寸、地理志云、山上有禹井禹祠、相傳以爲下有羣鳥耘田者也、【索隱】抵、至也、音丁禮反、葦棺者以葦爲棺、謂蘧蒢而斂、非也、禹雖儉約、豈萬乘之主、而臣子乃以蘧蒢裹尸乎、墨子言桐棺三寸、差近人情、【正義】括地志云、禹陵在越州會稽縣南十三里、廟在縣東南十一里、

【索隱】述贊、堯遭鴻水、黎人阻飢、禹勤溝洫、手足胼胝、言乘四載、動履四時、娶妻有日、過門不私、九土既理、玄圭錫玆、帝啓嗣立、有扈違命、五子作歌、太康失政、羿浞斯侮、夏室不競、降于孔甲、擾龍乖性、嗟彼鳴條、其終不令、

夏本紀第二

史記二

史記會注考證卷三

漢　太　史　令　司　馬　遷　撰

宋　中　郎　外　兵　曹　參　軍　裴　駰　集　解

唐　國　子　博　士　弘　文　館　學　士　司　馬　貞　索　隱

唐　諸　王　侍　讀　率　府　長　史　張　守　節　正　義

日　本　出　雲　瀧　川　資　言　考　證

殷本紀第三　史記三

[考證]史公自序云、維契作商、爰及成湯、太甲居桐、德盛阿衡、武丁得說、乃稱高宗、帝辛湛湎、諸侯不享、作殷本紀第三、

殷契[索隱]契始封商、其後裔盤庚遷殷、殷在鄴南、遂為天下號、契是殷家始祖、故言殷契、[正義]括地志云、相州安陽本盤庚所都、卽北蒙殷墟、南去朝歌城百四十六里、竹書紀年云、盤庚自奄遷于北蒙、曰殷墟、南去鄴四十里、是舊都城西南三十里有洹水、南岸三里有安陽城、西有城、名殷墟、所謂北蒙者也、今按洹水在相州北四里、安陽城卽相州外城也、契音薛、母曰簡狄。有娀氏之女、為帝嚳次妃。[集解]淮南子曰、有娀在不周之北、[索隱]舊本狄作易、易狄音同、又作逷、吐歷反、[正義]按記云、桀敗於有娀之墟、有娀當在蒲州也、[考證]以上采帝繫篇、三人行浴。見玄鳥墮其卵。簡狄取吞之、因孕生契。[索隱]譙周云、契生堯代、舜始舉之、必非嚳子、以其父微、故不著名、其母娀氏女、與宗婦三人浴于川、玄鳥遺卵、簡狄吞之、則簡狄非帝嚳次妃明也、[考證]以上依詩商頌玄鳥詩附會、梁玉繩曰、詩曰、天命玄鳥、降而生商、履帝武敏歆、攸介攸止、毛傳以玄鳥降為祀高禖之候、履帝武為從高辛之後、當毛公作傳時、未有遷史也、遷史出而乃有吞踐之說、其說起于周秦間好事者、是以屈原天問言簡狄在臺、玄鳥致貽、列子天瑞言后稷生于巨迹、夫毛公豈不知吞踐之說哉、亦鄙不道爾、自史公信其說、而漢儒如康成、宋儒如朱子、並援以為據、遂有謂稷契無父而生者、毋乃誕歟、史公作史、每采世俗不經之語、故于殷紀曰吞卵生契、于周紀曰踐迹生棄、于秦紀又曰吞卵生大業、于高紀則曰夢神生季、一似帝王豪傑俱生于鬼神異類、有是理乎、愚按蘇洵嚳妃論、楊愼丹鉛總錄亦有此說、又按契非帝嚳子、娀氏非帝嚳妃、譙周說是、崔述唐考信錄論之更詳、契長而佐禹治水有功。[考證]中井積德曰、契治水之功所未見、且舜命為司徒、是禹命為司空之日矣、治水在其後、恐史遷誤、梁玉繩說同、帝舜乃命契曰、百姓不親、五品不訓。汝為司徒、而敬敷五教。五教在寬。[考證]帝舜以下、采尚書堯典文、古鈔、南本無五教二字、舜紀亦無、與堯典合、封于商。[集解]鄭玄曰、商國在太華之陽、皇甫謐曰、今上洛商是也、[索隱]堯封契於商、卽詩商頌云、有娀方將、帝立子生商、是也、[正義]括地志云、商州東八十里商洛縣、本商邑、古之商國、帝嚳之子卨所封也、賜姓子氏。[集解]禮緯曰、祖以玄鳥生子也、[正義]括地志云、故子城、左渭州華城縣東北八十里、蓋子姓之別邑、契興於唐・虞・大禹之際、功業著於百姓。百姓以平。契卒。子昭明立。昭明卒。子相土立。[集解]宋忠曰、相土就契封於商、春秋左氏傳曰、閼伯居商丘、相土因之、[索隱]相土佐夏、功著於商、詩頌曰、相土烈烈、海外有截、是也、左傳曰、昔陶唐氏火正閼伯居商丘、相土因之、是始封商也、[正義]括地志云、宋州宋城縣、古閼伯之墟、卽商丘也、又云、羿所封之地、[考證]左傳襄公九年、詩商頌長發、相土卒。子昌若立。昌若卒。子曹圉立。[索隱]系本作遭圉也、[正義]圉音語、出系本、曹圉卒。子冥立。[集解]宋忠曰、冥為司空、勤其官事、死於水中、殷人郊之、[索隱]禮記曰、冥勤其官而水死、殷人祖契而郊冥也、[考證]禮記祭法、國語魯語引展禽言、冥卒。子振立。[索隱]系本作核、振卒。

子微立。[索隱]皇甫謐云、微字上甲、其母以甲日生故也、商家生子、以日為名、蓋自微始、譙周以為死稱廟主曰甲也、[考證]國語魯語、上甲後能帥契者也、商人報焉、白虎通、殷道尚質、故直以生日名子、梁玉繩曰、魯語展禽曰、上甲微能帥契者、孔叢子引書曰、高宗報上甲微、則商家以日為名、自微始、而史缺之、不始于報丁也、然竊疑商人自契至振、竝別製名、何以上甲至帝辛、改名十日、而以日為名之外、又未嘗無名、如上甲名微、天乙名履、帝辛名受、疑諸君俱有二名、今缺不具、蓋名以日者殷之質、生之與死、皆以此臣民之所稱、亦以是別立名者、殷之文、非有大典禮不用、故成湯告天、始名曰予小子履、而微子庶不為嗣、遂祇傳其名啓而已、微卒。子報丁立。[集解]報音博冒反、報丁卒。子報乙立。報乙卒。子報丙立。報丙卒。子主壬立。主壬卒。子主癸立。[考證]梁玉繩曰、商以生日名子、故不嫌于複、獨此三世名報、兩世名主、何也、通志曰、報丁報乙報丙與主壬主癸皆兄弟之名、史指為父子、過矣、崔述曰、商先世、詩書多缺、不可詳考、竊以時世推之、相土為契之孫、當在夏太康世、蓋太康失國、羿浞淫暴、諸侯無所歸、而相土能修其德政、故東方諸侯咸歸之、商邱在東、而西北阻於羿浞、是以號令東訖於海、而云海外有截也、又相土居商邱、而湯居亳、相距絕遠、疑上甲微以後、亦嘗中微、如不窋之竄戎、大王之遷岐者然、但不可知其為何世耳、主癸卒。子天乙立。是為成湯。[集解]張晏曰、禹湯皆字也、二王去唐虞之文、從高陽之質、故夏殷之王、皆以名為號、謚法曰、除虐去殘曰湯、[索隱]湯名履、書曰、予小子履、是也、又稱天乙者、譙周云、夏殷之禮、生稱王、死稱廟、皆以帝名配之、天亦帝也、殷人尊湯、故曰天乙、從契

至湯、凡十四代、故國語曰、玄王勤商、十四代興、玄王、契也。【正義】帝王世紀云、成湯豐下銳上、指有肼胝、倨身而揚聲、長九尺、臂四肘、有聖德、張晏曰、禹湯皆字也、【考證】荀子成相篇、契玄王生昭明、居于砥石、遷于商、十有四世、乃有天乙、是成湯、崔述曰、尚書酒誥多方立政等篇、皆稱爲成湯、無但稱湯者、蓋履、名也、成湯、號也、古多以一字名、未聞以一字號者、然則成湯乃其本號、湯則後世之省文也、商頌殷武亦稱成湯、玄鳥稱武湯、長發或但稱湯、或稱爲武王、蓋史冊主於紀實、詩人主於頌美、故其稱參差不一、武王者子孫追崇之稱、卽後世謚法所自彷、既或省文爲湯、因以武加之爲武湯耳、梁玉繩曰、湯非名也、以地爲號、故稱成湯武湯、路史發揮注云、湯特商國中一邑名、成湯者猶成周、

成湯自契至湯、八遷。【集解】孔安國曰、十四世、凡八徙國都、【考證】成湯二字衍、楓三南本、洞本、舊刻本皆無、湯始居亳、【集解】皇甫謐曰、梁國穀熟爲南亳、卽湯都也、【正義】括地志云、宋州穀熟縣西南三十五里南亳故城、卽南亳、湯都也、宋州北五十里大蒙城、爲景亳、湯所盟地、因景山爲名、河南偃師爲西亳、帝嚳及湯所都、盤庚亦徙都之、從先王居。【集解】孔安國曰、契父帝嚳都亳、湯自商丘遷焉、故曰從先王居、【正義】按亳、偃師城也、商丘、宋州也、湯卽位都南亳、後徙西亳也、括地志云、亳邑故城在洛州偃師縣西十四里、本帝嚳之墟、商湯之都也、作帝誥。【索隱】一作俈、上云從先王居、故作帝俈、孔安國以爲作誥告先王、言己來居亳也、【考證】自契至湯以下、采書帝誥序、湯征諸侯。【集解】孔安國曰、爲夏方伯、得專征伐、葛伯不祀。湯始伐之。【集解】孟子曰、湯居亳、與葛伯爲鄰、地理志曰、葛、今梁國寧陵之葛鄉、【考證】以上采書湯征序、孟子滕文公篇、湯曰。予

有言。人視水見形。視民知治不。伊尹曰。明哉。言能聽、道乃進。君國子民、爲善者皆在王官。勉哉。勉哉。湯曰。汝不能敬命、予大罰殛之、無有攸赦。作湯征。【正義】殛、紀力反、誅也、【考證】金履祥曰、史遷載湯征之辭而不類、蓋非湯征之舊也、孟子引亳衆往耕之事、疑出此書、而其詳不可得而聞矣、梁玉繩曰、湯征亡矣、而紀有其詞、豈非史公所見壁中眞古文乎、崔述曰、按孟子文、湯以仇餉征葛、非以不祀征葛也、史記此言、殊失孟子之意、至湯伊尹之言、不知采於何書、孔壁古文所多十六篇中無湯征、豈別有所本與、伊尹名阿衡。【索隱】孫子兵書、伊尹名摯、孔安國亦曰伊摯、然解者以阿衡爲官名、按阿、倚也、衡、平也、言依倚而取平、書曰、惟嗣王弗惠于阿衡、亦曰保衡、皆伊尹之官號、非名也、皇甫謐曰、伊尹、力牧之後、生於空桑、又呂氏春秋云、有侁氏女、採桑得嬰兒于空桑、母居伊水、命曰伊尹、尹、正也、謂湯使之正天下、【考證】梁玉繩曰、後世因伊尹官阿衡、遂以爲號、史隨稱之耳、伊尹名摯、見孫子用間篇、墨子尚賢中篇、楚辭離騷天問、崔適曰、尹亦官名、周之師尹、楚之令尹義卽本此、曰尹、曰阿衡、曰保衡、皆以官名名之、而其人名則曰摯也、阿衡欲奸湯而無由。乃爲有莘氏媵臣、負鼎俎、以滋味說湯、致于王道。【集解】列女傳曰、湯妃有莘氏之女、【正義】括地志云、古莘國在汴州陳留縣東五里、故莘城是也、陳留風俗傳云、陳留外黃有莘昌亭、本宋地、莘氏邑也、媵、翊剩反、爾雅云、媵、將

送也、【考證】墨子尚賢篇下、伊摯、有莘氏女之私臣、親爲庖人、湯得之、舉以爲己相、又見呂覽韓非諸書、孟子萬章篇、萬章問曰、伊尹以割烹要湯、有諸、孟子曰、否、不然、或曰。伊尹處士。湯使人聘迎之。五反然後肯往從湯。【考證】或曰、依孟子萬章篇、告子篇、言素王及九主之事。【集解】劉向別錄曰、九主者、有法君、專君、授君、勞君、等君、寄君、破君、國君、三歲社君、凡九品、圖畫其形、【索隱】按素王者、太素上皇、其道質素、故稱素王、九主者、三皇五帝及夏禹也、或曰、九主謂九皇也、然按注、劉向所稱九主、載之七錄、名稱甚奇、不知所憑據耳、法君、謂用法嚴急之君、若秦孝公及始皇等也、勞君、謂勤勞天下、若禹稷等也、等君、等者平也、謂定等威均祿賞、若高祖封功臣侯雍齒也、授君、謂人君不能自理、而政歸其臣、若燕王噲授子之、禹授益之比也、專君、謂專己獨斷、不任賢臣、若漢宣之比也、破君、謂輕敵致寇、國滅君死、若楚戊吳濞等是也、寄君、謂人困於下、主驕於上、離析可待、故孟軻謂之寄君也、國君、國當爲固字之訛耳、固謂完城郭、利甲兵、而不修德、若三苗智伯之類也、三歲社君、謂在襁褓而主社稷、若周成王、漢昭平等是也、又注本九主、謂法君、勞君、等君、專君、授君、破君、國君、以三歲社君爲二、恐非、【正義】專君、若漢宣之自專自斷、不任賢臣也、法君、若秦孝公用商鞅之法、嚴急之君也、授君、若燕噲授子之之類、是人君不能自理、政歸臣下也、勞君、若禹之勤勞天下也、等君、等者類也、若漢元成以下不能好惡、故云等君也、寄君、若春秋寄公、人困於下、主驕於上、邦分崩離析可待、故孟軻謂之寄君也、三歲社君、謂在襁褓而主社稷、若周成、漢昭平之比也、一本云、九主者、法君、勞君、等君、寄君、專君、授君、破君、國君、以三歲社君爲一君、并上八君、成九主、恐非也、然伊尹說湯素王九主、當是三皇五帝

及少昊、咸勤勞天下、廣求賢佐、而致太平、而裴氏引此九主、恐非伊尹之意也、【考證】孟子萬章篇、湯三使往聘伊尹、告子篇、五就湯、五就桀者、伊尹也、胡克家曰、漢書藝文志道家、伊尹五十一篇、小說家、伊尹說二十七篇、劉向別錄所言、蓋卽此二書、徐孚遠曰、劉向所載九主、是戰國人語、酷類韓非、中井積德曰、素王、謂不據王位而有王德者、愚按莊子天道篇、虛靜恬澹、以之處下、玄聖素王之道也、中井氏據是、但夏殷之際、不可有此事、春秋之時、稱大夫爲主、未嘗稱王侯、伊尹九主、決非九君之義、要之史公此紀、采擇未精、何必求其義、又按太史公有素王妙論、見漢隋志、今佚、湯舉、任以國政。伊尹去湯適夏。既醜有夏、復歸于亳。入自北門、遇女鳩女房。作女鳩女房。【集解】孔安國曰、鳩房二人、湯之賢臣也、二篇言所以醜夏而還之意、【考證】伊尹去湯以下、采書汝鳩汝方序、梁玉繩曰、孟子言伊尹五就湯、五就桀、尚書大傳言伊尹仕桀、聞日亡吾亦亡之言、遂去夏適湯、鬼谷子午合云、伊尹五就湯、五就桀、然後合于湯、呂望三就文王、三入殷、然後合于文王、是伊尹有適夏之事也、然湯既任尹國政、何爲復適夏邪、或者湯初得尹、薦之于桀、在未任國政時矣、而尹之所以適夏、其心必以爲從湯伐桀以濟世、不若事桀以止亂、故五就五去、不憚其煩、及不可復輔、乃舍而歸耳、若呂氏春秋愼大篇言湯欲令伊尹往視曠夏、恐其不信、湯親射之、伊尹奔夏、三年歸亳、以權詐誣聖人、豈足道哉、愚按孫子用間篇、昔殷之興也、伊摯在夏、周之興也、呂牙在殷、故明君賢將、能以上智爲間者、必成大功、亦與呂覽合、古書未可悉信也、湯出。見野張網四面。祝曰。自天下四方、皆入吾網。湯

曰。嘻、盡之矣。乃去其三面祝曰。欲左左。欲右右。不用命乃入吾網。諸侯聞之曰。湯德至矣。及禽獸。〔考證〕呂氏春秋異用篇、賈子新書禮篇諭誠篇、又見新序雜事篇、古鈔、南本、天下作上下。楓、三、南本、獸下有矣字、當是時、夏桀爲虐政淫荒。而諸侯昆吾氏爲亂。〔正義〕帝嚳時陸終之長子昆吾氏之後也、世本云、昆吾者衞氏是、〔考證〕詩商頌長發篇、韋顧既伐、昆吾夏桀、則是湯先伐韋國顧國、次乃伐昆吾、最後乃伐夏也、湯乃興師率諸侯。伊尹從湯。湯自把鉞以伐昆吾、遂伐桀。湯曰。格女衆庶。來。女悉聽朕言。〔考證〕李笠曰、尙書湯誓、作格爾衆庶、無來字、疑史文原只作汝衆庶來、以來代格、後人涉尙書文妄增格字、匪台小子敢行舉亂。〔集解〕馬融曰、台、我也、有夏多罪。予維聞女衆言。夏氏有罪。予畏上帝、不敢不正。〔集解〕孔安國曰、不敢不正桀之罪而誅之、今夏多罪。天命殛之。今女有衆。女曰。我君不恤我衆。舍我嗇事而割政。〔集解〕孔安國曰、奪民農功而爲割剝之政、〔正義〕種曰稼、斂曰嗇、〔考證〕楓、三本、政下有夏字、女其曰。有罪

其奈何。夏王率止衆力、率奪夏國。〔集解〕孔安國曰、桀之君臣、相率遏止衆力、使不得事農、相率割剝夏之邑居、有衆率怠不和。〔集解〕馬融曰、衆民相率怠惰不和同、曰。是日何時喪。予與女皆亡。〔集解〕尙書大傳曰、桀云、天之有日、猶吾之有民、日有亡哉、日亡吾亦亡矣、〔考證〕喪亡韻、中井積德曰、日者王者之象也、時日是民指桀而不敢斥之辭、兪樾曰、此兩句乃韻語、疑是夏民歌謠之辭、夏德若茲。今朕必往。爾尙及予一人、致天之罰。予其大理女。〔集解〕尙書理字作賚、鄭云曰、賚、賜也、〔考證〕錢大昕曰、詩、釐爾圭瓚、鄭康成引作賚、釐理、義亦相通也、女毋不信。朕不食言。〔索隱〕左傳云、食言多矣、能無肥乎、是謂妄言爲食言、〔考證〕兪正燮曰、食、當如日有食之食、謂消蝕、說詳癸巳存稿、女不從誓言、予則帑僇女、無有攸赦。以告令師。作湯誓。〔考證〕湯曰以下、采尙書湯誓、於是湯曰。吾甚武。號曰武王。〔集解〕詩云、武王載旆、有虔秉鉞、毛傳曰、武王、湯也、〔考證〕王若虛曰、詩頌言古帝命武湯、武王載旆、謂之武者、詩人之所加也、紀乃云、湯曰、吾甚武、號曰武王、湯決無此語、桀敗於有娀之虛。桀犇於鳴條。〔正義〕括地志云、高涯原、在蒲州安邑縣北三十里南阪口、卽古鳴條陌也、鳴條戰地、在安邑西、夏師敗績。湯遂伐三嵕。俘

厥寶玉。〔集解〕孔安國曰、三嵕、國名、桀走保之、今定陶也、俘、取也、〔正義〕括地志云、曹州濟陰縣、卽古定陶也、東有三嵕亭、是也、義伯、仲伯、作典寶。〔集解〕孔安國曰、二臣作典寶一篇、言國之常寶也、湯既勝夏、欲遷其社、不可。〔集解〕孔安國曰、欲變置社稷、而後世無及句龍者、故不可而止、作夏社。〔集解〕孔安國曰、言夏社不可遷之義、〔考證〕夏師敗績以下、采書典寶夏社序、伊尹報。〔集解〕徐廣曰、一云、伊尹報政、於是諸侯畢服湯。乃踐天子位、平定海內。〔考證〕洪邁曰、湯武之事、古人言之多矣、惟漢轅固黃生爭辯最詳、黃生曰、湯武非受命、迺殺也、固曰、不然、桀紂荒亂、天下之心皆歸湯武、湯武因天下之心而誅桀紂、不得已而立、非受命爲何、黃生曰、冠雖敝必加於首、履雖新必貫於足、今桀紂雖失道、君上也、湯武雖聖、臣下也、反因過而誅之、非殺而何、景帝曰、食肉毋食馬肝、未爲不知味、言學者毋言湯武受命、未爲愚、遂罷、東坡志林云、武王非聖人也、昔者孔子蓋罪湯武、伯夷叔齊不食周粟、而孔子與之、其罪武王也甚矣、至孟軻始亂之、使當時有良史、南巢之事、必以叛書、牧野之事、必以弑書、湯武仁人也、必將爲法受惡、可謂至論、然予竊考孔子之序書、明言伊尹相湯伐桀、成湯放桀于南巢、武王伐商、武王勝商殺受、各蔽以一語、而大指皦如、所謂六藝折衷、無待於良史復書也、崔述曰、後之儒者、皆以征誅爲湯武病、余按爲是說者、皆誤以湯爲桀之臣、故爾、而其實不然、湯誓曰、今爾其曰、夏罪其如台、是桀固無如湯何也、湯誓曰、夏王率遏衆力、率割夏邑、是桀之政、不行於諸侯也、使桀猶爲天下共主、則當云割萬方、湯誓曰、今爾有衆、汝曰、我后不恤我衆、舍我穡事而割正夏、是湯之

伐桀、民亦有竊議之者也、使桀與湯有君臣之分、商民何故不知大義責之、而反但言舍穡之細事乎、商頌曰、受小球大球、爲下國綴旒、是湯未伐桀時、已受諸侯之朝覲矣、若湯果臣於桀、安得晏然受之、以桀之暴、雖無罪猶囚之、況受諸侯之朝而安能容之哉、商頌曰、韋顧既伐、昆吾夏桀、是湯未伐桀時、已滅數大國矣、若桀果爲天下共主、湯安得擅滅之、桀既力能囚湯、豈有聽其坐大而不問、乃東手以待其伐己者乎、由詩書之言觀之、則湯與桀之事、固不如世所傳云云也、愚按、孔子曰、三分天下有其二、以服事殷、文王既殷之臣、則武王亦殷之臣矣、齊宣王擧湯武放伐事問曰、臣弑其君可乎、孟子對之、未嘗言湯武非桀紂臣也、但桀紂之末、湯武所有之地、既過千里、尾大於頭、君虐民離、遂有放弑之事、崔氏之說雖辯矣、予未能從也、湯歸至于泰卷陶。〔集解〕徐廣曰、一無此陶字、孔安國曰、地名、湯自三坰而還、〔索隱〕鄒誕生卷作坰、又作洞、則卷當爲坰、與尙書同、非衍字也、其下陶字、是衍耳、何以知然、解尙書者、以大坰今定陶是也、舊本或備記其地名、後人轉寫遂衍斯字也、〔正義〕坰、古銘反、中𤳳作誥。〔集解〕孔安國曰、仲虺、湯左相、奚仲之後、〔索隱〕仲虺二音、𤳳作壘音、如字、尙書又作虺也、既絀夏命。〔集解〕孔安國曰、絀其王命、還亳作湯誥。〔考證〕湯歸以下、采書仲虺之誥湯誥序、錢大昕曰、卷坰聲相近、泰與大古文通、愚按、書序亦無陶字、索隱是、左傳定公元年、仲虺居薛、爲湯左相、維三月、王自至於東郊。〔考證〕張文虎曰、此句疑有衍字、冊府元龜引作王至自東郊、告諸侯羣后。毋不有功於民、勤力迺事。予乃大罰殛女。毋予怨。

考證予乃上疑有脫字、曰。古禹・皋陶、久勞于外。其有功乎民。民乃有安。東
爲江、北爲濟、西爲河、南爲淮。考證陳仁錫曰、當言東爲淮、南爲江、傳寫之誤、梁玉繩曰、初學記引作北爲河、西爲濟、
四瀆已修、萬民乃有居。后稷降播、農殖百穀。三公咸有功于
民。故后有立。集解徐廣曰、立一作土、索隱謂禹皋陶、有功於人、建立其後、故云有立、昔蚩尤與其大夫
作亂百姓。帝乃弗予有狀。集解予音與、索隱帝、天也、謂蚩尤作亂、上天乃不佑之、是爲弗與、有狀、言其罪大而有形
狀、故黃帝滅之、先王言不可不勉。索隱先王指黃帝帝堯帝舜等言、禹咎繇以久勞于外、故後有立、及蚩尤作亂、天不佑之、乃致黃帝滅
之、皆是、先王賞有功誅有罪、言今汝不可不勉、此湯誡其臣、曰。不道毋之在國。集解徐廣曰、之一作政、索隱不道猶無道也、又誡
諸侯云、汝爲不道、我則無令汝之在國、女毋我怨。以令諸侯。考證閻若璩曰、司馬遷既從孔安國問古文、所見必孔壁中物、其
爲眞古文無疑、今之湯誥僞作也、此湯誥可補伏生今文書、梁玉繩曰、皇王大紀引此語、以羣后毋不有功于民、至毋予怨、置故后有立之下、伊尹作咸有
一德。集解王肅曰、言君臣皆有一德、索隱按尚書、伊尹作咸有一德、在太甲時、太史公記之於斯、謂成湯之日、其言又失次序、咎單作明

居。集解馬融曰、咎單、湯司空也、明居、民之法也、考證伊尹以下、采書咸有一德明居序、陳仁錫曰、咎與皋同、皋陶之後、梁玉繩曰、康成序書、以咸有一德篇在湯誥後、
咎單作明居前、與本紀同、史公親受壁中古文、則其繫此一篇于成湯紀內、必古書次第如此、本於太甲無涉也、自僞書以爲伊尹歸政所陳、輒移于太甲三篇之下、索隱不察、又
援變易之本、咎史公序書失次、豈不悖哉、湯乃改正朔、易服色、上白。朝會以書。正義殷家尚白、晝
日、色白也、考證楓、三、南本、無易字、愚案上白二字、後人旁注、誤入正文、上白見篇末、湯崩。集解皇覽曰、湯冢在濟陰亳縣北東郭、去縣三里、冢四方、方各十步、
高七尺、上平、處平地、漢哀帝建平元年、大司空御史長卿、案行水災、因行湯冢、劉向曰、殷湯無葬處、皇甫謐曰、即位十七年而踐天子位、爲天子十三年、年百歲而崩、索隱長卿
諸本多作劫姓、按風俗通有御氏、爲漢司空御史、其名長卿、明劫非也、亦有劫彌、不得爲御史、正義括地志云、薄城北郭東三里平地有湯冢、按在蒙、即北薄也、又云、洛州偃師
縣東六里有湯冢、近桐宮、蓋此是也、考證中井積德曰、據皇覽、是湯八十七歲伐桀也、不近人情、且伊尹年宜長於湯、而又後輔數世、亦可以見皇說之謬、何焯曰、漢書公卿表、
建平紀元凡四年、無長卿其人爲御史者、張文虎曰、集解御史當作史御、索隱司空下御字衍、太子太丁未立而卒。於是迺
立太丁之弟外丙。是爲帝外丙。帝外丙即位三年崩。立外丙
之弟中壬。正義仲任二音、是爲帝中壬。帝中壬即位四年崩。伊尹

迺立太丁之子太甲。正義尚書孔子序云、成湯既沒、太甲元年、不言有外丙仲壬、而太史公採世本、有外丙仲壬、二書不同、當是外
信則傳信、疑則傳疑、考證外丙即位三年崩、三年當作二年、孟子萬章篇云、湯崩太丁未立、外丙二年、仲壬四年、太甲顚覆湯之典刑、伊尹放之於桐、或據尚書伊訓惟元祀十
有二月、伊尹祀先王、奉嗣王祇見厥祖、太甲惟三祀十有二月、伊尹以冕服奉嗣王歸于亳之文、解孟子云、湯崩時外丙方二歲、仲壬方四歲、惟太甲差長、故太甲以太丁之子即
位也、以史記爲謬、是不知伊訓太甲爲僞書也、說詳于崔述商考信錄、梁玉繩史記志疑、梁玉繩曰、殷諸王自當有名、史缺不書、竹書外丙以下皆有名、但河亶甲名整、呂氏春秋
音初篇、有殷整甲徙宅西河語、餘俱無徵、恐是後人僞加、又殷亦未嘗稱帝、太甲、成湯適長孫也。是爲帝太甲。
帝太甲元年、伊尹作伊訓、作肆命、作徂后。集解鄭玄曰、肆命者、陳政教所當爲也、徂后
者、言湯之法度也、考證太甲元年以下、采書伊訓肆命徂后序、帝太甲既立三年、不明暴虐、不遵湯
法、亂德。於是伊尹放之於桐宮、三年。集解孔安國曰、桐宮、湯葬地、鄭玄曰、地名也、有王離宮焉、
正義晉太康地記云、尸鄉南有亳阪、東有城、太甲所放處也、按尸鄉在洛州偃師縣西南五里也、考證帝太甲以下、本孟子萬章篇、書太甲序、梁玉繩曰、立下三年二字疑衍、
說詳于志疑、伊尹攝行政當國、以朝諸侯。考證竹書紀年云、仲壬崩、伊尹放太甲于桐、乃自立也、伊尹即位於太

甲七年、太甲潛出自桐、殺伊尹、乃立其子伊奮、命復其父之田宅、而中分之、其言妄誕太甚、書咸有一德疏已斥之矣、帝太甲居桐宮三
年、悔過自責反善。於是伊尹迺迎帝太甲、而授之政。帝太甲
修德。諸侯咸歸殷、百姓以寧。伊尹嘉之、迺作太甲訓三篇。
考證帝太甲以下采孟子萬章篇、書太甲序、書序無訓字、孟子盡心篇、公孫丑曰、伊尹曰、予不狎于不順、放太甲于桐、民大悅、太甲賢、又反之、民大悅、賢者之爲人臣也、其君不
賢則固可放與、孟子曰、有伊尹之志則可、無伊尹之志則篡也、褒帝太甲稱太宗。集解書無逸、太甲享國三十三年、太宗崩。
子沃丁立。帝沃丁之時、伊尹卒。既葬伊尹於亳。集解皇覽曰、伊尹冢在濟陰
己氏平利鄉、亳近己氏、正義括地志云、伊尹墓在洛州偃師縣西北八里、又云、宋州楚丘縣西北十五里有伊尹墓、恐非也、帝王世紀、伊尹名摯、爲湯相、號阿衡、年百歲卒、大霧
三日、沃丁以天子禮葬之、咎單遂訓伊尹事、作沃丁。考證帝沃丁以下、采書沃丁序、沃丁崩。弟
太庚立。是爲帝太庚。考證古鈔、南本、沃丁上有帝字、帝太庚崩。子帝小甲立。
集解徐廣曰、世表云、帝小甲太庚弟也、帝小甲崩、弟雍己立。是爲帝雍己。殷道衰、諸

侯或不至。帝雍己崩。弟太戊立。是爲帝太戊。帝太戊立。伊陟爲相。【集解】孔安國曰、伊陟、伊尹之子、 亳有祥。桑穀共生於朝。【考證】伊陟爲相以下、采書咸乂序、王應麟曰、大戊爲太甲之孫、三代表云、大戊、小甲弟、則亦沃丁弟、太甲子、二者必有一誤、愚按伊尹相湯、湯七傳至大戊、伊陟、尹之孫、或曾孫、恐非子、 一暮大拱。【集解】孔安國曰、祥、妖怪也、二本合生、不恭之罰、鄭玄曰、兩手搤之曰拱、【索隱】此云一暮大拱、尚書大傳作七日大拱、與此不同、 帝太戊懼、問伊陟。伊陟曰、臣聞妖不勝德。帝之政其有闕與。帝其修德。太戊從之、而祥桑枯死而去。【索隱】劉伯莊言、枯死而消去、不見、今以爲由帝修德而妖祥遂去、【考證】祥疑當作穀、而去二字疑衍、桑穀之祥、呂氏春秋韓詩外傳爲湯時、書大傳、漢五行志爲武丁時、此據書序、崔述曰、此必一事而傳之者異、成湯㞷敬日躋、遂有天下、豈待爲天子、然後懼而修德、尚書稱武丁亮陰三年不言、其惟不言、言乃雍、則亦非因災而後自警者、惟太戊、尚書稱其嚴恭寅畏治民祗懼、則史記以此事爲太戊時者近是、 伊陟贊言于巫咸。【集解】孔安國曰、贊、告也、巫咸、臣名也、【正義】按巫咸及子賢、冢皆在蘇州常熟縣西海虞山上、蓋二子本吳人也、 巫咸治王家有成。作咸艾、作太戊。【集解】馬融曰、艾、治也、【考證】尚書君奭篇、在大戊時、則有若伊陟臣扈、格于上帝、巫咸乂王家、 帝

太戊贊伊陟于廟、言弗臣。伊陟讓。作原命。【集解】馬融曰、原、臣名也、命原以禹湯之道我所修也、【正義】伊陟、伊尹子也、原、再也、言太戊贊於湯廟、言伊陟尊高、不可使如臣、佐伊陟讓、乃再爲書命之、【考證】書序云、伊陟相大戊、亳有祥、桑穀共生于朝、伊陟贊于巫咸、作咸乂四篇、大戊贊于伊陟、作伊陟原命、與此異、 殷復興、諸侯歸之。故稱中宗。【考證】古鈔、楓、三、南本、殷下有道字、尚書無逸篇、中宗之享國、七十有五年、 中宗崩。子帝中丁立。帝中丁遷于隞。【集解】孔安國曰、地名、皇甫謐曰、或云河南敖倉是也、【索隱】隞亦作囂、並音敖字、【正義】括地志云、滎陽故城在鄭州滎澤縣西南十七里、殷時敖地也、 河亶甲居相。【集解】孔安國曰、地名在河北、【正義】括地志云、故殷城在相州內黃縣東南十三里、卽河亶甲所築都之、故名殷城也、 祖乙遷于邢。【索隱】邢音耿、近代本亦作耿、今河東皮氏縣有耿鄉、【正義】括地志云、絳州龍門縣東南十二里耿城、故耿國也、【考證】中丁遷于隞以下采書序、徐孚遠曰、先敍三代遷居之事、而後敍崩立、又一體也、梁玉繩曰、是亦一體、然商自仲丁遷隞以來、凡五遷國都、然後盤庚居于亳殷、下文云、五遷無定處、是也、史公不應止書此三遷、疑是錯簡、遷相遷邢、當在是爲帝河亶甲子帝祖乙立之下、 帝中丁崩。弟外壬立。是爲帝外壬。仲丁書闕不具。【索隱】蓋太史公知舊有仲丁書、今已遺闕、不具也、【考證】梁玉繩曰、逸書有仲丁篇、故云仲丁書闕不具、然此句當在前文帝仲丁崩之上、不應置外壬時也、必是錯簡、 帝

外壬崩。弟河亶甲立。是爲帝河亶甲。河亶甲時殷復衰。河亶甲崩。【考證】古鈔、南本、河亶甲上有帝字、 子帝祖乙立。帝祖乙立、殷復興。巫賢任職。【考證】尚書君奭篇、在祖乙時、則有若巫賢、 祖乙崩。子帝祖辛立。帝祖辛崩。弟沃甲立。是爲帝沃甲。【索隱】系本作開甲也、 帝沃甲崩。立沃甲兄祖辛之子祖丁。是爲帝祖丁。帝祖丁崩。立弟沃甲之子南庚。是爲帝南庚。【考證】南本、沃甲上有帝字、中井積德曰、弟字當衍、 帝南庚崩。立帝祖丁之子陽甲。是爲帝陽甲。帝陽甲之時殷衰。自中丁以來、廢適而更立諸弟子。弟子或爭相代立。比九世亂。於是諸侯莫朝。【考證】南本、無而字、無於是二字、崔述曰、自仲丁以後、有外壬、河亶甲、祖乙、祖辛、沃甲、祖丁、南庚、至陽甲、正得九世、 帝陽甲崩。弟盤庚立。是爲帝盤庚。帝盤庚之時、殷已都河北。盤庚渡河、南復居成湯之故居。迺五遷

無定處、【集解】孔安國曰、自湯至盤庚、凡五遷都、【正義】湯自南亳遷西亳、仲丁遷隞、河亶甲居相、祖乙居耿、盤庚渡河、南居西亳、是五遷也、【考證】楓、三、南本、故居作故都、梁玉繩曰、按湯都南亳、盤庚都西亳、判然兩地、孔仲達商頌疏所述皇甫謐之辨極爲精覈、謐曰、孟子稱湯居亳、與葛爲鄰、今梁國寧陵之葛鄉、湯地七十里耳、若湯居偃師、計寧陵去偃師八百餘里、豈當使亳衆爲之耕乎、梁國自有二亳、南亳在穀熟之地、北亳在蒙地、非偃師也、盤庚遷偃師、然則殷有三亳、穀熟爲南亳、卽湯都、蒙爲北亳、卽景亳、湯所受命、偃師爲西亳、卽盤庚所徙者、闞氏疏證復申之曰、南亳是湯所都、皇甫謐據孟子以政之、史注謂湯于後徙西亳于卽如謐以政之曰放太甲于桐、桐在今虞城縣、去偃師亦八百餘里、伊尹既以身當國于偃師、又焉能時時于桐訓太甲乎、仍屬穀熟方近、自史云復故居、注遂謂湯亦曾都偃師、不知盤庚三篇、一則曰新邑、再則曰新邑、曷嘗有復故居字面、止下篇云、古我先王將多于前功、適于山、本泛言先王徙都山險之處、如上所遷五邦多是、非必定指湯或湯曾有意亳殷山險、往視之、如武王營洛邑、仍都豐鎬、商或類此、故當日三亳鼎稱、不出邦畿千里之外、非必湯親身徙西亳、凡此皆商有天下規模形勢之大者、不可不論、闞氏之辨亦確、 殷民咨胥皆怨、不欲徙。【集解】孔安國曰、胥、相也、民不欲徙、皆咨嗟憂愁、相與怨其上也、 盤庚乃告諭諸侯大臣曰。昔高后成湯、與爾之先祖、俱定天下。法則可修。舍而弗勉、何以成德。【考證】盤庚渡河以下、采尚書盤庚及其序、 乃遂涉河、南治亳、【集解】鄭玄曰、治於亳之殷地、商家

自此徙、而改號曰殷、亳、皇甫謐曰、今偃師是也、行湯之政、然後百姓由寧、殷道復興、諸侯來朝。以其遵成湯之德也。【考證】崔述曰、世儒多謂盤庚改商爲殷、綱目前編因之、於陽甲以前、皆書曰商王、於盤庚以後、皆書曰殷王、於盤庚之元祀書曰、遷都於殷、改國號曰殷、余按商書盤庚篇云、殷降大虐、先王不懷厥攸作、是盤庚未遷以前、已稱殷也、商頌殷武篇云、商邑翼翼、四方之極、是盤庚既遷以後猶稱商也、詩云、殷商之旅、又云、咨汝殷商、而書微子一篇、或稱殷、或稱商、參差不一、是殷與商可以連稱、亦可以互稱也、安在其爲改號也哉、帝盤庚崩。弟小辛立。是爲帝小辛。帝小辛立、殷復衰。百姓思盤庚、迺作盤庚三篇。【索隱】尚書、盤庚將治亳、殷民咨胥怨、作盤庚、此以盤庚崩弟小辛立、百姓思之、乃作盤庚、由不見古文也、【考證】史公謂盤庚遷都之日、會諸侯群臣誥諭、崩後士民追思其言、見之於簡策、愚按盤庚上篇云、盤庚遷于殷、民不適有居、王若曰、是非盤庚手筆明矣、中篇下篇亦然、史公之言、蓋有所受也、兪樾曰、詩書之義、蓋有同者、史記殷本紀云、小辛立、殷復衰、百姓思盤庚、乃作盤庚三篇、是作盤庚、所以諷小辛也、小雅楚茨信南山甫田大田序竝云、刺幽王也、其信南山序云、不能脩成王之業、疆理天下、以奉禹功、故君子思古焉、正義謂四詩皆思成王、夫周人經幽王之亂、而思成王、猶殷人當小辛之衰而思盤庚也、然思盤庚而作盤庚三篇、不及小辛也、思成王而作楚茨諸篇、不及幽王也、此古人立言之微婉也、帝小辛崩。弟小乙立。是爲帝小乙。帝小乙

崩。子帝武丁立。【考證】南本、武上無帝字、楓、三、南本、立下有是爲帝武丁五字、帝武丁卽位、思復興殷、而未得其佐。三年不言。政事決定於冢宰、以觀國風。【集解】鄭玄曰、冢宰、天官、卿貳王事者、【考證】三年不言以下、采尚書無逸、論語雍也篇、武丁夜夢得聖人。名曰說。以夢所見視羣臣百吏。皆非也。於是迺使百工營求之野。得說於傅險中。【集解】徐廣曰、尸子云、傅巖在北海之洲、【索隱】舊本作險、亦作巖也、【正義】地理志云、傅險卽傅說版築之處、所隱之處、窟名聖人窟、在今陝州河北縣北七里、卽虞國虢國之界、又有傅說祠、注水經云、沙澗水北出虞山、東南逕傅巖、歷傅說隱室前、俗名聖人窟、工、官也、營、謂刻畫所夢之形像、於野外求之、墨子云、傅說衣褐帶索、傭築於傅巖、【考證】險巖古通、左傳、巖邑卽險邑、是時說爲胥靡、築於傅險。【集解】孔安國曰、傅氏之巖、在虞虢之界、通道所經、有澗水壞道、常使胥靡刑人築護此道、說賢而隱、代胥靡築之、以供食也、【正義】爲、音于僞反、胥靡、腐刑也、【考證】胥靡解、見賈生傳、中井積德曰、靡縻通、刑人以索相連、累累相屬也、見於武丁。武丁曰。是也。得而與之語。果聖人。舉以爲相。殷國大治。故遂以傅險姓之、號曰傅說。【考證】武丁夜夢以下、依國語楚語及孟子告子篇、

帝武丁祭成湯。明日有飛雉。登鼎耳而呴。【正義】呴、音構、呴、雉鳴也、詩云、雉之朝呴、武丁懼。祖己曰。王勿憂。先修政事。【集解】孔安國曰、祖己、賢臣名、祖己乃訓王曰。唯天監下、典厥義。【集解】孔安國曰、言天視下民、以義爲常也、【考證】古鈔、南本、唯作惟、降年有永有不永。非天夭民、中絕其命。【考證】梁玉繩曰、民謂高宗、蓋對天而言、天子亦民也、民有不若德不聽罪、天既附命正厥德。【集解】孔安國曰、不順德、言無義也、不服罪、不改修也、天以信命正其德、謂其有永有不永、【索隱】附、依尚書音孚、乃曰。其奈何。嗚呼、王嗣敬民、罔非天。繼常祀、毋禮于弃道。【集解】孔安國曰、王者主民、當敬民事、民事無非天所嗣、常也、祭祀有常、不當特豐於近也、【索隱】祭祀有常、無爲豐殺之禮、於是以弃常道、【考證】以上采尚書高宗肜日及序、尚書大傳、李笠曰、兪樾羣經平議、以罔非天爲句、言王嗣位敬行民事、罔非天所命也、與余意暗合、繼常祀者、言繼續經常之祀、所謂典厥義也、毋豐於棄道、言毋豐厚於非道之祀、所以防淫慝也、尚書高宗肜日、嗣作司、常作典、豐于棄道、作豐于昵、說微不同、武丁修政行德。天下咸驩、殷道復興。【考證】尚書無逸篇、高宗之享國、五十有九年、帝武丁崩。子帝祖庚立。祖己嘉武

丁之以祥雉爲德、立其廟爲高宗。遂作高宗肜日及訓。【集解】孔安國曰、祭之明日又祭、殷曰肜、周曰繹、【考證】梁玉繩曰、案滹南集辨惑云、此篇卽祖己訓王之詞、其曰高宗者、史臣追稱耳、諸篇之體皆然、而云武丁既歿、祖己嘉之而作、謬矣、高宗之訓、乃書篇名、自當全著、但云及訓、復失之太簡、所辨是、困學紀聞亦譏史與書序相違也、余因考書序及大傳、言高宗祭湯有雉雊鼎耳、祖己訓諸王、史公取入本紀、本無疑義、論衡指瑞篇、據大傳同、只因書有典祀無豐于昵一語、馬融王肅輒顯背經史、創爲祭禰廟之說、以祭湯爲非、蔡傳因之、至前編直謂祖庚繹于高宗之廟、有雉雊之異、祖己作二書以訓祖庚、反據此紀、誤繫斯事于祖庚之世、爲證、竊所未安、經文昵字、指宗廟、對山川社稷七祀而言、況史引作常祀毋禮于弃道、則古本亦不盡作豐昵也、帝祖庚崩。弟祖甲立。是爲帝甲。帝甲淫亂。殷復衰。【索隱】國語云、帝甲亂之、七代而隕、是也、【考證】書無逸篇云、其在祖甲、不義惟王、舊爲小人、作其卽位、爰知小人之依、能保惠于庶民、不敢侮鰥寡、肆祖甲之享國、三十有三年、國語周語衛彪傒曰、玄王勤商、十有四世而興、帝甲亂之、七世而隕、同一祖甲也、一以爲賢君、一以爲暗主、史公蓋從國語、古鈔、楓、三、南本、帝甲作帝祖甲、帝甲崩。子帝廩辛立。【索隱】漢書古今人表、及帝王代紀、皆作馮辛、帝廩辛崩。弟庚丁立。是爲帝庚丁。【考證】崔述曰、庚字疑誤、帝庚丁崩。子帝武乙立。殷復去亳徙河北。帝武乙無道、爲偶人

謂之天神。【索隱】偶音寓、亦如字、【正義】偶、五苟反、偶、對也、以土木爲人、對象於人形也、與之博、令人爲行。【正義】爲、于僞反、行、胡孟反、天神不勝、乃僇辱之。爲革囊盛血、卬而射之、命曰射天。武乙獵於河・渭之閒。暴雷、武乙震死。子帝太丁立。【考證】太丁重出、疑有誤、紀年作文丁、帝太丁崩、子帝乙立。帝乙立、殷益衰。【考證】書無逸云、自時厥後、祖甲以後立王生則逸、生則逸、不知稼穡之艱難、不聞小人之勞、惟耽樂之從、自時厥後、亦罔或克壽、或十年、或七八年、或五六年、或四三年、而酒誥則云、自成湯咸至於帝乙、成王畏相、惟御事厥棐有恭、不敢自暇自逸、矧曰其敢崇飮、多方則云、至於帝乙、罔不明德愼罰、亦克用勸、多士則云、自成湯至于帝乙、罔不明德恤祀、其言如相反者、崔述云、無逸篇稱祖甲以後諸王、生則逸、惟耽樂之從、而酒誥多方多士三篇、乃云、不自暇逸、罔不明德、何哉、蓋古人之文、多大畧言之、以其不若紂之酣身、卽謂之不自暇逸、不若紂之暴虐、卽謂之明德愼罰恤祀耳、且此乃爲殷衆而言、故不暇細辨其優劣也、言各有所當、學者當善求其意、不可以詞害志、而謂帝乙以前皆賢君也、崔說得之、帝乙長子曰微子啓。【索隱】微、國號、爵爲子、啓、名也、孔子家語云、微或作魏、讀從微音、鄒本亦然也、啓母賤、不得嗣。【索隱】此以啓與紂異母、而鄭玄稱爲同母、依呂氏春秋、言母當生啓時、猶未正立、及生紂時、始正爲妃、故啓大而庶、紂小而嫡、【考證】索隱所引、呂氏春秋當務篇、洪亮吉曰、啓與紂異母、史

記最確、呂氏春秋尤不足信、康成取之、誤也、少子辛。辛母正后。辛爲嗣。帝乙崩。子辛立。是爲帝辛。天下謂之紂。【集解】諡法曰、殘義損善曰紂、【考證】梁玉繩曰、紂有二名、曰辛者、殷以生日名子也、曰受者、別立嘉名也、猶天乙又名履、上甲又名微也、史不書名受、偶失也、而紂受音近、故天下共稱之、蓋卽以爲號、先儒謂紂爲諡、非、帝紂資辨捷疾、聞見甚敏、材力過人、手格猛獸。【正義】帝王世紀云、紂倒曳九牛、撫梁易柱也、知足以距諫、言足以飾非。矜人臣以能、高天下以聲。以爲皆出己之下。好酒淫樂、嬖於婦人、愛妲己。【集解】皇甫謐曰、有蘇氏美女、【索隱】國語有蘇氏女、妲字、己姓也、【考證】南本、皆上有人字、好上有紂字、國語晉語、史蘇曰、殷辛伐有蘇氏、有蘇氏以妲己女焉、於是乎與膠鬲比而亡殷、張文虎曰、愛妲己句上、御覽百三十五引、有紂伐有蘇、有蘇人以妲己女焉二句、與國語合、疑今本史有脫簡、妲己之言是從。【考證】書牧誓、今商王受、惟婦言是用、昏棄厥肆祀弗答、昏棄厥遺王父母弟不迪、於是使師涓作新淫聲、北里之舞、靡靡之樂。【考證】淮南子原道訓、耳聽朝歌北鄙靡靡之樂、北鄙卽北里、梁玉繩曰、韓非子十過、釋名、水經注八、拾遺記皆師涓作師延、是也、此與人表竝誤作涓、師涓出于晉平公衞靈公之世、亦見韓子十過及呂子長見、厚賦稅、以實

鹿臺之錢、【集解】如淳曰、新序云、鹿臺、其大三里、高千尺、瓚曰、鹿臺、臺名、今在朝歌城中、【正義】括地志云、鹿臺在衞州衞縣西南三十二里、而盈鉅橋之粟。【集解】服虔曰、鉅橋、倉名、許愼曰、鉅鹿水之大橋也、有漕粟也、【索隱】鄒誕生云、鉅、大、橋、器名也、紂厚賦稅、故因器而大其名、益收狗馬奇物、充仞宮室、益廣沙丘苑臺、【集解】爾雅曰、迆邐沙丘也、地理志曰、在鉅鹿東北七十里、【正義】括地志云、沙丘臺在邢州平鄉東北二十里、竹書紀年、自盤庚徙殷、至紂之滅二百七十五年、更不徙都、紂時稍大其邑、南距朝歌、北據邯鄲及沙丘、皆爲離宮別館、多取野獸蜚鳥置其中。慢於鬼神、大冣樂戲於沙丘。【集解】徐廣曰、冣一作聚、【考證】二字同、以酒爲池、【正義】括地志云、酒池在衞州衞縣西二十三里、太公六韜云、紂爲酒池、迴船糟丘、而牛飮者、三千餘人爲輩、縣肉爲林、【正義】縣、戶眠反、使男女倮相逐其閒、爲長夜之飮。【正義】倮、胡瓦反、【考證】顧炎武曰、自古國家承平日久、法制廢弛、而上之令不能行於下、未有不亡者也、紂以不仁而亡天下、人人知之、吾謂不盡然、紂之爲君、沈湎於酒、而逞一時之威、至於刳孕斮脛、商之衰也久矣、一變而盤庚之書、則卿士不從君令、再變而微子之書、則小民不畏國法、攘竊神祇之犧牷牲、用以容將食無災、可謂民玩其上、而威刑不立者矣、卽以中主守之、猶不能保、而況以紂之狂酗昏虐、又祖伊奔走而不省乎、說又見于崔述商考信錄、百姓怨望、而諸侯有畔者。於

是紂乃重刑辟。有炮格之法。【集解】列女傳曰、膏銅柱、下加之炭、令有罪者行焉、輒墮炭中、妲己笑、名曰炮格之刑、【索隱】鄒誕生云、格一音閣、又云、見蟻布銅斗、足廢而死、於是爲銅格、炊炭其下、使罪人步其上、與列女傳少異、【考證】炮格、各本作炮烙、依古鈔、南本、宋本改、下同、呂氏春秋過理篇高誘注、格以銅爲之、布火其下、以人置上、人爛墮火而死、韓非子喩老篇、紂爲肉圃、設炮格、登糟邱、臨酒池、肉圃、炮格、糟邱、酒池、皆相對爲文、今改爲炮烙、則文不相對矣、說詳於段氏尚書撰異、盧氏鍾山札記、王氏讀書志、張氏史記札記、以西伯昌・九侯・鄂侯爲三公。【集解】徐廣曰、九侯一作鬼侯、鄴縣有九侯城、鄂一作邘、音于、野王縣有邘城、【索隱】九亦依字讀、鄒誕生音仇也、【正義】括地志云、相州滏陽縣西南五十里有九侯城、亦名鬼侯城、蓋殷時九侯城也、九侯有好女。入之紂。九侯女不憙淫。【集解】徐廣曰、一云、無不憙淫、紂怒殺之、而醢九侯。鄂侯爭之彊、辨之疾。并脯鄂侯。西伯昌聞之竊歎。崇侯虎知之、以告紂。紂囚西伯羑里。【集解】地理志曰、河內湯陰有羑里城、西伯所拘處、韋昭曰、音酉、【正義】牖一作羑、音酉、羑城在相州湯陰縣北九里、紂囚西伯城也、帝王世紀云、囚文王、文王之長子曰伯邑考、質於殷、爲紂御、紂烹爲羹、賜文王、曰、聖人當不食其子羹、文王食之、紂曰、誰謂西伯聖者、食其子羹、尚不知也、【考證】呂氏春秋行理篇、昔者紂爲無道、殺梅伯而醢之、殺鬼侯而脯之、以禮諸侯於廟、文王流涕而咨之、紂恐其畔、欲殺文

王而滅周、文王曰、父雖無道、子敢不事父乎、君雖不惠、臣敢不事君乎、孰王而可畔也、紂乃赦之、淮南子道應訓文王砥德修政、三年、而天下二垂歸之、紂聞而患之曰、余夙興夜寐與之競行、則苦心勞形、縱而置之、恐代余一人、崇侯虎曰、周伯昌行仁義而善謀、太子發勇敢而不疑、中子旦恭儉而知時、若與之從、則不堪其殃、縱而赦之、身必危亡、及未成而圖之、屈商乃拘文王於羑里、呂覽以美里之囚爲因文王之歎、淮南爲因崇侯之譖、所言各異、而史公此紀併採二書、周紀專依淮南、未免扞格、說又見梁玉繩史記志疑、錢泰吉曰、正義云、牖一作羑、據此則正義本正文作牖、

西伯之臣閎夭之徒、求美女奇物善馬以獻紂。紂乃赦西伯。考證淮南子道應訓、散宜生乃以千金求天下之珍怪、以獻於紂、因費仲而通、紂見而說之、乃免其身、毛詩疏引尚書大傳云、散宜生南宮括閎夭三子、相與學訟於太公、遂與三子見文王於羑里、獻寶以免文王、

西伯出而獻洛西之地、以請除炮格之刑。紂乃許之、賜弓矢斧鉞、使得征伐、爲西伯。正義洛水、一名漆沮水、在同州、洛西之地、謂鄜延丹坊等州也、考證韓非子難篇、昔文王請入雒西地赤壤之國方千里、以解炮烙之刑、天下皆悅、梁玉繩曰、史公說文王出羑里及專征伐二事、殷周紀及齊世家所載雖有詳略、而大概相同、蓋本于伏生尚書大傳而增損之、然皆戰國好事者意構之詞、非其事之實也、說詳于志疑、古鈔、楓、三、南本得下有專字、

而用費中爲政。正義費、音扶味反、中音仲、費、姓、仲、名也、費中善諛、好利。殷人弗親。紂

又用惡來。索隱秦之祖蜚廉子、惡來善毀讒。諸侯以此益疏。西伯歸、乃陰修德行善。諸侯多叛紂而往、歸西伯。西伯滋大。紂由是稍失權重。考證梁玉繩曰、殷周兩紀及齊世家、皆言西伯呂尚陰謀脩德行善以傾商、夫德非傾人之事、亦非陰謀所能爲、若果如此、又何以爲文王太公、古史削去陰行、止稱脩德、足明聖人之心、其見卓矣、愚按梁說誠是、然孫子用間篇云、昔殷之興也、伊摯在夏、周之興也、呂牙在殷、故明君賢將、能以上智爲間者、必成大功、戰國策云、蘇秦得大公陰符之謀、是皆周末假託之言、不足爲據、

王子比干諫弗聽。商容賢者、百姓愛之。紂廢之。考證古鈔、南本無者字、史樂毅傳燕惠王遺樂閒書云、紂之時、箕子不用、犯諫不怠、以冀其聽、商容不達、身祇辱焉、以冀其變、及民志不入、獄囚自出、二人退隱、其人可尚、而韓詩外傳云、商容嘗執羽籥馮於馬徒、欲以伐紂、而不能、遂去伏於大行、商容紂之臣、不宜有此事、

及西伯伐飢國滅之、集解徐廣曰、飢一作肌、又作耆、考證梁玉繩曰、飢國周紀作耆、宋世家作肌、蓋古今字異、其實一耳、耆與黎爲二國、史公誤以西伯戡黎之篇載于伐耆下、幷爲一案、千古傳疑、迨宋儒始發其誤、至通鑑前編出、而論乃益暢、其略曰、黎者商畿內諸侯也、西伯伐黎、武王也、史遷以文王伐耆爲戡黎、失之矣、文王專征、若崇若密須、率西諸侯、自關河以東、非文王之所得討、況畿內乎、三分有二、特江漢以南風化所感、皆歸之、文王固未嘗有南國之師、而豈有畿甸之師乎、孔子稱文王至德、如戡黎之事、亦已爲之、則觀兵

王疆、文王有無商之心矣、焉在其爲至德、紂殺九侯醢鄂侯、文王竊歎、遂執而囚之、況稱兵王畿之內、祖伊之告、如是其急、以紂之悍、而于此反遲遲十有餘年、不一忌周乎、胡五峯呂成公陳少南薛季龍、皆以爲武王也、昔商紂爲黎之蒐、則黎濟惡之國、武王戡黎、或以警紂、而終莫之悛、所以有孟津之師歟、故吳才老以戡黎在伐紂時、其非文王明矣、武王而謂之西伯、襲爵猶故也、愚按史公黎作耆、據尚書大傳、

紂之臣祖伊、聞之而咎周、集解孔安國曰、祖伊、祖己後、賢臣也、咎惡也、恐奔告紂曰。天既訖我殷命。假人元龜、無敢知吉。集解徐廣曰、元一作卜、馬融曰、元龜、大龜也、長尺二寸、孔安國曰、至人以人事觀殷、大龜以神靈考之、皆無知吉者、考證尚書假作格、王充論衡以賢者訓格人、非先王不相我後人。集解孔安國曰、相助也、維王淫虐用自絕。故天弃我、不有安食。不虞知天性、不迪率典。集解鄭玄曰、王暴虐於民、使不得安食、逆亂陰陽、不度天性、傲很明德、不修教法者、考證江聲曰、王自絕於天、故天棄我殷、將使滅也、不得有安食、王猶不度知天性、不遵循典法、言其昏亂、今我民罔不欲喪。曰。天曷不降威。大命胡不至。今王其柰何。紂曰。我生不有命在天乎。祖伊反曰。紂不可諫矣。考證紂之臣以下、采尚書西伯戡黎、尚書大傳紂不之紂、當作王、西伯既卒。

周武王之東伐至盟津。諸侯叛殷會周者八百。諸侯皆曰。紂可伐矣。武王曰。爾未知天命。乃復歸。紂愈淫亂不止。微子數諫。不聽。乃與大師少師謀、遂去。考證微子數諫以下、本書微子篇、太師少師、書作父師少師、周紀云、太師疵少師彊、周之樂官也、崔述曰、書父師少師、史記以爲太師疵少師彊、僞孔傳及蔡傳、皆以爲箕子比干、余按史記稱疵彊抱其樂器而奔周、則是皆樂師耳、玩書父師所言、殊不類樂官語、傳不之從、是也、然以爲箕比、亦初無所據、

比干曰。爲人臣者、不得不以死爭。迺強諫紂。紂怒曰。吾聞聖人心有七竅。剖比干觀其心。正義括地志云、比干見微子去、箕子狂、乃歎曰、主過不諫、非忠也、畏死不言、非勇也、過則諫、不用則死、忠之至也、進諫不去者三日、紂問何以自持、比干曰、修善行仁、以義自持、紂怒曰、吾聞聖人心有七竅、信諸、遂殺比干、刳視其心也、

箕子懼、乃詳狂爲奴。紂又囚之。殷之大師少師、乃持其祭樂器奔周。考證凌稚隆曰、一本無祭字、梁玉繩曰、祭字衍、周紀無、崔適曰、持祭器者微子也、見宋世家、愚按祭字不必衍、祭祀亦大師少師所掌、又按此記微子之去、在箕奴比死之前、而宋世家則載之於箕比受禍之後、不同、

周武王於是遂率諸侯伐

紂。紂亦發兵距之牧野。【集解】鄭玄曰、牧野、紂南郊地名也。【正義】括地志云、今衞州城、卽殷牧野之地、周武王伐紂築也。甲子日、紂兵敗。紂走入登鹿臺、【集解】徐廣曰、鹿一作廩。衣其寶玉衣、赴火而死。【正義】周書云、紂取天智玉琰五、環身以自焚。周武王遂斬紂頭、縣之白旗、殺妲己、釋箕子之囚、封比干之墓、表商容之閭、【索隱】皇甫謐云、商容與殷人觀周軍之入、則以為人名。鄭玄云、商家典樂之官、知禮容、所以禮署稱容臺、【考證】周武王以下、采尚書牧誓篇、詩大雅大明篇。紂走以下、采逸周書克殷解。古鈔楓三南本白旗上有大字。張文虎曰、洪範序疏引作太白旗、周紀云、縣大白之旗、此脫大字。愚按、儒者多不信武王斬紂之事、然見於諸家之說尤多。墨子明鬼篇云、武王以擇車百兩、虎賁之卒四百人、與殷人戰乎牧之野、王手禽費中惡來、衆畔百走、武王逐奔入宮、折紂而繫之赤環、載之白旗、以為天下諸侯僇。荀子正論篇云、武王伐有商、誅紂、斷其首、縣之赤旆。尸子云、武王親射惡來之口、親碎殷紂之頸、手汙於血、不溫而食、當此之時、猶猛獸者。嗚呼亦甚矣。武王雖非聖人、必不至殘暴如此也。封紂子武庚祿父、以續殷祀。【集解】譙周曰、殷凡三十一世、六百餘年。汲冢紀年曰、湯滅夏以至于受、二十九王、用歲四百九十六年也。【考證】嚴可均曰、左氏宣三年傳、桀有昏德、鼎遷于商、載祀六百、商紂暴虐、鼎遷于周、左氏去商未遠、而舉成數、或當不誤。漢律歷志、夏四百三十二歲、殷六百二十九歲。史記殷本紀注引譙周曰、殷六百餘年、皆與左傳等。令修

行盤庚之政。殷民大說。【考證】梁玉繩曰、武庚之封、何以不告其遵成湯之法、三宗之道、而云盤庚之政乎。呂覽愼大篇、武王命周公旦進殷之遺老、問衆之所說、民之所欲、殷遺老曰、欲復盤庚之政。武王于是復盤庚之政。史蓋本此。於是周武王為天子。其後世貶帝號、號為王。【索隱】按夏殷天子亦皆稱帝、代以德薄不及五帝、始貶帝號、號之為王、故本紀皆帝、而後總曰三王也。【考證】梁玉繩曰、夏殷周三代、本皆稱王、間亦雜稱后、從未聞有帝稱。史謂夏殷稱帝、故以為貶號為王耳。夫皇帝王后者、俱有天下之通號、本無甚分別。爾雅云、天帝皇王后辟君也、安得升降褒貶之說哉。索隱順而為詞、說詳于史記志疑。而封殷後為諸侯、屬周。【正義】卽武庚祿父也。周武王崩。武庚與管叔・蔡叔作亂。成王命周公誅之。【考證】俞鴻漸曰、三代下有大文章二、一為蘇東坡武王論、一為郭青螺管叔論、皆有功世道之作。然余猶恨其未及武庚也。武庚於紂父子也、天下可以獨夫其君、武庚不能獨夫其父。當武王三誓渡河、斬紂之頭、而縣之太白、斯固不共戴天之讎也。為武庚者、縱使機無乘、業無可憑、猶將號召頑民、聯絡三監、起而與武周為難、而況資之以朝歌、臨之以沖主哉。論者不察、徒見其事之不成、且於書則斥之為小腆、於詩則詆之為鴟鴞、遂亦從而非笑之、噫嘻過矣。且余嘗謂武庚非常人也。武王沒而後舉事、能俟時也。管叔忠於殷、而倚為腹心、能知人也。播流言以疑沖人、能用間也。洛邑諸頑民、咸樂從之而起、能馭衆也。惜乎天不佑商、卒至一姓不再興耳。設令風雷之警不作、金縢之書不啓、成王之疑不釋、居東之避不歸、則向

也一戎衣而周有之者、茲也一戎衣而殷復之、安見武庚不為中興一令主哉。嗟乎、武庚之於殷、猶少康之於夏也。少康能復夏、而武庚不能存殷、此其中有天焉、不可以成敗論也。而後人乃責以不當畔周、謂畔周適以戕其身、斬其祀、則皆未嘗設身以處、而諒其萬不得已之苦衷。吾故著此論、以附蘇郭二公之後、俾論武庚者、知君父之讎之當復、而忠孝之事之尚可為也。而立微子於宋、以續殷後焉。【考證】周武王以下、采書大誥、微子之命序。

太史公曰、余以頌次契之事、自成湯以來、采於書詩。契為子姓。其後分封、以國為姓。有殷氏・來氏・宋氏・空桐氏・稚氏・【索隱】按系本、子姓無稚氏。北殷氏・【索隱】系本作髦氏、又有時氏、蕭氏、黎氏、然北殷氏蓋秦寧公所伐亳王、湯之後也。目夷氏。孔子曰、殷路車為善、而色尚白。【索隱】論語孔子曰、乘殷之輅。禮記曰、殷人尚白。太史公為贊、不取成文、遂作此語、亦疏略也。【考證】論語衞靈公篇、子曰、乘殷之輅。禮記檀弓篇、殷人尚白。又見尚書大傳、春秋繁露、淮南子齊俗訓。愚按、高祖紀贊云、朝以十月、車服黃屋左纛、與此同一結法。

【索隱述贊】簡狄吞乙、是為殷祖。玄王啓商、伊尹負俎。上開三面、下獻九主。旋師泰卷、纔相臣扈。遷囂圯耿、不常厥土。武乙無道、禍因射天。帝辛淫亂、拒諫賊賢。九侯見醢、炮

格興焉。黃鉞斯杖、白旗是懸。哀哉瓊室、殷祀用遷。

殷本紀第三

史記三

史記會注考證卷四

漢　太　史　令　司　馬　遷　撰
宋　中　郎　外　兵　曹　參　軍　裴　駰　集解
唐　國　子　博　士　弘　文　館　學　士　司　馬　貞　索隱
唐　諸　王　侍　讀　率　府　長　史　張　守　節　正義
日　本　出　雲　瀧　川　資　言　考證

周本紀第四　史記四

【考證】史公自序云，維棄作稷，德盛西伯，武王牧野，實撫天下，幽厲昏亂，既喪酆鎬，陵遲至赧，洛邑不祀，作周本紀第四。愚按，周紀穆王以前，多采詩書、逸周書，穆王以後，多

采國語左傳，威烈王以後，多采戰國策。葉適曰，以遷所紀五帝三代考之，堯舜以前，固絕遠，而夏商殘缺無可證，雖孔子亦云，獨周享國最長，去漢未久，遷極力收拾，然亦不過詩書國語所記而已，他蓋不能有所增益也，是則古史法止於此矣。

周后稷名弃。【正義】因太王所居周原，因號曰周，地理志云，右扶風美陽縣，岐山在西北，中水鄉，周太王所邑，括地志云，故周城，一名美陽城，在雍州武功縣西北二十五里，即太王城也。其母有邰氏女，曰姜原。【集解】韓詩章句曰，姜姓，原字，或曰，姜原，謚號也。【正義】邰，天來反，亦作斄，同，說文云，邰，炎帝之後，姜姓，封邰，周弃外家。姜原爲帝嚳元妃。【索隱】譙周以爲弃帝嚳之胄，其父亦不著，與此紀異也。【考證】以上采帝繫篇。姜原出野，見巨人跡，心忻然說，欲踐之。踐之而身動，如孕者。居期而生子。【正義】期滿十月。【考證】詩生民疏引居作及，崔述曰，是因詩大雅生民篇履帝武之文而附會之者，鄭氏箋詩，遂用其說，至宋歐陽修蘇洵出，皆從毛氏，以爲從帝嚳之行，而駁史記，然後經義始明，聖人之誣始白，胡一桂曰，后稷後世王天下數百年，學者欲神其事，故附會其說，不知血氣之類，父施母生，聖賢所同也，何必有詼詭譎誕之事，然後爲聖且賢哉。以爲不祥，弃之隘巷。【索隱】已下皆詩大雅生民篇所云，誕寘之隘巷，牛羊腓字之，誕寘之平林，會伐平林，誕寘之寒冰，鳥覆翼之，是其事也。馬牛過者，皆辟不踐。徙置之林中。

適會山林多人。遷之而弃渠中冰上。飛鳥以其翼覆薦之。姜原以爲神，遂收養長之。初欲弃之，因名曰弃。【正義】古史考云，弃，帝嚳之胄，其父亦不著，與此文稍異也。弃爲兒時，仡如巨人之志。【考證】承踐巨人跡。其游戲，好種樹麻菽。麻菽美。及爲成人，遂好耕農。相地之宜，宜穀者稼穡焉。民皆法則之。【正義】種曰稼，斂曰穡。【考證】本詩大雅生民篇。帝堯聞之，舉弃爲農師。天下得其利。有功。【考證】舉弃者舜，非堯也。帝舜曰，弃。黎民始飢。【集解】徐廣曰，今文尚書云，祖飢，故此作始飢，祖，始也。爾后稷，播時百穀。【考證】后，長也，稷，官名，后稷，猶言農師也，時，讀爲蒔，帝舜以下，采尚書堯典，楓南本無時字。封弃於邰。【集解】徐廣曰，今斄鄉，在扶風。【索隱】即詩生民曰，有邰家室，是也，邰即斄，古今字異耳。【正義】括地志云，故斄城，一名武功城，在雍州武功縣西南二十二里，古邰國，后稷所封也，有后稷及姜嫄祠，毛萇云，邰，姜嫄國也，后稷所生，堯見天因邰而生后稷，故因封於邰也。【考證】今陝西乾州武功縣有故斄城，弃所封。號曰后稷。別姓姬氏。【集解】禮緯曰，祖以履大跡而生。【考證】周人蓋稱祖官耳，后稷非別號。后稷之興，在

陶唐虞夏之際。皆有令德。后稷卒。【集解】山海經大荒經曰，黑水青水之閒有廣都之野，后稷葬焉，皇甫謐曰，冢去中國三萬里也。【考證】皆字有譌，或上脫世字。子不窋立。【索隱】帝王世紀云，后稷納姞氏，生不窋，而譙周按國語云，世后稷以服事虞夏，言世稷官，是失其代數也，若不窋親弃之子，至文王千餘歲，唯十四代，亦不合事情。【正義】括地志云，不窋故城，在慶州弘化縣南三里，即不窋在戎狄所居之城也，毛詩疏云，虞及夏殷，共有千二百歲，每世在位，皆八十年，乃可充其數耳，命之短長，古今一也，而使十五世君在位，皆八十許載，子必將老始生，不近人情之甚，以理而推，實難據信也。不窋末年，夏后氏政衰。去稷不務。【集解】韋昭曰，夏太康失國，廢稷之官，不復務農。【索隱】國語云，弃稷不務，此云去稷者，是太史公恐弃是后稷之名，故變文云去也，言夏政衰，不窋去稷官，不復務農者也。【正義】稷若今司徒也。不窋以失其官，而犇戎狄之閒。【考證】后稷之興以下，采國語周語祭公謀父言，張文虎曰，國語云，昔我先生世后稷，及夏之衰，棄稷不務，我先王不窋用失其官，蓋后稷官名，弃始爲之，而子孫世其職，至不窋而廢，豈謂棄爲后稷，一傳而失之哉，不窋非弃子明甚，自史公紀表有此駁文，鄭氏詩譜因之，而周初世系從此亂矣，崔述曰，夏后氏政衰，蓋謂孔甲以後，謂在太康之時誤矣，愚按，不窋非弃親子，先儒歷辨之，詞繁不能悉載。不窋卒。子鞠立。【考證】張文虎曰，詩疏鞠作鞠陶，世本亦作鞠陶，疑今本脫陶字，然三代世表、漢書人表，亦祇作鞠。鞠卒。子公劉立。公劉雖在戎狄之閒，復

脩后稷之業，務耕種，行地宜，自漆沮度渭，取材用。【正義】公劉從漆縣漆水，南渡渭水，至南山取材木爲用也。括地志云，豳州新平縣，即漢漆縣也。漆水在岐州普潤縣東岐山漆溪東入渭。行者有資，居者有畜積。民賴其慶。百姓懷之，多徙而保歸焉。周道之興，自此始。故詩人歌樂思其德。【索隱】即詩大雅篇，篤公劉是也。【考證】公劉以下本詩大雅公劉篇、孟子梁惠王篇。中井積德曰，漏公劉徙豳，何也。又曰，度渭取材用，是徙豳以後之事，大雅可證。公劉卒，子慶節立。國於豳。【集解】徐廣曰，新平漆縣之東北，有豳亭。【索隱】豳，即邠也，古今字異耳。【正義】括地志云，豳州新平縣，即漢漆縣，詩豳國，公劉所邑之地也。【考證】今陝西邠州三水縣，有豳城，公劉所居，洪亮吉曰，按詩篤公劉于豳斯館，則公劉時已遷豳，不至慶節也。慶節卒，子皇僕立。皇僕卒，子差弗立。差弗卒，子毀隃立。【集解】音踰，世本作楡。【索隱】系本作僞楡。毀隃卒，子公非立。【索隱】系本云，公非辟方，皇甫謐云，公非字辟方也。公非卒，子高圉立。【集解】宋衷曰，高圉能率稷者也，周人報之。【索隱】系本云，高圉侯侔。高圉卒，子亞圉立。【集解】世本云，亞圉雲都，皇甫謐云，雲都，亞圉字。【索隱】漢書古今表曰，雲都，亞圉弟，按如此說，則辟方侯侔，亦皆二人之名，實未能詳。【考證】左傳昭公七

年，周王使追命衛襄公曰，余敢忘高圉亞圉，國語魯語，高圉亞圉太王，帥稷者也，周人報焉。亞圉卒，子公叔祖類立。【索隱】系本云，太公組紺諸盩，三代世表，稱叔類，凡四名，皇甫謐云，公祖一名組紺諸盩，字叔類，號曰太公也。【考證】崔述曰，索隱所引世本之文，自公非至大王凡九世，史記周本紀則僅五世耳，帝王世紀以辟方爲公非字，雲都爲亞圉字，組紺諸盩爲一人名，即公叔祖類也，余按不窋下至文王，據本紀僅十有四世，已難信據，然即使不窋當夏末造，其世數亦仍不止於是也，不窋之竄，在夏桀前，至文王時，不下六七百歲，安得每君皆享國至五十年之久乎，漢書古今人表，以雲都爲亞圉弟，然則辟方侯侔諸盩，皆當別爲一人，非其字矣，況毀隃以前，皆但舉其名，何以公非以下四世，皆兼舉其字，蓋史記因國語之文，而遺此四世，世紀又因史記之文，而强爲說，以曲全之者也，世本之文，雖亦不能保無漏誤，然多此四世，則於事理爲近，錢大昕曰，索隱盩當作盭，盭類聲近。公叔祖類卒，子古公亶父立。古公亶父復脩后稷・公劉之業，積德行義，國人皆戴之。【考證】國語魯語，太王帥稷者也，古鈔，南本，復上無亶父二字。薰育戎狄攻之，欲得財物，予之。已復攻，欲得地與民。民皆怒欲戰。古公曰，有民立君，將以利之。今戎狄所爲攻戰，以吾地與民。民之在我，與其在彼何異。民欲以我故戰，殺人

父子而君之，予不忍爲。乃與私屬，遂去豳，度漆沮，【集解】徐廣曰，水在杜陽岐山，杜陽縣在扶風。踰梁山，【正義】括地志云，梁山在雍州好畤縣西北十八里，鄭玄云，岐山在梁山西南，然則梁山橫長，其東當夏陽，西北臨河，其西當岐山，東北自豳適周，當踰之矣。止於岐下。【集解】徐廣曰，山在扶風美陽西北，其南有周原。駰案，皇甫謐云，邑於周地，故始改國曰周。豳人擧國扶老攜弱，盡復歸古公於岐下。【考證】薰育戎狄攻之以下采孟子梁惠王篇，參以詩大雅緜篇，又見莊子讓王篇，呂氏春秋審爲篇，尚書大傳，淮南子道應訓，後漢書郡國志，美陽有周城，美陽故城，在今陝西鳳翔府岐山縣，崔述曰，史記周本紀稱大王曰古公，朱子詩傳因之，曰，古公號也，按周自公季以前，未有號爲某公者，微獨周，即夏商他諸侯亦無之，何以大王乃獨有號，書曰古我先王，古猶昔也，故商頌曰，自古在昔，古我先王者，猶昔我先王也，古公亶父者，猶言昔公亶父也，公亶父相連成文，而冠之以古，猶所謂公劉公非公叔類者也。及他旁國，聞古公仁，亦多歸之。於是古公乃貶戎狄之俗，而營築城郭室屋，而邑別居之。【集解】徐廣曰，分別而爲邑落也。作五官有司。【集解】禮記曰，天子之五官，曰司徒，司馬，司空，司士，司寇，典司五衆，鄭玄曰，此殷時制。【考證】古公乃貶以下，采詩大雅緜篇，先是陶復陶穴，未有室家，貶黜也，去也，緜篇云，乃召司空，乃召司徒，未嘗云五官有司，蓋史公以意增。民皆歌樂之，

頌其德。【索隱】即詩頌云，后稷之孫，實維太王，居岐之陽，實始翦商，是也。【考證】詩魯頌閟宮篇，太王之事，又見詩周頌天作篇，大雅緜篇，俞樾曰，實始翦商，子孫之辭也，在太王當日，不特無其事，幷無其意，然周人追王自太王始，則不得不以周之王業爲始於太王，周自此始，周自此上矣，故曰至於太王，實始翦商，後人不達，或欲援爾雅言翦爲勤，非也。古公有長子，曰太伯，次曰虞仲。太姜生少子季歷。【正義】國語注云，齊許申呂四國，皆姜姓也，四岳之後，太姜之家，太姜，太王之妃，王季之母。【考證】虞仲，吳世家作仲雍，同人，梁玉繩曰，左氏僖五年疏云，如史記之文，似王季與太伯別母，馬遷之言疏繆，而評林引明張之象，謂太姜固太伯虞仲季歷母也，此獨曰太姜生少子季歷者，蓋季歷取太任，婦姑相繼，故下以皆賢婦人一句統之，張評所以著太姜係季歷之故，頗明白，史公本不以季歷與太伯爲異母也。季歷娶太任。【集解】列女傳曰，太姜有呂氏之女，太任摯任氏之中女。【正義】國語注云，摯疇二國，任姓，奚仲仲虺之後，太任之家，太任，王季之妃，文王母也。皆賢婦人。【正義】列女傳云，太姜，太王娶以爲妃，生太伯仲雍王季，太姜有色而貞順，率導諸子，至於成童，靡有過失，太王謀事，必於太姜，遷徙必與太任，王季娶以爲妃，太任之性，端壹誠莊，維德之行，及其有身，目不視惡色，耳不聽淫聲，口不出傲言，能以胎敎子，而生文王，此皆有賢行也。生昌，有聖瑞。【正義】尚書帝命驗云，季秋之月甲子，赤爵銜丹書入于酆，止于昌戶，其書云，敬勝怠者吉，怠勝敬者滅，義勝欲者從，欲勝義者凶，凡事不强則枉，不敬則不正，枉者廢滅，敬者萬世，以仁得之，以仁守之，其量百世，以不仁得之，以仁守之，其量十世，以不仁得之，不仁守之，不及其得

世、此蓋聖瑞、古公曰、我世當有興者。其在昌乎。長子太伯·虞仲、知古公欲立季歷以傳昌、乃二人亡如荊蠻。正義太伯奔吳、所居城、在蘇州北五十里常州無錫縣界梅里村、其城及冢見存、而云亡荊蠻者、楚滅越、其地屬楚、秦滅楚、其地屬秦、秦諱楚、改曰荊、故通號吳越之地爲荊、及北人書史、加云蠻、勢之然也、文身斷髮、集解應劭曰、常在水中、故斷其髮、文其身、以象龍子、故不見傷害、以讓季歷。考證左傳僖公五年、大伯虞仲、大王之昭也、大伯不從、是以不嗣、哀公七年、大伯端委、以治周禮、仲雍嗣之、斷髮文身、贏以爲飾、論語泰伯篇、泰伯其可謂至德也已矣、三以天下讓、民無得而稱焉、微子篇謂虞仲夷逸隱居放言、身中清、廢中權、詩大雅大明篇摯仲氏任、自彼殷商、來嫁于周、曰嬪于京、乃及王季、維德之行、大任有身、生此文王、愚按、史公以謂聖賢豪傑、其生異于常人、此紀云生昌有聖瑞、卽亦是意、崔述曰、大王、周之賢主也、廢長立少、庸主猶或不爲、況大王乎、聖人之生、固有異於常兒、然其德亦必待壯而後成、生而有聖德、特國語列女傳事後之推崇云爾、豈得以此爲據也哉、且大王安知王季之必傳之文王也哉、已既欲廢長而立少矣、安知王季之不亦然、以大王之賢智、必不如此明矣、況大伯之德、固自足以興周、而何爲舍之而待夫不可必立之文王乎、由是言之、大伯之讓王季、乃大伯自欲讓之耳、大王初無欲立季歷之事也、曰、然則泰伯何以讓國、曰、古人讓國常事耳、不足異也、宋襄公嘗讓子魚矣、韓無忌嘗讓起矣、吳諸樊亦嘗讓季札矣、春秋時、猶有以兄弟爲賢而讓之者、況商周之際、淳樸之世哉、且古人非但讓國也、卽授官亦多有讓者、禹垂伯夷之讓、不待言矣、春秋之世、齊鮑叔

讓、相於管仲、衞免餘讓卿於大叔儀、魯匡句須讓宰於鮑國、晉大夫之讓軍帥者、尤不可一二數、是知讓本古人常事、不必有所爲不得已而後讓也、但自戰國以後、人惟知有利、而不知有義、爭國者多、讓國者少、遂以古人之讓爲異、往往揣度附會、曲爲之說、故見益之不有天下、則意度之以爲禹傳啓也、不則以啓殺益也、見伊尹之不有天下、則意度之、以爲大甲潛出自桐而殺之也、見泰伯之長而不爲周君、則意度之以爲大王欲傳聖孫、泰伯知而逃也、後人之說古人、大抵皆如是矣、春秋傳云、大伯端委以治周禮、仲雍嗣之、斷髮文身裸以爲飾、然則斷髮文身、亦非大伯事矣、又曰、左傳大伯不從、是以不嗣之文、史記嘗采之矣、晉世家云、大伯亡去、是以不嗣、以不從爲亡去、是所謂不從者、謂不從大王在岐耳、自朱子以爲不從大王翦商之志、啓後儒紛紛之言矣、古公卒。季歷立。是爲公季。公季脩古公遺道、篤於行義。諸侯順之。公季卒。集解皇甫謐曰、葬鄠縣之南山、考證季歷事見詩大雅皇矣篇、子昌立。是爲西伯。西伯曰文王。正義帝王世紀云、文王龍顏虎肩、身長十尺、胸有四乳、雒書靈準聽云、蒼帝姬昌、日角鳥鼻、高長八尺二寸、聖智慈理也、考證王念孫曰、文選注引此作西伯文王也、可從、此承上句而申明也、文祖者堯大祖也、亞父者范增也、語意竝同、愚按孟子告子篇曹交曰、交聞文王十尺、湯九尺、荀子非相篇、帝堯長、帝舜短、文王長、周公短、仲尼長、遵后稷·公劉之業、則古公·公季之法、篤仁敬老慈少、禮下賢者、日中不暇食以待士。士以

此多歸之。考證書無逸篇、文王卑服、卽康功田功、徽柔懿恭、懷保小民、惠鮮鰥寡、自朝至于日中昃、不遑暇食、用咸和萬民、是史公所本、詞意微異、伯夷·叔齊在孤竹。集解應劭曰、在遼西令支、正義括地志云、孤竹故城、在平州盧龍縣南十二里、殷時諸侯孤竹國胎氏也、姓墨、聞西伯善養老、蓋往歸之。考證采孟子告子篇、在孤竹、史公以意增、蓋各本作盍、後人依孟子改、今從楓三南本、太顚·閎夭·散宜生·鬻子·辛甲大夫之徒、皆往歸之、集解劉向別錄曰、鬻子名熊、封於楚、辛甲故殷之臣、事紂、蓋七十五諫而不聽、去至周、召公與語、賢之、告文王、文王親自迎之、以爲公卿、封長子、長子今上黨所治縣是也、考證尙書君奭篇、惟文王尙克脩和我有夏、亦惟有若虢叔、有若閎夭、有若散宜生、有若泰顚、有若南宮括、崇侯虎譖西伯於殷紂曰。西伯積善累德、諸侯皆嚮之。將不利於帝。帝紂乃囚西伯於羑里。閎夭之徒患之、乃求有莘氏美女、正義括地志云、古㜪國城、在同州河西縣南二十里、世本云、莘國姒姓、夏禹之後、卽散宜生等求有莘美女獻紂者、考證梁玉繩曰、此處兩帝字、及下文以告帝紂、帝紂聞武王來、以大卒馳帝紂師、三帝字、史詮謂當作商字之譌也、據徐廣云、帝一作商、則史詮是、愚按史公以夏殷爲帝、二紀可證、此不必改、驪戎之文馬、正義括地志云、驪戎故城、在雍州新豐縣東南十六里、殷周時驪戎國城也、

按駿馬、赤鬣縞身、目如黃金、文王以獻紂也、有熊九駟、正義括地志云、鄭州新鄭縣、本有熊氏之墟也、按九駟三十六匹馬也、他奇怪物、考證南本、他上有及字、因殷嬖臣費仲而獻之紂。紂大說曰。此一物足以釋西伯。況其多乎。集解一物、謂莘氏之美女也、以殷紂淫昏好色、故知然、考證史記桃源鈔引師說云、一物謂所獻數物中之一、元無所指、愚按、師說是、乃赦西伯、賜之弓矢斧鉞、使西伯得征伐曰。譖西伯者崇侯虎也。西伯乃獻洛西之地、以請紂去炮格之刑。紂許之。考證說具殷紀、中井積德曰、文王爲西伯、蓋在賜弓矢時、殷紀明言之、則伯夷之歸、當在此後也、方孝孺曰、羑里之事、不經見、史所稱獻美女美馬之說、皆好事者意構之詞、恐非其實也、西伯陰行善。諸侯皆來決平。於是虞·芮之人、有獄不能決。集解地理志、虞在河東大陽縣、芮在馮翊臨晉縣、正義括地志云、故虞城在陝州河北縣東北五十里虞山之上、古虞國也、故芮城、在芮城縣西二十里、古芮國也、晉太康地記云、虞西百四十里有芮城、括地志又云、閒原在河北縣西六十五里、詩云、虞芮質厥成、毛萇云、虞芮之君、相與爭田、久而不平、乃相謂曰、西伯仁人、盍往質焉、乃相與朝周、入其境、則耕者讓畔、行者讓路、入其邑、男女異路、班白不提挈、入其朝、士讓爲大夫、大夫讓爲卿、二國君相謂曰、我等小人、不可履君子之庭、乃相讓所爭地、

以爲閒原、至今尙在、注引地理志、芮在臨晉者恐疏、然閒原在河東、復與虞芮相接、臨晉在河西同州、非臨晉芮鄉明矣、

乃如周。入界、耕者皆讓畔、民俗皆讓長。虞・芮之人、未見西伯、皆慙相謂曰。吾所爭、周人所恥。何往爲。祇取辱耳。遂還、俱讓而去。【考證】虞芮之人以下、本詩大雅緜篇、參以所聞、緜篇云、虞芮質厥成、文王蹶其生、傳云、質成也、成平也、蹶動也、梁玉繩曰、虞芮之事、當時必有成文、今無可考、然以大傳毛詩及說苑君道篇較之、史所載頗缺略不全、復有異同之語、疑史公所增損也、

諸侯聞之曰。西伯蓋受命之君也。【考證】也字諸本無、今據群書治要、毛詩疏及古鈔本補、

明年、伐犬戎。【集解】山海經曰、有人、人面獸身、名曰犬戎、【正義】山海經云、有人、人面獸身、名曰犬戎、又云、黃帝生苗龍、苗龍生融吾、融吾生弄明、弄明生白犬、白犬有二、是爲犬戎、說文云、赤狄本犬種、故字從犬、又後漢書云、犬戎槃瓠之後也、今長沙武林之郡大半是也、又毛詩疏云、犬戎昆夷是也、【考證】詩大雅緜篇、混夷駾矣、維其喙矣、尙書大傳、文王受命四年伐犬夷、鄭玄注、犬夷、混夷也、愚按、古鈔本及毛詩疏引史文、犬戎作犬夷、與大傳合、

明年、伐密須。【集解】應劭曰、密須氏、姞姓之國、瓚曰、安定陰密縣是、【正義】括地志云、陰密故城在涇州鶉觚縣西、其東接縣城、卽古密國、杜預云、姞姓國、在安定陰密縣也、【考證】詩大雅皇矣篇、密人不恭、敢距大邦、侵阮徂共、王赫斯怒、爰整其旅、以按徂旅、呂氏春秋用民篇、密須之民、自縛其主而與文王、左傳昭公十五年、密須之鼓與其大路、

文所以大蒐也、尙書大傳、文王受命三年、伐密須、

明年、敗耆國。【集解】徐廣曰、一作阢、【正義】卽黎國也、鄒誕生云、本或作黎、孔安國云、黎在上黨東北、括地志云、故黎城、黎侯國也、在潞州黎城縣東北十八里、尙書云、西伯既戡黎、是也、

殷之祖伊聞之、懼以告帝紂。紂曰。不有天命乎。是何能爲。【考證】尙書大傳、文王四年、伐畎夷、紂乃囚之、四友獻寶、乃得免於虎口、出而伐耆、愚按、尙書西伯戡黎、蓋武王事、說見殷紀、

明年、伐邘。【集解】徐廣曰、邘城、在野王縣西北、音于、【正義】括地志云、故邘城、在懷州河內縣西北二十七里、古邘國城也、左傳云、邘晉應韓、武王之穆也、【考證】尙書大傳、文王二年、伐于、崔述曰、尙書大傳及史記、有文王伐邘事、按崇密昆夷之伐、皆見于經傳、而邘未有及者、不敢信其必實、且大傳在伐密前一年、史記在伐密後二年、其時亦不同、

明年、伐崇侯虎。【正義】皇甫謐云、夏鯀封、虞夏商周皆有崇國、崇國蓋在豐鎬之閒、詩云、既伐于崇、作邑于豐、是國之地也、【考證】詩大雅文王有聲、又大雅皇矣篇云、帝謂文王、詢爾仇方、同爾兄弟、以爾鉤援、與爾臨衝、以伐崇墉、臨衝閑閑、崇墉言言、執訊連連、攸馘安安、是類是禡、是致是附、四方以無侮、左傳僖公十九年、文王聞崇德亂而伐之、崇人三旬不降、退修教而復伐之、因壘而降、尙書大傳、文王六年伐崇、愚按、崇今西安府鄠縣、崔述曰、尙書大傳文王伐犬夷、在虞芮成後之四年、史記在虞芮成之明年、按緜之詩八章稱混夷駾矣、九章稱虞芮質厥成、則其先後恐不當如大傳史記所列、又曰、文王伐國多矣、而皇矣獨稱崇密、則是崇密爲大國也、然於密、但言侵自阮疆耳、於崇、則記其戰勝攻取之畧、而言崇墉仡仡、崇墉言言、則是崇尤强也、豐者崇之境也、故詩云、既伐於崇、

作邑於豐、傳云、崇在鄠縣、豐在鄠縣杜陵西南、則是漢唐建都之地、崇實據之、當文王在岐時、地偏國狹、介居戎狄、而崇以大國塞其衝、文王安能越崇而化行於東南之諸侯乎、諸侯卽慕文王之德、安能不畏崇之侵陵遮擊、而遠從於周乎、自滅崇後、周始盛强、通於河洛淮漢之閒、然後關東諸侯、得被其化而歸之耳、故詩於滅崇之後曰、四方攸拂、於作豐之後曰、四方攸同也、

而作豐邑。【集解】徐廣曰、豐在京兆鄠縣東、有靈臺、鎬在上林昆明北、有鎬池、去豐二十五里、皆在長安南數十里、【正義】括地志云、周豐宮、周文王宮也、在雍州鄠縣東三十五里、鎬在雍州西南三十二里、【考證】豐在今西安鄠縣豐水之西、

自岐下而徙都豐。明年、西伯崩。【集解】徐廣曰、文王九十七乃崩、【正義】括地志云、周文王墓、在雍州萬年縣西南二十八里原上也、【考證】禮記文王世子篇、文王九十七乃終、孟子公孫丑篇、文王百年而崩、離婁篇、文王生於岐周、卒於畢郢、梁玉繩曰、天子曰崩、古之制也、以西伯僭稱爲崩、豈誤解受命之言乎、

太子發立。是爲武王。西伯蓋卽位五十年。【考證】尙書無逸篇、文王受命惟中身、厥享國五十年、呂氏春秋制樂篇、文王卽位八年而地動、已動之後四十三年、凡文王立國五十一年而終、愚按、西伯一句、屬下讀、

其囚羑里、蓋益易之八卦爲六十四卦。【正義】乾鑿度云、垂皇策者羲、益卦演德者文、成命者孔也、易正義云、伏羲制卦、文王卦辭、周公爻辭、孔十翼也、按太史公言蓋者、乃疑辭也、文王著演易之功、作周紀方贊其美、不敢專定、重易故稱蓋也、【考證】古鈔南本、益作演、易繫辭傳云、易之興也、其於中古乎、作易者其有憂患乎、又云、易之興也、其當殷之末世、

周之盛德邪、當文王與紂之事邪、崔述曰、近世說周易者、皆以彖詞爲文王作、爻詞爲周公作、朱子本義亦然、按易傳但言其作於文王時、不言文王所自作也、但言其有憂患、不言憂患爲何事也、且曰其當曰其有、曰邪曰乎、皆爲疑詞、而不敢決、則是作傳者但就其文推度之、尙不敢決言其時世、況能決知其爲何人之書乎、至司馬氏作史記、因傳此文、遂附會之以爲文王羑里所演、是以周本紀云、西伯之囚羑里、蓋益易之八卦爲六十四卦、自序亦云、西伯拘羑里演周易、自是遂以易卦爲文王所重、及班氏作漢書、復因史記之言、遂斷以詞爲文王之所繫、是以藝文志云、文王重易六爻、作上下篇、又云、人更三聖、世歷三古、自是遂以易象爻之詞爲文王所作矣、然其中有甚可疑者、明夷之五稱箕子之明夷、升之四稱王用亨於岐山、皆文王以後事、文王不應豫知而豫言之、漢之說不可通、於是馬融陸績之徒、不得已則割爻詞謂爲周公所作、以曲全之、而鄭康成王弼、復以卦爲包羲神農所重、非文王之所演、然後後儒始獨以彖詞屬之文王、而分爻詞屬之周公矣、由是言之、謂文王作彖詞、周公作象詞者、乃漢以後儒者因史記漢志之文展轉猜度之、非有信而可徵者也、

詩人道西伯蓋受命之年稱王、而斷虞芮之訟。【正義】二國相讓後、諸侯歸西伯者四十餘國、咸尊西伯爲王、蓋此年受命之年稱王也、帝王世紀云、文王卽位四十二年、歲在鶉火、文王更爲受命之元年、始稱王矣、又毛詩云、文王九十七而終、終時受命九年、則受命之元年、年八十九也、【考證】梁肅曰、太史公曰、詩人道西伯以受命之年稱王而斷虞芮之訟、遂追王太王王季、改正朔易服色、十年而崩、或謂大雅序文王受命作周、泰誓序十有一年、武王伐殷、妄徵二經以實其說、予以爲反經非聖、不可以訓、莫此爲甚焉、嘗試言之、仲尼美文王之德曰、三分天下有其二、以服

事殷、又曰、内文明而外柔順、以蒙大難、文王以之、未有南面稱王、而謂之服事、易姓創制、而謂之柔順、仲尼稱武王之烈曰、湯武革命、又曰、武王末受命、未有父受之而子復革命、父爲天子、子云末受、當武王之會盟津也、告諸侯曰、汝未知天命、未可以誓師也、曰、惟我文考、大統未集、予小子其承厥志、孰有王者出征、復侯天命、大統既改而復云未集、禮大傳稱、牧之野既事而退、遂柴于上帝、追王太王王季文王、改正朔殊徽號、若虞芮之歲稱王、則不應復追王、王制既行、則不應復云改物、是皆反經者也、大雅作周之義、蓋取夫積德累仁、爲海内所歸往、武王因之遂成大業、非所謂革命易姓爲作周也、歐陽脩曰、孔子云、三分天下有其二、以服事殷、使西伯不稱臣而稱王、安能服事於商乎、且謂西伯稱王者起於何說、孔子之言、萬世之信也、由是言之、謂西伯受命稱王十年者妄說也、方苞曰、史公蓋據大雅有聲之詩文王受命、而誤爲此說也、

後十年而崩。【正義】十、當爲九、其說在後、【考證】楓三南本、十年作七年、爲是、史公蓋用尚書大傳說、正義欲改爲九年、蓋據逸周書文傳說、詳下文、

諡爲文王。【正義】諡法、經緯天地曰文、

改法度制正朔矣。追尊古公爲太王、公季爲王季。【正義】易緯云、文王受命、改正朔、布王號於天下、鄭玄信而用之、言文王稱王已改正朔布王號矣、按天無二日、土無二王、豈殷紂尚存而周稱王哉、若文王自稱王改正朔、則是功業成矣、武王何復得云大勳未集、欲卒父業也、禮記大傳云、牧之野、武王成大事而退、追王太王亶父王季歷文王昌、據此文、乃是追王爲王、何得文王自稱王改正朔也、【考證】梁玉繩曰、案婁敬當漢初、其告高帝、已有質成受命之語、蓋其說起于戰國好事之口、史公亦仍而載之、中庸、武王末受命、周公成文武之德、追王太王王季、上祀先公以

天子之禮、據此、則追王、武王周公以後之事、

蓋王瑞自太王興。【正義】古公在邠、被戎狄攻戰、奪民、太王曰、民之在我與彼何異、殺人父子而君之、予不忍爲、遂遠去邠、止於岐下、邠人擧國盡歸古公、他國聞古公仁、亦多歸之、乃貶戎狄之俗、爲室屋邑落而分別居之、季歷又生昌、有聖瑞、蓋是王瑞自太王時而興起也、然自西伯蓋卽位五十年、以下至太王興、在西伯崩後重述其事、爲經傳不同、不可全弃、乃略而書之、引次其下、事必可疑、故數言蓋也、【考證】古鈔、楓三南本、瑞作端、義長、

武王卽位、【正義】諡法、克定禍亂曰武、春秋元命包云、武王駢齒、是謂剛强也、

太公望爲師、周公旦爲輔、召公·畢公之徒、左右王師、脩文王緒業。【考證】凌約言曰、太史公始紀后稷曰、民皆法則之、繼紀公劉則曰、復修后稷之業、百姓懷之、紀古公則曰、復修后稷公劉之業、國人亦多歸之、紀公季則曰、修古公遺道、諸侯順之、紀文王則曰、遵后稷公劉之業、則古公公季之法、士以此多歸之、蓋往歸之、皆往歸之、諸侯皆來決平、紀武王則曰、修文王緒業、諸侯不期而會盟津者八百、諸侯兵會者車四千乘、諸侯畢從武王、百姓咸待于郊、見周家世德相承、人心固結、以培八百年之基業有如此、

九年、武王上祭于畢。【集解】馬融曰、畢、文王墓地名也、【索隱】按文云、上祭于畢、則畢、天星之名、畢星主兵、故師出而祭畢星也、【正義】上、音時掌反、尚書武成篇云、我文考文王、誕膺天命、以撫方夏、惟九年、大統未集、太誓篇序云、惟十有一年、武王伐殷、太誓篇云、惟十有三年春、大會于孟津、大戴禮云、文王十五而生武王、則武王少文王十四歲矣、禮記文王世子云、文王九十七而終、武王九十三而終、按文王崩時武王已八十三矣、八

十四卽位、至九十三崩、武王卽位適滿十年、言十三年伐紂者、續文王受命年、欲明其卒父業故也、金縢篇云、惟克商二年、王有疾不豫、按文王受命九年而崩、十一年武王服闋、觀兵孟津、十三年克紂、十五年有疾、周公請命、王有瘳、後四年而崩、則武王年九十三矣、而太史公云、九年王觀兵、十一年伐紂、則以爲武王卽位年數、與尚書違甚疏矣、【考證】洪亮吉曰、馬融云、畢、文王墓地名也、案古無墓祭之禮、自融一言作俑、後儒遂以爲墓祭始于文王、并以爲始于唐堯、後漢書蘇竟傳曰、武王上祭畢星、求助天也、說在融前、可破其妄、愚按、九年者、武王卽位九年也、非言文王受命之後九年也、下文十一年倣之、說詳于歐陽脩泰誓論、又按尚書大傳引太誓云、唯四月、太子發上祭于畢、下至于孟津、孟津既地名、則畢亦當地名、馬說仍是、古者師出告禰祖、見禮記曾子問、何必無墓祭之事、中井積德曰、上以地形而言、猶漢時上雍之上、

東觀兵、至于盟津。【集解】徐廣曰、譙周云、史記武王十一年東觀兵、十三年克紂、

爲文王木主、載以車中軍。【考證】事又見伯夷傳、師行載主、古之制、見禮記曾子問、桃源抄引師說云、車當作居、車居聲同而訛、皇甫謐帝王世紀曰、作文王木主、以居中軍、

武王自稱太子發。言奉文王以伐、不敢自專。乃告司馬·司徒·司空諸節。【集解】馬融曰、諸受符節有司也、

齊栗信哉。予無知。以先祖有德、臣小子受先功。【集解】徐廣曰、一云、予小子、受先公功、

畢立賞罰、以定其功。【考證】楓三南本、陳仁錫引舊本、札記引宋本及毛本立作力、尚書

大傳、畢立作戮力、

遂興師。師尚父號曰。總爾衆庶、與爾舟檝、後至者斬。【集解】鄭玄曰、號令之軍法重者、【考證】集解之字、當在軍法下、

武王渡河。中流白魚躍入王舟中、【集解】馬融曰、魚者介鱗之物、兵象也、白者殷家之正色、言殷之兵衆與周之象也、【索隱】此已下至火復王屋爲烏、皆見周書及今文泰誓、

武王俯取以祭。既渡。有火自上復于下、至于王屋、流爲烏。其色赤、其聲魄云。【集解】馬融曰、王屋、王所居屋、流、行也、魄然、安定意也、鄭玄曰、書說云、烏有孝名、武王卒父大業、故烏瑞臻、赤者周之正色也、【索隱】按今文泰誓、流爲鵰、鵰、鷙鳥也、馬融云、明武王能伐紂、鄭玄云、烏是孝鳥、言武王能終父業、亦各隨文而解也、【正義】周元稱火、後代改之、故秦始皇以爲周火德、稱水德滅之、是也、【考證】據尚書大傳、史文上祭于畢以下、采漢初所傳太誓文、中井積德曰、自上復于下、是元起于下也、故曰復也、愚按、魄魄然、狀其聲也、云、助語、說詳于封禪書、梁玉繩曰、白魚赤烏之說、乃漢初民間所傳僞泰誓文、詳見書序及詩思文兩疏中、西京諸儒、信以爲眞、董仲舒爲漢儒宗、其賢良策對猶言之、況史公之愛奇者乎、其書唐初尚存、故孔仲達顏籀小司馬章懷太子皆見之、不知亡于何時也、呂氏春秋名類篇、文王之時、赤烏銜丹書、集于周社、蓋戰國末有此妄談、何足信哉、愚按、是蓋古泰誓首篇伏勝所傳、董仲舒所述、而史公記之也、雖言有省略、可以推百篇之舊、白魚赤烏、事近妄誕、疑之者不獨梁氏、然詩歌麟趾鳳鳴、易記河圖洛書、桑穀生朝、伊陟有言、飛雉升鼎、祖己作訓、禎祥未嘗不喜之、妖孽未嘗不懼之、自古而然、

白魚入舟、武王取祭、化爲赤烏、群公曰休、當時宜有此事、梁氏又云、史記所載、民間新獲僞泰誓、愚按劉向別錄、泰誓之獻、在武帝末年、伏董二生、何由知之、史公亦未必見之也、是時諸侯不期而會盟津者八百諸侯。諸侯皆曰、紂可伐矣。武王曰、女未知天命、未可也。乃還師歸。【考證】古鈔、楓、三、南本、不重諸侯二字、殷紀及藝文類聚引史亦無、此衍、二年、聞紂昏亂暴虐滋甚、殺王子比干、囚箕子。太師疵・少師彊、抱其樂器而犇周。【考證】楓、三本、其下有祭字、與殷紀合、於是武王偏告諸侯曰。殷有重罪、不可以不畢伐。【集解】徐廣曰、一作滅、【考證】古鈔、南本、罪作罰、梁玉繩曰、後書袁術傳引史云、殷有重罰、不可不伐、與今本異、乃遵文王、遂率戎車三百乘、虎賁三千人、甲士四萬五千人、以東伐紂。【集解】孔安國曰、虎賁、勇士稱也、若虎賁獸、言其猛也、【考證】書牧誓序云、武王戎車三百兩、虎賁三百人、與受戰于牧野、與此異、何焯曰、三千人當從書序作三百人、千字不知何時謬改、梁玉繩曰、孟子亦言武王伐紂革車三百兩、虎賁三千人、蘇秦傳依國策言武王卒三千人、革車三百兩、韓子初見秦篇、呂氏春秋簡選貴因二篇、淮南本經主術兵略訓、風俗通正失篇竝同、然皆非也、當依書序以三百人爲斷、說詳于志疑、十一年十

二月戊午、師畢渡盟津。【正義】畢、盡也、盡從河南渡河北、【考證】書泰誓序云、惟十有一年、武王伐殷、一月戊午、師渡孟津、作泰誓三篇、與此異、梁玉繩曰、十一年者武王之十一年、十二月者卽十一年之十二月、自晚出泰誓有十三年之文、與書序十一年異、僞孔傳遂以月分繫于十三年、而以年爲武繼文、違經背義、斯爲甚、史同書序、本無譌謬、呂氏春秋首時篇言武王立十二年而成甲子之事、蓋并其爲天子之年數之爾、至此作十二月、書序作一月者、序就周言之、其實改正在克商後、當依商作十二月、諸侯咸會曰、孳孳無怠。【正義】曰作日、言日日孳孳進、其心無怠慢也、武王乃作太誓、告于衆庶。今殷王紂、乃用其婦人之言、自絕于天、毀壞其三正、【集解】馬融曰、動逆天地人也、【正義】按三正、三統也、周以建子爲天統、殷以建丑爲地統、夏以建寅爲人統也、【考證】三正又見甘誓、鄭玄曰、天地人之正道、離逷其王父母弟、【集解】鄭玄曰、王父母弟、祖父母之族、必言母弟、舉親者言之也、乃斷弃其先祖之樂、乃爲淫聲、用變亂正聲、怡說婦人。【集解】徐廣曰、怡一作辭、【考證】漢書禮樂志云、書序殷紂斷棄先祖之樂、迺作淫聲、用變亂正聲、以說婦人、注、今文周書泰誓之辭、故今予發、維共行天罰。勉哉夫子。【集解】鄭玄曰、夫子、丈夫之稱、【考證】共讀爲恭、古鈔、南本、天下有之字、不可再、不可三。【考證】梁玉繩曰、伏生尚

書本有泰誓、三篇合爲一、故全文有二十九篇、大傳載泰誓篇目、可證、其後伏生之泰誓亡、卽以民間僞泰誓三篇充伏生之數、孔仲達所謂上篇觀兵時事、中下二篇伐紂時事也、今雖佚不傳、而以史考之、疑上文九年武王上祭于畢至還師歸、與齊世家所載蒼兕諸語、皆是上篇、上文居二年至孳孳無怠、與殷紀所載剖心諸語、皆是中篇、此節所載告于衆庶至不可再不可三、乃是三篇、其中或有刪省不全登錄、愚按三篇次第、梁氏所說近是、但三篇皆伏生之舊、決非民間所獲僞泰誓、末篇詞意尤嚴、上可媲美於湯誓、下與牧誓相表裏、二月、【集解】徐廣曰、一作正、此建丑之月、殷之正月、周之二月也、【考證】尚書牧誓無二月二字、上文云十一年十二月戊午、師畢渡盟津、戊午去甲子六日、則當十二年一月、齊世家正作正月、徐廣云、此建丑之月、殷之正月、卽爲周二月、蓋周之改正在克殷後、周師初發、仍當用殷正、甲子昧爽、【集解】孔安國曰、昧、冥也、爽、明、蚤旦也、武王朝至于商郊牧野乃誓。【集解】孔安國曰、癸亥夜陳、甲子朝誓也、【正義】括地志云、衛州城故老云、周武王伐紂至於商郊牧野、乃築此城、酈元注水經云、自朝歌南至淸水、土地平衍、據皐跨澤、悉牧野也、括地志又云、紂都朝歌、在衛州東北七十三里、朝歌故城是也、本妹邑、殷王武丁始都之、帝王世紀云、帝乙復濟河北、徙朝歌、其子紂仍都焉、武王左杖黃鉞、右秉白旄以麾曰。【集解】孔安國曰、鉞以黃金飾斧、左手杖鉞、示無事於誅、右手把旄、示有事於教令、遠矣西土之人。【集解】孔安國曰、勞苦之、武王曰。嗟我有國冢君、【集解】馬融曰、冢、大也、司徒・司馬・司空・亞

旅・師氏、【集解】孔安國曰、亞、次、旅、衆大夫也、其位次卿、師氏、大夫官、以兵守門、千夫長・百夫長、【集解】孔安國曰、師率卒率、及庸・蜀・羌・髳・微・纑・彭・濮人。【集解】孔安國曰、八國皆蠻夷戎狄、羌在西蜀、叟、髳微在巴蜀、纑彭在西北、庸濮在江漢之南、馬融曰、武王所率將來伐紂也、【正義】髳音矛、括地志云、房州竹山縣及金州、古庸國、益州及巴利等州、皆古蜀國、隴右岷洮叢等州以西、羌也、姚府以南、古髳國之地、戎府之南、古微瀘彭三國之地、濮在楚西南、有髳州微濮州瀘府彭州焉、武王率西南夷諸州伐紂也、【考證】錢泰吉曰、正義有髳州微濮州瀘府疑有脫誤、稱爾戈、比爾干、立爾矛、予其誓。【集解】孔安國曰、稱、舉也、王曰、古人有言、牝雞無晨。牝雞之晨、惟家之索。【集解】孔安國曰、索、盡也、喩婦人知外事、雌代雄鳴則家盡也、今殷王紂、維婦人言是用、自弃其先祖肆祀不荅。【集解】鄭玄曰、肆、祭名、荅、問也、【考證】古鈔、南本、婦下無人字、張文虎曰、集解問字疑誤、冊府元龜引作報、昏弃其家國、遺其王父母弟不用。乃維四方之多罪逋逃、是崇是長、是信是使、【集解】孔安國曰、言紂弃其賢臣、而尊長逃亡罪人、信用之也、俾暴虐于百姓、以姦軌于商國。今予發、維共行天之罰。今日之

事、不過六步七步、乃止齊焉。【集解】孔安國曰、今日戰事、不過六步七步、乃止相齊、言當旅進一心也、夫子勉哉。不過於四伐五伐六伐七伐、乃止齊焉。【集解】孔安國曰、伐謂擊刺也、少則四五、多則六七、以爲例也、勉哉夫子。尚桓桓、【集解】鄭玄曰、威武貌、如虎如羆、如豺如離、于商郊。【集解】徐廣曰、此離訓與螭同、不禦克犇、以役西土。【集解】鄭玄曰、禦、彊禦、謂彊暴也、克、殺也、不得暴殺紂師之犇走者、當以爲周之役也、勉哉夫子。爾所不勉、其于爾身有戮。【集解】鄭玄曰、所、言且也、【考證】甲子昧爽以下、采尚書牧誓、誓已。諸侯兵會者、車四千乘。陳師牧野。帝紂聞武王來、亦發兵七十萬人距武王。【考證】梁玉繩曰、四千乘幷諸侯兵、言之、陳子龍曰、紂止發畿內之兵、疑無七十萬之衆也、且三代用兵亦無近百萬者、武王使師尚父與百夫致師。【集解】周禮環人、掌致師、鄭玄曰、致師者、致其必戰之志也、古者將戰、先使勇力之士犯敵焉、春秋傳曰、楚許伯御樂伯、攝叔爲右、以致晉師、許伯曰、吾聞致師者、御靡旌摩壘而還、樂伯曰、吾聞致師者、左射以菆、代御執轡、御下、掚馬掉鞅而還、攝叔曰、吾聞致師者、右入壘、折馘執俘而還、皆行其所聞而復、【正義】致師、挑戰也、以大卒馳帝紂師。

【集解】徐廣曰、帝一作商、【正義】大卒、謂戎車三百五十乘、士卒二萬六千二百五十人、有虎賁三千人、紂師雖衆、皆無戰之心。心欲武王亟入。紂師皆倒兵以戰、以開武王。武王馳之。紂兵皆崩畔紂。紂走反入、登于鹿臺之上、蒙衣其珠玉、自燔于火而死。【正義】衣、音於既反、周書云、甲子夕、紂取天智玉琰五、環身以自焚、注、天智、玉之善者、縫環其身自厚也、凡焚四千玉也、庶玉則銷、天智玉不銷、紂身不盡也、武王持大白旗、以麾諸侯。諸侯畢拜武王。武王乃揖諸侯。【正義】武王率諸侯伐天子、天子已死、諸侯畢賀、故武王揖諸侯、言先拊循其心也、諸侯畢從武王至商國。【正義】謂至朝歌、商國百姓、咸待於郊。於是武王使羣臣告語商百姓曰。上天降休。商人皆再拜稽首。武王亦荅拜。【索隱】武王雖以臣伐君、頗有慙德、不應荅商人之拜、太史公失辭耳、尋上文、諸侯畢拜賀武王、武王尚且報揖、無容遂下拜商人、【考證】張文虎曰、逸周書克殷解、羣賓僉進曰、上天降休、再拜稽首、武王答拜稽首、孔晁注、諸侯賀武王也、是武王答拜諸侯、非答商人、史文殘缺錯亂、遂來小司馬之疑、愚按胡應麟梁玉繩說同、遂入至紂死所、武王自射之、

三發而后下車、以輕劒擊之、【正義】周書作輕呂、擊之、輕呂、劒名也、以黃鉞斬紂頭、縣大白之旗。已而至紂之嬖妾二女。二女皆經自殺。【考證】南本、經作絞、武王又射三發、擊以劒、斬以玄鉞、縣其頭小白之旗。【集解】司馬法曰、夏執玄鉞、宋均曰、玄鉞、用鐵不磨礪、【考證】崔述曰、按聖人之伐暴、以救民也、非讎之而欲甘心焉者也、桀雖虐、湯放之而已、使紂不死、武王必不殺紂、況於已死而殘其屍、何爲也者、春秋時滅國多矣、於其君也、遷之而已、尚未有殺之者、況商周之間、風俗尤厚、而武王聖人也、安有已死而殘其屍者哉、觀於武王之封武庚、聖人之心可以見矣、必無縣紂頭於旗以示僇者、若武王之讎紂如是、則必盡殺其子孫、即不然、亦必囚之放之、烏有反封之者哉、史記之言、葢本之逸周書、劉向所謂孔子所論百篇之餘者也、此本戰國人所撰、其中舛謬良多、不可爲實、史記誤采之耳、武王已乃出復軍。其明日、除道脩社、及商紂宮。及期、百夫荷罕旗以先驅。【集解】蔡邕獨斷曰、前驅有九旒雲罕、東京賦曰、雲罕九旒、薛綜曰、旒、旗名、武王弟叔振鐸奉陳常車、【正義】陳、列也、常車、行威儀車也、【考證】克殷解云、叔振鐸奏拜假、又陳常車、梁玉繩曰、此脫拜假二字、周公旦把大鉞、畢公把小鉞、以夾武王。【考證】梁玉繩曰、畢公乃召公之誤、周書及魯世家作召

公、散宜生・太顚・閎夭、皆執劒以衞武王。既入立于社南。大卒之左右畢從。毛叔鄭奉明水、【集解】周禮曰、司烜氏以鑑取明水於月、鄭玄曰、鑑、鏡屬也、取月之水、欲得陰陽之絜氣、陳明水以爲玄酒、【索隱】明、明水也、舊本皆無水字、今本有水字者多、亦是也、若惟云奉明、其義未見、不知奉明何物也、烜、音毀、【考證】梁玉繩曰、周書云、王入即位于社、大卒之左、羣臣畢從、此誤增右字、脫羣臣字、或云但脫一左字耳、衞康叔封布茲、【集解】徐廣曰、茲者、藉席之名、諸侯疢曰負茲、【索隱】茲一作芷、公明草也、言茲舉成器、言芷見絜草也、【考證】爾雅釋器、蓐謂之茲、姚鼐曰、衞字衍文、召公奭贊采、【正義】贊、佐也、采、幣也、師尚父牽牲。尹佚筴祝曰。【正義】尹佚讀筴書祝文以祭社也、【考證】古鈔、楓、三、南本、尹作史、與周公世家合、南本標記云、祝、鄒之又反、殷之末孫季紂、【正義】周書作末孫受德、受德、紂字也、【考證】周書德字錯簡、殄廢先王明德、侮蔑神祇不祀、昏暴商邑百姓、其章顯聞于天皇上帝。【考證】古鈔、楓、三、南本、先下有成字、古鈔、南本、天皇作皇天、周書克殷解、先王作先成湯、天皇作昊天、於是武王再拜稽首。曰。膺更大命、革殷、受天明命。武王又再拜稽首、乃出。【考證】姚鼐曰、曰字、是尹佚繽讀筴也、此處敍事、與霍光

傳讀奏於皇太后前、中夾以太后語相類、張文虎曰、此文亦本克殷解、文選王元長曲水詩注引周書云、膺受大命、革殷、受天明命、與史同、今本逸周書失此十字、又曰、游王柯凌本、膺更下注、監本作受四字、蓋校者所加、愚按古鈔南本再拜下、無稽首二字、

封商紂子祿父殷之餘民。武王爲殷初定未集、乃使其弟管叔鮮・蔡叔度相祿父治殷。【正義】地理志云、河內殷之舊都、周既滅殷、分其畿內爲三國、詩邶鄘衞是、邶以封紂子武庚、鄘管叔尹之、衞蔡叔尹之、以監殷民、謂之三監、帝王世紀云、自殷都以東爲衞、管叔監之、殷都以西爲鄘、蔡叔監之、殷都以北爲邶、霍叔監之、是爲三監、按二說各異、未詳孰是、【考證】崔述曰、春秋傳云、管蔡啓商、惎間王室、王於是乎殺管叔而蔡蔡叔、又云、管蔡爲戮、周公右王、無有一言及霍叔者、史記殷・周本紀、亦但言管蔡、不言霍叔、皆與左傳合、管蔡世家稱封叔鮮於管、封叔度於蔡、下云二人相紂子武庚祿父、稱封叔鮮叔度於霍則不言、是然則霍叔未嘗監殷明矣、尚書大傳・漢書地理志所云、亦皆與左傳史記說同、不言霍叔、由是言之、以殷畔者、止管蔡二叔、而無霍叔、故左傳云、周公弔二叔之不咸、不稱三叔也、至皇甫謐作帝王世紀、始稱殷都以北爲邶、霍叔監之、僞尚書緣此、采左傳語而增之、遂有致辟管叔于商、囚蔡叔于郭鄰、以車七乘、降霍叔于庶人、三年不齒之文、無稽之說、不足據也、陳啓源曰、殷既三分、三叔當分治、漢志既言管蔡衞鄘、則霍叔監邶、不言可知、又與武庚同國、故略而弗著、非謂武庚亦一監也、蓋二叔監之於外、以戢其羽翼、霍叔監之於內、以定其腹心、當日制殷方畧、想當如此、愚按書金縢篇云、武王既喪、管叔及其羣弟乃流言於國曰、公將不利於孺子、既言羣弟、其非蔡叔一人可知、書序・漢志・大傳皆有三監之語、逸

周書作雒解云、武王克殷、乃立王子祿父、俾守殷祀、建管叔于東、建蔡叔霍叔于殷、俾監殷臣、據此則言霍叔監殷者、不始於皇甫謐、正義後說近是、

已而命召公釋箕子之囚、【集解】徐廣曰、釋一作原、命畢公釋百姓之囚、表商容之閭、命南宮括散鹿臺之財、發鉅橋之粟、以振貧弱萌隸、命南宮括・史佚展九鼎保玉、【集解】徐廣曰、保一作寶、【考證】古鈔・南本、財作錢、與治要所引合、周書、史佚上、南宮括作南宮伯達、展作遷、保玉作三巫、閎白駒曰、保讀爲葆、與寶同、命閎夭・封比干之墓、【正義】封、謂益其土、及畫疆界、括地志云、比干墓在衞州汲縣北十里二百五十步、【考證】張文虎曰、尚書武成疏引、句在表商容下、疑今本錯、命宗祝享祠于軍、乃罷兵西歸。【考證】諸侯兵來會以下、采周書克殷解、行狩、記政事、作武成。【集解】孔安國曰、武功成也、【考證】以上采尚書武成序、古鈔・楓・三・南本、行下有巡字、封諸侯、班賜宗彝、作分殷之器物。【集解】鄭玄云、宗彝、宗廟樽也、作分器、著王之命及受物、【考證】以上采尚書分器序、殷之物三字、疑注文竄入、當作作分器、分器事見左傳定公四年、武王追思先聖王、乃襃封神農之後於焦、【集解】地理志、弘農陝縣有焦城、故焦國也、黃帝之後於祝、【正義】左傳云、祝其實夾

谷、杜預云、夾谷卽祝其也、服虔云、東海郡祝其縣也、帝堯之後於薊、【集解】地理志、燕國有薊縣、帝舜之後於陳、【正義】括地志云、陳州宛丘縣在陳城中、卽古陳國也、帝舜後遏父爲周武王陶正、武王賴其器用、封其子嬀滿於陳、都宛丘之側、大禹之後於杞。【正義】括地志云、汴州雍丘縣、古杞國、地理志云、古杞國理此城、周武王封禹後於杞、號東樓公、二十一代爲楚所滅、【考證】禮記樂記云、武王克殷反商、未及下車、而封黃帝之後於薊、封帝堯之後於祝、封帝舜之後於陳、下車而封夏后氏之後於杞、投殷之後於宋、呂氏春秋愼大篇云、武王勝殷、未下車、封黃帝之後於鑄、封帝堯之後于黎、封帝舜之後於陳、下車命封夏后氏之後於杞、立成湯之後於宋、以奉桑林、與此異、於是封功臣謀士、而師尚父爲首封。封尚父於營丘、曰齊。【集解】爾雅曰、水出其前而左曰營丘、郭璞曰、今齊之營丘、淄水過其南及東、【正義】水經注、今臨菑城中有丘、云、青州臨淄縣、古營丘之地、呂望所封齊之都也、營丘在縣北百步外城中、輿地志云、秦立爲縣、城臨淄水、故曰臨淄也、封弟周公旦於曲阜、曰魯。【集解】應劭曰、曲阜在魯城中、委曲長七八里、【正義】帝王世紀云、炎帝自陳營都於魯曲阜、黃帝自窮桑登帝位、後徙曲阜、少昊邑于窮桑、以登帝位、都曲阜、顓頊始都窮桑、徙商丘、窮桑在魯北、或云、窮桑卽曲阜也、又爲大庭氏之故國、又是商奄之地、皇甫謐云、黃帝生於壽丘、在魯城東門之北、居軒轅之丘、於山海經云、此地窮桑之際、西射之南、是也、括地志云、兗州曲阜縣外城、卽周公旦子伯禽所築、古魯城也、【考證】正義山海經上於字疑衍、封召公奭於

燕。【正義】封帝堯之後於薊、封召公奭於燕、觀其文、稍似重也、水經注云、薊城內西北隅有薊丘、因取名焉、括地志云、燕山在幽州漁陽縣東南六十里、宗國都城記云、周武王封召公奭於燕、地在燕山之野、故國取名焉、按周封以五等之爵、薊・燕二國俱武王立、因燕山薊丘爲名、其地足自立國、薊微燕盛、乃幷薊居之、薊名遂絕焉、今幽州薊縣、古燕國也、封弟叔鮮於管、【正義】括地志云、鄭州管城縣外城、古管國城也、周武王弟叔鮮所封、弟叔度於蔡。【正義】括地志云、豫州北七十里上蔡縣、古蔡國、武王封弟叔度於蔡、是也、縣東十里有蔡岡、因名也、【考證】徐孚遠曰、管蔡俱有分地、而作殷監、蓋雖已受封、而未就國、以監殷民爲重任、猶周公封魯而身相周也、餘各以次受封。【考證】左傳昭公二十八年、成鱄曰、武王克商、光有天下、其兄弟之國者十有五人、姬姓之國者四十人、僖二十四年、富辰曰、周公弔二叔之不咸、故封建親戚、以蕃屛周、管蔡郕霍・魯衞毛聃郜雍曹滕畢原酆郇、文之昭也、邘晉應韓、武之穆也、凡蔣邢茅胙祭、周公之允也、崔述曰、周之封同姓、成鱄以爲武王、富辰以爲周公、以經傳考之、衞封於武王世、魯與晉封於成王世、二子之言、皆不盡合、而姬姓之國、至於四十、晉韓邢茅、必在其內、武王必不自封其子、周公尤不得自封其子也、蓋古人之文、多舉其大略、以克商自武王、故多推本武王言之、富辰與召公對擧、則稱周公、其實乃陸續所封、不可概謂之武王、尤不得專屬之周公也、武王徵九牧之君、登豳之阜、以望商邑。【正義】括地志云、豳州三水縣西十里有豳原、周先公劉所都之地也、豳城在此原上、因公爲名、按蓋武王登此城望商邑、【考證】周書豳作汾、陳仁錫曰、豳原作汾、汾在河北、因汾與邠相近、遂誤爲豳、梁玉繩曰、汾近朝

歌、即郡國志潁川襄城縣之汾丘、若在栒邑之豳、何從登其阜以望商邑乎、姚鼐曰、商、河南之亳、偃師也、此即下文南望三塗、北望嶽鄙之事、武王至于周、自夜不寐。【正義】周、鎬京也、武王伐紂還至鎬京、憂未定天之保安、故自夜不得寐也、周公旦即王所曰、曷爲不寐。王曰、告女。維天不饗殷、自發未生、於今六十年。【考證】中井積德曰、是語不足據也、然其敍年紀則當、曰自發未生、於今六十年、是武王年少於六十也、而或者乃云武王八十四即位、妄甚、麋鹿在牧。【集解】徐廣曰、此事出周書及隨巢子、云、夷羊在牧、牧、郊也、夷羊、怪物也、蜚鴻滿野。【索隱】按高誘曰、蜚鴻、蠛蠓也、言飛蟲蔽田滿野、故爲災、非是鴻鴈也、隨巢子作飛拾、飛拾、蟲也、【正義】淮南子云、夷羊在牧、按夷羊、怪獸也、此云蜚鴻滿野、淮南子云、飛蛩滿野、高誘注云、蛩、蟬、蠛蠓之屬也、按飛鴻拾蛩、則鳥蟲各別、亦須隨文解之、不得引高誘解此也、既云麋鹿在牧、蠛蠓又在野外、則比干商容之屬、忠賢何厝、詩見鴻雁篇、此文飛鴻用比箕子微子比干商容、被其放棄、若飛野外、或殺或去、後君子庶免疑焉、蜚音飛、古飛字也、於今、猶當今、於今六十年、從帝乙十年至伐紂年也、麋鹿在牧、喩讒佞小人在朝位也、飛鴻滿野、喩忠賢君子見放棄也、言紂父帝乙立後、殷國益衰、至伐紂六十年閒、諂佞小人在於朝位、忠賢君子放遷於野、故詩云、鴻鴈于飛、肅肅其羽、之子于征、劬勞于野、毛萇云、之子、侯伯卿士也、鄭玄云、鴻鴈知避陰陽寒暑、喩民知去無道就有道、【考證】姚鼐曰、麋鹿在牧、蜚鴻滿野、今逸周書作夷羊在牧、然鼐意以史記爲是、此即孟子所謂沛澤多而禽獸至、中井積德曰、麋鴻以見田野荒蕪、人民流離之狀也、天

不享殷、乃今有成。【索隱】言上天不歆享殷家、故見災異、我周今乃有成王業者也、維天建殷、其登名民三百六十夫。不顯亦不賓。滅以至今。【集解】徐廣曰、一云不顧亦不賓成、一又云、不顧亦不恤也、【索隱】言天初建殷國、亦登進名賢之人三百六十夫、既無非大賢、未能興化致理、故殷家不大光昭、亦不既擯滅、以至于今也、亦見周書及隨巢子、頗復脫錯、而劉氏音破六爲古、其字義亦無所通、徐廣云、一本作不顧亦不賓成、蓋是學者以周書及隨巢不同、逐音改易耳、隨巢子曰、天鬼不顧、亦不賓滅、天鬼即天神也、【考證】姚鼐曰、言殷有名賢三百六十、既不顯用、亦不賓禮、滅字屬下讀、蔑棄之意、言棄以至今、裴駰屬上讀、非也、張照曰、即詩殷鑒不遠之意、故下文云、我未定天保、何假寐、求賢以自輔、而輾轉反側也、我未定天保。何暇寐。【正義】言殷雖有不明之臣、猶不棄絕其國、以至于今、我雖滅殷、尙未定知天之保安我否、何暇寐而不憂乎、【考證】岡白駒曰、定天保、保定天命也、詩、天保定爾、亦孔之固、王曰。定天保、依天室、悉求夫惡貶從殷王受。【索隱】言今悉求取夫惡人不知天命不順周者、咸貶責之、與紂同罪、故曰貶從殷王受、【正義】貶、退也、受、紂名也、言武王遍求諸罪惡、咸貶退之、莫從殷王受之教令、令歸周之聖化也、【考證】岡白駒曰、天室、帝居也、中井積德曰、天室、蓋土中之謂也、天以爲帝者之宅者、悉求二句未詳、梁玉繩曰、錢唐邵氏泰衢史記疑問云、悉求不順、罪竝殷王、孰謂武王聖德、竟等暴秦之阬誅哉、吹景集依周書、悉作志、我共惡從殷王紂、其論云、索隱之說非也、殲厥渠魁、脅從罔治、曾聖人而淫刑以逞乎、言志我之所共

惡者、亦惟從紂爲虐、如費仲惡來輩、餘固無所問也、書多方曰、我惟大降爾命、爾罔不知降宥也、即其義、錢唐王孝廉庚期云、從、由也、謂當日指以爲惡而貶斥者、乃由于殷王受之不明黜陟、今悉求其人而昭雪之、王說是、愚按、是解亦晦澁難通、姑書備考、日夜勞來我西土。【集解】徐廣曰、一云肯來、【索隱】七字連作一句讀、【正義】勞來、上郎到反、下郎代反、謂撫循慰勉也、我維顯服、及德方明。【正義】服、事也、武王荅周公云、定知天之安保我位、得依天之宮室、退除殷紂之惡、日夜勞民、又安定我之西土、我維明於事、及我之德教施四方、明行之、乃可至於寢寐也、自此已上、至武王至于周、自夜不寐、周公問之、故先書、【考證】方苞曰、顯服、與尙書自服于土中同義、言我思修明政事、當及我德方明、四方歸往之日、而大營土中、爲朝會之地也、自洛汭延于伊汭、居易毋固。其有夏之居。【集解】徐廣曰、夏居河南、初在陽城、後居陽翟、【索隱】言自洛汭及伊汭、其地平易、無險固、是有夏之舊居、【正義】括地志云、自禹至太康、與唐虞皆不易都城、然則居陽城爲禹避商均時、非都之也、帝王世紀云、禹封夏伯、今河南陽翟是、汲冢古文云、太康居斟尋、羿亦居之、桀又居之、括地志云、故鄩城、在洛州鞏縣西南五十八里也、【考證】張文虎曰、易字度邑解作陽、據集解正義、疑所見本亦作陽、愚按、居陽、猶言居上流、固、故通、毋故、無事也、我南望三塗、北望嶽鄙、顧詹有河、【集解】徐廣曰、周書度邑曰、武王問太公曰、吾將因有夏之居也、南望過于三塗、北詹望于有河、【索隱】杜預云、三塗、在陸渾縣南、嶽、蓋河北太行山、鄙、都鄙、謂近嶽之邑、度邑、周書篇名、度、音徒各反、【正義】括地志云、太行恆山連延、東北接碣石、西北

接嶽山、言北望太行恆山之邊鄙都邑也、又晉州霍山、一名太岳、在洛西北、恆山在洛東北、二說皆通、釋例地名云、三塗、在河南陸渾縣南五十里、【考證】古鈔本、楓三、南本、詹作瞻、下同、與周書合、粤詹雒伊、毋遠天室。【正義】粤者、審慎之辭也、言審慎瞻雒伊二水之陽、無遠離、此爲天室也、營周居于雒邑而後去。【正義】括地志云、故王城、一名河南城、本郟鄏、周公新築在洛州河南縣北九里苑內東北隅、自平王以下十二王、皆都此城、至敬王乃遷都成周、至赧王又居王城也、帝王世紀云、王城西有郟鄏陌、左傳云、成王定鼎於郟鄏、京相璠地名云、郟、山名、鄏、邑名、【考證】武王徵九牧之君以下、采周書度邑解文、崔述曰、此本逸周書之文、其意淺而晦、其詞煩而澁、與尙書大不類、且周公之宅洛、以殷民之遷也、是時不惟未遷、兼亦未畔、宅洛何所取焉、將以爲朝會道里均則又無一言及之、蓋後世之人、聞周公之宅洛、而不得其故、揣度之、而以爲武王之所命耳、參存、縱馬於華山之陽、【正義】華山、在華陰縣南八里、山南曰陽也、放牛於桃林之虛、【集解】孔安國曰、桃林、在華山東、【正義】括地志云、桃林、在陝州桃林縣西、山海經云、夸父之山、其北有林焉、名曰桃林、廣員三百里、中多馬、湖水出焉、北流入河也、【考證】楓、三、南本、虛作墟、偃干戈、振兵釋旅、【集解】公羊傳曰、入曰振旅、示天下不復用也。【考證】以上本禮記樂記、又見呂氏春秋愼大篇、韓詩外傳三、王世貞曰、縱馬放牛云者、蓋官不復錄爲兵車用、置之民間、听其耕牧耳、方苞曰、馬牛皆徵之井甸者、事畢縱放、使有司受而還之也、必於野外者、車徒至衆、非城邑所能容也、武王已克殷後二

年、問箕子殷所以亡。箕子不忍言殷惡。以存亡國宜告。集解徐廣曰、存一作前、索隱六字連一句讀、正義箕子殷人、不忍言殷惡、以周國之所宜、言告武王、爲洪範九類、武王以類問天道、考證梁玉繩曰、評林王鏊云、此句疑有誤、不可解、方氏補正云、此隱括洪範而爲言也、鯀殛禹興存亡之迹、九疇皆有國者所宜用、說本正義、王孝廉云、依方氏說、則下文不可接、葢下文問天道、乃陳範耳、竊意存亡國、卽興滅繼絕之意、宜者義也、以義所當行者告武王、武王亦醜。故問以天道。考證洪範經及序不言此事、史公葢有所傳、醜愧同、慶長本校注云、一本無故字、武王病、天下未集、羣公懼穆卜。集解孔安國曰、穆、敬也、周公乃祓齋、正義祓音廢、又音拂、齋音札皆反、祓、謂除不祥求福也、自爲質、欲代武王。正義質音至、周公祓齋、自以贄幣告三王、請代武王、武王病乃瘳也、考證楓三南本、作贄、中井積德曰、自爲贄、以軀爲贄、武王有瘳、後而崩。集解徐廣曰、封禪書曰、武王克殷二年、天下未寧而崩、皇甫謐曰、武王定位元年、歲在乙酉、六年庚寅崩、駰按皇覽曰、文王武王周公冢皆在京兆長安鎬聚東社中也、正義括地志云、武王墓在雍州萬年縣西南二十八里畢原上也、考證武王病以下、本書金縢、梁玉繩曰、武王在位之年、無經典明文、封禪書作二年、漢書律歷志作八年、竝爲西伯十一年、而詩豳風譜疏謂鄭氏以武王疾瘳後二年崩、是在位四年、又引王肅云、伐紂後六年崩、周書明堂解、竹書紀年、及周紀集解引皇甫謐竝云六年、管子小問篇作七年、淮南子要略訓作三年、路史發揮夢齡篇注、合武

王嗣西伯爲七年、所說不同、後儒多從管子、如稽古錄、外紀、通志等俱是七年、余謂當依周書爲近、又曰、後下有闕文、愚按古鈔本後下有二年二字、禮記云、武王年九十三、未必信、太子誦代立。是爲成王。成王少。周初定天下。周公恐諸侯畔。周公乃攝行政當國。管叔·蔡叔羣弟疑周公、與武庚作亂畔周。周公奉成王命。伐誅武庚·管叔、放蔡叔、以微子開代殷後、國於宋。正義今宋州也、考證賈誼曰、成王年六歲、卽位享國、鄭玄曰、武王崩時成王年十歲、王肅曰、武王崩、成王年十三、公羊傳正義引古尙書說云、武王崩時成王年十三、諸說不一、愚按書金縢云、周公居東二年、秋、王興大夫盡弁以啓金縢之書、則成王是時已冠矣、曰武王崩時年十三者近是、古鈔、楓三、南本、管叔上有殺字、與御覽類聚所引合、周書作洛解云、管叔經而卒、以微子開代殷後、本書微子之命序、宋、今歸德府商邱縣、頗收殷餘民、以封武王少弟封爲衞康叔。正義尙書洛誥云、我卜瀍水東、亦惟洛食、以居邶鄘衞之衆、又多士篇序云、成周既成、遷殷頑民、按是爲東周、古洛陽城也、括地志云、洛陽故城、在洛州洛陽縣東北二十六里、周公所築、卽成周城也、輿地志云、以周地在王城東、故曰東周、敬王避子朝亂、自洛邑東居此、以其迫阨不受王都、故壞翟泉而廣之、按武王滅殷國、爲邶鄘衞、三監尹之、武庚作亂、周公滅之、徙三監之民、於成周、頗收其餘衆、以封康叔爲衞侯、卽今衞州是也、孔安國云、以三監之餘民國

康叔爲衞侯、周公懲其數叛、故使賢母弟主之也、考證頗收以下、本書康誥序、中井積德曰、頗云者、其餘猶在邶鄘、其頑者固徙成周、衞、今河南衞輝府、晉唐叔得嘉穀、獻之成王。集解鄭玄曰、二苗同爲一穗、成王以歸周公于兵所。集解徐廣曰、歸、一作餽、周公受禾東土、魯天子之命。集解徐廣曰、尙書序云、旅天子之命、考證以上采書歸禾嘉禾序、中井積德曰、魯字衍、姚鼐說同、愚按書序亦無、魯旅通、陳也、張文虎曰、命下當有作嘉禾三字、愚按三字不必補、初管·蔡畔周。周公討之、三年而畢定。故初作大誥、次作微子之命。集解孔安國曰、封命之書、考證南化本、不重周字、次歸禾、次嘉禾、次康誥·酒誥·梓材。集解孔安國曰、告康叔以爲政之道、亦如梓人之治材也、考證以上本書序、古鈔本、楓三、南本、無次嘉禾三字、愚按有者是、其事在周公之篇。考證梁玉繩曰、公是書之誤、愚按此斥魯周公世家、非誤、周公行政七年。考證書洛誥、惟周公誕保文武受命、惟七年、周書明堂解、韓非子難篇、尙書大傳、禮記明堂位、韓詩外傳所記皆同、成王長、周公反政成王、北面就羣臣之位。成王在豐。使召公復營洛邑、如武王之意。周公復卜、申視、卒營築居九鼎焉。

曰。此天下之中、四方入貢、道里均。作召誥·洛誥。考證書召誥序云、成王在豐、欲宅洛邑、使召公先相宅、作召誥、洛誥序云、召公既相宅、周公往營成周、使來告卜、作洛誥、崔述曰、左傳宣公三年云、成王定鼎于郟鄏、卜世三十、卜年七百、則遷鼎於洛者成王也、而桓二年傳云、武王克商、遷九鼎於洛邑、與此異者、葢古人之文、多大畧言之、遷鼎由於克商、克商、武王之事、不可云成王克商、遷九鼎於洛邑、故統之於武王耳、成王既遷殷遺民。周公以王命告。作多士·無佚。考證采書多士序、王若虛曰、多士爲殷民而作、無逸爲成王而作、在本紀則并無逸爲告殷民、在魯世家、則并多士爲戒成王、不惟牴牾于經、而自相矛盾亦甚矣、召公爲保、周公爲師、考證采書君奭序、東伐淮夷、殘奄、集解鄭玄曰、奄國、在淮夷之北、正義奄、音於險反、括地志云、泗水徐城縣北三十里、古徐國、卽淮夷也、兗州曲阜縣奄里、卽奄國之地也、遷其君薄姑。集解馬融曰、齊地、正義括地志云、薄姑故城、在青州博昌縣東北六十里、薄姑氏、殷諸侯、封於此、周滅之也、考證采書成王政將蒲姑序、書序薄姑作蒲姑、君下有于字、尙書大傳云、武王殺紂而繼公子祿父、使管叔蔡叔監祿父、武王死、成王幼、周公盛養成王、使召公奭爲傅、周公身居位、聽天下爲政、管叔疑周公、流言于國曰、公將不利于王、奄君薄姑、謂祿父曰、武王既死矣、今王尙幼矣、周公見疑矣、此世之將亂也、請舉事、然後祿父及三監叛也、周公以成公之命殺祿父、遂踐奄、踐之云者、謂殺其身、執其家、瀦其宮、愚按書序以蒲姑爲地名、此以薄姑爲奄之君名、所傳不同、成王自奄

歸、在宗周。【正義】伐奄歸鎬京也、作多方。【集解】孔安國曰、告衆方天下諸侯、【考證】采書多方序、既絀殷命、襲淮夷、歸在豐。作周官。【集解】孔安國曰、言周家設官分職用人之法、古文尚書序、周官書篇名、【考證】采書周官序、興正禮樂、度制於是改、而民和睦、頌聲興。【集解】何休曰、頌聲者、太平歌頌之聲、帝王之高致也、成王既伐東夷、息愼來賀。王賜榮伯。作賄息愼之命。【集解】孔安國曰、賄、賜也、馬融曰、榮伯、周同姓、畿內諸侯、爲卿大夫也、【考證】成王既伐以下、采書賄肅愼之命序、書序賜作俾、成王將崩。懼太子釗之不任、【正義】釗、音招、又古堯反、任、而針反、乃命召公・畢公、率諸侯以相太子而立之。成王既崩。二公率諸侯、以太子釗見於先王廟、申告以文王・武王之所以爲王業之不易、務在節儉、毋多欲、以篤信臨之。作顧命。【集解】鄭玄曰、臨終出命、故謂之顧、顧將去之意也、【考證】成王將崩以下、采書顧命及序、太子釗遂立。是爲康王。康王卽位、偏告諸侯、宣告以文武之業以申之。作康

誥。【考證】康王卽位以下、采書康王之誥序、古鈔本、南本、康下有王字、愚按疑脫之王二字、故成康之際、天下安寧、刑錯四十餘年不用。【集解】應劭曰、錯、置也、民不犯法、無所置刑、【考證】中井積德曰、錯、是廢舍之義、康王命作策。畢公分居里、成周郊。作畢命。【集解】孔安國曰、分別民之居里、異其善惡也、成定東周郊境、使有保護也、【考證】康王命以下、采書畢命序、序無公字、古鈔、南本無分字、康王卒。【考證】古鈔本、南化本、卒作崩、梁玉繩曰、史公諸本紀、天子皆書崩、而有書殺者五、周幽王、哀王、思王、及秦二世父子也、有書死者五、夏桀、殷武乙、辛受、周厲王、秦武王也、或殘虐無道、或傷戕短命、其貶之固宜、而周紀又雜書卒者三、未曉何故、昭王不返、赧王遂亡、則降書以卒、猶可言耳、若康王之賢、與成並稱、豈得下同昭赧乎、夫前之文王當書卒者也、而僭書曰崩、此之康王當書崩者也、而降書曰卒、失義例矣、愚按、史文作崩、古、南本可證、今本傳寫之訛、子昭王瑕立。昭王之時、王道微缺。昭王南巡狩不返、卒於江上。其卒不赴告。諱之也。【正義】帝王世紀云、昭王德衰、南征、濟于漢、船人惡之、以膠船進王、王御船至中流、膠液船解、王及祭公俱沒于水中而崩、其右辛游靡、長臂且多力、游振得王、周人諱之、【考證】左傳僖公四年云、昭王南征而不復、帝王世紀本呂氏春秋音初篇、振者振其尸也、立昭王子滿。是爲穆王。穆王卽位、春秋已五十矣。王道衰微。

穆王閔文武之道缺、乃命伯臩申誡太僕國之政。作臩命。復寧。【集解】孔安國曰、伯冏、臣名也、徐廣曰、誡一作部、應劭曰、太僕、周穆王所置、蓋太御、衆僕之長、中大夫也、【正義】尚書序云、穆王令伯臩爲太僕正、應劭云、太僕、周穆王所置、蓋太御、衆僕之長、中大夫也、【考證】王使伯冏申誡太僕以國政也、尚書序云、穆王命伯冏爲周大僕正、作冏命、與此異、梁玉繩曰、復寧、受上文武道缺而言、穆王將征犬戎。【集解】徐廣曰、一作畎、祭公謀父諫曰。不可。【集解】韋昭曰、祭、畿內之國、周公之後、爲王卿士、謀父、字也、【正義】括地志云、故祭城在鄭州管城縣東北十五里、鄭大夫祭仲邑也、釋例云、祭城、在河南、上有敖倉、周公後所封也、先王燿德不觀兵。【正義】言先王以德光燿四方、不用兵革征伐也、夫兵戢而時動。動則威。觀則玩。玩則無震。【集解】韋昭曰、震、懼也、【考證】中井積德曰、震亦威也、是故周文公之頌曰。載戢干戈。載櫜弓矢。我求懿德、肆于時夏。允王保之。【集解】韋昭曰、文公、周公旦之謚、唐固曰、櫜、韜也、韋昭曰、言武王常求美德、故陳其功、於是夏而歌之、信哉武王能保此時夏之美、樂章大者曰夏、【正義】顧野王曰、戢、藏兵也、【考證】詩周頌時邁篇、夏指天下而言、武王求美德、而布其德於此中夏、信王天下而保有之也、韋注以夏爲夏聲、非、先王之於民也、茂正其德、而厚其

性、阜其財求、而利其器用、明利害之鄉、【集解】韋昭曰、鄉、方也、【考證】茂通作懋、勉也、汪遠孫曰、求、古賕字、賕亦財也、財賕與下器用作對文、愚按左傳文公十七年、晉郤缺解夏書云、正德利用厚生、謂之三事、與此相合、性卽生也、以文脩之、使之務利而辟害、懷德而畏威。故能保世以滋大。昔我先王世后稷、以服事虞夏。【集解】韋昭曰、謂弃與不窋也、唐固曰、父子相繼曰世、【考證】弃、不窋、宜稱先公、然是王者之祖、子孫相語、尊爲先王、亦宜然之事、楚人曰、我先王熊繹、蓋亦此之類、中井積德曰、世、猶世世也、棄之後、不窋之前、又有數世也、及夏之衰也、【正義】謂太康也、【考證】蓋孔甲以後、弃稷不務。【正義】言太康弃廢稷官、我先王不窋、用失其官、而自竄於戎狄之閒、不敢怠業、時序其德、遵脩其緒、【集解】徐廣曰、遵、一作選、【考證】國語遵作纂、古鈔、楓、三、南本、脩作循、愚按脩字與下文複、作循爲長、脩其訓典、朝夕恪勤、守以敦篤、奉以忠信、奕世載德、不忝前人。【正義】前人、謂后稷也、言不窋亦世載德、不忝后稷、及文王武王、無不務農事、【考證】楓、三、南本、載作戴、至于文王・武王、昭前之光明、而加之以慈和、事神保民、無不

欣喜。商王帝辛、大惡于民。庶民不忍、訢戴武王、以致戎于商牧。[正義]紂近郊地名牧野、[考證]兪樾曰、大惡於民、猶云大虐於民、是故先王非務武也。勤恤民隱、而除其害也。夫先王之制、邦內甸服、邦外侯服、侯衞賓服、[集解]韋昭曰、此總言之也、侯、侯圻、衞、衞圻也、[考證]隱、痛也、邦字不諱者何也、夷蠻要服、戎翟荒服。[考證]周語夷蠻作蠻夷、甸服者祭、[集解]韋昭曰、供日祭、侯服者祀、[集解]韋昭曰、供月祀、賓服者享、[集解]韋昭曰、供時享、要服者貢、[集解]韋昭曰、供歲貢、荒服者王。[集解]韋昭曰、王、王事天子也、詩曰、莫敢不來王、[正義]終一王而繼立者、乃來朝享、日祭、月祀、時享、歲貢、終王、先王之順祀也。[集解]徐廣曰、外傳云、先王之訓、[考證]順讀爲訓、祀字涉上文誤衍、周語無、有不祭則脩意。[集解]韋昭曰、先脩志意以自責也、畿內近、知王意也、有不祀則脩言。[集解]韋昭曰、言號令也、有不享則脩文。[集解]韋昭曰、文典法也、有不貢則脩名。[集解]韋昭曰、名、謂尊卑職貢之名號也、有不王則脩德。[集解]韋昭曰、遠人不服、則脩文德以來之、序成而有不至、

則脩刑。[集解]韋昭曰、序成、謂上五者次序已成、有不至、則有刑罰也、於是有刑不祭、伐不祀、征不享、讓不貢、告不王。於是有刑罰之辟。有攻伐之兵。有征討之備。有威讓之命。有文告之辭。布令陳辭、而有不至、則增脩於德、無勤民於遠。[正義]言勤憂萬民、無嫌於遠也、勤、勞也、言不遠征蠻夷、是以近無不聽、遠無不服。今自大畢伯士之終也、[集解]徐廣曰、犬戎之君、犬戎氏以其職來王。[正義]賈逵云、大畢伯士、犬戎氏之二君也、白狼白鹿、犬戎之職貢也、按大畢伯士終後、犬戎氏常以其職來王、天子曰。[正義]祭公申穆王之意、故云天子曰、予必以不享征之、且觀之兵。無乃廢先王之訓。而王幾頓乎。[正義]幾、音祈、[考證]古鈔、楓、三、南本、兵下有矣其二字、韋昭曰、幾、危也、頓、敗也、兪樾曰、幾語詞、其也、王幾頓乎、王其頓乎、頓者疲勞之意、吾聞犬戎樹敦、[集解]徐廣曰、樹、一作檄、駰案韋昭曰、樹、立也、言犬戎立性敦篤也、[考證]中井積德曰、樹、建國也、愚按樹敦、犬戎國主名、諸說恐非、率舊德而守終純。固其有以禦我矣。[正義]犬戎能守終極純一堅固之德、必有禦王師也、[考證]龜井昱曰、

率舊德、率大畢伯士之舊業也、愚按、守終純句、固字屬下讀、王遂征之。得四白狼四白鹿以歸。自是荒服者不至。諸侯有不睦者。[考證]穆王將征以下、采國語周語、內甸服至歲貢終王、又見荀子正論篇、甫侯言於王、作脩刑辟。[集解]鄭玄曰、書說云、周穆王以甫侯爲相、[考證]尚書甫作呂、孔疏云、禮記書傳引此篇多稱爲甫刑、詩崧高云、生甫及申、揚之水云、不與我戍甫、明子孫改封甫侯、不知因呂國改爲甫名、不知別封爲甫號、然子孫封甫、穆王時未有甫名、後人以子孫之國號名之、宣王以後改呂爲甫也、崔述曰、呂與甫古多通用、故崧高揚水皆作申甫、而春秋傳作申呂、此蓋傳寫異文、王曰。吁、來、有國有土。告汝祥刑。[集解]孔安國曰、告汝善用刑之道也、在今爾安百姓。何擇非其人。[集解]王肅曰、訓以安百姓之道、當何所選擇乎、非當選擇賢人乎、何敬非其刑。何居非其宜與。[集解]孔安國曰、當何所敬、非唯五刑、當何所居、非唯及世輕重所宜乎、[考證]今本尚書何居非其宜作何度非及、史公讀度爲宅、故以居易之、居猶處置也、兩造具備、[集解]徐廣曰、造、一作遭、[考證]周禮、以兩造聽民訟、注、造、至也、使訟者兩至、錢大昕曰、徐廣云、造一作遭、兩遭猶兩曹、說文、曹、獄之兩曹也、師聽五辭。[集解]孔安國曰、兩謂囚證、造、至也、兩至具備、則衆獄官聽其入五刑辭、[正義]漢書刑法志云、五聽、一曰辭聽、二曰色聽、三曰氣聽、四曰耳聽、五曰目聽、周禮云、辭不直則言繁、目不直則視眊、耳不直則對荅惑、色

不直則貌赧、氣不直則數喘也、五辭簡信、正於五刑。[集解]孔安國曰、五辭簡核、信有罪驗、則正之於五刑矣、五刑不簡、正於五罰。[集解]孔安國曰、不簡核、謂不應五刑、當正五罰、出金贖罪也、[正義]應、乙陵反、下同、應、當也、[考證]沈家本曰、舊說五罰即贖刑、然以呂刑之文攷之、罰與贖爲二事、言五罰是罰有五等、五罰次于五刑、則五刑當各有罰、此五罰常刑也、非疑而赦者也、五罰有疑則赦從免矣、五罰不服、正於五過。[集解]孔安國曰、不服、不應罰也、正於五過、從赦免之、五過之疵、官獄內獄、閱實其罪。[集解]孔安國曰、使與罰名相當、[索隱]按呂刑云、惟官、惟反、惟內、惟貨、惟來、今此似闕少、或從省文、[正義]官獄、謂公案正直也、內獄、謂心案無枉濫也、[考證]孫星衍曰、官獄內獄者、擧其重也、官獄、謂貴官之獄、內獄、謂中貴之獄、或畏高明、或投鼠忌器也、惟鈞其過。[集解]馬融曰、以此五過出入人罪、與犯法者等、五刑之疑有赦。五罰之疑有赦。其審克之。[集解]孔安國曰、刑疑赦從罰、罰疑赦從免、其當淸察能得其理也、[考證]疑、謂其法可議、其情可矜者、說詳下文、簡信有衆。惟訊有稽。[集解]孔安國曰、簡核誠信、有合衆心、惟察其貌、有所考合、重之至也、[索隱]惟訊、訊、依尚書音貌也、[考證]尚書訊作貌、史公所傳異、訊、鞫也、集解、楓、三本、重下有刑字、與書傳合、無簡不疑、共嚴天威。[集解]孔安國曰、無簡核誠信、不聽治其獄、當嚴敬天威、無輕用刑、[考證]段玉裁曰、疑經作聽、作疑乃今文、張文虎曰、集解但引書傳、索

隱正義無辨、是所見本皆作聽、今本傳寫誤、黥辟疑赦。其罰百率。閱實其罪。【集解】徐廣曰、率卽鍰也、音刷、孔安國曰、六兩曰鍰、鍰、黃鐵也、【索隱】鍰、黃鐵、鋝亦六兩、故馬融曰、鋝、量名、與呂刑鍰同、舊本率亦作選、劓辟疑赦。其罰倍灑。閱實其罪。【集解】徐廣曰、灑一作蓰、五倍曰蓰、孔安國曰、倍百爲二百鍰也、【索隱】灑、音戾、蓰、音所解反、【考證】梁玉繩曰、蓰者五倍之名、臏刑重于劓、刑罰止倍差、豈有劓刑加罰倍蓰之理、當依呂刑作惟倍、中井積德曰、灑字蓋衍文、臏辟疑赦。其罰倍差。閱實其罪。【集解】馬融曰、倍二百爲四百鍰也、差者又加四百之三分一、凡五百三十三三分一也、【正義】倍中之差、二百去三分一、合三百三十三鍰二兩也、宮刑、其罰五百、臏刑既輕、其數豈加、故知孔馬之說非也、【考證】中井積德曰、倍差、謂倍而又有等差也、倍爲四百鍰、較重者五百鍰、輕者三百鍰、皆臏罰也、宮辟疑赦。其罰五百率。閱實其罪。【集解】徐廣曰、五、一作六、大辟疑赦。其罰千率。閱實其罪。【考證】馬端臨曰、熟讀呂刑、哀矜惻怛之意、千載之下、猶使人爲之感動、且拳拳乎訖富惟貨之誡、則其不爲聚斂征求設也審矣、其曰墨辟疑赦、其罰百鍰、蓋謂犯墨法之中疑其可赦者、不遽赦之、而姑取其百鍰以示罰耳、繼之曰、閱實其罪、蓋言罪之無疑則刑、可疑則贖、皆當閱其實也、其所謂疑者何也、蓋唐虞之時、刑清律簡、是以贖金之法、止及鞭扑、而五刑無贖法、至於周而律之繁極矣、五刑之屬、至于三千、若一按之律、盡從而刑之、莫非投機觸罟者、天下之人、無完膚矣、是以穆王哀之、而五刑之疑、各以贖論、姑以大辟

一條言之、夫所犯者死罪、而聽其贖金以免、誠不可以訓也、然大辟之屬二百、則豈無疑赦、而在可議之列者、有如殺人反逆之類、則是不可不殺、雖萬鍰亦難貰死矣、而二百之屬、其罪不皆至此也、以經傳考之、其在周則王制之析言破律、行僞學非、酒誥之羣飮、其在漢則列侯坐酎金不敬、將帥出師失期之類、於律皆死罪也、而其情則可矜、其法則可議、豈必盡殺之乎、此則死罪之疑赦者也、意周所以斷斯獄、必在其罰千鍰之科、而漢制則不過或除其國、或贖爲庶人、亦其遺意也、蓋哀矜庶獄、乃此書之大旨、贖特其一事、墨罰之屬千。劓罰之屬千。臏罰之屬五百。宮罰之屬三百。大辟之罰。其屬二百。五刑之屬三千。命曰甫刑。【考證】甫侯言於王以下、采尙書呂刑、周官秋官司刑、掌五刑之法、以麗萬民之罪、墨罪五百、劓罪五百、宮罪五百、刖罪五百、殺罪五百、與此異、穆王立五十五年崩。【考證】左傳昭公十二年云、穆王欲肆其心、周行天下、將皆必有車轍馬跡焉、祭公謀父作祈招之詩、以止王心、王是以獲沒於祗宮、穆王巡遊事見秦本紀及列子穆王篇、穆天子傳、又按呂刑云、穆王享國百年、此云立五十五年崩、何也、子共王繄扈立。【索隱】系本作伊扈、共王游於涇上。密康公從。【集解】韋昭曰、康公、密國之君、姬姓也、【正義】括地志云、陰密故城、在涇州鶉觚縣西、東接縣城、故密國也、有三女犇之。其母曰。必致之王。【集解】列女傳曰、康公母姓隗氏、夫獸三爲羣。人三爲衆。

女三爲粲。王田不取羣。【正義】曹大家云、羣衆粲、皆多之名也、田獵得三獸、王不盡收、以其害深也、【考證】韋昭曰、粲、美貌也、不取羣、不盡羣、中井積德曰、三獸在一處者、不掩盡取之也、公行下衆。【正義】曹大家云、公、諸侯也、公之所行、與衆人共議也、【考證】各本公行下、有不字、古鈔、楓、三、南本無、與國語列女傳合、梁玉繩張文虎皆云、當衍、今削、韋昭曰、下衆不敢誣衆也、禮、國君下卿位、過衆則式、禮之也、王御不參一族。【集解】韋昭云、御、婦官也、參、三也、一族、一父子也、故取姪娣以備三、不參一族之女也、夫粲、美之物也。衆以美物歸女。而何德以堪之。王猶不堪。況爾之小醜乎。小醜備物、終必亡。康公不獻。一年共王滅密。【考證】共王游以下、采國語周語、共王崩。子懿王囏立。【索隱】世本作堅、懿王之時、王室遂衰。詩人作刺。【索隱】宋忠曰、懿王自鎬徙都犬丘、一曰廢丘、今槐里是也、時王室衰、始作詩也、【考證】古鈔、楓、三、南本、之時作立、漢書匈奴傳云、懿王時、戎狄交侵、中國被其苦、詩人始作疾而歌之曰、靡室靡家、玁允之故、懿王崩。共王弟辟方立。是爲孝王。孝王崩。諸侯復立懿王太子燮。是爲夷王。【正義】紀年云、三年致諸侯、烹齊哀公于鼎、帝王世紀云、十六年崩也、【考證】張文虎曰、辟方、世表無辟字、詩王風譜引此紀與今本同、崔述

曰、懿王之崩、子若弟不得立、而立孝王、孝王之崩、子又不立、而仍立懿王子、此必皆有其故、史失之耳、齊侯烹、又見齊世家及公羊傳莊公四年、夷王崩。【考證】左傳昭公二十六年云、至于夷王、王愆于厥身、諸侯莫不竝走其望、以祈王身、禮記郊特牲云、下堂而見諸侯、天子之失禮、由夷王以下、子厲王胡立。厲王卽位三十年、【考證】芮良夫諫用榮夷公、與召公諫監謗二事、國語不記其年、他書亦無所徵、此云卽位三十年、下云三十四年、未知何據、好利近榮夷公。大夫芮良夫諫厲王曰。【正義】芮伯也、【考證】周語、無諫厲王三字、王室其將卑乎。夫榮公好專利、而不知大難。夫利百物之所生也。天地之所載也。而有專之。其害多矣。【考證】周語有作或、天地百物皆將取焉、何可專也。所怒甚多、而不備大難。以是教王、王其能久乎。【考證】龜井昱曰、榮公害物多、故物之怒亦多也、愚按、教王者榮公也、夫王人者、將導利而布之上下者也。使神人百物無不得極。猶日怵惕、懼怨之來也。【集解】韋昭曰、極、中也、【正義】極至也、夫王人者、將導引其利、而偏布之命、上下共同也、故神人百物、皆得至其利、而猶日怵惕恐懼之來責也、怵、人質反、【考證】各本日作曰、今

依正義及古鈔、中彭本、中韓本、陳仁錫引古本、羣書治要訂、周語亦作曰、故頌曰、思文后稷、克配彼天。立我蒸民、莫匪爾極。大雅曰、陳錫載周。【集解】唐固曰、言文王布錫施利、以載成周道也、【考證】詩周頌思文、大雅文王、是不布利而懼難乎。故能載周以至于今。今王學專利。其可乎。匹夫專利、猶謂之盜。王而行之、其歸鮮矣。榮公若用、周必敗也。【考證】三、南本、歸下有者字、韋昭曰、歸附周者寡矣、厲王不聽。卒以榮公爲卿士用事。王行暴虐侈傲。國人謗王。召公諫曰、民不堪命矣。【集解】韋昭曰、召康公之後穆公虎、爲王卿士也、王怒。得衞巫使監謗者。【集解】韋昭曰、衞國之巫也、【正義】監、音口銜反、監、察也、以巫人神靈、有謗毀必察也、以告則殺之。其謗鮮矣。諸侯不朝。三十四年、王益嚴。國人莫敢言。道路以目。【集解】韋昭曰、以目相眄而已、厲王喜、告召公曰、吾能弭謗矣。乃不敢言。召公曰、是鄣之也。防民之口、甚於防水。

水壅而潰、傷人必多。民亦如之。是故爲水者決之使導。爲民者宣之使言。故天子聽政、使公卿至於列士獻詩。【正義】詩風刺、上瞽獻曲。【集解】韋昭曰、曲、樂曲、史獻書【正義】史、太史也、上書諫、師箴、【正義】箴、音針、師、樂太師也、上箴戒之文、瞍賦【集解】韋昭曰、無眸子曰瞍、賦公卿列士所獻詩也、矇誦、【集解】韋昭曰、有眸子而無見曰矇、周禮矇主弦歌諷誦箴諫之語也、百工諫、庶人傳語、【集解】韋昭曰、庶人卑賤、見時得失、不得達、傳以語王、【正義】傳、音逐緣反、庶人微賤、見時得失、不得上言、乃在街巷相傳語、近臣盡規、【集解】韋昭曰、近臣驂僕之屬、【正義】規度時之得失也、【考證】兪樾曰、盡藎通、爾雅釋詁、藎、進也、親戚補察、【正義】言親戚補王過失、及察是非也、瞽史教誨、【集解】韋昭曰、瞽、樂太師、史、太史也、耆艾脩之、【集解】韋昭曰、耆艾、師傅也、脩理瞽史之教以聞於王、【考證】中井積德曰、修之二字都承前文、不止瞽史、而后王斟酌焉。是以事行而不悖。民之有口也、猶土之有山川也。財用於是乎出。猶其有原隰衍沃也。衣食於是乎生。【集解】唐固曰、下平曰衍、有溉曰沃、口之宣言也、善敗於是乎興。

行善而備敗、所以產財用衣食者也。夫民慮之於心、而宣之於口、成而行之。若壅其口、其與能幾何。王不聽。於是國莫敢出言。【考證】張文虎曰、詩小大雅譜疏引、國下有人字、三年乃相與畔襲厲王。厲王出奔於彘。【集解】韋昭曰、彘、晉地、漢爲縣、屬河東、今曰永安、【正義】括地志云、晉州霍邑縣本漢彘縣、後改彘曰永安、從鄗犇晉也、【考證】厲王即位以下采國語周語、今平陽府霍州有彘城、元和志、即周厲王所奔之地、厲王太子靜、匿召公之家。國人聞之、乃圍之。召公曰、昔吾驟諫王。王不從、以及此難也。今殺王太子、王其以我爲讐而懟怒乎。夫事君者、險而不讐懟、【集解】韋昭曰、在危險之中、【考證】古鈔、楓、三、南本、讐而懟怒、作懟而怒、下無讐字、與國語合、兪樾曰、險與慊通、恨也、與下句怨而不怒一律、怨而不怒。況事王乎。乃以其子代王太子。太子竟得脫。【考證】以上采國語周語、崔述曰、周民之居厲王於彘、苦其暴虐、不得已而出之、使不得肆虐於己耳、非必殄滅之無遺育、而後甘心也、王出則已、不讎王也、況太子乎、召公賢臣也、於王子固當全之、豈必避懟王之嫌而後如是、諫王爲社稷也、免王子

固爲社稷也、藉令召公未有諫王不從之事、將遂執太子以與國人、而聽其殺之乎、然則謂宣王避亂而奔召公之宮、或有之、若謂國人圍而欲殺之、召公避嫌而後以子代之、則必無之事、召公・周公二相行政。號曰共和。【索隱】共、音如字、若汲冢紀年則云、共伯和干王位、共、音恭、共國伯爵、和其名、干、篡也、言共伯攝王政、故云干王位也、【正義】共、音巨用反、韋昭云、彘之亂、公卿相與和而脩政事、號曰共和也、魯連子云、衞州共城縣、本周共伯之國也、共伯名和、好行仁義、諸侯賢之、周厲王無道、國人作難、王犇于彘、諸侯奉和以行天子事、號曰共和元年、十四年、厲王死於彘、共伯使諸侯奉王子靖爲宣王、而共伯復歸國于衞也、世家云、釐侯十三年、周厲王出犇于彘、共和行政焉、二十八年、周宣王立、四十二年、釐侯卒、太子共伯餘立爲君、共伯弟和襲攻共伯於墓上、共伯入釐侯羨自殺、衞人因葬釐侯旁、諡曰共伯、而立和爲衞侯、是爲武公、按此文、共伯不得立、而和立爲武公、武公之立、在共伯卒後、年歲又不相當、年表亦同、明紀年及魯連子非也、【考證】周公元子伯禽就封于魯、次子留宰周室、世爲周公、食采于雍、崔述曰、竹書紀年稱共伯和干王位、蘇氏古史采之云、厲王居彘、諸侯無所適從、共伯和者、時之賢諸侯也、諸侯皆往宗焉、因以名其年、謂之共和、余按人君在外、大臣代之出政、常也、襄公之執、子魚攝宋、昭公之奔、季孫攝魯、厲王既出、周召共攝周政、事固當然、不足異也、若必諸侯而行天子之事、則天下之大變也、傳曰、干王之位、禍孰大焉、又曰、周德雖衰、天命未改、共和果賢諸侯、詎應如是、春秋至閔僖以後、天下之不知有王久矣、然齊桓晉文、猶藉天子之命以服諸侯、不敢公然攝天子事也、況西周之世、烏得有此事、且夫召穆公、周之賢相也、能諫厲王之虐、能佐宣王以興、夫豈不能代理天下事、而諸侯必別宗一共伯和乎、齊桓晉文之霸、傳記之紀述稱論者、指不勝

屆，況攝天子之事，尤爲震動天下，而經傳反泯然無一語稱之，亦無是理也。竹書紀年，唐人多有稱述者，其文往往與史記異，以經傳考之，自周東遷以後，史記不如紀年得實，自周東遷以前，紀年不如史記近正，蓋此書乃戰國時所撰，東遷以後，本之晉魏舊史，而東遷以前，則簡策多逸，或旁采異端之說以補之，是以不能無謬，猶之史記紀漢事多得實，紀三代事多失眞也。共和之名年，疑本因二相和衷共攝而稱之，傳之既久，而失其詳，遂誤以爲有共伯和攝之，撰紀年者，因從而載之耳，至於今世所稱傳紀年一書，又不知何人所撰，唐人所引，大半無之，而其文往往反採之漢書律歷志及僞古文尚書經傳，此尤不足論矣。古史又據春秋傳諸侯釋位，以問王政，及莊子共伯得之於共首之語，爲共伯和之證，然莊子所稱述，本不皆實有其人，而亦未見此文，共伯之卽爲干王位人也，春秋傳諸侯釋位云云，亦言諸侯爲王卿大夫者，因厲王在外，解官歸國耳，與共伯事自別。愚按崔氏所引莊子之言，出於讓王篇，云許由嬉於潁陽，而共伯得於共首，此與子州支父石戶之農等名相類，蓋子虛烏有之事。又按呂氏春秋開春論云，共伯和修其行，好賢仁，而海內皆以來爲稽矣，周厲之難，天子曠絕，而天下皆來謂矣，後人引爲共伯攝政之證，高誘注云，共國伯爵，夏時諸侯，假令與周厲同時，亦徐偃王之屬耳，決非攝行王政者也，崔說未及於此。又按正義所引魯連子衞，蓋指衞州共城縣而言，正義誤認作衞國，遂引衞世家世子共伯事以證之，無論年歲不相當，且合共衞爲一國，又幷共伯武侯和爲一人，乖謬最甚，洪氏四史發伏論之詳矣。

共和十四年，厲王死于彘。太子靜長於召公家。考證 古鈔南本，死作卒。詩小雅鶴鳴序云，誨宣王也，蓋宣王少時召公所賦，全篇皆比，似讀周公鴟鴞詩。**二相乃共立之爲王。是**

爲宣王。宣王即位，二相輔之脩政，法文·武·成·康之遺風。諸侯復宗周。考證 二相，周公召公。張文虎曰，史敘宣王中興止此十八字，凡詩所稱北逐玁狁，南征荊蠻，及吉甫方叔之倫，概不書，蓋宣王不終，史祇依國語作紀，故多闕略。崔述曰，詩小雅六月云，玁狁匪茹，整居焦穫，侵鎬及方，至于涇陽，薄伐玁狁，至于大原，文武吉甫，萬邦爲憲，吉甫燕喜，既多受祉，來歸自鎬，我行永久，出車云，王命南仲，往城于方，出車彭彭，旂旐央央，天子命我，城彼朔方，赫赫南仲，玁狁于襄，赫赫南仲，薄伐西戎，此詠宣王征西北之事也。大雅崧高云，亹亹申伯，王纘之事，于邑于謝，南國是式，王命召伯，定申伯之宅，王命申伯，式是南邦，因是謝人，以作爾庸，王命召伯，徹申伯土田，烝民云，王命仲山甫，式是百辟，出納王命，王之喉舌，袞職有闕，維仲山甫補之，王命仲山甫，城彼東方，仲山甫徂齊，式遄其師，韓奕云，王錫韓侯，其追其貊，奄受北國，因以其伯，此詠宣王經略中原之事也。小雅采芑云，蠢爾蠻荊，大邦爲讎，方叔元老，克壯其猶，方叔率止，執訊獲醜，顯允方叔，征伐玁狁，蠻荊來威，大雅江漢云，江漢浮浮，武夫滔滔，匪安匪遊，淮夷來求，江漢湯湯，武夫洸洸，經營四方，告成于王，江漢之滸，王命召虎，式辟四方，徹我疆土，常武云，赫赫明明，王命卿士，南仲大祖，大師皇父，整我六師，以修我戎，王謂尹氏，命程伯休父，左右陳行，戒我師旅，率彼淮浦，省此徐土，徐方既同，天子之功，四方既平，徐方來庭，此詠宣王經略東南之事也。詩所詠宣王之事，其先後雖未敢盡以篇次爲據，然以其言考之，采芑稱方叔征伐玁狁，蠻荊來威，是玁狁之伐，在東南用師之前也，江漢稱經營四方，告成于王，常武稱四方既平，徐方來庭，是徐淮之役，在四方略定之後也，以其理推之，西戎逼近畿甸，患在切膚，所當先務，封申城齊，皆關東事，似可稍緩，若淮漢荊徐，則距畿較遠，近者未安，不能遠圖，理之常也。愚按，史記敘宣王，不及南北經略事，今依崔氏豐鎬考信錄補之。

十二年，魯武公來朝。考證 周語不紀年，史公別有所本，又見魯世家。**宣王不脩籍於千畝。**正義 應劭云，古者天子耕籍田千畝，爲天下先。瓚曰，籍，蹈籍也。按宣王不脩親耕之禮也。考證 閻若璩曰，此千畝，乃周之籍田，離鎬京應不甚遠，括地志以晉州千畝原當之，殆非。**虢文公諫曰。不可。**集解 賈逵曰，文公，文王母弟虢仲之後，爲王卿士也。韋昭曰，文公，虢叔之後，西虢也。宣王都鎬，在畿內也。索隱 國語曰，虢文公諫曰，夫人之大事在農，上帝之粢盛於是乎出，人之繁庶於是乎生，事之共給於是乎在，事具載國語。正義 括地志云，虢故城在岐州陳倉縣東南十里，又云，千畝原在晉州岳陽縣北九十里也。**王弗聽。**

三十九年，戰于千畝。索隱 地名也，在西河介休縣。考證 千畝卽上文千畝，閻若璩曰，天子既不躬耕，百姓又不敢耕，竟久爲斥鹵不毛之地，惟堪作戰場，故王及戎戰于此。**王師敗績于姜氏之戎。**集解 韋昭曰，西夷別種，四嶽之後也。**宣王既亡南國之師。乃料民於太原。**集解 韋昭曰，敗於姜戎時所亡也。南國，江漢之閒。料，數也。唐固曰，南國，南陽也。考證 料民，謂計民數以爲兵也。閻若璩曰，玁狁侵鎬及方，至於涇陽，鎬等三地名，皆在雍州，則太原地名，亦卽在雍州。**仲山甫諫曰。**正義 毛萇云，仲山甫，樊穆仲也。括地志云，漢樊縣城在兗州瑕丘縣西南三十五里，古樊國，仲山甫所封也。**民不可料也。宣王不聽。卒**

料民。考證 魯武公以下采國語周語。崔述曰，余考宣王之事，據詩則英主也，據國語則失德實多，判然若兩人者，心竊疑之，久之，乃覺其故有三，詩人之體，主於頌揚，然大雅之述文武者，多實錄，而魯頌閟宮篇則專尙虛詞，荊舒是懲，莫我敢承，僖公豈足以當之，此亦世變之爲之也，宣王之時，雖尙未至是，然亦不免小事而張皇之，城方封申，亦僅僅耳，而其詞皆若威震萬里者，是詩言原多溢美，未可盡信，其故一也，國語主於敷言，非紀事之書，故以語名其書，而政事多不載焉，然其言亦非當日之言，乃後人取當日諫君料事之詞衍之者，諫由於君之有失道，故衍諫詞者，必本其失道之事言之，非宣王之爲君盡若是，亦非此外別無他善政可書也，其故二也，古之人君勤於始者多，勉於終者少，梁武帝創業之主，勤於庶政，而及其晚年，百度廢弛，卒致侯景之禍，唐明皇帝躬戡大難，致開元之治，而晚年淫侈，亦致祿山之患，其始終皆判若兩人，宣王在位四十六年，始勤終怠，固宜有之，故國語所稱伐魯在三十二年，千畝之戰在三十九年，皆宣王晚年事，而詩稱封申伐淮夷，皆召穆公經理之，穆公厲王大臣，又歷共和之十四年，其相宣王，必不甚久，則此皆宣王初年事無疑也，由是言之，詩固多溢美，國語固專紀其失，要亦宣王始終本異也，其故三也。**四十六年，宣王崩。**正義 周春秋云，宣王殺杜伯而無辜，後三年，宣王會諸侯田于圃，日中杜伯起於道左，衣朱衣冠，操朱弓矢，射宣王中心，折脊而死。國語云，杜伯射王於鄗。考證 正義所引周春秋，見墨子明鬼下篇，人死魂離，元無此理，心怯鬼生，當有其事。**子幽王湦立。**集解 徐廣曰，一作生。正義 湦音生。按本又作涅，涅音乃結反。

幽王二年，西周三川皆震。集解 徐廣曰，涇、渭、洛也。駰按韋昭云，西周，鎬京，地震動，故三川亦動。正義 按涇渭二水、在雍州北、洛水、一名漆沮、在雍州東北、南流入渭、此時以王城爲東周、鎬京爲西周、伯陽甫曰、周將亡矣。【集解】韋昭曰、伯陽甫、周大夫也、唐固曰、伯陽甫、周柱下史老子也、【考證】韋說是、老聃何得及幽王時、國語甫作父、夫天地之氣、不失其序、若過其序、民亂之也。【集解】韋昭曰、過、失也、言民、不敢斥王者也、【考證】龜井昱曰、民猶人也、對天地言之、陽伏而不能出、陰迫而不能蒸。【集解】韋昭曰、蒸、升也、陽氣在下、陰氣迫之、使不能升也、於是有地震。今三川實震、是陽失其所而塡陰也。【集解】韋昭曰、爲陰所鎭笮也、【考證】中井積德曰、塡陰、陽在陰也、塡、滿也、塞也、龜井昱曰、陽壓陰而使不能蒸也、陽失而在陰、原必塞。【集解】韋昭曰、陽在陰下也、【考證】原、水源也、周語作川源、原塞、國必亡。夫水土演而民用也。【集解】韋昭曰、水土氣通爲演、演、猶潤也、演則生物、民得用之、土無所演、民乏財用、不亡何待。昔伊・洛竭而夏亡。【集解】韋昭曰、禹都陽城、伊洛所近也、河竭而商亡。【集解】韋昭曰、商人都衞、河水所經也、今周德若二代之季矣。其川原又塞。塞必竭。夫國必依山川。山崩川竭、亡國之徵也。川竭必山

崩。【集解】韋昭曰、水泉不潤、枯朽而崩也、【考證】周語必山二字倒、若國亡、不過十年。數之紀也。天之所弃、不過其紀。【集解】韋昭曰、數起於一、終於十、十則更、故曰紀也、是歲也、三川竭、岐山崩。【考證】幽王二年以下、采國語周語、是歲一句、言周亡之歲、三川竭、岐山崩也、伯陽父之言至此、三年、幽王嬖愛褒姒。【索隱】褒、國名、夏同姓、姓姒氏、禮、婦人稱國及姓、其女是龍漦妖子、爲人所收、褒人納之于王、故曰褒姒、【正義】括地志云、褒國故城、在梁州褒城縣東二百步、古褒國也、褒姒生子伯服。幽王欲廢太子。太子母申侯女而爲后。後幽王得褒姒愛之、欲廢申后、幷去太子宜臼、以褒姒爲后、以伯服爲太子。【考證】幽王嬖愛以下、采國語晉語史蘇言、古鈔本、太子下無宜臼二字、后以下有其子二字、羣書治要引同、愚按、此一節文字煩冗、恐有訛謬、周太史伯陽讀史記曰。【正義】諸國皆有史、以記事、故曰史記、【考證】鄭語、太史伯陽作史伯、史記作訓語、愚按、史伯、伯陽、別人、史公混同、非也、周亡矣。昔自夏后氏之衰也、有二神龍、止於夏帝庭。而言曰、余褒之二君。【集解】虞翻曰、龍自號褒之二先君也、【考證】神龍何以能人言、夏帝卜殺之與去之與

止之。莫吉。卜請其漦而藏之。乃吉。【集解】韋昭曰、漦、龍所吐沫、沫、龍之精氣也、於是布幣而策告之。【集解】韋昭曰、以簡策之書告龍、而請其漦也、龍亡而漦在。櫝而去之。【集解】韋昭曰、櫝、匱也、【考證】陳仁錫曰、去、藏也、愚按、與弃同、鄭語作藏、夏亡、傳此器殷。殷亡、又傳此器周。比三代莫敢發之。【考證】王念孫曰、莫敢發之、文選注引作莫之敢發、與國語列女傳合、至厲王之末、【集解】虞翻曰、末年、王流彘之歲、發而觀之。漦流于庭、不可除。厲王使婦人裸而譟之。【集解】韋昭曰、譟、讙呼也、唐固曰、羣呼曰譟、漦化爲玄黿、以入王後宮。【索隱】亦作蚖、音元、玄蚖、蜥蜴也、後宮之童妾、既齔而遭之。【集解】韋昭曰、毀齒曰齔、女七歲而毀齒也、【考證】古鈔、楓・三・南本、既上有未字、與鄭語合、未既齔者、齒未盡毀也、既笄而孕。【正義】笄音雞、禮記云、女子許嫁而笄、鄭玄云、笄、今簪、【考證】中井積德曰、女子十五而笄、此與齔相次、謂其年也、與許嫁無干涉、陳仁錫曰、幽王三年嬖褒姒、若以其年爲二十歲、則褒姒生在宣王三十年也、自宣王三十年上距厲王末年、凡四十六年、時童妾方七歲而齔、後共和時及笄而孕、孕後尚四十餘年、乃生褒姒、其妖異或未可盡信、無夫而生子。懼而弃之。宣王之時童女謠曰、檿

弧箕服、實亡周國。【集解】韋昭曰、山桑曰檿、弧、弓也、箕、木名、服、矢房也、【考證】鄭語無女字、此衍、服國韻、於是宣王聞之。有夫婦賣是器者。宣王使執而戮之。逃。於道而見鄉者後宮童妾所弃妖子、出於路者。聞其夜啼、哀而收之。【集解】徐廣曰、妖一作夭、夭、幼少也、【正義】夫婦賣檿弧者、宣王欲執戮之、遂逃、于路過此妖子、哀而收之、夫婦遂亡犇於褒。褒人有罪。請入童妾所弃女子者於王。以贖罪。【正義】國語云、周幽王伐有褒、褒人以褒姒女焉、與虢石甫比也、弃女子出於褒。是爲褒姒。當幽王三年、王之後宮、見而愛之、生子伯服。【考證】此一節、斷續之際未詳、據鄭語史伯言、蓋止于此、竟以下、紀事之文、竟廢申后及太子、以褒姒爲后、伯服爲太子。【索隱】左傳所謂攜王奸命、是也、太史伯陽曰、禍成矣。無可柰何。【考證】周太史伯陽以下、本國語鄭語史伯對鄭桓公語、史公改史伯爲伯陽、桓公、厲王子、幽王司徒、褒姒不好笑。幽王欲其笑、萬方故不笑。幽王爲烽燧大鼓、【正義】峯遂二音、晝日燃燧以

望火煙、夜舉燧以望火光也、燧、土櫓也、燧、炬火也、皆山上安之、有寇舉之、有寇至則舉燧火。諸侯悉至。至而無寇。褒姒乃大笑。幽王說之、爲數舉燧火。其後不信、諸侯益亦不至。[考證]呂氏春秋疑似篇載此事、微異、古鈔三南本說上有欲字、益下無亦字、與羣書治要所引合、幽王以虢石父爲卿用事。國人皆怨。石父爲人佞巧善諛、好利。[集解]徐廣曰、佞、一作諂、王用之、又廢申后去太子也。申侯怒、與繒・西夷・犬戎攻幽王。[索隱]繒國名、夏同姓、[正義]繒、自陵反、國語云、繒、姒姓、夏禹後、括地志云、繒縣在沂州承縣、古侯國、禹後、[考證]王用之又四字、古鈔南本作幽王之三字、治要御覽詩譜王風疏引無用又字、王念孫曰、用又二字衍文、王之廢申后去太子也、是舉上文、起下文申侯與犬戎攻周之事、張文虎曰、治要王風疏引與上有乃字、攻上有共字、幽王舉燧火徵兵。兵莫至。遂殺幽王驪山下。[索隱]在新豐縣南、故驪戎國也、舊音黎、徐廣音力知反、[正義]括地志云、驪山在雍州新豐縣南十六里、土地記云、驪山卽藍田山、按驪山之陽卽藍田山、虜褒姒、盡取周賂而去。[集解]汲冢紀年曰、自武王滅殷、以至幽王、凡二百五十七年也、[正義]按汲冢書、晉咸和五年、汲郡汲縣發魏襄王冢、得古書冊七十五卷、[考證]本國語晉語鄭語呂氏春秋

疑似篇、鄭語云、幽王八年而鄭桓公爲司徒、九年而王室始騷、十一年而斃、晉語云、十一年幽王乃滅、周乃東遷、驪山在西安臨潼縣東南、愚按戎狄入都取賂、以是爲始、崔述曰、世皆謂、申侯啓戎、戎遂克周、殺幽王驪山下、夫周之王畿、號爲千里、有百二山河之險、關東諸侯皆堪調發、戎雖強大、豈能一旦而遂破之、蓋其來有漸矣、觀雨無正之第二章、則曰、邦君諸侯、莫皆朝夕、諸侯固已多不至者矣、觀召旻之卒章、則曰、今也日蹙國百里、戎之蠶食、亦非一日矣、周已衰微不振、是以戎得一舉而滅之、但尙書無宣幽之篇、而傳記復多缺軼、無從考其詳耳、於是諸侯乃卽申侯而共立故幽王太子宜臼。是爲平王、以奉周祀。平王立、東遷于雒邑、辟戎寇。[正義]卽王城也、平王以前、號東都、至敬王以後及戰國、爲西周也、[考證]楓三南本、戎寇下、有當此時秦襄公以兵送平王、平王封襄公以爲諸侯、賜之以岐以西地、從武王盡幽王、凡十二世三十六字、通鑑輯覽云、蘇軾謂周之失計、未有如東遷之繆、此言誠然、但謂平王若不遷以行勢、東臨諸侯、諸侯尙未敢貳、此則不然、平王本非撥亂反正之才、幷無奮發有爲之志、縱使仍都豐鎬、亦唯苟安旦夕、終於不振、其能西却犬戎、東撫諸夏乎、且當時亦必有不得不遷之勢矣、呂祖謙曰、由此而上、則爲成康爲文武、由此而下、則爲春秋爲戰國、乃消長升降之交會、平王之時、周室衰微、諸侯彊幷弱、齊・楚・秦・晉始大、政由方伯。[集解]周禮曰、九命作伯、鄭衆云、長諸侯爲方伯、[考證]平王之時以下、本國語鄭語、四十九年、魯隱公卽位。

[考證]是爲春秋之初、所以特筆、五十一年、平王崩。[考證]隱公三年春秋經、太子洩父蚤死、立其子林。是爲桓王。桓王、平王孫也。[正義]父音甫、桓王三年、鄭莊公朝桓王。不禮。[索隱]在魯隱公六年、五年、鄭怨與魯易許田。許田、天子之用事太山田也。[索隱]左傳、鄭伯以璧假許田、卒易祊、祊是鄭祀太山之田、許是魯朝京師之湯沐邑、有周公廟、鄭以其近、故易取之、此云許田天子用事太山田、誤、[正義]杜預云、成王營王城、有遷都之志、故賜周公許田、以爲魯國朝宿之邑、後世因而立周公別廟焉、鄭桓公友、周宣王之母弟、封鄭、有助祭泰山湯沐邑在祊、鄭以天子不能復巡狩、故欲以祊易許田、各從本國所近之宜也、恐魯以周公別廟爲疑、故云己廢泰山之祀、而欲爲魯祀周公、遜辭以求也、括地志云、許田在許州許昌縣南四十里、有魯城、周公廟在城中、祊田在沂州費縣東南、按宛、鄭大夫、[考證]怨、館本局本作宛、陳仁錫曰、怨當作宛、春秋鄭伯使宛來歸祊、正義云、宛、鄭大夫、是唐本宛字未錯也、張文虎曰、鄭世家、莊公怒周弗禮、與魯易祊許田、疑怨是怒之譌、又怨怒義亦相近、或不煩改字、愚按張氏後說是、據左傳隱公八年文、鄭與魯易田、不由怒周、八年、魯殺隱公、立桓公。[正義]子允令公子翬殺隱公也、[考證]本左傳隱公十一年、十三年、伐鄭。[索隱]在魯桓五年、鄭射傷桓王。桓王去歸。[索隱]左傳、繻葛之役、祝聃射王中肩、是也、[考證]左傳桓五年、二十

三年、桓王崩。[考證]春秋經、子莊王佗立。莊王四年、周公黑肩欲殺莊王而立王子克。[集解]賈逵曰、莊王弟子儀也、辛伯告王。[集解]賈逵曰、辛伯、周大夫也、王殺周公。[索隱]左傳曰、初子儀有寵於桓王、桓王屬諸周公、辛伯諫曰、竝后匹嫡、兩政耦國、亂之本也、周公不從、故及於難、然周公阿先王旨、自取誅夷、辛伯正君臣之義、卒安王業、二卿優劣、誠可識也、王子克犇燕。[正義]杜預云、南燕姞姓也、[考證]周公以下、本桓公十八年左傳、梁玉繩曰、事在莊王三年、非四年、此與表皆誤、十五年、莊王崩。[考證]春秋經傳、不書莊釐二王崩葬、子釐王胡齊立。[正義]釐、音僖、謚作毋涼也、[考證]張文虎曰、正義謚疑謚上脫皇甫字、此注當在惠王閬下、釐王三年、齊桓公始霸。[考證]齊桓公始霸、依莊公十五年左傳、五年、釐王崩。子惠王閬立。[索隱]系本名毋涼、惠王二年、初莊王嬖姬姚生子穨。[索隱]子穨、莊王子、釐王弟、惠王之叔父也、[正義]杜預云、姚、姓也、穨有寵。及惠王卽位、奪其大臣園以爲囿。[集解]左傳曰、大臣蔿國也、故大夫邊伯等五人作亂。[集解]左傳曰、五人者、蔿國邊伯詹父子禽祝跪也、謀召燕・衞師伐惠王。[正義]南燕、滑州胙城、衞、濱州衞南也、惠王

犇溫。【正義】左傳云、蘇忿生十二邑、桓王奪蘇子十二邑與鄭、故蘇子同五大夫伐惠王、溫、十二邑之一也、杜預云、河內溫縣也、【考證】洪亮吉曰、五大夫奉子頹伐王、不克、出奔溫、此以惠王為奔溫、誤也、已居鄭之櫟。【集解】服虔曰、櫟、鄭大都、【正義】杜預云、櫟、今河南陽翟縣也、立釐王弟穨為王。【考證】初莊王以下、見莊公十九年左傳、樂及偏舞。【集解】賈逵曰、偏舞、皆舞六代之樂也、【考證】王念孫曰、御覽引此、樂及偏舞上有遂享諸大夫五字、是也、今本脫此五字、左傳云、王子頹享五大夫、樂及偏舞、周語云、王子穨飲三大夫酒、子國為客、樂及偏儛、皆其證、鄭・虢君怒。【考證】以上本莊公二十年左傳及周語、四年、鄭與虢君伐殺王穨。【正義】賈逵云、鄭厲公突、虢公林父也、復入惠王。【考證】以上本莊公二十一年左傳及周語、惠王十年、賜齊桓公為伯。【考證】莊公廿七年左傳云、王使召公廖賜齊侯命、二十五年、惠王崩。【考證】春秋僖八年經、子襄王鄭立。襄王母蚤死。後母曰惠后。【集解】左傳曰、陳嬀歸于京師、實惠后也、【正義】按陳國舜後、嬀姓也、惠后生叔帶。【索隱】惠王子、襄王弟、封於甘、故左傳稱甘昭公、【正義】惠王子、襄王弟、封之於甘、括地志云、故甘城在洛州河南縣西南二十五里、左傳云、甘昭公、王子叔帶也、洛陽記云、河南縣西南二十五里、甘水出焉、北流入洛、山上有甘城、卽甘公采邑也、有寵於惠王。襄王畏之。【考證】左傳疏云、僖二十四年傳、襄

王曰、不穀不德、得罪於母氏之寵子帶、書曰、天王出居於鄭、辟母弟之難也、如彼傳文、則襄王與子帶俱是惠后所出、但其母鍾愛其少子、故欲廢太子而立之、與史不同、愚按古鈔、南本、無於惠王三字、殆是、三年、叔帶與戎翟謀伐襄王。襄王欲誅叔帶。叔帶犇齊。【考證】據左傳、叔帶走齊、襄王四年事、齊桓公使管仲平戎于周、使隰朋平戎于晉。【集解】服虔曰、戎伐周、晉伐戎救周、故和也、【考證】古鈔、南本、周作王、王以上卿禮管仲。管仲辭曰。臣賤有司也。有天子之二守國・高在。【集解】杜預曰、國子高子、天子所命為齊守臣、皆上卿也、【正義】守音狩、禮記云、大國三卿、二卿命於天子、一卿命於其君、按國惠子高昭子、齊正卿、天子所命、若節春秋來承王命、何以禮焉。【集解】賈逵曰、節、時也、王肅曰、春秋聘享之節也、陪臣敢辭。【集解】服虔曰、陪、重也、諸侯之臣於天子、故曰陪臣、王曰。舅氏。余嘉乃勳。毋逆朕命。【集解】賈逵曰、舅氏、言伯舅之使也、【正義】武王娶太公女為后、故呼舅氏、遠言之、我善汝有平戎之功勳、【考證】舅氏、賈說為是、管仲卒受下卿之禮而還。【正義】杜預云、管仲不敢以職自高、卒受本位之禮也、【考證】齊桓公以下、采僖十二年左傳、九年、齊桓公卒。【考證】僖十八年春秋、十二年、叔帶復歸

于周。【集解】左傳曰、王召之、【考證】張照曰、左傳、叔帶復歸、在魯僖公二十二年、於襄王為十四年、年表亦然、此蓋誤、十三年、鄭伐滑。【集解】賈逵曰、滑、姬姓之國、駰按左傳曰、滑人叛鄭而服於衛也、【正義】杜預云、滑國都費、河南緱氏縣、為秦所滅、時屬鄭晉、後屬周、事在魯釐公二十年、括地志云、緱氏故城、本費城也、在洛州緱氏縣南東二十五里也、【考證】春秋經、伐滑在魯僖二十年、於襄王為十二年、此蓋據國語、王使游孫・伯服請滑。【集解】賈逵曰、二子、周大夫、【考證】周語作游孫伯、此蓋依左傳、鄭人囚之。鄭文公怨惠王之入、不與厲公爵、【集解】服虔曰、惠王以后之鞶鑒與鄭厲公、而獨與虢公玉爵、【正義】左傳云、莊公二十一年、王巡虢狩、虢公為王宮于玤、王與之酒泉、鄭伯之享王、王以后之鞶鑒與之、虢公請器、王與之爵、鄭伯由是怨王也、杜預云、后鞶帶、而以鏡為飾也、爵、飲酒器也、玤、地名、酒泉、周邑、又怨襄王之與衛滑、【集解】服虔曰、滑、小國近鄭、世世服從、而更違叛鄭、師伐之、聽命、後自怨於王、王以與衛、故囚伯服。王怒將以翟伐鄭。富辰諫曰。【集解】服虔曰、富辰、周大夫、凡我周之東徙、晉・鄭焉依。子穨之亂、又鄭之由定。今以小怨弃之。王不聽。【考證】鄭伐滑以下采國語周語、補以僖廿四年左傳、梁玉繩曰、據國語、弃之下疑脫不可二字、十五年、王降翟師以伐鄭。王德翟人、將

以其女為后。富辰諫曰。平・桓・莊・惠、皆受鄭勞。王弃親親翟、不可從。王不聽。【考證】楓三、南本、無從字、此疑衍、十六年、王絀翟后。翟人來誅。殺譚伯。【集解】唐固曰、譚伯、周大夫、原伯毛伯也、【索隱】按國語亦云、殺譚伯、而左傳太叔之難、獲周公忌父原伯毛伯、唐固據傳文、讀譚為原、然春秋有譚何妨、此時亦仕王朝、預被殺、國語既云、殺譚伯、故太史公依之、不從左傳說也、【考證】梁玉繩曰、譚久為齊桓公所滅、此時安得有譚伯、國語誤、宜從左傳、富辰曰。吾數諫不從。如是不出、王以我為懟乎。乃以其屬死之。初惠后欲立王子帶。故以黨開翟人。翟人遂入周。襄王出犇鄭。【正義】公羊傳云、王者無外、此其言出何、不能事母也、【考證】王降翟師以下、采國語周語、但周語十五年作十七年、十六年作十八年、愚按僖廿四年春秋經云、夏伐鄭、冬天王出居于鄭、則並襄王十六年事、古鈔、南本、黨上有其字、與國語合、鄭居王于氾。【集解】杜預曰、鄭南氾、在襄城縣南、【正義】氾、音凡、括地志云、故氾城、在許州襄城縣一里、左傳云、天王出居於鄭、處於氾、是、子帶立為王。取襄王所絀翟后、與居溫。【正義】括地志云、故溫城、在懷州溫縣西三十里、漢晉為縣、本周司寇蘇忿生之邑、左傳云、周與鄭人蘇忿生十二邑、溫其一也、地理志云、溫縣故國、己姓、蘇忿生所封也、【考證】以上采僖廿

四年左傳、十七年、襄王告急于晉。晉文公納王、而誅叔帶。襄王乃賜晉文公珪鬯弓矢爲伯、以河內地與晉。正義賈逵云、晉有功、賞之以地、楊樊溫原攢茅之田也、鬯、勅亮反、珪、珪瓚也、孔安國云、以珪爲杓柄、謂之珪瓚、黑黍曰秬、釀以鬯草、考證依僖廿五年左傳、但賜珪鬯弓矢爲伯、左傳繫之僖二十八年、卽襄王二十年事、愚按襄王與河內於晉、疆域益蹙、顧棟高論之尤詳、其言云、東遷後、王畿疆域、尚有今河南懷慶二府之地、兼得汝州、跨河南北、有虢國桃林之隘、以呼吸西京、有申呂南陽之地、以控扼南服、又名山大澤不以封、虎牢殽函、俱在王略、襟山帶河、晉鄭夾輔、光武創業之規模不是過也、平桓莊惠相繼百年、號令不行、諸侯攘竊、王不能張皇六師、更復披析其地、以爲賞功、酒泉賜虢、虎牢賜鄭、至允姓之戎、入居伊川、異類逼處、莫可誰何、晉滅虢、而鎬京之消息中斷、楚滅申、而南國之窺伺方張、至溫原蘇忿生之田、與鄭復以賜晉、則畀大河以北、委而棄之、由是懷慶所屬七縣、原武屬鄭、濟源修武孟縣溫縣屬晉、王所有者河內武陟二縣、及河南府之洛陽偃師鞏縣嵩登封新安宜陽孟津八縣、汝州之伊陽魯山許州府之臨潁縣、與鄭接壤而已、此東周形勢削弱之本末也、二十年、晉文公召襄王。襄王會之河陽踐土。集解賈逵曰、河陽、晉之溫也、踐土、鄭地名、在河內、正義括地志云、故王宮在鄭州滎澤縣西北十五里王宮城中、左傳云、晉文公敗楚于城濮、至于衡雍、作王宮于踐土也、按王城則所作在踐土城內東北隅、有踐土臺、東去衡雍三十餘里也、諸侯畢朝。書諱曰天王狩于

河陽。集解左傳曰、仲尼曰、以臣召君、不可以訓、故書曰狩、考證以上采僖廿八年左傳、書諱曰天王狩于河陽、是釋春秋之語、在史公書則無所用之、或云、書上脫春秋二字、二十四年、晉文公卒。考證僖卅二年春秋經、三十一年、秦穆公卒。考證文六年左傳、三十二年、襄王崩。考證據年表及春秋經傳、當作三十三年、子頃王壬臣立。頃王六年崩。考證文十四年左傳、子匡王班立。匡王六年崩。考證宣二年春秋經、弟瑜立。是爲定王。定王元年、楚莊王伐陸渾之戎。集解地理志、陸渾縣屬弘農郡、正義渾音魂、杜預云、允姓之戎、居陸渾、在秦晉西北、二國誘而徙之伊川、遂從戎號、今洛州陸渾縣取其號也、後漢書云陸渾戎自瓜州遷於伊川、左傳云、初平王之東遷也、辛有適伊川、見被髮而祭於野者、曰、不及百年、此其戎乎、其禮先亡矣、按至僖公二十二年秋、秦晉遷陸渾之戎於伊川、計至辛有言、適百年也、括地志云、故麻城、謂之蠻中、在汝州梁縣界、左傳、單浮餘圍蠻氏、杜預云、城在河南新城東南、伊洛之戎、陸渾蠻氏城也、俗以爲麻蠻、聲相近故耳、按新城、今伊闕縣是也、考證襄王十四年、秦晉遷陸渾之戎于伊川陸渾故城、在今河南嵩縣、次洛、使人問九鼎。王使王孫滿應設以辭。楚兵乃去。集解賈逵曰、王孫滿、周大夫也、考證元年以下據宣三年左傳、又詳楚世家、十年、楚莊王圍鄭。鄭伯

降。已而復之。考證宣十二年左傳、十六年、楚莊王卒。考證宣十八年春秋經、二十一年、定王崩。考證莊六年春秋經、子簡王夷立。簡王十三年、晉殺其君厲公、迎子周於周、立爲悼公。考證成十八年左傳、古鈔南本立下有之字、十四年、簡王崩。考證襄公元年春秋經、子靈王泄心立。考證晉語作大心、張文虎曰、疑當作世、古世大同用、靈王二十四年、齊崔杼弑其君莊公。考證襄二十五年春秋經、二十七年、靈王崩。集解皇覽曰、靈王冢、在河南城西南柏亭西周山上、蓋以靈王生而有髭而神、故諡靈王、其冢民祀之不絕、考證襄廿八年春秋經、子景王貴立。索隱名貴、按國語、景王二十一年、鑄大錢及無射、單穆公及泠州鳩、各設辭以諫、今此不言、亦其疏略耳、景王十八年、后・太子聖而蚤卒。考證左傳昭十五年云、六月乙丑、王太子壽卒、秋八月戊寅、王穆后崩、梁玉繩曰、聖而二字、乃一壽字之誤、又后似不可言卒、二十五年、景王愛子朝欲立之。集解賈逵曰、景王之長庶子、正義左傳云、子朝用成周之寶珪沈於河、津人得諸河上、杜預云、禱河求福也、珪自出水也、按河神不敢受故、會崩。集解皇覽曰、景王冢、在洛陽太倉中、秦封呂不韋洛陽十萬戶、故大其城、并圍景王冢也、考證各本二十五年作二十年、今從

古鈔本、與年表及左傳合、子丐之黨、與爭立。國人立長子猛爲王。子朝攻殺猛。猛爲悼王。晉人攻子朝而立丐。是爲敬王。集解賈逵曰、敬王、猛母弟、考證梁玉繩曰、按昭廿二年春秋經傳、王子朝之黨、與王子猛爭立、非子匄爭立也、王猛次正爲太子壽之弟、故單穆公劉文公立之、非長子也、非國人所立也、猛立七月而卒、雖未卽位、周人諡曰悼王、非子朝殺之也、匄爲敬王名、各本譌丐、或作丏、而匄乃猛之母弟、猛卒而匄立、安得此時匄與朝爭乎、史皆誤、愚按事見昭二十二年左傳、敬王元年、晉人入敬王。子朝自立。敬王不得入。居澤。集解賈逵曰、澤邑、周地也、考證昭二十三年春秋經、王居于狄泉、四年、晉率諸侯、入敬王于周。子朝爲臣。集解春秋曰、子朝犇楚、皇覽曰、子朝冢、在南陽西鄂縣、今西鄂晁氏、自謂子朝後也、考證事詳于昭二十六年左傳、周卽成周、周之下都、在王城之東、敬王徙都于此、今洛陽故城是也、梁玉繩曰、春秋經傳、子朝奔楚、爲敬王臣乎哉、諸侯城周。考證據昭卅二年春秋經傳、城周、蓋敬王十年事、十六年、子朝之徒復作亂。敬王犇于晉。考證定六年左傳、天王處于姑蕕、注、周地、與此異、十七年、晉定公遂入敬王于周。考證定七年左傳、三十九年、齊田常殺其君簡公。考證哀十四

年左氏春秋經、春秋止于此年、四十一年、楚滅陳。【考證】梁玉繩曰、案左傳、楚滅陳、在哀十七年、爲敬王四十二年、此誤、史記各處所書滅陳之年、惟秦紀吳蔡陳世家不誤、其餘周紀年表及杞宋楚鄭四世家俱誤、孔子卒。【考證】哀十六年左氏春秋經、張之象曰、凡書生卒、亦視人品何如、有繫天下重輕者、則各國皆書之、若孔子是也、有繫一國重輕者、則本國書之、若齊之管仲隰朋、晉之趙衰成子欒貞子是也、愚按周秦二紀魯燕晉陳諸世家皆書孔子卒、蓋以夫子死生所關甚重也、而吳齊蔡宋楚世家則不書者何也、四十三年、敬王崩。【集解】徐廣曰、皇甫謐曰、敬王四十四年、元己卯、崩壬戌也、【考證】陳仁錫曰、湖本三作二、誤、愚按古鈔南本及御覽引亦作三、與年表合、子元王仁立。【集解】徐廣曰、世本云、貞王介也、元王八年崩。子定王介立。【集解】徐廣曰、世本云、元王赤也、皇甫謐曰、元王十一年癸未、三晉滅智伯、二十八年崩、三子爭立、立應爲貞定王、【索隱】系本云、元王赤、皇甫謐云、貞定王、考據二文、則是元有兩名、一名仁、一名赤、如史記則元王爲定王父、定王即貞王也、依系本則元王是貞王子、必有一乖誤、然此定當爲貞字誤耳、豈周家有兩定王、代數又非遠乎、皇甫謐見此疑而不決、遂彌縫史記系本之錯謬、因謂爲貞定王、未爲得也、【考證】崔適曰、元王定王、世本於其記互倒其父子、又改定爲貞、皇甫謐合之爲貞定、雖不互倒其父子、乃互倒其年數、增元王之八年爲二十八年、減定王之二十八年爲十年、但合二王計之、猶美二年、故又增敬王一年、而減景王三年以符之、然貞定十年、既承元王二十八年之後、而元癸亥、乃上承敬王崩壬戌、悖謬甚矣、司馬貞是貞而非定、疑周不當有兩定王、則不記宋有兩昭公、衞有兩莊公、晉有

文侯仇、復有文公重耳乎、且兩定王相去、中有簡靈景敬元五王、年代又不可謂非遠也、定王十六年、三晉滅智伯、分有其地。二十八年、定王崩。【集解】徐廣曰、皇甫謐曰、貞定王十年、元癸亥、崩壬申、長子去疾立。是爲哀王。哀王立三月、弟叔襲殺哀王而自立。是爲思王。思王立五月、少弟嵬攻殺思王而自立。是爲考王。此三王皆定王之子。考王十五年崩。【集解】徐廣曰、皇甫謐曰、考哲王、元辛丑、崩乙卯、子威烈王午立。考王封其弟于河南。是爲桓公。以續周公之官職。【正義】帝王世紀云、考哲王封弟揭於河南、續周公之官、是爲西周桓公、按自敬王遷都成周、號東周也、桓公都王城、號西周桓公、【考證】王城即東都、漢于此置河南縣、呂氏大事記云、自洛陽下都視王城、則在西、故曰西周、桓公卒。子威公代立。威公卒。子惠公代立。乃封其少子於鞏以奉王。號東周惠公。【集解】徐廣曰、惠公之子也、【索隱】考王封其弟于河南、爲桓公、卒、子威公立、卒、子惠公立、長子曰西周公、又封少子於鞏、仍襲父號、曰東周惠公、於是有東西二周也、按系本、西周桓公名揭、居河南、東周惠公名班、居洛陽、是也、【正義】鞏音拱、郭緣生述征記、鞏縣周地、鞏

伯邑、史記周顯王二年、西周惠公封少子班於鞏、以奉王室、爲東周惠公也、子武公爲秦所滅、【考證】鞏故城、在今河南鞏縣西南、據正義、惠公封少子、在顯王二年、此因封桓公類敍耳、趙翼曰、武王定鼎於郟鄏、周公營以爲都、是爲王城、則河南也、周公又營下都、以遷殷頑民、是爲成周、則洛陽也、平王東遷、定都於王城、其時所謂西周者、豐鎬也、東周者王城也、及王子朝之亂、敬王徙都成周、公羊傳云、王城者何、西周也、成周者何、東周也、是時王城爲西周、而成周爲東周矣、及考王封其弟揭於王城、是爲河南桓公、桓公之孫惠公又自封其少子班於鞏、號曰東周、則此東周又自西周之王城分出、而幷非敬王所都之成周矣、分封於鞏者曰東周、而河南惠公本在王城、則仍西周之號、此東周西周皆在河南、而周王之都於成周自若也、戰國所謂周王者、都於成周之王也、所謂東周君西周君者、則河南之都於王城及分封於鞏者也、東周謂韓王曰、西周者、故天子國、明乎是時西周已非天子所都也、顯王二年、趙與韓分周爲二、於是東西各爲列國者、即河南之東西周也、而顯王抱空名、尚在成周、直至赧王始滅、則仍是敬王所遷之東周也、愚按二周之辯、鮑彪國策注、呂祖謙大事記、吳澄東西周辨、顧棟高春秋大事表、崔述考信錄續篇、各有出入、趙說近是、又按、史記云、王赧時東西周分治、又云、王赧徙都於西周、恐非、威烈王二十三年、九鼎震。命韓・魏・趙爲諸侯。【考證】崔述曰、史記周本紀、威烈王二十三年、九鼎震、命韓魏趙爲諸侯、晉世家則云、魏韓趙皆相立爲諸侯、周互異、韓魏楚鄭各世家、皆但云列爲諸侯、不言所因何事、年表、周威烈王二十三年、亦不晉載命韓魏趙爲諸侯之文、無從決其孰是、然嘗以其時事考之、楚世家、悼王二年、三晉來伐楚、至乘邱而還、十一年、三晉伐楚、敗我大梁榆關、楚厚賂秦、與之平、事在九鼎震後十

餘年內、竹書紀年、韓滅鄭、哀侯入于鄭、明年、晉桓公邑哀侯于鄭、事在九鼎震後數十年內、玩其文義、皆似晉國未分然者、若三國皆受王命爲諸侯、則各君其國、不相統屬、何以同伐同和如一國、然三國既自受王命爲諸侯、則與晉侯同列、無復君臣之分、何以仍書桓公邑之於鄭、蓋自春秋以降、大夫日以上僭、齊大夫稱棠公、鄭伯之家臣、亦以公稱伯有、至戰國而益甚、故史記年表、稱三桓勝魯如小侯、孟子書亦有費惠公之文、然則三晉之僭稱侯、乃事之常、不必待王命也、況當是時周室微弱已極、王章蕩然無存、非若春秋之初、天下猶知尊周、故晉武公必請王命、然後爲晉侯也、且五國相王、雖命之周衰、諸侯可以相王、晉衰、大夫獨不可以相侯乎、溫公通鑑、朱子綱目、乃據周本紀文、以爲王綱失守、於焉託始、書曰、初命晉大夫魏斯趙籍韓虔爲諸侯、其義雖正、其論雖美、而其事恐未必然也、愚按、烈王三年、齊侯朝周、二十六年、周致伯于秦、秦使公子少官率諸侯來朝、其事皆後九鼎震數十年、蓋周室雖衰、猶足以名朝諸侯、三晉爲諸侯時、亦安知其不受王命乎、要之自秦以前、春秋經傳以後、史冊殘缺、傳聞互異、無由于考信也、顧炎武曰、春秋終於敬王三十九年庚申之歲西狩獲麟、又十四年爲貞定王元年癸酉之歲、魯哀出奔、二年卒於有山氏、左傳以是終焉、又六十五年、威烈王二十三年戊寅之歲、初命晉大夫魏斯趙籍韓虔爲諸侯、又十七年、安王十六年乙未之歲、初命齊大夫田和爲諸侯、又五十二年、顯王三十五年丁亥之歲、六國以次稱王、蘇秦爲從長、自此之後、事乃可得而紀、自左傳之終以至此、凡一百三十三年、史文闕軼、考古者爲之茫昧、如春秋時猶尊禮重信、而七國則絕不言禮與信矣、春秋時猶宗周王、而七國則絕不言王矣、春秋時猶嚴祭祀、重聘享、而七國則無其事矣、春秋時猶論宗姓氏族、而七國則無一言及之矣、春秋時猶宴會賦詩、而七國則不聞矣、春秋時猶有赴告策書、而七國則無有矣、邦無定交、士無定

主、此皆變於一百三十三年之閒、史之闕文、而後人可以意推也、不待始皇之幷天下、而文武之道盡矣、二十四年崩。[集解]徐廣曰、皇甫謐曰、元丙辰、崩己卯、駰案宋衷曰、威烈王葬洛陽城中東北隅也、子安王驕立。是歲、盜殺楚聲王。安王立二十六年崩。[集解]皇甫謐曰、安王元庚辰、崩乙巳、[考證]安王十六年、齊大夫田和爲諸侯、史不書者、何也、子烈王喜立。烈王二年、周太史儋[索隱]老子列傳曰、儋卽老子耳、又曰、非也、驗其年代、是別人、[正義]儋□甘反、又丁談反、幽王時有伯陽甫、唐固曰、伯陽甫老子也、按幽王元年至孔子卒、三百餘年、孔子卒後一百二十九年、儋見秦獻公、然老子當孔子時、唐固說非也、[考證]正義一百二十九年、當作一百有九年、見秦獻公曰。[正義]秦本紀云、獻公十一年見、見後十五年、周顯王致文武胙於秦孝公、是復合時也、始周與秦國合而別。別五百載復合。[集解]應劭曰、周孝王封伯翳之後爲侯伯、與周別五百載、至昭王時、西周君臣自歸受罪、獻其邑三十六城、合也、韋昭曰、周封秦爲始別、謂秦仲也、五百歲、謂從秦仲至孝公彊大、顯王致伯、與之親合也、[索隱]按周封非子爲附庸、邑之秦、號曰秦嬴、是始合也、及秦襄公始列爲諸侯、是別之也、自秦列爲諸侯、至昭王五十二年西周君臣獻邑三十六城以入於秦、凡五百一十六年、是合也、云五百舉其大數、合十七歲而霸王者出焉。[集解]徐廣曰、從此後十七年、而秦昭王立、駰案韋昭曰、武王昭王皆伯、至始皇而王天下、[索隱]霸王、謂始皇也、自周以邑入秦、至始皇初立、政由太

后嫪毐、至九年誅毐、正十七年、[正義]周始與秦國合者、謂周秦俱黃帝之後、至非子未別封、是合也、而別者、謂非子末年、周封非子爲附庸、邑之秦、後二十九君、至秦孝公二年、五百載、周顯王致文武胙於秦孝公、復與之親、是復合也、合十七歲而霸王者出、謂從秦孝公三年至十九年、周顯王致胙於秦孝公、是霸也、孝公子惠王稱王、是霸王者出也、然五百載者、非子生秦侯已下二十八君、至孝公二年、都合四百八十六年、兼非子邑秦之後十四年則成五百、[考證]錢大昕曰、太史儋語、周本紀載之、秦本紀載之、封禪書老子列傳又載之、蓋重出者四矣、秦本紀作七十七歲、老子列傳作七十歲、皆傳寫之譌、索隱正義可證、中井積德曰、秦祖事周、未別封、是始合也、襄公始列爲諸侯、是別也、及西周獻地、是復合也、霸王指始皇一人、若年數少差、固所不論、是讖文之常也、又曰、襄公列爲諸侯、至西周獻地五百十五年、又至始皇卽位十一年、十年、烈王崩。弟扁立。是爲顯王。[正義]扁、邊典反、[考證]據表、十當作七、顯王五年、賀秦獻公。獻公稱伯。九年、致文武胙於秦孝公。[集解]胙、膰肉也、左傳曰、王使宰孔賜齊侯胙曰、天子有事于文武、二十五年、秦會諸侯於周。二十六年、周致伯於秦孝公。三十三年、賀秦惠王。三十五年、致文武胙於秦惠王。四十四年、秦惠王稱王。其後諸侯皆爲王。[索隱]謂韓魏齊趙也、[正義]秦本紀云、惠王十三年、與韓魏趙竝稱王、[考證]南本惠王作

惠公、梁玉繩曰、秦惠稱王、秦紀秦表均不書、而楚世家懷王四年、田完世家宣王八年附書之、張儀傳亦云、儀相秦四歲、立惠王爲王、與此紀書于顯王四十四年、政合、乃秦惠王十三年也、秦惠在位二十七年、改十四年爲元年、豈非以稱王之故歟、然此謂諸侯爲王、皆在秦惠稱王之後、則誤已、其時稱王者、燕秦楚齊趙魏韓七國、宋中山二小國亦稱之、凡玆九國、惟楚僭王、在春秋之前、其餘八國、齊最先、宋次之、魏次之、秦次之、燕韓中山次之、趙最後、齊爲王、始于威王二十六年、當顯王十六年也、魏爲王、始于惠王後元年、當顯王三十五年也、秦紀于惠王四年、書齊魏爲王、齊字誤、十三年、復書魏君爲王、表亦書魏爲王于十三年、俱誤也、宋爲王、始于偃王十一年、當顯王三十三年、以爲當愼靚王三年者誤也、燕爲王、始于易王十年、韓爲王、始于宣惠王十年、中山不知何君、當顯王四十六年也、趙武靈爲王之年無攷、趙世家武靈八年、五國相王、趙獨否、令國人謂己曰君、武靈八年、爲愼靚王三年、是歲無五國相王事、攷世家武靈十一年、書王召公子職于韓、則趙之爲王、其在愼靚之六年乎、索隱正義及元吳師道國策注、言稱王之年皆未詳覈、四十八年、顯王崩。子愼靚王定立。愼靚王立六年崩。子赧王延立。[索隱]皇甫謐云、名誕、赧非謚、謚法、無赧、正以微弱竊鈇逃債、赧然慙愧、故號曰赧耳、又按尚書中候、以赧爲然、鄭玄云、然讀曰赧、王邵按、古音人扇反、今音奴板反、爾雅曰、面慙曰赧、[考證]中井積德曰、稱赧王延則赧似謚、赧果謚、則下文不當稱王赧、稱王赧則赧似名、則上文不當稱赧王、是必有一誤也、延、世紀作誕、延誕赧音近、或因致謬耳、國已亡、無用謚爲也、愚按、楓三南本赧王延作王赧、王赧時、東西周分治。[索隱]西周、河南也、東周、鞏也、王赧微弱、

西周與東、分主政理、各居一都、故曰東西周、按高誘曰、西周、王城、今河南、東周、成周、故洛陽之地、[考證]此疑誤、或云、此趙世家所謂與韓分周爲兩者、事在顯王時、非赧王也、王赧徙都西周。[正義]敬王從王城東徙成周、十世至王赧從成周西徙王城、西周武公之居焉、西周武公之共太子死。[集解]徐廣曰、武公、惠公之長子、[索隱]按戰國策、作東周武公、[考證]西周、當作東周、有五庶子。毋適立。司馬翦謂楚王曰。[正義]翦、音子踐反、楚臣也、不如以地資公子咎爲請太子。[考證]中井積德曰、爲疑當在請下、左成曰。不可。周不聽、是公之知困、而交疏於周也。[正義]左成、楚臣也、言以地資公子咎請爲太子、周若不許、是楚於周交益疏、[考證]南本、可周下有乃字、不如請周君孰欲立、以微告翦、翦請令楚賀之以地。[正義]楚命翦適周、諷周君、欲立誰、以微言告於翦、翦令楚賀之以地、周果立咎爲太子也、[考證]左成言至此、請周君三字、當依策作謂周君曰四字、果立公子咎爲太子。[正義]此以上至西周武公、是楚令周立公子咎爲太子也、[考證]武公以下、采戰國策東周策、八年、秦攻宜陽。楚救之。[正義]括地志云、故韓城、一名宜陽城、在洛州福昌縣東十四里、卽韓宜陽縣城也、而楚以周爲秦、故將伐之。[索隱]宜陽、韓地、秦攻而楚救之、周爲韓

出兵、而楚疑周爲秦、因加兵伐周、蘇代爲周說楚王曰。何以周爲秦之禍也。索隱蘇代爲周說楚王、王何以道周爲秦、周實不爲秦也、今王責周道爲秦、周懼楚必入秦、是爲禍也、考證何以猶言何故、以下添言字看、言周之爲秦甚於楚者、欲令周入秦也。故謂周秦也。索隱周秦相近、秦欲幷周、而外睦於周、故當時諸侯咸謂周秦、考證岡白駒曰、言之者、秦之說客也、中井積德曰、周秦間、疑脫爲字、周知其不可解、必入於秦。此爲秦取周之精者也。正義解、音紀買反、代言周若知楚疑親秦、其計定不可解免、周必親於秦也、是爲秦取周精妙之計、考證岡白駒曰、解、解說也、愚按、解、解免也、卽下文絕字之意、精、猶至也、爲王計者、周於秦因善之、不於秦亦言善之、以疏之於秦。正義代言爲王計者、周親秦、因而善之、周不親、亦言善之、楚若善周、周必疏於秦也、考證言、當作因、或云、衍字、周絕於秦、必入於郢矣。正義郢、楚都也、楚旣親周、秦必絕周親楚矣、以上至八年、蘇代說楚合周、考證入於郢、言周歸楚、愚按、國策無此條、秦借道兩周之閒、將以伐韓。周恐。借之畏於韓。不借畏於秦。正義上借、音精夕反、下、音子夜反、史厭謂周君曰。索隱周君、西周武公也、時、王赧微弱、不主盟會、寄居西周耳、

正義厭、烏滅反、又於點反、考證策、厭作饜、何不令人謂韓公叔曰。秦之敢絕周而伐韓者、信東周也。集解徐廣曰、韓、一作何、應劭曰、氏姓譜云、以何姓爲韓後、考證策亦作韓、絕、橫度也、公何不與周地、發質使之楚。正義質、音竹利反、使、音所吏反、質使、令公子及重臣等往楚爲質、使秦疑楚、又得不信周也、質、平敵不相負也、考證策、質使作重使、秦必疑楚不信周。是韓不伐也。又謂秦曰。韓彊與周地、將以疑周於秦也。周不敢不受。秦必無辭而令周不受。正義又謂秦曰、韓強與周地、令秦疑周親韓、則周不敢不受、秦必無巧辭而令周不敢受韓地也、是受地於韓、而聽於秦。索隱此史厭說韓、令與周地、使質於楚、令秦疑楚不信周、得不假道伐韓、而猶聽命於秦、考證秦借以下、采東周策、秦召西周君。西周君惡往。故令人謂韓王。索隱按戰國策云、或人爲周君謂魏王云者也、考證當依策韓作魏、曰。秦召西周君。將以使攻王之南陽也。王何不出兵於南陽。周君將以爲辭於秦。索隱高誘注戰國策曰、以魏兵在河南爲辭、周君不往朝秦也、考證楓三南本、使作便、策、攻王之王作魏、於下南陽作河南、當依訂、南陽、魏邑、河南、西周王城、周君

不入秦、秦必不敢踰河而攻南陽矣。正義南陽、今懷州也、杜預云、在晉山南河北、以上至秦召西周君、是西周君說韓、令出兵河南謀秦也、考證以上采西周策、文字有異同、東周與西周戰。韓救西周。或爲東周說韓王曰。正義爲、音于僞反、蓋或人爲東周說韓王、令按兵無出、則周德韓矣、西周故天子之國、多名器重寶。王案兵毋出、可以德東周。正義韓按兵不出伐東周、而東周甚媿韓之恩德也、考證中井積德曰、曰故天子之國、可知今非天子之國也、按兵不出、一則可以施恩德於東周、一則可以得西周之寶、而西周之寶、必可以盡矣。正義韓出兵助西周、雖不攻東周、西周媿其佐助、寶器必盡歸於韓、以上至東周與西周戰、是或人說韓令無救西周也、考證中井積德曰、將救而不出兵、西周欲其速出也、故不惜重寶以賂韓也、若已出兵、則必不肯行賂也、愚按、以上采東周策、古鈔南本無以字、王赧謂成君。考證依下注徐廣說、成君下、有脫簡、楚圍雍氏以下、別是一事、楚圍雍氏。集解徐廣曰、陽翟雍氏城也、戰國策曰、韓兵入西周、西周令成君辯說秦求救、當是說此事而脫誤也、索隱如徐此說、自合當改而注結之、不合與楚圍雍氏連注、正義雍、音於恭反、括地志云、故雍城、在洛州陽翟縣東北二十五里、故老云、黃帝臣雍父作杵臼所封也、按其地時屬韓也、考證雍氏、韓地、故城在今河南扶溝縣西南、凌稚隆曰、徐廣注引戰國策一段、今本所無、韓徵甲與粟於東周。

東周君恐、召蘇代而告之。代曰。君何患於是。臣能使韓毋徵甲與粟於周。又能爲君得高都。集解徐廣曰、今河南新城縣高都城也、索隱高誘云、高都、韓邑、今屬上黨也、正義括地志云、高都故城、一名郜都城、在洛州伊闕縣北三十五里、考證錢大昕曰、戰國策以爲西周、張文虎曰、國策在西周策、文無東字、高都、韓地、周君曰。子苟能、請以國聽子。代見韓相國曰。集解漢書百官表曰、相國、秦官、駟謂韓亦有相國、然則諸國共放秦也、索隱相國、公仲侈也、楚圍雍氏、期三月也。今五月不能拔。是楚病也。正義謂楚兵弊弱也、今相國乃徵甲與粟於周。是告楚病也。考證示楚以韓弊弱、韓相國曰。善。使者已行矣。索隱已、止也、考證策、善下有然字、徐孚遠曰、言旣已發使、故雖善代之言、而不可止、代因言、宜與周高都也、代曰。何不與周高都。韓相國大怒曰。吾毋徵甲與粟於周、亦已多矣。正義言幸甚也、何故與周高都也。代曰。與周高都、是周折而入於韓也。秦聞之必大怒。忿周卽不通周使。是以

獘高都得完周也。曷爲不與。相國曰。善。果與周高都。【正義】以上至楚圍雍氏、是蘇代爲東周說韓、令不徵甲而得高都、【考證】楚圍雍氏以下、采西周策、吳師道曰、赧王三年十五年、楚圍雍氏、此十五年事、梁玉繩曰、圍雍氏、止一役、事在赧王九年、愚按吳梁二說未確、說在秦紀、三十四年、蘇厲謂周君曰。秦破韓魏扑師武、【集解】徐廣曰、扑一作仆、戰國策曰、秦敗魏將犀武於伊闕、北取趙藺離石者皆白起也。是善用兵、又有天命。【集解】地理志曰、西河郡有藺離石二縣、【正義】藺音力刃反、括地志云、離石縣、今石州所理縣也、藺近離石、皆趙二邑、【考證】梁玉繩曰、此語最爲可疑、策與史皆不免有誤、攷伊闕之戰、秦敗韓魏、虜韓將公孫喜、殺魏將犀武、其事因屬白起、若秦取趙離石、在顯王四十一年、取藺在赧王二年、皆非白起之功、其時起未出也、今又將兵出塞攻梁。【正義】謂伊闕塞也、在洛州南十九里、伊闕山、今名鍾山、酈元注水經云、兩山相對、望之若闕、伊水歷其間、故謂之伊闕、按今謂之龍門、禹鑿以通水也、梁破則周危矣。君何不令人說白起乎。曰。楚有養由基者。善射者也。去柳葉百步而射之。百發而百中之。左右觀者數千人。皆曰善射。有一夫立其旁。曰。善。可教射矣。

養由基怒釋弓搤劍曰。客安能教我射乎。客曰。非吾能教子支左詘右也。【索隱】按列女傳云、左手如拒、右手如附枝、右手發之、左手不知、此射之道也、又越絕書曰、左手如附泰山、右手如抱嬰兒、【考證】搤、握也、支左屈右、謂左手張支弓、右手屈持筈也、夫去柳葉百步而射之、百發而百中之、不以善息、【索隱】言不以其善而且停息、息、止也、少焉氣衰力倦、弓撥矢鉤、一發不中者、百發盡息。【索隱】息猶弃、言并弃前善、【考證】撥、弓反也、鉤、矢鋒屈也、今破韓魏、扑師武、北取趙藺離石者、公之功多矣。【考證】楓、三、南本、公下有也、公二字、與策合、今又將兵、出塞過兩周、倍韓攻梁。一舉不得、前功盡弃。公不如稱病而無出。【正義】以上至三十四年、是蘇厲爲周說白起無伐梁也、【考證】以上采西周策、四十二年、秦破華陽約。【集解】徐廣曰、一作厄、【正義】司馬彪云、華陽、亭名、在密縣、秦昭王三十三年、秦背魏約、使客卿胡傷擊魏將芒卯華陽、破之、六國年表云、白起擊魏華陽、芒卯走、括地志云、故華陽城、在鄭州管城縣南四十里、是、按馬犯見秦破魏華陽約、懼周危、故謂請梁城周也、【考證】中井積德曰、約字疑衍、馬犯謂周君曰。請令梁城

周。【索隱】華陽、地名、司馬彪曰、華陽、亭名、在密縣、秦昭王三十三年、秦背魏約、使客卿胡傷擊魏將芒卯華陽、破之、是馬犯見秦破魏約、懼周危、故謂周君請梁城周、而設詭計也、乃謂梁王曰。周王病。若死、則犯必死矣。【正義】馬犯、周臣也、乃說梁王曰、秦破魏華陽之軍、去周甚近、周王憂懼國破、猶身之重病、若死、則犯必死也、【考證】中井積德曰、病、謂眞病、死、謂眞死、岡白駒曰、此詐稱周王病也、王病而強兵在鄰邑、若王死、則國破、犯亦不能免矣、犯請以九鼎自入於王。王受九鼎而圖犯。【索隱】圖、謀也、犯謂梁王、我方入鼎於王、王當謀救援己也、梁王曰。善。遂與之卒。言戍周。【正義】戍、守也、周雖未入九鼎於梁、而梁信馬犯矯言、遂與之卒、令守周、【考證】中井積德曰、宣言戍周、實以取鼎也、故下言字、因謂秦王曰。梁非戍周也。將伐周也。王試出兵境以觀之。【正義】梁兵非戍周也、將漸伐周而取九鼎寶器、王若不信、試出師於境、以觀梁王之變也、秦果出兵。又謂梁王曰。【正義】馬犯說秦、得秦出兵於境、又重歸說梁王也、周王病甚矣。犯請後可而復之。【索隱】按戰國策、甚作瘉、犯請後可而復之者、言王病愈所圖不遂、請得在後有可之時、以鼎入梁也、【正義】復音扶富反、復、重也、秦既破華陽軍、今又出兵境上、是周國病秦久矣、犯前請卒戍周、諸侯皆心疑梁取周、後可更重請益卒守周乎、【考證】甚作瘉、爲長、言王病瘉矣、鼎不可得也、姑待可得之時、岡白駒曰、復、如復命之

復、言報入鼎之約也、今王使卒之周。諸侯皆生心。後舉事且不信。不若令卒爲周城、以匿事端。【索隱】梁實圖周九鼎、且外遣卒戍周和合、秦舉兵欲侵周、梁不救周、是本無善周之事、止是欲周危而取九鼎、故諸侯皆心不信梁矣、故不如匿事端、使卒爲周城、【正義】既諸侯生心、不如令卒便爲築城、以隱匿疑伐周之事端、絕諸侯不信之心、梁王遂使城周、解諸侯之疑也、【考證】中井積德曰、今王病愈、鼎不可得、秦兵又在境上、而梁卒輙罷歸、則隱謀發露、諸侯後不信梁矣、故請城之、以掩匿其事也、梁王曰。善。遂使城周。【正義】以上至四十二年、是馬犯說梁王爲周築城也、【考證】凌稚隆曰、詳國策、愚按今本策無此條、四十五年、周君之秦。客謂周冣曰。【索隱】冣、音詞喻反、周之公子也、公不若譽秦王之孝、因以應爲太后養地。【集解】徐廣曰、地理志云、應、今潁川父城縣應鄉是也、【索隱】戰國策作原、原、庿地、太后、秦昭王母宣太后芊氏也、【正義】括地志云、故應城、殷時應國、在父城、按應城、此時屬周、太后、秦昭王母宣太后芊氏、【考證】鮑彪曰、養、供養之地、湯沐邑也、秦王必喜。是公有秦交。交善、周君必以爲公功。交惡、勸周君入秦者必有罪矣。【正義】客謂周冣曰、周君與秦交善、是冣之功也、與秦交惡、勸周君入秦者周冣、今必得勸周君之罪也、以上至四十五年、是周客說周冣、令周君以應入秦、得交善而歸也、【考證】以上采西周策、有秦交、

策作有秦也、中井積德曰、勸周君入秦者、別人、其人獲罪、則周冣之權重也、秦攻周。而周冣謂秦王曰。爲王計者、不攻周。攻周實不足以利。聲畏天下。天下以聲畏秦、必東合於齊。兵獘於周、合天下於齊、則秦不王矣。天下欲獘秦。勸王攻周。秦與天下獘。則令不行矣。【正義】令、音力政反、秦欲攻周、周冣說秦曰、周天子之國、雖有重器名寶、土地狹少、不足利秦國、王若攻之、乃有攻天子之聲、而令天下以攻天子之聲畏秦、使諸侯歸於齊、秦兵卒弊於周、則秦不王矣、是天下欲弊秦、故勸王攻周、令秦受天下弊、而令教命不行於諸侯矣、以上至秦攻周、是周冣說秦也、【考證】以上采西周策、五十八年、三晉距秦。周令其相國之秦。以秦之輕也、還其行。【正義】以秦輕易周相、故相國於是反歸周也、【考證】凌稚隆曰、策作留其行、注、留、不進也、此還字、恐遲字之誤、客謂相國曰。秦之輕重未可知也。【正義】言秦之輕相國、重相國、亦未可知、秦欲知三國之情。公不如急見秦王曰。請爲王聽東方之變。秦王必重公。重公是秦重周。周以取秦也。齊重、則固有周聚以

收齊。是周常不失重國之交也。【集解】徐廣曰、聚、一作冣、冣亦古之聚字、【正義】按周聚事齊而和於齊周、故得齊重、今相國又得秦重、是相國收秦、周聚收齊、周常不失大國之交也、【考證】齊重、重字疑衍、周聚即周冣、中井積德曰、重國、猶強國也、秦信周。發兵攻三晉。【正義】三晉、韓魏趙也、以上至五十八年、是客說周相國、令報三國之情得秦重也、【考證】以上采東周策、五十九年、秦取韓陽城負黍。【集解】徐廣曰、陽城、有負黍聚、【正義】括地志云、陽城、洛州縣也、負黍亭、在陽城縣西南三十五里、故周邑、左傳云、鄭伐周負黍、是也、今屬韓國也、西周恐倍秦、與諸侯約從。【集解】文穎曰、關東爲從、關西爲橫、孟康曰、南北爲從、東西爲橫、瓚曰、以利合曰從、以威勢相脅曰橫、【正義】按諸說未允、關東地南北長、長爲從、六國共居之、關西地東西廣、廣爲橫、秦獨居之、將天下銳師、出伊闕攻秦、令秦無得通陽城。【正義】西周以秦取韓陽城負黍、恐懼倍秦之約、共諸侯連從、領天下銳師、從洛州南出伊闕、攻秦軍、令不得通陽城、秦昭王怒、使將軍摎攻西周。【集解】漢書百官表曰、前後左右將軍、皆周末官也、【正義】摎、音紀虯反、西周君犇秦、頓首受罪、盡獻其邑三十六・口三萬。【索隱】秦昭王之五十二年、【正義】謂西周武公、【考證】西周武公、與東周惠公兄弟、惠公薨於顯王九年、而武公存於赧王五十九年、可疑、此云西周君、蓋武公子孫、秦受其獻

歸其君於周。周君王赧卒。【集解】宋衷曰、謚曰西周武公、【索隱】非也、徐以西周武公是惠公之長子、此周君即西周武公也、蓋此時武公與王赧皆卒、故連言也、【正義】劉伯莊云、赧是慙恥之甚、輕微危弱、寄住東西、足爲慙赧、故號之曰赧、帝王世紀云、名誕、雖居天子之位號、爲諸侯之所役逼、與家人無異、名負責於民、無以得歸、乃上臺避之、故周人名其臺曰逃責臺、【考證】陳仁錫曰、周下君字衍文、愚按此句屬下讀、西周君此時未死、下文可證、周民遂東亡。秦取九鼎寶器、而遷西周公於𢠸狐。【集解】徐廣曰、𢠸音憚、𢠸狐聚、與陽人聚相近、在洛陽南百五十里梁新城之閒、【索隱】西周、蓋武公之太子文公也、武公卒而立、爲秦所遷、而東周亦不知其名號、戰國策雖有周文君、亦不知滅時定當何主、蓋周室衰微、略無紀錄、故太史公雖考衆書以卒其事、然二國代系、甚不分明、【正義】括地志云、汝州外古梁城、即𢠸狐聚也、陽人故城、即陽人聚也、在汝州梁縣西四十里、秦遷東周君地、梁亦古梁城也、在汝州梁縣西南十五里、新城、今洛州伊闕縣也、按𢠸狐陽人、傍在三城之閒、【考證】西周之亡、地與人皆入秦、而赧王成周之居、自若也、故赧王得考其終、史所謂歸西周君於周者、亦斥成周王居也、赧王已崩、周民東亡、無復守九鼎寶器者、西周公遂失其居、遷於𢠸狐矣、後七歲、秦莊襄王滅東西周。【集解】徐廣曰、周比亡之時、凡七縣、河南洛陽穀城平陰偃師鞏緱氏、【正義】括地志云、故穀城、在洛州河南縣西北十八里苑中、河陰縣城、本漢平陰縣、在洛州河陽縣東北五十里、十三州志云、在平津大河之南也、魏文帝改曰河陰、【考證】陳仁錫曰、西字衍、洞本無、愚按、西周已滅於赧王五十九年、是歲東周復滅、故下

文云、東西周皆入于秦、東西周皆入于秦。周既不祀。【集解】皇甫謐曰、周凡三十七王、八百六十七年、【索隱】既、盡也、日食盡曰既、言周祚盡滅、無主祭祀、【正義】按王赧卒後、天下無主三十五年、七雄竝爭、至秦始皇立、天下一統、十五年、海內咸歸於漢矣、【考證】崔適曰、秦本紀、東周君與諸侯謀伐秦、秦使相國呂不韋誅之、盡入其國、秦不絕其祀、以陽人地賜周君、奉其祭祀、然則莊襄王滅東周時、未絕其祀也、至始皇除封建爲郡縣、前代賜周陽人地、當復入于秦矣、此云不祀、終言之也、徐孚遠曰、平王東遷、以奉周祀、紀末以周既不祀終焉、贊語復封周後、蓋自相應、以明漢家繼絕也、王鏊曰、周既不祀下、當有缺文、不應如索隱說、

太史公曰。學者皆稱周伐紂居洛邑。綜其實、不然。武王營之、成王使召公卜居、居九鼎焉。而周復都豐鎬。至犬戎敗幽王、周乃東徙于洛邑。所謂周公葬我畢。畢、在鎬東南杜中。【集解】徐廣曰、一作社、【考證】何焯曰、觀斐敬之言、當時直謂周都洛陽、不容無辯、梁玉繩曰、我字不可解、當是于字之誤、史公蓋引書序、愚按我字自周公立言、史公采書序意、不襲其文、岡白駒曰、事見于魯世家、秦滅周、漢興九十有餘載。天子將封秦山、東巡狩至河南、求周苗裔、封其後嘉三十里地、號曰周子南君。【集解】瓚曰、

汲冢古文、謂衞將軍文子爲子南彌牟、其後有子南勁朝于魏、後惠成王如衞、命子南爲侯、秦幷六國、衞最爲後、疑嘉是衞後、故氏子南而稱君也、【正義】括地志云、周承休城一名梁雀塢、在汝州梁縣東北二十六里、帝王世紀云、漢武帝元鼎四年、東巡河洛、思周德、乃封姬嘉三千戶、地方三十里、爲周子南君、以奉周祀、元帝初元五年、嘉孫延年進爵爲承休侯、在此城也、平帝元始四年、進爲鄭公、光武建武十三年、封於觀、爲衞公、顏師古云、子南其封邑之號、爲周後、故總言周子南君、按自嘉以下、皆姓姬氏、著在史傳、瓚言子南爲氏、恐非、【考證】通鑑注、據恩澤侯表、周子南君、食邑於潁川長社、愚按周表其舊國、子、美稱、南、以其在河南也、君亦美稱、非邑非姓氏、亦與衞子孫不相涉、**比列侯、以奉其先祭祀。**【集解】徐廣曰、自周亡乙巳、至元鼎四年戊辰、一百四十四年、漢之九十四年也、漢武元鼎四年封周後也、

【索隱】述贊、后稷居邰、太王作周、丹開雀籙、火降烏流、三分既有、八百不謀、蒼兕誓衆、白魚入舟、太師抱樂、箕子拘囚、成康之日、政簡刑措、南巡不還、西服莫附、共和之後、王室多故、檿弧興謠、龍漦作蠹、頹帶挂禍、實傾周祚、

周本紀第四　史記四

史記會注考證卷五

漢　太　史　令　司　馬　遷　撰
宋　中　郎　外　兵　曹　參　軍　裴　駰　集　解
唐　國　子　博　士　弘　文　館　學　士　司　馬　貞　索　隱
唐　諸　王　侍　讀　率　府　長　史　張　守　節　正　義
日　本　出　雲　瀧　川　資　言　考　證

秦本紀第五

史記五

〔索隱〕秦雖嬴政之祖、本西戎附庸之君、豈以諸侯之邦、而與五帝三王同稱本紀、斯必不可、可降爲秦世家、〔考證〕史公自序云、維秦之先、伯翳佐禹、穆公思義、悼豪之旅、以人爲殉、詩歌黃鳥、昭襄業帝、作秦本紀第五、歸有光曰、秦本紀與始皇本紀當爲一、如周紀始后稷也、以簡帙多、始皇自爲紀、何焯曰、莊襄之世、秦已取周、固繼周而王矣、然六國未亡、則存封建之遺制也、至始皇幷呑而盡有之、分天下爲三十六郡、於是三代規模一變、是始皇本紀所以離而爲二也、方苞曰、秦紀多夸語、其世系事蹟、詳於列國、而於他書無徵、蓋史之舊也、愚按六國年表序云、太史公讀秦記、至犬戎敗幽王、周東徙洛邑、秦襄公始封爲諸侯、作西畤用事上帝、僭端見矣、又云、秦記不載日月、其文略未具、然戰國之權變、亦有可頗采者、蓋此紀以秦記爲經、以左傳國語國策爲緯、比諸吳齊魯晉諸世家、其事大備者爲此也、

秦之先、帝顓頊之苗裔。〔正義〕黃帝之孫、號高陽氏、孫曰女脩。女脩織、玄鳥隕卵。女脩吞之。生子大業。〔索隱〕女脩、顓頊之裔女、吞鳦子而生大業、其父不著、而秦趙以母族而祖顓頊、非生人之義也、按左傳、郯國少昊之後、而嬴姓蓋其族也、則秦趙宜祖少昊氏、〔正義〕列女傳云、陶子生五歲而佐禹、曹大家注云、陶子者皐陶之子伯益也、按此卽知大業是皐陶、〔考證〕柯維騏曰、古人郊禖祈嗣、以玄鳥至日爲候、祈而適孕、乃生大業耳、洪亮吉曰、此乃因簡狄事附會、不足信、愚按、伯益非皐陶子、正義誤、大業取少典之子曰女華。女華生大費。〔索隱〕扶味反、一音祕、尋費後以爲氏、則扶味反爲得、此則秦趙之祖、嬴姓之先、一名伯翳、尚書謂之伯益、系本漢書謂之伯益、是也、尋檢史記上下諸文、伯翳與伯益是一人不疑、而陳杞系家、卽敘伯翳與伯益爲二、未知太史公疑而未決邪、抑亦謬誤爾、〔考證〕兪樾曰、顓頊爲黃帝之孫、女脩旣爲顓頊苗裔、則去黃帝遠矣、況大業又其子乎、而少典黃帝之父也、女華爲少典之子、則與黃帝兄弟也、而謂大業得娶之子、以五帝紀及秦紀參觀、其繆殊甚、趙翼曰、史記伯益佐禹、而秦本紀、秦之先大業娶女華生大費、大費佐禹平水土、輔舜馴鳥獸、舜妻以姚之玉女、是曰柏翳、而不言伯益、是以後人皆以柏翳伯益爲二人、然使佐大禹平水土者、別有柏翳一人、則尚書載之、當與稷契皐陶同列、乃尚書所載、有伯益無柏翳、而伯益爲虞其職若上下草木鳥獸、與史記所云馴鳥獸者適相脗合、則史記平水土馴鳥獸之柏翳、卽尚書若上下草木鳥獸之伯益無疑、惟史記之大費、不見於尚書、胡應麟據汲冢書有費侯伯益之語、則大費則伯益之封國、史記旣云大費卽柏翳、而伯益實封於費、可見柏翳卽伯益也、又按國語、嬴伯翳之後也、韋昭注、卽伯益也、漢書地理志又曰、秦之先爲伯益、佐禹治水、爲舜虞官、則柏翳伯益之爲一人、尤明白可證、蓋翳與益聲相近之訛也、梁氏志疑、亦以伯翳爲伯益、其說更詳、愚按、古重氏族、託名聖賢、以華其所自出者、不獨嬴秦、其爲顓頊之裔、旣已不可知、伯益柏翳異同、不問而可也、

與禹平水土。已成。帝錫玄圭。禹受曰。非予能成。亦大費爲輔。帝舜曰。咨爾費。贊禹功。其賜爾皁游。〔索隱〕游、音旒、謂賜以皁色旌旆之旒、色與玄玉色副、言其大功成也、然其事亦當有所出、爾後嗣將大出。〔索隱〕出、猶生也、言爾後嗣繁昌、將大出子孫也、故左傳亦云、晉公子姬出也、〔考證〕中井積德曰、出、猶與也、乃妻之姚姓之玉女。〔集解〕徐廣曰、皇甫謐云、賜之玄玉、妻以姚姓之女也、〔考證〕朱亦棟曰、禮有請君玉女之文、鄭注、言玉女者、美言之也、愚按乃妻之以下、記事之文、玉字疑衍、集解賜之玄玉、上文錫玄玉集解誤併於此、說詳于李笠訂補、大費拜受、佐舜調馴鳥獸。鳥獸多馴服。是爲柏翳。〔考證〕拜受二字承賜皁游、舜賜姓嬴氏。大費生子二人。一曰大廉。實鳥俗氏。二曰若木。實費氏。〔索隱〕以仲衍鳥身人言、故爲鳥俗氏、俗一作浴、若木以王父字爲費氏也、〔考證〕李笠曰、周本紀、檿弧箕服、亦當與此同義、詩頍弁、實維何、鄭箋、實猶是也、楚詞、抽思、實沛徂兮、王注、實猶是也、其玄孫曰費昌。子孫或在中國。或在夷狄。〔索隱〕殷紂時費仲、卽昌之後也、費昌當夏桀之時。去夏歸商。爲湯御以敗桀於鳴條。大廉玄孫曰孟戲・中衍。〔索隱〕舊解以孟戲仲衍是一人、今以孟仲分字、當是二人名也、鳥身人言。〔正義〕身體是鳥、而能人言、又云、口及手足似鳥也、〔考證〕楓、三、南本言作首、梁玉繩曰、鳥身上似脫仲衍二字、帝太戊聞而卜之使御。吉。遂致使御。而妻之。〔考證〕楓、三、南本、吉下有左右二字、三南本致作置、自太戊以下。中衍之後。遂世有功。〔正義〕謂費昌及仲衍、〔考證〕御覽引無遂字、正義費昌及三字可刪、以佐殷國。故嬴姓多顯、

遂爲諸侯。其玄孫曰中潏。在西戎保西垂。生蜚廉。【集解】徐廣曰、潏、一作滑、【正義】中、音仲、潏、音決、宋衷注世本云、仲滑生飛廉、蜚廉生惡來。惡來有力。【集解】晏子春秋曰、手裂虎兕、蜚廉善走。父子俱以材力事殷紂。周武王之伐紂、并殺惡來。是時蜚廉爲紂石北方。【集解】徐廣曰、皇甫謐云、作石椁於北方、【索隱】石下無字、則不成文意、亦無所見、必是史記本脫、皇甫謐尙得其說、徐雖引之、而竟不云是脫何字、專質之甚也、【正義】爲、于僞反、劉伯莊云、霍太山、紂都之北也、霍太山、在晉州霍邑縣、按在衛州朝歌之西方也、【考證】石當作使、梁玉繩曰、水經汾水注述此事云、飛廉先爲紂使北方、御覽引史記亦曰、時飛廉爲紂使北方、傳寫誤使爲石、洪頤煊沈濤姚範張文虎說同、還無所報。爲壇霍太山而報。【集解】地理志、霍太山、在河東彘縣、得石棺。【正義】紂既崩、無所歸報、故爲壇就霍太山而祭紂、報云、作得石槨、【考證】蜚廉築土爲壇、偶土中得石棺、石棺與紂不涉、銘曰。帝令處父不與殷亂。賜爾石棺以華氏。【索隱】蜚廉別號、【考證】中井積德曰、處父是字、沈濤曰、御覽引作不與發亂、發、武王名也、言不與周武之難耳、愚按孟子云、驅飛廉於海隅戮之、與此異、死。遂葬於霍太山。【集解】皇甫謐云、去彘縣十五里有冢、常祠之、【索隱】言處父至忠、國滅君死、而不忘臣節、故天賜石棺、以光華其族、事蓋非實、譙周深所不

信、蜚廉復有子曰季勝。【正義】音升、季勝生孟增。孟增幸於周成王。是爲宅皋狼。【正義】地理志云、西河郡皋狼縣也、按孟增居皋狼而生衡父、【考證】中井積德曰、宅皋狼是號、皋狼生衡父。衡父生造父。【考證】皋上當有宅字、造父以善御幸於周繆王。得驥溫驪【集解】徐廣曰、溫、一作盜、駰案郭璞云、爲馬細頸、驪黑色、【索隱】溫、音盜、徐廣亦作盜、鄒誕生本作駣、音陶、劉氏音義云、盜驪、騧驪也、騧、淺黃色、八駿既因色爲名、騧驪爲得之也、【考證】南本重穆王二字、溫當從一本作盜、世家及穆天子傳列子周穆王、後漢東夷傳李賢注可證、盜乃淺青色、驊騮【集解】郭璞曰、色如華而赤、今名馬驃赤者爲棗騮、騮馬赤也、騄耳之駟、【集解】郭璞曰、紀年云、北唐之君、來見以一驪馬、是生騄耳、八駿皆因其毛色以爲名號、駰案穆天子傳、穆王有八駿之乘、此紀不具者也、【索隱】按穆王傳曰、赤驥盜驪白義渠黃驊騮騄耳山子、【正義】騄音錄、西巡狩、樂而忘歸。【集解】郭璞曰、紀年云、穆王十七年、西征、於崑崙丘、見西王母、【正義】括地志云、崑崙山、在肅州酒泉縣南八十里、十六國春秋云、前涼張駿酒泉守馬岌上言、酒泉南山、卽崑崙之丘也、周穆王見西王母、樂而忘歸、卽謂此山、有石室玉堂、珠璣鏤飾、煥若神宮、按肅州在京西北二千九百六十里、卽小崑崙也、非河源出處者、徐偃王作亂。【集解】地理志曰、臨淮有徐縣、云故徐國、尸子曰、徐偃王有筋而無骨、駰謂號偃由此、【正義】括地志云、大徐城、在泗州徐城縣北三十里、古徐國也、博物志云、徐君宮

人有娠而生卵、以爲不祥、弃於水濱、洲獨孤母有犬鵠蒼、銜所弃卵以歸、覆煖之、乃成小兒、生時正偃、故以爲名、宮人聞之、更取養之、及長、襲爲徐君、後鵠蒼臨死、生角而九尾、化爲黃龍也、鵠蒼或名后蒼、括地志又云、徐城、在越州鄮縣東南入海二百里、夏侯志云、翁洲上有徐偃王城、傳云、昔周穆王巡狩、諸侯共尊偃王、穆王聞之、令造父御、乘騕褭之馬、日行千里、自還討之、或云、命楚王帥師伐之、偃王乃於此處立城以終、造父爲繆王御、長驅歸周。一日千里、以救亂。【正義】古史考云、徐偃王與楚文王同時、去周穆王遠矣、且王者行有周衞、豈得救亂而獨長驅、日行千里乎、竝言此事非實、按年表穆王元年、去楚文王元年三百一十八年矣、【考證】韓非子五蠹篇云、徐偃王處漢東、地方五百里、行仁義、割地而朝者三十有六國、荊文王恐其害己也、擧兵伐徐、遂滅之、淮南子人間訓所云略同、據此則滅徐者楚文王、非周穆王也、而此紀及趙世家云、徐偃王作亂、造父御周穆王、攻徐破之、楚世家亦不載文王伐徐事、至後漢東夷傳則云、偃王處潢池東、地方五百里、陸地而朝者三十有六國、穆王後得驥騄之乘、乃使造父御、以告楚、令伐徐、一日而至、於是楚文王大擧兵而滅之、偃王仁而無權、不忍鬭其人、故致於敗、乃北走彭城武原縣東山下、百姓隨之者以萬數、因名其山爲徐山、於是周穆楚文造父三人、悉與徐偃事、韓愈衢州徐偃王廟碑亦本此爲說、崔述曰、前乎穆王者有魯公之費誓、曰、徂茲淮夷徐戎竝興、後乎穆王者有宣王之常武、曰、震驚徐方、徐方來庭、則是徐本戎也、與淮夷相倚爲邊患、叛服不常、其來久矣、非能行仁義以服諸侯、亦非因穆王遠遊而始爲亂也、且楚文王立於周莊王之八年、上距共和之初、已一百五十餘年、自穆王至是不下三百年、而安能與之共伐徐乎、故張氏史記正義言此事非實矣、蓋穆王本巡遊無度者、故傳

稱周行天下、將皆有車轍馬跡焉、後世稱造父者、欲神其技、因取偃王之事附會之、以見其有救亂之功、稱偃王者、欲表其美、因又取穆王之事附會、以爲能行仁義而諸侯歸之耳、初未暇計其乖舛於事理、刺謬於經傳也、韓子之文、雖出於酬應、不得已而作、然采邪說以惑後世、亦非大賢所宜爲也、愚按崔說極確、繆王以趙城封造父。造父族由此爲趙氏。【集解】徐廣曰、趙城、在河東永安縣、【正義】括地志云、趙城、今晉州趙城縣、是本彘縣地、後改曰永安、卽造父之邑也、【考證】今山西平陽趙城縣西南、自蜚廉生季勝、已下五世至造父、別居趙。趙衰其後也。惡來革者、蜚廉子也。蚤死。【考證】余有丁曰、按惡來革者、豈卽惡來耶、但不宜復曰蜚廉子、既爲武王誅死、又不宜曰早死、有子曰女防。女防生旁皋。旁皋生太几。太几生大駱。【考證】梁玉繩曰、秦詩譜疏、引此、女防作女妨、人表同、大駱生非子。以造父之寵、皆蒙趙城姓趙氏。【考證】蒙、昌也、梁玉繩曰、蓋秦趙同祖、或可互稱、故陸賈傳曰、秦任刑法不變、卒滅趙氏、漢書武五子傳曰、趙氏無炊火焉、楚世家、淮南子人間訓、稱始皇爲趙政、非子居犬丘。【集解】徐廣曰、今槐里也、【正義】括地志云、犬丘故城、一名槐里、亦曰廢丘、在雍州始平縣東南十里、地理志云、扶風槐里縣、周曰犬丘、懿王都之、秦更名廢丘、高祖三年、更名槐里也、好馬及畜、善養息之。【正義】好、火

到反、畜、許救反、犬丘人言之周孝王。孝王召使主馬于汧・渭之閒。馬大蕃息。正義 汧、音牽、言於二水之閒、在隴州以東、 孝王欲以爲大駱適嗣。申侯之女爲大駱妻。生子成爲適。申侯乃言孝王曰。昔我先酈山之女、爲戎胥軒妻。生中潏。正義 申侯之先、娶於酈山、胥軒、仲衍曾孫也、考證 岡白駒曰、申侯之先人嘗居酈山者之女、中井積德曰、酈山蓋先侯之名號、 以親故歸周、保西垂。西垂以其故和睦。今我復與大駱妻生適子成。申・駱重婚。西戎皆服。所以爲王。王其圖之。正義 重、直龍反、言申駱重婚、西戎皆從、所以得爲王、王卽孝王、考證 岡白駒曰、爲、去聲、李笠曰、正義得字衍、 於是孝王曰。昔伯翳爲舜主畜、畜多息。故有土賜姓嬴。今其後世亦爲朕息馬。朕其分土爲附庸、邑之秦、使復續嬴氏祀。集解 徐廣曰、今天水隴西縣秦亭也、正義 括地志云、秦州淸水縣、本名秦、嬴姓邑、十三州志云、秦亭、秦谷是也、周太史儋云、始周與秦國合而別、故天子邑之秦、 號曰秦嬴。亦不廢申侯之女

子爲駱適者、以和西戎。考證 古鈔、南本、駱上有大字、 秦嬴生秦侯。秦侯立十年卒。生公伯。公伯立三年卒。生秦仲。秦仲立三年。周厲王無道、諸侯或叛之。西戎反王室、滅犬丘大駱之族。周宣王卽位。集解 徐廣曰、秦仲之十八年也、 乃以秦仲爲大夫、誅西戎。西戎殺秦仲。秦仲立二十三年死於戎。集解 毛詩序曰、秦仲始大、有車馬禮樂侍御之好也、 有子五人。其長者曰莊公。考證 梁玉繩曰、襄公始爲諸侯、襄公之先、不過大夫而已、稱莊公者、詩秦風譜疏云、蓋追謚之、理或然也、或曰、承非子之初封、僭稱爲公、猶非子之稱秦侯耳、 周宣王乃召莊公昆弟五人、與兵七千人、使伐西戎。破之。於是復予秦仲後及其先大駱地犬丘、幷有之、爲西垂大夫。正義 注水經云、秦莊公伐西戎破之、周宣王與大駱犬丘之地、爲西垂大夫、括地志云、秦州上邽縣西南九十里、漢隴西郡縣是也、考證 復予以下十六字一氣讀、言賜以秦仲舊封、及大駱所有犬丘之地、使幷有之也、 莊公居其故西犬丘。生子三人。其長男世父。

世父曰。戎殺我大父仲。我非殺戎王、則不敢入邑。遂將擊戎、讓其弟襄公。考證 錢大昕曰、據此則周未東遷之日、戎已僭王號、如徐偃王楚句亶王鄂王越章王之類、其後有亳王義渠王獂王、皆戎種、愚按戎王之王、猶言長、非帝王之王、 襄公爲太子。莊公立四十四年卒。太子襄公代立。襄公元年、以女弟繆嬴爲豐王妻。考證 張文虎曰、宋本無元年以三字、凌稚隆曰、周無豐王、閩本作幽王、蓋幽豐字相近、而又適其時、作幽似矣、然幽王妻申后、何以有繆嬴、周廣業曰、豐王疑是戎王之號、荐居岐豐、因稱豐王、與亳王一例、非幽王也、上下文周厲王周宣王周幽王周平王、皆連周字、知是必非幽王、秦襄以女弟妻戎王、鄭武公妻胡之計耳、愚按後說是、 襄公二年、正義 括地志云、故汧城、在隴州汧源縣東南三里、帝王世紀云、秦襄公二年、徙都汧、卽此城、 戎圍犬丘世父。世父擊之。爲戎人所虜。考證 梁玉繩曰、世父二字衍、 歲餘、復歸世父。七年春、周幽王用褒姒廢太子、立褒姒子爲適、數欺諸侯。諸侯叛之。西戎犬戎、與申侯伐周、殺幽王酈山下。而秦襄公將兵救周、戰甚力有功。周避犬戎難、東涉

雒邑。正義 周平王徙居王城、卽雒誥云、我卜澗水東、瀍水西者也、 襄公以兵送周平王。平王封襄公爲諸侯。賜之岐以西之地。曰。戎無道、侵奪我岐・豐之地。秦能攻逐戎、卽有其地。與誓封爵之。襄公於是始國。與諸侯通使聘享之禮。乃用騮駒 集解 徐廣曰、赤馬黑髦曰騮、 黃牛羝羊各三、祠上帝西畤。集解 徐廣曰、年表云、立西畤祠白帝、索隱 襄公始列爲諸侯、自以居西畤、西畤縣名、故作西畤祠白帝、畤、止也、言神靈之所依止也、亦音市、謂爲壇以祭天也、考證 梁玉繩曰、按年表及封禪書、各三當作各一、上帝當作白帝、愚按六國表序云、秦襄公始封爲諸侯、作西畤用事上帝、僭端見矣、與此紀合、則不改作白、但五行五帝之說、始盛於戰國、春秋之前、未之有也、秦之西畤鄜畤密畤、亦止爲壇祭神、猶中土諸侯祭社稷耳、其曰祠上帝祠白帝黃帝者、蓋後來附會之說、何必問其異同、 十二年、伐戎而至岐。卒。生文公。文公元年、居西垂宮。正義 卽上西縣是也、 三年、文公以兵七百人東獵。四年、至汧・渭之會。考證 岡白駒曰、會、二水之所會同、 曰。昔周邑我先秦嬴於此。後卒獲爲諸侯。乃卜居之。占曰、吉。

【正義】括地志云、郿縣故城、在岐州郿縣東北十五里、秦紀云、秦文公東獵汧渭之會、卜居之、乃營邑焉、卽此城也、【考證】南本、卒下有以字、卽營邑之。十年、初爲鄜畤。【集解】徐廣曰、鄜縣、屬馮翊、【索隱】音敷、亦縣名、於鄜地作畤、故曰鄜畤、故封禪書曰、秦文公夢黃蛇自天下屬地、其口止於鄜衍、史敦以爲神、故立畤也、【正義】括地志云、三畤原、在岐州雍縣南二十里、封禪書云、秦文公作鄜畤、襄公作西畤、靈公作吳陽上畤、竝此原上、因名也、用三牢。十三年、初有史以紀事。民多化者。十六年、文公以兵伐戎。戎敗走。於是文公遂收周餘民有之。地至岐。岐以東獻之周。【考證】孔穎達曰、按終南之山、在岐之東南、大夫之戒襄公、已引終南爲喩、則襄公亦得岐東、非唯自岐以西也、如本紀之言、文公獻岐東於周、則秦之東境、終不過岐、而春秋之時、秦境東至於河、明襄公救周卽得之矣、本紀之言不可信也、梁玉繩曰、終南隔渭相望、詩人起興、不必定是時得岐東、秦地至河在晉惠公獻地後、乃穆公創霸時事、左傳及本紀甚明、不得言襄公救周卽得之矣、至獻岐東之說、或者秦獻之、而周不能有、遂仍入于秦乎、十九年、得陳寶。【索隱】按漢書郊祀志云、文公獲若石云于陳倉北阪城、祠之、其神來若雄雉、其聲殷殷云、野雞夜鳴、以一牢祠之、號曰陳寶、又臣瓚云、陳倉縣、有寶夫人祠、歲與葉君神會、祭于此者也、蘇林云、質如石、似肝、云語辭、【正義】括地志云、寶雞神、在岐州陳倉縣東二十里故陳倉城中、晉太康地志云、秦文公時、陳倉人獵得獸、若彘、不知名、牽以獻之、逢二童子、童子曰、此名爲媦、常在地中、食死人

腦、卽欲殺之、拍捶其首、媦亦語曰、二童子名陳寶、得雄者王、得雌者霸、陳倉人乃逐二童子、化爲雉、雌上陳倉北阪爲石、秦祠之、搜神記云、其雄者飛至南陽、其後光武起於南陽、皆如其言也、二十年、法初有三族之罪。【集解】張晏曰、父母兄弟妻子也、如淳曰、父族母族妻族也、【考證】余有丁曰、秦法自來慘刻、蓋夷狄之故俗也、黃淳耀曰、三族之罪、始於秦文公、而商鞅因之、漢祖名爲除秦苛政、然始定天下、卽族信越、文帝甫除收孥相坐律令、旋族新垣平、是後武帝數興大獄、而秦法遂終漢世不變、吾故謂漢非雜霸也、雜秦耳、嗚呼、秦之遺孽毒、甚矣哉、二十七年、伐南山大梓・豐・大特。【集解】徐廣曰、今武都故道有怒特祠、圖大牛上生樹、本有牛從木中出、後見於豐水之中、【正義】括地志云、大梓樹、在岐州陳倉縣南十里倉山上、錄異傳云、秦文公時、雍南山有大梓樹、文公伐之、輒有大風雨、樹生合不斷、時有一人病、夜往山中、聞有鬼語樹神曰、秦若使人被髮以朱絲繞樹伐汝、汝得不困耶、樹神無言、明日病人語聞、公如其言、伐樹、斷中有一青牛、出走入豐水中、其後牛出豐水中、使騎擊之、不勝、有騎墮地、復上、髮解、牛畏之、入不出、故置髦頭、漢魏晉因之、武都郡立怒特祠、是大梓牛神也、按今俗畫青牛障、是、【考證】大梓、豐、大特、蓋戎名、四十八年、文公太子卒。賜謚爲竫公。【集解】徐廣曰、文公之四十四年、魯隱之元年、【考證】古鈔本、竫作靜、兪樾曰、太子而爵之以公、非禮也、當時諸侯所未有也、下文又云、哀公卒、太子夷公蚤死、不得立、立夷公子、是爲惠公、愚按恐是秦史夸言、竫公之長子爲太子。是文公孫也。五十年、文公卒。葬西

山。【集解】徐廣曰、皇甫謐云、葬於西山、在今隴西之西縣、【考證】楓、三、南本、西上、有岐字、竫公子立。是爲寧公。【集解】徐廣曰、一作曼、【考證】梁玉繩曰、始皇紀末秦記、寧公作憲公、漢人表同、卽索隱於秦記引秦本紀亦作憲公、則寧字以形近致譌、此與年表並當改爲憲公、張文虎曰、詩秦風疏、水經注、冊府元龜引史皆作寧公、則作寧之本已久、寧公二年、公徙居平陽。【集解】徐廣曰、郿之平陽亭、【正義】帝王世紀云、秦寧公都平陽、按岐山縣有陽平鄉、鄉內有平陽聚、括地志云、平陽故城、在岐州岐山縣西四十六里、秦寧公徙都之處、遣兵伐蕩社。【集解】徐廣曰、蕩音湯、社一作杜、【索隱】西戎之君、號曰亳王、蓋成湯之胤、其邑曰蕩社、徐廣云、一作湯杜、言湯邑在杜縣之界、故曰湯杜也、【正義】括地志云、雍州三原縣有湯陵、又有湯臺、在始平縣西北八里、按其國蓋在三原始平之界矣、【考證】梁玉繩曰、蕩卽湯、古字通、西戎亳王號湯、湯在杜縣、後人以杜字注其下、混入正文、又譌爲社、三年、與亳戰。亳王奔戎。遂滅蕩社。【集解】皇甫謐云、亳王號湯、西夷之國也、四年、魯公子翬弑其君隱公。【正義】翬音暉、卽羽父也、【考證】左傳隱十一年、十二年、伐蕩氏取之。寧公生十歲立。立十二年卒。葬西山。【正義】括地志云、秦寧公墓、在岐州陳倉縣西北三十七里秦陵山、帝王世紀云、秦寧公葬西山大麓、故號秦陵山也、按文公亦葬西山、蓋秦陵山也、【考證】楓、三、南本、西上有岐字、生子三人。長男武公爲太子。武公

弟德公同母。魯姬子生出子。【正義】德公母號魯姬子、【考證】林伯桐曰、武公弟德公同母爲句、魯姬子生出子爲句、謂兩公與出子不同母也、正義乃以魯姬子爲德公母、恐未必然、愚按楓、三本、魯作曾、寧公卒。大庶長弗忌・威壘三父、廢太子而立出子爲君。【正義】壘音力追反、【考證】岡白駒曰、大庶長、威壘、官名、弗忌、三父、人名、出子六年、三父等復共令人賊殺出子。出子生五歲立、立六年卒。三父等乃復立故太子武公。武公元年、伐彭戲氏、【正義】戲、音許宜反、戎號也、蓋同州彭衙故城是也、至于華山下。【正義】卽華嶽之下也、居平陽封宮。【正義】宮名、在岐州平陽城內也、三年、誅三父等、而夷三族。以其殺出子也。【考證】凌稚隆曰、夷三族、與上初有三族之罪相呼應、鄭高渠眯殺其君昭公。【索隱】春秋魯桓公十七年左傳、作高渠彌也、十年、伐邽冀戎、初縣之。【集解】地理志、隴西有上邽縣、應劭曰、卽邽戎邑也、冀縣屬天水郡、【考證】姚鼐曰、周之制、王所居曰國中、分命大夫所居曰都鄙、自國而外、有曰家稍者矣、曰邦縣者矣、曰邦都者矣、而統名之、皆都鄙也、凡齊晉衞鄭之國、率同王朝都鄙之制、蓋周法、中原侯服、疆以周索、國近蠻夷者、乃疆以戎索、故齊魯衞鄭、名同於周、而晉秦楚、乃

不同於周、不曰都鄙曰縣、然始者有縣而已、尚無郡名。**十一年、初縣杜・鄭。**【集解】地理志、京兆有鄭縣、杜縣也、【正義】括地志云、下杜故城在雍州長安縣東南九里、古杜伯國、華州鄭縣也、毛詩譜云、鄭國者、周畿內之地、宣王封其弟於咸林之地、是爲鄭桓公、按秦得皆縣之、**滅小虢。**【集解】班固曰、西虢在雍州、【正義】虢、音古伯反、括地志云、故虢城在岐州陳倉縣東四十里、次西十餘里、又有城、亦名虢城、輿地志云、此虢文王母弟虢叔所封、是曰西虢、按此虢滅時陝州之虢、猶謂之小虢、又云、小虢、羌之別種、【考證】洪亮吉曰、西虢不滅於秦、輿地志誤、正義謂是羌之別種、較是、**十三年、齊人管至父・連稱等、殺其君襄公、而立公孫無知。**【考證】館本考證云、左傳弒襄公、秦武公十二年事、與年表同、與此異、**晉滅霍・魏・耿。**【索隱】春秋魯閔公元年左傳云、晉滅耿、滅魏、滅霍、此不言魏、史闕文耳、又傳曰、賜畢萬魏、賜趙夙耿、杜預注曰、平陽皮氏縣東南、有耿鄉、永安縣東北有霍太山、三國皆姬姓、【正義】括地志云、霍、晉州霍邑縣、又春秋時霍伯國、韋昭云、霍、姬姓也、括地志云、故耿城、今名耿倉城、在絳州龍門縣東南十二里、故耿國也、都城記云、耿、嬴姓國也、【考證】館本考證云、晉世家獻公之十六年、滅霍魏耿、年表、是年爲秦成之三年、此作武公十三年、相隔二十四年、張文虎曰、當錯簡、錢泰吉曰、據索隱、則史本無魏字、正義但釋霍耿、則所見本亦同、**齊雍廩殺無知・管至父等、而立齊桓公。**【正義】雍、於宮反、廩、力甚反、是雍林邑人姓名也、【考證】王念孫曰、齊世家云、齊君無知游於雍林、雍林人嘗有怨無知、及其往游、雍林人襲殺無知、是史公以雍林爲邑名、此文亦作雍林人、

後人依左傳改之也、正義曰、雍林邑人、此正釋雍林人三字也、正義姓名二字、此亦後人所加、**齊音爲彊國。十九年、晉曲沃始爲晉侯。**【索隱】晉穆侯少子成師居曲沃、號曲沃桓叔、至武公稱、滅晉侯緡、始爲晉君也、【考證】左傳繫之魯莊十六年、即秦武二十年事、**齊桓公伯於鄄。**【正義】伯音霸、【考證】莊十五年左傳、**二十年、武公卒。葬雍平陽。初以人從死。從死者六十六人。有子一人。名曰白。白不立。封平陽。**【正義】即雍平陽也、平陽時屬雍、竝在岐州、解在上也、**立其弟德公。德公元年、初居雍城、大鄭宮。**【集解】徐廣曰、今縣在扶風、【正義】括地志云、岐州雍縣南七里、故雍城、秦德公大鄭宮城也、**以犧三百牢祠鄜畤。卜居雍。後子孫飲馬於河。**【正義】卜居雍之後、國益廣大、後代子孫得東飲馬於龍門之河、【考證】封禪書索隱曰、百當作白、秦君西祀少昊、牲尚白、祭郊本特牲、不可用三百牢以祭天、徐孚遠曰、昊子徽會百牢、秦人僭侈、未必臻特牲之禮、百字不爲誤也、愚按秦列諸侯、歷年未久、其志雖大、亦不過欲飲馬於河耳、何至僭擬天子、況以三百牢祭神、三代所無、百字蓋衍文、襄公祠西畤、用騂駒黃牛羝羊各一、文公祠鄜畤用三牢、既見上文、中井積德曰、子孫飲河、是卜占之辭、愚按是伏後段晉君獻河西地、**梁伯・芮伯來朝。**【索隱】梁、嬴姓、芮、姬姓、梁國在馮翊夏陽、芮國在馮翊臨晉、【正義】括地志云、南芮鄉故

城、在同州朝邑縣南三十里、又有北芮城、皆古芮伯國、鄭玄云、周同姓之國、在畿內、爲王卿士者、左傳云、桓公三年、芮伯萬之母芮姜、惡芮伯之多寵人、故逐之、出居魏、今按州芮城縣界有芮國城、蓋是殷末虞芮爭田之芮國是也、【考證】梁、嬴姓、僖六年左傳、郤芮曰、梁近秦而幸焉、是也、其十九年亡、秦得其地以爲邑、曰少梁、文十一年、晉人取少梁、即是、今陝西同州府韓城縣東二十二里、有少梁城、芮、姬姓、今同州府朝邑縣有芮故城、**二年、初伏、**【集解】孟康曰、六月伏日初也、周時無、至此乃有之、【正義】六月三伏之節、起秦德公爲之、故云初伏、伏者、隱伏避盛暑也、曆忌釋云、伏者何、以金氣伏藏之日也、四時代謝、皆以相生、立春木代水、水生木、立夏火代木、木生火、立冬水代金、金生水、立秋以金代火、故至庚日必伏、庚者金、故曰伏也、【考證】中井積德曰、當時未有五行生尅之說、正義曆忌釋當刪、**以狗禦蠱。**【集解】徐廣曰、年表云、初作伏祠社、磔狗邑四門也、【正義】蠱者、熱毒惡氣、爲傷害人、故磔狗以禦之、年表云、初作伏祠社、磔狗邑四門、按磔、禳也、狗、陽畜也、以狗張磔於郭四門、禳卻熱毒氣也、左傳云、皿蟲爲蠱、顧野王云、穀久積、變爲飛蠱也、**德公生三十三歲而立。立二年卒。生子三人。長子宣公。中子成公。少子穆公。長子宣公立。宣公元年、衞・燕伐周。**【正義】衞、惠公都、即今衞州也、燕、南燕也、周、天王也、括地志云、滑州故城、古南燕國、應劭云、南燕、姞姓之國、黃帝之後、**出惠王、立王子穨。**【考證】莊公十九年左傳、即秦惠公二年事、**三年、鄭伯・虢叔**【正義】括地志云、洛州汜水縣古東虢國、亦鄭之制

邑、漢之成皋、即周穆王虎牢城、左傳云、宮之奇曰、虢仲虢叔、王季之穆也、**殺子穨而入惠王。**【考證】莊廿一年左傳、即惠公四年事、**四年、作密畤。**【正義】括地志云、漢有五畤、在岐州雍縣南、則鄜畤、吳陽上畤下畤、密畤、北畤、秦文公夢黃蛇自天而下屬地、其口止於鄜衍、作畤、郊祭白帝曰鄜畤、秦宣公作密畤於渭南、祭青帝、秦靈公作吳陽上畤、祭黃帝、作下畤祠炎帝、漢高帝曰、天有五帝、今四、何也、待我而具五、遂立黑帝曰北畤是也、**與晉戰河陽。勝之。**【考證】河陽之戰、春秋傳、晉世家、年表皆不載、**十二年、宣公卒。生子九人。莫立。立其弟成公。成公元年、梁伯・芮伯來朝。**【正義】括地志云、同州韓城縣南二十二里少梁故城、古少梁國、都城記云、梁伯國、嬴姓之後、與秦同祖、秦穆公二十年滅之、**齊桓公伐山戎、次于孤竹。**【正義】括地志云、孤竹故城、在平州盧龍縣十二里、殷時諸侯竹國也、【考證】莊三十年春秋經、齊人伐山戎、國語齊語桓公北伐山戎、斬孤竹、**成公立四年卒。子七人。莫立。立其弟繆公。**【索隱】秦自宣公已上、皆史失其名、今按系本古史考、得繆公名任好、【考證】古鈔、楓、南本、子上有生字、穆公名任好見下文、又見文六年左傳、**繆公任好元年、自將伐茅津勝之。**【正義】劉伯莊云、茅津、戎號也、括地志云、茅津及茅城、在陝州河北縣西二十里、注水經云、茅亭、茅戎號、**四年、迎婦於晉。晉太子申生姊也。**

其歲、齊桓公伐楚至邵陵。【考證】僖四年春秋經傳、五年、晉獻公滅虞・虢、虜虞君、與其大夫百里傒。以璧馬賂於虞故也。既虜百里傒、以爲秦繆公夫人媵於秦。【考證】南本、宋本、無以璧賂於虞故也、既虜百里傒十三字、晉滅虞虢、僖五年左傳、梁玉繩曰、孟子言百里奚知虞公之不可諫而去之秦、知虞公之將亡而先去之、安得被執爲媵之事、被執爲媵者、虞大夫井伯也、史誤合爲一人、故于晉世家連書井伯百里奚、而于此紀以百里奚替井伯、百里傒亡秦走宛。【集解】地理志、南陽有宛縣、【正義】宛、於元反、今鄧州縣、楚鄙人執之。繆公聞百里傒賢、欲重贖之。恐楚人不與、乃使人謂楚曰。吾媵臣百里傒在焉。請以五羖羊皮贖之。楚人遂許與之。【考證】梁玉繩曰、後漢書・文選注、引韓詩外傳、論衡、並言秦大夫禽息薦百里奚、當是也、此言繆公贖于楚、呂氏春秋愼人篇、言公孫枝以五羊皮買之而獻諸穆公、說苑臣術篇、言賈人買以五羖羊皮、使將鬻車、與萬章自鬻秦、皆好事者爲之、言人人殊、不足辨已、戰國時造詞以誣聖賢、何所不有、當是時、百里傒年已七十餘。【考證】年已七十餘、本於孟子、繆公釋其囚、與語國事。謝曰。臣亡國之臣。何足問。

繆公曰。虞君不用子。故亡。非子罪也。固問、語三日。繆公大說、授之國政。號曰五羖大夫。百里傒讓曰、臣不及臣友蹇叔。蹇叔賢而世莫知。臣常游困於齊、而乞食餁人。蹇叔收臣。【集解】徐廣曰、餁一作銍、【正義】銍、音珍栗反、銍、地名、在沛縣、【考證】楓三、南本、常作嘗、臣因而欲事齊君無知。蹇叔止臣。臣得脫齊難。遂之周。周王子穨好牛。臣以養牛干之。及穨欲用臣、蹇叔止臣。臣去得不誅。事虞君。蹇叔止臣。臣知虞君不用臣。臣誠私利祿爵且留。再用其言得脫。一不用、及虞君難。是以知其賢。於是繆公使人厚幣迎蹇叔、以爲上大夫。秋、繆公自將伐晉、戰於河曲。【集解】徐廣曰、一作西、駰按公羊傳曰、河千里而一曲也、服虔曰、河曲、晉地、杜預曰、河曲在蒲阪南、【正義】按河曲、在華陰縣界也、【考證】梁玉繩曰、春秋、河曲之戰、在魯文十二年、乃秦康公時事、下文書之、秋穆公以下十一字衍文、晉驪姬作亂、

太子申生死新城。【正義】韋昭云、曲沃、新爲太子城、括地志云、絳州曲沃縣、有曲沃故城、士人以爲晉曲沃新城、重耳・夷吾出犇。【正義】重耳奔翟、夷吾奔少梁也、【考證】僖四年左傳、十二月戊申、縊於新城、卽穆公四年事、此書于五年、蓋依春秋經、九年、齊桓公會諸侯於葵丘。【正義】括地志云、葵丘、在曹州考城縣東南一里一百五十步、郭內卽桓公會處、又靑州臨淄縣有葵丘、卽傳連稱管至父所戍處、晉獻公卒。【考證】九年以下、僖九年春秋經傳、立驪姬子奚齊。其臣里克殺奚齊。荀息立卓子。【集解】徐廣曰、一作倬、克又殺卓子及荀息。夷吾使人請秦求入晉。於是繆公許之、使百里傒將兵送夷吾。夷吾謂曰。誠得立、請割晉之河西八城與秦。【正義】謂同華等州地、【考證】左傳、國語、無百里奚送夷吾事、河西八城、作河外列城五、及至已立、而使丕鄭謝秦、背約、不與河西城。而殺里克。【考證】古鈔本、城作地、南本無城字、丕鄭聞之、恐。因與繆公謀曰。晉人不欲夷吾。實欲重耳。今背秦約而殺里克。皆呂甥・郤芮之計也。願君以利

急召呂・郤。呂・郤至、則更入重耳、便。繆公許之、使人與丕鄭歸、召呂・郤。呂・郤等疑丕鄭有閒、乃言夷吾殺丕鄭。丕鄭子丕豹奔秦、說繆公曰。晉君無道、百姓不親。可伐也。繆公曰。百姓苟不便、何故能誅其大臣。能誅其大臣、此其調也。【正義】調、音徒聊反、言能誅大臣丕鄭、云是夷吾於百姓調和也、劉伯莊音徒弔反、按調、選也、邪臣誅、忠臣用、是夷吾能調選、兩通也、【考證】岡白駒曰、調、取調和之義爲是、不聽而陰用豹。【考證】立驪姬子以下、見僖九年十年左傳、國語晉語小異、徐孚遠曰、丕鄭已死、是晉無內應、晉未可以問也、故穆公益厚晉以驕之、十二年、齊管仲・隰朋死。【考證】南本、十二作十三、據齊世家及年表、管仲隰朋、死於秦穆十五年、晉旱。來請粟。丕豹說繆公勿與、因其饑而伐之。繆公問公孫支。【集解】服虔曰、秦大夫公孫子桑、支曰。饑穰更事耳。不可不與。問百里傒。傒曰。夷吾得罪於君。其百姓何罪。於是用百里傒・公孫支言、卒與之粟。以船漕車轉、

自雍相望至絳。集解 賈逵曰、雍、秦國都、絳、晉國都也、考證 梁玉繩曰、晉旱上失書十三年、愚按、南本車轉上有以字、晉旱以下、采國語晉語、僖十三年左傳、以百里奚言爲穆公自謂、十四年、秦饑、請粟於晉。晉君謀之羣臣。虢射曰。因其饑伐之、可有大功。晉君從之。正義 射、音石也、考證 梁玉繩曰、晉世家亦云、惠公用虢射謀、不與秦粟、而發兵伐之、攷內外傳、晉但不與粟而已、未嘗有因饑伐秦之事、公之伐晉爲其三施無報、豈因晉來攻而秦擊之乎、且未嘗使丕豹將也、且秦饑請粟、在十四年冬、戰于韓原、在十五年九月、事有兵閒四時而始交戰者、此及世家皆誤、十五年、興兵將攻秦。繆公發兵使丕豹將、自往擊之。九月壬戌、與晉惠公夷吾合戰於韓地。正義 左傳云、僖公十五年、秦晉戰于韓原、秦獲晉侯以歸、括地志云、韓原、在同州韓城縣西南十八里、十六國春秋云、魏顆夢父結草抗秦將杜回、亦在韓原、晉君弃其軍、與秦爭利、還而馬鷙。正義 鷙、音致、又敕利反、國語云、晉師潰、戎馬還濘而止、韋昭云、濘、深泥也、考證 鷙、疑當作縶、繆公與麾下馳追之。不能得晉君。反爲晉軍所圍。晉擊繆公。繆公傷。考證 事詳僖十五年左傳、國語晉語、少異、於是岐下食善馬者三百人、

馳冒晉軍。晉軍解圍。遂脫繆公而反、生得晉君。初繆公亡善馬。岐下野人、共得而食之者三百餘人。正義 括地志云、野人塢、在岐州雍縣東北二十里、按、野人盜馬食處、因名焉、吏逐得欲法之。繆公曰。君子不以畜產害人。吾聞食善馬肉、不飲酒傷人。乃皆賜酒而赦之。三百人者、聞秦擊晉、皆求從。從而見繆公窘、亦皆推鋒爭死、以報食馬之德。考證 於是岐下以下、采呂氏春秋愛士篇、於是繆公虜晉君以歸。令於國、齊宿。吾將以晉君祠上帝。周天子聞之曰。晉我同姓。爲請晉君。考證 梁玉繩曰、內外傳、秦有殺惠公之議、而無祀上帝之語、此與晉世家竝非、徐孚遠曰、左傳無周請晉君之文、初獲晉君、亦未能遽及、當是穆姬力也、夷吾姊亦爲繆公夫人。夫人聞之、乃衰絰跣曰。妾兄弟不能相救、以辱君命。考證 楓、三、南本、跣下有行字、救作教、義長、繆公曰。我得晉君以爲功。今天子爲請、夫人是憂。

乃與晉君盟、許歸之、更舍上舍、而饋之七牢。集解 賈逵曰、諸侯雍餼七牢、牛一、羊一、豕一、爲一牢也、十一月、歸晉君夷吾。夷吾獻其河西地、使太子圉爲質於秦。秦妻子圉以宗女。是時秦地東至河。正義 晉河西八城入秦、秦東境至河、卽龍門河也、考證 晉君夷吾姊以下、采僖十五年左傳國語晉語、但天子爲請四字、二書無之、中井積德曰、據左傳、穆公以其女妻子圉也、宗字恐謬、梁玉繩同、十八年、齊桓公卒。考證 僖十八年春秋經、齊侯小白卒、秦穆十七年事、二十年、秦滅梁・芮。正義 梁芮國、皆在同州、秦得其地、又滅二國之君、考證 館本考證云、僖十九年左傳、秦取梁、年表亦載入秦穆十九年、愚按、春秋經傳、不記秦滅芮之事、二十二年、晉公子圉聞晉君病曰。梁、我母家也。而秦滅之。我兄弟多。卽君百歲後、秦必留我。而晉輕亦更立他子。正義 子圉母、梁伯之女也、考證 楓、三、南本、他作也、無子字、子圉乃亡歸晉。二十三年、晉惠公卒。子圉立爲君。秦怨圉亡去、乃迎晉公子重耳於楚、而妻以故子圉妻。考證 南本、怨下有子字、重

耳初謝、後乃受。繆公益禮厚遇之。二十四年春、秦使人告晉大臣。欲入重耳。晉許之。於是使人送重耳。二月、重耳立爲晉君。是爲文公。文公使人殺子圉。子圉是爲懷公。考證 二十三年以下、采僖二十三年二十四年左傳、國語晉語、李笠曰、是爲懷公四字、疑在子圉立爲君之下、與重耳立爲晉君、是爲文公語相似、後人誤移於此、而衍子圉二字耳、愚按、子圉未定爲君、故附記諡號於後耳、非錯簡也、其秋、周襄王弟帶、以翟伐王。王出居鄭。正義 王居于汜邑也、考證 僖廿四年左傳、二十五年、周王使人告難於晉・秦。秦繆公將兵、助晉文公入襄王、殺王弟帶。考證 梁玉繩曰、僖廿五年左傳云、晉侯辭秦師而下、晉語云、秦將納之、則失周矣、是秦未嘗助晉納王也、晉世家與左傳合、此誤、二十八年、晉文公敗楚於城濮。正義 衞地也、今濮州、考證 僖二十八年春秋經傳、三十年、繆公助晉文公圍鄭。正義 左傳云、僖公三十年、晉侯、秦伯圍鄭、杜預云、文公過鄭、鄭不禮之、鄭使人言繆公曰。亡鄭厚晉。於晉而得矣。而秦未有利。晉之彊、

秦之憂也。繆公乃罷兵歸。晉亦罷。【考證】僖三十年左傳、李笠曰、上而字與則同、 三十二年冬、晉文公卒。【考證】僖三十二年春秋經傳、 鄭人有賣鄭於秦曰、我主其城門。鄭可襲也。【考證】梁玉繩曰、賣鄭者、卽戍鄭之秦大夫杞子、而此與晉世家以爲鄭人、何也、 繆公問蹇叔・百里傒。對曰、徑數國、千里而襲人、希有得利者。且人賣鄭。庸知我國人不有以我情告鄭者乎。不可。繆公曰、子不知也。吾已決矣。遂發兵、使百里傒子孟明視、蹇叔子西乞術、及白乙丙將兵。行日、百里傒・蹇叔二人哭之。【考證】楓、三、南本日上重行字、 繆公聞怒曰、孤發兵。而子沮哭吾軍。何也。【正義】沮、自呂反、沮、毀也、左傳云、蹇叔哭之曰、孟子、吾見師之出、不見其入也、【考證】張文虎曰、御覽引聞下有而字、沮、止也、 二老曰、臣非敢沮君軍。軍行、臣子與往。【正義】與、音預、 臣老、遲還、恐不相見。故哭耳。二老退謂其子曰、汝軍卽敗、必於

殽阨矣。【正義】殽、音胡交反、阨、音厄、春秋云、魯僖公三十三年、晉人及姜戎敗秦師于殽、括地志云、三殽山、又名嶔岑山、在洛州永寧縣西北二十里、卽古之殽道也、【考證】三十二年以下、采僖三十二年左傳、參以公穀二傳、王若虛曰、秦穆公伐鄭之役、考之左傳、其諫而止之、哭而送其子者、獨蹇叔而已、故晉原軫曰、秦違蹇叔而以貪勤民、穆公曰、孤違蹇叔、以辱二三子、何嘗有百里奚預其間哉、而司馬遷記此、以爲二老同辭、不知其何據也、左氏云、公召孟明視西乞術白乙丙使出師、又云、蹇叔之子與師、蹇叔謂孟子曰、孟子、吾見師之出、而不見其入也、哭送其子曰、吾收爾骨焉、蓋孟明輩自爲將帥、而蹇叔之子則士卒之屬也、此亦不相涉、而遷以孟明爲百里奚子、西乞白乙爲蹇叔子、又何耶、梁玉繩曰、史公敍襲鄭之事、依公穀、故與左傳異、然公穀但云二老哭送其子而已、未嘗謂三帥卽其子也、凪曾敍曰、遲之言比也、高祖紀、黎明、索隱、黎猶比也、謂比至天明也、漢書作遲、遲與黎相近、故義亦相通、遲明卽比明、知遲還卽比還矣、 三十三年春、秦兵遂東。更晉地、過周北門。周王孫滿曰、秦師無禮。不敗何待。【正義】左傳云、秦師過周北門、左右免冑而下、超乘者三百乘、王孫滿尚幼、觀之言於王曰、秦師輕而無禮、必敗、杜預云、王城北門也、謂過天子門、不卷甲束兵、超乘示勇也、【考證】李笠曰、更、過也、漢書張騫傳、欲通使、道必更匈奴中、司馬相如傳、丹水更其南、義同、愚按、楓、三、南本無北門二字、 兵至滑。【正義】滑、爲八反、括地志云、緱氏故城、在洛州緱氏縣東二十五里、滑伯國也、韋昭云、姬姓小國也、 鄭販賣賈人弦高、持十二牛將賣之周。【集解】弦高、人姓名、【正義】賣

麥卦反、賈音古、左傳、作商人也、【考證】張文虎曰、販賣二字、疑衍、中井積德曰、據左傳、弦高所贈十二牛耳、其所齎蓋不止於此、 見秦兵、恐死虜、因獻其牛曰、聞大國將誅鄭。鄭君謹修守禦備、使臣以牛十二勞軍士。【考證】恐死虜、非事實、淮南子云、弦高謂、凡襲國者、以爲無備也、今示以知其情、必不敢進、 秦三將軍相謂曰、將襲鄭。鄭今已覺之。往無及已。滅滑。滑、晉之邊邑也。【考證】梁玉繩曰、穀梁傳曰、滑國也、考春秋、莊十六年滑伯始見于經、至此卽爲秦所滅、故經書秦人入滑、愚按、楓本滅上有遂字、 當是時、晉文公喪尚未葬。太子襄公怒曰、秦侮我孤、因喪破我滑。遂墨衰絰、發兵遮秦兵於殽、擊之大破秦軍、無一人得脫者。虜秦三將以歸。文公夫人秦女也。【集解】服虔曰、繆公女、【考證】南本、文公上有晉字、 爲秦三囚將請曰、繆公之怨此三人、入於骨髓。願令此三人歸、令我君得自快烹之。【考證】南本、三人上無此字、程一枝曰、繆公未卒、不宜以謚稱、 晉君許之、歸秦三將。三將至。繆

公素服郊迎、嚮三人哭曰、孤以不用百里傒・蹇叔言、以辱三子。三子何罪乎。子其悉心雪恥、毋怠。遂復三人官秩如故。愈益厚之。【考證】三十三年以下、采僖三十三年左傳、左傳用下無百里傒三字、說見前、雪音刷、洗也、 三十四年、楚太子商臣、弑其父成王代立。【考證】文元年春秋經傳、 繆公於是復使孟明視等將兵伐晉、戰于彭衙。秦不利、引兵歸。【集解】杜預曰、馮翊郃陽縣西北有衙城、【正義】括地志云、彭衙故城、在同州白水縣東北六十里、【考證】文二年春秋經、晉侯及秦師戰于彭衙、秦師敗績、卽穆公三十五年事、年表同、此差一年、 戎王使由余於秦。【正義】戎人姓名、 由余、其先晉人也。亡入戎。能晉言。聞繆公賢。故使由余觀秦。秦繆公示以宮室積聚。由余曰、使鬼爲之、則勞神矣。使人爲之、亦苦民矣。繆公怪之、問曰、中國以詩書禮樂法度爲政。然尚時亂。今戎夷無此。何以爲治。不亦難乎。由

余笑曰。此乃中國所以亂也。夫自上聖黃帝作爲禮樂法度、身以先之、僅以小治。及其後世、日以驕淫、阻法度之威、以責督於下。下罷極、則以仁義怨望於上。【正義】罷、音皮、上下交爭怨、而相篡弑、至於滅宗。皆以此類也。夫戎夷不然。上含淳德以遇其下、下懷忠信以事其上。一國之政、猶一身之治。不知所以治。此眞聖人之治也。【考證】司馬光曰、是特老莊之徒、設爲此言以詆先王之法、太史公遂以爲實而載之、過矣、愚按、韓非子十過篇云、穆公問由余以古之人主得國失國之故、由余對曰、常以儉得之、以奢失之云云、韓詩外傳第九、說苑反質篇、所記略同、皆與此紀異、於是繆公退而問內史廖曰。【集解】漢書百官表曰、內史、周官也、【考證】外傳作內史王繆、孤聞鄰國有聖人、敵國之憂也。今由余賢、寡人之害。將柰之何。【考證】楓、三、南本、無賢字、內史廖曰。戎王處辟匿、未聞中國之聲。君試遺其女樂、以奪其志、爲

由余請、以疏其閒、畱而莫遣、以失其期。戎王怪之、必疑由余。君臣有閒、乃可虜也。且戎王好樂、必怠於政。【集解】徐廣曰、奪、一作徇、【考證】楓、三、南本、虜作慮、繆公曰。善。因與由余曲席而坐、傳器而食。【正義】按牀在穆公左右、相連而坐、謂之曲席也、【考證】中井積德曰、席、一縱一橫、相連如矩、謂曲席、當時未設床、李笠曰、折席而坐、令近己也、傳食而食、則推食食我之意、問其地形與其兵勢。盡詧、而後令內史廖以女樂二八遺戎王。戎王受而說之、終年不還。於是秦乃歸由余。由余數諫不聽。繆公又數使人閒要由余。由余遂去降秦。繆公以客禮禮之、問伐戎之形。【正義】韓安國云、秦穆公都、地方三百里、幷國十四、辟地千里、隴西北地郡是也、【考證】繆公退以下本于韓非子十過篇、又見呂氏春秋壅塞不苟篇、韓詩外傳九、說苑反質篇、漢書藝文志雜家、有由余三篇、張文虎曰、正義韓安國云二十八字、見漢書韓安國傳、原脫安字、今補、案所引與伐戎全不相涉、疑當注後文開地千里下、錯簡在此、三十六年、繆公復益厚孟明等、使將兵伐晉、渡河焚船、大敗

晉人、取王官及鄗、以報殽之役。晉人皆城守不敢出。【集解】徐廣曰、左傳鄗作郊、駰案、服虔曰、皆晉地、不能有、【正義】鄗、音郊、左傳作郊、杜預云、書取、言易也、括地志云、王官故城、在同州澄城縣西北九十里、又云、南郊故城、在縣北十七里、又有北郊故城、又有西郊古城、左傳云、文公三年、秦伯伐晉、濟河焚舟、取王官及郊也、括地志云、蒲州猗氏縣南二里、又有王官故城、亦秦伯取者、上文云、秦地東至河、蓋猗氏王官是也、【考證】楓、三、南本、孟明下有視字、船上有晉字、於是繆公乃自茅津渡河、【集解】徐廣曰、茅津、在大陽、【正義】自茅津南渡河也、括地志云、茅津、在陝州河北縣大陽縣、封殽中尸、【集解】賈逵曰、封、識之、【正義】左傳云、秦伯伐晉、濟河焚舟、晉人不出、遂自茅津濟、封殽尸而還、杜預云、封、埋藏也、【考證】三十六年以下、采文三年左傳、發喪哭之三日、乃誓於軍曰。嗟士卒聽無譁。余誓告汝。古之人、謀黃髮番番、則無所過。【正義】番、音婆、字當作皤、皤、白頭貌、言髮白而更黃、故云黃髮番番、以申思、謂蹇叔百里奚也、【考證】尚書秦誓、人謀作謀人、館本考證云、此誤倒、張文虎曰、正義以申思三字、疑涉下正文而誤衍、以申思不用蹇叔百里奚之謀。故作此誓、令後世以記余過。【考證】書秦誓序云、秦穆公伐鄭、晉襄公帥師敗諸崤、還歸作秦誓、與此異、梁玉繩曰、秦誓書序謂敗崤還歸而作、先儒多從之、而史公繫于封殽尸之後、通鑑前編因以爲說、攷

古質疑謂史誤、四書釋地又續云、王伯厚亦莫能折衷、但云二書各不同、以左傳考之、當作于僖三十三年夏、秦伯素服郊次、鄉師而哭之日、不作文三年夏、封殽尸、將霸西戎之時、蓋霸西戎、則其志業遂矣、豈復作悔痛之詞哉、君子聞之、皆爲垂涕曰。嗟乎、秦繆公之與人周也。卒得孟明之慶。【集解】服虔曰、周、備也、【考證】君子聞之以下、文三年左傳、但無皆爲垂涕數字、王若虛曰、按左氏曰、君子是以知秦穆之爲君也、舉人之周也、與人之壹也、至于孟明子桑、皆有贊美之詞、凡左氏所謂君子者、蓋假之爲褒貶之主、而非指乎當時之士也、安有所謂聞之垂涕者哉、三十七年、秦用由余謀伐戎王。益國十二、開地千里。遂霸西戎。【考證】韓非子十過篇、兼國十二、開地千里、文三年左傳、遂霸西戎、史李斯傳、十二作二十、未知孰是、天子使召公過賀繆公以金鼓。三十九年、繆公卒。葬雍。【集解】皇覽曰、秦繆公冢、在橐泉宮祈年觀下、【正義】廟記云、橐泉宮、秦孝公造、祈年觀、德公起、蓋在雍州城內、括地志云、秦穆公冢、在岐州雍縣東南二里、從死者百七十七人。秦之良臣子輿氏三人、名曰奄息・仲行・鍼虎。亦在從死之中。【正義】毛萇云、良、善也、三善臣也、左傳云、子車氏之三子、杜預云、子車、秦大夫也、行、音胡郎反、鍼、音其廉反、應劭云、秦穆公與羣臣飲酒酣、公曰、生共此樂、死共此哀、於是奄息仲行鍼虎許諾、及公薨、皆從

死、黃鳥詩所爲作也、杜預云、以人葬爲殉也、括地志云、三良冢、在岐州雍縣一里故城內、【考證】張文虎曰、詩秦風黃鳥疏、引百七十七人作百七十人、與年表合、 秦人哀之、爲作歌黃鳥之詩。【考證】詩、黃鳥序云、黃鳥、哀三良也、國人刺穆公以人從死、 君子曰。秦繆公廣地益國、東服彊晉、西霸戎夷。然不爲諸侯盟主、亦宜哉。死而弃民、收其良臣而從死。且先王崩、尙猶遺德垂法。況奪之善人良臣、百姓所哀者乎。是以知秦不能復東征也。【考證】三十九年以下、文六年左傳、葬雍從死者百七十七人、蓋以秦記補、顧炎武曰、秦至孝公、而天子致伯諸侯畢賀、其後始皇遂幷天下、左氏此言不驗、史公何以幷錄之乎、 繆公子四十人。其太子罃代立。是爲康公。康公元年。往歲繆公之卒、晉襄公亦卒。襄公之弟名雍、秦出也。在秦。【正義】雍母、秦女、故言秦出也、【考證】洪亮吉曰、案左傳、公子雍母曰杜祁、則非秦出可知、遷誤、 晉趙盾欲立之。使隨會來迎雍。【正義】韋昭云、晉正卿士蔿之孫、成伯之子、季武子也、食采於隨范、故曰隨會、或曰范會、季、范子字也、 秦以兵送至令狐。【集解】杜預曰、在河東、【正義】

令、音零、括地志云、令狐故城、在蒲州猗氏縣界十五里也、 晉立襄公子、而反擊秦師。秦師敗。隨會來奔。【考證】往歲以下、采文六年七年左傳、 二年、秦伐晉取武城、報令狐之役。【正義】括地志云、故武城、一名武平城、在華州鄭縣東北十三里也、【考證】文八年左傳、諸本取作於、今從吳春照校本、 四年、晉伐秦取少梁。【正義】前入秦、後歸晉、今秦又取之、【考證】文十年左傳、 六年、秦伐晉取羈馬、戰於河曲、大敗晉軍。【集解】服虔曰、羈馬、晉邑也、【考證】文十二年左傳、梁玉繩曰、左傳云、戰交綏、秦師夜遁、此以爲大敗晉軍、妄矣、年表及晉世家言大戰、亦非、 晉人患隨會在秦爲亂、乃使魏讎餘詳反、合謀會、詐而得會。會遂歸晉。【集解】服虔曰、魏讎餘、晉之魏邑大夫、【正義】讎、音受、又作犫、音同、詳音羊、【考證】文十三年左傳、左傳作晉人患秦用士會、表在秦康公七年、館本考證云、左傳及晉世家、讎餘作壽餘、梁玉繩曰、壽讎古通用、 康公立、十二年卒。子共公立。【索隱】名貑、十代至靈公、又竝失名、【考證】共公、春秋名稻、年表名和、索隱疑誤、 共公二年、晉趙穿弒其君靈公。【考證】宣二年左傳、 三年、楚莊王彊。北兵至雒、問周鼎。【考證】宣三年左傳、 共公立、五年卒。【考證】館本考證云、

春秋、宣四年、秦伯稻卒、則共公立四年、非五年矣、梁玉繩曰、年表及秦記並作五年、史誤以秦桓元年爲共公五年爾、 子桓公立。桓公三年、晉敗我一將。【考證】梁玉繩曰、案晉世家作虜秦將赤、攷年表、書獲諜、卽左傳宣八年殺秦諜之事也、索隱云、赤卽斥、謂斥候之人、彼諜卽此赤也、然既稱爲諜、不得號曰將、欲稱爲將、不得復曰赤、豈秦將名赤者、詐爲細作、而被晉獲之歟、史必別有所據、故紀表世家所書各異、蓋互見耳、 十年、楚莊王服鄭、北敗晉兵於河上。當是之時、楚霸爲會盟、合諸侯。【考證】宣十二年春秋經傳、梁玉繩曰、十年乃七年之譌、 二十四年、晉厲公初立。與秦桓公夾河而盟。歸而秦倍盟、與翟合謀擊晉。二十六年、晉率諸侯伐秦。秦軍敗走。追至涇而還。【考證】成十一年十三年左傳、 桓公立二十七年卒。【考證】成十四年春秋經、 子景公立。【集解】徐廣曰、世本云、景公名后、伯車也、【索隱】景公已下、名又錯亂、始皇本紀作哀公、【考證】梁玉繩曰、史誤桓之一年以益共公、故作二十七、其實二十八年也、紀表俱誤、桓景之名、春秋史記皆失書、集解索隱皆引世本謂景公名后字伯車、則誤甚、攷左傳、景公母弟鍼字伯車、又字后子、安得移作景公名、又景公索隱引始皇紀作哀公、而始皇紀無哀公之文、況秦別自有哀公乎、蓋秦記誤稱景公爲僖公、小司馬欲兩存之、復誤以僖作哀爾、 景公四

年、晉欒書弒其君厲公。【考證】成十八年經傳、 十五年、救鄭、敗晉兵於櫟。【集解】杜預曰、晉地也、【正義】櫟、音歷、括地志云、洛州陽翟縣古櫟邑也、【考證】襄十一年左傳、 是時晉悼公爲盟主。十八年、晉悼公彊。數會諸侯、率以伐秦。敗秦軍、秦軍走。晉兵追之、遂渡涇、至棫林而還、【集解】徐廣曰、棫、音域、駰案、杜預曰、秦地也、【考證】館本考證云、是役也、襄十四年左傳、諸侯之師濟涇而次、秦人毒涇上流、師人多死、晉之諸帥不和、謂之遷延之役、此云敗秦軍、秦軍走、年表亦然、與左傳相反、愚按、晉世家同誤、 二十七年、景公如晉、與平公盟。已而背之。【考證】館本考證云、三傳無此盟、愚按年表繫之景公二十九年、依左傳在二十八年、且非公自行也、說詳于梁氏志疑、 三十六年、楚公子圍弒其君而自立。是爲靈王。【考證】昭元年左傳、 景公母弟后子鍼有寵。【正義】鍼、音鉗、 景公母弟富。或譖之。【考證】楓、三、南本、無景公母弟四字、蓋上文複衍、富字屬上、家富也、 恐誅、乃奔晉。車重千乘。晉平公曰。后子富如此。何以自亡。對曰。秦公無道。畏誅。欲待其後世乃歸。

【考證】昭元年左傳、或譖之、作其母曰、弗去懼選、晉平公作趙文子、三十九年、楚靈王彊。會諸侯於申、爲盟主。殺齊慶封。【正義】申、在鄧州南陽縣北三十里、【考證】昭四年左傳、景公立、四十年卒。子哀公立。【索隱】始皇本紀作璅公、【考證】今本始皇紀作畢、后子復來歸。【考證】昭五年春秋經傳、秦哀公八年、楚公子弃疾弑靈王而自立。是爲平王。【考證】梁玉繩曰、昭十三年春秋、弑靈王者是公子比、而史於秦紀及魯蔡曹陳衞宋鄭八世家、皆稱弃疾、斯乃史公特筆、雖與春秋異詞、不免背經信傳、而于誅首惡之旨固合、故小司馬於吳世家云、史記以平王遂有楚國、故曰弃疾弑君、春秋以子干爲王、故曰比弑其君、彼此各有意義也、十一年、楚平王來求秦女、爲太子建妻。至國。女好。而自娶之。【考證】梁玉繩曰、年表及楚世家、在平王二年、爲秦哀公十年、此在十一年、竝誤、考左傳、在魯昭十九年、此秦哀十四年也、十五年、楚平王欲誅建。建亡。【正義】太子建亡之鄭、鄭殺之、伍子胥奔吳。【考證】昭二十年左傳、晉公室卑、而六卿彊。欲內相攻。是以久秦·晉不相攻。三十一年。吳王闔閭與伍子胥伐楚。楚王亡奔隨。吳遂入

郢。楚大夫申包胥來告急。【正義】包胥、姓公孫、封於申、故號申包胥、左傳云、申包胥如秦乞師曰、吳爲封豕長蛇、以荐食上國、虐始於楚、寡君失守社稷、越在草莽、使下臣告急、曰、夷德無厭、若鄰於君、疆場之患也、逮吳之未定、君其取分焉、若楚之遂亡、君之土也、若以君靈撫之、世以事君、七日不食、日夜哭泣。【正義】左傳云、申包胥對秦伯曰、寡君越在草莽、未獲所伏、下臣何敢即安、立依於庭牆而哭、日夜不絕聲、勺飲不入口、七日、秦哀公爲賦無衣、九頓首而坐、秦師乃出、於是秦乃發五百乘救楚。敗吳師。吳師歸。楚昭王乃得復入郢。【正義】左傳魯定公五年、秦子蒲子虎、帥車五百乘以救楚、敗吳師於軍祥、【考證】定四年五年左傳、楚王復郢、秦哀公三十二年事、哀公立、三十六年卒。【考證】定九年春秋經傳、太子夷公。夷公蚤死、不得立。立夷公子。是爲惠公。【考證】楓、三、南本、太子下、不重夷公、夷公子、作其子、惠公元年、孔子行魯相事。【考證】定十年左傳云、夏公會齊侯于祝其、實夾谷、孔丘相、杜預云、相會儀也、梁玉繩曰、相乃儐相、非當國爲相也、此紀及吳齊晉楚魏五世家、伍子胥傳、竝誤、五年、晉卿中行·范氏反晉。晉使智氏·趙簡子攻之。范·中行氏亡奔齊。【考證】梁玉繩曰、此所書有三誤、事在惠公四年、非五年事、一也、伐范中行者、知韓魏三家、趙簡子已奔晉陽、並不與攻

范中行氏、二也、范中行之奔齊、在秦悼公二年、首尾相去八歲、是時但奔朝歌耳、三也、惠公立、十年卒。【考證】哀三年春秋經、館本考證云、春秋、惠公在位九年、此與年表及始皇本紀、皆作十年、子悼公立。悼公二年、齊臣田乞弑其君孺子、立其兄陽生。是爲悼公。【考證】哀六年左傳、六年、吳敗齊師。齊人弑悼公、立其子簡公。【考證】梁玉繩曰、哀十年左傳、乃齊敗吳師、張文虎曰、吳齊世家、並與左同、此吳齊互錯、九年、晉定公與吳王夫差盟、爭長於黃池。卒先吳。吳彊陵中國。【集解】徐廣曰、外傳云、吳王先歃、【考證】外傳、國語吳語、哀十三年左傳云、先晉人、與此異、中井積德曰、此及晉世家云、先吳、據國語也、吳世家云、長晉、據左傳也、宜從一、十二年、齊田常弑簡公、立其弟平公。常相之。【考證】楓、三、南本、平公下有田字、愚按哀十四年左傳、館本考證云、事在秦悼十年、此作十二年、與左傳及年表不合、十三年、楚滅陳。【考證】哀十七年左傳、陳世家爲陳湣二十四年事、與此紀合、年表繫之秦悼十二年陳湣二十三年、恐誤、秦悼公立、十四年卒。【考證】梁玉繩曰、悼公享國十五年、秦記可證、史謬加惠公在位九年爲十年、遂滅悼公十五年爲十四年、此與表同誤、子厲共公立。孔子以悼公十二年卒。【考證】孔子卒、

哀十六年、左氏經傳、厲共公二年、蜀人來賂。【考證】年表又云、楚人來賂、六年義渠來賂、十四年、晉人楚人來賂、愈樾曰、不以聘問禮來、而曰來賂、先王輕財重禮之意不復存矣、春秋所以爲戰國也、愚按賂猶言獻也、葢秦人語、俞說拘、十六年、塹河旁。以兵二萬伐大荔、取其王城。【集解】徐廣曰、今之臨晉也、臨晉有王城、【正義】荔、音戾、括地志云、同州東三十里朝邑縣東三十步、故王城、大荔近王城邑、二十一年、初縣頻陽。【集解】地理志、馮翊有頻陽縣、【正義】括地志云、頻陽故城、在雍州同官縣界、古頻陽縣城也、晉取武成。【考證】古鈔、楓、三、南本、武成作武城、二十四年、晉亂。殺智伯、分其國與趙·韓·魏。【考證】趙策、韓非子十過、梁玉繩曰、智伯不可言國、當改曰分其邑、愚按當改曰趙韓魏殺智伯分其邑、二十五年、智開與邑人來奔。【集解】徐廣曰、一本二十六年、城南鄭也、【正義】開、智伯子、伯被趙襄子竫滅其國、其子與從屬來奔秦、【考證】張照曰、智伯死無後、又史載唯輔果在、正義以開爲智伯子、無據、葢智伯之族、三十三年、伐義渠虜其王。【集解】應劭曰、義渠、北地也、【正義】括地志云、寧慶二州、春秋及戰國時爲義渠戎國之地也、三十四年、日食。厲共公卒。子躁公立。躁公二年、南鄭反。【正義】南鄭、今梁州所理縣也、春秋及戰國時、其地屬於楚也、【考證】水經注、鄭桓公死于犬戎、其民南奔、故稱南鄭、即漢中

郡、呂祖謙曰、秦惠王始取楚漢中、置漢中郡、今躁公時書南鄭反、豈地之得失無常、其先嘗屬秦與、黃式三曰、據六國表、厲共公二十六年、城南鄭、南鄭特漢中郡之一隅耳、

十三年、義渠來伐至渭南。【考證】盧文弨曰、渭南、六國表作渭陽、水北曰陽、若據表則渭南爲非矣、十四年、躁公卒。立其弟懷公。【索隱】厲共公子也、生昭太子、未立而卒、太子之子、是爲靈公、懷公四年、庶長鼂與大臣圍懷公。懷公自殺。【正義】長、丁丈反、鼂、竹遙反、鼂、人名也、劉伯莊音潮、懷公太子曰昭子。蚤死。大臣乃立太子昭子之子。是爲靈公。【索隱】生獻公也、靈公、懷公孫也。靈公六年、晉城少梁。秦擊之。【考證】表、晉作魏、戰在七年、呂祖謙曰、出師在六年、而戰在七年、十三年、城籍姑。【正義】括地志云、籍姑故城、在同州韓城縣北三十五里、【考證】梁玉繩曰、靈公在位止十年、卽卒于城籍姑之歲也、安得十三年乎、三字衍、靈公卒。子獻公不得立。【索隱】獻公、名師隰、立靈公季父悼子。是爲簡公。簡公、昭子之弟、而懷公子也。【索隱】簡公昭之弟、而懷公子、簡公懷公弟、靈公季父也、始皇本紀云、靈公生簡公、誤也、又紀年云、簡公九年卒、次敬公立、十二年卒、乃立惠公、【正義】劉伯莊云、簡公是昭子之弟、懷公之子、厲公之孫、今史記謂簡公是厲公

子者、抄寫之誤、【考證】簡公昭子之弟、而懷公子也、楓、三、南本、作厲公子、而懷公弟也、張文虎曰、正義史記字、當作秦記、厲公當作靈公、簡公六年、令吏初帶劍。【正義】春秋官吏、各得帶劍、塹洛城重泉。【集解】地理志、重泉縣、屬馮翊、【正義】重、直龍反、括地志云、重泉故城、在同州蒲城縣東南四十五里也、【考證】陳仁錫曰、表在七年、十六年卒。【集解】徐廣曰、表云十五年也、【考證】秦記亦云、在位十五年、此誤、子惠公立。惠公十二年、子出子生。【考證】梁玉繩曰、表謂十一年生、未知孰是、但秦之先、已有出子矣、不應復以稱惠太子、表並秦記、稱爲出公、是也、世本作少主、呂氏春秋作小主、十三年、伐蜀取南鄭。【考證】紀表前此書秦城南鄭、及南鄭反矣、則南鄭非蜀土也、程一枝曰、史表蜀取我南鄭、當從史表爲是、惠公卒。出子立。出子二年、庶長改迎靈公之子獻公于河西、而立之。【正義】西者、秦州西縣、秦之舊地、時獻公在西縣、故迎立之、【考證】楓、三、南本、改作政、中井積德曰、本文明言河西、注何去河字而解之、王念孫曰、如正義、則正文西上本無河字、蓋涉下文而衍、漢書地理志、西縣屬隴西郡、故城在今秦州西南、殺出子及其母、沈之淵旁。【考證】錢大昕曰、呂氏春秋當賞篇、秦小主夫人用奄變、羣賢不說自匿、百姓鬱怨非上、公子連亡在魏、聞之欲入、從鄭所之塞、右主然守塞、弗入、去入翟、從焉氏塞、菌改入之、夫人聞之大駭、令吏興卒、皆曰往擊寇、中道因變曰、非擊寇也、迎主君也、公子連因與卒來至雍圍夫人、夫

人自殺、公子連立、是爲獻公、不韋言秦事必可信、小主者卽出子、菌改者、庶長改也、呂氏祖謙言、獻公名連、而索隱云、名師隰、未知所本、秦以往者數易君、君臣乖亂、故晉復彊。奪秦河西地。【正義】奪前所上八城也、獻公元年、止從死。【集解】徐廣曰、丁酉、二年、城櫟陽。【集解】徐廣曰、徙都之、今萬年是也、【正義】括地志云、櫟陽故城、一名萬年城、在雍州東北百二十里、櫟陽、漢七年、分櫟陽城內、爲萬年縣、隋文帝開皇三年、遷都於龍首川、今京城也、改萬年爲大興縣、至唐武德元年、又改曰萬年、置在州東七里、【考證】櫟陽故城、今陝西府臨潼縣東北、四年正月庚寅、孝公生。十一年、周太史儋見獻公曰。周故與秦國合而別。別五百歲復合。合七十七歲而霸王出。【考證】太史儋言、又見周紀、封禪書、老子傳、他書無所見、古鈔、南本、合下無七字、吳春照曰、此當衍、十六年、桃冬花。十八年、雨金櫟陽。【正義】言雨金於秦國都、明金瑞見也、【考證】梁玉繩曰、案封禪書、前靈公作上下畤、獻公此年又作畦畤、紀中諸畤皆書、而缺三畤、何耶、表亦失書、二十一年、與晉戰於石門。【正義】括地志云、堯門山、俗名石門、在雍州三原縣西北三十三里、上有路、其狀若門、故老云、堯鑿山爲門、因名之、武德年中、於此山南置石門縣、貞觀年中、改爲雲陽縣、斬首六萬。天子賀以黼黻。

【集解】周禮曰、白與黑謂之黼、黑與青謂之黻、【考證】爾雅釋器云、斧謂之黼、郭注云、黼文如斧、黻文如兩己相背、書益稷傳云、黼若斧形也、黻爲兩己相背、孔疏引孫炎爾雅注亦云、黼文若斧形、蓋半白半黑、似斧刃白而身黑、黻謂刺繡爲己字相背、以青黑線繡、三說略同、蓋起於魏晉之世、而漢書韋賢傳顏注云、紱、畫爲亞文、亞、古弗字也、其說與古不同、阮元鐘鼎款識、據顏說謂亞當作弜云、古畫黻作弜形、明兩弓相背、非兩己相背也、兩弓相背、義取于物、與斧同類、兩己之己、何物邪、得非兩弓相沿之誤與、漢書注語、必有師傳、非師古所創、其說甚確、二十三年、與魏晉戰少梁、虜其將公孫痤。【正義】在戈反、【考證】古鈔、南本、無魏字、王念孫曰、魏字後人所加也、與晉戰少梁者、晉卽魏也、三家分晉、魏得晉之故都、故魏自稱晉國、而韓趙則否、兪樾曰、共魏晉、猶言殷商、愚按王說是、下文云、與晉戰雁門、館本考證云、虜其將公孫痤、魏世家同、六國表作虜其太子、趙世家作太子痤、黃式三曰、秦魏表兩言太子、是也、趙世家、虜其太子痤、魏敗我澮、痤魏二字倒、秦作紀魏世家云、虜公孫痤、亦譌、蓋後人竄改之、而益其譌耳、公叔痤、非公孫痤也、明年痤病死、非虜死也、愚按黃說未得、是役所虜太子與公孫痤也、公孫痤與公叔痤別人、太子非申、申、太子見虜代立也、二十四年、獻公卒。【集解】徐廣曰、表云、二十三年、【考證】表與秦記合、是、子孝公立。年已二十一歲矣。【索隱】名渠梁、孝公元年、【集解】徐廣曰、庚申也、河山以東、彊國六。與齊威・楚宣・魏惠・燕悼・韓哀・趙成侯竝。淮泗之閒、小國十

餘。【正義】竝、白浪反、謂淮泗二水、【考證】楓三南本國六作六國、與作興、義長、錢大昕曰、是時燕乃文侯、非悼公、韓乃懿公、非哀公、正義竝讀爲白浪反、屬下淮泗之間爲句、亦非、胡三省曰、小國、謂魯宋郳滕薛等國、楚・魏與秦接界。【正義】楚北及魏西、與秦相接、北自梁州漢中郡、南有巴渝、過江南有黔中巫郡也、魏西界與秦相接、南自華州鄭縣、西北過渭水、濱洛水東岸、向北有上郡鄜州之地、皆築長城、以界秦境、洛卽漆沮水也、魏築長城、自鄭濱洛、以北有上郡。楚自漢中、南有巴・黔中。【考證】陳仁錫曰、一本巴作巫、巴地屬秦、非屬楚也、周室微、諸侯力政、爭相併。秦僻在雍州、不與中國諸侯之會盟、夷翟遇之。孝公於是布惠、振孤寡、招戰士、明功賞、下令國中曰。昔我繆公自岐・雍之閒、修德行武、東平晉亂、以河爲界、西霸戎翟。廣地千里。【正義】河卽龍門河也、天子致伯、諸侯畢賀、爲後世開業、甚光美。會往者厲・躁・簡公・出子之不寧、國家內憂、未遑外事。三晉攻奪我先君河西地、諸侯卑秦。醜莫大焉。獻公卽位、

鎭撫邊境、徙治櫟陽、且欲東伐、復繆公之故地、脩繆公之政令。寡人思念先君之意、常痛於心。賓客羣臣、有能出奇計彊秦者、吾且尊官、與之分土。於是乃出兵、東圍陝城、西斬戎之獂王。【集解】地理志、天水有獂道縣、應劭曰、獂戎邑、音桓、衛鞅聞是令下、西入秦、因景監求見孝公。【正義】監、甲暫反、闔人也、二年、天子致胙。三年、衛鞅說孝公、變法脩刑、內務耕稼、外勸戰死之賞罰。【考證】罰字衍、孝公善之。甘龍・杜摯等弗然。相與爭之。卒用鞅法。百姓苦之。居三年、百姓便之。乃拜鞅爲左庶長。其事在商君語中。【考證】洪邁曰、七國虎爭、天下莫不招四方游士、然六國所用相、皆其宗族及國人、如齊之田忌田嬰田文、韓之公仲公叔、趙之奉陽平原君、魏王至以太子爲相、獨秦不然、始與謀國開伯業者、魏人公孫鞅也、其他若樓緩趙人、張儀魏人、范雎皆魏人、蔡澤燕人、呂不韋韓人、李斯楚人、皆委國而聽之不疑、卒之所以有天下者、諸人之力也、七年、與魏惠王會杜平。【正義】在同州

澄城縣界也、【考證】呂祖謙曰、魏是時未稱王、八年、與魏戰元里、有功。【正義】祁城、在同州澄城縣界、【考證】史云元里、正義注祁城、何也、文亦與上文杜平注同、十年、衛鞅爲大良造、將兵圍魏安邑、降之。【集解】地理志曰、河東有安邑縣、【正義】括地志云、安邑故城、在絳州夏縣東北十五里、本夏之都、【考證】此及商君傳、皆言伐魏降安邑、安邑魏都也、魏世家、惠王三十一年、自安邑徙大梁、此時豈有安邑降秦之事、通鑑刪之、胡注辯之審矣、梁玉繩曰、安邑二字、乃固陽之誤、據表及魏世家、惠王十九年、築長城塞固陽、二十年、秦商鞅圍固陽降之、卽此事也、固陽之役、必圍在秦孝十年、而降在十一年、黃式三曰、固陽當作襄陵、諸侯圍襄陵、見魏世家及表、鞅伐魏、見秦紀及表與商君傳、通鑑分爲二事、實一事也、愚按、襄陵之役、史曰諸侯、不曰衛鞅、曰圍、不曰降、則梁說近是、十二年、作爲咸陽、【正義】括地志云、咸陽故城、亦名渭城、在雍州咸陽縣東十五里、京城北四十五里、卽秦孝公徙都之者、今咸陽縣、古之杜郵、白起死處、【考證】今西安府咸寧縣東有渭城故城、秦所都咸陽、築冀闕。【正義】劉伯莊云、冀、猶記事、闕卽象魏也、【考證】冀讀爲魏、汪中曰、天子諸侯、宮城皆四周、闕其南爲門、城至此而闕、故謂之闕、春秋僖公二十一年、鄭伯享王於闕西辟、大戴禮保傅篇、過闕則下、是也、又謂之闕門、穀梁桓公三年傳、諸母不出闕門、史記魏世家、臣在闕門之外、庫門在外、路門在中、二門之中、亦謂之中闕、扁鵲倉公傳、出見扁鵲於中闕、是也、其異名、魯周公世家、煬公築茅闕門、秦本紀孝公築冀闕、是也、闕巍然而高、故謂之巍闕、莊子讓王篇、心居乎巍闕之下、是也、秦徙都之。并諸小鄉聚。【正義】萬二千

五百家爲鄉、聚猶村落之類也、【考證】中井積德曰、既曰小鄉、必無定數、只大於聚耳、集爲大縣、縣一令。【集解】漢書百官表曰、縣令長、皆秦官、萬戶以上爲令、秩千石至六百石、減萬戶爲長、秩五百石至三百石、皆有丞尉、【考證】集解所述漢時之制、秦孝未必如此、三十一縣。【考證】諸本三作四、今從古鈔本、與年表商君傳合、兪樾曰、古三四字多積畫、往往致誤、爲田開阡陌。【索隱】風俗通曰、南北曰阡、東西曰陌、河東以東西爲阡、南北爲陌、【考證】朱熹曰、說者之意、皆以開爲開置之開、言秦廢井田而始置阡陌也、按阡陌舊說、以爲田間之道、蓋因田之疆畔、制其廣狹、辨其橫從、以通人物之往來、卽周禮所謂遂上之徑、溝上之畛、洫上之涂、澮上之道也、然風俗通云、南北曰阡、東西曰陌、又曰河東以東西爲阡、南北爲陌、二說不同、今以遂人田畝夫家之數考之、當以後說爲正、蓋陌之爲言百也、遂洫從、而徑涂亦從、則遂間百畝、洫間百夫、而徑涂爲百矣、阡之爲言千也、溝澮橫、而畛道亦橫、則溝間千畝、澮間千夫、而畛道爲阡矣、阡陌之名、由此而得、至於萬夫有川、而川上之路、周於其外、與夫匠人井田之制、遂溝洫澮、亦皆四周、則阡陌之名、疑亦因橫從而命之也、然遂廣二尺、溝四尺、洫八尺、澮二尋、則丈有六尺矣、徑容牛馬、畛容大牛、涂容乘牛、一軌、道二軌、路三軌、則幾二丈矣、此其水陸占地、不得爲田者頗多、所以正經界、止侵爭、時畜洩、備水旱、爲永久之計、商君以急刻之心、行苟且之政、但見田爲阡陌所東、而耕者限於百畝、則病其人力之不盡、但見阡陌之占地太廣、而不得爲田者多、則病其地利之有遺、又當世衰法壞之際、歸授之際、必有煩擾欺隱之姦、而阡陌之地、切近民田、又必有陰據自私、而稅不入於公上者、是以盡開阡陌、悉除禁限、而聽民兼并買賣、以盡人力、墾闢棄地、悉爲田疇、不使有尺寸之遺、以盡地利、使民有田、卽爲永業、而

不復歸授、以絕煩擾欺隱之姦、使地皆爲田、田皆出稅、以覈陰據自私之辜、此其爲計、正猶楊炎疾浮戶之弊、破租庸以爲兩稅、蓋一時之害雖除、而千古聖賢傳授精微之意、於此盡矣、故秦紀鞅傳皆云、爲田開阡陌封疆、而賦稅平、蔡澤亦曰、決裂阡陌、以靜生民之業、而一其俗、所謂開者破壞剗削之意、而非創置建立之名、所謂阡陌乃三代井田之舊、而非秦之所置矣、所謂賦稅平者、以無欺隱竊據之姦也、所謂靜生民之業者、以無歸授取予之煩也、東地渡洛。[考證]顧棟高曰、秦與晉以河爲界、河以東爲晉、河以西爲秦、然秦當春秋時、疆域褊小、非特隔于函關之外、爲晉所限隔而不得出也、攷史記、繆公立五年、而晉獻滅虞虢、是時新立、初起岐雍、基業未固、而晉武獻已絕盛、滅虢而桃林已舉、秦之門戶、在晉肘腋中矣、後晉文公初伯、攘白狄開西河、魏得之而爲西河上郡、白狄之地、爲今陝西延安府、東去山西黃河界四百五十里、至戰國、惠王六年、魏始納陰晉、八年納河西地、十年納上郡十五縣、陰晉、今華陰縣、河西、孔氏曰、同丹二州、丹州今延安府宜川縣、上郡爲延安以北、又惠公之世、韓之戰曰、寇深矣、若之何、可見晉之幅員廣遠、斗入陝西內地、不始于文公時、此亦可爲秦晉疆域之一證也、故終穆公之世、未嘗一日忘東向、其援立惠公也、實貪河內列城之賂、蓋欲圖虢之故地、以爲東出之謀、既而韓之戰、秦始征晉河東、未幾復屬于晉、秦之不得志于晉可知也、迨初立文公、秦欲納王、而晉辭秦師、獨下文公梟雄、賴秦之力、而實陰忌之、必不使勤王之舉得分其功、晉之抑秦、又可知也、至其季年、日暮途遠、背晉與鄭盟、已復襲鄭、懸軍深入、年老知昏、而穆公之始終、不忘東向、其情蓋汲汲矣、其後絕晉、日尋干戈、少梁北徵彭衙刳首、迭有勝負、然終不能越河東一步、蓋有桃林以塞秦之門戶、而河西之地、復犬牙于秦之境內、秦之聲息、晉無不知、二百年來、秦人屏息而不敢出氣者、以此故也、至孝公發憤東

向渡洛、魏人納地恐後、而河西始悉爲秦有、吳起去西河而泣、豈無故哉、十四年、初爲賦。[集解]徐廣曰、制貢賦之法也、[索隱]譙周云、初爲軍賦也、[考證]胡三省曰、井田既廢、則周什一之法不復用、蓋計畝而爲賦稅之法、十九年、天子致伯。[正義]伯音霸、又如字、孝公十九年、天子始封爵爲霸、即太史儋云、合七十七歲而霸王出之年、故天子致伯、桓譚新論云、夫上古稱三皇五帝、而次有三王五伯、此天下君之冠首也、故言三皇以道理、而五帝用德化、三王由仁義、五伯以權智、其說之曰、無制令刑罰、謂之皇、有制令而無刑罰、謂之帝、賞善誅惡、諸侯朝事、謂之王、興兵約盟、以信義矯世、謂之伯、二十年、諸侯畢賀。秦使公子少官率師、會諸侯逢澤、朝天子。[集解]徐廣曰、開封東北有逢澤、[正義]括地志云、逢澤亦名逢池、在汴州浚儀縣東南十四里、[考證]年表逢澤作澤、蓋訛脫、二十一年、齊敗魏馬陵。[正義]虞喜志林云、濮州甄城縣東北六十餘里、有馬陵、澗谷深峻、可以置伏、按龐涓敗、即此也、二十二年、衛鞅擊魏、虜魏公子卬。封鞅爲列侯、號商君。[正義]商、今商洛縣、在商州東八十九里、鞅所封也、契所封地、二十四年、與晉戰鴈門。[索隱]紀年云、與魏戰岸門、此云鴈門、恐聲誤也、又下云、敗韓岸門、蓋一地也、尋秦與韓魏戰、不當遠至鴈門也、[正義]括地志云、岸門、在許州長社縣西北二十八里、今名西武亭、[考證]據正義、張本正作岸門、岸門戰、年表係于孝公二十三年、虜其將魏錯。[正義]七故

反、孝公卒。子惠文君立。[索隱]名駟、是歲誅衛鞅。鞅之初爲秦施法、[正義]爲、于僞反、法不行。太子犯禁。鞅曰。法之不行、自於貴戚。君必欲行法、先於太子。太子不可黥。黥其傅師。[考證]可下黥字、楓三本作黜、傅師作師傅、於是法大用、秦人治。及孝公卒、太子立、宗室多怨鞅。鞅亡。因以爲反、而卒車裂以徇秦國。[集解]徐廣曰、商君爲法於秦、戰斬一首賜爵一級、欲爲官者五千石、其爵名一爲公士、二上造、三簪褭、四不更、五大夫、六官大夫、七公大夫、八公乘、九五大夫、十左庶長、十一右庶長、十二左更、十三中更、十四右更、十五少上造、十六大上造、十七駟車庶長、十八大庶長、十九關內侯、二十徹侯、[考證]古鈔本反下無而卒二字、吳春照曰、宋板亦無、徐孚遠曰、以其亡也、因坐之以反罪、明商君無二心於秦也、姚範曰、紀無錫爵之文、注引此未詳、又欲爲官者五千石、漢書百官志無此文、中井積德曰、注五千石、似太重、疑千當作十、姚鼐曰、今漢書百官表中脫爲官者句、韓非子定法篇、斬一首者爵一級、欲爲官者爲五十石之官、斬二首者爵二級、欲爲官者爲百石之官、然則裴注千字十之誤也、惠文君元年、楚・韓・趙・蜀人來朝。二年、天子賀。三年王冠。[正義]冠音館、禮記云、年二十行冠禮也、[考證]梁玉繩曰、惠文稱王、在十三年、此與表俱于前三年書王冠、

雖是追書、於史例不合、四年、天子致文武胙。齊・魏爲王。[索隱]齊威王、魏惠王、[考證]館本考證云、齊威二十六年、自稱爲王、以令天下、于秦爲孝公九年、此因魏連言之耳、五年、陰晉人犀首爲大良造。[集解]犀首、官名、姓公孫、名衍、[索隱]官名、若虎牙之類、姓公孫、名衍、魏人也、[正義]犀音西、地理志云、華陰縣故陰晉、秦惠王五年、更名寧秦、高祖八年、更名華陰、六年、魏納陰晉。陰晉更名寧秦。[集解]徐廣曰、今之華陰也、[考證]張文虎曰、中統游本、不重陰晉二字、七年、公子卬與魏戰、虜其將龍賈、斬首八萬。[考證]秦無公子卬、當公孫衍之譌、蘇秦傳作犀首、魏世家八萬作四萬五千、爲襄五年事、即秦惠八年、而年表爲惠文五年事、梁玉繩曰、此即所謂雕陰之戰也、當從魏世家爲是、斬首之數、亦宜依世家、蓋秦尚首功、紀仍秦史之虛語耳、余因攷之秦獻公廿一年與晉戰、斬首六萬、孝公八年、與魏戰、斬首七千、惠文王八年、與魏戰、斬首八萬五千、後七年、與韓趙戰、斬首八萬、十一年、敗韓岸門、斬首萬、十三年、擊楚丹陽、斬首八萬、武王四年、拔韓宜陽、斬首六萬、昭襄王六年、伐楚、斬首二萬七千、復伐楚、斬二萬、十四年、攻韓魏、斬二十四萬、廿七年、擊趙、斬三萬、三十二年、破魏將暴鳶、斬四萬、三十三年、又伐魏斬四萬、三十四年、破魏將芒卯、斬十三萬、沈河二萬、四十三年、攻韓、斬五萬、四十七年、破趙長平、坑卒四十五萬、五十年、攻晉軍、斬首六千、流死河二萬人、五十一年、攻韓、斬四萬、攻趙、斬九萬、始皇二年、攻卷、斬首三萬、十三年、攻趙、斬首十萬、計共一百六十六萬八千人、而史所缺略不書者、尚不知凡幾、從古殺人之多、未有無道如秦者也、八年、

魏納河西地。九年、渡河、取汾陰・皮氏。【集解】地理志、二縣屬河東、【正義】渡河東取之、括地志云、汾陰故城、俗名殷湯城、在蒲州汾陰縣北也、皮氏在絳州龍門縣西一百八十步、卽古皮氏城也、與魏王會應。【正義】應、乙陵反、括地志云、故應城、因應山爲名、古之應國、在汝州魯山縣東三十里、左傳云、邘晉應韓、武之穆也、圍焦降之。【正義】括地志云、焦城、在陝州城內東北百步、因焦水爲名、周同姓所封、左傳云、虞虢焦滑霍陽韓魏、皆姬姓也、杜預云、八國皆爲晉所滅、按武王克商、封神農之後于焦、而後封姬姓也、【考證】梁玉繩曰、秦兼降曲沃、故後三年歸魏焦曲沃也、愚按、年表、魏襄五年、秦圍我焦曲沃、卽秦惠文八年、至此降之也、十年、張儀相秦。魏納上郡十五縣。【正義】今鄜綏等州也、魏前納陰晉、次納同丹二州、今納上郡、而盡河西濱洛之地矣、十一年、縣義渠。【正義】地理志云、北地郡義渠道、秦縣也、括地志云、寧原慶三州、秦北地郡、戰國及春秋時、爲義渠戎國之地、周先公劉不窋居之、古西戎也、【考證】義渠、西戎國名、今甘肅寧縣西北、有義渠故城、杭世駿曰、此時義渠不得爲縣、犀首傳云、其後五國伐秦、陰以文繡千純婦人百人遺義渠君、義渠君起兵、襲大敗秦李伯下、若義渠已爲縣、秦必更置令長、何至十年之後、反爲所敗、沈家本曰、疑縣乃伐字之誤、歸魏焦・曲沃。【正義】括地志云、曲沃、在陝州縣西南三十二里、因曲沃水爲名、按焦曲沃二城相近、本魏地、適屬秦、今還魏、故言歸也、義渠君爲臣。更名少梁曰夏陽。十二年、初臘。【正義】臘、盧盍反、十二月臘日也、秦惠文

王始效中國爲之、故云初臘、獵禽獸、以歲終祭先祖、因立此日也、風俗通云、禮傳云、夏曰嘉平、殷曰清祀、周曰蜡、漢改曰臘、禮曰、天子大蜡八、伊耆氏始爲蜡、蜡者索也、歲十二月、合聚萬物而索饗之、【考證】吳翌鳳曰、鄭康成蔡邕謂臘卽周之蜡祭、和峴亦云、蜡者臘之別名、余攷玉燭寶典云、蠟祭先祖、蜡祭百神、則臘與蜡異、蜡祭因饗農、以終歲勤動而臘息之也、臘者獵也、獵取禽獸以祭先祖、重本始也、二祭寓意不同、所以臘于廟、蜡于郊、唐貞觀制、丑蜡百神、卯祭社稷、辰臘家廟、開元定禮、始蜡臘同日、宋初仍分、其後依和峴議、三祭同用戊日、十三年四月戊午、魏君爲王。韓亦爲王。【正義】魏襄王、韓宣惠王也、【考證】梁玉繩曰、魏惠稱王、在惠文四年、此紀書之、而是年紀與秦表復書魏君爲王、何歟、蓋是年秦惠稱王、故書月書日以別之、魏字乃秦字之誤、燕世家書燕君爲王、是其例也、若表中魏字乃美文、表例但書君爲王也、不然魏君爲王、何以入于秦表也、至韓宣惠爲王、在秦惠後元二年、誤書于是年耳、愚按亦爲王、連言之耳、使張儀伐取陝。出其人與魏。【考證】梁玉繩曰、案表及儀傳、事在惠文後元年、此誤書于十三年、十四年、更爲元年。【考證】前年稱王、故改元也、何焯曰、改元始此、二年、張儀與齊・楚大臣會齧桑。【考證】梁玉繩曰、案此及表及儀傳皆缺書、魏楚世家云、張儀與齊魏相盟、是也、齊魏二世家、但言諸侯執政而已、三年、韓・魏太子來朝。張儀相魏。五年、王游至北河。【集解】徐廣曰、戎地在河上、【正義】按王游觀北河、至靈夏州之黃河也、七年、樂池相秦。

【正義】樂、音岳、池、徒何反、裴氏音池也、【考證】古鈔、南本、池作陀、與正義合、韓・趙・魏・燕・齊帥匈奴共攻秦。秦使庶長疾與戰修魚。虜其將申差。【正義】修魚、韓邑也、年表云、秦敗我修魚、得韓將軍申差、敗趙公子渴・韓太子奐、斬首八萬二千。【考證】梁玉繩曰、此事諸處所載互有不同、余詳較之、攻秦者、實燕楚趙魏韓齊六國、而匈奴不與也、攷楚世家云、六國攻秦、楚懷王爲從長、楚爲從長、所書自當不謬、大事記據之、是也、此紀不及楚、年表及燕世家不及齊、趙世家但言與韓魏擊秦、魏世家及犀首傳、但言五國攻秦、樂毅傳不及燕楚、韓世家竝略之、皆錯失不足憑、而賈生過秦論又稱九國之師、豈攻秦一役、宋衛中山共以兵從、如匈奴之屬、六國歟、是時義渠亦伐秦、若幷數之、則爲十一國矣、秦之戰敗韓趙、在次年、秦惠八年、不與攻秦同歲、年表各世家可證、此紀幷入七年、誤、蓋六國雖同出師、不相應領、故惟韓趙戰秦、韓趙既敗、四國遂引歸不戰、而齊乘趙魏之弊、復敗之于觀澤、齊眞叵測哉、韓公子渴太子奐、乃是主帥、申差特韓之一將爾、以後文韓太子蒼推之、知奐已死矣、意彼時渴奐均敗沒、申差其生獲者也、然韓世家謂秦虜鰒申差、則生獲不止一將、乃何以此紀既失書鰒、又混稱虜其將申差、幾莫辨爲趙將爲韓將、六國表及張儀傳皆云八萬、此紀增多二千、紀仍秦史之舊、而秦尚首功、虛加其級耳、愚按、戰國策校注、亦有此說、八年、張儀復相秦。九年、司馬錯伐蜀滅之。【索隱】蜀、西南夷、舊有君長、故昌意娶蜀山氏女也、其後有杜宇、自立爲王、號曰望帝、蜀王本紀曰、張儀伐蜀、蜀王開戰不勝、爲儀所滅也、伐取趙中都・

西陽。【集解】地理志、太原有中都縣、【正義】括地志云、中都故縣、在汾州平遙縣西十二里、卽西都也、西陽卽中陽也、在汾州隰城縣東十里、地理志云、西都中陽、屬西河郡、此云伐取趙中都西陽、趙世家云、秦取我西都及中陽、年表云、秦惠文王後元九年、取趙中都西陽安邑、趙武靈王十年、秦取中都安陽、本紀世家年表、其縣名異、年歲實同、所伐唯一處、故具錄之、以示後學、【考證】梁玉繩曰、中都西陽、當依趙世家作西都中陽、漢志地屬西河郡、若中都屬太原、西陽屬山陽、未可相混、此與表同誤、愚按、楓三、南本、西陽作雲陽、十年、韓太子蒼來質。【考證】館本考證云、韓世家在宣惠十九年、卽秦惠後十一年、梁玉繩曰、當在破岸門後、伐取韓石章。【正義】韓地名、伐敗趙將泥。【集解】徐廣曰、將、一作莊、【正義】趙將名也、伐取義渠二十五城。【考證】表在十一年、十一年、樗里疾攻魏焦降之。敗韓岸門、斬首萬、其將犀首走。【考證】楓、三、南本、萬上有二十二字、梁玉繩曰、其將犀首走五字、當在降之句下、犀首魏官、卽公孫衍、與韓無涉、故魏表及魏世家云、走犀首岸門、公子通封於蜀。【集解】徐廣曰、是歲王赧元年、【索隱】華陽國志曰、赧王元年、秦惠王封子通國爲蜀侯、以陳莊爲相、徐廣所云、亦據國志而言之、【考證】表在十二年、通作繇通、中井積德曰、通之封、蓋受采於蜀地耳、非爲蜀侯也、華陽國志蓋謬、燕君讓其臣子之。【考證】事在後九年、此誤書于後十一年、十二年、王與梁王會臨晉。庶長疾攻趙、

虜趙將莊。【考證】樗里子傳作壯豹、趙世家及表作趙莊、張儀相楚。十三年、庶長章擊楚於丹陽、虜其將屈匄、斬首八萬。又攻楚漢中、取地六百里、置漢中郡。楚圍雍氏。【考證】庶長章、卽魏章、梁玉繩曰、雍氏之役、莫定何年、六國表不書也、楚世家不書也、惟周秦二紀及齊韓二世家、甘茂傳書之、然時已各殊、事頗不合、秦紀書于惠文王後十三年、與齊世家書于湣王十二年同、是周赧王三年、韓世家書于襄王十二年、是赧王十五年、皆誤也、而注國策注史記者、不復詳攷、遂謂楚兩度圍韓雍氏、以赧王三年爲前所圍、取秦與韓敗楚丹陽事當之、以赧王十五年爲後所圍、取秦敗楚新城事當之、夫丹陽之與雍氏相去遠矣、策及傳稱秦宣太后、攷赧王三年爲惠文後十三年、惠文未薨、昭王未立、安得有宣太后耶、新城之與雍氏亦甚遠矣、策及世家稱甘茂、攷茂之懼讒出奔、在秦昭元年、而赧王十五年爲昭王七年、茂久去秦相位、尙何收璽之言哉、蓋注者之誤、由于策記錯亂、因生此異端耳、其實圍雍氏、止有一役、楚未嘗再擧、策記未免交混、而其事非丹陽新城也、其時非赧王三年十五年也、周紀茂傳固可據也、周紀書于赧王八年之後、次年卽秦昭元年、故茂傳云、昭王新立、太后楚人、不肯救韓、茂爲言于王、乃下師殽以救之、而救韓之師、傳敍茂伐魏蒲坂之先、蒲坂未拔、茂亡奔齊、皆昭王元年事也、然則圍雍一役、其在赧王九年、秦昭元年、韓襄六年、楚懷二十三年乎、黃式三曰、梁氏之說、于甘茂傳雖合、而于韓世家之文、究不可解、馬氏繹史云、楚圍雍氏有三、其一則秦惠王後十三年、秦韓敗楚屈匄于丹陽、楚王怨韓而圍雍氏、在赧王三年、其二則秦武王死、昭王新立、戰國策韓令使者求救于秦、與

甘茂傳所言、卽此役也、其三則韓襄王十二年、公子咎與蟣蝨爭國、遂令楚圍雍氏、在赧王十五年、宜從馬說、秦使庶長疾助韓而東攻齊、到滿助魏攻燕。【正義】滿或作蒲、秦將姓名也、【考證】按表及韓世家、乃助魏攻齊耳、是時無韓伐齊事、十四年、伐楚取召陵。丹・犂臣。蜀相壯殺蜀侯來降。【集解】徐廣曰、壯一作狀、【正義】丹、犂二戎號也、臣伏於蜀、蜀相殺蜀侯、幷丹犂二國降秦、在蜀西南姚府管內、本西南夷、戰國時蜀滇國、唐初置犂州丹州也、【考證】方苞曰、言丹犂二國臣屬於秦也、與下蜀相壯殺蜀侯來降、韓魏齊楚越皆賓從、立文正相類、據正義丹犂臣蜀爲句、則下云相壯、不知何國之相、且二國臣蜀、亦無爲載於秦史、愚按張儀傳及秦策云、司馬錯定蜀、蜀王更號爲侯、而使陳莊相蜀、據此則是紀所云蜀相莊、卽陳莊、其所殺蜀侯、非蜀王、則蜀王子、非秦所封公子通也、惠王卒。【考證】顧炎武曰、古人諡二字三字、而後人相沿、止稱一字者、衞之叡聖武公、止稱武公、貞惠文子、止稱公叔文子、晉趙獻文子、止稱文子、魏惠成王止稱惠王、楚頃襄王止稱襄王、秦惠文王止稱惠王、悼武王止稱武王、昭襄王止稱昭王、莊襄王止稱莊王、韓昭釐侯止稱昭侯、宣惠王止稱宣王、趙悼襄王止稱襄王、子武王立。【索隱】名蕩、【考證】秦記作悼武、韓・魏・齊・楚・越皆賓從。【集解】徐廣曰、越一作趙、【考證】張文虎曰、越爲楚成王所破久矣、作趙是、武王元年、與魏惠王會臨晉。【集解】徐廣曰、表云、哀王、【正義】按魏惠王卒已二十五年矣、【考證】惠王當作襄王、年表所謂哀王也、誅蜀相壯。

張儀・魏章、皆東出之魏。伐義渠・丹・犂。南公揭卒。【考證】未知何人、二年、初置丞相。【集解】應劭曰、丞者承也、相助也、樗里疾・甘茂、爲左右丞相。張儀死於魏。三年、與韓襄王會臨晉外。【正義】外、謂臨晉城外、外字一作水、樗里疾相韓。【考證】無疾相韓事、史文疑有誤、武王謂甘茂曰。寡人欲容車通三川窺周室、死不恨矣。【考證】安井衡曰、車通三川者、欲容車之廣、通三川之路也、不必須廣、愚按、三川、伊水洛水河水、其秋、使甘茂・庶長封伐宜陽。【正義】在河南府福昌縣東十四里、故韓城是也、此韓之大郡、伐取之、三川路乃通也、【考證】宜陽、河南宜陽縣、四年、拔宜陽。【考證】武王謂以下采秦策、斬首六萬、涉河、城武遂。【集解】徐廣曰、韓邑也、【正義】按此邑本屬韓、近平陽、韓世家云、貞子居平陽、九世至哀侯徙鄭、楚世家云、而韓猶服事秦者、以先王墓在平陽、而秦之武遂去之七十里、故知近平陽、魏太子來朝。武王有力、好戲。力士任鄙・烏獲・孟說、皆至大官。王與孟說擧鼎絕臏。【集解】徐廣曰、一作脈、【正義】臏、音頻忍反、絕、斷也、臏、脛骨也、【考證】烏獲見商君書孟子、先於秦武、蓋稱力士爲烏獲、猶稱相馬者爲伯樂、稱治疾者

爲扁鵲、秦武力士、必別有姓名、八月、武王死。族孟說。【集解】皇覽曰、秦武王冢、在扶風安陵縣西北、畢陌中大冢是也、人以爲周文王冢、非也、周文王冢在杜中、【正義】括地志云、秦悼武王陵、在雍州咸陽縣西北十五里也、【考證】甘茂傳云、武王至周而卒于周、與此紀異、張文虎曰、水經渭水注引秦本紀、武王三年、渭水赤三日、秦昭王三十四年、渭水又大赤三日、漢書五行志、亦有此文、引作史記曰、今惟上一條見秦記、而本紀皆無之、豈佚文與、武王取魏女爲后。無子。立異母弟。是爲昭襄王。【索隱】名則、一名稷、昭襄母、楚人。姓芈氏。號宣太后。【考證】芈音美、秦蕙田曰、詩大雅大明、太任有身、生此文王、思齊、太姒嗣徽音、孔氏曰、尊加於婦、故謂之太、此稱太之正義也、後人太后之稱、實始於此、武王死時、昭襄王爲質於燕。燕人送歸、得立。【考證】趙世家云、趙王使代相趙固迎公子稷於燕、送歸、立爲秦王、是爲昭王、昭襄王元年、嚴君疾爲相。【正義】蓋封蜀郡嚴道縣、因號嚴君、疾名也、【考證】卽樗里疾、甘茂出之魏。【考證】梁玉繩曰、案傳茂奔齊、復至楚而終于魏、此言茂出之魏、恐是齊之誤、大事記曰、時方伐魏、自魏而奔齊也、二年、彗星見。【正義】彗、似歲反、又先到反、庶長壯與大臣諸侯公子爲逆。皆誅。【考證】古鈔本、無侯字、通鑑亦無、穰侯傳集解引秦本紀無諸侯二字、及惠文后、皆不得良死。【集解】徐廣曰、迎歸

於楚者、【考證】胡三省曰、惠文后、昭王嫡母也、死于正命曰良死、悼武王后出歸魏。三年、王冠。與楚王會黃棘。【正義】棘、紀力反、蓋在房襄二州也、【考證】今河南新野縣東北、與楚上庸。【集解】地理志、漢中有上庸縣、【正義】括地志云、上庸、今房州竹邑縣、及金州是也、四年、取蒲阪。【正義】括地志云、蒲阪故城、在蒲州河東縣南二里、卽堯舜所都也、彗星見。五年、魏王來朝應亭。【集解】徐廣曰、魏世家云、會臨晉、【正義】應、音乙陵反、【考證】梁玉繩曰、應亭、臨晉之誤、年表魏世家可徵、復與魏蒲阪。六年、蜀侯煇反。【索隱】煇音暉、華陽國志曰、秦封王子煇爲蜀侯、蜀侯祭歸胙於王、後母疾之、加毒以進、王大怒、使司馬錯賜煇劒、此煇不同也、【考證】蜀侯煇、疑非秦公子、蓋前蜀侯子弟、華陽國志不足據也、司馬錯定蜀。庶長奐伐楚。斬首二萬。涇陽君質於齊。【索隱】名市、【考證】館本考證云、田完世家及年表、俱在秦昭七年、此入六年、日食晝晦。七年、拔新城。【正義】楚世家云、懷王二十九年、秦復伐楚、大破楚軍、楚軍死二萬、殺我將軍景缺、年表云、秦敗我襄城、殺景缺、括地志云、許州襄城縣、卽古新城縣也、按世家年表、則新字誤作襄字、【考證】年下當有楚字、樗里子卒。八年、使將軍芊戎攻楚、取新市。【集解】晉地記曰、江夏有新市縣、齊使章子、魏使公孫喜、韓使暴鳶

共攻楚方城。取唐眛。【索隱】暴鳶、韓將姓名、【考證】館本考證云、楚世家、懷王二十八年、韓乃與齊魏共攻楚、殺楚將唐眛、取我重丘而去、年表各世家俱同、是年于秦昭爲六年、此誤書于八年、愚按眛字宜从目、荀子議兵篇呂子處方篇作蔑、趙破中山、其君亡。竟死齊。【考證】館本考證云、趙世家及年表、攻中山、在秦昭六年、滅中山、在秦昭十二年、田完世家同、此敍入八年內、魏公子勁、韓公子長爲諸侯。【索隱】別封之邑、比之諸侯、猶商君趙長安君然、九年、孟嘗君薛文來相秦。【考證】館本考證云、年表及田完世家、薛文相秦、在秦昭八年、奐攻楚取八城。殺其將景快。【考證】六國表楚世家景快並作景缺、上文拔新城正義引同、今本惟此文作景快、各本皆同、或傳寫誤、然殺景缺在昭襄七年、而此在九年、疑是錯簡、抑別有景快耶、十年、楚懷王入朝秦。秦畱之。【考證】陳仁錫曰、懷王入秦、在卅年、薛文以金受免。【正義】金受、秦丞相姓名、免、奪其丞相、【考證】方苞曰、九年薛文來相秦、十年免、中間無金受相秦事、金受名、別無所見、恐傳寫之誤、蓋薛文以受金免、而樓緩代相耳、張文虎曰、金受疑倒、梁玉繩曰、攷孟嘗君傳、秦昭王以爲相、人或說昭王曰、孟嘗君相秦、必先齊而後秦、秦其危矣、於是昭王乃止囚孟嘗君、疑金受是說昭王之人、又文之免相在九年、此誤在十年、中井積德同梁說、愚按楓山本無薛文二字、以金受未詳、闕疑可也、樓緩爲丞相。十一年、齊·韓·魏·趙·宋·中山五國

共攻秦。【正義】蓋中山此時屬趙、故云五國也、至鹽氏而還。【集解】徐廣曰、鹽、一作監、【正義】括地志云、鹽故城、一名司鹽城、在蒲州安邑縣、按掌鹽池之官、因稱氏、秦與韓·魏河北及封陵以和。【正義】年表云、秦與魏封陵、與韓武遂以和、按河外陝虢曲沃等地、封陵、在古蒲阪縣西南河曲之中、武遂、近平陽地也、【考證】梁玉繩曰、此紀有五誤、伐秦止韓魏齊、策所云三國攻秦者、六國表孟嘗傳同、乃此增趙宋中山爲五國、一也、攻秦臨函谷關、策所云入函谷者、韓魏田完世家孟嘗傳同、乃此謂至鹽氏、二也、秦和三國以武遂與韓、封陵與魏、齊城與齊、策所云秦以三城講于三國者、乃此及表不言齊、田完世家亦不言與我齊城、反載與韓河外、又不及魏、三也、武遂封陵在河外、故三國世家俱稱河外、策作河東、此作河北、蓋自秦言之曰東、自三國言之曰北、而統言之曰河外、而此以爲河北封陵、四也、是役在秦昭九年、乃此書于十一年、五也、又伐秦講和、本一時事、而表與各世家分伐秦、在秦昭九年、講和在十一年、尤誤、大事記糾之矣、依本文是六國、亦一誤也、彗星見。楚懷王走之趙。趙不受。還之秦。卽死。歸葬。【考證】懷王亡趙、在秦昭十年、十二年、樓緩免。穰侯魏冄爲相。【正義】括地志云、穰、鄧州所理縣、卽古穰侯國、予楚粟五萬石。十三年、向壽伐韓取武始。【集解】地理志、魏郡有武始縣、【正義】括地志云、武始故城、在洛州武始縣西南十里、左更白起攻新城。【正義】白起傳云、白起爲左庶長、將兵擊韓之新城、括地志云、洛州伊闕縣、本是漢新城

縣、隋文帝改爲伊闕、在洛州南七十里、【考證】據傳、是年白起未爲左更、五大夫禮出亡奔魏。【考證】呂禮、秦將、穰侯傳、呂禮奔齊、孟嘗傳亦有禮相齊事、此誤也、大事記亦以奔魏爲非、任鄙爲漢中守。【集解】漢書百官表曰、郡守、秦官、十四年、左更白起攻韓·魏於伊闕、【正義】括地志云、伊闕在洛州南十九里、注水經云、昔大禹疏龍門以通水、兩山相對、望之若闕、伊水歷其閒、故謂之伊闕、按今洛南猶謂之龍門也、斬首二十四萬、虜公孫喜、拔五城。【考證】梁玉繩曰、上文言魏使公孫喜攻楚、則喜是魏將也、故穰侯傳稱虜魏將公孫喜、乃此紀及白起傳、不言喜爲何國之將、而六國表書虜喜于韓表中、韓世家謂使公孫喜攻秦、秦虜喜、似喜又爲韓將矣、蓋伊闕之役、韓爲主兵、而實使魏之公孫喜將之、故所書不同、十五年、大良造白起攻魏取垣。【正義】垣音袁、前秦取蒲阪、復以蒲阪與魏、魏以爲垣、今又取魏垣、復與之、後秦以爲蒲阪皮氏、復予之。【考證】白起傳、但言拔垣、梁玉繩曰、此衍復予之三字、攻楚取宛。十六年、左更錯取軹及鄧。【集解】地理志、河內有軹縣、南陽有鄧縣、【正義】括地志云、故軹城、在懷州濟源縣東南十三里、故鄧城、在懷州河陽縣西三十一里、竝六國時魏邑也、按二城相連、故云及也、冄免。【考證】館本考證云、六國表及穰侯傳、冄謝病免相、在昭十五年、梁玉繩曰、魏冄凡三相三免、紀表皆不書、而紀與傳所書之年、亦多舛戾不合、余綜考之、冄初相在昭王十二年、至十五年免、此書冄免于十六年、誤也、再相在十

六年、至二十一年免、此紀下文于廿四年書魏冉免相者誤也、三相在二十六年、至四十二年免相出就封邑、傳所謂免二歲復相秦者、乃免四歲之誤也、封公子市宛、公子悝鄧、魏冄陶爲諸侯。【索隱】悝號高陵君、初封於彭、昭襄王弟也、【考證】公子市卽涇陽君、十七年、城陽君入朝。及東周君來朝。【正義】括地志云、濮州雷澤縣、本漢郕陽縣、古郕伯姬姓之國、周武王封弟季載於郕、其後遷之城陽也、【考證】梁玉繩曰、成陽君韓人、魏策有之、成城通用、秦以垣爲蒲阪・皮氏。【索隱】爲、當爲易、蓋字訛也、【正義】蒲阪、今河東縣也、皮氏故城在絳州龍門縣西一里八十步、【考證】索隱是、王之宜陽。十八年、錯攻垣・河雍・決橋取之。【集解】徐廣曰、汲冢紀年云、魏哀王二十四年、改宜陽曰河雍、改向曰高平、向在軹之西、【正義】蓋蒲阪皮氏、又歸魏、魏復以爲垣、今重攻取之也、【考證】正義非是、十九年、王爲西帝。齊爲東帝。皆復去之。呂禮來自歸。齊破宋。宋王在魏。死溫。【考證】館本考證曰、田完世家、齊湣三十八年、伐宋、宋王出亡、死于溫、魏世家、魏昭十年、齊滅宋、宋王死我溫、年表亦同、是年在秦爲昭之二十一年、此入于十九年內、任鄙卒。二十年。【集解】徐廣曰、秦地有父馬生駒、【考證】張文虎曰、漢書五行志引史記秦昭王二十年、牡馬生子而死、紀表皆無此文、當在二十年下、故集解引徐廣語、二十一年集解徐廣語、史記正文誤入注、又譌子爲牛、王之

漢中、又之上郡・北河。二十一年、【集解】徐廣曰、有牡馬生牛而死、錯攻魏河內。魏獻安邑。秦出其人。募徙河東、賜爵、赦罪人遷之。【考證】沈家本曰、按昭襄王之赦罪人、遷之以實初地也、始皇之徙譎以實初縣、其策實本於此、涇陽君封宛。【考證】館本考證云、十六年已封公子市宛矣、此復封涇陽君、疑有一誤、二十二年、蒙武伐齊。河東爲九縣。【考證】梁玉繩曰、蒙恬傳、蒙武乃蒙驁之子、驁事昭王至始皇四世、則此時擊齊者、必是驁、而非武也、凌稚隆曰、古史河東上有取字、愚按河東本魏地、前年入秦、故分爲九縣也、本文自通、與楚王會宛。與趙王會中陽。【集解】地理志、西河有中陽縣、二十三年、尉斯離與三晉・燕伐齊、破之濟西。【索隱】尉、秦官、斯離、其姓名、【正義】尉、都尉、斯離、名也、【考證】正義是、梁玉繩曰、伐齊之役、實秦楚燕趙韓魏六國也、燕齊楚三世家可證、此紀與趙魏世家失書楚、韓世家上言與秦攻齊、孟嘗君傳失書韓楚、樂毅傳失書秦、愚按年表亦云、燕與秦三晉擊齊、王與魏王會宜陽。與韓王會新城。【考證】年表及魏韓世家、竝作會西周、梁玉繩曰、卽指河南之宜陽新城也、下同、二十四年、與楚王會鄢、又會穰。【正義】鄢、於建反、又音偃、括地志云、故偃城在襄州安養縣北三里、古鄢子之國也、秦取魏安城、

至大梁。燕・趙救之。秦軍去。【集解】地理志、汝南有安城縣、【正義】括地志云、安城在豫州汝陽縣東南十七里、【考證】本魏策、梁玉繩曰、是年爲燕昭王廿九年、趙惠文王十六年、燕昭新破齊湣、方圍莒卽墨、未下、何暇出兵救魏、而趙時爲秦之細、自守不足、又何敢出一旅、爲魏抗秦、此之不實、了然可知、魏冄免相。【考證】十六年云冉免、其後不言冉復相、二十六年忽云魏冉免相、當有脫文、說詳于十六年、二十五年、拔趙二城。與韓王會新城。【考證】年表韓世家並云、會兩周間、與魏王會新明邑。【考證】凌稚隆曰、新明邑、不詳其邑、或新所取者、二十六年、赦罪人遷之穰。侯冄復相。【考證】梁玉繩曰、言遷罪人、不知遷于何地、愚按古鈔、楓、三、南本侯下有魏字、據下文遷之南陽正義、穰字當連上句、上文云魏冉免相、侯疑魏字、二十七年、錯攻楚。赦罪人遷之南陽。【正義】南陽及上遷之穰、皆今鄧州也、白起攻趙、取代・光狼城。【正義】括地志云、光狼故城、在今澤州高平縣西二十里、【考證】李笠曰、白起傳正義、二十里作二十五里、又使司馬錯發隴西、因蜀攻楚黔中、拔之。【正義】黔中、今黔府也、【考證】陳子龍曰、後世每從益州取荊者、蓋始此也、二十八年、大良造白起攻楚、取鄢・鄧。【正義】鄢鄧二城、竝在襄州、【考證】梁玉繩曰、此二十八年楚爲秦所取者、鄢鄧西陵三城、紀失書西陵、

表失書鄧、楚世家失書鄢鄧、而白起傳言拔鄢鄧五城、乃拔鄢鄧西陵三城之訛、赦罪人遷之。二十九年、大良造白起攻楚、取郢爲南郡。楚王走。【正義】括地志云、郢城在荊州江陵縣東北六里、楚平王築都之地也、【考證】今湖北江陵縣東有故郢城、周君來。王與楚王會襄陵。【集解】地理志、河東有襄陵縣、【正義】括地志云、襄陵在晉州臨汾縣東南三十五里、闞駰十三州志云、襄陵、晉大夫犨邑也、【考證】梁玉繩曰、是年、秦攻楚取郢、燒其先王墓夷陵、楚襄王兵散、遁保于陳、安得楚與秦爲好會乎、必非二十九年事也、白起爲武安君。【正義】言能撫養軍士、戰必剋、得百姓安集、故號武安、故城在潞州武安縣西南五十里、七國時趙邑、卽趙奢救閼與處也、【考證】白起爲武安君、穰侯白起傳、皆在秦昭二十九年、表爲三十年、誤、崔適曰、案是名號、侯之濫觴也、名號侯之名、始自魏志、武帝紀裴注以爲今之虛封、今案無封邑、但有名號而已、七國時、或有封邑而別爲名號、如以尉文封廉頗爲信平君、封樂毅於觀津號曰望諸君、秦相呂不韋封爲文信侯、食河南洛陽十萬戶、此如漢世之列侯而別爲名號者也、或有名號而無封邑、如秦相蔡澤爲剛成君、趙賜趙奢爲馬服君、漢初封劉敬爲奉春君、叔孫通爲稷嗣君、則位下於列侯、始皇本紀謂之倫侯、漢曰關內侯、卽名號侯之類也、趙有兩武安君、始蘇秦、終李牧、而秦亦以是名封白起、亦但有名號耳、正義故號武安以上是也、故城以下又以爲封邑、一名而兩釋之、乖矣、秦攻韓閼與、軍武安西、大爲趙奢所破、在秦昭王三十七年、則前此秦安得有武安以封白起耶、三十年、蜀守若伐楚、取巫郡及江南、

爲黔中郡。【正義】華陽國志、張若爲蜀中郡守、括地志云、巫郡、在夔州東百里、黔中故城、在辰州沅陵縣西二十里、江南、今黔府、亦其地也、【考證】梁玉繩曰、白起及春申君傳、言起取之、非蜀守張若、豈伐巫之役、起與若共之與、三十一年、白起伐魏、取兩城。楚人反我江南。【正義】黔中郡、反歸楚、【考證】岡白駒曰、上年秦取江南爲郡、既爲秦有、故曰反我江南、三十二年、相穰侯攻魏、至大梁、破暴鳶、斬首四萬。鳶走。魏入三縣請和。三十三年、客卿胡傷攻魏卷・【集解】地理志、河南有卷縣、【正義】卷、音丘袁反、括地志云、故卷城、在鄭州原武縣西北七里、卽衡雍也、蔡陽・長社、取之。【集解】地理志、潁川有長社縣、【正義】括地志云、蔡陽、今豫州上蔡水之陽、古城、在豫州北七十里、長社故城、在許州良社縣西一里、皆魏邑也、擊芒卯華陽、破之。【集解】司馬彪曰、華陽、亭名、在密縣、【索隱】芒卯、魏將、譙周云、孟卯也、【正義】括地志云、故華城、在鄭州管城縣南三十里、國語云、史伯對鄭桓公號鄶十邑、華其一也、華陽、卽此城也、按是時韓趙聚兵於華陽攻秦、卽此矣、斬首十五萬。魏入南陽以和。【集解】徐廣曰、河內修武、古曰南陽、秦始皇更名河內、屬魏地、荊州之南陽郡、本屬韓地、【正義】括地志云、懷獲嘉縣、卽古之南陽、杜預云、在晉州山南河北、故曰南陽、秦破芒卯軍、斬首十五萬、魏入南陽以和、【考證】梁玉繩曰、此所書戰最誤、年表世家列傳亦誤、攷秦昭三十二年、當魏安釐二年、韓釐廿一年、秦攻魏、

拔兩城、軍大梁下、韓使暴鳶救魏、爲秦所敗、鳶走開封、魏與秦溫以和、是秦昭三十二年之戰也、而此云魏入三縣、穰侯傳云割八縣、竝誤、蓋二縣秦拔之、一縣魏予之、共止三縣耳、明年、魏背秦、與齊從親、秦使穰侯伐魏、拔四城、斬首四萬、是秦昭三十三年之戰也、而此以斬首四萬、幷入大梁之役、書于三十二年、誤、已秦昭三十四年、趙魏攻韓華陽、韓告急于秦、穰侯又與白起客卿胡陽攻趙魏以救韓、走魏將芒卯、斬十三萬人、敗趙將賈偃、沈其卒二萬人于河、取魏卷蔡陽長社、取趙觀津、魏予秦南陽以和、秦且與趙觀津、益趙以兵伐齊、是秦昭三十四年之戰也、而此在三十三年、誤一、止言客卿胡陽、反遺郤主帥穰侯大將白起、較之年表趙世家白起及春申傳、但舉白起、更覺失倫、誤二、斬魏卒十三萬、沈趙卒二萬、乃合趙于魏、作十五萬人、與六國表魏世家俱非、穰侯傳云十萬、亦非、誤三、趙魏同破、何以單說魏、而不及趙、表亦單說魏、又云魏得三晉將、魏世家云、秦破我及韓趙、穰侯傳云、攻趙韓魏、白起傳云、得三晉將、春申傳云攻韓魏趙、述一事而各異如此、誤四、至暴鳶、國策暴作䍧、其字譌也、韓世家鳶作鸗、其字同也、芒卯、西周策及韓子說林顯學、淮南氾論作孟卯、音之轉也、而韓子外儲說左作昭卯、呂覽應言作孟邛、皆誤、又此紀胡傷兩見、當是傳寫之譌、依穰侯傳作陽爲是、趙策作胡易、卽古陽字、三十四年、秦與魏・韓上庸地爲一郡。南陽免臣遷居之。三十五年、佐韓・魏・楚伐燕。【考證】梁玉繩曰、國策、齊韓魏共伐燕、燕使太子請救于楚、楚王使景陽救之、夫楚方救燕、不伐燕、秦亦無伐燕之事、而伐燕、是齊韓魏、非韓魏楚、此與燕世家同誤、初置南陽郡。【正義】今鄧州也、前已屬秦、秦置南陽郡、在漢水之北、釋名云、在中國之南、而居陽地、故以爲

名焉、張衡南都賦云、陪京之南、居漢之陽、【考證】今河南南陽、三十六年、客卿竈攻齊、取剛・壽。予穰侯。【正義】括地志云、故剛城、在兗州龔丘縣界、壽、鄆州之縣、【考證】梁玉繩曰、年表及田完世家、皆三十七年、此與穰侯傳在前一年、竈、秦策作造、音相近、三十八年、中更胡傷攻趙閼與、不能取。【集解】孟康曰、音焉與、邑名、在上黨涅縣西、【正義】閼、於達反、與、音預、閼與聚城、一名烏蘇城、在潞州銅鞮縣西北二十里、趙奢破秦軍處、又儀州和順縣、卽古閼與城、亦云、趙奢破秦軍處、然儀州與潞州相近、二所未詳、又閼與山、在洺州武安縣西南五十里、趙奢拒秦軍於閼與、卽山北也、按閼與山、在武安故城西南、又近武安故城、蓋儀州是所封故地、【考證】河南彰德武安縣、四十年、悼太子死魏。歸葬芷陽。【集解】徐廣曰、今霸陵、【正義】括地志云、芷陽、在雍州藍田縣西六里、三秦記云、鹿原東、有霸川之西阪、故芷陽也、四十一年夏、攻魏取邢丘・懷。【集解】徐廣曰、邢丘、在平皋、駰案韓詩外傳、武王伐紂到于邢丘、勒兵於甯、更名邢丘曰懷、甯曰修武、【正義】括地志云、平皋故城、本邢丘邑、漢置平皋縣、在懷州武德縣東南二十里、故懷城、周之懷邑、在懷州武陟縣西十一里、【考證】館本考證云、魏世家安釐王九年、秦拔我懷、是年爲秦昭之三十九年、十一年拔我郪丘、卽秦昭四十一年也、此兩年事、幷入一年、梁玉繩曰、邢丘當依魏世家作郪丘、此與范雎傳同誤、邢丘之地、久入于秦、不待是時、表作廩丘、尤誤、四十二年、安國君爲太子。十月、宣太后薨。葬芷陽酈山。

【集解】徐廣曰、芊氏、【正義】酈、力知反、在雍州新豐縣南十四里也、【考證】古鈔南本、十月、作七月、此本譌、九月、穰侯出之陶。四十三年、武安君白起攻韓、拔九城。斬首五萬。【考證】館本考證云、白起傳、昭王四十三年、白起攻韓陘城、拔五城、韓世家、惠王九年、秦拔我陘、城汾旁、四十四年、攻韓南郡取之。【考證】錢大昕曰、南郡、六國表作南陽、攷江陵之南郡、楚地、非韓地、當以南陽爲是、但昭十六年、拔韓宛城、又魏冉封穰侯、皆南陽郡地、是南陽屬秦已久、至昭王三十九年置南陽郡、何以四十四年攻韓又取南陽、蓋戰國時大郡、或領十數城、非一時所能盡拔、秦雖置南陽郡、尚未全有其地、至此始悉取之、愚按、白起傳亦作南陽、五年、五大夫賁攻韓、取十城。【正義】賁、音奔、五大夫官、賁、名也、【考證】五大夫、秦爵、正義疑字衍、葉陽君悝出之國。未至而死。【集解】一云華陽、【正義】葉、書涉反、【考證】中井積德曰、葉陽當作華陽、梁玉繩曰、華形近葉、傳寫致訛、華陽君卽昭王舅芊戎、悝乃昭王母弟高陵君、此紀當有脫誤、不然將以芊戎爲公子悝矣、四十七年、秦攻韓上黨。上黨降趙。【考證】上黨、今山西潞安、梁玉繩曰、事在四十五年、趙策白起傳可證、此因說長平事而幷書于四十七年、非也、秦因攻趙。趙發兵擊秦、相距。秦使武安君白起擊、大破趙於長平。四十餘萬盡殺之。【考證】長平、河

南陳州西華縣、古鈔、南本、萬下有人字、殺上有坑字、四十八年十月、韓獻垣雍。[集解]司馬彪曰、河南卷縣、有垣雍城、秦軍分爲三軍。[考證]白起傳云、秦分軍爲二、王齕攻皮牢、拔之、司馬梗定太原、則此三字疑二字訛、武安君歸。王齕將、伐趙武安・皮牢、拔之。[考證]梁玉繩曰、白起傳言齕攻拔皮牢、不言武安、武安二字衍、愚按古鈔本、皮上有攻字、白起傳正義、皮牢故城、在絳州龍門縣西一里、今河南彰德武安縣西、司馬梗北定太原、盡有韓上黨。[考證]太原、今山西太原、正月、兵罷。復守上黨。其十月、五大夫陵攻趙邯鄲。[考證]今直隸廣平邯鄲縣、張文虎曰、上四十二年、先書十月、後書九月、此年先書十月、後書正月、大事記古文尚書疏證謂、秦先世已嘗改十月爲歲首、是也、自此年以後復用夏正、故下文書其十月云云、遂不以爲歲首、而四十九年、先書正月、後書其十月、文甚明白、梁玉繩志疑、乃以四十二年之十月、爲七月之誤、四十八年之十月爲衍、考之未審矣、愚按四十二年之十月、爲七月之誤、古鈔本可證、姚範援鶉堂筆記、亦以十月正月其十月爲俱譌、張氏未審考之也、四十九年正月、益發卒佐陵。陵戰不善、免。王齕代將。其十月、將軍張唐攻魏。爲蔡尉捐弗守、還斬之。[正義]爲、于僞反、蔡姓、尉名、[考證]斬蔡尉、五十年十月、武安君白起

有罪、爲士伍、遷陰密。[集解]如淳曰、嘗有爵而以罪奪爵、皆稱士伍、[正義]括地志云、陰密故城、在涇州鶉觚縣西、卽古密須國也、張唐攻鄭拔之。[考證]梁玉繩曰、此以所拔之鄭爲舊鄭、則卽咸林之地、東遷時已屬秦也、以爲新鄭歟、韓徙都于其地、不聞是時韓失國都也、疑是鄲字之譌、趙地也、十二月、益發卒軍汾城旁。[正義]括地志云、臨汾故城、在絳州正平縣東北二十五里、卽古臨汾縣城也、按汾城、卽此城是也、武安君白起有罪死。齕攻邯鄲、不拔。去還奔汾軍。二月餘、攻晉軍、斬首六千、晉・楚流死河二萬人。[集解]徐廣曰、楚一作走、[正義]按此時無楚軍、走字是也、[考證]二月上添其後字看、古鈔本、齕上有王字、河下有者字、梁玉繩曰、改楚作走、則流死之文不可接、謂時無楚軍、尤爲囈語、卽楚救邯鄲之兵、始緣秦伐趙邯鄲、而救趙、繼緣秦伐魏寧新中而救魏、楚世家稱救趙至新中、可證已、愚按晉卽魏也、攻汾城。卽從唐拔寧新中。[集解]徐廣曰、寧作曼、此趙邑也、[正義]唐、今晉州平陽、堯都也、括地志云、寧新中、七國時魏邑、秦昭襄王拔魏寧新中、更名安陽城、卽今相州外城是也、[考證]中井積德曰、唐、張唐也、寧新中、年表及楚世家、皆作新中、梁玉繩曰、凡言新中者、竝脫寧字、是魏地、蓋楚魏救趙、秦還軍而拔魏地也、寧新中更名安陽。[集解]徐廣曰、魏郡有安陽縣、[正義]今相州外城古安陽城、[考證]南化本、更字在寧字上、初作河橋。[正義]此橋在同州臨晉縣東、渡河、

至蒲州、今蒲津橋也、五十一年、將軍摎攻韓取陽城・負黍。[正義]今河南府縣也、負黍亭、在陽城縣西南三十五里、本周邑、亦時屬韓也、[考證]館本考證云、正義府字誤、以唐地理志考之、或應作告成二字、斬首四萬。攻趙取二十餘縣、首虜九萬。[考證]梁玉繩曰、此事非實、說在趙世家、西周君背秦、[正義]武公、與諸侯約從、將天下銳兵出伊闕攻秦、令秦毋得通陽城。於是秦使將軍摎攻西周。西周君走來自歸、頓首受罪、盡獻其邑三十六城、口三萬。秦王受獻、歸其君於周。五十二年、周民東亡、其器九鼎入秦。[正義]器、謂寶器也、禹貢金九牧、鑄鼎於荊山下、各象九州之物、故言九鼎、歷殷至周赧王十九年、秦昭王取九鼎、其一飛入泗水、餘八入於秦中、[考證]陳霆曰、夏后氏之方盛也、以其九州土田之制、貢賦之則、鑄之于鼎、若曰爲後世之法程、夏亡而鼎入于商、商亡而鼎入于周、三代相傳、號稱神器、迨周之季世、七雄僭王、私計得鼎者、可以有天下、若後世得國璽者然、于是爭起染指之謀、而周之君臣惴惴、謂夫鼎存而禍隨也、遂陰計毀之、其稱淪入于泗水者、一時詭辭、後世乃傳信之耳、中井積德曰、是時九鼎爲秦之有矣、然未必卽輸于咸陽也、周初亡。[考證]凌稚隆曰、秦稱覇之後、連書曰、天子使召公過賀穆公以金鼓、曰、天子賀以以黼黻、曰、

天子致胙、曰、天子致伯、曰、天子賀、曰、天子致文武胙、曰、東周君來朝、曰、周君來、曰、西周走來歸、而結書曰、周初亡、皆篇中關鍵也、五十三年、天下來賓。魏後。秦使摎伐魏、取吳城。[集解]徐廣曰、在大陽、[正義]括地志云、虞城故城、在陝州河北縣東北五十里虞山之上、亦名吳山、周武王封弟虞仲於周之北故夏墟、吳城卽此城也、韓王入朝。魏委國聽令。五十四年、王郊見上帝於雍。五十六年秋、昭襄王卒、子孝文王立。[索隱]名柱、五十三而立、立一年卒、葬壽陵、子莊襄王、尊唐八子爲唐太后。[集解]徐廣曰、八子者、妾媵之號、姓唐、[正義]孝文王之母也、先死、故尊之、晉灼云、除皇后、自昭儀以下、秩至百石、凡十四等、漢書外戚傳云、八子視千石、比中更、[考證]兪樾曰、秦孝文王立、尊唐八子爲唐太后、莊襄王立、尊夏姬爲夏太后、後世人主追尊所生者、仿乎此、其始本於春秋妾母之稱夫人、至漢哀帝時有四太后、中井積德曰、不得援漢制解秦官、晉灼非、而合其葬於先王。[正義]以其母唐太后與昭王合葬、韓王衰絰、入弔祠。諸侯皆使其將相來弔祠視喪事。孝文王元年、赦罪人、修先王功臣、褒厚親戚、弛苑囿。[考證]莊襄王元年、亦大赦罪人、沈家本曰、孝文莊襄之赦、卽爲後世改元肆赦之權輿矣、大赦之名、亦始見於此、愚按此卽位行赦之始、孝文王除喪、

十月己亥卽位。三日辛丑卒。子莊襄王立。【索隱】名子楚、三十二而立、立三年卒、葬陽陵、紀作四年、【考證】梁玉繩曰、孝文之立、書之重、言之複、讀史者、或疑爲美文錯簡、宜衍去赦罪人十五字、謂赦罪人等事、皆莊襄元年事、增出于孝文元年之下、而孝文王除喪十月己亥二語、當互易之、移于孝文元年之上、蓋既葬而除喪、其時不獨三年之喪久廢、卽期年亦不行耳、茲說未知然否、但余攷古者天子崩、太子卽位、其別有四、始死、則正嗣子之位、尙書顧命、逆子釗于南門之外、延入于翼室、是也、既殯、則正繼體之位、顧命、王麻冕黼裳入卽位、是也、踰年、正改元之位、春秋書公卽位、是也、三年、正踐祚之位、舜格于文祖、及成王免喪、將卽政、朝于廟、是也、則所謂子孝文王立者、正嗣子之位也、昭襄卒于庚戌秋、喪葬之事皆畢、斯數月中、不言既殯正繼體之禮、秦省之而不行也、所謂孝文王元年者、正改元之位也、所謂孝文王除喪十月己亥卽位者、正踐祚之位也、是年歲在辛亥、三年之喪廢、故孝文期年便除、而因以知昭王之卒、必在秋九月、竊意史公緣孝文卽位三日便卒、恐後世疑莫能明、特備載當日行事、至今秩然可見、不得以爲美文錯簡矣、乃閣氏摘十月己亥一句、謂孝文已踰二年、史稱享國一年爲誤、莊襄以先君崩年改元、失禮莫大、其辨甚新、殊不知爾時秦尙未以十月爲歲首也、

莊襄王元年、大赦罪人、修先王功臣、施德厚骨肉、而布惠於民。東周君與諸侯謀秦。秦使相國呂不韋誅之。盡入其國。【考證】楓、三、南本、不重秦字、

秦不絕其祀、以陽人地賜周

君、奉其祭祀。【集解】地理志、河南梁縣有陽人聚、

使蒙驁伐韓。韓獻成皋・鞏。【正義】括地志云、洛州氾水縣、古之虢國、亦鄭之制邑、又名虎牢、漢之成皋、鞏、恭勇反、今洛州鞏縣、爾時秦滅東周、韓亦得其地、又獻於秦、【考證】館本考證云、韓世家、秦拔我成皋滎陽、不曰獻、年表同、梁玉繩曰、鞏、滎陽之誤、鞏爲東周所居、韓安得有之、愚按蒙恬傳亦云、莊襄王元年、蒙驁伐韓成皋滎陽、作置三川郡、

秦界至大梁。初置三川郡。【集解】韋昭曰、有河洛伊、故曰三川、駰案地理志、漢高祖更名河南郡、

二年、使蒙驁攻趙、定太原。【考證】梁玉繩曰、使蒙驁八字乃美文、年表及趙世家蒙恬傳、皆無其事、蓋所謂攻趙者、因是年有蒙驁攻趙取三十七城之事也、所謂定太原者、因明年有置太原郡之事也、二事下文皆書之、則此爲錯出無疑、況前十二年得韓上黨地、已北定太原矣、此時何煩再定乎、

三年、蒙驁攻魏高都・汲、拔之。【集解】徐廣曰、汲、一作波、波縣亦在河內、【正義】汲音急、括地志云、高都故城、今澤州是、汲故城、在衞州所理汲縣西南二十五里、孟康云、漢波縣、今郗城是也、括地志云、故郗城在懷州河內縣西三十二里、左傳云、蘇忿生十二邑、郗其一也、【考證】梁玉繩曰、三年二字亦美文、所書事表在二年、是已、汲字當依徐廣作波、蓋秦拔魏汲、在始皇七年也、

攻趙楡次・新城・狼孟、【正義】括地志云、楡次、幷州縣、卽古楡次地也、新城、一名小平城、在朔州善陽縣西南四十七里、狼孟故城、在幷州陽曲縣東北二十六里、

取三十七城。【正義】案取三十七城、幷代朔三州之地矣、

四月、日食。四年、王

齕攻上黨。【正義】上黨又反秦、故攻之、【考證】張文虎曰、莊襄無四年、六國表書在三年、此四年二字、涉上四月而衍、觀下文五月卽接上文四月、其證也、梁玉繩曰、前此昭王四十八年盡有上黨地、北定太原、是時何煩再攻、疑前所定者惟降趙之城市邑十七、今所攻者幷其餘城而攻拔之、故韓世家云、秦悉拔我上黨也、紀表但言攻上黨擊上黨拔上黨、似乎複出、而不知是悉拔之、紀表似欠明、正義謂上黨又反、故攻之、臆測之詞、非事實矣、

初置太原郡。【正義】上黨以北、皆太原地、卽上三十七城也、

魏將無忌率五國兵擊秦。【正義】信陵君也、率燕趙韓楚魏之兵擊秦也、

秦郤於河外。【正義】蒙驁被五國兵敗、遂解而郤、至於河外、河外、陝華二州也、

蒙驁敗、解而去。五月丙午、莊襄王卒。子政立。【考證】梁玉繩曰、據始皇紀集解、政當作正、南化本、午下有朔字、

是爲秦始皇帝。秦王政立二十六年、初幷天下爲三十六郡。號爲始皇帝。【索隱】十三而立、立三十七年崩、葬酈山、

始皇帝五十一年而崩。【考證】古鈔本、帝下有立字、南化本、無始皇帝三字、中井積德曰、始皇十三而立、在位三十七年而死、年正五十矣、一字蓋衍、梁玉繩說同、張文虎曰、疑本作年五十而崩、衍一字、又誤倒耳、錢大昕曰、五當作立、始皇爲帝十一年耳、依古鈔本錢說是、

子胡亥立。是爲二世皇帝。【索隱】十二年立、紀云二十一立、三年葬宜春、秦自襄公至二世、凡六百一十七歲、此實本紀、

而注別擧之、以非本文耳、【考證】張文虎曰、秦襄元年甲子至二世三年甲午、凡五百七十一年、索隱六當作五、一七二字當互易、單本索隱作二十七、更誤矣、錢泰吉曰、索隱注字不知何所指、疑有集解而缺失也、

三年、諸侯竝起叛秦。趙高殺二世、立子嬰。子嬰立月餘、諸侯誅之。遂滅秦。其語在始皇本紀中。

太史公曰。秦之先爲嬴姓。【考證】中井積德曰、秦女嫁諸侯、稱嬴姓、如晉穆嬴是也、然則秦姓嬴而氏趙也、漢以來姓氏混淆、史公之言欠明曉、

其後分封、以國爲姓。【考證】梁玉繩曰、史公混姓氏爲一、故凡氏皆謂之姓、而夏殷秦三紀之論並誤、云以國爲姓、其實氏也、然其所載諸氏、亦不盡以國、如殷之目夷、秦之飛廉、是以名爲氏者、終黎菟裘、以邑爲氏者、國云乎哉、

有徐氏・郯氏・莒氏・終黎氏・【集解】徐廣曰、世本作鍾離、應劭曰、氏姓譜云、有姓終黎者是、

運奄氏・菟裘氏・將梁氏・黃氏・江氏・脩魚氏・白冥氏・蜚廉氏・秦氏。然秦以其先造父封趙城爲趙氏。

【索隱】述贊、柏翳佐舜、皁斿是旌、蜚廉事紂、石椁斯營、造父善馭、封之趙城、非子息馬、厥號秦嬴、禮樂射御、西垂有聲、襄公救周、始命列國、金祠白帝、龍祚水德、祥應陳寶、妖

除豐特里奚致霸衞鞅任
刻厥後吞幷卒成凶慝

秦本紀第五

史記五

秦本紀第五

八五

史記會注考證卷五

八六

史記會注考證卷六

漢　太　史　令　司　馬　遷　撰

宋　中　郎　外　兵　曹　參　軍　裴　駰　集　解

唐　國　子　博　士　弘　文　館　學　士　司　馬　貞　索　隱

唐　諸　王　侍　讀　率　府　長　史　張　守　節　正　義

日　本　出　雲　瀧　川　資　言　考　證

秦始皇本紀第六　史記六

[考證]史公自序云、始皇既立、幷兼六國、銷鋒鑄鐻、維偃干革、尊號稱帝、矜武任力、二世受運、子嬰降虜、作始皇本紀第六、愚按、始皇之時、史職不廢、蕭何所收圖籍、史公或

及觀之、故此紀特詳、楊愼曰、始皇二世紀、始見太史公筆力、

秦始皇帝者、秦莊襄王子也。[索隱]莊襄王者、孝文王之中子、昭襄王之孫也、名子楚、按戰國策、本名子異、後爲華陽夫人嗣、夫人楚人、因改名子楚也、莊襄王爲秦質子於趙。[正義]質、音致、國彊欲待弱之來相事、故遣子及貴臣爲質、如上音、國弱懼其侵伐、令子及貴臣往爲質、音直實反、又二國敵亦爲交質、音致、左傳云、周鄭交質、王子狐爲質於鄭、鄭公子忽爲質於周、是也、[考證]中井積德曰、質字不因强弱異音義、正義非、見呂不韋姬、悅而取之。[索隱]按不韋傳云、不韋陽翟大賈也、其姬邯鄲豪家女、善歌舞、有娠而獻於子楚、[考證]姬者周姓、古時男子稱氏、婦人稱姓、齊姜宋子、亦猶然也、姬是貴盛之族、故後世以爲婦人美稱、梁玉繩曰、稱妾爲姬、其誤始于周末、史公亦隨俗書之、生始皇。以秦昭王四十八年正月生於邯鄲。及生名爲政。姓趙氏。[集解]徐廣曰、一作正、宋忠云、以正月旦生、故名正、[索隱]系本作政、又生於趙、故曰趙政、一曰秦與趙同祖、以趙城爲榮、故姓趙氏、[正義]正音政、周正建子之正也、始皇以正月旦生於趙、因爲政、後以始皇諱、故音征、[考證]顧炎武曰、姓氏之稱、太史公始混而爲一、故本紀於秦始皇則曰姓趙氏、於漢高祖則曰姓劉氏、愚按秦紀曰、周繆王以趙城封造父、造父族由此爲趙氏、是秦之所以氏趙、淮南人間訓、秦王趙政、兼吞天下而亡、高誘注、始皇生於趙、故曰趙政、與索隱之前說皆非、中井積德曰、注正月之下加旦字、恐臆斷、夫名

正者以月、不以日、年十三歲、莊襄王死。政代立爲秦王。[考證]顧炎武曰、天之行謂之歲、人之行謂之年、古人但曰年幾何、不言歲也、變之自太史公始、梁玉繩瞥記引錢廣伯云、孟子鄉人長於伯兄一歲、趙策太后曰年幾何矣、對曰十五歲矣、則言歲不始太史公、當是之時、秦地已幷巴・蜀・漢中、越宛有郢、置南郡矣。北收上郡以東、有河東・太原・上黨郡、東至滎陽、滅二周、置三川郡。呂不韋爲相、封十萬戶、號曰文信侯、招致賓客游士、欲以幷天下。李斯爲舍人。[集解]文穎曰、主廄內小吏官名、或曰、侍從賓客、謂之舍人也、[考證]中井積德曰、李斯是文信侯之舍人、非秦王之臣、後事秦王、則爲長史矣、陪臣往往稱舍人、非職掌定名、蒙驁・王齮・[集解]徐廣曰、一作齕、[索隱]蒙驁齊人、蒙武之父、蒙恬之祖、王齮即王齕、昭王二十九年代大夫陵伐趙者、[正義]齮、魚綺反、劉伯莊云、音綺、後同、[考證]作齕是也、麃公等爲將軍。[集解]應劭曰、麃、秦邑、[索隱]麃公、蓋麃邑公、史失其姓名、[正義]麃、彼苗反、蓋秦之縣邑、大夫稱公、若楚制、[考證]沈濤曰、漢韓勅碑陰、有故涿郡太守魯麃次公、故樂安相魯麃季公、秦漢時自有麃姓、史特失其名耳、公如縱公泄公之公、王年少、初卽位、委國事大臣。晉陽反。元年、將軍蒙驁擊

定之。[考證]張文虎曰、合刻本、每年提行、後人取便檢閱耳、舊刻游本、皆連前文、毛本此紀亦連、二年、麃公將卒攻卷、斬首三萬。[正義]將、子匠反、卒、子必反、卷、丘員反、[考證]梁玉繩曰、秦昭三十四年、已取魏卷、何煩此時攻之、疑卷字誤、愚按古鈔南本卷作權、三年、蒙驁攻韓、取十三城。王齮死。[考證]表、十三城作十二城、蒙恬傳韓世家同此紀、十月、將軍蒙驁攻魏氏暘・有詭。[集解]徐廣曰、暘、音場、[索隱]音暘、魏之邑名、歲大饑。四年、拔暘・有詭。三月、軍罷。秦質子歸自趙。趙太子出歸國。十月庚寅、蝗蟲從東方來、蔽天。[考證]表、十月作七月、程一枝曰、今本七作十、誤、黃式三曰、十月無蝗、天下疫。百姓內粟千石、拜爵一級。[考證]內粟拜爵始此、徐孚遠曰、秦人重爵、除吏復家、故不輕賜爵、漢則賜民多矣、然亦稍輕、不得爲吏也、入粟千石、比一首級、其重爵可見、方苞曰、平準書、民多買復、及五大夫徵發之士益鮮、則民納粟拜爵、求免徵發也、五年、將軍驁攻魏、定酸棗・[集解]地理志、陳留有酸棗縣、[正義]括地志云、酸棗故城、在滑州酸棗縣北十五里、古酸棗縣南、燕・虛・長平・[集解]徐廣曰、一作干、駰案地理志、汝南有長平縣也、[索隱]二邑名、春秋桓十二年、會于虛、又戰國策曰、拔燕酸棗虛桃人、桃人亦魏邑、虛地、今闕、蓋與諸縣相近、按今東郡燕縣東三十里、有故桃城、則亦非

遠、【正義】燕、烏田反、括地志云、南燕城、古燕國也、滑州胙城縣是也、姚虛、在濮州雷澤縣東十三里、孝經援神契云、帝舜生於姚墟、卽東郡也、長平故城、在陳州宛丘縣西六十六里、**雍丘·山陽城。**【集解】地理志、陳留有雍丘縣、河內有山陽縣、【正義】雍、於用反、汴州縣、**皆拔之、取二十城。**【考證】蒙恬傳但云、攻魏取二十城、梁玉繩曰、春申君傳、上秦昭王書、有拔燕虛酸棗之語、則此三城巳于前三十餘年取之矣、或者是時因拔長平雍丘山陽、而復定三城之疆界與、**初置東郡。冬雷。六年、韓·魏·趙·衛·楚、共擊秦取壽陵。秦出兵。五國兵罷。**【正義】徐廣云、壽陵在常山、按本趙邑也、【考證】館本考證云、趙世家悼襄王元年、龐煖將趙楚魏燕之鋭師、攻秦蕞、不拔、此云、取壽陵、所將之師、一作衛、一作燕、亦不同、翟灝曰、衛微弱僅存、被秦迫逐、徙居野王、將救亡不暇、何敢攻秦、蓋燕楚趙魏韓五國伐秦耳、此紀誤以衛替燕、而趙世家誤脫韓也、至取壽陵之說、更非無論、不勝而罷、未嘗取秦寸土、而五國所攻者、乃新豐之蕞、非壽陵也、**拔衛迫東郡。其君角率其支屬、徙居野王、阻其山以保魏之河內。**【考證】館本考證云、此是衛元君十二年、不名角、沈家本曰、角字疑衍、姚範曰、白起於昭王時已降韓之野王矣、此蓋秦人徙衛君於野王、觀世家甚明、梁玉繩曰、河內之地、秦未全有、故曰魏之河內、**七年、彗星先出東方、見北方。五月、見西方。**【正義】彗、音似歲反、見、竝音行練反、孝經內記云、彗出北斗、兵大起、彗在三台、臣害君、彗在太微、君害臣、

彗在天獄、諸侯作亂、所指其處大惡、彗在日旁、子欲殺父、**將軍驁死。以攻龍·孤·慶都。**【集解】徐廣曰、慶、一作庶、【正義】括地志云、定州恆陽縣西南四十里、有白龍水、又有挾龍山、又定州唐縣東北五十四里、有孤山、蓋都山也、帝王紀云、望堯母慶都所居、張晏云、堯山在北、堯母慶都山在南、相去五十里、北登堯山、南望慶都山也、注水經云、望都故城東、有山不連陵、名之曰孤、孤、都、聲相近、疑卽都山孤山及望都故城三處相近、【考證】李笠曰、此語倒裝、謂將軍驁以攻龍孤慶都死也、**還兵攻汲。**【考證】中井積德曰、四字屬上句、**彗星復見西方。**【正義】復、扶當反、見、行見反、**十六日、夏太后死。**【索隱】莊襄王所生母、【正義】子楚母也、【考證】梁玉繩曰、死當依表作薨、**八年、王弟長安君成蟜、**【正義】蟜、音紀兆反、成蟜者長安君名也、號爲長安君、**將軍擊趙、反。**【正義】將、如字、將、猶領也、又子匠反、**死屯留。**【正義】括地志云、屯留故城、在潞州長子縣東北三十里、漢屯留吁國也、**軍吏皆斬死。遷其民於臨洮。**【索隱】臨洮、在隴西、【正義】臨洮水、故名臨洮、洮州、在隴右、去京千五百五十一里、言屯留之民被成蟜略、衆共反、故遷之於臨洮郡也、**將軍壁死。**【正義】壁、邊覓反、言成蟜自殺壁壘之內、**卒屯留蒲鶮反。戮其屍。**【集解】徐廣曰、鶮一作鶻、屯留蒲鶮、皆地名也、壁于此地、時士卒死者皆戮其屍、【索隱】高誘云、屯留、上黨之縣名、謂成蟜爲將軍而反、秦兵擊之、而蟜壁於屯留而死、屯留蒲鶮二邑之反卒、雖死猶皆戮其屍、鶮古鶴字、【正義】卒、子忽反、鶮、

音高注同、蒲鶮皆地名、【考證】此節文義難解、注亦欠明、錢大昕曰、辟與蒲鶮皆似人名、辟乃討成蟜之將軍、辟死而部卒又叛、因更戮其屍耳、梁玉繩曰、史詮記引許周生云、反下衍死字、漢志無王弟長安君成蟜將軍擊趙、反屯留、軍吏皆斬、遷其民於臨洮、此爲一事、據漢書五行志所引、止此、可證、以下別爲一事、壁當將兵在外者、前所衍死字、疑當在蒲鶮反下、將軍辟死、卒屯留蒲鶮反、戮其屍、蓋蒲鶮屯留人聞遷屯留民懼禍及己、故因將軍之死而反、反亦卽死、故戮其屍也、愚按徐氏測義、館本考證、梁氏志疑、皆有別解、錢許二說、較長、**河魚大上。**【索隱】謂河水溢、魚大上平地、亦言遭水害也、卽漢書五行志、劉向所謂冢蟲之孼、明年嫪毐誅、魚陰類、小人象、【正義】始皇八年、黃河之魚西上入渭、渭、渭水也、漢書五行志云、魚者陰類、臣民之象也、十七年、滅韓、二十六年、盡幷天下、自滅韓至幷天下、葢十年矣、周本紀云、十年、數之紀也、天之所棄、不過其紀、明關東後屬秦、共象類先見也、**輕車重馬、東就食。**【集解】徐廣曰、一無此重字、【索隱】言河魚大上、秦人皆輕車重馬、竝就食於東、言往河旁食魚也、一云、河魚大上爲災、人遂東就食、皆輕車重馬而去、【考證】洪水汎濫、民不能居、皆輕車重馬、東徙就食也、**嫪毐封爲長信侯。予之山陽地、令毐居之。**【索隱】嫪姓、毐字、按漢書嫪氏出邯鄲、王劭云、賈侍中說、秦始皇母予嫪毐淫、坐誅、故世人罵淫曰嫪毐也、【正義】嫪毐、上躬虯反、下酷改反、予、音與、括地志云、山陽故城、在懷州修武縣西北大行山東南、**宮室犬馬、衣服苑囿馳獵、恣毐。事無小大、皆決於毐。又以河西太原郡更爲毐國、**【集解】徐廣

曰、河、一作汾、**九年、彗星見。或竟天。攻魏垣·蒲陽、**【正義】垣作垣、垣、音袁、括地志云、故垣城、漢縣治、本魏王垣也、在絳州垣縣西北二十里、蒲邑故城、在隰州縣北四十五里、在蒲水之北、故言蒲陽、卽晉公子重耳所居邑也、【考證】梁玉繩曰、六國表魏世家、作垣蒲陽衍三城、此脫書衍、然攷秦昭十八年取魏垣、是河東之垣也、而春申君傳上昭王書、又有幷蒲衍首垣之語、是開封之長衍也、則垣有兩地、已與衍俱爲昭王所拔、奚待始皇九年復攻、此與年表世家同誤、蓋此時但當言攻魏蒲陽耳、垣與衍皆屬羨文、**四月、上宿雍。**【集解】蔡邕曰、上者尊位所在也、駰案司馬遷記事、當言帝則依違但言上、不敢媟言、尊尊之意也、【考證】張文虎曰、上下文皆稱王、此不當忽稱上、上蓋王之爛文、**己酉、王冠帶劍。**【集解】徐廣曰、年二十二、【正義】冠音灌、禮記云、年二十而冠、按年二十一也、【考證】秦記于二十二歲冠、蓋變禮也、徐廣云二十二者、以踰年改元計也、正義云二十一者、以當年改元計也、徐說爲是、**長信侯毐作亂而覺。矯王御璽及太后璽、以發縣卒、及衛卒、官騎、戎翟君公舍人、**【集解】蔡邕曰、御者進也、凡衣服加於身、飲食入於口、妃妾接於寢、皆曰御、御之親愛者曰幸、璽者印信也、天子璽白玉、螭虎鈕、古者尊卑共之、月令曰、固封璽、左傳曰、季武子璽書、追而與之、此諸侯大夫印稱璽也、衛宏曰、秦以前民皆以金玉爲印、龍虎鈕、唯其所好、秦以來天子獨以印稱璽、又獨以玉、羣臣莫敢用、【正義】崔浩云、李斯磨和璧作之、漢諸帝世傳服之、謂傳國璽、韋曜吳書云、璽方四寸、上句交五龍、文曰受命于天、既壽永昌、漢書云、文曰昊天之命、皇帝壽昌、

按二文不同、漢書元后傳云、王莽令王舜逼太后取璽、玉太后怒投地、其角小缺、吳志云、孫堅入洛掃除漢陵廟、軍於甄官井得璽、後歸魏、晉懷帝永嘉五年六月、帝蒙塵平陽、璽入前趙劉聰、至東晉成帝咸和四年、石勒滅前趙得璽、穆帝永和八年、石勒爲慕容儁滅、濮陽大守戴施入鄴得璽、使何融送晉、傳宋、宋傳南齊、南齊傳梁、梁傳至天正二年、侯景破梁至廣陵、北齊將辛術定廣陵得璽、送北齊、至周建德六年正月平北齊、璽入周、周傳隋、隋傳唐也、卒、子忽反、下同、【考證】中井積德曰、不可以漢制解秦文、又曰、正義李斯以下始皇稱帝以後事、不可以解秦王時事、又曰、正義永和八年下石勒訛、是時石勒死已十八年矣、錢大昕曰、慕容俊卽慕容儁、是歲儁滅冉閔、非石勒也、張照曰、梁無天正年號、侯景破梁、爲簡文帝大寶元年、則天正是大寶之誤、

將欲攻蘄年宮爲亂。【集解】地理志、蘄年宮在雍、【正義】蘄、巨衣反、括地志云、蘄年宮在岐州城西故城內、

王知之、令相國昌平君・昌文君發卒攻毐。戰咸陽、斬首數百。皆拜爵。及宦者皆在戰中、亦拜爵一級。【索隱】昌平君、楚之公子、立以爲相、後徙於郢、項燕立爲荊王、史失其名、昌文君名亦不知也、【正義】括地志云、咸陽故城、亦名渭城、在雍州北五里、今咸陽縣東十五里、秦孝公已下竝都此城、始皇鑄金人十二於咸陽、卽此也、【考證】李笠曰、者下皆字、疑涉上句誤衍、

毐等敗走。卽令國中、有生得毐賜錢百萬。殺之五十萬。盡得毐等衛尉竭・【集解】漢書百官表曰、衛尉、秦官、內史肆・

佐弋竭・【集解】漢書百官表曰、秦時少府有佐弋、漢武帝改爲佽飛、掌弋射者、【正義】弋音翊、中大夫令齊等。【正義】令、力政反、中大夫令、秦官也、齊、名也、二十人皆梟首。【集解】縣首於木上曰梟、【正義】梟、古堯反、縣首於木上曰梟、【考證】梟首始見乎此、車裂以徇、滅其宗。【正義】說苑云、秦始皇太后不謹、幸郎嫪毐、始皇取毐四支車裂之、取兩弟撲殺之、取太后遷之咸陽宮、下令曰、以太后事諫者、戮而殺之、蒺藜其脊、諫而死者二十七人、茅焦乃上說曰、齊客茅焦、願以太后事諫、皇帝曰、走告、若不見闕下積死人耶、使者問焦、焦曰、陛下車裂假父、有嫉妒之心、囊撲兩弟、有不慈之名、遷母咸陽、有不孝之行、蒺藜諫士、有桀紂之治、天下聞之盡瓦解、無向秦者、王乃自迎太后歸咸陽、立茅焦爲傅、又爵之上卿、括地志云、茅焦、滄州人也、【考證】秦本紀商君傳竝云、秦惠王車裂商君以徇、蓋古轘刑之遺、轘刑見于周禮及左傳、

及其舍人輕者爲鬼薪。【集解】應劭曰、取薪給宗廟、爲鬼薪也、如淳曰、律說、鬼薪作三歲、【正義】言毐舍人、罪重者已刑戮、輕者罰徒役三歲、【考證】鬼薪始見于此、及奪爵遷蜀四千餘家、家房陵。【正義】括地志云、房陵、卽今房州房陵縣、古楚漢中郡地也、是巴蜀之境、地理志云、房陵縣、屬漢中郡、在益州部、接東南一千三百一十里也、【考證】崔適曰、依下文迎太后於雍、房陵下當有遷太后於雍五字、

四月、寒凍有死者。【正義】四月、建巳之月、孟夏寒凍、民有死者、以秦法酷急、則天應之、而史書之、故尙書洪範云、急常寒若、孔注云、君行急則常寒順之、【考證】梁玉繩曰、上文已書四月、則此爲重出、豈因寒不以時、重書以見異耶、史詮云、當更曰是

月、楊端和攻衍氏。【索隱】端和、秦將、衍氏、魏邑、【正義】衍、羊善反、在鄭州、彗星見西方、又見北方、從斗以南八十日。十年、【集解】徐廣曰、甲子、相國呂不韋坐嫪毐免。桓齮爲將軍。齊・趙來置酒。齊人茅焦說秦王曰。秦方以天下爲事。而大王有遷母太后之名。恐諸侯聞之、由此倍秦也。秦王乃迎太后於雍、而入咸陽、【集解】說苑曰、始皇帝立茅焦爲傅、又爵之上卿、太后大喜曰、天下亢直、使敗復成、安秦社稷、使妾母子復相見者、茅君之力也、【考證】集解引說苑正諫篇、天下亢直、說苑作亢枉令直、復居甘泉宮。【集解】徐廣曰、表云、咸陽南宮也、【考證】秦紀及三輔黃圖皆云、始皇二十七年、作甘泉宮、徐說可從、今本表闕南宮二字、

大索逐客。李斯上書說。乃止逐客令。【考證】事發於韓人鄭國鑿渠、李斯所以有取韓之議、詳見河渠書李斯傳、李斯因說秦王、請先取韓以恐他國。於是使斯下韓。韓王患之、與韓非謀弱秦。大梁人尉繚來說秦王曰。以秦之彊、諸侯譬如郡縣之君。臣但恐諸

侯合從、翕而出不意、此乃智伯・夫差・湣王之所以亡也。【考證】崔適曰、尉繚以官爲姓、愚按漢書藝文志、雜家有尉繚二十九篇、蓋此人作、隋志雜家、尉繚子五卷、梁惠王時人、與此別人、張文虎曰、御覽引彊下諸上、有視字、李笠曰、御覽七百二十九引無翕字、翕疑卽合字之複出耳、願大王毋愛財物、賂其豪臣、以亂其謀。不過亡三十萬金、則諸侯可盡。【考證】沈欽韓曰、秦策有頓弱說秦王資萬金、東游韓魏入其將相、北遊燕趙而殺李牧、正與尉繚謀同、頓弱與尉繚乃一人、記異耳、呂祖謙曰、尉繚之計、與李斯同、前此、唐睢之散合從、後此、陳平之間項羽、以金啗之術、每用每中、秦王從其計、見尉繚亢禮、衣服食飲、與繚同。【考證】亢禮、敵等之禮、

繚曰。秦王爲人、蜂準長目、摯鳥膺、豺聲、少恩而虎狼心。【集解】徐廣曰、蜂一作隆、【正義】蜂、孚逢反、準、章允反、蜂、蠆也、高鼻也、文穎曰、準、鼻也、鷙鳥、鶻、膺突向前、其性悍勇、居約、易出人下、【正義】易、以豉反、言始皇居儉約之時、易以謙卑、【考證】易、猶輕也、約、窮困也、論語、不仁者不可以久處約、得志亦輕食人。【正義】言始皇得天下之志、亦輕易而啖食於人、【考證】得志、得志於天下也、中井積德曰、得志是居約之反、輕、猶易也、皆川愿曰、輕食人、言與久游、則必爲其所害也、我布衣。然見我常身自下我。誠使秦

王得志於天下、天下皆爲虜矣。不可與久游。乃亡去。秦王覺、固止、以爲秦國尉。【正義】若漢太尉大將軍之比也、【考證】張文虎曰、御覽引、布衣下、有也字、固止下、有之字、卒用其計策、而李斯用事。十一年。王翦・桓齮・楊端和、攻鄴取九城。王翦攻閼與・橑楊。【集解】徐廣曰、橑、音老、在幷州、【正義】漢表在清河、十三州志云、橑陽、上黨西北百八十里也、皆幷爲一軍。翦將十八日、軍歸斗食以下。什推二人從軍。【集解】漢書百官表曰、百石以下有斗食佐史之秩、【索隱】言王翦爲將、諸軍中皆歸斗食以下無功佐史、什中唯推擇二人令從軍耳、【正義】一曰、得斗粟爲料、【考證】中井積德曰、斗食、計日給幾斗粟也、亦自有多寡、非一日限一斗、徐孚遠曰、此言翦能將寡也、至其伐楚、又用三十萬、蓋地所宜、伐國與拔城不同故也、愚按古鈔南本、翦上有王字、取鄴・安陽。桓齮將。【考證】梁玉繩曰、此所敍攻取之事、錯雜不明、蓋是役也、王翦爲主將、桓齮爲次將、楊端和爲末將、幷軍伐趙、攻鄴未得、先取九城、王翦遂別攻閼與橑陽、而留桓齮攻鄴、齮既取鄴、翦復令齮攻橑陽、已獨攻閼與、皆取之、故又言取鄴橑陽桓齮將也、安陽當作橑陽、必傳寫之誤、安陽卽魏寧新中、無論本非趙地、且前廿餘年、已爲昭王拔之矣、再考王翦傳但言破閼與拔九城、而不及鄴橑陽、足見取鄴橑陽是齮而非翦、政與紀合、表于趙書曰、秦拔我閼與鄴取九城、而失書橑陽、于秦表書曰、王翦擊鄴閼

與取九城、就前半事言之、而亦失書取鄴橑陽、至燕世家稱拔鄴九城、趙世家僅稱拔鄴、則更屬疏脫、十二年、文信侯不韋死。竊葬。【索隱】按不韋飲鴆死、其賓客數千人、竊共葬於洛陽北芒山、其舍人臨者、晉人也逐出之、【正義】臨、力禁反、臨、哭也、若是三晉之人、逐出令歸也、秦人六百石以上、奪爵遷、【正義】上音時掌反、若是秦人哭臨者、奪其官爵、遷移於房陵、五百石以下、不臨、遷、勿奪爵。【正義】若是秦人、不哭臨不韋者、不奪官爵、亦遷移於房陵、【考證】亦承舍人、中井積德曰、秦人皆遷之也、但六百石以上、臨者奪爵、不臨者不奪爵、五百石以下、臨不臨、皆遷之也、顧炎武曰、五百石以下、秩卑任淺、故但遷而不奪爵、自今以來操國事不道、如嫪毐・不韋者、籍其門。視此。【集解】徐廣曰、門、一作文、【索隱】謂籍沒其一門、皆爲徒隸、後竝視此爲常故也、【正義】籍錄其子孫、禁不得仕宦、【考證】視、比也、中井積德曰、籍其門、正義非、秋復嫪毐舍人遷蜀者。當是之時、天下大旱、六月至八月、乃雨。十三年、桓齮攻趙平陽、【正義】括地志云、平陽故城、在相州臨漳縣西二十五里、又云、平陽、戰國時屬韓、後屬趙、【考證】梁玉繩曰、此平陽在魏郡鄴縣、續志可證、殺趙將扈輒、斬首十萬。【正義】扈、音戶、輒、張獵反、趙之將軍、王之河南。正月、彗

星見東方。十月、桓齮攻趙。十四年、攻趙軍於平陽、取宜安破之、殺其將軍。【正義】括地志云、宜安故城、在常山槀城縣西南二十五里也、桓齮定平陽・武城。【正義】卽貝州武城縣外城是也、七國時趙邑、【考證】館本考證云、趙世家、趙遷三年、趙攻赤麗宜安、李牧率師與戰肥下、却之、李牧傳、乃以牧爲大將軍、擊秦軍於宜安、大破秦軍、走秦將桓齮、與此齟齬、梁玉繩曰、此秦史諱詞、史公未之改爾、赤麗宜安、攻而未拔、則桓齮所定者、只前年攻得之平陽武城而已、紀表不言攻赤麗、略之也、秦表云、桓齮定平陽武城宜安、趙表云、秦拔我宜安、竝誤仍秦史、故彼此牴牾、多不齊一、秦表宜衍宜安二字、趙表當改拔作攻字、韓非使秦。秦用李斯謀、留非。非死雲陽。【正義】括地志云、雲陽城、在雍州雲陽縣西八十里、秦始皇甘泉宮在焉、韓王請爲臣。十五年、大興兵、一軍至鄴、一軍至太原、取狼孟。【集解】地理志、太原有狼孟縣、【考證】梁玉繩曰、表亦言取狼孟番吾、考狼孟已于莊襄二年取之、何待始皇十五年大兵攻取乎、而趙世家及李牧傳、竝稱牧破秦軍于番吾、則表言取番吾亦妄、蓋又仍秦史而誤者也、地動。十六年九月、發卒受地韓南陽。假守騰。【正義】假、格雅反、守、音狩、【考證】方苞曰、發卒受韓南陽地、而使內史騰爲假守也、趙翼曰、秦漢時、官吏攝事者皆曰假、蓋言借也、史記秦皇紀發卒受地于韓南陽、假守騰、又項羽殺宋義、諸將因立羽爲假上將軍、陳涉以吳叔爲假

王監諸將、擊秦、景駒自立爲楚假王、尉佗以法誅秦吏、以其黨爲假守、韓信破齊、請爲假王鎭之、皆是、初令男子書年。【考證】皆川愿曰、秦當時苛徵丁役者可以見也、魏獻地於秦。秦置麗邑。【正義】麗、力知反、括地志云、雍州新豐縣、本周時驪戎邑、左傳云、晉獻公伐驪戎、杜注云、在京兆新豐縣、其後秦滅之以爲邑、十七年、內史騰攻韓、得韓王安。盡納其地、【正義】韓王安之九年、秦盡滅之、以其地爲郡、命曰潁川。地動。華陽太后卒。【考證】卒當依表作薨、民大饑。十八年、【集解】徐廣曰、巴郡出大人、長二十五丈六尺、大興兵攻趙。王翦將上地下井陘、【集解】服虔曰、井陘、山名、在常山、今爲縣、音刑、【正義】上郡、上縣、今綏州等是也、【考證】崔適曰、據正義、上地當曰上郡、端和將河內、羌瘣伐趙、【正義】瘣、胡罪反、端和圍邯鄲城。【考證】梁玉繩曰、此必有錯簡缺文、蓋三將攻趙、王翦將上地下井陘、楊端和將河內圍邯鄲城、羌瘣獨缺、只伐趙二字、而錯出于端和將河內句下也、圍邯鄲城上、又重出端和二字、愚按、楓三南本、趙作代、十九年、王翦羌瘣盡定取趙地、東陽得趙王、【索隱】趙王遷也、【正義】趙幽繆王遷八年、秦取趙地至平陽、平陽、在貝州歷亭縣界、遷王於房陵、【考證】據正義、東陽當作平陽、引兵欲攻燕、屯中山。秦王之邯鄲。諸

嘗與王生趙時母家有仇怨、皆阬之。【考證】徐孚遠曰、異人在趙、以不韋畫策得歸、而秦皇母子尙留趙、趙人遇之不善、故有舊怨也、秦王還、從太原・上郡歸。始皇帝母太后崩。【考證】梁玉繩曰、此當書秦王母太后薨、是時秦未稱帝、又紀文前後皆稱秦王、不應忽云始皇帝、表作帝太后、亦非、趙公子嘉、率其宗數百人之代、自立爲代王、東與燕合兵、軍上谷。【考證】今直隸宣化東延慶州、大饑。二十年、燕太子丹患秦兵至國、恐、使荊軻刺秦王。秦王覺之、體解軻以徇。【正義】解、紅買反、【考證】體解亦一刑、後世凌遲之刑本此、而使王翦・辛勝攻燕。燕・代發兵擊秦軍。秦軍破燕易水之西。二十一年、王賁攻薊。【正義】賁、音奔、【考證】梁玉繩曰、年表及王翦傳、王賁擊楚、此言攻薊、明是荊字之譌、時賁父翦方定燕薊也、乃益發卒詣王翦軍、遂破燕太子軍、取燕薊城、得太子丹之首。燕王東收遼東而王之。【正義】王、于放反、王翦謝病老歸。【考證】凌稚隆曰、王翦本傳、歸老頻陽、新鄭反。昌平君徙

於郢。大雨雪、深二尺五寸。【正義】雨、于遇反、二十二年、王賁攻魏、引河溝灌大梁。大梁城壞。其王請降。盡取其地。【索隱】魏王假也、二十三年、秦王復召王翦、彊起之、使將擊荊。取陳以南至平輿、虜荊王。【集解】地理志、汝南有平輿縣、【索隱】荊王、負芻也、楚稱荊者、以避莊襄王諱故易之也、【正義】秦號楚爲荊者、以莊襄王名子楚、諱之、故言荊也、輿、音餘、平輿、豫州縣也、秦王游至郢・陳。荊將項燕立昌平君爲荊王、反秦於淮南。【集解】徐廣曰、淮、一作江、【正義】昌平也、楚淮北之地、盡入於秦、【考證】徐廣一本似是、二十四年、王翦・蒙武攻荊、破荊軍。昌平君死、項燕遂自殺。【考證】梁玉繩曰、六國表、楚世家、蒙恬傳、皆言始皇二十三年殺項燕、二十四年虜楚王負芻、王翦傳、亦以虜楚王在殺項燕之後、獨此言二十三年虜荊王、二十四年項燕自殺、而又有項燕立昌平君一節、余詳考之、此紀實誤、昌平君雖楚之公子、而久居于秦、嘗爲秦相國、定嫪毐之亂、其時徙居郢、項燕安所得而立之、負芻竄處壽春、未嘗親歷戎行、何遽被虜、而項燕爲楚名將、燕不死、楚不滅、誰謂項燕後楚死乎、項羽紀、六國表、王翦蒙恬傳、俱說項燕是王翦殺之、索隱引楚漢春秋同、惟此以爲自殺、亦屬牴牾、竊意王翦擊破楚軍殺項燕時、昌平君在郢、楚之諸將必有敗逃于郢者、昌平君知項燕已死、楚淮北之

地盡失、難以圖存、藉舊將之依附、僭立爲王、以成犄角之勢、適秦王游至郢陳、謀欲襲之、遂反江南、而王翦等已破楚虜負芻、計不果行、昌平君自殺、是情事之明白可料者、寧有如紀所載耶、然則宜何以書、當云二十三年秦王復召王翦彊起之、使將擊荊、取陳以南至平輿、殺項燕、秦王游至郢陳、荊將立昌平君爲荊王、反秦于江南、二十四年、王翦蒙武攻荊、破荊軍、虜荊王、昌平君遂自殺、二十五年、大興兵、使王賁將攻燕遼東、得燕王喜。【正義】燕王喜之五十三年、燕亡、還攻代、虜代王嘉。王翦遂定荊江南地。【正義】言王翦遂平定楚及江南地、降越君、置爲會稽郡、降越君、置會稽郡。【正義】降、閑江反、楚威王已滅、其餘自稱君長、今降秦、五月、天下大酺。【集解】服虔曰、酺、音蒲、文穎曰、酺、周禮族師、掌春秋祭酺、爲人物災害之神、蘇林曰、陳留俗、三月上巳、水上飲食爲酺、【正義】天下歡樂、大飲酒也、秦既平韓趙魏燕楚五國、故天下大酺也、【考證】中井積德曰、平時群飲有禁、故有慶而後得群飲、是爲酺、皆上命所賜、二十六年、齊王建與其相后勝、發兵守其西界、不通秦。【正義】勝、音升、齊相姓名、秦使將軍王賁從燕南攻齊、得齊王建。【索隱】六國皆滅也、十七年得韓王安、十九年得趙王遷、二十二年魏王假降、二十三年虜荊王負芻、二十五年得燕王喜、二十六年得齊王建、【正義】齊王建之三十四年、齊國亡、秦初幷天下。令丞相御史曰。

【正義】令、力政反、乃今之赦令赦書、異日韓王納地效璽、請爲藩臣。【正義】效、猶至見也、【考證】效、猶呈也、致也、已而倍約、與趙・魏合從畔秦。故興兵誅之、虜其王。寡人以爲善。庶幾息兵革、【考證】寡人以爲善、庶幾息兵革十字、移上文請爲藩臣下、文理便明、趙王使其相李牧來約盟。故歸其質子。【正義】質、音致、已而倍盟、反我太原、故興兵誅之、得其王。趙公子嘉乃自立爲代王。故舉兵擊滅之。魏王始約服入秦。已而與韓・趙謀襲秦。秦兵吏誅、遂破之、【考證】張文虎曰、誅遂疑衍、李笠曰、下文故發兵誅得其王、與此同、誅字斷句、誅、謂聲其罪而伐之、張說未確、荊王獻青陽以西。【集解】漢書鄒陽傳曰、越水長沙、還舟青陽、張晏曰、青陽、地名、蘇林曰、青陽、長沙縣是也、已而畔約、擊我南郡、故發兵誅得其王、遂定其荊地。【考證】王念孫曰、定下其字、涉上句而衍、燕王昏亂、其太子丹乃陰令荊軻爲賊。兵吏誅、滅其國。齊王用后勝計、絕秦、使欲爲亂。兵吏

誅、虜其王、平齊地。寡人以眇眇之身、興兵誅暴亂。賴宗廟之靈、六王咸伏其辜、天下大定。【考證】楓、三、南本、靈上有神字、尚書顧命云、眇眇予末小子、其能而亂四方、以敬忌天威、此文所本、漢文帝詔云、朕獲保宗廟、以微眇之身、託于士民君王之上、又云、朕獲保宗廟、以眇眇之身、託于天下君王之上、皆本於此文、遂爲後世制詔套語、今名號不更、無以稱成功傳後世。其議帝號。丞相綰、御史大夫劫、廷尉斯等皆曰。【集解】漢書百官表曰、御史大夫、秦官、應劭曰、侍御史之率、故稱大夫也、漢書百官表曰、廷尉、秦官、應劭曰、聽獄必質諸朝廷、與衆共之、兵獄同制、故稱廷尉、【索隱】綰姓王、劫姓馮、昔者五帝、地方千里、其外侯服夷服。諸侯或朝或否、天子不能制。【考證】皆川愿曰、此言五帝地隘、而其威權亦未能全制海內、雖出一時貶辭、而其實不必皆虛妄、今陛下興義兵誅殘賊、平定天下、海內爲郡縣、法令由一統。【集解】蔡邕曰、陛、階也、所由升堂也、天子必有近臣立於陛側、以戒不虞、謂之陛下者、羣臣與天子言、不敢指斥、故呼在陛下者與之言、因卑達尊之意也、上書亦如之、【正義】郡、人所羣聚也、【考證】諱非存韓、李斯諫逐客書、己用陛下稱、蓋秦人語、自上古以來、未嘗有。五帝所不及。

臣等謹與博士議曰。【集解】漢書百官表曰、博士、秦官、掌通古今、古有天皇、有地皇、有泰皇。泰皇最貴。【索隱】按天皇地皇之下、卽云泰皇、當人皇也、而封禪書云、昔者太帝使素女鼓瑟而悲、蓋三皇已前稱泰皇、一云泰皇、太昊也、【考證】中井積德曰、索隱封禪書當刪、愚按、天皇地皇泰皇、後人假設之名、非實有其人也、臣等昧死上尊號、王爲泰皇、命爲制、令爲詔、【集解】蔡邕曰、制書、帝者制度之命也、其文曰制詔、詔書、詔告也、【正義】令、音力政反、制詔三代無文、秦始有之、【考證】昧、冒通、言冒死進言、謙辭也、戰國策、臣昧死望見大王、言所以畀、秦漢以後、爲上書套語、天子自稱曰朕。【集解】蔡邕曰、朕、我也、古者上下共稱之、貴賤不嫌、則可以同號之義也、皐陶與舜言、朕言惠可底行、屈原曰、朕皇考、至秦然後天子獨以爲稱、漢因而不改、王曰。去泰著皇、采上古帝位號、號曰皇帝。他如議。【正義】去、音丘呂反、制曰可。【集解】蔡邕曰、羣臣有所奏請、尚書令奏之、下有司曰制、天子荅之曰可、追尊莊襄王爲太上皇。【集解】漢高祖尊父曰太上皇、亦放此也、【考證】顧炎武曰、始皇追尊莊襄王爲太上皇、是死而追尊之號、猶周曰太王也、漢則以爲生號、而後代因之、胡三省曰、太上者極尊之號也、制曰。朕聞太古有號毋謚。中古有號、死而以行爲謚。【集解】謚法、周公所作、如此則子議父、臣

議君也。甚無謂。朕弗取焉。自今已來除謚法、朕爲始皇帝、後世以計數、二世三世、至千萬世、傳之無窮。【正義】數、色主反、始皇推終始五德之傳、【集解】鄭玄曰、音亭傳、【索隱】音張戀反、傳次也、謂五行之德、始終相次也、漢書郊祀志曰、齊人鄒子之徒、論著終始五德之運、始皇采用、以爲周得火德。秦代周。德從所不勝。【正義】勝、申證反、秦以周爲火德、能滅火者水也、故稱從其所不勝於秦、【考證】俞樾曰、五德更王、古有二說、漢書律歷志、載三統歷曰、唐、火德、虞、土德、夏、金德、商、水德、周、木德、此一說也、文選齊安陸昭王碑注引鄒子曰、五德從所不勝、虞土、夏木、殷金、周火、又一說也、沈約宋書歷志曰、五德更王、有二家之說、鄒衍以相勝立體、劉向以相生爲義、蓋二說之不同如此、秦自謂以水德、此相勝之說、周火、故秦水也、中井積德曰、火不克水、故以周所不能勝、立爲秦德也、正義失原委、方今水德之始。【索隱】封禪書曰、秦文公獲黑龍、以爲水瑞、秦始皇帝因自謂爲水德也、【考證】胡三省曰、所謂終始五德之運者、伏羲以木德王、木生火、故神農以火德王、火生土、故黃帝以土德王、土生金、故少昊以金德王、金生水、故顓頊以水德王、水生木、故帝嚳以木德王、木又生火、故帝堯以火德王、火又生土、故帝舜以土德王、土又生金、故夏以金德王、金又生水、故商以水德王、水又生木、故周以木德王、是五行之終而復始也、鄒衍以爲周得火德、蓋以火流王屋、爲周受命之符、且服色尚赤故也、就衍之說以爲終始、秦當以土爲行、今始皇以水勝火、自以水爲行、所謂推五勝也、漢初以土爲

行、蓋祖衍之說也、王鳴盛曰、五運相代、取相生、不取相尅、周木德也、木生火、秦人應以火德王、乃始皇本紀云、始皇推終始五德之傳、以爲周得火德、秦代周德、從所不勝、而用水德、遂以十月爲正、誤以周爲火、又誤以相生爲相尅、又誤以五德改正朔、一事而三誤、秦人不學如此、至漢則繼周、不繼秦、故用火德、尚赤、又曰、張蒼傳、蒼推漢爲水德、是承秦而不改、公孫臣又上書謂漢當用土德、是亦承秦言之、以秦人應火德故耳、無如秦已誤用水矣、奈何漢又用土乎、抑或又誤用相尅之說乎、皆非也、愚按、五行之名、自古有之、書甘誓、威侮五行、未詳其目、洪範、五行、一曰水、二曰火、三曰木、四曰金、五曰土、孫子虛實篇、五行無常勝、但五德終始之說、則自鄒衍始、事已非古、於理亦無所取、何必問秦德之爲水爲木、王說甚拘、改年始、朝賀皆自十月朔。【正義】周以建子之月爲正、秦以建亥之月爲正、故其年始用十月而朝賀、【考證】中井積德曰、秦唯改年始、以十月爲年首而已、其月數則用夏正、衣服旄旌節旗皆上黑。【正義】旌、音精、旄、音毛、旗、音其、周禮云、析羽爲旌、熊虎爲旗、旄節者編毛爲之、以象竹節、漢書云、蘇武執節、在匈奴牧羊、節毛盡落、是也、韋昭云、節者、山國用人節、澤國用龍節、皆以金爲之、道路以旌節、門關用符節、都鄙用管節、皆用竹爲之、以水德屬北方、故上黑、【考證】據正義、旄旌節旗、當作旄節旌旗、數以六爲紀、符法冠皆六寸、而輿六尺、六尺爲步、乘六馬、【集解】張晏曰、水北方、黑、終數六、故以六寸爲符、六尺爲步、瓚曰、水數六、故以六爲名、譙周曰、步以人足爲數、非獨秦制然、【索隱】管子司馬法、皆云六尺爲步、譙周以爲步以人足、非獨秦制、又按禮記王制曰、古者八尺爲步、今以周尺六尺四寸爲步、

步之尺數亦不同、更名河曰德水、以爲水德之始。【考證】南本、始作治、剛毅戾深、事皆決於法、刻削毋仁恩和義、然後合五德之數。【索隱】水主陰、陰刑殺、故急法刻削、以合五德之數、於是急法、久者不赦。【考證】久、謂犯罪不發覺年久也、丞相綰等言。諸侯初破、燕・齊・荊地遠。不爲置王、毋以塡之。【正義】爲、于僞反、請立諸子。唯上幸許。始皇下其議於羣臣。羣臣皆以爲便。廷尉李斯議曰。周文・武所封、子弟同姓甚衆。然後屬疏遠、相攻擊如仇讎、諸侯更相誅伐、周天子弗能禁止。今海內賴陛下神靈、一統皆爲郡縣。【考證】顧炎武曰、漢書地理志、言秦幷兼天下、以爲周制微弱、終爲諸侯所喪、故不立尺土之封、分天下爲郡縣、後之文人、祖述其說、以爲廢封建立郡縣、皆始皇之所爲也、以余觀之、殆不然、左傳僖三十三年、晉襄公以再命命先茅之縣賞胥臣、宣公十一年、楚子縣陳、十二年、鄭伯逆楚子之辭曰、使改事君、夷于九縣、十五年、晉侯賞士伯以瓜衍之縣、成公六年、韓獻子曰、成師以出、而敗楚之二縣、襄公二十六年、蔡聲子曰、晉人將與之縣、以比叔向、三十年、絳縣人或年長矣、昭公三年、范韓二宣子曰、晉

之別縣、不惟州、五年、遠啓疆曰、韓賦七邑、皆成縣也、又曰、因其十家九縣、其餘四十縣、十年、叔向曰、陳人聽命、而遂縣之、二十八年、晉分祁氏之田、以爲七縣、分羊舌氏之田、以爲三縣、哀公十七年、子穀曰、彭仲爽申俘也、文王以爲令尹、實縣申息、晏子春秋、昔我先君桓公、予管仲狐與穀、其縣十七、說苑、景公使吏致千家之縣一於晏子、戰國策、知過言於智伯曰、破趙則封二子者各萬家之縣一、史記秦本紀、武公十年、伐邽冀戎、初縣之、十一年、初縣杜鄭、吳世家、王餘祭三年、予慶封朱方之縣、則當春秋之世、滅人之國者、固已爲縣矣、史記、吳王發九郡兵伐齊、范蜎對楚王曰、楚南塞厲門、而郡江東、甘茂言於秦王曰、宜陽大縣、名曰縣、其實郡也、春申君言於楚王曰、淮北地邊齊、其事急、請以爲郡、便、匈奴傳言趙武靈王置雲中雁門代郡、燕置上谷漁陽右北平遼東遼西郡以拒胡、又言魏有河西上郡、以與戎界邊、則當七國之世、而固已有郡矣、吳起爲西河守、馮亭爲上黨守、李伯爲代郡守、西門豹爲鄴令、韓有南陽假守、魏有安邑令、蘇代曰、請以三萬戶之都封太守、千戶封縣令、而齊威王朝諸縣令長七十二人、則六國之末、入於秦、而固先爲守令長矣、故史言樂毅下齊七十餘城、皆爲郡縣、而齊湣王遺楚懷王書曰、四國爭事秦、則楚爲郡縣矣、張儀說燕昭王曰、今時趙之於秦、猶郡縣也、安得謂至始皇而始罷侯置守邪、諸子功臣、以公賦稅重賞賜之、甚足易制、天下無異意、【正義】易、音以職反、【考證】足、猶可也、孟子盡心篇、五母雞、二母彘、無失其時、老者足以無失肉、正義、以職反、當作以熾反、則安寧之術也。置諸侯不便。始皇曰。天下共苦戰鬭不休、以有侯王。賴宗廟、天下

初定。又復立國、是樹兵也。而求其寧息、豈不難哉。【考證】楓山、三條本、兵下有本字、廷尉議是。分天下以爲三十六郡。【集解】三十六郡者、三川、河東、南陽、南郡、九江、鄣郡、會稽、潁川、碭郡、泗水、薛郡、東郡、琅邪、齊郡、上谷、漁陽、右北平、遼西、遼東、代郡、鉅鹿、邯鄲、上黨、太原、雲中、九原、鴈門、上郡、隴西、北地、漢中、巴郡、蜀郡、黔中、長沙、凡三十五、與內史爲三十六郡、【正義】風俗通云、周制、天子方千里、分爲百縣、縣有四郡、故左傳云、上大夫受縣、下大夫受郡、秦始皇初置三十六郡、以監縣也、【考證】梁玉繩曰、始皇置閩中、南海、桂林、象郡、皆在二十六年後、不在三十六郡內、則所謂三十六郡者、據漢志、一曰河東、二曰太原、三曰上黨、四曰三川、五曰東郡、六曰潁川、七曰南陽、八曰南郡、九曰九江、十曰泗水、十一曰鉅鹿、十二曰齊郡、十三曰琅邪、十四曰會稽、十五曰漢中、十六曰蜀郡、十七曰巴郡、十八曰隴西、十九曰北地、二十曰上郡、二十一曰九原、二十二曰雲中、二十三曰鴈門、二十四曰代郡、二十五曰上谷、二十六曰漁陽、二十七曰右北平、二十八曰遼西、二十九曰遼東、三十曰邯鄲、三十一曰碭郡、三十二曰薛、三十三曰長沙、尙缺三郡、以續漢郡國志校之、則秦有鄣郡、黔中郡、夫前志無黔中、誠爲脫漏、足以補郡數之缺、而鄣非秦郡、劉攽辨之甚悉、是尙缺二郡也、因有以鄣郡充其數者、本于應劭、而鄣非秦郡、劉攽又辨之、更有以楚郡充其數者、本于楚世家、而無楚郡、集解已糾其誤、胡三省通鑑注、曾辨之、爲得妄稱爲秦郡哉、然則所缺二郡何在、曰內史自當在三十六郡之內、集解明言郡凡三十五、與內史爲三十六、蓋準諸侯王表例也、其所缺一郡、余以水經之卷十三、廣陽自薊縣注云、秦始皇滅燕、以爲廣陽郡、漢高帝封盧綰爲燕國、于是三十六郡之數始備、而孟堅以來均失

去廣陽一郡、眞不可解、郡置守尉監、【集解】漢書百官表曰、秦郡守、掌治其郡、有丞、尉、掌佐守典武職甲卒、監御史、掌監郡、更名民曰黔首。【集解】應劭曰、黔、亦黎黑也、【考證】亦本色尙黑之義、呂氏春秋振亂、懷寵、大樂諸篇、李斯諫逐客書、及禮記祭義、黃帝內經、已用黔首字、則此稱不始於秦始二十六年、是歲徧及海內也、大酺。【考證】解見二十五年紀、收天下兵、聚之咸陽、銷以爲鍾鐻金人十二。重、各千石。置廷宮中。【集解】應劭曰、古者以銅爲兵、徐廣曰、鐻音巨、【索隱】按二十六年有長人見于臨洮、故銷兵器、鑄而象之、謝承後漢書、銅人翁仲、翁仲其名也、三輔舊事、銅人十二、各重三十四萬斤、漢代在長樂宮門前、董卓壞其十爲錢、餘二、猶在、石季龍徙之鄴、苻堅又徙長安而銷之也、【正義】漢書五行志云、二十六年、有大人長五丈、足履六尺、皆夷狄服、凡十二人、見于臨洮、故銷兵器、鑄而象之、謝承後漢書云、銅人翁仲其名也、三輔舊事云、聚天下兵器、鑄銅人十二、各重二十四萬斤、漢世在長樂宮門、魏志董卓傳云、椎破銅人十及鍾鐻、以鑄小錢、關中記云、董卓壞銅人、餘二枚、徙清門裏、魏明帝欲將詣洛、載到霸城、重不可致、後石季龍徙之鄴、苻堅又徙入長安而銷之、英雄記云、昔大人見臨洮而銅人鑄、至董卓而銅人毀也、【考證】周禮考工記云、五分其金而錫居一、謂之斧斤之齊、四分其金而錫居一、謂之戈戟之齊、參分其金而錫居一、謂之大刃之齊、說者以金爲赤銅、左傳僖公十八年云、鄭伯始朝于楚、楚子賜之金、既而悔之、與之盟曰、無以鑄兵、故以鑄三鐘、趙策曰、趙襄子曰、矢足矣、吾銅少、若何、張孟談曰、臣聞董子之治晉陽也、公宮之室、皆以鍊銅爲柱質、請發而用之、則有餘銅矣、是古代以銅鑄兵、明證、漢書韓延壽傳、

延壽取宮銅物、候月蝕、鑄作刀劍鉤鐶、陶弘景刀劍錄云、吳王孫權以黃武五年採武昌銅鐵、作千口劍萬口刀、據此以銅造兵、漢魏猶然、韓非子五蠹篇云、共工之戰、鐵銛距者及乎敵、鎧甲不堅者傷乎體、呂氏春秋貴卒篇云、趙氏攻中山、中山之人多力者曰吾丘鴆、衣鐵甲、操鐵杖、而所擊無不碎、所衝無不陷、史記范雎傳云、楚之鐵劍利而倡優拙、是昔時未嘗不以鐵造兵、中井積德曰、千石、是十二萬斤、與注不合、梁玉繩曰、正義引三輔舊事云、銅人各二十四萬斤、攷黃圖云、鍾鐻高三丈、鍾小者皆千石、則知千石者鍾鐻重數、史誤幷之、又失書金人之重耳、愚按、淩稚隆引一本云、廷宮作宮廷、與御覽文選注所引合、通鑑秦紀亦作宮廷、又按、始皇銷兵、學周武放牛馬也、鑄十二金人、倣夏禹鑄九鼎也、

一法度衡石丈尺。車同軌。書同文字。【考證】顧炎武曰、春秋以上言文不言字、左傳於文止戈爲武、故文反正爲乏、於文皿蟲爲蠱、及論語、史闕文、中庸、書同文之類、竝不言字、易、女子貞、不字、十年乃字、詩、牛羊腓字之、左傳、其僚無子、使字敬叔、皆訓爲乳、書康誥、于父不能字厥子、左傳、樂王鮒字而敬、小事大、大字小、亦取愛養之義、唯儀禮士冠禮、賓字之、禮記郊特牲、冠而字之、敬其名也、與文字之義稍近、亦未嘗謂文爲字也、以文爲字、乃始於史記秦始皇琅邪臺石刻、曰同書文字、說文序云、依類象形謂之文、形聲相益謂之字、文者物象之本、字者孳乳而生、周禮外史、掌達書名於四方、注云、古曰名、今曰字、儀禮聘禮注云、名、書文也、今謂之字、此則字之名、自秦而立、自漢而顯也與、愚按、文字事物之名、故稱曰名、字猶名也、故又稱曰字、禮記郊特牲、冠而字之、敬其名也、老子、吾不知其名、字之曰道、强爲之名曰大、名字二字義近、許愼說文序以字爲孳乳之義、疑是附會之說、

地東至海、暨朝鮮、【正義】暨、其記反、朝音潮、鮮音仙、海、

謂渤海、南至揚蘇台等州之東海也、暨、及也、東北朝鮮國、括地志云、高驪治平壤城、本漢樂浪郡王險城、卽古朝鮮也、

西至臨洮・羌中、【正義】洮、吐高反、括地志云、臨洮郡、卽今洮州、亦古西羌之地、在京西千五百五十一里、羌中從臨洮西南芳州扶松府以西、竝古諸羌地也、【考證】臨洮、秦縣、今甘肅鞏昌岷州、是以地臨洮水名、

南至北嚮戶、【集解】吳都賦曰、開北戶以向日、劉逵曰、日南之北戶、猶日北之南戶也、【考證】盧文弨曰、北戶地名、見爾雅、此下琅琊臺頌、亦有南盡北戶之語、嚮字衍、愚按、據集解、裴本無、

北據河爲塞、竝陰山至遼東。【集解】地理志、西河有陰山縣、【正義】塞、先代反、竝、白浪反、謂靈夏勝等州之北黃河、陰山在朔州北塞外、從河傍陰山、東至遼東、築長城爲北界、【考證】今盛京奉天東南境及錦州東北境、皆秦遼東郡地、

徙天下豪富於咸陽十二萬戶。諸廟及章臺・上林、皆在渭南。秦每破諸侯、寫放其宮室、作之咸陽北阪上。【集解】徐廣曰、在長安西北、漢武時、別名渭城、【正義】今咸陽縣北阪上、【考證】葉昌熾曰、韓非子、衞靈公召師涓而告之曰、有鼓新聲者、其狀似鬼神、王爲聽而寫之、國語、王命工以良金寫范蠡之狀、史記秦始皇紀、寫放其宮室、作之咸陽北阪上、蘇秦傳、宋王無道、爲木人以寫寡人、新序、葉公子高好龍、鉤以寫龍、鑿以寫龍、屋室雕文以寫龍、周髀經、笠以寫天、以上諸書、顧氏日知錄、擧以爲寫字訓畫之證、不知此非寫字、乃象字之譌文也、北朝造象、凡象字皆省筆作象、或變文作為、其形似寫、因而誤釋爲寫字、罔白駒曰、寫、輸也、與下文寫蜀荊材同、言

解析其宮室、以車輪之也、愚按、寫當作象、葉說爲長、放、依倣也、建如舊制也、寫蜀荊材義自別、說見下文、

南臨渭。自雍門以東至涇・渭。【集解】徐廣曰、雍門、在高陵縣、【正義】今岐州雍縣東、

殿屋複道、周閣相屬。【正義】複、音福、屬、之欲反、廟記云、北至九嵕甘泉、南至長揚五柞、東至河、西至汧渭之交、東西八百里、離宮別館、相望屬也、木衣綈繡、土被朱紫、宮人不徙、窮年忘歸、猶不能遍也、【考證】複道、築起爲道、不與民庶相雜、上下有道、故謂之複、周閣、周馳架木爲棚而行、

所得諸侯美人鍾鼓、以充入之。【正義】三輔舊事云、始皇表河以爲秦東門、表汧以爲秦西門、表中外殿觀百四十五、後宮列女萬餘人、氣上衝于天、

二十七年、始皇巡隴西・北地、【正義】隴西、今隴右、北地、今寧州也、

出雞頭山。【正義】括地志云、雞頭山、在成州上祿縣東北二十里、在京西南九百六十里、酈元云、蓋大隴山異名也、後漢書隗囂傳云、王莽塞雞頭、卽此也、按原州平高縣西百里、亦有笄頭山、在京西北八百里、黃帝雞山之所、

過回中焉。【集解】應劭曰、回中、在安定高平縣、孟康曰、回中、在北地、【正義】括地志云、回中宮、在岐州雍縣西四十里、言始皇欲西巡隴西之北、從咸陽向西北出寧州、西南行至成州、出雞頭山、東還過岐州回中宮、【考證】今甘肅臨洮鞏昌諸地、卽秦隴西郡、慶陽諸地、卽北地郡、鷄頭山、在今平涼、平涼縣、回中宮、鳳翔隴州西北、今曰回城、

作信宮渭南。已更命信宮爲極廟、象天極。【索隱】爲宮廟象天極、故曰極廟、天官書曰、中宮曰天極、是也、【考證】信宮卽長信宮、在今咸

陽縣境、

自極廟道通酈山、作甘泉前殿、築甬道、自咸陽屬之。【集解】應劭曰、築垣牆如街巷、【正義】築、音竹、甬、音勇、應劭云、謂於馳道外築牆、天子於中行、外人不見、

是歲、賜爵一級。治馳道。【集解】應劭曰、馳道、天子道也、道若今之中道然、漢書賈山傳曰、秦爲馳道於天下、東窮燕齊、南極吳楚、江湖之上、濱海之觀畢至、道廣五十步、三丈而樹、厚築其外、隱以金椎、樹以青松、

二十八年、始皇東行郡縣、上鄒嶧山。【集解】韋昭曰、鄒、魯縣、山在其北、【正義】上、時掌反、鄒、側留反、嶧、音亦、國系云、邾嶧山亦名鄒山、在兗州鄒縣南三十二里、魯穆公改邾作鄒、其山遂從邑變、山北去黃河三百餘里、【考證】鄒嶧山、又曰嶧山、在今山東兗州府鄒縣東南、王昶曰、水經注、始皇觀禮于魯、登此山、命李斯大篆勒銘、山顙、名曰書門、太平寰宇記、李斯所刻石嶺、名曰書門、始皇乘羊車登之、其路猶在、卽刻石所也、原石久毀、世所傳、皆後人摹本、陳仁錫曰、始皇巡狩立石頌德、凡七處、太史公載其六、獨鄒嶧不載、何也、其辭云、皇帝立國、維初在昔、嗣世稱王、討伐亂逆、威動四極、武義直方、戎臣奉詔、經時不久、滅六暴强、廿有六年、上薦高號、孝道顯明、旣獻太成、乃降專惠、親巡遠方、登于嶧山、羣臣從者、咸思悠長、追念亂世、分土建邦、以開事理、攻戰日作、流血於野、自太古始、世无萬數、陁及五帝、莫能禁止、迺今皇帝、一家天下、兵不復起、災害滅除、黔首康定、利澤長久、羣臣誦畧、刻此樂石、以著經紀、盧文弨曰、案此文似有誤脫、嶧山刻石、乃七篇中之第一篇也、史公必不特刪此篇、疑此上鄒嶧山下、卽當云刻石頌秦德、便接以其辭曰云云、如後篇之式、頌文之後、接以與魯諸儒生議封禪望祭山川之事、其立石二字、與議刻石之議數

字、立石封之石字、亦係誤衍、觀張晏臣瓚之說、可見本無石字、立石與魯諸儒生議、刻石頌秦德、議封禪望祭山川之事。正義晉太康地記云、爲壇於太山以祭天、示增高也、爲墠於梁父以祭地、示增廣也、祭尚玄酒而俎魚、墠皆廣長十二丈、壇高三尺、階三等、而樹石太山之上、高三丈一尺、廣三尺、秦之刻石云、乃遂上泰山、正義泰山、一曰岱宗、東嶽也、在兗州博城縣西北三十里、山海經云、泰山其上多玉、其下多石、郭璞云、從泰山下至山頭、百四十八里三百步、道書福地記云、泰山高四千九百丈二尺、周廻二千里、多芝草玉石、長津甘泉仙人室、又有地獄六、曰鬼神之府、從西上下有洞天、周廻三千里、鬼神考謫之府、立石封祠祀。集解服虔曰、增天之高、歸功於天、張晏曰、天高不可及、於泰山上立封禪而祭之、冀近神靈也、瓚曰、積土爲封、謂負土於泰山上、爲壇而祭之、下。風雨暴至、休於樹下。因封其樹爲五大夫。正義封、一作復、音福、考證五大夫、秦爵九等、禪梁父。集解服虔曰、禪、闡廣土地也、瓚曰、古者聖王封泰山、禪亭亭、或梁父、皆泰山下小山、除地爲墠、祭於梁父、後改墠曰禪、正義父音甫、在兗州泗水縣北八十里、刻所立石。其辭曰。索隱其詞每三句爲韵、凡十二韵、下之罘碣石、會稽三銘皆然、皇帝臨位、作制明法、臣下脩飭。正義飭、音勅、二十有六年、考證洪邁曰、按秦始皇凡刻石頌德之辭、皆四字一句、泰山辭曰、皇位臨位、二十有六年、琅邪臺頌曰、維二十九年、時在中春、東觀頌曰、維

二十九年、皇帝春游、會稽頌曰、德惠脩長、三十有七年、此史記所載、每稱年者、輒五字一句、皆得泰山辭石本、乃皆爲廿有六年、其餘皆如是、太史公誤易之、或後人傳寫之訛耳、其實四字句也、梁玉繩曰、之罘銘有三字句、有五字句、琅邪銘有五字六字句、有七字九字句、豈盡四字爲一句哉、愚按古書二十作廿、三十作卅、不獨秦碑、洪氏專就泰山碑而言、初幷天下、罔不賓服。親巡遠方黎民、考證中井積德曰、黎民二字疑衍、梁玉繩曰、始皇更名民曰黔首、故諸銘中皆稱黔首、不應泰山刻石忽言黎民、且銘皆四言、亦不應此獨六字爲句、疑有誤、金石錄謂劉跂至泰山見其碑摸之、乃作親軨遠黎、未知信否、軨卽巡之異文、登茲泰山、周覽東極。從臣思迹、正義從、財用反、考證岡白駒曰、不欲湮沒、所以錄功也、本原事業、祗誦功德。正義祗、音脂、治道運行、諸產得宜、皆有法式。大義休明、垂于後世、順承勿革。皇帝躬聖、既平天下、不懈於治。夙興夜寐、建設長利、正義長、直良反、專隆教誨。訓經宣達、遠近畢理、咸承聖志。貴賤分明、男女禮順、愼遵職事。昭隔內外、集解徐廣曰、隔一作融、靡不淸淨、施于後嗣。化及無窮、遵奉遺詔、永承重戒。

考證聶劍光曰、秦篆刻石、先是在嶽頂玉女池上、後移置碧霞元君祠之東廡、石高四尺、四面廣狹不等、載始皇銘辭及二世詔書、世傳爲李斯篆、字徑二寸五分、宋人劉跂親爲摩拓、得字二百二十三、近年摹本、僅存臣斯以下二十九字、末有明北平許□隷書跋、乾隆五年廟災、碑遂亡、楊愼曰、老子明道若昧章、皆三句爲韻、李斯刻石文體、亦有所祖也、於是乃竝勃海以東、正義竝、白浪反、勃、作渤、蒲忽反、過黃・腄、集解地理志、東萊有黃縣、腄縣、正義腄、逐瑞反、字或作陲、括地志云、黃縣故城、在萊州黃縣東南二十五里、古萊子國也、牟平縣城、在黃縣南百三十里、十三州志云、牟平縣、古腄縣也、窮成山、登之罘、集解地理志、之罘山在腄縣、正義罘、音浮、括地志云、在萊州文登縣東北百八十里、成山、在文登縣西北百九十里、窮、猶登極也、封禪書云、八神、五曰陽主、祠之罘、七曰日主、祠成山、成山斗入海、文云、之罘山在海中、文登縣、古腄縣也、立石頌秦德焉。而去南登琅邪、大樂之、留三月。正義今兗州東沂州密州、卽古琅邪也、考證琅邪、山名、在今山東青州府諸城縣東南、乃徙黔首三萬戶琅邪臺下。集解地理志、越王句踐、嘗治琅邪縣、起臺館、索隱山海經、琅邪臺在渤海閒、蓋海畔有山、形如臺、在琅邪、故曰琅邪臺、正義括地志云、密州諸城縣東南百七十里、有琅邪臺、越王句踐觀臺也、臺西北十里、有琅邪、故吳越春秋云、越王句踐二十五年、徙都琅邪、立觀臺以望東海、遂號令秦晉齊楚、以尊輔周室、歃血盟、卽句踐起臺處、括地志云、琅邪山在密州諸城縣東南百四十里、始皇立層臺於山上、謂之琅邪臺、孤立衆山之上、秦王樂之、留三月、立石山

上頌秦德也、考證梁玉繩曰、水經注、御覽、三萬作二萬、張文虎曰、琅邪臺下臺字疑誤、水經注郡縣志並作山、又曰、水經注述此事、與史略同、而較詳、但不云史記、郡縣志引史記、御覽與彼文同、疑今史文有缺佚、中井積德曰、正義再引括地志、乃有七十里四十里之差、下文皆不同、豈所引書名有誤耶、復十二歲。正義復、音福、復三萬戶徙臺下者、考證沈家本曰、秦漢徙民有二端、如秦時成蟜嫪毐呂不韋諸事、有罪所遷者也、至二十八年之徙、因樂其地、三十五年、除道道九原抵雲陽、塹山堙谷、直通之、作阿房宮、或作麗山、因徙三萬家麗邑、五萬家雲陽、亦與有罪而遷者不同、漢代徙民亦如是、作琅邪臺、正義今琅邪臺、立石刻頌秦德、明得意。曰。索隱二句爲韵、考證凌稚隆曰、一本無刻字、張文虎曰、御覽引無、維二十八年、考證二十、當作廿、下同、八、一本作六、今從吳春照校本、皇帝作始。端平法度、萬物之紀。以明人事、合同父子。聖智仁義、顯白道理。東撫東土、以省卒士。正義省、山井反、卒、子忽反、考證岡白駒曰、卒士、卽士卒也、云卒士、協韻耳、事已大畢、乃臨于海。皇帝之功、勤勞本事。上農除末、黔首是富。普天之下、摶心揖志。索隱摶、古專字、左傳云、如琴瑟之摶壹、揖、音集、考證錢大昕曰、摶當作嫥、說文、嫥、壹也、輯、古揖字、書輯五瑞、史記作揖、器械一量、正義內成曰器、甲胄兜鍪之屬、外成曰械、戈

矛弓戟之屬、壹量者同度量也、[考證]中井積德曰、器械通於諸器、不特軍器、岡白駒曰、一量、一制也、同書文字。日月所照、舟輿所載。皆終其命、莫不得意。應時動事、是維皇帝。匡飭異俗、陵水經地。[正義]陵、作凌、歷也、經、界也、[考證]中井積德曰、經亦歷也、愚按經、徑通、憂恤黔首、朝夕不懈。除疑定法、咸知所辟。[正義]音避、方伯分職、諸治經易。[正義]易、音以豉反、言方伯分職治、所理常在平易、[考證]方伯、蓋斥郡守也、中井積德曰、方伯當時無所當、蓋飾辭之失倫者、夫郡守焉得稱方伯、又曰、經疑當作徑、舉錯必當、莫不如畫。[正義]畫、音戶卦反、謂政理齊整、分明若畫、無邪惡、[考證]方苞曰、畫當音劃、與較若畫一之義同、皇帝之明、臨察四方。尊卑貴賤、不踰次行。[正義]音胡郎反、姦邪不容、皆務貞良。細大盡力、莫敢怠荒。遠邇辟隱、專務肅莊。[正義]辟、匹亦反、端直敦忠、事業有常。皇帝之德、存定四極。誅亂除害、興利致福。節事以時、諸產繁殖。黔首安寧、不用兵革。[正義]協韻音棘、六親相保、終無寇賊。驩

欣奉教、盡知法式。六合之內、皇帝之土。[考證]皆川愿曰、六合之內、今皆爲皇帝之土、下因證其實、西涉流沙、南盡北戶。東有東海、北過大夏。[索隱]夏、協韻音戶、下無不臣者、音渚、澤及牛馬、音姥、[正義]流沙解見夏紀、杜預云、大夏、太原晉陽縣、按在今幷州、遷實沈於大夏主參、即此也、[考證]錢大昕曰、大夏、周書王命解、正北空同大夏、大宛傳、張騫自月氏至大夏、即其地也、始皇立石誇聲教之遠、豈近取晉陽之地乎、正義非也、人迹所至、無不臣者。功蓋五帝、澤及牛馬。莫不受德、各安其宇。維秦王兼有天下、立名爲皇帝。[考證]盧文弨曰、維秦王兼有天下以下、乃頌後之跋、雖末亦作韻語、究不可聯頌爲一篇、中井積德曰、維秦王至以爲表經數十句、蓋琅邪銘之序、當在上文維廿八年之上、蓋傳錄者誤耳、非太史公之舊、方苞曰、後世碑銘有序、本此、載群臣之議、故繫後、秦山石刻無後語者、封祠祀天、不敢列群臣名爵也、下諸銘無後語者、舉一以例其餘也、愚按方說是、乃撫東土、至于琅邪、列侯武城侯王離、列侯通武侯王賁、[集解]張晏曰、列侯者見序例、[考證]梁玉繩曰、離爲賁子、何以敍于上、倫侯建成侯趙亥、倫侯昌武侯成、倫侯武信侯馮毋擇、[索隱]倫侯、爵卑於列侯、無封邑者、倫、類也、亦列侯之類、[考證]兪樾曰、秦有列侯、又有倫侯、倫侯之名、止見

於此銘、中井積德曰、倫侯是關內侯之類、然當時列侯亦無封邑、注謬、方苞曰、成獨不具姓、疑秦之同姓也、丞相隗狀、[索隱]隗姓、狀名、有本作林者、非、顏之推云、隋開皇初、京師穿地得鑄秤權、有銘云、始皇時量器、丞相隗狀王綰二人列名、其作狀貌之字、時令校寫、親所按驗、王劭亦云然、斯遠古之證也、[正義]隗、音五罪反、[考證]諸本、史文隗狀、作隗林、索隱、狀名、作林名、作林、作作狀、沈濤曰、隗林、索隱本亦作隗狀、云、有作林者、非、故引顏王二家之說以證是狀非林、今本林狀二字、傳寫互易、遂矛盾不可通矣、今據沈說訂正、顏氏之說、見顏氏家訓書證篇、丞相王綰、卿李斯、卿王戊、五大夫趙嬰、五大夫楊樛從。[正義]樛、音居虬反、[考證]洪亮吉曰、此序列侯倫侯、始及丞相、漢書霍光傳、首列丞相、暨將軍御史大夫、始及列侯、可見二代法式不同處、與議於海上曰。[正義]從與、上才用反、下音預、言王離以下十人、從始皇、咸與始皇議功德於海上、立石於琅邪臺下、十人名字、竝刻頌、[考證]正義上句從字、屬下讀非是、中井積德曰、正義咸與始皇四字謬、宜言相與、古之帝者、地不過千里。[正義]此頌前後序、兩句爲韻、此三句爲韻、過音戈、千里謂王畿、諸侯各守其封域、或朝或否。相侵暴亂、殘伐不止。猶刻金石、以自爲紀。古之五帝三王、知教不同、法度不明。假威鬼神、以欺遠方。[正義]言五帝三王、假借鬼神之威、以欺服遠方之民、若萇弘之比也、

實不稱名、故不久長。[正義]稱、尺證反、其身未歿、諸侯倍叛、法令不行。今皇帝幷一海內、以爲郡縣、天下和平。昭明宗廟、體道行德、尊號大成。羣臣相與誦皇帝功德、刻于金石、以爲表經。既已。齊人徐市等上書、[考證]市、即芾字、與黻同、各本作市井之市、譌、淮南王傳作徐福、福市一聲之轉、言海中有三神山、名曰蓬萊・方丈・瀛洲。僊人居之。[正義]漢書郊祀志云、此三神山者、其傳在渤海中、去人不遠、蓋曾有至者、諸仙人及不死之藥皆在焉、其物禽獸盡白、而黃金白銀爲宮闕、未至、望之如雲、及至、三神山乃居水下、臨之患且至、風輒引船而去、終莫能至云、世主莫不甘心焉、[考證]燕人宋無忌、羨門子高之徒、稱有仙道形解銷化之術、自齊威宣、燕昭王皆信之、使人入海、求蓬萊方丈瀛洲、云此三神山在渤海中、諸仙人及不死藥皆在焉、事詳封禪書、至此徐市等又言之、請得齋戒、與童男女求之。於是遣徐市發童男女數千人、入海求僊人。[正義]括地志云、亶洲在東海中、秦始皇使徐福將童男女入海求仙人、正在此洲、共數萬家、至今洲上人有至會稽市易者、吳人外國圖云、亶洲去琅邪萬里、始皇還過彭城。[正義]彭城、徐州所理縣也、州東外城、古之彭國也、搜神

記云、陸終弟三子曰籛鏗、封於彭、爲商伯、外傳云、殷末滅彭祖氏、齋戒禱祠、欲出周鼎泗水、使千人沒水求之。弗得。【考證】沈家本曰、按秦紀、昭襄王五十二年、九鼎入秦、正義秦昭取九鼎、其一飛入泗水、餘八入于秦中、正義所稱、未知何本、始皇所求、蓋九鼎之一耳、水經泗水注、稱周顯王四十二年、九鼎淪沒泗淵、秦始皇使數千人沒水求之不得、蓋據漢書郊祀志也、然赧王時、九鼎入秦、則顯王時無淪沒泗淵之事、愚按此亦一說、說又見封禪書、乃西南渡淮水、之衡山。【正義】括地志云、衡山、一名岣嶁山、在衡州湘潭縣西四十一里、岣音苟、嶁音樓、南郡浮江、【正義】南郡、今荊州也、言欲向衡山、卽西北過南郡、入武關至咸陽、至湘山祠。【正義】括地志云、黃陵廟、在岳州湘陰縣北五十七里、舜二妃之神、二妃冢、在湘陵北一百六十里青草山上、盛弘之荊州記云、青草湖南有青草山、湖因山名焉、列女傳云、舜陟方死於蒼梧、二妃死於江湘之間、因葬焉、按湘山者、乃青草山、山近湘水、廟在山南、故言湘山祠、逢大風、幾不得渡。上問博士曰、湘君何神。博士對曰、聞之堯女、舜之妻、而葬此。【索隱】列女傳亦以湘君爲堯女、按楚詞九歌、有湘君湘夫人、夫人是堯女、則湘君當是舜、今此文以湘君爲堯女、是總而言之、於是始皇大怒、使刑徒三千人、皆伐湘山樹、赭其山。【正義】赭音者、上自南郡由武關歸。【集解】應劭曰、武關、秦南

關、通南陽、文穎曰、武關、在析西百七十里弘農界、【正義】括地志云、故武關、在商州商洛縣東九十里、春秋時少習也、杜預云、少習、商縣武關也、【考證】武關、今陝西商州、二十九年、始皇東游至陽武博狼沙中、爲盜所驚。【集解】地理志、河南陽武縣有博狼沙、【正義】狼、音浪、【考證】今河南懷寧陽武縣、求弗得。乃令天下大索十日。【考證】事詳留侯世家、登之罘、刻石。其辭曰。【索隱】三句爲韻、凡十二韻、維二十九年、時在中春、【正義】中、音仲、古者帝王巡狩、常以中月、陽和方起。皇帝東游、巡登之罘、臨照于海。從臣嘉觀、【正義】從、才用反、觀、音館、原念休烈、追誦本始。大聖作治、建定法度、顯箸綱紀。外教諸侯、光施文惠、明以義理。六國回辟、貪戾無猒、虐殺不已。【正義】辟、必亦反、猒、於廉反、皇帝哀衆、遂發討師、【考證】盧文弨曰、哀衆、當哀鰥之譌、鰥與矜古通用、漢書贊于定國、哀鰥哲獄、亦卽謂哀矜也、奮揚武德。義誅信行、威燀旁達、莫不賓服。【集解】徐廣曰、燀、充善反、【考證】熾也、烹滅彊暴、振救黔首、周定四極。普施明法、經

緯天下、永爲儀則。大矣哉、宇縣之中、【集解】宇、宇宙、縣、赤縣、【考證】中井積德曰、上下皆三句一韻、則此大矣哉、宜作一句、但上少一字、蓋脫去、承順聖意。【索隱】協韻音憶、羣臣誦功、請刻于石、表垂于常式。【考證】盧文弨曰、表垂于常式、當有一字誤衍、愚按、碣石銘曰、請刻此石、垂著儀矩、會稽銘云、請刻此石、光垂休銘、則此垂下于字當衍、其東觀曰。【考證】觀、如孟子觀於轉附之觀、東觀、東巡也、維二十九年、皇帝春游、覽省遠方。逮于海隅、遂登之罘、昭臨朝陽。觀望廣麗、從臣咸念、原道至明。聖法初興、淸理疆內、外誅暴彊。武威旁暢、振動四極、禽滅六王。闡并天下、甾害絕息、永偃戎兵。皇帝明德、經理宇內、視聽不怠。【索隱】怠、協旗疑韻、音銅綦反、故國語范蠡曰、得時不怠、時不再來、亦以怠與臺爲韻、【考證】張文虎曰、越語、范蠡語、以怠來災之爲韻、無臺字、索隱臺字、當作來、凌本作時、亦非、作立大義、昭設備器、咸有章旗。職臣遵分、各知所行、事無嫌疑。黔首改化、遠邇同度、臨古絕尤。常職既定、後

嗣循業、長承聖治。羣臣嘉德、祗誦聖烈、請刻之罘。旋遂之琅邪、道上黨入。【索隱】道、猶從也、【考證】上黨、今山西潞安、三十年、無事。【考證】春秋之法、雖無事、猶必書孟月、史記周以後本紀、是年無事、則并年逸之、獨始皇紀三十年、呂后紀三年、特書曰無事、此史公創例、全書亦不多見、三十一年、【集解】徐廣曰、使黔首自實田也、【考證】是下文賜黔首里六石米集解錯簡、十二月、更名臘曰嘉平。【集解】太原眞人茅盈內紀曰、始皇三十一年九月庚子、盈曾祖父濛、乃於華山之中、乘雲駕龍、白日升天、先是其邑謠歌曰、神仙得者茅初成、駕龍上升入泰淸、時下玄洲戲赤城、繼世而往在我盈、帝若學之臘嘉平、始皇聞謠歌而問其故、父老具對、此仙人之謠歌、勸帝求長生之術、於是始皇欣然、乃有尋仙之志、因改臘曰嘉平、【索隱】廣雅曰、夏曰淸祀、殷曰嘉平、周曰大蜡、亦曰臘、秦更曰嘉平、蓋應歌謠之詞而改從殷號也、道書茅濛字初成、今此云茅濛初成者、爲神仙之道、其意失也、蓋由裴氏所引不明、或後人增益濛字、遂令七言之詞有衍爾、【考證】秦本紀云、惠文王十二年、初臘、據索隱、集解所引謠歌、茅下當有濛字、蓋又後人所刪、賜黔首里六石米二羊。始皇爲微行咸陽。【集解】張晏曰、若微賤之所爲、故曰微行也、與武士四人俱、夜出逢盜蘭池、見窘。武士擊殺盜。關中大索二十日。【集解】地理志、渭城縣有蘭池宮、【正義】括地志云、蘭池陂、卽古之蘭

池、在咸陽縣界、秦記云、始皇都長安、引渭水爲池、築爲蓬瀛、刻石爲鯨、長二百丈、逢盜之處也、〔考證〕武士始見史文、盜蓋六國遺臣、張良之類、史失其名、館本考證云、秦記本名三秦記、正義秦記、或本作三秦記、而脫三字、米石千六百。三十二年、始皇之碣石、使燕人盧生求羨門高誓。〔集解〕韋昭曰、羨門、古仙人、〔正義〕高誓、亦古仙人、〔考證〕梁玉繩曰、封禪書羨門子高、與郊祀志羨門高是一人、名、張揖司馬相如傳注云、碣石山上仙人也、分羨門高誓爲二人、大誤、張文虎曰、梁說是、然誓字不可解、非衍卽誤、或有脫文、刻碣石門。〔集解〕徐廣曰、一作盟、〔考證〕顧炎武曰、始皇刻石之處凡六、史記書之甚明、於鄒嶧山則上云立石、下云刻石頌秦德、於泰山則上云立石、下云刻所立石、於之罘則二十八年云立石、二十九年云刻石、於琅邪則云立石刻頌秦德、於會稽則云立石刻頌秦德、無不先言立、後言刻者、惟於碣石則云刻碣石門、門自是石、不須立也、古人作史、文字之密如此、壞城郭、決通隄防。〔考證〕楓、三本、壞上有毀字、愚按七字衍文、銘辭誤入史文也、其辭曰。〔正義〕此一頌、三句爲韵、遂興師旅、誅戮無道、爲逆滅息。武殄暴逆、文復無罪。〔集解〕徐廣曰、復一作優、〔正義〕復、音福、言秦以武力能殄息暴逆、以文訓道、令無罪失、故復除之、〔考證〕沈端蒙曰、遂興師上有缺文、中井積德曰、復是平反之義、庶心咸服。惠論功勞、賞及牛馬、恩肥土域。皇帝奮威、德并諸侯、初一泰平、墮

壞城郭、決通川防。〔正義〕隳、音許規反、壞、音怪、隳、毀也、壞、坼也、言始皇毀坼關東諸侯舊城郭也、夫自隳曰壞、音戶怪反、〔考證〕中井積德曰、皇帝奮威至泰平三句、亦似鶻突、且韻不諧、蓋篇首之脫文、錯在此也、豈泰平之文訛而失韻邪、抑更脫三句而韻不諧邪、夷去險阻、地勢既定、黎庶無繇。〔正義〕音遙、天下咸撫。男樂其疇、女修其業、事各有序。惠被諸產、久竝來田、〔集解〕徐廣曰、久一作分、莫不安所。羣臣誦烈、請刻此石、垂著儀矩。〔考證〕世傳宋徐鼎臣臨秦碣石頌、首尾完具、與史次第不同、蓋後人僞託、孫詒讓籀廎述林論之云、徐鼎臣臨秦碣石頌、盛行于世、是頌、宋以來金石家未箸錄者、頌文凡百有十字、以校史記秦始皇本紀所載、文幾倍之、如首有皇帝建國、德平諸侯、初平泰壹、卅有二季、巡登碣石、照臨四極、從臣羣作、上頌高號、爰念休烈、戎臣奮威十句、末又有二世詔書、及李斯馮去疾奏七十九字、與泰山嶧山琅邪臺諸刻同、本紀則惟有皇帝建國以下三句、然不在首、而在第三韻恩肥土域後、又建國作奮威、初平泰壹作初一泰平、餘則竝無之、其本紀所有而字異者、如遂興師旅下、此無誅戮無道四字、爲逆滅息、爲此作大、武殄暴逆、逆此作强、庶心咸服、服此作民、墮壞城郭、墮此作隓、黎庶無繇、黎此作黔、無此作无、女修其業、修此作脩、羣臣誦烈、烈此作略、垂著儀矩、著此作箸、矩此作巨、又賞及牛馬、恩肥土域兩句、此上下互易、竝與大史公所見不同、又說文又部叏、秦刻石及如此、此頌仍作及、與說文不合、然鄭文寶所摹嶧山碑已如此、鄭本亦出徐摹、阮文達兩浙金石志疑爲鼎臣所改、未知其審也、考始皇

巡行天下、刻石者凡六、今惟琅邪臺原石尚存、泰山殘石、乾隆間爲火所焚、今所存止十字、之罘石刻、宋時歐陽永叔趙德甫王象之陳思諸人皆見之、今則莫知其存否、嶧山會稽兩石久佚、然世閒尚有重摹本、蓋以上五石、雖存佚顯晦不同、而後人皆嘗得其搨本、至碣石則不然、禹貢舊蹟、自六朝時已不可攷、故酈道元水經河水注、漢司空王橫言、往者天嘗連雨、東北風、海水溢西南、出侵數百里、張揖云、碣石在海中、蓋淪於海水也、昔燕齊遼曠、分置營州、今城屆海濱、海水北侵、城垂淪者半、王橫之言、信而有徵、碣石入海、非無證矣、據此是納河故壞、早淪東勃、而嬴氏遺刻、乃巍然獨在人世、趙宋時猶得傳其搨本、此事之所必無者、況此本載鼎臣自跋、稱端拱元年奉敕臨、而此書在宋時、當藏御府、而宣和書譜、載鼎臣篆書七種、亦無是頌、然則諸家紛紛傳刻、其果可信耶、因使韓終・侯公・石生求仙人不死之藥。始皇巡北邊、從上郡入。〔考證〕上郡、今陝西延安綏德州、燕人盧生、使入海還、〔正義〕使、音所吏反、以鬼神事、因奏錄圖書曰。亡秦者胡也。〔集解〕鄭玄曰、胡、胡亥、秦二世名也、秦見圖書、不知此爲人名、反備北胡、〔考證〕淮南子人間訓云、秦皇挾錄圖見其傳曰、亡秦者胡也、因發卒五十萬、使蒙公楊翁子將築脩城、西屬流沙、北繫遼水、東結朝鮮、中國內郡、輓車而餉之、胡三省曰、錄圖書、如後世讖緯之書、中井積德曰、讖文元無所斥、所以爲胡亥者、亦後人所解謎、此不當以爲註釋、愚按始皇欲擊胡、託言圖讖以爲口實耳、始皇乃使將軍蒙恬發兵三十萬人北擊胡、略

取河南地。〔正義〕今靈夏勝等州、秦略取之、〔考證〕河套內、今鄂爾多斯旗、三十三年、發諸嘗逋亡人、贅壻、賈人、略取陸梁地、〔集解〕瓚曰、贅、謂居窮有子、使就其婦家爲贅、壻、〔索隱〕謂南方之人、其性陸梁、故曰陸梁、〔正義〕嶺南之人、多處山陸、其性强梁、故曰陸梁、〔考證〕胡三省曰、班表、漢高帝功臣有陸量侯、侯須無、詔以爲列諸侯、自置吏令長、受令長沙王、如淳曰、陸量、秦始皇本紀所謂陸梁地也、爲桂林・象郡・南海、〔集解〕韋昭曰、桂林、今鬱林是也、象郡、今日南、〔正義〕南海、卽廣州南海縣、〔考證〕桂林、今廣西南寧慶遠二府、象郡、今安南國、南海、今廣東廣州肇慶潮州、以適遣戍。〔集解〕徐廣曰、五十萬人守五嶺、〔正義〕適、音直革反、戍、守也、廣州記云、五嶺者、大庾、始安、臨賀、揭楊、桂陽、輿地志云、一曰臺嶺、亦名塞上、今名大庾、二曰騎田、三曰都龐、四曰萌諸、五曰越嶺、西北斥逐匈奴、自榆中竝河、以東屬之陰山、〔集解〕徐廣曰、榆中、在金城、陰山、在五原北、服虔曰、竝、音傍、傍、依也、〔正義〕屬、之欲反、按五原、今勝州也、〔考證〕榆中、今河套北吳喇特旗、張文虎曰、水經河水注、陰山作陶山、引徐廣史記音義曰、陶山、在五原北、是酈氏所據史文及注竝作陶、今史本作陰、而音義止存下四字、案蒙恬列傳集解引徐廣曰、五原西安陽縣北有陰山、陰山在河南、陽山在河北、陶陰形近易混、此陶本當作陰、後人改之、今藏校本水經注、兩陶字亦竝改陰、以爲三十四縣、〔考證〕梁玉繩曰、表作四十四縣、匈奴傳同、此誤、城河上爲塞。又使蒙恬渡河取高闕・陶

山・北假中、〔集解〕晉灼曰、王莽傳云、五原北假、膏壤殖穀、北假、地名也、〔索隱〕高闕、山名、北假、地名、近五原、〔正義〕高闕、山名、在五原北、兩山相對、若闕甚高、故言高闕、酈元注水經云、黃河逕河目縣故城西、縣在北假中、北假、地名、按河目縣屬勝州、今名河北、漢書地理志云、屬五原郡、〔考證〕張文虎曰、水經河水注引作據陽山北假中、案蒙恬傳云、於是度河據陽山、匈奴傳云、又渡河據陽山北假中、二文相同、與河水注合、據上文竝河以東、屬之陰山、是在河南、此云渡河取高闕、是在河北、正與徐廣陰山在河南、陽山在河北、說合、然則此文當作陽山、築亭障以逐戎人、徙謫實之初縣。〔索隱〕徙有罪而謫之、以實初縣、即上自楡中屬陰山、以爲三十四縣、是也、故漢七科謫、亦因於秦、〔考證〕沈家本曰、按此亦有罪而遷、爲實邊計、高帝十一年詔云、秦徙中縣之民南方三郡、使與百粤雜處、即此事也、此策漢亦用之、後世言實邊者、多主此策、禁不得祠明星出西方、〔集解〕徐廣曰、皇甫謐云、彗星見、〔考證〕姚範曰、明星即靈星、封禪書、令天下立靈星祠、當是前祠、而秦皇廢之也、出上脫一星字、故注引皇甫謐以證星爲彗星也、三十四年、適治獄吏不直者、築長城及南越地、〔正義〕謂戍五嶺、是南方越也、〔考證〕楓三本地作城、始皇置酒咸陽宮、博士七十人前爲壽。僕射周青臣進頌曰。〔集解〕漢書百官表曰、僕射、秦官、古者重武官、有主射以督課之、應劭曰、僕、主也、〔正義〕射音夜、他時秦地不過千里。賴陛下神靈明聖、平定海內、放逐蠻夷、日月所照、莫不賓服、以諸侯爲郡縣、人人自安樂、無戰爭之患、傳之萬世。自上古不及陛下威德。始皇悅。博士齊人淳于越進曰。臣聞殷・周之王千餘歲。〔考證〕梁玉繩曰、李斯傳亦載淳于越此語、商六百四十餘祀、周八百七十餘年、何言千餘歲乎、封子弟功臣、自爲枝輔。今陛下有海內、而子弟爲匹夫。卒有田常六卿之臣、無輔拂、何以相救哉。〔正義〕拂、蒲筆反、〔考證〕田常弑齊君、六卿分晉、張文虎曰、治要御覽班馬字類引拂作弼、李斯傳同、愚按楓三本亦作弼、事不師古而能長久者、非所聞也。今青臣又面諛以重陛下之過。非忠臣。〔考證〕以忠責臣、見君臣之分、至此益嚴、始皇下其議。丞相李斯曰。五帝不相復、三代不相襲、各以治。非其相反、時變異也。今陛下創大業建萬世之功。固非愚儒所知。且越言、乃三代之事、何足法也。

異時諸侯竝爭、厚招游學。今天下已定、法令出一。百姓當家則力農工、士則學習法令辟禁。〔正義〕令、力性反、辟、音避、今諸生不師今而學古、以非當世、惑亂黔首。丞相臣斯昧死言、古者天下散亂、莫之能一。是以諸侯竝作、語皆道古以害今、飾虛言以亂實、人善其所私學、以非上上所建立。〔集解〕徐廣曰、私一作知、今皇帝幷有天下、別黑白而定一尊。私學而相與非法教。〔考證〕錢大昕曰、李斯傳、別作辨、古書辨與別、通、愚按李斯傳云、陛下幷有天下、辨白黑而定一尊、而私學乃相與非法教之制、與此文小異、人聞令下、則各以其學議之、入則心非、出則巷議、夸主以爲名、異取以爲高、率羣下以造謗。〔正義〕夸、口瓜反、〔考證〕張文虎曰、李斯傳取作趣、冊府元龜作趨、如此弗禁、則主勢降乎上、黨與成乎下。禁之便。臣請史官非秦記、皆燒之。非博士官所職天下敢有藏詩書百家語者、悉詣守尉雜燒之。有敢偶語詩書者、棄市。〔集解〕應劭曰、禁民聚語、畏其謗己、〔正義〕偶、對也、〔考證〕棄市、始見史文、周禮秋官掌戮、凡殺人者、踣諸市、肆之三日、刑盜于市、禮記王制、刑人於市、與衆棄之、行刑於市久矣、以古非今者族。吏見知不擧者與同罪。〔考證〕酷吏傳、趙禹與張湯論定諸律令、作見知吏傳得相監司、蓋本秦法也、令下三十日不燒、黥爲城旦。〔集解〕如淳曰、律說、論決爲髡鉗、輸邊築長城、晝日伺寇虜、夜暮築長城、城旦、四歲刑、〔考證〕城旦、始見于此、漢書惠紀注、應劭曰、城旦者、旦起行治城、四歲刑、蓋漢因秦制、所不去者、醫藥卜筮種樹之書。若欲有學法令、以吏爲師。〔集解〕徐廣曰、一無法令二字、〔考證〕王念孫曰、欲有當作有欲、法令下、當有者字、李斯傳、作若有欲學者、通鑑秦紀、作若有欲學法令者、制曰可。〔考證〕韓非子五蠹篇云、明主之國、無書簡之文、以法爲教、無先王之語、以吏爲師、和氏篇云、商君教孝公燔詩書而明法令、蓋李斯殺韓非而用其言、章學誠曰、三代盛時、天下之學、無不以吏爲師、周官三百六十、天人之學備矣、其守官擧職而不墜天工者、皆天下之師資也、東周以還、君師政教、不合於一、於是人之學術、不盡出於官司之典守、秦人以吏爲師、始復古制、而人乃狃於所習、轉以秦人爲非耳、秦之悖於古者多矣、猶有合於古者、以吏爲師也、胡三省曰、秦之焚書、焚天下之人所藏之書耳、其博士官所藏則故在、項羽燒秦宮室、始併博士所藏者焚之、此所以後之學者、咎蕭何不能於收秦圖書之日、併收之也、三十五年、除道道九原抵雲陽、塹山堙谷直通之。【集解】地理志、五原郡有九原縣、徐廣曰、表云、道九原通甘泉、【考證】從楡林北、南至陝西汾州淳化縣、於是始皇以爲咸陽人多、先王之宮廷小。吾聞周文王都豐、武王都鎬。豐・鎬之閒、帝王之都也。乃營作朝宮渭南上林苑中。先作前殿阿房。【正義】房、白郎反、括地志云、秦阿房宮、亦曰阿城、在雍州長安縣西北二十四里、按宮在上林苑中、雍州郭城西南面、即阿房宮城東面也、顏師古云、阿、近也、以其去咸陽近、且號阿房、【考證】阿房、在陝西長安西北、中井積德曰、阿房是山名、下文自明、何須鑿解、東西五百步、南北五十丈、上可以坐萬人、下可以建五丈旗。【索隱】此以其形名宮也、言其宮四阿旁廣也、故云、下可建五丈之旗也、阿房後爲宮名、【正義】三輔舊事云、阿房宮東西三里、南北五百步、庭中可受萬人、又鑄銅人十二於宮前、阿房宮以慈石爲門、阿房宮之北闕門也、周馳爲閣道、自殿下直抵南山。【考證】閣道、架木爲棚於苑囿中以行車者、蓋象天閣道、南山在西安南、自終南太白、連延至商嶺、皆是、此言在長安者、表南山之顚以爲闕。爲復道、自阿房渡渭、屬之咸陽。以象天

極閣道、絕漢抵營室也。【索隱】謂爲複道、渡渭屬咸陽、象天文閣道、絕漢抵營室也、常考天官書曰、天極紫宮後十七星、絕漢抵營室曰閣道、【考證】復道、治要御覽作複道、阿房宮未成。成、欲更擇令名名之。作宮阿房、故天下謂之阿房宮。隱宮徒刑者七十餘萬人。乃分作阿房宮、或作麗山。【正義】餘刑、見於市朝、宮刑、一百日隱於蔭室、養之乃可、故曰隱宮、下蠶室、是、【考證】中井積德曰、隱宮徒刑、已被宮刑更徒作者、治要、人下無乃字、麗作驪、下同、發北山石槨、乃寫蜀荊地材。皆至。【考證】何焯曰、槨字疑衍、胡三省曰、孟康云、寫、四夜反、舍車解馬爲寫、或作卸、余謂此非舍車解馬之卸、卽前寫放宮室之寫、何焯曰、寫、當輸寫之意、運其材也、方苞曰、寫者移彼而置此也、禮器之溉者不寫、關中計宮三百、關外四百餘、【考證】關中記云、東自函關、西至隴關、二關之間、謂之關中、於是立石東海上朐界中、以爲秦東門。【考證】班志、東海郡朐縣、今江蘇海州、因徙三萬家麗邑、五萬家雲陽。皆復不事十歲。【正義】麗、音離、【考證】臨潼縣東有驪戎城、秦驪邑、漢改曰新豐、盧生說始皇曰。臣等求芝奇藥仙者、常弗遇。類物有害之者。方中人

主時爲微行、以辟惡鬼。惡鬼辟眞人至。【考證】方、仙方也、人主所居而人臣知之、則害於神。眞人者、入水不濡、入火不爇、陵雲氣、與天地久長。【正義】爇、而說反、【考證】莊子大宗師云、古之眞人、登高不慄、入水不濡、入火不熱、是其知之能登假於道也、若此、齊物論云、至人神矣、大澤焚而不能熱、河漢冱而不能寒、疾雷破山、風振海而不能驚、若然者、乘雲氣、騎日月、而游於四海之外、盧生神仙之說、蓋自道家一變、今上治天下、未能恬倓。【考證】恬淡亦道家之言、願上所居宮、毋令人知。然后不死之藥、殆可得也。於是始皇曰。吾慕眞人。自謂眞人、不稱朕。乃令咸陽之旁二百里內、宮觀二百七十。復道甬道相連、帷帳鐘鼓美人充之、各案署不移徙、行所幸、有言其處者罪死。始皇帝幸梁山宮、【集解】徐廣曰、在好時、【正義】括地志云、俗名望宮山、在雍州好時縣西十二里、北去梁山九里、秦始皇起從山上見丞相車騎衆弗善、卽此山也、從山上見丞相車騎衆、弗善也。中人或告丞相。丞相後損

車騎。始皇怒曰。此中人泄吾語。案問莫服。當是時詔捕諸時在旁者、皆殺之。自是後、莫知行之所在。聽事、羣臣受決事、悉於咸陽宮。侯生・盧生相與謀曰。【集解】說苑曰、韓客侯生也、始皇爲人天性剛戾自用、起諸侯并天下、意得欲從、以爲自古莫及己。專任獄吏、獄吏得親幸。博士雖七十人、特備員弗用、【考證】張文虎曰、吳校宋板、無雖字、愚按、慶長本亦無、丞相諸大臣皆受成事、倚辨於上。上樂以刑殺爲威。【正義】樂、五孝反、【考證】樂、音洛、天下畏罪持祿、莫敢盡忠。上不聞過而日驕、下懾伏謾欺以取容。秦法不得兼方。不驗輒死。【集解】徐廣曰、兼方、一云并力、【正義】言秦施法不得兼方者、令民之有方伎、不得兼兩齊、試不驗輒賜死、言法酷、【考證】岡白駒曰、秦法、凡方士不得兼兩伎、然候星氣者至三百人。皆良士。畏忌諱、諛不敢端言其過。【考證】然猶而也、岡白駒曰、酷政、謫見於天、然候星氣者

三百之多、皆雖良士、不敢正言其過、天下之事無小大、皆決於上。上至以衡石量書。日夜有呈。不中呈不得休息、【集解】石、百二十斤、【正義】衡、秤衡也、言表牋奏請、秤取一石、日夜有程期、不滿不休息、中、竹仲反、【考證】楓、三本、呈作程、中井積德曰、石、權名、衡石、猶言權衡也、岡白駒曰、漢刑法志云、始皇晝斷獄、夜理書、自程決事、日縣石之一、言省讀文書、日以百二十斤爲程、愚按是但言有定程耳、貪於權勢至如此。未可爲求仙藥。於是乃亡去。始皇聞亡、乃大怒曰。吾前收天下書、不中用者盡去之、悉召文學方術士甚衆。欲以興太平。方士欲練以求奇藥。【集解】徐廣曰、一云、欲以練求、今聞韓衆去不報、【正義】衆、音終、徐市等費以巨萬計、終不得藥、徒姦利相告日聞。【集解】徐廣曰、聞、一作開、盧生等吾尊賜之甚厚。今乃誹謗我、以重吾不德也。諸生在咸陽者、吾使人廉問、或爲訞言以亂黔首。【考證】胡三省曰、廉、察也、於是使御史悉案問諸生。【考證】胡三省曰、秦置御史、掌討姦

猾治大獄、御史大夫統之、諸生傳相告引乃自除。犯禁者四百六十餘人。皆阬之咸陽、使天下知之以懲後。【考證】胡三省曰、傳相告引者、謂甲引乙、乙復引丙也、方苞曰、引他人、乃得自除己罪也、鄭樵曰、陸賈秦之巨儒也、酈食其秦之儒生也、叔孫通秦時以文學召、待詔博士數歲、陳勝起、二世召博士諸儒生三十餘人而問其故、皆引春秋之義對、是秦時未嘗不用儒生與經學也、況叔孫通降漢時、有弟子百餘人、齊魯之風、亦未嘗替、故項羽既亡之後、而魯爲守節禮義之國、則知秦時未嘗廢儒、而始皇所阬者、蓋一時議論不合者耳、敖英曰、始皇坑儒、說者謂設爲陷阱而殺之、余謂只是掩其不知而加害也、非眞掘土爲坑也、不爾、白起坑趙降卒四十萬於長平、設使掘土爲坑、若是其廣大、彼降卒寧不知之、又寧肯帖然束手而就死乎、益發謫徙邊。【集解】徐廣曰、表云、徙於北河榆中、耐徙三處、拜爵一級、【考證】沈家本曰、集解引年表非也、彼是三十六年事、此言徙、實永戍也、始皇長子扶蘇諫曰。天下初定、遠方黔首未集。諸生皆誦法孔子。今上皆重法繩之。臣恐天下不安。唯上察之。始皇怒、使扶蘇北監蒙恬於上郡。【正義】括地志云、上郡故城、在綏州上縣東南五十里、秦之上郡城也、三十六年、熒惑守心。有墜星下東郡、至地爲石。【集解】徐廣曰、表云、石晝隕、

黔首或刻其石曰。始皇帝死而地分。始皇聞之、遣御史逐問。莫服。盡取石旁居人誅之、因燔銷其石。始皇不樂。使博士爲仙眞人詩、及行所游天下。傳令樂人謌弦之。【正義】傳、逐戀反、令、力呈反、【考證】方苞曰、及行所游天下、謂行游天下所歷之地、皆爲詩紀之也、秋、使者從關東、夜過華陰平舒道。【正義】括地志云、平舒故城、在華州華陰縣西北六里、水經注云、渭水又東經平舒北、城側枕渭濱、半破淪水、南面通衢、昔秦之將亡也、江神送璧於華陰平舒道、卽其處也、【考證】南本、東下有來字、王念孫曰、文選注引作鄭使者從關東來、初學記引作鄭客從關東來、漢書五行志同、皆有鄭字來字、張文虎曰、王謂當有來字、是也、下文云、謌者從東方來、句法一例、有人持璧遮使者曰。爲吾遺滈池君。【集解】服虔曰、水神也、張晏曰、武王居鎬、鎬池君則武王也、武王伐商、故神云、始皇荒淫若紂矣、今亦可伐也、孟康曰、長安西南有滈池、【索隱】按服虔云、水神、是也、江神以璧遺滈池之神、告始皇之將終也、且秦水德王、故其君將亡、水神先自相告也、【正義】遺、庾季反、滈、湖老反、括地志云、滈水源出雍州長安縣西北滈池、酈元注水經云、滈水承滈池、北流入渭、今按滈池水流入來通渠、蓋酈元誤矣、張晏云、武王居滈、滈池君則武王也、伐商、故神云、始皇荒淫若紂矣、今武王可伐矣、【考證】是惡始皇者、欺瞞以懼之耳、所遺之璧、亦恐非渡江所沈也、但滈池君則似斥水神、因言

曰。今年祖龍死。【集解】蘇林曰、祖、始也、龍、人君象、謂始皇也、服虔曰、龍、人之先象也、言王亦人之先也、應劭曰、祖、人之先、龍、君之象、【考證】梁玉繩曰、今年、搜神記作明年、初學記文選注、引史文、正作明年、愚按漢書五行志、春秋後語作今年、祖龍、蘇說是、使者問其故。因忽不見。置其璧去。使者奉璧具以聞。始皇默然良久。曰。山鬼固不過知一歲事也。退言曰。祖龍者人之先也、【考證】頽墮委靡、無復豪邁氣象、始皇至此稍衰、顧炎武曰、山鬼固不過知一歲事也、其時秋、歲將盡矣、今年不驗則不驗矣、山鬼豈知來年之事哉、退言曰、祖龍者人之先也、謂祖乃亡者之辭、無與我也、皆惡言死之意、使御府視璧、乃二十八年行渡江所沈璧也。於是始皇卜之。卦得游徙吉。【考證】楓、三本、吉、作居、遷北河·榆中三萬家。【正義】謂北河勝州也、榆中、卽今勝州榆林縣也、言徙三萬家以應卜卦游徙吉也、【考證】余有丁曰、游徙是巡遊、爲次年出游張本、愚按遷三萬家、自是別事、非關卜占、拜爵一級。三十七年十月癸丑、始皇出游。【考證】郎瑛曰、史記秦漢紀年、皆以十月起、漸次及於正月、而當閏之歲、歸餘於終、又皆爲後九月、可見秦及漢初、但改歲首、而未改月次、蓋以建亥之月爲正朔、而建寅之月、仍爲正月也、愚按秦、建亥矣、而史記始皇三十一年十二月更臘曰嘉平、夫臘必建丑月也、秦以亥正、則臘

為三月、而云十二月者、則寅月起數、秦未嘗改也、至三十七年、書十月癸丑、始皇出游、十一月行至雲夢、繼書七月丙寅始皇崩、九月葬酈山、先書十月十二月、而繼書七月九月者、知其以十月為正朔、而寅月起數未嘗改也、漢初仍秦正、亦書曰、元年冬十月、則正朔改、而月數仍不改也、郎說、蓋有所據、趙翼曰、周以建子為正朔、即以子月為正月、不惟月數改、春夏秋冬之名、亦隨月數而改、春秋所書可證、周既以建子為正月、則秦改建亥為正朔、亦即以亥月為正月、可知也、則史記漢書、於秦及漢初紀年、皆從十月起、顏師古謂遷等以夏正追敍前事者、信不謬也、大初改曆、本史遷及洛下閎建議、故既改從夏正之後、遂以夏正追敍前事、而以秦漢之春正月為冬十月也、不然則豈一歲之首以冬十月起數者乎、其說非也、左丞相斯從、右丞相去疾守。少子胡亥愛慕請從。上許之。【考證】御覽引上作始皇、十一月、行至雲夢。【考證】雲夢、澤名、在湖北安陸縣南、望祀虞舜於九疑山、【正義】括地志云、九疑山、在永州唐興縣東南一百里、皇覽冢墓記云、舜冢在零陵郡營浦縣九疑山、言始皇至雲夢望祭虞舜於九疑山也、浮江下、觀籍柯、渡海渚、【正義】括地志云、舒州同安縣東、按舒州在江中、疑海字誤、即此州也、【考證】海渚、安徽相城縣、過丹陽、【正義】括地志云、丹陽郡、故在潤州江寧縣東南五里、秦兼并天下、以為鄣郡也、【考證】江蘇江寧縣、至錢唐。【正義】錢唐、今杭州縣、【考證】浙江、杭州府、臨浙江、【集解】晉灼曰、其流東至會稽山陰而西折、故稱浙、音折、水波惡。乃西百二十里、

從狹中渡。【集解】徐廣曰、蓋在餘杭也、顧夷曰、餘杭者、秦始皇至會稽經此、立為縣、【考證】杭州富春縣、上會稽、祭大禹。【正義】上、音上掌反、越州會稽山上、有夏禹穴及廟、【考證】祀虞舜祭大禹、始皇未嘗不重古聖人也、望于南海而立石、刻頌秦德。其文曰。【索隱】望于南海而刻石、三句為韻、凡二十四韻、【正義】此二頌、三句為韻、其碑見在會稽山上、其文及書皆李斯、其字四寸、畫如小指、圓鐫、今文字整頓、是小篆字、皇帝休烈、平一宇內、德惠脩長。【索隱】脩亦長也、重文耳、王劭按張徵所錄會稽南山秦始皇碑文、脩作攸、三十有七年、親巡天下、周覽遠方。【考證】三十當作卅、遂登會稽、宣省習俗、黔首齋莊。羣臣誦功、本原事迹、追首高明。【索隱】今檢會稽刻石文、首字作道、雅符人情也、【考證】楓、三本、凌引一本、首作守、秦聖臨國、始定刑名、顯陳舊章。【正義】作彰、音章、碑文作畫瑋也、【考證】三、南本、秦作奉、初平法式、審別職任、以立恆常。【考證】梁玉繩曰、文帝名恆、何以不諱、張文虎曰、冊府元龜引恆常作典常、六王專倍、貪戾傲猛、率衆自彊。【正義】碑文作率衆邦強、【考證】專、專橫、倍、讀為陪、背也、暴虐恣行、【正義】行、寒彭反、數、音朔、負力而驕、數動甲兵。陰通

閒使、以事合從、【正義】閒、紀莧反、又如字、使、所吏反、合、音閤、從、子容反、行為辟方。內飾詐謀、外來侵邊、【索隱】刻石文、詐謀作謀詐、【正義】行、下孟反、辟、匹亦反、【考證】方、讀為放、孟子、放辟邪侈、遂起禍殃。義威誅之、殄熄暴悖、亂賊滅亡。【集解】徐廣曰、熄、音息、【正義】殄、田典反、暴、白報反、悖、音背、聖德廣密、六合之中、被澤無疆。皇帝并宇、兼聽萬事、遠近畢清。運理羣物、考驗事實、各載其名。貴賤並通、善否陳前、靡有隱情。飾省宣義、【集解】徐廣曰、省、一作非、【正義】飾、音式、省、山景反、飾、謂文飾也、省、過也、【考證】飾、飭通、中井積德曰、省當作眚、朱錦綬曰、省、眚同音假借、書洪範、王省維歲、宋世家引作王眚、公羊莊二十二年、肆大省、左穀作眚、周禮大司徒、眚禮、注、殺禮也、省、眚通用、余有丁曰、左傳、不一眚掩大德、眚、過失也、有子而嫁、倍死不貞。【正義】謂夫死有子、棄之而嫁、【考證】岡白駒曰、背死夫而不貞、防隔內外、禁止淫泆、男女絜誠。夫為寄豭、【索隱】豭、牡猪也、言夫淫他室者、寄豬之豭也、豭音加、【考證】左傳定公十四年、衛公為夫人南子召宋朝、太子蒯聵過宋野、野人歌之曰、既定爾婁豬、盍歸吾艾豭、蓋以家比淫夫蕩婦、其所由來久矣、殺之無罪、【考證】凌稚隆曰、碑文作死辜、中井積德曰、罪當作辜、是處本閒別韻也、

後人蓋欲循上韻、故前卻數句、遂致不通耳、男秉義程、妻為逃嫁、【正義】謂棄夫而逃嫁於人、子不得母、【正義】言妻棄夫逃嫁、子乃失母、【考證】沈家本曰、正義非、此言妻逃嫁者、子不得復以為母、故下接云、咸化廉清、與上文夫為寄豭、殺之無罪、男秉義程、文法一律、咸化廉清。大治濯俗、天下承風、蒙被休經。皆遵度軌、和安敦勉、莫不順令。【正義】力呈反、【考證】顧炎武曰、秦始皇刻石凡六、皆鋪張其滅六王并天下之事、其言黔首風俗、在泰山則云、男女禮順、慎遵職事、昭隔內外、靡不清淨、在碣石門則曰、男樂其疇、女脩其業、如此而已、惟會稽一刻、其辭曰、飾省宣義、有子而嫁、倍死不貞、防隔內外、禁止淫泆、男女絜誠、夫為寄豭、殺之無罪、男秉義程、妻為逃嫁、子不得母、咸化廉清、何其繁而不殺也、考之國語、自越王勾踐棲會稽之後、惟恐國人之不蕃、故令壯者無取老婦、老者無取壯妻、女子十七不嫁、其父母有罪、丈夫二十不取、其父母有罪、生丈夫、二壺酒一犬、生女子、二壺酒一豚、生子三人、公與之母、生二人、公與之餼、內傳子胥之言、亦曰、越十年生聚、吳越春秋、至謂勾踐以寡婦淫泆過犯、皆輸山上、士有憂思者、令游山上、以喜其思、當其時、蓋欲民之多、而不復禁其淫泆、傳至六國之末、其風猶在、故始皇為之厲禁、而特著於刻石之文、以此與滅六王并天下之事、並提而論、且不著之於燕齊、而獨著之於越、然則秦之任刑雖過、而其防民正俗之意、固未始異於三王也、漢興以來、承用秦法、以至今日多矣、世之儒者、言及於秦、即以為亡國之法、亦未之深考乎、黔首脩絜、人樂同則、【正義】樂、音岳、【考證】李笠曰、樂、讀如憂樂之樂、方苞曰、人喜法則之畫一、嘉保

太平。後敬奉法、常治無極、輿舟不傾。從臣誦烈、請刻此石、光垂休銘。【正義】從、音才用反、烈、美也、所隨巡從諸臣、咸誦美、請刻此石、 還過吳、從江乘渡、竝海上、北至琅邪。【集解】地理志、丹陽有江乘縣、【索隱】地理志、丹陽有江乘縣、【正義】乘、音時升反、江乘故縣、在潤州句容縣北六十里、本秦舊縣也、渡、謂濟渡也、【考證】吳、江蘇蘇州、江乘、江蘇句容縣、楓三本竝作旁、 方士徐市等、入海求神藥、數歲不得、費多。恐譴、乃詐曰、蓬萊藥可得。然常爲大鮫魚所苦。故不得至。【正義】鮫、音交、苦、音苦故反、 願請善射與俱、見則以連弩射之。始皇夢與海神戰。如人狀。問占夢博士。曰、水神不可見。以大魚蛟龍爲候。【考證】岡白駒曰、海神不可見、大魚蛟龍即海神也、 今上禱祠備謹、而有此惡神。當除去。而善神可致。【考證】楓、三本、備作愼、 乃令入海者齎捕巨魚具、而自以連弩候大魚出射之。自琅邪北、至榮成山。弗見。【正義】榮成山、即成山也、在萊州、【考證】顧炎武曰、榮成

當作勞成、勞即勞山、成即盛山、齊之東偏、環以大海、海岸之上、莫大於勞成二山、故始皇登之、何焯曰、王充論衡引此、正作勞成山、 至之罘、見巨魚。射殺一魚。遂竝海西、至平原津而病。【集解】徐廣曰、渡河而西、【正義】今德州平原縣南六十里、有張公故城、城東有水津焉、後名張公渡、恐此平原郡古津也、漢書公孫弘平津侯、亦近此、蓋平津即此津、始皇渡此津而疾、【考證】山東濟南平原縣、 始皇惡言死。羣臣莫敢言死事。上病益甚。乃爲璽書賜公子扶蘇曰。與喪會咸陽而葬。書已封、在中車府令趙高行符璽事所。未授使者。【集解】伏儼曰、中車府令、主乘輿路車、【考證】胡三省曰、班書百官表、太僕秦官、其屬有車府令、 七月丙寅、始皇崩於沙丘平臺。【集解】徐廣曰、年五十、沙丘、去長安二千餘里、趙有沙丘宮、在鉅鹿、武靈王之死處、【正義】括地志云、沙丘臺、在邢州平鄉縣東北二十里、又云、平鄉縣東北四十里、按始皇崩在沙丘之宮、平臺之中、邢州去京一千六百五十里、【考證】直隸順德平鄉縣、 丞相斯爲上崩在外、恐諸公子及天下有變、乃秘之不發喪。棺載轀涼車中、【正義】爲、于僞反、棺、音館、又古患反、【考證】孟康曰、轀涼車、如衣車、閉之則溫、開之則涼、故名、 故幸宦者參乘。所至上食。百

官奏事如故。宦者輒從轀涼車中可其奏事。獨子胡亥・趙高及所幸宦者五六人知上死。趙高故嘗敎胡亥書及獄律令法事。胡亥私幸之。高乃與公子胡亥・丞相斯陰謀、破去始皇所封書賜公子扶蘇者、【正義】去、丘呂反、 而更詐爲丞相斯受始皇遺詔沙丘、立子胡亥爲太子、更爲書、賜公子扶蘇・蒙恬、數以罪、共賜死。【正義】數、音色具反、 語具在李斯傳中。行遂從井陘抵九原。【集解】徐廣曰、井陘、在常山、【正義】抵、丁禮反、抵、至也、從沙丘至勝州三千里、【考證】井陘、直隸正定井陘縣、顧炎武曰、始皇崩於沙丘、乃又從井陘抵九原、然後從直道以至咸陽、回繞三四千里而歸者、蓋始皇先使蒙恬通道、自九泉抵甘泉、塹山湮谷、千八百里、若徑歸咸陽、不果行游、恐人疑揣、故載轀輬而北行、但欲以欺天下、雖君父之尸、臭腐車中而不顧、亦殘忍無人心之極矣、 會暑。上轀車臭。乃詔從官、令車載一石鮑魚、以亂其臭。【正義】鮑、白卯反、【考證】百二十斤曰石、 行從直道至咸陽發喪。【考證】胡三省曰、直道、即三十五年蒙恬所除

者、吳裕垂曰、周自春秋以來、列侯互相幷呑、無歲不戰、無國不爭、日甚一日、至於七國、而生靈之塗炭、數百年於茲矣、不有天下才出而一之、禍亂豈有已時乎、秦始皇帝眞膺運而特出者與、天何不延彼遐齡而俾爾克昌厥後也、夫以始皇開國之宏規、誠得公子扶蘇而嗣之、寬以濟猛、文以守成、與儒生誦法孔子、搜括遺書、表六經而徵四皓、薄稅斂而黜刑名、更張者數載、休養者數載、陶淑者又數載、禮樂敎化之隆、胥將拭目而俟也、所謂事半而功倍者、此其時矣、維時勒諸金石、播之管絃、於收兵器、一干戈之載戢也、於鑄金人、一三緘之遺範也、於因沙門、將黜邪以崇正也、於築長城、正王公設險守國也、於衡石量書、正乾綱之獨攬、兢業萬幾也、其於沙邱之崩、殆所謂陟方乃死者與、至於罷封建置郡縣、則又因時制宜、更非泥古者可同年而語也、楚項雖強、將何所用其力、漢高雖智、將何所用其謀、數傳而後、頌其詩、讀其書、稽其制作、覽其規模、論古者又何所置其議、扶蘇而不獲嗣、始皇之不幸也、抑亦天下黔首之大不幸也、豈天心而不厭亂也耶、 太子胡亥襲位、爲二世皇帝。九月、葬始皇酈山。始皇初即位、穿治酈山。及幷天下、天下徒送詣七十餘萬人。穿三泉、下銅而致槨。【集解】徐廣曰、一作錮、錮、鑄塞、【正義】顏師古云、三重之泉、言至水也、【考證】梁玉繩曰、作錮者是也、劉向說此事云、下錮三泉、胡三省曰、治銅錮塞之也、 宮觀百官、奇器珍怪、徙臧滿之。【正義】言冢內作宮觀及百官位次、奇器珍怪、徙滿冢中、臧、才浪反、 令匠作機弩矢。有所穿近者輒射

之。以水銀爲百川江河大海、機相灌輸、【正義】灌、音館、輸、音戍、上具天文、下具地理。以人魚膏爲燭、度不滅者久之。【集解】徐廣曰、人魚、似鮎四脚、【正義】廣志云、鯢魚聲如小兒啼、有四足、形如鱧、可以治牛、出伊水、異物志云、人魚似人形、長尺餘、不堪食、皮利於鮫魚、鋸材木入項上、有小穿、氣從中出、秦始皇冢中以人魚膏爲燭、卽此魚也、出東海中、今台州有之、按今帝王用漆燈冢中、則火不滅、度、音田洛反、二世曰。先帝後宮、非有子者、出焉不宜。皆令從死。死者甚衆。葬既已下。或言工匠爲機、臧皆知之。臧重卽泄。大事畢。已臧。閉中羨。【正義】音延、下同、謂冢中神道、下外羨門。【考證】岡白駒曰、冢中神道中外門、皆吊門也、故曰下、盡閉工匠臧者、無復出者。樹草木以象山。【集解】皇覽曰、墳高五十餘丈、周廻五里餘、【正義】關中記云、始皇陵在驪山、泉本北流、障使東西流、有土無石、取大石於渭山諸山、括地志云、秦始皇陵在雍州新豐縣西南十里、【考證】中井積德曰、正義渭山之山字、譌、蓋是南北字矣、館本考證云、或是城字、二世皇帝元年、年二十一。【集解】徐廣曰、表云、十月戊寅、大赦罪人、趙高爲郎中令、任用事。【集解】漢書百官表曰、郎中令、秦官、掌宮殿門戶、二世下

詔、增始皇寢廟犧牲、及山川百祀之禮。令羣臣議尊始皇廟。羣臣皆頓首言曰。古者天子七廟、諸侯五、大夫三。雖萬世世世不軼毀。【正義】軼、徒結反、【考證】盧文弨曰、雖萬世世不軼毀七字、當移今始皇爲極廟之下、誤倒、錢大昕曰、軼與迭通、今始皇爲極廟。【考證】兪樾曰、極廟、始皇二十七年所立、亦曰大極廟、漢代諸帝、身存而豫立廟、本乎此、四海之內、皆獻貢職、增犧牲、禮咸備、毋以加。先王廟或在西雍、或在咸陽。【正義】雍、於用反、西雍、在咸陽西、今岐州雍縣故城是也、又一云、西雍、雍西縣也、天子儀當獨奉酌祠始皇廟。【考證】王念孫曰、酌當作酎、漢制以八月嘗酎、蓋本於秦、自襄公已下軼毀、所置凡七廟。羣臣以禮進祠、以尊始皇廟爲帝者祖廟。皇帝復自稱朕。【考證】始皇初自稱朕、中自稱眞人、於是復舊稱、二世與趙高謀曰。朕年少。初卽位、黔首未集附。先帝巡行郡縣、以示彊、威服海內。今晏然不巡行、卽見弱、毋以臣畜天下。春、

二世東行郡縣。李斯從。到碣石、竝海南至會稽。而盡刻始皇所立刻石、石旁著大臣從者名、以章先帝成功盛德焉。【正義】著、丁略反、皇帝曰。金石刻、盡始皇帝所爲也。今襲號。而金石刻辭、不稱始皇帝。【正義】稱、尺證反、【考證】楓、三本、盡作書、屬上讀、方苞曰、稱、平聲、正義誤、其於久遠也、如後嗣爲之者。不稱成功盛德。【正義】二世言始滅六國、威振古今、自五帝三王未及、既已襲位、而見金石盡刻其頌、不稱始皇成功盛德甚遠矣、【考證】方苞曰、金石刻詞、當始皇時、止稱皇帝、今易世不稱始皇、則久遠之後、如後嗣爲之也、使人疑後嗣所爲、則不稱始皇之成功盛德也、成上稱、上聲、中井積德說同、丞相臣斯、臣去疾、御史大夫臣德昧死言。【集解】徐廣曰、去疾、姓馮、【正義】去、丘呂反、臣請具刻詔書刻石、因明白矣。臣昧死請。制曰。可。【考證】盧文弨曰、皇帝曰至制曰可、此卽石旁所刻之辭也、上敍其事云、盡刻始皇所立刻石、石旁著大臣從者名、以章先王成功盛德焉、此則備載其文、非兩事也、今石刻猶有可見者、信與此合、前後皆稱二世、此稱皇帝、其非別發端可見、遂至遼東而還。於是二世乃遵用趙高申法令。

【考證】遵、治要引作尊、陳仁錫曰、洞本作尊、乃陰與趙高謀曰。大臣不服、官吏尙彊。及諸公子必與我爭。爲之奈何。高曰。臣固願言而未敢也。先帝之大臣、皆天下累世名貴人也。積功勞、世以相傳久矣。今高素小賤。陛下幸稱擧、令在上位管中事。大臣鞅鞅、特以貌從臣、其心實不服。今上出。不因此時案郡縣守尉、有罪者誅之、上以振威天下、下以除去上生平所不可者。【考證】不字上疑脫何字、今時不師文而決於武力。願陛下遂從時毋疑。卽羣臣不及謀。【考證】治要謀下有矣字、明主收擧餘民、賤者貴之、貧者富之、遠者近之、則上下集而國安矣。二世曰。善。乃行誅大臣及諸公子、以罪過連逮少近官三郎、無得立者。【索隱】逮、訓及也、謂連及俱被捕、故云連逮、少、小也、近、近侍之臣、三郎、謂中郎外郎散郎、【正義】漢書百

官表云、有議郎中郎散郎、又有左右三將、謂郎中車郎戶郎、[考證]中井積德曰、逮仍是逮捕之逮、不當訓及、沈家本曰、漢書惠帝紀、中郎郎中滿六歲、爵三級、四歲二級、外郎滿六歲二級、蘇林云、外郎、散郎也、然則三郎者中郎郎中外郎、舊注皆非、愚按秦制未必與漢制同、姑書以備考、古鈔楓三南本、立作脫、　而六公子戮死於杜、[考證]李斯傳云、公子十二人僇死咸陽市、十公主矺死於杜、與此異、　公子將閭昆弟三人、囚於內宮、議其罪獨後。二世使使令將閭曰。公子不臣。罪當死。吏致法焉。將閭曰。闕廷之禮、吾未嘗敢不從賓贊也。廊廟之位、吾未嘗敢失節也。受命應對、吾未嘗敢失辭也。何謂不臣。願聞罪而死。使者曰。臣不得與謀、奉書從事。將閭乃仰天大呼天者三。曰。天乎。吾無罪。昆弟三人皆流涕、拔劍自殺。宗室振恐。羣臣諫者以爲誹謗、大吏持祿取容。黔首振恐。四月、二世還至咸陽。曰。先帝爲咸陽朝廷小、故營阿房宮。爲室堂未就、

會上崩、罷其作者、復土酈山。酈山事大畢。[正義]復土、謂出土爲陵、既成、還復其土、故言復土、[考證]中井積德曰、大畢、謂略畢也、　今釋阿房宮弗就、則是章先帝舉事過也。復作阿房宮、外撫四夷、如始皇計。盡徵其材士五萬人爲屯衛咸陽、令教射。[正義]材士、謂材官蹶張之士、　狗馬禽獸、當食者多。[正義]謂材士及狗馬、　度不足、下調郡縣、[正義]度、田洛反、下、行嫁反、調、田弔反、謂下令調斂也、　轉輸菽粟芻藁。皆令自齎糧食。咸陽三百里內、不得食其穀。[考證]方苞曰、轉輸之人、皆自齎糧、不得食咸陽三百里內穀也、中井積德曰、咸陽三百里內、百姓不得食其所種穀、以上供之闕乏也、與上文不相連、愚按後說是、　用法益刻深。七月、戍卒陳勝等反故荊地、爲張楚。[集解]李奇曰、張大楚國也、[正義]勝音升、張楚卽國號、[考證]陳涉世家云、陳涉立爲王、號爲張楚、　勝自立爲楚王、居陳。遣諸將徇地山東。[考證]陳、河南陳州、　郡縣少年、苦秦吏、皆殺其守尉令丞、反以應陳涉。相立爲侯王、合從

西鄉、名爲伐秦、不可勝數也。謁者使東方來、以反者聞二世。[集解]漢書百官表曰、謁者、秦官、掌賓贊受事、[考證]治要無二世二字、通鑑亦無、　二世怒下吏。後使者至。上問。對曰。羣盜、郡守尉方逐捕、今盡得。不足憂。上悅。武臣自立爲趙王、魏咎爲魏王、田儋爲齊王。沛公起沛。項梁舉兵會稽郡。[集解]服虔曰、儋、音負擔、[考證]沛、江蘇徐州沛縣、　二年冬、陳涉所遣周章等、將西至戲。兵數十萬。[集解]應劭曰、戲、弘農湖西界也、孟康曰、水名、今戲亭是也、蘇林曰、邑名、在新豐東南三十里、[正義]戲、音許宜反、括地志云、戲水源出雍州新豐縣西南驪山、水經注云、戲水出驪山馮公谷、東北流、今新豐縣東北十一里、戲水當官道、卽其處、[考證]陝西西安臨潼縣、　二世大驚、與羣臣謀曰。奈何。少府章邯曰。[集解]漢書百官表曰、少府、秦官、應劭曰、掌山澤陂池之稅、名曰禁錢、以給私養、自別爲藏、少者小也、故稱少府、[正義]邯、胡甘反、　盜已至衆彊。今發近縣不及矣。酈山徒多。請赦之、授兵以擊之。二世乃大赦天下、使章邯將。擊破周章軍而走。遂

殺章曹陽。[集解]晉灼曰、亭名、在弘農東十三里、魏武帝改曰好陽、[正義]括地志云、曹陽故亭、一名好陽亭、在陝州桃林縣東南十四里、卽章邯殺周文處、[考證]楓三本、遂作逐、梁玉繩曰、案陳涉世家、曹陽乃章邯復敗周章之地、非章死之地、章自剄死、非被殺也、　二世益遣長史司馬欣・董翳、佐章邯擊盜。殺陳勝城父、[正義]父、音甫、括地志云、城父、亳州所理縣、[考證]安徽潁州蒙城縣、　破項梁定陶、[正義]今曹州定陶縣、[考證]山東曹州定陶縣、　滅魏咎臨濟。[正義]今齊州縣、[考證]河南開封臨濟縣、　楚地盜名將已死。章邯乃北渡河、擊趙王歇等於鉅鹿。[正義]括地志云、邢州平鄉縣城、本鉅鹿、離闕趙王歇、卽此城、[考證]直隸順德平鄉縣、正義離上當有王字、　趙高說二世曰。先帝臨制天下久。故羣臣不敢爲非進邪說。[考證]楓、三本、非下有而字、　今陛下富於春秋、初卽位。奈何與公卿廷決事。事卽有誤、示羣臣短也。天子稱朕、固不聞聲。[索隱]一作固聞聲、言天子常處禁中、臣下屬望、纔有兆朕、聞其聲耳、不見其形也、[考證]王念孫曰、一本及小司馬說是也、李斯傳記高之言曰、天子所以貴者、但以聞聲、羣臣莫得見其面、故號曰朕、是其證、愚按若從王說、則固字不可解、紀傳各依其文解之可也、　於是二

世常居禁中。與高決諸事。【集解】蔡邕曰、禁中者門戶有禁、非侍御者不得入、故曰禁中。 其後公卿希得朝見。盜賊益多。而關中卒發東擊盜者毋已。右丞相去疾、左丞相斯、將軍馮劫進諫曰。關東羣盜竝起、秦發兵誅擊、所殺亡甚衆。然猶不止。盜多、皆以戍漕轉作事苦、賦稅大也。【考證】胡三省曰、戍、征戍也、漕、水運也、轉、陸運也、作、役作也、事苦、言其事勞苦也。 請且止阿房宮作者、減省四邊戍轉。【正義】省、上色反。【考證】楓、南本、減省作省減、張文虎曰、減省、史本作省減、正義省上色反、本作上色景反、合刻者誤刪之、今本又省減倒、遂不可通、梁玉繩曰、案李斯傳、諸侯叛秦、斯數欲請閒、二世不許、而責問之、斯阿意求容、以督責之術對、而紀云去疾斯劫進諫、必紀誤也。 二世曰。吾聞之韓子曰。堯舜采椽不刮、茅茨不翦、【索隱】采、木名、刮音括。【考證】胡三省曰、采椽者、蓋自山采來之椽、因而用之、不施斧斤、示樸也、愚按韓非子五蠹篇刮作劉、 飯土塯、啜土形。【集解】徐廣曰、呂靜云、飯器謂之簋、如淳曰、土形、飯器之屬、瓦器也。【索隱】塯如字、一音鏤、一作簋、形、飯器以瓦爲之、【考證】李斯傳塯作匭、形作鉶、錢大昕曰、古文簋與匭同、讀如几、 雖監門之養、不觳於此。【索隱】謂監門之卒、養卽卒也、有廝養卒、觳音學、謂盡也、又古學反、【正義】養、以讓反、觳、又苦角反、爾雅云、觳、盡也、言堯舜采椽不刮、茅茨不翦、飯土塯、啜土形、雖監守門之人供養、亦不盡此之疏陋也、【考證】養、供養、與下文勞字對言、索隱非、王念孫曰、觳、薄也、韓子作雖監門之服養不虧於此矣、方苞曰、莊子天下篇、其生也勤、其死也薄、其道太觳、注、無潤澤也、蓋粗薄之義、 禹鑿龍門、通大夏、【正義】括地志云、大夏、今幷州晉陽及汾絳等州是、昔高辛氏子實沈居之、西近河、言禹鑿龍門、河水道得大通、幷州之地不壅溢也、 決河亭水放之海、【正義】亭、平也、又云、決亭壅之水、【考證】楓、三、南本、亭作停、 身自持築臿、脛毋毛、【正義】臿、音初洽反、築、牆杵也、臿、鍬也、爾雅云、鍬謂之臿、 臣虜之勞、不烈於此矣。【正義】烈、美也、言臣虜之勞、猶不美於此矣、又烈、酷也、禹鑿龍門、通大夏、道決黃河洪水放之海、身持鍬杵、使膝脛無毛、賤臣奴虜之勤勞、不酷烈於此辛苦矣、【考證】依上文、臣虜上當有雖字、韓子亦有、以上見韓子五蠹篇、文字小異、烈字正義後說是、韓子作苦、 凡所爲貴有天下者、得肆意極欲、主重明法、下不敢爲非、以制御海內矣。【正義】重、直拱反、【考證】胡三省曰、主重、猶言居重也、 夫虞・夏之主、貴爲天子、親處窮苦之實、以徇百姓。尙何於法。【考證】何於、於何也、倒裝、 朕尊萬乘、毋其實。吾欲造千乘之駕、萬乘之

屬、充吾號名。且先帝起諸侯、兼天下。天下已定、外攘四夷、以安邊竟、【正義】音境、 作宮室以章得意。而君觀先帝功業有緒。今朕卽位二年之閒、羣盜竝起、君不能禁。又欲罷先帝之所爲。是上毋以報先帝、次不爲朕盡忠力。何以在位。【正義】爲、于僞反、 下去疾・斯・劫吏、案責他罪。去疾・劫曰。將相不辱。自殺。【考證】岡白駒曰、禮、將相不辱、今下吏、是辱也、 斯卒囚就五刑。【正義】卒、子律反、囚、在由反、謂禁錮也、【考證】就五刑三字、疑衍、與下文案殺複、梁玉繩曰、案李斯傳、斯就五刑、因趙高之譖、此謂因諫被誅、誤、 三年、章邯等將其卒圍鉅鹿。楚上將軍項羽、將楚卒往救鉅鹿。冬、趙高爲丞相、竟案李斯殺之。夏、章邯等戰數郤。二世使人讓邯。邯恐使長史欣請事。趙高弗見。又弗信。欣恐亡去。高使人捕追。不及。欣見邯曰。趙高用事於中。將軍有功亦誅、無功亦誅。項羽急擊秦軍、虜王離。邯等遂以兵降諸侯。八月己亥、【集解】徐廣曰、一作卯、 趙高欲爲亂、恐羣臣不聽、乃先設驗、持鹿獻於二世曰。馬也。二世笑曰。丞相誤邪。謂鹿爲馬。問左右。左右或默。或言馬、以阿順趙高。或言鹿者。【考證】王念孫曰、者字、因下文而誤衍、羣書治要、漢書文苑傳注、太平御覽、引此竝無者字、愚按或下當有有字、太平御覽四百九十四引陸賈新語云、秦二世之時、趙高駕鹿而從行、王曰、丞相何爲駕鹿、高曰、馬也、王曰、丞相誤耶、以鹿爲馬也、高曰、乃馬也、陛下以臣之言爲不然、願問群臣、群臣半言馬、半言鹿、當此之時、秦王不敢信其目而從邪臣之言、鹿與馬之異形、乃衆人之所知也、然不能別其是非、況於闇昧之事乎、今本新語辨惑篇略同、其所傳與史異、 高因陰中諸言鹿者以法。後羣臣皆畏高。高前數言關東盜毋能爲也。及項羽虜秦將王離等鉅鹿下而前、章邯等軍數郤、上書請益助。燕・趙・齊・楚・韓・魏皆立爲王。自關以東、大氐盡畔秦吏應諸侯。【正義】氐、丁禮反、氐猶略、 諸侯咸率

其衆西鄉。沛公將數萬人、已屠武關、使人私於高。【考證】高紀云、沛公降析酈、遣魏人寧昌使秦、蓋亦此事、愈樾曰、望夷之事、趙高固受計於沛公也、高本趙之疏屬、索隱謂高痛其國爲秦所滅、誓欲報讎、卒殺秦子孫、而亡其天下、未爲無據、愚按高祖雖智、豈得一介之使、能使趙高行望夷之事乎、愈說甚鑿、又按高紀沛公屠武關、在趙高弑二世之後、與此不同、通鑑從此紀、高恐二世怒、誅及其身、乃謝病不朝見。二世夢白虎齧其左驂馬殺之。心不樂。怪問占夢。卜曰。涇水爲祟。【正義】雖遂反、二世乃齋於望夷宮。【集解】張晏曰、望夷宮、在長陵西北長平觀道東、故亭處是也、臨涇水作之、以望北夷、【正義】括地志云、秦望夷宮、在雍州咸陽縣東南八里、張晏云、臨涇水作之、望北夷、欲祠涇、沈四白馬。使使責讓高以盜賊事。【考證】盜賊言叛人、梁玉繩曰、此言二世因夢祀涇、故齋望夷、而李斯傳謂二世射殺行人于上林、故高令出居望夷以禳之、兩處異詞、未知孰是、高懼。乃陰與其壻咸陽令閻樂其弟趙成謀曰。上不聽諫。今事急、欲歸禍於吾宗。吾欲易置上、更立公子嬰。子嬰仁儉、百姓皆載其言。使郎中令爲內應。

【集解】徐廣曰、一云、郎中令趙成、【考證】洪亮吉曰、郎中令、非趙成、別是一人、方苞曰、使郎中令爲內應、與李斯傳異、蓋傳聞不一、無所據以徵其信、故竝存不廢、詐爲有大賊、令樂召吏發卒追。劫樂母置高舍。【考證】治要、召吏發卒、作召發吏卒、徐孚遠曰、既與閻樂謀、又云、刼樂母置高舍、將樂尚有貳心、此首罪狀高、又明其同惡寡也、愚按以母爲質耳、遣樂將吏卒千餘人至望夷宮殿門。縛衞令僕射曰。賊入此。何不止。衞令曰。周廬設卒甚謹。安得賊敢入宮。【集解】西京賦曰、徼道外周、于廬內傳、薛綜曰、士傳宮外內爲廬舍、晝則巡行非常、夜則警備不虞、【考證】胡廣曰、周廬者、衞士於周垣內爲區廬、樂遂斬衞令、直將吏入、行射。郎宦者大驚、或走或格。格者輒死。死者數十人。郎中令與樂俱入射上幄坐幃。【考證】胡三省曰、上下四旁悉周曰幄、幃、單帳也、二世怒召左右。左右皆惶擾不鬬。旁有宦者一人、侍不敢去。二世入內謂曰。公何不蚤告我、乃至於此。宦者曰。臣不敢言。故得全。使臣蚤言、皆已誅。安得至今。閻樂

前卽二世數曰。足下驕恣、誅殺無道、天下共畔足下。足下其自爲計。【集解】蔡邕曰、羣臣士庶相與言曰殿下閣下足下侍者執事、皆謙類、【考證】不曰陛下曰足下、輕侮之辭、二世曰。丞相可得見否。樂曰。不可。二世曰。吾願得一郡爲王。弗許。又曰。願爲萬戶侯。弗許。曰。願與妻子爲黔首、比諸公子。閻樂曰。臣受命於丞相、爲天下誅足下。足下雖多言、臣不敢報。麾其兵進。二世自殺。【考證】與左氏所記崔杼弑齊莊事、問答詞氣相似、庸主末路、若合符節、梁玉繩曰、李斯傳、言趙高親刼二世、閻樂歸報趙高。趙高乃悉召諸大臣公子、告以誅二世之狀、【考證】梁玉繩曰、李斯傳、言高自佩璽上殿、意圖簒位、因殿欲壞者三、高乃召子嬰立之、與紀亦異、當是謀簒後、告大臣公子而立嬰也、曰。秦故王國。始皇君天下。故稱帝。今六國復自立、秦地益小。乃以空名爲帝不可。宜爲王如故。便立二世之兄子公子嬰爲秦王。【考證】兪樾曰、本紀以子嬰爲始皇之孫、

李斯傳以爲始皇之弟、蓋不可考、而徐廣又以爲始皇之弟子、未知何據、中井積德曰、子嬰蓋二世之兄也、恐太史公傳聞之謬、夫謂扶蘇爲長子、則二世之兄非長子明矣、計其年數、不得有其子長與是謀也、且始皇之孫、宜稱公孫、不得稱公子、或兄子之子字、傳寫者誤增之也、以黔首葬二世杜南宜春苑中。令子嬰齋。當廟見受玉璽。齋五日。子嬰與其子二人謀曰。丞相高殺二世望夷宮、恐羣臣誅之、乃詳以義立我。【集解】詳、音羊、我聞趙高乃與楚約、滅秦宗室而王關中。今使我齋見廟、此欲因廟中殺我。我稱病不行、丞相必自來。來則殺之。高使人請子嬰數輩。子嬰不行。高果自往曰。宗廟重事。王柰何不行。子嬰遂刺殺高於齋宮、三族高家、以徇咸陽。【考證】吳裕垂曰、司馬貞云、高本趙諸公子、痛其國爲秦所滅、誓欲報讎、乃自宮以進、卒至殺秦子孫、而亡其天下、謂高以勾踐事吳之心、爲張良報讎之舉云、案趙高若克如慕容垂之屈事苻秦、心存再造、值山東兵起之日、盡收關中精銳、將之而東、擇立趙後、與諸侯合從、明示以報讎雪恥之心、布告天下、反旆而入咸陽、克復舊服、并王雍冀、誰曰不宜、乃志非存趙、託故君而賊

新君、此固豫讓所不屑也、而擬之勾踐張良、其謂之何、嗚呼、奸惡如高、爲之君者、不亦難乎、夫始皇二十餘子、而周巡天下、胡亥獨從、必高之深謀也、琅邪弗豫、環禱山川、而特遣蒙毅、必高之妙用也、高以中車府令兼行符璽、沙邱病篤、賜書冢子、而特令高爲之、高亦權重矣、假令始皇不果死、扶蘇得侍養、高之大事去矣、扶蘇而窮究姦謀、嚴治逆黨、則高其首誅與、此權姦所爲寒心也、吾固疑始皇之不得其死也、又何論於二世之見弒哉、

子嬰爲秦王四十六日。【考證】李斯傳、子嬰立三月、

楚將沛公破秦軍入武關、遂至霸上。【集解】應劭曰、霸水上地名、在長安東三十里、古名滋水、秦穆公更名霸水、【考證】霸上、即白鹿原、在西安府咸寧縣東、集解滋水上、楓三本、有曰字、

使人約降子嬰。子嬰卽係頸以組、白馬素車、【集解】應劭曰、組者天子韍也、係頸者、言欲自殺也、素車白馬、喪人之服也、【考證】組、絛也、奉天子璽符、降軹道旁。【集解】徐廣曰、在霸陵、駰案蘇林曰、亭名、在長安東十三里、【考證】軹道、在今咸陽縣東北、吳裕垂曰、周自諸侯立黨、五霸迭興、天下之分久矣、久則難合、合亦難於持久、何也、六國立國、近者二百餘年、遠者八百餘年、其蓄積之饒富、士馬之精强、關塞之險阻、守禦之完備、皆根深蒂固、確乎其不可拔、而且英君世出、謀臣良將、代不乏人、賢才樂爲之用、世臣各自爲守、軍民各自效死、非比烏合之衆、新造之邦、一辯士可下、一戰勝可滅者、雖以始皇之雄才大畧、以次削平、然强宗如田氏、世族如張氏、將種如項氏、一時遺臣孽子、憫宗社之傾覆、痛君父之死亡、志切報讐、心存再造、奸人因之、冒姓盜名、奮臂一呼、豪傑響應、各欲南面稱孤、假立人後、以從民望者、不可

勝數、一統之天下、僅一傳而還爲戰國、非始皇之法制、不足與守成、功業不可以久大也、久分難合、合亦難於久也、及項王主約不平、田榮起齊、彭越起梁、陳餘起趙、天下又大亂、漢祖因之還定三秦、率諸侯伐楚、使韓信破趙平燕襲齊、漢業垂成、蒯通猶數以三分鼎足之說、蠱惑元勳、可見天下不亂、策士無所用其權謀也、況在六國初亡之際、諸王遺孽、各欲扶義而起、恢復宗邦、挾策說遊之徒、惟恐天下不亂、十倍於蒯通之儔乎、假令前無始皇爲之兼幷、項王爲之屠阬、天心猶未悔禍、漢祖總能出而一之、分王諸子、而繼體沈湎、君相同殞、諸呂專兵於中、諸王稱兵於外、七國苗裔、乘釁而動、建義以號召、藉雪恥以名師、天下事未可知也、漢祚之永、豈漢祖之創業垂統、遠踰始皇哉、戰國七幷爲一、六王之骨肉未寒、人心思亂、故其勢不長、秦甫滅、楚復爭、中原之塗炭已極、人心厭亂、故其功可久、王莽之簒天下、不知幾人稱帝、幾人稱王、卒爲光武所幷者、久合難分、分亦易於復合也、始皇當久分難合之局、首爲混一、其享國不永也宜哉、

沛公遂入咸陽、封宮室府庫、還軍霸上。居月餘、諸侯兵至、項籍爲從長、【索隱】謂合關東爲從長也、殺子嬰及秦諸公子宗族、遂屠咸陽、燒其宮室、虜其子女、收其珍寶貨財、諸侯共分之。滅秦之後、各分其地爲三、名曰雍王・塞王・翟王、號曰三秦。項羽爲西楚霸王、主命分天下王諸侯。秦竟滅矣。後

五年、天下定於漢。

太史公曰。秦之先伯翳、嘗有勳於唐・虞之際。受土賜姓。及殷・夏之閒微散、至周之衰、秦興邑于西垂。自繆公以來、稍蠶食諸侯、竟成始皇。始皇自以爲功過五帝、地廣三王、而羞與之侔。善哉乎賈生推言之也。【考證】中井積德曰、賈生之論、多失事實、瑕疵極多、子長之善之何也、梁玉繩曰、此所載過秦論、與賈誼書字句多異、必史公略爲裁換耳、

曰。秦幷兼諸侯、山東三十餘郡、【考證】顧炎武曰、古之所謂山東者、蓋自函谷關以東、非若今之但以齊魯爲山東也、繕津關、據險塞、修甲兵而守之、然陳涉以戍卒散亂之衆數百、奮臂大呼、不用弓戟之兵、鉏櫌白梃、【集解】徐廣曰、櫌、田器、音憂、【索隱】徐以櫌爲田器、非也、孟康以櫌爲鉏柄、蓋得其近也、望屋而食、【索隱】言其兵蠶食天下、不裹糧而行、橫行天下。【索隱】謂輕前敵不部伍旅進也、舞陽侯曰、橫行匈奴中、是也、【考證】橫行、謂縱橫在意也、秦人阻險不守、關

梁不闔、長戟不刺、彊弩不射。楚師深入、戰於鴻門、曾無藩籬之艱。【考證】此深入、謂周章之師、於是山東大擾、諸侯並起、豪俊相立。【集解】駰案鶡冠子曰、德萬人者謂之俊、德千人者謂之豪、德百人者謂之英、【索隱】謂武臣田儋魏豹之屬、秦使章邯將而東征。章邯因以三軍之衆要市於外、以謀其上。羣臣之不信、可見於此矣。【索隱】此評失也、章邯之降、由趙高用事、不信任軍將、一則恐誅、二則楚兵既盛、王離見虜、遂以兵降耳、非三軍要市於外以求封明矣、要、平聲、【考證】中井積德曰、此論沒章邯破周文誅陳涉殺項梁等之勳績、而直稱其要市、大失其事實、且邯非不信之人、亦不得已也、

子嬰立、遂不寤。藉使子嬰有庸主之材、僅得中佐、山東雖亂、秦之地可全而有、宗廟之祀未當絕也。秦地被山帶河以爲固、四塞之國也。【考證】中井積德曰、子嬰立四十六日、而沛公既入關、寤亦當如何、當是時欲閉關自守、豈可得哉、且子嬰未見其不寤之實、又曰、四十六日之間、豈能及于此哉、其誅趙高、可以爲多矣、班固讐非賈之論、自繆公以來至於秦王、二十餘君、【考證】梁玉繩曰、秦王當作始皇、下同、愚案陳涉世家、並作始

皇、

常爲諸侯雄。豈世世賢哉、其勢居然也。【考證】其勢上、添而字看、居然猶安然也、 且天下嘗同心并力而攻秦矣。當此之世、賢智竝列、良將行其師、賢相通其謀。【考證】楓三、南本、凌引一本、世作時、 然困於阻險而不能進。秦乃延入戰、而爲之開關。百萬之徒、逃北而遂壞。豈勇力智慧不足哉。形不利、勢不便也。【考證】以上引往事、以下漸又入子嬰、 秦小邑并大城、【集解】徐廣曰、大、一作小、 守險塞而軍、高壘毋戰、閉關據阨、荷戟而守之。諸侯起於匹夫、以利合。非有素王之行也。【考證】素王、無位而有王德者、莊子天道篇、虛靜恬澹、以之處下、玄聖素王之道也、 其交未親、其下未附。名爲亡秦、其實利之也。彼見秦阻之難犯也、必退師。安土息民、以待其敝、【索隱】賈誼書、安作案、 收弱扶罷、以令大國之君、不患不得意於海內。貴爲天子、富有天下、而

身爲禽者、其救敗非也。秦王足已不問、遂過而不變。二世受之、因而不改、暴虐以重禍。子嬰孤立無親、危弱無輔。三主惑、而終身不悟。亡不亦宜乎。【考證】三主、始皇二世子嬰、中井積德曰、孤立危弱、蓋非子嬰之罪、子嬰之惑、亦未見事實、 當此時也、世非無深慮知化之士也。【考證】何焯曰、對前僅得中佐說、下文云、變化有時、 然所以不敢盡忠拂過者、【考證】拂讀爲佛、 秦俗多忌諱之禁、忠言未卒於口、而身爲戮沒矣。故使天下之士傾耳而聽、重足而立、拑口而不言。是以三主失道、忠臣不敢諫、智士不敢謀、天下已亂、姦不上聞。豈不哀哉。先王知雍蔽之傷國也、故置公卿大夫士、以飾法設刑而天下治。【考證】治要、飾作飭、 其彊也、禁暴誅亂而天下服。其弱也、五伯征、而諸侯從。其削也、內守外附、而社稷存。

故秦之盛也、繁法嚴刑、而天下振。及其衰也、百姓怨望、而海內畔矣。【考證】南本、治要、無望字、 故周五序得其道、而千餘歲不絕、【索隱】賈誼書、五作王、【考證】五序、公侯伯子男之序、中井積德曰、周無千歲、此失事實、 秦本末竝失。故不長久。由此觀之、安危之統、相去遠矣。野諺曰。前事之不忘、後事之師也。是以君子爲國、觀之上古、驗之當世、參以人事、察盛衰之理、審權勢之宜、去就有序、變化有時。【考證】治要、有時作應時、與宋本史記及賈子新書合、王念孫曰、變化應時、言去彼就此、隨時變化也、 故曠日長久、而社稷安矣。【考證】以上蓋過秦論下篇、論秦王子嬰、中井積德曰、太史公所引賈論止於社稷安矣、其下蓋後人之附益、 秦孝公據殽函之固、擁雍州之地、君臣固守而窺周室。有席卷天下、【索隱】按春秋緯曰、諸侯冰散席卷也、【考證】韋昭曰、崤謂二殽、函、函谷關也、 包舉宇內、囊括四海之意、【集解】張晏曰、括、結囊也、言其能包含天下、【索隱】注同、【考證】方苞曰、坤六四、括囊、結其口而不出也、此文括囊如囊之包括也、張文

虎曰、單本無括囊索隱、 并吞八荒之心。【考證】顏師古曰、八荒、八方荒忽極遠之地也、 當是時、商君佐之、【索隱】商君、衛公孫鞅、仕秦爲左庶長、遂爲秦制法、孝公致霸、封之於商、號商君、【考證】史陳涉世家、漢書陳涉傳、新書、文選、時下有也字、 內立法度、務耕織、修守戰之備、外連衡而鬬諸侯。【索隱】戰國策曰、蘇秦亦爲秦連衡、高誘曰、合關東從通之秦、故曰連衡也、【考證】蘇秦說連衡不用、在秦惠王時、孝公時、未聞有此事、 於是秦人拱手而取西河之外。【考證】顏師古曰、拱手、言不勞功力也、愚按、齊策、蘇代說閔王章云、齊人伐魏、殺其太子、覆其十萬之軍、魏王大恐、跣行按兵於國、而東次於齊、當是時、秦王拱受西河之外、 孝公既沒、惠王・武王、蒙故業因遺冊。【考證】惠王、武王、新書、漢書、作惠文武昭襄、世家作惠文王、武王、昭王、文選作惠文武昭、中井積德曰、下文九國之師、當昭襄之世、則爲相應、此倒昭襄、恐非、愚按、遺冊、諸書皆作遺策、 南兼漢中、西舉巴・蜀、東割膏腴之地、收要害之郡。【考證】新書、文選、收上有北字、 諸侯恐懼、會盟而謀弱秦、不愛珍器重寶肥美之地、【考證】新書、世家、漢書、文選、美作饒、 以致天下之士、合從締交、相與爲一。【集解】漢書音義曰、締、結也、 當是時、齊有孟嘗、

趙有平原、楚有春申、魏有信陵。【考證】新書、世家、漢書、文選、是時作此之時、中井積德曰、齊有孟嘗、以下二十餘人、多不竝世者、皆任口說出、非有考據、梁玉繩曰、四公子之封號、前哲多不詳注、而正義于春申傳云、四君封號、檢皆不獲、唯平原有地、又非趙境、竝蓋號諡、索隱于魏公子傳云、地理志無信陵、或是鄉邑名、兩注疏陋之甚、魯頌箋曰、嘗在薛之旁、裴駰司馬貞已引之、田文襲父封薛、而兼食嘗邑、故號孟嘗、孟乃其字、猶稱薛文然也、趙勝封于東武城、黃歇初封淮北、後徙吳墟、俱明載本傳、而謂之平原春申者、是號而非地、故韓子和氏篇言楚莊王有弟春申君、漢朱建及孝景皇后母臧兒、皆號平原君也、若魏公子無忌、則封于陳留郡之寧陵縣、而號之爲信陵君者也、寧陵爲古葛地、水經注廿三卷、汳水又逕葛城北、故葛伯之國、葛于六國屬魏、魏以封公子無忌、號信陵、此乃確證、此四君者、皆明知而忠信、寬厚而愛人、尊賢重士。約從離衡、【索隱】言孟嘗等四君、皆爲其國共相約結爲從、以離散秦之橫、【考證】新書、世家、文選、賢下有而字、幷韓・魏・燕・楚・齊・趙・宋・衞・中山之衆。於是六國之士、【索隱】六國者、韓魏趙燕齊楚是也、與秦爲七國、亦謂之七雄、又六國與宋衞中山爲九國、其三國蓋微、又前亡、有寧越・徐尙・蘇秦・杜赫之屬爲之謀、【集解】徐廣曰、越一作經、或自別有此人、不必甯越也、【索隱】甯越、趙人、賈誼作甯越、徐尙未詳、蘇秦、東周洛陽人、呂氏春秋、杜赫以安天下說周昭文君、高誘曰、杜赫、周人也、【考證】呂氏春秋不廣篇、甯越可謂知用文武矣、注、甯越

趙中牟人、又博志篇、甯越、中牟之鄙人也、十五歲而周威公師之、梁章鉅曰、徐尙疑卽史記魏世家之外黃徐子、說魏太子申以百戰百勝之術者、愚按、杜赫見呂子春秋諭大篇、又見周策、齊明・周最・陳軫・昭滑・樓緩・翟景・蘇厲・樂毅之徒通其意、【索隱】戰國策、齊明、東周臣、後仕秦楚及韓、周最、周之公子、亦仕秦、陳軫、夏人、亦仕秦、昭滑、楚人、樓緩、魏文侯弟、所謂樓子也、蘇厲、秦之弟、仕齊、樂毅本齊臣、入燕、燕昭王以客禮待之、以爲亞卿、翟景未詳也、【考證】陳涉世家、最作冣、正義云、音聚、李善文選注引字林云、才勾切、梁玉繩曰、陳涉世家、昭滑作邵滑、漢書、文選、竝作召滑、甘茂傳亦作召滑、沈欽韓曰、召滑、楚策作卓滑、齊明說卓滑以伐秦、則滑爲楚相、愚按李善注文選云、戰國策、秦王伐楚、魏王不欲、樓緩謂魏王曰、不與秦攻楚、楚且與秦攻王、王不如令秦楚戰、王交制之、高誘注、樓緩魏相、愚按樓緩又相秦、緩常爲秦、不爲六國、魯仲連傳可徵、故索隱以魏文之弟充之、然賈生所斥、必此樓緩、魏文周威王時初封其弟樓季、何得及六國時、王念孫曰、翟景、卽戰國策之翟強、楚策云、魏相翟強死、魏策云、魏王之所用者樓麈翟強也、又云、翟強欲合齊秦外楚者也、景強聲近相通、梁玉繩曰、翟景疑卽趙策之翟章、愚按、王梁二說、未知孰是、吳起・孫臏・帶佗・兒良・王廖・田忌・廉頗・趙奢之朋制其兵、【索隱】吳起、衞人、事魏文侯爲將、孫臏、孫武之後也、呂氏春秋曰、王廖貴先、兒良貴後、二人皆天下之豪士、田忌、齊將也、廉頗、趙將也、趙奢、亦趙之將、【考證】王念孫曰、王廖貴先以下、見呂氏春秋不二篇、高注、未言王廖兒良爲何國之將、案易林益之臨曰、帶季兒良、明知權兵、將師合戰、敵不能當、趙魏以彊、帶季蓋卽帶佗、帶佗兒良爲趙魏將、故曰趙魏

以彊、但未知孰爲趙將、孰爲魏將耳、愚按、漢書藝文志兵權謀家、有兒良一篇、師古云、六國時人、世家、文選、朋作倫、常以十倍之地、百萬之衆、叩關而攻秦。【考證】楓三本、南化本、常作嘗、叩當作卬、卬仰通、新書、世家、漢書、作仰、蘇秦傳云、諸侯之地、五倍於秦、諸侯之卒、十倍於秦、與此異、秦人開關延敵。九國之師、逡巡遁逃而不敢進。【考證】方苞曰、士言六國、齊楚燕趙韓魏之臣、師言九國、宋衞中山、亦間以師從六國也、愚按、新書、世家、文選、關下有而字、新書、漢書、及群書治要、無遁逃二字、世家、文選、無逡巡二字、無遁逃二字者義長、逡巡、言遲疑不進也、秦無亡矢遺鏃之費、而天下諸侯已困矣。於是從散約解、爭割地而奉秦。秦有餘力而制其敝、追亡逐北、伏尸百萬、流血漂鹵。【集解】徐廣曰、鹵、楯也、【考證】世家、漢書、解作敗、中井積德曰、伏尸百萬、史傳絕無所見、因利乘便、宰割天下、分裂河山、彊國請服、弱國入朝。延及孝文王・莊襄王、享國日淺、國家無事。及至秦王、續六世之餘烈、【集解】張晏曰、孝公、惠文王、武王、昭王、孝文王、莊襄王、【考證】新書、世家、文選、延作施、秦王作始皇、續作奮、振長策而御宇內、【考證】顏師古曰、以乘馬爲喩也、吞

二周而亡諸侯、【考證】吳枋曰、秦昭王五十一年、滅西周、後七年、莊襄王滅東周、則吞二周、乃始皇之曾祖與父、非始皇也、履至尊而制六合、執棰拊以鞭笞天下、威振四海。【集解】徐廣曰、拊、拍也、音府、一作槁朴、【索隱】賈本論、作槁朴、【考證】梁玉繩曰、各處皆棰拊作敲朴、臣瓚云、短曰敲、長曰朴、南取百越之地、【集解】韋昭曰、越有百邑、【考證】李善曰、晉義云、百越非一種、若今言百蠻、以爲桂林・象郡。百越之君、俛首係頸、委命下吏。乃使蒙恬北築長城而守藩籬、卻匈奴七百餘里、胡人不敢南下而牧馬、【考證】匈奴傳、始皇使蒙恬擊胡、悉收河南地、因河爲塞、士不敢彎弓而報怨。於是廢先王之道、焚百家之言、以愚黔首、墮名城、【集解】應劭曰、壞堅城、恐人復阻以害己也、殺豪俊、收天下之兵、聚之咸陽、銷鋒鑄鐻、以爲金人十二、以弱黔首之民。【考證】梁玉繩曰、銷鋒鑄鐻、以爲金人十二、各處皆作銷鋒鍉鑄以爲金人十二、此作鑄鐻、字句雖異、而於義爲備、愚按新書、世家、漢書、文選、黔首作天下、然後斬華爲城、【集解】徐廣曰、斬一作踐、駰案服虔曰、斷華山爲城、【索隱】斬亦作踐、亦出賈本論、又崔

浩云、踐、登也、【考證】踐、猶據也、因河爲津、【考證】南化本、新書、世家、漢書、文選、津作池、據億丈之城、臨不測之谿、以爲固、良將勁弩、守要害之處、信臣精卒、陳利兵而誰何。【集解】如淳曰、何、猶問也、【索隱】崔浩云、何或爲呵、漢舊儀、宿衞郎官、分五夜、誰呵、呵夜行者誰也、何呵、字同、【考證】中井積德曰、誰何、詰問出入之辭、不必夜、天下以定。秦王之心、自以爲關中之固、金城千里、【索隱】金城、言其實且堅也、韓子曰、雖有金城湯池、漢書張良亦曰、關中所謂金城千里、天府之國、【考證】三、南本以作已、同、子孫帝王萬世之業也。秦王既沒、餘威振於殊俗。【考證】西方諸國、稱禹域曰支那、又作震旦眞丹、皆秦字引音、亦可以見秦威振於殊俗也、陳涉、甕牖繩樞之子、【集解】服虔曰、以繩係戶樞也、孟康曰、瓦罋爲窻也、【考證】新書、世家、漢書、文選、陳涉上有然而二字、此脫、中井積德曰、繩樞、以繩係戶以充樞也、甿隸之人、而遷徙之徒、【集解】如淳曰、甿、古氓字、氓、民也、【考證】各書、徙下有也字、才能不及中人。非有仲尼·墨翟之賢、陶朱·猗頓之富。【考證】世家、富下有也字、躡足行伍之閒、而倔起什伯之中、【集解】漢書音義曰、首出十長百長之中、如淳曰、時皆辟屈在

十百之中、【考證】新書、世家、文選、什伯作阡陌、取義不同、什伯以行伍言、阡陌以畝畝言、什伯義長、率罷散之卒、將數百之衆而轉攻秦、【考證】新書、文選、漢書、而轉二字倒、斬木爲兵、揭竿爲旗、天下雲集響應、贏糧而景從、【考證】贏、當作嬴、與裹同、包也、新書、漢書、集作合、文選、世家作會、新書、文選、響上有而字、山東豪俊、遂竝起而亡秦族矣。且夫天下非小弱也。【考證】李國翰曰、秦兼有天下、所以非小弱也、雍州之地、殽函之固、自若也。【集解】韋昭曰、殽、謂二殽、函、函谷關也、陳涉之位、非尊於齊·楚·燕·趙·韓·魏·宋·衞·中山之君、【考證】新書、漢書、文選、非作不、下同、新書、世家、文選、君下有也字、鉏耰棘矜、【集解】服虔曰、以鉏柄及棘作矛槿也、如淳曰、耰、椎塊椎也、【考證】楓、三、南本、耰作櫌、王念孫曰、方言、矜謂之杖、棘矜、謂伐棘以爲杖、上文所云、斬木爲兵也、櫌音憂、非錟於句戟長鎩也。【集解】徐廣曰、錟、一作銛、駰案如淳曰、長刃矛也、又曰、鉤戟似矛、刃下有鐵、橫方上鉤曲也、鎩、音所拜反、適戍之衆、非抗於九國之師。【考證】抗、敵也、當也、新書、世家、文選、師下有也字、深謀遠慮、行軍用兵之道、非及鄉時之士也。然而成敗異變、功業相

反也。【考證】新書、漢書、反下有何字、試使山東之國與陳涉度長絜大、比權量力、則不可同年而語矣。【集解】漢書音義曰、絜、束之絜、【考證】絜、猶度也、然秦以區區之地千乘之權、【考證】新書、世家、漢書、文選、地下有致字、千作萬、招八州而朝同列百有餘年矣。【考證】鄧展曰、招、舉也、蘇林曰、招音翹、愚按漢書無矣字、然后以六合爲家、殽函爲宮、一夫作難、而七廟墮、身死人手、爲天下笑者、何也。仁義不施、而攻守之勢異也。【考證】以上過秦論上篇、論始皇、

秦幷海內兼諸侯、南面稱帝、【集解】徐廣曰、一本有此篇、無前者秦孝公已下、而又以秦幷兼諸侯山東三十餘郡繼此末也、【索隱】按賈誼過秦論、以孝公已下爲上篇、秦兼幷諸侯山東三十餘郡爲下篇、鄒誕生云、太史公刪賈誼過秦篇著此論、富其義而省其辭、褚先生增續、既已混殽、而世俗小智、不唯刪省之旨、合寫本論於此、故不同也、今頗亦不可分別、以養四海。天下之士、斐然鄉風、若是者何也。【考證】新書、以養四海作以四海養、斐讀爲靡、曰。近古之無王者久矣。周室卑微、五霸既歿、令不行於天下。是以諸侯

力政。彊侵弱、衆暴寡、兵革不休、士民罷敝。今秦南面而王天下。是上有天子也。既元元之民、冀得安其性命、莫不虛心而仰上。【考證】李笠曰、既字、當依新書作卽、既卽、形近易誤、高祖紀蕭相國卽死、漢書卽作既、當此之時、守威定功、安危之本在於此矣。秦王懷貪鄙之心、行自奮之智、不信功臣、不親士民、廢王道、立私權、禁文書而酷刑法、先詐力而後仁義、以暴虐爲天下始。【考證】岡白駒曰、以暴虐爲天下魁首、夫幷兼者高詐力、安定者貴順權。此言取與守不同術也。秦離戰國而王天下。其道不易、其政不改。是其所以取之。守之者異也。【考證】新書、守上有也字、異上添宜字看、孤獨而有之、故其亡可立而待。借使秦王計上世之事、竝殷·周之迹、以制御其政、後雖有淫驕之主、而未有傾危之患也。

【考證】借、籍通、假令之辭、故三王之建天下、名號顯美、功業長久。今秦二世立、天下莫不引領而觀其政。夫寒者利裋褐、而飢者甘糟糠。天下之嗸嗸、新主之資也。此言勞民之易爲仁也。【集解】徐廣曰、一作短、小襦也、音豎、【索隱】趙岐曰、褐以毛毳織之、若馬衣、或以褐編衣也、裋、一音豎、謂褐布豎裁、爲勞役之衣、短而且狹、故謂之短褐、亦曰豎褐、【考證】嗷嗷、衆口愁也、鄉使二世有庸主之行、而任忠賢、臣主一心而憂海內之患、縞素而正先帝之過、【考證】岡白駒曰、禮記玉藻、縞冠素紕、既祥之冠也、此言不待三年而改正、裂地分民、以封功臣之後、建國立君、以禮天下、虛囹圄而免刑戮、除去收帑汙穢之罪、使各反其鄉里、發倉廩散財幣、以振孤獨窮困之、士、輕賦少事、以佐百姓之急、約法省刑以持其後、使天下之人皆得自新、更節修行、各慎其身、塞萬民之望、而以威德與

天下、天下集矣。卽四海之內、皆讙然各自安樂其處、唯恐有變。雖有狡猾之民、無離上之心、則不軌之臣、無以飾其智、而暴亂之姦止矣。二世不行此術、而重之以無道、壞宗廟與民、【集解】徐廣曰、一無此上五字、【考證】治要無此五字、中井積德曰、五字不可解、更始作阿房宮。【考證】梁玉繩曰、謂復作阿房宮也、繁刑嚴誅、吏治刻深、賞罰不當、賦斂無度、天下多事、吏弗能紀、百姓困窮、而主弗收恤。然後姦僞竝起、而上下相遁、蒙罪者衆、刑戮相望於道、而天下苦之、自君卿以下、至于衆庶人、懷自危之心、親處窮苦之實、咸不安其位、故易動也。是以陳涉不用湯武之賢、不藉公侯之尊、奮臂於大澤、而天下響應者、其民危也。故先王見始終之變、知存亡之機。是以牧民之道、

務在安之而已。天下雖有逆行之臣、必無響應之助矣。故曰、安民可與行義、而危民易與爲非、此之謂也。貴爲天子、富有天下、身不免於戮殺者、正傾非也。是二世之過也。【考證】以上過秦論中篇、論二世、王鳴盛曰、賈誼新書、過秦上中下三篇、自秦孝公至攻守之勢異也爲上篇、自秦幷海內兼諸侯南面稱帝、至是二世之過也爲中篇、自秦兼諸侯山東三十餘郡、至而社稷安矣爲下篇、如今本史記司馬遷所采、乃倒其次、以下篇爲上篇、上篇爲中篇、中篇爲下篇矣、又陳涉世家末、有褚先生曰、吾聞賈生之稱曰云云、卽用秦孝公至攻守之勢異也一段、若果本紀內已有此一段、則兩處重出、不但遷必不如此、卽庸陋如褚先生、亦不應至此、再取徐廣及裴駰司馬貞註詳翫之、則知司馬遷當日實取過秦中下二篇爲始皇本紀贊、上篇爲陳涉世家贊、而中下篇、亦仍就賈生元次第、未嘗倒其文、班固所見司馬氏元本本如此、徐廣亦見之、本紀贊中秦孝公云云至攻守之勢也一段、乃魏晉間妄人所益、後人見其與世家贊重出、疑出褚少孫手、於是又妄改世家贊太史公曰爲褚先生曰、愚案王說未是、陳涉世家集解裴駰云、班固奏事云、太史公遷取賈誼過秦上下篇以爲秦始皇本紀陳涉世家下贊文、據此、則史公以下篇贊始皇紀、以上篇贊陳涉世家、明矣、下文所引班固奏事、所引賈生之言、亦止於過秦下篇、不及中篇、說既見上注、

襄公立、享國十二年、初爲西畤、葬西垂。【索隱】此已下、重序列秦之先君立年及葬處、

皆當據秦紀爲說、與正史小有不同、今取異說重列於後、襄公秦仲孫、莊公子、救周、周始命爲諸侯、初爲西畤、祠白帝、立十三年死、葬西土、【考證】梁玉繩曰、此篇是秦記、魏了翁古今考謂、班固明帝時所得也、史公言秦燒書、獨秦記不滅、故東漢時猶有存者、後人遂幷班固語附載本紀之末、以備參證、史詮及丹鉛錄竝云、古本自襄公立以下低兩字別于正文、今本平頭刻、殊失其舊矣、而索隱以爲馬遷重列則誤也、史以傳信、無一事兩書之理、史記中惟此及酈生傳有之、皆後人附益、非遷史元文、然酈道元尙錯認此記、爲遷史、何論小司馬哉、此記簡古有法、先秦文字、不可多見、非他附益者比、故取而校之、黃以周曰、世系爲明帝時賈逵班固所攷定、故記其時曰孝明皇帝十七年十月十五日乙丑、愚按襄公以下後人所附益、今低一字以別、生文公。文公立、居西垂宮。五十年死。葬西垂。【索隱】作鄜畤、又作陳寶祠、生靜公。靜公不享國而死。生憲公。憲公享國十二年。居西新邑。死葬衙。【集解】地理志云、馮翊有衙縣、【索隱】憲公滅蕩社、居新邑、葬衙、本紀、憲公徙居平陽、葬西山、【考證】余有丁曰、憲公秦紀作寧公、葬西山、生武公・德公・出子。出子享國六年。居西陵。【索隱】一云、居西陂、葬衙、本紀不云、庶長弗忌・威累・參父三人、率賊賊出子鄙衍。葬衙。武公立。武公享國二十年。居平陽封宮。

【集解】徐廣曰、一云、居平封宮、葬宣陽聚東南。【索隱】紀云、葬平陽、初以人從死、【考證】梁玉繩曰、紀作葬平陽、豈平陽有宣陽聚乎、三庶長伏其罪。德公立。德公享國二年。居雍大鄭宮。生宣公·成公·繆公。葬陽。初伏以御蠱、【索隱】二年初伏、本紀、此已下居葬絕不言也、【考證】楓、三本、以下有狗字、宣公享國十二年。居陽宮。葬陽。【索隱】四年、作密畤、【考證】楓、三本、陽作楊、下同、初志閏月。【考證】顧炎武曰、宣公以前皆無閏、每三十年多一年、與諸國之史皆不合矣、則秦之所用何正邪、成公享國四年。居雍之宮。葬陽。【集解】徐廣曰、之一作走、齊伐山戎·孤竹。繆公享國三十九年。天子致霸。葬雍。繆公學著人。【索隱】著、音宁、又音貯、著卽宁也、門屏之閒曰宁、謂學於宁門之人、故詩云、俟我於著乎而、是也、【考證】梁玉繩曰、呂氏春秋尊師篇、繆公學于百里奚公孫枝、豈其先學于宁門之人乎、生康公。康公享國十二年。居雍高寢。葬竘社。生共公。共公享國五年。【考證】楓、三、南本、共作龔、梁玉繩曰、共公無五年、在位四年也、說在秦紀、居雍高寢。葬康公南。生桓公。桓公享國

二十七年。【考證】梁玉繩曰、七字當作八、說在秦紀、居雍太寢。葬義里丘北。生景公。【索隱】一作僖公、系本云、名后伯車、景公享國四十年、居雍高寢。葬丘里南。【正義】丘一作二也、生畢公。【集解】徐廣曰、春秋作哀公、【考證】梁玉繩曰、謚法無畢字、當依春秋傳作哀公、秦紀不誤、此與十二諸侯表稱襄公、吳越春秋闔閭內傳作桓公同誤、畢公享國三十六年。【正義】一作三十七年、葬車里北。生夷公。夷公不享國。死葬左宮。生惠公、【正義】十年葬車里、元年、孔子行魯相事、惠公享國十年。葬車里康景。【考證】楓、三本、康作秉、梁玉繩曰、惠公在位九年、說在秦紀、凌稚隆曰、康景二字疑衍、或下有闕文、張文虎曰、上文康公葬竘社、景公葬丘里南、疑車里在康景二墓間、脫間字、生悼公。悼公享國十五年。【正義】雍、本紀作十四年、【考證】正義雍字、疑衍、葬僖公西城雍。【考證】凌稚隆曰、秦紀及此記無僖公、疑卽景公也、生刺龔公。【索隱】一作厲共公、【正義】刺一作利、【考證】三條、南化本、刺作賴、梁玉繩曰、秦紀、及六國表作厲共公、獨此作刺龔公、正義又謂刺一作利、蓋龔與恭通、卽共也、謚法有刺、與厲字義同、音通、而利字復因形聲相鄰致譌、猶陳厲公之爲利公爾、刺龔公享國三十四年。葬入里。【集解】徐廣曰、一作

人、生躁公·【索隱】又作趮公、【正義】十四年、居受寢、葬悼公南也、懷公。【正義】四年、葬櫟圉氏、其十年、彗星見。躁公享國十四年。居受寢。葬悼公南。其元年、彗星見。【集解】徐廣曰、年表云、星晝見、懷公從晉來。享國四年。葬櫟圉氏、【考證】梁玉繩曰、以下文陵圉、鬻圉例之、則此氏字疑衍、生靈公。【考證】梁玉繩曰、此與表竝言懷公生靈公、必是生昭子之誤、秦本紀明言靈公懷公孫、表亦言懷公太子之子爲靈公、卽此紀下文固云、靈公昭子子也、諸臣圍懷公。懷公自殺。肅靈公昭子子也、【集解】徐廣曰、懷公生昭子、昭子生靈公、【索隱】紀年及系本、無肅字、立十年、表同、紀十二年、【考證】梁玉繩曰、紀表皆作靈公、居涇陽。享國十年。葬悼公西。生簡公。簡公從晉來。享國十五年。葬僖公西。【索隱】按本紀、簡公名悼子、卽刺龔公之子、懷公弟也、且紀及系本、皆以爲然、今此文云靈公、謬也、立十六年、葬僖公西、【考證】梁玉繩曰、簡公者、靈公之季父、懷公之子、厲共公之孫、此以簡公爲靈公所生、大誤、亦猶十二侯表以簡公爲惠公子、索隱以簡公爲厲共公子也、生惠公。其七年、百姓初帶劍。【考證】梁玉繩曰、紀表竝在簡公六年、惠公享國十三年。葬陵圉。【索隱】王劭按紀年云、簡公後次敬

公、敬公立十三年、乃至惠公、辭卽難憑、時參異說、生出公。出公享國二年。【索隱】系本謂少主、出公自殺。葬雍。獻公享國二十三年。【集解】徐廣曰、靈公子、【索隱】系本、稱元獻公、立二十二年、表同、紀二十四年、葬嚻圉。生孝公。孝公享國二十四年。【索隱】本紀十二年、葬弟圉。生惠文王。其十三年始都咸陽。【正義】本紀云、十二年作咸陽、築冀闕、是十三年始都之、惠文王享國二十七年。【索隱】十九而立、葬公陵、【正義】括地志云、秦惠文王陵、在雍州咸陽縣西北一十四里、生悼武王。悼武王享國四年。葬永陵、【集解】徐廣曰、皇甫謐曰、葬畢、今按陵西畢陌、【索隱】系本作武烈王、十九而立、立三年、本紀四年、【正義】括地志云、秦悼武王陵、在雍州咸陽縣西十里、俗名周武王陵、非也、【考證】梁玉繩曰、惠文悼武、皆葬于畢、永陵乃陵名、猶前言惠文葬公陵也、昭襄王享國五十六年。葬茝陽。【索隱】十九年而立、葬芷陵也、【正義】括地志云、秦莊襄王陵、在雍州新豐縣西南三十五里、俗亦謂爲子楚、始皇陵在北、故亦謂爲見子陵、【考證】楓、三本、南化本、茝作芷、生孝文王。孝文王享國一年。葬壽陵。生莊襄王。莊襄王享國三年、葬茝陽。生始

皇帝。呂不韋相。獻公立七年。初行爲市。十年、爲戶籍相伍。孝公立十六年。時桃李冬華。【考證】梁玉繩曰、紀于獻公十六年書桃冬花、疑一事誤書、惠文王生十九年而立。【考證】梁玉繩曰、惠文悼武昭襄三君、俱立于十九年、亦奇、立二年、初行錢。有新生嬰兒。曰。秦且王。悼武王生十九年而立。立三年、渭水赤三日。昭襄王生十九年而立。立四年初爲田開阡陌、【考證】梁玉繩曰、此乃孝公十二年事、而以爲昭襄四年、誤矣、孝文王生五十三年而立。莊襄王生三十二年而立、立二年、取太原地。莊襄王元年、大赦、脩先王功臣、施德厚骨肉、布惠於民。東周與諸侯謀秦。秦使相國不韋誅之、盡入其國。秦不絕其祀、以陽人地賜周君、奉其祭祀。【考證】楓、三本、無祀字、始皇享國三十七年、葬酈邑、【正義】酈、力知反、生

二世皇帝。始皇生十三年而立。二世皇帝享國三年。葬宜春。【正義】括地志云、秦胡亥陵、在雍州萬年縣南三十四里、上文葬以黔首也、趙高爲丞相安武侯。二世生十二年而立。【集解】徐廣曰、本紀云、二十一、【考證】楓、三、南本、十二作十四、梁玉繩曰、紀云二十一立、此云十二、蓋譌倒耳、紀言二十一者、以踰年改元言之、此言二十者以始皇崩年言之、右秦襄公至二世六百一十歲。【正義】秦本紀、自襄公至二世、五百七十六年矣、年表自襄公至二世五百六十一年、三說竝不同、未知孰是、【考證】梁玉繩曰、表自襄公元年至二世三年、實五百七十一年、此誤、秦紀索隱、此記正義、所說年數亦誤、孝明皇帝十七年、【正義】班固典引云、後漢明帝永平十七年、詔問班固、太史遷贊語中、寧有非耶、班固上表陳秦過失及賈誼言、荅之、十月十五日乙丑曰。【索隱】此已下是漢孝明帝訪班固評賈馬贊中論秦二世亡天下之得失、後人因取其說附之此末、【考證】梁玉繩曰、孝明以下、乃班固因有召問遷書、及作典引一節、遂別著此篇、并所得秦記錄之、當時必別行於世、後人取入史記、附載于茲、故謂此篇他人作者妄、謂與典引同作者亦妄、何以言之、典引序稱永平十七年、而此云孝明皇帝、是追述前事、非永平時所撰甚審、典引序但稱十七年、而此十七年十月十五日乙丑、若非孟堅自爲、何能

悉其日月、典引稱臣、而此云吾讀秦紀、則非對君之言可知、愚按典引見文選、周歷已移、【正義】周初卜世三十、卜年七百、以五序得其道、故王至三十七、歲至八百六十七、歷數既過、秦幷天下、是周歷已移也、仁不代母。秦直其位、【索隱】周歷已移、周亡也、仁不代母、謂周得木德、木生火、周爲漢母也、言曆運之道、仁恩之情、子不代母而王、謂火不代木、言漢不合即代周也、秦值其閏位、得在木火之閒也、此論者之辭也、【正義】始皇以爲周火德、秦代周、從所不勝、爲水德之始也、按周、木德也、秦、水德也、五行之運、水生木、木生火、火生土、土生金、金生水、所生者爲母、出者爲子、帝王之次、子代母、秦稱水、是母代子、故言若有德之君相代、不母承其子也、直、音值、言秦幷天下稱帝、是秦德值帝王之位、【考證】黃以周曰、漢初諸儒周以木德王、漢繼周統、不繼秦、秦自以爲水德、以母代子不仁、言此者見秦爲閏位、無關帝王正統、其宗社之速亡、不足惜也、呂政殘虐。然以諸侯十三幷兼天下。【集解】始皇初爲秦王年十三也、【索隱】呂政者、始皇名政、是呂不韋幸姬有娠、獻莊襄王而生始皇、故云呂政、【考證】十三下疑有奪文、極情縱欲、養育宗親。三十七年、兵無所不加、制作政令、施於後王。【正義】謂置郡縣、壞井田、開阡陌、不立侯王、始爲伏臘、又置丞相、太尉、御史大夫、奉常、郎中令、僕射、廷尉、典客、宗正、少府、中尉、將作詹事、水衡都尉、監守、縣令丞等、皆施於後王、至于隋唐矣、蓋得聖人之威、河神授圖。【正義】蓋者疑辭也、言始皇之威、能呑幷天下稱帝、疑得聖人之威靈河

神之圖錄、據狼、狐、蹈參伐、佐政驅除、【正義】狼、音郎、狼狐主弓矢星、天官書云、參伐主斬艾事、言秦據蹈狼狐參伐之氣、驅滅天下、【考證】中井積德曰、狼參、蓋以分野星次而言、距之稱始皇。【正義】距之、上音巨、至也、【考證】之、猶於也、始皇既歿、胡亥極愚、酈山未畢、復作阿房、以遂前策。云。凡所爲貴有天下者、肆意極欲。大臣至欲罷先君所爲。誅斯・去疾、任用趙高。痛哉言乎。人頭畜鳴。【正義】畜、許又反、言胡亥人身有頭面目、能言語、不辨好惡、若六畜之鳴、不威不伐。惡【正義】此五字爲一句也、不篤不虛亡、【正義】言胡亥藉帝王之威器、殘酷暴虐、滋己惡、惡既深篤、以至滅亡、豈其虛哉、【考證】董份曰、威字、應前聖人之威、伐字、言不威則不能征伐以奄有天下、蓋指始皇、惡不篤不虛亡者、言始皇惡及二世、篤而遂亡也、距之不得留、殘虐以促期。【考證】距之、猶至於也、證見上文、雖居形便之國、猶不得存。子嬰度次得嗣、冠玉冠佩華紱、車黃屋、從百司謁七廟。【集解】蔡邕曰、黃屋者、蓋以黃爲裏、【正義】上冠音綰、紱音紼、從、才用反、小人乘非位、莫不怳忽失守、

偷安日日。獨能長念卻慮、父子作權、考證子嬰與其子二人謀誅趙高也、近取於戶牖之閒、竟誅猾臣、爲君討賊。正義爲、于僞反、考證猾臣、趙高、高死之後、賓婚未得盡相勞、餐未及下咽、酒未及濡脣、楚兵已屠關中、眞人翔霸上。考證賓、賓客、婚、姻戚、眞人謂高祖、素車嬰組、奉其符璽以歸帝者、考證嬰、縈也、帝者、謂高祖、鄭伯茅旌鸞刀、嚴王退舍。集解公羊傳曰、楚莊王伐鄭、鄭伯肉袒、左執茅旌、右執鸞刀、以逆莊王、莊王退舍七里、何休曰、茅旌鸞刀、祭祀宗廟所用也、執宗廟器者示以宗廟血食自歸、正義旌、音精、嚴、音莊、考證宣公十二年公羊傳、陳沂曰、不曰莊王、者、班固避明帝諱、河決不可復壅、魚爛不可復全。索隱宋均曰、言如魚之爛、從內而出、賈誼·司馬遷曰。向使嬰有庸主之才、僅得中佐、山東雖亂、秦之地可全而有、宗廟之祀、未當絕也。考證向使至絕也、賈誼過秦論下篇語、史公采以爲始皇紀贊、桂馥曰、賈誼司馬遷曰、當作司馬遷曰、賈誼曰、此與吾聞之周生曰一例、愚按賈誼司馬遷曰、猶言賈誼司馬遷竝曰、遷采誼之言、誼之言

卽遷之意、故云、楓、三、南本、有庸作爲庸、秦之積衰、天下土崩瓦解。正義言秦國敗壞、若屋宇崩頽、衆瓦解散也、考證土崩、言牆壁崩壞也、雖有周旦之材、無所復陳其巧。考證黃以周曰、破賈誼司馬遷僅得中佐宗廟不絕之說、而以責一日之孤。誤哉。正義日、音馹、一日之孤、謂子嬰、俗傳秦始皇起罪、惡胡亥極。得其理矣。考證言俗傳云、始皇始爲罪戾、至胡亥惡極矣、此言得其理、安得以爲子嬰罪哉、復責小子云、秦地可全、正義小子亦謂子嬰、考證復字上添賈誼司馬遷五字看、秦地可全、亦過秦論下篇之言、所謂不通時變者也。紀季以酅。春秋不名。集解春秋曰、紀季以酅入于齊、公羊傳曰、何以不名、賢之也、謂設五廟以存姑姊妹也、正義酅、音戶圭反、括地志云、安平城、在青州臨淄縣東十九里、古紀之酅邑、帝王紀云、周之紀國、姜姓也、紀侯譖齊哀公於周懿王、王烹之、外傳曰、紀侯入爲周士、竹書云、齊襄公滅紀郱鄑郚、又括地志云、郱城、在青州臨朐縣東三十里、鄑城在北海縣東北七十里、郚城在密州安丘縣界、郱、音駢、鄑、音訾、按秦始皇起罪、惡胡亥極、得其理、國旣崩絕、箕子比干、尙不能存殷、庸主子嬰、焉能救秦之敗、以賈誼史遷不通時變、不如紀季之深識也、季、紀侯少弟、不書名、故曰紀季、考證莊三年公羊傳、所謂不通時變以下、班固駁賈馬、岡白駒曰、齊欲滅紀、紀季深覩存亡之機、故以邑入齊爲附庸、以存宗廟社稷、故書字以賢之、吾讀

秦紀、至於子嬰車裂趙高、未嘗不健其決憐其志。嬰死生之義備矣。集解徐廣曰、班固典引曰、永平十七年、詔問臣固、太史遷贊語中、寧有非邪、臣對、賈誼言子嬰得中佐秦未絕也、此言非是、臣素知之耳、考證黃以周曰、賈誼司馬遷之意、子嬰棄宗社、辠浮於二世、班固劣二世、優子嬰、故古今人表於胡亥列下中、子嬰列中下、愚按、孝經、死生之義備矣、孝子之事親終矣、索隱述贊、六國陵替、二周淪亡、并一天下、號爲始皇、阿房雲構、金狄成行、南遊勒石、東瞰浮梁、滈池見遺、沙丘告喪、二世嬌制、趙高是與、詐因指鹿、災生噬虎、子嬰見推、恩報君父、下乏中佐、上乃庸主、欲振頽綱、云誰克補、

秦始皇本紀第六　史記六

史記會注考證卷七

漢　太　史　令　司　馬　遷　撰
宋　中　郎　外　兵　曹　參　軍　裴　駰　集　解
唐　國　子　博　士　弘　文　館　學　士　司　馬　貞　索　隱
唐　諸　王　侍　讀　率　府　長　史　張　守　節　正　義
日　本　出　雲　瀧　川　資　言　考　證

項羽本紀第七　史記七

【索隱】項羽崛起、爭雄一朝、假號西楚、竟未踐天子之位、而身首別離、斯亦不可稱本紀、宜降爲世家、【考證】史公自序曰、秦失其道、豪傑並擾、項梁業之、子羽接之、殺慶救

趙、諸侯立之、誅嬰背懷、天下非之、作項羽本紀第七、張照曰、史法、天子則稱本紀者、蓋祖述馬遷之文、馬遷之前、固無所爲本紀也、但馬遷之意、並非以本紀爲天子之服物采章、若黃屋左纛然、非天子不可用也、特以天下之權之所在、則其人係天下之本、卽謂之本紀、若秦本紀、言秦未得天下之先、天下之勢已在秦也、呂后本紀、呂后固亦未若武氏之簒也、而天下之勢、固在呂后、則亦曰本紀也、後世史官、以君爲本紀、臣爲列傳、固亦無可議者、但是宗馬遷之史法而小變之、固不得轉據後以議前也、索隱之說謬矣、馮景曰、作史之大綱、在明統、周有天下、秦滅之、而統在秦、秦有天下、楚項羽滅之、而統在楚、楚滅而天下之統乃歸漢耳、羽入咸陽、殺子嬰、燔秦宮室、於是分裂天下而封王侯、政自己出、號爲霸王、位雖不終、然代秦而號令天下、則旣五年矣、此五年之統、非羽誰屬哉、則羽宜登本紀、宜列於漢高之前、統在則然、亦作史之例則然、悬按、張馮說是、

項籍者、下相人也。【集解】地理志、臨淮有下相縣、【索隱】縣名、屬臨淮、案應劭云、相、水名、出沛國、沛國有相縣、其水下流、又因置縣、故名下相也、【正義】括地志云、相故城、在泗州宿豫縣西北七十里、秦縣、項、胡講反、籍、秦昔反、【考證】下相、江蘇徐州府宿遷縣西、字羽。【索隱】按下序傳、籍字子羽也、初起時、年二十四。其季父項梁。【索隱】按崔浩云、伯仲叔季、兄弟之次、故叔云叔父、季云季父、梁父、卽楚將項燕。【正義】燕、烏賢反、【考證】楓山三條本、無卽字、爲秦將王翦所戮者也。【集解】始皇

本紀云、項燕自殺、【索隱】此云爲王翦所殺、與楚漢春秋同、而始皇本紀云、項燕自殺、不同者、蓋燕爲王翦所圍逼而自殺、故不同耳、項氏世世爲楚將、封於項。【索隱】地理志、有項城縣、屬汝南、【正義】括地志云、今陳州項城縣、卽古項子國、【考證】項、陳州府項城縣東北、故姓項氏。項籍少時學書不成。去學劍。又不成。項梁怒之。籍曰。書足以記名姓而已。劍一人敵。不足學。學萬人敵。於是項梁乃教籍兵法。籍大喜。略知其意。又不肯竟學。【考證】雨森精翁曰、考東方朔傳、書、卽文史、言識古人姓名已、一說、書、六書也、如保氏所敎、據此則下記姓名、猶曰名刺之用、悬按、後說是、去、猶罷也、何焯曰、漢書藝文志兵法形勢中、有項王一篇、而黥布置陣如項籍軍、高祖望而惡之、蓋治兵置陣、是其所長、故能力戰摧鋒、而不足於權謀、故其後往來奔命、卒爲人乘其罷而踣之、所謂略知其意而不竟者也、項梁嘗有櫟陽逮、【索隱】按、逮訓及、謂有罪相連及、爲櫟陽縣所逮錄也、故漢史每制獄皆有逮捕也、【正義】櫟、音藥、逮、音代、【考證】中井積德曰、有罪者不論首從、他處傳送謂之逮、張文虎曰、索隱漢史、恐漢世、乃請蘄獄掾曹咎書、抵櫟陽獄掾司馬欣。以故事得已。【集解】蘇林曰、蘄、音機、縣屬沛國、應劭曰、項梁曾坐事、傳繫櫟陽獄、從蘄獄掾曹咎取書與司馬欣、抵、歸、已、止也、韋昭曰、抵、至也、謂梁嘗被櫟陽縣逮捕、梁乃請蘄獄掾曹咎書、至櫟陽獄掾司馬欣、事故得止息也、【索隱】按服虔云、抵、歸也、韋昭云、抵、至也、劉伯莊云、抵、相憑託也、故應劭云、項梁曾坐事繫櫟陽獄、從蘄獄掾曹咎取書與司馬欣、抵、歸、已、息也、【考證】王維楨曰、二獄掾事、非漫載、後皆有故、錢大昭曰、曹咎後爲楚海春侯大司馬、項梁殺人。與籍避仇於吳中。【考證】楓、三本、無中字、吳中賢士大夫、皆出項梁下。每吳中有大繇役及喪、項梁常爲主辦。陰以兵法部勒賓客及子弟。以是知其能、【考證】知其能、項梁知賓客子弟之能也、凌稚隆曰、伏後以此不任用公、秦始皇帝游會稽、渡浙江。【索隱】韋昭云、浙江、在今錢塘、浙、音折、獄之折、晉灼音逝、非也、蓋其流曲折、莊子所謂淛河、卽其水也、淛、折、聲相近也、【考證】洪頤煊曰、浙江卽南江、水經沔水注、地理志曰、江水自石城東出、逕吳國南爲南江、會稽治吳、浙江在吳縣南、故梁與籍於始皇旣渡時、得共觀之、梁與籍俱觀。籍曰。彼可取而代也。梁掩其口曰。毋妄言。族矣。梁以此奇籍。【考證】陳勝曰、壯士不死卽已、死卽舉大名耳、王侯將相、寧有種乎、漢高曰、嗟乎、大丈夫當如此也、項羽曰、彼可取而代也、三樣詞氣、三樣筆法、史公極力描寫、籍長八尺餘、力能扛鼎、【集解】韋昭曰、扛、舉也、【索隱】說文云、橫關對舉也、韋昭云、扛、舉也、音江、【考證】中井積德曰、扛本對舉之名、然借以狀多力、則獨舉矣、卽對舉則常人之任耳、才

氣過人。雖吳中子弟、皆已憚籍矣。【考證】凌稚隆曰、會稽治吳、故云吳中子弟、秦二世元年七月、陳涉等起大澤中。【索隱】徐氏以爲在沛郡蘄縣大澤中、其九月、會稽守通謂梁曰。【集解】徐廣曰、爾時未言太守、楚漢春秋曰、會稽假守殷通、【正義】守、音狩、漢書云、景帝中二年七月、更郡守爲太守、按言假者兼攝之也、【考證】中井積德曰、注、假者資望輕而未卽眞耳、非兼攝、江西皆反。【考證】顧炎武曰、大江自歷陽斜北下京口、故有東西之名、今所謂江北、昔之所謂江西也、故晉地理志、以廬江九江自合肥以北至壽春、皆謂之江西、愚按王鳴盛說同、下文江東已定、渡江而西、謂渡江西北也、此亦天亡秦之時也。吾聞先卽制人、後則爲人所制。【索隱】按謂先擧兵能制得人、後則爲人所制、故荀卿子曰、制人之與爲人制也、其相去遠矣、【考證】兪樾曰、據漢書、則江西皆反數言、皆項梁謂會稽守語也、守歎曰、聞夫子楚將世家、唯足下耳、梁曰、吳有奇士桓楚云云、與史記不同、班固必別有所據、愚按、凌稚隆、齊召南梁玉繩、亦有此說、吾欲發兵使公及桓楚將。【正義】張晏云、項羽殺宋義時、桓楚爲羽使懷王、是時桓楚亡在澤中。梁曰。桓楚亡、人莫知其處。獨籍知之耳。梁乃出誡籍、持劍居外待。梁復入、與守坐曰。請召籍使

受命召桓楚。守曰。諾。梁召籍入。須臾梁眴籍曰。可行矣。【考證】顏師古曰、眴、動目也、音瞬、動目而使之也、於是籍遂拔劍斬守頭。項梁持守頭、佩其印綬。【考證】楓、三本、無綬字、門下大驚擾亂。籍所擊殺數十百人。【索隱】此不定數也、自百已下或至八十九十、故云數十百、一府中皆慴伏。莫敢起。【索隱】說文云、慴、失氣也、音之涉反、【考證】慴、漢書作讋、說文、讋、失氣言、傳毅讀若慴、愚按慴讋古通、梁乃召故所知豪吏、諭以所爲起大事。【考證】楓、三本乃作仍、遂擧吳中兵。使人收下縣、得精兵八千人。梁部署吳中豪傑、爲校尉候司馬。【考證】顏師古曰、下縣、四面諸縣、非郡所都、故謂之下也、部署、分部而署置之、沈欽韓曰、續志、校尉比二千石、軍司馬比千石、部下有曲、曲、軍候六百石、凌稚隆曰、此伏八千人案、爲後以八千人渡江、及與亭長言江東子弟八千人張本、有一人不得用。自言於梁。梁曰。前時某喪、使公主某事。不能辦。以此不任用公。衆乃皆伏。於是梁爲會稽守、籍爲裨將、徇下縣。【集解】李奇曰、徇、略也、如淳曰、徇音撫徇之徇、徇其人民、

廣陵人召平、【考證】王鳴盛曰、項羽本紀、廣陵人召平、矯陳涉命封項梁、呂后本紀、齊相召平擧兵欲圍王、蕭何世家、有故秦東陵侯召平、種瓜城東、三人皆同姓名、非一人、通鑑十三卷胡三省注、已言之、楊愼曰、召平上有廣陵人三字、以別于東陵召平也、杭世駿曰、水經注、廣陵城、楚漢之間、爲東陽郡、漢武帝元狩三年曰廣陵、此紀言廣陵者、蓋史家追書之也、於是爲陳王徇廣陵。未能下。【正義】廣陵、揚州、下、胡嫁反、以兵威服之曰下、【考證】於是、猶言當是時、楓、三本無此二字、聞陳王敗走、秦兵又且至、乃渡江矯陳王命、【正義】矯、紀兆反、召平從廣陵渡京口江至吳、詐陳王命拜梁、拜梁爲楚王上柱國。【集解】徐廣曰、二世之二年正月也、駰案應劭曰、上柱國、上卿官、若今相國也、【考證】楓、三本、無王字、與漢書合、李笠曰、王字衍、曰。江東已定。急引兵西擊秦。項梁乃以八千人、渡江而西。【考證】凌稚隆曰、項羽始事、已定江東、渡江而西、故通篇以東西二字爲眼目、馮班曰、自此一路往西擊秦、聞陳嬰已下東陽、【集解】晉灼曰、東陽縣、本屬臨淮郡、漢明帝分屬下邳、後復分屬廣陵、【索隱】下、音如字、按以兵威伏之曰下、胡嫁反、彼自歸伏曰下、如字讀、他皆放此、東陽、縣名、屬廣陵也、【正義】括地志、東陽故城、在楚州盱眙縣東七十里、秦東陽縣城也、在淮水南、【考證】東陽、安徽泗州天長縣西北、使使欲與連和俱西。陳嬰者故東陽令史。【集解】晉灼曰、漢儀注云、令吏曰令史、丞

吏曰丞史、【正義】楚漢春秋云、東陽獄史陳嬰、居縣中素信謹。稱爲長者。東陽少年、殺其令相、聚數千人、欲置長。無適用。【考證】顏師古曰、適、主也、乃請陳嬰。嬰謝不能。遂彊立嬰爲長。縣中從者、得二萬人。少年欲立嬰便爲王、異軍蒼頭特起。【集解】應劭曰、蒼頭特起、言與衆異也、蒼頭、謂士卒皁巾、若赤眉青領以相別也、如淳曰、魏君兵卒之號也、戰國策、魏有蒼頭二十萬、【索隱】晉灼曰、殊異其軍爲蒼頭、謂著青帽、如淳云、特起、猶言新起也、按爲蒼頭軍特起、欲立陳嬰爲王、嬰母不許嬰稱王、言天下方亂、未知瞻烏所止、【考證】楓、三本、無便字、蒼頭特起、爲此軍容以示新起特異、皆川愿曰、欲立嬰便爲王十二字、一氣讀、中井積德曰、蒼頭特起、亦當時相謀之言、又曰、注蒼頭軍、恐與此不同、陳嬰母謂嬰曰。自我爲汝家婦、未嘗聞汝先古之有貴者。今暴得大名不祥。不如有所屬。事成猶得封侯。事敗易以亡。非世所指名也。【集解】張晏曰、陳嬰母、潘旌人、墓在潘旌、【索隱】按潘旌是邑聚之名、後爲縣屬臨淮、嬰乃不敢爲王。謂其軍吏曰。項氏世世將家、有名於楚。今欲擧大事、將非其人不可。我

倚名族、亡秦必矣。於是衆從其言、以兵屬項梁。項梁渡淮。黥布·蒲將軍亦以兵屬焉。【集解】服虔曰、英布起於蒲地、因以爲號、如淳曰、言當陽君蒲將軍、皆屬項羽、此自更有蒲將軍、【索隱】按布姓英、咎繇之後、後以罪被黥、故改姓黥、以應相者之言、韋昭云、蒲、姓也、是英布與蒲將軍二人、共以兵屬項梁也、故服虔以爲英布起蒲非也、按黥布初起於江湖之閒、【考證】梁玉繩曰、服虔謂英布起蒲、因以爲號、師古索隱非之、是也、吳斗南以爲棘蒲侯柴武、亦非、此猶高紀之剛武侯、史失其姓名、不知何人也、凡六七萬人。軍下邳。【正義】被悲反、下邳、泗水縣也、應劭云、邳在薛、徙此、故曰下邳、按有上邳、故曰下邳、【考證】下邳、江蘇徐州府徐州東、當是時秦嘉已立景駒爲楚王、【集解】陳涉世家曰、秦嘉、廣陵人、文穎曰、景駒、楚族、景氏、駒名、【考證】今本陳涉世家作陵人、漢書陳勝傳、作凌人、軍彭城東。欲距項梁。【正義】括地志云、徐州彭城縣、古彭祖國也、言秦嘉軍於此城之東、【考證】彭城、江蘇徐州府、項梁謂軍吏曰。陳王先首事、戰不利。未聞所在。今秦嘉倍陳王而立景駒、大逆無道。【考證】大字諸本無、今據宋本補、乃進兵擊秦嘉。秦嘉軍敗走。追之至胡陵。【集解】鄧展曰、今胡陸、屬山陽、漢章帝改曰胡陵、【考證】胡陵、今山東濟寧州魚臺縣東南、嘉還戰。

一日嘉死、軍降。景駒走死梁地。項梁已幷秦嘉軍、軍胡陵、將引軍而西。章邯軍至栗。【集解】徐廣曰、縣名、在沛、【考證】栗、河南歸德府夏邑縣治、項梁使別將朱雞石·餘樊君與戰。餘樊君死、朱雞石軍敗、亡走胡陵。項梁乃引兵入薛、誅雞石。【正義】括地志云、故薛城、古薛侯國也、在徐州滕縣界、黃帝之所封、左傳曰、定公元年、薛宰云、薛之祖奚仲居薛爲夏車正、後爲孟嘗君田文封邑也、【考證】薛、山東兗州滕縣東南、項梁前使項羽別攻襄城。【正義】許州襄城縣、【考證】襄城、河南許州襄城縣治、襄城堅守不下。已拔、皆阬之。【考證】顏師古曰、陷之於阬、盡殺之、凌稚隆曰、羽初出、卽以所拔者阬、太史公首次此、見羽之不足爲也、梁玉繩曰、前此皆稱項籍、此後忽改稱字而不名、何也、高紀則皆稱字、還報項梁。項梁聞陳王定死、召諸別將、會薛計事。【考證】凌稚隆曰、聞陳王定死、與上聞陳王敗走及未聞所在相應、此時沛公亦起沛往焉。居鄛人范增、年七十。素居家好奇計。【索隱】晉灼音勦絕之勦、地理志、居鄛縣、在廬江郡、音巢、是故巢國、夏桀所奔、荀悅漢紀云、范增阜陵人也、【考證】居家不仕也、往說項梁曰。陳

勝敗固當。【正義】顧著作云、固宜當應敗也、當音如字、夫秦滅六國。楚最無罪。自懷王入秦不反、楚人憐之至今。故楚南公曰。【集解】徐廣曰、楚人也、善言陰陽、駰案文穎曰、南方老人也、【索隱】徐廣云、楚人善言陰陽者、見天文志也、【正義】虞喜志林云、南公者道士、識廢興之數、知亡秦者必於楚、漢書藝文志云、南公十三篇、六國時人、在陰陽家流、楚雖三戶、亡秦必楚也。【集解】瓚曰、楚人怨秦、雖三戶猶足以亡秦也、【索隱】臣瓚與蘇林解同、韋昭以爲三戶楚三大姓昭屈景也、二說皆非也、按左氏以畀楚師于三戶、杜預注云、今丹水縣北三戶亭、則是地名不疑、【正義】按服虔云、三戶、漳水津也、孟康云、津峽名也、在鄴西三十里、括地志云、濁漳水又東經葛公亭、北經三戶峽、爲三戶津、在相州滏陽縣界、然則南公辨陰陽、識廢興之數、知秦亡必於三戶、故出此言、後項羽果度三戶津、破章邯軍、降章邯、秦遂亡、是南公之善讖、【考證】三戶者言其少耳、乃虛設之辭、瓚說爲是、若以爲地名、雖字不通、今陳勝首事。不立楚後而自立。其勢不長。今君起江東。楚蠭午之將皆爭附君者以君世世楚將、爲能復立楚之後也。【集解】如淳曰、蠭午、猶言蠭起也、衆蠭飛起、交橫若午、言其多也、【索隱】凡物交橫爲午、言蠭之起交橫屯聚也、故劉向傳注云、蠭午、雜沓也、又鄭玄曰、一縱一橫爲午、【正義】爲、于僞反、【考證】蠭午、各本作蠭起、誤、今依索隱單本、說見王氏讀書雜志、於是項梁

然其言、乃求楚懷王孫心、民閒爲人牧羊、立以爲楚懷王。【集解】徐廣曰、此時二世之二年六月、【考證】楓三本、民上有在字、從民所望也。【集解】應劭曰、以祖諡爲號者、順民望、【考證】凌稚隆曰、范增勸項氏第一事、惟立楚懷王心、不知項世楚將、懷王立、則項當終其身爲驅馳、增謂羽能堪之乎、必不能堪、將置懷王於何地、卒之羽弑懷王、而漢之滅羽、因始終以懷王爲說、是懷王之立、反爲漢地耳、蓋懷王立、則羽不能不弑逆、羽弑逆、則羽不容不滅、然則項之所以失天下、非增勸立懷王一事誤之耶、中井積德曰、范增之策、非大豪傑所爲也、項梁銳意於成事、亦未暇於熟意、乃爲增所誤耳、凡豪傑崛起之初、未爲衆人所奉戴者、難於自尊、恐失衆心故也、若後漢劉伯升可見已、陳嬰爲楚上柱國、封五縣。與懷王都盱台。【集解】鄭玄曰、音煦怡、【正義】盱、況于反、眙、以之反、盱眙、今楚州臨淮水、懷王都之、【考證】盱台、安徽泗州盱眙縣東北、項梁自號爲武信君。居數月、引兵攻亢父、【正義】亢、音剛、又苦浪反、父、音甫、括地志云、亢父故城、在兗州任城縣南五十一里、【考證】楓三本、無爲字、亢父、東平縣、今濟寧州東五十里、與齊田榮·司馬龍且軍救東阿、【正義】且、子余反、括地志云、東阿故城、在濟州東阿縣西南二十五里、漢東阿縣城、秦時齊之阿也、【考證】東阿、山東兗州府陽穀縣東北、大破秦軍於東阿。田榮卽引兵歸。逐其王假。【考證】歸有光曰、初章邯已殺齊王田儋、

於臨淄、田假自立爲齊王、假亡走楚。假相田角亡走趙。角弟田閒故齊將、居趙不敢歸。田榮立田儋子市爲齊王。項梁已破東阿下軍、遂追秦軍、數使使趣齊兵、欲與俱西。[正義]下使、色吏反、趣、音促、田榮曰。楚殺田假、趙殺田角・田閒、乃發兵。項梁曰。田假爲與國之王。[集解]如淳曰、相與交善爲與國、與、黨與也、[索隱]按高誘注戰國策云、與國同禍福之國也、[考證]楓、三本、無爲字、窮來從我。不忍殺之。趙亦不殺田角・田閒、以市於齊。[集解]張晏曰、若市買相貿易以利也、梁救榮難、猶不用命、梁念殺假等、榮未必多出兵、不如依春秋寄公待以禮也、又可以貿易他利以除己害、遂背德可以伐齊、故曰市、貿易也、晉灼曰、假故齊王建之弟、欲令楚殺之以爲己利、而楚保全不殺以買其計、故曰市也、[索隱]按張晏云、市、貿易也、韋昭云、市、利於齊也、故劉氏亦云、市、猶要也、留田假而不殺、欲以要脅田榮也、[考證]田閒爲與國之王數語、田儋傳以爲楚懷王言、顏師古曰、市者以角閒市取齊兵也、直言趙不殺角閒以求齊兵耳、齊遂不肯發兵助楚。項梁使沛公及項羽、別攻城陽。屠之。[正義]括地志云、濮州雷澤縣、本漢城陽、在州東九十一里、地理志云、城陽屬濟陰郡、古郕伯國、姬姓之國、史記周武王、

封季弟載于郕、其後遷於城之陽、故曰城陽、[考證]錢大昕曰、城陽當作成陽、縣名、屬濟陰郡、非齊之城陽國也、梁玉繩曰、史漢成陽之與城陽、往往互書、蓋古字通借、不定是誤、然亦頗淆混矣、愚按成陽、山東曹州府濮州東南、西破秦軍濮陽東。[正義]括地志云、濮陽縣、在濮州西八十六里、濮縣也、古吳之國、按攻城陽屠之、西破秦軍濮陽縣也、東即此縣東、[考證]濮陽、直隸大名府開州南、秦兵收入濮陽。沛公・項羽、乃攻定陶。[正義]定陶、曹州城也、從濮陽南攻定陶、[考證]定陶、山東曹州府定陶縣西北、定陶未下。去西略地至雝丘。[正義]雍丘、今汴州縣也、地理志云、古杞國、武王封禹後於杞、號東樓公、二十一世簡公爲楚所滅、即此城也、[考證]雍丘、河南開封府杞縣治、大破秦軍、斬李由。[集解]應劭曰、由、李斯子也、還攻外黃。[正義]括地志云、故周城、即外黃之地、在雍丘縣東、張晏曰、魏郡有內黃縣、故加外也、臣瓚曰、縣有黃溝、故名、[考證]外黃、開封府杞縣東、外黃未下。項梁起東阿西北至定陶、再破秦軍。[考證]古鈔本、三條本、北作比、王念孫曰、漢書作比至定陶、是也、定陶在東阿之西南、不得言西北至定陶也、項羽等又斬李由、益輕秦、有驕色。宋義乃諫項梁曰。戰勝而將驕卒惰者敗。今卒少惰矣、秦兵日益。臣爲君畏之。項梁弗聽。

乃使宋義使於齊。道遇齊使者高陵君顯。[集解]張晏曰、顯、名也、高陵、縣名、[索隱]按晉灼云、高陵、屬琅邪、[考證]凌稚隆曰、漢紀云、宋義故楚令尹、曰。公將見武信君乎。曰。然。曰。臣論武信君軍必敗。公徐行即免死。疾行則及禍。秦果悉起兵益章邯。擊楚軍、大破之定陶。項梁死。沛公・項羽、去外黃攻陳留。[考證]陳留、河南開封府陳留縣、陳留堅守。不能下。沛公・項羽相與謀曰。今項梁軍破、士卒恐。[考證]楓、三本、無能字、董份曰、項羽不宜自稱季父之名、沛公於羽前亦必不名其季父、項梁字誤也、陳仁錫曰、項梁當作武信君、梁玉繩曰、高紀、項羽曰、懷王者吾家項梁所立、與此同誤、乃與呂臣軍俱引兵而東。[考證]何焯曰、一路向西北、而引兵而東、暫以兵敗也、呂臣軍彭城東、項羽軍彭城西、沛公軍碭。[集解]應劭曰、碭、屬梁國、蘇林曰、碭、音唐、[正義]括地志云、宋州碭山縣、本漢碭縣也、在宋州東百五十里、[考證]碭、江蘇徐州府碭山縣南、章邯已破項梁軍。則以爲楚地兵不足憂。乃渡河擊趙、大破之。當此時趙歇爲王、陳餘

爲將、張耳爲相。[考證]徐孚遠曰、陳餘將兵在外、未入鉅鹿城、此語誤、梁玉繩曰、陳餘爲將四字、因下文而衍、皆走入鉅鹿城。章邯令王離・涉閒圍鉅鹿。[集解]張晏曰、涉姓、閒名、秦將也、[考證]直隸順德府平鄉縣、章邯軍其南、築甬道而輸之粟。[集解]應劭曰、恐敵抄輜重、故築牆垣如街巷也、陳餘爲將、將卒數萬人、而軍鉅鹿之北。此所謂河北之軍也。[考證]高祖紀亦有此語、岡白駒曰、當時有此成語、楚兵已破於定陶。懷王恐從盱台之彭城、并項羽・呂臣軍自將之。以呂臣爲司徒、以其父呂青爲令尹。[集解]應劭曰、天子曰師尹、諸侯曰令尹、時去六國尚近、故置令尹、瓚曰、諸侯之卿、唯楚稱令尹、時立楚之後、故置官司、皆如楚舊、以沛公爲碭郡長。[集解]蘇林曰、長如郡守也、封爲武安侯、將碭郡兵。[考證]高祖紀云、封項羽爲長安侯、號曰魯公、漢書高祖紀云、以羽爲魯公、封長安侯、初宋義所遇齊使者高陵君顯在楚軍、見楚王。[考證]楚王即楚懷王、漢書項籍列傳、作見楚懷王、曰。宋義論武信君之軍必敗。居數日、軍果敗。兵未戰而

先見敗徵。此可謂知兵矣。王召宋義與計事、而大說之。因置以爲上將軍。項羽爲魯公爲次將、范增爲末將救趙。諸別將皆屬宋義。【考證】梁玉繩曰、漢紀云、宋義故楚令尹、大事記曰、懷王義爲元帥者、非特喜其知兵、亦以楚耆舊大臣故、尊任親倚之、史漢不載爲楚令尹、荀氏所據必楚漢春秋也、號爲卿子冠軍。【集解】徐廣曰、卿一作慶、文穎曰、卿子、時人相尊之辭、猶言公子也、上將、故言冠軍、張晏曰、若霍去病功冠三軍、因封爲冠軍侯、至今爲縣名、行至安陽、留四十六日、不進。【索隱】按傅寬傳云、從攻安陽扛里、則安陽與扛里俱在河南、顏師古以爲今相州安陽縣、按此兵猶未渡河、不應卽至相州安陽、今檢後魏書地形志云、己氏有安陽城、隋改己氏爲楚丘、今宋州楚丘西北四十里、有安陽故城、是也、【正義】括地志云、安陽縣、相州所理縣、七國時魏寧新中邑、秦昭王拔魏寧新中、更名安陽、張耳傳云、章邯軍鉅鹿南、築甬道屬河餉王離、項羽數絕邯甬道、王離軍乏食、項羽悉引兵渡河、遂破章邯圍鉅鹿下、又云、渡河湛船、持三日糧、按從滑州白馬津齎三日糧、不至邢州、明此渡河、相州漳河也、宋義遣其子襄相齊、送之至無鹽、卽今鄆州之東宿城是也、若依顏監說、在相州安陽、宋義送子、不可棄軍渡河、南向齊、西南入魯界、飲酒高會、非入齊之路、義雖知送子、曲由宋州安陽、理順然向鉅鹿、甚遠、不能數絕章邯甬道、及持三日糧至也、均之二理、安陽送子、至無鹽爲長、濟河絕甬道、持三日糧、寧有遲留、史家多不委曲說之也、【考證】沈欽韓曰、安陽以下文宋義送子至無鹽證之、謂在己氏者

是也、愚按、安陽、山東曹州府曹縣東、項羽曰。吾聞秦軍圍趙王鉅鹿。疾引兵渡河、楚擊其外、趙應其內、破秦軍必矣。宋義曰。不然。夫搏牛之蝱、不可以破蟣蝨。【集解】如淳曰、用力多而不可以破蟣蝨、猶言欲以大力伐秦、而不可以救趙也、【索隱】張晏云、搏、音博、韋昭云、蝱大在外、蝨小在內、故顏師古言、以手擊牛之背、可以殺其上蝱、而不能破其內蝨、喻方欲滅秦、不可與章邯卽戰也、鄒氏、搏、音附、今按言蝱之搏牛、本不擬破其上之蟣蝨、以言志在大不在小也、【考證】顏說爲是、今秦攻趙。戰勝則兵罷。我承其敝。不勝、則我引兵鼓行而西。必舉秦矣。【考證】胡三省曰、鼓行者擊鼓而行、堂堂之陳也、故不如先鬬秦・趙。夫被堅執銳、義不如公。坐而運策、公不如義。因下令軍中曰。猛如虎、很如羊、【正義】很、何懇反、貪如狼、彊不可使者、皆斬之。【考證】胡三省曰、暗指羽、乃遣其子宋襄相齊、身送之至無鹽。【索隱】按地理志、東平郡之縣、在今鄆州之東也、【考證】徐孚遠曰、田榮與項梁有隙、梁死楚弱、宋義欲結援於齊、以子相之、愚按、無鹽、泰安府東平州東、飲酒高會。【集解】韋昭曰、皆召尊爵、故云高、【索隱】韋昭曰、皆召尊

爵者、故曰高會、服虔云、大會是也、【考證】高會、服說是、天寒大雨、士卒凍飢。項羽曰。將戮力而攻秦。久留不行。今歲饑民貧、士卒食芋菽、【集解】徐廣曰、芋一作半、半五升器也、駰案、瓚曰、士卒食蔬菜、以菽雜半之、【索隱】芋、蹲鴟也、菽、豆也、故臣瓚曰、士卒食蔬菜、以菽半雜之、則芋菽義亦通、漢書作半菽、徐廣曰、芋一作半、半五升也、王劭曰、半、量器名、容半升也、【考證】芋菽、瓚說是、漢書芋作半、軍無見糧。【正義】胡練反、顏監云、無見在之糧、乃飲酒高會、不引兵渡河、因趙食、與趙并力攻秦、乃曰。承其敝。夫以秦之彊攻新造之趙。其勢必舉趙。趙舉而秦彊。何敝之承。且國兵新破、王坐不安席、埽境內而專屬於將軍。國家安危、在此一舉。今不恤士卒而徇其私。非社稷之臣。【索隱】私、謂使其子相齊、是徇其私情、崔浩云、徇、營也、項羽晨朝上將軍宋義。【考證】趙翼曰、古時凡詣人皆曰朝、呂覽、堯朝許由於沛澤之中、是也、秦漢時僚屬謁長官亦曰朝、史記、項羽晨朝上將軍、是也、論語、冉子退朝、則大夫家亦稱朝、秦漢以來郡縣坐衙視事、亦曰朝、卽其帳中、斬宋義頭、出令軍中曰。宋義

與齊謀反楚。楚王陰令羽誅之。【考證】梁玉繩曰、古人亦自稱字、漢書匡衡傳注、引衡與貢禹書言匡鼎白、後書周黃徐姜申屠傳序、述閔貢語云、閔仲叔豈以口腹累安邑邪、漢書羽作籍、愚按當從漢書作籍、下文籍何以至此、籍獨不愧於心乎、可證、當是時諸將皆慴服、莫敢枝梧。【集解】如淳曰、梧、音悟、枝梧、猶枝捍也、瓚曰、小柱爲枝、邪柱爲梧、今屋梧邪柱是也、【正義】枝、音之移反、梧、音悟、皆曰。首立楚者將軍家也。今將軍誅亂。乃相與共立羽爲假上將軍、【正義】未得懷王命也、假、攝也、使人追宋義子。及之齊。殺之。使桓楚報命於懷王。懷王因使項羽爲上將軍。【集解】徐廣曰、二世三年十一月、當陽君・蒲將軍、皆屬項羽。【考證】當陽君、英布、項王已殺卿子冠軍、威震楚國、名聞諸侯。乃遣當陽君・蒲將軍、將卒二萬渡河、【正義】漳水、救鉅鹿。戰少利。【考證】岡白駒曰、少得利、陳餘復請兵項羽。乃悉引兵渡河。皆沈船破釜甑燒廬舍、持三日糧以示士卒必死、無一還心。於是至

則圍王離、與秦軍遇、九戰絕其甬道、大破之。【考證】中井積德曰、是謂章邯軍也、非王離、殺蘇角、【集解】文穎曰、秦將也、虜王離。涉閒不降楚、自燒殺。當是時、楚兵冠諸侯。【考證】中井積德曰、是時諸侯兵非不戰也、冠字可以見、張耳傳可參、諸侯軍救鉅鹿下者十餘壁。莫敢縱兵。【考證】中井積德曰、下字疑衍、漢書無、及楚擊秦、諸將皆從壁上觀。楚戰士無不一以當十。楚兵呼聲動天。【考證】楓、三本、無以字、諸侯軍無不人人惴恐。【集解】漢書音義曰、惴、音章瑞反、於是已破秦軍、項羽召見諸侯將。入轅門、【集解】張晏曰、軍行以車爲陳、轅相向爲門、故曰轅門、【考證】毛本、重諸侯將三字、無不膝行而前、莫敢仰視。【考證】陳仁錫曰、疊用三無不字、有精神、漢書去其二、遂乏氣魄、項羽由是始爲諸侯上將軍。諸侯皆屬焉。章邯軍棘原。【集解】張晏曰、在漳南、晉灼曰、地名、在鉅鹿南、【考證】直隸順德府平鄉縣南、項羽軍漳南。【正義】括地志云、濁漳水、一名漳水、今俗名柳河、在邢州平鄉縣南、注水經云、漳水一名大漳水、彙有漫水之目也、相持未戰。秦軍數

卻。二世使人讓章邯。章邯恐、使長史欣請事。至咸陽、留司馬門三日。【集解】凡言司馬門者、宮垣之內、兵衞所在、四面皆有司馬、主武事、總言宮之外門爲司馬門也、【索隱】按天子門有兵闌、曰司馬門也、趙高不見。有不信之心。長史欣恐、還走其軍。不敢出故道。【正義】走、音奏、趙高果使人追之。不及。欣至軍報曰。趙高用事於中。下無可爲者。今戰能勝、高必疾妒吾功。戰不能勝、不免於死。願將軍孰計之。【考證】楓、三本、無疾字、陳餘亦遺章邯書曰。白起爲秦將、南征鄢郢、北阬馬服、攻城略地、不可勝計。而竟賜死。【索隱】韋昭云、趙奢子括也、代號馬服、崔浩云、馬服、趙官名、言服武事、【考證】中井積德曰、括是馬服君之子、故當時稱馬服也、愚按韓非顯學篇趙任馬服之辯而有長平之禍、亦以馬服稱趙括、蒙恬爲秦將、北逐戎人、開楡中地數千里。【索隱】服虔云、金城縣所治、蘇林曰、在上郡、崔浩云、蒙恬樹楡爲塞也、竟斬陽周。【集解】孟康曰、縣屬上郡、【正義】括地志云、寧州羅川縣、在州東南七十里、漢陽周縣、何者、功多秦不能

盡封、因以法誅之。今將軍爲秦將三歲矣。所亡失以十萬數。【考證】漢書以作已、而諸侯竝起滋益多。彼趙高素諛日久。今事急、亦恐二世誅之。故欲以法誅將軍以塞責、使人更代將軍、以脫其禍。夫將軍居外久、多內郤。有功亦誅、無功亦誅。且天之亡秦、無愚智皆知之。今將軍內不能直諫、外爲亡國將、孤特獨立、而欲常存。豈不哀哉。將軍何不還兵與諸侯爲從、約共攻秦、分王其地、南面稱孤。【索隱】此諸侯、謂關東諸侯也、何以知然、文穎曰、關東爲從、關西爲橫、高誘曰、關東地形從長、蘇秦相六國、號爲合從、關西地形橫長、張儀相秦、壞關東從、使與秦合、號曰連橫、【考證】顏師古曰、還兵、謂迴兵內嚮以攻秦也、此孰與身伏鈇質、妻子爲僇乎。【索隱】公羊傳云、加之鈇質、何休云、要斬之罪、崔浩云、質、斬人椹也、又郭注三蒼云、質、莝椹也、章邯狐疑、陰使候始成使項羽。欲約、約未成。【集解】張晏曰、候、軍候、【索隱】候、軍候、官名、始成、其名、項羽使

蒲將軍日夜引兵渡三戶。【集解】服虔曰、漳水津也、張晏曰、三戶、地名、在梁淇西南、孟康曰、津峽名也、在鄴西三十里、【索隱】水經注云、漳水東經三戶峽爲三戶津也、淇、當爲湛、案晉八王故事云、王浚伐鄴、前至梁湛、蓋梁湛在鄴西四十里、孟康云、在鄴西三十里、又闞駰十三州志云、鄴北五十里、梁期故縣也、字有不同、軍漳南、與秦戰、再破之。項羽悉引兵擊秦軍汙水上、大破之。【集解】徐廣曰、在鄴西、【索隱】汙、音于、郡國志、鄴縣有汙城、酈元云、汙水、出武安山東南、經汙城北、入漳、【正義】括地志云、汙水源出懷州河內縣北大行山、又云、故邘城、在河內縣西北二十七里、古邘國地也、左傳云、邘晉應韓、武之穆也、【考證】中井積德曰、前稱羽軍漳南、此遣軍渡三戶、則往在漳北也、此漳南當作漳北、愚按漢書亦作漳南、汙水、在臨漳縣西南、出武安山、入漳、今絕、章邯使人見項羽欲約。項羽召軍吏謀曰。糧少。欲聽其約。軍吏皆曰善。項羽乃與期洹水南殷虛上。【集解】徐廣曰、二世三年七月也、駰案應劭曰、洹水、在陽陰界、殷墟、故殷都也、瓚曰、洹水、在今安陽縣北、去朝歌殷都一百五十里、然則此殷虛、非朝歌也、汲冢古文曰、盤庚遷于此、汲冢曰、殷虛、南去鄴三十里、是舊殷虛、然則朝歌非盤庚所遷者、【索隱】按釋例云、洹水出汲郡林慮縣東北、至長樂入清水、是也、汲冢古文云、盤庚自奄遷于北蒙、曰殷虛、南去鄴州三十里、是殷虛南舊地、名號北蒙也、【考證】凌稚隆曰、邯始欲約、約未成、而羽使擊之、既復欲約、因糧少而後聽之、此太史公敍事縝密處、而羽之兵

法亦概見矣、已盟。章邯見項羽而流涕、爲言趙高。項羽乃立章邯爲雍王、置楚軍中、使長史欣爲上將軍、將秦軍爲前行、【正義】胡郎反、【考證】顏師古曰、前行、謂居前而行、到新安。【正義】括地志云、新安故城、在洛州澠池縣東一十三里、漢新安縣城也、卽阬秦卒處、【考證】新安、河南澠池縣東、諸侯吏卒、異時故繇使屯戍過秦中、秦中吏卒遇之多無狀。及秦軍降諸侯、諸侯吏卒、乘勝多奴虜使之、輕折辱秦吏卒。秦吏卒多竊言曰。章將軍等、詐吾屬降諸侯。今能入關破秦、大善。卽不能、諸侯虜吾屬而東、秦必盡誅吾父母妻子。諸將微聞其計以告項羽。項羽乃召黥布・蒲將軍計曰。秦吏卒尙衆。其心不服。至關中不聽、事必危。不如擊殺之、而獨與章邯、長史欣、都尉翳入秦。於是楚軍夜擊、阬秦卒二十餘萬人新

安城南。【集解】徐廣曰、漢元年十一月、【考證】楓、三本無人字、行略定秦地、至函谷關。【集解】文穎曰、時關在弘農縣衡山嶺、今移在河南穀城縣、【索隱】文穎曰、在弘農縣衡山嶺、今移在穀城、顏師古云、今桃林縣南有洪溜澗水、卽古之函關、按山形如函、故稱函關、【正義】括地志云、函谷關、在陝州桃林縣西南十二里、秦函谷關也、圖記云、西去長安四百餘里、路在谷中、故以爲名、【考證】至字各本奪、依楓、三本及漢傳補、有兵守關、不得入。又聞沛公已破咸陽、項羽大怒、使當陽君等擊關、項羽遂入、至于戲西。沛公軍霸上、未得與項羽相見。【考證】霸上、卽白鹿原、在西安府咸寧縣東、水經注、白鹿原東、卽霸川之西、謂之霸上、沛公左司馬曹無傷、使人言於項羽曰。沛公欲王關中、使子嬰爲相、珍寶盡有之。【考證】梁玉繩曰、范增曰、沛公入關、財物無所取、沛公謂項伯曰、吾入關、秋毫不敢有所近、籍吏民封府庫、而待將軍、樊噲謂項羽曰、沛公入咸陽、毫毛不敢有所近、封閉宮室、還軍霸上、又高紀謂沛公封秦重寶財物府庫、是高祖之不取秦寶物、皆張良樊噲一諫之力、而曹無傷珍寶盡有之語、徒以媚羽求封耳、但蕭何世家云、沛公至咸陽、諸將皆爭走金帛財物之府分之、然則曹無傷之言、未盡虛妄、謝項羽之玉璧、與亞父之玉斗、高祖何從得之、可知非毫無所取也、項羽大怒曰。旦日饗士卒、爲擊破

沛公軍。當是時、項羽兵四十萬、在新豐鴻門。【集解】孟康曰、在新豐東十七里、舊大道北下阪口名也、【考證】中井積德曰、新豐亦從後言之也、當時無新豐、愚按、鴻門坂名、在臨潼縣東、今曰項王營、沛公兵十萬、在霸上。范增說項羽曰。沛公居山東時、貪於財貨、好美姬。【考證】楓、三本無時字、今入關、財物無所取、婦女無所幸。此其志不在小。吾令人望其氣、皆爲龍虎成五采。此天子氣也。急擊勿失。【考證】漢書高紀、無虎字、愚按、是史家假託之也、亞父恐無此言、楚左尹項伯者、項羽季父也。【索隱】名纏、字伯、後封射陽侯、【考證】中井積德曰、季而字伯、不知何緣故、素善留侯張良。張良是時從沛公。項伯乃夜馳之沛公軍、私見張良、具告以事、欲呼張良與俱去。曰。毋從俱死也。【考證】古鈔本、楓、三本、從作徒、王念孫曰、從俱死、當作徒俱死、漢書高紀作特俱死、注、特、但也、空也、空死而無成名也、張良曰。臣爲韓王送沛公。【正義】爲、于僞反、【考證】是蓋假託之言、非事實、沛公今事有急。亡去不義。不可不

語。【考證】楓、三本、無沛公二字、良乃入具告沛公。沛公大驚曰。爲之柰何。張良曰。誰爲大王、爲此計者。【考證】徐孚遠曰、此時沛公未得稱王、及項羽稱王、皆自後追言、未刪正也、梁玉繩曰、前後俱稱沛公、何忽于張良三稱大王邪、留侯世家作沛公、是、曰。鯫生【集解】徐廣曰、鯫、音士垢反、魚名、駰案、服虔曰、鯫、音淺、鯫、小人貌也、瓚曰、楚漢春秋、鯫姓也、說我曰。距關毋內諸侯。秦地可盡王也。故聽之。良曰。料大王士卒、足以當項王乎。【考證】梁玉繩曰、羽時亦未王、故沛公稱羽將軍、以其爲諸侯上將軍也、史乃豫書爲王、此下項伯曰項王、范增項莊曰、君王、張良樊噲曰、項王大王、凡書王者三十八、似失史體、留侯世家樊噲傳及漢書俱不言王、其是、惟樊噲語未盡改耳、顧炎武曰、沛公但稱羽爲將軍、而樊噲則稱大王、其時羽未王也、張良曰、誰爲大王畫此計者、其時沛公亦未王也、此皆臣下尊奉之詞、史家因而書之、今百世之下、辭氣宛然如見、又如黃歇上書秦昭王、書先帝文王武王、其時秦亦未爲帝、必以書法裁之、此不達古今者矣、愚按、梁說是、沛公默然曰。固不如也。且爲之柰何。張良曰。請往謂項伯、言沛公不敢背項王也。沛公曰。君安與項伯有故。張良曰。秦時與臣游。項伯殺人、臣活之。今事有急。故

幸來告良。沛公曰。孰與君少長。良曰。長於臣。沛公曰。君爲我呼入。吾得兄事之。張良出要項伯。項伯卽入見沛公。沛公奉卮酒爲壽。約爲婚姻。[考證]顏師古曰、凡言爲壽、謂進爵於尊者、而獻無疆之壽。 曰。吾入關。秋豪不敢有所近。籍吏民封府庫。而待將軍。所以遣將守關者。備他盜之出入與非常也。日夜望將軍至。豈敢反乎。願伯具言臣之不敢倍德也。項伯許諾。謂沛公曰。旦日不可不蚤自來謝項王。沛公曰。諾。[考證]中井積德曰、項伯語中、不宜言項王。 於是項伯復夜去至軍中。具以沛公言報項王。因言曰。沛公不先破關中。公豈敢入乎。今人有大功。而擊之不義也。不如因善遇之。[考證]楓、三本、曰上無言字、梁玉繩曰、項伯之招子房、非奉羽之命也、何以言報、且私良會沛、伯負漏師之重罪、尙能告羽乎、使羽詰曰、公安與沛公語、則伯將奚對、史果可盡信哉、 項王許

諾。沛公旦日從百餘騎來見項王。至鴻門謝曰。臣與將軍勠力而攻秦。將軍戰河北。臣戰河南。然不自意能先入關破秦。得復見將軍於此。今者有小人之言。令將軍與臣有郤。項王曰。此沛公左司馬曹無傷言之。不然。籍何以至此。項王卽日因留沛公與飮。項王・項伯東嚮坐。亞父南嚮坐。亞父者范增也。[集解]如淳曰、亞、次也、尊敬之次父、猶管仲爲仲父、[考證]楓、三本、不然作不者、無卽日二字、劉攽曰、仲父自是管仲之字、亞父亦增字、黃淳耀曰、古人尙右、故宗廟之制皆南向、而廟主則東向、主賓之禮亦然、儀禮鄉飮酒禮篇、賓復位、當西序東面、是也、韓信傳、廣武君東面坐、西嚮對、而師事之、項羽得王陵母、置軍中、陵使至、則東向坐陵母、欲以招陵、周勃不好文學、每召諸生說事、東向坐責之、皆以東爲尊、然則鴻門坐次、首項王項伯、次亞父、次沛公也、中井積德曰、堂上之位、對堂下者、南嚮爲貴、不對堂下者、唯東嚮爲尊、不復以南面爲尊、 沛公北嚮坐。張良西嚮侍。范增數目項王。舉所佩玉玦以示之者三。項王默然不應。[考證]胡三省曰、玦如環而有缺、增舉以示羽、蓋欲其決意殺沛公也、

范增起。出召項莊。[正義]項羽從弟、 謂曰。君王爲人不忍。[考證]韓信云、項王見人恭敬慈愛、言語嘔嘔、人有疾病、泣涕分食飮、至使人有功、當封爵者、印刓弊、忍不能予、此所謂婦人之仁也、高起王陵云、項羽仁而敬人、與范增言對看、項羽其人可想、 若入前爲壽。壽畢。請以劒舞。因擊沛公於坐。殺之。不者。若屬皆且爲所虜。莊則入爲壽。壽畢。曰。君王與沛公飮。軍中無以爲樂。請以劒舞。項王曰。諾。項莊拔劒起舞。項伯亦拔劒起舞。常以身翼蔽沛公。莊不得擊。於是張良至軍門見樊噲。樊噲曰。今日之事何如。良曰。甚急。今者項莊拔劒舞。其意常在沛公也。噲曰。此迫矣。臣請入與之同命。噲卽帶劒擁盾入軍門。[正義]擁、紆拱反、盾、食允反、 交戟之衞士。欲止不內。樊噲側其盾以撞。[正義]直江反、 衞士仆地。噲遂入。披帷西嚮立。瞋目視項王。[正義]瞋、昌眞反、 頭髮上

指。目眥盡裂。[正義]眥、自賜反、 項王按劒而跽。[索隱]其紀反、謂長跪、 曰。客何爲者。張良曰。沛公之參乘樊噲者也。項王曰。壯士。賜之卮酒。則與斗卮酒。噲拜謝。起立而飮之。項王曰。賜之彘肩。則與一生彘肩。[考證]李笠曰、漢書樊噲傳、與下無斗字、卮受四升、不得斗卮酒、上云賜之卮酒、下云卮酒安足辭、此非泛言可知、斗字衍、梁玉繩曰、生字疑誤、彘肩不可生食、且此物非進自庖人、卽撤自席上、何以生邪、孫侍郎曰、蓋故以此試之也、 樊噲覆其盾於地。加彘肩上。拔劒切而啗之。[索隱]啗、徒覽反、凡以食餧人則去聲、自食則上聲、 項王曰。壯士。能復飮乎。樊噲曰。臣死且不避。卮酒安足辭。夫秦王有虎狼之心。殺人如不能舉。刑人如恐不勝。天下皆叛之。[考證]岡白駒曰、如不能舉、必極力而後已、愚按齊世家、賦斂如弗得、刑罰恐弗勝、韓非子難二、治亂之術、如恐不勝、注、重刑也、 懷王與諸將約曰。先破秦入咸陽者王之。今沛公先破秦入咸陽。豪毛不敢有所近。封閉宮室。還軍霸上。

以待大王來。故遣將守關者、備他盜出入與非常也。【考證】漢書修故字爲所以、勞苦而功高如此。未有封侯之賞。而聽細說、欲誅有功之人。此亡秦之續耳。竊爲大王不取也。【考證】樊噲傳、細說、作小人之言、中井積德曰、此大王亦非當時之言、項王未有以應。曰、坐。樊噲從良坐。坐須臾、沛公起如廁。因招樊噲出。沛公已出。項王使都尉陳平召沛公。【集解】徐廣曰、一本無都字、【考證】史中、陳平始見、明年平去楚歸漢、沛公曰、今者出、未辭也。爲之柰何。樊噲曰、大行不顧細謹。大禮不辭小讓。如今人方爲刀俎、我爲魚肉。何辭爲。【考證】李斯傳云、大行不小謹、盛德不辭讓、鄺食其傳、舉大事不細謹、盛德不辭讓、於是遂去。乃令張良留謝。良問曰、大王來何操。曰、我持白璧一雙、欲獻項王。玉斗一雙、欲與亞父。會其怒不敢獻。公爲我獻之。【考證】斗、酒器、張良曰、謹

諾。當是時、項王軍在鴻門下。沛公軍在霸上。相去四十里。沛公則置車騎。【考證】胡三省曰、置、留也、留車騎於鴻門、不以自隨、脫身獨騎、與樊噲・夏侯嬰・靳彊・紀信等。【索隱】漢書作紀通、通、紀成之子、四人持劍盾、步走、從酈山下、道芷陽閒行。【考證】胡三省曰、閒、空也、投空隙而行、沛公謂張良曰、從此道至吾軍、不過二十里耳。度我至軍中、公乃入。沛公已去、閒至軍中。張良入謝曰、沛公不勝桮杓、不能辭。謹使臣良奉白璧一雙、再拜獻大王足下、玉斗一雙、再拜奉大將軍足下。項王曰、沛公安在。良曰、聞大王有意督過之、脫身獨去。已至軍矣。【集解】如淳曰、脫身逃還其軍、項王則受璧置之坐上。亞父受玉斗置之地、拔劍撞而破之曰、唉、豎子不足與謀。奪項王天下者、必沛公也。吾屬今爲之

虜矣。【集解】徐廣曰、唉、烏來反、【索隱】音虛其反、皆歎恨發聲之辭、【考證】豎子、斥項莊輩、而暗譏項羽也、若以爲直斥項羽、則下文項王二字不可解、沛公至軍、立誅殺曹無傷。【考證】董份曰、當時鴻門之宴、必有禁衛之士、訶訊出入、沛公恐不能輒自逃酒、且疾走二十里、亦已移時、沛公良噲三人俱出、良久、羽在內、何爲竟不一問、而在外竟無一人爲羽之耳目者、任其出入往來、而莫之誰何、恐無此理、矧范增欲擊沛公、惟恐失之、豈容在外良久、而不亟召之耶、此皆可疑者、史固難盡信哉、豈天擁護眞主、一時人皆迷耶、徐孚遠曰、漢主脫身至軍、董份疑之、固當、然觀史記敍漢人飲中、多有更衣、或如廁竟去、而主人不知者、意當時之飲、與今少異、又聞有良駿、行四十里、而杯猶溫者、漢主之能疾行、至得此力也、其所云步走、或史遷誤也、吳裕垂曰、惟步行出鴻門、故羽不及覺、其得疾行至軍者、豈沛公來時、良於酈山道中、豫伏精兵良駿、以爲脫身之計歟、而沛公良噲三人甫出、羽固使陳平出召矣、而卒得脫歸者、抑沛公此時、已有私交於平歟、陳平私縱於外、項伯排解於內、固無難緩步徐行、而歸霸上矣、而況豫備良駿於驪山之下哉、居數日、項羽引兵西屠咸陽、殺秦降王子嬰、燒秦宮室。火三月不滅。收其貨寶婦女而東。【考證】梁玉繩曰、前已屢書項王、此後又攙三語、曰項羽引兵西屠咸陽、曰項羽方渡河救趙、曰引其兵降項羽、何也、愚按、項羽楚人、既失其祖、又失其季父、怨秦入骨、其入咸陽、猶伍子胥入郢、殺王屠民、燒宮殿、以快其心者、亦不足異、謂之無深謀遠慮可也、謂之殘虐非道者、未解重瞳子心事、又按、此時沛公年已五十、思慮既熟、項羽年二十加六、血氣方剛、彼接物周匝稹密、不

敢妄動、此當事眞摯勇決、任意徑行、是二人成敗之所以分也、人或說項王曰、關中阻山河四塞。【集解】徐廣曰、東函谷、南武關、西散關、北蕭關、地肥饒、可都以霸。項王見秦宮室皆以燒殘破、【考證】漢書以作已、通、言關中可都者、不始於婁敬、蓋當時定論、又心懷思欲東歸。曰、富貴不歸故鄉、如衣繡夜行。誰知之者。【考證】鄉行、韻、高祖紀云、高祖過沛、置酒起舞、慷慨傷懷、泣數行下、謂沛父兄曰、游子悲故鄉、吾雖都關中、萬歲後吾魂魄猶樂思沛、此與項羽心事全同、世與彼而不與是、何耶、說者曰、人言楚人沐猴而冠耳。果然。【集解】張晏曰、沐猴、獼猴也、【索隱】言獼猴不任久著冠帶、以喻楚人性躁暴、果然、言果如人言也、【考證】唯言項羽不任衣冠耳、項王聞之、烹說者。【集解】楚漢春秋、楊子法言云、說者是蔡生、漢書云、是韓生、項王使人致命懷王。懷王曰、如約。乃尊懷王爲義帝。項王欲自王、先王諸將相。謂曰、天下初發難時、【集解】服虔曰、兵初起時、【正義】難、乃憚反、假立諸侯後以伐秦。然身被堅執銳首事、暴露於野三年、滅秦定天下者、皆將相諸君與

籍之力也。【正義】暴、蒲北反、義帝雖無功、故當分其地而王之。【考證】故、漢書作固、通、諸將皆曰善。乃分天下、立諸將爲侯王。項王・范增、疑沛公之有天下。業已講解、【集解】蘇林曰、講、和也、【索隱】服虔云、解、折伏也、說文云、講、和解也、漢書作媾解、蘇林云、媾、和也、是講之與媾俱訓和也、業、事也、言雖有疑心、然事已和解也、【考證】業、猶既也、又惡負約、恐諸侯叛之、乃陰謀曰、巴・蜀道險。秦之遷人皆居蜀。乃曰、巴・蜀、亦關中地也。故立沛公爲漢王。【集解】徐廣曰、以正月立、王巴・蜀・漢中、都南鄭。【正義】括地志云、南梁州所理縣也、【考證】南鄭、陝西漢中、而三分關中、王秦降將以距塞漢王。項王乃立章邯爲雍王、王咸陽以西、都廢丘。【索隱】孟康曰、縣名、今槐里是也、韋昭曰、周時名犬丘、懿王所都、秦欲廢之、故曰廢丘、【正義】括地志云、犬丘故城、一名廢丘、故城在雍州始平縣東南十里、地理志云、漢高二年、引水灌廢丘、章邯自殺、更廢丘曰槐里、【考證】廢丘、興平縣、屬西安府、長史欣者、故爲櫟陽獄掾。嘗有德於項梁。都尉董翳者、本勸章邯降楚。故立

司馬欣爲塞王、【集解】韋昭曰、在長安東、名桃林塞、王咸陽以東至河、都櫟陽。【集解】蘇林曰、櫟、音藥、【正義】括地志云、櫟陽故城、一名萬年城、在雍州櫟陽東北二十五里、秦獻公之城櫟陽、即此也、【考證】陝西西安府臨潼縣、立董翳爲翟王、王上郡、都高奴。【集解】文穎曰、上郡、秦所置、項羽以董翳爲翟王、更名爲翟、【索隱】按今鄜州有高奴城、【正義】括地志云、延州州城、即漢高奴縣、【考證】翟、春秋白翟之地、高奴故城在陝西延安府膚施縣東、徙魏王豹爲西魏王、王河東、都平陽。【考證】魏豹傳云、項羽欲有梁地、徙魏王豹於河東、平陽、山西平陽府、瑕丘申陽者、張耳嬖臣也。【集解】徐廣曰、一云瑕丘公也、服虔曰、瑕丘縣屬山陽、申姓、陽名、文穎曰、姓瑕丘、字申陽、瓚曰、瑕丘公申陽、是瑕丘縣名、先下河南郡、迎楚河上。故立申陽爲河南王、都雒陽。【正義】括地志云、洛陽故城、在洛州洛陽縣東北二十六里、周公所築、即成周城也、輿地志云、成周之地、秦莊襄王以爲洛陽縣、三川守理之、後漢都洛陽、改爲雒、漢以火德忌水、故去洛旁水而加隹、隹於行次爲土、土水之忌也、水得土而流、土得水而柔、故除隹而加水、韓王成因故都、都陽翟。【正義】括地志云、陽翟、洛州縣也、左傳云、鄭伯突入于櫟、杜預云、櫟、鄭別都、今河南陽翟縣、是也、地理志云、陽翟縣、是屬潁川郡、夏禹之國、【考證】陽翟、河南開封府禹州、趙將司馬卬定河內、數有功。

故立卬爲殷王、王河內、都朝歌。【考證】朝歌、河南衞輝府淇、徙趙王歇爲代王。趙相張耳素賢、又從入關。故立耳爲常山王、王趙地、都襄國。【正義】括地志云、邢州城、本漢襄國縣、秦置三十六郡於此、置信都縣屬鉅鹿郡、項羽改曰襄國、立張耳爲常山王、理信都、地理志云、故邢侯國也、帝王世紀云、邢侯爲紂三公、以忠諫被誅、史記云、周武王封周公旦之子爲邢侯、左傳云、凡蔣邢茅、周公之胤也、【考證】襄國、直隸順德府邢臺縣、當陽君黥布、爲楚將、常冠軍。故立布爲九江王、都六。【索隱】六縣、古國、皋陶之後、【正義】括地志云、故六城、在壽州安豐縣南百三十二里、本六國、偃姓、皋繇之後所封也、黥布亦皋繇之後、居六也、【考證】六、安徽六安州、鄱君吳芮、率百越佐諸侯、又從入關。【集解】韋昭曰、鄱、音蒲河反、初吳芮爲鄱令、故號曰鄱君、今鄱陽縣是也、【正義】番、君、番、音婆、故立芮爲衡山王、都邾。【集解】文穎曰、邾、音朱、縣名、屬江夏、【正義】說文云、音誅、括地志云、故邾城、在黃州黃岡縣東南二十里、本春秋時邾國、邾子曹姓、狹居、至魯隱公徙蘄、音機、【考證】邾故城、在湖北黃州府黃岡縣東南、義帝柱國共敖、【正義】共、音恭、將兵擊南郡功多。因立敖爲臨江王、【集解】漢書音義曰、本南郡、改爲臨江國、都江陵。【正義】江陵、荊州縣、史記江陵故郢都也、

【考證】江陵、湖北荊州府治、徙燕王韓廣爲遼東王。【集解】徐廣曰、都無終、燕將臧荼、從楚救趙、因從入關。故立荼爲燕王、都薊。【考證】薊、直隸順德府大興縣、徙齊王田市爲膠東王。【集解】徐廣曰、都即墨、【正義】括地志云、即墨故城、在萊州膠水縣南六十里、古齊地、本漢舊縣、膠、音交、在膠水之東、齊將田都、從共救趙、因從入關。故立都爲齊王、都臨菑。【索隱】按高紀及田儋傳云、臨濟、此言臨菑誤、【正義】菑、側其反、括地志云、青州臨菑縣也、即古臨菑地也、一名齊城、古營丘之地、所封齊之都也、少昊時有爽鳩氏、虞夏時有季萴、殷時有逢伯陵、殷末有薄姑氏、爲諸侯國、此地後太公封方五百里、【考證】臨菑、山東青州府臨菑縣、故秦所滅齊王建孫田安、項羽方渡河救趙、田安下濟北數城、引其兵降項羽。故立安爲濟北王、都博陽。【正義】在濟北、【考證】博陽、山東泰安府泰安縣有博縣故城、漢曰博陽、田榮者、數負項梁、又不肯將兵從楚擊秦。以故不封。【考證】一田榮不封、竟敗霸王大事、成安君陳餘、弃將印去、不從入關。【正義】地理志云、成安縣、在潁川郡、屬豫州、然素聞其賢有功於趙、聞

其在南皮、【正義】括地志云、故南皮城、在滄州南皮縣北四里、本漢皮縣城、卽陳餘所封也、【考證】南皮、直隷天津府南皮縣東北、**故因環封三縣。**【集解】漢書音義曰、繞南皮三縣以封之、【考證】洪亮吉曰、張耳嬖臣申陽皆封王、而陳餘祇侯、是餘尤不平者、**番君將梅鋗、功多。故封十萬戶侯。**【集解】韋昭曰、鋗、呼玄反、**項王自立爲西楚霸王。**【正義】貨殖傳云、淮以北沛陳汝南南郡、爲西楚也、彭城以東、東海吳廣陵爲東楚也、衡山九江江南豫章長沙、爲南楚、孟康云、舊名江陵爲南楚、吳爲東楚、彭城爲西楚、【考證】中井積德曰、此西楚其自號也、則地域任其所取、不得據貨殖傳作解、錢大昕曰、據貨殖傳、似彭城是東楚非西楚、羽既都彭城、而東有吳會稽諸郡、乃以西楚爲號者、羽兼有梁楚地、梁在楚西、言西楚、則梁地亦兼其中矣、又據彼傳、三楚之分、大率以淮爲界、淮北爲西楚、淮南爲南楚、唯東楚跨淮南北、吳廣陵在淮之南、東海在淮之北、彭城亦在淮北、而介乎東西之間、故彭城以西、可稱西楚、彭城以東、可稱東楚也、**王九郡、**【考證】項羽王梁楚九郡、史漢皆不詳其目、注家亦略、陳仁錫云、泗川、碭、薛、東海、臨淮、彭城、廣陵、會稽、鄣九郡、梁玉繩駁之云、臨淮郡、漢武帝元狩六年置、彭城郡、宣帝地節元年置、廣陵國、非郡、武帝元狩五年、更江都國爲廣陵、中間爲郡止三年、鄣郡之置、未知何時、秦無鄣郡、豈羽置之耶、全祖望云、秦於楚地置十郡、項王以漢中封高祖、九江封英布、南郡封共敖、以長沙爲義帝都、而自得東海、泗水、薛、會稽、南陽、黔中、秦於梁地置三郡、項王以河東封魏豹、而自得碭、東郡、凡得郡八、據史記、益以楚郡、適得九郡之目、梁玉繩又駁之云、秦無楚郡、恐是誤會楚世家之文、南陽黔中、中隔數國、豈能遙屬于楚、姚鼐云、九郡蓋爲碭東郡陳、

泗川、東海、南陽、鄣、會稽、碭與東郡、故梁地也、自陳以東、故楚地也、故曰王梁楚、大抵西界、故韓、東至海、北界、上則距河、下則距泰山、南界、上則距淮、下則包踰江東、因天下之膏腴、平壤矣、梁玉繩既論南陽不在九郡之數、秦亦無陳郡、姚說未可以爲是、錢大昕曰、史稱九郡、據當時分置郡名數之也、九郡者、泗水也、東陽也、東海也、卽郯郡碭也、薛也、鄣也、吳也、會稽也、東郡也、梁玉繩從之、而張茂炯駁之云、吳會稽者、順帝永建二年始分兩郡、漢初安得有是名、梁楚之地、除長沙奉義帝、河東封魏豹、河內封司馬卬、河南封瑕丘申陽、南郡封共敖、江夏封吳芮、漢中封沛公、九江六安封英布、所餘有陳留、汝南、潁川、山陽、濟陰、零陽、桂陽、武陵、泗水、東海、會稽、丹陽、豫章、廬江、廣陵、臨淮十六郡、而汝南、桂陽、武陵、豫章、皆高帝置、陳留、零陽、臨淮、皆武帝置、山陽、濟陰、景帝始別爲國、楚漢之間尚無是名、惟潁川、泗水、卽沛郯、卽東海會稽、鄣、卽丹陽淮南、卽廬江東陽、卽廣陵碭、卽梁國薛、卽魯國是爲九郡、於誼方允、愚按、潁川韓國、此時韓王成尚在、亦非梁楚地、張說未確、姑錄諸說以存疑、**都彭城、**【集解】孟康曰、舊名江陵爲南楚、吳爲東楚、彭城爲西楚、【正義】彭城、徐州縣、【考證】惲敬曰、自淮陰侯斥項王不居關中而都彭城、史家亦持此說、後之言地利者祖之、以爲項王失計、無有大於此者、余謂項王之失計、在不救雍塞翟三王、而東擊齊、不在都彭城、何也、項王立沛公爲漢王、王巴蜀漢中、而三分關中、王章邯於雍、司馬欣於塞、董翳於翟、所以距塞漢王也、夫三人之非漢王敵、不必中人以上知之、項王起江東、敗秦救趙、遂霸諸侯、業雖不終、見豈必出中人下哉、吾嘗深推其故、而知項王都彭城、蓋以通三川之險也、通三川、蓋以救三秦之禍也、以彭城控三川、卽以三川控三秦、是故都彭城者、項王不得不然之計也、何以知其然也、乃者項王自王、蓋九郡焉、自淮以北、爲泗水、爲薛、爲郯、爲琅琊、爲陳、皆故楚地、七郡、與全姚錢張諸家說亦異、爲碭、爲東郡、皆故梁地、是時彭越未國、

地屬西楚、自淮以南爲會稽、會稽之分爲吳、灌嬰傳、得吳守、是也、亦故楚地、九郡者、項王所手定也、軍於手定之地、不患其不安、民於手定之地、不患其不習、國於手定之地、則諸王侯不得以地大而指爲不均、據天下三分之一、以爭中原於腹心之間、此三代以來未有之勢也、彭城者、居九郡之中、舉天下南北之脊、關外之形勝、必爭之地也、故曰都彭城者、項王不得不然之計也、雖然項王之不取關中何也、曰項王非不取關中也、乃者漢王先入關、義帝之約固宜王者也、項王聽韓生之說而都之、關中之人安乎、不安乎、關外諸侯無異議乎、項王所手定之九郡、將以之分王乎、抑自制乎、度其勢必自制之矣、自制之、而一旦有警、其將去關中自將而東乎、關中者固漢王所手定也、舍己所手定之九郡、而奪他人所手定之關中、既奪他人所手定之關中、又不分己所手定之九郡、一旦自將而東、天下之人安乎、不安乎、是故關中者、項王之所必取之地也、取之而名不順、勢不便、則緩取之、取之而名不順、勢不便、且召天下之兵、則以棄之者取之、何以知其然也、乃者陳涉首難、諸侯各收其地而王之矣、三王秦之人也、以秦之地付三王、此秦漢之際諸侯之法也、使三王者據全秦之勝、扼全蜀之衝、包南山之塞、窒棧道之險、終身爲西楚藩衞、則朝貢徵發、何求而不可、若其以百戰之燼、生降之虜、寄仇讎之號令、驅鄕黨之儔匹、一有擾動、西楚廢其主、刈其民、若燎毛射稿耳、指揮既定、人心自固、誠如是也、漢王不得援前說以爭秦、諸侯不得舉前事以責楚、名與勢皆順便矣、所謂緩取之也、所謂以棄之者取之也、是故不付之張耳臧荼者、不以關外之將相制關中也、不付之共敖黥布者、不以西楚之將相制關中也、陽示天下以大公、而陰利三王之易取、是故三秦者、項王之寄地也、其告韓生曰、富貴不歸故鄕、如衣錦夜行、人誰見之、此項王之設辭也、非項王之本計也、雖然關中重地也、取關中重計也、其取之之次第奈何、曰、項王之計、不急於收三秦之地也、急

於阻漢之東而已、何以知其然也、乃者項王之所忌、唯漢王也、是故未爲取秦之謀、先爲救秦之策、三川者、救秦之要道也、以瑕丘申陽據三川、而北函谷、南武關、挈其要領矣、以司馬卬輔三川之北、而函谷之軍無阻矣、以韓成夾三川之南、而武關之軍無留矣、二王皆趙臣、趙睦於楚、故道通、韓成不睦於楚、不使之國、而楚制之、故道亦通、然而西楚之都、不能朝發夕至、則猶之乎未通也、彭城者、去函谷千有餘里、去武關亦千有餘里、漢輕騎數日夜可叩關、北收燕趙之卒、南引荊郴之師、關外可厚集其勢、關中可迭批其隙、漢王一搖足、則章邯先乘之、司馬欣董翳乘之、西楚傾天下之力而急乘之、漢何患不敗、秦何患不全、漢王且不能保巴蜀漢中、豈能移尺寸與楚爭一日之利、故曰以彭城控三川、以三川控三秦、都彭城者、項王不得不然之計也、不意四月諸侯就封、五月而田榮反齊、是月而陳餘反趙、六月而彭越反梁、西楚之勢、不能卽日西兵、而漢王已於五月破章邯、八月降司馬欣董翳矣、蓋項王止策漢王、而田榮陳餘彭越三人非其所忌、故有此意外之變、此則項王之失計也、然使當日不受漢間、東兵擊齊、舉三楚之士、分兩路捷走爭秦、其時申陽司馬卬未敗、韓成已廢、兵行無人之境、函谷破、武關必降、武關破、函谷亦不守、淮陰侯挾新造之漢、與旋定之秦、以當百戰必勝之卒、勝負之計、必不如垓下以三十萬當十萬之數矣、如是則三秦可復、三秦復而三川益固、九郡益張、齊趙燕三國、有不折而入於楚者哉、而卒棄之不爲、此則項王之失計也、故曰在不救雍塞翟三王、而東擊齊、不在都彭城也、**漢之元年四月、諸侯罷戲下、各就國。**【集解】戲、音羲、水名也、言下者、如許下洛下然也、按上文云、項羽入至戲西鴻門、沛公還軍霸上、是羽初停軍於戲水之下、後雖引兵西屠咸陽、燒秦宮室、則亦還戲下、今言諸侯罷戲下、是各受封邑號令訖、自戲下各就國、何須假

借文字、以爲旌麾之下乎、顏師古劉伯莊之說、皆非、【考證】張茂炯曰、上文遂至戲西、乃指戲水而言、此時軍既過戲、固不當仍訓戲水、說文、戲、三軍之偏也、偏謂軍所駐之一面也、諸侯從羽入關、亦如前年呂臣軍彭城東、項羽軍彭城西、沛公軍碭、各駐一偏、至此乃各散去、故云罷戲下、各就國也、項籍傳、戲下騎從者八百餘人、韓信傳、居戲下、無所知名、灌夫傳、馳入其軍至戲下、凡言戲下者、皆謂偏伍之下也、愚按顏師古讀戲爲麾、可從、張說拘、項王出之國、使人徙義帝曰。古之帝者、地方千里、必居上游。【集解】文穎曰、居水之上流也、游或作流、乃使使徙義帝長沙郴縣、趣義帝行。【集解】如淳曰、郴音綝、【考證】湖南郴州、其羣臣稍稍背叛之。乃陰令衡山·臨江王擊殺之江中。【集解】文穎曰、郴縣有義帝冢、歲時常祠不絕、【考證】楓三本、衡山下有王字、洪亮吉曰、義帝徙長沙、道蓋出九江衡山臨江、故羽陰令二王及九江王布殺之、黥布傳、遣將追殺之郴縣、二王雖受羽命、而不奉行、故布獨遣將擊殺耳、使二國欲殺義帝、當其道出衡山臨江時、何以不殺、而使之至郴縣乎、布傳從事後實書、故漢書高本紀等皆從之、此紀及高帝紀本羽之始謀而言、皆史法之可以互見者、梁玉繩曰、義帝之弒、此與高紀在漢元年四月、而月表在二年十月、黥布傳在元年八月、漢書從月表、然究未知的在何月、義帝以元年四月自臨淮之盱台縣徙桂陽之郴、使人趣其行、不及一月可到、英布等追而殺之、則甫及郴即被弒矣、疑四月爲是、趙翼曰、史記不立楚懷王心傳、殊爲缺筆、陳涉已世家矣、項羽已本紀矣、心雖起牧羊、然漢高與項羽嘗北面事之、漢高之入

關、實奉其命以行、後又與諸侯共尊爲義帝、而漢高之擊項羽也、爲之發喪、則心固當時共主、且其人亦非碌碌不足數者、因項梁敗於定陶、即并項羽呂臣軍自將之、因宋義識項梁之將敗、即拜爲上將軍、因項羽殘暴、即令漢高扶義而西、及漢高先入關、羽以強兵繼至、亦居滅秦之功、使人報心、心仍守先入關者王之之舊約、而畧不瞻徇、是其智畧信義、亦有足稱者、非劉聖公輩所可及也、自當專立一傳、乃史記逸之、豈以其事附見項羽諸傳中、故不復敍耶、然律以史法、究未協也、愚按自蘇東坡以義帝爲天下賢主、洪氏容齋隨筆、遂有可爲立本紀之說、趙甌北此論、蓋申其旨而少變之、余謂楚漢未入咸陽之前、天下之權在陳涉、已入咸陽之後、天下之權在項羽、義帝未嘗有帝制之事、史公不立本紀固宜、且其事附載項羽高祖二紀、何必別立傳、豈可謂不協史法乎、韓王成無軍功。項王不使之國。與俱至彭城、廢以爲侯、已又殺之。臧荼之國。因逐韓廣之遼東。廣弗聽。荼擊殺廣無終、并王其地。田榮聞項羽徙齊王市膠東、而立齊將田都爲齊王、乃大怒、【考證】楓三本、項羽作項王、梁玉繩曰、此後宜稱項王矣、而忽呼項羽者四、曰、田榮聞項羽徙齊王市於膠東、曰、項羽聞漢王皆已并關中、曰、項羽遂北至城陽、又呼其名曰、獨籍所殺漢軍數百人、俱當改項王、不肯遣齊王之膠東、因以齊反、迎擊田都。田都走楚。齊王市畏項王、乃亡

之膠東就國。田榮怒追擊、殺之卽墨。【考證】卽墨、山東萊州府卽墨縣、榮因自立爲齊王、而西擊殺濟北王田安、并王三齊。【集解】漢書音義曰、齊與濟北膠東、【正義】三齊記云、右卽墨、中臨淄、左平陸、謂之三齊、【考證】三齊、集解是、榮與彭越將軍印、令反梁地。【考證】岡白駒曰、是時彭越在鉅野、有衆萬餘、無所屬、何焯曰、田榮首難、且連彭越、橫又繼之、爲高祖驅除、功莫先於齊也、劉辰翁曰、一田榮不封、遂生此故、固知立功易、爲宰難也、陳餘陰使張同·夏說說齊王田榮、【考證】梁玉繩曰、高紀及陳餘傳、皆無張、恐非二人俱說也、曰。項羽爲天下宰不平。今盡王故王故醜地、而王其羣臣諸將善地、逐其故主趙王、乃北居代。【考證】梁玉繩曰、趙王歇乃陳餘之故主也、其字當衍、餘以爲不可。聞大王起兵、且不聽不義。願大王資餘兵。請以擊常山、以復趙王、請以國爲扞蔽。齊王許之。因遣兵之趙。陳餘悉發三縣兵、與齊并力、擊常山大破之。張耳走歸漢。陳餘迎故趙王歇於

代、反之趙。趙王因立陳餘爲代王。【考證】漢書項籍傳、以陳餘說齊王榮、爲漢二年事、是時漢還定三秦。項羽聞漢王皆已并關中且東、齊·趙叛之、大怒、【考證】齊叛、指田榮擊殺田都田市田安并王三齊也、趙叛、指陳餘破常山王、迎還趙歇也、漢書項羽傳、書趙叛於漢二年、改齊趙作齊梁、其言梁叛、指彭越反梁也、與此不同、乃以故吳令鄭昌爲韓王、以距漢、令蕭公角等擊彭越。彭越敗蕭公角等。【集解】蘇林曰、蕭公、官號也、或曰、蕭令也、時令皆稱公、【考證】錢大昕曰、春秋之際、楚縣令皆稱公、楚漢之際、官名多沿楚制、故漢王起沛稱沛公、楚有蕭公薛公郯公留公柘公、漢有滕公戚公、皆縣令之稱、漢使張良徇韓。乃遺項王書曰。漢王失職、欲得關中如約、卽止不敢東。又以齊·梁反書遺項王。【考證】齊梁、當齊趙之誤、下文齊欲與趙并滅楚、可證、後人據漢書妄改、曰。齊欲與趙并滅楚。楚以此故無西意。而北擊齊。徵兵九江王布。布稱疾不往、使將將數千人行。項王由此怨布也。漢之二年冬、【考證】陳仁錫曰、漢之元年、漢之二年、漢之三年、漢之四年、此子長以漢

之年紀楚事、例也、故加之字以別之、至五年楚亡、然後直書漢五年、示一統也、梁玉繩曰、冬當作春、事在春也、項羽遂北至城陽。【考證】楓、三本、項羽作項王、田榮亦將兵會戰。田榮不勝。走至平原。平原民殺之。遂北燒夷齊城郭室屋、皆阬田榮降卒、係虜其老弱婦女、徇齊至北海、多所殘滅。齊人相聚而叛之。於是田榮弟田橫、收齊亡卒得數萬人、反城陽。項王因留連戰、未能下。春、漢王部【集解】徐廣曰、一作劫、【索隱】按漢書、見作劫字、五諸侯兵【集解】徐廣曰、塞、翟、魏、殷、河南、駰案應劭曰、雍、翟、塞、殷、韓也、韋昭曰、塞、翟、殷、韓、魏、雍時已敗也、【索隱】按徐廣韋昭、皆數翟塞及殷韓等、顏師古不數三秦、謂常山、河南、韓、魏、殷、顧胤意略同、乃以陳餘兵爲五、未知孰是、鄙意按韓王鄭昌拒漢、漢使韓信擊破之、則是韓兵不下而已破散也、韓不在此數、五諸侯者、塞、翟、河南、魏、殷也、【正義】師古云、諸家之說皆非、張良遺羽書曰、漢欲得關中如約、卽止不敢復東、謂出關之東也、今羽聞漢東之時、漢固已得三秦矣、五諸侯者、謂常山、河南、韓、魏、殷也、此年十月、常山王張耳降、河南王申陽降、韓王鄭昌降、魏王豹降、虜殷王卬、皆漢東之後、故知謂此爲五諸侯、時雖未得常山之地、功臣年表云、張耳棄國與大臣歸漢、則當亦有士卒、爾時雍王猶在廢丘被圍、卽非五諸侯之數也、尋此紀文、昭然可曉、前賢注釋、竝失指趣、高紀及漢書、皆言劫

五諸侯兵、凡兵初降、士卒未有自指麾、故須劫略而行、又云、發關中兵收三河士、發、謂差點撥發也、收、謂劫略收斂也、韋昭云、河南、河東、河內、申陽都雒陽、韓王成都陽翟、皆河南也、魏豹都平陽、河東也、司馬卬都朝歌、張耳都襄國、河內也、此三河士、則五諸侯兵也、更著雍、塞、翟、則成八諸侯矣、重明顏公之說是、故韓信傳云、漢二年出關、收魏河南、韓殷王皆降、是、【考證】王念孫曰、徐廣云、部一作劫、按作劫者是也、高祖紀及漢書高祖紀、項籍傳、竝作劫、陸賈傳亦云、漢王鞭苦天下、劫略諸侯、王先謙曰、劫有制持之義、愚按漢王所劫伐楚五諸侯、諸說不一、應劭曰、雍、翟、塞、殷司馬卬韓鄭昌也、如淳徐廣曰、塞、翟、殷、魏魏豹河南瑕丘申陽也、韋昭裴駰曰、翟、塞、殷、魏、韓鄭昌也、顏師古曰、殷、韓鄭昌魏、河南、常山張耳也、劉攽曰、殷、河南、韓鄭昌魏及陳餘所遺兵也、吳仁傑曰、翟、塞、韓韓信魏及陳餘所遺兵也、全祖望曰、殷、魏、韓韓信齊、趙趙相陳餘也、汪中曰、塞、翟、河南、魏、韓韓信也、趙翼曰、魏、河南、韓韓信趙陳餘所遺兵齊也、梁玉繩曰、韓韓信魏、齊、趙陳餘衡山吳芮也、說詳于兩漢刊誤補遺、述學、經史問答、陔餘叢考、讀書叢錄、史記志疑、但未知所適從、荀悅漢紀止云、漢王率諸侯之師凡五十六萬人、無五諸侯三字、蓋以其難確指、通鑑云、漢王以故得率諸侯兵凡五十六萬人、亦用荀紀也、董教增曰、項羽本紀贊亦曰、遂將五諸侯滅秦、尋其條貫、當據故七國、以其地言、不以其王言也、漢定三秦、卽故秦地、項羽王楚、乃故楚地、其餘韓趙魏齊燕爲五諸侯、劫五諸侯兵、猶後言引天下兵耳、故漢伐楚、可以言五諸侯、楚滅秦、亦可言五諸侯也、愚按董氏依羽紀論贊集解、其說最穩、凡五十六萬人、東伐楚。項王聞之、卽令諸將擊齊、而自以精兵三萬人、南從魯出胡陵。【正義】括地志云、徐州魯兗州曲阜縣也、地理志云、胡陵、在山陽縣屬也、【考證】胡

陵亦曰湖陵、故城在山東兗州府魚臺縣東南、魯、兗州府曲阜縣治、四月、漢皆已入彭城。收其貨寶美人、日置酒高會。【考證】御覽引貨寶作寶貨、與漢書合、李笠曰、上文云、項羽西屠咸陽、亦云、收其貨寶婦女、此非誤倒、張文虎曰、沛公一入秦宮、卽欲留居、今入彭城、又復如此、亦無異於淫昏之主、此范增所謂貪財好美姬者也、史公於此二事、不著之高紀、而見之羽紀及留侯世家、此爲高諱、而仍不沒其實、旁見側出、謂之良史、不亦宜乎、項王乃西、從蕭晨擊漢軍、【正義】括地志云、徐州蕭縣、古蕭叔之國、春秋時爲宋附庸、帝王世紀云、周封子姓之別爲附庸也、【考證】蕭、江蘇徐州府蕭縣西北、而東至彭城、日中大破漢軍。【集解】張晏曰、一日之中也、或曰、旦擊之、至日中大破、顏師古曰、或說是也、【考證】漢軍皆走、相隨入穀·泗水【集解】瓚曰、二水、皆在沛郡彭城、殺漢卒十餘萬人。漢卒皆南走山。【正義】走、音奏、楚又追擊至靈壁東睢水上。【集解】徐廣曰、靈壁、在彭城、睢水、於彭城入泗水、【索隱】孟康曰、靈壁、故小縣、在彭城南、【正義】括地志云、靈壁故城、在徐州符離縣西北九十里、睢、音雖、括地志云、睢水首受浚儀莨蕩水、東經取慮入泗、過郡、西行一千二百六十里、【考證】靈壁、鳳陽府靈壁縣治、明地理志、宿州靈壁縣北有睢河、漢軍卻、爲楚所擠。多殺。【集解】服虔曰、擠、音濟、民之濟、瓚曰、排擠也、漢卒十餘萬人、皆入睢水。睢水爲之不

流、【正義】爲、于僞反、【考證】楓三本、無人字、圍漢王三帀。於是大風從西北而起、折木發屋、揚沙石、窈冥晝晦。【集解】徐廣曰、窈亦作窅字、逢迎楚軍。楚軍大亂壞散。而漢王乃得與數十騎遁去。欲過沛收家室而西。楚亦使人追之沛取漢王家、家皆亡、不與漢王相見。漢王道逢得孝惠·魯元。【集解】服虔曰、元、長也、食邑於魯、韋昭曰、元、謚也、乃載行。楚騎追漢王。漢王急。推墮孝惠·魯元車下。滕公常下收載之。如是者三。曰、雖急不可以驅、柰何棄之。於是遂得脫。【考證】中井積德曰、孝惠時六歲、魯元年已及笄、蓋抱孝惠同載也、推墮之狀可想、非投二嬰兒于地、愚按夏侯嬰傳云、漢王急、馬罷、虜在後、常蹶兩兒欲棄之、嬰常收、竟載之、中說未得、求太公·呂后、不相遇。審食其、【集解】瓚曰、其、音基、【索隱】食、音異、按酈審趙三人同名、其音合、竝同以六國時衞有司馬食其、竝慕其名、從太公·呂后閒行。【集解】如淳曰、閒出、閒步微行、皆同義也、求漢王、反遇楚軍。楚軍遂與歸報項王。項王

常置軍中。是時呂后兄周呂侯、【集解】徐廣曰、名澤、【正義】蘇林云、以姓名侯也、晉灼云、外戚表、周呂令武侯澤也、呂縣名、封於呂、以爲國、顏師古云、周呂、封名、令武、其謚也、蘇云、以姓名侯、非也。【考證】梁玉繩曰、呂澤是時未封、依史法、不當豫稱周呂侯、爲漢將兵居下邑。【集解】徐廣曰、在梁、【正義】括地志云、宋州碭山縣、本下邑縣也、在宋州東一百五十里、按今下邑、在宋州東一百一十里、【考證】下邑、河南歸德府夏邑縣、漢王閒往從之、稍稍收其士卒至滎陽。諸敗軍皆會。蕭何亦發關中老弱未傅、悉詣滎陽。【集解】服虔曰、傅音附、孟康曰、古者二十而傅、三年耕、有一年儲、故二十三年而後役之、如淳曰、律、年二十三傅之疇官、各從其父疇內學之、高不滿六尺二寸以下、爲罷癃、漢儀注、民年二十三爲正、一歲爲衛士、一歲爲材官騎士、習射御騎馳戰陣、又曰、年五十六衰老、乃得免爲庶民、就田里、今老弱未嘗傅者皆發之、未二十三爲弱、過五十六爲老、食貨志曰、月爲更卒、已復爲正、一歲屯戍、一歲力役、三十倍於古者、【索隱】按姚氏云、古者更卒不過一月、踐更五月而休、又顏云、五當爲三、言一歲之中三月居更、三日戍邊、總九十三日、古者役人歲不過三日、此所謂一歲力役三十倍於古也、斯說得之、【考證】傳著也、未傳、言未著名籍者、中井積德曰、漢儀注未可全據、衛士材官之屬、與此不相干、復大振。楚起於彭城、常乘勝逐北、與漢戰滎陽南京・索閒。漢敗楚。【集解】應劭曰、京、縣名、屬河南、有索亭、晉灼曰、索、音柵、【正義】括地志云、

京縣城、在鄭州滎陽縣東南二十里、鄭之京邑也、晉太康地志云、鄭太叔段所居邑、滎陽縣即大索城、杜預云、成皐東有大索城、又有小索故城、在滎陽縣北四里、京相璠地名云、京縣有大索亭小索亭、大小氏兄弟居之、故有小大之號、按楚與漢戰滎陽南京索閒、即此耳、【考證】京故城、在河南開封府滎陽縣東南、索、滎陽縣治、即古大索城、徐孚遠曰、按此總敘漢兵敗之後、稍能振、不必一時事也、楚以故不能過滎陽而西。項王之救彭城追漢王至滎陽、田橫亦得收齊、立田榮子廣爲齊王。漢王之敗彭城、諸侯皆復與楚而背漢。漢軍滎陽、築甬道屬之河、以取敖倉粟。【集解】瓚曰、敖、地名、在滎陽西北、山上臨河有大倉、【正義】括地志云、敖倉、在鄭州滎陽縣西十五里縣門之東北、臨汴水、南帶三皇山、秦時置倉於敖山、名敖倉云、【考證】敖山、在開封府滎澤縣西北、水經注、山上有城、秦置倉其中、故曰敖倉、漢之三年、項王數侵奪漢甬道。漢王食乏。恐請和、割滎陽以西爲漢。項王欲聽之。歷陽侯范增曰。漢易與耳。今釋弗取、後必悔之。【正義】括地志云、和州歷陽縣、本漢舊縣也、淮南子云、歷陽之都、一夕而爲湖、漢帝時、歷陽淪爲歷湖、項王乃與范增急圍滎陽。漢王患之、乃用陳

平計閒項王。【考證】岡白駒曰、行反間于項王、項王使者來。爲太牢具、【考證】呂氏春秋注、太牢、謂牛羊豕也、牛羊之閑曰牢、故三牲具謂之太牢、愚按太牢、猶言盛饌也、不必拘古法、舉欲進之。見使者詳驚愕曰。吾以爲亞父使者。乃反項王使者。更持去、以惡食食項王使者。使者歸報項王。【正義】食、上如字、下音寺、【考證】通鑑輯覽云、陳平此計、乃欺三尺童、未可保其必信者、史乃以爲奇、而世傳之、可發一笑、項王乃疑范增與漢有私、稍奪之權。范增大怒曰。天下事大定矣。君王自爲之。願賜骸骨歸卒伍。【考證】白起傳、免武安君爲士伍、顏師古曰、謂奪其爵令爲士伍、言使從士卒之伍、愚按卒伍、猶言士伍、蓋秦漢之語、項王許之。行未至彭城。疽發背而死。【集解】皇覽曰、亞父冢、在廬江居巢縣郭東、居巢廷中有亞父井、吏民皆祭亞父於居巢廷上、長吏初視事、皆祭然後從政、後更造祠於郭東、至今祠之、【正義】疽、七餘反、崔浩云、疽附骨癰也、括地志云、髑髏山、在廬州巢縣東北五里、昔范增居此山之陽、後佐項羽、【考證】吳王濞傳云、周丘聞吳王敗走、自度無與共成功、即引兵歸下邳、未至、疽發背死、情事相似、漢將紀信說漢王曰。【考證】高紀、作將軍紀信、事已急矣。請爲王誑楚爲

王。王可以閒出。於是漢王【考證】漢書高紀、漢王作陳平、蓋用陳平計也、夜出女子滎陽東門、被甲二千人。楚兵四面擊之。紀信乘黃屋車、【正義】李斐云、天子車以黃繒爲蓋裏、傅左纛、【集解】李斐曰、纛、毛羽幢也、在乘輿車衡左方上注之、蔡邕曰、以犛牛尾爲之、如斗、或在騑頭、或在衡上也、【考證】漢王未爲天子、何以黃屋左纛、蓋紀信用引耳目、楚人遂爲其所誑、曰。城中食盡、漢王降。楚軍皆呼萬歲。【考證】趙翼曰、萬歲本古人慶賀之詞、呂氏春秋、宋康王爲長夜之飲、室中人呼萬歲、堂上堂下之人、以及國中皆應之、韓非子、巫祝之祝人曰、使若千秋萬歲、新序、梁君出獵歸入廟中呼萬歲、史記、優旃陛楯郎雨立、有頃殿上上壽稱萬歲、田單約降於燕、燕軍皆呼萬歲、紀信誑楚曰、食盡漢王降、楚軍皆呼萬歲、項羽歸太公呂公于漢、漢軍皆呼萬歲、陸賈奏新語、左右皆稱善、呼萬歲、武帝登嵩高、空中聞呼萬歲者三、蓋古人飲酒、上壽稱慶曰萬歲、其始上下通用、爲慶賀之詞、猶俗所云萬福萬幸之類耳、因殿陛之間用之、後乃爲至尊之專稱、而民間口語、相沿未改、漢王亦與數十騎從城西門出、走成皐。【正義】括地志云、成皐故縣、在洛州汜水縣西南二里、【考證】成皐、河南開封府汜水縣、項王見紀信、問漢王安在。信曰。漢王已出矣。項王燒殺紀信。漢王使御史大夫周苛・樅公・魏豹守滎陽。

【集解】縱、音七容反、周苛·樅公謀曰。反國之王、難與守城。乃共殺魏豹。【考證】王城、韻、蓋當時有此成語、楚下滎陽城、生得周苛。項王謂周苛曰。爲我將。我以公爲上將軍、封三萬戶。周苛罵曰。若不趣降漢、漢今虜若。若非漢敵也。項王怒烹周苛、幷殺樅公。漢王之出滎陽、南走宛·葉、【考證】宛、河南南陽縣治、葉、葉縣治、得九江王布。行收兵、復入保成皐。漢之四年、【考證】梁玉繩曰、此下敘事前後倒置、不但與漢書異、并與高祖紀不同、恐係錯簡、漢之四年、當在後擊陳留外黃句上、觀漢書高紀籍傳自明、項王、進兵圍成皐。漢王逃、【集解】晉灼曰、獨出意、【索隱】音徒凋反、漢書作跳字、獨與滕公出成皐北門、【集解】徐廣曰、北門名玉門、渡河走脩武、【考證】河南衛輝府獲嘉縣小脩武、從張耳·韓信軍。諸將稍稍得出成皐從漢王。楚遂拔成皐、欲西。漢使兵距之鞏、令其不得西。【考證】鞏、河南鞏縣、是時彭越渡河、擊楚東阿。

【考證】東阿、山東兗州府陽穀縣東北阿城鎮、漢書項籍傳作彭越渡睢與項聲薛公戰下邳、殺薛公、梁玉繩曰、高紀及漢書紀傳、項王擊彭越、是三年五月、在楚拔滎陽及成皐之前、此書于拔成皐後、一誤也、越渡睢水與項聲薛公戰下邳、殺薛公、此不書項聲、而又曰渡河擊東阿、二誤也、殺楚將軍薛公。項王乃自東擊彭越。漢王得淮陰侯兵、欲渡河南。【考證】梁玉繩曰、淮陰侯、當依高紀作韓信、下文五稱淮陰侯、同、鄭忠說漢王。乃止壁河內、使劉賈將兵、佐彭越燒楚積聚。【正義】上、積賜反、【考證】梁玉繩曰、漢王使盧綰劉賈、將兵佐越、擊破楚軍燕郭西、燒其積聚、下睢陽外黃十七城、此但言賈佐越燒積粟、似太略、當參高紀越傳漢書觀之、此下應接項王乃謂海春侯一段、張之象曰、曰燒楚積聚、曰絕楚糧食、高紀稱彭越反梁地、往來苦楚兵者、此之謂也、篇中眼目、不可不玩、歸有光曰、漢高紀、使劉賈佐彭越燒楚積聚、羽乃令曹咎守成皐、而引兵定梁地、漢破咎兵汜水上、復取成皐、是一事、而此紀前後倒置、遂作兩段、若漢先取成皐、楚無緣得令咎守之也、考漢書紀傳自明、項王東擊破之、走彭越。【考證】梁玉繩曰、此卽下文項王令曹咎守成皐而引兵而定梁地之事、彭越傳所謂越北走穀城者也、在此紀中、于事爲重出、于文無所附、當衍之、漢王則引兵渡河、復取成皐、軍廣武、就敖倉食。【考證】梁玉繩曰、此乃敗海春侯後事、當在下文項王信任之下、項王已定東海來西、與漢俱

臨廣武而軍。【集解】孟康曰、於滎陽築兩城相對、爲廣武、在敖倉西三皇山上、【正義】括地志云、東廣武西廣武、在鄭州滎陽縣西二十里、戴延之西征記云、三皇山上有二城、東曰東廣武、西曰西廣武、各在一山頭、相去百步、汴水從廣澗中東南流、今澗無水、城各有三面、在敖倉西、郭緣生述征記云、一澗橫絕上過、名曰廣武、相對皆立城塹、遂號東西廣武、【考證】廣武、山名、河南開封府河陰縣北、梁玉繩曰、此以下至是時彭越復反、下梁地絕楚糧一段、當在後漢軍畏楚盡走險阻句下、而衍去己定東海來五字、蓋定東海、卽下梁地十餘城事、于文爲錯出也、相守數月。【考證】漢書高紀籍傳、無數月二字、是也、此時爲漢四年十月、纔軍廣武、不得便言數月、當是一月、當此時、彭越數反梁地、絕楚糧食。項王患之、爲高俎、置太公其上、【集解】如淳曰、高俎几之上、李奇曰、軍中巢櫓方面、人謂之俎也、【索隱】俎、亦机之類、故夏侯湛新論爲机、机猶俎也、比太公於牲肉、故置之俎上、姚察按、左氏楚子登巢車以望晉軍、杜預謂車上櫓也、故李氏云、軍中巢櫓、又引時人亦謂此爲俎也、【正義】括地志云、東廣武城有高壇、卽是項羽坐太公俎上者、今名項羽堆、亦呼爲太公亭、顏師古云、俎者所以薦肉、示欲烹之、故置俎上、告漢王曰。今不急下、吾烹太公。漢王曰。吾與項羽俱北面受命懷王。曰。約爲兄弟。吾翁卽若翁。必欲烹而翁、則幸分我一桮羹。【考證】羅大經曰、吾翁卽若翁、此語理意甚長、左氏傳、齊敗于鞍、晉人欲以蕭

同叔子爲質、齊人曰、蕭同叔子者非他、寡君之母也、若以匹敵、則亦晉君之母也、高祖之語、與此暗合、史謂不修文學、而性明達、此類是也、項王怒欲殺之。項伯曰。天下事未可知。且爲天下者不顧家。雖殺之無益。祇益禍耳。項王從之。楚漢久相持未決。丁壯苦軍旅、老弱罷轉漕。項王謂漢王曰。天下匈匈數歲者、徒以吾兩人耳。願與漢王挑戰決雌雄。毋徒苦天下之民父子爲也。【集解】李奇曰、挑身獨戰、不復須衆也、挑、音荼了反、瓚曰、挑戰、擿嬈敵求戰、古謂之致師、【考證】中井積德曰、漢書作迺使人謂漢王、是非面語也、愚按挑身、李說是、漢王笑謝曰。吾寧鬭智。不能鬭力。項王令壯士出挑戰。漢有善騎射者樓煩。【集解】應劭曰、樓煩、胡也、今樓煩縣、【考證】顧炎武曰、樓煩、卽趙西北邊之國、其人強悍習騎射、史記趙世家、武靈王行新地、遂出代西、遇樓煩王於西河、而致其兵、致云者、致其兵而用之也、是以楚漢之際、多用樓煩人別爲一軍、高祖功臣年表、陽都侯丁復、以趙將從起鄴、至霸上、爲樓煩將、而項羽本紀、漢有善射者樓煩、則漢有樓煩之兵矣、灌嬰傳、擊破柘公王武、斬樓煩將五人、攻龍且、生得樓煩將十人、擊破項籍軍陳下、斬樓煩將二人、攻黥布別將于相、斬樓煩將三人、功臣表、平定侯齊受、以驍騎都尉擊項籍、得樓

樓煩將、則項王及布、亦各有樓煩之兵矣、李奇曰、樓煩人善騎射、謂士爲樓煩、取其稱耳、未必樓煩人也、中井積德曰、樓煩本胡名、俗便射騎、故號善射者爲樓煩、愚按劉攽沈濤以樓煩爲姓名、非是、楚挑戰三合。樓煩輒射殺之。項王大怒、乃自被甲持戟挑戰。樓煩欲射之。項王瞋目叱之。樓煩目不敢視、手不敢發。遂走還入壁、不敢復出。漢王使人閒問之、乃項王也。【考證】顏師古曰、閒、微問之也、漢王大驚。於是項王乃卽漢王、相與臨廣武閒而語。【考證】續漢志注引西征記云、有三皇山、或謂三室山、山上有二城、東者曰東廣武、西者曰西廣武、各在山一頭、相去二百餘步、其間隔深澗、漢祖與項籍語處、張文虎曰、藝文類聚引間作澗、正義及續漢志注、引西征記水經濟水注作澗、是也、今本史記漢書並作間、誤、愚按梁玉繩周壽昌亦云、當作澗、漢王數之。項王怒、欲一戰。漢王不聽。項王伏弩射中漢王。漢王傷、走入成皋。項王聞淮陰侯已擧河北、破齊·趙、且欲擊楚、【考證】梁玉繩曰、韓信破趙己踰年矣、非破齊一時事、此與高紀皆多一趙字、漢書無、乃使龍且往擊之。【集解】韋昭曰、且音子閭反、淮陰侯與戰騎

將灌嬰擊之、大破楚軍、殺龍且。【考證】梁玉繩曰、楚救齊之役、此及淮陰田儋傳、止言龍且爲將、而高紀兼言周蘭、灌嬰傳兼言留公、蓋紀傳互見也、但漢書籍傳、謂羽使從兄子項它爲大將、龍且爲裨將救齊、舍主將而書偏裨、何也、又曰、此與高紀、騎將上多一戰字、當衍之、漢書無戰騎將三字、中井積德曰、高紀、殺龍且在漢三年、而漢王傷走入成皋、在四年曹咎死之後、崔適曰、汜水在成皋西、廣武在成皋東、漢渡汜水、然後入成皋、復東臨廣武、若漢王先臨廣武、曹咎何由西守成皋乎、此當依高紀及漢書高紀羽傳正、韓信因自立爲齊王。項王聞龍且軍破、則恐、使盱台人武涉往說淮陰侯。淮陰侯弗聽。是時彭越復反、下梁地、絕楚糧。項王乃謂海春侯大司馬曹咎等曰。謹守成皋。則漢欲挑戰、愼勿與戰。【考證】則、高紀作若、漢書項籍傳作卽、毋令得東而已。我十五日、必誅彭越定梁地、復從將軍。乃東行擊陳留外黃。【正義】括地志云、陳留、汴州縣也、在州東五十里、本漢陳留郡及陳留縣之地、孟康云、留、鄭邑也、後爲陳所幷、故曰陳留、臣瓚又按、宋有留彭城、留是也、此留屬陳、故曰陳留、【考證】陳留、陳留縣、外黃、杞縣東、皆屬河南開封府、外黃不下數日。已降。項王怒、悉令男子年

十五已上詣城東、欲阬之。外黃令舍人兒年十三。【集解】蘇林曰、令之舍人兒也、瓚曰、稱兒者、以其幼弱故係其父、春秋傳曰、仍叔之子、是也、【考證】中井積德曰、童子而不知名、自不得不係父也、往說項王曰。彭越彊劫外黃。【正義】彊、其兩反、外黃恐。故且降待大王。大王至、又皆阬之。百姓豈有歸心。從此以東梁地十餘城、皆恐、莫肯下矣。【考證】張文虎曰、豈有歸心、御覽引作豈所歸哉、與漢書合、項王然其言、乃赦外黃當阬者。東至睢陽。【正義】括地志云、宋州外城、本漢睢陽縣也、地理志云、睢陽縣、故宋國也、【考證】睢陽、河南歸德府商邱縣南、聞之皆爭下項王。漢果數挑楚軍戰。楚軍不出。使人辱之五六日。大司馬怒、渡兵汜水。【集解】張晏曰、汜水、在濟陰界、如淳曰、汜、音祀、左傳曰、鄙在鄭地汜、瓚曰、高祖攻曹咎成皋、渡汜水而戰、今成皋城東汜水是也、【索隱】按今此水見名汜水、音似、張晏云、在濟陰、亦未全失、按古濟水、當此截河而南、又東流、溢爲滎澤、然水南曰陰、此亦在濟之陰、非彼濟陰郡耳、臣瓚之說是、【正義】括地志云、汜水源出洛州汜水縣東南二十二里方山、山海經云、浮戲之山、汜水出焉、【考證】汜水、在開封府汜水縣西、源出方山、注于河、士卒半渡。漢擊之、大破

楚軍、盡得楚國貨賂。大司馬咎·長史翳·塞王欣、皆自剄汜水上。【集解】鄭玄曰、剄、音經鼎反、以刀割頸爲剄、【考證】梁玉繩曰、高紀及漢書紀傳、皆無翳塞王三字、此後人妄增之、何者、翳下漢、後雖與欣同叛歸楚、而不復見、蓋欣與項王有舊恩、故得棄瑕而仍任用之、非翳可比矣、惟欣曾封塞王、與後文稱故塞王甚合、乃此及高紀、竝以長史稱之、漢書亦然、或疑此當衍長史翳三字、曰、否、後文又有長史欣也、盧學士云、翳塞王三字、必非史記本文、觀下但擧咎欣兩人、可知翳舊爲都尉、不爲長史、又欣既稱塞王、則翳亦當稱翟王、此數者皆不協、故知非也、大司馬咎者、故蘄獄掾、長史欣亦故櫟陽獄吏。兩人嘗有德於項梁。是以項王信任之。當是時、項王在睢陽。【考證】凌約言曰、篇中用當是時、凡八處、轉摺博換、何等精神、聞海春侯軍敗、則引兵還。漢軍方圍鍾離眛於滎陽東。【集解】漢書音義曰、眛、音末、【考證】顏師古曰、眛、音莫葛反、項王至。漢軍畏楚、盡走險阻。是時漢兵盛食多。項王兵罷食絕。【考證】凌稚隆曰、太史公敍漢、曰取敖倉粟、曰就敖倉食、曰兵盛食多、敍楚、曰燒楚積聚、曰絕楚粮食、曰兵罷食盡、曰兵少食盡、皆紀中關鍵、當玩、漢遣陸賈說項王、請太公。項王弗聽。漢王復

使侯公往說項王。項王乃與漢約、中分天下、割鴻溝以西者爲漢。鴻溝而東者爲楚。【集解】文穎曰、於滎陽下引河、東南爲鴻溝、以通宋鄭陳蔡曹衞、與濟汝淮泗會於楚、卽今官渡水也、【正義】應劭云、在滎陽東二十里、張華云、大梁城在浚儀縣北、縣西北渠水東經此城南、又北屈分爲二渠、其一渠東南流、始皇鑿引河水以灌大梁、謂之鴻溝、楚漢會此處也、其一渠、東經陽武縣南、爲官渡水、按張華此說是、【考證】鴻溝、河南開封府中牟縣、周壽昌曰、集解文注、引溝洫志而誤讀、故地勢水道、多不可通、志本從會字斷句、於楚屬於下文、尤誤在以官渡水爲鴻溝、漫無區別、愚按、官渡鴻溝自別、說又見高紀索隱、項王許之、卽歸漢王父母妻子。軍皆呼萬歲。【考證】父母妻子、說見高紀、漢王乃封侯公爲平國君。【正義】楚漢春秋云、上欲封之、乃肯見、曰、此天下之辨士、所居傾國、故號曰平國君、按說歸太公呂后、能和平邦國、匿弗肯復見。曰。此天下辯士、所居傾國。故號爲平國君。【考證】張文虎曰、匿弗肯復見、與上下文不接、漢書高紀無、疑匿弗以下二十一字、後人依楚漢春秋竄入、而注中乃肯見三字、又卽匿弗肯復見之誤、中井積德曰、故號爲平國君、取其反稱也、項王已約、乃引兵解而東歸。漢欲西歸。張良·陳平說曰。漢有天下太半、而諸侯皆附之。

【集解】韋昭曰、凡數三分有二爲太半、一爲少半、楚兵罷食盡、此天亡楚之時也。不如因其饑而遂取之。【考證】饑、諸本作機、漢書高紀及漢紀作幾、漢書注、鄭氏曰、幾、微也、師古曰、幾、危也、周壽昌曰、幾猶會也、今從古鈔本、楓三本、漢書幾字、亦當從食、今釋弗擊、此所謂養虎自遺患也。【正義】遺、唯季反、漢王聽之。漢五年、漢王乃追項王至陽夏南、止軍。【集解】如淳曰、夏、音賈、【正義】括地志云、陳州太康縣、本漢陽夏縣也、續漢書郡國志云、陽夏縣、屬陳國、按太康縣城、夏后太康所築、隋改陽夏爲太康、【考證】河南陳州府太康縣、與淮陰侯韓信·建成侯彭越期、會而擊楚軍。至固陵。【集解】徐廣曰、在陽夏、駰案晉灼曰、卽固始也、【正義】括地志云、固陵、縣名也、在陳州宛丘縣西北四十二里、【考證】固陵故城、在河南淮寧縣西北、梁玉繩曰、彭越爲魏相國、未聞封侯、葢所賜名號、曹參亦有建成侯之稱、本傳不載、而信·越之兵不會。楚擊漢軍、大破之。漢王復入壁、深塹而自守。謂張子房曰。諸侯不從約。爲之柰何。對曰。楚兵且破。信·越未有分地。【集解】李奇曰、信越等未有益地之分也、韋昭曰、信等雖名爲王、未有所畫經界、其不至固宜。君王能與

共分天下、今可立致也。卽不能、事未可知也。君王能自陳以東傅海、盡與韓信、【正義】傅、音附、著也、陳卽陳州、古陳國都也、自陳著海、幷齊舊地、盡與齊王韓信也、【考證】陳、河南陳州府、陳東傅海、安徽潁州鳳陽江蘇徐淮等州地、睢陽以北至穀城、以與彭越、【正義】括地志云、穀城故城、在濟州東阿縣東二十六里、睢陽、宋州也、自宋州以北、至濟州穀城、際黃河、盡與相國彭越、【考證】睢陽、河南歸德府商邱縣、穀城、山東泰安府東阿縣、使各自爲戰、則楚易敗也。【正義】爲、于僞反、漢王曰。善。【考證】張文虎曰、此事不書於高紀、不書於留侯世家信越列傳、而書之羽紀者、明非此不能破羽也、然信越死機、則已伏於此、於是乃發使者告韓信·彭越曰。幷力擊楚。楚破、自陳以東傅海、與齊王、睢陽以北、至穀城、與彭相國。使者至。韓信·彭越皆報曰。請今進兵。韓信乃從齊往。劉賈軍從壽春竝行、屠城父。【集解】如淳曰、竝行、竝擊之、【正義】父、音甫、壽州壽春縣也、城父、亳州縣也、屠、謂多刑殺也、劉賈入圍壽州、引兵過淮北、屠殺亳州城父、而東北至垓下、【考證】壽春、安徽鳳陽府壽州、城父、安徽潁州府亳州東南、至垓下。【集解】徐廣曰、在沛之洨縣、洨、下交切、駰案應劭曰、垓、音該、李奇曰、沛洨

縣聚邑名也、【索隱】張揖三蒼注云、垓、堤名、在沛郡、【正義】按、垓下、是高岡絕巖、今猶高三四丈、其聚邑及堤、在垓之側、因取名焉、今在亳州眞源縣東十里、與老君廟相接、洨、音戶交反、【考證】垓下、安徽府靈壁縣東南有垓下聚、卽高祖圍項羽處、大司馬周殷叛楚、以舒屠六。【集解】如淳曰、以舒之衆屠破六縣、【正義】括地志云、舒、今廬江之故舒城是也、故六城、在壽州安豐南百三十二里、偃姓、咎繇之後、按周殷叛楚、兼舉九江之兵、隨劉賈而至垓下、【考證】舒、安徽廬州府舒城縣、六、安徽六安州、舉九江兵、【正義】九江郡、壽州也、楚考烈王二十二年、自陳徙壽春、號云郢、至王負芻、爲秦將王翦蒙武所滅、於此置九江郡、應劭云、自廬江尋陽分爲九江、隨劉賈·彭越、皆會垓下詣項王。【考證】中井積德曰、詣項王三字疑衍、梁玉繩曰、此段頗有缺語、當云、韓信乃從齊往、彭越乃從魏往、劉賈軍自壽春迎黥布竝行屠城父、大司馬周殷叛楚、以舒屠六、舉九江兵、隨劉賈黥布、皆會垓下、項王軍壁垓下。兵少食盡。漢軍及諸侯兵圍之數重。【考證】中井積德曰、據高祖紀、圍之以前有垓下一大戰、此何以略之、夜聞漢軍四面皆楚歌、【集解】應劭曰、楚歌者、謂雞鳴歌也、漢已略得其地、故楚歌者多、雞鳴時歌也、【正義】顏師古云、楚人之歌也、猶言吳謳越吟、若雞鳴爲歌之名、於理則可、不得云雞鳴時也、高祖戚夫人楚舞、自爲楚歌、豈亦雞鳴時乎、按顏說是也、項王乃大驚曰。漢皆已得楚乎。是何楚人之多也。項王則夜

起飲帳中。有美人名虞。常幸從。【集解】徐廣曰、一云、姓虞氏、【正義】括地志云、虞姬墓、在濠州定遠縣東六十里、長老傳云、項羽美人冢也、【考證】漢書、作姓虞氏、駿馬名騅。常騎之。【正義】音隹、顧野王云、青白色也、釋畜云、蒼白雜毛、騅也、於是項王乃悲歌忼慨、自爲詩曰、力拔山兮氣蓋世。時不利兮騅不逝。騅不逝兮可柰何。虞兮虞兮柰若何。歌數闋。美人和之。【正義】和、音胡臥反、楚漢春秋云、歌曰、漢兵已略地、四方楚歌聲、大王意氣盡、賤妾何聊生、【考證】世逝、何何、韵、項王楚人、故能作楚聲、朱熹曰、忼慨激烈、有千載不平之餘憤、項王泣數行下。【正義】數、色庾反、行、戶郎反、左右皆泣、莫能仰視。於是項王乃上馬騎。【正義】騎、其倚反、凡單乘曰騎、後同、麾下壯士騎從者八百餘人。【正義】麾亦作戲、同、呼危反、【考證】麾、將旗也、直夜潰圍南出馳走。【考證】直夜、漢書作夜直、平明漢軍乃覺之、令騎將灌嬰以五千騎追之。項王渡淮。騎能屬者百餘人耳。【正義】屬、音燭、【考證】顏師古曰、屬、聯及也、項王至陰陵。【集解】徐廣曰、在淮南、【正義】括地志云、陰陵縣故城、在濠州定遠縣西北六

十里、【考證】地理志云、陰陵縣、屬九江郡、陰陵、安徽鳳陽府定遠縣西北、迷失道。問一田父。田父紿曰、左。【集解】文穎曰、紿、欺也、欺令左去、左。乃陷大澤中。以故漢追及之。項王乃復引兵而東、至東城。【集解】漢書音義曰、縣名、屬臨淮、【正義】括地志云、東城縣故城、在濠州定遠縣東南五十里、地理志云、東城縣、屬九江郡、【考證】東城、鳳陽府定遠縣東南、乃有二十八騎。漢騎追者數千人。項王自度不得脫、謂其騎曰、吾起兵至今八歲矣。身七十餘戰。所當者破、所擊者服、未嘗敗北、遂霸有天下。然今卒困於此。【正義】卒、子律反、此天之亡我、非戰之罪也。今日固決死。願爲諸君快戰、必三勝之、爲諸君潰圍斬將刈旗、令諸君知天亡我、非戰之罪也。【考證】快戰、從毛本慶本、漢書、凌本作決戰、楓三本、三勝作勝三、乃分其騎以爲四隊、四嚮。【考證】漢書、作爲圜陣外嚮、顏師古曰、圜陣四周爲之也、外嚮、謂兵刃皆在外也、愚按班史易字、義同、亦可以觀項王兵法、漢軍圍之數重。項王謂其騎曰、

吾爲公取彼一將。令四面騎馳下。期山東爲三處。【正義】期遇山東分爲三處、漢軍不知項羽處、括地志云、九頭山、在滁州全椒縣西北九十六里、江表傳云、項羽敗至烏江、漢兵追羽至此、一日九戰、因名、於是項王大呼馳下。【正義】呼、火故反、漢軍皆披靡。【正義】上、披彼反、靡、言精體低垂、【考證】披靡、謂草木不禁風而散亂也、因以狀兵士潰散、遂斬漢一將。是時赤泉侯爲騎將追項王。項王瞋目而叱之。赤泉侯人馬俱驚、辟易數里。【正義】言人馬俱驚、開張易舊處、乃至數里、【考證】赤泉侯、漢書作楊喜、梁玉繩曰、楊喜封赤泉侯、在漢高七年、漢書改稱楊喜、是也、與其騎會爲三處。漢軍不知項王所在。乃分軍爲三、復圍之。項王乃馳復斬漢一都尉、殺數十百人。復聚其騎、亡其兩騎耳。乃謂其騎曰、何如。騎皆伏曰、如大王言。於是項王乃欲東渡烏江。【集解】瓚曰、在牛渚、【索隱】按晉初屬臨淮、【正義】括地志云、烏江亭、卽和州烏江縣是也、晉初爲縣、注水經云、江水又北得黃律口、漢書所謂烏江亭長檥船以待項羽、卽此也、【考證】安徽和州有烏江浦、在烏江故縣東、烏江亭長檥船待。

【集解】徐廣曰、檥、音儀、一音俄、駰案應劭曰、檥、正也、孟康曰、檥、音蟻、附也、附船著岸也、如淳曰、南方人謂整船向岸曰檥、【索隱】檥字、服應孟晉、各以意解爾、鄒誕生作漾船、以尙反、劉氏亦有此音、【考證】秦法、十里一亭、亭長者、主亭之吏、猶今里正也、謂項王曰、江東雖小、地方千里、衆數十萬人。亦足王也。願大王急渡。今獨臣有船。漢軍至無以渡。項王笑曰、天之亡我。我何渡爲。且籍與江東子弟八千人、渡江而西。今無一人還。縱江東父兄憐而王我、我何面目見之。縱彼不言、籍獨不愧於心乎。乃謂亭長曰、吾知公長者。吾騎此馬五歲。【正義】騎、音奇、所當無敵、嘗一日行千里。不忍殺之。以賜公。乃令騎皆下馬步行、持短兵接戰。獨籍所殺漢軍數百人。項王身亦被十餘創。【考證】梁玉繩曰、此二語上稱籍、下稱項王、竟似兩人矣、未免語病、顧見漢騎司馬呂馬童曰、若非吾故人乎。馬童面之、【集解】張晏曰、以故人故、難視斫之、故背之、如淳曰、面、不

正視也、【考證】劉攽曰、面之、直面向之耳、洪頤煊曰、面、向也、謂向視之、審知爲項王、因以指王翳、禮記玉藻、唯君面尊、鄭注、面猶鄉也、田完世家、淳于髡說畢、趨出至門、而面其僕、面卽鄉也、方苞、沈欽韓說同、指王翳曰。此項王也。【集解】如淳曰、指示王翳、項王乃曰。吾聞漢購我頭千金邑萬戶。【正義】漢以一斤金爲一金、當一萬錢也、【考證】正義宜言漢金一斤爲一金、一金當一萬錢也、吾爲若德。【集解】徐廣曰、亦可是功德之德、【正義】爲、于僞反、言呂馬童與項羽、先是故人、舊有恩德於羽、一云、德行也、【考證】中井積德曰、爲德、猶言施恩也、愚按、爲、平聲、乃自刎而死。王翳取其頭。餘騎相蹂踐爭項王、相殺者數十人。最其後、郎中騎楊喜、騎司馬呂馬童、郎中呂勝·楊武、各得其一體。【考證】漢書最下無其字、灌嬰傳云、項籍敗垓下去也、嬰將車騎別追項籍、至東城破之、所將卒五人、共斬項籍、皆賜爵列侯、據此則王翳等五人、灌嬰所將也、五人共會其體。皆是。故分其地爲五、【考證】王凌本、分上無故字、宋本有、梁玉繩曰、斑馬異同無、中井積德曰、其地、謂萬戶邑也、元無定處、非指項王之地、封呂馬童爲中水侯。【索隱】按晉書地道記、其中水縣屬河閒、【正義】地理志云、中水縣、屬涿郡、應劭云、在易滱二水之中、故曰中水、封王翳爲杜衍侯、【索隱】按地理志、縣在南陽、按

表、作王翥也、【正義】括地志云、杜衍侯故縣、在鄧州南陽縣西八里、封楊喜爲赤泉侯、【索隱】南陽有丹水縣、疑赤泉後改、按漢書表及後漢、作憙、音火志反、封楊武爲吳防侯、【索隱】地理志、縣名、屬汝南、故房子國、【正義】吳防、豫州縣、括地志云、吳房縣、本漢舊縣、孟康云、吳王闔廬弟夫概奔楚、楚封於此、爲堂谿氏、本房子國、以封吳、故曰吳房、封呂勝爲涅陽侯、【集解】徐廣曰、五人後卒皆諡壯侯、【索隱】地理志、南陽縣名、【正義】涅、年結反、括地志云、涅陽故城、在鄧州穰縣東北六十里、本漢舊縣也、應劭云、在涅水之陽、項王已死。【集解】徐廣曰、漢五年之十二月也、項王以始皇十五年己巳歲生、死時年三十一、楚地皆降漢。獨魯不下。漢乃引天下兵欲屠之。爲其守禮義爲主死節、乃持項王頭視魯。魯父兄乃降。始楚懷王初封項籍爲魯公。及其死、魯最後下。故以魯公禮葬項王穀城。【集解】皇覽曰、項羽冢、在東郡穀城東、去縣十五里、【正義】括地志云、項羽墓、在濟州東阿縣東二十七里穀城西三里、述征記、項羽墓、在穀城西北三里、半許毀壞、有碣石、項王之墓、【考證】事文見儒林傳、顧炎武曰、穀城、卽魯之小穀、非東郡之穀城、曲阜西北有小穀城、愚按在山東泰安府東阿縣東北、水經濟水注云、城西北三里、有項王之冢、半許毀壞石碣尚存、題云項王之墓、漢王爲發哀、泣之而去。【考證】楓三本、哀作

喪、王鳴盛曰、爲義帝發喪、袒而大哭、此猶自可、殺項羽、以魯公禮葬、爲發哀、泣之而去、天下豈有我殺之、卽我哭之者、不知何處辨此一幅急淚、千載下、讀之笑來、又曰、鄭當時傳、詔項籍故臣、皆名籍、怨毒如許、哭之何爲、愚按、田儋列傳云、田橫自剄、高帝曰、夫起布衣、兄弟三人更王、豈不賢乎哉、爲之流涕、發卒二千人以王者禮葬田橫、高祖蓋喜泣者、諸項氏枝屬、漢王皆不誅。乃封項伯爲射陽侯。【集解】徐廣曰、項伯、名纏字伯、【正義】射、音食夜反、括地志云、楚州山陽、本漢射陽縣、吳地志云、在射水之陽、故曰射陽、桃侯、【集解】徐廣曰、名襄、其子舍爲丞相、【正義】括地志云、故城在滑州胙城縣東四十里、漢書云、高祖十二年、封劉襄爲桃侯也、平皋侯、【集解】徐廣曰、名佗、【正義】括地志云、平皋故城、在懷州武德縣東二十里、漢平皋縣、按佗、音徒何反、玄武侯、【集解】徐廣曰、諸侯表中不見、【考證】陳子龍曰、豈始封而卽廢歟、皆項氏。賜姓劉。

太史公曰。吾聞之周生曰。【集解】文穎曰、周時賢者、【正義】孔文祥云、周生、漢時儒者、姓周也、按太史公云、吾聞之周生、則是漢人、與太史公耳目相接明矣、舜目蓋重瞳子。【集解】尸子曰、舜兩眸子、是謂重瞳、【考證】荀子非相篇、堯舜三牟子、尚書大傳、舜四瞳子、淮南子、舜二瞳子、是謂重明、所言不同、余聞之醫生、今人二瞳三瞳者往往而有、又聞項羽亦重瞳子。羽豈其苗裔邪。【考證】史公好以帝王將相爲古聖賢苗裔、若以秦爲伯翳後、以英布爲皐陶後之類、何與之暴也。【考證】張文虎曰、舊

刻何下有其子、毛本同、愚按漢書亦有其字、暴猝也、黥布傳、何其拔興之暴哉、亦言崛起于隴畝也、夫秦失其政陳涉首難、豪傑蠭起、相與竝爭、不可勝數。然羽非有尺寸、乘勢起隴畝之中、三年遂將五諸侯滅秦。【集解】此時山東六國、而齊趙韓魏燕五國竝起、從伐秦、故云五諸侯、分裂天下而封王侯、政由羽出、號爲霸王。位雖不終、近古以來未嘗有也。【考證】數句可以見史公列項羽於本紀之意、及羽背關懷楚、【正義】顏師古云、背關、背約不王高祖於關中、懷楚、謂思東歸而都彭城、【考證】顧炎武曰、背關懷楚、謂舍關中形勝之地、而都彭城、如師古之解、乃背約、非背關、愚按岡白駒中井積德、亦有此說、放逐義帝而自立、怨王侯叛己、難矣。自矜功伐、奮其私智而不師古。謂霸王之業、欲以力征經營天下、五年卒亡其國。【正義】卒、音子律反、五年、謂高帝元年至五年殺項羽東城、身死東城、尚不覺寤。而不自責過矣。【考證】而不自責過矣、六字連作一句、過亦責也、非過誤之過、漢書矣作失、通鑑削過矣二字、皆未得史公意、乃引天亡我非用兵之罪也、豈不謬

哉。考證中井積德曰、天亡我、非用兵之罪、是羽矜勇武之言矣、言戰之彊如此而亡、是天亡我時至也、若夫天何故亡我、我有罪于天與否、羽未嘗言及也、乃以此爲不覺悟不自責之事、可乎、

索隱述贊、亾秦鹿走、僞楚狐鳴、雲鬱沛谷、劍挺吳城、勳開魯甸、勢合碭兵、卿子無罪、亞父推誠、始救趙歇、終誅子嬰、違約王漢、背關懷楚、常遷上游、臣迫故主、靈壁大振、成臯久拒、戰非無功、天實不與、嗟彼蓋代、卒爲凶豎、

項羽本紀第七　　史記七

史記會注考證卷八

漢　　太　史　令　司　馬　遷　撰
宋　中　郎　外　兵　曹　參　軍　裴　駰　集　解
唐　國　子　博　士　弘　文　館　學　士　司　馬　貞　索　隱
唐　諸　王　侍　讀　率　府　長　史　張　守　節　正　義
日　本　出　雲　瀧　川　資　言　考　證

高祖本紀第八　史記八

【考證】史公自序曰、子羽暴虐、漢行功德、憤發蜀漢、還定三秦、誅籍業帝、天下惟寧、改制易俗、作高祖本紀第八、趙翼曰、史記高祖本紀、先總敘高祖一段、及述其初起事、則

稱劉季、得沛後稱沛公、王漢後稱漢王、即帝位後則稱上、後代諸史皆因之、其實此法本於舜典、未即位以前稱舜、即位之後、分命九官、即稱帝曰、古時雖樸略、而史筆謹嚴如此、分命九官之前、初咨四岳、尚有一舜曰者、正以起下文帝曰之例、謂此帝乃舜也、又顧命康王未即位以前稱子釗、即位後即稱王、亦是此例、

高祖【集解】漢書音義曰、諱邦、張晏曰、禮謚法無高、以爲功最高而爲漢帝之太祖、故特起名焉、【考證】姚範曰、禮記喪服四制云、武丁者殷之賢王、繼世即位、而慈良於喪、當此之時、殷衰而復興、禮廢而復起、故善之、善之故載之書而高之、故謂之高宗、尚書孔傳云、德高可宗、孝惠即位之初、叔孫通爲奉常、定宗廟儀法、則高祖之謚、當屬稷嗣君所定、因殷之謚耳、非特起也、尚書盤庚、肆上帝將復我高祖之德、孔傳斥湯、顧命無壞我高祖寡命、孔傳高德之祖、寡有之教命、王肅亦言、謂文王也、孔王之說、皆漢後注經之言、予疑祖之通稱高祖、猶孫之通稱曾孫也、非必以其功德言之、

沛豐邑中陽里人。【考證】沛、江蘇徐州府沛縣、豐、徐州府豐縣、顏師古曰、沛者本秦泗川郡之屬縣、豐者沛之聚邑耳、

姓劉氏、【集解】李斐曰、沛、小沛也、劉氏隨魏徙大梁、移在豐、居中陽里、孟康曰、後沛爲郡、豐爲縣、【索隱】按高祖劉累之後、別食邑於范、士會之裔、留秦不反、更爲劉氏、劉氏隨魏徙大梁、後居豐、今言姓劉氏者、是左傳天子建德、因生以賜姓、胙之土、命之氏、諸侯以字爲謚、因以爲族、說者以爲天子賜姓命氏、諸侯命族、族者氏之別名也、然則因生賜姓、若舜生姚墟以爲姚姓、封之於虞、即號有虞氏、是也、若其後子孫、更不得賜姓、即遂以虞爲姓、云姓虞氏、今此云姓劉氏、亦其義也、故姓者所以統繫百代、使不別也、氏者所以別子孫之所出、又系本篇言姓則在上、言氏則在下、故五帝本紀云、禹姓姒氏、契姓子氏、弃姓姬氏、是也、按漢改泗水爲沛郡、治相城、故注以沛爲小沛也、【考證】中井積德曰、史記之稱姓氏、混合不別、不得據左氏作解、錢大昕曰、戰國氏族之學廢、秦改封建、雖公族無議貴之律、民知有氏、不知有姓、高帝起布衣、太公以上、名字且無考、何知族姓所出、故項伯婁敬、賜姓劉氏、以氏爲姓、遂爲一代之制、史記書姓劉氏、此漢制、異於三代者、後人謂漢堯後、本祁姓、譏於史公昧於姓氏之別、斯爲誕矣、漢爲堯後、說本向歆、史公時本無此議、即云曾見左傳、而劉夏劉卷亦載春秋、安知漢劉必爲祁姓、

字季。【索隱】按漢書名邦、字季、此單云字、亦又可疑、按漢高祖長兄名伯、次名仲、不見別名、則季亦是名也、故項岱云、高祖小字季、即位易名邦、後因諱邦不諱季、所以季布猶稱姓也、【考證】中井積德曰、索隱云、漢書名邦字季、今漢書無此四字、王先謙曰、索隱所云、殆漢紀之誤、梁玉繩曰、季乃是行、高祖長兄伯、次兄仲、亦行也、史以季爲字、與索隱以季爲名竝非、王鳴盛曰、史記於高祖云、字季、不云諱某、餘帝則諱與字皆不書、漢書本紀因之、馬班自以爲漢臣耳、其餘各史、則皆書諱某字某、夫史以紀實也、帝王之尊、當時爲臣子者、固不敢書其名字、若史而不書、後何觀焉、各史不襲班馬、是也、

父曰太公。【索隱】皇甫謐云、名執嘉、王符云、太上皇名煓、與同音、【正義】春秋握成圖云、劉媼夢赤鳥如龍、戲己、生執嘉、

母曰劉媼。【集解】文穎曰、幽州及漢中皆謂老嫗爲媼、孟康曰、長老尊稱也、左師謂太后曰、媼愛燕后賢長安君、禮樂志、地神曰媼、媼母別名也、音烏老反、【索隱】韋昭云、媼、婦人長老之稱、皇甫謐云、媼蓋姓王氏、又據春秋握成圖以爲執嘉妻含始、遊洛池、生劉季、詩含神霧亦云、姓字皆非正史所出、蓋無可取、今近有人云、母溫氏、貞時打得班固泗水亭長古石碑文、其字分明、作溫字、云母溫氏、貞與賈膺復、徐彥伯、魏奉古等執對反覆、沈歎古人未聞、聊記異見、於何取實也、孟康注地神曰媼者、禮樂志云、后土富媼、張晏曰、坤爲母、故稱媼、是也、【正義】帝王世紀云、漢昭靈后含始游洛池、有寶雞銜赤珠出、炫日、后吞之、生高祖、詩含神霧亦云、含始即昭靈后也、陳留風俗傳云、沛公起兵野戰、喪皇妣於黃鄉、天下平定、使使者以梓宮招幽魂、於是丹蛇在水、自濯躍入梓宮、其浴處有遺髮、謚曰昭靈夫人、漢儀注云、高帝母起兵時死小黃城、後於小黃立陵廟、括地志云、小黃故城在汴州陳留縣東北三十三里、顏師古云、皇甫謐等妄引讖記、好奇騁博、強爲高祖父母名字、皆非正史所說、蓋無取焉、寧有劉媼本姓實存、史遷肯不詳載、即理而言、斷可知矣、【考證】漢書高紀、無曰劉二字、梁玉繩曰、馬班以漢人紀漢事、寧有不知高祖父母姓名之理、乃太公不書名、母媼不書姓、豈諱而不書、如諸帝之不書名邪、李笠曰、父曰太公、母曰劉媼、二句對擧、不得省去、漢書高紀、母媼二字、連下嘗息大澤之陂爲一句、史記則別有其先劉媼四字屬下句、不可同論也、論衡吉驗篇云、高皇帝母曰劉媼、奇怪篇云、高祖本紀、言劉媼嘗息大澤之陂、皆有劉字、可證、

其先劉媼、嘗息大澤之陂、夢與神遇。是時雷電晦冥。太公往視、則見蛟龍於其上。【索隱】按詩含神霧云、赤龍感女媼劉季興、又廣雅云、有鱗曰蛟龍、【考證】其先、猶言其初、詩大雅生民、厥初生民、時維姜嫄、兪樾曰、五帝紀云、擇其尤雅者、故唐虞二紀、悉本尚書、高辛以上、無稽則畧、禹本紀、山海經所有怪物、不以入史、至高帝紀、乃有劉媼夢神、白帝化蛇之事、蓋當時方以爲受命之符、不可得而削也、世以史公爲好奇、過矣、

已而有身。遂產高祖。高祖爲人隆準而龍顏、【集解】服虔曰、準、音拙、應劭曰、隆、高也、準、頰權準也、顏、額顙也、齊人謂之顙、汝

南淮泗之閒曰顏、文穎曰、準、鼻也、【索隱】李斐云、準、鼻也、始皇蜂目長準、蓋鼻高起、爾雅、顏額也、文穎曰高祖感龍而生、故其顏貌似龍、長頸而高鼻、【考證】文穎曰準、音準的之準、顏師古曰、服音應說、皆失之、張文虎曰、據漢書注及索隱、集解文穎當作李斐、美須髯、左股有七十二黑子。【正義】河圖云、帝劉季、口角戴勝、斗胷龜背龍股、長七尺八寸、合誠圖云、赤帝體爲朱鳥、其表龍顏、多黑子、按左陽也、七十二黑子者、赤帝七十二日之數也、木火土金水、各居一方、一歲三百六十日、四方分之、各得九十日、土居中央、竝索四季各十八日、俱成七十二日、故高祖七十二黑子者、應火德七十二日之微也、有一本七十日者非也、許北人呼爲黶子、吳楚謂之誌、誌、記也、【考證】顏師古曰、在頤曰須、在頰曰髯、仁而愛人、喜施。【正義】喜、許記反、施、尸豉反、意豁如也。【集解】服虔曰、豁、達也、常有大度、不事家人生產作業。及壯試爲吏、【集解】應劭曰、試補吏、【考證】盧綰傳云、高祖與盧綰學書、此所以其能爲吏、爲泗水亭長。【正義】秦法十里一亭、十亭一鄉、亭長、主亭之吏、高祖爲泗水亭長也、國語有寓室、卽今之亭也、亭長、蓋今里長也、民有訟諍、吏留平辨、得成其政、括地志云、泗水亭在徐州沛東百步、有高祖廟也、【考證】王念孫曰、類聚御覽引、泗水作泗上、與漢書合、廷中吏、無所不狎侮。【正義】廷中吏、泗水及沛縣之廷也、狎、輕俳也、侮、慢也、府縣之吏、高祖皆輕慢也、【考證】中井積德曰、廷、謂縣廷也、好酒及色、常從王媼・武負貰酒。【集解】韋昭曰、貰、賒也、【索隱】鄒誕生、貰、音世、與字林聲韻竝同、又音時夜反、

廣雅云、貰、賒也、說文云、貰、貸也、臨淮有貰陽縣、漢書功臣表、貰陽侯劉纏、而此紀作射陽、則貰亦射也、【正義】王媼者、王家母、武負者魏大夫如耳之母也、【考證】漢書注云、如淳曰、武、姓也、俗謂老大母爲阿負、顏師古曰、劉向列女傳云、魏曲沃負者、魏大夫如耳之母也、此則古語謂老母爲負耳、王媼、王家之媼也、武負、武家之母也、愚按如顏二說是、又按正義依幻雲鈔補、文有譌脫、醉臥、武負・王媼、見其上常有龍怪之。【考證】祕閣古鈔本、類聚引、醉上有飲字、御覽引作時醉臥、與漢書合、高祖每酤留飲、酒讎數倍、【集解】如淳曰、讎亦售、【索隱】樂彥云、借讎爲售、蓋古字少假借耳、今亦依字讀、蓋高祖大度、既貰飲、且讎其數倍價也、【正義】按言聖帝所至、皆有福祐、故酒讎數倍、及衆驚怪、【考證】祕閣、楓山、三條、南化本、高祖上有屬字、趙翼曰、讎與售同、賣物受直也、武負王媼、皆酒家、每值高祖酤飲、則人競買之、其獲利較倍於常也、宣帝少時從民間買餅、所從買家輒大讎、正與此相類、蓋高祖本紀、白澤陂遇神、至芒碭雲氣、皆記高祖微時符瑞、而此特其一端耳、索隱乃謂貰飲而償厚價、則下文折券句、又何說也、愚按陳仁錫、中井積德亦有此說、及見怪、歲竟此兩家常折券弃責。【索隱】周禮小宰、聽稱責以傳別、鄭司農云、傳別、券書也、鄭玄云、傳別、謂大手書於札中而別之也、然則古用簡札書、故可折、至歲終總弃不責也、【考證】責讀爲債、高祖常繇咸陽、【集解】應劭曰、繇、役也、【索隱】韋昭云、秦所都、武帝更名渭城、應劭云、今長安也、按關中記云、孝公都咸陽、今渭城是、在渭北、始皇都咸陽、今城南大城是也、名咸陽者、山南曰陽、水北亦曰陽、其地在渭水之北、又在九嵕諸山之南、故曰咸陽也、

【考證】祕閣本常作嘗、縱觀、觀秦皇帝。【正義】包愷云、觀、上音館、下音官、恣意故縱觀、【考證】楊愼曰、當時車駕出、則禁觀者、此時則縱民觀、故曰縱觀、愚按漢高紀少一觀字、義異、喟然太息曰、嗟乎、大丈夫當如此也。【考證】凌稚隆曰、高祖觀秦帝之言、較之項羽、氣象自是迴別、王鳴盛曰、項之言、悍而戾、劉之言、則津津不勝其歆羨矣、單父人呂公、善沛令。【集解】漢書音義曰、單、音善、父、音斧、【索隱】韋昭云、單父、縣名、屬山陽、崔浩云、史失其名、但舉姓而言公、又按漢書舊儀云、呂公汝南新蔡人、又相經云、魏人、呂公名文、字叔平也、避仇、從之客。因家沛焉。沛中豪桀吏、聞令有重客、皆往賀。蕭何爲主吏。【集解】孟康曰、主吏、功曹也、主進。【集解】文穎曰、主賦斂禮進爲之帥、【索隱】鄭氏云、主賦斂禮錢也、顏師古曰、進者會禮之財、字本作贐、聲轉爲進、宣帝數負進、義與此同、【考證】進、猶獻也、賀客所進之財、不必讀爲贐、中井積德曰、主進、謂是時掌賀進之事也、非平生職掌、令諸大夫曰、進不滿千錢、坐之堂下。【正義】大夫、客之貴者、總稱之、【考證】祕閣本無進字、之字、何焯曰、漢書高祖紀詔書有云、秦民爵公大夫以上、令丞與亢禮、諸大夫當謂此也、趙翼曰、沛中豪傑吏、蓋不過鄉豪及健吏之類、蓋秦制賜民爵、有大夫官大夫、公大夫、五大夫七大夫諸稱、度其時、民之有此爵者、人卽以其爵呼之、相沿日久、遂以爲尊奉之語、故鄉豪及健吏皆得稱耳、高祖爲亭長。素易諸吏。乃

紿爲謁曰、賀錢萬。實不持一錢。【集解】應劭曰、紿、欺也、音殆、【索隱】韋昭云、紿、詐也、劉氏云、紿、欺負也、何[illegible]云、紿、疑也、謂高祖素狎易諸吏、乃詐爲謁、謁、謂以札書姓名、若今之通刺、而兼載錢穀也、謁入。呂公大驚、起迎之門。呂公者好相人。見高祖狀貌、因重敬之、引入坐。【考證】祕閣本、入下有上字、楓、三、南本坐下有上坐二字、蕭何曰、劉季固多大言、少成事。高祖因狎侮諸客、遂坐上坐、無所詘。【正義】坐上、坐、上、在果反、下、在臥反、詘、音丘忽反、酒闌、呂公因目、固留高祖。【集解】文穎曰、闌、言希也、謂飲酒者半罷半在、謂之闌、【正義】目言、故目動而留之、不敢對衆顯、高祖竟酒後、呂公曰、臣少好相人。【集解】張晏曰、古人相與語、多自稱臣、自卑下之道、若今人相與語、皆自稱僕、【考證】顧炎武曰、漢初人對人多稱臣、乃戰國之餘習、史記高祖紀、呂公曰、臣少好相人、張晏曰、古人相與語、多自稱臣、猶今人相與言僕也、天下已定、則稍有差等、而臣之稱、惟施之諸侯王、故韓信過樊將軍噲、噲趨拜送迎、言稱臣、曰大王乃肯臨臣、至文景以後、則此風漸衰、而賈誼新書、有尊天子避嫌疑、不敢稱臣之說、王子侯表、有利侯釘坐遺淮南王書稱臣、棄市、功臣侯表、安平侯鄂但、坐與淮南王女陵通、遺淮南王書、稱臣盡力、棄市、平棘侯薛穰、坐受淮南王賂稱臣、在赦前免、皆在元狩元年、而嚴助傳、天子令助諭意淮南王、一則曰臣助、再則曰臣助、史因而書之、未嘗以爲罪、則知釘等三人所

坐者、交通之罪、而自此以後、廷臣之與諸侯王、遂不復稱臣者爾、相人多矣。無如季相。願季自愛。臣有息女。願爲季箕帚妾。【正義】息、生也、謂所生之女也、酒罷。呂媼怒呂公曰。公始常欲奇此女與貴人。【考證】顏師古曰、奇、異也、謂顯而異之、嫁於貴人也、中井積德曰、奇是奇貨可居之奇、謂欲以此女爲奇貨而與貴人以釣利、盧文弨曰、欲奇云者、呂公自以己意奇而異之也、外戚世家、王太后母臧兒卜兩女、皆當貴、曰欲奇兩女云云、文法正同、王念孫曰、漢外戚傳、霍光夫人顯謂淳于衍云、將軍素愛小女成君、欲奇貴之、語意相似、鳳曾敍曰、欲奇此女者、言始欲顯異此女、而嫁貴人也、欲字在奇字上、語意甚明、岡白駒曰、與上省一欲字、史文此類多、愚按猶言欲與貴人以奇此女、奇字顏說是、不必讀爲奇貨之奇、沛令善公。求之不與。何自妄許與劉季。呂公曰。此非兒女子所知也。卒與劉季。呂公女乃呂后也。生孝惠帝・魯元公主。【集解】服虔曰、元、長也、食邑於魯、韋昭曰、元、謚也、【正義】漢制、帝女曰公主、儀比諸侯、姊妹曰長公主、儀比諸侯王、姑曰大長公主、儀比諸侯王、【考證】張文虎曰、類聚引、乃作卽、與漢書合、又曰、中統本、惠下有帝字、與漢書合、類聚及班馬異同引俱有、今補、高祖爲亭長、時常告歸之田。【集解】服虔曰、告、音如嗥呼之嗥、李斐曰、休謁之名也、吉曰告、凶曰寧、孟康曰、古者名吏休假曰告、告又音嚳、漢律、吏二千石、

有予告賜告、予告者、任官有功最、法所當得者也、賜告者、病滿三月、當免、天子優賜復其告、使得帶印紱、將官屬歸家治疾也、【索隱】韋昭云、告、請歸乞假也、音告語之告、故戰國策曰、商君告歸、廷篤以爲告歸今之歸寧也、劉伯莊顏師古、竝音古篤反、非號嚳兩音也、按東觀漢記、田邑傳云、邑年三十、歷卿大夫、號歸罷、厭事、少所嗜欲、尋號與嗥同、古者當有此語、故服氏云、如號呼之號、音豪、今以服虔雖據田邑號歸、亦恐未得、然此告字當音誥、誥號聲相近、故後告歸號歸、遂變耳、【考證】古鈔本、常作嘗、與漢書合、呂后與兩子居田中耨。有一老父過請飲、呂后因餔之。【正義】餔、必捕反、以食飼人也、父本請飲、呂后因飼之、國語云、國中童子無不餔、老父相呂后曰。夫人天下貴人。令相兩子。見孝惠曰。夫人所以貴者、乃此男也。相魯元、亦皆貴。【考證】祕閣本、無也字、老父已去。高祖適從旁舍來。呂后具言。客有過相我子母。皆大貴。高祖問。曰。未遠。乃追及問老父。老父曰。鄉者夫人嬰兒皆似君。君相貴不可言。【考證】祕閣本、嬰兒作兒子、高祖乃謝曰。誠如父言、不敢忘德。及高祖貴、遂不知老父處。【考證】類聚引、人下有也、惠下

有帝、元下有公主、嬰兒作兒子、皆與漢書合、漢書似作以、論衡骨相篇作似、宋書符瑞志作以、如淳曰、言並得君之貴相也、是從似字、顏師古曰、言夫人及兒子、以君之故、因得貴耳、是從以字、錢大昭申如說云、蓋言相之大貴皆似君耳、非謂呂后之貌有類高祖也、愚按如錢二說是、李笠曰、老父以相法告人、而不責報、所以爲德、高祖爲亭長、乃以竹皮爲冠、令求盜之薛治之。時時冠之。【集解】應劭曰、以竹始生皮作冠、今鵲尾冠是也、求盜者、舊時亭有兩卒、其一爲亭父、掌開閉掃除、一爲求盜、掌逐捕盜賊、薛、魯國縣也、有作冠師、故往治之、【索隱】應劭云、一名長冠、側竹皮裏以縱前、高七寸、廣三寸、如板、又蔡邕獨斷云、長冠、楚制也、高祖以竹皮爲之、謂之劉氏冠、司馬彪輿服志、亦以劉氏冠爲鵲尾冠也、應劭云、舊亭卒名弩父、陳楚謂之亭父、或云亭部、淮泗謂之求盜也、【正義】冠音館、下同、【考證】薛、山東兗州府滕縣、及貴常冠。所謂劉氏冠乃是也。【正義】冠、音官、顏師古云、後號爲劉氏冠、其後詔曰、爵非公乘以上、不得冠劉氏冠、卽此也、高祖以亭長爲縣送徒酈山。徒多道亡。自度比至皆亡之。【正義】度、田洛反、比、必寐反、【考證】應劭曰、秦始皇葬於驪山、故郡國送徒往作、姚範曰、始皇初卽位、卽穿治驪山、及并天下、徒詣送者七十餘萬、賈山亦云、吏徒數十萬人、曠十年、此送徒、當在始皇之初、故下云、始皇東遊、應劭以爲始皇葬于驪山、語未晰、到豐西澤中止飲。夜乃解縱所送徒曰。公等皆去。吾亦從此逝矣。徒

中壯士、願從者十餘人。高祖被酒夜徑澤中。【索隱】舊音經、按廣雅云、徑、斜過也、字林云、徑、小道也、音古定反、言酒後放徒、夜徑行澤中、不敢由正路、且從小徑而求疾也、【正義】被、加也、令一人行前。【正義】行、音下孟反、行前者還報曰。前有大蛇當徑。願還。【索隱】音逕、鄭玄曰、步道曰徑也、高祖醉曰。壯士行。何畏。乃前、拔劍擊斬蛇。【索隱】漢舊儀云、斬蛇劍、長七尺、又高祖云、吾以布衣提三尺劍取天下、二文不同者、崔豹古今注、當高祖爲亭長、理應提三尺劍耳、及貴當別得七尺寶劍、故舊儀因言之、【正義】按其蛇大、理須別求是劍斬之、三尺劍者、常佩之劍、括地志云、斬蛇溝源出徐州豐縣中平地、故老云、高祖斬蛇處、至縣西十五里入泡水也、蛇遂分爲兩、【索隱】謂斬蛇分爲兩段也、徑開。行數里、醉因臥。【考證】漢書一本因作困、周壽昌曰、據文義、始曰被酒、中曰醉、末曰醉困臥、情事明有次第、醉後行數里而困、故臥也、困字較因爲勝、後人來至蛇所。有一老嫗夜哭。人問何哭。嫗曰。人殺吾子。故哭之。人曰、嫗子何爲見殺。嫗曰。吾子白帝子也。化爲蛇當道。今爲赤帝子斬之。故哭。【集解】應劭曰、秦襄公自以居西戎、主少昊之神、作西畤祠白帝、至獻公時、櫟陽雨金、以爲瑞、又作畦畤祠白帝、少昊、金

德也、赤帝、堯後、謂漢也、殺之者、明漢當滅秦也、秦自謂水、漢初自謂土、皆失之、至光武乃改定、索隱按太康地理志云、時在櫟陽故城內、其時如畦、故曰畦時、畦、音戶圭反、應注云、秦自謂水者、按秦文公獲黑龍、命河爲德水、是也、又按春秋合誠圖云、水神哭子褒敗、宋均以爲高祖斬白蛇、而神母哭、則此母水精也、此皆謬說、又注云、至光武乃改者、謂改漢爲火德、秦爲金德、與雨金及赤帝子之理合也、考證祕閣本、人問下有嫗字、今下無爲字、義長、人乃以嫗爲不誠、欲告之。集解徐廣曰、一作苦、索隱漢書作苦、謂欲困苦辱之、一本或作笞、說文云、笞、擊也、考證祕閣本、楓山、三條本、嫗下有言字、嫗因忽不見。後人至、高祖覺。索隱包愷、劉伯莊、音古孝反、後人告高祖。高祖乃心獨喜自負。集解應劭曰、負、恃也、索隱晉灼云、自恃斬蛇事、諸從者日益畏之。考證楊循吉曰、斬蛇事、沛公自託以神靈其身、而駭天下之愚夫婦耳、大虹大霓、蒼龍赤龍、流火之烏、躍舟之魚、皆所以兆帝王之興起者、此斬蛇之計、所由設也、秦始皇帝常曰。東南有天子氣。於是因東游以厭之。索隱厭、音一涉反、又一佔反、廣雅云、厭、鎭也、考證祕閣本、無因字、漢書宣帝紀、後元二年、武帝疾、望氣者曰、長安獄中有天子氣、高祖卽自疑。亡匿隱於芒碭山澤巖石之閒。集解徐廣曰、芒、今臨淮縣也、碭縣在梁、騆案、應劭曰、二縣之界、有山澤之固、故隱於其閒也、正義括地志云、宋州碭山縣、在州東一百五十里、本漢碭縣也、碭山在

縣東、考證趙翼曰、卽自疑三字、高祖匹夫而以天子自疑、正見其志氣不凡、漢書刪之、愚按、上云、心獨喜自負、下云、心喜、此亦不可無卽自疑三字、呂后與人俱求。常得之。高祖怪問之。呂后曰。季所居、上常有雲氣。故從往、常得季。高祖心喜。正義京房易兆候云、何以知賢人隱、顏師古曰、四方常有大雲、五色具而不雨、其下有賢人隱矣、故呂后望雲氣而得之、考證徐孚遠曰、高祖隱處、豈不陰語呂后耶、隱而求、求而怪、皆所以動衆也、沛中子弟或聞之、多欲附者矣。秦二世元年、秋、陳勝等起蘄、至陳而王。號爲張楚、集解徐廣曰、高祖時年四十八、索隱應劭云、始皇欲以一至萬、示不相襲、始者一、故至子稱二世、崔浩云、二世、始皇子胡亥、又按善文稱隱士云、趙高爲二世殺十七兄、而立爲王、則二世是第十八子也、蘄、縣名、屬沛、音機、又音旂、考證祕閣本、起作越、非是、蘄、安徽鳳陽宿州、陳、河南陳州、諸郡縣皆多殺其長吏、以應陳涉。考證張文虎曰、上作陳勝、此作陳涉、當有一誤、沛令恐、欲以沛應涉。掾主吏蕭何·曹參索隱按漢書蕭曹傳、參爲獄掾、何爲主吏也、乃曰。君爲秦吏。今欲背之。率沛子弟、恐不聽。願君召諸亡在外者。可得數百人。因劫衆、

衆不敢不聽。索隱說文云、以力脅之云劫也、考證祕閣本、重子弟二字、顏師古曰、時苦秦虐政、賦役煩多、故有逃亡辟吏、乃令樊噲召劉季。劉季之衆、已數十百人矣。索隱漢書作數百人、劉伯莊曰、數十人或至百人、則是百人已下也、於是樊噲從劉季來。沛令後悔、恐其有變、乃閉城城守、欲誅蕭·曹。考證中井積德曰、衍一城字、愚按漢書亦有、蕭·曹恐、踰城保劉季。集解韋昭曰、以爲保障、考證王念孫曰、保者依也、左傳僖二年、保於逆旅、杜注、訓保爲依、史記周本紀、百姓懷之、多從而保歸焉、荊燕世家、與彭越相保、莊子列御寇篇、人將保汝、保字義同、劉季乃書帛射城上、謂沛父老曰。天下苦秦久矣。今父老雖爲沛令守、諸侯竝起、今屠沛。索隱按范曄云、尅城多所誅殺、故云屠也、沛今共誅令、擇子弟可立者立之、以應諸侯、則家室完。不然、父子俱屠。無爲也。父老乃率子弟共殺沛令、開城門迎劉季、欲以爲沛令。劉季曰。天下方擾、諸侯竝起。今置將不善、壹敗塗地。索隱言一朝破敗、使肝

腦塗地、考證漢書壹作一、塗地、猶言委地、事業一敗、不可復收拾、吾非敢自愛。恐能薄不能完父兄子弟。此大事。正義能、才能也、高祖謙言、材能薄劣、不能完全其衆、能者、獸形色似熊、足似鹿、爲物堅中而强力、人之有賢才者、皆謂之能也、願更相推擇可者。考證詞婉禮恭、不似平生大言、推擇二字連讀、淮陰侯傳、不得推擇爲吏、漢書刪推字、蕭·曹等皆文吏自愛。恐事不就後、秦種族其家、盡讓劉季。諸父老皆曰。平生所聞劉季諸珍怪當貴。且卜筮之、莫如劉季最吉。考證楓、三本、無珍字、張文虎曰、御覽引、珍怪作奇怪、與漢書合、於是劉季數讓。衆莫敢爲。乃立季爲沛公。集解徐廣曰、九月也、駰案、漢書音義曰、舊楚僭稱王、其縣宰爲公、陳涉爲楚王、沛公起應涉、故從楚制稱曰公、考證祕閣本、立下無季字、楚人稱令曰公、非公侯之公、祠黃帝、祭蚩尤於沛庭、集解應劭曰、左傳曰、黃帝戰於阪泉、以定天下、蚩尤好五兵、故祠祭之求福祥也、瓚曰、管仲云、割盧山交而出水、金從之出、蚩尤受之、以作劍戟、索隱按管子云、葛盧之山發而出金、今注引發作交、及割、皆誤也、而釁鼓。集解應劭曰、釁、祭也、殺牲以血塗鼓曰釁、瓚曰、案禮記及大戴禮、有釁廟之禮、皆無祭事、索隱說文云、釁、血祭也、司馬法曰、血于鼙鼓者、神戎器也、顏師古曰、凡殺牲以血祭者、皆名爲釁、臣

瓚以爲皆無祭事、非也、又古人新成鐘鼎、亦必釁之、應劭云、釁呼爲釁、馬融注周禮灼龜之兆云、謂其象似玉瓦原之釁罅、是用名之、此說皆非、罅、音火稼反、旗幟皆赤。【索隱】墨翟云、幟、帛長丈五、廣半幅、字詁云、幟、標也、字林云、熊旗五斿、謂與士卒爲期於其下、故曰旗也、幟或作識、或作志、嵇康音試、蕭該音熾、由所殺蛇白帝子、殺者赤帝子、故上赤。於是少年豪吏如蕭·曹·樊噲等、皆爲收沛子弟二三千人、攻胡陵·方與、還守豐。【集解】鄭德曰、方與、音房豫、屬山陽郡、【索隱】鄭展曰、胡陵、縣名、屬山陽、章帝改曰胡陸、鄭玄曰、方與、屬山陽也、【考證】胡陵方與、山東濟寧州魚臺縣、漢書高紀、二作得、攻胡陵以下事、屬二世二年十月、本史月表同、此疑脫、

秦二世二年、陳涉之將周章軍、西至戲而還。【索隱】應劭云、章字文、陳人、文穎云、戲在新豐東二十里戲亭北、孟康云、水名也、又述征記云、戲水、自驪山、馮公谷北流、歷戲亭東入渭、按今其水東惟有戲驛存、章爲章邯所破而還、邯、音酣、【考證】戲、陝西西安臨潼縣東北、中井積德曰、戲、水亦名焉、其本末不必論、梁玉繩曰、周章爲章邯所破、自剄而死、非還也、燕·趙·齊·魏皆自立爲王。【索隱】按漢書高紀、二世二年八月、武臣自立爲趙王、田儋自立爲齊王、韓廣自立爲燕王、魏咎自立爲魏王也、【考證】梁玉繩曰、趙爲王在元年八月、燕魏在九月、與沛項並起、此幷敍于二年、非也、又攷陳涉世家及魏豹傳、魏咎之立、出于周市、非若燕趙諸人之自立也、項氏起吳。秦泗川監

平、將兵圍豐二日。出與戰破之。【集解】文穎曰、泗川今沛郡也、高祖更名沛、秦時御史監郡、若今刺史、平、名也、【索隱】如淳云、秦幷天下爲三十六郡、置守尉監、故此有監平、下有守壯、則平、壯、皆名也、【考證】漢地理志、泗川作泗水、錢大昕曰、曹參世家、樊噲周昌傳、俱作泗水、而漢高紀亦作泗川、顏師古曰、泗川郡、川字或爲水、其實一也、王先謙曰、郡有定名、無兩作者、川水隷寫相似而譌耳、命雍齒守豐、引兵之薛。泗川守壯敗於薛、走至戚。【集解】如淳曰、壯、名也、戚、音將毒反、【索隱】晉灼云、東海縣也、鄭德包愷並如字讀、李登音千笠反、【正義】括地志云、沂州臨沂縣有漢戚縣故城、地理志云、臨沂縣屬東海郡、【考證】索隱正義、以戚爲東海郡戚縣、以地理考之、與沛郡相去甚遠、壯兵敗走、未必能至、胡三省以爲沛郡廣戚、王先謙以爲陽郡𨏥戚、亦未知孰是、張文虎曰、索隱千笠反當作千竺反、沛公左司馬得泗川守壯殺之。【索隱】顏師古云、得、司馬之名、非也、按後云左司馬曹無傷、自此已下、更不見替易處、蓋是左司馬無傷得泗川守壯而殺之耳、【考證】漢書無泗川守壯四字、顏師古因有此說、史漢不同、宜依文作解、周壽昌曰、沛公此時左司馬、尙有孔聚陳賀唐厲、不止曹無傷一人、功臣表可證、王鳴盛曰、秦泗川守不言姓、似守不當言姓矣、然下文三川守李由、則言姓、南陽守齮則又不言姓、高武侯鰓、襄侯王陵、鰓不言姓、王陵則言姓、皆是隨便言之、並無義例、又如項羽紀中會稽守通、注引楚漢春秋是殷通、如此之類、不言姓者甚多、皆隨便言之、若曰史失其傳、亦非也、沛公還軍亢父、至方與。【集解】鄭德曰、亢音人相亢荅、父、音甫、屬任城郡、【索隱】舊音

剛、劉伯莊包愷並同、音苦浪反、【正義】亢音剛、又苦浪反、括地志云、亢父縣也、沛公屯軍於此也、【考證】亢父、山東濟寧州西南、周市來攻方與。未戰。陳王使魏人周市略地。【考證】漢書高紀、無周市來攻方與未戰陳王使十一字、梁玉繩曰、余有丁云、此一周市也、書法如此、疑誤、史詮謂是兩周市、故下加魏人以別之、漢書作魏人周市略地豐沛、無周市來攻以下十一字、或以爲衍者皆非也、趙太常云、未戰二字乃不了語、沛公因聞豐反、遂引兵去方與、而往攻豐也、陳王使魏人周市略地九字、當移在周市來攻方與之上、則文順而明矣、周市使人謂雍齒曰、豐、故梁徙也。【集解】文穎曰、梁惠王孫假、爲秦所滅、轉東徙於豐、故曰豐梁徙、今魏地已定者數十城。齒今下魏、魏以齒爲侯。守豐不下、且屠豐。雍齒雅不欲屬沛公。【集解】服虔曰、雅、故也、蘇林曰、雅、素也、及魏招之、卽反爲魏守豐。沛公引兵攻豐。不能取。沛公病、還之沛。沛公怨雍齒與豐子弟叛之。【考證】祕閣本叛作畔、下同、聞東陽甯君秦嘉立景駒爲假王在留、乃往從之、欲請兵以攻豐。【集解】文穎曰、秦嘉、東陽郡人也、爲甯縣君、瓚曰、陳勝傳曰、廣陵人秦嘉、然則嘉非東陽人也、秦嘉初起兵於郯、號曰大司馬、又不爲甯縣君、東陽甯君

自一人、秦嘉又自一人、【索隱】臣瓚以爲二人、按下文直云、東陽甯君、又別言秦嘉、明臣瓚之說爲得、顏師古以甯是姓、君者、時人號曰君耳、韋昭云、留、今彭城留縣也、【正義】括地志云、留城在徐州沛縣東南五十里、卽張良所封處、是時秦將章邯從陳、別將司馬𡰱將兵北定楚地。【集解】如淳曰、從陳涉將也、涉在陳、其將相別在他許、皆稱陳、𡰱、章邯司馬、【索隱】謂章邯從陳別將兵向他處、而遣司馬𡰱將領兵士、北定楚地、故如淳云、𡰱、章邯司馬也、孔文祥亦曰、邯別遣𡰱屠相、又一說云、從、謂追逐之、言章邯討逐陳別將、而司馬𡰱別將兵北定楚、亦通、【考證】周壽昌曰、𡰱疑亦秦將司馬、其姓非官稱、若章邯之司馬、當以章邯冠於上、樊噲傳、噲與司馬𡰱戰碭東、並無章邯事、梁玉繩曰、陳別將司馬𡰱、與下文趙別將司馬卬同一句法、愚按𡰱、陳別將、梁說是、從服從之、從、屠相至碭。【索隱】韋昭云、相、沛縣、應劭曰、碭、屬梁國、蘇林音唐、又音宕、【正義】括地志云、故相城在徐州符離縣西北九十里、碭在宋州東一百五十里、【考證】相、江蘇宿州、碭、徐州碭山縣、東陽甯君·沛公引兵西、與戰蕭西。不利。【索隱】韋昭云、蕭、沛之縣名、謂在蕭縣之西也、【考證】徐州蕭縣、還收兵聚留、引兵攻碭。【考證】漢書高紀、引兵上補二月二字、三日、乃取碭。因收碭兵得五六千人、攻下邑拔之。【索隱】韋昭云、下邑、縣名、屬梁國、按范曄云、得城爲拔、是也、【考證】下邑、河南歸德府下邑縣、還軍豐。【考證】楓三本、豐上有攻字、漢書高紀、作還擊豐不下、聞項梁

在薛、從騎百餘往見之。[集解]徐廣曰、三月、[正義]今徐州滕縣、故薛城也、項梁益沛公卒五千人・五大夫將十人。[集解]蘇林曰、五大夫、第九爵也、以五大夫爲將、凡十人也、沛公還、引兵攻豐。[集解]徐廣曰、表云、拔之、雍齒奔魏、[考證]漢書高紀、與月表同、中井積德曰、此錯脫耳、徐孚遠曰、漢祖起事、欲以豐沛爲根本、豐反屬魏、大勢幾失、故數借兵復之、及入關以後、則勢又在關中、而豐沛非所須也、從項梁月餘、項羽已拔襄城還。[索隱]韋昭云、潁川縣、[正義]襄城、許州縣、[考證]河南許州襄城縣、項梁盡召別將居薛。聞陳王定死、因立楚後懷王孫心爲楚王、治盱台。[索隱]韋昭云、臨淮縣、音于夷、[正義]楚縣也、[考證]安徽泗州盱眙縣、項梁號武信君。居數月北攻亢父、救東阿、破秦軍。[索隱]韋昭云、東阿、東郡之縣名、[正義]濟州縣也、[考證]梁玉繩曰、月表及漢紀、立懷王在六月、攻亢父在七月、中間只隔數十日、安得謂居數月乎、疑月當作日、愚按東阿、山東泰安府東阿縣、漢書高紀云、章邯圍田榮於東阿、沛公與項梁共救田榮、大破章邯東阿、田榮歸、沛公項羽追北至城陽、齊軍歸。楚獨追北、[集解]服虔曰、師敗曰北、使沛公・項羽別攻城陽、屠之、軍濮陽之東、與秦軍戰、破之。

[索隱]按城陽、地理志屬濟陰、濮陽、韋昭云、東郡之縣名、[正義]濮陽故城在濮州西八十六里、本漢濮陽縣、[考證]濮陽、直隸大名府開州南、秦軍復振、守濮陽環水。[集解]李奇曰、振、整也、如淳曰、振、起也、收敗卒自振迅而復起也、文穎曰、決水以自環守爲固也、張晏曰、依河水以自環繞作壘、[正義]按二說皆通、其濮陽縣、北臨黃河、言秦軍北阻黃河、南鑿溝、引黃河水、環繞作壁壘爲固、楚軍乃去、楚軍去而攻定陶。定陶未下。[索隱]按地理志濟陰之縣也、[考證]山東曹州定陶縣、沛公與項羽西略地、至雍丘之下、與秦軍戰、大破之、斬李由。[索隱]韋昭云、雍丘、故杞國、今陳留之縣、[考證]河南開封府杞縣、由、秦三川守、李斯長子、還攻外黃。外黃未下。[索隱]韋昭云、上陳留縣、[正義]在雍丘東、項梁再破秦軍、有驕色。宋義諫、不聽。[索隱]荀悅漢紀云、故楚令尹宋義、當別有所出也、秦益章邯兵、夜銜枚擊項梁、大破之定陶。項梁死。[集解]周禮有銜枚氏、鄭玄曰、銜枚止言語囂讙也、枚、狀如箸、橫銜之、繣結於項者、繣音獲、沛公與項羽方攻陳留。聞項梁死、引兵與呂將軍俱東。呂臣軍彭城東、項羽軍彭城西、沛公軍碭。[考證]漢書呂將軍、作將軍呂臣、彭城、江蘇徐州府銅山縣、章邯

已破項梁軍、則以爲楚地兵不足憂。乃渡河北擊趙、大破之。當是之時、趙歇爲王、秦將王離圍之鉅鹿城。此所謂河北之軍也。[索隱]歇、蘇林音如字、鄭德音遏絕之遏、徐廣音烏轄反、今依字讀之也、[考證]鉅鹿、直隸順德府平鄉縣、所謂河北之軍也、又見項羽紀、秦二世三年、[考證]梁玉繩曰、此當在後文沛公引兵西遇彭越昌邑句上、誤書于此、楚懷王見項梁軍破、恐、徙盱台都彭城、[考證]古鈔本、楓、三本、徙作從、漢書作自、義同、當依訂、幷呂臣・項羽軍、自將之。以沛公爲碭郡長、封爲武安侯、將碭郡兵、[正義]括地志云、宋州本秦碭郡、蘇林云、長如郡守、韋昭云、秦名曰守、是時改曰長、封項羽爲長安侯、號爲魯公、呂臣爲司徒、其父呂青爲令尹。[索隱]按表青、封信陽侯、[正義]應劭云、天子曰師尹、諸侯曰令尹、時去六國近、故置令尹、瓚曰、諸侯之卿、唯楚稱令尹、其餘國不稱、時立楚之後、故置官司皆如楚舊也、[考證]令尹、瓚說是、趙數請救。懷王乃以宋義爲上將軍、項羽爲次將、范增爲末將、北救趙。令沛公西略地入關。與諸將約、

先入定關中者王之。[索隱]韋昭云、函谷、武關也、又三輔舊事云、西以散關爲界、東以函谷爲界、二關之中、謂之關中、當是時秦兵彊、常乘勝逐北。諸將莫利先入關。獨項羽怨秦破項梁軍、奮願與沛公西入關。[索隱]韋昭云、奮、憤激也、[考證]祕閣本、奮下有怒字、懷王諸老將皆曰。項羽爲人僄悍猾賊。[索隱]說文云、僄、疾也、悍、勇也、一云、僄、輕也、僄、音匹妙反、猾賊、漢書作禍賊也、[考證]王念孫曰、猾、黠惡也、酷吏傳、寧成猾賊任威、是也、猾賊與僄悍義相承、禍賊則非其義矣、愚按懷王之立也、楚亡臣來歸者必衆、所謂諸老將是也、使懷王幷呂臣項羽軍、以宋義爲上將軍、遣沛公入關者、概皆此等老將所爲、項羽嘗攻襄城。襄城無遺類、皆阬之、諸所過無不殘滅。[集解]徐廣曰、遺、一作噍、噍、食也、音在妙反、駰案、如淳曰、類無復有活而噍食者也、青州俗言無孑遺爲無噍類、[正義]言項羽嘗攻襄城、襄城之人、無問大小盡殺之、無復遺餘種類、皆坑之、漢書噍類、即依古義、且楚數進取。[集解]如淳曰、楚、謂陳涉也、數進、多所攻取、[考證]顏師古曰、楚者總言楚兵、陳涉項梁皆是、前陳王・項梁皆敗。不如更遣長者、扶義而西、告諭秦父兄矣。[集解]漢書音義曰、陳王、陳涉也、[正義]遣長者扶持仁義而西、告諭秦長少令降下也、[考證]顏師古曰、扶、助也、以仁義

義助也、扶字或作杖、杖亦倚任之義、秦父兄苦其主久矣。今誠得長者、往毋侵暴、宜可下。今項羽僄悍、今不可遣。【集解】徐廣曰、一無今字、獨沛公素寬大長者。可遣。卒不許項羽、而遣沛公。西略地、收陳王·項梁散卒、乃道碭至成陽、【集解】漢書音義曰、道由碭也、【考證】道、由也、與杠里秦軍夾壁、破魏二軍、【集解】漢書音義曰、成陽、杠里、二縣名、【索隱】成陽、在濟陰、韋昭云、在潁川、非也、服虔云、杠里、縣名、如淳云、秦軍所別屯地名也、【考證】方輿紀要云、杠里、在成陽西、漢書魏作其、陳仁錫曰、監本與杠里屬上句、誤也、時秦軍屯杠里、漢軍與之對壘、故曰夾壁、破魏之魏、當作秦、愚按、陳說略得之、魏當從漢書作其、魏其音近而譌、成陽杠里、山東曹州府濮州、楚軍出兵、擊王離、大破之。【集解】徐廣曰、表云三年十月、攻破東郡尉及王離軍於成武南、【考證】陳仁錫曰、此時王離圍趙鉅鹿在河北、沛公軍杠里在河南、何由出兵相擊、則破王離爲項羽明矣、漢書削此十字、梁玉繩曰、方敍沛公入關、不應忽入楚軍、十字當衍、沛公引兵、西遇彭越昌邑。【正義】地理志云、昌邑縣屬山陽、括地志云、在曹州成武縣東北三十二里、有梁丘故城是也、【考證】昌邑、山東濟寧州金鄉縣、因與俱攻秦軍。戰不利。還至栗。【索隱】韋昭云、縣名、屬沛、【考證】栗、河南歸德府夏邑縣、遇剛武

侯、奪其軍可四千餘人幷之。【集解】應劭曰、楚懷王將也、漢書音義曰、功臣表云、棘蒲剛侯陳武、武一姓柴、剛武侯宜爲剛侯武、魏將也、瓚曰、功臣表、柴武以將軍起薛、別救東阿、至霸上、入漢中、非懷王將也、又非魏將也、例未稱謚、【正義】顏師古云、史失其名姓、唯識其爵號、不知誰也、不當改爲剛侯武、應氏以爲懷王將、又云、魏將、無據矣、表、六年三月封、孟顏二人說是、與魏將皇欣·魏申徒武蒲之軍、【正義】竝魏將也、欣字或作訢、音許斤反、蒲、漢書作滿、竝通也、【考證】齊召南曰、樂平侯衞無擇、以隊卒從高祖起沛、屬高訢、當即此皇欣、愚按、滿蒲不相通、必有一是、幷攻昌邑。昌邑未拔。【考證】梁玉繩曰、月表、秦三年十二月、沛公至栗、得皇欣武蒲軍、與秦戰破之、二月、得彭越軍昌邑、又漢紀、十二月、沛公引兵至栗、遇剛武侯奪其軍、與魏將皇欣武滿、合攻秦軍、破之、二月、從碭北攻昌邑、遇彭越、越助攻昌邑、未下、然則先遇剛武、後遇彭越也、先至栗、後至昌邑也、先合兵破秦軍、後攻昌邑未拔也、乃此謂遇彭越在遇剛武之前、誤一、斯時無與秦戰不利之事、誤二、遇彭越昌邑、因與攻秦、不利還栗、似未曾奪剛武合魏將、而已攻昌邑、至後攻而未拔、爲復攻昌邑、誤三、以與彭越爲攻秦、以奪剛武合魏將爲攻昌邑、誤四、準義驗文、當云秦二世三年、沛兵引兵至栗、遇剛武侯、奪其軍可四千餘人、幷之、與魏將皇欣魏申徒武蒲之軍、俱攻秦軍戰破之、遂西、遇彭越昌邑、因與幷攻昌邑、昌邑未拔、西過高陽。【集解】文穎曰、聚邑名也、屬陳留圉縣、瓚曰、陳留傳曰、在雍丘西南、【考證】高陽、河南開封府杞縣、酈食其謂監門曰。【集解】鄭德曰、酈食其、音歷異基、【考證】漢書作爲里監門、與酈生傳爲里監門吏合、祕閣、古鈔、楓、

三本、無謂監門三字、諸將過此者多。吾視沛公大人長者。乃求見說沛公。沛公方踞牀、使兩女子洗足。酈生不拜、長揖。【考證】祕閣本、楓山、三條本、不重沛公二字、楓、三本、無兩字、祕閣本無足字、顏師古曰、長揖者、手自上而極下、曰。足下必欲誅無道秦、不宜踞見長者。於是沛公起、攝衣謝之、延上坐。食其說沛公襲陳留、得秦積粟。【集解】漢書音義曰、春秋傳曰、輕行無鐘鼓曰襲、【考證】祕閣本、無沛公二字、乃以酈食其爲廣野君。【索隱】韋昭云、在山陽、酈商爲將、【考證】漢書作其弟商、將陳留兵、與偕攻開封。【索隱】韋昭云、河南縣、【考證】河南開封府祥符縣南、開封未拔。西與秦將楊熊戰白馬、【索隱】韋昭云、東郡縣、【正義】括地志云、白馬故城、在滑州衞南縣西南二十四里、戴延之西征記云、白馬城、故衞之漕邑、【考證】河南衞輝府滑縣東、又戰曲遇東、大破之。【索隱】徐廣云、曲逆、在中牟、韋昭云、志不載、司馬彪郡國志、中牟有曲遇聚也、【考證】開封府中牟縣、楊熊走之滎陽。【索隱】韋昭云、故衞地、河南縣也、【考證】滎陽、開封府滎澤縣西南、二世使使者斬以徇。【集解】徐廣曰、四月、南攻

潁陽屠之。因張良遂略韓地轘轅。【集解】文穎曰、河南新鄭南至潁川南北、皆韓地也、以良累世相韓、故因之、瓚曰、轘轅、險道名、在緱氏東南、【索隱】按十三州志云、河南緱氏縣、以山爲名、一云、轘轅、凡九十二曲、是險道也、【考證】潁陽、河南許州西南、轘轅、河南偃師縣東南、中井積德曰、漢書無轘轅二字、此疑衍、當是時、趙別將司馬卬、方欲渡河入關。沛公乃北攻平陰、【集解】地理志、河南有平陰縣、今河陰是也、【考證】孟津縣東、絕河津、南戰雒陽東、軍不利。還至陽城。【正義】今洛州、夏禹所都、【考證】顏師古曰、直渡曰絕、劉台拱曰、此與魏豹絕河津義同、欲先定關中、距卬使不得渡、顏訓直渡、謬、漢書不利下無還字、有從轘轅三字、陽城、河南府登封縣東南、收軍中馬騎、與南陽守齮、【索隱】音椅、許愼以爲側齧也、【考證】南陽河南南陽府、錢大昭曰、齮、漢紀作呂齮、中井積德曰、齮是人名、注引說文、何居、戰犨東破之。【集解】地理志、南陽有犨縣、【考證】祕閣本、無破之二字、犨、河南汝州魯山縣東南、略南陽郡。南陽守齮、走保城守宛。【正義】守、音狩、宛、於元反、括地志云、南陽縣故城、在宛大城之南隅、其西南有二面、皆故宛城、【考證】祕閣本、略南陽郡、作破南陽之郡、宛、河南南陽府南陽縣治、沛公引兵過而西。張良諫曰。沛公雖欲急入關、秦兵尚衆距險。今不下宛、

宛從後擊、彊秦在前。此危道也。於是沛公乃夜引兵從他道還、更旗幟、黎明、【索隱】音犂。黎猶比也。謂比至天明也。漢書作遲、音値。値、待也。謂待天明。皆言早意也。【考證】古鈔本兵作軍、與御覽所引合、更、御覽作張、漢書作假、與下文索隱所引楚漢春秋合、黎明、漢書作遲明、服虔曰、欲天疾明也、文穎曰、遲、未明也、天未明之頃、已圍其城矣、顔師古曰、此言圍城事畢、然後天明、明遲於事、故曰遲明、王念孫曰、小司馬說是也、黎遲聲相近、故漢書作遲、黎明遲明、皆謂比明也、此言高祖夜引軍還至宛城、比及天明、已圍城三匝耳、黎亦作犂、史記呂后紀、帝晨出射、太后使人持酖飲趙王、犂孝惠還、趙王已死、徐廣云、犂猶比也、漢書外戚傳作遲帝還、趙王死、遲帝還、比帝還也、史記南越傳、犂旦城中皆降伏波、犂一作比、漢書作遲、史記衞將軍傳、遲明行二百餘里、一作黎明、漢書作會明、會亦比及之意、圍宛城三帀。【索隱】按楚漢春秋曰、上南攻宛、匿旌旗、人銜枚、馬束舌、鷄未鳴、圍宛城三帀也、南陽守欲自剄。其舍人陳恢曰。死未晚也。【考證】顔師古曰、舍人、親近左右之通稱也、後遂以爲私屬官號、乃踰城見沛公曰。臣聞足下約先入咸陽者王之。今足下留守宛。宛、大郡之都也。連城數十、人民衆、積蓄多。吏人自以爲降必死。故皆堅守乘城。【索隱】李奇曰、乘、守也、韋昭曰、乘、登也、今足下

盡日止攻、士死傷者必多。引兵去宛、宛必隨足下後。足下前則失咸陽之約、後又有彊宛之患。爲足下計、莫若約降封其守、因使止守、引其甲卒與之西。諸城未下者、聞聲爭開門而待足下、通行無所累。沛公曰。善。【集解】徐廣曰、七月也、乃以宛守爲殷侯、【索隱】韋昭曰、在河內、【考證】漢書作七月南陽守齮降、封爲殷侯、封陳恢千戶、引兵西。無不下者。【考證】張文虎曰、御覽引、作無有不下者、至丹水【索隱】韋昭曰、在河內、【正義】括地志云、故丹城、在鄧州內鄉縣西南百三十里、南去丹水二百步、汲冢紀年云、后稷放帝子丹朱于丹水、是也、輿地志云、秦爲丹水縣也、地理志云、丹水縣、屬弘農郡、抱朴子云、丹水出丹魚、先夏至十日、夜伺之、魚浮水側、光照如火、網而取之、割其血以塗足、可以步行水上、長居川中不溺、【考證】河南南陽府淅川縣、高武侯鰓、【集解】蘇林曰、鰓、音魚鰓之鰓、晉灼曰、功臣表、戚鰓也、【考證】顔師古曰、戚鰓初從、即爲郎、以都尉守蘄城、非至丹水乃降也、此自一人耳、不知其姓、襄侯王陵降西陵。【集解】韋昭曰、漢封王陵爲安國侯、初起兵時在南陽、南陽有穰縣、疑襄當爲穰、而無禾字省耳、今邵公或作召字、此類多矣、瓚曰、時韓成封穰侯、江夏有襄、是陵所封、【索隱】按王陵封安國侯、是定天下爲丞相時封耳、此言襄侯、當如臣瓚解、蓋

初封江夏之襄也、【考證】顔師古曰、王陵非安國侯者、此自一人耳、梁玉繩曰、下文云、因王陵兵南陽、以迎太公呂后于沛、功臣表云、以廐將別定東郡南陽、漢表云、以自聚黨定南陽、陵本傳云、自聚黨數千人、居南陽、又張蒼傳云、蒼以客從攻南陽、坐法當斬、王陵見而怪其美士、乃言沛公、赦勿斬、合而證之、則此王陵即安國侯明矣、穰侯者沛公初封之、或陵聚黨時自稱之、均未可知、若項羽封韓成爲穰侯、在漢元年四月以後、陵實先之、江夏則更不相接、全氏經史問答亦云、愚按何焯讀書記亦同梁說、可從、中井積德曰、漢書無西陵二字、此疑衍、還攻胡陽。【集解】一云陵、【索隱】韋昭曰、南陽縣、【考證】河南南陽府唐縣南、遇番君別將梅鋗。與皆降析酈。【集解】如淳曰、析、持益反、【索隱】鄒誕生音錫、酈、音歷、蘇林如淳音擲、析、屬弘農、酈、屬南陽、出地理志、而左傳云、析一名白羽、顔師古云、析、今內鄉縣、酈、今菊潭縣、【考證】祕閣本、古鈔本、皆作偫、與漢書合、蘇林曰、番、音婆、豫章番陽縣、韋昭曰、吳芮初爲番令、故號曰番君、析酈、河南南陽府內鄉縣、遺魏人甯昌使秦。使者未來。【考證】始皇本紀云、沛公將數萬人、已屠武關、使人私於趙高、蓋斥此事也、說見始皇紀、是時章邯已以軍降項羽於趙矣。初項羽與宋義北救趙。及項羽殺宋義、代爲上將軍、諸將黥布皆屬、破秦將王離軍、降章邯、諸侯皆附。【考證】中井積德曰、黥布下脫等字、班史可徵、王鳴盛曰、項起吳中、以精兵八千人渡江、幷陳嬰數千人、黥布蒲將軍亦以兵屬、凡六七萬人、

又幷秦嘉軍、其勢強盛、項梁聞陳王死、召諸別將、會薛計事、沛公亦起沛往焉、此時沛公甚弱、未能成軍、項梁益沛公卒五千人、五大夫將十人、始得攻豐拔之、此後凡所攻伐、史每以沛公項羽並稱、兩人相倚、如左右手、項氏之失策、在立楚懷王而聽命焉、羽欲西入關、懷王不許、而以命沛公、乃使羽北救趙、約先入關者王之、其後羽乃得負約名、是項之失策也、然當日若非羽破秦兵於鉅鹿、虜王離、殺涉間、使章邯震恐乞降、沛公安能入關乎、羽不救趙破秦兵、秦得舉趙、則關中聲勢轉壯、沛公入秦、何如此之易乎、沛公始終藉項之力以成事、而反噬項者也、若使夫子評之、必曰譎而不正、及趙高已殺二世、使人來、欲約分王關中。沛公以爲詐、【考證】王鳴盛曰、以爲詐、何義門遂云、不許賊臣、眞可謂扶義而西者、攷始皇本紀、沛公屠武關、使人私於趙高、然則沛公眞扶義而不許高者乎、特以爲詐耳、班之改馬非也、乃用張良計、使酈生・陸賈往說秦將、啗以利、因襲攻武關破之。【索隱】左傳云、楚司馬起營所、以臨上雒、謂晉人曰、將通於少習、杜預以爲商縣武關也、又太康地理志、武關、當冠軍縣西、嶢關、在武關西也、【考證】陸賈二字疑衍、說見下文、武關、陝西商州、又與秦軍戰於藍田南、益張疑兵旗幟、【考證】祕閣本無於字、梁玉繩曰、月表留侯世家、及漢書紀傳、沛公以秦二世三年八月攻破武關、九月、秦遣將距嶢關、張良說沛公、張旗幟爲疑兵、使酈生啗秦將以利、秦軍懈、因引兵繞嶢關、踰蕢山、擊破之藍田南、敍次甚明、此紀不書破武關及踰蕢山事、乃武關乃嶢關之誤、當云乃用張良計、益張疑兵旗幟、使酈

生往說秦將、啗以利、因襲攻嶢關破之、又與秦軍戰于藍田、而陸賈二字似衍文、留侯世家陸賈傳、及漢書張陸兩傳、荀悅漢紀、皆無之、疑此與漢書高紀並妄攙陸賈耳、愚按、中井積德亦有此說、可從、諸所過毋得掠鹵。【集解】應劭曰、鹵與虜同、秦人憙、秦軍解。因大破之。又戰其北、大破之、乘勝遂破之。【考證】祕閣本、憙作喜、李笠曰、解、懈同、言沛公既啗秦將以利、又令所過毋得掠鹵、故秦人憙悅而軍心懈惰也、漢元年十月、【集解】如淳曰、張蒼傳云、以高祖十月至霸上、故因秦以十月爲歲首、【正義】沛公己未年十月至霸上、項羽封十八諸侯、沛公封漢王、後劉項五年戰鬬、漢遂滅楚、天下歸漢、故郤書初至霸上戰之月、【考證】中井積德曰、漢初只沿秦制度耳、不關霸上事、如張蒼言、附會不足據、沛公兵遂先諸侯至霸上。【正義】故霸陵、在雍州萬年縣東北二十五里、漢霸陵、文帝之陵邑也、東南去霸陵十里、地理志云、霸陵、故芷陽、文帝更名、三秦記云、霸城、秦穆公築爲宮、因名霸城、漢於此置霸陵、廟記云、霸城、漢文帝築、沛公入關、遂至霸上、即此也、【考證】顏師古曰、霸水上、故曰霸上、愚按陝西西安府咸寧縣東、即白鹿原、秦王子嬰、素車白馬、係頸以組、封皇帝璽符節、【索隱】韋昭云、天子印稱璽、又獨以玉符發兵符也、節、使者所擁也、說文云、符、信也、漢制以竹長六寸、分而相合、釋名云、節、爲號令賞罰之節也、又節毛上下相重、取象竹節、又漢官儀云、子嬰上始皇璽、因服御之、代代傳受、號曰漢傳國璽也、【正義】按天子有六璽、皇帝行璽、皇帝之璽、皇帝信璽、天子行璽、天子之璽、天子信璽、凡事皆

用之璽令施行、天子信璽、以還拜封王侯、天子之璽、以發兵、皆以武都紫泥封、青囊白素裏、兩端無縫、三秦記云、紫泥水在今成州、輿地志云、漢封詔璽用紫泥、則此水之泥也、【考證】沈欽韓曰、楚策、蔡聖侯不以國家爲事、子發受命乎先王、繫以朱絲而見之、自後獻俘皆如此、愚按、絲、條也、係之頸者、示欲自殺也、應劭云、天子韍也、顏師古云、所以帶璽之綬也、皆非、中井積德曰、秦璽唯一顆、即天子所服御傳國璽、降軹道旁。【索隱】軹、音只、漢宮殿疏云、軹道亭、東去霸城觀四里、觀、東去霸水百步、蘇林云、在長安東十三里也、【正義】軹、音紙、括地志云、軹道、在雍州萬年縣東北十六里苑中、【考證】軹道、在陝西西安府長安縣、諸將或言誅秦王。【索隱】楚漢春秋曰、樊噲請殺之、沛公曰。始懷王遣我、固以能寬容。且人已服降、又殺之、不祥。乃以秦王屬吏、【正義】屬、之欲反、屬、付也、遂西入咸陽、欲止宮休舍。【正義】休、息也、言欲居止宮殿中而息也、樊噲·張良諫。乃封秦重寶財物府庫、還軍霸上、召諸縣父老豪桀曰。父老苦秦苛法久矣。誹謗者族、【索隱】劉伯莊、樂·彥同音方未反、偶語者弃市。【集解】應劭曰、秦禁民聚語、偶對也、瓚曰、始皇本紀曰、偶語經書者弃市、【索隱】按禮云、刑人於市、與衆弃之、故今律謂絞刑爲弃市、是也、【考證】偶語、應劭得之、吾與諸侯約、先入關者王之。吾當王關

中。與父老約。法三章耳。【索隱】殺人傷人及盜、【正義】約、省也、省減秦之煩法、唯三章、謂殺人傷人及盜、【考證】王應麟曰、與父老約爲句、下云、法三章耳、何焯曰、王氏因紀末有初順民心、作三章之約、改約字爲讀、此約法與上苛法對、文紀中宋昌有約法令之語、刑法志言約法三章者非一、當仍舊也、愚按、上文亦云、吾與諸侯約、約字義同、王說不可易、殺人者死、傷人及盜、抵罪。【集解】應劭曰、抵、至也、又當也、除秦酷政、但至於罪也、李斐曰、傷人有曲直、盜臧有多少、罪名不可豫定、故凡言抵罪、未知抵何罪也、張晏曰、秦法一人犯罪、舉家及鄰伍坐之、今但當其身坐、合於康誥父子兄弟罪不相及也、【索隱】韋昭云、抵、當也、謂使各當其罪、今按秦法、有三族之刑、漢但約法三章耳、殺人者死、傷人及盜者、使之抵罪、餘竝不論其辜、以言省刑也、則抵訓爲至、殺人以外、唯傷人及盜、使至罪名耳、【考證】抵、當也、隨其輕重制法、梁玉繩曰、漢書刑法志曰、漢興約法三章、網漏吞舟之魚、然其大辟、尚有夷三族之令、又考惠帝四年、始除挾書律、呂后元年始除三族罪妖言令、文帝元年、始除收孥諸相坐律令、二年、始除誹謗律、十三年、除肉刑、然則秦法未嘗悉除、三章徒爲虛語、續古今攷所謂一時姑爲大言以慰民也、蓋三章不足禁姦、蕭何爲相、采摭秦法、作律九章、疑此等皆在九章之內、史公只載入關初約耳、餘悉除去秦法。諸吏人皆案堵如故。【集解】應劭曰、案、案次第、堵、牆堵也、【考證】古鈔本、人作民、下文秦人大喜、不欲費人、人又益喜、三人字亦作民、與漢書合、顏師古曰、案堵、言不遷動也、凡吾所以來、爲父老除害、非有所侵暴。無恐。【考證】孟子云、武王之伐殷也、曰、無畏、寧

爾也、非敵百姓也、高祖詞氣、與此相似、且吾所以還軍霸上、待諸侯至而定約束耳。乃使人與秦吏行縣鄉邑告諭之。秦人大喜、爭持牛羊酒食、獻饗軍士。沛公又讓不受曰。倉粟多非乏。不欲費人。人又益喜、唯恐沛公不爲秦王。【考證】祕閣本、楓、三本、人作民、張之象曰、先言秦人喜、後言秦人大喜、又言人又益喜、迭用喜字、斯可以觀人心矣、或說沛公曰、【索隱】按楚漢春秋云、解先生云、遣守函谷無內項王、而張良系家云、鯫生說我、則鯫生是小生、即解生、【考證】藝文類聚引楚漢春秋云、沛公西入武關、居於灞、解先生說上、遣將軍守函谷關、無入項王、大將亞父至關、不得入、怒曰、沛公欲反耶、即令家發薪一束、欲燒關門、關門乃開、索隱節錄、秦富十倍天下、地形彊。今聞章邯降項羽。項羽乃號爲雍王、王關中。今則來、沛公恐不得有此。可急使兵守函谷關。【正義】顏師古曰、今桃林南、有洪溜澗、古函谷也、其水北流入河、西岸猶有舊關餘跡、西征記云、道形如函也、其水山原壁立數十仞、谷中容一車、【考證】天下指六國、函谷關古址、今河南陝州靈寶縣、在咸陽東北、自趙入秦者由此關、張文虎曰、郡縣志引西征記云、其中劣通、東西十五里、絕岸壁立、正義疑有脫誤、無內諸侯軍、

稍徵關中兵、以自益距之。沛公然其計從之。十一月中、項羽果率諸侯兵西、欲入關。關門閉。聞沛公已定關中、大怒、使黥布等攻破函谷關。十二月中、遂至戲。【正義】許宜反、【考證】梁玉繩曰、十一月、當移在上文召諸縣父老豪傑句上、衍去中字、而十二月中四字、當在項羽果率諸侯兵西句上、蓋約法三章在十一月、羽破函谷關、在十二月、月表及漢紀可證也、沛公左司馬曹無傷、聞項王怒欲攻沛公、【考證】梁玉繩曰、高祖紀書項羽、尊君之體宜然、況此時羽尚未王、尤不宜豫呼之、下文云、項王使卒三萬人、從項王北擊齊、項王不聽、項王歸漢王父母妻子、紀中前後皆稱項羽、何忽呼王者五、皆當作項羽、使人言項羽曰。沛公欲王關中、令子嬰爲相、珍寶盡有之。欲以求封。【正義】曹無傷欲就項羽求封、亞父勸項羽擊沛公。【索隱】范增也、項羽得范增號曰亞父、言尊之亞於父、猶管仲齊謂仲父、父竝音甫也、方饗士、旦日合戰。是時項羽兵四十萬、號百萬。沛公兵十萬、號二十萬。力不敵。【考證】祕閣本、二十作廿、會項伯欲活張良、夜往見良。因以

文諭項羽。【正義】項羽本紀云、項伯曰、沛公不先破關中、公豈敢入乎、今人有大功、擊之不義、此以文諭之、【考證】梁玉繩曰、案羽紀及漢書乃項伯言之于羽、非以文諭也、愚按以書託項伯、亦未可知、項羽乃止。沛公從百餘騎、驅之鴻門。【索隱】按姚察云、在新豐古城東、未至戲水、道南有斷原、南北洞門是也、【考證】坂名、在臨潼縣東、今曰項王營、見謝項羽。項羽曰。此沛公左司馬曹無傷言之。不然籍何以至此。【考證】祕閣本、至作生、方苞曰、項羽本紀、高祖留侯項伯相語、凡數百言、而此以三語括之、蓋其事與言不可沒、而於帝紀則不必詳也、陸瑞蒙曰、減縮作數語、大意備矣、不厭其簡、沛公以樊噲・張良故得解歸。歸、立誅曹無傷。項羽遂西屠燒咸陽秦宮室、所過無不殘破。秦人大失望。然恐、不敢不服耳。項羽使人還報懷王。懷王曰。如約。項羽怨懷王不肯令與沛公俱西入關、而北救趙、後天下約、【正義】懷王初約、先入咸陽者王之、令羽北救趙、故失約在後也、乃曰。懷王者、吾家項梁所立耳。非有功伐。何以得主約。本定天下、諸將及籍也。

【考證】梁玉繩曰、項梁、當作武安君、說在項紀、愚按漢書刪項梁二字、乃佯尊懷王爲義帝、實不用其命。正月、【正義】崔浩云、史官以正月紀四時、故書正月也、荀悅云、先春後正月也、顏師古云、凡此諸月號、皆太初正歷之後、記事者追改之、非當時本稱也、以十月爲歲首、即以十月爲正月、今此正月、當時謂之四月也、他皆放此、【考證】祕閣本、佯作詳、漢書作陽、中井積德曰、秦特以十月爲歲首耳、其月數用夏正、而漢初沿之也、非追改、顏說非、愚按正月即建寅之月也、王引之舉十八證辯之、說在讀書雜志四卷、梁玉繩曰、正月、當在佯尊懷王上、命字下、當書二月、漢紀表與月表可證、項羽自立爲西楚霸王、王梁・楚地九郡、都彭城。負約更立沛公爲漢王、【正義】梁州、本漢中郡、以漢水爲名、王巴・蜀・漢中。【集解】徐廣曰、三十二縣、【考證】張文虎曰、集解三十二縣、舊刻作四十二縣、漢書云、四十一縣、漢紀同、據漢志、漢中郡十二縣、蜀郡十五縣、巴郡十一縣、則共三十八縣、都南鄭。【考證】南鄭、陝西漢中府治、三分關中、立秦三將、章邯爲雍王、都廢丘、【正義】以岐州雍縣爲名、司馬欣爲塞王、【正義】塞、先代反、韋昭云、在長安東、名桃林塞、按桃林塞、今華州潼關也、顏師古云、取河華之固爲阨塞耳、非桃林、都櫟陽、【索隱】因葬太上皇、改曰萬年、董翳爲翟王、都高奴。【正義】文穎云、本上郡、秦所置、項羽以董翳爲王、更名曰翟也、楚將瑕丘申陽爲河南

王、都洛陽。【正義】在黃河之南、故曰河南、即今河南府、趙將司馬卬爲殷王、都朝歌。【正義】以商帝盤庚國殷中之地、改商爲殷、在相州安陽縣、即北蒙殷墟、南去朝歌百三十六里、故號殷王、都朝歌、趙王歇徙王代。趙相張耳爲常山王、都襄國。當陽君黥布爲九江王、都六。【索隱】韋昭云、當陽、南郡縣名、地理志云、六縣屬六安國、懷王柱國共敖爲臨江王、都江陵。【正義】孟康云、本南郡、改爲臨江國、是也、番君吳芮爲衡山王、都邾。【索隱】太康地理志云、楚滅邾、遷其人於江南、因名縣也、燕將臧荼爲燕王、都薊。故燕王韓廣徙王遼東。廣不聽。臧荼攻殺之無終。【考證】梁玉繩曰、燕王臧荼攻殺遼東王韓廣、在八月、此幷書十二月分封時、非也、封成安君陳餘河間三縣、居南皮。封梅鋗十萬戶。【考證】梅鋗、番君之將、見上、四月、兵罷戲下。【正義】戲、音麾、許愼注淮南子云、戲、大旗也、【考證】戲下、又見羽紀、諸侯各就國。漢王之國。項王使卒三萬人從。楚與諸侯之慕從者數萬人、從杜南、【正義】韋昭云、杜、今陵邑、括地志云、杜陵故城、在雍州萬

年縣東南十五里、漢杜陵縣、宣帝陵邑也、北去宣帝陵五里、廟記云、故杜伯國、〔考證〕杜南、陝西西安府咸寧縣東南、入蝕中。〔集解〕李奇曰、蝕音力、在杜南、如淳曰、蝕、入漢中道川谷名、〔索隱〕李奇音力、孟康音食、王劭按說文作鑯、器名也、地形似器、故名之、音力也、〔考證〕胡三省通鑑注引程大昌雍錄云、以地望求之、關中南面皆礙南山、其有微徑可達漢中者、唯子午谷、在長安正南、其次向西則駱谷、此蝕中若非駱谷、卽是子午谷、通鑑地理今釋云、子午谷今陝西西安府長安縣、駱谷今西安府盩厔縣、去輒燒絕棧道。〔索隱〕按系家、是用張良計也、棧道、閣道也、音士諫反、包愷音士版反、崔浩云、險絕之處、傍鑿山巖、而施版梁爲閣、以備諸侯盜兵襲之、亦示項羽無東意。至南鄭。諸將及士卒、多道亡歸、士卒皆歌思東歸。〔考證〕林伯桐曰、高祖爲漢王、楚與諸侯之慕從者數萬人、可謂得人和矣、然至南鄭、而諸將及士卒多道亡歸、何耶、意此爲項王所使之卒、故思歸耶、韓信說漢王曰。〔集解〕徐廣曰、韓王信非淮陰侯信也、〔考證〕韓王信傳云、韓信從入漢中、迺說漢王曰、項王王諸將、而王獨遠居此、此左遷也、士卒皆山東人、跂而望歸、及其鋒東鄉、可以爭天下、漢王還定三秦、其言略同此紀、卽韓信、韓王信、非淮陰侯信、徐說所據、而淮陰侯傳云、信拜大將、謂漢王曰、於諸侯之約、大王當王關中、大王失職入漢中、秦民無不恨者、今大王舉而東、三秦可傳檄而定也、又曰、以義兵從思東歸之士、何所不散、與此紀異文同事、下文漢王用韓信之計、正斥是而言、漢書高紀、亦以爲淮陰事、中井積德曰、韓王信驍將、已謀略非其所長、韓王信傳以此爲韓王語、史遷偶誤耳、漢書亦沿

之、顧炎武曰、以同姓名而誤、愚按下文云、立韓太尉信爲韓王、亦見此韓信非韓王信、項羽王諸將之有功者、而王獨居南鄭。是遷也。〔集解〕韋昭曰、若有罪見遷徙、軍吏士卒、皆山東之人也。日夜跂而望歸。〔正義〕跂、音丘賜反、說文云、跂、舉踵也、司馬彪云、跂、望也、及其鋒而用之、可以有大功。天下已定、人皆自寧、不可復用。不如決策東鄉、爭權天下。〔考證〕祕閣本、策作筴、項羽出關、使人徙義帝曰。古之帝者地方千里、必居上游。〔正義〕音流、乃使使徙義帝長沙郴縣、趣義帝行。〔正義〕趣、音促、羣臣稍倍叛之。乃陰令衡山王·臨江王擊之。殺義帝江南。項羽怨田榮、立齊將田都爲齊王。田榮怒、因自立爲齊王、殺田都而反楚、〔考證〕田都走降楚、非爲田榮所殺、項紀、田儋傳、月表、可證、漢書改作走降楚、予彭越將軍印、令反梁地。楚令蕭公角擊彭越。彭越大破之。〔考證〕孟康曰、蕭公、蕭令也、時令皆稱公、陳餘怨

項羽之弗王己也、令夏說說田榮、請兵擊張耳。〔正義〕說、上音悅、下音稅、齊予陳餘兵擊破常山王張耳。張耳亡歸漢。迎趙王歇於代、復立爲趙王。趙王因立陳餘爲代王。項羽大怒、北擊齊。八月、漢王用韓信之計。〔考證〕八月、漢紀作五月、梁玉繩曰、漢王定三秦、當依此紀在八月爲是、月表、淮陰傳、皆云八月、將相名臣表亦云、秋也、漢書襲雍圍廢丘、于紀在五月、于表在七月、自相牴牾、而均非事實、蓋四月罷兵就國、未必踰月卽出兵襲雍、漢書蕭何傳、言何諫漢王、願王漢中、養其民、以致賢人、收用巴蜀、還定三秦、漢王善之、則是時漢方暫務休息、寧有坐不暖席、便爾東伐乎、況自戲下罷兵至南鄭、自南鄭至雍、往返遼遠、非旬日可徧者、當是七月起兵、至八月而襲雍也、從故道還、襲雍王章邯。〔集解〕地理志、武都有故道縣、〔考證〕中井積德曰、故道、元非地名、蓋是處舊有秦蜀相通之道、而棧道張良所燒者爲今道、今道已燒殘不通、故從故道而往也、後世因爲縣名耳、愚按漢中府鳳縣西北、邯迎擊漢陳倉。〔正義〕今岐州縣也、〔考證〕鳳翔府寶雞縣東、雍兵敗還走、止戰好畤。〔集解〕孟康曰、畤、音止、神靈之所在也、縣名、屬右扶風、〔考證〕陝西乾州東、又復敗走廢丘。〔考證〕雍王國都、西安府興平縣東、漢王遂定雍地、東至咸陽、引兵圍

雍王廢丘。〔索隱〕按荀悅漢紀、令樊噲圍之、〔考證〕祕閣本引作列、而遣諸將略定隴西·北地·上郡。〔考證〕隴西、甘肅鞏昌·蘭州·秦州、北地、甘肅慶陽·寧夏二府及鄜州、上郡、陝西延安府綏德州、令將軍薛歐·王吸出武關。〔集解〕歐、音惡后反、〔索隱〕按表歐以舍人從、爲將軍、封廣平侯也、吸以中涓從、爲將軍、封淸陽侯、因王陵兵南陽、〔集解〕如淳曰、王陵亦聚黨數千人、居南陽、〔正義〕括地志云、王陵故城、在商州上洛縣南三十一里、荊州記云、昔漢高祖入秦、王陵起兵丹水以應之、此城王陵所築、因名、〔考證〕祕閣本、南陽下有也字、以迎太公·呂后於沛。楚聞之發兵距之陽夏、不得前。〔索隱〕韋昭云、陽夏、縣名、屬淮陽、後屬陳、夏、音更雅反、〔考證〕陽夏、陳州府太康縣、令故吳令鄭昌爲韓王、距漢兵。二年、漢王東略地。塞王欣·翟王翳·河南王申陽、皆降。韓王昌不聽。使韓信擊破之。〔考證〕漢書、韓信作韓太尉韓信、梁玉繩曰、塞翟之降、在元年八月、蓋惕于雍王之敗、望風而降也、此書于二年之首、殊非事實、於是置隴西·北地·上郡·渭南·〔集解〕徐廣曰、後曰京兆、河上·〔集解〕徐廣曰、馮翊、中地郡。〔集解〕徐廣曰、扶風、關外置河南郡。〔集解〕徐廣曰、十月漢王至陝、〔考證〕梁玉繩曰、隴西、北地、上郡、渭

南、河上、皆元年八月置、是時因重正五郡之疆界、復總言之、故將相表云、二年春定塞、翟、魏、河南、韓、殷國、非至是塞翟始降而置郡也、又曰、中地屬雍、章邯殺後始置、事在六月、此與隴西等郡同置、誤矣、更立韓太尉信爲韓王。【考證】漢書高紀、韓王下有漢王還歸都櫟陽、使諸將略地、拔隴西十四字、諸將以萬人若以一郡降者、封萬戶。繕治河上塞、【集解】晉灼曰、鼂錯傳、秦時、北攻胡、築河上塞、【考證】齊召南曰、河上塞、卽河上郡之北境、與匈奴邊界處、非秦時蒙恬所取河南地、因河爲塞者也、蓋自諸侯叛秦、匈奴稍度河南、與中國界於故塞、匈奴傳可證也、河上郡後爲馮翊、前卽塞王國、此時初得其地、卽後繕治障塞耳、晉灼注以遠在朔方五原者解之、非也、愚按、未出關爭衡、而先脩邊備、立本自固之道也、諸故秦苑囿園池、皆令人得田之。正月、虜雍王弟章平、大赦罪人。【考證】祕閣本、正月至罪人十二字、在下文厚遇之下、漢王之出關、至陝撫關外父老。還、張耳來見。漢王厚遇之。【考證】何焯曰、故秦苑囿園池、令民得田之、既反暴政、益足關中食、梁玉繩曰、至陝、在十月、還、在十一月、張耳來、亦在十月、此紀皆書于正月、非、二月、令除秦社稷、更立漢社稷。【考證】劉辰翁曰、漢書此處有復關中除租稅、置三老、舉行能、賜酒肉等政、是兵間規模宏大、收拾人心處、子長失之、三月、漢王從臨晉渡。【考證】漢書渡下補河字、臨晉、

陝西同州府大荔縣治、魏王豹將兵從、下河內、虜殷王、置河內郡。【考證】漢書豹下補降字、南渡平陰津、至雒陽。新城【正義】括地志云、洛州伊闕縣、在州南七十里、本漢新城也、隋文帝改新城爲伊闕、取伊闕山爲名也、【考證】平陰、河南河南府孟津縣東、新城、河南府新城縣、三老董公遮說漢王、【正義】百官表云、十里一亭、亭有長、十亭一鄉、鄉有三老、三老掌教化、皆秦制也、又欒產云、橫道自言曰遮、楚漢春秋云、董公八十二、遂封爲成侯、【考證】梁玉繩曰、董公乃鄉三老也、新城是鄉名、其名舊矣、至惠帝四年置爲縣、此時新城未爲縣也、以義帝死故。【考證】漢書高紀、新城三老董公遮說漢王曰、臣聞順德者昌、逆德者亡、兵出無名、事故不成、故曰、明其爲賊、敵乃可服、項羽爲無道、放殺其主、天下之賊也、夫仁不以勇、義不以力、三軍之衆、爲之素服、以告之諸侯、爲此東伐、四海之內、莫不仰德、此三王之擧也、漢王曰、善、非夫子無所聞、於是漢王爲義帝發喪、袒而大哭、班氏別有所據以補史文也、漢王聞之、袒而大哭、【集解】如淳曰、袒、亦如禮袒踊、遂爲義帝發喪、臨三日。發使者告諸侯曰。天下共立義帝、北面事之。今項羽放殺義帝於江南。大逆無道。寡人親爲發喪、諸侯皆縞素、悉發關內兵、收三河士、【集解】韋昭曰、河南、河東、河內、南浮江漢以

下、【正義】南收三河士、發關內兵、從雍州入子午道、至漢中、歷漢水而下、從是東行至徐州擊楚、【考證】胡三省曰、正義說非、此特言發三河士、以攻其北、又南浮江漢、下兵、以夾攻之也、愚按、全祖望經史問答亦申胡說、本文唯言浮江漢南下、以攻楚耳、未有南北夾攻之義、胡說鑿、願從諸侯王擊楚之殺義帝者。是時項王北擊齊。田榮與戰城陽。田榮敗走平原。【正義】德州平原縣是、【考證】山東濟南府平原縣、平原民殺之。齊皆降楚。楚因焚燒其城郭、係虜其子女。齊人叛之。田榮弟橫、立榮子廣爲齊王。齊王反楚城陽。項羽雖聞漢東、既已連齊兵。欲遂破之而擊漢。漢王以故得劫五諸侯兵遂入彭城。【考證】五諸侯、說見項紀、彭城、楚都、項羽聞之、乃引兵去齊、從魯【正義】兗州曲阜也、【考證】山東兗州府曲阜縣、出胡陵、【正義】地理志云、胡陵在山陽郡、【考證】山東濟寧州魚臺縣、至蕭、【正義】徐州蕭縣、【考證】江蘇徐州府蕭縣、與漢大戰彭城靈壁東。【正義】在徐州符離縣西北九十里、【考證】中井積德曰、據項紀、已晨戰、又日中戰于彭城、又追戰于靈壁東也、此文似粗、沈欽韓曰、通鑑作楚又追擊至靈壁東、爲是、愚按、靈壁

安徽鳳陽府靈壁縣治、睢水上、大破漢軍、多殺士卒。睢水爲之不流。乃取漢王父母妻子於沛、置之軍中以爲質。【考證】項羽嚮質王陵母以招陵、今又取漢王家屬置之軍中、蓋其慣用手段、趙翼曰、項羽紀稱漢王之二年、定三秦、將五諸侯兵破彭城、尋爲項羽所敗西奔、過沛、使人求家室、家室已亡去、遂遇孝惠魯元公主、載以行、而家族反遇楚軍、爲羽所得、常置軍中爲質、據史記、是時羽取漢王父母妻子置軍中、漢書則但謂取太公呂后、而不言父母妻子、其後羽與漢王約中分天下、以鴻溝爲界、遂歸漢王家屬、據史記謂歸漢王父母妻子、而班書亦但謂歸太公呂后、而不言父母妻子、蓋以高祖之母久已前死、羽所得者、但有太公呂后、而史記所云父母妻子者、不過家屬之通稱、非眞母與子在項羽軍中、故改言太公呂后也、不知高祖母雖已前死、而楚元王爲高祖異母子、則高祖尙有庶母也、孝惠帝尙有庶兄肥、後封齊爲悼惠王、高祖道遇孝惠、與孝惠偕行者、但有魯元公主、則悼惠未偕行可知也、悼惠既未偕行、又別無投歸高祖之事、則必與太公呂后爲羽所得、故高祖有子在項軍也、則史記所謂父母妻子、乃無一字虛說、而漢書改云太公呂后、轉疏漏也、當是時、諸侯見楚彊漢敗還、皆去漢復爲楚。塞王欣亡入楚。【考證】梁玉繩曰、漢書高紀云、塞王欣、翟王翳降楚、殷王卬死、此缺不具、呂后兄周呂侯爲漢將兵居下邑、【集解】徐廣曰、在梁、【考證】周呂侯卽呂澤、下邑、河南夏邑縣、漢王從之、稍收士卒軍

碭。漢王乃西過梁地至虞。【集解】徐廣曰、在梁、【考證】碭、江蘇徐州府碭山縣、虞、歸德府虞城縣西南、使謁者隨何之九江王布所曰、公能令布舉兵叛楚、項羽必留擊之。得留數月、吾取天下必矣。隨何往說九江王布、布果背楚。楚使龍且往擊之。【考證】陳子龍曰、齊反楚、而漢得彭城、九江反楚、而漢得從容歸關中、楚之自屈者在此、漢王之敗彭城而西行、使人求家室、家室亦亡、不相得。敗後乃獨得孝惠。六月、立爲太子、大赦罪人、令太子守櫟陽。諸侯子在關中者、皆集櫟陽爲衞。【考證】漢王先是遷都櫟陽、說在上文、櫟陽、陝西西安府臨潼縣、諸侯子、支屬士卒、亦在其中、愚按兵敗人背如此、在常人憂懼不知所措、而漢王修祭祀、定儲貳、從容安詳、綽有餘裕、亦足以觀其規模宏遠矣、引水灌廢丘、廢丘降、章邯自殺。更名廢丘爲槐里。於是令祠官祀天地四方上帝山川、以時祀之。興關內卒乘塞。【集解】李奇曰、乘、守也、【考證】顏師古曰、乘、登也、登而守之、是時九江王布、與龍且戰不勝。與隨何閒行歸漢。【考證】梁玉繩曰、布之歸漢、在三年十二月、獨此書于二年六月已後、誤、漢王稍收士卒、與諸將及關中卒益出。是以兵大振榮陽、破楚京索閒。【考證】榮陽、河南開封府榮陽縣、京索、開封府榮陽榮澤間、梁玉繩曰、破楚事、漢高紀書于二年五月、在六月立太子前、與羽紀合、此誤在後、三年、魏王豹謁歸視親疾。至卽絕河津、反爲楚。【正義】絕、斷也、河津、卽蒲州蒲津關也、蒲津橋卽此、豹從同州由橋至河東、卽斷之而叛漢也、【考證】祕閣本無疾字、漢王使酈生說豹。豹不聽。漢王遣將軍韓信擊大破之、虜豹、遂定魏地、置三郡、曰河東・【正義】蒲州也、今太原・【正義】今并州、上黨。【正義】今潞州、【考證】梁玉繩曰、豹之反、在漢二年五月、淮陰傳作二年六月、已誤、此紀及曹相國世家、作三年、尤誤、漢使酈生說豹、與遣韓信擊豹、皆在二年八月、虜豹在二年九月、此紀書于三年、亦誤、又太原郡屬趙地、漢滅趙王歇始置、乃連入魏地、更爲誤矣、月表言河東上黨、是、淮陰傳又失言上黨、漢紀亦誤仍史連言太原、漢王乃令張耳與韓信、遂東下井陘擊趙。斬陳餘・趙王歇。【考證】井陘、由山西平定州至直隸正定府井陘縣路、其明年、立張耳爲

趙王。漢王軍榮陽南、築甬道、【正義】甬、音勇、韋昭云、起土築牆、中閒爲道、應劭云、恐敵抄輜重、故築垣牆如街巷、屬之河、以取敖倉。【正義】孟康云、敖、地名、在榮陽西北、山上臨河、有大倉、太康地理志云、秦建敖倉於成皐、【考證】敖山、在河南開封府榮澤縣西北、水經注、山上有城、秦置倉其中、故曰敖倉、與項羽相距歲餘。項羽數侵奪漢甬道。漢軍乏食。遂圍漢王。漢王請和、割榮陽以西者爲漢。項王不聽。漢王患之。乃用陳平之計、予陳平金四萬斤、以閒疏楚君臣。於是項羽乃疑亞父。亞父是時勸項羽、遂下榮陽。及其見疑、乃怒、辭老、願賜骸骨歸卒伍、未至彭城而死。漢軍絕食。乃夜出女子東門、二千餘人被甲。楚因四面擊之。將軍紀信乃乘王駕、詐爲漢王、誑楚。楚皆呼萬歲、之城東觀。以故漢王得與數十騎出西門遁。【考證】榮陽之圍、漢王如釜魚、微紀信誑楚、則漢之爲漢未可知也、信之功大矣、而史公不爲信立傳者、蓋此一事之外、無可記者、故見之高祖項羽兩紀、以致丁寧之意焉、令御史大夫周苛・魏豹・樅公守榮陽。諸將卒不能從者、盡在城中。周苛・樅公相謂曰、反國之王、難與守城。因殺魏豹。【集解】徐廣曰、案月表、三年七月、王出榮陽、八月、殺魏豹、而又云、四年三月、周苛死、四月魏豹死、二者不同、項羽殺紀信周苛樅公、皆是三年中、【正義】史記項羽及高祖紀、漢書及史記月表、皆言三年殺魏豹、而月表又言周苛魏豹死、在四年夏四月、表誤、【考證】王城、韻、漢王之出榮陽、入關收兵、欲復東。袁生說漢王曰、【考證】袁生、漢書作轅生、漢與楚相距榮陽數歲。漢常困。願君王出武關。項羽必引兵南走。【考證】顏師古曰、走、謂趨嚮也、次後亦同、梁玉繩曰、漢以二年五月、屯榮陽、三年五月、出榮陽、連閏計之、首尾纔十四月、何言數歲乎、當作歲餘、爲是、上文因有相距歲餘之語也、王深壁、令榮陽・成皐閒且得休、【考證】御覽引、休下有息字、與漢書合、下同、使韓信等輯河北趙地、連燕・齊。【正義】輯、與集同、謂和合也、君王乃復走榮陽、未晚也。如此、則楚所備者多、力分。漢得休、復與之戰、破楚必矣。漢王從其計、

出軍宛・葉閒、【正義】宛、於元反。葉、式涉反。宛、鄧州縣也。葉、汝州縣。水經注云、本楚惠王封諸梁子高之故邑也。【考證】宛、河南南陽府南陽縣、葉、南陽府葉縣。與黥布行收兵。項羽聞漢王在宛、果引兵南。漢王堅壁不與戰。是時彭越渡睢水、與項聲・薛公戰下邳。【考證】祕閣本、睢下無水字。下邳、江蘇徐州府邳州東。彭越大破楚軍。項羽乃引兵東擊彭越。漢王亦引兵北軍成皋。【考證】成皋、河南開封府汜水縣西北。項羽已破走彭越、聞漢王復軍成皋、乃復引兵西拔滎陽、誅周苛・樅公、而虜韓王信、遂圍成皋。漢王跳、【集解】徐廣曰、音逃。【索隱】如淳曰、跳、走也。晉灼按劉澤傳、跳驅至長安。說文、音徒調反。通俗文云、超通爲跳。【考證】項羽紀、跳作逃。朱子文曰、跳當從如淳之音。獨與滕公共車、出成皋玉門、【集解】徐廣曰、項羽紀云、北門名玉門。【索隱】夏侯嬰爲滕令、故曰滕公也。北渡河、馳宿脩武、自稱使者、晨馳入張耳・韓信壁、而奪之軍。【考證】修武、河南懷慶府獲嘉縣。乃使張耳北益收兵趙地、使韓信東擊

齊。漢王得韓信軍、則復振。引兵臨河、南饗軍小脩武南、欲復戰。【集解】晉灼曰、在大脩武城東。【考證】祕閣本、饗作鄉、與凌引一本及漢書合。顏師古曰、鄉讀曰嚮。郎中鄭忠、乃說止漢王、使高壘深塹、勿與戰。漢王聽其計、使盧綰・劉賈將卒二萬人騎數百、渡白馬津入楚地。【集解】蘇林曰、綰、音以繩綰結物之綰。【索隱】卽黎陽津也。南界東郡白馬縣。【考證】白馬津、河南滑縣東。與彭越復擊破楚軍燕郭西、【索隱】故南燕國也。在東郡、秦以爲縣。【考證】河南延津縣東。遂復下梁地十餘城。【考證】梁玉繩曰、此以下敍事倒亂、幾不可讀。當云、與彭越復擊、破楚軍燕郭西、遂復下梁地十餘城、項羽乃謂海春侯大司馬曹咎曰、謹守成皋、若漢挑戰、愼勿與戰、無令得東而已、我十五日必定梁地、復從將軍、乃行、淮陰已受命東、未渡平原、漢王使酈生往說齊王田廣、廣叛楚與漢和、共擊項羽、四年、韓信用蒯通計、遂襲破齊、齊王烹酈生、東走高密、項羽擊陳留外黃・睢陰下之、聞韓信已舉河北兵破齊趙、且欲擊楚、則使龍且周蘭往擊之、漢果數挑楚軍、楚軍不出、使人辱之五六日、大司馬怒、渡兵汜水、士卒半渡、漢擊之、大破楚軍、盡得楚國金玉貨賂、大司馬咎・長史欣、皆自剄汜水上、項羽在睢陽、聞海春侯破、乃引兵還、漢軍方圍鍾離眛于滎陽東、項羽至、漢盡走險阻、楚漢久相持未決、丁壯苦軍旅、老弱罷轉饟、漢王項羽相與臨廣武之間而語、項羽欲與漢王獨身挑戰、漢王數項羽曰、始與項羽俱受

命懷王曰、先入定關中者王之、至病甚、因馳入成皋、韓信與戰、騎將灌嬰擊大破楚軍、殺龍且、齊王廣犇彭越、漢王病愈、西入關、至關中兵益出、韓信使人言曰、齊邊楚、至立韓信爲齊王、項羽聞龍且軍破、則恐、使盱台人武涉往說韓信、韓信不聽、當此時彭越將兵居梁地、往來苦楚兵、絕其糧食、田橫往從之、項羽數擊彭越等。淮陰已受命東、未渡平原。【考證】淮陰、當作韓信、楓山本、陰下有侯字。漢王使酈生往說齊王田廣。廣叛楚與漢和、共擊項羽。韓信用蒯通計、遂襲破齊。齊王烹酈生、東走高密。【考證】韓信襲齊、齊烹酈生、事在漢四年。高密、山東萊州府高密縣。項羽聞韓信已舉河北兵、破齊・趙、且欲擊楚、【考證】趙字當衍。則使龍且・周蘭往擊之。【集解】徐廣曰、蘭一作簡。韓信與戰騎將灌嬰擊、大破楚軍、【考證】此與項紀、衍一戰字。殺龍且。齊王廣犇彭越。【考證】陳仁錫曰、田儋傳、信虜齊王廣、田橫犇彭越、此紀誤。愚按淮陰侯傳云、齊王廣亡去、此紀非廣下脫田橫二字、則犇下衍彭越二字。又按韓信取齊、事在漢四年。又按據灌嬰傳、周蘭爲灌嬰所生得。當此時、彭越將兵居梁地、往來苦楚兵、絕其糧食。【考證】祕閣本、糧作粮、十九字與下文複。四年、項羽乃謂海

春侯大司馬曹咎曰、謹守成皋。若漢挑戰、愼勿與戰、無令得東而已。【正義】挑、田弔反、下同。我十五日必定梁地、復從將軍。【考證】項羽東擊彭越、漢書以爲三年九月事。乃行、擊陳留・外黃・睢陽下之。【考證】睢陽、河南歸德府商邱縣南。漢果數挑楚軍。楚軍不出。使人辱之五六日。大司馬怒、度兵汜水。【正義】汜、音祀、在成皋故城東。士卒半渡。漢擊之、大破楚軍、盡得楚國金玉貨賂。大司馬咎・長史欣、皆自剄汜水上。【考證】長史欣、宜作塞王欣、通鑑改作司馬欣、而不知司馬爲秦官名也。項羽至睢陽、【考證】項紀、至作在。聞海春侯破、乃引兵還。【考證】祕閣本、閩上有則字。漢軍方圍鍾離眛於滎陽東。項羽至。盡走險阻。韓信已破齊、使人言曰、齊邊楚。【集解】文穎曰、邊、近也。權輕。不爲假王、恐不能安齊。漢王欲攻之。留侯曰、不如因而立之、使自爲守。乃遣張良、操印綬、立

韓信爲齊王。集解徐廣曰、三月、考證祕閣本、良作子房、項羽聞龍且軍破、則恐、使盱台人武涉往說韓信。韓信不聽。考證漢書高紀、韓信請假王齊、在漢王病創馳入成皋之後、楚漢久相持、未決。丁壯苦軍旅、老弱罷轉饟。考證祕閣本、楓三本、持作枝、漢王·項羽、相與臨廣武之閒而語。考證閒讀爲澗、說見項紀、廣武河南開封府滎澤縣、項羽欲與漢王獨身挑戰。漢王數項羽曰。始與項羽俱受命懷王。考證漢書高紀、始上有吾字、曰。先入定關中者王之。項羽負約、索隱負、音佩也、王我於蜀漢。罪一。項羽矯殺卿子冠軍、而自尊。罪二。集解徐廣曰、卿一作慶、索隱韋昭云、宋義之號、如淳曰、卿者大夫之尊、子者子男之爵、冠軍、人之首也、尊宋義、故加此號、考證項紀集解引文穎云、卿子、時人相褒尊之辭、猶言公子、上將故言冠軍、愚按文說是、項羽已救趙。當還報。而擅劫諸侯兵入關。罪三。懷王約入秦無暴掠。項羽燒秦宮室、掘始皇帝冢、私收其財物。罪四。考證祕閣本、楓三本、私收作收私、又彊殺秦降王子嬰。罪五。詐阬秦子弟新安二十萬、王其將。罪六。考證祕閣本、二十作廿、李奇曰、章邯等爲王、項羽皆王諸將善地、索隱謂章邯等、考證中井積德曰、諸將、指從項羽有功者、申陽、張耳、臧荼、田都等也、愚按、索隱當移上文王其將下、而徙逐故主、索隱謂田市、趙歇、韓廣之屬、令臣下爭叛逆。罪七。項羽出逐義帝彭城、自都之、奪韓王地、幷王梁·楚、多自予。罪八。項羽使人陰弑義帝江南。罪九。夫爲人臣而弑其主、殺已降、爲政不平、主約不信、天下所不容、大逆無道。罪十也。考證祕閣本、無大字也字、陳仁錫曰、宋本無也字、中井積德曰、羽唯九罪矣、夫爲人臣一條、是總計之語、其事皆在前條、難別爲一罪、竊疑罪十也三字爲衍文、則下文意亦順、吾以義兵從諸侯、誅殘賊、使刑餘罪人擊殺項羽。何苦乃與公挑戰。考證公猶言汝、斥項羽、項羽大怒、伏弩射中漢王。漢王傷匈。乃捫足曰。虜中吾指。索隱捫、摸也、中匈而捫足者、蓋以矢初中痛悶、不知所在、故爾、或者中

匈而捫足、權以安士卒之心也、正義恐士卒壞散、故言中吾足指、考證捫足、索隱後說是、變起倉猝、而舉止泰然如此、漢皇非徒木彊人也、漢王病創臥。張良彊請漢王、起行勞軍、以安士卒。毋令楚乘勝於漢。漢王出行軍。正義行、寒孟反、病甚。索隱按三輔故事曰、楚漢相距於京索閒六年、身被大創十二、矢石通中過者有四、言漢王病創也、因馳入成皋。病愈。西入關至櫟陽、存問父老、置酒。梟故塞王欣頭櫟陽市。索隱梟、縣首於木也、欣自剄於汜水上、今梟之於櫟陽者、以舊都故梟以示之也、留四日、復如軍、軍廣武。關中兵益出。考證劉辰翁曰、汲汲入關、留飲四日、父老安心、蓋懼傳聞之訛也、當此時、彭越將兵居梁地、往來苦楚兵、絕其糧食。田橫往從之。考證劉辰翁曰、越苦楚兵、此漢事將成也、子長重出此語、未必無意、崔適曰、彭越將兵至田橫從之三年重文也、宜刪、愚按崔說爲長、項羽數擊彭越等、齊王信又進擊楚。考證祕閣本、齊王下有韓字、全祖望曰、鴻溝之約、因項王兵少食盡、韓信又進兵擊之、項羽之兵少、由龍且二十萬衆之敗、而食盡則以彭越絕其糧道、皆有可考、韓信進兵、獨不詳其始末、蓋項羽與漢爭於滎陽敖倉之間、雖兵少食盡、尚可支持、而韓信已王齊、故自淮北擣其國都、觀灌嬰傳、則其兵攻彭城、又越彭城而南、直渡廣陵、縱橫蹂躪、項王安得不議和乎、項羽恐、乃與漢王約、中分天下、割鴻溝而西者爲漢、鴻溝而東者爲楚。索隱應劭云、在滎陽東南三十里、蓋引河東南入淮泗也、張華云、一渠東南流經浚儀、是始皇所鑿、引河灌大梁、謂之鴻溝、一渠東經陽武南爲官渡水、北征記云、中牟臺下臨汴水、是爲官渡水也、考證鴻溝即河溝、河南開封府中牟縣、項王歸漢王父母妻子。軍中皆呼萬歲。乃歸而別去。項羽解而東歸。漢王欲引而西歸、用留侯·陳平計、乃進兵追項羽、至陽夏南止軍。考證陽夏、河南陳州太康縣、梁玉繩曰、自此至大會垓下、皆五年冬事、誤在四年也、與齊王信·建成侯彭越、期會而擊楚軍。至固陵不會。考證固陵、河南淮陽縣西北、楚擊漢軍大破之。漢王復入壁、深塹而守之。用張良計。於是韓信·彭越皆往。及劉賈入楚地、圍壽春。正義今壽州、考證壽春、安徽鳳陽府壽州、姚範曰、往下及上、當有黥布二字、黥布傳、五年、布使人入九江、得數縣、六年、布與劉賈入九江、誘大司馬周殷、殷反楚、漢書高帝紀、漢遣人誘大司馬周殷、殷畔楚、以舒屠六、舉九江兵迎黥布、布並行屠城父、荊王劉賈傳、使賈南渡淮圍

壽春、還至、使人間招楚大司馬殷、殷反楚、佐賈擧九江、迎英布兵、據諸文、則及上當有黥布、故下云武王行屠城父也、漢王敗固陵。集解 晉灼曰、卽固始、乃使使者召大司馬周殷、擧九江兵而迎之。集解 徐廣曰、周殷以兵隨劉賈、正義 漢書云、漢亦遣人誘楚大司馬周殷、殷叛楚、以舒屠六、擧九江兵迎黥布、考證 梁玉繩曰、之字衍、武王行屠城父、正義 父、音甫、今亳州縣、考證 安徽潁州府亳州東南、姚範曰、黥布之稱武王、傳及漢書不載、愚按、荊燕世家云、周殷佐劉賈擧九江、迎武王黥布兵、皆會垓下、漢興年表云、初王武王英布、徐孚遠曰、黥布稱爲武王、當是叛楚以後未歸漢以前、假爲此號、猶項羽自稱霸王耶、隨何劉賈、齊・梁諸侯、皆大會垓下。集解 徐廣曰、七月、考證 梁玉繩曰、何字衍、隨何不過謁者、僅說九江王一見、此時諸侯大會、無緣置身其間也、史漢各處、元無何字、愚按、上文集解云、周殷以兵隨劉賈、亦無何字、垓下、安徽鳳陽府靈壁縣、立武王布爲淮南王。考證 梁玉繩曰、布王在四年七月、此誤書于四年之末、應在歸太公呂后前、五年、高祖與諸侯兵共擊楚軍、與項羽決勝垓下。考證 高祖、當作漢王、淮陰侯將三十萬自當之。考證 祕閣本、三十作卅、自下有前字、楓山本亦有前字、孔將軍居左、費將軍居右、皇帝在後。絳侯・柴將軍在皇帝後。項羽之

卒、可十萬。淮陰先合。不利。卻。孔將軍・費將軍縱。正義 二人、韓信將也、縱、兵擊項羽也、以縱字爲絕句、孔將軍、蓼侯孔熙、費將軍、費侯陳賀也、楚兵不利。淮陰侯復乘之、正義 復、扶富反、乘、猶登也、進也、大敗垓下。考證 梁玉繩曰、皇帝、當作漢王、淮陰侯、當作齊王信、又是時周勃爲將軍、其封絳侯在六年、何以不與柴武稱將軍、而書曰絳侯耶、孔將軍、費將軍、卽功臣表蓼侯費侯也、陳賀封費、亦在六年、乃不曰陳將軍而曰費將軍、非但與孔將軍之稱姓異、抑且古無以國冠官、顧炎武曰、費將軍陳賀稱以爵者、以功臣陳姓者多也、何焯曰、項王大敵、雖兵少食盡、致死于我、勝負未可知、先合不利者、驕之使惰也、卻者遷延徐退、誘之使疲也、縱則夾擊之、使不能前後相救、楚兵橫斷、故不利也、然後因其亂而以衆乘之、項王雖勇、豈能支乎、絳侯柴將軍之兵、則游兵也、當楚人既動、則繞出其後矣、漢書無之、方苞曰、左傳、車馳卒奔、乘晉軍、乘、蓋出其不意、而推鋒以蹙之也、項羽卒聞漢軍楚歌、索隱 應劭云、今鷄鳴歌也、顏遊秦云、楚歌、猶吳謳也、按高祖令戚夫人楚舞、自爲楚歌、是楚人之歌聲也、考證 張文虎曰、漢書作羽夜聞漢軍四面皆楚歌、項羽本紀亦作夜、疑此卒字誤、漢軍下、各本有之字、凌稚隆云、一本無、梁玉繩云、衍、今刪、以爲漢盡得楚地。項羽乃敗而走。是以兵大敗。使騎將灌嬰追殺項羽東城。集解 徐廣曰、十二月、考證 東城、安徽鳳陽府定遠縣東南、斬首八萬、遂略定楚地。考證 中井積德曰、項羽出走、

而餘軍猶在原處、諸紀傳皆不記其戰、然此斬首八萬者、併餘軍戰死者數之也、不然從項王出者、唯八百騎已、焉得八萬首、魯爲楚堅守不下。漢王引諸侯兵北、示魯父老項羽頭。魯乃降。遂以魯公號葬項羽穀城。考證 穀城、山東泰安府東阿縣北、還至定陶、馳入齊王壁、奪其軍。考證 項羽方滅、卽馳奪軍、漢王未嘗一日忘信也、正月、諸侯及將相、相與共請尊漢王爲皇帝。漢王曰。吾聞帝、賢者有也。空言虛語、非所守也。吾不敢當帝位。羣臣皆曰。大王起微細、誅暴逆、平定四海、有功者輒裂地而封爲王侯。大王不尊號、皆疑不信。臣等以死守之。考證 祕閣本、楓、三本、信作宜、漢王三讓、不得已。曰。諸君必以爲便、便國家。考證 岡白駒曰、諸君之以爲便、卽是便於國家、愚按楓、三南本、不重便字、甲午、集解 徐廣曰、二月甲午、考證 梁玉繩曰、案漢書是二月甲午、此缺二月兩字、乃卽皇帝位汜水之陽。集解 蔡邕曰、上古天子稱皇、其次稱帝、其次稱王、秦承三王之末、爲漢驅除、自以德兼三皇五帝、故并以爲號、漢高祖

受命、功德宜之、因而不改、張晏曰、汜水在濟陰界、取其汜愛弘大而潤下、正義 汜、音敷劍反、括地志云、高祖卽位壇、在曹州濟陰縣界、考證 汜水、濟瀆分流、在山東曹州府曹縣北、與定陶縣分界、今定陶西北有漢祖壇、高帝卽位處、皇帝曰。義帝無後。齊王韓信習楚風俗。徙爲楚王、都下邳。正義 音被悲反、泗州下邳縣、是楚王韓信之都、考證 漢書高紀、春正月下令曰、楚地已定、義帝亡後、欲存䘏楚衆以定其主、齊王信習楚風俗、更立爲楚王、事在漢王爲皇帝前、月表亦在五年正月、下邳、江蘇徐州府邳州、立建成侯彭越爲梁王、都定陶。正義 曹州濟陰縣城、是梁王彭越之都、考證 封彭越亦在正月、故韓王信爲韓王、都陽翟。正義 洛州陽翟縣、是韓王信之都、考證 河南開封府禹州、梁玉繩曰、韓信久封韓王、不煩重敍、蓋衍文、漢書無之、愚按、此紀二年云、立韓太尉信爲韓王、而不言都陽翟、卽位之後、新有是命、故記、徙衡山王吳芮爲長沙王、都臨湘。正義 括地志云、潭州長沙縣、本漢臨湘縣、長沙王吳芮都之、芮墓在長沙縣北四里、考證 湖南長沙府長沙縣、番君之將梅鋗有功、從入武關。故德番君。考證 番君卽吳芮、梅鋗事見上、張文虎曰、舊刻德作封、淮南王布・燕王臧荼・趙王敖、皆如故。考證 祕閣本、楓、三本、敖上有共字、天下大定、高祖都雒陽。諸侯皆臣屬。故臨江王

驩、為項羽叛漢。【集解】徐廣曰、驩一作尉、【考證】梁玉繩曰、臨江之殺、在十二月、漢書與月表甚明、此誤書于二月即帝位後、又臨江王之名、徐廣云、一作尉、是、荊燕世家盧綰傳及漢書紀表傳、竝作尉、惟月表誤作驩、愚按、項王敗死、而魯人守節不輒下、臨江王、燕王、利幾、相踵叛漢、皆其遺臣、高祖使諸項氏臣名籍、鄭君獨不奉詔、亦其舊將、亦足以見項王仁而愛人也、祕閣本、楓、三本、叛作破、令盧綰·劉賈圍之。不下。數月而降。殺之雒陽。五月、兵皆罷歸家。諸侯子在關中者、復之十二歲。其歸者、復之六歲、食之一歲。【正義】食、音寺、【考證】諸侯子、解見上文、高祖置酒雒陽南宮。【正義】括地志云、南宮、在雒州雒陽縣東北二十六里洛陽故城中、輿地志云、秦時已有南北宮、高祖曰。列侯諸將、無敢隱朕、皆言其情。吾所以有天下者何、項氏之所以失天下者何。高起·王陵對曰。【集解】孟康曰、姓高、名起、瓚曰、漢帝年紀、高帝時有信平侯臣陵、都武侯臣起、魏相丙吉奏事、高帝時奏事有將軍臣陵、臣起、【考證】錢大昭曰、魏相傳、述高帝時受詔長樂宮者、但有將軍陵、無臣起、漢紀亦無高起二字、二字當衍文、愚按、臣瓚所引漢帝年紀魏相丙吉奏事、今皆不傳、無由考之、但對語七十餘言、二人一辭、於理所無、高祖亦唯言公、不言公等、錢說近是、陛下慢而侮人、項羽仁而愛

人。然陛下使人攻城略地、所降下者、因以予之、與天下同利也。項羽妒賢嫉能、有功者害之、賢者疑之。戰勝而不予人功、得地而不予人利。此所以失天下也。【考證】王陵母為項羽所殺、陵怨項羽最深、所以有此言、高祖曰。公知其一、未知其二。夫運籌策帷帳之中、決勝於千里之外、吾不如子房。【考證】梁玉繩曰、漢書無策字、御覽引史作于字、留侯世家亦作策、顧炎武曰、漢高帝曰、運籌策帷帳之中、決勝於千里之外、吾不如子房、景帝曰、天下方有急、王孫(竇嬰字)寧可以讓邪、皆人主呼人臣字也、鎮國家、撫百姓、給餽饟、不絕糧道、吾不如蕭何。【考證】祕閣本、鎮作塡、糧作粮、連百萬之軍、戰必勝、攻必取、吾不如韓信。此三者皆人傑也。吾能用之。此吾所以取天下也。項羽有一范增、而不能用。此其所以為我擒也。【考證】祕閣本、擒作禽、高祖欲長都雒陽。齊人婁敬說、及留侯勸上入都關中。高祖

是日駕入都關中。【考證】周壽昌曰、荀紀云、於是上即日車駕西入關治櫟陽宮、齊召南曰、櫟陽長安、俱是關中、是日決計入關、營造長安宮殿、實則仍居櫟陽、故至七年二月、自櫟陽徙都長安也、愚按、項紀人或說項王曰、關中阻山河四塞、地肥饒、可以霸、淮陰傳、韓信說漢王曰、項王雖霸天下、而臣諸侯、不居關中而都彭城、由是觀之、定都關中、以制天下、當時識者所見皆然、不必待婁敬張良、高祖亦夙知之、是所以即日遷都、六月、大赦天下、【考證】行赦施惠、見越世家、則春秋之世、既有此事、秦孝文王元年、赦罪人、莊襄王元年、大赦罪人、此即位行赦之權輿乎、漢高祖五年十二月、以破楚天下事大畢、赦天下殊死、以下、奠都長安、六月大赦天下、皆不與即位相涉、十二年四月、高祖崩、大赦天下、五月惠帝即位、不復赦、惠帝崩、太子立、呂太后臨朝、大赦、漢踐祚行赦、以此為始、其後孝文即位、亦赦天下、景帝後元年、赦天下、改元之赦以此為始、至武帝每改元必赦、高祖二年六月、立太子、赦罪人、景帝四年四月、立皇子樂為皇太子、赦天下、此立太子行赦也、武帝元朔元年三月、立皇后衞氏、赦天下、此立后行赦也、高祖十年七月、太上皇崩、赦櫟陽囚死罪以下、此廣太上皇之恩也、惠帝四年三月、皇帝冠、赦天下、此頒皇帝之慶也、文帝十五年、始郊、赦天下、武帝元鼎五年、天漢元年、後元元年、郊泰畤、赦天下、此郊行赦也、武帝元封五年、天漢三年、太始四年、幸太山、赦天下、此封禪行赦也、其餘克捷豐稔凶歉祥瑞災異以行赦者甚多、秦昭襄王二十一年、赦罪人遷河東、二十六年、赦罪人遷穰、二十八年、赦罪人遷南陽、秦二世二年、大赦天下、授兵酈山徒、以擊周章等、高祖十一年、淮南王布反、赦天下死罪以下、皆令從軍、武帝元封六年、益州昆明反、赦京師亡命令從軍、此皆有所為而行者、與施惠者自異、十月、燕王臧荼反、攻

下代地。【考證】中井積德曰、十月是七月之訛、漢書可證、愚按秦楚之際月表云、八月、帝自將誅燕、蓋七月反、八月得之也、代、山西代州、何焯曰、臧荼項氏所置、又負殺故主之罪、故懼誅最先叛、高祖自將擊之。得燕王臧荼。【考證】祕閣本、無之得二字、王下有得字、即立太尉盧綰為燕王、使丞相噲將兵攻代。【考證】漢書作平代地、宋祁曰、噲是時未為丞相、百官表、噲未嘗為相、周壽昌曰、漢初有丞相虛封、猶後世加銜、噲傳、噲擊陳豨、以將軍遷為左丞相、後以相國擊盧綰、表均未載、左右丞相之設、在孝惠高后之時、相國之號、在高帝十一年、而噲先稱之、皆虛封也、酈商傳、還右丞相、復以丞相將兵擊黥布、傅寬傳、以相國代丞相噲擊陳豨、商寬竝未為相、亦未列表、韓信傳、使為假左丞相、有假字益可知、蓋討臧荼餘燼也、其秋利幾反。【正義】幾、音機、姓名也、項羽之將、為陳縣令、降漢、高帝徵諸侯、利幾恐、故反、高祖自將兵擊之。利幾走。利幾者項氏之將。項氏敗、利幾為陳公、不隨項羽。亡降高祖。高祖侯之潁川。高祖至雒陽、舉通侯籍召之。【集解】如淳曰、得在通侯之籍、而利幾恐。故反。六年、高祖五日一朝太公。如家人父子禮。太公家令說太公曰。天無二日、土無二王。【考證】禮記坊記、子云、天

無二日、土無二王、孟子萬章篇、孔子曰、天無二日、民無二王、今高祖雖子人主也。考證梁玉繩曰、高祖當依漢書作皇帝、太公雖父人臣也。柰何令人主拜人臣。如此、則威重不行。後高祖朝。太公擁篲迎門卻行。集解李奇曰、爲恭也、如今卒持帚者也、正義崔浩曰、擁、抱也、篲、長帚、卒寺之所執也、按擁篲、曲腰持帚、考證孟荀列傳、鄒衍如燕、昭王擁彗先驅、高祖大驚、下扶太公。太公曰。帝、人主也。柰何以我亂天下法。於是、高祖乃尊太公爲太上皇。集解蔡邕曰、不言帝、非天子也、索隱按蔡邕云、不言帝非天子也、又按本紀、秦始皇追尊莊襄王爲太上皇、已有故事矣、蓋太上者無上也、皇者德大於帝、欲尊其父、故號曰太上皇也、考證梁玉繩曰、漢書高紀、高祖于六年三月、自洛陽歸櫟陽朝太公、五月尊爲太上皇、此書于六年十二月前、誤矣、周壽昌曰、古身爲天子、父爲匹夫、惟舜之瞽瞍、未聞尊號、莊襄爲太上皇、是死後追尊、事係創行、因家令一言發之、心善家令言、賜金五百斤。索隱顏氏按荀悅云、故雖天子必有尊也、無父猶設三老、況其存乎、家令之言過矣、晉劉寶云、善其發悟己心、因得尊崇父號也、十二月、人有上變事、告楚王信謀反。考證梁玉繩曰、漢高紀、告反在六年十月、此在十二月者、因會陳執信在十二月、遂幷敘之、其實是十月也、上問左

右。左右爭欲擊之。用陳平計、乃僞遊雲夢、集解韋昭曰、在南郡華容縣、考證湖南荊州府監利縣、會諸侯於陳。考證河南陳州府、楚王信迎。卽因執之。是日、大赦天下。田肯賀、索隱漢紀及漢書作肻、劉顯云、相傳作肯也、考證索隱所引劉顯之說、見於顏氏家訓書證篇、因說高祖曰。陛下得韓信、又治秦中。集解如淳曰、時山東人謂關中爲秦中、考證祕閣本、淩一本、班馬異同、曰下有甚善二字、與漢書合、今本脫、秦形勝之國。集解張晏曰、秦地帶山河、得形勢之勝便者、索隱韋昭云、地形險固、故能勝人也、帶河山之險、縣隔千里、持戟百萬、秦得百二焉、集解應劭曰、河山之險、與諸侯相縣隔絕千里也、所以能禽諸侯者、得天下之利百二也、李斐曰、河山之險、由地勢高、順流而下易、故天下於秦懸隔千里、持戟百萬、秦得百二焉、蘇林曰、得百中之二焉、秦地險固、二萬人足當諸侯百萬人也、索隱服虔云、謂函谷關去長安千里爲縣隔、按文以河山險固形勝、其勢如隔千里也、蘇林曰、百二、百中之二、二十萬人也、虞喜云、百二者、得百之二、言諸侯持戟百萬、秦地險固、一倍於天下、故云得百二焉、言倍之也、蓋言秦兵當二百萬也、齊得十二、亦如之、故爲東西秦、言勢相敵、但立文相避、故云十二、言餘諸侯十萬、齊地形勝、亦倍於他國、當二十萬人也、考證祕閣本、無之字、王先謙曰、縣隔千里、言河山之阻、千里而遙、非與諸侯縣隔也、猶張良云關中沃野千里耳、中井積德曰、百二、十二、竝難解、諸說多牽强、百二、蓋言二以當

百、是五十倍矣、十二、謂二以當十、是五倍矣、顧炎武曰、古人謂倍爲二、秦得百二、言百倍也、齊得十二、言十倍也、王啓原曰、墨子經說、倍爲二也、論語、二吾猶不足、言倍於徹、愚按顧王二說、蓋得古義、地埶便利、其以下兵於諸侯、譬猶居高屋之上建瓴水也。集解如淳曰、瓴、盛水瓶也、居高屋之上、而幡瓴水、言其向下之勢易也、建、音蹇、晉灼曰、許愼曰、瓴、甕似瓶者、考證集解幡一作翻、夫齊東有琅邪・卽墨之饒。南有泰山之固。西有濁河之限。集解晉灼曰、齊西有平原、河水東北過高唐、高唐卽平原也、孟津號黃河、故曰濁河、考證中井積德曰、濁河卽黃河、孟津非齊界、胡三省曰、蓋河流濁、故謂之濁河、北有勃海之利。索隱崔浩云、勃、旁跌也、旁跌出者、橫在濟北、故齊都賦云、海旁出爲勃、名曰勃海郡、地方二千里、持戟百萬。縣隔千里之外。索隱以言齊境闊、不啻千里、故云之外也、齊得十二焉。集解應劭曰、齊得十之二、故齊湣王稱東帝、後復歸之、卒爲秦所滅者、利鈍之勢異也、李斐曰、齊有山河之限、地方二千里、是與天下縣隔也、設有持戟百萬之衆、齊得十中之二焉、百萬十分之二、亦二十萬也、但文相避耳、故言東西秦、其勢亦敵也、蘇林曰、十二、得十中之二、二十萬人當百萬、言齊雖固不如秦、二萬乃當百萬、故此東西秦也。考證胡三省曰、言齊地形勝、與秦亢衡也、非親子弟、莫可使王齊矣。考證胡三省曰、韓信兼王齊、蓋漢初諸侯王國亦領郡也、漢書表

傳、無齊爲漢郡之文、觀田肯賀高祖、以秦齊竝言、可見信兼領齊郡、使信卽以齊還漢、則高帝必立齊王、不待信之侯矣、全祖望曰、觀田肯之賀、不言得楚、而言得齊、又言非親子弟、莫可使王齊焉、則韓信未嘗還齊也、愚按、韓信既更王楚、何仍保齊乎、秦楚之間月表云、淮陰徙王楚、齊屬漢、曹相家世家亦曰、韓信徙爲楚王、齊爲郡、可以徵焉、但信以兵取齊、雖移其國、守令多其故將、餘威尙在、所以有田肯之賀、高祖曰。善。賜黃金五百斤。後十餘日、封韓信爲淮陰侯。分其地爲二國。高祖曰。將軍劉賈數有功。以爲荊王。王淮東。索隱乃王吳地、在淮東也、姚察按虞喜云、總言吳、別言荊者、以山命國也、今西南有荊山、在陽美界、賈封吳地、而號荊王、指取此義、太康地理志、陽美縣、本名荊溪、考證漢書高紀、以故東陽郡鄣郡吳郡五十三縣、立劉賈爲荊王、弟交爲楚王、王淮西。子肥爲齊王、王七十餘城。民能齊言者皆屬齊。集解漢書音義曰、此言時民流移、故使齊言者還齊也、正義按言齊國形勝次於秦中、故封子肥七十餘城、近齊城邑能齊言者、咸割屬齊、親子故大其都也、孟說恐非、考證漢書以碭郡薛郡郯郡三十六縣、立弟文信君交爲楚王、以膠東膠西臨淄濟北博陽城陽郡七十三縣、立子肥爲齊王、齊言、孟說是、乃論功、與諸列侯剖符行封。考證梁玉繩曰、功臣表及漢書、封諸侯在十二月、此敘于正月封荊楚諸王之後、非、徙韓王信太原。索隱信初都陽翟也、考證漢書

高紀、以太原郡三十一縣爲韓國、徙韓王信都晉陽、愚按太原、山西太原府、七年、匈奴攻韓王信馬邑。[正義]搜神記云、昔秦人築城於武周塞以備胡、城將成而崩者數矣、有馬馳走、周旋反覆、父老異之、因依以築城、乃不崩、遂名馬邑、括地志云、朔州城、漢鴈門、卽馬邑縣城也、攻韓信於馬邑、卽此城、[考證]山西朔平府馬邑縣、信因與謀反太原。[考證]張文虎曰、王柯毛凌本、與下有同字、南宋中統游本無、梁玉繩曰、韓王之反、此在七年、表在五年、當依信本傳作六年、漢書紀表亦云、六年九月、白土曼丘臣·王黃、立故趙將趙利爲王、以反。[集解]徐廣曰、在上郡、[正義]漢書云、韓王信之將曼丘臣王黃、共立故趙後趙利爲王、按、故趙、六國時趙也、[考證]白土、陝西楡林府神木縣、顏師古曰、姓曼丘、名臣也、梁玉繩曰、信本傳云、趙苗裔、漢書高紀云、趙後、則將乃後字之訛、高祖自往擊之。會天寒、士卒墮指者什二三。遂至平城。[正義]括地志云、朔州定襄縣、本漢平城縣、縣東北三十里、有白登山、山上有臺、名曰白登臺、漢書匈奴傳云、冒頓圍高帝於白登七日、卽此也、服虔云、白登、臺名、去平城七里、李穆叔趙記云、平城東七里、有土山、高百餘尺、方十餘里、亦謂此也、[考證]祕閣本、天作大、平城、山西大同府大同縣、匈奴圍我平城七日、而後罷去。令樊噲止定代地。立兄劉仲爲代王。[考證]漢書高紀云、六年正月、以雲中鴈門代郡五十三縣、立兄宜信侯喜爲代王、梁玉繩曰、劉喜之王、在六年正月、與

封荆楚齊三王同時、此誤書于七年二月前也、吳濞傳同誤、二月、高祖自平城過趙、雒陽至長安。[索隱]按漢儀注、高祖六年、更名咸陽曰長安、三輔舊事、扶風渭城、本咸陽地、高帝爲新城、七年屬長安也、[考證]劉辰翁曰、洛陽二字衍、長樂宮成。丞相已下徙治長安。八年、高祖東擊韓王信餘反寇於東垣。[集解]地理志、東垣、高帝更名曰眞定、[考證]直隸正定府正定縣、蕭丞相營作未央宮。[正義]括地志云、未央宮、在雍州長安縣西北十里長安故城中、顏師古云、未央殿雖南嚮、而當上書奏事謁見之徒、皆詣北闕、公車司馬亦在北焉、是則以北闕爲正門、而又有東門東闕、至於西南兩面、無門闕矣、蕭何初立未央宮、以厭勝之術、理宜然乎、按北闕爲正者、蓋象秦作前殿、渡渭水屬之咸陽、以象天極閣道絕漢抵營室、立東闕北闕。[集解]關中記曰、東有蒼龍闕、北有玄武闕、玄武所謂北闕、[索隱]東闕名蒼龍、北闕名玄武、無西南二闕者、蓋蕭何以厭勝之法、故不立也、說文云、闕、門觀也、高三十丈、秦家舊處、皆在渭北、而立東闕北闕、蓋取其便也、前殿武庫太倉。高祖還見、宮闕壯、甚怒。[考證]祕閣本、壯下有麗字、謂蕭何曰、天下匈匈、苦戰數歲、成敗未可知。是何治宮室過度也。蕭何曰、天下方未定。故可因遂就宮室。且夫天子以四

海爲家。非壯麗無以重威。且無令後世有以加也。高祖乃說。[考證]梁玉繩曰、漢高紀、此事在七年二月、史作八年、非、中井積德曰、未央宮蓋非壯麗太過也、酇侯酌時宜、略得其當然耳、但泗水亭長特起爲天子、未習富貴、視以爲過壯也、高祖之東垣過柏人。[正義]括地志云、柏人故城、在邢州柏人縣西北十二里、漢柏人屬趙國、[考證]直隸順德府唐山縣、趙相貫高等、謀弑高祖。高祖心動、因不畱。[考證]祕閣本、弑作殺、代王劉仲弃國亡、自歸雒陽。廢以爲合陽侯。[正義]括地志云、郃陽故城、在同州河西縣三里、魏文侯十七年、攻秦至鄭而還、築、在郃水之陽也、[考證]梁玉繩曰、代王棄國歸漢、此紀及功臣表將相表在八年九月、諸侯王表在九年、皆誤、當依漢書高紀作七年十二月、而合陽應作郃陽、省作合字、此紀及功臣表、與漢書高紀王子表吳濞傳、竝作合陽、將相表吳濞傳、漢書惠紀、竝作郃陽、水經注四、亦作郃陽、所謂劉仲城也、地理志、郃陽屬在馮翊、合陽屬平原郡、九年、趙相貫高等事發覺。夷三族。[考證]張晏曰、父母兄弟妻子也、如淳曰、父族母族妻族也、何焯曰、按刑法志、孝文詔、明指父母妻子及同產爲三族、則張說爲是、洪亮吉曰、案張耳傳、貫高曰、今吾三族皆論死、蓋當時高坐此罪、高祖赦之、明未嘗夷三族也、此語失實、廢趙王敖爲宣平侯。是歲、徙貴族楚昭·屈·景·懷、齊田氏關中。

[考證]姚範曰、徙楚齊貴族、從婁敬策、未央宮成。[考證]梁玉繩曰、未央宮與長樂宮、皆以七年二月成、漢書高紀及三輔黃圖可證、是年特以諸侯王來朝、十月置酒未央宮也、此與將相表同誤在九年、高祖大朝諸侯羣臣、置酒未央前殿。高祖奉玉卮、[集解]應劭曰、鄕飲酒禮器也、受四升、起爲太上皇壽曰。始大人常以臣無賴、[集解]晉灼曰、許愼曰、賴、利也、無利入於家也、或曰、江淮之閒、謂小兒多詐狡猾爲無賴、[考證]應劭曰、賴者恃也、周壽昌曰、亡賴、無所恃以資生、如今游手白徒也、張釋之傳、尉亡賴、張晏注、材無可恃也、應說是、不能治產業、不如仲力。今某之業所就、孰與仲多。殿上羣臣、皆呼萬歲、大笑爲樂。十年十月、淮南王黥布、梁王彭越、燕王盧綰、荆王劉賈、楚王劉交、齊王劉肥、長沙王吳芮、皆來朝長樂宮。[正義]括地志云、秦櫟陽故宮、在雍州櫟陽縣北三十五里、秦獻公所造、三輔黃圖云、高祖都長安、未有宮室、居櫟陽宮也、春夏無事。七月太上皇崩櫟陽宮。楚王·梁王、皆來送葬。[集解]漢書云、葬萬年、[正義]括地志云、漢太上皇陵、在雍州櫟陽縣北二十五里、漢書云、高帝十年、太上皇崩、葬萬年縣也、赦櫟陽囚。

有死罪以下四字、〔考證〕漢書、因下有死罪以下四字、更命酈邑曰新豐。〔正義〕酈邑、酈、音力知反、括地志云、新豐故城在雍州新豐縣西南四里、漢新豐宮也、太上皇時悽愴不樂、高祖竊因左右問故、荅以平生所好、皆屠販少年、酤酒賣餅、鬪雞蹴踘、以此爲歡、今皆無此、故不樂、高祖乃作新豐、徙諸故人實之、太上皇乃悅、按前于酈邑築城寺、徙其民實之、未改其名、太上皇崩後、命曰新豐、〔考證〕徐中行曰、西京雜記、以太上皇思故豐邑、因作新豐、幷移舊社、衢巷棟宇、物色惟舊、士女老幼、相携路首、各知其室、放牛馬鷄鴨於通塗、亦競識其家、匠人胡寬所營也、又水經注、漢中洋川、戚夫人所生處、夫人思慕東鄉、追求洋川、帝爲驛致長安、然則高祖慣作此伎倆矣、八月、趙相國陳豨反代地。〔集解〕鄧展曰、東海人名豬曰豨、〔考證〕豨、人名、何必解其義、梁玉繩曰、豨反、在十年九月、此與功臣表作八月、酈商傳作七月、傅寬傳作四月、竝誤、本傳及漢書可證、至淮陰侯及盧綰傳、以爲十一年反、尤誤也、豨本傳又誤作七年、上曰。豨嘗爲吾使、甚有信。代地、吾所急也。故封豨爲列侯。以相國守代。〔集解〕徐廣曰、豨攻定臧荼、有功、封陽夏侯、〔考證〕依文例、上當作高祖、下同、今乃與王黃等劫掠代地。代地吏民、非有罪也。其赦代吏民。九月、上自東往擊之、至邯鄲。〔考證〕秘閣本、東作陳、凌稚隆曰、宋本作往東、直隸廣平府邯鄲縣、上喜曰。豨不南據邯鄲而阻漳水。吾知其

無能爲也。〔考證〕陳豨傳、作南據漳水北守邯鄲、漢書高紀、而作北、皆非是、南自代而言、宋祁曰、漳水不在北、聞豨將皆故賈人也、上曰。吾知所以與之。〔考證〕古鈔本、聞作問、與漢書合、王念孫曰、與、猶敵也、孫子傳、以君之下駟與彼之上駟、淮陰侯傳、吾生平知韓信爲人、易與耳、皆謂敵也、乃多以金啗豨將。豨將多降者。十一年、高祖在邯鄲。誅豨等未畢。豨將侯敞將萬餘人游行、〔考證〕王先謙曰、敞、豨丞相也、後爲灌嬰所斬、見嬰傳、王黃軍曲逆、〔集解〕文穎曰、今中山蒲陰是、〔考證〕直隸保定府完縣東南、張春渡河、〔正義〕陳豨將也、又劉伯莊云、彼時聊城在黃河之東、王莽時乾、今濁河西北也、今在博州西北、深丘道里記云、王莽元城人、居近河側、祖父墳墓爲水所衝、引河入深川、此王莽河因枯也、擊聊城。〔集解〕徐廣曰、在平原、〔正義〕括地志云、故聊城、在博州聊城縣西二十里、春秋時、齊之西界、聊攝也、戰國時亦爲齊地、秦漢皆爲東郡之聊城也、〔考證〕山東東昌府聊城縣、漢使將軍郭蒙與齊將擊、大破之。大尉周勃〔集解〕漢書百官表曰、太尉秦官、應劭曰、自上安下曰尉、武官悉以爲稱、道太原入、〔集解〕韋昭曰、道、猶從、〔考證〕山西太原府、定代地至馬邑。〔考證〕今山西朔平府馬邑鄉、馬邑不下。卽攻殘之。〔考證〕顏師古曰、殘、謂多所殺戮也、豨將

趙利守東垣。〔考證〕直隸正定府正定縣、高祖攻之。不下月餘。卒罵高祖。高祖怒。城降。令出罵者斬之。不罵者原之。於是乃分趙山北、立子恆以爲代王。〔考證〕梁玉繩曰、代王之立、在十一年正月、表作三月、是誤在後、而此書于冬、又誤在前也、錢大昕曰、高帝紀、於孝惠不書名、文帝紀、於景帝不書名、乃文帝名、再見於高祖紀、一見於呂后紀、此必後人所加、景帝紀、四年、立皇子徹爲膠東王、七年立膠東王爲皇太子、名徹、亦後人所加、愚按是皆史公失檢處、未必後人加之、下文立子恢爲梁王、子友爲淮陽王、可證、都晉陽。〔集解〕如淳曰、文紀言都中都、又文帝過太原、復晉陽中都二歲、似遷都於中都也、〔考證〕梁玉繩曰、文帝紀、諸侯王表、陳豨傳、俱作都中都、與此言都晉陽不同、文紀又言幸太原、復晉陽中都三歲租、疑當時詔都晉陽、而實居中都、亦猶韓王信詔都晉陽、而請居馬邑耳、故如淳注以爲遷于中都也、春、淮陰侯韓信謀反關中。夷三族。夏、梁王彭越謀反。廢遷蜀。復欲反。遂夷三族。立子恢爲梁王、子友爲淮陽王。〔考證〕梁玉繩曰、廢越立恢、皆在三月、漢紀可據、此與黥布盧綰傳竝作夏、夷彭越、誤也、史漢諸侯王表、書恢友以十一年三月立、若越之謀反夷族在夏、安得三月已封恢友爲王乎、至史諸侯王表、及漢異姓表、以越誅在十年、則更誤矣、秋七月、淮南王黥布反。東幷荊

王劉賈地、北渡淮。楚王交走入薛。〔考證〕山東兗州府滕縣、高祖自往擊之。立子長爲淮南王。十二年十月、高祖已擊布軍會甀。〔集解〕徐廣曰、在蘄縣西、駰案漢書音義曰、會、音儈、保邑名、甀、音直僞反、〔索隱〕上音鱠、下音丈僞反、地名也、漢書作缶、音作保、非也、〔考證〕錢大昕曰、漢志、沛郡鄲縣有垂鄉、高祖破黥布、師古音垂、爲直恚反、卽此會甀也、隸書垂作缶、故漢書高紀訛爲缶字、布走。令別將追之。高祖還歸過沛、留置酒沛宮。〔正義〕括地志云、沛宮故地、在徐州沛縣東南二十里一步、悉召故人父老子弟縱酒。發沛中兒得百二十人。敎之歌。酒酣、〔集解〕應劭曰、不醒不醉曰酣、一曰、酣、洽也、〔考證〕祕閣本、二十作廿、高祖擊筑、〔集解〕韋昭曰、筑、古樂、有弦擊之、不鼓、〔正義〕音竹、應劭云、狀似瑟而大、頭安弦、以竹擊之、故名曰筑、顏師古云、今筑形似瑟而小細項、自爲歌詩曰。大風起兮雲飛揚。威加海內兮歸故鄉。安得猛士兮守四方。〔考證〕每句韵、李善曰、風起雲飛、以喩羣兒競逐而天下亂也、威加四海、言已靜也、夫安不忘危、故思猛士以鎭之、朱熹曰、大風歌、正楚聲也、亦名三侯之章、自千載以來、人主之詞、未有若是壯麗而奇偉者也、令兒皆和習之。高祖乃起舞、慷慨

傷懷、泣數行下。謂沛父兄曰。游子悲故鄉。【考證】游子悲故鄉、蓋古詞、文選古詩、浮雲蔽白日、游子不顧返、李陵詩、攜手上河梁、游子暮何之、顏師古曰、游子、行客也、悲、顧念也、 吾雖都關中、萬歲後、吾魂魄猶樂思沛。且朕自沛公以誅暴逆、遂有天下。其以沛爲朕湯沐邑、復其民、世世無有所與。【集解】風俗通義曰、漢書注、沛人語初發聲、皆言其、其者楚言也、高祖始登帝位、敎令言其、後以爲常耳、【考證】中井積德曰、其、命令之辭、非發語、且秦代已有是辭、非肇於高祖、兪樾曰、始皇本紀、其議帝號、李斯傳、其以李斯屬郎中令趙高案治、則秦詔令已用其字矣、其乃古語、左傳、其承寧諸侯以退、其委之伯父、春秋語已如此、又按盤庚云、其惟致告、金縢云、其新迎、則三代之書、亦有之矣、顏師古曰、凡言湯沐邑者、謂以其賦稅供湯沐之具也、 沛父兄諸母故人、日樂飲極驩、道舊故爲笑樂十餘日。高祖欲去。沛父兄固請留高祖。高祖曰。吾人衆多。父兄不能給。乃去。沛中空縣、皆之邑西獻。【集解】如淳曰、獻牛酒、【考證】顏師古曰、之、往也、皆往邑西、競有所獻、故縣中空無人、 高祖復留止。張飲三日。【集解】張晏曰、張、帷帳、【正義】音張亮反、【考證】祕閣本、張作帳、據正義作帳爲是、 沛父兄

皆頓首曰。沛幸得復。豐未復。唯陛下哀憐之。【考證】漢書高紀、未復之復作得、 高祖曰。豐吾所生長、極不忘耳。吾特爲其以雍齒故反我爲魏。沛父兄固請。乃并復豐比沛。【考證】中井積德曰、前年營新豐、諸故人皆徙焉、故此行過沛而不入于豐、賜復之不急、或以是也、而不出於口者、避少恩之嫌耳、 於是拜沛侯劉濞爲吳王。漢將別擊布軍洮水南北、皆大破之。追得斬布鄱陽。【集解】服虔曰、濞、音帔、徐廣曰、洮、音道、在江淮閒、【考證】胡三省曰、洮水、卽零陽之洮水也、全祖望曰、黥布不當走零陽、顧祖禹曰、震澤之洮湖也、許周生曰、別擊者、擊布別將之軍、非布在洮水也、追得斬布鄱陽、遙接上文布走、令別將追之也、愚按、祕閣本鄱陽作番陽、饒州鄱陽縣治、 樊噲別將兵定代。斬陳豨當城。【索隱】代之縣名也、【正義】括地志云、當城、在朔州定襄縣界、土地十三州記云、當城、在高柳東八十里、縣當常山、故曰當城、【考證】梁玉繩曰、豨傳亦言樊噲斬之、而噲傳不及、則非噲明甚、蓋周勃斬之也、絳侯世家及漢書可證、又世家功臣表及豨傳皆云、斬豨靈丘、此言當城、亦小異、愚按、當城、直隸宣化府蔚州縣東、 十一月、高祖自布軍至長安。十二月、高祖曰。秦始皇帝·楚隱王【索隱】系家作幽王、名擇、負芻之兄、【考證】顏

師古曰、陳勝也、愚按、索隱誤、 陳涉【考證】梁玉繩曰、陳涉二字當衍、漢書詔詞無之、蓋諸帝王皆不稱名也、愚按、注文攙入、 魏安釐王【索隱】史闕名、昭王之子、王假之祖也、 齊緡王·【索隱】名地、宣王子、王建祖、 趙悼襄王、【索隱】名偃、孝成王之子、幽王遷之父也、 皆絕無後。予守冢各十家。秦皇帝二十家。魏公子無忌五家。【考證】梁玉繩曰、此言趙悼襄王亦予守冢十家、而漢書云五家、疑漢書誤、中井積德曰、秦皇陳涉之外、蓋以當時冢存者立制也、不然、何特親此數人矣、其他存者亦有後則不在此例、愚按、陳涉世家云、爲陳涉置守冢三十家、與此異、 赦代地吏民爲陳豨·趙利所劫掠者、皆赦之。陳豨降將言、豨反時、燕王盧綰使人之豨所與陰謀。上使辟陽侯迎綰。【正義】審食其也、括地志云、辟陽故城、在冀州信都縣西三十五里、漢舊縣、 綰稱病。辟陽侯歸、具言綰反有端矣。【正義】方言云、端、緒也、 二月、使樊噲·周勃、將兵擊燕王綰。赦燕吏民與反者。立皇子建爲燕王。【考證】梁玉繩曰、擊綰王建、同在十二年二月中、諸侯王表、書燕王建以三月甲午封、誤、此與漢書高紀諸侯王表作二月可據、惟異姓表在十一年則誤甚、 高祖擊布時、爲流矢所

中、行道病。病甚。呂后迎良醫。醫入見。高祖問醫。醫曰。病可治。於是高祖嫚罵之曰。吾以布衣提三尺劍取天下。此非天命乎。命乃在天。雖扁鵲何益。【考證】祕閣本、楓、三本、凌引一本、作提、各本作持、 遂不使治病。賜金五十斤罷之。已而呂后問。陛下百歲後、蕭相國卽死、令誰代之。【考證】漢書高紀、問下有曰字、令誰作誰令、祕閣本、楓、三本、同、愚按、莊子齊物論、吾誰使正之、韓非子顯學篇、將誰使定後世之學乎、將誰使定儒墨之誠乎、誰字皆在使字上、 上曰。曹參可。問其次。上曰。王陵可。然陵少戇。陳平可以助之。【考證】祕閣本、楓、三本、然上有也字、 陳平智有餘。然難以獨任。周勃重厚少文。然安劉氏者必勃也。可令爲太尉。【考證】祕閣本、難下無以字、 呂后復問其次。上曰。此後亦非而所知也。【考證】中井積德曰、是數語恐有後人所附益也、 盧綰與數千騎居塞下候伺、幸上病愈自入謝。四月甲辰、高祖

崩長樂宮。【集解】皇甫謐曰、高祖以秦昭王五十一年生、至漢十二年、年六十二、【考證】漢書高紀注引臣瓚云、帝年四十二卽位、卽位十二年、壽五十三、梁玉繩曰、御覽八十七引史云、四月甲辰崩于長樂宮、時年六十二、在位十二年、葬長陵、今史記無之、愚按秦二世元年紀集解引徐廣云、高祖時四十八、與皇甫說同、據六國表、秦昭王五十一年、歲在乙巳、高祖蓋以是歲生、秦二世元年九月起兵、時年四十八、五十一爲漢王、五十五卽眞、以漢十二年歲在丙午崩、壽六十二、瓚說恐非也、張文虎曰、集解六十二、各本作六十三、誤、依御覽引改、四日不發喪。呂后與審食其謀曰。諸將與帝爲編戶民。【考證】顏師古曰、言列次名籍也、愚按猶言同爲匹夫也、今北面爲臣。此常怏怏。【考證】漢書高紀、此作心、今乃事少主。非盡族是、天下不安。人或聞之、語酈將軍。【集解】漢書曰、酈商、酈將軍往見審食其曰。吾聞帝已崩四日。不發喪、欲誅諸將。誠如此、天下危矣。陳平·灌嬰、將十萬守滎陽、樊噲·周勃、將二十萬定燕·代。此聞帝崩、諸將皆誅、必連兵還鄉、以攻關中。大臣內叛、諸侯外反、亡可翹足而待也。【考證】秘閣本、

二十作廿、三條本、諸侯作諸將、通鑑考異云、呂后雖暴戾、亦一旦盡誅大臣、又時陳平不在滎陽、樊噲不在代、此恐妄說、今不取、姚範曰、按陳平傳、平受詔誅樊噲於燕、聞帝崩馳還、道逢使者、詔平與灌嬰屯滎陽、此蓋高帝詔也、平雖受詔誅樊噲於燕、後乃至宮請宿衞、而酈商所據、則屯滎陽之詔、未知平之卽入也、樊噲擊陳豨於代、卽移擊燕、陳平釋未誅、固知其存矣、復統燕代兵、何不可、食其亦括約四人前後被詔、據有重兵耳、其事勢固誠可虞、呂后詎得史漢之記爲不實哉、審食其入言之。乃以丁未發喪、大赦天下。盧綰聞高祖崩、遂亡入匈奴。丙寅葬。【集解】徐廣曰、五月、己巳立太子。【正義】丙寅葬後四日、至巳巳卽立太子爲帝、有本脫巳字者、妄引漢書云巳下者非、【考證】漢書高紀云、五月丙寅葬長陵、已下、太子群臣皆反至太上皇廟、鄭氏注、已下、已下棺也、惠紀云、五月丙寅、太子卽皇帝位、陳仁錫曰、立字衍文、太子屬下讀、梁玉繩曰、丙寅上缺五月二字、丙寅下衍葬字、而論末葬長陵三字移此、此蓋錯簡也、己巳立三字、當據漢書作已下二字、至太上皇廟、【正義】三輔黃圖云、太上皇廟、在長安城香室南馮翊府北、括地志云、漢太上皇廟在雍州長安縣西北長安故城中酒池之北、高帝廟北、高帝廟亦在故城中也、羣臣皆曰。高祖起微細、【考證】梁玉繩曰、此時羣臣方議尊號、何得稱高祖、漢書作帝、是也、撥亂世反之正、平定天下、爲漢太祖。功最高。上尊號爲高皇帝。【考證】兪樾曰、高祖紀云、上尊號爲高皇帝、文帝紀云、上尊號曰孝文皇

帝、謂之尊號、而不曰謚、蓋亦避秦人臣子議君父之嫌也、太子襲號爲皇帝。孝惠帝也。【考證】秘閣本、楓山本、帝下有是字、令郡國諸侯各立高祖廟、以歲時祠。及孝惠五年、思高祖之悲樂沛、以沛宮爲高祖原廟。【集解】徐廣曰、光武紀云、上幸豐、祠高祖於原廟、駰案、謂原者再也、先旣已立廟、今又再立、故謂之原廟、高祖所教歌兒百二十人、皆令爲吹樂。【正義】上尺瑞反、下音岳、以前但有歌兒、今加吹樂、【考證】秘閣本、二十作廿、後有缺、輒補之。高帝八男。長、庶齊悼惠王肥、次、孝惠、呂后子、次戚夫人子趙隱王如意、次代王恆、【考證】楓、三本、惠下有帝字、梁玉繩曰、恆字當避、已立爲孝文帝。薄太后子。次梁王恢。呂太后時徙爲趙共王。次淮陽王友。呂太后時徙爲趙幽王。次淮南厲王長。次燕王建。

太史公曰。夏之政忠、忠之敝、小人以野。【集解】鄭玄曰、忠、質厚也、野、少禮節也、故殷

人承之以敬。敬之敝、小人以鬼、【集解】鄭玄曰、多威儀、如事鬼神、【考證】中井積德曰、鬼、尙鬼信禨祥也、集解如、楓、三本作而、故周人承之以文。文之敝、小人以僿。【集解】徐廣曰、一作薄、駰案、史記音隱曰、僿、音西志反、鄭玄曰、文、尊卑之差也、薄、苟習文法、無悃誠也、【索隱】鄭音先代反、鄒本作薄、音扶各反、本一作僿、而徐廣云、一作薄、是本互不同也、然此語本出子思子、見今禮表記作薄、故鄭玄注云、文、尊卑之差也、薄、苟習文法不悃誠也、裴又引音隱云、僿、音先志反、僿塞聲相近故也、蓋僿猶薄之義也、【正義】先代反、又音四、僿猶細碎也、言周末世、文細碎鄙陋薄惡、小人之甚、故救僿莫若以忠。【集解】鄭玄曰、復反始、【考證】凌稚隆曰、白虎通三教篇云、三王之有失、故立三教以相指受、夏人之王、教以忠、其失野、救野之失莫如敬、殷人之王、教以敬、其失鬼、救鬼之失、莫如文、周人之王、教以文、其失薄、救薄之失莫如忠、繼周尙黑、制與夏同、三者如順連環、周則復始、窮則反本、三王之道、若循環。終而復始。【考證】鄒衍作五德始終傳、史公終而復始之說、蓋祖其意、周·秦之閒、可謂文敝矣。秦政不改、反酷刑法。豈不繆乎。故漢興承敝易變、使人不倦。得天統矣。【正義】夏之政忠、忠之敝、其末世敗壞多威儀、若事鬼神、周人承殷爲文、其末細碎薄陋文法、無有悃誠、秦人承周不改敝、反成酷法嚴刑、故漢人承秦苛法、約法三章、反其忠政、使民不倦、得天統矣、故太史公引禮文爲此贊者、美高祖能變易秦敝、使

百姓安寧、【考證】秘閣本、無政字、不作弗、南化本、人作民、中井積德曰、天統、猶言天敍也、謂終始循環之統紀、非三統之統、**朝以十月、車服黃屋左纛。葬長陵。**【集解】皇甫謐曰、長陵山、東西廣百二十步、高十三丈、在渭水北、去長安城二十五里、【正義】括地志云、長陵在雍州咸陽縣東三十里、【考證】中井積德曰、車服下、宜有尙赤等語、分明闕語矣、又曰、葬長陵、是紀文之脫錯在于此、梁玉繩曰、葬長陵三字錯簡、當在丙寅句下、愚按殷本紀贊曰、孔子曰、殷路車爲善、而色尙白、與此贊遙相應、亦序五德之運也、長陵、陝西長安府咸陽縣東北、趙翼曰、漢初諸臣、惟張良出身最貴、韓相之子也、其次則張蒼、秦御史、叔孫通、秦博士、次則蕭何、沛主吏掾、曹參獄掾、任敖獄吏、周苛泗水卒史、傅寬魏騎將、申屠嘉材官、其餘陳平、王陵、陸賈、酈商、酈食其、夏侯嬰等皆白徒、樊噲則屠狗者、周勃則織薄曲吹簫給喪事者、灌嬰則販繒者、婁敬則輓車者、一時人才、皆出其中、致身將相、前此所未有也、蓋秦漢時爲天地一大變局、自古皆封建、諸侯各君其國、卿大夫亦世其家、成例相沿、視爲固然、其後積弊日甚、暴君荒主、既虐用其民、無有底止、强臣大族、又篡弑相仍、禍亂不已、再并而爲七國、益務戰爭、肝腦塗地、其勢不得不變、而數千年世侯世卿之局、一時亦難遽變、於是先從在下者起、游說則范雎、蔡澤、蘇秦、張儀等、徒步而爲相、征戰則孫臏、白起、樂毅、廉頗、王翦等、白身而爲將、此已開後世布衣將相之例、而兼并之力、尙在有國者、天方藉其力以成混一、固不能一旦掃除之、使四夫而有天下也、於是縱秦皇盡滅六國、以開一統之局、使秦當日施政施仁、與民休息、則禍亂不興、下雖無世祿之臣、而上猶是繼體之主也、惟其威虐毒痛、人人思亂、四海鼎沸、草澤競奮、於是漢祖以匹夫起事、角羣雄而定一尊、其君既起自布衣、其臣亦自多亡命無賴之徒、立功以取將相、此氣運成之也、天之變局、至

是始定、然楚漢之際、六國各立後、尙有楚懷王心、趙王歇、魏王咎、魏王豹、韓王成、韓王信、齊王田儋、田榮、田廣、田安、田市等、即漢所封功臣、亦先裂地王彭、韓等、繼分國侯絳、灌等、蓋人情習見前世封建故事、不得而遽易之也、乃不數年、而六國諸王皆敗滅、漢所封異姓八人、其七人亦皆敗滅、則知人情猶狃於故見、而天意已別換新局、故除之易易耳、而是時尙有分封子弟諸國、迨至七國反後、又嚴諸侯王禁制、除吏皆自天朝、諸侯王惟得食租衣稅、又多以事失侯、於是三代世侯世卿之遺法、始蕩然淨盡、而成後世徵辟選擧科目雜流之天下矣、豈非天哉、

【索隱】述贊、高祖初起、始自徒中、言從泗上、即號沛公、嘯命豪傑、奮發材雄、彤雲鬱碭、素靈告豐、龍變星聚、蛇分徑空、項氏主命、負約弃功、王我巴蜀、實憤于衷、三秦既北、五兵遂東、汜水即位、咸陽築宮、威加四海、還歌大風、

高祖本紀第八　史記八

史記會注考證卷九

漢　太史令　司馬遷　撰
宋　中郎外兵曹參軍　裴駰　集解
唐　國子博士弘文館學士　司馬貞　索隱
唐　諸王侍讀率府長史　張守節　正義
日本　出雲　瀧川資言　考證

呂后本紀第九　史記九

〔索隱〕呂太后本以女主臨朝、自孝惠崩後立少帝、而始稱制、正合附惠紀而論之、不然、或別爲呂后本紀、豈得全沒孝惠、而獨稱呂后本紀、合依班氏分爲二紀焉、〔考證〕

史公自序云、惠之早霣、諸呂不台、崇彊產祿、諸侯謀之、殺隱幽友、大臣洞疑、遂及宗禍、作呂太后本紀第九、愚按、史公舍惠帝而紀呂后、猶舍楚懷而紀項羽、蓋以政令之所出也、

呂太后者、〔集解〕徐廣曰、呂后父呂公、漢元年爲臨泗侯、四年卒、高后元年、追謚曰呂宣王、高祖微時妃也。〔集解〕漢書音義曰、諱雉、〔索隱〕諱雉、字娥姁也、〔考證〕方苞曰、戴記曲禮、天子之妃曰后、衞風氓詩序、喪其妃耦、竝音配、又戴記哀公問、妃以及妃、則知妃者通上下而言、義宜爲配也、生孝惠帝・女魯元太后。〔集解〕漢書音義曰、惠帝諱盈、及高祖爲漢王、得定陶戚姬。〔集解〕如淳曰、姬音怡、衆妾之總稱也、漢官儀曰、姬妾數百、蘇林曰、清河國有妃里、而題門作姬、瓚曰、漢秩祿令及茂陵書、姬內官也、秩比二千石、位次婕伃下、在七子八子之上、〔索隱〕如淳音怡、非也、茂陵書曰、姬是內官、是矣、然官號及婦人通稱姬者、姬、周之姓、所以左傳稱伯姬叔姬、以言天子之宗女貴於他姓、故遂以姬爲婦人美號、故詩曰、雖有姬姜、不弃顦顇、是也、〔考證〕顏師古曰、若姬是官號、不應云幸姬戚夫人、且外戚傳備后妃諸官、無姬職也、如云衆妾總稱、則近之、不當音怡、梁玉繩曰、此言定陶、則姬爲濟陰人、而魏蘇林注、謂清河國有妃里、水經注廿七卷又謂、夫人生于洋川、程大昌攷古編云、疑姻家因亂自定陶徙洋川、而高祖以王漢中時得之、未知孰是、愛幸生趙隱王如意。孝惠爲人仁弱。高祖以爲不類我。常欲

廢太子立戚姬子如意。如意類我。戚姬幸常從上之關東、日夜啼泣、欲立其子代太子。呂后年長、常留守、希見。上益疏。如意立爲趙王。後幾代太子者數矣。〔索隱〕幾、音其紀反、又音祈也、賴大臣爭之、及留侯策、太子得毋廢。〔索隱〕大臣張良叔孫通等、令太子卑詞安車以迎四皓、呂后爲人剛毅。佐高祖定天下、所誅大臣、多呂后力。呂后兄二人。皆爲將。長兄周呂侯死事。〔集解〕徐廣曰、名澤、高祖八年卒、謚令武侯、追謚曰悼武王、〔考證〕梁玉繩曰、呂澤封侯三年而卒、非死事也、中井積德曰、死事、蓋戰歿也、其謚悼、亦見其不終于牖下、洪亮吉曰、攷高紀、八年高祖擊韓王信餘寇於車垣、則澤當以此時死、封其子呂台爲酈侯。〔集解〕徐廣曰、酈一作鄜、〔索隱〕鄭氏鄒誕竝音怡、蘇林音胎、〔考證〕漢書作鄜、子產爲交侯。〔集解〕徐廣曰、台弟也、〔考證〕惠景侯年表、作郊、漢諸侯王表作洨、梁玉繩曰、洨侯之封、在高后元年四月、史漢表可據、當與後扶柳沛侯同敘、此誤書于高祖時、次兄呂釋之爲建成侯。〔集解〕徐廣曰、惠帝二年卒、謚康王、高祖、十二年四月甲辰、崩長樂宮。太子襲號

爲帝。是時高祖八子。長男肥、孝惠兄也。異母。〔索隱〕母曰曹姬也、肥爲齊王。餘皆孝惠弟。戚姬子如意爲趙王。薄夫人子恆爲代王。〔考證〕梁玉繩曰、恆字宜諱、諸姬子子恢爲梁王。子友爲淮陽王。子長爲淮南王。子建爲燕王。高祖弟交爲楚王。兄子濞爲吳王。非劉氏、功臣番君吳芮子臣爲長沙王。〔考證〕凌稚隆曰、太史公用非劉氏三字、已含呂氏不得爲王意、呂后最怨戚夫人、及其子趙王。〔考證〕梁玉繩曰、高祖時稱呂后、惠帝以後則稱太后、固史例也、乃自此至末、稱呂后者七、稱高后者八、稱呂太后者一、體例錯雜、皆當作呂太后、迺令永巷囚戚夫人。〔集解〕如淳曰、列女傳云、周宣王姜后脫簪珥待罪永巷、後改爲掖庭、〔索隱〕永巷、別宮名、有長巷、故名之也、後改爲掖庭、按韋昭云、以爲在掖門內、故謂之掖庭也、〔考證〕中井積德曰、永巷本後宮女使所居、群室排列、如巷街而長連、故名永巷、亦有獄、以治後宮有罪者、以其在永巷也、故亦稱永巷耳、漢書外戚傳云、呂后使永巷囚戚夫人、髡鉗衣赭衣令舂、而召趙王。使者三反。趙相建平侯周昌謂使者曰。高帝屬臣趙王。趙王年少。竊聞

太后怨戚夫人、欲召趙王幷誅之。臣不敢遣王。王且亦病。不能奉詔。呂后大怒、迺使人召趙相。趙相徵至長安。迺使人復召趙王。王來未到。孝惠帝慈仁。知太后怒、自迎趙王霸上。與入宮。自挾與趙王起居飲食。太后欲殺之不得閒。孝惠元年十二月、帝晨出射。趙王少。不能蚤起。太后聞其獨居、使人持酖飲之。〔集解〕應劭曰、酖鳥食蝮、以其羽畫酒中、飲之立死、〔正義〕酖亦名運日、又食野葛、畫酒中飲、立死、犂明孝惠還。〔集解〕徐廣曰、犂、猶比也、諸言犂明者、將明之時、〔考證〕漢書外戚傳、犂作遲、下無明字、王念孫曰、帝晨出射、則天將明矣、及既射而還、則在日出之後、不得言黎明孝惠還也、黎明孝惠還、當作犂孝惠還、明字衍、言比及孝惠還、而趙王已死也、漢書作遲帝還、無明字、晉世家、黎二十五年、與黎孝惠還同義、趙王已死。於是迺徙淮陽王友爲趙王。夏、詔賜酈侯父追謚爲令武侯。〔索隱〕令、音齡、太后遂斷戚夫人手足、去眼煇耳。〔考證〕張文虎曰、煇、御覽引、作燻、漢書外戚傳作熏、

飲瘖藥、使居廁中。命曰人彘。〔考證〕漢傳、作居鞠域中、注、謂窟室也、荀紀亦云、鞠室、居數日、迺召孝惠帝、觀人彘。孝惠見問、迺知其戚夫人。迺大哭。因病。歲餘不能起。使人請太后曰。此非人所爲。臣爲太后子、終不能治天下。〔考證〕張文虎曰、御覽、人下有之、顏師古曰、令太后視事、己自如太子然、胡三省曰、惠帝之意、蓋自謂身爲太后子、而不能容父之寵姬、是終不能治天下也、孝惠以此日飲爲淫樂。不聽政。故有病也。〔考證〕張文虎曰、御覽、病作疾、二年、楚元王·齊悼惠王皆來朝、十月、孝惠與齊王燕飲太后前。孝惠以爲齊王兄。置上坐、如家人之禮。〔考證〕顏師古曰、以兄弟齒列、不從君臣之禮、故曰家人也、太后怒、迺令酌兩卮。〔考證〕漢書齊惠悼王傳、令下有人字、張文虎曰、王柯凌本、無令字、酖置前。令齊王起爲壽。齊王起。孝惠亦起。取卮欲俱爲壽。太后迺恐、自起泛孝惠卮。〔索隱〕泛、音捧、汎也、〔考證〕洪頤煊曰、漢書武帝紀、夫泛駕之馬、師古云、泛、覆也、食貨志、大命將泛、孟康云、泛、覆也、齊惠悼王傳、作太后恐自

起反卮、反卽覆也、並字異而義同、齊王怪之、因不敢飲。詳醉去、問知其酖。齊王恐自以爲不得脫長安憂。〔考證〕詳讀爲佯、漢書作陽、齊內史士、〔集解〕徐廣曰、一作出、〔考證〕此與漢書悼惠傳皆作內史士、而史世家作內史勳、曰士、曰勳、所傳不同、必當其名、內史官名、說王曰。太后獨有孝惠與魯元公主。〔集解〕如淳曰、公羊傳曰、天子嫁女於諸侯、必使諸侯同姓者主之、故謂之公主、百官表、列侯所食曰國、皇后公主所食曰邑、諸侯王女曰公主、蘇林曰、公、五等尊爵也、春秋聽臣子以稱君父、婦人稱主、有主孟啗我之比、故云公主、瓚曰、天子之女、雖食湯沐之邑、不君其民、〔索隱〕啗、音徒濫反、按主是謂里克妻、卽優施之語、事見國語、孟者且也、言且啗我物、我教汝婦事夫之道、此卽婦人稱主之意耳、比、音必二反、〔考證〕梁玉繩曰、孝惠見在、公主未卒、漢書改爲帝是矣、而公主仍魯元之稱、何歟、時張偃未爲魯王、元乃是謚、韋昭注甚明、服虔訓元爲長、非、崔適曰、當曰太后獨有帝與公主爾、今王有七十餘城。而公主迺食數城。王誠以一郡上太后、爲公主湯沐邑、太后必喜。王必無憂。於是齊王迺上城陽之郡、尊公主爲王太后。〔集解〕如淳曰、張敖子偃爲魯王、故公主得爲太后、〔正義〕公主此時爲宣平侯夫人、正以公主先是趙王敖后、其子偃當爲王、今齊王未敢言偃爲王、故先請其母、旣未知偃之封號、但言爲王太后、下云、

賜謚魯太后、以偃後封魯故也、〔考證〕顏師古曰、如說非也、蓋齊王、請尊公主爲齊太后、以母事之、用悅媚呂太后耳、若魯元以子爲魯王、自合稱太后、何待齊王尊之乎、據張耳傳、高后元年、魯元太后薨、後六年、宣平侯敖薨、呂太后立敖子偃爲王、以母爲太后故也、是則偃以母爲齊王太后、而得王、非母因偃乃爲太后也、中井積德曰、是時張敖爲宣平侯、未死、子偃未爲魯王、則公主不得稱后、特建號爲王太后、若爲王母者然、不得拘定制作解、呂后喜許之、迺置酒齊邸。〔正義〕漢法、諸侯各起邸第於京師、樂飲、罷歸齊王。三年、方築長安城。四年、就半。五年、六年、城就。〔索隱〕按漢宮闕疏、四年築東面、五年築北面、漢舊儀、城方六十三里、經緯各十二里、三輔舊事云、城形似北斗也、〔考證〕梁玉繩曰、築長安城、始于元年、成于五年、至六年、起西市大倉、蓋城既成、而乃爲市及倉也、名臣表及漢書惠紀可證、此言三年方築城、六年城成、誤矣、沈家本曰、惠帝紀五年九月長安城成、則五年六年、乃五年九月之訛、諸侯來會十月朝賀。七年秋八月戊寅、孝惠帝崩。〔集解〕皇甫謐曰、帝以秦始皇三十七年生、崩時年二十三、〔考證〕王鳴盛曰、帝年五歲、高祖爲漢王、二年立爲太子、年六歲、十二年高祖卽位、時年十六、又七年崩、年二十三、愚按臣瓚注漢書爲二十四崩、誤也、發喪。太后哭。泣不下。留侯子張辟彊爲侍中。〔集解〕應劭曰、入侍天子、故曰侍中、〔考證〕漢書外戚傳、哭下有而字、年十五。謂丞相曰。太后獨有孝惠。

今崩、哭不悲。君知其解乎。【正義】解、紀賣反、言哭解惰有所思也、又音戶賣反、解、節解也、又紀買反、謂解說也、【考證】漢傳、孝惠作帝、哭下有而字、梁玉繩曰、孝惠纔崩、未必有諡號、作帝是也、愚按、解、謂解說也、 丞相曰、何解。辟彊曰、帝毋壯子。【正義】毋音無、 太后畏君等。君今請拜呂台・呂產・呂祿爲將、將兵居南北軍。【考證】梁玉繩曰、南北軍、不容三人將之、漢傳無呂祿、甚是、祿乃繼台將北軍者也、 及諸呂皆入宮、居中用事。如此則太后心安。君等幸得脫禍矣。丞相迺如辟彊計。太后說、其哭迺哀。呂氏權由此起。【考證】梁玉繩曰、此所云丞相者、右丞相王陵乎、左丞相陳平乎、漢傳明著之曰陳平、是也、陵能持白馬之議、以折太后、其不肯用辟彊計、明甚、然何以不面斥而力持之、亦不可解、辟彊此計、起諸呂之權、罪不容誅、不意留侯有此逆子、唐文粹有李德裕辟彊論、深罪之、史記評林、明徐禎卿曰、書留侯子、惜留侯也、而丞相竟從之、可怪、宋胡寅讀史管見論平勃阿意之罪甚大、自不可易、于辟彊童子何誅焉、愚按、呂氏權由此起六字、理正詞嚴、曲逆甘服其罪、 迺大赦天下。九月辛丑葬。【集解】漢書云、葬安陵、皇覽曰、山高三十二丈、廣袤百二十步、居地六十畝、皇甫謐曰、去長陵十里、在長安北三十五里、【考證】當依漢書葬下補安陵二字、藝文類聚引楚漢春秋云、惠帝崩、呂太后欲爲高墳、使從未央宮坐而見

之、諸將諫不許、東陽侯垂泣曰、陛下日夜見惠帝冢、悲哀流涕無已、是傷生也、臣竊哀之、太后乃止、東陽侯張相如也、此事史漢不載、 太子卽位、爲帝。謁高廟。【考證】梁玉繩曰、此所謂此所稱爲少帝者、史漢不言其名、蓋孝惠後宮子、正義引劉伯莊謂幸呂氏有身而入宮生子者妄、愚按、張辟彊旣曰帝毋壯子、其有子、明矣、 元年、號令一出太后。太后稱制。【考證】顏師古曰、天子之言、一曰制書、二曰詔書、制書者、謂制度之命也、非皇后所得稱、今呂太后臨朝行天子事、斷決萬機、故稱制詔、 議欲立諸呂爲王。問右丞相王陵。王陵曰、高帝刑白馬盟曰、非劉氏而王、天下共擊之。【考證】漢興年表序云、高祖末年、非劉氏而王者、若無功上所不置而侯者、天下共誅之、 今王呂氏、非約也。太后不說。問左丞相陳平・絳侯周勃。勃等對曰、高帝定天下、王子弟。今太后稱制、王昆弟諸呂。無所不可。太后喜、罷朝。王陵讓陳平・絳侯曰、始與高帝啑血盟。諸君不在邪。【索隱】啑、鄒音使接反、又云、或作喢、音丁牒反、 今高帝崩、太后女主、欲王呂氏。諸君縱欲阿意背約、何面目見

高帝地下。陳平・絳侯曰、於今面折廷爭、臣不如君。夫全社稷、定劉氏之後、君亦不如臣。王陵無以應之。十一月、太后欲廢王陵、乃拜爲帝太傅、奪之相權。【集解】應劭曰、傅、古官、傅者覆也、瓚曰、大戴禮云、傅之德義、 王陵遂病免歸。迺以左丞相平爲右丞相。【考證】楓山・三條本、病上有稱字、自左丞相遷右丞相、可見漢時尚右、趙翼曰、尚左尚右、諸家之說紛紛、老子云、君子居則貴左、用兵則貴右、又云、凶事尚右、按凶事兵事之尚右、固有明證、檀弓、孔子拱而尚右、二三子皆尚右、孔子曰、我則有姊之喪故也、此凶事之尚右也、左傳、楚莊王乘左廣以逐晉師、見右廣將從之乘、屈蕩止之曰、君以此始、亦以此終、自是楚之乘廣尚左、則以偶王乘左廣得勝、遂改從尚左、可見平時用兵、亦已尚右也、此戎事尚右之證也、戎事凶事、旣尚右、則非戎事凶事、自當尚左、詩書所載、凡言左與右、必曰左右、不曰右左、則左先於右可知、覲禮、諸侯朝於天子、同姓西面北上、異姓東面北上、若論異姓爲後之義、則朝儀固尚左、檀弓、二三子因孔子有姊喪之言、遂改而尚左、則平時本亦尚左、此明證也、惟鄉飮酒禮、主人就東階、客就西階、所謂賓西北、取天地尊嚴之氣、主東南、取產悔以養人、此則別有取義、而後人習見夫賓位居右、以爲尊敬、遂凡事皆尚右、左傳、晉士蔿曰、分土而封之、是左之也、王叔與伯輿爭政、王右伯輿、國策、趙王以藺相如爲上卿、位在廉頗右、頗曰、相如徒以口舌位在我上、我必殺之、蘇代謂魏王曰、公孫衍將右韓而左魏、田文將右齊而左魏、說苑君道篇、郭隗曰、君將

東面以求臣、則厮役之材至、西面以求臣、則朋友之材至、此皆戰國尚右之明證也、信陵君從車騎、虛左、自迎侯生、則車中之制、與他處不同、禮記、乘君之乘車、不敢曠左、註謂車上御者在右、所以便作事、而君則在左、故乘車尊左也、史記、鴻門之宴、項王東向坐、韓信得廣武君、東向而師事之、則秦時亦尚右、漢承秦制、亦以右爲尊、史記、陳平願以右丞相讓周勃、帝乃以勃爲右丞相、位次第一、平爲左丞相、位次第二、武安侯召客、自坐東向、以爲漢相尊、當然、灌夫遇有勢在己之右者必陵之、在己之左者則敬之、漢書、黃霸初以入穀爲吏馮翊、以其入財得官、不署右職、顏師古曰、右職、高職也、其有得罪下遷者、則曰左遷、史記、韓王信謂漢王曰、項王王諸將善地、而王獨遠居、是左遷也、漢書、高祖欲以周昌爲趙相、昌不肯、高祖曰、吾極知其左遷、又諸侯王表序云、武帝有衡山淮南之謀、乃作左官之令、服虔曰、仕於侯國者曰左官、以不得仕王朝也、是兩漢尊右卑左、久爲定制、至漢以後改從尚左、則不知始於何時、愚按、左右尊卑之說、又見吳仁傑兩漢刊誤補遺、王鳴盛十七史商榷、全祖望經史問答、 以辟陽侯審食其爲左丞相。【索隱】按韋昭云、辟陽、信都之縣名、 左丞相不治事。令監宮中、如郎中令。食其故得幸太后、常用事。公卿皆因而決事。【考證】審食其嘗從呂后在項羽軍中、與同患難、 迺追尊酈侯父爲悼武王、欲以王諸呂爲漸。四月、太后欲侯諸呂。迺先封高祖之功臣郎中令無擇爲博城侯。【集解】徐廣曰、姓馮、【正義】括地志云、兗州博城、本漢博城縣城、 魯元公

主薨。賜謚爲魯元太后。子偃爲魯王。魯王父宣平侯張敖也。【考證】中井積德曰、旣號魯元太后、是爲魯王之母也、故封其子爲魯王、使謚號相稱也、是雖一時之事、而母主子客、其先時稱王太后者、是假號、未有國也、封齊悼惠王子章爲朱虛侯、【索隱】虛、音墟、琅邪縣也、【正義】括地志云、朱虛故城、在青州臨朐縣東六十里、漢朱虛也、十三州志云、丹朱遊故虛、故云朱虛也、虛、猶丘也、朱、猶丹也、以呂祿女妻之。齊丞相壽爲平定侯。【集解】徐廣曰、姓齊、【考證】梁玉繩曰、齊壽、史漢表皆作受、疑以音同而誤、猶張敖子樂昌侯壽、史漢表亦作受、王子表、有楡丘侯劉壽福、漢表又作受福也、少府延爲梧侯。【集解】徐廣曰、姓陽成也、延以軍匠起、作宮築城也、乃封呂種爲沛侯。【集解】徐廣曰、釋之子也、【正義】括地志云、徐州沛縣古城也、呂平爲扶柳侯。【集解】徐廣曰、呂后姊子也、母字長姁、【正義】括地志云、扶柳故城、在冀州信都縣西三十里、漢扶柳縣也、有澤、澤中多柳、故曰扶柳、【考證】徐廣注、依惠景間侯年表、中井積德曰、呂平、呂后姊子、則不當姓呂、是恐有謬、張買爲南宮侯。【集解】徐廣曰、其父越人、爲高祖騎將、【考證】中井積德曰、張買敍于諸呂下、豈呂之姻族乎、年表、八年、買坐呂氏事誅、梁玉繩曰、太后續封高祖功臣、以爲侯諸呂之漸、則是先封馮無擇等四人、再封呂種等也、乃此紀博城侯下、忽揷入公主之薨、張偃之王、劉章之侯、大覺不倫、史公敍事、何若是之倒亂哉、余謂魯元公主薨廿六字、當在南宮侯句下、蓋偃與孝惠子同

王也、封齊悼惠王子十七字、當在後文二年呂王嘉代立爲王句下、蓋呂嘉以二年十一月嗣位、劉章以五月封也、太后欲王呂氏、先立孝惠後宮子彊爲淮陽王、【集解】韋昭曰、今陳留郡、子不疑爲常山王、【正義】括地志云、常山故城、在恆州眞定縣南八里、本漢東垣邑也、子山爲襄城侯、【索隱】按下文、更名義、又改名弘農、漢書襄城侯唯云名弘、蓋史省文耳、按志、襄城屬潁川也、【考證】張文虎曰、襄城、中統游本作城、他本譌成、下同、子朝爲軹侯、【索隱】按韋昭云、河內有軹縣、音紙也、【正義】括地志云、故軹城、在懷州濟源縣東南十三里、七國時魏邑、子武爲壺關侯。【考證】據表、孝惠又有後宮子大、四年二月封曰平昌侯、後爲濟川王、太后風大臣。大臣請立酈侯呂台爲呂王。【正義】初呂台爲呂王、後呂產王梁、更名梁曰呂、太后許之。建成康侯釋之卒。嗣子有罪。廢。立其弟呂祿爲胡陵侯、【集解】徐廣曰、呂祿、釋之少子、胡陵、縣名、屬山陽、章帝改曰胡陸、【正義】續康侯後。二年、常山王薨。以其弟襄城侯山爲常山王。更名義。【考證】梁玉繩曰、常山王薨至名義十八字、當在呂嘉代立下、蓋呂在十一月、常山在七月也、張文虎曰、案如梁說、當以朱虛、次呂嘉、以常山次朱虛、十一月、呂王台薨。謚爲肅王。

太子嘉代立爲王。三年、無事。【集解】漢書云、秋星晝見、四年、封呂須爲臨光侯。【考證】呂后女弟、樊噲妻、婦人封侯自此始、呂他爲兪侯。【索隱】他、音陁、兪、音輸、【正義】括地志云、故鄃城、在德州平原縣西南三十里、本漢鄃縣、呂他邑也、呂更始爲贅其侯。【集解】徐廣曰、表云、呂后昆弟子淮陽丞相呂勝爲贅其侯、【索隱】按表、作臨淮、【考證】中井積德曰、年表有滕侯呂更始、而贅其侯爲呂勝、是必有一誤、杭世駿曰、贅其侯名、似應從年表作滕、更始自屬滕侯之名、本文偶誤耳、滕侯與贅其皆諸侯相、贅其呂后昆弟子、滕侯不詳支屬、而皆以八年誅、則其爲同宗可知、然贅其不入侯相之例、而滕侯不附諸呂之中、其以親疏別歟、張文虎曰、索隱表作、當作志屬、呂忿爲呂城侯。【正義】括地志云、故呂城、在鄧州南陽縣西三十里、呂尚先祖封、及侯諸侯丞相五人。【集解】徐廣曰、中邑侯朱通、山都侯王恬開、松茲侯徐厲、滕侯呂更始、醴陵侯越、【考證】及下侯字、據古鈔、三條本補、梁玉繩曰、侯表、是年四月丙申封侯者、朱通、衞無擇、王恬開、徐厲、周信、及越六人、非五人也、六人中衞無擇是衞尉、周信是河南守、非皆諸侯相也、此誤、徐廣注不數無擇周信者、牽入呂更始爲五人、豈未檢侯表乎、宣平侯女爲孝惠皇后。時無子。【考證】張文虎曰、舊刻無時字、詳爲有身、取美人子名之。【正義】劉伯莊云、諸美人元幸呂氏、懷身而入宮生子、【考證】徐孚遠曰、本言張皇后無子、不言惠帝無子、美人子、卽後宮所生、非必元幸呂氏懷身而入宮者、周壽昌曰、漢書外戚傳、美人視二千石、

比少上造、五行志云、皇后亡子、後宮美人有男、太后使皇后名之、而殺其母、惠帝崩、嗣子立、志明曰有男、曰嗣子、可證太子爲孝惠所生也、燕靈王傳云、有美人子、太后殺之絕後、正言燕王美人子、卽王子也、此可例推、殺其母、立所名子爲太子。【考證】張文虎曰、御覽引爲上有以字、孝惠崩。太子立爲帝。【正義】此述前事也、帝壯。【考證】張文虎曰、壯字疑衍、或聞其母死、非眞皇后子、迺出言曰。后安能殺吾母而名我。我未壯。壯卽爲變。【考證】楓、三本、后上有太字、太后聞而患之、恐其爲亂、迺幽之永巷中、言帝病甚。左右莫得見。太后曰。凡有天下治、爲萬民命者。【集解】徐廣曰、一無命字、【考證】張文虎曰、漢書呂紀無爲字命字、皆衍、李笠曰、史記以有天下治、與爲萬民命對擧、治字實用、謂天下治權也、與漢書治萬民不同、史漢不妨互異、張說未然、蓋之如天、容之如地。上有歡心以安百姓、百姓欣然以事其上。歡欣交通、而天下治。今皇帝病久不已。迺失惑惛亂、不能繼嗣奉宗廟祭祀。不可屬天下。其代之。【考證】漢書、其下有議字、羣臣

皆頓首言。皇太后爲天下齊民計。所以安宗廟社稷甚深。羣臣頓首奉詔。【考證】楓、三本、臣下有皆字、 帝廢位。太后幽殺之。【考證】此漢廢帝之始、 五月丙辰、立常山王義爲帝、更名曰弘。不稱元年者、以太后制天下事也。以軹侯朝爲常山王。置太尉官。絳侯勃爲太尉。【考證】漢書百官公卿表云、太尉秦官、掌武事、梁玉繩曰、絳侯世家云、孝惠六年置太尉官、以勃爲太尉、十歲高后崩、漢書百官公卿表云、孝惠六年、絳侯周勃復爲太尉、十年遷、夫自惠帝六年至呂后八年崩、正合十年之數、若謂呂后四年始置太尉、則止五年耳、此與功臣及將相表皆誤、漢書惠紀七年、書太尉灌嬰亦誤、 五年八月、淮陽王薨。以弟壺關侯武爲淮陽王。六年十月、太后曰。呂王嘉居處驕恣。廢之。以肅王台弟呂產爲呂王。【考證】呂產爲呂王、漢興年表惠景表、作七月、漢書作十一月、恐誤、 夏赦天下。封齊悼惠王子興居爲東牟侯。【集解】韋昭云、東萊縣、 七年正月、太后召趙王友。友以諸呂女爲后。弗愛。愛他姬。

諸呂女妒、怒去、讒之於太后、誣以罪過曰。呂氏安得王。太后百歲後、吾必擊之。太后怒。以故召趙王。趙王至。置邸不見。令衞圍守之。弗與食。其羣臣或竊饋。輒捕論之。趙王餓。乃歌曰。諸呂用事兮、劉氏危。迫脅王侯兮、彊授我妃。【考證】漢書高五王傳、危作微、微妃韻、王念孫曰、危、古音魚戈反、不與妃爲韻、 我妃既妒兮、誣我以惡。讒女亂國兮、上曾不寤。【考證】惡寤韻、 我無忠臣兮、何故弃國。自決中野兮、蒼天擧直。【集解】徐廣曰、擧一作與、【考證】顏師古曰、擧直、言己之理直、冀天臨鑒之、愚按國直韻、 于嗟不可悔兮、寧蚤自財。爲王而餓死兮、誰者憐之。呂氏絕理兮、託天報仇。【考證】錢大昕曰、財與裁同、寧蚤自裁、悔不早自引決也、漢書作賊、顏師古訓爲害、義亦通、方東樹曰、財與之仇韻、梁玉繩曰、仇、音奇、又曰、漢書財作賊、賊字與上國直韻叶、所傳異詞、不得便謂漢書謬、 丁丑、趙王幽死。以民禮葬之長安民冢次。己丑、日食。晝晦。【考證】梁玉繩曰、漢書作

己丑晦、日有食之、通鑑目錄云、七年正月庚申、則己丑是晦日、 太后惡之。心不樂。乃謂左右曰。此爲我也。二月、徙梁王恢爲趙王。呂王產徙爲梁王。梁王不之國、爲帝太傅。立皇子平昌侯太爲呂王、更名梁曰呂。呂曰濟川。【考證】梁玉繩曰、漢書異姓恩澤二表、太作大、張文虎曰、通鑑亦作太、錢大昕曰、呂后二年、割齊之濟南郡爲呂王奉邑、及呂產徙王梁地、改呂國曰濟川、以王孝惠之子、則濟川即濟南也、諸呂既誅、先徙濟川王於梁、乃告齊王令罷兵、蓋仍以濟南還齊矣、 太后女弟呂嬃有女。爲營陵侯劉澤妻。【索隱】韋昭云、呂嬃樊噲妻、封林光侯、 澤爲大將軍。太后王諸呂、恐即崩後劉將軍爲害、迺以劉澤爲琅邪王、以慰其心。梁王恢之徙王趙。心懷不樂。太后以呂產女爲趙王后、王后從官皆諸呂、擅權微伺趙王。趙王不得自恣。王有所愛姬。王后使人酖殺之。王乃爲歌詩四章、令樂人歌之。王悲。六月即自殺。太后聞之、以

爲王用婦人弃宗廟禮。廢其嗣。宣平侯張敖卒。以子偃爲魯王。敖賜謚爲魯元王。【考證】梁玉繩曰、敖卒于呂后六年、此在七年、誤、公主食邑于魯、其卒也謚元、張敖以趙王降侯宣平、其卒也謚武、今因妻稱魯元、子爲魯王、別賜敖謚爲魯元王、可怪也、大事記云、敖尙無恙、而封偃魯王者、繼公主之後也、敖死、始從公主之謚、追封魯元王、不使子繼父而繼母、不使婦從夫而從婦、悖于三綱甚矣、 秋、太后使使告代王、欲徙王趙。代王謝、願守代邊。【考證】茅坤曰、文帝不敢徙趙、便有畏呂后而自遠之識、 太傅產・丞相平等言。武信侯呂祿、【集解】徐廣曰、呂后兄子也、前封胡陵侯、蓋號曰武信、【考證】中井積德曰、武信蓋嘗改封耳、非虛號、 上侯位次第一。【集解】如淳曰、功大者位在上、【考證】梁玉繩曰、高祖定侯位、蕭何第一、曹參第二、其後功臣侯表、有第一第二之次也、呂后錄第、雖曲升張敖爲第三、而蕭曹之位、確然不易、彼無功績封之呂祿、安得稱上侯第一乎、大事記謂呂后二年定位時、蕭曹皆死、必遞遷第三之張敖爲第一、敖既死、遂以祿補其處、或當然耳、蓋陳平阿意順之、 請立爲趙王。太后許之。追尊祿父康侯爲趙昭王。九月、燕靈王建薨。有美人子。太后使人殺之。無後。國除。八年十月、立呂肅王子東平侯

呂通爲燕王。封通弟呂莊爲東平侯。【考證】梁玉繩曰、呂通封鍾侯、非東平也、此與諸侯王表竝誤、而東平之封、史漢表、在五月、則當書後文呂榮爲祝茲侯句下、而衍去封字、蓋祝茲等四侯、以四月封、此敍在十月、誤矣、又東平侯之名、紀作莊、表作壯、而漢表作庀、師古云、匹履反、則作莊作壯者竝誤、不然、漢書當作嚴字、何以別作庀耶、或云、此侯有二名、三月中、呂后祓還。【正義】祓、芳弗反、又音廢、後同、【考證】漢書五行志、作祓霸上還、顏師古曰、除惡之祭、過軹道、見物如蒼犬、據高后掖。【集解】徐廣曰、音戟、【考證】漢書五行志、作撠、顏師古曰、謂拘持之也、愚按、據、依據之據、不必改字、王若虛曰、呂后高后、似是兩人、但云據其掖、可矣、愚按掖讀爲腋、忽弗復見。卜之云。趙王如意爲祟。高后遂病掖傷。高后爲外孫魯元王偃、年少蚤失父母孤弱、【考證】中井積德曰、元者趙敖夫妻之謚、不當更稱其子、蓋衍文、梁玉繩曰、漢書張耳傳無元字、是也、此及耳傳竝誤增、迺封張敖前姬兩子侈爲新都侯、【考證】梁玉繩曰、史漢表傳、竝作信都、此誤、但新信二字、史漢互用、處甚多、顏師古云、信新同音故耳、壽爲樂昌侯、以輔魯元王偃。【集解】徐廣曰、樂昌侯食細陽之池陽鄉、【考證】梁玉繩曰、壽、史漢表作受、說見前、及封中大謁者張釋爲建陵侯。【集解】徐廣曰、一云張釋卿、駰案如淳曰、百官

表、謁者掌賓贊受事、灌嬰爲中謁者、後常以奄人爲之、諸官加中者、多奄人也、【考證】洪頤煊曰、張釋、年表作張澤、荊燕世家、大謁者張子卿、漢書高后紀作張釋卿、燕王澤傳作張卿、周勃傳作張釋、文選宦者傳論李善注、張釋字子卿、字從文省、竝是一人、梁玉繩曰、澤釋古通、愚按宦官爲列侯、始於此、以其勸王諸呂賞之也、呂榮爲祝茲侯。【集解】徐廣曰、呂后昆弟子、諸中宦者令丞、皆爲關內侯、食邑五百戶。【集解】如淳曰、列侯出關就國、關內侯但爵其身、有加異者、與關內之邑、食其租稅也、風俗通義曰、秦時六國未平、將帥皆家關中、故稱關內侯、【考證】漢書呂紀、中下有官字、顏師古曰、諸中官、凡閹人給事於中者皆是也、宦者令丞、宦者署之令丞、七月中、高后病甚。迺令趙王呂祿爲上將軍、軍北軍。呂王產居南軍。【考證】張文虎曰、軍北軍字、當作居、漢書通鑑、正作居北軍、兪正燮曰、漢初南北軍、刑法志云、高祖天下既定、京師有南北軍之屯、語惟見此、百官表無之、他紀傳亦不說、今案高祖時之南北軍、以衞兩宮、漢五年、治長樂宮、八年、治未央、皆有衞、長樂在東、爲北軍、未央在西南、爲南軍、高帝初居長樂宮、七年長樂宮成、朝十月、帝輦出房、是也、八年治未央、而十一年呂后殺淮陰侯於長樂鐘室、則帝居未央、后居長樂、所謂戚姬常從、呂后希見、上益疎、是也、至太子位定、帝始居長樂、十二年崩於長樂宮、是也、惠帝居未央、太后居長樂、帝以數朝蹕煩民、是也、少帝亦居未央宮、后使呂祿領北軍、呂產爲相領南軍、是也、知兩軍初是兩宮衞者、呂后崩時誡祿產、必據兵衞宮、毋送葬、是也、知北軍是長樂者、周勃入北軍、初問爲呂右袒、爲劉左袒、北軍衞呂后、故兩問也、知南軍是衞未央者、

南軍相國呂產、不知北軍已失、乃入未央宮、周勃分北軍卒千人、予朱虛侯、令入宮衞帝、乃殺產、帝國勞之、又殺呂更始、乃還、馳入北軍、報周勃、又代王至未央宮、謁者拒代王曰、天子在、是少帝居未央、呂產領南軍相少帝、俱在未央也、至文帝時、乃合南北軍、夜拜宋昌爲衞將軍、鎭撫南北軍、以張武爲郎中令、行殿中、是也、其後中壘掌北軍、郎中掌南軍、宮室日益、南軍名沒、而北軍名存、戾太子白皇后于未央宮、而發長樂宮衞、則北軍猶衆也、吳仁傑曰、漢之兵制、常以北軍爲重、周勃一入北軍、而呂產呂更始輩、東手就戮、戾太子不得北軍之助、而卒敗于丞相之兵、兩軍之勢、大略可覩矣、呂后初從大臣之請、用呂台居北軍、而南軍則用劉澤如故、澤妻后女弟呂嬃女、后意以兩軍惟北軍爲重、既得其柄、南軍又嬃子婿居之、宜無足患、至七年、乃復長慮却顧、使澤之國、而以南軍付呂產、史記於八年載后病困、乃以呂祿居北軍、非也、呂台卒于后之二年、祿蓋代台者、則其居北軍、非始於后病困之日、呂太后誡產·祿曰。高帝已定天下、與大臣約曰。非劉氏王者、天下共擊之。今呂氏王。大臣弗平。我即崩、帝年少、大臣恐爲變。必據兵衞宮、愼毋送喪。毋爲人所制。【考證】李笠曰、下毋字疑衍、漢書外戚傳無、辛巳、高后崩。【考證】張文虎曰、梁玉繩云、通鑑目錄、辛巳是八月朔、當日曆法疎、安知不以爲七月晦、案顓頊術殷術、八月皆辛巳朔、與通鑑合、漢書七月、承史誤、梁因下文書八月而致疑、實則八乃九之譌、愚按、將相年表亦以辛巳屬七月、遺詔賜諸侯王各千金、

【集解】蔡邕曰、皇子封爲王者、其實古諸侯也、加號稱王、故謂之諸侯王、王子弟封爲侯者、謂之諸侯、將相列侯郎吏、皆以秩賜金、大赦天下。以呂王產爲相國。【考證】梁玉繩曰、產爲相國、當在七年七月、蓋審食其免、即以產嗣相位也、漢書高后紀固言七年產爲相國、但誤書于五月以前耳、此及將相表、書于八年七月、惠景侯表、書于八年九月、竝誤、食其免相在七年七月、見百官公卿表、以呂祿女爲帝后、【考證】祿女爲后、當在四年少帝弘即位之時、漢書外戚傳可證、此誤、高后已葬。【集解】皇甫謐曰、合葬長陵、皇覽曰、高帝呂后、山各一所也、以左丞相審食其爲帝太傅。【考證】梁玉繩曰、事在七年七月、公卿表甚明、此與將相表同誤、趙翼曰、母后臨朝、肆其妬害、世莫不以呂武竝稱、然非平情之論也、武后改朔易朝、徧王諸武、殺唐子孫幾盡、甚至自殺其子孫數人、以縱淫慾、其惡爲古今未有、呂后則當高帝臨危時、問蕭相國後孰可代者、是固以安國家爲急也、孝惠既立、政由母氏、其所用曹參王陵陳平周勃等、無一非高帝注意安劉之人、是惟恐孝惠之不立、不能守業、非如武以嫌忌而殺太子弘太子賢也、后所生、惟孝惠及魯元公主、其他皆諸姬子、使孝惠在、則方與孝惠圖治計長久、觀於高祖欲廢太子時、后迫留侯畫策、至跪謝周昌之廷諍、則其母子間可知也、迨孝惠既崩、而所取後宮子立以爲帝者、又以怨懟而對、於是己之子孫無在者、則與其使諸姬子據權勢以凌呂氏、不如先張呂氏以久其權、故孝惠時未嘗王諸呂、王諸呂、乃在孝惠崩後、此則后之私心短見、蓋嫉妬者婦人之常情也、然所其最妬、亦祇戚夫人母子、以其先寵幸時、幾至於奪嫡、故高帝崩後、即殺之、此外諸姬子、如文帝、

封於代、則聽其母薄太后隨之、淮南王長無母、依呂后以成立、則始終無恙、齊悼惠王以孝惠庶兄、失后意、后怒欲酖之、已而悼惠獻城陽郡、爲魯元湯沐邑、卽復待之如初、其子朱虛侯嘗入侍宴、請以軍法行酒、斬諸呂逃酒者一人、后亦未嘗加罪也、趙王友之幽死、梁王恢之自殺、則皆與妃呂氏不諧之故、然趙王友妃呂產女、梁王妃亦諸呂女、又少帝后及朱虛侯妻、皆呂祿女、呂氏有女、不以他適、而必以配諸劉、正見后之欲使劉呂常相親、以視武后之改周滅唐、相去萬萬也、卽共以辟陽侯爲左丞相、令監宮中、亦以辟陽侯先嘗隨后在項羽軍中、與同患難、雖有所私、而至是時其年已老、正如人家老僕、可使令于闔闥間、非必尙與之昵、史記劉澤傳、太后尙有所幸張子卿、然如淳註謂奄人也、則亦非私褻之變、以視武后之寵薛懷義張易之兄弟、恬不知恥者、更相去萬萬也、而世乃以呂武並稱、豈公論哉、愚按王觀國學林云、呂后無諡、漢之意與武氏簒唐心事全異、趙說所本、朱虛侯劉章有氣力。東牟侯興居其弟也。皆齊哀王弟、居長安。當是時諸呂用事擅權、欲爲亂。畏高帝故大臣絳·灌等、未敢發。【考證】絳、絳侯周勃、其不稱姓者、以漢初功臣多周姓也、灌、灌嬰、朱虛侯婦、呂祿女。陰知其謀、恐見誅。廼陰令人告其兄齊王、欲令發兵西誅諸呂而立朱虛侯。欲從中與大臣爲應。齊王欲發兵。其相弗聽。八月丙午、

齊王欲使人誅相、相召平廼反、舉兵欲圍王。王因殺其相。遂發兵東、詐奪瑯邪王兵、并將之而西。語在齊王語中。齊王廼遺諸侯王書曰。高帝平定天下、王諸子弟。悼惠王王齊。悼惠王薨。孝惠帝使留侯良立臣爲齊王。孝惠崩、高后用事、春秋高。聽諸呂、擅廢帝更立、又比殺三趙王、【索隱】比、音如字、比猶頻也、趙隱王如意、趙幽王友、趙王恢、是三趙王也、滅梁·趙·燕、以王諸呂、分齊爲四。【考證】顏師古曰、本自齊國、分爲濟南琅邪城陽、凡爲四也、忠臣進諫、上惑亂弗聽。今高后崩、而帝春秋富、未能治天下、固恃大臣諸侯。【考證】顏師古曰、春秋富、言年幼也、比之財方未匱竭、故謂之富、而諸呂又擅自尊官、聚兵嚴威、劫列侯忠臣、矯制以令天下。宗廟所以危。寡人率兵入誅不當爲王者。【考證】漢書高五王傳、廟下無所字、眞德秀曰、高祖爲義帝發喪告諸侯曰、願從諸侯王擊楚之殺義帝

者、齊王遣諸侯書、不曰誅諸呂、而曰入誅不當爲王者、其意顧同、猶有古辭命氣象、漢聞之、相國呂產等廼遣潁陰侯灌嬰、將兵擊之。灌嬰至滎陽、廼謀曰。諸呂權兵關中、欲危劉氏而自立。【考證】古鈔本、楓、三本、權作擁、通鑑亦作擁、漢書高五王傳作舉、擁字義長、今我破齊還報、此益呂氏之資也。廼留屯滎陽、使使諭齊王及諸侯、與連和、以待呂氏變共誅之。齊王聞之、廼還兵西界待約。呂祿·呂產欲發亂關中。內憚絳侯·朱虛等、【考證】張文虎曰、中統游本、朱虛下有侯字、外畏齊·楚兵、又恐灌嬰畔之、欲待灌嬰兵與齊合而發。猶豫未決。【索隱】猶、鄒音以獸反、與音預、又作豫、崔浩云、猶、蝯類也、卬鼻長尾、性多疑、又說文云、猶、獸名、多疑、故比之也、按狐性亦多疑、度冰而聽水聲、故云狐疑也、今解者又引老子與兮若冬涉川、猶兮若畏四鄰、故以爲猶與是常語、且按狐聽冰、而此云若冬涉川、則與是狐類不疑、猶兮若畏四鄰、則猶定是獸、自不保同類、故云畏四鄰也、【正義】與、音預、又作豫、爾雅、猶如麐、善登木、說文云、猶、多疑、師古云、猶、獸名也、性多疑慮、常居山中、忽聞有聲、則恐有人且來害之、每豫上木、久之無人、然後敢下、須臾又上、如此非一、故不果決者稱猶

豫、一曰、隴西俗謂犬子爲猶、犬子隨人行、每豫在前、待人不得、還來迎候、故曰猶豫、又曰、猶豫二獸、並與狐疑或有疑事、故曰猶豫、顧野王曰、猿類、【考證】王念孫曰、猶豫雙聲字、猶楚辭言夷猶耳、非謂獸畏人而豫上樹、亦非謂犬子豫在人前、愚按正義有訛脫、當是時、濟川王太、淮陽王武、常山王朝、名爲少帝弟。【考證】名、如上文名美人子之名、及魯元王呂后外孫。皆年少、未之國、居長安。趙王祿、梁王產、各將兵居南北軍。皆呂氏之人。【考證】梁玉繩曰、七年更名梁曰呂、故上文已書呂王產矣、而此忽改稱曰梁王、何也、下文請梁王歸相國印、亦非、列侯羣臣、莫自堅其命。太尉絳侯勃、不得入軍中主兵。曲周侯酈商老病。其子寄與呂祿善。絳侯廼與丞相陳平謀、使人劫酈商、令其子寄往紿說呂祿曰。高帝與呂后共定天下。劉氏所立九王、【索隱】吳、楚、齊、淮南、琅邪、代、常山王朝、淮陽王武、濟川王太、是九也、呂氏所立三王。【索隱】梁王產、趙王祿、燕王通也、【考證】諸本無所字、王念孫曰、索隱本有、漢書漢紀並同、愚按、南化本亦有、皆大臣之議。事已布告諸侯。諸侯皆以爲

宜。今太后崩、帝少。而足下佩趙王印、不急之國守藩、迺爲上將、將兵畱此、爲大臣諸侯所疑。足下何不歸將印、以兵屬太尉。請梁王歸相國印、【考證】漢書呂紀、王下有亦字、與大臣盟而之國、齊兵必罷、大臣得安。足下高枕而王千里、此萬世之利也。呂祿信然其計、欲歸將印以兵屬太尉、使人報呂產及諸呂老人。或以爲便、或曰不便。計猶豫未有所決。呂祿信酈寄、時與出游獵。過其姑呂嬃。嬃大怒曰。若爲將而弃軍、呂氏今無處矣。【索隱】顏師古以爲言見誅滅無處所也、迺悉出珠玉寶器散堂下曰。毋爲他人守也。左丞相食其免。【考證】梁玉繩曰、將相表及百官表、食其以九月復相、後九月免、則此六字、當書後九月中、誤入于八月也、八月庚申旦、【考證】通鑑考異云、上有八月丙午、此當作九月、張文虎曰、庚申九月十日也、將相表、九月誅諸呂、是其證、通鑑作九月、是、平陽侯

窋行御史大夫事。【正義】窋、竹律反、曹參子也、【考證】高后八年、張蒼代曹窋爲御史大夫、而未就任、窋尚在官視事、故曰行事、見相國產計事。郎中令賈壽使從齊來。因數產曰。王不蚤之國、今雖欲行、尚可得邪。具以灌嬰與齊·楚合從、欲誅諸呂告產。迺趣產急入宮。平陽侯頗聞其語、迺馳告丞相太尉。太尉欲入北軍、不得入。襄平侯通尚符節。【集解】徐廣曰、姓紀、張晏曰、紀信子也、尚、主也、今符節令、【索隱】張晏云、紀信子、又晉灼云、信被楚燒死、不見有後、按功臣表、襄平侯紀通、父成以將軍定三秦死事、子侯、則通非信子、張說誤矣、【考證】齊召南曰、後儒以紀信死節、沒未得封、故疑紀成即信子、不知紀成名字早見於鴻門間道走軍之日、其後戰死好畤、則功臣表有明文、非死於滎陽也、兪樾曰、高祖八年、蕭何營未央宮、立東闕北闕、師古云、未央殿雖南嚮、而上書奏事謁見之徒、皆詣北闕、公車司馬皆在焉、是則以北闕爲正門、西南兩面無門闕矣、以是考之、北軍在北闕外、南軍在未央宮之南、自南軍入未央宮、仍須由北闕、故太尉之謀、在先得北軍、北軍既得、而南軍孤懸於外、無能爲矣、迺令持節矯內太尉北軍。【考證】顏師古曰、矯、詐也、詐以天子之命也、錢大昭曰、內讀爲納、太尉復令酈寄與典客劉揭先說呂祿曰。【集解】漢書百官表

曰、典客、秦官也、掌諸侯歸義蠻夷也、帝使太尉守北軍。欲足下之國。急歸將印辭去。不然、禍且起。呂祿以爲酈兄不欺己。【集解】徐廣曰、兄、音況、字也、名寄、遂解印屬典客、而以兵授太尉。太尉將之、入軍門、行令軍中曰。爲呂氏右襢。爲劉氏左襢。軍中皆左襢爲劉氏。【正義】襢、音但、與袒同、【考證】顏師古曰、袒、脫衣袖而肉袒也、左右者偏脫其一耳、王應麟曰、儀禮鄉射疏云、凡事無問吉凶皆袒左、是以大射及士喪禮皆袒左、惟有受刑者袒右、故覲禮乃云、右肉袒、注云、刑宜施於右、是也、以此考之、周勃誅呂氏之計已定、爲呂氏者有刑、故以右袒令之、非以覘人心之從違也、朱翌曰、戰國策、王孫賈入市中曰、淖齒殺閔王、欲與我誅者袒右、從者四百人、與之誅淖齒、周勃左袒之策本此、盧六以曰、是不過以卜衆心之從違、非如受刑之說、何焯曰、本强老漢、倉卒間、未必學叔孫太傅也、全祖望曰、陳涉之起亦袒右、則王應麟之說未足信、太尉行至。將軍呂祿亦已解上將印去。太尉遂將北軍。然尚有南軍。平陽侯聞之、以呂產謀告丞相平。【考證】梁玉繩曰、平陽侯以下十三字、與上下文不接、且前已言平陽侯馳告丞相太尉矣、重出當衍、漢書無、丞相平迺召朱虛侯佐太尉。太尉令朱

虛侯監軍門。令平陽侯告衞尉、毋入相國產殿門。呂產不知呂祿已去北軍。迺入未央宮欲爲亂。殿門弗得入。裴回往來。平陽侯恐弗勝、馳語太尉。【考證】恐弗勝三字疑衍、漢書無、太尉尚恐不勝諸呂、未敢訟言誅之。【集解】徐廣曰、訟、一作公、駰按韋昭曰、訟、猶公也、【索隱】按韋昭以訟爲公、徐廣又云一作公、蓋公爲得、然公言、猶明言也、又解者云、訟、誦說也、【考證】漢書訟作誦、誦訟古通、孟子、讀其書頌其詩、迺遣朱虛侯謂曰。急入宮衞帝。朱虛侯請卒。太尉予卒千餘人。【考證】漢書呂紀、遣作謂、侯下無謂、余有丁曰、予卒千餘人、本以誅產、而曰衞帝、是未敢訟言誅之也、入未央宮門、遂見產廷中。日餔時遂擊產。【考證】餔、漢書作晡、產走。天風大起。以故其從官亂莫敢鬬。逐產殺之郎中府吏廁中。【集解】如淳曰、百官表、郎中令、掌宮殿門戶、故其府在宮中、後轉爲光祿勳也、朱虛侯已殺產。帝命謁者、持節勞朱虛侯。朱虛侯欲奪節信。謁者不肯。【考證】南化本、三條本、命作令、楓山、三條

朱虛侯則從與載、因節信馳走、斬長樂衛尉呂更始。還馳入北軍報太尉。太尉起拜賀朱虛侯曰。所患獨呂產。今已誅。天下定矣。遂遣人分部、悉捕諸呂男女。無少長皆斬之。辛酉、捕斬呂祿、而笞殺呂嬃。使人誅燕王呂通。而廢魯王偃。壬戌、以帝太傅食其復爲左丞相。戊辰、徙濟川王王梁。立趙幽王子遂爲趙王。【考證】梁玉繩曰、遂之立也、在文帝元年、文紀及年表可據、此與世家謂呂后八年九月爲二臣所立者誤、遣朱虛侯章、以誅諸呂氏事告齊王、令罷兵。灌嬰兵亦罷滎陽而歸。【考證】王鳴盛曰、諸呂之平、灌嬰有力焉、方高后病甚、令呂祿爲上將軍居北軍、呂產居南軍、其計可謂密矣、卒使酈寄紿說呂祿歸將軍、以兵屬太尉、而誅諸呂者、陳平周勃之功也、然其初惠帝崩、高后哭泣不下、此時高后奸謀甫兆、使平勃能逆折其邪心、安見不可撲滅者、乃聽張辟彊狂豎之言、請拜產祿爲將、將兵居南北軍、高后欲王諸呂、王陵守白馬之約、而平勃以爲無所不可、然則成呂氏之亂者平勃也、幸而產祿本庸才、又得朱虛侯之忠勇、平勃周旋其間、而亂卒平、功盡歸此兩人、而孰知當留屯滎陽、與

齊連和之時、嬰之遠慮、有過人者、齊王之殺其相而發兵、奪琅邪王兵、并將而西也、此時呂祿獨使嬰擊之、嬰高帝宿將、諸呂方忌故大臣、而危急之際、一旦假以重兵、此必嬰平日僞自結於呂氏、若樂爲之用者、而始得此於祿、既得兵柄、遂留屯滎陽、待其變而共誅之時、呂氏亂謀急矣、顧未敢猝發者、彼見大將握重兵在外、而與敵連和、以觀變、恐猝發而嬰倍之、反率諸侯西向、故猶豫未忍決、於是平勃乃得從容定計、奪其兵權而誅之、然則平勃之成功、嬰有以助之也、然嬰不以是時亟與齊合、引兵而歸、共誅諸呂、乃案兵無動者、蓋太尉入北軍、呂祿歸將印、此其誅諸呂、如振槁葉耳、若嬰合齊兵而歸、遽以討呂氏爲名、則呂氏亂謀發之必驟、將印必不肯歸、而太尉不得入北軍矣、彼必將脅平勃而拒嬰與齊之兵、幸而勝之、喋血京師、不戕千萬之命不止、此又嬰計之得也、諸大臣相與陰謀曰。少帝及梁·淮陽·常山王、皆非眞孝惠子也。【考證】梁當作呂、上文云、立皇子太爲呂王、梁王、卽呂產也、呂后以計詐名他人子、殺其母養後宮、令孝惠子之、立以爲後、及諸王、以彊呂氏。今皆已夷滅諸呂、而置所立、卽長用事、吾屬無類矣。【正義】長、丁丈反、言少帝年少、卽長用事、誅害吾輩、羣屬無種類、不如視諸王最賢者立之。【考證】何焯曰、少帝非劉氏、乃大臣既誅諸呂、從而爲之辭、梁玉繩曰、上文一則曰孝惠後宮子、再則曰孝惠皇后無子、取美人子名之、則但非張后子、不得言非孝惠子也、乃此言詐名他人子

以爲子、後又云足下非劉氏、何歟、史記考要謂諸大臣陰謀而假之詞、以絕呂氏之黨、不容不誅、其信然已、史公于紀兩書之、而年表亦云以孝惠子封、又云以非子誅、皆有微意存焉、非歧說也、文紀大臣曰、子弘等皆非孝惠子、皆同、愚按紛擾之際、謀詐百出、美人之子、孰定其眞假、但以當日事情推之、何梁二說、蓋得其實、又案俞正燮癸巳存稿有漢少帝本孝惠子考、亦以少帝爲孝惠子、或言齊悼惠王高帝長子。今其適子爲齊王。推本言之、高帝適長孫。可立也。大臣皆曰。呂氏以外家惡、而幾危宗廟亂功臣。今齊王母家駟鈞。【考證】張文虎曰、鈞字涉下而衍、南宋本、中統本、竝無、愚按漢書高五王傳無駟鈞二字、駟鈞惡人也。即立齊王、則復爲呂氏。欲立淮南王。以爲少、母家又惡。迺曰。代王、方今高帝見子、最長、仁孝寬厚、太后家薄氏謹良。且立長故順。【考證】李笠曰、孝文紀發近縣見卒、與此見字同、故固通、以仁孝聞於天下。便。迺相與共陰使人召代王。代王使人辭謝。再反、然後乘六乘傳、【集解】張晏曰、備漢朝有變、欲馳還也、或曰、傳車六乘、【考證】董份曰、袁盎言帝乘六乘傳、馳不測之淵、所云六乘者、蓋文帝料漢事已定、止

用六乘急赴、不多備耳、張晏說非是、文帝紀、命張武等六人乘傳、恐卽此云、後九月晦日己酉。【集解】文穎曰、卽閏九月也、時律曆廢、不知閏、謂之後九月也、以十月爲歲首、至九月則歲終、後九月則閏月、【考證】中井積德曰、周秦漢初、皆以閏置歲終、非曆廢之謂、至長安舍代邸。羣臣皆往謁、奉天子璽上代王、共尊立爲天子。代王數讓。羣臣固請、然後聽。東牟侯興居曰。誅呂氏吾無功。請得除宮。【考證】興居、齊悼惠王子、後爲濟北王、除宮、淸宮也、胡三省曰、此時羣臣雖奉帝卽位、少帝猶居宮中、有所屏除也、迺與太僕汝陰侯滕公入宮、前謂少帝曰。足下非劉氏。不當立。【考證】閻樂弒秦二世、亦呼以足下、滕公、夏侯嬰、乃顧麾左右執戟者、掊兵罷去。【集解】徐廣曰、掊、音仆、【正義】又白北反、又李附反、徐廣曰、音仆、有數人不肯去兵。宦者令張澤諭告。亦去兵。滕公迺召乘輿車、載少帝出。【集解】蔡邕曰、律曰、敢盜乘輿服御物、天子至尊、不敢渫瀆言之、故託於乘輿也、乘、猶載也、輿、猶車也、天子以天下爲家、不以京師宮室爲常處、則當乘車輿以行天下、故羣臣託乘輿以言之也、故或謂之車駕、【考證】文帝既立、少帝安得乘天子法駕出宮乎、蓋下文集解所謂小駕也、少帝曰。

欲將我安之乎。滕公曰。出就舍。舍少府。考證 少府、掌山海池澤之稅、以給供養、爲天子之私府、迺奉天子法駕、集解 蔡邕曰、天子有大駕・小駕・法駕、法駕、上所乘、曰金根車、駕六馬、有五時副車、皆駕四馬、侍中參乘、屬車三十六乘、迎代王於邸。報曰。宮謹除。代王卽夕入未央宮。有謁者十人。持戟衞端門。曰。天子在也。足下何爲者而入。考證 徐孚遠曰、是時禁衞之士、皆有守不貳其心、猶有僕御正人之意、非後代所及、代王迺謂太尉。太尉往諭。謁者十人、皆掊兵而去。代王遂入而聽政。夜、有司分部、誅滅梁・淮陽・常山王及少帝於邸。代王立爲天子。二十三年崩。諡爲孝文皇帝。考證 張文虎曰、二十三年崩、諡爲孝文皇帝十一字、後人妄增、

太史公曰。孝惠皇帝・高后之時、黎民得離戰國之苦、君臣俱欲休息乎無爲。故惠帝垂拱、高后女主稱制、政不出房戶、天

下晏然、刑罰罕用、罪人是希、民務稼穡、衣食滋殖、考證 何焯曰、作呂后本紀者著其實、贊以孝惠皇帝冠之、書法在其中矣、索隱述贊、高祖猶微、呂氏作妃、及正軒掖、潛用福威、志懷安忍、性挾猜疑、置鴆齊悼、殘彘戚姬、孝惠崩殞、其哭不悲、諸呂用事、天下示私、大臣葅醢、支孼芟夷、禍盈斯驗、蒼狗爲菑、

呂后本紀第九　史記九

史記會注考證卷十

漢　太　史　令　司　馬　遷　撰

宋　中　郎　外　兵　曹　參　軍　裴　駰　集　解

唐　國　子　博　士　弘　文　館　學　士　司　馬　貞　索　隱

唐　諸　王　侍　讀　率　府　長　史　張　守　節　正　義

日　本　出　雲　瀧　川　資　言　考　證

孝文本紀第十　史記十

【考證】史公自序云、漢既初興、繼嗣不明、迎王踐祚、天下歸心、蠲除肉刑、開通關梁、廣恩博施、厥稱太宗、作孝文本紀第十、淩稚隆曰、漢書大要襲此、惟詔書稱詳、陳仁錫曰、

孝文紀年缺不具、或有殘簡、

孝文皇帝高祖中子也。【集解】漢書音義曰、諱恆、高祖十一年春、已破陳豨軍、定代地、立爲代王、都中都。【正義】括地志云、中都故城、在汾州平遙縣西南十二里、秦屬太原郡也、【考證】山西汾州府平遙縣西北、太后薄氏子。即位十七年。【考證】張晏曰、代王之十七年、高后八年七月、高后崩。九月、諸呂呂產等、欲爲亂以危劉氏。大臣共誅之。謀召立代王。事在呂后語中。丞相陳平・太尉周勃等、使人迎代王。代王問左右郎中令張武等。【考證】王先謙曰、漢初諸王國羣卿大夫如漢朝、此代國之郎中令也、下文云、張武爲郎中令、則漢朝之郎中令、故漢書百官公卿表、於孝文元年書郎中令張武、張武等議曰。【考證】延久古鈔本、無張字、漢大臣、皆故高帝時大將、習兵多謀詐。此其屬意、非止此也。【考證】顏師古曰、言常有異志也、屬意、猶言注意也、特畏高帝・呂太后威耳。今已誅諸呂、新啑

血京師。【集解】公羊傳曰、京、大、師、衆也、天子之居、必以衆大之辭言也、【索隱】啑、漢書作喋、音跕、丁牒反、漢書陳湯杜業皆言喋血、無盟歃事、廣雅云、蹀、履也、謂履涉之、【正義】啑血、上音歃、漢書作喋、廣雅云、喋、履也、顏師古云、字當作喋、喋、謂履涉之耳、此以迎大王爲名。實不可信。願大王稱疾、毋往、以觀其變。中尉宋昌進曰。【索隱】東觀漢記宋楊傳、宋義後有宋昌、又會稽典錄、昌、宋義孫也、羣臣之議皆非也。夫秦失其政、諸侯豪桀竝起、人人自以爲得之者以萬數。然卒踐天子之位者劉氏也。天下絕望。一矣。高帝封王子弟、地犬牙相制、【索隱】言封子弟境土交接、若犬之牙不正相當、而相衘入也、此所謂盤石之宗也。【索隱】言其固如盤石、此語見太公六韜也、天下服其彊。二矣。漢興、除秦苛政、約法令、施德惠、人人自安、難動搖。三矣。夫以呂太后之嚴、立諸呂爲三王、擅權專制。然而太尉以一節入北軍、【索隱】即紀通所矯帝之節、【考證】張文虎曰、御覽引、無一字、愚按延久古鈔本有、漢書文紀亦有、一呼、士皆左袒爲

劉氏、叛諸呂、卒以滅之。此乃天授非人力也。【考證】留侯世家、張良稱漢皇曰、沛公殆天授、淮陰侯傳、韓信謂漢皇曰、陛下所謂天授非人力也、蓋當時有此語、宋昌亦引稱劉氏、今大臣雖欲爲變、百姓弗爲使。其黨寧能專一邪。方今內有朱虛・東牟之親、外畏吳・楚・淮南・琅邪・齊・代之彊。【考證】方今二字、與下文複、李笠曰、是亦史文不忌繁重之證、方今高帝子、獨淮南王與大王。大王又長、賢聖仁孝、聞於天下。故大臣因天下之心而欲迎立大王。大王勿疑也。代王報太后計之。猶與未定。卜之龜。卦兆得大橫。【集解】應劭曰、以荆灼龜、文正橫、占曰。大橫庚庚。余爲天王。夏啓以光。【集解】服虔曰、庚庚、橫貌也、李奇曰、庚庚、其繇文也、張晏曰、橫行無思不服、庚、更也、言去諸侯而即帝位也、先是五帝官天下、老則禪賢、至啓始傳父爵、乃能光治先君之基業、文帝亦襲父迹、言似夏啓者也、【索隱】荀悅云、大橫、龜兆橫理也、按庚庚、猶更更、言以諸侯更帝位也、荀悅云、繇、抽也、所以抽出吉凶之情也、杜預云、繇、兆辭也、音胄也、按漢書蓋寬饒云、五帝官天下、三王家天下、官以傳賢人、家以傳子孫、官、猶公也、謂不私也、【考證】中井積德曰、大橫是卜兆之名、

猶筮之卦名、三句皆繇文、何特庚庚二字、愚按庚王光韻、左傳僖公四年、載繇辭云、專之渝、攘公之羭、一薰一蕕、十年尙猶有臭、是繇辭有韻之證、代王曰。寡人固已爲王矣。又何王。卜人曰。所謂天王者。乃天子。【考證】張文虎曰、御覽引、天子下有也字、與漢書合、於是代王乃遣太后弟薄昭往見絳侯。絳侯等具爲昭言所以迎立王意。薄昭還報曰。信矣。毋可疑者。代王乃笑謂宋昌曰。果如公言。乃命宋昌參乘。張武等六人、乘傳詣長安、至高陵休止。【正義】括地志云、高陵故城、在雍州高陵縣西南一里、本名橫橋、架渭水上、三輔舊事云、秦於渭南有興樂宮、渭北有咸陽宮、秦昭王欲通二宮之閒、造橫橋、長三百八十步、橋北京石水中、舊有忖留神象、此神嘗與魯班語、班令其出、留曰、我貌醜、卿善圖物、容不出、班於是拱手與語曰、出頭見我、留乃出首、班以腳畫地、忖留覺之、便沒水、故置其像於水上、唯有腰以上、魏太祖馬見而驚、命移下之、【考證】高陵、陝西西安府高陵縣西南、正義本名橫橋以下、當移下文渭橋下、而使宋昌先馳之長安觀變。昌至渭橋。【集解】蘇林曰、在長安北三里、【索隱】三輔故事、咸陽宮在渭北、興樂宮在渭南、秦昭王通兩宮之閒、作渭橋、長三百八十步、又關中記云、石柱以北屬扶風、石柱以南屬京兆也、【考證】渭橋、在西安府咸寧縣、丞相

以下皆迎。宋昌還報。代王馳至渭橋。羣臣拜謁稱臣。代王下車拜。太尉勃進曰。願請閒言。【索隱】包愷音閑、言欲向空閒處語、顏師古云、閒、容也、猶言中閒、請容暇之頃、當有所陳、不欲卽公論也、【正義】上、記閑反、閒、隙也、隙之間私語也、宋昌曰。所言公、公言之。所言私、王者不受私。太尉乃跪上天子璽符。【正義】上、時掌反、代王謝曰。至代邸而議之。【索隱】說文、邸、屬國舍、遂馳入代邸。羣臣從至。丞相陳平・太尉周勃・大將軍陳武・【考證】大將軍陳武、漢書不載姓、唯言大將軍武、服虔以爲柴武、柴武爲大將軍、在文帝三年、陳武亦他無所見、錢大昭曰、大將軍當灌嬰、考高五王傳、漢聞齊王舉兵、相國呂產等遣大將軍潁陰侯灌嬰、將兵擊之、灌嬰傳、呂祿等以嬰爲大將軍、嬰之爲大將軍、呂祿等所置、故公卿表不載、嬰有靖難之功、與周勃陳平共立文帝、觀漢書文紀、元年益封戶邑者、止有太尉勃丞相平將軍嬰、而無名武之大將軍、則其爲灌嬰何疑、御史大夫張蒼・宗正劉郢・【集解】漢書百官表曰、宗正、秦官、應劭曰、周成王時、彤伯入爲宗正、【考證】王鳴盛曰、漢書百官表、高后二年、上邳侯劉郢客爲宗正、又王子侯諸侯王表、竝作郢客、梁玉繩曰、此卽楚元王子夷王郢客也、缺客字、愚按王念孫說同、朱虛侯劉章・東牟侯劉興居・典客劉揭、

皆再拜言曰。子弘等皆非孝惠帝子。不當奉宗廟。臣謹請與陰安侯・【集解】蘇林曰、高帝兄伯妻、羹頡侯信母、丘嫂也、【考證】中井積德曰、漢書無與字、此疑衍、列侯頃王后、【集解】徐廣曰、代頃王劉仲之妻、駰按蘇林曰、仲子濞爲吳王、故追謚爲頃王也、如淳曰、頃王后、封陰安侯、時呂嬃爲林光侯、蕭何夫人亦爲酇侯、又宗室表、此時無陰安、知其爲頃王后也、【索隱】按蘇林徐廣韋昭、以爲二人封號、而樂產引如淳、以頃王后別封陰安侯、與漢祠令相會、今以陰安是別人封爵、非也、頃王后、是代王后、文帝之伯母、代王隆爲郃陽侯、故云列侯頃王后、韋昭曰、陰安屬魏郡也、【正義】頡、紀八反、頃、奇傾反、【考證】中井積德曰、漢書無列侯二字、此疑衍、徐孚遠曰、公議廢立事、而以婦女二人爲冠首、非體也、或尙有呂后時遺風邪、愚按此時漢皇尊屬存者有是二人、故先承其意也、與琅邪王・宗室大臣・列侯・吏二千石議曰。【考證】文穎曰、琅邪王、劉澤也、顧炎武曰、古時制祿之數、皆用斗斛、左傳言豆區釜鍾、各自其四以登于釜、論語與之釜、與之庾、孟子養弟子以萬鍾、皆量也、漢承秦制、始以石爲名、故有中二千石、二千石、比二千石、千石、比千石、六百石、四百石、比四百石、三百石、比三百石、二百石、比二百石、百石、而三公萬石、百二十斤爲石、是以權代量、然考後漢百官志所載月俸之數、則大將軍三公、奉月三百五十斛、以至斗食奉月十斛、又未嘗不用斛、所謂二千石以至百石者、但以爲品級之差而已、今人以十斗爲石、本於此、不知秦時所謂金人十二、重各千石、撞萬石之鍾、縣石鑄鍾虡、衡石程書之類、皆權也、非量也、惟白圭傳、穀長石斗、淳于髡傳、一斗亦醉、一石亦醉、對斗言之、

是移權之名於量爾、趙翼曰、石、本權衡之數也、漢律曆志、二十四銖爲兩、十六兩爲斤、三十斤爲鈞、四鈞爲石、是石乃權之極數、至十龠爲合、十合爲升、十升爲斗、十斗爲斛、則斛乃量之極數、然漢時米穀之量、已以石計、如二千石六百石之類、未嘗以斛計、又管子禁藏篇、民率三十畝、畝取一石、則人有三十石、國策燕王噲讓國子之、自吏三百石以上悉予之、又漢書食貨志、李悝之論曰、一夫田百畝、畝歲收一石半、百畝爲粟百五十石、除十一之稅十五石、餘百三十石、則斗斛之以石計、自春秋戰國時已然、又按古時一石重百二十斤、與一斛之重不甚相遠、漢書成帝紀注、如淳云、中二千石、月得百八十斛、一歲凡得二千一百六十石、眞二千石、月得百五十斛、一歲凡得一千八百石、二千石、月得百二十斛、一歲凡得一千四百四十石、雖官秩之名、與所得俸之實數、微有不同、然大略不外乎一斛爲一石也、蓋古時十斗爲斛、一斛卽是一石、大王高帝長子。宜爲高帝嗣。【考證】中井積德曰、是時高帝子存者、唯代王與淮南王而已、淮南爲少、故稱代王爲長子爾、願大王卽天子位。代王曰。奉高帝宗廟、重事也。寡人不佞。【考證】顏師古曰、不佞、不材也、不足以稱宗廟。願請楚王、計宜者。【集解】蘇林曰、楚王名交、高帝弟、【索隱】楚王交、高帝弟最尊、言更請楚王計宜者、故下云、皆爲宜也、【考證】何焯曰、陰安侯頃王后、皆婦人、琅邪王疏屬、帝言請楚王計宜、斯識體矣、愚按、自高祖而言、尊屬止陰安侯頃王后、自代王而言、尙有楚王、所以有此言、寡人不敢當。羣臣皆伏固請。代王西鄉讓者三、南鄉讓

者再。【集解】如淳曰、讓羣臣也、或曰賓主位東西面、君臣位南北面、故西向坐三讓不受、羣臣猶稱宜、乃更迴坐示變、卽君位之漸也、【考證】中井積德曰、此對羣臣辭讓也、注不當言讓羣臣、羣臣豈嗣位者哉、胡三省曰、如說以代王南鄉坐、爲卽君臣之漸、恐非代王所以再讓之意、蓋代王入代邸、而漢廷群臣繼至、王以賓主禮接之、故西鄉、群臣勸進、王凡三讓、羣臣遂扶王正南面之位、王又讓者再、則南鄉非王之得已也、羣臣扶之使南鄉耳、遂以爲南鄉坐、可乎、鄉讀曰嚮、丞相平等皆曰。臣伏計之、大王奉高帝宗廟最宜稱。雖天下諸侯萬民以爲宜。臣等爲宗廟社稷計、不敢忽。【考證】劉攽曰、忽言輕易也、願大王幸聽臣等。臣謹奉天子璽符。再拜上。代王曰。宗室將相王列侯以爲莫宜寡人、寡人不敢辭。遂卽天子位。羣臣以禮次侍。【考證】漢書文紀、無禮字、通鑑有、乃使太僕嬰與東牟侯興居淸宮。【集解】應劭曰、舊典、天子行幸、所至必遣靜宮令先案行淸靜殿中、以虞非常、【索隱】按漢儀云、皇帝起居、索室淸宮而後行、【考證】楓山三條本、太僕下有夏侯二字、淸宮見呂紀、奉天子法駕、【索隱】漢官儀云、天子鹵簿、有大駕法駕、大駕、公卿奉引、大將軍參乘、屬車八十一乘、法駕、公卿不在鹵簿中、惟京兆尹執金吾長安令奉引、侍中參乘、屬車三十六乘、

也、迎于代邸。皇帝卽日夕入未央宮。乃夜拜宋昌爲衞將軍。鎭撫南北軍。以張武爲郎中令、行殿中。還坐前殿。【考證】入宮、卽令撫軍行殿、疾雷不及掩耳、亦是漢皇馳入奪軍之術矣、於是夜下詔書曰。閒者諸呂用事擅權、謀爲大逆、欲以危劉氏宗廟。賴將相列侯宗室大臣誅之、皆伏其辜。朕初卽位。其赦天下。賜民爵一級、女子百戶牛酒。【集解】蘇林曰、男賜爵、女子賜牛酒、【索隱】按封禪書云、百戶牛一頭、酒十石、樂產云、婦人無夫、或無子、不霑爵、故賜之也、【考證】顏師古曰、賜爵者、謂一家之長得之也、女子謂賜爵者之妻也、率百戶共得牛若干頭、酒若干石、無定數也、李賢曰、女子百戶、若是戶頭之妻、不得更稱爲戶、此謂女戶頭、卽今之女戶也、恩當普洽、所以男戶賜爵、女戶賜牛酒、愚按、李說近之、酺五日、【集解】文穎曰、漢律三人已上無故羣飲、罰金四兩、今詔橫賜、得令會聚飲食五日、【索隱】說文云、酺、王者布德、大飲酒也、出錢爲醵、出食爲酺、又按趙武靈王滅中山、酺五日、是其所起也、【正義】橫、胡孟反、孝文皇帝元年、十月庚戌、徙立故琅邪王澤爲燕王。【考證】中井積德曰、立故二字、疑衍、漢書無之、未徙之時、仍是琅邪王矣、何所得故字、自此徙彼、王爵不變、何所得立乎、辛亥、

皇帝卽阼。【正義】主人階也、【考證】中井積德曰、卽阼、猶言卽位也、謁高廟。右丞相平徙爲左丞相。【正義】此時尙右、太尉勃爲右丞相、大將軍灌嬰爲太尉。諸呂所奪齊・楚故地、皆復與之。【考證】胡三省曰、呂后封呂台爲呂王、得梁地、奪齊之地以附益之、梁玉繩曰、此有錯誤、當云孝文帝元年十月庚戌、皇帝卽阼、辛亥謁高廟、蓋是年十月朔爲庚戌、文帝以上年後九月晦己酉至長安、故翌日爲歲首、行卽阼之禮、越日謁高廟也、平勃灌嬰之爲丞相太尉、在十一月辛卯、將相表可據、此與百官表竝誤書于十月辛亥、若果以十月辛亥命官、則下文十月壬子、封賜諸臣之詔、何以稱太尉勃將軍嬰乎、是宜于典客揭爲陽信侯賜金千斤之後而書之、曰十一月右丞相平徙爲左丞相、太尉勃爲右丞相、大將軍灌嬰爲太尉、若夫琅邪之徙、趙王之封、及復與齊楚地、俱在十二月、漢書文紀可據、此與諸王表竝誤書于十月之庚戌辛亥兩日、而又失書封趙王遂、是宜于後文十二月之下、書曰立趙幽王子遂爲趙王、立故琅邪王澤爲燕王、諸呂所奪齊楚故地、皆復與之、壬子、遣車騎將軍薄昭、迎皇太后于代。皇帝曰。呂產自置爲相國、【考證】漢文帝紀、呂上有前字、呂祿爲上將軍、擅矯遣灌將軍嬰、將兵擊齊、欲代劉氏。嬰留滎陽弗擊。與諸侯合謀以誅呂氏。呂產欲爲不善。

丞相陳平與太尉周勃謀、奪呂產等軍、朱虛侯劉章首先捕呂產等、太尉身率襄平侯通、持節承詔入北軍、典客劉揭身奪趙王呂祿印。【考證】漢書、無趙王二字、益封太尉勃萬戶、賜金五千斤。【考證】漢書、益上有其字、楓三本、萬上有邑字、勃上當補其姓、下文襄平侯通、典客揭倣之、丞相陳平・灌將軍嬰、邑各三千戶、金二千斤、【考證】灌將軍嬰、當作將軍灌嬰、朱虛侯劉章・襄平侯通・東牟侯劉興居、邑各二千戶、金千斤、【集解】徐廣曰、十一月辛丑、封典客揭爲陽信侯、賜金千斤。【索隱】韋昭云、勃海縣、【正義】括地志云、陽信故城、在滄州無棣縣東南三十里、漢陽信縣、【考證】梁玉繩曰、大臣謀誅諸呂、酈寄之功、不在平勃下、蓋非寄說呂祿解印、太尉不得入北軍矣、乃文帝封賜不及、豈以給祿之功、僅足以償平時黨呂之罪、而又迫于絳侯之劫、非其本心乎、曹窋陸賈亦皆有功、無賞何故、趙翼曰、古時不以白金爲幣、專用黃金、而黃金甚多、尉繚說秦王、賂諸侯豪臣、不過三十萬金、而諸侯可盡、漢高祖以四萬斤與陳平、使爲楚反間、不問其出入、婁敬說帝都關中、田肯說帝當以親子弟封齊、卽各賜五百斤、叔孫通定朝儀、亦賜五百斤、呂后崩、遺詔賜諸侯王各千斤、陳平交驩周勃、用五百斤、文帝卽位、以大臣誅諸呂功、賜周

勃五千斤、陳平灌嬰各二千斤、劉章劉揭各千斤、吳王濞反、募能斬漢大將者五千斤、列將三千斤、裨將二千斤、二千石一千斤、梁孝王薨、有四十萬斤、武帝賜平陽公主千斤、賜卜式四百斤、衛青擊匈奴、斬首虜萬九千級、軍受賜二千萬斤、可見古時黃金之多也、十二月、[考證]漢書刑法志、為文帝二年事、誤、上曰、法者治之正也。[考證]正、正鵠之正、所以禁暴而率善人也。今犯法已論、而使毋罪之父母妻子同產坐之、及為收帑。朕甚不取。其議之。[考證]同產、兄弟、帑、與奴同、李笠曰、及、疑乃字之誤、有司皆曰、民不能自治。故為法以禁之。相坐坐收、所以累其心、使重犯法。所從來遠矣。如故便。[考證]顏師古曰、重、難也、沈家本曰、收與坐係二事、說文、收、捕也、漢志、逮繫注、辭之所及則追捕之、詩、毛傳、收、拘收也、有罪者收、無罪者坐、漢志言使有罪不收、無罪不相坐、曰收律、曰相坐法、晝然分明、上曰、朕聞、法正則民慤。罪當則民從。且夫牧民而導之善者吏也。其既不能導、又以不正之法罪之、是反害於民為暴者也。何以禁之。朕未見其便。其孰計之。有司皆曰、陛下加

大惠。德甚盛。非臣等所及也。請奉詔書、除收帑諸相坐律令。[集解]應劭曰、帑、子也、秦法一人有罪、幷坐其家室、今除此律、[考證]顏師古曰、帑與奴同、假借字也、王鳴盛曰、車裂、腰斬、具五刑、夷三族、皆秦之酷法、漢初沿襲行之、韓信彭越英布皆受此、文帝元年冬十二月、盡除收帑相坐律令、十三年夏五月、除肉刑法矣、然景帝於鼂錯、武帝於郭解主父偃公孫賀李陵李廣利公孫敖任安田仁劉屈氂、猶皆腰斬夷族、文紀云云、徒虛語耳、愚按、漢書刑法志云、後新垣平謀逆、復行三族之誅、王說未備、正月、有司言曰、蚤建太子、所以尊宗廟。請立太子。上曰、朕既不德。上帝神明弗歆享。天下人民未有嗛志。[索隱]按嗛者、不滿之意也、未有嗛志、言天下皆志不滿也、漢書作慊、志安也、[考證]顧炎武曰、嗛、與樂毅傳先王以為慊於志之慊同、厭足之義、愚按、漢書文帝紀作愿、顏師古曰、快也、今縱不能博求天下賢聖有德之人而禪天下焉、而曰豫建太子、是重吾不德也。謂天下何。[索隱]言何以謂於天下也、其安之。[索隱]其、發聲也、安者、徐也、言徐徐且待也、[考證]呂祖謙曰、文帝之元年、景帝方十歲耳、平勃所以亟請建太子者、懲惠帝繼嗣不明之禍、文帝所以固讓者、蓋踐祚之始、懼不克勝所言者、皆發于中心、非好名也、有司曰、豫建太子、所以重宗廟社

稷、不忘天下也。上曰、楚王、季父也。春秋高。閱天下之義理多矣。[集解]如淳曰、閱、猶言多所更歷也、明於國家之大體。吳王於朕兄也。惠仁以好德。淮南王弟也。秉德以陪朕。[集解]文穎曰、陪、輔也、豈為不豫哉。[考證]岡白駒曰、豈可謂之不豫哉、愚按、豫字承上言常思禪天下也、諸侯王宗室昆弟有功臣、[考證]中井積德曰、此有功臣、亦以同姓而言、朱虛等是也、非指異姓功臣、多賢及有德義者。若舉有德以陪朕之不能終、是社稷之靈、天下之福也。今不選舉焉、而曰必子、人其以朕為忘賢有德者、而專於子。非所以憂天下也。朕甚不取也。有司皆固請曰、古者殷·周有國、治安皆千餘歲。[考證]錢大昕曰、殷周有天下、皆不及千載、而云千餘歲者、幷稷契受封之年計之、漢書作且千歲、古之有天下者、莫長焉。用此道也。[索隱]言古之有天下者、無長於立子、故云莫長焉、用此道者、用殷周立子之道、故安治千有餘歲也、[考證]顏師古曰、言上古以來國祚長久、無及殷周者也、所以能爾者、以承嗣相傳故也、張文虎

曰、各本莫下衍不字、索隱本無、與漢書合、館本考證據刪、志疑說同、愚按、延久古鈔、楓山三條本、亦無不字、立嗣必子、所從來遠矣。高帝親率士大夫始平天下、建諸侯、為帝者太祖。諸侯王及列侯始受國者、皆亦為其國祖。子孫繼嗣、世世弗絕。天下之大義也。故高帝設之、以撫海內。今釋宜建、而更選於諸侯及宗室、非高帝之志也。更議不宜。[索隱]言不宜更別議也、子某最長、[考證]錢大昕曰、高帝紀、書文帝名、景帝紀、書武帝名、此稱某、例亦不一、愚按、漢書某作啓、景帝名也、純厚慈仁。[考證]漢書純作敦、請建以為太子。上乃許之。因賜天下民當代父後者爵各一級。[集解]韋昭曰、文帝以立子為後、不欲獨饗其福、故賜天下為父後者爵、[考證]何焯曰、當為父後、謂嫡長也、中井積德曰、上有慶、而澤覃下、各以相耳、愚按、漢書無代字、封將軍薄昭為軹侯。[集解]徐廣曰、正月乙巳也、三月、有司請立皇后。薄太后曰、諸侯皆同姓。立太子母為皇后。[索隱]謂帝之子為諸侯王、皆同姓、姓、生也、言皆同母生、故立太子母也、[考證]顧炎武

曰、文帝前后死、竇氏妾也、諸侯皆同姓、無甥舅之國可娶、索隱解非、何焯曰、立皇后稱皇太后命、得著代之意、諸侯皆同姓、蓋周之天子逆后於嬀姜之國、今諸侯皆同姓、則不可拘以舊制、必貴姓也、然自此景立王、武立衞、安於立賤矣、此等皆漢事、事與三代始判分處、皇后姓竇氏。上爲立后故、賜天下鰥寡孤獨窮困、及年八十已上、孤兒九歲已下、布帛米肉、各有數。上從代來初即位、施德惠天下、塡撫諸侯、四夷皆洽驩。乃脩從代來功臣。【考證】脩、各本作循、今從延久本、楓、三本、漢書亦作脩、功下無臣字、上曰。方大臣之誅諸呂迎朕、朕狐疑、皆止朕。唯中尉宋昌勸朕。朕以得保奉宗廟。已尊昌爲衞將軍。其封昌爲壯武侯。【集解】徐廣曰、四月辛亥封、封三十四年、景帝中四年奪侯、國除、【索隱】韋昭云、膠東縣、【正義】括地志云、壯武故城、在萊州卽墨縣西六十里、古萊夷國、有漢壯武縣故城、諸從朕六人、官皆至九卿。【正義】漢置九卿、一曰太常、二曰光祿、三曰衞尉、四曰太僕、五曰廷尉、六曰大鴻臚、七曰宗正、八曰大司農、九曰少府、是爲九卿也、【考證】顏師古曰、張武等、王先謙曰、官皆至九卿、非詔文、詔應云諸從朕六人、進秩有差、而修史者終言之耳、上曰。列侯從高帝入蜀漢

中者六十八人。皆益封各三百戶。故吏二千石以上從高帝潁川守尊等十人、食邑六百戶、淮陽守申徒嘉等十人、五百戶、【考證】漢書、申徒嘉作申屠嘉、衞尉定等十人、四百戶。【考證】梁玉繩曰、漢書文帝紀及百官表竝作衞尉足、疑定字訛、封淮南王舅父趙兼爲周陽侯、【正義】括地志云、周陽故城、在絳州聞喜縣東三十九里、齊王舅父駟鈞爲清郭侯。【集解】如淳曰、邑名、六國時、齊有清郭君、清、音靜、【索隱】按表、駟鈞封鄔侯、不同者、蓋後徙封於鄔、鄔屬鉅鹿郡、【考證】漢書清郭作靖郭、秋、封故常山丞相蔡兼爲樊侯。【索隱】韋昭云、樊、東平之縣、【正義】括地志云、漢樊縣城、在兗州瑕丘西南二十五里、地理志云、樊縣、古樊國、仲山甫所封、【考證】文帝時、諸侯王有丞相、景帝時改曰相、人或說右丞相曰。君本誅諸呂迎代王。今又矜其功、受上賞、處尊位。禍且及身。右丞相勃乃謝病免罷。左丞相平專爲丞相。【集解】徐廣曰、八月中、二年十月、丞相平卒。復以絳侯勃爲丞相。【考證】梁玉繩曰、將相表、公卿表、勃復相在十一月、

上曰。朕聞古者諸侯、建國千餘歲。【考證】漢書無歲字、王念孫曰、歲字衍、千餘者謂千餘國、非謂千餘歲也、各守其地、以時入貢。民不勞苦、上下驩欣、靡有遺德。【考證】漢書文帝紀、遺作違、今列侯多居長安、邑遠。【考證】王啓原曰、三輔不以封列侯、列侯食邑、近者距長安數百里、遠者且千里、數千里、惟關內侯、則食邑關中、比於周之圻內諸侯、而降列侯一等、此列侯乃徹侯、故云邑遠、吏卒給輸費苦。而列侯亦無由教馴其民。【正義】馴、古訓字、其令列侯之國。爲吏、及詔所止者、遣太子。【集解】張晏曰、爲吏、謂以卿大夫爲兼官者、詔所止、特以恩愛見畱者、【考證】周壽昌曰、漢制、王及列侯長子、皆稱太子、王母稱太后、不必天子也、十一月晦、日有食之。【正義】按說文云、日蝕則朔、月蝕則望、而云晦日食之、恐曆錯誤、【考證】中井積德曰、前志晦食者多、蓋當時曆法爲然、不當云錯誤、十二月望、日又食。【集解】徐廣曰、此云望日又食、按漢書及五行志、無此日食文也、一本作月食、然史書不紀月食、【考證】中井積德曰、望無日食之理、又無一月兩食之理、月食又史所不紀、而漢書及五行志皆不載、則其爲訛文明矣、下詔文不論望食、亦其一徵、梁玉繩說同、焦竑曰、日當作月、刊本誤耳、蓋日食必於朔、月食必於望、時以晦旣日食、望又月食、不半月而災變兩見、故於望日下詔書修省、而詔止云乃十一月晦日有食之、則因感月食之變、而益謹日食之戒故也、景

帝後三年十月、日月皆食、云十月、而不係以日、則此月朔望一分食、非一日事也、張文虎曰、以今癸卯元術上攷、是年十二月癸卯朔、太陰交周六宮〇一度〇四分二十九秒入食限、蓋史文失書日名、而是月望、太陰交周初宮十六度二十四分三十六秒、月亦入食限、月食例不書、豈連類而及之耶、愚按、詔文云累三光之明、其所畏、不止日食、焦張說是、上曰。朕聞之、天生蒸民、爲之置君、以養治之。人主不德、布政不均、則天示之以菑、以誡不治。乃十一月晦日有食之、適見于天。【考證】古鈔本、三條本、南化本、適作讁、顏師古曰、適讀曰讁、讁、責也、音張革反、菑孰大焉。朕獲保宗廟、以微眇之身託于兆民君王之上。天下治亂、在朕一人。唯二三執政、猶吾股肱也。朕下不能理育羣生。上以累三光之明。其不德大矣。【考證】顏師古曰、三光、日月星也、何焯曰、自秦以來、不畏于天、至文帝始聞此言、愚按、自是其後宣帝五鳳四年、元帝永光二年、四年、成帝河平元年、永始二年、三年、哀帝元壽元年、亦日食下詔自責、其他天災地變、莫不皆然、蓋以爲天象與人事相關也、說詳于二十二史劄記二卷、令至、其悉思朕之過失、及知見思之所不及、匄以告朕。【考證】漢書、見下無思字、此涉上文衍、匄、諸本

作白、延久古鈔本作匄、與漢書合、今依改、顏師古曰、匄、乞也、及舉賢良方正、能直言極諫者、以匡朕之不逮。考證 胡三省曰、賢良方正之舉、昉此、因各飭其任職、考證 漢書作敕以職任、務省繇費、以便民。朕既不能遠德。故憪然念外人之有非。集解 漢書音義曰、憪然、猶介然也、非、姦非也、索隱 蘇林云、憪、寢視不安之貌、蓋近其意、餘說皆疏、憪、音下板反、是以設備未息。今縱不能罷邊屯戍、而又飭兵厚衞。考證 句下添乎字看、其罷衞將軍軍。太僕見馬遺財足。索隱 遺、猶留也、財、古字與纔同、言太僕見在之馬、今留纔足、充事而已也、考證 漢書表、太僕掌輿馬、餘皆以給傳置。索隱 按廣雅云、置、驛也、續漢書云、驛馬三十里一置、故樂產亦云、傳置、一也、言乘傳者以傳次受名、乘置者以馬取匹、傳、音丁戀反、如淳云、律、四馬高足為傳置、四馬中足為馳置、下足為乘置、一馬二馬為軺置、如置急者乘一馬曰乘也、正月、上曰。農、天下之本。其開籍田。集解 應劭曰、古者天子耕籍田千畝、為天下先、籍者帝王典籍之常、韋昭曰、籍、借也、借民力以治之、以奉宗廟、且以勸率天下、使務農也、瓚曰、景帝詔曰、朕親耕、后親桑、為天下先、本以躬親為義、不得以假借為稱也、籍、蹈籍也、考證 張文虎曰、中統游本、籍田作藉田、愚按、延久鈔本亦作藉、與漢書合、藉田、韋說為長、孟子滕文公篇、禮曰、諸侯耕助以供粢盛、助者藉

也、則藉者助也、可以推藉田之義、周語、藉千畝、帝王何得躬親耕千畝田乎、瓚說拘于躬親二字、朕親率耕、以給宗廟粢盛。集解 應劭曰、黍稷曰粢、在器中曰盛、三月、有司請立皇子為諸侯王。考證 梁玉繩曰、諸侯王之立、史漢表俱在二月乙卯、本紀皆誤作三月、上曰。趙幽王幽死。朕甚憐之。已立其長子遂為趙王。遂弟辟彊、及齊悼惠王子朱虛侯章、東牟侯興居、有功可王。乃立趙幽王少子辟彊為河閒王、以齊劇郡、立朱虛侯為城陽王、立東牟侯為濟北王、皇子武為代王、子參為太原王、子揖為梁王。上曰。古之治天下、朝有進善之旌、集解 應劭曰、旌、幡也、堯設之五達之道、令民進善也、如淳曰、欲有進善者、立於旌下言之、誹謗之木。集解 服虔曰、堯作之橋梁交午柱頭、應劭曰、橋梁邊板、所以書政治之愆失也、至秦去之、今乃復施也、索隱 按尸子云、堯立誹謗之木、誹、音非、亦音沸、韋昭云、慮政有闕失、使書於木、此堯時然也、後代因以為飾、今宮外橋梁頭四植木是也、鄭玄注禮云、一縱一橫為午、謂以木貫表柱四出、即今之華表、崔浩以為木貫表柱四出名桓、陳楚俗、桓聲近和、又云和表、則華與和又相訛耳、考證 管子桓公問篇、舜有告善之旌、而

主不蔽也、淮南子主術篇、堯置敢諫之鼓、舜立誹謗之木、中井積德曰、旌木以語上古政事、蓋廢已久矣、未見廢在秦時也、亦未見今之復施也、所以通治道而來諫者。今法有誹謗妖言之罪。考證 顏師古曰、高后元年、詔除妖言之令、今此又有妖言之罪、是則中間曾重復設此條也、梁玉繩曰、詔中無一語及妖言、名臣表止言除誹謗律、景帝元年十月、詔歷敍孝文功德、但云除誹謗、亦不及妖言、則師古重設之說、未確、疑妖言二字衍文、是使衆臣不敢盡情、而上無由聞過失也。將何以來遠方之賢良。其除之。民或祝詛上、以相約結、而後相謾。集解 漢書音義曰、民相結、共祝詛上也、謾者、而後謾而止之、不畢祝詛也、索隱 韋昭云、謾、相抵讕也、說文云、謾、欺也、謂初相約共行祝、後相欺誑、中道而止之也、考證 顧炎武曰、謂先共祝詛、已而欺負、乃相告言也、故詔令若此者勿聽治、注非、吏以為大逆。其有他言、吏又以為誹謗。考證 中井積德曰、他言、謂非誹謗之言、此細民之愚無知抵死。朕甚不取。自今以來、有犯此者勿聽治。九月、初與郡國守相為銅虎符竹使符。集解 應劭曰、銅虎符、第一至第五、國家當發兵、遣使者至郡、合符、符合乃聽受之、竹使符、皆以竹箭五枚、長五寸、鐫刻篆書、第一至第五、張晏曰、符以代古之珪璋、從簡易也、

索隱 漢舊儀、銅虎符發兵、長六寸、竹使符出入徵發、說文云、分符而合之、小顏云、右留京師、左與之、古今注云、銅虎符、銀錯書之、張晏云、銅取其同心也、三年十月丁酉晦、日有食之。十一月、上曰。前日計遣列侯之國。考證 陳仁錫曰、湖本詔作計、誤、張文虎曰、計當依漢書作詔、或辭未行。丞相朕之所重。其為朕率列侯之國。考證 徐孚遠曰、遣丞相就國、亦以收大臣之權、言詞深隱、不見猜防、絳侯勃免丞相就國。以太尉潁陰侯嬰為丞相。考證 漢書、上有十二月三字、罷太尉官屬丞相。考證 胡三省曰、漢承秦制、以丞相太尉御史大夫為三公、今周勃自丞相罷就國、灌嬰自太尉為丞相、因罷太尉官、蓋三公不必備之意、且兵柄難以輕屬也、四月、城陽王章薨。淮南王長與從者魏敬殺辟陽侯審食其。考證 詳淮南王傳、五月、匈奴入北地、居河南為寇。考證 胡三省曰、其地在北河之南、蒙恬所收、衞青所奪、皆是地也、帝初幸甘泉。集解 蔡邕曰、天子車駕所至、民臣以為僥倖、故曰幸、至見令長三老官屬、親臨軒作樂、賜食帛越巾刀佩帶、民爵有級數、或賜田租之半、故因是謂之幸、索隱 應劭云、宮名、在雲陽、一名林光、臣瓚云、甘泉、山名、林光、秦離宮名、又顧氏按邢承宗西征賦注云、甘泉、水名、今按、蓋因地有甘泉、以名山、則山水皆通也、宮名謬爾、考證

甘泉宮名、在陝西西安府涇陽縣西北、六月、帝曰。漢與匈奴約爲昆弟、【考證】匈奴傳云、高帝使劉敬奉宗室女公主爲單于閼氏、歲奉匈奴絮繒酒米食物、各有數、約爲昆弟、以和親、毋使害邊境。【考證】漢書匈奴傳、使作侵、所以輸遺匈奴甚厚。今右賢王離其國、【考證】右賢王、匈奴貴王、將衆居河南降地、非常故往來近塞、【考證】漢書、無降字、近作入、捕殺吏卒、敺保塞蠻夷、【考證】漢書、敺下有侵上郡三字、令不得居其故、陵轢邊吏、入盜甚敖、無道。非約也。【考證】漢書、敖作驁、其發邊吏騎八萬五千詣高奴。【考證】漢書、無五千二字、高奴、今陝西延安府膚施縣、遣丞相潁陰侯灌嬰擊匈奴。匈奴去。發中尉材官、屬衛將軍軍長安。【集解】漢書百官表曰、中尉、秦官、辛卯、帝自甘泉之高奴。因幸太原、見故羣臣、皆賜之、舉功行賞。諸民、里賜牛酒、復晉陽中都民三歲。【正義】晉陽故城、在汾州平遙縣西南十三里、【考證】晉陽中都、帝爲代王時舊都、晉陽、今山西太原府陽曲縣、中都、汾州平遙縣、漢書文帝紀、歲下有租字、留游太

原十餘日。濟北王興居、聞帝之代欲往擊胡、乃反。發兵欲襲滎陽。【考證】今河南開封府滎陽縣、於是詔罷丞相兵、遣棘蒲侯陳武爲大將軍、【考證】陳武、漢書文帝紀、作柴武、臣瓚曰、漢帝年紀爲陳武、此曰柴武、爲有二姓、洪頤煊曰、史漢兩表、皆作陳武、將十萬往擊之。祁侯賀、【集解】徐廣曰、姓繒、以文帝十一年卒、諡曰敬、【索隱】漢書音義、祁、音遲、賀姓繒、繒、古國、夏同姓也、【正義】括地志云、幷州祁縣城、晉大夫祁奚之邑、爲將軍軍滎陽。七月辛亥、帝自太原至長安。迺詔有司曰。濟北王背德反上、詿誤吏民、爲大逆。濟北吏民、兵未至先自定、及以軍地邑降者、皆赦之、復官爵。與王興居、去來亦赦之。【集解】徐廣曰、乍去乍來也、駰按張晏曰、雖始與興居反、今降赦之、【考證】去來、猶往來也、來下補者字看、八月、破濟北軍、虜其王。【考證】漢書文紀、作虜濟北王、興居自殺、赦濟北諸吏民與王反者。六年、【考證】缺四年五年、不書、漢書有之、有司言淮南王長、廢先帝法、不聽天子詔、居處毋度、出入擬於

天子、擅爲法令、與棘蒲侯太子奇謀反、【考證】棘蒲侯柴武也、遣人使閩越及匈奴發其兵、欲以危宗廟社稷。羣臣議皆曰、長當弃市。帝不忍致法於王、赦其罪、廢勿王。羣臣請處王蜀嚴道邛都。【集解】徐廣曰、漢書或作郵字、或直云邛僰、邛都、乃本是西南夷、爾時未通、嚴道有邛僰山、【正義】邛、其恭反、括地志云、嚴道今爲縣、卽邛州所理縣也、縣有蠻夷曰道、故曰嚴道、邛都縣本邛都國、漢爲縣、今嶲州也、西南夷傳云、滇池以北、君長以十數、邛都最大、是也、按羣臣請處淮南王長蜀之嚴道、不爾更遠、邛都西有邛僰山、邛僰山在雅州滎經縣界、滎經、武德年閒置、本秦嚴道地、華陽國志云、邛笮山、故邛人笮人界也、山巖峭峻、曲回九折乃至、上下有凝冰、按卽王尊登者也、今從九折西南行至嶲州、山多雨少晴、俗呼名爲漏天、【考證】梁玉繩曰、都乃郵字之訛、史漢淮南王傳、作邛郵、可證、愚按、邛郵、今四川雅州府滎經縣西南、徐孚遠曰、廢徙諸王、則有司彈事、不欲出自人主、傷親親之恩也、始見于此、後世仍之、帝許之。長未到處所。行病死。上憐之。後十六年、追尊淮南王長、諡爲厲王、立其子三人爲淮南王・【索隱】名安、阜陵侯也、衡山王・【索隱】名勃、安陽侯也、廬江王。【索隱】名賜、周陽侯也、十三年夏、【考證】自七年至十二年、皆缺不書、愚按、漢書有之、上

曰。蓋聞天道禍自怨起。而福繇德興。百官之非、宜由朕躬。今祕祝之官、移過于下、【集解】應劭曰、祕祝之官、移過于下、國家諱之、故曰祕、【考證】中井積德曰、掌禁內禱禳、故曰祕祝耳、洪亮吉曰、此蓋周禮甸師代王受災眚遺意、以彰吾之不德。朕甚不取。其除之。【考證】又見封禪書、五月、齊太倉令淳于公有罪當刑。詔獄逮、徙繫長安。【索隱】名意、爲齊太倉令、故謂之倉公也、【正義】逮徙、上音代、謂追捕徙禁長安詔獄、太倉公無男、有女五人。太倉公將行會逮。罵其女曰。生子不生男、有緩急非有益也。【考證】李笠曰、列女傳漢刑法志、緩上竝無有字、倉公傳云、緩急無可使者、亦可證此有字誤衍、其少女緹縈自傷泣、【索隱】緹、音啼、鄒氏音體、非、乃隨其父至長安。上書曰。妾父爲吏、齊中皆稱其廉平。今坐法當刑。妾傷夫死者不可復生、刑者不可復屬。雖復欲改過自新、其道無由也。妾願沒入爲官婢、贖父刑罪、使得自新。書奏天子。

天子憐悲其意、乃下詔曰。蓋聞有虞氏之時、畫衣冠異章服以爲僇。而民不犯。何則至治也。【正義】皆書刑法志云、三皇設言而民不違、五帝畫衣冠而民知禁、犯黥者皁其巾、犯劓者丹其服、犯臏者墨其體、犯宮者雜其屨、大辟之罪、殊刑之極、布其衣裾而無領緣、投之於市、與衆棄之、【考證】荀子正論篇、世俗之爲說者曰、治古無肉刑而有象刑、墨黥、蚤嬰、共艾畢、菲對屨、殺赭衣而不純、治古如是、是不然、尚書大傳、唐虞之象刑、上刑赭衣不純、中刑雜屨、下刑墨幪、注、幪、巾也、今法有肉刑三、而姦不止。【集解】李奇曰、約法三章、無肉刑、文帝則有肉刑、孟康曰、黥劓二、左右趾合一、凡三、【索隱】韋昭云、斷趾黥劓之屬、崔浩漢律序云、文帝除肉刑、而宮不易、張斐注云、以淫亂人族序、故不易之也、【考證】梁玉繩曰、賈公彥周禮司刑疏亦云、文帝惟赦墨劓刖三肉刑、其宮刑至隋始除之、蓋皆本漢書刑法志爲說、然景帝元年制曰、除肉刑、重絕人之世、漢書鼂錯對策曰、除去陰刑、則文帝固已除宮刑矣、且漢志亦竝無不易宮刑明文、疑此劓刖宮爲三肉刑、蓋黥至輕、自不應數之、而宮刑之復、必景帝也、故景中四年作陽陵、赦死罪、欲腐者許之、孝武于史公亦用此刑、愚按、文帝詔文所云刻肌膚者、明指墨刑、梁說未可直信、其咎安在。非乃朕德薄、而教不明歟。吾甚自愧。故夫馴道不純、【考證】漢書刑法志、馴作訓、而愚民陷焉。詩曰。愷悌君子、民之父母。【考證】顏師古曰、大雅泂酌之詩也、言君子有和樂簡易

之德、則其下尊之如父、親之如母也、今人有過、教未施而刑加焉。或欲改行爲善、而道毋由也。朕甚憐之。夫刑至斷支體、刻肌膚、終身不息。【考證】顏師古曰、息、生也、何其楚痛而不德也。豈稱爲民父母之意哉。其除肉刑。【考證】漢書刑法志、定律曰、當黥者、髡鉗爲城旦舂、當劓者、笞三百、當斬左止者、笞五百、當斬右止、及殺人先自告、及吏坐受賕枉法、守縣官財物而卽盜之、已論命、復有笞罪者、皆棄市、上曰。農天下之本。務莫大焉。今勤身從事、而有租稅之賦。是爲本末者毋以異。【集解】李奇曰、本、農也、末、賈也、言農與賈俱出租無異也、故除田租、其於勸農之道未備。其除田之租稅。十四年冬、匈奴謀入邊爲寇。攻朝那塞、殺北地都尉卬、【集解】徐廣曰、姓孫、封其子單爲缾侯、匈奴所殺、【正義】塞、先代反、括地志云、朝那故城、在原州百泉縣西七十里、漢朝那縣是也、塞、卽蕭關、今名隴山關、漢文帝十四年、匈奴入朝那縣之地、缾、白刑反、地理志云、缾、屬琅邪郡、【考證】朝那故城、在今甘肅平涼府平涼縣西北、漢書功臣表云、缾侯孫單、以父北地都尉卬力戰死事、文帝十四年封、上乃遣三將軍軍隴西・北地・上郡。

【考證】齊召南曰、上郡將軍、昌侯盧卿也、北地將軍、寧侯魏遬也、隴西將軍、隆慮侯周竈也、見匈奴傳、中尉周舍爲衞將軍、郎中令張武爲車騎將軍、軍渭北。【考證】今陝西西安府咸陽縣、三將軍在邊郡、二將軍在京師、車千乘、騎卒十萬。帝親自勞軍勒兵、申教令、賜軍吏卒。帝欲自將擊匈奴。羣臣諫。皆不聽。皇太后固要帝。【集解】如淳曰、必不得自征也、帝乃止。於是以東陽侯張相如爲大將軍、成侯赤爲內史、欒布爲將軍、擊匈奴。【集解】徐廣曰、成侯赤、姓董也、【正義】赤、音赫、【考證】漢書作建成侯董赫、齊召南曰、功臣表董赫是董渫之子、封成侯、非建成侯、史記作成侯、是也、陳仁錫曰、爲字衍文、內史、欒布官也、梁玉繩曰、此解似是、但百官表、是年內史乃董赤、而欒布傳言自燕相爲將軍、不言爲內史、疑有誤、匈奴遁走。春、上曰。朕獲執犧牲珪幣、以事上帝宗廟、十四年于今。歷日縣長、以不敏不明、而久撫臨天下。朕甚自愧。其廣增諸祀墠場珪幣。【考證】楓三本、不明作无明、漢書文紀、墠作壇、顏師古曰、築地爲壇、除地爲場、幣、祭神之帛、昔先王遠施不求

其報。望祀不祈其福。右賢左戚、【集解】韋昭曰、右猶高、左猶下也、【索隱】劉德云、先賢後親也、先民後已。至明之極也。今吾聞祠官祝釐、【集解】如淳曰、釐、福也、賈誼傳、受釐坐宣室、【索隱】音禧、福也、皆歸福朕躬、不爲百姓。朕甚愧之。夫以朕不德而躬享獨美其福。百姓不與焉。是重吾不德。【考證】漢書文紀、躬享作專鄉、鄉卽饗、與此意同、其令祠官致敬、毋有所祈。是時北平侯張蒼爲丞相。方明律歷。魯人公孫臣上書、陳終始傳五德事。【索隱】五行之德、帝王相承傳易、終而復始、故云終始傳、五德之事、傳、音轉也、【考證】五德終始傳、又見始皇二十六年紀、封禪書、曆書、賈生傳、孟荀列傳、張丞相傳、言方今土德時、土德應、黃龍見。當改正朔服色制度。天子下其事、與丞相議。丞相推以爲今水德始明、正十月、上黑事。以爲其言非是、請罷之。【考證】梁玉繩曰、此事封禪書及賈生張丞相傳俱有之、竊謂五行之王、頗不足準、其說始于鄒衍、今視之、特陰陽末術耳、初無預于治亂之數、自秦始皇采用、遂相沿以爲大事、不亦惑乎、鄒衍

論五德取相勝、故賈誼公孫臣曰、應黃龍見、漢當土德、土克水也、沈約因稱白帝之子是水、赤帝之子是土、孝武用之、劉向言五德主相生、以秦爲閏位、去之、故曰周木德、漢火德、應劭因稱秦水漢土爲失、光武改之、後世咸宗劉說、魏稱土德、晉稱金德、宋稱水德、皆是也、獨張蒼曰河決金堤、漢爲水德、夫河決豈吉祥善事、而指以爲水德之符、奚異方士以歲旱爲乾封、以孛見爲德星哉、張蒼之議、必因高帝北畤待我而起一語、故曆書亦云、高祖自以爲獲水德之瑞、不知高祖一時之詞、非自道得水德、初起時旗幟已尚赤矣、特襲秦正朔服色、未遑更定也、十五年、黃龍見成紀。【集解】韋昭曰、成紀縣、屬天水、【正義】見、音胡練反、韋昭云、聽聰知正則黃龍見、文帝尊孝弟力田、又除祕祝肉刑、故黃龍爲之見、成紀在秦州縣、本漢縣、至今在州北二里、【考證】今甘肅秦州秦安縣、天子乃復召魯公孫臣以爲博士、申明土德事。於是上乃下詔曰。有異物之神、見于成紀。無害於民、歲以有年。【正義】言豐年也、朕親郊祀上帝諸神。禮官議、毋諱以勞朕。【集解】漢書音義曰、言無所諱、勿以朕爲勞、【考證】中井積德曰、言勿爲勞我而諱避也、有司禮官皆曰。古者天子、夏躬親禮祀上帝於郊。故曰郊。於是天子始幸雍、郊見五帝。以孟夏四月荅禮焉。【考證】又見封禪書、漢書文紀云、十五年九月、

詔諸侯王公卿郡守、舉賢良能直言極諫者、上親策之、傳納以言、周壽昌曰、此漢廷策士之始、前此卽位二年、詔舉賢良方正能直言極諫者、未聞舉何人、至是始以三道策士、而鼂錯以高第由太子家令遷中大夫、愚按、是事鼂錯傳亦不載、故補記、趙人新垣平以望氣見。因說上設立渭陽五廟。【集解】韋昭曰、在渭城、【正義】漢書郊祀志云、漢五帝廟同宇、帝一殿、陽面、五帝各如其帝色、括地志云、在渭城、欲出周鼎。當有玉英見。【集解】瑞應圖云、玉英、五常竝修則見、十六年、上親郊見渭陽五帝廟。亦以夏荅禮而尚赤。十七年、得玉杯。刻曰。人主延壽。【集解】應劭曰、新垣平詐令人獻之、於是天子始更爲元年。【索隱】按秦本紀、惠文王十四年、更爲元年、又汲冢竹書、魏惠王亦有後元、當取法於此、又按封禪書、以新垣平侯日再中、故改元也、令天下大酺。【正義】古者祭酺、聚錢飮酒、故後世聽民聚飮、皆謂之酺、漢書每有嘉慶、全民大酺、是其事也、彼注云、因祭酺而其民長幼相酬、鄭注所謂祭酺合醵也、酺、音蒲、其歲、新垣平事覺夷三族。【考證】又見封禪書、梁玉繩曰、漢書文紀、十六年九月得玉杯、令天下大酺、此與封禪書以得杯大酺在十七年誤也、改元以日再中、而此謂因得杯、亦誤、日再中、乃秦王誓燕丹妄語、文帝奈何信之、又按漢書紀志、高后元年、除三族罪、史記脫不書、則族誅之法、已前除之、何以新垣平復行三族之誅、豈妖誣不道、不用常典邪、刑法志譏其過刑矣、然文帝

于盜高祖玉環之罪、欲致之族、則又何也、後二年、【考證】顧炎武曰、漢文帝後元年、景帝中元年、後元年、當時只是改爲元年、後人追記之、爲中爲後耳、若光武之中元元年、梁武帝之中大通元年、中大同元年、則自名之爲中、不可一例論也、上曰。朕既不明、不能遠德。是以使方外之國、或不寧息。夫四荒之外、不安其生。【索隱】顧胤按爾雅、孤竹北戶西王母日下、謂之四荒也、封畿之內、勤勞不處。【考證】顏師古曰、不處者、不獲安居、二者之咎、皆自於朕之德薄、而不能遠達也。閒者累年、匈奴竝暴邊境、多殺吏民。邊臣兵吏、又不能諭吾內志。以重吾不德也。【考證】諭、曉也、漢書文紀、德下無也字、夫久結難連兵、中外之國、將何以自寧。今朕夙興夜寐、勤勞天下、憂苦萬民、爲之怛惕不安、未嘗一日忘於心。故遣使者冠蓋相望、結軼於道。【集解】韋昭曰、使車往還、故轍如結也、相如曰、結軌還轍、【索隱】鄒氏、軼、音逸、又音轍、漢書作轍、顧氏按司馬彪云、結、謂車轍回旋錯結之也、【考證】依注、集解本軼作轍、今本漢書作徹、田敬仲世家、伏式結軼、索隱、軼、音姪、車轍也、以諭朕

意於單于。今單于反古之道、計社稷之安、便萬民之利、親與朕俱弃細過、偕之大道、【考證】漢書文紀、親作新、之、往也、趨也、結兄弟之義、以全天下元元之民。【索隱】戰國策云、制海內、子元元、非兵不可、高誘注云、元元、善也、又按姚察云、古者謂人云善、言善人也、因善爲元、故云黎元、其言元元者、非一人也、顧野王又云、元元、猶喁喁、可憐愛貌、未安其說、聊記異也、和親已定、始于今年。後六年、【考證】此紀三年四年五年缺不書、漢書有之、冬、匈奴三萬人入上郡、三萬人入雲中。【考證】上郡、今陝西延安府綏德州、雲中、今山西朔平北歸化城、以中大夫令勉【集解】徐廣曰、衛尉改名也、駰案漢書百官表、景帝初改衛尉爲中大夫令、非此年也、【索隱】裴駰按表、景帝改衛尉爲中大夫令、則中大夫令是官號、勉其名、後此官改爲光祿勳、虞世南以此稱中大夫令、是史家追書耳、顏遊秦以令是姓、勉是名、爲中大夫、據風俗通、令姓、令尹子文之後也、【考證】令姓、勉名、顏說是、爲車騎將軍、軍飛狐、【集解】如淳曰、在代郡、蘇林曰、在上黨、【考證】直隸易州廣昌縣、故楚相蘇意爲將軍、軍句注、【集解】應劭曰、山險名也、在鴈門陰館、【索隱】句、伏儼音俱、包愷音鉤、【正義】上古侯反、下之具反、括地志曰、句注山、一名西陘山、在代州鴈門縣西北三十里、句、漢書音義、章句之句、【考證】句注、今山西代州、將軍張武屯

北地、河內守周亞夫爲將軍、居細柳、【集解】徐廣曰、在長安西、駰按如淳曰、長安圖、細柳倉、在渭北、近石徼、張揖曰、在昆明池南、今有柳市、是也、【索隱】按三輔故事、細柳、在直城門外阿房宮西北維、又匈奴傳云、長安西細柳、則如淳云在渭北、非也、【考證】北地故城、今甘肅慶陽府環縣東南、細柳、陝西西安府咸陽縣西南有細柳倉、亞父屯兵處、宗正劉禮爲將軍、居霸上、【考證】劉禮是時未爲宗正、霸上、陝西西安府咸寧縣、祝茲侯【集解】徐廣曰、表作松茲侯、姓徐、名悍、【考證】中井積德曰、上竝書姓名、祝茲侯無姓名、脫文耳、漢書侯下有徐厲爲將軍五字、兪樾曰、惠景間侯表、松茲侯徐厲、非悍也、文帝遺詔屬國悍爲將屯將軍、悍不書姓、而徐廣注以爲姓徐、未知所據、愚按、史將相名臣年表絳侯世家及漢書周勃傳並云、是年徐厲屯棘門、與漢書文紀合、惠景間侯表云、松茲侯徐厲、以呂后四年封、十一年薨、孝文七年康侯悼嗣、漢書功臣表同、十一年當云二十七年、文帝七年當云文帝後七年、康侯悼當作康侯悍、悍悼形似而誤、又按祝茲、當依表作松茲、軍棘門、【集解】徐廣曰、在渭北、駰案孟康曰、在長安北、秦時宮門也、如淳曰、三輔黃圖、棘門在橫門外、【正義】橫、音光、秦興樂宮北門、對橫橋、今渭橋、【考證】棘門陝西西安府長安縣北、徐孚遠曰、三將軍屯邊郡、三將軍屯京師、以備胡。數月胡人去。亦罷。【考證】又見絳侯世家匈奴傳、天下旱蝗。帝加惠、令諸侯毋入貢、弛山澤、【集解】韋昭曰、弛、廢也、廢其常禁以利民、減諸服御狗馬、損郎吏員、發倉庾以

振貧民。【集解】應劭曰、水漕倉曰庾、胡公曰、在邑曰倉、在野曰庾、【索隱】郭璞注三蒼云、庾倉無屋也、胡公名廣、後漢太尉、作漢官解詁也、【正義】胡公名廣、後漢太尉、百官箴者、廣所著書名、應劭著官儀次比、民得賣爵。【索隱】崔浩云、富人欲爵、貧人欲錢、故聽買賣也、【考證】武帝許賣武功爵、蓋由有此先例、其父殺人報仇、其子必且行劫、政不可不愼也、孝文帝從代來、卽位二十三年、【考證】延久鈔本、二十作廿、梁玉繩曰、此段總敍文帝諸善政、當在後七年之末、襲號曰皇帝句下、錯簡于後六年也、後世作史、皆倣總敍法、愚按、趙翼亦有此說、漢書取此爲文紀贊、宮室苑囿、狗馬服御、無所增益。有不便、輒弛以利民。嘗欲作露臺。【集解】徐廣曰、露一作靈、【索隱】顧氏按、新豐南驪山上、猶有臺之舊址也、【考證】中井積德曰、無木曰臺、然後代通觀榭皆謂之臺、此欲謂無木之臺、故稱露臺耳、露是暴露之露、又曰、露臺遂不作焉、得有舊址、召匠計之。直百金。【正義】漢法一斤爲一金、一金直萬錢也、百金直千貫、【考證】正義依平準書、上曰。百金、中民十家之產。吾奉先帝宮室、常恐羞之。何以臺爲。上常衣綈衣。【集解】如淳曰、賈誼云、身衣皁綈、【正義】綈、厚繒也、【考證】漢書文紀、作弋綈、所幸愼夫人、令衣不得曳地、幃帳不得文繡、以示敦朴、爲天下先。治霸陵、

【考證】在陝西西安府咸寧縣東、劉向諫昌陵疏、謂文帝寤張釋之言、去墳薄葬、以儉安神、賈山至言亦言之、則霸陵在漢帝諸陵中最儉者矣、而晉書稱赤眉取陵中物不能減半、於今猶有朽帛委積、珠玉未盡、豈文帝崩後、臣子違其素志邪、古書所言、未可悉信也、皆以瓦器、不得以金銀銅錫爲飾。不治墳。欲爲省毋煩民。【考證】漢書、飾下有由其山三字、南越王尉佗、自立爲武帝。【考證】漢書、刪武字、然上召貴尉佗兄弟、以德報之。佗遂去帝稱臣。【考證】漢書、無尉字、報作懷、愚按、事見南越傳、與匈奴和親。匈奴背約入盜、然令邊備守不發兵深入。惡煩苦百姓。吳王詐病不朝。就賜几杖。【考證】事見吳王濞傳、羣臣如袁盎等、稱說雖切、常假借用之。【集解】蘇林曰、假、音休假、借、音以物借人、【考證】沈欽韓曰、風俗通正失篇、孝成帝問劉向曰、後世皆言文帝治天下幾至太平、其德比周文王、此語從何生、對曰、生於言事、文帝禮言事者、不傷其意、羣臣無大小至卽便從容言、上止輦聽之、其言可者稱善、不可者喜笑而已、言事多褒之、後人見遺文、則以爲然、羣臣如張武等、受賂遺金錢、覺。上乃發御府金錢賜之、以愧其心、弗下吏。【考證】延久鈔本、乃作常、與類聚所引合、

專務以德化民。是以海內殷富、興於禮義。後七年六月己亥、帝崩於未央宮。【集解】徐廣曰、年四十七、【考證】臣瓚曰、帝年二十三卽位、卽位二十三年、壽四十六、愚按、集解四十、延久鈔本作卌、遺詔曰。朕聞蓋天下萬物之萌生、【考證】梁玉繩曰、蓋字當衍、或云、宜依漢書作朕聞之、顏師古曰、始生者曰萌、靡不有死。死者天地之理、物之自然者。奚可甚哀。【考證】古鈔、楓、三本、理下有萬字、當今之時、世咸嘉生而惡死、厚葬以破業、重服以傷生。吾甚不取。且朕既不德、無以佐百姓。今崩、又使重服久臨、以離寒暑之數。【考證】漢書、離作罹、顏師古曰、臨、臨哭也、哀人之父子、傷長幼之志、【考證】漢書、人下無之字、幼作老、損其飲食、絕鬼神之祭祀、以重吾不德也。謂天下何。朕獲保宗廟、以眇眇之身、託于天下君王之上、二十有餘年矣。【考證】延久鈔本、二十作廿、賴天地之靈、社稷之福、方內安寧、【集解】瓚曰、方、四方也、內、中也、

猶云中外也、【考證】顏師古曰、瓚說非也、直謂四方之內耳、 靡有兵革。【集解】徐廣曰、一云方內安、兵革息、 朕既不敏、常畏過行以羞先帝之遺德。維年之久長、懼于不終。今乃幸以天年得復供養于高廟。朕之不明與。嘉之。其奚哀悲之有。【集解】如淳曰、與、發聲也、得卒天年已善矣、【考證】與讀曰歟、言朕幸以天年終、得復供養高廟於地下、以朕之不明而蒙此歟、群下宜嘉也、其何可哀悲乎、嘉與哀、屬群下、非帝自謂、漢書、悲作念、 其令天下吏民。令到出臨三日、皆釋服。毋禁取婦嫁女、祠祀飲酒食肉者。自當給喪事服臨者、皆無踐。【集解】伏儼曰、踐、翦也、謂無斬衰也、孟康曰、踐、跣也、晉灼曰、漢語作跣、跣、徒跣也、【索隱】漢語、是書名、荀爽所作也、【考證】沈欽韓曰、書序成王踐奄、鄭讀踐爲翦、釋名、三年之縗曰斬、不緝其末、直翦斬而已、此漢人古義、伏說是、王先愼曰、此及下經帶無過三寸、皆指給喪事者言之、後漢禮儀志、佐史以下、布衣冠幘、經帶無過三寸、臨庭中、武吏布幘大冠、足爲此文無斬衰之確證、伏說是、王先謙曰、荀紀皆無踐、作皆無跣、足、通鑑亦作跣、皆主孟說、然不如伏義之長、愚按、集解伏儼、各本作服虔、今從延久本、漢書注亦作伏儼、 經帶無過三寸。毋布車及兵器。【集解】應劭曰、無以布衣車及兵器也、服虔曰、不施輕車介士也、【考證】顏師古曰、應說是也、李慈銘曰、服說

是也、古之衣車皆有布、喪事素車用白布、不得禁之、此自以陳設車器爲言、若如應說、則及兵器難解、豈有以布蒙兵器者乎、 毋發民男女哭臨宮殿。【考證】楓、三本、南化本、下宮字作中、張文虎曰、各本民作人、舊刊作民、御覽引同、與漢書合、愚按、延久本亦作民、漢書聲作音、王先愼曰、後漢悉沿此制、詳見續志、 宮殿中當臨者、皆以旦夕各十五舉聲、禮畢罷。非旦夕臨時、禁毋得擅哭。【考證】漢書、哭下衍臨字、 已下、【索隱】謂柩已下於壙、 服大紅十五日、小紅十四日、纖七日、釋服。【集解】服虔曰、當言大功小功布也、纖、細布衣也、應劭曰、紅者、中祥大祥、以紅爲領緣也、纖者、禫也、凡三十六日而釋服、【索隱】劉德云、紅亦功也、男功非一、故以糸工爲字、三十六日、以日易月故也、【正義】顏師古云、此喪制者、文帝自率己意、創而爲之、非有取於周禮也、何爲以日易月乎、三年之喪、其實二十七月、豈有三十六月之文、禫又無七月也、應氏既失之於前、而近代學者因循謬說、未之思也、按文帝權制百官而已、輕重之服、不當併言三十六日、【考證】劉攽曰、文帝制此喪服、斷自已葬之後、其未葬之前、則服斬衰、漢諸帝自崩至葬、有百餘日者、未葬則服不除矣、翟方進傳、後母終、既葬三十六日起視事、此其證也、說者遂以日易月、又不通計葬之日、皆大謬也、攷之文帝意、既葬除重服、制大功小功、所以漸卽吉耳、愚按、顧炎武日知錄、何焯讀書記、亦申顏劉、其說甚備、 佗不在令中者、皆以此令比率從事。【考證】漢書、率作類、 布告天下、使

明知朕意。霸陵山川、因其故、毋有所改、【集解】應劭曰、因山爲藏、不復起墳、山下川流不遏絕也、就其水名、以爲陵號、【索隱】霸是水名、水徑於山、亦曰霸山、卽芷陽地也、【正義】括地志云、霸陵、漢文帝陵、在雍州萬年縣東二十里、霸陵故芷陽也、漢晉春秋云、愍帝建興三年、秦人發霸杜二陵、珠玉綵帛以千萬計、帝問索琳曰、漢陵中物何乃多耶、對曰、天子卽位一年而爲陵、天下貢賦、三分之一供宗廟、一供客、一充山陵、武帝享年既久、比崩、茂陵不復容物、赤眉賊不能減半、今猶有朽帛委積、珠玉未盡、此二陵是儉者也、 歸夫人以下至少使。【集解】應劭曰、夫人以下、有美人良人八子七子長使少使、凡七輩、皆遣歸家、重絕人類也、【考證】荀紀、作所幸愼夫人以下至少使得令嫁、 令中尉亞夫爲車騎將軍、屬國悍【集解】徐廣曰、姓徐、駰按漢書百官表、典屬國、秦官、掌蠻夷降者、【考證】悍、松茲侯徐厲之子、將相名臣表、悍作悼、形似而誤、 爲將屯將軍、【集解】李奇曰、馮奉世爲右將軍、以將屯將軍爲名、此監主諸屯也、 郎中令武爲復土將軍、【集解】如淳曰、主穿壙填瘞事者、【索隱】復、音伏、謂穿壙出土、下棺已而填之、卽以爲墳、故云復土、復、反還也、又音福、【正義】張武也、 發近縣見卒萬六千人、發內史卒萬五千人、【索隱】按百官表云、內史掌理京師之官也、景帝更名京兆尹也、 藏郭穿、復土、屬將軍武。乙巳、【集解】漢書云、乙巳葬霸陵、皇甫謐曰、霸陵、去長安七十里、【考證】乙巳下、漢書有葬霸陵三字、此恐脫漏、

羣臣皆頓首、上尊號曰孝文皇帝。太子卽位于高廟。丁未、襲號曰皇帝。孝景皇帝元年十月、制詔御史。【考證】中井積德曰、據例、宜言明年十一月、孝景制詔也、漢書是詔在景紀中、理固當然、蓋史記原文亦然、及景紀焚毀、是語不可沒、故存而附乎此耳、或後人取乎漢書而係于此也、必非史記之舊矣、張文虎曰、中統游本、孝景以下提行、疑此亦後人所增、 蓋聞古者祖有功而宗有德。【集解】應劭曰、始取天下者爲祖、高帝稱高祖、是也、始治天下者爲宗、文帝稱太宗、是也、【考證】王啓原曰、祖有功而宗有德、家語廟制篇以爲孔子之言、雖不足據、後漢書光武紀注引其文而云禮、蓋佚禮之文、 制禮樂各有由。聞歌者所以發德也。舞者所以明功也。【考證】李笠曰、聞字疑涉上蓋聞而衍、漢紀無、王啓原曰、白虎通云、歌者在上、舞者在下、何、歌者象德、舞者象功、君子上德而下功、 高廟酎、【集解】張晏曰、正月旦作酒、八月成、名曰酎、酎之言純也、至武帝時、因八月嘗酎、會諸侯廟中、出金助祭、所謂酎金也、【考證】顏師古曰、酎、三重醸醇酒也、味厚、故以薦宗廟、酎、音直救反、 奏武德文始五行之舞。【集解】孟康曰、武德、高祖所作也、文始、舜舞也、五行、周舞也、武德者、其舞人執干戚、文始舞執羽籥、五行舞冠冕衣服、法五行色、見禮樂志、【索隱】應劭云、禮樂志、文始舞、本舜韶舞、高祖更名文始、示不相襲、五行舞、本周武舞、秦始皇更名五行舞、按今言奏武德文始五行之舞者、其樂總象武王樂、言高祖以武定天

下也、既示不相襲、其作樂之始、先奏文始、以羽籥衣文繡、居先、次即奏五行、五行即武舞、執干戚而衣有五行之色也、【考證】中井積德曰、周初未有五行五色配屬之說、此注恐傳會、錢大昭曰、鄭司農注春官大胥云、漢大樂律曰、卑者之子不得舞宗廟之酎、除吏二千石到六百石、及關內侯到五大夫子、先取高七尺以上、年二十到三十、顏色和順身體修治者、以爲舞人、孝惠廟酎、奏文始五行之舞。孝文皇帝臨天下、通關梁不異遠方、【集解】張晏曰、孝文十二年、除關不用傳令遠近若一、除誹謗、去肉刑、賞賜長老、收恤孤獨、以育羣生、減嗜欲、不受獻。【集解】徐廣曰、減、一作滅、【考證】漢書文帝紀云、元年九月、令郡國無來獻、賈捐之傳又云、孝文時有獻千里馬者、詔曰、鸞旗在前、屬車在後、吉行五十里、師行三十里、朕乘千里馬、獨先安之、于是還馬、與道里費、不私其利也。罪人不帑、【集解】蘇林曰、刑不及妻子、不誅無罪、除肉刑、出美人、重絕人之世。【考證】漢書景帝紀、肉刑作宮刑、張文虎曰、上文云去肉刑、此不當複出、當依漢書除宮刑、與下出美人爲類、所謂重絕人之世也、梁玉繩以其複出、疑上去肉刑、爲田租、案漢書亦作去肉刑、不誤、朕既不敏、不能識。此皆上古之所不及、而孝文皇帝親行之。德厚侔天地、【集解】李奇曰、侔、齊等、利澤施四海、靡不獲福焉。

明象乎日月、而廟樂不稱。朕甚懼焉。其爲孝文皇帝廟爲昭德之舞、以明休德。【集解】文穎曰、景帝采高祖武德舞、作昭德舞、舞之於文帝廟、見禮樂志、然后祖宗之功德、著於竹帛、施于萬世、永永無窮。朕甚嘉之。其與丞相、列侯、中二千石、禮官、具爲禮儀奏。丞相臣嘉等言。【考證】申屠嘉、陛下永思孝道、立昭德之舞、以明孝文皇帝之盛德。皆臣嘉等愚所不及。臣謹議曰。【考證】曰、各本作世、漢書同、今從淩本、功莫大於高皇帝。德莫盛於孝文皇帝。高皇廟、宜爲帝者太祖之廟。孝文皇帝廟、宜爲帝者太宗之廟。天子宜世世獻祖宗之廟。郡國諸侯、宜各爲孝文皇帝立太宗之廟。諸侯王列侯使者侍祠、天子歲獻祖宗之廟。【集解】張晏曰、王及列侯、歲時遣使詣京師、侍祠助祭也、如淳曰、若光武廟在章陵、南陽太守稱使者往祭、是也、不使侯王祭者、諸侯不得祖天子也、凡臨祭

祀宗廟、皆爲侍祭、【考證】顏師古曰、張說是也、既云天子所獻祖宗之廟、非謂郡國之廟也、請著之竹帛、宣布天下。制曰。可。

太史公曰。孔子言必世然後仁。【集解】孔安國曰、三十年曰世、如有受命王者、必三十年仁政乃成、【考證】論語子路篇、延久本集解、三十作卅、善人之治國、百年亦可以勝殘去殺。誠哉是言。【集解】王肅曰、勝殘暴之人、使不爲惡、去殺、不用殺也、【考證】論語子路篇、人下無之、國作邦、殺下有矣、言下有也、改邦爲國、蓋史公避廟諱、漢興至孝文四十有餘載。德至盛也。【考證】延久本、四十作卌、廩廩鄉改正服封禪矣。【考證】廩廩、漸近之意、漢書循吏傳、廩廩庶幾德讓君子之遺風矣、楓三本、鄉作嚮、正服、作正朔、正服、正朔服色也、封禪書、怠於改正朔服色神明之事也、漢書郊祀志、改作怠改正服鬼神之事、謙讓未成於今。【考證】禮書序云、孝文即位、有司議欲定儀禮、孝文好道家之學、以爲繁禮飾貌、無益於治、躬化謂何耳、嗚呼、豈不仁哉。【考證】細味此數語、似史公不慊於武帝者、

【索隱】述贊、孝文在代、兆遇大橫、宋昌建冊、絳侯奉迎、南面而讓、天下歸誠、務農先籍、布德偃兵、除帑削謗、政簡刑清、綈衣率俗、露臺罷營、法寬張武、獄恤緹縈、霸陵如故、千年頌聲、

孝文本紀第十 史記十

史記會注考證卷十一

漢　太　史　令　司　馬　遷　撰
宋　中　郎　外　兵　曹　參　軍　裴　駰　集　解
唐　國　子　博　士　弘　文　館　學　士　司　馬　貞　索　隱
唐　諸　王　侍　讀　率　府　長　史　張　守　節　正　義
日　本　出　雲　瀧　川　資　言　考　證

孝景本紀第十一　　史記十一

【考證】史公自序云、諸侯驕恣、吳首爲亂、京師行誅、七國伏辜、天下翕然、大安殷富、作孝景本紀第十一、淩稚隆曰、衛宏漢書舊儀注云、太史公作景帝本紀、極言其短、及武帝過、武帝怒而削去、後坐舉李陵、陵降匈奴、故下太史公蠶室、有怨言、下獄死、此紀乃元成間褚先生取班書補之、非太史公本著也、王鳴盛曰、遷下蠶室、在天漢三年、後爲中書令、尊寵任職、何得謂下蠶室有怨言下獄死乎、與情事全不合、中井積德曰、元成間何曾有班書、陳仁錫曰、景紀用編年例、惟書本事而已、此必太史公本書、非後人所補也、崔適曰、此紀之文、有詳於漢書者、如三年徙濟北王以下五王、五年徙廣川王爲趙王、六年封中尉趙綰爲建陵侯、至梁楚二王皆薨、班書皆無之、則非取彼以補也、此紀實未亡爾、

孝景皇帝者、【集解】漢書音義曰、諱啓、【正義】謚法曰、繇義而濟曰景、孝文之中子也。母竇太后。孝文在代時、前后有三男。【考證】楓山、三條本、無時字、及竇太后得幸、前后死、及三子更死。故孝景得立。元年四月乙卯、赦天下。乙巳賜民爵一級。【考證】梁玉繩曰、乙巳二字衍、是月甲午朔、乙巳先乙卯十日、不應賜爵在赦前、亦不應二事相隔多日、張文虎曰、漢書、四月赦天下、賜民爵一級、不書日、五月、除田半租。【考證】中井積德曰、漢書云、五月、令田租半、蓋孝文十三年、除田租稅、後十一年、不復取租、至此乃令出半租也、史記除字失當、王先謙曰、通鑑、三十而稅一、爲孝文立太宗廟、令羣臣無朝賀。【考證】漢書景

紀不載、匈奴入代、與約和親。二年春、封故相國蕭何孫係爲武陵侯。【集解】徐廣曰、漢書亦作係、鄒誕生本作傒、音奚、又按漢書功臣表及蕭何傳皆云、孫嘉、疑其人有二名、【索隱】漢書亦作係、鄒誕生本作傒、又按漢書功臣表及蕭何傳皆云、封何孫嘉、疑其人有二名也、【正義】蕭何傳云、以武陽縣二千戶封何孫嘉爲列侯、漢書及史記功臣表皆云、孝景二年、封係爲列侯、恐有二名也、【考證】錢大昕曰、功臣表武陵作武陽、其名嘉、非係也、梁玉繩曰、漢書表傳、皆武陽侯嘉、武陵乃郡名、卽秦黔中郡、非所封也、又漢景紀書于六月、此在春、未知孰是、張文虎曰、鄒誕生南齊人、裴氏無由引、且其文全同索隱、此俗本兼采二注而誤入者、後類此者不復出、男子二十而得傅。【索隱】音附、荀悅云、傅、正卒也、小顏云、舊法、二十三而傅、今改也、【考證】楓、三本、子下有年字、中井積德曰、傅、謂爲丁受徭役也、沈欽韓曰、本年十五以上出算錢、今寬之、至二十歲始傅著於版籍也、梁玉繩曰、漢景紀、在冬十二月、得字衍、愚按、古鈔本、子下有年字、漢書作令天下男子年二十始傅、四月壬午、孝文太后崩。【索隱】薄太后也、亦葬芷陽西、曰少陵也、廣川・長沙王皆之國。【索隱】遣就國也、【考證】廣川王彭祖、長沙王發、皆景帝子、梁玉繩曰、是時河間王德、臨江王閼、淮陽王餘、汝南王非、廣川王彭祖、長沙王發同封、皆景帝子、而獨舉廣川長沙二王之就國、豈其餘四王仍居長安乎、抑史之疏脫也、丞相申屠嘉卒。八月、以御史大夫開封侯陶青爲丞相。【考證】漢書景紀不載、彗星

出東北。【考證】梁玉繩曰、漢書景紀及天文志、作西南、此言東北誤、又紀書于十一月、此在八月、異、秋、衡山雨雹。【正義】雨、于付反、【考證】漢志不載、大者五寸、深者二尺。【考證】王念孫曰、深下者字衍、初學記御覽引並無、熒惑逆行守北辰。月出北辰間。【考證】梁玉繩曰、熒惑何由守北辰、月何由出北辰間、史譌、張文虎曰、辰疑戌之誤、錢大昕以爲戌、非也、辨具王氏讀書雜志、歲星逆行天廷中。置南陵、及內史祋祤爲縣。【集解】徐廣曰、地理志云、文帝七年置、駰按地理志百官表、南陵縣、文帝置也、分內史爲左右、及祋祤爲縣、皆景帝二年、不得皆如徐所云、【索隱】鄒誕生祋、音都會反、又音丁活反、祤、音羽、又音詡、【正義】漢書百官表云、內史周官、秦因之、掌京師、景帝二年、分置左內史右內史、武帝太初元年、右內史更名京兆、左內史更左馮翊、主爵中尉更名右扶風、是爲三輔、地理志云、祋祤故城、在雍州同官縣界、【考證】梁玉繩曰、名臣表及漢志竝云、南陵、文帝七年置、又高帝九年置內史、景帝二年置左右內史、見百官表、此有缺誤、當云置左右內史及祋祤縣、余有丁云、內史京兆治、非爲縣、云然者、以祋祤屬內史耳、亦非、三年正月乙巳、赦天下。長星出西方。天火。【集解】徐廣曰、漢志無、燔雒陽東宮大殿城室。【集解】徐廣曰、雒、一作淮、【索隱】漢書作淮陽王宮災、故徙王於魯也、吳王濞・【正義】音匹備反、高祖兄仲子、故漢高祖十二年封、三十三年反、年表云、都吳、其實在江都也、【考證】江都、今江蘇揚州府江蘇縣西南、楚王

戊【正義】高祖弟楚王交孫嗣、二十一年反、都彭城、【考證】彭城、今江蘇徐州府、趙王遂【正義】高祖孫幽王友子嗣、二十六年反、都邯鄲、【考證】邯鄲、今直隸廣平府邯鄲縣、膠西王卬【正義】卬、五郎反、高祖孫齊悼惠王子、故平昌侯、十年反、都密州高密縣、【考證】高密、今山東萊州府高密縣、濟南王辟光【正義】辟、音壁、高祖孫齊悼惠王子、故初侯、立十一年反、括地志云、濟南故城、在淄川長山縣西北三十里、【考證】濟南、今山東濟南府歷城縣東、菑川王賢【正義】高祖孫、齊悼惠王子、故武城侯、立十一年反、都劇、括地志云、菑州縣也、故劇城在青州壽光縣南三十一里、故紀國、【考證】劇、今山東青州府昌樂縣、膠東王雄渠反、發兵西鄉。【正義】高祖孫、齊悼惠王子、故白石侯、立十一年反、都卽墨、括地志云、卽墨故城、在密州膠水縣東南六十里、卽膠東國也、【考證】卽墨、今山東萊州府卽墨縣、楓三本、鄕作向、天子爲誅晁錯、遣袁盎諭告、不止。遂西圍梁。【正義】梁孝王都睢陽、今宋州、【考證】睢陽、今河南歸德府商邱縣、上乃遣大將軍竇嬰・太尉周亞夫、將兵誅之。六月乙亥、赦亡軍、及楚元王子蓺等、與謀反者。【正義】蓺、魚曳反、字亦作藝、音同、【考證】漢書景紀、夏六月詔曰、迺者吳王濞等爲逆、起兵相脅、詿誤吏民、吏民不得已、今濞等已滅、吏民當坐濞等、及逋逃亡軍者、皆赦之、楚元王子蓺等、爲濞等爲逆、朕不忍加法、除其籍、毋令汙宗室、封大將軍竇嬰爲魏

其侯。【正義】地理志云、魏其、屬琅邪、【考證】徐孚遠曰、封魏其侯、不言其捕反者、然文法自連屬、立楚元王子平陸侯禮爲楚王。【索隱】韋昭云、平陸、西河縣、禮、卽向之從曾祖王父也、【正義】應劭云、平陸、西河縣、【考證】張文虎曰、禮上各本衍禮字、索隱本無、愚按、漢書亦衍禮字、立皇子端爲膠西王、子勝爲中山王、徙濟北王志【正義】濟、子禮反、濟北國、今濟州盧縣、卽濟北王所都、爲菑川王。淮陽王餘【正義】淮陽國、今陳州、爲魯王。【正義】魯、今兗州曲阜縣、汝南王非【正義】汝南國、今豫州、爲江都王。【正義】江都國、今揚州也、吳王濞所都、反誅、景帝改爲江都國、封皇子非也、齊王將廬【索隱】悼惠王之孫、齊王襄之子、廬、漢書作閭、【正義】齊國、青州臨淄也、將廬、齊悼惠王之孫、襄王之子、年表云、【考證】古鈔本、楓山本、廬作閭、梁玉繩曰、齊王之名、諸處竝作將閭、蓋古通用、猶吳王闔閭之爲闔廬也、中井積德曰、按齊悼惠世家、哀王名襄、無襄王、將閭是悼惠之子、薨年亦異、愚按、正義云下有脫文、不然年表云三字衍、燕王嘉【索隱】劉澤之子、皆薨。【集解】徐廣曰、表云、五年薨、四年夏、立太子。立皇子徹爲膠東王。【考證】徹字當諱、六月甲戌、赦天下。後九月、更以弋陽爲陽陵。【正義】括地志云、漢景帝陵也、在雍州咸陽縣東三十里、按豫作壽陵也、【考證】梁玉繩曰、弋陽是昜陽之誤、漢地理志可證、復置

津關、用傳出入。【集解】應劭曰、文帝十二年、除關、無用傳、至此復置傳、以七國新反、備非常也、張晏曰、傳、信也、若今過所也、如淳曰、傳、音檄傳之傳、兩行書繒帛、分持其一、出入關、合之乃得過、謂之傳、【索隱】傳、音丁戀反、如今之過所、【考證】漢書景紀、津作諸、冬、以趙國爲邯鄲郡。【集解】地理志、趙國景帝以爲邯鄲郡、【考證】梁玉繩曰、此年獨書冬于年終、誤、考漢書景紀、四年及中四年、亦竝誤書十月于年終、不可曉也、又地理志、趙國景帝三年爲邯鄲郡、五年復故、此紀既誤書爲郡于四年之冬、而于五年不書復爲趙國、疏矣、五年三月、作陽陵渭橋。【索隱】景帝豫作壽陵也、按趙系家、趙肅侯十五年、起壽陵、後代遂因之也、【考證】漢書景紀云、五年春正月、作陽陵邑、無渭橋二字、與此異、五月、募徙陽陵、予錢二十萬。江都大暴風從西方來。壞城十二丈。【考證】漢書不載、丁卯、封長公主子蟜爲隆慮侯。【索隱】音林閭、避殤帝諱改之、【考證】錢大昕曰、年表中元五年五月丁丑、隆慮侯蟜元年、徐廣據本紀以證表之非、予考功臣表、隆慮侯周通、以中元元年有罪國除、則蟜之封隆慮、必在中元元年以後、紀書于前五年者非矣、愚按、是事漢書景紀不載、徙廣川王爲趙王。【考證】漢書不載、六年春、封中尉趙綰爲建陵侯。【正義】括地志云、建陵故縣、在沂州承縣界、【考證】余有丁曰、衞綰誤作趙綰、盧文弨曰、此趙字後人妄增、下江都丞相嘉、隴西太守渾邪、趙丞相嘉、故將軍布、皆不書姓、知本無

此一字、蓋此卽衞綰、非趙綰也、江都丞相嘉爲建平侯。【集解】徐廣曰、姓程、隴西太守渾邪爲平曲侯。【正義】括地志云、平曲縣故城、在瀛州文安縣北七十里、趙丞相嘉爲江陵侯。【集解】徐廣曰、姓蘇、【考證】錢大昕曰、表、江陵作江陽、故將軍布爲鄃侯。梁・楚二王皆薨。【考證】梁玉繩曰、表言梁孝王以景帝中六年薨、漢表亦然、此紀以孝王薨于前六年者誤也、楓三本、二作之、後九月、伐馳道樹、殖蘭池。【集解】徐廣曰、殖、一作塡、【正義】按馳道、天子道、秦始皇作之、三丈而樹、括地志、蘭池陂、卽秦之蘭池也、在雍州咸陽縣界、三秦記云、始皇都長安、引渭水爲長池、築爲蓬萊山、刻石爲鯨、長二百丈、劉伯莊云、此時蘭池毀溢、故堰塡、【考證】殖作塡、爲長、以上數事、漢書景紀不載、七年冬、廢栗太子爲臨江王。【正義】臨江、忠州縣、雖王臨江、而都江陵、【考證】史表云、十一月乙丑、漢紀云、春正月、漢表云、十一月己酉、梁玉繩曰、諸書皆誤、當作三月乙丑、說詳于史記志疑、十二月晦、日有食之。【考證】漢書紀志、俱作十一月庚寅晦、張文虎曰、案殷術十二月辛卯朔、顓頊術庚寅朔、則此文二字當作一、春、免徒隸作陽陵者。丞相青免。二月乙巳、以太尉條侯周亞夫爲丞相。【正義】條、田彫反、字亦作蓨、音同、【考證】漢書景紀、二月罷太尉官、梁玉繩曰、將相表、以亞夫爲丞相、在六月乙巳、百官表、謂青之免、亞夫之相、竝在六月乙

巳、皆誤、當依此紀爲確、愚按、春免徒隸以下、漢書不載、四月乙巳、立膠東王太后爲皇后、【索隱】按系家、太后槐里人、父仲、兄信、封蓋侯、后故金氏妻、女弟姁兒也、【考證】何焯曰、先立皇后而後立太子、與文帝故事異、兪樾曰、立膠東王太后爲皇后、漢書作立皇后王氏、夫婦人從夫、夫在而從其子之稱、非正也、漢書爲得其正、丁巳、立膠東王爲太子。名徹。【考證】張文虎曰、名徹二字、疑後人旁注誤入、愚按、楓、三、南化本、無此二字、中元年、封故御史大夫周苛孫平爲繩侯。【集解】徐廣曰、平、一作應、【索隱】周苛、周昌之兄、【正義】繩侯未詳、【考證】錢大昕曰、據表、是歲封周成孫應、乃苛之曾孫也、平則嗣應爲侯者也、徐廣云平一作應、近之、崔適曰、孫當作曾孫、故御史大夫周昌子左車爲安陽侯。【考證】楓、三本、故上有封字、張文虎曰、子當作孫、錢大昭曰、左車昌孫、非昌子也、愚按、漢書景紀同、史漢表皆云、中二年封、四月乙巳、赦天下、賜爵一級。除禁錮。地動。衡山・原都雨雹。大者尺八寸。【考證】楓、三本、賜下有民字、下同、四月巳下、漢書不載、中二年二月、匈奴入燕。遂不和親。三月、召臨江王來。卽死中尉府中。【考證】事詳五宗世家、夏、立皇子越爲廣川王。子寄爲膠東王。封四侯。

【集解】文穎曰、楚相張尙、太傅趙夷吾、趙相建德、內史王悍、此四人各諫其王、無使反、不聽、皆殺之、故封其子、【索隱】韋昭云、張尙子當居、趙夷吾子周、建德子橫、王悍子弃也、九月甲戌、日食。中三年冬、罷諸侯御史中丞。【考證】漢書景紀、中丞作大夫、顏師古曰、所以抑損其權、梁玉繩曰、百官表、省諸侯王御史大夫、與改丞相爲相、竝在中五年、此與漢紀書于中三年、未知孰是、而中丞之稱則誤也、中丞乃御史大夫之屬、春、匈奴王二人、率其徒來降。皆封爲列侯。【正義】漢書表云、中三年、安陵侯子軍、桓侯賜、遒侯陸彊、容城侯徐盧、易侯僕黚、范陽侯代、翕侯邯鄲、七人以匈奴王降、皆封爲列侯、按紀言二人者、是匈奴二王爲首降、【考證】梁玉繩曰、史漢表、中三年、以匈奴王降者七人、安陵侯于軍、垣侯賜、遒侯李隆彊、容城侯徐盧、易侯僕黚、范陽侯范代、翕侯邯鄲、此七人者、爲匈奴王同、來降同、封侯同、不同者、只安陵以十一月封、餘六侯以正月封、史漢表誤作十二月、故紀書封侯在春、而以七人爲二人則誤也、正義謂二人是首降、亦無據、蓋絳侯世家與漢書勃傳、封徐盧等五人爲侯、竝屬誤端、正義所述侯名多錯、愚按、漢景紀不載、立皇子方乘爲淸河王。【考證】史漢表在三月、漢景紀在九月、楓、三本、無方字、漢景紀亦無、五宗世家亦云、淸河哀王乘、則方字當衍、三月、彗星出西北。【考證】漢紀在九月、丞相周亞夫死。【考證】死、當作免、亞夫之死、在中五年、以御史大夫桃侯劉舍爲丞相。四月地動。【考證】丞相以下、漢紀不載、九月戊戌晦、

日食。軍東都門外。【集解】按三輔黃圖、東出北頭第一門曰宣平門、外曰東都門、【索隱】按三輔黃圖云、東出北第一門曰宣平門、外曰東都門、【考證】顧炎武曰、此時未有東都、其曰東都門、猶曰東郭門也、愚按、楓、三本、無外字、軍東都門外、漢紀不載、中四年三月、置德陽宮。【集解】瓚曰、是景帝廟也、帝自作之、諱不言廟、故言宮、西京故事云、景帝廟爲德陽宮、【考證】漢紀、置作起、沈欽韓曰、謂廟爲宮、此古義也、春秋經傳毛詩、皆然、以周有文武世室、魯有魯公武公世室、故爾雅又云、宮謂之室、皆謂廟也、瓚云諱廟言宮、此不通雅故而妄說、長安志、景帝廟、在咸陽縣東北十五里、大蝗。秋、赦徒作陽陵者。中五年夏、立皇子舜爲常山王。封十侯。【正義】惠景閒年表云、亞谷侯盧他之、隆盧侯陳蟜、乘氏侯劉買、桓邑侯劉明、蓋侯王信、按其五人、是中元五年封、餘檢不獲、中元三年、匈奴王二人降、封爲列侯、惠景閒表云、匈奴王降爲侯者有七人、疑其五人是十侯之數、【考證】梁玉繩曰、十乃五之譌、張氏正義最謬、中五年止封五侯、竝無十侯、何得强以中三年封者充其數、而安陵等七人之封、皆在中三年、史漢表明確、可攷、又何得割中三年所封之五人、移入中五年耶、愚按、封十侯、漢紀不載、六月丁巳、赦天下、賜爵一級。天下大潦。【考證】天下大潦、漢紀不載、更命諸侯丞相曰相。【考證】顏師古曰、亦所以抑黜之、令異於漢朝、愚按、漢紀在八月、秋、地動。【考證】漢紀不載、中六年二月己卯、行幸雍、郊見五帝。

【考證】梁玉繩曰、漢書在十月、是也、三月、雨雹。【考證】漢書紀志、皆作雨雪、四月、梁孝王・【正義】都睢陽、今宋州、城陽共王・【正義】城陽、今濮州雷澤縣、古城陽也、共音恭、謚法、嚴敬故事曰恭、【考證】錢大昕曰、城陽國治莒、漢志謂文帝二年別成國者也、正義非、汝南王皆薨。【考證】漢紀不載城陽汝南二王薨、梁玉繩曰、前四年徙汝南王非爲江都王、則汝南國久已除爲郡矣、安得中六年有汝南王乎、卽非亦以武帝元朔元年薨、不與梁孝城陽竝薨于是年也、立梁孝王子明爲濟川王。【正義】表云、分梁置也、子彭離爲濟東王。【正義】表云、分梁置也、子定爲山陽王。【正義】地理志云、景帝中六年、別爲山陽國、屬兖州、子不識爲濟陰王。【正義】地理志云、景帝中六年、別爲濟陰國、屬兖州、按今曹州是也、梁分爲五、封四侯。【正義】四侯未詳、【考證】漢紀止云、分梁爲五、立孝王子五人皆爲王、梁玉繩曰、梁孝王子五人、此不數乘氏侯買者、買嗣梁王故也、而四人中惟明封桓邑侯、餘三人未嘗爲侯、此言封四侯、誤、當作封五王、更命廷尉爲大理、將作少府爲將作大匠、主爵中尉爲都尉、【集解】漢書百官表曰、主爵中尉、秦官、掌列侯、長信詹事【集解】漢書百官表曰、詹事、秦官、掌皇后太子家、應劭曰、詹、省也、給也、瓚曰、茂陵書、詹事秩二千石、爲長信少府、【集解】張晏曰、以太后所居宮爲名、長信宮則曰長信少府、長樂宮則曰

長樂少府、將行爲大長秋、【集解】漢書百官表曰、將行、秦官、應劭曰、長秋、皇后卿、大行爲行人、【集解】服虔曰、天子死未有謚、稱大行、晉灼曰、禮有大行小行、主謚官、故以此名之、如淳曰、不反之辭也、瓚曰、大行是官名、掌九儀之制、以賓諸侯、【索隱】按鄭玄曰、命者五、謂公侯伯子男、爵者四、孤卿大夫士、是九也、【考證】梁玉繩曰、百官表、行人爲典客屬官、景帝改典客爲大行令、未嘗改大行爲行人也、奉常爲太常、【集解】漢書百官表曰、奉常、秦官、掌宗廟禮儀、典客爲大行、【索隱】韋昭云、大行、官名、秦時云典客、景帝初改云大行、後更名大鴻臚、武帝因而不改、故漢書景紀有大鴻臚、百官表又云、武帝改名大鴻臚、鴻、聲也、臚、附皮、以言其掌四夷賓客、若皮臚之在外附於身也、復有大行令、故諸侯薨、大鴻臚奏謚、列侯薨、則大行奏誄、按此大行令、卽鴻臚之屬官也、治粟內史爲大農、【集解】漢書百官表曰、治粟內史、秦官、掌穀貨也、以大內爲二千石、【集解】韋昭曰、大內、京師府藏、置左右內官、屬大內。【索隱】主天子之私財曰小內、小內郞屬大內也、【考證】梁玉繩曰、百官表無考、又曰、漢紀、改諸官名在中六年十二月、此書于四月以後、而所改官名又不盡載、何歟、且所載多譌、七月辛亥、日食。八月、匈奴入上郡。【考證】漢紀在六月、後元年冬、更命中大夫令爲衞尉。【正義】漢書百官表云、衞尉、秦官、掌宮闈門衞屯兵、景帝初更命中大夫令、後元年、復爲衞尉、【考證】令字各本缺、館本據漢書百官表補、梁玉繩曰、令字不可省、蓋中大夫是別一官名、不比大

行令大農令之可稱大行大農也、愚按、漢紀不載、三月丁酉、赦天下、賜爵一級。【考證】楓、三、南化本、賜下有民字、中井積德曰、民字脫、漢書可徵、中二千石·諸侯相、爵右庶長。【考證】如淳曰、雖有尊官、未必有高爵、故數有賜爵、顏師古曰、右庶長第十一爵也、四月、大酺。五月丙戌、地動。【集解】徐廣曰、丙、一作甲、其蚤食時復動。上庸地動二十二日、壞城垣。【考證】漢紀止云五月地震、七月乙巳、日食。丞相劉舍免。八月壬辰、以御史大夫綰爲丞相、封爲建陵侯。【索隱】姓、衞也、【考證】盧文弨曰、封爲建陵侯五字衍、梁玉繩曰、依史例當云以御史大夫建陵侯綰爲丞相、愚按、衞綰封建陵侯、見前六年紀、後二年正月、地一日三動。郅將軍擊匈奴。【正義】郅、眞栗反、郅都傳云、匈奴刻木爲郅都而射、不中、【考證】通鑑攷異云、酷吏傳、郅都死後、宗室多犯法、上乃召寧成爲中尉、在中六年、則後二年郅將軍者非都也、疑別一人、酺五日。【考證】地一日三動以下、漢紀不載、令內史郡不得食馬粟、沒入縣官。【考證】漢紀、作以歲不登、禁內郡食馬粟、沒入之、顏師古曰、食讀曰飤、沒入者、沒入其馬、與此紀小異、令徒隷衣七緵布、【索隱】七緵、蓋今七升布、言其粗故令衣之也、【正義】衣、於既反、緵、祖工反、緵、八十縷也、與布相似、

七升布用五百六十縷、【考證】緵總通、布八十縷、帛八十絲、通有此稱也、止馬舂。【索隱】止人爲馬舂粟、爲歲不登故也、【正義】舂、成龍切、馬礦礎之類也、先時用馬、今止之、【考證】中井積德曰、馬舂、以馬舂粟也、設機輪爲之、制如水碓、止馬、必用人爲之、則貧人得食、爲歲不登、禁天下食不造歲。【正義】造、至也、禁天下費米穀、恐食不造歲、【考證】岡白駒曰、造、作也、爲也、不耕不織、徒居而食、謂之食于不造、中井積德曰、天下食、蓋餠餌之類、張文虎曰、造、乃竈之假借字、禁不造食者、行竈苟且不成竈、竈列五祀、尊竈、所以重飮食也、梁玉繩曰、句必有誤字、當缺所疑、愚按、令徒隷以下、漢紀不載、省列侯遣之國。【集解】晉灼曰、文紀遣列侯之國、今又省之、【考證】漢紀云、二年冬十月、省徹侯之國、此在正月小異、中井積德曰、列侯不之國者尚多、故量省而遣之也、孝文嘗遣列侯之國、然當時以職事留京者有之、詔旨止之者有之、又雖之國者、其子孫繼襲、則或留京者亦有之、新封者亦有焉、是以其數年多耳、三月、匈奴入鴈門。十月、租長陵田。【考證】陳仁錫曰、十月、七月誤、梁玉繩曰、十月不當書三月後、愚按、漢書不載、大旱。衡山國、河東·雲中郡、【正義】衡山國、今衡州、河東、今蒲州、雲中郡、今勝州、民疫。【考證】古鈔本、楓、三本、民下有疾字、後三年十月、日月皆食、赤五日。【考證】陳仁錫曰、日食在朔、月食在望、蓋十月之朔日食、而望月食、非食在一日、梁玉繩曰、或疑食字衍、當合下作皆赤五日、漢書紀志、皆不言日食、十二月晦、靁。【集解】徐廣曰、一作雷字、又作圖字、實所未詳、【考證】焦竑曰、靁卽雷字、此以發聲非時、

故特紀異耳、雷、集韻原作靁、通志云、囘、古雷字、後人加雨作靁、囘象雷形、古尊罍多作云囘、今人不通字學、而欲讀古書、難矣哉、日如紫、五星逆行、守太微、月貫天廷中。【索隱】天廷、卽龍星右角也、按石氏星傳曰、龍在左角曰天田、右角曰天廷、【考證】衡山國以下、漢紀不載、正月甲寅、皇太子冠。甲子、孝景皇帝崩。【集解】皇甫謐曰、帝以孝惠七年生、年四十八、【考證】臣瓚曰、帝年三十二卽位、十六年、壽四十八、程一枝曰、孝景二字當省、遺詔賜諸侯王以下至民爲父後爵一級、天下戶百錢、出宮人歸其家、復無所與。【考證】漢紀云、皇太子冠、賜民爲父後者爵一級、甲子、帝崩于未央宮、遺詔賜諸侯王列侯馬二駟、吏二千石黃金二斤、吏民戶百錢、出宮人歸其家、復終身、中井積德曰、據漢書賜民爲父後者爵、是太子冠之覃恩、理當然、非遺詔所宜賜、又賜諸侯王爵一級、豈有是理哉、皆當以漢書爲正、王鳴盛曰、文帝崩、歸夫人以下至少使、景帝崩、亦出宮人、至武昭、乃有奉陵之制、平帝崩、王莽復出媵妾皆歸家、太子卽位。是爲孝武皇帝。【集解】漢書云、二月癸酉、帝葬陽陵、皇甫謐曰、陽陵、山方百二十步、高十四丈、去長安四十五里、【考證】梁玉繩曰、太史公書稱武帝曰今上、曰今帝、曰今天子、曰今皇帝、故凡言孝武者、悉後人所妄改也、三月、封皇太后弟蚡【集解】蘇林曰、蚡、音鼢、【索隱】蚡、音扶粉反、按外戚世家、皇太后母臧氏、初嬪王氏、生子信而寡、更嫁長陵田氏、生蚡及勝也、爲武安侯、弟

勝爲周陽侯。置陽陵。【考證】凌稚隆曰、一本置作葬、陳仁錫曰、湖本葬作置、蓋誤、程一枝曰、葬陽陵三字、當在上文太子卽位句前、封太后弟在三月、而孝景之葬在二月癸酉、去甲子崩、纔十日爾、

太史公曰。漢興、孝文施大德、天下懷安。至孝景、不復憂異姓。而晁錯刻削諸侯、遂使七國俱起、合從而西鄉。【考證】楓山本鄉作向、以諸侯太盛、而錯爲之不以漸也。及主父偃言之、而諸侯以弱、卒以安。【索隱】主父偃上言、今天子下推恩之令、令諸侯各得分邑其子弟、於是遂弱、卒以安也、【考證】事在武帝元朔二年、中井積德曰、偃之言、卽賈生之策矣、惜乎孝文不得行之於前、而歸功於匪人也、安危之機、豈不以謀哉。【考證】眞德秀曰、太史公論七國事、以一言斷之曰、以諸侯太盛、而錯爲之不以漸也、則其初封建之過制、後之當抑損、而爲之不善、皆見于一言、非後世史筆可及、

【索隱】述贊、景帝卽位、因脩靜默、勉人於農、率下以德、制度斯創、禮法可則、一朝吳楚、乍起凶慝、提局成釁、拒輪致惑、晁錯雖誅、梁城未克、條侯出將、追奔逐北、坐見梟剋、立翦牟賊、如何太尉、後卒下獄、惜哉明君、斯功不錄、

孝景本紀第十一

史記十一

史記會注考證卷十二

漢　太　史　令　司　馬　遷　撰

宋中郎外兵曹參軍裴　駰集解

唐國子博士弘文館學士司馬貞索隱

唐諸王侍讀率府長史張守節正義

日　本　出　雲　瀧　川　資　言　考　證

孝武本紀第十二　史記十二

【集解】太史公自序曰、作今上本紀、又其述事皆云今上、今天子、或有言孝武帝者、悉後人所定也、張晏曰、武紀、褚先生補作也、褚先生名少孫、漢博士也、【索隱】按褚先生

補史記、合集武帝事以編年、今止取封禪書補之、信其才之薄也、又張晏云、褚先生潁川人、仕元成間、韋稜云、褚顗家傳、褚少孫梁相褚大弟之孫、宣帝代爲博士、寓居于沛、事大儒王式、號爲先生、續太史公書、阮孝緒亦以爲然也、【考證】史公自序云、漢興五世、隆在建元、外攘夷狄、內修法度、封禪、改正朔、易服色、作今上本紀、第十二、錢大昕曰、張晏云、此紀褚先生補作、予謂少孫補史、皆取史公所缺、意雖淺近、詞無雷同、未有移甲以當乙者也、或晉以後少孫補篇亦亡、鄉里妄人取此以足其數爾、洪亮吉曰、褚少孫爲博士、不得在宣帝時、張晏云、仕于元成間、說近之、

孝武皇帝者、【集解】漢書音義曰、諱徹、【索隱】裴駰云、太史公自序云、作今上本紀、又其序事皆云今上今天子、今或言孝武皇帝者、悉後人所定也、【正義】諡法云、克定禍亂曰武、孝景中子也。【索隱】按景十三王傳、廣川王已上、皆是武帝兄、自河閒王德以至廣川、凡有八人、則武帝第九也、母曰王太后。孝景四年、以皇子爲膠東王。孝景七年、栗太子廢爲臨江王。以膠東王爲太子。孝景十六年崩。太子即位爲孝武皇帝。【集解】張晏曰、武帝以景帝元年生、七歲爲太子、爲太子十歲、而景帝崩、時年十六矣、【考證】梁玉繩曰、史公今上本紀全缺、首六十字後人妄加、此下取封禪書補之、而又臆爲增改、如李少君是深澤侯舍人、而爲深澤侯亳人謬忌亦稱薄忌、而以爲亳人薄誘忌、神君之最貴者太一、而以爲大夫欒大四印、合五利爲

四、而并天道玉印爲四金印、祭恒山、徧岳瀆、均天漢後事、而謬劖郊祀志以竄入之、殊覺乖亂、孝武皇帝初即位。尤敬鬼神之祀。元年、漢興已六十餘歲矣。【集解】徐廣曰、六十七年、歲在辛丑、【考證】凌本移置此卷集解索隱正義於封禪書、云、此以下全錄封禪書文、注釋竝入原書、此不載、蓋以意改易、今悉仍其舊、天下乂安、薦紳之屬、皆望天子封禪改正度也。【索隱】薦紳、上音搢、搢、挺也、言挺笏於紳帶之閒、事出禮內、則今作薦者、古字假借耳、漢書作縉紳、臣瓚云、縉、赤白色、非也、【正義】乂、音魚廢反、而上鄉儒術、招賢良。趙綰・王臧等、以文學爲公卿。欲議古立明堂城南、以朝諸侯。草巡狩封禪改歷服色事。未就。【索隱】城南、長安城南門外、案關中記云、明堂在長安城門外杜門之西、【正義】括地志云、漢明堂、在雍州長安縣西北七里、長安故城南門外也、關中記云、明堂、在長安城南門外杜門之西、【考證】中井積德曰、是時欲立明堂、未就而廢、註何討處所、楓、三本、草下有創字、好儒術。使人微得趙綰等姦利事、【集解】徐廣曰、纖微伺察之、【考證】楓、三本、館本、微下有伺字、與封禪書合、當依補、會竇太后治黃・老言、不召案綰・臧。綰・臧自殺。【正義】漢書孝武帝二年、御史大夫趙綰、坐請無奏事太皇太后、及郎中令王臧、皆下獄自殺、應劭

云、王臧儒者、欲立明堂辟雍、太后素好黃老術、非薄五經、因故絕奏事太后、太后怒、故令殺、諸所興爲者皆廢。後六年、竇太后崩。其明年、上徵文學之士公孫弘等。【考證】元光元年、明年、上初至雍、郊見五時。【正義】時、音止、括地志云、漢五帝時、在岐州雍縣南、孟康云、時者神靈之所止、或曰、以雍州雍縣南、孟康云、時者神靈上帝也、案五時者、鄜時、密時、吳陽時、北時、先是秦文公作鄜時、祭白帝、秦宣公作密時、祭青帝、秦靈公作吳陽上時下時、祭赤帝黃帝、漢高祖作北時、祭黑帝、是五時也、後常三歲一郊。是時上求神君、【正義】漢武帝故事云、起柏梁臺、以處神君、長陵女子也、先是嫁爲人妻、生一男、數歲死、女子悼痛之、歲中亦死、而靈宛若、祠之、遂聞言宛若爲生、民人多往請福、說家人小事有驗、平原君亦事之、至後子孫尊貴、及上即位、大后延於宮中祭之、聞其言、不見其人、至是神君求出局、營柏梁臺舍之、初霍去病微時、自禱神君、及見其形、自脩飾、欲與去病交接、去病不肯、謂神君曰、吾以神君精絜、故齋戒祈福、今欲婬、此非也、自絕不復往、神君慙之、乃去也、舍之上林中蹏氏觀。【集解】徐廣曰、蹏、音蹄、【索隱】徐廣音蹄、鄒誕音斯、又音蹄、觀名也、【考證】楓、三本、無之字、封禪書有、漢志、觀作館、神君者長陵女子。以子死悲哀。故見神於先後宛若。【集解】孟康曰、產乳而死、兄弟妻相謂先後、宛若字、【索隱】先後、鄒誕音二字竝去聲、即今妯娌也、孟康以兄弟妻相謂也、韋昭云、先、謂姒、後、謂娣也、宛、音冤、【考證】中井積德曰、

漢志、子死作乳死、故孟說云云、此本蓋謬、愚按、子當作字、字亦乳也、宛若祠之其室。民多往祠。平原君往祠。其後子孫以尊顯。【集解】徐廣曰、武帝外祖母也、駰案蔡邕曰、異姓婦人、以恩澤封者曰君、儀比長公主、【索隱】案徐云武帝外祖母、則是臧兒也、及武帝即位、則厚禮置祠之內中。聞其言、不見其人云。【考證】中井積德曰、置者、宛若也、祠者、神君也、愚按、內中、虢氏觀內中也、是時而李少君亦以祠竈穀道卻老方見上。上尊之。【集解】李奇曰、穀道、食穀道引、或曰辟穀不食之道、【索隱】如淳云、祠竈可以致福、案禮竈者、老婦之祭、盛於盆、尊於瓶、說文、周禮、以竈祠祝融、淮南子、炎帝作火官、死為竈神、司馬彪注莊子云、髻、竈神也、如美女、衣赤、李弘範音詰也、【正義】周禮注曰、顓頊氏有子曰黎、為祝融、以為竈神、【考證】而字、中統、游、柯、凌本作有、封禪書、郊祀志無、少君者、故深澤侯入。以主方。【集解】徐廣曰、深澤侯、姓趙、景帝時絕封、又曰、入以主方、進納於天子而主方、一云、侯人主方、駰案如淳曰、侯家人、主方藥者也、【正義】功臣表曰、深澤侯頭子脩、景帝七年、有罪絕、至中九年、頭子夷胡復封、至元朔五年、國除、【考證】封禪書、入以作舍人、漢書郊祀志、入作人、無以字、岡白駒曰、入當作人、人家人也、如淳注、侯家人、主方藥者、以字當刪、匿其年及所生長。【考證】顏師古曰、生長、謂其郡縣所屬、及居止處、常自謂七十。能使物卻老。【集解】如淳曰、物、鬼

物也、瓚曰、物、藥物也、【考證】物、如說是、下文云、祠竈則致物、亦謂致鬼物、非藥物、其游以方徧諸侯。無妻子。人聞其能使物及不死、更饋遺之。常餘金錢帛衣食。人皆以為不治產業而饒給。又不知其何所人。愈信、爭事之。少君資好方、善為巧發奇中。【集解】如淳曰、時時發言有所中也、【考證】周壽昌曰、資、藉也、好方、好為方也、嘗從武安侯飲。【索隱】服虔云、田蚡也、韋昭云、武安、屬魏郡也、坐中有年九十餘老人。少君乃言與其大父游射處。老人為兒時、從其大父行、識其處。一坐盡驚。少君見上。上有故銅器。問少君。少君曰。此器、齊桓公十年陳於柏寢。【集解】服虔曰、地名、有臺也、瓚曰、晏子書、柏寢、臺名也、【正義】括地志云、柏寢臺、在青州千乘縣東北二十一里、韓子云、景公與晏子遊於少海、登柏寢之臺、而望其國、公曰、美哉堂乎、後代孰將有此、晏子云、其田氏乎、公曰、寡人有國、而田氏家、奈何、對曰、奪之則近賢遠不肖、治其煩亂、輕其刑罰、振窮乏、恤孤寡、行恩惠、崇節儉、雖十田氏、其如何、堂、即此也、【考證】沈欽韓曰、晏子雜篇、景侯新成柏寢之臺、使師開鼓琴、齊桓公時無柏寢、已而案其刻、果齊桓公

器。一宮盡駭、以少君為神、數百歲人也。少君言於上曰。祠竈則致物。致物而丹沙可化為黃金。黃金成、以為飲食器、則益壽。益壽、而海中蓬萊僊者可見。見之以封禪則不死。黃帝是也。臣嘗游海上見安期生。食臣棗大如瓜。【索隱】服虔曰、古之眞人、案列仙傳云、安期生、琅邪人、賣藥東海邊、時人皆言千歲也、【正義】列仙傳云、安期生、琅邪阜鄉亭人也、賣藥海邊、秦始皇請語三夜、賜金數千萬、出於阜鄉亭、皆置去、留書、以赤玉舄一重為報、曰後千歲、求我於蓬萊山下、【考證】楓、三本、食上有安期生三字、張文虎曰、臣棗之臣、舊刻毛本竝作臣、是也、他本作巨、誤、愚按、楓、三、南本、亦作臣、安期生僊者、通蓬萊中。合則見人、不合則隱。於是天子始親祠竈、而遣方士入海、求蓬萊安期生之屬、而事化丹沙諸藥齊為黃金矣。【索隱】齊、音劑、【正義】劑、在西切、劑、皆也、言同諸藥化丹沙皆為黃金、【考證】索隱是、顏師古亦云、齊、藥之分齊也、居久之、李少君病死。天子以為化去不死也。【正義】漢書起居云、李少君將去、武帝夢與共登嵩高山、半道有使乘龍、時從雲中云、太一請少君、帝謂

左右、將舍我去矣、數月而少君病死、又發棺看、唯衣冠在也、而使黃錘史寬舒受其方、求蓬萊安期生。莫能得。【集解】韋昭曰、黃錘、人姓名、駰案漢書音義曰、二人皆方士姓名、【正義】錘、音直僞反、姓史、名寬舒、【考證】封禪書集解云、徐廣曰、錘縣、黃縣、皆在東萊、王鳴盛曰、徐說得之、黃錘之史、其名寬舒、觀下文寬舒凡五見、而不見為黃錘者、音義以為二人名、謬甚、齊召南曰、始皇紀云、過黃腄、注云、東萊有黃縣腄縣、恐史寬舒、蓋黃腄間人、錘與腄字體少異、或傳寫各別、而海上燕齊怪迂之方士、多相效、更言神事矣。【正義】迂、猶遠也、言怪異遠處燕齊之方士、多於相效、更言神事、謂謬忌少翁欒大之屬、【考證】迂、讀為訏、譎詭也、迂怪、就方而言、亳人薄誘忌奏祠泰一方。【集解】徐廣曰、一云、亳人謬忌也、【索隱】亳、山陽縣名、姓謬、名忌、居亳、故下稱薄忌、此文則作薄字、而謬又誤作誘矣、【考證】書志竝作亳人謬忌、此衍薄字、胡三省曰、謬、姓也、音靡幼翻、與繆同、曰。天神貴者泰一。【索隱】天神貴者大一、案樂汁徵圖云、紫微宮北極天一太一、宋均以為天一太一、北極之別名、春秋緯、紫宮、天皇曜魄寶之所理也、泰一佐曰五帝。【索隱】其佐曰五帝、河圖云、蒼帝、神名靈威仰之屬也、【正義】五帝、五天帝也、國語云、蒼帝靈威仰、赤帝赤熛怒、白帝白招矩、黑帝叶光紀、黃帝含樞紐、尚書帝命驗云、蒼帝、名靈威仰、赤帝、名文祖、黃帝、名神斗、白帝名顯紀、黑帝名玄矩、佐者謂配祭也、【考證】館本考證云、索隱所引國語、此春秋文耀光文、見周禮春官疏、國語無、古者天子以春秋

祭泰一東南郊。用太牢具七日。【集解】徐廣曰、一云、日一太牢、具十日、【考證】郊祀志、具作一日、封禪書、無具字、爲壇、開八通之鬼道。於是天子令太祝立其祠長安東南郊。常奉祠如忌方。其後人有上書言。古者天子三年一用太牢具、祠神三一。天一、地一、泰一。【考證】郊祀志、無神字、天子許之、令大祝領、祠之忌泰一壇上、如其方。後人復有上書言。古者天子常以春秋解祠。【正義】解、紀買反、又紀賣反、祭神曰解、言黃帝欲絕其類梟破鏡、故使祭百物之祠、後世每春秋祠黃帝、用一梟及一破鏡、以解黃帝絕惡之類、故言解祠黃帝、【考證】封禪書、郊祀志、無秋字、祠黃帝用一梟破鏡。【集解】孟康曰、梟、鳥名、食母、破鏡、獸名、食父、黃帝欲絕其類、使百物祠皆用之、破鏡、如貙而虎眼、或云、直用破鏡、如淳曰、漢使東郡送梟、五月五日、爲梟羹以賜百官、以惡鳥故食之、冥羊用羊。【集解】服虔曰、冥羊、神名也、祠馬行用一青牡馬。【正義】馬行、神名也、泰一・皋山・山君地長用牛。【正義】長、丁丈反、三竝神名、【考證】封禪書、不重山字、武夷君用乾魚。【正義】神名、陰陽使

者以一牛。【集解】漢書音義曰、陰陽之神也、令祠官領之、如其方。而祠於忌泰一壇旁。其後天子苑有白鹿。以其皮爲幣、【索隱】案食貨志、皮幣以白鹿皮、方尺、緣以繢、以薦璧、得以黃金一斤代之、又漢律、皮幣、率鹿皮方尺、直黃金一斤、以發瑞應、造白金焉。【索隱】案食貨志、白金三品、各有差也、【正義】白金三品、武帝所鑄也、如淳曰、雜鑄銀錫爲白金、以爲天用莫如龍、地用莫如馬、人用莫如龜、故曰白金三品、其一曰重八兩、圓之、其文龍、名曰白選、直三千、二曰重差小、方之、其文馬、直五百、三曰復小、隋之、其文龜、直三百、錢譜云、白金第一、其形圓如錢、肉好圓、文爲一龍、白銀第二、其形方小長、肉好亦小長、好上下文爲二馬、白銀第三、其形似龜、肉好小、是文爲龜甲也、其明年、郊雍。獲一角獸。若麃然。【集解】韋昭曰、楚人謂麋爲麃、【索隱】麃、音步交反、韋昭曰、體若麕而一角、春秋所謂有麕而角、是也、楚人謂麋爲麃、又周書王會云、麃者若鹿、爾雅云、麋、大鹿也、牛尾一角、郭璞云、漢武獲一角獸若麃、謂之麟、是也、【考證】封禪書同、郊祀志、作後二年、卽元狩元年也、有司曰。陛下肅祗郊祀。上帝報享、錫一角獸。蓋麟云。【正義】漢書終軍傳云、從上雍、獲白麟、一角戴肉、設武備而不爲害、所以爲仁、於是以薦五畤。畤加一牛以燎。【正義】力召反、焚也、賜諸侯白金、以風符應合于天地。【集解】晉灼曰、

符、瑞也、瓚曰、風示諸侯、以此符瑞之應、【考證】封禪書郊祀志、地作也、此疑誤、於是濟北王以爲天子且封禪。乃上書獻泰山及其旁邑。天子受之。更以他縣償之。【考證】書、志、無受之更三字、常山王有辠。遷。天子封其弟於眞定、以續先王祀、而以常山爲郡。然后五嶽皆在天子之郡。其明年、齊人少翁、以鬼神方見上。【正義】漢武故事云、少翁年二百歲、色如童子、上有所幸王夫人。【集解】徐廣曰、齊懷王閎之母也、駰案桓譚新論云、武帝有所愛幸姬王夫人、窈窕好容、質性嫽佞、【正義】漢書、作李夫人、夫人卒。少翁以方術蓋夜致王夫人及竈鬼之貌云。天子自帷中望見焉。於是乃拜少翁爲文成將軍、賞賜甚多、以客禮禮之。文成言曰。上卽欲與神通。宮室被服不象神、神物不至。乃作畫雲氣車。及各以勝日駕車、辟惡鬼。【集解】漢書音義曰、如火勝金、用丙與丁日、不用庚辛、【考證】服虔曰、甲乙五行相克之日也、中井積德曰、例如庚辛日駕赤車、丙丁日駕黑車也、

又作甘泉宮。中爲臺室、畫天地泰一諸神。而置祭具、以致天神。居歲餘。其方益衰、神不至。乃爲帛書以飯牛、詳弗知也。言此牛腹中有奇。【正義】飯、房晚反、書絹帛上、爲怪言語、以飼牛、【考證】詳、楓、三本、作佯、郊祀志作陽、殺而視之。得書。書言甚怪。天子疑之、有識其手書、問之人果爲書。【考證】楓、三本、無有字、李笠曰、有讀爲又、封禪書、作天子識其手書、問其人、果是僞書、爲卽僞字、手書、手迹、言人之所書也、於是誅文成將軍、而隱之。【正義】漢武故事云、文成誅月餘、有使者藉貨關東還、逢之於漕亭、還見言之、上乃疑、發其棺、無所見、唯有竹筒一枚、捕驗閒無蹤跡也、其後、則又作栢梁・銅柱・承露・僊人掌之屬矣。【集解】蘇林曰、仙人以手掌擎盤承甘露也、【索隱】服虔云、柏梁、用梁百頭、按今字皆作栢、三輔故事云、臺高二十丈、用香栢爲殿、香聞十里、又曰、建章宮承露盤、高三十丈、大七圍、以銅爲之、上有仙人掌承露、和玉屑飲之、故張衡賦曰、立脩莖之仙掌、承雲表之清露、是也、文成死明年、天子病鼎湖甚。巫醫無所不致。至、不愈。【集解】晉灼曰、在湖縣、韋昭曰、地名、近宜春、【索隱】案鼎湖、縣名、屬京兆、後屬弘農、昔黃帝採首陽山銅、鑄鼎於湖、曰鼎湖、卽今之湖城縣也、韋昭云、以爲近宜春、亦甚疏也、

【考證】顧炎武曰、湖當作胡、鼎胡、宮名、漢書楊雄傳、南至宜春鼎胡、御宿昆吾、是也、故卒起幸甘泉、而行右內史界、索隱以爲湖縣、在今之閿鄉、絕遠且無行宮、書志無至字、此疑衍、游水發根乃言曰。上郡有巫。病而鬼下之。上召置祠之甘泉。【集解】服虔曰、游水、縣名、發根、人名姓、晉灼曰、地理志游水、水名、在臨淮淮浦也、【索隱】顏師古以游水姓、發根名、蓋或因水爲姓、服虔亦曰發根人姓字、或曰發樹根者也、及病、使人問神君。【集解】韋昭曰、卽病巫之神、神君言曰。天子毋憂病。病少愈、强與我會甘泉。於是病愈。遂幸甘泉。病良已。【集解】孟康曰、良已、善已、謂愈也、【考證】李笠曰、書志、遂下竝有起字、觀上云病少愈、强與我會甘泉、此病愈、病少愈也、有起字者、方與强字語氣合、大赦天下、置壽宮神君。【集解】服虔曰、立此便宮也、瓚曰、宮、奉神之宮也、楚辭曰、蹇將澹兮壽宮、【考證】張文虎曰、疑當作置神君壽宮、神君最貴者大夫。其佐曰大禁。司命之屬皆從之。非可得見。聞其音、與人言等。【考證】楓、三本、者下有曰字、大夫作太一、書志亦作太一、李笠曰、書志作言與人音等、此音言二字妄易、時去時來。來則風肅然也。【考證】楓、三本無去字、居室帷中。時晝言。然常以夜。天子祓然后

入。【集解】漢書音義曰、崇絜自祓除、然後入、因巫爲主人、關飲食、所欲者、言行下。【集解】李奇曰、神所欲、言、上輒爲下之、又置壽宮北宮、【正義】括地志云、壽宮北宮、皆在雍州長安縣西北三十里長安故城中、漢書云、武帝壽宮以處神君、張羽旗、設供具、以禮神君。神君所言、上使人受書其言。命之曰畫法。【集解】漢書音義曰、或云、策畫之法也、【正義】畫、音獲、案畫一之法、其所語、世俗之所知也。毋絕殊者。而天子獨喜。其事祕、世莫知也。其後三年、有司言、元宜以天瑞命。不宜以一二數。【集解】蘇林曰、得黃龍鳳皇諸瑞以名年、【正義】孝景以前、卽位以一二數年、至其終、武帝卽位、初有年號、改元以建元爲始、一元曰建元。二元以長星曰元光。三元以郊得一角獸曰元狩云。【集解】徐廣曰、案諸紀、元光後有元朔、元朔後得元狩、【考證】顧炎武曰、是建元元光之號、皆自後追爲之、而武帝卽位之初、亦但如文景之元、尙未有年號也、其明年冬、天子郊雍。議曰。今上帝朕親郊、而后土毋祀、則禮不荅也。有司與太史公祠官寬舒等議。

【集解】韋昭曰、說者以談爲太史公、失之矣、史記稱遷爲太史公者、是外孫楊惲所稱、【索隱】韋昭云、談、司馬遷之父也、說者以談爲太史公、失之矣、史記多稱太史公、遷外孫楊惲稱之也、姚察按遷傳、亦以談爲太史公、非惲所加、又按虞喜志林云、古者主天官皆上公、自周至漢、其職轉卑、然朝會坐位、猶居公上、尊天之道、其官屬仍以舊名尊而稱公、公名當起於此、故如淳云、太史公位在丞相上、天下郡國計書、先上太史公、副上丞相、其義是也、而桓譚新論以爲太史公造書、書成示東方朔、朔爲平定、因署其下、太史公者皆朔所加之者也、【正義】按二家之說皆非也、如淳曰、漢儀注、太史公武帝置、位在丞相上、天下計書、先上太史公、副上丞相、序事如古春秋、瓚曰、百官表無太史公、茂陵中書、司馬談以太史丞爲太史公、自敍傳云、生談、爲太史公、仕於建元元封之間、又云、太史公旣治天官、不治民、有子曰遷、又云、太史公遭李陵之禍、又云、余述黃帝以來至太初而訖、凡百三十篇、攷此四科、明司馬遷父子爲太史公、太史公乃司馬遷自題、【考證】錢大昕曰、按封禪書、兩稱太史公、與祠官寬舒連文、而不著名、爲父諱也、是年郊雍、爲元鼎四年、其明年冬、至郊拜太一、皆談爲太史公時、談以元封元年卒、卒後遷始繼之、漢志書談、得其實矣、楓、三本、無等字、與書志合、天地牲角繭栗。【考證】顏師古曰、牛角之形、或如繭、或如栗、言其小、今陛下親祀后土。【考證】楓、三本、祀作祠、后土宜於澤中圜丘爲五壇。壇一黃犢太牢具。已祠盡瘞。而從祠衣上黃。【考證】顏師古曰、侍祠之人、皆著黃衣也、於是天子遂東。始立后土祠汾陰脽上、如寬

舒等議。上親望拜如上帝禮。【集解】徐廣曰、元鼎四年時也、駰案、蘇林曰、脽音誰、如淳曰、河之東岸特堆堀、長四五里、廣二里餘、高十餘丈、汾陰縣、在脽之上、后土祠、在縣西、汾在脽之北、西流與河合也、【索隱】脽丘、音誰、漢舊儀、作葵丘者、蓋河東人呼誰與葵同故耳、【考證】楓、三本、上作丘、與索隱本合、汾陰、山西蒲州府滎河縣、禮畢、天子遂至滎陽而還。過雒陽、下詔曰。三代邈絕遠矣。難存。其以三十里地、封周後爲周子南君、以奉先王祀焉。是歲、天子始巡郡縣、侵尋於泰山矣。【集解】晉灼曰、遂往之意也、【索隱】侵尋、卽浸淫也、故晉灼云、遂往之意也、小顏云、浸淫、漸染之義、蓋尋淫聲相近、假借用耳、師古叔父游秦、亦解漢書、故稱師古爲小顏也、其春、樂成侯上書言欒大。【集解】徐廣曰、樂成侯、姓丁、名義、後與欒大俱誅也、【索隱】韋昭云、河閒縣、按郊祀志、樂成侯登、而徐廣據表、姓丁名義、未詳、欒大膠東宮人。【集解】服虔曰、王家人、故嘗與文成將軍同師。已而爲膠東王尙方。而樂成侯姊爲康王后。【集解】孟康曰、膠東王后也、毋子。康王死、他姬子立爲王。而康后有淫行、與王不相中。得相危以法。

〔考證〕書志、無得字、此衍、顏師古曰、不相中、不相可也、相危以法、謂以罪法相欲傾危也、康后聞文成已死、而欲自媚於上、乃遣欒大、因樂成侯求見言方。天子既誅文成、後悔恨其早死、惜其方不盡。及見欒大大悅。大爲人長美、言多方略。而敢爲大言、處之不疑。大言曰。臣嘗往來海中、見安期·羨門之屬。〔索隱〕韋昭云、仙人、應劭云、名子喬、顧以爲臣賤、不信臣。〔考證〕封禪書、以爲臣作以臣爲、又以爲康王諸侯耳、不足予方。臣數言康王。康王又不用臣。臣之師曰。黃金可成。而河決可塞。不死之藥可得。僊人可致也。〔考證〕楓、三本、師上無之字、臣恐效文成、則方士皆掩口。惡敢言方哉。上曰。文成食馬肝死耳。子誠能脩其方、我何愛乎。大曰。臣師非有求人。人者求之。陛下必欲致之、則貴其使者、令有親屬、以客禮

待之、勿卑、使各佩其信印、乃可使通言於神人。神人尚肯邪、不邪。致尊其使、然后可致也。〔考證〕楓、三本、不下有肯字、漢志、邪下無致字、於是上使先驗小方鬭旗。旗自相觸擊。〔正義〕音其、文本或作棊、說文云、棊、博棊也、高誘注淮南子云、取雞血、與針磨擣之、以和磁石、用塗棊頭、曝乾之置局上、即相拒不止也、〔考證〕書志、旗作棊、下同、沈濤曰、正義引高誘淮南子注、今淮南子注中無此文、封禪書索隱引顧氏案萬畢術云、其語略同、則萬畢術、亦高誘注矣、是時上方憂河決、而黃金不就。〔正義〕鍊丹砂鉛錫爲黃金、不就、乃拜大爲五利將軍。居月餘得四金印。佩天士將軍、地士將軍、大通將軍、天道將軍印。〔考證〕楓、三本、無金字、又無天道將軍四字、中井積德曰、天道將軍四字衍、封禪書郊祀志、皆無、蓋天士地士大通、併上五利爲四也、天道、則下別有玉印、張照朱一新說同、制詔御史。昔禹疏九江、決四瀆。閒者河溢皋陸、隄繇不息。〔正義〕顏師古云、皋、水旁地也、廣平曰陸、言水大汎溢、自皋及陸、而築作堤、傜役甚多、不暇休息、〔考證〕梁玉繩曰、江乃河之訛、漢志、作九河、中井積德曰、不息、猶不止也、朕臨天下二十有八年。天若遺朕士而大通焉。

〔集解〕韋昭曰、言欒大能通天意、故封樂通、〔索隱〕韋昭云、言大能通天意、故封之樂通、樂通、在臨淮高平縣也、〔考證〕中井積德曰、大通、因將軍號而稱焉、非指封禪、乾稱蜚龍。鴻漸于般。〔集解〕漢書音義曰、般、水涯堆也、漸、進也、武帝云、得欒大如鴻進于般、一擧千里、得道若飛龍在天、〔考證〕顏師古曰、飛龍在天、乾卦九五爻辭也、鴻漸于般、漸卦六二爻辭也、般、山石之安者、方苞曰、飛龍在天、利見大人、言君之得臣也、鴻漸于磐、飲食衎衎、言臣之得君也、武帝以欒大爲天所遺士、故、引此、注誤、意庶幾與焉。其以二千戶封地士將軍大爲樂通侯。〔集解〕韋昭曰、樂通、臨淮高平也、賜列侯甲第、〔集解〕漢書音義曰、有甲乙第次、故曰第、僮千人、乘輿斥車馬、〔集解〕漢書音義曰、或云、斥、不用也、韋昭曰、嘗在服御、〔索隱〕孟康云、斥、不用之車馬、是也、帷帳器物、以充其家。又以衛長公主妻之。〔集解〕孟康曰、衛太子妹、如淳曰、衛太子姊也、蔡邕曰、帝女曰公主、儀比諸侯、姊妹曰長公主、儀比諸侯王、駰案此帝女也、而云長公主、未詳、齎金萬斤。更名其邑曰當利公主。〔集解〕地理志云、東萊有當利縣、天子親如五利之第。使者存問、所給連屬於道。〔考證〕所、封禪書作供、郊祀志作共、連、書志作相、張文虎曰、中統游本吳校元板、連上有相字、愚按、楓、三本同、自大主將相以下、皆置酒其家獻遺之。

〔集解〕徐廣曰、大主、武帝姑也、駰案韋昭曰、竇太后女也、於是天子又刻玉印曰天道將軍、使使衣羽衣夜立白茅上。〔考證〕楓、三本、子下有許字、五利將軍亦衣羽衣立白茅上、受印。以示弗臣也。而佩天道者、且爲天子道天神也。於是五利常夜祠其家、欲以下神。神未至而百鬼集矣。然頗能使之。其後治裝行、東入海求其師云。大見數月、佩六印、貴振天下。而海上燕·齊之閒、莫不搤捥而自言有禁方能神僊矣。〔集解〕服虔曰、滿手曰搤、瓚曰、搤、執持也、其夏六月中、汾陰巫錦〔集解〕應劭曰、錦、巫名、爲民祠魏脽后土。營旁見地如鉤狀、〔集解〕應劭曰、魏、故魏國也、脽、若丘之類、〔考證〕汾陰、故魏地、故曰魏脽、顏師古曰、營、謂祠之兆域也、掊視得鼎。〔索隱〕說文、掊、抱也、音步溝切、〔考證〕顏師古曰、掊、手把土也、鼎大異於衆鼎。文鏤、毋款識。〔集解〕韋昭曰、款、刻也、〔索隱〕韋昭云、款、刻也、按識、猶表識也、〔考證〕陰文曰款、陽文曰識、怪之言吏。吏告河東太

守勝。【考證】楓、三本、告上有以字、勝以聞。天子使使驗問。巫錦得鼎無姦詐。乃以禮祠、迎鼎至甘泉。從行上薦之。【集解】如淳曰、以鼎從行、上至甘泉、將薦之於天也、至中山。【集解】徐廣曰、河渠書、鑿涇水、自中山西、【索隱】此山在馮翊谷口縣西、近九嵕山、土人呼爲中山、河渠書、韓使水工鄭國說秦、鑿涇水、自中山西、卽此山、晏溫。【集解】如淳曰、三輔謂日出清濟爲晏、晏而溫也、【索隱】如淳云、三輔俗謂日出清濟爲晏、晏而溫、故曰晏溫、許愼注淮南子云、晏、無雲也、【考證】楓、三本、索隱、清濟作清寧、有黃雲蓋焉。有麃過。上自射之、因以祭云。【集解】徐廣曰、上言從行薦之、或曰祭鼎乎、至長安。公卿大夫皆議、請尊寶鼎。天子曰。閒者河溢、歲數不登。故巡祭后土、祈爲百姓育穀。今年豐廡。未有報。【考證】漢志、廡作橆、顏師古曰、橆、美也、言稼穡美也、未報者、獲年豐而未報賽也、愚按、廡讀爲膴、詩大雅緜篇、周原膴膴、堇荼如飴、傳、膴、美也、鼎曷爲出哉。有司皆曰。聞昔大帝興神鼎一。【索隱】顏師古以大帝卽太昊伏犧氏、以在黃帝之前故也、一者一統天地、萬物所繫終也。【考證】漢志、終作象、黃帝作寶鼎三。象天地

人也。禹收九牧之金、鑄九鼎。皆嘗鬺烹上帝鬼神。【集解】徐廣曰、烹、煑也、鬺、音觴、皆嘗以烹牲牢而祭祀也、服虔曰、以祭祀上帝、或曰、嘗、烹酌也、【索隱】言鼎以烹牲而饗嘗也、鬺字又作觴字、音殤、漢書郊祀志云、鼎空足曰鬲、以象三德、鬲音歷、謂足中不實者名之也、【考證】封禪書、作亨鬺、集解索隱、皆先釋鬺、似當如封禪書然、郊祀志、作鬺亨、注引服虔曰、以亨祀上帝也、蓋此文當以皆嘗鬺亨上帝鬼神爲句、古亨烹皆作亨、致相混耳、疑史文當作鬺亨、遭聖則興。【正義】遭、逢也、鼎雖淪泗水、逢聖興起、故出汾陰西、至甘泉也、【考證】方苞曰、承上文言、鼎神物、遭聖則興、以隱喩鼎出爲瑞、非直指汾陰鼎出事、正義誤、遷于夏商。周德衰、宋之社亡、【正義】社、主民也、社以石爲之、宋社卽亳社也、周武王伐紂、乃立亳社以爲監戒、覆上棧下、不使通天地陰陽之氣、周禮衰、國將危亡、故宋之社爲亡殷復也、鼎乃淪伏而不見。頌云、自堂徂基、【正義】此以下至胡考之休、是周頌絲衣之詩、自堂、從內往外、基、門內塾也、鄭玄云、門側之堂謂之塾、釋禮輕、使士升堂視壺濯及籩豆之屬、降往於塾、牲自羊徂牛、告充已、乃擧鼎告絜、禮之次也、自羊徂牛。【正義】自堂往塾、先視羊、後及牛也、毛萇云、先小後大也、鼐鼎及鼒、【集解】韋昭曰、爾雅曰、鼎絕大謂之鼐、圜弇上謂之鼒、不虞不驁。【索隱】毛傳云、虞、譁也、姚氏案何承天云、虞當爲吳、音洪霸反、又說文以吳一曰大言也、此作虞者、與吳聲相近、故假借也、或者本文借此虞爲歡娛字故也、【考證】詩周頌、漢郊祀志、虞作吳、驁作敖、錢大昕曰、古文虞與吳通、漢碑亦有不虞不揚

之文、今封禪書、作吳、乃後人據毛詩私改、胡考之休。今鼎至甘泉、光潤龍變、承休無疆。合茲中山、有黃白雲降【集解】韋昭曰、與中山所見黃雲之氣合也、【考證】中井積德曰、合茲中山、適在中山有此事也、蓋。若獸爲符。【集解】服虔曰、雲若獸、在車蓋也、晉灼曰、蓋、辭也、或云、符、謂瑞應也、【考證】陳仁錫曰、有黃白雲降蓋、蓋卽上文黃雲蓋焉是也、中井積德曰、蓋字屬上句、注謬、凌稚隆曰、應麃過、路弓乘矢、【集解】韋昭曰、路、大也、四矢爲乘、集獲壇下。【考證】劉奉世曰、指射鹿也、言以大弓四矢、而後獲之於壇下也、報祠大饗。【集解】徐廣曰、一云、大報享祠也、惟受命而帝者、心知其意而合德焉。【集解】服虔曰、高祖受命知之也、宜見鼎於其廟、【考證】顧炎武曰、此卽謂武帝、服虔以爲高祖、非、鼎宜見於祖禰、藏於帝廷、以合明應。【考證】漢志、見作視、注云、視、示也、制曰。可。入海求蓬萊者、【正義】蓬萊、方丈、瀛洲、勃海中三神山也、【考證】凌稚隆曰、接上東入海求其神、言蓬萊不遠而不能至者、殆不見其氣。上乃遣望氣佐候其氣云。其秋、上幸雍。【索隱】上雍、以雍地形高、故云上、【考證】中井積德曰、上、天子也、且郊。或曰。五帝、泰一之佐也。宜立泰一而

上親郊之。上疑未定。齊人公孫卿曰。今年得寶鼎。其冬辛巳朔旦冬至、與黃帝時等。卿有札書曰。黃帝得寶鼎宛侯。問於鬼臾區。【集解】漢書音義曰、區、黃帝時人、【索隱】鄭氏云、黃帝佐也、李奇曰、黃帝時諸侯、本作申區者非、藝文志作鬼容區者也、【考證】顏師古曰、等、同也、札、木簡之薄小者也、錢大昕曰、封禪書、宛侯作宛朐、蓋地名、濟陰郡宛句縣是也、漢志作冕侯、冕卽宛之譌、侯、句、音相近、區對曰。黃帝得寶鼎神策。是歲己酉朔旦冬至、得天之紀。終而復始。於是黃帝迎日推策。後率二十歲【正義】率、音律、又音類、又所律反、三音竝通、後皆放此也、【考證】臣瓚曰、日月朔望、未來而推之、故曰迎日、得朔旦冬至。凡二十推。三百八十年。黃帝僊登于天。卿因所忠欲奏之。所忠視其書不經、疑其妄書、謝曰。寶鼎事已決矣。尙何以爲。【考證】所忠、武帝幸臣姓名、又見五宗世家平準書萬石君傳司馬相如傳、卿因嬖人奏之。上大說、召問卿。對曰。受此書申功。【集解】封禪書、功字作公、【正義】漢書郊祀志及封禪書、作申公、疑功錯誤、【考證】錢大昕曰、下云、

申功已死。上曰。申功何人也。卿曰。申功齊人【申公齊人、則非魯之申培公、別是一人、】也。與安期生通、受黃帝言。無書。獨有此鼎書。曰。漢興復當黃帝之時。漢之聖者、在高祖之孫且曾孫也。寶鼎出、而與神通、封禪。封禪七十二王。【正義】河圖云、王者封太山禪梁父、易姓登崇、有七十二君也、【考證】楓三本、通下有得字、唯黃帝得上泰山封。申功曰。漢主亦當上封。上封、則能僊登天矣。黃帝時萬諸侯、而神靈之封居七千。【集解】應劭曰、黃帝時諸侯會封禪者七千人、李奇曰、說仙道得封者七千國、張晏曰、神靈之封、謂山川之守、【考證】漢書郊祀志、居作君、訛、王念孫曰、言黃帝之時有萬諸侯、而神靈之封居其七千也、天下名山八。而三在蠻夷。五在中國。中國、華山·首山·太室·泰山·東萊。此五山、黃帝之所常遊與神會。黃帝且戰且學僊。患百姓非其道、乃斷斬非鬼神者。【考證】周壽昌曰、以事鬼神爲非而議之者、中井積德曰、斷亦斬也、謂斷手足之等、非斷理之謂、百餘歲、

然後得與神通。【考證】何焯曰、恐其言不驗被誅、故遠其期於百餘歲、卽後言非少寬假神不來之意、黃帝郊雍上帝、宿三月。鬼臾區號大鴻。死葬雍。故鴻冢是也。【集解】蘇林曰、今雍有鴻冢、其後黃帝接萬靈明廷。明廷者甘泉也。所謂寒門者谷口也。【集解】徐廣曰、寒一作塞、漢書音義曰、黃帝仙於寒門也、【索隱】服虔云、黃帝所仙之處也、小顏云、谷中山之谷口、漢時爲縣、今呼爲治谷、去甘泉八十里、盛夏凓然、故曰寒門谷口也、黃帝采首山銅、鑄鼎於荊山下。【集解】晉灼曰、地理志、首山屬河東蒲阪、荊山在馮翊懷德縣、鼎既成、有龍垂胡頷、下迎黃帝。【索隱】顏師古云、胡、謂項下垂肉也、頷、其毛也、故童謠曰、何當爲君鼓龍胡、是也、黃帝上騎。羣臣後宮從上龍七十餘人。龍乃上去。餘小臣不得上。乃悉持龍頷。龍頷拔、墮黃帝之弓。【正義】墮、徒果反、百姓仰望、黃帝既上天。乃抱其弓與龍胡頷號。【正義】戶高反、下同、故後世因名其處曰鼎湖、【正義】括地志云、湖水原出虢州湖城縣南三十五里夸父山北、流入河、卽鼎湖也、其弓曰烏號。於是天子

曰。嗟乎、吾誠得如黃帝、吾視去妻子、如脫躧耳。乃拜卿爲郎、東使候神於太室。上遂郊雍、至隴西、西登空桐、【正義】空桐山、在原州平高縣西一百里、【考證】漢書武紀在元鼎五年、幸甘泉、令祠官寬舒等具泰一祠壇。壇放薄忌泰一壇。壇三垓。【集解】徐廣曰、垓、次也、駰案、李奇曰、垓、重也、三重壇也、【索隱】垓、重也、言爲三重壇也、鄒氏云、一作階、言壇階三重、【考證】楓三本、放作效、薄忌泰一壇、見上文、垓、漢郊祀志作陔、五帝壇、環居其下、各如其方。黃帝西南、除八通鬼道。【集解】服虔曰、坤位在未、黃帝從土位、泰一所用、如雍一時物、而加醴棗脯之屬、殺一犛牛以爲俎豆牢具。【考證】楓三本、醴作禮、犛作狸、而五帝獨有俎豆醴進。【集解】韋昭曰、無犛牛醴之屬、【索隱】音進、漢書作進、顏師古云、具俎豆酒醴而進之、一曰進、謂雜物之具、所以加禮也、其下四方地、爲醊。食羣神從者及北斗云。【索隱】醊、音竹芮反、謂聯續而祭之、漢志作腏、古字通、說文云、醊、祭酹、【正義】劉伯莊云、謂繞壇設諸神祭座相連綴也、【考證】醊、封禪書作醱、漢郊祀志作腏、三字通用、陳仁錫曰、爲醊食三字屬下、王肇制曰、說文、醊、祭酹也、字林、醊以酒沃地祭也、醊字本

爲祭酹義、醊食者、蓋以羣神從者其位尙卑、不必設壇、且莫可主名、故但于四方之地、酹酒祭之、以申其敬誠耳、愚按、爲醊句、醊王說是、食猶饗也、已祠。胙餘皆燎之。其牛色白。鹿居其中。彘在鹿中。水而泊之。【集解】徐廣曰、泊、音居器反、肉汁也、駰案、晉灼曰、此說合牲物燎之也、【正義】劉伯莊云、以大羹和祭食燎之、案以鹿內牛中、以彘內鹿中、水、玄酒也、【考證】顏師古曰、胙、謂祭餘酒肉、祭日以牛。祭月以羊彘特。【索隱】特、一牲也、言若牛若羊若彘、止一特也、泰一祝宰則衣紫及繡。五帝各如其色。日赤。月白。【考證】楓三本、祝作祀、十一月辛巳朔旦冬至、昧爽天子始郊、拜泰一。朝朝日、夕夕月則揖。【集解】應劭曰、天子春朝日、秋夕月、拜日東門之外、朝日以朝、夕月以夕、瓚曰、漢儀、郊泰一時、皇帝平旦出竹宮、東向揖日、其夕西向揖月、便用郊日、不用春秋也、【考證】陳仁錫曰、言朝日夕月、揖而不拜也、則揖屬上句、而見泰一如雍禮。【考證】楓三本、無則揖二字、雍下有郊字、其贊饗曰。天始以寶鼎神筴授皇帝。朔而又朔、終而復始。皇帝敬拜見焉。【考證】顏師古曰、贊饗、謂祝辭、沈欽韓曰、春秋繁露郊祀篇、郊祝曰、皇皇上帝、照臨下土、集地之靈、降甘風雨、庶物羣生、各得其所、靡今靡古、惟予一人某、敬拜皇天之祜、亦見大戴公冠、案此古祝辭、漢所用也、

今以得寶鼎、故別爲辭、而衣上黃。其祠列火滿壇旁。壇旁亨炊具。有司云。祠上有光焉。公卿言皇帝始郊見泰一雲陽。【正義】括地志云、漢雲陽宮、在雍州雲陽縣北八十一里、有通天臺、卽黃帝以來祭天圜丘之處、武帝以五月避暑、八月乃還也、【考證】宋本、舊刻本、滿壇下無旁字、與封禪書合、有司奉瑄玉。【集解】孟康曰、璧大六寸、謂之瑄、【索隱】音宣、璧大六寸也、嘉牲薦饗。【正義】漢舊儀云、祭天、養牛五歲、至二千斤、是夜有美光。及晝黃氣上屬天。太史公·祠官寬舒等曰。【考證】漢郊祀志、太史公作太史令談、卽司馬遷父、神靈之休、祐福兆祥。宜因此地光域、【集解】徐廣曰、地、一作夜、立泰畤壇以明應。【正義】下於證反、師古云、明著神光、及黃雲之祥應也、令太祝領、祀及臘閒祠。三歲天子一郊見。【考證】封禪書郊祀志、祀作秋、而屬下句、此誤、方苞曰、三歲天子一郊見、其二歲則祠以秋、或以臘、故曰閒、其秋爲伐南越、告禱泰一、以牡荊畫幡。【集解】徐廣曰、牡一作牝、如淳曰、荊之無子者、皆以絜齊之道也、晉灼曰、牡荊節閒不相當者、韋昭曰、以牡荊爲柄者也、【正義】晉灼曰、牡荊節間不相當者、月暈刻之爲券、以畏病者、萬畢術云、以南山牡荊指、病自瘉也、顏師古曰、言以畏病、牡荊爲幡竿、而

畫幡爲日月龍及星也、日月北斗登龍、以象天一三星、爲泰一鋒、【集解】徐廣曰、天官書曰、天極星明者泰一常居也、斗口三星曰天一、駰案晉灼曰、畫一星在後、三星在前、爲太一鋒也、【考證】漢郊祀志、天一作太一、鋒下有旗字、非是、余有丁曰、交龍爲旂、有一升一降、今止畫升龍、故曰登龍、愚按、日月上添幡上所畫四字看、名曰靈旗。【正義】李奇云、畫旗樹泰一壇上、名靈旗、畫日月北斗登龍等、爲兵禱、【正義】爲、于僞反、則太史奉以指所伐國。【正義】韋昭云、牡剛也、荊强、按用牡荊指伐國、取其剛爲稱、故畫此旗指之、而五利將軍使不敢入海、之泰山祠。上使人微隨驗、實無所見。五利妄言見其師、其方盡多不讎。上乃誅五利。【正義】漢武故事云、東方朔言欒大無狀、上發怒乃斬之、【考證】遙承上文五利治裝入海、顏師古曰、讎、應當也、不讎、無驗也、其冬、公孫卿候神河南、見僊人跡緱氏城上。【考證】楓、三本、見上有言字、王先謙曰、據漢書武紀、則元鼎六年冬也、當云明年冬、緱氏、今河南府偃師縣南、有物若雉、往來城上。天子親幸緱氏城視跡。問卿、得毋效文成·五利乎。卿曰。僊者非有求人主。人主求之。【考證】楓、三本、下人主下有者字、與封禪

書合、其道非少寬假、神不來。言神事、事如迂誕、【正義】迂、音于、誕、音但、迂、遠也、誕、大也、積以歲、乃可致。【考證】許應元曰、非有求人主等語、卽五利所以語帝者、於是郡國各除道、繕治宮觀名山神祠所、以望幸矣。【考證】封禪書、矣作也、其年、既滅南越。【考證】楓、三本、年作春、與封禪書郊祀志合、上有嬖臣李延年。以好音見。上善之、下公卿議曰。民閒祠、尙有鼓舞之樂。今郊祠而無樂、豈稱乎。【考證】楓、三本、祠作祀、公卿曰。古者祀天地皆有樂。而神祇可得而禮。或曰。泰帝使素女鼓五十弦瑟。悲。帝禁不止。【索隱】泰帝、亦謂太昊也、【正義】泰帝、謂太昊伏羲氏、【考證】顏師古曰、不止、不能自止也、故破其瑟爲二十五弦。於是塞南越、禱祠泰一后土、始用樂舞。【考證】楓、三本、塞作賽、與封禪書合、胡三省曰、爲伐南越告禱泰一、故今賽祠、益召歌兒作二十五弦【集解】徐廣曰、瑟也、及箜篌。【集解】徐廣曰、應劭云、武帝令樂人侯調始造箜篌、【索隱】應劭云、武帝始令樂人侯調作聲、均均然、命曰箜篌、侯、其姓也、【考證】書、志、作空侯、瑟

自此起。其來年冬、上議曰。古者先振兵澤旅、【集解】徐廣曰、古釋字作澤、【考證】楓、三本、瑟上有琴字、澤作釋、王先謙曰、據漢武紀、元封元年、然後封禪。乃遂北巡朔方、勒兵十餘萬、還祭黃帝冢橋山、澤兵須如。【集解】李奇曰、地名也、【考證】漢志、澤作釋、須作凉、上曰。吾聞黃帝不死。今有冢、何也。或對曰。黃帝已僊上天。羣臣葬其衣冠。【考證】通鑑、或作公孫卿、蓋據漢武故事、既至甘泉、爲且用事泰山、先類祠泰一。【正義】爲、于僞反、將爲封禪也、道書福地記云、泰山、高四千九百丈二尺、周迴二千里、【考證】周壽昌曰、類、祭名、書、肆類於上帝、是也、自得寶鼎、上與公卿諸生議封禪。【正義】白虎通云、王者易姓而起、天下太平、功成封禪、以告太平、禪梁父之阯廣厚也、刻石紀號、著已之功績、天以高爲尊、地以厚爲德、故增泰山之高以報天、禪梁父之阯以報地、封者附廣之、禪者將以功相傳授之、封禪用希。曠絕莫知其儀禮。而羣儒采封禪尙書周官王制之望祀射牛事。【集解】蘇林曰、當祭廟、射其牲以除不祥、瓚曰、射牛、示親殺也、【索隱】天子射牛、示親祭也、事見國語、【考證】周官夏官射人、祭祀則贊射牲、註云、烝嘗之禮、有射豕者、國語楚語、天子禘郊之事、必自射其牲、注云、牲、牛也、

齊人丁公年九十餘。曰、封者合不死之名也。秦皇帝不得上封。【考證】楓、三本重上字、陛下必欲上、稍上、即無風雨、遂上封矣。上於是乃令諸儒習射牛、草封禪儀數年、【索隱】儀見應劭漢官儀也、【考證】楓、三本、矣下無上字、是下無乃字、至且行、天子既聞公孫卿及方士之言、黃帝以上封禪、皆致怪物、與神通。欲放黃帝以嘗接神僊人蓬萊士、高世、比悳於九皇。【集解】張晏曰、三皇之前、有人皇九首、韋昭曰、上古人皇者九人也、【正義】按說同耳、張言人皇九首、如今人呼牛九頭、以上古質、故言九首也、而頗采儒術以文之。羣儒既以不能辯明封禪事。又牽拘於詩書古文而不敢騁。【考證】三條本、南化本、以作已、上為封祠器示羣儒。羣儒或曰、不與古同。徐偃又曰、太常諸生行禮、不如魯善。周霸屬圖封事。【集解】服虔曰、屬、會也、會諸儒圖封事、顏師古曰、徐偃、博士姓名、周霸、亦人姓名也、【考證】於是上絀偃·霸、盡罷

諸儒弗用。【考證】楓、三本、盡上有而字、漢書兒寬傳云、上議欲放古巡狩封禪之事、諸儒對者五十餘人、未能有所定、先是司馬相如病死、有遺書、頌功德言符瑞、足以封泰山、上奇其書以問兒寬、寬對曰、封泰山禪梁父、昭姓考瑞、帝王之盛節也、然享薦之義、不著於經、唯聖主所由制定其當、非群臣之所能列、上然之、乃自制儀、采儒術以文焉、蓋此時事、三月、遂東幸緱氏。【考證】漢書武紀、作正月、禮登中嶽太室。【集解】文穎曰、崧高山也、在潁川陽城縣、韋昭曰、崧高山有太室少室之山、山有石室、故以名之、從官在山下、聞若有言萬歲云。【正義】漢儀注云、有稱萬歲、可十萬人聲、問上、上不言。問下、下不言。【考證】王先謙曰、山上下人皆未言、是以神之、於是以三百戶封太室奉祠。命曰崇高邑。【正義】顏師古云、以崇奉嵩高山、故謂之崇高也、東上泰山。山之草木葉未生。【考證】楓、三本、泰山下有泰字、乃令人上石立之泰山顛。【考證】楓、三本、顛作巔、顏師古曰、從山下轉石而上也、齊召南曰、案後漢書祭祀志引此文、注風俗通曰、石高二丈一尺、刻之曰、事天以禮、立身以義、事父以孝、成民以仁、四海之內、莫不郡縣、四夷八蠻、咸來貢職、與天無極、人民蕃息、天祿永得、共四十五字、此石立山巔、卽馬第伯封禪儀記所云、封所始皇立石及闕在南方、漢武在其北二十餘步者、又山下有一石、時用五車不能上、因置山下、為屋、號五車石、詳後志注、上遂東巡海上、行禮祠八神。

【集解】文穎曰、武帝登泰山祭太一、并祭名山於泰壇、西南開除八通鬼道、故言八神也、一曰八方之神、【索隱】用事八神、案韋昭云、八神謂天地陰陽日月星辰主四時主之屬、今案郊祀志、一曰天主、祠天齊、二曰地主、祠太山梁父、三曰兵主、祠蚩尤、四曰陰主、祠三山、五曰陽主、祠之罘、六曰月主、祠東萊山、七曰日主、祠盛山、八曰四時主、祠琅邪也、【考證】八神、索隱今按是、劉盼曰、八神祠皆在齊地、故始皇東遊海上、行禮祠之、武帝亦然、齊人之上疏言神怪奇方者以萬數。然無驗者。乃益發船、令言海中神山者數千人求蓬萊神人。公孫卿持節、常先行候名山。【考證】楓、三本無常字、至東萊。言夜見一人長數丈。就之則不見。見其跡甚大、類禽獸云。羣臣有言見一老父牽狗。言吾欲見巨公。已忽不見。【集解】漢書音義曰、巨公、謂武帝、上既見大跡未信。及羣臣有言老父、則大以為僊人也。宿留海上、【索隱】宿留、音秀溜、遲待之意、若依字讀、則言宿而留、亦是有所待、竝通也、與方士傳車、及閒使求僊人以千數。四月、還至奉高。【考證】奉高、今山東泰安府泰安縣、上念諸儒及方士言封

禪、人人殊、不經難施行。天子至梁父、禮祠地主。乙卯、令侍中儒者皮弁薦紳、射牛行事、封泰山下東方、如郊祠泰一之禮。封廣丈二尺、高九尺、其下則有玉牒書。書祕。禮畢、天子獨與侍中奉車子侯上泰山。亦有封。其事皆禁。明日下陰道。【集解】漢書百官表曰、奉車都尉、掌乘輿車、武帝初置、韋昭曰、子侯、霍去病之子也、丙辰、禪泰山下阯東北肅然山、【集解】服虔曰、肅然、山名、在梁父、【考證】顏師古曰、阯者山之基足、如祭后土禮。天子皆親拜見。衣上黃、而盡用樂焉。江淮閒、一茅三脊為神藉、【集解】孟康曰、所謂靈茅也、【考證】藉、薦也、以藉地也、五色土益雜封、縱遠方奇獸蜚禽及白雉諸物、頗以加祠。【考證】封禪書、祠作禮、兕旄牛犀象之屬弗用。皆至泰山、然后去。【考證】然后去、郊祀志同、封禪書作祭后土、封禪祠、其夜若有光、晝有白雲起封中。【考證】顏師古曰、雲出於所封

之中、天子從封禪還、坐明堂。【集解】漢書音義曰、天子初封泰山、山東北阯、古時有明堂處、則此所坐者、明年秋、乃作明堂、羣臣更上壽。【考證】楓、三本、無從字、書志無封字、於是制詔御史、朕以眇眇之身承至尊。兢兢焉懼弗任。維德菲薄、不明于禮樂。脩祀泰一、若有象。【考證】漢書武帝元封元年紀、脩祀泰山、作故用事八神、景光屑如有望。【集解】瓚曰、聞呼萬歲者三、【考證】漢書武紀、作遭天地況施、著見景象、屑然如有聞、愚按、卽上文所謂其夜若有光、晝有白雲起封中者、瓚說非、依依震於怪物、欲止不敢。【考證】漢書武紀、無依依二字、王先謙曰、怪物、猶言神怪、震、畏敬也、遂登封泰山、至於梁父、而后禪肅然、自新、【考證】漢書武紀、后下有升字、禪作襢、嘉與士大夫更始。【考證】漢書武紀、更始下有其以十月爲元封元年九字、郊祀志亦載此事、云、語在武紀、賜民百戶牛一酒十石、加年八十、孤寡布帛二匹、【考證】楓、三本、一下有頭字、加下有賜字、復博奉高・蛇丘・歷城、毋出今年租稅。【集解】鄭玄曰、蛇、音移、【考證】博、在今山東泰安府泰安縣東南、奉高、在縣東北、蛇丘、在泰安府肥城縣南、歷城、今濟南府歷城縣治、其赦天下、如乙卯赦

令。【考證】乙卯赦令、見漢書元朔三年武帝紀、行所過、毋有復作。事在二年前、皆勿聽治。【考證】復作解、見平準書、又下詔曰、古者天子五載一巡狩、用事泰山、諸侯有朝宿地。【考證】沈欽韓曰、據公羊義、天子有事於泰山、諸侯皆有湯沐之邑、諸侯時朝乎天子、天子之郊、諸侯皆有朝宿之邑、左傳正義、王制、方伯爲朝天子、皆有湯沐之邑於天子之縣內、然則朝宿之邑、亦名湯沐、但向京師、主爲朝王、從王巡狩、主爲助祭、祭必沐浴、隨事立名、朝宿沐浴、亦互言之耳、其令諸侯各治邸泰山下。【正義】諸侯各於太山朝宿地起第、准擬天子用事太山而居止、天子既以封禪泰山、無風雨菑。【考證】山下諸本有既字、張文虎曰、舊刻及吳校元刻無既字、與封禪書郊祀志合、愚按、有者是、而方士更言蓬萊諸神山、若將可得。【考證】書、志、無山字、顏師古曰、更、音工衡反、於是上欣然庶幾遇之。乃復東至海上望、冀遇蓬萊焉。奉車子侯暴病、一日死。上乃遂去。竝海上、北至碣石、巡自遼西、歷北邊、至九原。五月、返至甘泉。【集解】漢書音義曰、周萬八千里也、【考證】集解漢書音義、當作漢書郊祀志、有司言寶鼎出爲

元鼎。以今年爲元封元年。其秋、有星茀于東井。【集解】韋昭曰、秦分野也、後衞太子兵亂、茀、音佩、後十餘日、有星茀于三能。【集解】韋昭曰、三能、三公、後連坐誅之、【考證】顏師古曰、能讀曰台、錢大昭曰、樂記注、古以能爲三台字、望氣王朔言、候獨見其星出如瓠。【索隱】見星出如瓠、案郊祀志云、塡星出如瓠、故顏師古以德星卽鎭星也、今按此紀、唯言德星、則德星、歲星也、歲星所在有福、故曰德星也、【考證】張文虎曰、各本皆作其星、索隱本無其字、據注似所見本本無、北宋本、作塡星、疑依郊祀志改、愚按、其星、封禪書、一本作旗星、一本作塡星、食頃復入焉。有司言曰、陛下建漢家封禪。天其報德星云。其來年冬、郊雍五帝。還、拜祝祠泰一。贊饗曰、德星昭衍。厥維休祥。壽星仍出。【索隱】壽星、南極老人星也、見則天下理安、故言之也、淵耀光明。信星昭見。【索隱】信星、鎭星也、信屬土、土曰鎭星、則漢志爲德星也、皇帝敬拜泰祝之饗。【集解】徐廣曰、一無泰字、其春、公孫卿言見神人東萊山。若云見天子。【考證】楓、三本、云下有欲字、與封禪書郊祀志合、天子於是幸緱氏城、拜卿爲中大夫。遂至

東萊。宿留之數日。毋所見。【考證】中井積德曰、數日二字屬上句、見大人跡。復遣方士、求神怪采芝藥、以千數。是歲、旱。於是天子既出毋名。乃禱萬里沙。【集解】應劭曰、萬里沙、神祠也、在東萊曲城、孟康曰、沙徑三百餘里、【考證】王先謙曰、據地理志、注曲城當作曲成、愚按、在今山東萊州府掖縣、過祠泰山、【集解】鄧展曰、泰山自東復有小泰山、瓚曰、卽今之泰山、還至瓠子、【集解】服虔曰、瓠子、隄名、蘇林曰、在甄城以南濮陽以北、廣百步、深五丈所、瓚曰、所決河名、【索隱】瓠子、決河名、蘇林曰、在甄城南濮陽北、廣百步、深五丈、【考證】今直隸大名府開州、自臨塞決河。【索隱】按河渠書、武帝自臨塞決河、將軍已下、皆負薪也、留二日、沈祠而去。【索隱】按沈白馬祭河決、於是作瓠子歌、見河渠書、使二卿將卒塞決河。河徙二渠、復禹之故跡焉。【考證】河決、在元光二年、今始臨塞之、事詳河渠書、楓、三本、徙作從、二渠、在今河南衞輝府滑縣、一曰宿胥口、卽漯也、一曰大河、河北漯南、分而東北流入海、是時旣滅南越。越人勇之【集解】韋昭曰、越地人名也、【考證】書、志、南越作兩越、乃言、越人俗信鬼。而其祠皆見鬼。數有效。昔東甌王敬鬼、壽至百六十歲。後世謾怠。故衰耗。乃

令越巫立越祝祠。安臺無壇。亦祠天神上帝百鬼、而以雞卜。集解 漢書音義曰、持雞骨卜、如鼠卜。正義 雞卜法、用雞一狗一、生祝願訖、卽殺雞狗煑熟、又祭、獨取雞兩眼骨、上自有孔裂、似人物形則吉、不足則凶、今嶺南猶此法也、考證 楓三本、祝作祠、沈欽韓曰、論衡卜筮篇、子路問孔子曰、豬肩羊膊、可以得兆、雚葦藁芼、可以得數、何必以蓍龜、初學記二十九、楊方五經鉤沈云、東夷之人、以牛骨占事、御覽七百二十六引春秋後語、蘇秦、鑿卜、隋書西域傳、女國有鳥卜、然則夷卜用鳥獸多術矣、上信之。越祠雞卜始用焉。考證 楓三本無焉字、公孫卿曰。僊人可見。而上往常遽。以故不見。今陛下可爲觀如緱氏城、集解 韋昭曰、如、猶比也、置脯棗、神人宜可致。考證 宜、猶殆也、且僊人好樓居。於是上令長安則作蜚廉・桂觀、集解 應劭曰、飛廉、神禽能致風氣、晉灼曰、身如鹿、頭如雀、有角而蛇尾、文如豹文也、考證 郊祀志、觀作館、顏師古曰、蜚廉館及桂館二名也、愚按、二觀址在今陝西西安府長安縣、甘泉則作益延壽觀。考證 郊祀志、作益壽延壽館、顏師古曰、二館名、梁玉繩曰、考注引漢武故事及括地志、皆云延壽觀、無益壽之名、三輔黃圖亦但云延壽、蓋此多一益字、漢志更多一壽字、師古注非、宋黃伯思東觀餘論、據雍耀間耕夫得古瓦、其首作益延壽三字、以爲觀名益延壽、夫瓦之眞贗不可知、旣未足憑、而益與延同義、

不應複出、又其時竝作者飛廉桂觀之屬、或一字名、或兩字名、何以此觀獨三字名乎、其爲衍文無疑、藝文類聚六十三引史是延壽觀、愚按、在今陝西邠州淳化縣、使卿持節設具、而候神人。乃作通天臺。集解 徐廣曰、在甘泉、漢書作通天臺於甘泉宮、索隱 案漢書舊儀、臺高三十丈、去長安二百里、望見長安城也、考證 封禪書、天下有莖字、漢書武紀郊祀志並無、索隱本亦無、臺址在今陝西邠州淳化縣、置祠具其下、將招來神僊之屬。於是甘泉更置前殿、始廣諸宮室。索隱 姚氏案楊雄云、甘泉本因秦離宮、旣奢泰、武帝增通天臺迎風宮、近則有洪崖儲胥、遠則石關封巒鳷鵲露寒棠梨等觀、又有高華溫德觀會成宮、白虎走狗天梯瑤臺、仙人弩法相思觀、夏有芝生殿防內中。集解 徐廣曰、元封二年也、索隱 芝生殿房中、案生芝九莖、於是作芝房歌、考證 封禪書郊祀志、防作房、索隱本亦作房、下同、房字古隸从戶从方、與防相似、故譌耳、張照曰、內中二字、必有一衍、愚按、封禪書漢書武紀郊祀志、亦作內中、王先謙曰、據禮樂志、則齋房也、天子爲塞河與通天臺。若有光云。集解 李奇曰、爲此作事、而有光應、瓚曰、作通天臺也、考證 中井積德曰、興通天臺、是塞河之報賽矣、故曰爲也、乃下詔曰。甘泉防生芝九莖。集解 應劭曰、芝、芝草也、其葉相連、如淳曰、瑞應圖云、王者敬事耆老、不失舊故、則芝草生、赦天下、毋有復作。考證 封禪書、甘泉防作甘泉房中、漢武紀載此詔云、甘泉宮內中、產芝

九莖連葉、上帝博臨、不異下房、賜朕弘休、其赦天下、其明年、伐朝鮮。夏、旱。公孫卿曰。黃帝時、封則天旱乾封。集解 蘇林曰、天旱、欲使封土乾燥、如淳曰、但祭不立尸爲乾封、正義 乾、音干、蘇林云、天旱、欲使封土乾燥也、顏師古云、三歲不雨、暴所封之土令乾、鄭氏云、但祭不立尸爲乾封、考證 王先謙曰、據漢書武紀、元封二年伐朝鮮、三年平之、此繫於平朝鮮之年、三年、上乃下詔曰。天旱、意乾封乎。其令天下尊祠靈星焉。正義 靈星、卽龍星也、張晏云、龍星左角曰天田、則農祥也、見而祭之、考證 中井積德曰、祠靈星、蓋祈雨也、其明年、上郊雍、通回中道巡之。集解 徐廣曰、在扶風汧縣、考證 回中、今陝西鳳翔府隴州、春至鳴澤、集解 服虔曰、鳴澤、澤名也、在涿郡遒縣北界、考證 今直隸順天府涿州、從西河歸。其明年冬、上巡南郡、集解 徐廣曰、元封五年、至江陵而東、登禮潛之天柱山。號曰南嶽。集解 應劭曰、潛縣、屬廬江、南嶽、霍山也、文穎曰、天柱山在潛縣南、有祠、考證 潛、封禪書漢武紀、作灊、在今湖北六安州霍山縣、天柱卽霍山、在安陸府潛江縣西北、浮江、自尋陽出樅陽、集解 地理志、廬江有樅陽縣、考證 尋陽、郊祀志作潯陽、在今黃州府黃梅縣北、胡三省曰、尋陽在江北、自晉立尋陽郡於江南之地、而江北尋陽之名遂晦、樅陽、在安慶府桐城縣東南、過彭蠡、祀其名山

川、北至琅邪、竝海上、四月中、至奉高、脩封焉。初天子封泰山。泰山東北阯、古時有明堂處。考證 孟子、齊宣王問曰、人皆謂我毀明堂、趙岐注、泰山下明堂、周天子東巡狩、朝諸侯之處、齊侵地而得有之、是也、處險不敞。考證 顏師古曰、言其阻阨不顯敞、上欲治明堂奉高旁。未曉其制度。濟南人公玉帶、索隱 玉或作肅、公玉姓、帶名、姚氏按風俗通、齊湣王臣有公玉丹、其後也、音語錄反、三輔決錄云、杜陵有玉氏、音肅、說文以爲從玉音畜牧之畜、今讀公玉、與決錄音同、然二姓單複有異、單姓者肅、後漢司徒玉況是其後也、考證 錢大昭曰、漢韓勑碑陰有公玉虎、楊震碑陰有勃海公玉子舉、上黃帝時明堂圖。明堂圖中有一殿。四面無壁、以茅蓋。通水圜宮垣、爲複道。上有樓。從西南入。命曰昆侖。索隱 玉帶明堂圖、中爲複道、有樓、從西南入、名其道曰崑崙、言其似崑崙山之五城十二樓、故名之也、考證 黃帝明堂、有無未可知、漢時何能傳其圖式、徐孚遠曰、崑崙在西南、故附會其說、蓋公玉帶亦方士之流也、天子從之、入以拜祠上帝焉。於是上令奉高作明堂汶上、集解 徐廣曰、在元封二年秋、考證 胡三省曰、據班志、明堂在泰山奉高縣西南四里、又禹貢浮于汶、達于濟、此明堂當在濟之汶上、

琅琊之汶、入于濰、而濰入于海、其地僻遠、非立明堂處、如帶圖。及五年脩封、則祠泰一五帝於明堂上坐、令高皇帝祠坐對之。[考證]服虔曰、漢是時未以高祖配天、故曰對、光武以來乃配之、沈欽韓曰、御覽一百九十四、漢武故事曰、上自封禪後、夢高祖坐明堂、羣臣亦夢想、於是祀高祖於明堂以配天、還作高陵館、劉攽曰、案王莽奏事、文帝祠泰一、已用高祖配矣、何謂未乎、愚按、漢書元封五年武紀云、三月甲子、祠高祖于明堂、以配上帝、亦與是紀異、祠后土於下房、以二十太牢。[考證]沈欽韓曰、據其祠泰一及五帝高帝后土、合用八太牢、蓋其外尚有配食者、而史不詳也、天子從昆侖道入、始拜明堂如郊禮。禮畢、燎堂下。而上又上泰山。[考證]劉攽曰、而上字屬下句、有祕祠其顛。而泰山下祠五帝、各如其方。黃帝幷赤帝、而有司侍祠焉。[考證]郊祀志、幷作竝、赤帝下有所字、注、顏師古曰與赤帝同處、泰山上擧火。下悉應之。其後二歲十一月甲子朔旦冬至、[考證]太初元年、推歷者以本統。天子親至泰山、以十一月甲子朔旦冬至日、祠上帝明堂。[集解]徐廣曰、常五年一脩耳、今適二年、

故但祀明堂、[考證]楓、三本、本統作本紀、漢書武紀郊祀志、帝下有於字、每脩封禪、[考證]封禪書、毎作毋、爲是、漢郊祀志、亦譌作毎、其贊饗曰。天增授皇帝泰元神策。周而復始。[索隱]案薦饗之辭、言天授皇帝泰元神策、周而復始、又案上、黃帝得寶鼎神筴、則太古上皇創歷之號、故此云太元神筴周而復始也、[考證]王先謙曰、冊府元龜三十六、開元十三年、封禪禮畢、中書令張說進稱賜皇帝太一神策、周而復始、宋史志、眞宗封禪、攝中書令王旦跪稱曰、天賜皇帝太一神策、周而復始、皆依倣漢世爲之、是泰元卽泰一也、皇帝敬拜泰一。[考證]顏師古曰、自此以上贊祝者詞、東至海上、考入海及方士求神者、莫驗。然益遣冀遇之。十一月乙酉、柏梁烖。[集解]徐廣曰、乙酉、二十二日也、十二月甲午朔、上親禪高里、[集解]伏儼曰、山名、在泰山下[考證]在今山東泰安府泰安縣、祠后土、臨勃海。將以望祠蓬萊之屬、冀至殊庭焉。[集解]漢書音義曰、蓬萊庭、[索隱]冀、漢書作幾、幾、近也、冀、望也、亦通、服虔曰、蓬萊中仙人殊庭者異也、言入仙人異域也、上還。以柏梁烖故、朝受計甘泉。[正義]顧胤云、柏梁被燒、故受計獻之物於甘泉也、顏師古曰、受郡國計簿也、[考證]漢書郊祀志、故下無朝字、此疑衍、公孫卿曰。黃帝就靑靈臺。十二日

燒。[集解]徐廣曰、日一作月、[考證]顏師古曰、就、成也、造臺適成、經十二日卽遇火燒、黃帝乃治明庭。明庭、甘泉也。[考證]董份曰、早則黃帝乾封、災則黃帝明庭、火巧言如簧、信矣、方士多言古帝王有都甘泉者。其後天子又朝諸侯甘泉。甘泉作諸侯邸。勇之乃曰。越俗有火烖、復起屋、必以大。用勝服之。[考證]楓、三本、以作已、於是作建章宮。[正義]括地志曰、建章宮、在雍州長安縣西二十里長安故城西、度爲千門萬戶。前殿度高未央。[考證]顏師古曰、度竝音大各反、中井積德曰、殿度之度、謂其制度也、音去聲、其東則鳳闕。高二十餘丈。[索隱]三輔黃圖云、武帝營建章、起鳳闕、高三十五丈、關中記、一名別風、言別四方之風、西京賦曰、閶闔之內、別風嶕嶢、是也、三輔故事云、北有圜闕、高二十丈、上有銅鳳皇、故曰鳳闕也、[考證]繁欽建章序云、秦漢規模、廓然泯毀、惟建章鳳闕、聳然獨存、雖非象魏之制、亦一代之巨觀、其西則唐中、[索隱]如淳云、詩云、中唐有甓、鄭玄曰、唐、堂庭也、爾雅以廟中路謂之唐、西京賦曰、前開唐中、彌望廣象、是也、[考證]郊祀志唐作商、非、數十里虎圈、[正義]圈、其遠反、括地志云、虎圈、今在長安城中西偏也、[考證]顏師古曰、圈、養獸之所、其北治大池漸臺。[正義]顏師古云、漸、浸也、臺在池中、爲水所浸、故曰漸臺、按王莽死此臺也、高二十

餘丈。名曰泰液。[正義]臣瓚云、泰液、言象陰陽津液以作池也、池中有蓬萊·方丈·瀛洲·壺梁。象海中神山龜魚之屬。[索隱]三輔故事云、殿北海、池北岸有石、魚、長二丈、廣五尺、西岸有石龜二枚、各長六尺、[考證]漢書顏注引三輔故事、石龜二枚作石鼈三枚、其南有玉堂·璧門·大鳥之屬。[索隱]其南則玉堂、漢武故事、玉堂基與未央前殿等、去地十二丈、[考證]沈欽韓曰、三輔黃圖、玉堂內殿十二門、階皆玉爲之、鑄銅鳳高五尺、飾黃金棲屋上、下有轉樞、向風若翔、椽首薄以璧玉、因曰璧門、乃立神明臺·[索隱]漢宮闕疏云、臺高五十丈、上有九宮、常置九天道士百人也、井幹樓。[索隱]關中記、宮北有井幹臺、高五十丈、積木爲樓、言築累萬木、轉相交架如井幹、司馬彪注莊子云、井幹、井闌也、又崔譔云、井以四邊爲幹、猶築牆之有楨幹、又諸本多作幹、一本作榦、音、說文云、幹、井橋、[考證]索隱、音下當有脫字、度五十餘丈。輦道相屬焉。夏、漢改歷、以正月爲歲首。[考證]漢書武帝太初元年紀、夏五月、正歷以正月爲歲首、顏師古曰、謂以建寅之月爲正也、未正歷之前、謂建亥之月爲正、今此謂以正月爲歲首者、史追正其月名、何焯曰、旣曰正歷以正月爲歲首、明前此不改月、固以建寅之月爲正月矣、若前此果謂建亥之月爲正、則當云以建寅之月爲正也、而色上黃、官名、[集解]徐廣曰、一無名字、[考證]封禪書同、漢書武紀、官上有定字、郊祀志、官下無名字、更印章以五字、[集解]張晏曰、漢據土德、土數五、故

用五爲印文也、若丞相曰丞相之印章、諸卿及守相印文不足五字者、以之足也、 因爲太初元年。是歲西伐大宛。蝗大起。【考證】漢書五行志、太初元年夏、蝗從東方飛至敦煌、 丁夫人・雒陽虞初等、以方祠詛匈奴・大宛焉。【集解】韋昭曰、丁姓、夫人名、【考證】應劭曰、丁夫人其先丁復、越人、封陽都侯、夫人其後、以詛軍爲功、沈欽韓曰、西京賦、小說九百、本自虞初、薛綜注、小說醫巫厭祝之術、凡有九百四十三篇、朱一新曰、虞初又見藝文志、 其明年、有司言、雍五畤無牢熟具、芬芳不備。乃命祠官進畤犢牢具。五色食所勝。【集解】孟康曰、若火勝金、則祠赤帝以白牡、【考證】漢書志無五字、此疑衍、 而以木禺馬代駒焉。【索隱】木耦馬、一音偶、孟云、寓、寄龍形于木、又姚氏云、寓、叚也、以言叚木龍、馬一駟、非寄生龍馬形於木也、【考證】沈欽韓曰、伐宛、馬少也、徐鴻鈞曰、古人事神及送死者、用木偶人木偶馬、猶今人用紙人紙馬之類、 獨五帝用駒、【考證】楓、三本、封禪書、作五月嘗馬、梁玉繩曰、漢志、無此語、是既以木禺馬代駒、何五月嘗駒之有、下文行過乃用駒、是總上五畤、諸山川在內、又何必兩言用駒乎、其爲後人誤增無疑、 行親郊用駒。及諸名山川用駒者、悉以木禺馬代。行過乃用駒。他禮如故。其明年、【考證】漢書武紀、太初三年、 東巡海上、考

神僊之屬、未有驗者。方士有言、黃帝時爲五城十二樓、【集解】應劭曰、崑崙玄圃五城十二樓、此仙人之所常居也、 以候神人於執期。【集解】漢書音義曰、執期、地名也、 命曰迎年。【正義】顏師古云、迎年、若言祈年、 上許作之如方。命曰明年。【考證】命曰二字、各本脫、三條、南化本有、與書合、依補、北宋本、命作名、明年是名、非謂來年、 上親禮祠上帝。衣上黃焉。【考證】封禪書、無衣上黃三字、郊祀志、上帝衣上黃焉、作上犢黃焉、 公玉帶曰。黃帝時雖封泰山、然風后・封鉅・岐伯、【集解】應劭曰、封鉅、黃帝師、【正義】張揖云、岐伯、黃帝太醫、 令黃帝封東泰山、【集解】徐廣曰、在琅邪朱虛縣、汶水所出、 禪凡山。【集解】徐廣曰、凡山亦在朱虛也、【考證】錢大昭曰、漢書武帝本紀、東至於海登丸山、徐廣曰、丸一作凡、裴駰案地理志、丸山在琅邪朱虛縣、索隱作凡音扶嚴反、正義音桓、括地志、丸山卽丹山、在青州臨朐縣界朱虛故縣西北二十里、據此則丸凡卽是一山、其字當爲丸矣、 合符然後不死焉。天子既令設祠具、至東泰山。東泰山卑小、不稱其聲。乃令祠官禮之、而不封禪焉。其後令帶奉祠候神物。夏、遂還泰山、脩五年之

禮如前、【考證】楓、三本、還下有登字、 而加禪祠石閭。石閭者在泰山下阯南方。方士多言此僊人之閭也。故上親禪焉。其後五年、復至泰山脩封。【集解】徐廣曰、天漢三年、李陵以天漢二年敗也、 還過祭常山。【正義】卽恆山也、括地志云、在定州恆陽西北百四十里、爾雅云、恆山爲北岳、道書福地記曰、恆山高三千二百丈、上方二十里、有太玄之泉、神華種可口俗、【考證】封禪書郊祀志、常作恆、 今天子所興祠、泰一・后土、三年親郊祠。建漢家封禪、五年一脩封。薄忌泰一・及三一・冥羊・馬行・赤星五、寬舒之祠、【集解】李奇曰、祀名也、【索隱】赤星、卽上靈星祠也、靈星、龍左角、其色赤、故曰赤星、五者太一也、三一也、冥羊也、馬行也、赤星也、凡五、竝祠官寬舒領之、【考證】郊祀志五下有牀字、姚範曰、五牀、宣帝所立、班以六祠求之不合、增五牀則六矣、王先謙曰、牀字疑後人緣下文五牀山誤加、以合下六祠之數、愚按、寬舒之祠、上文所云、祠官寬舒等議、於澤中圜丘爲五壇祠后土者、與上五祠併六、又按、郊祀志、官作宮、誤、中井積德曰、祠字句絕、官字屬下句、官以歲時致祀、與下行過則祠、去則已者異、 官以歲時致禮。凡六祠。【索隱】五者之外、有正太一后土祠、故六也、【正義】謂后土兼上五、凡六祠也、后土在汾陽、非寬舒領祠、故別言凡六祠、 皆太祝領之。至如八神諸神・

明年・凡山他名祠、行過則祀。去則已。【考證】楓、三本、祀作祠、 方士所興祠、各自主。其人終則已。祠官弗主。他祠皆如其故。【考證】楓、三本、主下有也字、 今上封禪、其後十二歲而還、徧於五嶽四瀆矣。【考證】漢書郊祀志、後十至瀆矣在上文還過祭常山下、二作三、 而方士之候祠神人、入海求蓬萊、終無有驗。而公孫卿之候神者、猶以大人跡爲解。無其效。天子益怠厭方士之怪迂語矣。然終羈縻弗絕、冀遇其眞。自此之後、方士言祠神者彌衆。然其效可睹矣。【集解】徐廣曰、猶今人云其事已可知矣、皆不信之耳、又數本、皆無可字、 太史公曰。余從巡、祭天地諸神名山川而封禪焉。入壽宮侍祠神語、究觀方士祠官之言。【考證】楓、三本、侍下無祠字、 於是退而論次自古以來用事於鬼神者、具見其表裏。後有君子、得以覽焉。至

若俎豆珪幣之詳、獻酬之禮、則有司存焉。

索隱述贊、孝武纂極、四海承平、志尚奢麗、尤敬神明、壇開八道、接通五城、朝親五利、夕拜文成、祭非祀典、巡乖卜征、登嵩勒岱、望景傳聲、迎年祀日、改曆定正、疲秏中土、事彼邊兵、日不暇給、人無聊生、俯觀嬴政、幾欲齊衡、

孝武本紀第十二　史記十二

史記會注考證卷十三

漢　太　史　令　司　馬　遷　撰

宋中郎外兵曹參軍裴　駰集解

唐國子博士弘文館學士司馬貞索隱

唐諸王侍讀率府長史張守節正義

日　本　出　雲　瀧　川　資　言　考　證

三代世表第一　史記十三

〔索隱〕應劭云、表者錄其事而見之、案禮有表記、而鄭玄云、表、明也、謂事微而不著、須表明也、故言表也、〔正義〕言代者、以五帝久古、傳記少見、夏殷以來、乃有尚書、略有年

月、比於五帝事迹易明、故舉三代爲首表、表者明也、明言事儀、〔考證〕史公自序云、維三代尚矣、年紀不可考、蓋取之譜牒舊聞、本于茲、於是作三代世表第一、趙翼曰、史記作十表、昉周之譜牒、與紀傳相爲出入、凡列侯將相、三公九卿、功名表著者、既立爲傳、此外大臣無功無過者、傳之不勝傳、而又不容盡沒、則於表載之、作史體裁、莫大於是、沈濤曰、表猶言譜、表譜、一聲之轉耳、漢書藝文志歷譜家、有帝王諸侯世譜二十卷、古來帝王年譜、劉杳謂三代世表、旁行邪上、可見表與譜同、太史公三代世表序云、稽其歷譜諜、十二諸侯年表序云、讀春秋歷譜諜、又云、於是譜十二諸侯、自共和訖孔子、豈非變譜書表、名異而實同乎、德齡曰、本紀首述五帝、而三代世表、又皆出於黃帝、故仍自黃帝敘起、而名其篇則曰三代世表、索隱但以三代世系計論、似未覺其義、梁玉繩曰、五帝三王之世、多有紕漏、與本紀同、故其屬長短不相當、乃所書殷屬終帝槐之世、周屬終帝芒之世、自夏帝泄至殷帝辛、有世無屬、又成王已後、周之世與列侯之屬、亦不相當、此非盡史公之誤也、攷梁書劉杳傳、史通表歷篇、俱引桓譚新論云、太史公三代世表、旁行斜上、竝效周譜、今表有旁行而無斜上、久失其舊、則知帝泄以下之無屬、固因世系脫誤、不能緜歷無差、亦緣連敘殷周之世于前、遂致乖絕、而列侯之屬不相當、均是傳寫誤爾、史通雜說篇謂太史公之創表、列行縈紆、以相屬編、字戢纂而相排、雖燕越萬里、而徑寸之內、犬牙可接、雖昭穆九代、而方寸之中、雁行有序、使讀者閱文便睹、舉目可詳、此其所以爲快也、大事記謂史記十表、意義宏深、通志謂史記一書、功在十表、誠哉斯語、錢泰吉曰、年表十卷、正義不及數十條、且自惠間侯者表以下、竟無一字、疏略若是、正義單行本失傳已久、無從考補矣、惜哉、愚按史記幻雲桃源二鈔、慶長本標記、亦不補十表正義、又按諸表舊多舛誤、明程氏史詮、陳氏史記考、指摘已多、

至清汪越撰讀史記十表、爲訂表專書、梁氏志疑、張氏札記、亦屬意諸表、鈎深拂滯、尤稱鉅觀、但各表行閒狹窄、不能具載、學者就其書求之可也、

太史公曰。五帝三代之記尚矣。〔索隱〕案此表依帝繫及系本、其實敘五帝三代、而篇唯名三代系表者、以三代代系長遠、宜以名篇、且三代皆出自五帝、故敘三代、要從五帝而起也、劉氏云、尚、猶久古也、尚矣之文、元出大戴禮、彼文云、黃帝尚矣、**自殷以前、諸侯不可得而譜。**〔正義〕譜、布也、列其事也、**周以來、乃頗可著。孔子因史文次春秋。紀元年、正時日月。蓋其詳哉。至於序尚書、則略無年月。或頗有。然多闕不可錄。故疑則傳疑。蓋其慎也。**〔考證〕楊慎曰、殷以前不可譜、周以來頗可著二句、爲一篇之綱、詳愼二字關鍵、孔子次春秋、記元年、正時日月、以頗可著而詳也、其序尚書、略年月、以不可詳而愼也、此言遠者不可詳、而近者不可略也、黃帝以來遠矣、歷譜雖有年數、然乖異不同、此夫子所以不次其年月、愼而闕其疑也、**余讀諜記、**〔索隱〕音牒、牒者紀系謚之書也、下云稽諸歷譜諜、謂歷代之譜諜、**黃帝以來皆有年數、稽其歷譜諜終始五德之傳、**〔索隱〕音轉、謂帝王更王、以金木水火土之五德、傳次相承、終而復始、故云終始五德之傳也、〔考證〕方苞曰、十二諸侯年表序、歷人取其年月、譜諜獨紀世謚、則此稽歷與譜諜也、愚按十二諸侯年表序

云、太史公讀春秋歷譜諜、又按、漢書藝文志歷譜家、有黃帝五家歷三十三卷、顓頊歷二十一卷、顓頊五星歷十四卷、夏殷周魯歷十四卷、漢元殷周牒歷十七卷、帝王諸侯世譜二十卷、古來帝王年譜五卷、史公蓋稽此等書也、終始五德之傳、亦就成書而言、藝文志陰陽家、鄒子終始五十六篇、公檮生終始十四篇、注云、傳鄒奭始終書、**古文咸不同乖異。夫子之弗論次其年月、豈虛哉。於是以五帝繫諜、**〔索隱〕案大戴禮有五帝德及帝繫篇、蓋太史公取此二篇之諜及尚書、集而紀黃帝以來爲系表也、〔考證〕崔適曰、五帝下脫德帝姓三字、索隱云大戴禮有五帝德帝繫姓篇、太史公取此二篇之諜、則唐時未脫也、惟此二篇之牒、卽歷代譜諜、太史公取於此、戴德亦取於此、戴德卽后倉弟子、后倉在孝宣世、見於藝文志、世次在太史公後、太史公非取於大戴禮也、愚按五帝繫譜、古書名、與戴記五帝德帝繫篇自別、**尚書集世、紀黃帝以來訖共和、爲世表。**〔考證〕方苞曰、疑世紀、亦古書名、中井積德曰、尚書集世、蓋書名、愚按、後說爲是、紀字宜屬下、

帝王世國號	顓頊屬	俈屬	堯屬	舜屬	夏屬	殷屬	周屬
黃帝。號有熊。	黃帝生昌意。	黃帝生玄囂。	黃帝生玄囂。	黃帝生昌意。	黃帝生昌意。	黃帝生玄囂。	黃帝生玄囂。

帝顓頊。黃帝孫。起黃帝至顓頊三世。號高陽。	
昌意生顓頊。爲高陽氏。	
玄囂生蟜極。	索隱 案宋衷曰、太史公書、玄囂青陽是爲少昊。繼黃帝立者、而少昊金德王。非五運之次。故敘五帝不數之耳。
玄囂生蟜極。	
昌意生顓頊。顓頊生窮蟬。索隱 系本作窮係。宋衷云、一云、窮係、諡也、	
昌意生顓頊。	
玄囂生蟜極。蟜極生高辛。	
玄囂生蟜極。蟜極生高辛。	

帝俈。黃帝曾孫。起黃帝至帝俈四世。號高辛。	帝堯。起黃帝。至俈子五世。號唐。考證 起上缺黃帝玄孫四字、	帝舜。黃帝玄孫
蟜極生高辛。爲帝俈。索隱 黃帝曾孫、考證 索隱本作蟜極生帝嚳、是也、		
蟜極生高辛。高辛生放勛。	放勛爲堯。	
窮蟬生敬康。敬康生句望。	句望生蟜牛。蟜牛生瞽叟。	瞽叟生重華。是
		顓頊生鯀。鯀生
高辛生卨。	卨爲殷祖。	卨生昭明。
高辛生后稷。爲周祖。考證 爲上脫后稷字、	后稷生不窋。考證 不窋非棄子、辨見周紀、	不窋生鞠。

之玄孫。號虞。	帝禹。黃帝耳孫。號夏。考證 三代皆不稱
爲帝舜。考證 是上缺重華二字、	
文命。索隱 案漢書律歷志、顓頊五代而生鯀。此及帝系皆云、顓頊生鯀、是古史闕其代系也、考證 史缺鯀以前世系、漢志云、顓頊五世生鯀、	文命、是爲禹。
	昭明生相土。考證 昭明至主癸、十二君莫
	鞠生公劉。

帝、史公妄加之。禹出顓頊、不以爲黃帝耳孫、依史所說、耳孫當作玄孫、	帝啓。伐有扈。作甘誓。	帝太康	帝仲康。太康弟。
確知在夏是何代、	相土生昌若。	昌若生曹圉。曹圉生冥。	冥生振。
	公劉生慶節。	慶節生皇僕。皇僕生差弗。	差弗生毁渝。毁渝生公

非。考證周紀、渝作險、

帝相　振生微。微生報丁。　公非生高圉。高圉生亞圉。

帝少康　報丁生報乙。報乙生報丙。　亞圉生公祖類。

帝予索隱音直呂反、亦作宁、正義相為過澆所　報丙生主壬。主壬生主癸。　公祖類生太王亶父。

滅、后緡歸有仍生少康、其子予復禹績、

帝槐索隱音回、一音懷、系本作芬也、　主癸生天乙。是為殷湯。考證是為上缺天乙二字、　亶父生季歷。季歷生文王昌。益易卦。

帝芒索隱音亡、一作荒、　文王昌生武王發。考證此下缺武王至黃帝二、十世九字

帝泄

索隱音薛也、考證各本帝泄以下不作横格、蓋刊者、省之、

帝不降

帝扃索隱古熒切、不降弟。

帝廑索隱其靳反、又音勤、

帝孔甲。不降子。

好鬼神淫亂、不好德。二龍去。

帝臯索隱宋衷云、墓在崤南陵、

帝發索隱帝臯子也、系本云、帝皋生發及履癸、履癸一名桀、

帝履癸是為桀。從禹至

桀十七世。從黃帝至桀二十世。考證 從禹至桀十五字各本別作直行、低二格、今依前表例橫書、後放此。黃帝至桀何止二十世、即依史所書世次數之、亦是二十一世、非二十世也、

殷湯代

夏氏。從黃帝至湯十七世。考證 湯至黃帝之世次、不可考、即依史數之、亦是十八世、非十七世、

帝外丙。湯太子太丁蚤卒、故立次弟外丙。

帝仲壬。

外丙弟。

帝太甲。故太子太丁子。淫、伊尹放之桐宮。三年悔過自責。伊尹乃迎之復位。

帝沃丁。伊尹卒。

帝太庚。沃丁弟。

帝小甲。太庚弟。索隱 案殷本紀及系本皆云、小甲、太庚子、殷道衰、諸侯或不至。考證 紀謂殷衰諸侯不至、在雍己時、當是也、此誤前書于小甲之世、

帝雍己。小甲弟。

帝太戊。雍己弟。以桑穀生稱中宗。

帝中丁

帝外壬。中丁弟。

帝河亶甲。外壬弟。

帝祖乙

帝祖辛

帝沃甲。祖辛弟。

【索隱】系本云、開甲、

帝祖丁。祖辛子。

帝南庚。沃甲子。

帝陽甲。祖丁子。

帝盤庚。陽甲弟。徙河南。

帝小辛。盤庚弟。

帝小乙。小辛弟。

帝武丁。雉升鼎耳雊。得傅說。稱高宗。

帝祖庚

帝甲。祖庚弟。淫。【集解】徐廣曰、一云、淫德殷衰、【考證】據下有殷益衰之文、則徐說爲是、紀亦云帝甲淫亂、殷復衰也、

帝廩辛【索隱】或作馮辛、系本作祖辛、誤也、案上祖乙已生祖辛、故知非也、

帝庚丁。廩辛弟。殷徙河北。【考證】徙河北者武乙也、此誤爲庚丁、

帝武乙。慢神。震死。

帝太丁 考證 太丁、文丁之誤、
帝乙。殷益衰。 考證 帝乙、賢君也、而云殷由之益衰、謬矣、
帝辛。是爲紂。弑。 考證 疑有脫誤、凌本弑作死、
從湯至紂二十

九世。從黃帝至紂四十六世。 考證 湯至紂、乃三十世、非二十九也、而黃帝至紂之世次不可攷、依史所書、亦當作四十七、非四十六也、
周武王。代殷。從黃帝至武王十

九世。 考證 周自后稷至武王、尚不止十九世、況自黃帝算之乎、	
成王誦 考證 或作庸、非、	
魯周公旦。武王弟。 考證 各本初封一行、隔在魯公旦武王弟中間、文氣不屬、今移後、餘放此、	初封
齊太公尚。文王武王師。	初封
晉唐叔虞。武王子。	初封
秦惡來。助紂。父飛廉有力。	
楚熊繹。繹父鬻熊事文王。	初封
宋微子啓。紂庶兄。 考證 武王封殷後、當書武王世下、	初封
衛康叔。武王弟。 考證 叔下缺封字、	初封
陳胡公滿。舜之後。 考證 胡公當書武王世下、	初封
蔡叔度。武王弟。 考證 叔度是武王時初封、蔡仲是成王時復封、此誤分書成康之世、	初封
曹叔振鐸。武王弟。 考證 曹叔當書武王之世、	初封
燕召公奭。周同姓。 考證 召公當書武王之世、	初封

康王	昭王
康王釗 考證 古堯反、又音招、 考證 索隱古、各本譌克、 刑錯四十餘年。	昭王瑕 考證 音遐、宋衷云、昭王南伐楚、辛由靡爲右、涉漢中流而隕、由靡承王、遂卒不復、周乃侯其後于西翟也、 南巡不返。不赴。
魯公伯禽	考公
丁公呂伋	乙公
晉侯燮	武侯
女防 考證 張文虎曰、秦至非子始封、各本女防上衍初封二字、今依毛本、	旁皋
熊乂	熊䵣 考證 吐感反、又徒感反、又杜減反、鄒氏又作點、晉、
微仲。啓弟。	宋公
康伯 考證 康叔子、王孫牟父也、	孝伯 考證 毛本作考伯、
申公	相公 考證 世家亦作相、陳風譜疏引同、人表作柏公、相公下當有申公弟三字、
蔡仲	蔡伯
	太伯
九世至惠侯。	

諱之。	穆王滿。作甫刑。荒服不至。	恭王伊扈	懿王堅。周道衰、詩人作刺。
	煬公。考公弟。	幽公	魏公 [考證]系本作微公、名弗共、[考證]幽公弟、
	癸公	哀公	胡公 [考證]哀公弟、
	成侯	厲侯	靖侯
	大几	大駱	非子
	熊勝	熊煬 [考證]世家、熊煬熊勝弟、	熊渠
	丁公	滑公。丁公弟。	煬公。滑公弟。
	嗣伯	逴伯 [考證]音捷、	靖伯
	孝公 [考證]當有申公子三字、	愼公 [考證]依世家、愼侯當厲王時、	幽公 [考證]據世家、幽公立于幽王之世、
	宮侯	厲侯	武侯 [考證]武侯二十三年、當共和元年、則武侯立于厲王十六年、
	仲君	宮伯	孝伯

孝王方。懿王弟。[考證]孝王名辟方、共王弟、非懿王弟、	夷王燮。懿王子。	厲王胡。以惡聞遇。亂出奔、遂死于彘。
厲公	獻公。厲公弟。	眞公
獻公弒胡公	武公	
秦侯	公伯	秦仲
熊無康 [考證]無康早死不立、此衍、	熊鷙紅	熊延 紅弟。
厲公 [考證]滑公子、	釐公 [考證]釐公以厲王之二十一年立、則當書厲王之世、	
貞伯	頃侯	釐侯
釐公 [考證]世家云、釐侯六年、周宣王即位、則釐公二字當衍、		
夷伯		

[考證]遇、當作過、惡聞過、謂監謗者、	共和 [考證]周召二公共相王室、故曰共和、皇甫謐云、共伯和干王位、以共國伯爵、和其名也、干王位、言簒也、與史遷之說不同、蓋異說耳、	二伯行政。[考證]依文例、此下當
	武公。眞公弟。[考證]眞公弟三字衍、	
	熊勇 [考證]熊勇立于厲王三十二年、當書厲王世、	

有武王至厲王十世、黃帝至厲王若干世、

張夫子問褚先生曰。[索隱]褚先生、名少孫、元成閒爲博士、張夫子、未詳也、[考證]張夫子、卽張長安、褚先生、卽褚少孫、見于漢書儒林傳、經典釋文卷一、儒林傳云、王式字翁思、東平新桃人也、爲昌邑王師、昌邑王廢、羣臣皆下獄誅、式得減死論、歸家不敎授、山陽張長安幼君、先事式、後東平唐長賓沛褚少孫、亦來事式、問經數篇、式謝曰、聞之於師具是矣、自潤色之、不肯復授、唐生褚生應博士弟子選、詣博士、摳衣登堂、頌禮甚嚴、試誦說有法、疑者不言、諸博士驚問何師、對曰、事式、皆素聞其賢、共薦式、詔爲博士、張生唐生褚生、皆爲博士、張生論石渠、至淮陽中尉、唐生楚太傅、由是魯詩有張唐褚氏之學、經典釋文云、王式受詩於兎中徐公及許生、以授張生長安、及唐長賓褚少孫、兪樾曰、褚先生補史記、張晏已譏其鄙俚、然其人亦未易輕、考漢書儒林傳、褚少孫與張幼君唐長賓竝受詩於王式、由是魯詩有張唐褚氏之學、是固有功於經學者矣、詩言契·后稷、皆無父而生。[考證]詩商頌玄鳥、大雅生民、說具殷周二紀、今案諸傳記、咸言有父。父皆黃帝子也。[索隱]案上契及后稷、皆帝嚳子、此云黃帝子者、謂是黃帝之子孫耳、案嚳是黃帝曾孫、而契弃是玄孫、故云也、[考證]中井積德曰、子下脫孫字、下文可徵、得無與詩謬乎。褚先生曰。不然。詩言契生於卵、后稷人迹者、欲見其有天命精誠之意耳。鬼神不能自成。須人而生。柰何無父而生乎。一言有父、一言無父。信以傳信、疑以傳疑。故兩言之。【考證】桓五年穀梁傳、春秋之義、信以傳信、疑以傳疑、漢書儒林傳、敍少孫事云、誦說有法、疑者丘蓋不言、亦自行此言也、 堯知契・稷皆賢人、天之所生、故封之。契七十里。後十餘世至湯王天下。堯知后稷子孫之後王也。故益封之百里。其後世且千歲、至文王而有天下。詩傳曰。湯之先爲契。無父而生契。母與姊妹浴於玄丘水。有燕銜卵墮之。契母得、故含之、誤吞之。即生契。【索隱】有娀氏女曰簡狄、浴於玄丘水、出詩緯、殷本紀云、玄鳥翔水遺卵、娀簡狄取而吞之也、【考證】此與下文姜嫄踐蹟、蓋魯詩之說、史公既采之、少孫亦依之、 契生而賢。堯立爲司徒。姓之曰子氏。子者茲茲益大也。【考證】岡白駒

曰、茲茲、多益貌、 詩人美而頌之曰。殷社芒芒。【集解】詩云、殷土、 天命玄鳥。降而生商。商者質殷號也。【考證】質、本也、殷初稱商、 文王之先爲后稷。后稷亦無父而生。后稷母爲姜嫄。【索隱】有邰氏之女也、韋昭云、姜姓、嫄字也、 出見大人蹟而履踐之。知於身、則生后稷。姜嫄以爲無父。賤而弃之道中。牛羊避不踐也。抱之山中。【集解】抱、普茅反、【索隱】抱、普交反、又如字、【考證】中井積德曰、抱是必訛文、必是棄捐等字矣、錢大昕曰、抱讀爲拋、張文虎曰、舊刻與生民詩合、各本作羊牛、 山者養之。又捐之大澤。鳥覆席食之。【考證】席、藉也、周本紀作覆薦、 姜嫄怪之、於是知其天子。【考證】岡白駒曰、知其天之所生、 乃取長之。堯知其賢才、立以爲大農。姓之曰姬氏。姬者本也。詩人美而頌之曰。厥初生民。深修益成。而道后稷之始也。孔子曰。昔者堯命契爲子氏。爲有湯也。命后稷爲姬氏。

爲有文王也。大王命季歷、明天瑞也。太伯之吳、遂生源也。【索隱】言太伯之讓季歷、居吳不反者、欲使傳文王武王、撥亂反正成周道、遂天下生生之源本也、【考證】岡白駒曰、此蓋緯書之說、 天命難言。非聖人莫能見。舜・禹・契・后稷、皆黃帝子孫也。黃帝策天命而治天下、德澤深後世。故其子孫皆復立爲天子。是天之報有德也。人不知以爲氾從布衣匹夫起耳。【考證】岡白駒曰、氾與汎同、 夫布衣匹夫、安能無故而起王天下乎。其有天命然。黃帝後世何王天下之久遠邪。曰。傳云。天下之君王、爲萬夫之黔首。【考證】中井積德曰、黔首句不通、愚按黔首蓋元首之義、 請贖民之命者、帝有福萬世。黃帝是也。五政明、則修禮義、因天時、舉兵征伐而利者、王有福千世。蜀王、黃帝後世也。【索隱】案系本、蜀無姓、相承云黃帝後、且黃帝二十五子、分封賜姓、或於蠻夷、蓋當然也、蜀王

本紀云、朱提有男子杜宇、從天而下、自稱望帝、亦蜀王也、則杜姓出唐杜氏、蓋陸終氏之胤、亦黃帝之後也、【正義】譜記普云、蜀之先、肇於人皇之際、黃帝與子昌意、娶蜀山氏女、生帝俈、立封其支庶於蜀、歷虞夏商、周衰、先稱王者、蠶叢國破、子孫居姚嶲等處、【考證】徐孚遠曰、褚先生爲此論、以稱霍將軍、引蜀王者、公孫泄之義也耳、中井積德曰、正義普字疑衍、 至今在漢西南五千里。常來朝降、輸獻於漢。【考證】中井積德曰、降字疑衍、 非以其先之有德、澤流後世邪。行道德、豈可以忽乎哉。人君王者、舉而觀之。漢大將軍霍子孟名光者、亦黃帝後世也。【索隱】案系本云、霍國眞姓後、周武王封其弟叔處於霍、是姬姓、亦黃帝後、【考證】今山西平陽府霍州西有霍城、古霍國也、 此可爲博聞遠見者言。固難爲淺聞者說也。何以言之。古諸侯以國爲姓。霍者國名也。武王封弟叔處於霍。後世晉獻公滅霍公。後世爲庶民、往來居平陽。平陽在河東。河東、晉地、分爲魏國。以詩言之、亦可爲周世。【考證】毛詩魏風釋文云、魏世家及左氏傳云、魏、姬姓國也、詩

譜云、周以封同姓、愚按世猶言子孫、周起后稷。后稷無父而生。以三代世傳言之。后稷有父、名高辛。高辛、黃帝曾孫。黃帝終始傳曰。【索隱】蓋謂五行讖緯之說、若今之童謠言、【考證】沈濤曰、終始傳、卽終始五德之傳、漢書藝文志陰陽家、有公檮生終始十四篇傳鄒奭終始書、又有鄒子終始五十六篇、此黃帝終始傳亦其類也、封禪書云、公孫臣上書曰、推終始傳、則漢當土德、疑卽黃帝終始傳、漢興百有餘年、有人不短不長、出白燕之鄉、【正義】一作白彘、案霍光平陽人、平陽今晉州霍邑、本秦時霍伯國、漢爲彘縣、後漢改彘曰永安、隋又改爲霍邑、遍檢記傳、無白燕之名、疑白彘、是鄉之名、【考證】正義秦字、疑周字訛、張文虎曰、凌本有索隱曰本作燕六字、單本無之、今删、持天下之政。時有嬰兒主。【索隱】謂昭帝也、卻行車。【索隱】言霍光持政擅權、逼帝令如卻行車使不前也、霍將軍者、本居平陽白燕。臣爲郎時、與方士考功【正義】謂年老爲方士長、功也、【考證】中井積德曰、考功、蓋方士之官銜、會旗亭下。【集解】西京賦曰、旗亭五里、薛綜曰、旗亭市樓也、立旗於上、故取名焉、爲臣言。豈不偉哉。【索隱】褚先生蓋腐儒也、設主客引詩傳云、契弃無父、及據帝系皆帝嚳之子、是也、而末引蜀王霍光、竟欲證何事、而言之不經、蕪穢正史、輒云、豈不偉哉、一

何誣也、【考證】徐孚遠曰、太史公此表、始于黃帝、訖于共和、共和無天子、大臣攝政、褚先生以其事與霍將軍相類、因推論之、霍光父亦微耳、霍氏以外戚貴、故言殷周之興無父也、王鳴盛曰、霍光父中孺、以縣吏給事平陽侯家、與侍者衞少兒私通生去病、中孺吏畢、歸家娶婦生光、少兒女弟子夫、得幸武帝爲后、去病以后姊子貴、任光爲郎、可謂瑣瑣膴仕、不足道也、少孫因光擅權、爲此言以貢諛、遙遙華胄、至推爲黃帝苗裔、抑何妄且陋哉、張文虎曰、霍光事、何與三代世表、此褚少孫續貂之尤鄙謬者、漢書儒林傳、王式爲昌邑王師、以詩諫、聞少孫乃其弟子、是生當宣帝之世、光薨於地節元年、霍禹謀反於四年、少孫此紀、當在霍氏盛時、造爲妖言、將以取媚、玷其師甚矣、

【索隱】述贊、高辛之胤、大啓禎祥、脩己吞薏、石紐興王、天命玄鳥、簡狄生商、姜嫄履跡、祚流岐昌、俱膺歷運、互有興亡、風餘周召、刑措成康、出彘之後、諸侯日彊、

三代世表第一　史記十三

史記會注考證卷十四

漢　太　史　令　司　馬　遷　撰
宋中郎外兵曹參軍裴　駰集解
唐國子博士弘文館學士司馬貞索隱
唐諸王侍讀率府長史張守節正義
日　本　出　雲　瀧　川　資　言　考　證

十二諸侯年表第二　史記十四

【索隱】案篇言十二、實敘十三者、賤夷狄不數吳、又霸在後故也、不數而敘之者、闔閭霸盟上國故也、【考證】史公自序云、幽厲之後、周室衰微、諸侯專政、春秋有所不紀、而

譜諜經略、五霸更盛衰、欲睹周世相先後之意、作十二諸侯年表第二、汪越曰、冠周于上、尊王室也、書甲子于周之上、紀天道也、表元年諸侯各以次相及、詳曆數也、書孔子生、尊聖人也、書孔子去留、悼道之不行也、書纂逆、罪無君也、災異必書、敬天也、書會盟、重息民、且見夷夏之勢所由分也、書殺逆、明法也、諸侯之事、必舉其要、謂春秋國語學者所譏盛衰大指也、觀世家所載之詳、乃知此表斷其義、不騁其詞、非獨具年月世譜而已、蓋自厲而宣、自宣而平、周轍既東、以及春秋二百四十年之大勢也、德齡曰、是表主春秋、吳于春秋之季、始通六國、而壽夢以前、自不得列于是表、然則十二之號、固不得不仍其舊、司馬貞之論鑿矣、齋藤謙曰、十二七十二之數、皆非實數、史記十二諸侯年表、首魯訖吳、實十三國、蘇明允謂吳用夷禮、故不數也、是不知十二非實數、故作此牽强之說耳、史記又有泗上十二諸侯、金人十二、珠照十二乘、漢書有十二樓、皆非必實數也、孔子世家云、弟子身通六藝者七十有二人、檢弟子傳、則其實七十七人、其餘史記封禪七十二君、莊子龜卜七十二鑽、皆非必實數也、傅占衡曰、太史公表共和以後諸侯、寔十三國也、而稱十二者、索隱及蘇氏洵之說、皆以爲不數吳也、吳不數而序之者、吳嘗伯焉耳、余竊謂不然、吳夷也、楚與越亦夷也、淫名而病中國、楚于吳愈矣、何爲睚楚而讎吳哉、其不數者蓋魯也、吾嘗幷十六國表而觀之、按表首周次魯、而後齊晉秦楚次之、宋衛陳蔡曹鄭燕吳又次之、其曰十二者、以魯爲主也、猶六國表首周次秦、而後曰魏曰韓曰趙曰楚曰燕曰齊纔之、其不曰七國者、以秦爲主也、夫十二諸侯表、據春秋而次者也、六國表據秦紀而次者也、春秋詳于魯、故序皆言春秋、其始太史公讀春秋、終曰表見春秋國語、而日月之蝕皆書于魯、十二國不與焉、秦紀詳于秦、故序皆曰秦、其始曰太史公讀秦紀、終曰予於是因秦紀踵春秋之後、而日月之蝕、皆書于

秦、六國者不與焉、然則太史公非有所不數也、其據而作表者則殊焉、十二國與六國表皆然也、何以謂不數吳、吳處十二諸侯之末而不數、則齊之於六國亦然、而謂實七國不數齊乎、敢問越何以不載、曰、越微甚、事五見于春秋、不若吳自壽夢魯成公七年入州來、十五年會鍾離、通上國也、且宋杞二王之後也、杞稍先見于經、然與許莒滕薛之屬、並不得比於成國、則表皆沒焉、況於越乎、越不得列于表、而吳得列、則越非獨以夷黜矣、吳不得以夷黜而與楚俱列於表、列於表而復不數之、則無義矣、愚按傳說最確、

太史公讀春秋曆譜諜、【索隱】案劉杳云、三代系表、旁行邪上、竝放周譜、譜起周代、藝文志有古帝王譜、又自古爲春秋學者、有年曆譜諜之說、故杜元凱作春秋長曆及公子譜、蓋因於舊說、故太史公得讀焉也、【考證】漢書藝文志歷譜家、夏殷周魯歷十四卷、漢元殷周諜歷十七卷、帝王諸侯世譜二十卷、古來帝王年譜五卷、**至周厲王、未嘗不廢書而歎也。曰、嗚呼、師摯見之矣。**【集解】鄭玄曰、師摯、太師之名、周道衰微、鄭衛之音作、正樂廢而失節、魯太師摯識關雎之聲首理其亂也、【考證】論語泰伯篇、子曰、師摯之始、關雎之亂、洋洋乎盈耳哉、微子篇、大師摯適齊、皆未見蚤見周之衰之意、史公豈別有所本乎、梁玉繩曰、師摯、孔安國以爲魯哀公時人、自不可易、史公作禮書序云、仲尼沒後、受業之徒、沈湮而不舉、或適齊楚、或入河海、卽指師摯諸人論之、雖以摯等爲孔子之徒、不免于誤、而已明言與孔子竝世矣、乃此序又若以師摯爲厲王時人、董仲舒對策曰、至于殷紂、守職之人、皆奔走

逃亡、入于河海、班固因之、故禮樂志曰、殷紂斷棄先祖之樂、樂官師瞽、抱其器而犇散、或適諸侯、或入河海、人表列師摯八人于三仁八士之間、師古注又引鄭康成以爲平王時人、斯皆學者異師、各守所見、文義競馳、往往別馬班董鄭之說、同爲紕繆矣、**紂爲象箸、**【索隱】鄒氏及劉氏皆音直慮反、卽筯也、今案箕子云、爲象箸者必爲玉栝、則著者是檜也、音治略反、**而箕子唏。**【索隱】唏、鳴歎聲、音許既反、又音希、希亦聲餘、故記曰、夫子曰嘻其甚也、亦偏音也、【考證】箸、鄒劉音是、柯維騏曰、韓非子喩老說林、紂爲象箸而箕子怖、史遷作唏、蓋本淮南子說山、若後漢書西羌傳、謂微子垂泣于象箸、則誤也、**周道缺、詩人本之衽席、關雎作。仁義陵遲、鹿鳴刺焉。**【考證】岡白駒曰、古者詩有四家、不知太史公所傳何詩也、與毛詩異、梁玉繩曰、漢書儒林傳稱孔安國爲申公弟子、則安國所受者魯詩、史公從安國問古文尚書、或亦從學魯詩、表謂周道缺而關雎作、儒林傳序言周室衰而關雎作、其用魯詩歟、漢書杜欽傳曰、佩玉晏鳴、關雎歎之、法言孝至篇曰、周康之時、關雎作乎上、傷始亂也、後漢書皇后紀序曰、康王晚朝、關雎作諷、楊賜傳曰、康王一朝晏起、關雎見幾而作、注者皆以爲魯詩、而關雎之解韓同于魯、後書顯宗永平八年詔曰、應門失守、關雎刺世、馮衍傳賦曰、美關雎之識微愍王道之將崩、注引薛君章句、大人內傾于色、故詠關雎說淑女正容儀以刺時、史公于詩兼齊魯韓、如韓詩以商頌爲美襄公、宋世家論用之、則所言關雎、蓋兼魯韓二家、惟以鹿鳴爲刺詩、不知何出、困學紀聞三疑是三家之說、今亡佚莫攷矣、然而關雎正風之始也、非變風也、鹿鳴正雅之始也、非變雅也、孔子刪詩、豈取衰世諷刺之作以冠風雅哉、且孔子世家以關雎爲風始、鹿鳴爲小雅始、柰何自牴牾乎、而

關雎之所以有此異說者、必漢儒誤解論語關雎之亂一句耳、晉書司馬彪傳云、春秋不修、則仲尼理之、關雎既亂、則師摯修之、以亂爲錯亂、其說又異、又曰、文選十八、蔡邕琴操云、鹿鳴者周大臣之所作也、王道衰、大臣知賢者幽隱、故彈弦風諫、以此類證知刺詩之說、必有所本、

及至厲王、以惡聞其過、公卿懼誅而禍作。厲王遂奔于彘。【索隱】惡、烏故反、過、古臥反、故國語云、厲王止謗道路以目、是也、【索隱】彘、地名、在河東、後爲永安縣也、

亂自京師始、而共和行政焉。是後或力政、彊乘弱、興師不請天子。然挾王室之義、【索隱】挾、音協也、以討伐爲會盟主、政由五伯、【索隱】伯、音霸、五霸者、齊桓公晉文公秦穆公宋襄公楚莊王也、【考證】孟子告子篇、五霸桓公爲盛、而不列其名、趙岐注、五霸、齊桓晉文秦繆宋襄楚莊也、風俗通說同、皆與索隱合、荀子王霸篇、齊桓晉文楚莊吳闔閭越句踐、是皆僻陋之國也、威動天下、彊殆中國、是所謂信立而霸也、白虎通、一云昆吾氏大彭氏豕韋氏齊桓晉文、一云、齊桓晉文秦穆楚莊吳闔閭、一云、齊桓晉文秦穆宋襄楚莊、諸說不同、愚按史公云齊晉秦楚在成周微甚、四國迭興、更爲伯主、則索隱之說、卽史公之意也、

諸侯恣行、淫侈不軌、賊臣篡子滋起矣。【索隱】行、下孟反、【考證】岡白駒曰、篡子、弒父兄篡立者、

齊・晉・秦・楚、其在成周微甚。封或百里、或五十里。【考證】成周、蓋

言周盛時、漢興諸侯王年表云、周封太公於齊、兼五侯地、尊勤勞也、武王成康所封數百、地上不過百里、下三十里、與此異、

晉阻三河、齊負東海、楚介江・淮、【索隱】介、音界、言楚以江淮爲界、一云介者夾也、【考證】岡白駒曰、索隱後說爲是、介猶據也、王念孫曰、介、恃也、介江淮、言恃江淮之險也、襄二十四年左傳、以陳國之介恃大國而陵虐於敝邑、介亦恃也、程一枝曰、淮當作漢、

秦因雍州之固、四國迭興、更爲伯主、文・武所褒大封、皆威而服焉。是以孔子明王道、干七十餘君、莫能用。【考證】梁玉繩曰、史言孔子干七十餘君、猶子禽之言求爾、七十餘君尤妄、儒林傳序、亦稱仲尼干七十餘君無所遇、索隱謂後之記者失詞、孔子歷聘無七十餘君、索隱本于論衡、論衡儒增篇云、孔子所至不能十國也、此蓋戰國時誣說、史漫述之、其始出于莊子天運篇、以干七十二君爲孔子謂老耼語、淮南說苑以及揚雄解嘲、皆仍其謬、呂氏春秋遇合篇曰、孔子周流海內、所見八十餘君、其數且過七十二矣、然乎哉、

故西觀周室、論史記舊聞、興於魯而次春秋。上記隱、下至哀之獲麟。約其辭文、去其煩重、【索隱】文去重、去、羌呂反、重、逐龍反、言約史記脩春秋、去其重文也、以制義法。【考證】義法二字、始見乎此、自方苞揭出此二字、近時作古文者、奉爲圭臬、

王道備、人事浹。【考證】錢大昕曰、浹與匝同、愚按春秋繁露玉杯篇、春秋論十二世之事、人道浹而王道備、法

布二百四十二年之中、相爲左右、以成文采、

七十子之徒、口受其傳指。爲有所刺譏褒諱挹損之文辭、不可以書見也。【索隱】傳、音逐宣反、【考證】吳汝綸曰、此史公以春秋自況、其所爲史記、刺譏褒諱挹損之文辭、略同之也、此下歷道爲春秋者、皆不足以繼春秋、所以隱寄自任之旨、

魯君子左丘明、懼弟子人人異端、各安其意、失其眞。故因孔子史記、具論其語、成左氏春秋。【考證】梁玉繩曰、漢書藝文志劉歆傳、後書陳元傳、論語疏、左穀二序疏、皆稱作傳者爲左丘明、與聖同恥、親受經于仲尼、劉知幾所云語世則竝生、論才則同體也、乃自趙宋以來諸儒、或謂左丘明在孔子前、左傳非左丘明作、或言作春秋傳者、別有左氏、失其名、六國時人、楚左史倚相之後、作國語者左丘氏、魯左丘明之後、或又稱左氏世爲史官、末年傳文、是其子孫所續、諸家之說頗異、未定所從、

鐸椒爲楚威王傳、爲王不能盡觀春秋、采取成敗、卒四十章爲鐸氏微。【索隱】鐸椒所撰、名鐸氏微者、春秋有微婉之詞故也、【考證】漢書藝文志、春秋家、鐸氏微三篇、楚太傅鐸椒撰、顏師古曰、微、謂釋其微指、

趙孝成王時、其相虞卿、上采春秋、下觀近世、亦著八篇、爲虞氏春秋。【正義】案其文八篇、藝文志云、十五篇、虞卿撰、【考證】漢書藝文志、儒家、虞氏春秋十五篇、春秋家、

虞氏微傳二篇、梁玉繩曰、此與虞卿傳竝言八篇、而藝文志是十五篇、又有虞氏微傳二篇、溢數甚多、疑史誤、抑豈漢人別其篇爲十五、復摘其中合于春秋經義者爲微傳邪、愚按世諸本作勢、今從凌本館本、

呂不韋者、秦莊襄王相。亦上觀尚古、刪拾春秋、集六國時事、以爲八覽六論十二紀、爲呂氏春秋。及如荀卿・孟子・公孫固・韓非之徒、【索隱】荀況、孟軻、韓非、皆著書自稱子、宋有公孫固、無所述、此固、齊人韓固傳詩者、【考證】索隱韓固、當作轅固、梁玉繩曰、傳詩者韓嬰轅固、不得嫁名於公孫固、考漢藝文志、儒家有公孫固一篇十八章、齊閔王失國問之、因爲陳古今成敗也、愚按荀子云、禮之敬文也、樂之中和也、詩書之博也、春秋之微也、在天地之間者畢矣、韓非受學荀卿、故其書言春秋頗多、備內云、桃左春秋曰、人主之疾死者、不能處半、又云、上古之傳言、春秋所記、犯法爲逆以成大姦者、未嘗不從尊貴之臣也、內儲說云、魯哀公問於仲尼曰、春秋之記曰、冬十二月賈霜不殺菽、何爲記此、仲尼對曰、此言可以殺而不殺也、夫宜殺而不殺、梅李冬實、天失道、草木猶犯干之、而況於君人乎、外儲說云、子夏曰、春秋之記臣弒君子弒父者、以十數矣、皆非一日之積也、有漸而然矣、此或受之荀卿、說疑云、故曰、內寵竝后、外寵貳政、枝子配適、大臣擬主、亂之道也、采閔二年左氏傳語、又云、周記曰、無尊妾而卑妻、無孽適子而尊小枝、無尊嬖臣而匹上卿、無尊大臣以擬其主也、四擬破則上無意、下無怪也、四擬不破、則損身滅國矣、史公論春秋、列韓非於孟荀二子後、有故也、

各往往捃摭春秋之文以著書、不可勝紀。

漢相張蒼歷譜五德、【索隱】案張蒼著終始五德傳也、上大夫董仲舒推春秋義、頗著文焉。【索隱】作春秋繁露是、【考證】徐孚遠曰、惟董生所作、推春秋之旨、其餘雖沿其名、自別記事、不屬春秋也、太史公曰。儒者斷其義、馳說者騁其辭、不務綜其終始、歷人取其年月、數家隆於神運、【集解】徐廣曰、運、一作通也、【索隱】數、音疏具反、謂陰陽術數之家也、【考證】岡白駒曰、隆、猶尚也、譜諜獨記世謚、其辭略、欲一觀諸要難。【索隱】觀、音官、難、奴丹反、【考證】索隱本、一作壹、於是譜十二諸侯、自共和訖孔子、表見春秋國語學者所譏盛衰大指、著于篇、爲成學治古文者要刪焉。【集解】徐廣曰、一云、治國聞者也、【索隱】爲成學治文者要刪焉、言表見春秋國語、本爲成學之人、欲覽其要、故刪爲此篇焉、【考證】譏、猶察也、兪正燮曰、此序云古文者、謂春秋國語、序云務綜其終始表見春秋國語、是也、漢書楚元王傳、言古文春秋左氏傳、又言左氏傳多古言古字、故可稱古文、史記五帝本紀贊云、不離古文者近是、下云余觀春秋國語、其發明五帝德帝繫姓矣、其古文亦指春秋國語、又吳世家贊云、余讀春秋古文、語俱相應、史記自序云、誦古文、謂學古文尚書、就孔安國問故、及通左傳國語、史記言古文者、猶言古字本、尙書春秋、其特舉古文者、以所采輯、與博士不同、

故申別之曰古文、五帝本紀贊、言好學深思、又譏淺見寡聞、十二諸侯年表序、又特言成學、皆與當時博士之黨同伐異者、言之、史記立言之意、惜徐廣裴駰等不知也、愚按古文之義、兪說得之、但五帝本紀贊古文、斥尙書而言、說既具本條、中井積德曰、要刪、謂刪煩取要也、

【考證】汪越曰、按十二諸侯年表、竝與三代世表之末相接續、魯始眞公、齊始武公、晉始靖侯、秦始秦仲、楚始熊勇、宋始釐公、衞始釐公、陳始幽公、蔡始武侯、曹始夷伯、燕始惠侯、皆所謂自共和也、三代世表下十二國無鄭者、鄭至周宣王始封其母弟友也、吳壽夢始見于周簡王元年、錢大昕云、史記諸年表、皆不記干支、注干支、出于徐廣、六國表、周元王元年、徐廣曰、乙丑、秦楚之際月表、秦二世元年、徐廣曰、壬辰、是也、十二諸侯年表共和元年、亦當有徐廣曰庚申字、今刊本乃於最上添一格書干支、而刪去徐廣注、讀者遂疑爲史公本文、曾不檢照後二篇、亦太疏矣、考徐注之例、唯於每王之元年記干支、此表每十年輒書甲戌甲申甲午甲辰甲寅甲子字、不特非史公正文、幷非徐氏之例、其爲後人孱入、鑿鑿可據、且史公以太陰紀年、故命太初之元爲閼逢攝提格、依此上推共和、必不値庚申、則庚申爲徐注、又何疑焉、

	庚申
周	共和元年【集解】徐廣曰、自共和元年、歲在庚申、訖敬王四十三年、凡三百六十五年、共和在春秋前一百一十九年、【索隱】宣王少、周召二公共和王室、故曰共和、宣王、厲王之子也、徐氏云、元年至敬王四十三年、凡三百六十五年、共和在春秋前一百一十九年也、厲王子居召公宮、是爲宣王、王少、大臣共和行政、【考證】厲王子居召公宮至是爲宣王三十一字、各本誤入二年、
魯	眞公濞十五年、【索隱】系本作愼公擊、鄒誕本作愼公嗥、眞公、伯禽之玄孫、一云十四年、【考證】眞公、愼公之誤、一云十四年、五字後人附注誤入正文、
齊	武公壽十年、【索隱】太公五代孫、獻公子也、宋衷曰、武公十年、宣王大臣共行政、號曰共和、十四年宣王卽位、
晉	靖侯宜臼十八年【索隱】唐叔五代孫、厲侯之子也、宋衷曰、唐叔已下五代無年紀、
秦	秦仲四年【索隱】非子曾孫、公伯之子、宣王命爲大夫、誅西戎也、
楚	熊勇七年【索隱】楚芊姓、粥熊之後、因氏熊、熊勇、熊延之子、熊繹十一代孫、【考證】索隱十一、當作七、
宋	釐公十八年【索隱】微仲六代孫、厲公之子也、
衞	釐侯十四年【索隱】唐叔七代孫、頃侯之子、頃侯賂周、始命爲侯、【考證】釐公名擧、
陳	幽公寧十四年【索隱】胡公五代孫、
蔡	武侯二十三年【索隱】蔡仲五代孫也、
曹	夷伯二十四年【索隱】名喜、振鐸六代孫也、
鄭	
燕	惠侯二十四年【索隱】召公奭九世孫也、立三十八年、【考證】史所書燕君之諡、曰惠曰桓者各三、曰釐曰宣曰昭曰孝曰文者各二、其誤無疑、莫由詳定、
吳	

二	三	四	五 甲子	六	七	八	九	十
十六	十七	十八	十九	二十	二十一	二十二	二十三	二十四
十一	十二	十三	十四	十五	十六	十七	十八	十九
晉釐侯司徒元年	二	三	四	五	六	七	八	九
五	六	七	八	九	十	十一	十二	十三
八	九	十	楚熊嚴元年	二	三	四	五	六
十九	二十	二十一	二十二	二十三	二十四	二十五	二十六	二十七
十五	十六	十七	十八	十九	二十	二十一	二十二	二十三
十五	十六	十七	十八	十九	二十	二十一	二十二	二十三
二十四	二十五	二十六	蔡夷侯元年	二	三	四	五	六
二十五	二十六	二十七	二十八	二十九	三十	曹幽伯彊元年	二	三
二十五	二十六	二十七	二十八	二十九	三十	三十一	三十二	三十三

十一	十二	十三	十四
十一	十二	十三	十四 宣王即位、共和罷、【索隱】二相還政、宣王稱元年也、
二十五	二十六	二十七	二十八
二十	二十一	二十二	二十三
十	十一	十二	十三
十四	十五	十六	十七
七	八	九	十
二十八	宋惠公覸元年【索隱】覸音閑、又音下板反、	二	三
二十四	二十五	二十六	二十七
陳釐公孝元年	二	三	四
七	八	九	十
四	五	六	七
三十四	三十五	三十六	三十七

【考證】宣王上、疑脫厲王沒于彘五字、	甲戌	二
	宣王元年【考證】各本宣王下有厲王子三字、旁注混入、今刪、	二
	二十九	三十
	二十四	二十五
	十四	十五
	十八	十九
	楚熊霜元年	二
	四	五
	二十八	二十九
	五	六
	十一	十二
	八	九
	三十八	燕釐侯莊元年【集解】徐廣云、一無莊字、案燕失年紀及名、此言莊者衍字也、

三	四	五	六	七
三	四	五	六	七
魯武公敖元年	二	三	四	五
二十六	齊厲公無忌元年	二	三	四
十六	十七	十八	晉獻侯籍元年	二
二十	二十一	二十二	二十三	秦莊公其元年【索隱】其、
三	四	五	六	楚熊徇元年
六	七	八	九	十
三十	三十一	三十二	三十三	三十四
七	八	九	十	十一
十三	十四	十五	十六	十七
曹戴伯鮮元年【考證】世家、鮮作蘇、	二	三	四	五
二	三	四	五	六

				甲申					
	八	九	十	十一	十二	十三	十四	十五	十六
	六	七	八	九	十	魯懿公戲元年	二	三	四
	五	六	七	八	九	齊文公赤元年	二	三	四
	三	四	五	六	七	八	九	十	十一
名也、案秦之先公並不記名、恐其非名、	二	三	四	五	六	七	八	九	十
	二	三	四	五	六	七	八	九	十
	十一	十二	十三	十四	十五	十六	十七	十八	十九
	三十五	三十六	三十七	三十八	三十九	四十	四十一	四十二	衞武
	十二	十三	十四	十五	十六	十七	十八	十九	二十
	十八	十九	二十	二十一	二十二	二十三	二十四	二十五	二十六
	六	七	八	九	十	十一	十二	十三	十四
	七	八	九	十	十一	十二	十三	十四	十五

	十七	十八	十九
	五、	六	七
	五	六	七
	穆侯弗生元年 ■晉穆公生、案系家、名費生、或作潰生、系本名弗生、則生是穆公名、■穆公上脫晉字、	二	三
	十一	十二	十三
	十一	十二	十三
	二十	二十一	二十二
公和元年	二	三	四
	二十一	二十二	二十三
	二十七	二十八	蔡釐侯所事元
	十五	十六	十七
	十六	十七	十八

		甲午	
	二十	二十一	二十二
	八、	九	魯孝公稱元年、伯御
	八	九	十
	四 取齊女爲夫人	五	六
	十四	十五	十六
	十四	十五	十六
	二十三	二十四	二十五
	五	六	七
	二十四	二十五	二十六
年 ■蔡釐侯所、案系家釐侯名所事、■據索隱則表無事字、	二	三	四
	十八	十九	二十
			鄭桓公友元年 ■宣
	十九	二十	二十一

	二十三	二十四	二十五
立爲君、稱爲諸公子云、伯御、武公孫、■是年爲伯御元年、非孝公元年也、	二	三	四
	十一	十二	齊成
	七 以伐條生太子仇	八	九
	十七	十八	十九
	十七	十八	十九
	二十六	二十七	二十八
	八	九	十
	二十七	二十八	二十九
	五	六	七
	二十一	二十二	二十三
王母弟、宣王二十二年、封之鄭、立三十六年、與幽王俱死犬戎之難也、始封、周宣王母弟、	二	三	四
	二十二	二十三	二十四

	二十六		二十七	
	五		六	
公說元年 [考證]系家說作脫、	二		三	
	十	以千畝戰生仇、弟成師、二子名反、君子譏之、後亂、	十一	
	二十		二十一	
	二十		二十一	
	二十九		三十	[考證]當移宋惠
	十一		十二	
	三十		三十一	
	八		九	
	二十四		二十五	
	五		六	
	二十五		二十六	

						甲辰
	二十八		二十九		三十	三十一
	七		八		九	十
	四		五		六	七
	十二		十三		十四	十五
	二十二		二十三		二十四	二十五
	二十二		楚熊鄂元年		二	三
公薨四字于此	三十一	宋惠公薨 [考證]三十一、宋惠公薨、當作宋哀公元年、	宋戴公立元年	[考證]立字衍文、	二	三
	十三		十四		十五	十六
	三十二		三十三		三十四	三十五
	十		十一		十二	十三
	二十六		二十七		二十八	二十九
	七		八		九	十
	二十七		二十八		二十九	三十

三十二		三十三	
十一	周宣王誅伯御、立其弟稱、是爲孝公、 [考證]表以伯御元年爲孝公元年、故孝公多十一年、	十二	
八		九	
十六		十七	
二十六		二十七	
四		五	
四		五	
十七		十八	
三十六		陳武公靈元年	
十四		十五	
三十		曹惠公伯雉元年	[考證]一作兕、
十一		十二	
三十一		三十二	

	三十四		三十五	三十六	三十七	三十八	
	十三		十四	十五	十六	十七	
	齊莊公贖元年	[考證]贖、劉氏音神欲反、系家及系本並作贖、	二	三	四	五	
	十八		十九	二十	二十一	二十二	
	二十八		二十九	三十	三十一	三十二	
	六		七	八	九	楚若	
	六		七	八	九	十	
	十九		二十	二十一	二十二	二十三	
	二		三	四	五	六	
	十六		十七	十八	十九	二十	
[考證]曹本伯爵、惠公以下不知何以忽稱公、世家至穆公始稱公、	二		三	四	五	六	
	十三		十四	十五	十六	十七	
	三十三		三十四	三十五	三十六	燕頃	

			甲寅		
	三十九	四十	四十一	四十二	四十三
	十八	十九	二十	二十一	二十二
敖元年 ■熊鄂子熊儀也、號若敖也、	六	七	八	九	十
	二十三	二十四	二十五	二十六	二十七 穆侯卒、弟殤叔自立、太子仇出
	三十三	三十四	三十五	三十六	三十七
	二	三	四	五	六
	十一	十二	十三	十四	十五
	二十四	二十五	二十六	二十七	二十八
	七	八	九	十	十一
	二十一	二十二	二十三	二十四	二十五
	七	八	九	十	十一
	十八	十九	二十	二十一	二十二
侯元年	二	三	四	五	六

	四十四	四十五	四十六	幽王元年、	二 三川震	三
	二十三	二十四	二十五	二十六	二十七	二十八
	十一	十二	十三	十四	十五	十六
奔、	晉殤叔元年	二	三	四 仇攻殺殤叔、立爲文侯、	晉文侯仇元年	二
	三十八	三十九	四十	四十一	四十二	四十三
	七、	八	九	十	十一	十二
	十六	十七	十八	十九	二十	二十一
	二十九	三十	三十一	三十二	三十三	三十四
	十二	十三	十四	十五	陳夷公說元年	二
	二十六	二十七	二十八	二十九	三十	三十一
	十二	十三	十四	十五	十六	十七
	二十三	二十四	二十五	二十六	二十七	二十八
	七	八	九	十	十一	十二

		甲子						
王取褒姒、	四	五	六	七	八	九	十	十一 幽王爲犬戎所殺、
	二十九	三十	三十一	三十二	三十三	三十四	三十五	三十六
	十七	十八	十九	二十	二十一	二十二	二十三	二十四
	三	四	五	六	七	八	九	十
	四十四	秦襄公元年	二	三	四	五	六	七 始列爲諸侯、
	十三	十四	十五	十六	十七	十八	十九	二十
	二十二	二十三	二十四	二十五	二十六	二十七	二十八	二十九
	三十五	三十六	三十七	三十八	三十九	四十	四十一	四十二
	三	陳平公燮元年	二	三	四	五	六	七
	三十二	三十三	三十四	三十五	三十六	三十七	三十八	三十九
	十八	十九	二十	二十一	二十二	二十三	二十四	二十五
	二十九	三十	三十一	三十二	三十三	三十四	三十五	三十六 以幽王故爲犬戎所
	十三	十四	十五	十六	十七	十八	十九	二十

	平王元年、東徙雒邑、	二	三
	三十七	三十八	魯惠公弗湼元年 ■魯惠公弗生、系家作弗湟、系本作弗皇、
	二十五	二十六	二十七
	十一	十二	十三
	八 初立西畤祠白帝、	九	十
	二十一	二十二	二十三
	三十	三十一	三十二
	四十三	四十四	四十五
	八	九	十
	四十	四十一	四十二
	二十六	二十七	二十八
殺、	鄭武公滑突元年 ■滑、一作掘、竝音胡忽反、	二	三
	二十一	二十二	二十三

甲戌	四	二	二十八	十四	十一	二十四	三十三	四十六	十一	四十三	二十九	四	二十四
	五	三	二十九	十五	十二 伐戎、至岐而死、	二十五	三十四	四十七	十二	四十四	三十	五	燕哀侯元年
	六	四	三十	十六	秦文公元年	二十六	宋武公司空元年	四十八	十三	四十五	三十一	六	二
	七	五	三十一	十七	二	二十七	二	四十九	十四	四十六	三十二	七	燕鄭侯元年
	八	六	三十二	十八	三	楚霄敖元年 [索隱]楚霄敖、案系家、若敖子熊坎立、是爲霄敖、此作霄敖、恐是霄字訛、變爲霄也、劉伯莊但隨字、而音更不分析、[考證]據索隱、則史記原本年表作霄敖、	三	五十	十五	四十七	三十三	八	二
	九	七	三十三	十九	四	二	四	五十一	十六	四十八	三十四	九	三
	十	八	三十四	二十	五	三	五	五十二	十七	蔡共侯興元年	三十五	十 娶申侯女武姜、	四

	十一	九	三十五	二十一	六	四	六	五十三	十八	二	三十六	十一	五
	十二	十	三十六	二十二	七	五	七	五十四	十九	蔡戴侯元年	曹穆公元年	十二	六
	十三	十一	三十七	二十三	八	六	八	五十五	二十	二	二	十三	七
甲申	十四	十二	三十八	二十四	九	楚蚡冒元年 [索隱]鄒氏云、蚡一作粉、音憤、冒音亡報反、又音默也、	九	衛莊公楊元年	二十一	三	三	十四 生莊公寤生	八
	十五	十三	三十九	二十五	十 作鄜時	二	十	二	二十二	四	曹桓公終生元年	十五	九
	十六	十四	四十	二十六	十一	三	十一	三	二十三	五	二	十六	十
	十七	十五	四十一	二十七	十二	四	十二	四	陳文公圉元年、生桓公鮑、厲公他、他母蔡女、[考證]佗、文公子、五父、非厲公也、厲公名躍、桓公子、非文公子也、厲公蔡出、是桓公取蔡女、爲厲公母、非	六	三	十七 生大叔段、母欲立段、公不聽、	十一

	十八	十九	二十	二十一	二十二	二十三
	十六	十七	十八	十九	二十	二十一
	四十二	四十三	四十四	四十五	四十六	四十七
	二十八	二十九	三十	三十一	三十二	三十三
	十三	十四	十五	十六	十七	十八
	五	六	七	八	九	十
	十三	十四	十五	十六	十七	十八 生魯
	五	六	七	八	九	十
佗母蔡女也、	二	三	四	五	六	七
	七	八	九	十	蔡宣侯楷論元年【考證】世家、楷論作措父、或有兩名、或其一字也、春秋經作考父、	二
	四	五	六	七	八	九
	十八	十九	二十	二十一	二十二	二十三
	十二	十三	十四	十五	十六	十七

	甲午		
	二十四	二十五	二十六
	二十二	二十三	二十四
	四十八	四十九	五十
	三十四	三十五	晉昭侯元年、封季弟成師
	十九 作祠陳寶	二十	二十一
	十一	十二	十三
桓公母、【考證】是年武公卒、則桓母未必定生于公卒之年、世家附書武公五年、	宋宣公力元年	二	三
	十一	十二	十三
	八	九	十 文公卒
	三	四	五
	十	十一	十二
	二十四	二十五	二十六
	十八	十九	二十

	二十七
	二十五
	五十一
于曲沃、曲沃大於國、君子譏曰、晉人亂自曲沃始矣、【考證】季弟、當作季父、成師者文侯季弟、昭侯之季父也、	二
	二十二
	十四
	四
	十四
	陳桓公元年
	六
	十三
	二十七
	二十一

二十八	二十九	三十	三十一
二十六	二十七	二十八	二十九
五十二	五十三	五十四	五十五
三	四	五	六
二十三	二十四	二十五	二十六
十五	十六	十七	武王立、【考證】據例、當書武王熊達元年、
五	六	七	八
十五	十六	十七 愛妾子州吁、州吁好兵、	十八
二	三	四	五
七	八	九	十
十四	十五	十六	十七
鄭莊公寤生元年、祭仲相、	二	三	四
二十二	二十三	二十四	二十五

三十二
三十
五十六
潘父殺昭侯、納成師、不克、昭侯子立、是爲孝侯、[考證] 昭侯、文侯仇之子、系家云、晉大臣潘父殺昭侯、迎曲沃桓叔、晉人攻之、立昭侯子平、是爲孝侯也、[考證] 左
二十七
二
九
十九
六
十一
十八
五
二十六

		甲辰		
	三十三	三十四	三十五	三十六
	三十一	三十二	三十三	三十四
	五十七	五十八	五十九	六十
傳桓二年云、惠之三十年、晉潘父弑昭侯、納桓叔、晉人立孝侯、也卽晉昭侯之七年、而此以爲孝公元年、	二 [考證] 此歲卽孝侯元年、	三	四	五
	二十八	二十九	三十	三十一
	三	四	五	六
	十	十一	十二	十三
	二十	二十一	二十二	二十三
	七	八	九	十
	十二	十三	十四	十五
	十九	二十	二十一	二十二
	六	七	八	九
	二十七	二十八	二十九	三十

	三十七	三十八	三十九	四十
	三十五	三十六	三十七	三十八
	六十一	六十二	六十三	六十四
	六	七	八	九 曲沃桓叔
	三十二	三十三	三十四	三十五
	七	八	九	十
	十四	十五	十六	十七
夫人無子、桓公立、	衛桓公完元年	二 弟州吁驕、桓黜之、出奔、	三	四
	十一	十二	十三	十四
	十六	十七	十八	十九
	二十三	二十四	二十五	二十六
	十	十一	十二	十三
	三十一	三十二	三十三	三十四

	四十一
	三十九
	齊釐公祿
成師卒、子代立、爲莊伯、[考證] 子代立、當作子鱓立、世家、此事在孝侯八年、而此在九年者、蓋表以昭侯七年爲孝侯元年、故所書之事皆後一年、	十
	三十六
	十一
	十八
	五
	十五
	二十
	二十七
	十四
	三十五

			甲寅		
	四十二	四十三	四十四	四十五	四十六
	四十	四十一	四十二	四十三	四十四
父元年	二 同母弟夷仲年、生公孫毋知也、	三	四	五	六
	十一	十二	十三	十四	十五
	三十七	三十八	三十九	四十	四十一
	十二	十三	十四	十五	十六
	十九 公卒、命立弟和、爲穆公、	宋穆公和元年、	二	三	四
	六	七	八	九	十
	十六	十七	十八	十九	二十
	二十一	二十二	二十三	二十四	二十五
	二十八	二十九	三十	三十一	三十二
	十五	十六	十七	十八	十九
	三十六	燕穆侯元年	二	三	四

四十七	四十八
四十五	四十六
七	八
十六 曲沃莊伯殺孝侯、晉人立孝侯子郤、爲鄂侯、	晉鄂侯郤元年、曲沃強於晉、■有本郤作都者譌、
四十二	四十三
十七	十八
五	六
十一	十二
二十一	二十二
二十六	二十七
三十三	三十四
二十	二十一
五	六

	四十九	五十
	魯隱公息姑元年 ■魯隱公息、系家名息、系本名息姑也、■徐廣曰、春秋隱元年、歲在己未、母聲子、	二
	九	十
也、鄂、邑、郤、其名、孝侯子也、	二	三
	四十四	四十五
	十九	二十
	七	八
	十三	十四
	二十三	二十四
	二十八	二十九
	三十五	三十六
	二十二 段作亂、奔、	二十三 公悔
	七	八

	五十一	桓王元年
	三 二月日蝕 [考證]春秋日食三十六、表不書者十三、未詳何故、	四
	十一	十二
	四	五
	四十六	四十七
	二十一	二十二
	九 公屬孔父立殤公、馮奔鄭、	宋殤公與夷元年
	十五	十六 州吁弑公自立、
	二十五	二十六 衛石碏來告故、執州吁、
	三十	三十一
	三十七	三十八
思母、不見、穿地相見、	二十四 使周取禾	二十五
	九	十

	甲子	
二 使虢公伐晉之曲沃、	三	四
五 公觀魚于棠、君子譏之、	六 鄭人來渝平	七
十三	十四	十五
六 鄂侯卒、曲沃莊伯復攻晉、立鄂侯子光、爲哀侯、〔考證〕哀侯之立、鄂侯未卒、此誤、	晉哀侯光元年	二
四十八	四十九	五十
二十三	二十四	二十五
二 鄭伐我、我伐鄭、	三	四
衞宣公晉元年、共立之、討州吁、	二	三
二十七	二十八	二十九
三十二	三十三	三十四
三十九	四十	四十一
二十六	二十七	二十八
十一	十二 始朝王、王不禮、	十三

	五	六
	八 易許田、君子譏之、〔考證〕易許田、在桓元年、是歲鄭祇來歸祊耳、此與鄭表言易許田並誤、	九 三月、
	十六	十七
莊伯卒、子稱立、爲武公、	三	四
	秦寧公元年〔考證〕寧、當作憲、	二
	二十六	二十七
	五	六
	四	五
	三十	三十一
	三十五	蔡桓侯封
	四十二	四十三
	二十九 與魯祊、易許田、	三十
	十四	十五

	七	八
大雨雹、雷、	十	十一 大夫翬請殺桓公、求爲相、公不聽、卽殺公、
	十八	十九
	五	六
	三	四
	二十八	二十九
	七 諸侯敗我、我師與衞人伐鄭、	八
	六	七
	三十二	三十三
人元年	二	三
	四十四	四十五
	三十一	三十二
	十六	十七

九		十
魯桓公允元年〔考證〕一作兀、五忽反、徐廣云、一作軌、母宋武公女、生手文、爲魯夫人、		二 宋賂以鼎、入於太廟、君子
二十		二十一
七		八
五		六
三十		三十一
九		華督見孔父妻好、悅之、華督殺
八		九
三十四		三十五
四		五
四十六		四十七
三十三 以璧加魯、易許田、〔考證〕三傳春秋、加作假、		三十四
十八		燕宣侯元年

	十一
譏之、	三 翬迎女、齊侯送女、君
	二十二
	晉小子元年、[考證]小子下脫侯字、哀
	七
	三十二
孔父、及殺殤公、宋公馮元年、[考證]古者踰年改元、莊公馮之元當在魯桓公元年、華督爲相、	二
	十
	三十六
	六
	四十八
	三十五
	二

		甲戌
	十二	十三 伐鄭、[考證]著哀之始、
子譏之、	四	五
	二十三	二十四
侯在位九年、當魯桓侯三年、此以哀侯之九年爲小子侯元年、誤、	二	三
	八	九
	三十三	三十四
	三	四
	十一	十二
	三十七	三十八 弟他殺太子免、代立、[考證]他音徒何反、陳大夫五父、後立爲厲公、國亂、再赴、
	七	八
	四十九	五十
	三十六	三十七 伐周、傷王、[考證]伐當作拒、
	三	四

十四	十五
六	七
二十五 山戎伐我	二十六
曲沃武公殺小子、周伐曲沃、立晉哀侯弟緡、[考證]緡音旻、爲晉侯、晉侯緡元年、	二
十	十一
三十五 侵隨、隨爲善政、得止、	三十六
五	六
十三	十四
陳厲公他元年、[考證]厲公名躍、不名佗、	二 生敬仲完、周史
九	十
五十一	五十二
三十八 太子忽救齊、齊將妻之、[考證]此不及忽辭齊婚、事殊未了、	三十九
五	六

	十六	十七	十八	十九
	八	九	十	十一
	二十七	二十八	二十九	三十
	三	四	五	六
	十二	秦出公元年、[考證]出公當作出子、秦別有出公、	二	三
	三十七 伐隨、弗拔、但盟、罷兵、	三十八	三十九	四十
	七	八	九	十 執祭
	十五	十六	十七	十八 太子
卜完後世王齊、	三	四	五	六
	十一	十二	十三	十四
	五十三	五十四	五十五	曹莊公射
	四十	四十一	四十二	四十三
	七	八	九	十

	二十
	十二
	三十一
	七
	四
	四十一
仲	十一
伋弟壽、爭死、	十九
	七 公淫蔡、蔡殺公、 [考證]是歲乃厲公卒之年、史誤以陳佗爲厲公、故謂此年佗被殺、其實蔡人殺陳佗、春秋書于桓六年、當陳厲公元年、淆蔡從公殺二
	十五
姑元年	二
	鄭厲公公突元年
	十一

			甲申
	二十一	二十二	二十三
	十三	十四	十五 天王求車、非禮、
	三十二 釐公令毋知秩服如太子、	三十三	齊襄公諸兒元年
	八	九	十
	五	六 三父殺出公、立其兄武公、	秦武公元年、伐彭
	四十二	四十三	四十四
	十二	十三	十四
	衛惠公朔元年	二	三 朔奔齊、立黔牟、
傳、與左氏駮、	陳莊公林元年、桓公子、	二	三
	十六	十七	十八
	三	四	五
	二	三 諸侯伐我、報宋故、	四 蔡仲立忽、公出
	十二	十三	燕桓公元年、[考證]世

	莊王元年、生子穨、 [考證]此書生子穨、後書生叔帶、著亂本也、	二
	十六 公會曹、謀伐鄭、	十七
貶毋知秩服、毋知怨、	二	三
	十一	十二
至華山、[考證]彭下脫戲氏、	二	三
	四十五	四十六
	十五	十六
[考證]朔奔齊六字、當移後一年、表誤以惠公四年爲黔牟元年、故朔止三年、	衛黔牟元年	二
	四	五
	十九	二十
	六	七
居櫟、	鄭昭公忽元年、忽母鄧女、祭仲取之、 [考證]取之疑當作立之、	二
家燕惠公至桓侯稱侯、莊公以下稱公、年表自惠侯至宣侯稱侯、桓公稱公、所載各異、	二	三

有兄弟、[考證]有兄弟、當作有弟克、三字疑當在四年周公欲殺王上、	三	四
日食、不書日、官失之、	十八 公與夫人如齊、齊侯通焉、使彭生殺公於車上、	魯莊
	四 殺魯桓公、誅彭生、	五
	十三	十四
	四	五
	四十七	四十八
	十七	十八
	三	四
	六	七
	蔡哀侯獻舞元年	二
	八	九
渠彌殺昭公、	鄭子亹元年、齊殺子亹、昭公弟、	鄭子
	四	五

周公欲殺王而立子克、王誅周公、克奔燕、 考證 據桓十八年左傳、則事在莊王三年、此與本紀皆誤、書于四年、	五		六	七
公同元年	二		三	四
	六		七	八 伐紀、去其都邑、 考證 去上缺紀侯二字、
	十五		十六	十七
	六		七	八
	四十九		五十	五十一 王伐隨、告夫人心動、王卒軍中、
	十九 考證 宋莊在位十八年、因表以宋殤十	年爲宋莊元年、故曰十九也、世家於殤公之年不誤、而書莊公之年、亦作十九、與表竝誤、	宋湣公捷元年	二
	五		六	七
	陳宣公杵臼元年、	杵臼、莊公弟、	二	三
	三		四	五
	十		十一	十二
嬰元年、子亹之弟、 考證 子嬰、左傳作子儀、	二		三	四
	六		七	燕莊公元年

		甲午			
八	九	十		十一	十二
五 與齊伐衞、納惠公、	六	七 星隕如雨、與雨偕、		八 子糾來奔、與管仲俱避毋知亂、	九
九	十	十一		十二 毋知殺君自立、 考證 史漢弑字多作殺、	齊桓
十八	十九	二十		二十一	二十二
九	十	十一		十二	十三
楚文王貲元年、始都郢、	二 伐申、過鄧、鄧甥曰、楚可取、鄧侯不許、	三		四	五
三	四	五		六	七
八	九	十 齊立惠公、黔牟奔周、	八 考證 八字當書于前年、	衞惠公朔復入、十四年、 考證 此九字當移在前一年、而十四亦十三之譌、世家固云、與前通年凡十三年也、此年當補十四二字、	十五
四	五	六		七	八
六	七	八		九	十
十三	十四	十五		十六	十七
五	六	七		八	九
二	三	四		五	六

	十三
魯欲與糾入、後小白、齊距魯、使生致管仲、	十 齊伐我、爲糾故、
公小白元年、春、齊殺毋知、	二
	二十三
	十四
	六 息夫人、陳女、過蔡、蔡不禮、惡之、楚伐蔡、獲哀侯以歸、
	八
	十六
	九
	十一 楚虜我侯、
	十八
	十
	七

十四	十五	釐王元年
十一 臧文仲弔宋水、〔考證〕左傳不言所使之人、	十二	十三 曹沫劫桓公、反所亡
三	四	五 與魯人會柯、
二十四	二十五	二十六
十五	十六	十七
七	八	九
九 宋大水、公自罪、魯使臧文仲來弔、	十 萬殺君、仇牧有義、	宋桓公御說元年、莊公
十七	十八	十九
十	十一	十二
十二	十三	十四
十九	二十	二十一
十一	十二	十三
八	九	十

	二	三	四
地、	十四	十五	十六
	六	七 始霸、會諸侯于鄄、	八
	二十七	二十八 曲沃武公滅晉侯湣、以寶獻周、周命武公爲晉君、并其地、	晉武
	十八	十九	二十
	十	十一	十二
子、	二	三	四
	二十	二十一	二十二
	十三	十四	十五
	十五	十六	十七
	二十二	二十三	二十四
	十四	鄭厲公元年、厲公亡後十七歲、復入、〔考證〕元年上失書名、亡而復入、當依衞靈公出公之例、稱後元年、	二
	十一	十二	十三

	甲辰	
	五	惠王元年
	十七	十八
	九	十
公稱并晉、已立三十九年、不更元、因其元年、	四十 武公卒、子詭諸立、爲獻公、	晉獻公詭
葬雍、初以人從死、	秦德公元年、武公弟、	二 初作
伐鄧滅之、	十三 〔考證〕攷左傳、魯莊十九年、楚文王卒、卽文王十五年、不止十三年、	楚堵敖囏
	五	六
	二十三	二十四
	十六	十七
	十八	十九
	二十五	二十六
諸侯伐我、	三	四
	十四	十五

取陳后、	二 燕衛伐王、王奔溫、立子穨、
	十九
	十一
諸元年	二
伏祠社、磔狗邑四門、	秦宣公元年
元年 [集解]徐廣曰、一作動、[索隱]楚杜敖艱、音覲、系家作莊敖、劉音壯、此作杜敖、劉氏云、亦作堵、堵杜聲相近、與系家年不詳、其由也、	二
	七 取衛女、文公弟、
	二十五
	十八
	二十
	二十七
	五
	十六 伐王、王奔溫、立子穨、 [考證]伐

[考證]左傳莊十九年、五大夫奉子穨以伐王、不克、出奔溫、燕衛復伐周、遂立子穨、明年、王處于鄭之櫟、則奔溫乃子穨也、非王也、即王之處櫟、在三年、非二年也、此與本紀及衛鄭世家言奔溫同課、	三
	二十
	十二
	三
	二
	三
	八
	二十六
	十九
	蔡穆侯肸
	二十八
	六
王、此南燕也、仲父是南燕伯也、南燕姞姓、與召公後姬姓之北燕別、史公混而一之、	十七 鄭執

	四 誅穨入惠王、	五 太子母早死、惠后生叔帶、 [考證]太子與叔帶皆惠后所生、非異母、
	二十一	二十二
	十三	十四 陳完自陳來奔、田常始此也、 [正義]齊桓公十四年、陳宣公二十一年、周惠王之五年、
	四	五 伐驪戎、得姬、
	三	四 作密時、
	四	五 弟惲殺堵敖自立、 [考證]左傳、堵敖以魯莊二十年立、二十二年見弒、不得有五年、
	九	十
	二十七	二十八
	二十	二十一 厲公子完奔齊、
元年	二	三
	二十九	三十
	七 救周亂入王、	鄭文公捷元年
我仲父、	十八	十九

				甲寅
六	七	八	九	十 賜齊
二十三 公如齊觀社、	二十四	二十五	二十六	二十七
十五	十六	十七	十八	十九
六	七	八 盡殺故晉侯羣公子、	九 始城絳都、	十
五	六	七	八	九
楚成王惲元年	二	三	四	五
十一	十二	十三	十四	十五
二十九	三十	三十一	衛懿公赤元年	二
二十二	二十三	二十四	二十五	二十六
四	五	六	七	八
三十一	曹釐公夷元年	二	三	四
二	三	四	五	六
二十	二十一	二十二	二十三	二十四

侯命、	十一	十二	十三	十四
	二十八	二十九	三十	三十一
	二十	二十一	二十二	二十三 伐山戎、為
	十一	十二 太子申生居曲沃、重耳居蒲城、夷吾居屈、驪姬故、	十三	十四
	十	十一	十二	秦成公元年
	六	七	八	九
	十六	十七	十八	十九
	三	四	五	六
	二十七	二十八	二十九	三十
	九	十	十一	十二
	五	六	七	八
	七	八	九	十
	二十五	二十六	二十七	二十八

	十五	十六
	三十二 莊公弟叔牙鴆死、子般、季友奔陳、立湣公、[考證]慶父弒子般、此死下缺慶父弒三字、	魯湣公開元年、[考證]開
燕也、	二十四	二十五
	十五	十六 伐魏、取霍、始封
	二	三
	十	十一
	二十	二十一
	七	八
	三十一	三十二
	十三	十四
	九	曹昭公元年
	十一	十二
	二十九	三十

	十七
下缺方字、	二 慶父殺湣公、季友自陳立申、為釐公、殺慶父、[考證]考左傳、陳
	二十六
趙夙耿、畢萬魏、始此、[考證]伐當作滅、取當作耿、	十七 申生將軍、君子知其廢、
	四
	十二
	二十二
	翟伐我、公好鶴、士不戰、滅我國、國怨惠公亂、滅其後、更立
	三十三
	十五
	二
	十三
	三十一

	十八	十九
當作邾、	魯釐公申元年、哀姜喪自齊至、	二
	二十七 殺女弟、魯莊公夫人、淫故、	二十八 為衛築楚
	十八	十九 荀息以幣
	秦穆公任好元年	二
	十三	十四
	二十三	二十四
黔牟弟、衛戴公元年、[考證]戴公、黔牟弟之子、弟下當補子申二字、	衛文公燬元年、戴公弟也、	二 齊桓公率
	三十四	三十五
	十六	十七
	三	四
	十四	十五
	三十二	三十三

	甲子	
	二十	二十一
	三	四
丘、救戎狄伐、〔考證〕救戎伐、當作救邢伐狄、	二十九 與蔡姬共舟、蕩公、公怒歸蔡姬、	三十 率諸侯伐蔡、蔡潰、遂
假道于虞、以伐虢、滅下陽、	二十	二十一 申生以驪姬讒自殺、
	三	四 迎婦于晉、
	十五	十六 齊伐我至陘、使屈完
	二十五	二十六
諸侯、爲我城楚丘、	三	四
	三十六	三十七
	十八 以女故齊伐我、	十九
	五	六
	十六	十七
	燕襄公元年	二

	二十二	二十三	二十四	二十五
	五	六	七	八
伐楚、責苞茅貢、	三十一	三十二 率諸侯伐鄭、	三十三	三十四
重耳奔蒲、夷吾奔屈、	二十二 滅虞虢、重耳奔狄、	二十三 夷吾奔梁、	二十四	二十五
	五	六	七	八
盟、	十七	十八 伐許、許君肉袒謝、楚從之、	十九	二十
	二十七	二十八	二十九	三十
	五	六	七	八
	三十八	三十九	四十	四十一
	二十	二十一	二十二	二十三
	七	八	九	曹共
	十八	十九	二十	二十一
	三	四	五	六

襄王立、畏太叔、〔考證〕徐廣曰、皇甫謐云、二十四年惠王崩、	襄王元年、諸侯立王、〔考證〕諸侯立王四字、當移在前一年襄王立畏太叔下、
	九 齊率我伐晉亂、至高梁還、
	三十五 夏會諸侯于葵丘、天子使宰孔賜胙、命無拜、
伐翟、以重耳故、	二十六 公卒、立奚齊、里克殺之、及卓子、立夷吾、〔考證〕及卓子三字、疑當
	九 夷吾使郤芮賂求入、
	二十一
公疾、太子茲父讓兄目夷賢、公不聽、	三十一 公薨、未葬、齊桓會葵丘、
	九
	四十二
	二十四
公元年	二
	二十二
	七

	二	三 戎伐我、太叔帶召之、欲誅叔帶、叔帶奔齊、
	十	十一
	三十六 使隰朋立晉惠公、	三十七
在立奚齊下、	晉惠公夷吾元年、誅里克、倍秦約、	二
	十 丕鄭子豹亡來、	十一 救王伐戎、戎去、
	二十二	二十三 伐黃、
	宋襄公茲父元年、目夷相、	二
	十	十一
	四十三	四十四
	二十五	二十六
	三	四
	二十三	二十四 有妾、夢天與之蘭、生穆公蘭、
	八	九

		甲戌
考證依左傳、叔帶奔齊、在襄王四年、	四	五
	十二	十三
	三十八 使管仲平戎于周、欲以上卿禮、讓受下卿、	三十九 使仲孫請王言叔帶、
	三	四 饑請粟、秦與我、
	十二	十三 丕豹欲無與、公不聽、
	二十四	二十五
	三	四
	十二	十三
	四十五	陳穆公款元年
	二十七	二十八
	五	六
	二十五	二十六
	十	十一

	六	七
	十四	十五 五月
王怒、考證左傳、天齊侯使仲孫湫聘周、且言王子帶、事畢不言、歸復命曰、王怒未息、	四十	四十一
	五 秦饑、請粟、晉倍之、考證晉當作我	六 秦虜
輪晉粟、起雍至絳、考證丕豹上脫晉饑請粟四字、	十四	十五 以盜
	二十六 滅六英、考證滅六英、當作滅黃、元屬二十四年事、錯書于二十六年、	二十七
	五	六
	十四	十五
	二	三
	二十九	蔡莊侯甲
	七	八
	二十七	二十八
	十二	十三

	八	九
日有食之、不書、史官失之、考證不書下脫朔與日三字、	十六	十七
	四十二 王以戎寇告齊、齊徵諸侯戍周、	四十三
惠公、復立之、	七 重耳聞管仲死、去翟之齊、	八
食善馬士、得破晉、	十六 為河東置官司、考證事在十五年、左傳及秦紀可證、此誤後一年、	十七
	二十八	二十九
	七 隕五石、六鷁退飛過我都、	八
	十六	十七
	四	五
午元年	二	三
	九	十
	二十九	三十
	十四	十五

十	十一	十二	十三
十八	十九	二十	二十一
齊孝公昭元年	二	三	四
九	十	十一	十二
十八	十九 滅梁、梁好城、不居、民罷相驚、故亡、考證好、上聲、罷、音皮、	二十	二十一
三十	三十一	三十二	三十三 執宋襄公、
九	十	十一	十二 召楚盟、
十八	十九	二十	二十一
六	七	八	九
四	五	六	七
十一	十二	十三	十四
三十一	三十二	三十三	三十四
十六	十七	十八	十九

		甲申
	十四 叔帶復歸於周、	十五
	二十二	二十三
	五 歸王弟帶、	六 伐宋、以其不同盟、
	十三 大子圉質秦、亡歸、〔考證〕晉惠公夷吾之子也、圉、音禦、質、音致、又如字也、	十四 圉立、爲懷公、
	二十二	二十三 迎重耳於楚、厚禮之、妻之
復歸之、	三十四	三十五 重耳過、厚禮之、
	十三 泓之戰、楚敗公、〔考證〕穀梁傳、戰於泓水之上、系家云、十三年、宋師大敗、公傷股、	十四 公疾死、泓戰故、
	二十二	二十三 重耳從齊過、無禮、
	十	十一
	八	九
	十五	十六 重耳過、無禮、倍負羈私善、
	三十五 君如楚、宋伐我、	三十六 重耳過、無禮、叔詹諫、
	二十	二十一

	十六 王奔汜、汜鄭地也、〔考證〕汜、似凡兩音、
	二十四
	七
	晉文公元年、誅子圉、魏武子爲魏大夫、趙衰
女、重耳願歸、〔考證〕案、左傳、重耳先過衞、後適齊、晉語、先適齊、後過衞、此表從晉語、	二十四 以兵送重耳、
	三十六
	宋成公王臣元年
	二十四
	十二
	十
〔考證〕重耳過曹、不在曹共十六年、世家加初字、	十七
	三十七
	二十二

	十七 晉納王、	十八
	二十五	二十六
	八	九
爲原大夫、咎犯曰、求霸莫如內王、〔考證〕趙衰以下二十五字、當屬文公二年、	二	三 宋服、
	二十五 欲內王、軍河上、	二十六
	三十七	三十八
	二	三 倍楚親晉、
	二十五	衞成公鄭元年、
	十三	十四
	十一	十二
	十八	十九
	三十八	三十九
	二十三	二十四

十九	二十 王狩河陽、
二十七	二十八 公如踐土、會朝、
十 孝公薨、弟潘因衞公子開方殺孝公子立潘、	齊昭公潘元年、會晉敗楚、朝周王、
四 救宋、報曹衞恥、〔考證〕是年晉但蒐軍命將部署、未發、至明年春始出兵耳、	五 侵曹、伐衞、取五鹿、執曹伯、諸侯敗楚、
二十七	二十八 會晉伐楚、朝周、
三十九 使子玉伐宋、	四十 晉敗子玉于城濮、
四 楚伐我、我告急於晉、	五 晉救我、楚兵去、
二	三 晉伐我、取五鹿、公出奔、立公子瑕、會
十五	十六 會晉伐楚、朝周王、〔考證〕春秋僖二十八年、書陳侯
十三	十四 會晉伐楚、朝周王、〔考證〕蔡從楚者、惕于楚敗而從
二十	二十一 晉伐我、執公、復歸之、
四十	四十一
二十五	二十六

	二十一
	二十九
	二
而朝河陽、周命賜公土地、【考證】案左傳是年、王命晉爲侯伯、賜以大輅戎路弓矢秬鬯虎賁、非賜土地也、賜土地、文公納王時事、	六
	二十九
	四十一
	六
晉朝、復歸晉、【考證】公子瑕當作叔武、歸晉當作歸衛、	四　晉以衛與宋、【考證】衛
如會、後會也、則陳無伐楚之事、	陳共公朔元年
晉、故春秋書蔡侯盟于踐土、安得言會晉伐楚、	十五
	二十二
	四十二
	二十七

	二十二	二十三	二十四
	三十	三十一	三十二
	三	四	五
	七　聽周歸衛成公、與秦圍鄭、	八	九　文公薨、
	三十　圍鄭、有奇言、卽去、	三十一	三十二　將襲鄭、蹇叔曰、不可、
	四十二	四十三	四十四
	七	八	九
下疑脫田字、晉分衛田與宋、在成公三年、此誤四年、	五　周入成公、復衛、	六	七
	二	三	四
	十六	十七	十八
	二十三	二十四	二十五
	四十三　秦晉圍我、以晉故、	四十四	四十五　文公薨、
	二十八	二十九	三十

甲午	
二十五	二十六
三十三　僖公薨、	魯文公興元年
六　狄侵我、	七
晉襄公驩元年、破秦于殽、	二　伐衛、衛伐我、
三十三　襲鄭、晉敗我殽、	三十四　敗殽將亡歸、公復其官、
四十五	四十六　王欲殺太子立職、太子恐、與傅潘崇殺王、王欲食熊
十	十一
八	九　晉伐我、我伐晉、
五	六
十九	二十
二十六	二十七
鄭穆公蘭元年、秦襲我、弦高詐之、	二
三十一	三十二

	二十七	二十八
	二	三　公如晉、【考證】春秋書公
	八	九
	三　秦報我殽、敗于汪、【考證】汪當作彭衙、下格同、	四　秦伐我、取王官、我不
	三十五　伐晉、報殽、敗我于汪、	三十六　以孟明等伐晉、晉不
蹯死、不聽、自立爲王、	楚穆王商臣元年、以其太子宅賜崇、爲相、	二　晉伐我、
	十二	十三
	十	十一
	七	八
	二十一	二十二
	二十八	二十九
	三	四
	三十三	三十四

	二十九	三十
如晉二十一、此其始也、表或書、或不書、何也、	四	五
	十	十一
出、	五　伐秦、圍邧新城、[illegible]邧、阮音、	六　趙成子欒貞子霍伯臼季皆卒、[illegible]趙成子名
敢出	三十七　晉伐我、圍邧新城、	三十八
	三　滅江、	四　滅六蓼、
	十四	十五
	十二　公如晉、	十三
	九	十
	二十三	二十四
	三十	三十一
	五	六
	三十五	三十六

	三十一
	六
	十二
衰、欒貞子名枝、霍伯先且居也、封之霍、臼季胥臣也、四大夫皆此年卒、	七　公卒、趙盾爲太子少、欲更立君、恐誅、遂立太子、爲靈公、
	三十九　繆公薨、葬殉以人從、死者百七十人、君子譏之、故不言卒、
	五
	十六
	十四
	十一
	二十五
	三十二
	七
	三十七

	三十二
	七
	十三
	晉靈公夷臯元年、[illegible]晉靈公蝎、音亦、系家及左傳名夷臯、此蓋誤也、趙盾專政、
【考證】秦紀作百七十七人、	秦康公罃元年、[illegible]音乙耕反、
	六
	十七　公孫固殺成公、【考證】據文七年左傳、宋成公卒、昭公欲去羣公穆襄之族率國人攻公、殺公孫固公孫鄭于公宮、然則成公無被弑之事、而公孫固死
	十五
	十二
	二十六
	三十三
	八
	三十八

	三十三　襄王崩、【考證】王崩、宜書也、乃襄王以前皆不書、襄以後始書之、而又止書襄頃匡簡敬五王、何歟、	頃王元年
	八　王使衞來求金以葬、非禮、【考證】春秋求金在九年、此誤在八年、	九
	十四	十五
	二　秦伐我、取武城、報令狐之戰、【考證】前年、當書秦敗晉令狐、	三　率諸
	二	三
	七	八　伐鄭、
昭公難、	宋昭公杵臼元年、襄公之子、[illegible]徐廣云、一云、成公少子、[illegible]宋昭公杵臼、襄公少子、非也、案徐廣云一曰成公大子興、系家同、是也、	二
	十六	十七
	十三	十四
	二十七	二十八
	三十四	三十五
	九	十　楚伐
	三十九	四十

	甲辰	
	二	三
	十	十一 敗長翟于鹹、而歸得長翟、
	十六	十七
侯救鄭、	四 伐秦、拔少梁、秦取我北徵、[考證]音澄、蓋今之澄城也、	五
	四 晉伐我、取少梁、我伐晉、取北徵、	五
以其服晉、	九	十
	三	四 敗長翟長丘、
	十八	十九
	十五	十六
	二十九	三十
	曹文公壽元年	二
我、	十一	十二
	燕桓公元年	二

四	五	六 頃王崩、公
十二	十三	十四 彗星入北
十八	十九	二十 昭公卒、弟
六 秦取我羈馬、與秦戰河曲、秦師遁、	七 得隨會、[考證]前不書隨會奔秦、蓋傳寫失之、	八 趙盾以車
六 伐晉、取羈馬、怒與我大戰河曲、	七 晉詐得隨會、	八
十一	十二	楚莊王侶元年
五	六	七
二十	二十一	二十二
十七	十八	陳靈公平國元
三十一	三十二	三十三
三	四	五
十三	十四	十五
三	四	五

卿爭政、故不赴、	匡王元年	二
斗、周史曰、十年、宋齊晉君死、	十五 六月辛丑、日蝕、齊伐我、	十六
商人殺太子自立、是爲懿公、	齊懿公商人元年	二 不得民心、
八百乘納捷、菑平王室、[考證]菑下脫于邾二字、	九 我入蔡、	十
	九	十
	二	三 滅庸、
	八	九 襄夫人使衛伯
	二十三	二十四
年	二	三
	三十四 晉伐我、莊侯薨、	蔡文侯申元年
	六 齊入我郛、	七
	十六	十七
	六	七

	三	四
	十七 齊伐我、	十八 襄仲殺嫡立庶子、爲宣公、
	三 伐魯、	四 公刖邴歜父、而奪閻職妻、二人
	十一 率諸侯平宋、	十二
	十一	十二
	四	五
殺昭公、弟鮑立、	宋文公鮑元年、昭公弟、晉率諸侯伐我、	二
	二十五	二十六
	四	五
	二	三
	八	九
	十八	十九
	八	九

		甲寅		
	五	六 匡王崩、		定王元年
	魯宣公倭元年、魯立宣公、不正、公室卑、	二		三
共殺公、立桓公子惠公、	齊惠公元年、取魯濟西之田	二 王子成父	敗長翟、	三
	十三 趙盾救陳宋伐鄭、	十四 趙穿殺靈	公、趙盾使穿迎公子黑臀于周、立之、趙氏賜公族、[考證]趙氏賜公族、世家書晉成元年、是、	晉成公黑臀元年
	秦共公和元年 [考證]宣四年春秋書秦伯稻卒、則此作和誤、	二		三
	六 伐宋陳、以倍我服晉故、	七		八 伐陸渾至雒、問
	三 楚鄭伐我、以我倍楚故也、	四 華元以羊	羹故陷於鄭、	五 贖華元、亡歸、圍
	二十七	二十八		二十九
	六	七		八
	四	五		六
	十	十一		十二 宋圍我、
	二十 與楚侵陳、遂侵宋、晉使趙盾伐我、以倍晉故、	二十一 與宋師戰、	獲華元、	二十二 華元亡歸、
	十	十一		十二

	二	三		四	五	六
	四	五		六	七	八 七月日蝕
	四	五		六	七	八
伐鄭、	二	三 中行桓子荀林	父救鄭、伐陳、	四 與衛侵陳、	五	六 與魯伐秦、獲秦諜殺之絳市、六
	四	五 [考證]共公立四年而卒、無五年	也、	秦桓公元年	二	三 晉伐我、獲諜、
鼎輕重、	九 若敖氏爲亂、滅之、伐鄭、	十		十一	十二	十三 伐陳、滅舒蓼
曹、[考證]華元之歸、世家爲宋文四年、與左傳合、表後一年、	六	七		八	九	十
	三十	三十一		三十二 與晉侵陳、	三十三	三十四
	九	十 楚伐鄭、與我平、	晉中行桓子距楚救鄭伐我、	十一 晉衛侵我、	十二	十三 楚伐我、
	七	八		九	十	十一
	十三	十四		十五	十六	十七
	鄭靈公夷元年、公子歸生以黿故殺靈公	鄭襄公堅元年、靈公	庶弟、楚伐我、晉來救、	二	三	四
	十三	十四		十五	十六	燕宣公元年

	七	八
	九	十 四月日蝕、
	九 使桓子伐楚、以諸侯師伐陳救鄭、成公薨、	十 公卒、崔杼有寵、高國逐之、奔衛、
日而蘇、	七	晉景公據元年、與宋伐鄭、
	四	五
	十四 伐鄭、晉郤缺救鄭敗我、	十五
	十一	十二
	三十五	衛穆公遬元年、齊高國來奔、[考證]奔
	十四	十五 夏徵舒以其母辱、殺靈公、
	十二	十三
	十八	十九
	五 楚伐我、晉來救、敗楚師、	六 晉宋楚伐我、
	二	三

		甲子	
	九	十	十一
	十一	十二	十三
	齊頃公無野元年	二	三
	二	三 救鄭、爲楚所敗河上、	四
	六	七	八
	十六 率諸侯誅陳夏徵舒、立陳靈公子午、	十七 圍鄭、鄭伯肉袒謝、釋之、	十八
	十三	十四 伐陳、	十五
衛者崔杼、非高國也、	二	三	四
	陳成公午元年、靈公太子、	二	三
	十四	十五	十六
	二十	二十一	二十二
	七	八 楚莊圍我、卑辭以解、	九
	四	五	六

十二	十三	十四
十四	十五 初稅畝、	十六
伐鄭、	五	六
五	六 救宋、執解揚、有使節、秦伐我、[考證]執上、當有鄭字、	七 隨會滅赤
九	十	十一
十九 圍宋、爲殺使者、	二十 圍宋五月、華元告子反以誠、楚罷、[考證]五月、當作九月、	二十一
十六 殺楚使者、楚圍我、	十七 華元告楚、楚去、	十八
五	六	七
四	五	六
十七	十八	十九
二十三 文公薨、	曹宣公廬元年、[考證]世家廬作彊、	二
十 晉伐我、	十一 佐楚伐宋、執解揚、	十二
七	八	九

	十五	十六
	十七 日蝕、	十八 宣公薨、
	七 晉使郤克來齊、婦人笑之、克怒歸去、	八 晉伐敗我、[考證]敗字衍、此卽左傳宣十三年陽穀之役也、晉受齊質子而還、未嘗
翟、	八 使郤克使齊、婦人笑之、克怒歸、	九 伐齊、質子彊、兵罷、[考證]子上脫公字、
	十二	十三
	二十二	二十三 莊王薨、
	十九	二十
	八	九
	七	八
	二十 文侯薨、	蔡景侯固元年
	三	四
	十三	十四
	十	十一

	十七	十八
	魯成公黑肱元年、春、齊取我隆、「考證」齊取魯隆、世家在二年、與左傳合、	二 與晉伐齊、齊歸我汶陽、竊
交兵、安得言敗、	九	十 晉郤克敗公於鞍、虜逢丑
	十	十一 與魯曹敗齊、
	十四	十五
	楚共王審元年	二 秋、申公巫臣竊徵舒母奔
	二十一	二十二
	十	十一 穆公薨、與諸侯敗齊、反侵
	九	十
	二	三
	五	六
	十五	十六
	十二	十三

		甲戌
	十九	二十
與楚盟、	三 會晉宋衛曹伐鄭、	四 公如晉、晉不敬、公欲
父、	十一 頃公如晉、欲王晉、晉不敢受、	十二
	十二 始置六卿、率諸侯伐鄭、	十三 魯公來、不敬、
	十六	十七
晉、以爲邢大夫、冬、伐衛魯、救齊、	三	四 子反救鄭、
	宋共公瑕元年	二
地、楚伐我、	衛定公臧元年	二
	十一	十二
	四	五
	七 伐鄭、	八
	十七 晉率諸侯伐我、	十八 晉欒書取我氾、[■]取
	十四	十五

	二十一 定王崩、	簡王元年
倍晉合於楚、	五	六
	十三	十四
	十四 梁山崩、伯宗隱其人而用其言、	十五 使欒書救鄭、遂侵蔡、
	十八	十九
	五 伐鄭、倍我故也、鄭悼公來訟、「考證」案、春秋、伐鄭在後一年、	六
	三	四
	三	四
	十三	十四
	六	七 晉侵我、
	九	十
氾音凡、襄公薨、	鄭悼公費元年、公如楚訟、	二 悼公薨、楚伐我、晉使
	燕昭公元年	二
		吳壽夢元年

	二	三	四
	七	八	九
	十五	十六	十七 頃公、
	十六 以巫臣始通於吳、而謀楚、	十七 復趙武田邑、侵蔡、	十八 執鄭
	二十	二十一	二十二 伐晉、
	七 伐鄭、	八	九 救鄭、
	五	六	七
	五	六	七
	十五	十六	十七
	八	九 晉伐我、	十
	十一	十二	十三
欒書來救、	鄭成公睔元年、[■]睔、古困反、悼公弟也、楚伐我、	二	三 與楚
	三	四	五
	二 巫臣來謀伐楚、	三	四

	五	六	七	八
	十公如晉送葬、諱之、	十一	十二	十三
薨、	齊靈公環元年	二	三	四
成公、伐鄭、秦伐我、	十九	晉厲公壽曼元年	二	三
	二十三	二十四與晉侯夾河盟、歸倍盟、	二十五	二十六
冬與晉成、	十	十一	十二	十三
	八	九	十	十一
	八	九	十	十一
	十八	十九	二十	二十一
	十一	十二	十三	十四
	十四	十五	十六	十七
盟、公如晉、執公伐我、	四晉率諸侯伐我、	五	六	七
	六	七	八	九
	五	六	七	八

	甲申	
	九	十
會晉伐秦、	十四	十五始與吳通、會鍾離、
伐秦、	五	六
伐秦、至涇、敗之、獲其將成差、	四	五三郤讒伯宗殺之、伯宗好直諫、
晉率諸侯伐我、	二十七■秦桓在位二十八年、非二十七而卒也、	秦景公元年
	十四	十五許畏鄭、請徙葉、
晉率我伐秦、	十二	十三宋華元奔晉、復還、■宋字衍、
	十二定公薨、	衛獻公衎元年
	二十二	二十三
	十五	十六
晉率我伐秦、	曹成公負芻元年	二晉執我公以歸、
伐秦、	八	九
	十	十一
	九	十與魯會鍾離、

十一	十二	十三
十六宣伯告晉、欲殺季文子、文子得以義脫、	十七	十八成公薨、
七	八	九
六敗楚鄢陵、	七	八欒書中行偃殺厲公、立襄
二	三	四
十六救鄭、不利、子反醉軍敗、殺子反歸、	十七	十八爲魚石伐宋彭城、
宋平公成元年	二	三楚伐彭城、封魚石、
二	三	四
二十四	二十五	二十六
十七	十八	十九
三	四	五
十倍晉盟楚、晉伐我、楚來救、	十一	十二與楚伐宋、
十二	十三昭公薨、	燕武公元年
十一	十二	十三

	十四簡王崩、
	魯襄公午元年、圍宋彭城、
	十我不救鄭、晉伐我、使太子光質於晉、■案左傳、齊不會圍宋、故晉伐之、非不救鄭
公孫、爲悼公、■悼公爲襄公曾孫、此誤、	晉悼公元年、圍宋彭城、
	五
	十九侵宋救鄭、
	四楚侵我取犬丘、晉誅魚石、歸我彭城、■侵宋取犬丘者、鄭也、晉執魚石等、未嘗誅
	五圍宋彭城、
	二十七
	二十
	六
	十三晉伐敗我兵於洧上、楚來救、
	二
	十四

	靈王元年、生有髭、	二	三
	二 會晉城虎牢、	三	四 公如
而見伐也、	十一	十二 伐吳、【考證】春秋是年無齊伐吳事、乃因楚伐吳而錯出也、當衍、	十三
	二 率諸侯伐鄭、城虎牢、	三 魏絳辱楊干、	四 魏絳
	六	七	八
	二十	二十一 使子重伐吳、至衡山、使何忌侵陳、	二十二 伐陳、
也、	五	六	七
	六	七	八
	二十八	二十九 倍楚盟、楚侵我、	三十 楚伐
	二十一	二十二	二十三
	七	八	九
	十四 成公薨、晉率諸侯伐我、	鄭釐公惲元年	二
	三	四	五
	十五	十六 楚伐我、	十七

	四	五	六
晉、	五 季文子卒、	六	七
	十四	十五	十六
說和戎狄、狄朝晉、【考證】晉當作我、	五	六	七
	九	十	十一
	二十三 伐陳、	二十四	二十五 圍陳、
	八	九	十
	九	十	十一
我、成公薨、	陳哀公弱元年、	二	三 楚圍我、爲公亡歸、【考證】案襄七年左傳、楚圍陳、晉
	二十四	二十五	二十六
	十	十一	十二
	三	四	五 子駟使賊夜殺釐公、詐以病卒赴諸
	六	七	八
	十八	十九	二十

	七	八
	八 公如晉、	九 與晉伐鄭、會河
	十七	十八 與晉伐鄭、
	八	九 率齊魯宋衛曹
	十二	十三 伐晉、楚爲我援、
	二十六 伐鄭、	二十七 伐鄭、師于武城、
	十一	十二 晉率我伐鄭、
	十二	十三 晉率我伐鄭師、
會于鄬、以救之、楚僞執公子黃、陳人使告陳侯于會、哀公逃歸、此表疑有脫文、	四	五
	二十七 鄭侵我、	二十八
	十三	十四 晉率我伐鄭、
侯、	鄭簡公喜元年、釐公子、【考證】喜當作嘉、	二 誅子駟、晉率諸
	九	十
	二十一	二十二

	九 王叔奔晉、
上、問公年、十二、可冠、冠於衛、	十 楚鄭侵我西鄙、
	十九 令太子光高厚會諸侯鍾離、
伐鄭、秦伐我、	十 率諸侯伐鄭、荀罃伐秦、
	十四 晉伐我、
爲秦、	二十八 使子囊救鄭、
	十三 鄭伐我、衛來救、
曹鞭公幸妾、	十四 救宋、
	六
	二十九
	十五
侯伐我、我與盟、楚怒伐我、【考證】誅子駟、在簡四年、	三 晉率諸侯伐我、楚來救、子孔作亂、子產攻之、【考證】子
	十一
	二十三

	十
	十一 三桓分爲三軍、各將軍、
	二十
	十一 率諸侯伐鄭、秦敗我櫟、公曰、吾用魏絳九合諸侯、賜之樂、
	十五 我使庶長鮑伐晉救鄭、敗之櫟、
	二十九 晉鄭伐我、[考證]案春秋襄十一年無其事、此必與鄭伐宋之誤、
	十四 楚伐我、
	十五 救鄭、敗秦師櫟、[考證]伐鄭者晉也、救鄭敗晉者秦也、衛與晉伐鄭、未嘗與秦敗晉、六字當衍、或云救鄭乃伐鄭之誤、衍敗晉師櫟四字、
	七
	三十
	十六、
孔何嘗作亂、子產何嘗攻子孔、史妄矣、	四 與楚伐宋、晉率諸侯伐我、秦來救、
	十二
	二十四

十一	十二	十三
十二 公如晉、	十三	十四 日蝕、
二十一	二十二	二十三 衛獻公來奔、
十二	十三	十四 率諸侯大夫伐秦、敗棫林、[考證]棫音域、
十六	十七	十八 晉諸侯大夫伐我、敗棫林、
三十	三十一 吳伐我、敗之、共王薨、	楚康王昭元年、[考證]楚康王略、系家名招、共王太子出奔吳、
十五	十六	十七
十六	十七	十八 孫文子攻公、公奔齊、立定公弟狄、
八	九	十
三十一	三十二	三十三
十七	十八	十九
五	六	七
十三	十四	十五
二十五 壽夢卒、	吳諸樊元年、楚敗我、	二 季子讓位、楚伐我、

	十四
	十五 日蝕、齊伐我、
	二十四 伐魯、
	十五 悼公薨、
	十九
[考證]共王之太子、卽是康王、安得別有太子、攷春秋傳、是年楚伐吳、爲吳所敗、獲楚公子宜穀、史公必因此而誤以宜穀爲太子、以見獲爲出奔也、	二
	十八
	衛殤公狄元年、定公弟、[考證]狄、
	十一
	三十四
	二十
	八
	十六
	三

	甲辰	
	十五	十六
	十六 齊伐我、地震、齊復伐我北鄙、	十七 齊伐我北鄙、
	二十五 伐魯、	二十六 伐魯、
	晉平公彪元年、我敗楚于湛坂、[考證]地名也、湛音視林反、	二
	二十	二十一
	三 晉伐我、敗湛坂、	四
	十九	二十 伐陳、
世家作秋、狄秋當作猋、	二	三 伐曹、
	十二	十三 宋伐我、
	三十五	三十六
	二十一	二十二 伐衛、[考證]襄十七年春秋、衛伐曹、則是衛伐我之誤、
	九	十
	十七	十八
	四	五

十七	十八
十八 與晉伐齊、	十九
二十七 晉圍臨淄、晏嬰、考證 圍下當有我字、晏嬰二字衍、	二十八 廢光、立子牙爲太子、光與崔杼殺牙自立、晉衛伐我、
三 率魯宋鄭衛圍齊、大破之、	四 與衛伐齊、
二十二	二十三
五 伐鄭、	六
二十二 晉率我伐齊、	二十三
四	五 晉率我伐齊、
十四	十五
三十七	三十八
二十三 成公薨、	曹武公勝元年
十一 晉率我圍齊、楚伐我、	十二 子產爲卿、
十九 武公薨、	燕文公元年
六	七

十九	二十	二十一
二十 日蝕、	二十一 公如晉、日再蝕、	二十二 孔子生、
齊莊公元年	二	三 晉欒逞來奔、考證 欒逞、晉大夫欒盈、此音如字也、 晏嬰曰、不
五	六 魯襄公來、殺羊舌虎、	七 欒逞奔齊、
二十四	二十五	二十六
七	八	九
二十三	二十四	二十五
六	七	八
十六	十七	十八
三十九	四十	四十一
二	三	四
十三	十四	十五
二	三	四
八	九	十

	二十二	二十三
	二十三	二十四 侵齊、日再蝕、
如歸之、	四 欲遣欒逞入曲沃、伐晉取朝歌、	五 畏晉通楚、晏子謀、考證 案左傳、齊懼晉結楚、非晏子謀也、
	八	九
	二十七	二十八
	十	十一 與齊通、率陳蔡伐鄭救齊、
	二十六	二十七
	九 齊伐我、	十
	十九	二十 楚率我伐鄭、
	四十二	四十三 楚率我伐鄭、
	五	六
	十六	十七 子產曰、范宣子爲政、我請伐陳、考證 子產曰三字衍、
	五	六
	十一	十二

	甲寅
二十四	二十五
二十五 齊伐我北鄙、以報孝伯之師、	二十六
六 晉伐我、報朝歌、崔杼以莊公通其妻殺之、立其弟爲景公、	齊景公杵臼元年、如晉請歸
十 伐齊至高唐、報太行之役、考證 晉未嘗至高唐、	十一 誅衛殤公、復入獻公、考證 殤
二十九 公如晉、盟不結、考證 秦紀以爲二十七年事、	三十
十二 吳伐我、以報舟師之役、射殺吳王、	十三 率陳蔡伐鄭、
二十八	二十九
十一	十二 齊晉殺殤公、復內獻公、
二十一 鄭伐我、	二十二 楚率我伐鄭、
四十四	四十五
七	八
十八 伐陳入陳、	十九 楚率陳蔡伐我、
燕懿公元年	二
十三 諸樊伐楚迫巢門、傷射以薨、	吳餘祭元年、考證 吳下當增子字、

	二十六	二十七
	二十七 日蝕、	二十八 公如楚、葬康王、
衛獻公、	二 慶封欲專、誅崔氏、杼自殺、	三 冬鮑高欒氏謀慶封、發兵攻慶
公之弒、獻公之復、皆甯喜爲之、與齊晉何涉、誅字欠妥、	十二	十三
	三十一	三十二
	十四	十五 康王薨、
	三十	三十一
	衛獻公衎後元年	二
	二十三	二十四
	四十六	四十七
	九	十
	二十	二十一
	三	四 懿公薨、
	二	三 齊慶封來奔、

	景王元年	二
	二十九 吳季札來觀周樂、盡知樂所爲、	三十
封、慶封奔吳、	四 吳季札來使、與晏嬰歡、	五
	十四 吳季札來、曰、晉政卒歸韓魏趙、	十五
	三十三	三十四
	楚熊郟敖元年、〔考證〕熊字當衍、	二
	三十二	三十三
	三	衛襄公惡
	二十五	二十六
	四十八	四十九 爲太
	十一	十二
	二十二 吳季札謂子產曰、政將歸子、子以禮、幸脫於尼矣、	二十三 諸公
	燕惠公元年、齊高止來奔、	二
	四 守門閽殺餘祭、季札使諸侯、〔考證〕守門閽殺餘祭六字、元文必書于十七年、後人移入四年、	五

	三	四
	三十一 襄公薨、	魯昭公稠
	六	七
	十六	十七 秦后
	三十五	三十六 公弟
	三 王季父圍爲令尹、	四 令尹
	三十四	三十五
元年	二	三
	二十七	二十八
子取楚女、公通焉、太子殺公自立、	蔡靈侯班元年	二
	十三	十四
子爭寵相殺、子產子成止之、〔考證〕據世家、相殺下脫欲殺二字、子成當作子皮、	二十四	二十五
	三	四
	六	七

	五	六
元年、昭公年十九有童心、	二 公如晉、至河、晉謝還之、	三
	八	九 晏嬰使晉、見叔向曰、齊政歸田
子來奔、	十八 齊田無宇來送女、	十九
后子奔晉、車千乘、	三十七	三十八
圍殺郟敖、自立、爲靈王、	楚靈王圍元年、共王子肘玉、	二
	三十六	三十七
	四	五
	二十九	三十
	三	四
	十五	十六
	二十六	二十七 夏如晉、冬如楚、
	五	六 公欲殺公卿、立幸臣、公卿誅幸
	八	九

		甲
	七	八
	四 稱病不會楚、	五
氏、叔向曰、晉公室卑、	十	十一
	二十	二十一
	三十九	四十
	三 夏、合諸侯宋地、盟伐吳朱方、誅慶封、冬、報我取三城、【考證】冬下脫吳字、	四
	三十八	三十九
	六 稱病不會楚、	七
	三十一	三十二
	五	六
	十七 稱病不會楚、	十八
	二十八 子產曰、三國不會、【考證】左傳子產對楚王曰、不來者魯衞曹邾四國、史公因邾無表、改四爲三、	二十九
臣、公恐出奔齊、	七	八
	十 楚誅慶封、	十一

子			
	九	十	十一
	六	七 季武子卒、日蝕、	八 公如
	十二 公如晉、請伐燕、入其君、	十三 入燕君、	十四
秦后子歸秦、	二十二 齊景公來、請伐燕入其君、	二十三 入燕君、	二十四
公卒、后子自晉歸、	秦哀公元年	二	三
率諸侯伐吳、	五 伐吳次乾谿、	六 執芋尹、亡人入章華、	七 就章
	四十	四十一	四十二
	八	九 夫人姜氏無子、	衞靈公元
	三十三	三十四	三十五 弟招
	七	八	九
	十九	二十	二十一
	三十	三十一	三十二
	九 齊伐我、	燕悼公元年、惠公歸至卒、	二
楚率諸侯伐我、	十二 楚伐我次乾谿、	十三	十四

	十二	十三
楚、楚留之、賀章華臺、	九	十 四月日蝕、【考證】昭十年不日食、此舛缺、
	十五	十六
	二十五	二十六 春有星出婺女、十月公薨、
	四	五
華臺、內亾人實之、滅陳、	八 弟棄疾將兵定陳、	九
	四十三	四十四 平公薨、
年、【考證】靈公名元、此因元年連文、失書也、	二	三
作亂、哀公自殺、	陳惠公吳元年、哀公孫也、楚來定我、	二
	十	十一
	二十二	二十三
	三十三	三十四
	三	四
	十五	十六

	十四	十五
	十一	十二 朝晉
	十七	十八 公如
【考證】據昭十年春秋、十月當作七月、	晉昭公夷元年	二
	六	七
	十 醉殺蔡侯、使棄疾圍之、棄疾居之、爲蔡侯、【考證】爲下蔡侯當作蔡公、下格同、	十一 王伐
	宋元公佐元年	二
	四	五 公如
	三	四
	十二 靈侯如楚、楚殺之、使棄疾居之、爲蔡侯、	蔡侯廬元
	二十四	二十五
	三十五	三十六
	五	六
	十七	吳餘昧元

	十六
至河、晉、晉謝之、歸、[考證]有脫文、鄭簡文以三月卒、朝晉者定公、	十三
	十九
	三
	八
舒以恐吳、次乾谿、民罷於役怨王、	十二 棄疾作亂自立、靈王自殺、復陳蔡、
	三
晉朝嗣君、	六
	五 楚平王復陳、立惠公、
年景侯子、[考證]蔡侯廬諡平、	二 楚平王復我立景侯子廬、[集解]徐廣曰、一本景侯子盧、[考證]景侯子、當作景侯
	二十六
	鄭定公寧元年
	七
年、[illegible]音秝、[考證]吳下缺子字、	二

		甲戌	
	十七	十八 后太子卒、[考證]后下似失崩字、	十九
	十四	十五 日蝕、公如晉、晉留之葬、公恥之、	十六
	二十	二十一	二十二
	四	五	六 公卒、六卿
	九	十	十一
	楚平王居元年、共王子、抱玉、	二 王爲太子取秦女、好、自取之、	三
	四	五	六
	七	八	九
	六	七	八
曾孫、	三	四	五
	二十七	曹平公須元年	二
	二	三	四
	燕共公元年	二	三
	三	四	吳僚元年、[考證]吳下缺子字

	二十	二十一	二十二
	十七 五月朔、日蝕、彗星見辰、[考證]五月乃六月之譌、彗亦宜作孛、又彗上缺冬字、	十八	十九
	二十三	二十四	二十五
彊、公室卑矣、	晉頃公去疾元年	二	三
	十二	十三	十四
	四 與吳戰、	五	六
	七	八 火	九
	十	十一 火	十二
	九	十 火	十一
	六	七	八
	三	四 平公薨、	曹悼
	五 火、欲禳之、子產曰、不如脩德、	六 火	七
	四	五 共公薨、	燕平
字、	二 與楚戰、	三	四

	二十三	二十四
地震、	二十 齊景公與晏子狩、入魯問禮、	二十一 公如晉至
	二十六 獵魯界、因入魯、	二十七
	四	五
	十五	十六
	七 誅伍奢、尙、太子建奔宋、伍胥奔吳、	八 蔡侯來奔、
	十 公毋信、詐殺公子、楚太子建來奔、見亂之鄭、[考證]世家公子上有諸字、	十一
	十三	十四
	十二	十三
	九 平侯薨、靈侯孫東國、殺平侯子而自立、[考證]東國之立、在後二年、	蔡悼侯東國元年
公午元年	二	三
	八 楚太子建從宋來奔、	九
公元年	二	三
	五 伍員來奔、	六

河、晉謝之、歸、日蝕、	二十五【考證】是年四月、王崩、立王子猛、十一月、猛卒、是爲悼王、雖未即
	二十二 日蝕、
	二十八
	六 周室亂、公平亂、立敬王、
	十七
	九
	十二
	十五
	十四
年、奔楚、【考證】是年、蔡侯朱之元年、非平國之弟悼侯東國之元年也、春秋書冬蔡侯朱出奔楚、奔楚亦是朱、非東國也、	二
	四
	十
	四
	七

位、而周人奉之、春秋載之、何得沒而不書、	敬王元年	二
	二十三 地震、	二十四 鸜鵒來巢、【考證】世家在二十五年、與春秋合、
	二十九	三十
	七	八
	十八	十九
	十 吳伐敗我、	十一 吳卑梁人爭桑、伐取我鍾離、
	十三	十四
	十六	十七
	十五 吳敗我兵、取胡沈、	十六
	三【考證】悼止二年、無三年、年表世家並妄、以蔡侯朱之一年并于悼侯耳、	蔡昭侯申元年、悼侯弟、
	五	六
	十一 楚建作亂、殺之、	十二 公如晉、請內王、
	五	六
	八 公子光敗楚、	九

甲申
三
二十五 公欲誅季氏、三桓氏攻公、公出居鄆、【索隱】音運、【考證】春秋二十五年、十二月、齊侯取鄆、二十六年三月、公居于鄆、而表書居于二十五年、取于十五年、齊未取、公安得居之、疑
三十一
九
二十
十二
十五
十八
十七
二
七
十三
七
十

	四	五
居鄆二字、奔齊之誤也、	二十六 齊取我鄆以處公、	二十七
	三十二 彗星見、晏子曰、田氏有德於齊、可畏、	三十三
	十 知櫟趙鞅內王于王城、	十一
	二十一	二十二
	十三 欲立子西、子西不肯、秦女子立、爲昭王、	楚昭王珍元年、誅無忌以說衆、
	宋景公頭曼元年、【索隱】音萬、	二
	十九	二十
	十八	十九
	三	四
	八	九
	十四	十五
	八	九
	十一	十二 公子光使專諸殺僚、自立、

六	七
二十八 公如晉求入、晉弗聽、處之乾侯、	二十九 公自乾侯如鄆、齊侯曰主君、公恥之、復之
三十四	三十五
十二 六卿誅公族、分其邑、各使其子爲大夫、	十三
二十三	二十四
二	三
三	四
二十一	二十二
二十	二十一
五	六
曹襄公元年、集解徐廣曰、一作聲、考證世家及人表作聲、	二
十六	鄭獻公蠆元年
十	十一
吳闔閭元年	二

	八	九	十 晉使諸侯爲我築城、
乾侯、	三十	三十一 日蝕、	三十二 公卒乾侯、
	三十六	三十七	三十八
	十四 頃公薨、	晉定公午元年	二 率諸侯爲周築城、
	二十五	二十六	二十七
	四 吳三公子來奔、封以扞吳、	五 吳伐我六潛、	六
	五	六	七
	二十三	二十四	二十五
	二十二	二十三	二十四
	七	八	九
	三	四	五 平公弟通、殺襄公自立、
	二	三	四
	十二	十三	十四
	三 三公子奔楚、	四 伐楚六潛、	五

		甲午
十一	十二	十三
魯定公宋元年、昭公喪自乾侯至、	二	三
三十九	四十	四十一
三	四	五
二十八	二十九	三十
七 囊瓦伐吳、敗我豫章、蔡侯來朝、考證囊瓦、楚大夫子常也、子囊之孫、	八	九 蔡昭侯留三歲、得裘故歸、
八	九	十
二十六	二十七	二十八
二十五	二十六	二十七
十 朝楚、以裘故留、	十一	十二 與子常裘、得歸、如晉請伐楚、
曹隱公元年	二	三
五	六	七
十五	十六	十七
六 楚伐我、迎擊敗之、取楚之居巢、	七	八

十四 與晉率諸侯侵楚、考證著衰之終、	十五	十六 王子
四	五 陽虎執季桓子、與盟釋之、日蝕、	六
四十二	四十三	四十四
六 周與我率諸侯侵楚、	七	八
三十一 楚包胥請救、	三十二	三十三
十 吳蔡伐我入郢、昭王亡、伍子胥鞭平王墓、	十一 秦救至、吳去、昭王復入、	十二 吳伐
十一	十二	十三
二十九 與蔡爭長、	三十	三十一
二十八	陳懷公柳元年	二
十三 與衛爭長、楚侵我、吳與我伐楚入郢、	十四	十五
四	曹靖公路元年、考證世家春秋路作露、	二
八	九	十 魯侵
十八	十九	燕簡公元
九 與蔡伐楚入郢、	十	十一 伐楚

朝之徒作亂、故王奔晉、	十七劉子迎王、晉入王、	十八
	七齊伐我、	八陽虎欲伐三桓、三桓攻陽虎、虎奔陽
	四十五侵衛伐魯、	四十六魯伐我、我伐魯、
	九入周敬王、	十伐衛、
	三十四	三十五
我番、楚恐徙鄀、【考證】都鄀音若、	十三	十四子西爲民泣、民亦泣、蔡昭侯恐、【考證】蔡
	十四	十五
	三十二齊侵我、	三十三晉魯侵伐我、【考證】伐字衍、
	三	四公如吳、吳留之、因死吳、
	十六	十七
	三	四靖公薨、
我、	十一	十二
年、	二	三
取番、	十二	十三陳懷公來、留之、死於吳、

	十九	二十
闞、	九伐陽虎、虎奔齊、	十公會齊侯於夾谷、【考證】司馬彪郡國志、在祝其縣西南、孔子相、齊歸我
	四十七囚陽虎、虎奔晉、	四十八
	十一陽虎來奔、	十二
	三十六哀公薨、	秦惠公元年、彗星見、【考證】彗星見、本紀左傳無徵、
世家書于前一年、	十五	十六
	十六陽虎來奔、	十七
	三十四	三十五
	陳湣公越元年	二
	十八	十九
	曹伯陽元年	二
	十三獻公薨、	鄭聲公勝元年、鄭益弱、
	四	五
	十四	十五

	二十一	二十二
地、	十一	十二齊來歸女樂、季
	四十九	五十遺魯女樂、
	十三	十四
	二生躁公、懷公、簡公、【考證】躁、音竈、秦惠之子、【考證】據秦紀、躁公懷公者惠公之曾孫、厲公者惠公之玄孫也、	三
	十七	十八
	十八	十九
	三十六	三十七伐曹、
	三	四
	二十	二十一
	三國人有夢、衆君子立社宮、謀亾曹、振鐸請待公孫彊、許之、	四衛伐我、
	二	三
	六	七
	十六	十七

	甲辰
	二十三
桓子受之、孔子行、【考證】魯世家同、孔子世家爲在定公十四年、衞世家爲在十三年、	十三
	五十一
	十五趙鞅伐范中行、【考證】定十三年左傳、鞅爲范中行所伐奔晉陽、
	四
	十九
	二十
	三十八孔子來、祿之如魯、
	五
	二十二
	五
	四
	八
	十八

	二十四	二十五
	十四	十五 定公薨、日蝕、
	五十二	五十三
	十六	十七
	五	六
也、未審有與[illegible]范中行之事也、疑當作范中行伐趙鞅、	二十	二十一 滅胡、以吳敗我、
	二十一	二十二 鄭伐我、
	三十九 太子蒯聵出奔、	四十
	六 孔子來、【考證】孔子世家、是時孔子尙在衞、適陳在十年、	七
	二十三	二十四
	六 公孫彊好射、獻鴈君、使爲司城、夢者子行、	七
	五 子產卒、	六 伐宋、
	九	十
	十九 伐越、敗我、傷闔閭指、以死、	吳王夫差元年

	二十六	二十七
	魯哀公將元年	二
	五十四 伐晉、	五十五 輸范中行氏粟、
	十八 趙鞅圍范中行朝歌、齊伐我、【考證】齊下缺衞字、	十九 趙鞅圍范中行、鄭來救、我敗之、
	七	八
倍之、	二十二 率諸侯圍蔡、	二十三
	二十三	二十四
	四十一 伐晉、	四十二 靈公薨、蒯聵子輒立、晉納太子蒯聵
	八 吳伐我、	九
	二十五 楚伐我、以吳怨故、	二十六 畏楚、私召吳人、乞遷于州來、州來近
	八	九
	七	八 救范中行氏、與趙鞅戰於鐵、敗我師、
	十一	十二
	二 伐越、	三

	二十八	二十九	三十
	三 地震、	四	五
	五十六	五十七 乞救范氏、	五十八 景公
	二十	二十一 趙鞅拔邯鄲栢人有之、	二十二 趙鞅
	九	十 惠公薨、	秦悼公元
	二十四	二十五	二十六
	二十五 孔子過宋、桓魋惡之、【考證】微服過宋、卽宋景二十二年事、	二十六	二十七
于戚、	衛出公輒元年	二	三 晉伐
	十	十一	十二
吳、	二十七	二十八 大夫共誅昭侯、	蔡成侯朔
	十 宋伐我、	十一	十二
	九	十	十一
	燕獻公元年	二	三
	四	五	六

	三十一	三十二
	六	七 公會
薨、立嬖姬子爲太子、	齊晏孺子元年、田乞詐立陽生殺孺子、	齊悼公陽
敗范中行、中行奔齊、伐衞、【考證】中行上缺范字、	二十三	二十四 侵衞
年	二	三
	二十七 救陳、王死城父、	楚惠王章
	二十八 伐曹、	二十九 侵鄭
我、救范氏故、	四	五 晉侵
	十三 吳伐我、楚來救、	十四
元年	二	三
	十三 宋伐我、	十四 宋圍
	十二	十三
	四	五
	七 伐陳、	八 魯會

	甲寅	
	三十三	三十四
吳王于繒、吳徵百牢、季康子使子貢謝之、	八 吳為邾伐我、至城下、盟而去、齊取我三邑、	九
生元年	二 伐魯取三邑、	三
	二十五	二十六
	四	五
元年	二 子西召建子勝於吳、為白公、	三
圍曹、	三十 曹倍我、我滅之、	三十一
我、	六	七
	十五	十六
	四	五
我、鄭救我、	十五 宋滅曹、虜伯陽、	
	十四	十五
	六	七
我繒、	九 伐魯、	十

	三十五	三十六
	十 與吳伐齊、	十一 齊伐
	四 吳魯伐我、齊鮑子殺悼公、齊人立其子壬、為簡公、	齊簡公元
	二十七 使趙鞅伐齊、	二十八
	六	七
伐陳、陳與吳故、	四 伐陳、	五
鄭圍我、敗之于雍丘、	三十二 伐鄭、	三十三
	八 孔子自陳來、	九 孔子
倍楚、與吳成、	十七	十八
	六	七
圍宋、敗我師雍丘、伐我、	十六	十七
	八	九
	十一、與魯伐齊救陳、【考證】捄陳、上音救、誅五員、	十二 與魯

	三十七
我、冉有言、故迎孔子、孔子歸、	十二 與吳會橐皋、【考證】橐、音託、皋、音高、縣名、在壽春也、用田賦、
年、魯與吳敗我、	二
	二十九
	八
	六 白公勝數請子西伐鄭、以父怨故、
	三十四
歸魯、	十 公如晉、與吳會橐皋、【考證】是時衞不服晉、安有如晉之事、又哀十二年左傳、與吳會橐皋者魯也、與吳會鄖
	十九
	八
	十八 宋伐我、
	十
敗齊、	十三 與魯會橐皋、

	三十八	三十九
	十三 與吳會黃池、	十四 西狩獲麟、衞出公來奔、
	三	四 田常殺簡公、立其弟驁、【考證】五高反、平公也、為平公、常相之、專國、
	三十 與吳會黃池爭長、	三十一
	九	十
	七 伐陳、	八
	三十五 鄭敗我師、	三十六
者衞也、	十一	十二 父蒯聵入、輒出亡、
	二十	二十一
	九	十
	十九 敗宋師、	二十
	十一	十二
	十四 與晉會黃池、	十五

	四十	四十一
	十五 子服景伯使齊、子貢爲介、齊歸我侵地、	十六 孔子
權、	齊平公驁元年、景公子也、齊自是稱田氏、【考證】呂氏雖微、豈有君從臣姓之理、稱字疑當作歸、景公子當作景公孫、	二
	三十二	三十三
	十一	十二
	九	十 白公
	三十七 熒惑守心、子韋曰善、	三十八
	衛莊公蒯聵元年	二
	二十二	二十三 楚滅
	十一	十二
	二十一	二十二
	十三	十四
	十六	十七

	四十二
卒、	十七
	三
	三十四
	十三
勝殺令尹子西、攻惠王、葉公攻白公、白公自殺、惠王復國、	十一
	三十九
	三 莊公辱戎州人、戎州人與趙簡
陳、殺湣公、【考證】滅陳在後一年、	
	十三
	二十三
	十五
	十八 越敗我、

	甲子
	四十三 敬王崩、【集解】徐廣曰、歲在甲子、
	十八 二十七卒、
	四 二十五卒、
	三十五 三十七卒、
	十四 卒、子厲公立、【考證】厲公當作厲共公、
	十二 五十七卒、
	四十 六十四卒、
子攻莊公、出奔、	衛君起元年、石傅逐起、【索隱】石傅逐君起、傅音圃、亦作尃、音敷、出輒復入、
	十四 十九卒、
	二十四 二十八卒、
	十六 二十八卒、
	十九 二十三卒、【索隱】二十三年滅、

【考證】張文虎曰、索隱二十三年滅、此各本刪存索隱文也、單行本索隱、於石傅逐君起條下、出敬王四十三年卒七字、注云、皇甫謐云、四十四年、當魯哀公十八年、二十七年卒、齊平公四年、二十五年卒、晉定公三十五年、三十七年卒、秦悼公十四年、子厲公立、楚惠王章、十二年、五十七年卒、宋景公四十年、十四年卒、衛君起元年、陳湣公楚滅之前年、蔡

朔十四年、十九年卒、曹伯陽立、十五年曹亡、在敬王四十三年、鄭聲公二十四年、四十八年卒、燕獻公十六年、二十八年卒、吳王夫差十九年、二十三年滅、案所引蓋帝王世紀文、中多舛誤、傳寫失之、據此疑史表本不著卒年、故小司馬詳引之以終其事、後人移書各公紀年下、合刻者反以索隱文複而刪之、又以吳表卒與滅不同、故獨存五字、而史文與小司馬書皆失其眞面矣、各本皆同、不敢增改、錄附於此、

【索隱】述贊、太史表次、抑有條理、起自共和、綴於孔子、十二諸侯、各編年紀、與亾繼及、盛衰臧否、惡不揜過、善必揚美、絕筆獲麟、義取同恥、

十二諸侯年表第二

史記十四

史記會注考證卷十五

漢　太史令　司馬遷　撰
宋　中郎外兵曹參軍　裴駰　集解
唐　國子博士弘文館學士　司馬貞　索隱
唐　諸王侍讀率府長史　張守節　正義
日本　出雲　瀧川資言　考證

六國年表第三　史記十五

【索隱】六國、魏韓趙楚燕齊、幷秦凡七國、號曰七雄、【考證】史公自序云、春秋之後、陪臣秉政、彊國相王、以至于秦、卒幷諸夏、滅封地、擅其號、作六國年表第三、愚按年字諸

本無、今依史公自序及索隱本增、表名六國、實紀七雄、亦猶十二諸侯表、實載十三國也、方苞曰、六國幷於秦、史記爲秦所焚、所表六國事迹、獨據秦紀、故通篇以秦爲經緯、陳仁錫曰、魏表附晉衞、韓表附鄭、楚表附魯蔡、齊表附宋、何也、以晉衞鄭魯蔡宋諸國爲魏韓楚齊所滅、故附記焉、亦以終十二諸侯事也、錢大昕曰、十二諸侯年表始于共和、共和以前、則三代世表紀之、終于周敬王四十三年、其時陳曹先亡耳、史公以六表繼之、三家分晉、魏得晉之故都、故魏人自稱晉國、而韓趙則否、史公以晉附魏、蓋以此、愚按吳越之事附楚表、亦以爲其所滅也、

太史公讀秦記、【索隱】卽秦國之史記也、故下云、秦燒詩書、諸侯史記尤甚、獨有秦記、又不載日月、是也、至犬戎敗幽王、周東徙洛邑、秦襄公始封爲諸侯、作西畤、用事上帝、僭端見矣。【考證】事見秦本紀封禪書、愚按是與天子南郊祭天者異、蓋依土俗祭祀耳、此時秦襄始封、豈可有窺周之事、自漢武事封禪、儒生方士附會爲說、史公亦爲其所誤也、禮曰。天子祭天地、諸侯祭其域內名山大川。【考證】禮記曲禮、天子祭天地、祭四方、祭山川、諸侯方祀、祭山川、春秋繁露王道篇、春秋立義、天子祭天地、諸侯祭社稷、諸山川不在封內不祭、今秦雜戎翟之俗、先暴戾後仁義、位在藩臣、而臚於郊祀。【索隱】案臚字訓陳也、出爾雅文、以言秦是諸侯、而陳天

子郊祀、實僭也、猶季氏旅於泰山然、【正義】臚、音旅、祭名、又旅、陳也、君子懼焉。【考證】岡白駒曰、懼其俗尚無所顧忌、僭端已見、不至伐周不已也、及文公踰隴攘夷狄、尊陳寶、營岐雍之閒、【考證】事見秦本紀封禪書、而穆公脩政、東竟至河、則與齊桓晉文中國侯伯侔矣。是後陪臣執政、大夫世祿、六卿擅晉權、征伐會盟、威重於諸侯。及田常殺簡公、而相齊國、諸侯晏然弗討、海內爭於戰功矣。三國終之卒分晉、田和亦滅齊而有之。六國之盛自此始。務在彊兵幷敵。謀詐用、而從衡短長之說起。【考證】主父偃傳、學長短縱橫之術、漢書張湯傳注、應劭云、短長術興於六國時、長短其語、隱謬用相激怒也、張晏云、蘇秦張儀之謀、趨彼爲短、歸此爲長、戰國策名短長術也、矯稱蠭出、誓盟不信、雖置質剖符、猶不能約束也。【考證】荀子大略篇、誥誓不及五帝、盟詛不及三王、交質子不及五伯、注、此言後世德義不足、雖要約轉深、猶不能固也、穀梁傳亦有此語、秦始小國僻遠、諸夏賓之、比於戎翟。至獻公

之後、常雄諸侯。論秦之德義、不如魯衞之暴戾者。【考證】賓、讀爲擯、周本紀、不顯亦不賓、楚世家、賓之南海、皆讀爲擯、論秦之德義不如魯衞之暴戾者、句法詞氣、正與魯仲連傳三秦之大臣、不如鄒魯之僕妾、論語夷狄之有君、不如諸夏之亡同、言魯衞暴戾之人、尚且勝秦之有德義者也、量秦之兵、不如三晉之彊也。然卒幷天下、非必險固便形埶利也。蓋若天所助焉。【考證】魏世家贊云、說者皆曰、魏以不用信陵君、故國削弱至於亡、余以爲不然、天方令秦平海內、與此同意、或曰。東方物所始生、西方物之成孰。【考證】尚書堯典、分命羲仲宅嵎夷、平秩東作、分命和仲宅西、平秩西成、彼就農政而言、此就國勢而言、夫作事者必於東南。收功實者常於西北。故禹興於西羌、【集解】皇甫謐曰、孟子稱禹生石紐、西夷人也、傳曰、禹生自西羌、是也、【正義】禹生於茂州汶川縣、本冄駹國、皆西羌、【考證】今孟子無禹生自西羌之文、湯起於亳、【集解】徐廣曰、京兆杜縣有亳亭、【考證】錢大昕曰、殷本紀湯始居亳、皇甫謐云、梁國穀熟爲南亳、湯所都也、立政有三亳、說者以爲湯始居南亳、在宋州穀熟縣西南、後徙西亳、卽河南偃師縣、而景亳湯所盟地、則宋州北五十里大蒙城也、三亳非一地、要非京兆之亳亭明矣、此篇稱作事者必于東南、收功實者常於西北、乃泝禹與湯之起亳、則史公固以關中之亳爲湯之亳矣、周之王也、

以豐鎬伐殷、秦之帝、用雍州興、漢之興、自蜀漢。【考證】方植之曰、辭雖論秦、意乃指漢、而漢之興自蜀漢句、徑將漢事揭出爲賓、　秦既得意、燒天下詩書。諸侯史記尤甚。爲其有所刺譏也。詩書所以復見者、多藏人家。而史記獨藏周室。以故滅。惜哉惜哉。【考證】梁玉繩曰、史公言秦盡滅史記、固也、然攷漢書律歷志、引六國春秋、藝文志載世本十五篇、靑史子五十七篇、又天官書云、余觀史記攷行事、自序傳云、紬史記石室金匱之書、其餘歷諜尙多、史公嘗讀而著之、則諸侯之史、當時猶有存者、安得以爲盡滅不見耶、　獨有秦記。又不載日月。其文略不具。然戰國之權變、亦有可頗采者。何必上古。【考證】秦本紀多左傳國語國策所不記載、史公蓋取之秦記也、　秦取天下多暴。然世異變成功大。【索隱】以言人君制法、當隨時代之異而變易其政、則其成功大、【考證】方苞曰、言秦取天下雖多暴、然世變既與古異、而秦混一海宇、革古制法、成功甚大、　傳曰。法後王。何也。【考證】荀子非相篇、欲觀聖王之跡、則於其粲然者、後王是也、彼後王者天下之君也、舍後王而道上古、譬之、是猶舍己之君而事人之君也、　以其近己、而俗變相類、議卑而易行也。【正義】易、以豉反、後王、近代之王、法與己連接、世俗之變及相類也、故議卑淺、而易識行耳、【考證】己、音紀、俗、風俗、變、變故、岡白駒曰、議卑易行、免迂濶之弊、　學者牽於所聞、見秦在帝位日淺、不察其終始。因舉而笑之、不敢道。【索隱】舉、猶皆也、【考證】岡白駒曰、所聞、先王仁義之說、舉而笑之、舉秦以暴取天下事以笑也、舉如字、索隱非、　此與以耳食無異。悲夫。【索隱】案言俗學淺識、舉而笑秦、此猶耳食不能知味也、　余於是因秦記、踵春秋之後、起周元王、【索隱】案此表起周元王元年、春秋迄元王八年、　表六國時事、訖二世、凡二百七十年、著諸所聞興壞之端。【考證】崔適曰、周元王元年乙丑、至秦二世三年甲午、計二百七十年、　後有君子以覽觀焉。【考證】錢大昕曰、表始于周元王元年、卽晉定公三十六年也、魏獻子舒以魯定公元年卒、韓宣子起之卒、當更在其前、安得此時尙存乎、三家分晉、唯趙氏最强、世次分明、故於表首著簡子四十二年、而魏韓闕之、蓋魏自文侯、韓自武子以後、年數乃可表也、後人益獻子宣子字於魏韓下、失史公之旨矣、梁玉繩說同、張文虎曰、單本索隱、此表唯出趙簡子、無魏獻韓宣、蓋所見本尙未增入、

周元王	元年【集解】徐廣曰、乙丑、皇甫謐曰、元年癸酉、二十八年庚子崩、【索隱】元王名仁、系本名赤、敬王子、八年崩、子定王介立也、【考證】通鑑元王元年丙寅、則乙丑則敬王四十四年、與徐廣又異、梁玉繩曰、此乃周敬王四十四年、非元王元年也、敬王之年、本紀既誤爲四十二、而十二諸侯年表復誤爲四十三年、遂以敬王末年爲元王之元、其所列七國之事、俱各差一年矣、汪越曰、冠周于上、周雖衰未亡也、至赧王五十九年卒、
秦厲共公	元年【索隱】悼公子、三十四年卒、子躁公立、
魏獻子	衞出公輒後元年【索隱】二十一年、季父黔、逐出公而自立、曰悼公也、
韓宣子	
趙簡子	【索隱】案系家、簡子名鞅、文子武之孫、景叔成之子也、四十二【索隱】案簡子以頃公九年在位、頃公十四年卒、而定公立、定公明年三十七年卒、是四十二爲簡子在位之年、又至出公十七年卒、在位六十年也、
楚惠王	章十三年【集解】徐廣曰、亦魯哀公十九年、【索隱】五十七年卒、吳伐我、【考證】楚世家、是年亦有是文、左傳無、或云、當作越伐我、
燕獻公	十七年【索隱】二十八年卒、
齊平公	鷔五年【索隱】二十五年卒、已上當竝元王元年、

而絕、不卽予秦者、秦未并天下也、蓋闕不書王者三十三年、	二	三
	二 蜀人來賂、	三
	晉定公卒、【索隱】系本定公名午、	晉出公錯元年【索隱】系本名鑿、
	四十三	四十四
	十四 越圍吳、吳怨、【考證】怨當作恐、	十五
	十八	十九
	六	七 越人始來、【考證】齊平公七年、爲魯哀廿

	四	五
	四	五 楚人來賂、
【考證】晉世家作鑿、		
	四十五	四十六
	十六 越滅吳、	十七 蔡景侯卒、【索隱】案景字誤、合作成侯、徐廣不辨、卽言或作成、案
	二十	二十一
一年、左傳書越人始來、謂遣使至魯也、豈亦兼聘于齊乎、	八	九 晉知伯瑤來伐我、

	六	七
	六 義渠來賂、繇諸乞援、【集解】音義曰、援一作爰、【考證】繇諸疑繇諸之譌、蓋戎國、後此二十年與繇諸戰、	七
	四十七	四十八
景侯卽成侯之高祖父也、	十八 蔡聲侯元年【索隱】名產、成侯之子、	十九
	二十二	二十三
	十	十一

	八	定王元年【集解】徐廣曰、癸酉、
彗星見、【考證】秦紀無之、	八	九
衞莊公飮大夫不解履、公怒、卽攻公、公奔宋、【考證】莊公乃出公之誤、履乃襪之誤、		
	四十九	五十
王子英奔、	二十	二十一
	二十四	二十五
	十二	十三

左傳盡此、皇甫謐曰、貞定王元年癸亥、十年壬申崩、【索隱】名介、二十八年崩、【考證】元年爲敬王末年、故元王八年其實止七年也、	二
	十 庶長將兵拔魏城、【集解】音
	五十一
	二十二 魯哀公卒、【索隱】系本名蔣、
	二十六
	十四

	三
義拔一作捕、【考證】魏城、秦地、不可言拔、當作補、若後年補龐、戲城補龐、彗星見、	十一
	五十二
【考證】魯哀卒於楚惠二十一年、此後一年、疑表中凡前後一年、皆傳寫譌、此類甚多、不能悉正、	二十三 魯悼公元年、三桓勝、魯如小侯、【索隱】
	二十七
	十五

	四	五
	十二	十三
		知伯伐鄭、駟桓子如齊求救、【考證】桓子、蓋駟宏之謚、左傳
	五十三	五十四 知伯謂簡子、欲廢太子襄子、襄子怨知伯、
魯悼公、系本名寧、【考證】魯悼之元、當書楚惠二十二年、	二十四	二十五
	二十八	燕孝公元年
	十六	十七 救鄭、晉師去、中行文子謂田常、乃今知所以亡、【考證】事

	六	七
	十四 晉人楚人來賂、	十五
不見、	鄭聲公卒、【考證】聲公名勝、獻公子也、三十七年卒、子哀公易立、八年弒、弟丑立、爲共公、	鄭哀公元年
	五十五	五十六
	二十六	二十七
	二	三
在十三年、	十八	十九

八	九	十	十一	十二
十六 塹阿旁、伐大荔、補龐戲城、【考證】凌本、阿作河、與秦紀合、	十七	十八	十九	二十 公將師與緜諸戰、
五十七	五十八	五十九	六十	襄子、【索隱】名無恤、三卿叛智伯晉陽、分其地、
二十八	二十九	三十	三十一	三十二 蔡聲侯卒、【索隱】
四	五	六	七	八
二十	二十一	二十二	二十三	二十四

始有三晉也、 元年、未除服、登夏屋、誘代王、以金斗殺代王、封伯魯子周爲代成君、【考證】襄子元年、當在越圍吳之歲、趙世家云、越圍吳、襄子降
子元侯立、

	十三
	二十一
	晉哀公忌元年、【正義】表云、晉
襄食滅代、亦此年事、而表書襄子元年于晉出公十七年之後者、因妄稱簡子六十年卒、增多十八年、故襄子立年減退、其實立于晉定公三十七年也、	二
	三十三 蔡元侯元年
	九
	二十五

出公錯十八年、晉哀公忌二年、晉懿公驕立十七年而卒、世本云、昭公生桓子雝、雝生忌、忌生懿公驕、世家云、晉出公十七年、晉哀公驕十八年、而無懿公、案出公道死、智伯

乃立昭公曾孫驕爲晉君、是爲哀公、哀公大父雍、晉昭公少子、號戴子、生忌、忌善智伯、欲并晉、未敢、乃立忌子驕爲君、據三處不同、未知孰是、【考證】晉世家索隱引年表與

此正義略同、據此則表有晉懿公元、共蓋在此後三年、當定王十五、單本索隱於六國表齊宣公就匜下出晉懿公驕四字、注云哀公忌之子、生曲公柳也、共次正相當、而

十四　十五

二十二　二十三

今表失去懿公一代、各本皆然、

衛悼公黔元年、【考證】左傳哀廿六年、悼公立、當表周元王七年、此書于定王十四年、誤矣、說詳于志疑、

三　四

與智伯分范中行地、【考證】智伯下脫韓魏字、韓魏表亦當有此八字、

三十四　三十五

十　十一

齊宣公就匜元年、【集解】本作積、【索隱】積、平公子、立五十一年、子康公貸立、

二

十六　十七

二十四　二十五　晉大夫

魏桓子敗智伯于晉陽、【索隱】桓子名駒、

韓康子敗智伯于晉陽、【索隱】康子名虎、

五　趙襄子敗智伯晉陽、與魏韓三分其地、　六

三十六　三十七

十二　十三

三　四

	十八
智開率其邑來奔、	二十六 左庶長城南鄭、
	七
	三十八
	十四
	五 宋景公卒、【集解】徐廣曰、案左傳、景公死至此九十九年、【索隱】案系家、景公、元公子、名頭曼、已見十二諸侯表、

徐廣云、案左傳、景公卒至此九十九年、謬矣、景公立六十四年、卒、公子特殺太子自立、號昭公、與前昭公杵臼又歷五君、相去略九十年、故誤也、昭公立四十七年、悼公購立、

	十九
	二十七
	衛敬公元年、【索隱】
	八
	三十九 蔡侯齊元年
	十五
【考證】案十二諸侯表、敬王四十三年、宋景公四十、六十四年卒、世家同、則景公卒、當在齊宣三年、此表後二年、疑亦傳寫誤、	六 宋昭公元年、【考證】

	二十	二十一
	二十八 越人來迎女、	二十九 晉大夫智寬率其邑人
悼公黚之子也、【考證】敬公之元、依悼公在位五年數之、當在周定王五年、		
	九	十
	四十	四十一
	燕成公元年	二
宋昭之元、當在齊平三十年、	七	八

	二十二		二十三	二十四	二十五
來奔、[考證]智伯敗滅六年、而寬始奔秦、疑前二十五年智開事重出、	三十		三十一	三十二	三十三 伐義渠、
	十一		十二	十三	十四
	四十二	楚滅蔡、	四十三	四十四 滅杞、杞、夏之後、	四十五
	三		四	五	六
	九		十	十一	十二

	二十六	二十七	二十八	考王元年、[集解]徐廣曰、辛丑	二	三
虜其王、	三十四 日蝕晝晦、星見、	秦躁公元年	二 南鄭反、	三	四	五
	十五	十六	十七	十八	十九	二十
	四十六	四十七	四十八	四十九	五十	五十一
	七	八	九	十	十一	十二
	十三	十四	十五	十六	十七	十八

四	五	六	七	八
六	七	八 六月雨雪、日月蝕、	九	十
晉幽公柳元年、服韓魏、[考證]魏下疑脫趙、				
二十一	二十二	二十三	二十四	二十五
五十二	五十三	五十四	五十五	五十六
十三	十四	十五	十六	燕湣公元年
十九	二十	二十一	二十二	二十三

九	十	十一	十二、
十一	十二	十三 義渠伐秦、侵至渭陽、[考證]秦當作我、	十四
	衛昭公元年、[考證]昭公之元、當在周定王二十四年、		
二十六	二十七	二十八	二十九
五十七	楚簡王仲元年、滅莒、	二	三
二	三	四	五
二十四	二十五	二十六	二十七

	十三
	秦懷公元年、生靈公、考證梁玉繩曰、靈乃懷之孫、
	三十
魯悼公卒、考證魯悼在位三十七年、漢志依世家、是也、其卒當楚簡之元年、此書于三年、	四　魯元公元年、考證魯元公之元、當
	六
	二十八

	十四	十五	威烈王元年、集解徐廣曰、丙辰、索隱名午、考王子、
張文虎曰、表於是年書生靈公、而於靈公下書生獻公、首尾僅五年、錯誤甚矣、	二	三	四　庶長鼂殺懷公、太子蚤死、大臣立太子之子、爲
			衞悼公亹元年、考證衞悼元年、當在考王二年、
	三十一	三十二	三十三　襄子卒、
在楚簡二年、	五	六	七
	七	八	九
	二十九	三十	三十一

	二	三
靈公、	秦靈公元年、生獻公	二
	魏文侯斯元年、索隱生武侯擊也、考證魏斯于二十二年爲侯、不應追紀元、下格韓趙亦然、	二
	韓武子元年、索隱武子啓章、生景侯虔、	二　鄭幽公元年、韓殺之、考證案鄭世家、幽之
	趙桓子元年、索隱桓子嘉、襄子弟也、元年卒、明年國人共立襄子子獻侯完也、	趙獻侯元年、考證獻公是追尊、不可紀元、
	八	九
	十	十一
	三十二	三十三

	四	
	三	作上下畤、
	三	
前、爲共公丑、嗣哀而立、于周定王十五年、在位三十一年、卒于威烈王二年、表失書共公、直以幽繼哀、	三	鄭立幽公子爲繻公元年、
	二	
	十	
	十二	
	三十四	

五	六	七
四	五	六
四	五 魏誅晉幽公、立其弟止、考證世家云、盜殺幽公、魏文侯以兵誅晉亂、表有脫誤、世家又以烈公止爲幽公子、	六 晉烈公止元年、
四	五	六
三	四	五
十一	十二	十三
十三	十四	十五
三十五	三十六	三十七

	八	九
	七 與魏戰少梁、	八 城塹河瀕、初以君主妻河、索隱謂初以此年取他女爲君主、君主猶公主也、妻河、謂嫁
魏城少梁、	七	八 復城少梁、
	七	八
	六	七
	十四	十五
	十六	十七
	三十八	三十九

	十	十一
之河伯、故魏俗猶爲河伯取婦、蓋其遺風、殊異其事、故云初、	九	十 補龐城籍姑、靈公卒、立其季父悼子、是爲簡公、索隱案龐及籍姑皆城邑之
	九	十
	九	十
	八	九
	十六	十七
	十八	十九
	四十	四十一

	十二	十三
名補者脩也、謂脩龐而城籍姑也、	秦簡公元年	二 與晉戰、敗鄭下、
	十一 衛愼公元年、考證愼公元、當在考王十三年、	十二
	十一	十二
	十 中山武公初立、集解徐廣曰、周定王之孫、西周桓公之子、	十一
	十八	十九
	二十	二十一
	四十二	四十三 伐晉、毀黃城、圍陽狐、

十四	十五	十六
三	四	五　日蝕、
十三　公子擊圍繁龐、出其民、	十四	十五
十三	十四	十五
十二	十三　城平邑、	十四
二十	二十一	二十二
二十二	二十三	二十四
四十四　伐魯莒及安陽、【考證】安陽、非魯地、世家莒作葛、安陽作安陵、	四十五　伐魯取都、【集解】徐廣曰、世家云、取一城、	四十六

十七	十八
六　初令吏帶劍、	七　塹洛城、重泉、初租禾、【考證】秦紀在簡公六年、
十六　伐秦、築臨晉元里、	十七　擊宋中山、伐秦至鄭、還築洛陰、郃陽、【集解】徐廣曰、一云、擊宋中山、置合陽、世家云、攻秦至鄭而還、築雒陰合
十六	韓景侯虔元年、伐鄭、取雍丘、鄭城京、
十五	趙烈侯籍元年、魏使太子伐中山、
二十三	二十四　簡王卒、
二十五	二十六
四十七	四十八　取魯郕、

十九	二十	二十一
八	九	十
陽、【考證】據魏趙世家、宋當作守、　十八　文侯受經子夏、過段干木之閭、常式、	十九	二十　卜相、李
二　鄭敗韓于負黍、【考證】韓當作我、	三	四
二	三	四
楚聲王當元年、魯穆公元年、【考證】魯穆之元、當在楚簡王二十三年、	二	三
二十七	二十八	二十九
四十九　與鄭會于西城、伐衛取毋、【集解】音館、	五十	五十一　田會以

	二十二	二十三　九鼎震、	二十四
	十一	十二	十三
克翟璜爭、	二十一	二十二　初爲侯、	二十三
	五	六　初爲侯、	七
	五	六　初爲侯、	七　烈侯好音、欲賜歌者田、
	四	五　魏韓趙始列爲諸侯、	六　盜殺聲王、
	三十	三十一	燕釐公元年
廩丘反、	齊康公貸元年	二　宋悼公元年、【考證】宋悼之元、當在齊宣三十五年、	三

	安王元年、集解 徐廣曰、庚辰、	二
	十四 伐魏至陽狐、	十五 考證 本紀作十六
	二十四 秦伐我至陽狐、	二十五 太子罃
	八	九 鄭圍陽
徐越侍以仁義、乃止、考證 世家以節儉侍者徐越、以仁義侍者牛畜、此撮要互異、而又失、	八	九
	楚悼王類元年、考證 世家、類作熊疑、	二 三晉來
	二	三
	四	五

	三 王子定奔晉、	四
年簡公卒、	秦惠公元年、索隱 簡公子、史無名、	二
生、考證 罃、太子罃子、今本缺下子字	二十六 虢山崩、壅河、	二十七
翟、考證 圍下缺我字、	韓烈侯元年、索隱 名取、系本作武侯也、	二 鄭殺其相駟子陽、
	趙武公元年、考證 前烈侯、後敬侯、不應武獨稱公、	二
伐我至桑丘、考證 世家、桑丘作乘丘、	三 歸楡關于鄭、	四 敗鄭師、圍鄭、鄭人殺子陽、
	四	五
	六	七

五		六
三 日蝕、		四
二十八		二十九
三 鄭人殺君、考證 鄭人殺君、是羨文、即後年弑繻公事、誤重于前一年、	三月、盜殺韓相俠累、集解 徐廣曰、一作浹其、	四
三		四
五		六
六		七
八		九

	七	八
	五 伐緜諸、	六
	三十	三十一
鄭相子陽之徒、殺其君繻公、	五 鄭康公元年	六 救魯、鄭負黍
	五	六
	七	八
	八	九
	十 宋休公元年、考證 宋休之元、當在齊宣公四十三年、	十一 伐魯取最、

			反、				
九	七	三十二 伐鄭、城酸棗、	七	七	九 伐韓、取負黍、	十	十二
十	八	三十三 晉孝公頎元年	八	八	十	十一	十三
十一	九 伐韓宜陽、取六邑、	三十四	九 秦伐宜陽、取六邑、	九	十一	十二	十四
十二	十 與晉戰武城、縣	三十五 齊伐取襄陵、	十	十	十二	十三	十五 魯敗我平陸、

	陝、						
十三	十一 太子生、【考證】秦紀在十二年、	三十六 秦侵陰晉、	十一	十一	十三	十四	十六 與晉衞會濁澤、
十四	十二	三十七	十二	十二	十四	十五	十七
十五	十三 蜀取我南鄭、【考證】秦紀作伐蜀取南鄭、	三十八	十三	十三	十五	十六	十八
十六	秦出公元年、【索隱】惠	魏武侯元年、	韓文侯元年	趙敬侯元年、	十六	十七	十九 田常曾

	公子、	襲邯鄲、敗焉、【索隱】武侯名擊、		武公子朝作亂奔魏、			孫田和、始列爲諸侯、遷康公海上、食一城、【索隱】和、田常曾孫、二年亦號太公、
十七	二 庶長改、迎靈公太子、立爲獻公、誅出公、	二 城安邑王垣、	二 伐鄭取陽城、伐宋到彭城、執宋君、	二	十七	十八	二十 伐魯破之、田和卒、

十八	秦獻公元年、【索隱】名師隰、靈公太子、	三	三	三	十八	十九	二十一 田和子桓公午立、
十九	二 城櫟陽、	四	四	四 魏敗我兎臺、【索隱】兎、土故反、字亦作菟、	十九	二十	二十二
二十	三 日蝕、晝晦、	五	五	五	二十	二十一	二十三
二十一	四 孝公生、	六	六	六	二十一	二十二	二十四

周	秦	魏	韓	趙	楚	燕	齊
二十二	五	七　伐齊至桑丘、	七　伐齊至桑丘、鄭敗晉、【考證】世家、敗作反、	七　伐齊至桑丘、	楚肅王臧元年	二十三	二十五　伐燕取桑丘、
二十三	六　初縣蒲藍田善明氏、	八	八	八　襲衛不克、	二	二十四	二十六　康公卒、田氏遂幷齊而有之、太公望之後絕祀、
二十四	七	九　翟敗我澮、伐齊至靈丘、	九　伐齊至靈丘、	九　伐齊至靈丘、	三	二十五	齊威王因齊元年、自田常至威王、威王始以齊彊天下、【考證】或云、衍威王二字、或云、當補六世二字、威王之名、世家及魯仲連傳、竝作因齊、國策作嬰齊、或依莊子則陽篇爲牟、或依司馬穰苴傳爲因、
二十五	八	十　晉靜公俱酒元年	十	十	四　蜀伐我茲方、	二十六	二
二十六	九	十一　魏韓趙滅晉、絕無後、	韓哀侯元年、分晉國、	十一　分晉國、	五　魯共公元年	二十七	三　三晉滅其君、
烈王元年、【集解】徐廣曰、丙午、	十　日蝕、	十二	二　滅鄭、康公二十年、滅無後、【考證】康公二十一年滅、表缺一字、	十二	六	二十八	四
二	十一　縣櫟陽、	十三	三	趙成侯元年	七	二十九	五
三	十二	十四	四	二	八	三十　敗齊林營、	六　魯伐入陽關、晉伐到鱄陵、【索隱】劉氏鱄音屬、沈反、又音專、【考證】世家、鱄陵作博陽、

四
十三
十五　衛聲公元年、【考證】衛聲之元、爲魏武元年、當書于安王十六年、敗趙北藺、
五
三　伐衛取都鄙七十三、魏敗我藺、
九
燕桓公元年
七　宋辟公元年【索隱】辟、音璧、辟公名辟兵、生剔成、案宋後微弱、君薨未必有諡、辟兵其名也、猶剔成然也、【考證】辟公之元、當書于齊康之十五年、此在

	五	六　【集解】徐廣曰、齊威王朝周、	七
	十四	十五	十六　民大疫、日蝕、
	十六　伐楚取魯陽、	惠王元年、【考證】惠王上失書魏字、	二　敗韓馬陵、
	六　韓嚴殺其君、	莊侯元年、【索隱】系家作懿侯、系本無、	二　魏敗我馬陵、
	四	五　伐齊于甄、魏敗我懷、	六　敗魏涿澤、圍惠王、
	十　魏取我魯陽、	十一	楚宣王良夫元年
	二	三	四
威王七年、誤、	八	九　趙伐我甄、	十　宋剔成元年、【考證】剔成之元、當書

	顯王元年、【集解】徐廣曰癸丑、	二	三
	十七　櫟陽雨金、四月至八月、【考證】本紀在十八年、	十八	十九　敗韓魏洛陰、
	三　齊伐我觀、	四	五　與韓會宅陽、城武都、【考證】世家、武都作
	三	四	五
	七　侵齊至長城、	八	九
	二	三	四
	五	六	七
于齊康十八年、	十一　伐魏取觀、趙侵我長城、	十二	十三

	四	五　賀秦、
	二十	二十一　章蟜【集解】徐廣曰、一云車騎、與晉戰石門、【集解】徐廣曰、一作阿、斬首六萬、天子
武堵、	六　伐宋取儀臺、	七
	六	七
	十	十一
	五	六
	八	九
	十四	十五

賀、【考證】晉、言魏也、	六	七	八
	二十二	二十三 與魏戰少梁、虜其太子、【考證】本紀太子作公孫痤、	秦孝公元年、彗星見西方、
	八	九 與秦戰少梁、虜我太子、	十 取趙皮牢、衛成侯
	八	九 魏敗我于澮、大雨三月、	十
	十二	十三 魏敗我于澮、	十四
	七	八	九
	十	十一	燕文公元年
	十六	十七	十八

	九 致胙于秦、【集解】徐廣曰、紀年東周惠公傑薨、	十
	二 天子致胙、	三
元年、【考證】衛成之元、在武侯十二年、非惠王之十年、	十一	十二 星晝墜、有聲、
	十一	十二
	十五	十六
	十	十一
	二	三
	十九	二十

十一	十二	十三
四	五	六
十三	十四 與趙會鄗、	十五 魯衛宋鄭侯來、【集解】徐廣曰、紀年一曰魯共
韓昭侯元年、秦敗我西山、	二、宋取我黃池、魏取我朱、	三
十七	十八 趙孟如齊、【考證】趙孟別是一人、非成侯、	十九 與燕會河、與齊宋會平陸、
十二	十三 君尹黑迎女秦、【考證】君尹疑右尹、	十四
四	五	六
二十一 鄒忌以鼓琴見威王、	二十二 封鄒忌爲成侯、	二十三 與趙會平陸、

	十四	十五
	七 與魏王會杜平、【考證】魏未稱王、	八 與魏戰元里、斬首七千、取少梁、
侯來朝、邯鄲成侯會燕成侯平安邑、	十六 與秦孝公會杜平、侵宋黃池、宋復取之、	十七 與秦戰元里、秦取我少梁、
	四	五
【考證】世家河作阿、	二十	二十一 魏圍我邯鄲、
	十五	十六
	七	八
	二十四 與魏會田於郊、	二十五

十六	十七
九	十 衛公孫鞅爲大良造、伐安邑、降之、[考證] 安
十八 邯鄲降、齊敗我桂陵、	十九 諸侯圍我襄陵、築長城、塞固陽、
六 伐東周、取陵觀、廩丘、[考證] 世家作陵觀邢丘、倶非東周之地、或云、皆邑聚名、	七
二十二 魏拔邯鄲、	二十三
十七	十八 魯康公元年、[考證] 魯康之元、在十六年、
九	十
二十六 敗魏桂陵、	二十七

	十八	十九
邑字誤、卽後年降固陽事也、降之二字衍、	十一 城商塞、衛鞅圍固陽、降之、	十二 初取小邑、爲三十一縣、令、爲田開阡陌、[考證] 取
	二十 歸趙邯鄲、	二十一 與秦遇彤、[索隱] 彤、地名、賜商君、死彤地、劉氏云、阡陌道、非也、
	八 申不害相、	九
	二十四 魏歸邯鄲、與魏盟漳水上、	二十五
	十九	二十
	十一	十二
	二十八	二十九

	二十	二十一
當作聚、依本紀三十一當作四十一、縣下脫每縣二字、	十三 初爲縣、有秩史、	十四
	二十二	二十三
	十 韓姬弑其君悼公、[索隱] 姬、一作玘、同、晉怡韓之大夫姓名、案韓無悼公、所未詳也、	十一
	趙肅侯元年、[索隱] 名語、	二
	二十一	二十二
	十三	十四
	三十	三十一

	二十二	二十三	二十四	二十五 諸侯會、	
初爲賦、	十五	十六	十七	十八	
	二十四	二十五	二十六	二十七 丹封名會、丹、魏大臣、	
昭侯如秦、	十二	十三	十四	十五	
	三 公子范襲邯鄲、不勝死、	四	五	六	
	二十三	二十四	二十五	二十六	
	十五	十六	十七	十八	
	三十二	三十三 殺其大夫牟辛、	三十四	三十五 田忌襲齊、不勝、	

	二十六 致伯秦、	二十七
	十九 城武城、從東方牡丘來歸、天子致伯、	二十 諸侯畢賀、會諸侯于澤、
考證 魏相白圭名丹、或是人、名會或于滑之訛、	二十八	二十九 中山君爲相、
	十六	十七
	七	八
	二十七 魯景公偃元年、	二十八 考證 景公之元、當書楚宣二十五年、
	十九	二十
	三十六	齊宣王辟彊元年

	二十八
朝天子、集解 徐廣曰、紀年作逢澤、考證 秦紀亦有逢字、	二十一 馬生人、
	三十 齊虜我太子申、殺將軍龐涓、
	十八
	九
	二十九
	二十一
	二 敗魏馬陵、田忌田嬰田盼將、孫子爲師、集解 徐廣曰、楚世家云、田盼者齊之將、而齊世家

	二十九	三十
	二十二 封大良造商鞅、	二十三 與晉戰岸門、考證 秦紀云、孝公二十四年、與晉戰雁
	三十一 秦商君伐我、虜我公子卬、	三十二 公子赫爲太子、
	十九	二十
	十	十一
	三十	楚威王熊商元年
	二十二	二十三
不說田盼者、或是時三人皆出征乎、	三 與趙會伐魏、考證 世家集解引表、會下有博望二字、	四

	三十一	三十二
門、	二十四 秦大荔圍合陽、孝公薨、商君反、死彤地、考證 彤地、彭池之訛、彭池卽黽池、	秦惠文王元年、楚韓趙蜀入來、
	三十三 衞鞅亡歸我、我恐弗內、考證 恐當作怒、	三十四
	二十一	二十二 申不害卒、
	十二	十三
	二	三
	二十四	二十五
	五	六

三十三 賀秦、	三十四	三十五	三十六	三十七	三十八	三十九	四十	四十一
二 天子賀、行錢、宋太丘社亡、考證 表附宋于齊、此是宋事、何以書于秦乎、	三 王冠、拔韓宜陽、考證 拔、疑攻之訛、下格同、	四 天子致文武胙、魏夫人來、	五 陰晉人犀首爲大良造、	六 魏以陰晉爲和、命曰寧秦、集解 徐廣曰、今之華陰、	七 義渠內亂、庶長操將兵定之、	八 魏入少梁河西地于秦、考證 紀魏世家竝不言少梁、前二十五年孝公已取少梁矣、此當衍少梁字、	九 度河取汾陰皮氏、圍焦降之、與魏會應、	十
三十五 孟子來、王問利國、對曰、君不可言利、	三十六	魏襄王元年、與諸侯會徐州、以相王、考證 當依紀年、襄王元年、作惠王後元年、	二 秦敗我彫陰、	三 伐趙、衛平侯元年、考證 衛平之元、當書于魏惠王二十五年、	四	五 與秦河西地少梁、秦圍我焦曲沃、考證 依世家、秦圍我焦曲沃六字、當在與秦河西地上、	六 與秦會應、秦取汾陰皮氏、	七
二十三	二十四 秦拔我宜陽、	二十五 旱、作高門、屈宜臼曰、昭侯不出此門、	二十六 高門成、昭侯卒、不出此門、	韓宣惠王元年	二	三	四	五
十四	十五	十六	十七	十八 齊魏伐我、我決河水浸之、	十九	二十	二十一	二十二
四	五	六	七 圍齊于徐州、	八	九	十	十一 魏敗我陘山、	楚懷王
二十六	二十七	二十八 蘇秦說燕、	二十九	燕易王元年	二	三	四	五
七 與魏會平阿南、	八 與魏會于甄、	九 與魏會徐州、諸侯相王、	十 楚圍我徐州、	十一 與魏伐趙、	十二	十三	十四	十五

	四十二	四十三	四十四
張儀相、公子桑圍蒲陽降之、魏納上郡、	十一　義渠君爲臣、歸魏焦曲沃、	十二　初臘、會龍門、	十三
入上郡于秦、	八　秦歸我焦曲沃、	九	十
	六	七	八
槐元年	二十三	二十四	趙武靈
	二	三	四
	六	七	八
宋君偃元年、【考證】宋偃之元、當書威王三十三年、	十六	十七	十八

	四十五	四十六
四月戊午、君爲王、	相張儀、將兵取陝、初更元年、	二　相張儀、與齊楚會齧桑、【考證】魏亦在會、
	十一　衞嗣君元年	十二
魏敗我韓舉、	九	十　君爲王、
王元年、魏敗我趙護、	二　城鄗、【考證】世家在三年、	三
	五	六　敗魏襄陵、
	九	十　君爲王、
	十九　【考證】齊宣湣二王之年、史記與孟子不合、說具于世家、	齊湣王元年

四十七	四十八	慎靚王元年、【集解】徐廣曰、辛丑、	二
三　張儀免相、相魏、	四	五　王北遊戎地、至河上、	六
十三　秦取曲沃、平周、女化爲丈夫、	十四	十五	十六
十一	十二	十三	十四　秦來擊
四　與韓會區鼠、	五　取韓女爲夫人、	六	七
七	八	九	十　城廣陵、
十一	十二	燕王噲元年	二
二	三　封田嬰於薛、	四　迎婦于秦、	五

	三	四
	七　五國共擊秦、不勝而還、【考證】擊秦者六國、非五國也、	八　與韓趙
	魏哀王元年、【考證】哀當作襄、擊秦不勝、	二　齊敗我
我取鄢、	十五　擊秦不勝、	十六　秦敗我
	八　擊秦不勝、	九　與韓魏
	十一　擊秦不勝、	十二
	三　擊秦不勝、	四
	六　宋自立爲王、【考證】宜有擊秦不勝四字、宋世家謂宋偃十一年僭稱王、而偃之十一年、當齊宣七年、	七　敗魏趙

	五
戰、斬首八萬、張儀復相、	九 擊蜀滅之、取趙中都西陽安邑、【考證】中都西陽、西都中陽之誤、安邑二字衍、下格同、
觀澤、	三
脩魚、得韓將軍申差、【考證】得下韓字衍、	十七
擊秦、【考證】與韓魏伐秦五字、上年事重出、齊敗我觀澤、	十 秦取我中都西陽安邑、
	十三
	五 君讓其臣子之國、顧爲臣、
觀澤、	八

六	周赧王元年、【集解】徐廣曰、丁未、【索隱】赧、音尼簡反、宋衷曰、赧、諡也、皇甫謐云、名誕也、	二
十	十一 侵義渠、得二十五城、【考證】秦紀在十年、	十二 樗里子擊藺陽、虜趙將、
四	五 秦拔我曲沃、歸其人、走犀首岸門、【考證】曲沃當作焦、	六 秦來立公子政爲太子、
十八	十九	二十
十一 秦敗我將軍英、	十二【集解】徐廣曰、紀年云、立燕公子職、	十三 秦拔我藺、虜將趙莊、
十四	十五 魯平公元年、【考證】魯平之元、在楚懷之十三年、	十六 張儀來相、
六	七 君噲及太子相子之皆死、	八【考證】八九兩年、蓋燕王職之元年二年、
九	十	十一

	三	四
公子繇通封蜀、【索隱】繇、音由、秦之公子、【考證】封蜀、秦紀在惠文後十一年、	十三 庶長章擊楚、斬首八萬、	十四、
與秦王會臨晉、	七 擊齊、虜聲子於濮、與秦擊燕、	八
	二十一 秦助我攻楚、圍景座、【考證】秦助我、我助秦之誤、	韓襄王
【考證】趙莊、一作莊豹、	十四	十五
	十七 秦敗我將屈匄、【索隱】匄、音蓋、楚大夫、	十八
	九 燕人共立公子平、	燕昭王
	十二	十三

	五	六
蜀相殺蜀侯、	秦武王元年、誅蜀相壯、張儀魏章皆死于魏、【考證】死于、當作出之、	二 初置丞相、樗里子甘茂
圍衛、	九 與秦會臨晉、	十 張儀死、
元年	二	三
	十六 吳廣入女、生子何、立爲惠王后、	十七
	十九	二十
元年	二	三
	十四	十五

	七	八	九
爲丞相、	三	四 拔宜陽城、斬首六萬、涉河城武遂、	秦昭王元年、
	十一 與秦會應、[集解]徐廣曰、在潁川父城、	十二 太子往朝秦、	十三 秦擊皮
	四 與秦會臨晉、秦擊我宜陽、	五 秦拔我宜陽、斬首六萬、	六 秦復與
	十八	十九 初胡服、	二十
	二十一	二十二	二十三
	四	五	六
	十六	十七	十八

	十	十一
[考證]秦本紀及秦記竝作昭襄、	二 彗星見、桑君爲亂、誅、[考證]秦本紀、庶長壯與大臣諸侯公子爲逆、皆誅、桑、壯、晉相近、穰侯傳誅季君之亂、亦指桑君、	三
氏、未拔而解、	十四 秦武王后來歸、	十五
我武遂、	七	八
	二十一	二十二
	二十四 秦來迎婦、	二十五
	七	八
	十九	二十

	十二	十三
	四 彗星見、	五 魏王來朝、
	十六 秦拔我蒲坂晉陽、封陵、	十七 與秦會臨晉、復我蒲坂、[考證]復下缺歸字、
	九 秦取武遂、	十 太子嬰與秦王會臨晉、因至咸陽而歸、
	二十三	二十四
與秦王會黃棘、秦復歸我上庸、	二十六 太子質秦、	二十七
	九	十
	二十一	二十二

十四	十五
六 蜀反、司馬錯往誅蜀守煇、定蜀、[考證]蜀守以被讒賜死、非反也、煇當作惲、日蝕晝晦、伐楚、	七 樗里疾卒、擊楚、斬首三
十八 與秦擊楚、	十九
十一 秦取我穰、與秦擊楚、	十二
二十五 趙攻中山、惠后卒、[考證]趙字不當有、	二十六
二十八 秦韓魏齊、敗我將軍唐昧於重丘、	二十九 秦取我襄城、殺景缺、
十一	十二
二十三 與秦擊楚、使公子將、大有功、	二十四 秦使涇陽君來爲質、

	十六
萬、魏冄爲相、[考證]楚世家三萬作二萬、魏冄之相在昭王十二年、此或薛文爲相之誤、當在昭王八年、錯書于此、	八 楚王來、因留之、
	二十 與齊王會于韓、
	十三 齊魏王來、立咎爲太子、
	二十七
	三十 王入秦、秦取我八城、
	十三
	二十五 涇陽君復歸秦、薛文入相秦、

十七	十八	十九
九	十 楚懷王亡之趙、趙弗內、	十一 彗星見、復與魏封陵、
二十一 與齊韓共擊秦于函谷、河渭絕一日、	二十二	二十三
十四 與齊魏共擊秦、	十五	十六 與齊魏擊秦、秦與我武
趙惠文王元年、以公子勝爲相、封平原君、	二 楚懷王亡來、弗內、	三
楚頃襄王元年、秦取我十六城、	二	三 懷王卒于秦、來歸葬、
十四	十五	十六
二十六 與魏韓共擊秦、孟嘗君歸相齊、	二十七	二十八

	二十
	十二 樓緩免、穰侯魏冄爲丞相、
	魏昭王元年、秦尉錯來擊我襄、
遂和、[考證]與齊魏擊秦五字、衍文、已書于十四年、此重出、與武遂在襄王十四年、	韓釐王咎元年
	四 圍殺主父、與齊燕共伐中山、[考證]殺主父在惠文二年、中山之役、燕
	四 魯文侯元年、[集解]徐廣曰、一作湣、[考證]侯當作公、
	十七
	二十九 佐趙滅中山、[考證]中山之役、齊不與、

	二十一	二十二	二十三
	十三 任鄙爲漢中守、	十四 白起擊伊闕、斬首二十四萬、	十五
	二 與秦戰、解不利、[考證]據世家、解當作我、	三 佐韓擊秦、秦敗我兵伊闕、	四
	二	三 秦敗我伊闕、二十四萬、虜將喜、[考證]缺斬首二字、	四
不與、	五	六	七
	五	六	七
	十八	十九	二十
	三十 田甲劫王、相薛文走、	三十一	三十二

	二十四	二十五
魏拜冄免相、	十六	十七 魏入河東四百里、
	五	六 芒卯以詐見重、
	五 秦拔我宛城、考證宛、楚邑、秦取於楚、秦紀及穰侯傳甚明、此與韓世家竝誤、又事在前一年、	六 與秦武遂地方二百里、
	八	九
迎婦秦、	八	九
	二十一	二十二
	三十三	三十四

二十六	二十七	二十八
十八 客卿錯擊魏至軹、取城大小六十一、	十九 十月爲帝、十二月復爲王、任鄙卒、	二十
七 秦擊我、取城大小六十一、	八	九 秦拔我
七	八	九
十	十一 秦拔我桂陽、集解徐廣曰、一作梗、考證世家作梗、	十二
十	十一	十二
二十三	二十四	二十五
三十五	三十六 爲東帝、二月復爲王、	三十七

	二十九	三十	三十一
	二十一 魏納安邑及河內、考證魏未嘗幷納河內、	二十二 蒙武擊齊、考證蒙武當作蒙驁、	二十三
新垣曲陽之城、	十 宋王死、我溫、	十一	十二
	十 秦敗我兵夏山、	十一	十二
	十三	十四 與秦會中陽、	十五
	十三	十四 與秦會宛、	十五
	二十六	二十七	二十八
	三十八 齊滅宋、	三十九 秦拔我列城九、	四十

	三十二	三十三
尉斯離與韓魏燕趙共擊齊、破之、	二十四 與楚會穰、	二十五
與秦擊齊濟西、與秦王會西周、	十三 秦拔我安城、兵至大梁而還、	十四 大水、衛懷君
與秦擊齊濟西、與秦王會西周、	十三	十四 與秦會兩周閒、
取齊昔陽、考證凌本作昔陽、與趙世家合、各本作淮北、	十六	十七 秦拔我兩城、
取齊淮北、	十六 與秦王會穰、	十七
與秦三晉擊齊、燕獨入至臨菑、取其寶器、	二十九	三十
五國共擊湣王、王走莒、	齊襄王法章元年	二

		元年、考證衞懷之元當在魏哀之二十三年、					
三十四	二十六 魏冄復爲丞相、	十五	十五	十八 秦拔我石城、	十八	三十一	三
三十五	二十七 擊趙、斬首三萬、地動壞城、	十六	十六	十九 秦敗我軍、斬首三萬、	十九 秦擊我、與秦漢北及上庸地、	三十二	四
三十六	二十八	十七	十七	二十 與秦會	二十 秦拔鄢	三十三	五 殺燕騎

				黽池、藺相如從、	西陵、		劫、
三十七	二十九 白起擊楚、拔郢、更東至竟陵、以爲南郡、	十八	十八	二十一	二十一 秦拔我郢、燒夷陵、王亾走陳、	燕惠王元年	六
三十八	三十 白起封爲武安君、考證武安之封、在秦昭二十	十九	十九	二十二	二十二 秦拔我巫黔中、	二	七

	九年、						
三十九	三十一	魏安釐王元年、秦拔我兩城、封弟公子無忌爲信陵君、	二十	二十三	二十三 秦所拔我江旁反秦、	三	八
四十	三十二	二 秦拔我兩城、軍大梁下、韓來救、與秦溫	二十一 暴鳶救魏、爲秦所敗、走開封、	二十四	二十四	四	九

		以和、					
四十一	三十三	三 秦拔我四城、斬首四萬、	二十二	二十五	二十五	五	十
四十二	三十四 白起擊魏華陽軍、芒卯走、得三晉將、斬首十五萬、	四 與秦南陽以和、	二十三	二十六	二十六	六	十一
四十三	三十五	五	韓桓惠	二十七	二十七	七	十二

	四十四	四十五
	三十六	三十七
擊燕、	六	七
王元年	二	三 秦擊我閼與城、不拔、
	二十八 藺相如攻齊、至平邑、	二十九 秦拔我閼與、趙奢將擊
擊燕、魯頃公元年、[考證] 魯頃之元、當在頃襄二十六年、	二十八	二十九
	燕武成王元年、	二
	十三	十四 秦楚擊我剛壽、[考證] 楚

	四十六	四十七	四十八
	三十八	三十九	四十 太子質於魏者死、歸葬芷陽、
	八	九 秦拔我懷城、	十
	四	五	六
秦、大敗之、賜號曰馬服、[考證] 拔當作圍、我當作韓、	三十	三十一	三十二
	三十	三十一	三十二
	三	四	五
字衍、秦紀、田完世家、穰侯范雎傳、無楚、	十五	十六	十七

四十九	五十	五十一
四十一	四十二 宣太后薨、安國君爲太子、	四十三
十一 秦拔我廩丘、[集解] 徐廣曰、或作邢丘、[考證] 世家作郪丘、	十二	十三
七	八	九
三十三	趙孝成王元年、秦拔我三城、平原君相、	二
三十三	三十四	三十五
六	七 齊田單拔中陽、[考證] 中陽非燕地、當依趙世家徐廣所引一本作中人、	八
十八	十九	齊王建

	五十二	五十三
	四十四 秦攻韓取南陽、[集解] 徐廣曰、一作郡、[考證] 秦字衍、下年同、本紀、南陽作南郡、	四十五 秦攻韓取十城、
	十四	十五
秦拔我陘城汾旁、	十 秦擊我太行、	十一
	三	四
	三十六	楚考烈王元年、秦取我
	九	十
元年	二	三

周	秦	魏	韓	趙	楚	燕	齊
					州、黃歇爲相、		
五十四	四十六　王之南鄭、	十六	十二	五　使廉頗拒秦於長平、考證距秦當幷書于孝成六年、	二	十一	四
五十五	四十七　白起破趙長平、殺卒四十五萬、	十七	十三	六　使趙括代廉頗將、白起破括四	三	十二	五

周	秦	魏	韓	趙	楚	燕	齊
				十五萬、			
五十六	四十八	十八	十四	七	四	十三	六
五十七	四十九	十九	十五	八	五	十四	七
五十八	五十　王齕鄭安平圍邯鄲、及齕還軍、拔新中、考證秦圍邯鄲自昭王四十八年至五十年始解、秦與趙表並以爲是年圍之非	二十　公子無忌救邯鄲、秦兵解去、	十六	九　秦圍我邯鄲、楚魏救我、	六　春申君救趙、	燕孝王元年	八

周	秦	魏	韓	趙	楚	燕	齊
也、							
五十九　集解徐廣曰乙巳、赧王卒、	五十一	二十一　韓魏楚救趙新中、秦兵罷、考證韓未嘗救魏、不應挨入、當書曰趙楚救我新中軍、秦兵罷、	十七　秦擊我陽城、救趙新中、	十	七　救趙新中、	二	九
	五十二　集解徐廣曰丙午　取西周	二十二	十八	十一	八　取魯、魯君封於	三	十

周	秦	魏	韓	趙	楚	燕	齊
	王、考證王字衍、取西周、昭王五十一年、王稽棄市、				莒、考證當作封魯君於莒、		
	五十三	二十三	十九	十二	九	燕王喜元年	十一
	五十四	二十四	二十	十三	十　徙於鉅陽、考證是時楚都于陳、無徙鉅陽之事、	二	十二

五十五	五十六	
二十五 衞元君元年、[考證]衞元君元年、當書于安釐王十二年、又世家元君立二十五年卒、是也、此誤作二十三年、	二十六	
二十一	二十二	
十四	十五	平原君
十一	十二	柱國景
三	四	伐趙、趙
十三	十四	

	秦孝文王元年、[集解]徐廣曰、辛亥、文王后曰華陽后、生莊襄王子楚、母曰夏太后、	秦莊襄王楚元年、
	二十七	二十八
	二十三	二十四 秦拔我成皋滎
卒、	十六	十七
伯死、	十三	十四 楚滅魯、頃公遷
破我軍、殺栗腹、[索隱]栗人姓字、燕相也、	五	六
	十五	十六

[集解]徐廣曰、壬子、蒙驁取成皋滎陽、初置三川郡、呂不韋相、取東周、	二 蒙驁擊趙榆次新城狼孟、得三十七城、
	二十九
陽、	二十五
	十八
卞爲家人、絕祀、[考證]滅魯在前一年辛亥、	十五 春申君徙封於吳、
	七
	十七

日蝕、	三 王齮擊上黨、[集解]徐廣曰、齮一作齕、初置太原郡、魏公子無忌率五國卻我軍河外、蒙驁解去、
	三十 無忌率五國兵、敗秦軍河外、
	二十六 秦拔我上黨、
	十九
	十六
	八
	十八

始皇帝元年、[集解]徐廣曰、乙卯、[考證]始皇上失書秦字、擊取晉陽、作鄭國渠、[考證]擊下失趙字、	三十一	二十七	二十、秦拔我晉陽、[考證]秦取晉陽、始置太原郡、而置郡在莊襄王三年、則取晉陽亦莊襄王時事、	十七	九	十九
二	三十二	二十八	二十一	十八	十	二十
三、蒙驁擊韓、取十三城、王齮死、	三十三	二十九、秦拔我十二城、	趙悼襄王偃元年	十九	十一	二十一
四、七月、蝗蔽天下、[考證]本紀云、蝗蟲從東方來、蔽天、天下疫、此當有脫字、百姓納粟千石、拜爵一級、	三十四、信陵君死、	三十	二、太子從質歸秦、	二十	十二、趙拔我武遂方城、	二十二
五、蒙驁取燕酸棗二十城、初置東郡、[考證]據始皇紀、取下脫魏字、燕下脫虛字、	魏景湣王元年、秦拔我二十城、	三十一、趙相魏相會魯柯、盟、[考證]魯已滅一年、魯字衍、柯葢魏地、	三	二十一	十三、劇辛死於趙、	二十三
六、五國共擊秦、[考證]秦當作我、	二、秦拔我朝歌、衛從濮陽徙野王、	三十二	四	二十二、王東徙壽春、命曰郢、	十四	二十四

七、彗星見北方西方、夏太后薨、蒙驁死、	三、秦拔我汲、	三十三	五	二十三	十五	二十五
八、嫪毐封長信侯、	四	三十四	六	二十四	十六	二十六
九、彗星見竟天、嫪毐爲亂、遷其舍人于蜀、彗星復見、	五、秦拔我垣蒲陽衍、	韓王安元年	七	二十五、李園殺春申君、	十七	二十七
十、相國呂不韋免、齊趙來置酒、太后入咸陽、大索、	六	二	八、入秦置酒、	楚幽王悼元年	十八	二十八、入秦置酒、
十一、呂不韋之河南、王翦擊鄴閼與、取九城、	七	三	九、秦拔我閼與鄴、取九城、	二	十九	二十九
十二、發四郡兵助魏擊楚、呂不韋卒、復嫪毐舍人遷蜀者、	八、秦助我擊楚、	四	趙王遷元年、[集解]徐廣曰、幽愍元年、	三、秦魏擊我、	二十	三十
十三	九	五	二	四	二十一	三十一

桓齮擊平陽、殺趙扈輒、斬首十萬、因東擊趙、王之河南、彗星見、	十四 桓齮定平陽、武城、宜安、韓使非來、我殺非、韓王請爲臣、考證 宜安二字衍、	十五
	十	十一
	六	七
秦拔我平陽、敗扈輒、斬首十萬、索隱 扈輒趙將、漢別有扈輒也、	三 秦拔我宜安、考證 拔當作攻、	四
	五	
	二十二	二十三
	三十二	三十三

興軍至鄴、軍至太原、取狼孟、考證 文有脫誤、而狼孟已於前十六年爲秦所取、	十六 置麗邑、發卒受韓南陽、	十七 內史勝擊得韓王安、盡取其地、置潁川郡、考證 紀兩稱內史騰、
	十二 獻城秦、	十三
	八 秦來受地、	九 秦虜王安、秦滅韓、
秦拔我狼孟、鄱吾、索隱 鄱、音婆、又音盤、縣名、在常山、 軍鄴、	五 地大動、	六
	七	八
太子丹質於秦、亡來歸、	二十四	二十五
	三十四	三十五

華陽太后薨、	十八	十九 王翦拔趙、虜王、遷之邯鄲、帝太后薨、考證 遷下之字衍、帝太后、當作王太后、
	十四 衞君角元年、考證 角之元、當書于景滑三年、	十五
	七	八 秦王翦虜王遷邯鄲、公子嘉自立爲代王、
	九	十 幽王卒、弟郝立、爲哀王、三月、負芻殺哀王、
	二十六	二十七
	三十六	三十七

二十 燕太子使荊軻刺王、覺之、王翦將擊燕、	二十一 王賁擊楚、	二十二 王賁擊魏、得其
魏王假元年	二	三 秦虜王
代王嘉元年	二	三
楚王負芻元年、負芻、哀王庶兄、	二 秦大破我、取十城、	三
二十八 太子丹使荊軻刺秦王、秦伐我、	二十九 秦拔我薊、得太子丹、徙王遼東、考證 徙王當作王徙、	三十
三十八	三十九	四十

王假、盡取其地、假、

二十三　王翦蒙武擊破楚軍、殺其將項燕、｜四｜四　秦破我將項燕、｜三十一｜四十一

二十四　王翦蒙武破楚、虜其王負芻、｜五｜五　秦虜王負芻、秦滅楚、｜三十二｜四十二

二十五　王賁擊燕、虜王喜、又擊得代王嘉、五月天下大酺、｜六　秦將王賁虜王嘉、秦滅趙、｜三十三　秦虜王喜、拔遼東、秦滅燕、｜四十三

二十六　王賁擊齊、虜王建、初并天下、立爲皇帝、｜四十四　秦虜王建、秦滅齊、

二十七　更命河爲德水、爲金人十二、命民曰黔首、同天下書、分爲三十六郡、考證 本紀二十六年事、表二十七年、二十七年事、表二十八年、紀表有一年之差、

二十八　爲阿房宮、之衡山、治馳道、帝之琅邪、道南郡入、爲太極廟、賜戶三十、爵一級、考證 太字衍文、三十兩字亦衍文、本紀無之、

二十九　郡縣大索十日、帝之琅邪、道上黨入、

三十

三十一　更命臘曰嘉平、賜黔首里六石米二羊、以嘉平、大索二十日、

三十二　帝之碣石、道上郡入、

三十三　遣諸逋亡及賈人贅壻、略取陸梁、爲桂林南海象郡、以適戍、西北取戎爲四十四縣、集解 徐廣曰、一云四十四縣是也、又云二十四縣、築長城河上、蒙恬將三十萬、考證 蒙恬句、當在築長城上、

三十四　適治獄不直者、築長城、及南方越地、覆獄故失、考證 覆獄故失四字、當在不直者下、及字當作取、

三十五　爲直道、道九原通甘泉、

三十六　徙民於北河楡中、耐徙三處、集解 徐廣曰、一作家、考證 三處當作三萬、拜爵一級、石晝下東郡、有文言地分、考證 下當作隕、

三十七　十月、帝之會稽琅邪、還至沙丘崩、子胡亥立、爲二世皇帝、殺蒙恬、道九原入、復行錢、考證 行錢之初自惠文以來中間不聞廢錢、何云復行、

二世元年　十月戊寅、大赦罪人、十一月、爲兔園、十二月、就阿房宮、考證 本紀云、復作阿房宮、始

考證 二世下失書皇帝胡亥、

于四月、非十二月、其九月、郡縣皆反、楚兵至戲、章邯擊卻之、考證 楚兵至戲、爲章邯所敗、乃二世二年冬十月事、始皇高祖紀可據、此與月表書于元年九月誤、出衛君角爲庶人、考證 出當作廢、

二　將軍章邯、長史司馬欣、都尉董翳、追楚兵至河、誅丞相斯、去疾、將軍馮劫、

三　趙高反、二世自殺、高立二世兄子嬰、子嬰立、刺殺高夷三族、諸侯入秦、嬰降、爲項羽所殺、尋誅羽、天下屬漢、

索隱 述贊、春秋之後、王室益卑、楚强南服、秦霸西垂、三卿分晉、八代興媯、遞主盟會、互爲雄雌、二周前滅、六國後隳、壯哉嬴氏、吞并若斯、

六國年表第三　史記十五

史記會注考證卷十六

漢　　太史令司馬遷　撰
宋中郎外兵曹參軍裴駰集解
唐國子博士弘文館學士司馬貞索隱
唐諸王侍讀率府長史張守節正義
日本　出雲瀧川資言考證

秦楚之際月表第四　　史記十六

【索隱】張晏曰、時天下未定、參錯變易、不可以年記、故列其月、今案秦楚之際、擾攘僭篡、運數又促、故以月紀事名表也、【考證】史公自序云、秦既暴虐、楚人發難、項氏遂亂、

漢乃扶義、征伐八年之間、天下三嬗、事繁變衆、故詳著秦楚之際月表、第四、陳仁錫曰、史表或以世、或以年、或以月、世者何、三代遠矣、遠則略、略故世也、月者何、秦楚之際近焉、近則詳、詳故月也、若十二諸侯六國、遠不及三代、近不及秦楚、故紀其年而已、

太史公讀秦·楚之際曰。初作難、發於陳涉。虐戾滅秦、自項氏。撥亂誅暴、平定海內、卒踐帝祚、成於漢家。【考證】讀、猶觀也、與高祖功臣年表讀高祖侯功臣惠景間侯者年表太史公讀列封同一字法、 五年之間、號令三嬗。【集解】音善、【索隱】古禪字、音市戰反、三嬗、謂陳涉項氏漢高祖也、【考證】梁玉繩曰、自陳涉稱王至高祖五年卽帝位、凡八年、故序傳云、征伐八年之間、天下三嬗、此言五年、非也、 自生民以來、未始有受命若斯之亟也。【索隱】亟、音己力反、亟、訓急也、 昔虞·夏之興、積善累功數十年、德洽百姓、攝行政事、考之于天、然後在位。【集解】韋昭曰、謂舜受禪、在璇璣玉衡以齊七政、【考證】凌稚隆曰、考、驗也、考之于天、卽孟子所謂人歸天與者、韋註非是、 湯·武之王、乃由契·后稷脩仁行義十餘世、不期而會孟津八百諸侯。猶以爲未可。其後

乃放弒。【索隱】後乃放殺、殺、音弒、謂湯放桀、武王討紂也、【考證】索隱本、弒作殺、漢書異姓王表序亦作殺、 秦起襄公、章於文·繆。獻·孝之後、稍以蠶食六國。百有餘載、至始皇。乃能并冠帶之倫。以德若彼、【索隱】卽契后稷及秦襄公文公穆公也、 用力如此。【索隱】謂湯武及始皇、【考證】楊愼曰、以德、緻虞夏湯武、以力、緻秦襄始皇、 蓋一統若斯之難也。【考證】凌稚隆曰、自昔虞夏至若斯之難也、言虞夏湯武秦五代之興甚難、愚按詞氣頗與伯夷傳似、 秦既稱帝。患兵革不休、以有諸侯也。於是無尺土之封、墮壞名城、銷鋒鏑、【集解】徐廣曰、一作鍉、【索隱】鏑、音的、注鍉字、亦音的、案秦銷鋒鏑作金人十二、以弱天下之兵也、 鉏豪桀、維萬世之安。【索隱】維、訓度、謂計度令萬代安也、【考證】中井積德曰、維、猶繫也、 然王跡之興、起於閭巷、合從討伐、軼於三代。鄕秦之禁、適足以資賢者、爲驅除難耳。【索隱】鄕秦之禁、適足資賢者、鄕、音向、許亮反、謂秦前時之禁兵、及不封樹諸侯、適足以資後之賢者、卽高帝也、言驅除患難耳、 故憤發其所爲天下雄。【索隱】指漢高祖、 安在無土不王。【集解】白虎通曰、聖人無土不王、使舜不

遭堯、當如夫子老於闕里也、【考證】無土不王、蓋古語、 此乃傳之所謂大聖乎。【索隱】言高祖起布衣、卒傳之天位、實所謂大聖、 豈非天哉。豈非天哉。非大聖、孰能當此受命而帝者乎。【考證】梁玉繩曰、此表易姓徙封、皆書于一格之內、如楚表中陳涉襄彊景駒懷王項羽韓信凡五、趙表者武臣趙歇張耳凡三、齊表中田儋韓信凡二、燕表中韓廣臧荼盧綰凡三、韓表中韓成鄭昌韓信凡三、而魏與梁共一表、河南長沙共一表、復有亡而更立者、若九江王英布爲淮南王、常山王張耳爲趙王、亦共在一表、何以楚項別爲二表哉、錢大昕曰、別項于楚者、義帝雖項氏所立、羽不爲義帝用也、且項梁與沛公起兵、皆在陳涉未敗之前、其後權奉義帝、不得竟係于此、又曰、表列漢于趙齊之下、趙齊強也、趙先于齊者、據起兵之先後也、又曰、自二世元年七月以後、諸侯以起兵之月爲始、以次數之、項梁十三月、籍十七月、趙歇二十六月、田市十九月、沛公二十九月、韓廣三十月、皆計月不計年也、義帝元年以後、諸侯以始封之月爲一月、數至十二月、卽稱二年一月、如韓王信之三年一月、卽楚四年十月、英布之二年一月、卽漢之五年七月、而漢王獨稱正月者、別于諸侯也、趙歇田市韓廣魏豹皆稱王已久、則仍前之月數之、而不計其年、歇終四十八月、市終二十四月、廣終三十七月、豹終三十八月、成終二十七月、前後義例已爲不倫也、臨江王共敖與十八王同時封、不稱二年一月、仍稱十三月、敖終三年一月、敖子驩終于十六月、又何說也、

秦	楚	項	趙	齊	漢	燕	魏	韓

二世元年、【集解】徐廣曰、壬辰、【索隱】七月陳涉起陳、八月武臣起趙、九月項梁起吳、田儋起齊、沛公初起、韓廣起燕、十二月、魏咎起魏、陳

七月	王立之、二年六月、韓成起韓、項梁立之也、
楚隱王陳涉起兵入秦、【索隱】二月、葛嬰立襄彊、涉之二月也、至戲、葛嬰殺彊、五月、周文死、六月、陳涉死、然涉起凡六月、當二世元年十二月也、	

八月	九月 楚兵至戲、【考證】此周文至戲之兵也、當二年冬十月、		二年十月	十一月
二 葛嬰爲涉徇九江、立襄彊爲楚王、	三 周文兵至戲敗、而陳嬰聞涉王、即殺彊、【考證】而字疑當在敗上、陳嬰當	作葛嬰、	四 誅葛嬰、	五 周文死、
	項梁號武信君、【索隱】二世元年九月立、至二年九月、章邯殺梁於定陶、		二	三
武臣始至邯鄲、自立爲趙王、始、【索隱】凡四月、爲李良所殺、當二世元年八月也、	二		三	四 李良殺武臣、張耳陳餘
	齊王田儋始、儋狄人、諸田宗彊、從弟榮、榮弟橫、【索隱】二世二年六月、章邯殺儋、儋立十月死、齊立田假、二世二年八月、田榮立	儋子市爲王、項羽又立市爲膠東王、封田都爲臨淄王、安爲濟北王、田榮殺田市田安、自立爲王、羽擊榮、平原人殺之、田橫立榮子廣爲王也、【考證】榮字各本脫、今補、	二 儋之起、殺狄令自王、【考證】在二世元年九月、	三
	沛公初起、【索隱】凡十四月、懷王封沛公爲武安侯、將碭郡兵、		二 擊胡陵方與、破秦監軍、	三 殺泗水守、【集解】徐廣曰、泗水屬東海、拔薛西、周市東
	韓廣爲趙略地至薊、自立爲燕王、始、【索隱】二世三年十月、破臧荼救趙、封荼爲燕王、徙廣	封遼東王、後臧荼殺韓廣、	二	三
	魏王咎始、咎在陳、不得歸國、【集解】徐廣曰、魏咎曹咎、字皆作咎、音臼、【索隱】四月、咎自陳歸立、二年六	月、咎自殺、九月、弟豹自立、都平陽、後豹歸漢、尋叛、韓信虜豹、	二	三 齊趙共立周市、市不肯

走、

略地豐沛閒、

曰、必立魏咎云、

十二月
六 陳涉死、
四
四 【考證】各本有五字、武臣既見殺、當衍、今刪、
四
四 雍齒叛沛公、以豐降魏、沛公還攻豐、不能下、
四
四 咎自陳歸立、

端月 【考證】二世二年正月也、秦諱正、故云端月也、【考證】瑯耶
楚王景駒始、秦嘉立之、【考證】八月、項梁殺之、
五 涉將召平、矯拜項梁爲楚柱國、急西擊秦、
趙王歇始、張耳陳餘立之、【考證】項羽立爲代王、後漢滅歇、立張耳也、
五 讓景駒以擅自王不請我、【考證】攷陳涉世家、此與後月景駒使公孫慶讓齊、誅慶本一時事、不得分爲兩月、
五 沛公聞景駒王在留、往從、與擊秦軍碭西、【考證】徐廣曰、一作蕭、【考證】高祖紀、與戰蕭西、
五
五 章邯已破涉、圍咎臨濟、

頴曰、端平法度、日端直敦忠、盧生曰、不敢端言其過、皆避諱、史公亦仍其稱、

二月
二 嘉爲上將軍、
六 梁渡江、陳嬰黥布皆屬、
二
六 景駒使公孫慶讓齊、誅慶、【考證】誅上脫齊字、
六 攻下碭、收得兵六千、與故凡九千人、
六、
六

三月
三
七
三
七
七
七
七

攻拔下邑、遂擊豐、豐不拔、聞項梁兵衆、往請擊豐、

四月
四
八 梁擊殺景駒秦嘉、遂入薛、兵十餘萬衆、
四
八
八 沛公如薛見項梁、梁益沛公卒五千、擊豐拔之、雍齒奔魏、【考證】雍齒奔魏、各本誤入九月、今移、
八
八 臨濟急、周市如齊楚請救、

五月
九
五
九
九
九
九

六月 【考證】二世二年六月也、
楚懷王始、都盱台、故懷王孫、梁立之、【考證】故懷王之孫、名心也、項梁之起、諸侯尊爲義帝、項羽徙而殺之、
十 梁求楚懷王孫、得之民閒、立爲楚王、
六
十 儋救臨濟、章邯殺田儋、榮走東阿、
十 沛公如薛、共立楚懷王、
十
十 咎自殺、臨濟降秦、
韓王成始、【考證】韓王成立、項羽更王之、不使就封、數月殺之、立鄭昌爲韓王、降漢、漢封韓信爲王、

七月
二 陳嬰爲柱國、
十一 天大雨、三月不見星、
七
齊立田假爲王、秦急圍東阿、
十一 沛公與項羽北救東阿、破秦軍濮陽、東屠城陽、
十一
咎弟豹走東阿、【考證】考豹傳、東阿當作楚、
二

八月
三
十二 救東阿
八
楚救榮、得解、歸逐田
十二 沛公與項羽
十二

三

		破秦軍、乘勝至定陶、項梁有驕色、		假、立儋子市爲齊王、始、	西略地、斬三川守李由於雍丘、			
九月	四 徙都彭城、	十三 章邯破殺項梁於定陶、項羽恐、還軍彭城、	九	二 田假走楚、楚趨齊救趙、田榮以假故不肯、謂楚殺假、乃出兵、項羽怒田榮、	十三 沛公聞項梁死、還軍從懷王、軍於碭、	十三	魏豹自立爲魏王、都平陽、始、	四
後九	五	懷王封	十	三	十四	十四	二	五

月 [集解]徐廣曰、應閏建酉、	拜宋義爲上將軍、	項羽於魯、爲次將、屬宋義、北救趙、	秦軍圍歇鉅鹿、陳餘出救兵、[考證]出上脫不字、		懷王封沛公爲武安侯、將碭郡兵西、約先至咸陽王之、			
三年十月、	六	二	十一 章邯破邯鄲、徙其民於河內、	四 齊將田都叛榮、往助項羽救趙、	十五 攻破東郡尉及王離軍於成武南、	十五 使將臧荼救趙、	三	六
十一月	七 拜籍上將軍、	三 羽矯殺宋義、將其兵渡	十二	五	十六	十六	四	七

		河救鉅鹿、						
十二月	八	四 大破秦軍鉅鹿下、諸侯將皆屬項羽、	十三 楚救至、秦圍解、	六 故齊王建孫田安下濟北、從項羽救趙、	十七 救趙至栗、得皇訢武蒲軍、與秦軍戰破之、[考證]沛公是時攻秦略地至栗、救趙二字誤、	十七	五 豹救趙、	八
端月	九	五 虜秦將王離、[考證]當移前一月、	十四 張耳怒、陳餘棄將印去、	七 [考證]各本衍項羽田榮分齊爲二國九字、今刪、	十八	十八	六	九
二月	十	六 攻破章	十五	八	十九 得彭越軍昌	十九	七	十

		邯、章邯軍卻、			邑、襲陳留、用酈食其策、軍得積粟、			
三月	十一	七	十六	九	二十 攻開封、破秦將楊熊、熊走滎陽、秦斬熊以徇、	二十	八	十一
四月	十二	八 楚急攻章邯、章邯恐、使長史欣歸秦請	十七	十	二十一 攻潁陽、略韓地、北絕河津、	二十一	九	十二

	五月	六月
	二年一月（考證）此表諸侯皆計月而不分年、而楚懷王獨以年紀、以別於諸侯也、	二
兵、趙高讓之、	九 趙高欲誅欣、欣恐、亡走、告章邯、謀叛秦、	十 章邯與楚約降、未定、項羽許而擊之、
	十八	十九（考證）各本衍張耳從楚西入秦七字、今刪、
	十一	十二
	二十二	二十三 攻南陽守齮、破之陽城郭東、（集解）徐廣曰、陽城在南陽、
	二十二	二十三
	十	十一
	十三	十四

七月	八月 趙高殺二世、
三	四
十一 項羽與章邯期殷虛、章邯等已降與盟、以邯為雍王、	十二 以秦降都尉翳、長史欣為上將、將秦降軍、
二十	二十一 趙王歇畱國、陳餘亡居南皮、（考證）特欲見二人俱不從楚入、
十三	十四
二十四 降下南陽、封其守齮、	二十五 攻武關、破之、
二十四	二十五
十二	十三
十五 申陽下河南、降楚、	十六

	九月 子嬰為王、	十月（集解）徐廣曰、歲在乙未、（考證）集解各本誤入九月、移正、（索隱）高祖至霸
	五	六
	十三、	十四 項羽將諸侯兵四十餘萬、行略地、西至於河南、
闕、故書、	二十二	二十三 張耳從楚、西入秦、
	十五	十六
	二十六 攻下嶢及藍田、以留侯策、不戰皆降、（考證）下嶢二字倒、	二十七 漢元年、秦王子嬰降、沛公入破咸陽、平秦、還軍霸上、待諸侯約、
	二十六	二十七
	十四	十五 從項羽略地、遂入關、
	十七	十八

上、稱元年、徐廣云、歲在乙未、	十一月	十二月
	七	八 分楚為四、（索隱）西楚衡山臨江九江也、（考證）各本誤入九
	十五 羽詐阬殺秦降卒二十萬人於新安、	十六 至關中、誅秦王子嬰、屠燒咸陽、
	二十四	二十五 分趙為代國、（考證）索隱本、作分趙為二、
	十七	十八 項羽怨榮、殺之、分齊為三國、（索隱）臨淄濟北
	二十八 沛公出令三章、秦民大悅、	二十九 與項羽有郤、見之戲下、講解、羽倍約、分關中為四國、
	二十八	二十九 臧荼從入、分燕為二國、（索隱）燕遼
	十六	十七 分魏為殷國、
	十九	二十 分韓為河南國、（考證）索隱本、作分韓為三、疑索

月、移正、

分天下 立諸侯、

九 義帝元年、諸侯尊懷王爲義帝、[索隱]項羽徙之於郴、至十月、項籍使九江王布殺義帝、漢王爲

十七 項籍自立爲西楚霸王、

分爲衡山、

分爲臨江、

分爲九江、

二十六 更名爲常山、

分爲代、

十九 更名爲臨菑、

分爲濟北、

分爲膠東、

膠東、

正月 [索隱]高祖及十二諸侯受封之月、漢書異姓王表云一月、故應劭云諸侯王始受封之月、十三王同時稱

分關中爲雍、

分關中爲塞、

分關中爲翟、

[索隱]漢雍塞翟、

三十 分爲燕、

分爲遼東、

東也、[考證]當作臧荼從楚入關、書于燕二十七月、

十八 更爲殷、西魏、

分爲殷、

二十一 韓、

分爲河南、

隱本爲是、但三乃二之誤、

舉哀也、[考證]表以義帝接秦、升第一格、各本誤占二格、今并此下分國各本淆混、與前月表不相當、今故改正、又既書元年、不得復續前計、

一月、以非元正、故云一月、高祖十月至霸上改元、至此月、漢四月、

分關中爲漢、[考證]案前表已書分關中爲四、則此亦當如楚趙齊

月表、當後人妄增、

二 徙都江南郴、[考證]羽徙義帝在四月、

西楚 王伯項籍始、爲天下主命、立十八王、[考證]王伯當作霸王、

王吳芮始、故番君、[考證]十八王皆以始王之月爲一月、其先已立

王共敖始、故楚柱國、

王英布始、故楚將、

王張耳始、故楚將、[索隱]故趙相、

二十七 [索隱]趙歇前爲趙王、已二十六月、今從王代之二月、故云二十

王田都始、故齊將、

王田安始、故齊將、

二十 王田市始、故齊王、

二月 [索隱]應劭云、諸王始都國之月、十三王同時稱二月、[考證]索隱各本

魏燕韓例、書分爲漢、分爲雍分爲塞、分爲翟可矣、關中字疑衍、

王章邯始、故秦將、

王司馬欣始、故秦將、[索隱]故秦長史、

王董翳始、故秦將、[索隱]故秦都尉、

王臧荼始、故燕將、

三十一 王韓廣始、故燕王、

十九 王魏豹始、故魏王、

王司馬卬始、故趙將、

二十二 王韓成始、故韓將、[索隱]故韓王、

王申陽始、故楚將、[考證]申陽故趙將也、

國如趙歇齊市燕廣魏豹韓成、承前月爲數、不書一月、蓋以歷月多少、別其享國之久近、

七月、其膠東王市之前爲齊王十九月、韓廣魏豹韓成五人竝先爲王、已經多月、故因舊月而數也、[考證]索隱各本誤系於後表二十九下、今

系後表西楚下、誤又衍漢表云二月五字、十三王亦改十八王、今竝依單本移正、

漢王始、故沛公、

	二
	二 【考證】應劭云、諸王始都國之月、十三王同時稱二月、都彭城、
	二 都梁、
	二 都江陵、
	二 都六、
	二 都襄國、
移正、王趙歇始、故趙王、	二十 八 都代、
	二 都臨菑、
	二 都博陽、
	二十 一 都卽墨、
	三月 都南鄭、
	二 都廢丘、
	二 都櫟陽、
	二 都高奴、
	二 都薊、
	三十 二 都無終、
	二十 都平陽、【考證】豹從漢、又叛、韓信虜之、漢四年、周苛殺豹也、
	二 都朝歌、
	二十 三 都陽翟、【考證】姚氏云、韓成是項梁所立、不與十七國封、此云十八王、故項羽所命、不細
	二 都洛陽、

	四
	三 諸侯罷戲下兵、皆之國、
	三
	三
	三
	三
	二十 九
	三
	三
	二十 二
	四月
	三
	三
	三
	三
	三十 三
	二十 一
	三
區別、又高紀云、項羽與成至彭城、廢爲侯、又殺之、是不令就國、當以陽翟爲都、而不之國、	二十 四
	三

五	六	七
四	五	六
四	五	六
四	五	六
四	五	六
四	五	六
三十	三十	三十 二
四 田榮擊都、都降楚、	齊王田榮始、故齊相、【考證】各本齊王上衍五字、今删、	二
四	五	六 田榮擊殺安、
二十 三	二十 四 田榮擊殺市、	屬齊
五月	六月	七月
四	五	六
四	五	六
四	五	六
四	五	六
三十 四	三十 五	三十 六
二十 二	二十 三	二十 四
四	五	六
二十 五	二十 六	二十 七 項羽誅成、
四	五	六

八	九	十 項羽滅義帝、
七	八	九
七	八	九
七	八	九
七	八	九
七	八	九 耳降漢、
三十 三	三十 四	三十 五 歇復王趙、
三	四	五
屬齊 【考證】各本屬齊上衍七字、今删、		
八月	九月	十月 王至陝、【考證】徐廣曰、弘農陝縣、【考證】十月上脫二年
七 邯守廢丘、漢圍之、	八	九
七 欣降漢、國除、	屬漢、爲渭南河上郡、	
七 翳降漢、國除、	屬漢、爲上郡、	
七	八	九
三十 七 臧荼擊廣無終、滅之、	屬燕、	
二十 五	二十 六	二十 七
七	八	九
韓王鄭昌始、項羽立之、	二	三 【考證】當有漢擊昌破之五字、
七	八	九 【考證】當有申陽降漢四字、

	十	十一
	十	十一
	十	十一
	十	十一
		歇以陳餘爲代王、號成安君、【考證】餘爲代王、與歇復王趙、同
	三十 六 【考證】各本衍代王歇還王趙六字、今刪、	三十 七
	六	七
兩字、	十一月	十二月
	十 漢拔我隴西、	十一
	十	十一
	二十 八	二十 九
	十	十一
	韓王信始、漢立之、	二
	屬漢、爲河南郡、	

	十二
	十二
	十二
	十二
在十月、且餘繼歇王、代當互易、號乃故字之誤、	二
	三十 八
	八 項籍擊榮、走平原、平原民殺之、
	正月
	十二 漢拔我北城、【考證】案高紀、隴西北地、亡于漢元年八月、先拔之、表于雍之十
	十二
	三十
	十二
	三

	二年一月	二
	二年一月	二
	十三	十四
	二年一月	二
	三	四
	三十 九	四十
	項籍立故齊王田假爲齊王、	二 田榮弟橫反城陽、擊假、走楚、楚殺假、
	二月	三月 王擊殷、
月書漢拔北城、俱誤、城當作地、	二年一月	二
	二年一月	二
	三十 一	三十 二 降漢、爲廢王、【考證】爲廢王三字衍、
	十三	十四 降漢、卬廢、
	四	五

三 項羽以兵三萬破漢兵五十六萬、	四	五、
三	四	五
十五	十六	十七
三	四	五
五	六	七
四十 一	四十 二	四十 三
齊王田廣始、廣榮子、橫立之、	二	三
四月 王伐楚、至彭城、壞走、【考證】或云、壞走二字、當作大破走壞、	五月 王走滎陽、	六月 王入關、立太子、復如
三	四	五 漢殺邯廢丘、
三	四	五
三十 三、從漢、伐楚、	三十 四 豹歸、叛漢、	三十 五
爲河內郡、屬漢、【考證】屬漢二字、當在河內上、		
六 從漢、伐楚、	七	八

六 六 十八 六 八 四十四 四 七月屬漢、爲隴西北地中地郡、 六 三十 六 九

七 七 十九 七 九 四十五 五 八月 七 三十 七 十

八 八 二十 八 十 四十六 六 九月 八 三十 八 漢將信虜豹、 十一

九 九 二十 一 九 十一 四十七 七 後九月、[集解]徐廣曰、應閏建 九 屬漢、爲河東上黨郡、 十二

滎陽、

已、[考證]此以上史表、皆後漢表一月、以漢元年正月以下遞差一月故也、乃漢表又失此後九月、故自三年十月以後、史漢適同、

十 十 二十 十 十二 四十八 三年 十 二年

一 漢將韓信斬陳餘、 八 漢滅歇、 十月 一月

十一 十一 二十一 三 十一 屬漢、爲太原郡、 屬漢、爲郡、 九 十一月 十一 二

十二 十二 二十二 四 十二 布身降漢、地屬項籍、 十 十二月 十二 三

三年一月 三年一月 二十 五 十一 正月 三年一月 四

二 二 二十 六 十二 二月 二 五

三 三 二十 七 十三 三月 三 六

四 四 二十 八 十四 四月 楚圍王滎陽、 四 七

五 五 二十 九 十五 五月 五 八

六 六 三十 十六 六月 六 九

七 七 三十 一 王敖薨、 十七 王出滎陽、[集解]徐廣曰、項羽、高紀、七月出滎陽、[考證]此漢三年七月也、各本表 七 十

	八	九	十	十一
	八	九	十	十一
	臨江王驩始、敖子、[集解]共敖之子、漢虜之、亦在四年十二月、	二	三	四
				趙王
	十八	十九	二十	二十
首脫七月字、遂牽連六月下、	八月周苛、樅公殺魏豹、	九月	四年十月	十一
	八	九	十	十一
	十一	十二	三年一月	二

漢將韓信破殺龍且、	十二	四年一月	二	三 漢御史周苛入楚、
	十二	四年一月	二	三
	五	六	七	八
張耳始、漢立之、	二	三	四	五
一 漢將韓信擊殺廣、	屬漢、為郡、		齊王韓信始、漢立之、	二
月	十二月	正月	二月立信王齊、	三月周苛入楚、
	十二	四年一月	二	三
	三	四	五	六

四
四
九
六
三
四月王出滎陽、豹死、[集解]徐廣曰、項羽紀曰、王出成皋、[考證]高紀集解、徐廣引表、亦作四年四月魏豹死、志疑云、事在三年五月、且表
四
七

	五	六	七	八	九	十
	五	六	七	八	九	十
	十	十一	十二	十三	十四	十五
			淮南王英布始、漢立、	二	三	四
	七	八	九	十	十一	十二
	四	五	六	七	八	九
已書之、此六字誤衍、	五月	六月	七月立布為淮南王、	八月	九月太公、呂后歸自楚、	五年十月
	五	六	七	八	九	十
	八	九	十	十一	十二	四年一月

十一	十二 誅籍、〔考證〕漢誅項籍、在四年十二月	齊王韓信徙楚王、
十一	十二	十三 徙王長沙、
十六	十七 漢虜驩、	屬漢、爲南郡、
五	六	七 淮南國、
二年一月	二	三 趙國、
十	十一	十二 徙王楚、屬漢南四郡、〔考證〕四郡、齊、東萊、平原、千乘、南當作爲、
十一月	十二月	正月 〔考證〕漢王更號皇帝、卽位於定陶也、殺項籍、天下平、諸侯臣屬
十一	十二	五年一月 燕國、
		復置梁國、
二	三	四 韓王信徙王代、都馬邑、〔考證〕本傳、五年春、剖符爲韓王、王潁
		分臨江爲長沙國、

		二	三	四	五	六
		屬淮南國、				
		八	九	十	十一	十二
		四	五	六	七	八
漢、	〔考證〕殺項籍三字、當出于十二月、	二月甲午、王更號、卽皇帝位於定陶、	三月	四月	五月	六月
		二	三	四	五	六
		梁王彭越始、〔考證〕各本梁王上衍一月二字、今刪、	二	三	四	五
	川、此誤、	五 徙王代、都馬邑、	六	七	八	九
		衡山王吳芮爲長沙王、〔考證〕吳芮始改封也、	二	三	四	五

	七	八	九 王得
	二年一月	二	三
	九 耳薨、謚景王、	趙王張敖立、耳子、〔考證〕當立作始、	二
帝入關、	七月	八月 帝自將誅燕、〔考證〕誅當作擊、據本傳、臧荼以七月反、	九月
	七	八	九 反、漢
	六	七	八
	十	十一	十二
	六 薨、謚文王、〔考證〕薨上缺芮、	長沙成王臣始、芮子、	二

故項羽將鍾離眛、斬之以聞、	十
	四
	三
	後九月、〔考證〕徐廣曰、應閏建寅、
虜荼、〔考證〕虜臧荼、漢書作四年九月、誤也、〔考證〕荼反在七月、此誤書于虜荼之月、	燕王盧綰始、漢太尉、
	九
	五年一月
	三

索隱述贊秦失其鹿、羣雄競逐、狐鳴楚祠、龍興沛谷、武臣自王、魏豹必復、田儋據齊、英布居六、項王主命、義帝見戮、以月繫年、道悠運速、洶洶天下、瞻烏誰屋、眞人霸上、卒享天祿、

秦楚之際月表第四　史記十六

史記會注考證卷十七

漢　太　史　令　司　馬　遷　撰

宋中郎外兵曹參軍裴　駰集解

唐國子博士弘文館學士司馬貞索隱

唐諸王侍讀率府長史張守節正義

日　本　出　雲　瀧　川　資　言　考　證

漢興以來諸侯王年表第五　史記十七

【索隱】應劭云、雖名爲王、其實如古之諸侯、【考證】史公自序云、漢興已來、至于太初百年、諸侯廢立分削、譜記不明、有司靡踵、彊弱之原云以世、作漢興以來諸侯王年表、

第五、趙恆曰、表漢以來諸侯王也、兼同姓與異姓、而歸重同姓也、蓋高祖末年、非劉氏不王、異姓唯有長沙耳、功臣侯則自有表也、張文虎曰、案史表經後人補續竄亂尤多、如應稱今皇帝、而云孝武、應稱今王、而輒書其謚、表止於太初、而濫及天漢以後、又表本大幅、旁行邪上、改爲楮葉、傳寫易誤、不皆史公原文、

太史公曰。殷以前尚矣。周封五等、公侯伯子男。然封伯禽・康叔於魯・衞。地各四百里。親親之義、褒有德也。【考證】左傳襄公二十五年載鄭子產言云、昔者天子之地一圻、列國一同、注、一圻方千里、一同方百里、孟子萬章篇云、天子之制地方千里、公侯皆方百里、伯七十里、子男五十里、告子篇云、周公之封於魯、爲方百里、周禮大司徒云、諸公之地封疆方五百里、其食者半、諸侯之地方四百里、諸伯之地方三百里、其食者參之一、諸子之地方二百里、諸男之地方百里、其食者四之一、與此皆異、或云、周禮言公五百里、侯四百里者、兼山林川澤言之、左傳言一同者以田畝言之、孟子言百里者以穀祿言之、其名雖異、其實則一、與史公言衞魯之封四百里亦無大徑庭、參存、太公於齊、兼五侯地。尊勤勞也。【考證】孟子告子篇、太公之封於齊、爲方百里、與此異、姚鼐曰、太史公此語、必有所本、侯百里、兼五侯者、方二百五十里耳、小於魯衞也、此語非本左傳、班固時已不得太史公書所原出、誤謂本左傳五侯九伯汝實征之之說、遂改云太公於齊亦兼五侯九伯之地、不知征之者、言所統有此侯伯、得以方伯之命征其軍賦耳、非兼有其地也、武王・成・康所封數百。而同姓五

十五。【索隱】案漢書封國八百、同姓五十餘、顧氏據左傳魏子謂成鱄云、武王克商、光有天下、兄弟之國十有五人、姬姓之國四十人、是也、【考證】索隱所引漢書諸侯王表、昭公二十八年左傳、愚按左傳僖公二十四年引富辰言云、昔周公封建親戚以蕃屏周、管・蔡・郕・霍・魯・衞・毛・聃・郜・雍・曹・滕・畢・原・酆・郇、文之昭也、據此兄弟之國十五人、當爲十六人、或當時未及盡封乎、荀子儒效君道篇云、周兼制天下、立七十一國、同姓獨居五十三人、韓詩外傳四云、立國七十二、姬姓五十二、與此異、地、上不過百里、下三十里、以輔衞王室。【考證】徐孚遠曰、上言四百里、此言不過百里、蓋傳聞不一、參互言之也、岡白駒曰、魯衞與齊、皆有故而大、其他上不過百里、愚按後說是、管・蔡・康叔・曹・鄭、或過或損。【考證】岡白駒曰、總計之封地不大、又曰、康叔二字、疑有誤、厲・幽之後、王室缺、侯伯彊國興焉。天子微弗能正。非德不純。形勢弱也。【索隱】純、善也、亦云純一、言周王非德不純一、形勢弱也、漢興序二等。【集解】韋昭曰、漢封功臣、大者王、小者侯也、高祖末年、非劉氏而王者、若無功上所不置而侯者、天下共誅之。【集解】徐廣曰、一云、非有功上所置、【考證】呂后本紀、王陵曰、高帝刑白馬盟曰、非劉氏而王、天下共擊之、高祖子弟同姓、爲王者九國。【集解】徐廣曰、齊・楚・荊・淮南・燕・趙・梁・代・淮陽、【索隱】徐氏九國、不數吳、蓋以荊絕、乃封吳故也、仍以淮陽

爲九、今案下文、所列有十國者、以長沙異姓、故言九國也、唯獨長沙異姓。而功臣侯者百有餘人。自鴈門・太原以東至遼陽、爲燕・代國。【集解】韋昭曰、遼東遼陽縣、常山以南、大行左轉、度河・濟、阿・甄以東薄海、爲齊・趙國。【考證】王應麟通鑑地理通釋注、阿、今鄆州東阿縣、正義云、甄、即濮州鄄城縣北、音絹、自陳以西、南至九疑、東帶江・淮・穀・泗、薄會稽、爲梁・楚・淮南・長沙國。【集解】徐廣曰、穀水在沛、【考證】通鑑地理通釋注、陳、地理志淮陽縣陳縣、括地志九疑山在永州唐興縣東南一百里、地理志、在營道縣南、晉灼曰水經云、泗川在魯卞縣、臣瓚曰、穀在彭城泗之下流爲穀水、皆外接於胡・越。而內地北距山以東、盡諸侯地。【考證】方苞曰、北、當作比、愚按漢書諸侯王表云、自鴈門以東、盡遼陽爲燕代、常山以南、大行左轉、度河濟、漸于海爲齊趙、穀泗以往、奄有龜蒙爲梁楚、東帶江湖、薄會稽爲荊吳、北界淮瀕、略廬衡爲淮南、波漢之陽、亙九疑爲長沙、諸侯比境、周匝三垂、外接胡越、岡白駒曰、距、至也、大者或五六郡、連城數十、置百官、宮觀僭於天子。漢獨有三河・東郡・潁川・南陽。自江陵以西至蜀、北自雲中至隴西、與

內史凡十五郡。【正義】內史、京兆也、【考證】錢大昕曰、十五郡、謂河東・河南・河內・東郡・潁川・南陽・南郡・漢中・巴郡・蜀郡・隴西・北地・上郡・雲中・幷內史也、五原郡、元朔二年始置、故不數、而公主列侯、頗食邑其中。何者、天下初定、骨肉同姓少。故廣彊庶孽、以鎮撫四海、用承衛天子也。【考證】陳仁錫曰、以天下大勢言之、如高五年、楚王信・淮南王布・燕王綰・趙王耳・梁王越・長沙王芮・韓王信、則天下之勢、異姓强而同姓未封也、如高六年、楚王交・齊王肥・代王喜・淮南・燕・趙・梁・長沙、則天下之勢、異姓同姓强弱略相當也、如高十二年、吳王濞・淮南王長・燕王建・趙王如意・梁王恢・淮陽王友・代王恒・齊・楚・長沙、則天下之勢、同姓强、異姓絕無而僅有、漢定百年之閒、親屬益疏。諸侯或驕奢、忕邪臣計謀爲淫亂。【索隱】忕、音誓、忕訓習、言習於邪臣之謀計、故爾雅云、忕、猶狃也、狃亦訓習、【考證】忕、蔡本中統作忲、他本及索隱本作怵、今從毛本、大者叛逆、小者不軌于法、以危其命、殞身亡國。天子觀於上古、然後加惠、使諸侯得推恩分子弟國邑。【索隱】案武帝用主父偃言、而下推恩之令也、【考證】漢書武帝紀云、元朔二年春正月、詔曰、梁王城陽王、親慈同生、願以邑分弟、其許之、諸侯王請與子弟邑者、朕將親覽、使有列位焉、於是藩國始分、而子弟畢侯矣、事又見主父偃傳、故齊分爲七、

【集解】徐廣曰、城陽・濟北・濟南・菑川・膠西・膠東、是分爲七、趙分爲六、【集解】徐廣曰、河閒・廣川・中山・常山・清河・河南也、【考證】顏師古曰、趙・平干・眞定・中山・廣川・河閒也、全祖望曰、景帝時尙未有眞定・平干、二王乃武帝所封、徐廣是、愚按上文言武帝推恩事、則顏說不可易、梁分爲五、【集解】徐廣曰、濟陰・濟川・濟東・山陽也、淮南分三。【集解】徐廣曰、廬江・衡山、【考證】分下脫爲字、汪越曰、文帝六年、用賈誼策、已有衆建之事、所云分齊趙梁淮南、皆在文景時、此天子亦統言、不必專指武帝也、及天子支庶子爲王、王子支庶爲侯、百有餘焉。吳・楚時、前後諸侯、或以適削地。【索隱】適、音宅、或作過、是以燕・代無北邊郡、吳・淮南・長沙無南邊郡、【集解】如淳曰、長沙之南更置郡、燕代以北更置緣邊郡、其所有饒利兵馬器械、三國皆失之也、【正義】景帝時、漢境北至燕代、燕代之北未列爲郡、吳長沙之國、南至嶺南、嶺南越未平、亦無南邊郡、齊・趙・梁・楚支郡名山陂海、咸納於漢。諸侯稍微、大國不過十餘城、小侯不過數十里。上足以奉貢職、下足以供養祭祀、以蕃輔京師。而漢郡八九十、形錯諸侯閒、犬牙相臨。【索隱】錯、音七各反、錯謂交錯、相衡如犬牙、故云犬牙相制、言犬牙參差也、秉

其阸塞地利、彊本幹弱枝葉之勢也。尊卑明、而萬事各得其所矣。【考證】汪越曰、衆建諸侯而少其力、此賈誼之策、以之干文帝者、至景帝用鼂錯謀削七國、山東諸侯皆反、武帝用主父偃之說、使推恩子弟、分其國邑、乃不削奪而自析矣、然班固有言、抑損諸侯、減黜其官、惟得衣食租稅、不與政事、至哀平之際、皆繼體苗裔、親屬疏遠、不爲士民所尊、王莽知漢中外殫微、本末俱弱、無所忌憚、生其奸心、專作威福、詐謀既成、遂據南面之尊、分遣五威之使、馳傳天下、班行符命、漢諸侯王、厥角稽首、奉上尊紱、惟恐在後、或迺稱美頌德、以求容媚、豈不哀哉、夫秦滅古法、內無骨肉本根之輔、外無尺土藩翼之衛、漢矯枉過正、藩國大者、夸州兼郡、宮室百官、同制京師、始嘗患宗室之過强、至于其後、又患在宗室之過弱、讀此表者、必通王子侯年表考之、而漢一代封建之制、利害乃盡矣、臣遷謹記高祖以來至太初諸侯、【考證】事係漢室、故曰臣遷、不曰太史公、譜其下益損之時、令後世得覽。形勢雖彊、要之以仁義爲本。【考證】陳仁錫曰、漢諸侯表敘、以形勢二字爲主、至末云、形勢雖强、要之以仁義爲本二句、乃一篇歸宿、而垂戒之意深矣、【考證】汪越曰、冠漢帝紀年于上、尊天子也、下紀諸侯之事、書始封國名、都某地、某年封某、後或反誅、或有罪自殺、國除、或徙王、或廢爲侯、或無後國除、皆書、繼世者、書王某元年、遂以次紀年、必表來朝者、明不失臣節也、梁玉繩曰、諸王之國、自當以分封先後爲次、乃表不序先後、隨意編列、而後之增封諸國、亦遂錯雜不明、錢大昕曰、此表凡二

十六格、高祖始封同姓九國、幷齊趙梁淮南、析置十七國、益以長沙、當二十七格、今檢表、齊之下爲六格、趙之下爲五格、梁之下止三格、以濟陰附于淮陽之後、梁與淮陽地本相接也、楚之下爲二格、魯泗水、本楚地、衡山淮南所分、亦楚故地也、廬江亦淮南所分、乃列于趙之下、與清河爲一格、似失其倫矣、張文虎曰、史文傳寫錯亂、自昔已然、而諸表尤甚、當時原次、今不可考、不得輒訾史公、略之可也、

	高祖元年
楚	【索隱】高祖五年、封韓信、六年王弟交也、
齊	【索隱】四年、封韓信、六年封子肥、
荆	【索隱】六年、封劉賈、十一年爲黥英布所殺、其年立吳國、封兄子濞也、
淮南	【索隱】四年、封英布、十一年反、誅、立子長、
燕	【索隱】五年、封盧綰、十一年亡入匈奴、十二年立子建也、
趙	【索隱】四年、封張耳、其年薨、明年子敖立、八年廢爲宣平侯、九年立子如意也、
梁	【索隱】五年、封彭越、十一年反、誅、十二年立子恢、
淮陽	【索隱】十一年、封子友、後二年爲郡、高后元年、復爲國、封惠帝子彊、
代	【索隱】二年、封韓王信、五年降匈奴、十一年立子恆也、【考證】韓王信來、嘗更封代王、此表失列韓國、共在一格、故妄以
長沙	【索隱】五年吳芮薨、六年子成王臣立、【考證】表中失書都臨湘、

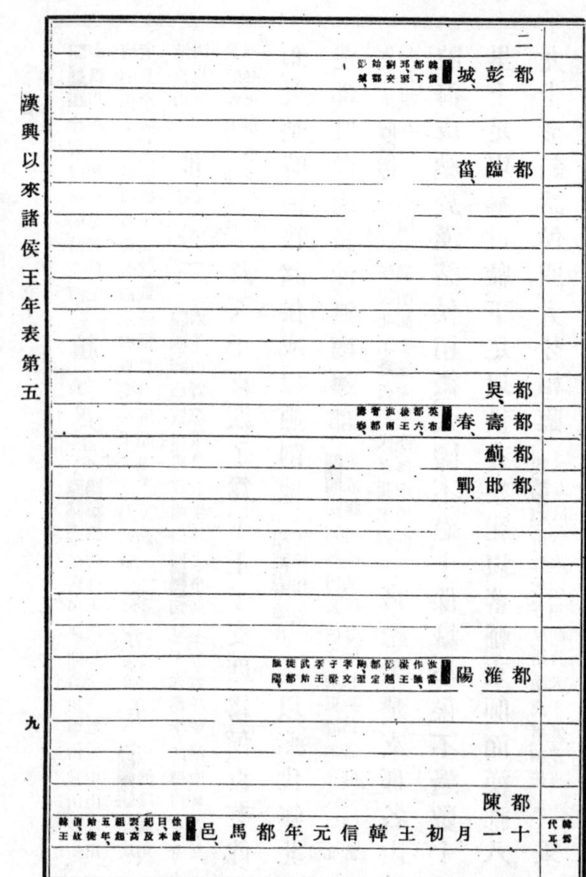

二

都彭城、【韓信都下邳、劉交始都彭城、】

都臨菑、

都吳、

都壽春、【英布都六、後王淮南、[illegible]都壽春、】

都薊、

都邯鄲、

都淮陽、【徐當作睢、梁王彭越都定陶、至孝文子梁孝王武始徙都睢陽、】

都陳、

十一月初王韓信元年、都馬邑、【徐廣曰、本紀及表、高祖紀五年、始徙潁、故韓王】

【韓[illegible]代耳、】

四　三

初王信元年、故相國、【初王上當有二月二字、初王下失韓字、】

十月乙丑初王武王英布元年、【十月、】

初王張耳元年、薨、【初王上缺十一月、初王下缺景王、】

三　二　徙、【信初都陽翟、後徙馬邑、】

五

齊王信徙爲楚王、元年、反、廢、【漢高紀、廢信在六年十二月、】

二徙楚、

【七月之誤、武王二字衍、】

二

九月壬子初王盧綰元年、【封旅、在後九月、】

王敖元年、敖、耳子、

初王彭越元年、【初王上缺正月、】

四降匈奴、國除爲郡、【信降匈奴、在六年九月、】

二月乙未初王文王吳芮元年、薨、

六

正月丙午初王交元年、高祖弟也、【初王下缺元王、也字衍、】

正月甲子初王悼惠王肥元年、高祖子、【漢書紀表、作正月壬】

正月丙午初王劉賈元年、

三

二

二

二

成王臣元年、

	七	八	九
	二	三	四來朝、
	二	三	四來朝、
	二	三	四
	四	五	六來朝、
	三	四	五
	三	四廢	初王隱王如意元年、如意高祖子、
	三	四	五來朝、
	二	三	四

	十	十一
	五來朝、	六
	五來朝、	六
	五來朝、	六爲英布所殺、國除
	七來朝、反誅、 布越之反、在高祖十一年、	十二月庚午厲王長
	六來朝、	七 徐廣曰、一云十月、亡入於匈奴、 據史漢紀傳、綰亡匈奴、在高祖
初王上缺正月、	二	三
	六來朝、反誅、	二月丙午初王恢元
		三月丙寅初王友元
	復置代、都中都、 復、各本作後、譌、	正月丙子初王元年、
	五來朝、	六

	十二
	七
	七
爲郡、	更爲吳國、十月辛丑初
元年、長、高祖子、 布以七月反、厲王即七月封、	二
十二年四月、	三月甲午初王靈王建
	四死、 如意薨、在孝惠元年、
年、恢、高祖子、 王下缺共王、	二
年、友、高祖子、徙趙、 徙趙二字衍、	二
	二
	七

	孝惠元年、
	八
	八
王濞元年、濞、高祖兄仲子、故沛侯、	二
	三
元年、建、高祖子、 三月當作二月、	二
	淮陽王徙於
	二
	爲郡、 缺國除二字、
	三
	八 表中脫燕字、但此後當王之燕或書、

	二	三
	九來朝、	十
	九來朝、	十
	三	四
	四	五
	三	四
趙、名友、元年、是爲幽王、（當作淮陽王友、徙趙、）	二	三
	四	五
	四	五
（哀不書、）	哀王回元年	二

四	五	六	七
十一來朝、	十二	十三	十四來朝、
			初置魯國、
十一來朝、	十二	十三薨、	哀王襄元年
五	六來朝、	七	八來朝、
六來朝、	七	八	九來朝、
五	六來朝、	七	八來朝、
四來朝、	五	六	七來朝、
			初置常山國、
六	七	八	九來朝、
			初置呂國、（呂國由齊之濟南郡分、當書于）
			復置淮陽國、
六	七	八	九
三	四	五	六

	高后元年
	十五
	四月元王張偃元年、偃高后外孫、故趙
	二
	九
	十
	九
	八
	四月辛卯哀王不疑元年、薨、（哀王上缺初王二字、元年下缺不疑、）
	十
（第八橫行濟南國之表、）	四月辛卯呂王台元年、薨、（當云初王肅王呂台元年、）
	四月辛卯初王懷王彊元年、彊惠帝子、
	十
	七

	二
	十六
王敖子、（元王、當作初王、）	二
	三
	十
	十一
	十
	九
（惠帝子、五字不疑、又以二年薨、）	七月癸巳初王義元年、哀子皋
	十一
	十一月癸亥王呂嘉元年、嘉肅
	二
	十一
	恭王右元年

漢興以來諸侯王年表第五

王弟義、孝惠子、故襄城侯、立爲帝、[考證]皇子二字衍、哀王弟三字、宜置孝惠子下、立爲帝上、

王子、[考證]呂台以十一月薨、謚節、以十一月嗣、獲常山王、不疑以七月薨、共弟義節以七月封也、當年收元、

二一

史記會注考證 卷十七

	三	四
	十七	十八
	三	四
	四來朝	五
	十一	十二
	十二	十三
	十一	十二
	十	十一
缺後字、	二	五月丙辰、初王朝元年、朝、惠帝子、
	十二	十三
	二	三
	三	四
	十二	十三
	二來朝	三

二二

漢興以來諸侯王年表第五

	五	六
	十九	二十
	五	六
	六	七
		初置琅邪國、
	十三	十四
	十四來朝	十五
	十三	十四
	十二	十三
故軹侯、[考證]軹音豫只反、軹縣在河內、後文帝以封舅薄昭、	二	三
	十四	十五
	四	嘉廢、七月丙辰
	五無嗣	初王武元年、武
	十四	十五
	四	五

二三

史記會注考證 卷十七

呂產元年、產、肅王弟、故洨侯、[集解]洨音交、洨水所出、縣名、在洨、又音口也、[考證]呂產上缺書初王、紀在十

孝惠帝子、故壺關侯

二四

七
二十一
七
八
王澤元年、故營陵侯、〔考證〕營陵、縣名、屬北海、〔考證〕王上缺二月初
十五
十六
十五絕、
十四幽死、
四
十六王徙趙、自殺、王呂產元年、
呂產徙王梁、七月丁巳、王太元
二
十六
六

月、漢表作十一月、當無日、惠景表作七月壬辰、未知孰是、

八
二十二
八
九
二
十六
十七
十月辛
初王呂
五非子、
二有罪
二〔考證〕失書非子誅國、
三武誅、
十七
七

三字、
〔考證〕當書更名呂國四字、
年、惠帝子、〔考證〕呂太、故昌平侯、縣名、屬上谷也、〔考證〕王上缺初字、子下缺故平昌侯四字、又當書更名濟川國五字、七月、紀作二月、

丑、初王呂通元年、肅王子、故東平侯、九月誅、國
祿元年、呂后兄子、胡陵侯、誅、國除、〔考證〕胡陵、縣名、屬山陽也、〔考證〕呂祿爲趙王、在呂后七年、
誅、國除爲郡、
誅、爲郡、〔考證〕缺國除二字、
除爲郡、
國除、

孝文前元年、〔考證〕前字後人妄增、
二十三
九廢爲侯、〔考證〕侯無九年、已於前年九月廢矣、
十薨、
初置城陽國、〔考證〕各本國誤作郡、
初置濟北、〔考證〕北下缺國字、
三徙燕、
十七
十八
十月庚戌、琅邪王澤徙燕元年、是爲
十月庚戌、趙王遂元年、幽王子、
分爲河間都樂成、〔考證〕河間下缺國字、
初置太原國都晉陽
復置梁國
十八爲文帝
八

除、〔考證〕東平、縣、屬梁國、
胡陵、侯上缺故字、下缺九月二字、

	二
	夷王郢元年、（郢下缺客字、夷王名郢客、）
	文王則元年
	二月乙卯景王章元年、章、悼惠王子、故朱
	二月乙卯王興居元年、興居、悼惠王子、故
	國除、爲郡、
	十八
	十九
敬王、	二薨、
	二
	二月乙卯初王文王辟彊元年、辟彊、趙幽
	二月乙卯初王參元年、參、文帝子、
	二月乙卯初王懷王勝元年、勝、文帝子、（史文）
	二月乙卯初王武元年、武、文帝子、
	九

	三	四
	二	三
	二	三
盧侯、（朱虛、縣名、屬琅邪、景王上缺初王二字、）	二	共王喜元年
東牟侯、（縣名、屬東萊、王興居上缺初字、）	爲郡、（當補反諸國除四字、）	
	十九來朝、	二十
	二十來朝、	二十
	康王嘉元年	二
	三	四
王子、（辟、音璧、）	二	三
	二	三更爲代王、
（記及漢紀表、懷王名揖、）	二	三
	復置淮陽國、	代王武徙淮
	二徙淮陽、	三太原王參、
	靖王著元年	二

	五
	四薨、
	四
	二
	二十一
	二十二
	三
	五
	四
	四
陽、三年、	四
更號爲代王、三年徙居太原、是爲孝王、	四
	三

六	七
王戊元年	二
五	六
三	四
二十二	二十三
二十三王無道、遷蜀、死雍、爲郡、（王下缺長字、稱下缺國除二字、）	
四	五
六	七來朝、
五	六
五	六來朝、
五	六來朝、
五	六來朝、
四	五

八	九	十	十一
三	四	五	六
七來朝	八	九	十
五	六來朝	七	八徙淮南、爲郡、屬齊
二十四	二十五	二十六	二十七
六來朝	七	八	九
八	九	十	十一
七來朝	八	九	十
七	八	九	十來朝、冀無後
七	八來朝	九	十來朝、徙梁、爲郡
七	八	九	十來朝
六	七	八來朝	九

十二	
七	
十一來朝	
	［考證］罷郡、上缺國除二字
二十八	
城陽王喜徙淮南元年	
十	
十二來朝	
十一來朝	
十一淮陽王武徙梁年、是爲孝王、［考證］梁王勝紀年止	
十一	
十	

	十三	十四
	八來朝	九
	十二	十三
	二十九	三十
	二	三
	十一	十二來朝
	十三	十四
	十二	十三冀、
於十、上年已書冀、此十一年節、武自淮陽來徙、承上年不收、故云徙梁年、毛本年上有元字、非是、	十二	十三
	十二	十三
	十一	十二

十五	十六［考證］索隱本孝文十六年下出淮南三齊
十	十一
初置衡山、［考證］山下缺國字、下格膠西膠東倣之、	四月丙寅王勃
十四冀、無後、	四月丙寅孝王
復置城陽國、	淮南王喜徙城
復置濟北國、	四月丙寅初王
分爲濟南國、	四月丙寅初王
分爲菑川、都劇、	四月丙寅初王
分爲膠西、都宛、［考證］徐廣曰、樂安有宛縣、［考證］宛當作高宛、集解同、	四月丙寅初王
分爲膠東、都即墨、	四月丙寅初王
三十一	三十二
四徙城陽、	四月丙寅王安
十三來朝、	十四
十五	十六
哀王福元年、冀、無後、國除爲郡、	
初置廬江國、［考證］廬江亦淮南所分、與讀河一格、似失其倫、	四月丙寅王賜
十四來朝、	十五
十四	十五
十三	十四

【考證】七略分錄六、各注已見疏首、集明又多糾譌、盭傳寫錯亂、今不增、	後元年	二
	十二	十
元年、淮南厲王子、故安陽侯、【考證】王勃、上缺初字、	二	三
將閭元年、齊悼惠王子、故陽虛侯、	二	三
陽、十三年、	十四	十
志元年、齊悼惠王子、故安都侯、	二	三
辟光元年、齊悼惠王子、故扐侯、	二	三
賢元年、齊悼惠王子、故武城侯、【考證】武城、當作南成、	二	三
卬元年、齊悼惠王子、故平昌侯、	二	三
雄渠元年、齊悼惠王子、故白石侯、	二	三
	三十三	三
元年、淮南厲王子、故阜陵侯、	二	三
	十五	十
	十七	十
元年、淮南厲王子、故周陽侯、【考證】王上缺初字、	二	三
	十六	十
	十六	十
	十五	十

	三	四	五
三	十四	十五	十
	四	五	六
	四來朝、	五	六
五	十六	十七	十
	四來朝、	五來朝、	六
	四來朝、	五	六
	四	五	六
	四	五	六
	四	五	六
十四	三十五	三十六	三
	四	五	六
六	十七	十八來朝、	十
八【考證】世家孝王十七年、年八十、比年來朝、此缺書、	十九	二十來朝、	二
	四	五	六
七	十八來朝、	十九	二
七薨、【考證】文三王傳、參五年一朝、凡三朝、薨、表止書二、	恭王登元年	二	三
六	十七	十八	十

	六	七
六來朝、	十七	十八
	七	八
	七	八
八來朝、	十九	二十
	七	八
來朝、	七	八
	七	八
來朝、	七	八
	七	八
十七	三十八	三十九
	七來朝、	八
九	二十	二十一
十一	二十二	二十三
	七	八
十	二十一來朝、	二十二
	四	五
九	二十來朝、	二十一來朝、薨、無後、國除、

孝景前元年	二
十九	二十來朝、
	分楚復置魯國
九	十
九	十
二十一	二十二
九	十來朝、
九	十
九	十
九	十
九	十
四十	四十一
九	十
二十二	二十三
二十四	二十五來朝、
復置河閒國、	三月甲寅初王獻王
初置廣川、都信都、【考證】廣川、下缺國字、	三月甲寅王彭祖元
	初置中山都盧奴、
九	十
二十三	二十四來朝、
初置臨江、都江都、【考證】當作初設臨江國、都江陵、	三月甲寅初王閼于
初置汝南國、	三月甲寅初王非元
初置淮陽國、【考證】初當作復、	三月甲寅初王餘元
六	七
復置長沙國、	三月甲寅定王發元

三
二十一、反、誅、
六月乙亥、淮陽王徙
十一
十一
二十三
十一、徙菑川、
十一、反、誅、爲郡、
十一、反、誅、濟北王志
十一、反、誅、六月乙亥
十一、反、誅
四十二、反、誅
十一
二十四
二十六、反、誅、爲郡、
王德元年、景帝子、 二、來朝、
元年、景帝子、（彭祖上缺初字、） 二、來朝、
（中山下缺國字、） 六月乙亥、靖王勝元
十一
二十五、來朝、
元年、景帝子、（閼音遏、）（閼于上缺哀王、） 二
年、景帝子、 二
年、景帝子、 徙魯、爲郡、
八
年、景帝子、（定王上缺初王二字、） 二

四四月己巳
文王禮元年、
魯元年、是爲恭王、 二、來朝、
十二、徙濟北、
懿王壽元年
二十四
衡山王勃徙
徙菑川十一年、是爲懿王、 十二
于王端元年、景帝子、（謚法、能優其德曰于、）（于王上缺初王二字、） 二
四月己巳初
初置江都六
十二
二十五
三
三
年、景帝子、（靖上缺初王、） 二
十二、徙衡山、
二十六
三、薨、無後、國
三、徙江都、（漢表、）
九
三

立太子、（己巳、漢景紀作乙巳、立太子、審將相表大事記、不當獨闕、入北表、疑後人增、）
元王子、故平陸侯、
廬江王賜徙衡山王元年、（衡山下王字衍、）
濟北十二年、是爲貞王、
王元年、是爲孝武帝、（孝武二字後人妄改、當書曰初王某元年、是號今皇帝、）
月乙亥、汝南王非爲江都王元年、是爲易王、（謚法好更、）
國除爲郡、
除爲郡、
（二年、徙此、亦誤、後一年、又缺國除爲郡四字、）

五
二
三
二
二、來朝、
二十五
十三、薨、
三十
三
二
（故舊曰易也、）（江都下缺國字、據景紀表三年事、） 二
三十、來朝、
二十六、薨、
廣川王彭祖徙趙、四年、是爲敬
四
四、徙趙、國除爲信都郡、
三
二十七
十
四

	六	七十一月乙丑太子廢、[考證]此亦後人所增、
	三來朝、薨、	安王道元年
	四	五
	三	四
	三	四
	二十六	二十七
	武王胡元年	二
	十四	十五
	四	五
	三	四四月丁巳爲太子、
	三	四
	十四	十五
	王定國元年	二
肅王、	五	六
	五	六
	四	五來朝、
	二十八	二十九來朝、
	復置臨江國、	十一月乙丑初王閔王榮
	十一	十二
	五來朝、	六來朝、

	中元年	二
	二來朝	三
	六來朝	七
	五	六
	五	六
	二十八	二十九
	三	四
	十六來朝	十七來
	六來朝	七
	復置膠東國	四月乙
	五	六
	十六	十七
	三	四
	七	八來朝
	七	八來朝
	復置廣川國、	四月乙
	六	七
		初置清
	三十	三十一
元年、景帝太子廢、[考證]漢書諸侯表乙丑作己酉、		三
	十三	十四
	七	八

	三
	四
	八
	七來朝、
	七
來朝、	三十
	五
朝、	十八
	八
巳初王康王寄元年、景帝子、	二
	七
	十八
	五來朝、
	九
	九
巳惠王越元年、景帝子、[考證]缺初王二字、	二
	八
河、都濟陽、[考證]清河下缺國字、濟陽當作清陽、	三月丁巳哀王乘
來朝、	三十二
	四坐侵廟壖垣爲
	十五來朝、
	九

元年、景帝子、[考證]缺初王二字、
宮自殺國除爲南郡、[索隱]壖音而緣反、壖垣、廟垣外之壖壖邊也、[考證]案無四年、景紀二年三月、召臨江王來、卽死中尉府中、當

	四	五
	五	六來朝、
	九	十
	八	九
	八	九
	三十一	三十二
	六	七
	十九	二十
	九	十
	三	四來朝、
	八	九
	十九來朝、	二十
	六	七
	十	十一
	十	十一
	三	四
	九來朝、	十
	二	三
	復置常山國、	三月丁巳初王憲王舜
	三十三	三十四
衍四字、而移坐後十四字於前格、		分爲濟川國、
		分爲濟東國、
		分爲山陽國、
		分爲濟陰國、
	十六	十七
	十來朝、	十一來朝、

	六
	七
	十一
	十
	十
	三十三薨、
	八
	二十一
	十一
	五
	十
	二十一
	八
	十二
	十二
	五
	十一
	四
元年、孝景子、[考證]三月當作四月、據紀漢書、	二
	三十五來朝、薨、
	五月丙戌初王明元年、梁
	五月丙戌初王彭離元年、
	五月丙戌初王定元年、梁
	五月丙戌初王不識元年、
	十八
	十二

	後元年	二	三
	八	九	十
	十二	十三	十
	十一	十二	十
	十一	十二來朝、	十
	頃王延元年、[考證]頃音傾、城陽王子、	二	三
	九	十來朝、	十
	二十二來朝、	二十三	二
	十二	十三	十
	六	七	八
	十一	十二	十
	二十二	二十三	二
	九來朝、	十來朝、	十
	十三來朝	十四	十
	十三來朝、	十四	十
	六	七	八
	十二	十三	十
	五	六	七
	三	四	五
	恭王買元年、孝王子、	二	三
孝王子、	二	三	四
梁孝王子、	二	三	四
孝王子、	二	三	四
梁孝王子、	二薨、無後、國除、[考證]缺繇郡二字、		
	十九	二十	二
	十三	十四	十

	孝武建元元年、[考證]孝武當作今上、	二	三
	十一	十二來朝、	十三
四	十五	十六來朝、	十七
三	十四	十五	十六
三	十四	十五	十六
	四	五	六
一	十二	十三	十四
十四	二十五	二十六	二十
四	十五	十六	十七
來朝、	九	十	十一
三	十四	十五	十六
十四	二十五	二十六來朝、	二十
一	十二	十三	十四
五	十六	十七	十八
五	十六	十七	十八
	九	十	十一
四	十五	十六	十七
	八	九來朝、	十
	六	七	八
	四	五	六
	五	六	七明
	五	六	七
	五	六	七
十一	二十二	二十三	二十
五	十六	十七	十八

	四
	十四
	十八
	十七
	十七
	七
	十五
七	二十八
	十八
	十二
	十七來朝、
七	二十八
	十五
	十九
	十九
	十二
來朝、	十八
	十一
	九來朝、
	七薨、
殺中傅、廢遷房陵、集解徐廣曰、一作太傅、考證明濟川王名、	八爲郡、考證八字衍錯、上缺國除二字、
	八
	八
四來朝	二十五
來朝、	十九

五	六
十五	十六
十九	二十
十八	十九
十八	十九
八	九
十六	十七
二十九	三十
十九	二十來
十三	十四
十八	十九
二十九	三十
十六	十七
二十	二十一
二十	二十一
繆王元年、集解徐廣曰齊立四十五年、以征和元年乙丑有罪、病死、謚曰繆、考證濟川惠王子謚、法名與實爽曰繆、	二
十九	二十
十二薨、無後、國除爲郡、	
十	十一
平王襄元年	二
九	十
九薨、無後、國除爲郡、	
二十六	二十七
二十	二十一

	元光元年	二	三
	十七	十八來朝、	十九來朝、
	二十一	二十二	二十三
	二十	二十一	二十二
	二十	二十一	二十二卒、考證諸王當書薨、此譌書
	十來朝、	十一	十二
	十八	十九	二十
	三十一	三十二	三十三
朝、	二十一	二十二	二十三
	十五來朝、	十六	十七
	二十	二十一	二十二
	三十一	三十二	三十三
	十八來朝、	十九	二十
來朝	二十二	二十三	二十四
	二十二	二十三	二十四
	三	四	五
	二十一	二十二來朝、	二十三來朝、
	十二	十三	十四
	三	四	五
	十一	十二	十三
	二十八	二十九	王義元年
	二十二	二十三來朝、	二十四來朝、

	四	五	六
	二十	二十一	二十二薨、
	二十四	二十五	二十六薨、
	二十三	二十四	二十五考證楓傳、此讀來朝、
卒、何也、	厲王次昌元年	二	三
	十三	十四來朝、	十五
	二十一	二十二	二十三
	三十四	三十五薨、	靖王建元年
	二十四	二十五	二十六
	十八	十九	二十
	二十三	二十四	二十五
	三十四	三十五	三十六
	二十一	二十二	二十三
	二十五	二十六	二十七來朝、
	二十五	二十六來朝、	恭王不害元
	六	七	八
	二十四	二十五	二十六
	十五	十六	十七
	六	七	八
	十四來朝、	十五	十六
	二	三	四
	二十五	二十六	二十七

	元朔元年	二
	襄王注元年、[考證]世家、注作縱、	二
	安王光元年	二
	二十六	二十七
	四	五、薨、無
	十六	十七
	二十四、來朝、	二十五
	二	三
	二十七	二十八
	二十一	二十二
	二十六	王建元
	三十七	三十八
	二十四、坐禽獸行自殺、國除爲郡	
	二十八	二十九
年	二	三
	九	十
	二十七	二十八
	十八	十九
	九	十、來朝、
	十七	十八
	五	六
	康王庸元年	二

	三	四
	三	四、來朝、
	三	四
	二十八	二十九
後、國除爲郡、		
	十八	十九
	二十六	二十七
	四	五
來朝、	二十九	三十
	二十三	二十四
年	二	三
	三十九	四十
	三十	三十一
	四、薨、	剛王堪元年、[考證]五宗世家、漢表堪、作基、
	十一	十二
	二十九、來朝、	三十
	二十	二十一
	十一	十二
	十九	二十、來朝、
	七	八
	三	四

五	六	元狩元
五	六	七
五	六	七
三十	三十一	三十二
二十	二十一、來朝、	二十二
二十八	二十九	三十
六	七	八
三十一	三十二	三十三
二十五、來朝、	二十六	二十七
四	五	六
四十一、安有罪、削國二縣、	四十二	四十三
三十二	三十三	三十四
二	三	四
十三	十四、來朝、	十五
三十一	三十二	三十三
二十二、來朝、	二十三	二十四
十三	十四	十五
二十一	二十二	二十三
九		十一
五	六	七

年	二
	八
	八、來朝、
反、自殺、國除、	
	二十三
	三十一
	九
	三十四
	二十八
	七、反、自殺、國除爲廣陵郡、
反、自殺、	置六安國、以故陳爲都、七月丙子、[集解]
來朝、	三十五
	五
	十六
	三十四
	二十五
	十六
	二十四
	十二、來朝、
	八、來朝、

徐廣曰、一云王子	初王恭王慶元年、膠東王子、[考證]六安即衡山故地、不隊在流南格、於並市書國際鬱	

	三	四
	九	十來
	九	十
	二十四	二十
	三十二來朝、	三十
	十	十一
	三十五	三十
	哀王賢元年	二
九江郡、於衡山舊初置六安國、都陳、七月丙子初王慶元年、膠東康王子、此表舊文舛譌、與後人增改雜有之	二	三
	三十六	三十
	六	七
	十七	十八
	三十五來朝、	三十
	二十六	二十
	十七	十八
	二十五	二十
	十三	十四
	九	十

	五	六
朝、	十一	十二
	十一	十二
	復置齊國、	四月乙巳初王懷王閎
五	二十六來朝、薨	敬王義元年
三	三十四	三十五
	十二來朝、	十三
六	三十七	三十八
	三	四
	更爲廣陵國、	四月乙巳初王胥元年
	四	五
	復置燕國、	四月乙巳初王剌王旦
七	三十八	三十九
	八	九來朝
	十九	二十
六	三十七	三十八
七	二十八	二十九來朝
	十九	二十
六來朝、	二十七	二十八
	十五	十六
	十一	十二

	元鼎元年、
	十三
	十三
元年、武帝子、[考證]武帝當作今上、下倣之、	二
	二
	三十六
	十四
	三十九
	五
武帝子、	二
	六
元年、武帝子、[考證]諡法、暴慢無親曰刺、	二
	四十
	十
	二十一來朝、
	三十九
	三十
	二十一
	二十九剽攻殺人、遷上庸
	十七
	十三

	二	三
	十四薨、	節王純元年
	十四來朝、	十五
		初置泗水都
	三	四
	三	四
	三十七	三十八
	十五	十六
	四十	四十一
	六	七
	三	四
	七	八
	三	四
	四十一	四十二
	十一	十二薨
	二十二	二十三
	四十	四十一來朝
		復置清河國
	三十一	三十二薨、子
	二十二	二十三
國為大河郡、【考證】國下缺除字、各本大譌太、		
	十八來朝、	十九徙清河、
	十四	十五來朝

	四
	二
	十六
郯、【集解】徐廣曰、泗水居東海、【考證】水下缺國字、云東郡治何焉、以都王疑當作讀、	思王商元年、【集解】徐廣曰、一云勤王商元年、商
	五
	五
	三十九
	十七
	四十二
	八
	五
	九
	五
	四十三
	頃王授元年
	二十四
	四十二薨、
	二十代王義徙清河、年
為王、【考證】子清為王、以非[illegible]	更為眞定國頃王平元
	二十四
為太原郡、【考證】清河下缺國字、	
	十六

	五	六
	三	四
	十七	十八
常山憲王子、	二	三
	六	七
	六	七
	四十	四十一來
	十八	十九
	四十三	四十四
	九	十
	六	七
	十	十一來朝、
	六	七
	四十四	四十五
	二	三
	二十五來朝	二十六
	哀王昌元年、即年薨、	康王昆侈
是為剛王	二十一	二十二
年、常山憲王子、	二	三
	二十五	二十六
	十七	十八

	元封元年	二
	五	六
	十九	二十
	四	五
	八薨、無後國除為郡	
	八來朝、	九薨、
朝、	四十二	四十
	二十	頃王
	四十五	四十
	十一	十二
	八	九
	十二	十三
	八	九
	四十六	四十
	四	五
	二十七	二十
元年、【正義】按謚法云、好樂怠政曰荒、讀書作聽、見淨名、	二	三
	二十三	二十
	四來朝	五
	二十七	二十
	十九	二十

	三
	七
	二十一來朝
	六
	慧王武元年
三	四十四
遺元年、[索隱]濟南王辟光之孫也、[考證]案齊悼惠王世家、遺乃菑川懿王志之孫、辟光以反誅、不聞紹封、此注譌、	二
六	四十七薨無
	十三
	十
	十四
	十
七	四十八
	六
八	二十九
	四
四	二十五來朝
	六
八	二十九
	二十一

	四	五	六
	八	九	十
	二十二	二十三朝泰山	二十四
	七	八	九
	二	三	四
	四十五	四十六朝泰山	四十七
	三	四	五
後、國除、[考證]缺餘鄒二字、			
	十四	戴王通平元年	二
	十一	十二	十三
	十五	十六	十七
	十一	十二	十三
	四十九	五十	五十一
	七	八	九
	三十	三十一	三十二
	五	六	七
	二十六	二十七	二十八
	七	八	九來朝
	三十	三十一	三十二
	二十二	二十三	二十四

太初元年	二
十一	十二
二十五	二十六
十薨、	哀王安世元年、卽戴王賀元年、安世
五	六
四十八	四十九
六	七
三	四
十四	十五
十八來朝	十九
十四	十五
五十二	五十三
十	十一
三十三	三十四
八	九來朝
二十九	三十
十	十一
三十三	三十四
二十五	二十六

子、[索隱]廣川惠王子也、[考證]賀是安世弟、五宗世家及十三王傳甚明、思王以太初元年薨、二年安世嗣、一年薨、無後、以賀紹封、在太初三年、此幷書於二年、譌、索隱亦有譌、

三	四
十三	十四
二十七	二十八
二	三
七 薨、[索隱]薨字衍、悲王在位十一年、	荒王賀元年、[索隱]荒王賀元年五字衍、乃憲王八年也、荒王名順、亦不名賀、
五十	五十一
八	九
五	六
十六	十七
二十	二十一
二十六	二十七
五十四	五十五
十二	十三
三十五	三十六
十	十一
三十一	三十二
十二	十三
三十五	三十六來朝
二十七	二十八來朝、

[集解]徐廣曰、孝武太始二年、廣陵中山眞定王來朝、孝宣本始元年、趙來朝、二年、廣川來朝、四年、清河來朝、孝宣地節元年、梁來朝、二年、河閒來朝、三年、濟北分平原太山二郡、

[索隱述贊]漢有天下、爰覽興亡、始誓河岳、言峻龍章、淮陰就楚、彭越封梁、荊燕懿戚、齊趙棣棠、犬牙相制、麟趾有光、降及文景、代有英王、魯恭梁孝、濟北城陽、仁賢足紀、忠烈斯彰、

漢興以來諸侯王年表第五

史記十七

史記會注考證卷十八

漢　太史令司馬遷撰
宋　中郎外兵曹參軍裴駰集解
唐　國子博士弘文館學士司馬貞索隱
唐　諸王侍讀率府長史張守節正義
日本　出雲瀧川資言考證

高祖功臣侯者年表第六　史記十八

[正義]高祖初定天下、表明有功之臣而侯之、若蕭曹等、[考證]史公自序云、維高祖元功、輔臣股肱、剖符而爵、澤流苗裔、忘其昭穆、或殺身隕國、作高祖功臣侯者年表、第

六、

太史公曰。古者人臣功有五品。以德立宗廟定社稷曰勳。以言曰勞。用力曰功。明其等曰伐。積日曰閱。封爵之誓曰。使河如帶、泰山若厲、[集解]應劭曰、封爵之誓、國家欲使功臣傳祚無窮、帶、衣帶也、厲、砥石也、河當何時如衣帶、山當何時如厲石、言如帶厲國乃絕耳、國以永寧、爰及苗裔。[考證]漢書高惠高后文功臣表所載誓詞、河上有黃字、事作存、帶厲裔韻、中井積德曰、使上添至字看、梁玉繩曰、困學紀聞十二、引楚漢春秋云、高祖封侯、賜丹書鐵券曰、使黃河如帶、太山如礪、漢有宗廟、爾無絕世、下二語迥異、陸賈在高帝時親見、必得其眞、史漢所載、蓋呂后更之、愚按御覽兩引楚漢春秋、與困學紀聞合、始未嘗不欲固其根本。而枝葉稍陵夷衰微也。[考證]陵夷、廢壞也、余讀高祖侯功臣、察其首封所以失之者、曰。異哉所聞。[考證]方苞曰、異於古河山帶礪、爰及苗裔之意也、吳汝綸曰、此言異於春秋尚書千載之封也、上文所云欲固根本、而枝葉陵夷衰微者、皆言漢事、根本謂封國之功臣爲後世祖者、枝葉指其子孫也、愚按吳說是、書曰。協和萬國。[考證]書堯典、邦作國、避高祖諱、遷于夏·商、

或數千歲。蓋周封八百。幽·厲之後、見於春秋。尚書有唐·虞之侯伯。歷三代千有餘載。自全以蕃衛天子。[考證]柯維騏曰、虞舜之子商均、禹封之于虞、少康時有虞思、至殷封遂、周封滿、竝於陳、其後也、皐陶之後爲英六、二國至周尚存、伯夷之後爲申呂、至周復封爲齊、柏翳與禹平水土、舜賜姓曰嬴、秦此所謂唐虞之侯伯也、歷三代、或絕或續、其世足徵矣、豈非篤於仁義奉上法哉。[考證]與子孫驕溢、忘其先淫辟、身無競競於當世之禁者異、

漢興、功臣受封者百有餘人。[索隱]案下文、高祖功臣百三十七人、兼外戚及王子、凡一百四十三人、[考證]梁玉繩曰、高帝功臣、有表不盡載者、功臣之封、始乎六年十二月、故呂公之封臨泗侯、利幾之封潁川侯、盧綰之封長安侯、表均不載、蓋呂公以四年先卒、利幾以五年九月反誅、盧綰以五年後九月爲王也、若在六年以後者、項羽紀、玄武侯與射陽桃平泉三侯皆封、而表無之、劉敬傳、敬爲建信侯、而表無之、黥布傳、高帝十一年封故楚令尹薛公千戶、陳豨傳、封趙將四人各千戶、朱建傳、梁父侯導黥布反、而表俱無之、詎非封而失書歟、天下初定。故大城名都散亡、戶口可得而數者十二三。[索隱]言十分纔二三在耳、是以大侯不過萬家。小者五六百戶。[考證]梁玉繩曰、表載曹參封一萬六千戶、劉澤封一萬二千戶、蕭何封一萬五千戶、則不過萬家之說未可信、愚按表曰萬五千曰萬

六千、依籍言之、此曰不過萬家、以實言之、後數世、民咸歸鄉里、戶益息、蕭·曹·絳·灌之屬、或至四萬、小侯自倍。[索隱]倍其初封時戶數也、[考證]蕭何曹參灌嬰皆稱其姓、而絳侯周勃獨以封土者、蓋當時有此稱、以與周昌周竈諸人別也、富厚如之。子孫驕溢、忘其先淫嬖。[考證]與篤於仁義者異、至太初、百年之閒、見侯五。[正義]謂平陽侯曹宗、曲周侯酈終根、陽阿侯齊仁、戴侯祕蒙、穀陵侯馮偃也、[考證]梁玉繩曰、五當作六、太初見侯、正義所引之外、有江鄒侯靳石、錢大昕曰、史公作表終于太初、平陽曲周陽阿戴四侯之免、皆在太初以後、故尚在見侯之數也、江鄒侯靳石、以改封不與五人之數、然曲周侯侯終根、其時已改封繆、陽阿侯仁、其時亦改封埤山矣、是太初之世、不止見侯五也、陽阿據漢表、乃其石之後、齊其謚、非姓也、正義稱齊仁似誤、張文虎曰、正義齊仁、王柯本作卞仁、愚按慶長本亦作卞、餘皆坐法隕命亡國秏矣。[考證]與自全以蕃衛天子者異、罔亦少密焉。[考證]服虔曰、法罔差益密也、吳汝綸曰、禁罔之密、所以廢辱、俞樾曰、觀年表所載、有以謀反國除者、斯固法所宜然也、他如武昌侯德、坐傷人二旬死、棄市國除、猶曰重民命也、又如蓼侯臧、坐爲太常、南陵橋壞、國除、廣阿侯越、坐爲太常酒酸、國除、猶曰嚴祀事也、即如曲城侯皐柔、坐民不用赤仄錢爲賦、國除、樂成侯義、坐言五利侯不道、國除、猶曰撓時禁也、乃至芒侯申生、坐尙南宮公主不敬、國除矣、祈侯它、坐從射擅罷、國除矣、絳陽侯祿、寧侯指、坐出界、國除矣、武原侯不害、坐葬過律、國除矣、高苑侯信、坐出入屬車

間國除矣、安丘侯指、坐入上林謀盜鹿國除矣、噫父祖累百戰之功而得國、子孫負一朝之過而失侯、遂使降將無反顧之心、功臣有自危之意、亦豈長有天下之道哉、中井積德曰、是時四方征伐、有功者不得不封、而天下無復地可封焉、故不得不滅舊封、是勢之所必至、雖孝武之殘忍寡恩、亦少有可恕者、要之處之之道失宜耳、然皆身無兢兢於當世之禁云。[考證]與奉上法者異、居今之世、志古之道。所以自鏡也。[索隱]言居今之代、志識古之道、得以自鏡當代之存亾也、[考證]十三字屬下讀、未必盡同帝王者、各殊禮而異務。要以成功爲統紀。豈可緄乎。[考證]未必上添然而二字看、岡白駒曰、未必今盡同於古、緄、縫也、豈可强縫合之乎、徐孚遠曰、此數語、蓋不敢斥漢家少恩、故爲隱語也、觀所以得尊寵、及所以廢辱、亦當世得失之林也。[索隱]言觀今人臣所以得尊寵者必由忠厚、被廢辱者亦由驕淫、是言見在興廢、亦當代得失之林也、何必舊聞。[考證]承上文異哉所聞、岡白駒曰、觀其得侯與失侯、皆有所以致之、何必專求之古、於是謹其終始、表見其文。頗有所不盡本末。著其明、疑者闕之。後有君子、欲推而列之、得以覽焉。

[考證]汪越曰、表侯功、大約從起豐沛、從至霸上定秦、從至漢中、從滅項羽、功之大者也、餘功如從大將擊齊魏、擊韓燕代、定諸侯、如護太公呂后、奉孝惠魯元公主、如解鴻門、如爲漢守、如從擊黥布彭越陳豨盧綰韓王信、皆表而出之、明不與恩澤侯同也、凡有罪失侯者、大約如酎金、如爲太常犧牲不如令、如爲太常酒酸、罪之輕者也、餘罪如爲太守知民不用赤仄錢爲賦、如不償人責、如尚南宮公主不敬、如出入屬車間、如坐出界、如買塞外禁物、如入上林謀盜鹿、如爲太常與樂舞人闌入函谷關、如賈宅縣官故貴、皆在可議之列也、餘重罪則謀大逆、大不敬、過律、姦淫、略人、傷人、總之所謂不奉上法者也、或但云有罪、疑獄也、不明所坐、或史闕之、梁玉繩曰、官僚有一定之班、王侯無異守之職、故但因其功之隆卑、以分先後、侯第所由設也、漢表序云、漢王卽皇帝位、論功封侯者百四十三人、又作十八侯位次、高后二年、復詔丞相陳平、盡差列侯之功、錄第下竟、余竊疑當時何以諸王無位次、而諸侯有位次、就以侯位論功臣百數十人、何以高祖祇作十八人位次、不及其餘、均所難曉、而十八侯惟蕭曹可信、諸見世家、中、其十六位、傳聞殊別、莫識準裁、是知高祖之作、亦爲呂后改易、罔仍舊章、如良平俱大功臣、不在十八侯内、張敖未有大功、儼居第三、豈非呂后升降之乎、而呂后差錄之位次、表中舛漏頗多、致高祖所封、元年至十二年、共百四十三人、孝惠所封、元年至五年、共三人、呂后所封、元年至二年、五月、共十三人、統計百五十九人、應有百五十九位次、而周呂合陽二侯、追尊爲王、沛侯進封爲王、奠頡侯以罪削爵、射陽夏淮陰芒江邑五侯、並以罪國除、當呂后錄第時、自不及其列、則位次實數、應有百五十矣、乃表中侯之無位者、曰胡陵、曰費、曰任、曰棘丘、曰襄平、曰離、曰便、曰平都、曰軑、曰扶柳、曰郊、曰南宮、曰梧、曰平定、曰博成、曰沛、曰襄成、曰軹、曰壺關、曰沅陵、曰上邳、曰朱虛、凡廿二位

之無侯者、曰廿一、曰三十一、曰三十八、曰五十四、曰五十六、曰六十八、曰七十六、曰八十七、曰九十三、曰九十七、曰百十三、曰百二十、曰百二十八、曰百二十九、曰百三十三、曰百三十六、曰百三十八、曰百三十九、曰百四十、曰百四十一、曰百四十二、曰百四十三、曰百四十四、曰百四十五、曰百四十六、曰百四十七、曰百四十八、曰百四十九、曰百五十、凡廿九、侯位之複者、東武、高苑、皆曰四十一、東茅、菌、皆曰四十八、肥如、高梁、皆曰六十六、新陽、棘陽、皆曰八十一、武原、曆、高陵、皆曰九十二、平州、邵、皆曰百十一、凡七、今取漢表校之、費三十一、平定五十四、梧七十六、新陽八十七、武原九十三、邳百十三、軑百二十、上邳百二十八、朱虛百二十九、便百三十三、沅陵百三十六、此十一位、灼然著明、可補史缺、至以襄平爲六十六、平都爲百十一、不足取證、蓋六十六已有肥如、高梁、并襄平則重三矣、百十一已有平州、并平都則重二矣、不綦誤哉、再以本表侯功校之、功勳相比、名次相肩、高苑比斥丘、斥丘四十、則高苑無疑在四十一、而東武之四十一、必是二十一之謂、襄平比平定、平定五十四、則襄平無疑在五十六、高梁比平侯、平侯三十二、則高梁無疑在三十八、武原比高陵、高陵九十二、武原九十三、則曆侯之位、無疑在九十七、東茅功盛于菌、位宜在前、則菌之四十八、無疑是六十八之謂、此五位亦確可補缺、其餘失考者、數其侯、則胡陵也、任也、棘丘也、離也、平都也、扶柳也、郊也、南宮也、博成也、沛也、襄成也、軹也、壺關也、數其位、則百三十八以下、爲虛位、與任侯等十三人適合、無籍可稽、未敢妄配、而獨怪史漢兩表所載、奚無越乎百三十七陸梁侯之外者邪、愚按張錫瑜有史表功比說、論功比侯第尤詳、與梁說相發明、讀者就其書究之可也、

欄	注
國名	[正義]此國名匡左行一道、成是諸侯所封國名也、
侯功	[考證]史漢所書諸侯功狀、蓋本于高后二年陳平所錄侯籍、刪節以入表也、故皆大同小異、然頗有譌處、未必盡仍其舊、當分別觀之、
高祖十二	[考證]此表以天子紀年爲主、高惠呂后文景及武帝、一朝自爲一格、如高祖在位十二年、凡係六年所封、概書七字、以此侯自六年至十二年、實七年也、其七年封者、用六字、八年封者用五字、以次而減、此其文例也、十二高祖在位十二年也、下倣此、
孝惠七	
高后八	
孝文二十三	
孝景十六	
建元至元封六年、三十六、太初元年盡後元二年、十八、	[考證]惠景間侯者年表建元已來侯者年表、末一格只云太初已後、不計年數、此表亦當如此、太初以下十一字後人妄續、當削之、
侯第	[考證]姚氏曰、蕭何第一、曹參二、張敖三、周勃四、樊噲五、酈商六、奚涓七、夏侯嬰八、灌嬰九、傅寬十、靳歙十一、王陵十二、陳武十三、王吸十

四、薛歐十五、周呂十六、丁復十七、蟲逢十八、史記與漢表同、而楚漢春秋則不同者、陸賈記事、在高祖惠帝時、漢書是後定功臣等列、及陳平受呂后命

而定、或已改邑號、故人名亦別、且高祖初定唯十八侯、呂后令陳平終竟以下列侯第錄、凡一百四十三人也、[考證]此表位次有重見者、有闕者、失者、說既具篇

平陽 [索隱]案漢書地理志、平陽縣屬河東、[考證]各本平陽居中、而注分兩旁、或曼延於下、殊易混亂、今依王本惠景間侯者表、以封

以中涓 [集解]如淳曰、謁主通書、謂出納君命、石奮爲謁中涓、受陳平謁是也、春秋傳曰涓人疇、漢儀注、天子有中涓如黃門、皆中官也、

從起沛、至霸上、侯、以將軍入漢、以左丞相出征齊魏、以右丞相

七 六年十二月甲申、懿侯曹參元年、[索隱]懿謚也、[考證]漢時諸侯王得自稱元年、漢書諸侯王表、楚王戊二十一年、孝景三年、楚王延壽三十二年、地節元年之類是也、淮南天文訓、淮南元年冬、太一在丙子、謂淮南王安始立之年也、不獨王也、卽列侯於其國、亦得自稱元年、史記

五 其二年、爲相國、

二 六年十月、靖侯窋元年、

八

十九

四 後四年、簡侯奇元年、

十三 四年、夷侯時元年、[索隱]夷侯時、音止、又音市、案曹參系家作時、今表或作時、案漢書衞靑傳、平西曹壽、尚陽信公主、卽此人、當是字訛、

十六 元光五年、恭侯襄元年、

元鼎三年、今侯宗元年、[考證]諸本元刪三年下、有廿四征和二年侯宗坐太子死

二 [集解]漢書音義曰、曹參位第二、而表在首、以前後故、[索隱]漢書音義曰、曹參位第二、而表在首、蕭何位第一、而表在十三者、以

題下、

國列右端、而系注於下、諸表放放此、

爲平陽侯、萬六百戶、

高祖功臣侯年表、高祖六年、平陽懿侯曹參元年、孝惠六年、靖侯窋元年、孝文後四年、簡侯奇元年、是也、

國除、十四字、史訖太初、故上文稱今侯宗、天漢以下、史皆不及、今刪、

封先後故也、又案封參在六年十二月、封何在六年正月、高祖十月因秦改元、故十二月在正月前也、漢表具記位次、而亦依封前後錄也、

	信武	清陽
國名	信武 【索隱】案地理志、無信武縣、當是後廢故也、	清陽 【索隱】漢表、清河、地理志、清陽縣、
侯功	以中涓從起宛、胊、入漢、以騎都尉定三秦、擊項羽、別定江陵、侯、五千三百戶、以車騎將軍攻黥布、陳豨、	以中涓從起豐、至霸上、為騎郎將、入漢、
高祖十二	七 六年十二月甲申、肅侯靳歙元年、【索隱】靳、姓也、音紀覲反、歙、音攝、又音吸、	七 六年十二月甲申、定侯王吸元年、【索隱】楚漢
孝惠七	七	七
高后八	五 / 三 六年、夷侯亭元年、【考證】漢法、諸侯以罪失國者不賜諡、下文稱侯亭是也、此夷字後人妄加、當刪之、	八
孝文二十三	十八 後三年、侯亭坐事國人過律、奪侯、國除、	七 元年、哀侯彊元年、 / 十六 八年、孝侯伉元年、
孝景十六		四 / 十二 五年、哀侯不害元年、
建元至元封六年三十六		七 元光二年、侯不害薨、無後、國除、
侯第	十一	十四

	（清陽）	汝陰
國名	屬清河郡、【考證】漢表作清河、誤、	汝陰 【索隱】汝陰縣、屬汝南、凡汝南縣名、皆據地理志、不書者、從省文也、
侯功	以將軍擊項羽、功侯、三千一百戶、【考證】漢書作二千二百戶、	以令史從降沛、為太僕、常奉車、為滕公、竟定天下、入漢中、全孝惠、魯元、侯、六千九百戶、常為太
高祖十二	春秋作清陽侯王隆、	七 六年十二月甲申、文侯夏侯嬰元年、
孝惠七		七
高后八		八
孝文二十三	【索隱】彊、其良反、【考證】彊諡夷、誤作哀、 / 【索隱】伉、苦浪反、	八 / 七 九年、夷侯竈元年、 / 八 十六年、恭侯賜元年、
孝景十六		十六
建元至元封六年三十六		七 / 十九 元光二年、侯頗元年、元鼎二年、侯頗尚公主、與父御婢姦罪、自殺、國除、
侯第		八

	（汝陰）	陽陵	廣嚴
國名		陽陵 【索隱】陽陵縣、屬馮翊、楚漢春秋作陰陵、【考證】當作陰陵、陰陵、九江縣、	廣嚴 【索隱】晉書
侯功	僕、	以舍人從起橫陽、至霸上、為魏將、入漢、定三秦、屬淮陰、定齊、為齊丞相、侯、二千六百戶、【考證】漢表、魏將作騎將、近是、淮陰當作韓信、下倣此、	以中涓從起沛、
高祖十二		七 六年十二月甲申、景侯傅寬元年、	七 六年十二
孝惠七		五 / 二 六年、隨頃侯靖元年、【考證】隨字衍、漢表、靖作清、	七
高后八		八	八
孝文二十三		十四 / 九 十五年、恭侯則元年、【考證】漢表、則作明、	一 / 九 二年、 / 十三 十一
孝景十六		三 / 十三 前四年、侯偃元年、	
建元至元封六年三十六		十八 元狩元年、偃坐與淮南王謀反、國除、	
侯第		十	二十八

	（廣嚴）	廣平
國名	地道記、廣縣在東莞、嚴、諡也、下又云壯、班馬二史故誤也、【考證】嚴字衍、齊郡有廣縣、	廣平 【索隱】縣名、屬臨淮、
侯功	至霸上、為連敖、入漢、以騎將定燕、趙、得將軍、侯、二千二百戶、	以舍人從起豐、至霸上、為郎中、入漢、以將軍擊項羽、鍾
高祖十二	月甲申、壯侯召歐元年、【索隱】歐、烏后反、【考證】下文亦有壯侯、壯或作莊、故漢表避諱改嚴、歐、漢表作毆、	七 六年十二月甲申、敬侯薛歐元年、
孝惠七		七
高后八		八 元年、靖侯山元年、
孝文二十三	戴侯勝元年、 / 年、恭侯嘉元年、至後七年、嘉薨、無後、國除、	十八 / 五 後三年、侯澤元年、
孝景十六		八 中二年、有罪、絕、 / 平棘 五 中五年、復封、節侯澤元年、
建元至元封六年三十六		十五 其十年、為丞相、 / 三 元朔四年、侯穰元年、元狩元年、穰受淮南王
侯第		

	博陽	曲逆
	博陽 [索隱]博陽縣、在汝南、	曲逆
離昧、功侯、四千五百戶、[考證]漢表項羽下有將字、	以舍人從起碭、以刺客將入漢、以都尉擊項羽滎陽、絕甬道、擊殺追卒、功、侯、[考證]漢表作殺追士卒、	以故楚
	七 六年十二月甲申、壯侯陳濞元年、[索隱]楚漢春秋名濆、[考證]漢表作濞、	七
	七	七
	八	八
	十八 五 後三年、侯始元年、	二 二 十九
	四 前五年、侯始有罪、國除、 塞 二 中五年、復封始、[考證]塞在桃林也、 後元年、始有罪、國除、	四 十二
[考證]十年、當作九年、 財物稱臣、在赦前、詔問謾罪、國除、		十
	十九	四十

	堂邑
[索隱]縣名、屬中山、章帝改曰蒲陰也、	堂邑 [索隱]縣名、屬臨淮也、
都尉、漢王二年初從修武、為都尉、遷為護軍中尉、出六奇計、定天下、侯、五千戶、	以自定東陽、為將、屬項梁、為楚柱國、四
六年十二月甲申、獻侯陳平元年、	七 六年十二月甲申、安侯陳嬰元年、
其五年、為左丞相、[考證]平為左丞相、在惠帝六年、	七
其元年、徙為右丞相、後專為丞相、相孝文二年、	四 四 五年、恭侯祿元年、
三年、恭侯買元年、[考證]上二者、孝文時獻侯在國二年也、下二者、孝文時恭侯在位二年也、 五年、簡侯悝元年、	二 二十一 三年、夷侯午元年、
五年、侯何元年、	十六
元光五年、侯何坐略人妻、棄市、國除、	十一 元光六年、季須元年、 十三 元鼎元
七	八十 六

歲、項羽死、屬漢、定豫章浙江、都浙、自立為王、壯息、侯、千八百戶、復相楚元王十二年、[索隱]案漢表作定浙江都浙自立為王壯息、侯立孫融、以公主子、改封隆慮、音林廬也、[考證]壯息、人姓名、壯卽莊、其
年、侯須坐母長公主卒、未除服、姦兄弟爭財、當死、自殺、國除、

	周呂
	周呂 [考證]應劭云、周呂國也、案周及呂皆國名、濟陰有呂都縣、
時僭為王、據豫章浙江之地、而都于漸、陳嬰擊定之也、漸卽浙江、	以呂后兄初起、以客從入漢為侯、還定三秦、將兵先入碭、漢王之解彭城、往從之、復發兵佐高祖定天
	三 六年正月丙戌、令武侯呂澤元年、[索隱]令武、謚也、一云令邑、武謚也、又改封 四 九年、子台封酈侯元年、[索隱]酈音歷、一作鄜、音敷、
	七 有罪、[考證]呂台以高后元年封王、不以孝惠七年有罪免也、七有罪三字衍文、而于下高后格中當補元年侯台為呂王、國除九字、

下、功、侯、

令、令、縣名、在粱陽、出晉地道記、皆縣名、【考證】鄜、當作酈、

建成【索隱】縣名、屬沛郡、

以呂后兄初起、以客從擊三秦、漢王入漢、而釋之還豐沛、奉衛呂宣王、太上皇、天下已平、封釋之爲建成侯、

七　六年正月丙戌、康侯釋之元年、

二　五　三年、侯則元年、有罪、【考證】罪下缺絕、

胡陵七　一　元年、五月丙寅、封則弟大中大夫呂祿元年、【考證】五月、漢表作九月、八年、祿爲趙王、國除、追尊康侯爲昭王、祿以趙王謀爲不善、大臣誅

【考證】呂宣王、呂公謚也、【考證】叙呂公于太公前、必陳平諸呂氏之詞、史仍而不改也、

祿、遂滅呂、【考證】祿爲趙王、在呂后七年、

留【索隱】韋昭云、畱今在彭城、

以廄將從起下邳、以韓申徒下韓國、言上張旗志、秦王恐降、解上與項羽之郤、爲漢王請漢中

七　六年正月丙午、文成侯張良元年、【考證】漢表、文平、案良傳、謚文成也、

七

二　六　三年、不疑元年、

四　五年、侯不疑坐與門大夫謀殺故楚內史、當死、贖爲城旦、國除、

六十二

地、常計謀平天下、侯、萬戶、【考證】旗志者旗幟也、

射陽【索隱】縣名、屬臨淮、射一作貰、

兵初起、與諸侯共擊秦、爲楚左令尹、漢王與項羽有郤於鴻門、項伯纏解難、以破羽、纏嘗有功、封射陽

七　六年正月丙午、侯項纏元年、賜姓劉氏、【索隱】項伯也、

二　三年、侯纏卒、嗣子睢有罪、國除、

侯、

酇【索隱】酇、音贊、縣名、在沛、劉氏云、以何子祿嗣無後、國除、呂后封何夫人於南陽酇、恐非也、

以客初起、從入漢、爲丞相、備守蜀及關中、給軍食、佐上定諸侯、爲法令、立宗廟、侯、八千戶、【考證】據世家、初封八千戶、兩次增封、共七千戶、幷初封爲萬五千戶、

七　六年正月丙午、文終侯蕭何元年、元年爲丞相、九年爲相國、【考證】公卿表、高祖十一年、始名丞相爲相國、與世家合、此誤、

二　五　三年、哀侯祿元年、

一　七　二年、懿侯同元年、同、祿弟、【考證】弟當作毋、同、蓋何夫人之名、卽祿之毋、同以妻嗣夫、有乖禮制、故文帝卽於元年罷

筑陽十九　一　三　元年、同有罪、封何小子延元年、【索隱】筑、音逐、縣名、【考證】延上缺書定侯二字、後四年、煬侯遺元年、後五年、侯則元年、

一　武陽七　八　有罪、【考證】罪下有絕字、下倣此、前二年、封煬侯弟幽侯嘉元年、中二年、侯勝元年、

十三　酇三　十一　元朔二年、侯勝坐不敬、絕、元狩三年、封何孫恭侯慶元年、【考證】恭侯、何曾孫、元狩六年、侯壽成元年、元封四年、壽成爲太常、犧牲不如令、國除、

（前表續）之、其卒謚不得、則謚其有罪、

曲周 〔索隱〕縣名、屬廣平、堅紹封、

以將軍從起岐、攻長社、以南、別定漢中及蜀、定三秦、擊項羽、侯、四千八百戶、〔考證〕本傳作五千一百戶、

七　六年正月丙午、景侯酈商元年、〔考證〕史漢皆云、商以高帝六年封、然考列傳、商之封曲周、在擊陳豨英布之後、則六年商尚爲涿侯也、當書國名曰涿、而以曲周爲改封、橫書于高祖格中、

七

八

二十三　九　元年、侯寄元年、有罪、

繆七　中三年、封商他子、靖侯堅元年、

九　五　十一　二十八　六　元光元年、康侯遂元年、〔考證〕侯名遂成、缺成字、　四年、侯宗元年、　元朔二年、侯終根元年、　元鼎二年、侯終根坐呪詛、誅、國除、〔考證〕侯謚懷、名呪詛、世宗此缺懷世二字、〔考證〕二十八、後

（曲周續）二年五月、侯終根坐呪詛、誅、國除、十六字、後人妄增、

絳 〔索隱〕縣名、屬河東、子亞夫爲條侯、

以中涓從起沛、至霸上、爲侯、定三秦、食邑、爲將軍、入漢、定隴西、擊項羽、守嶢關、定泗水

七　六年正月丙午、武侯周勃元年、

七

八　其四年、爲太尉、〔考證〕周勃爲太尉、在惠帝六年、

十一　元年、爲右丞相、三年免、復相、

六　十二年、侯勝之元年、〔考證〕勝之在位六年、以罪免、故文帝封亞夫于

條 六　後二年、封勃子亞夫元年、

十三　其三年、爲太尉、七爲丞相、

平曲 三　十六　後元年、封勃子恭侯堅、元年、

十三　元朔五年、侯建德元年、元鼎五年、侯建德坐酎金、國除、

四

（絳續）東海、八千一百戶、〔考證〕世家作八千一百八十戶、

爲丞相、〔考證〕三年免、當作二年免、

條、

有罪、國除、〔考證〕其字衍、七下缺年字、

舞陽 〔索隱〕縣名、屬潁川、

以舍人起沛、從至霸上、爲侯、入漢、定三秦、爲將軍、擊項籍、再益封、從破燕、執韓信、侯、五

七　六年正月丙午、武侯樊噲元年、其七年、爲將軍相國三月、

六

一　七年、侯伉元年、呂須子、

八　坐呂氏誅、族、〔考證〕族字衍、若族誅、則市人不得續

二十三　元年、封樊噲子荒侯市人元年、

六　六　七年、侯它廣元年、中五年、侯它廣非市人子、國除、〔考證〕本傳漢表爲中六年事、

五

（舞陽續）千戶、

矣、

潁陰 〔索隱〕縣名、屬潁川、

以中涓從起碭、至霸上、爲昌文君、入漢、定三秦、食邑、以車騎將軍屬淮陰、定齊淮南及下邑、殺項籍、侯、五千戶、

七　六年正月丙午、懿侯灌嬰元年

七

八

四　其一爲太尉、三爲丞相、

十九　五年、平侯何元年、

九

七　中三年、侯彊元年、

六　有罪、絕、

九　元光二年、封嬰孫賢爲臨汝侯、侯賢元年、元朔五年、侯賢行賕罪、國除、〔考證〕漢表、臨汝侯賢、坐子傷人首匿、免、與此異、

九

汾陰 〔索隱〕縣名、屬河

初起以職志擊破秦、入

七　六年正月丙午、悼侯

三

建平 四　四年、哀侯開方

八

四

十三　前五年、侯意元年、有

安陽 八　中二年、封昌孫左車、建元元年、有罪、國除、

十六

（續前）	梁鄒
東、	梁鄒 索隱縣名、屬濟南、
漢、出關、以內史堅守敖倉、以御史大夫定諸侯、比清陽侯、二千八百戸、索隱如淳云、職志官名、主幡旗、	兵初起、以謁者從擊破秦、入漢以將軍擊定諸侯、功比
周昌元年、	七 六年正月丙午、孝侯武儒元年、索隱漢表儒作虎、
元年、考證周昌始封汾陰、其子開方、改封建平、孫左車、又改封安陽也、	四 三 五年、侯最元年、
	八
罪、絕、	二十三
	十六
	六 三 二十 元光元年、頃侯嬰齊元年、元光四年、侯山柎元年、索隱柎音
	二十

（梁鄒續）	成
	成 索隱縣名、屬涿郡、
博陽侯、二千八百戸、考證漢表三千八百戸、	兵初起、以舍人從擊秦、爲都尉、入漢、定三秦、出關以將軍定諸侯、功比厭次侯、二千八
	七 六年正月丙午、敬侯董渫元年、索隱渫音息列反、子赤封節氏侯、
	七 元年、康侯赤元年、考證漢紀表赤作赫、
	八
	二十三
	六 有罪、絕、 節氏五 中五年、復封康侯赤元年、索隱節氏縣名、
夫也、元鼎五年、侯山柎坐酎金、國除、	三 五 十二 建元四年、恭侯黹軍元年、考證漢表、黹軍作罷軍、元光三年、侯朝元年、元狩三年、侯朝爲濟南太守、與

（成續）	蓼
	蓼 索隱縣名、屬六安、
百戸、	以執盾前元年從起碭、以左司馬入漢、爲將軍、三以都尉擊項羽、屬韓信、功侯、索隱卽漢五年圍羽垓下、淮陰侯將四十萬自當之、
	七 六年正月丙午、侯孔藂元年、索隱姚氏案孔子家語云、子武生子魚及子文、文生冣、字子產、說文以冣爲積聚字、此作藂不同、
	七
	八
	八 十五 九年、侯臧元年、
	十六
成陽王女通、不敬、國除、	十四 元朔三年、侯臧坐爲太常、南陵橋壞、衣冠車不得度、國除、索隱案孔藂云、臧歷位九卿、爲御史大夫、辭曰、臣經學乞爲太常典
	三十

（蓼續）	費
	費 索隱費音祕、一音扶未反、縣名、
孔將軍居左、費將軍居右、是也、費將軍卽下費侯陳賀也、考證前元年二年三年者、高帝自稱沛公之年也、入關王漢以後、始稱漢元年、漢初王侯受封、皆自稱元年、亦用此例、	以舍人前元年從起碭、以左司馬入漢、
	七 六年正月丙午、圉侯陳賀元年、集解徐廣曰、圉、或作幽、
	七
	八
	二十三 元年、共侯常元年、
	一 二年、侯偃元年、中 八 巢四 中六年、封賀子侯最、
禮、臣家業與安國綱紀古訓、武帝難違其意、遂拜太常、典禮賜如三公、臧子琳位至諸侯、琳子璜失侯爵、此云臧國除、當是後更封其子也、考證索隱家業二字、當在經學上、下臣字、當在安國上、	
	考證費侯闕位次、漢表作三十一、以本紀

屬東海、

用都尉屬韓信擊項羽、有功、為將軍定會稽浙江湖陽、侯、【考證】湖陽、漢表作胡陵、

二年、有罪、絕、

元年、後三年、最薨、無後、國除、

證之、費將軍與孔將軍分居左右、功相應、類蓼侯第三十、則費侯第三十一矣、

陽夏 【索隱】縣名、屬淮陰、

以特將將卒五百人、前元年從起宛朐、至霸上、為侯、以游擊將

五

六年正月丙午、侯陳豨元年、十年八月、豨以趙相國將兵守代、漢使召豨、

軍別定代、已破臧荼、封豨為陽夏侯、【索隱】豨音虛紀反、

豨反、以其兵與王黃等略代、自立為燕王、漢殺豨靈丘、【考證】燕當作王、

隆慮 【索隱】縣名、屬河內、音林閭、隆、避殤帝諱改也、

以卒從起碭、以連敖、【索隱】徐廣以連敖為典客官也、入漢、以長鈹都尉、【索隱】案以長鈹為官名、說文云、鈹者劍也、鈹音敷皮反、漢

七 六年正月丁未、哀侯周竈元年、【索隱】哀、漢表作克也、

七

八

十七

六 後二年、侯通元年、

七 中元年、侯通有罪、國除、

三十四

表作鈈、音丕也、

擊項羽、有功、侯、

陽都 【索隱】漢志闕、晉書地道記屬琅邪、【考證】陽都、前漢屬城陽、

以趙將從起鄴、至霸上、為樓煩將、入漢、定三秦、別降翟王、屬悼武王、殺龍且彭城、為大司馬、破羽軍葉、拜為將軍、忠臣、

七 六年正月戊申、敬侯丁復元年、【索隱】復、音伏、

七

五

三 六年、趯侯甯元年、

九

十四 十年、侯安成元年、

一 二年、侯安成有罪、國除、

十七

侯、七千八百戶、【考證】鄴當作薛、忠臣非官號、表惟見此一人、忠與中通、謂中朝親近之臣也、

新陽 【索隱】漢表作陽信、縣名、屬汝南、

以漢五年用左令尹初從、功比堂邑侯、千戶、

七 六年正月壬子、胡侯呂靖元年、【考證】靖、索隱本作清、漢表作青、

三 四 四年、頃侯世元年、【考證】世、漢表作臣、

八

六 二 七年、懷侯義元年、

十五 九年、惠侯它元年、

四 五 五年、恭侯善元年、

七 中三年、侯譚元年、【考證】譚、漢表作談、

二十八 元鼎五年、侯譚坐酎金、國除、

八十一 【索隱】漢表作八十七、此疑誤、

東武 【索隱】縣名、屬琅

以戶衛、【集解】徐廣曰、一云從、

七 六年正月戊午、貞侯

七

五

三 六年、侯它

二十三

五 六年、侯它弃市、國除、

四十一 【考證】

邪郡、

起薛、屬悼武王、破秦軍杠里、楊熊軍曲遇、入漢、爲越將軍、【集解】徐廣曰、越一作城、【考證】一本是漢表作城將、師古曰、將築城之兵也、定三秦、以都尉堅守敖倉、爲將軍、破籍軍、功侯、

郭蒙元年

元年、

【考證】東武侯第當二十一、若在四十一、則與高苑同位、

汁邡【集解】如淳曰、汁音什、邡音方、【索隱】什邡、縣名、屬廣漢、音十方、汁又如字、

以趙將前三年從定諸侯、侯、二千五百戶、功比平定侯、齒故沛豪有力、與上有郤、故晚從、【考證】趙將、疑魏將之誤、或疑平定侯齊受孝惠

七　六年三月戊子、肅侯雍齒元年、

二　三年、荒侯巨元年、【考證】漢表巨作鉅鹿、　五

八

二十三

二　三年、侯野元年、　十　中六年、終侯桓元年、【考證】桓坐酎金失侯、不應有諡、　四

二十八　元鼎五年、終侯桓坐酎金國除、

五十八

元年始封、雍齒以高祖六年封、不應轉準其例、按此表位次呂后時陳平所定、不必以前後爲疑、

棘蒲【索隱】漢志闕、

以將軍前元年率將二千五百人起薛、別救東阿、至霸上、二歲十月入漢、擊齊、歷下軍

七　六年三月丙申、剛侯陳武元年、

七

八

十六　後元年、侯武薨、嗣子奇反、不得置後、國除、

十三

田既、功、侯、

都昌【索隱】漢志闕、【考證】都昌縣屬北海、

以舍人前元年從起沛、以騎隊率先降翟王、虜章邯、功、侯、

七　六年三月庚子、莊侯朱軫元年、

七

元年、剛侯率元年、　八

七　八年、夷侯詘元年、　十六

二　元年、恭侯偃元年、　五　三年、侯辟彊元年、中元年、辟彊薨、無後、國除、

二十三

武彊【索隱】漢志闕、【考證】武彊、在河南陽武縣、

以舍人從至霸上、以騎將入漢、還擊項羽、屬丞相甯、功、侯、用將

七　六年三月庚子、莊侯莊不識元年、

七

六　七年、簡侯嬰元年、　二

十七　後二年、侯青翟元年、　六

十六

二十五　元鼎二年、侯青翟坐爲丞相與長史朱買臣等逮御史

三十三

	貰【索隱】縣名、屬鉅鹿、貰音世、一音時夜反、
軍擊黥布侯、【考證】是時無丞相名寧者、疑誤、布下侯字衍、	以越戶將從破秦、入漢、定三秦、以都尉擊項羽、千六百戶、功比臺侯、
	二 六年三月庚子、齊侯呂元年、【集解】徐廣曰、呂一作台、【索隱】齊侯呂博國謚 五 八年、恭侯方山元年、
	七
	八
	二 元年、煬侯赤元年、 十二 十二年、康侯遺元年、
	十六
大夫湯不直、國除、	十六 八 元朔五年、侯倩元年、【索隱】靑練反、又七淨反也、元鼎元年、侯倩坐殺人棄市、國除、
	三十六

	海陽【索隱】海陽亦南越縣、地理志闕、【考證】漢志、遼西郡有海陽、
	以越隊將從破秦、入漢、定三秦、以都尉擊項羽、侯、千八百戶、【考證】漢表、
法執心克莊曰齊、【考證】呂、漢表作合傅、胡害、與徐廣一本、索隱亦異、	七 六年三月庚子、齊信侯搖毋餘元年、【索隱】案毋餘、東越之族也、
	二 三年、哀侯招攘元年、【考證】漢表作昭襄也、 五
	四 五年、康侯建元年、 四
	二十三
	三 四年、哀侯省元年、中六年、侯省薨、無後、國除、 十
	三十七

縣、	南安【索隱】縣名、屬犍爲、建安亦有此縣、	肥如【索隱】縣名、屬遼西、應劭云、肥子
八作七、	以河南將軍、漢王三年降晉陽、以亞將破臧荼、侯、九百戶、【索隱】亞將、漢表作連將也、【考證】今本漢表作重將、	以魏太僕三年初從、以車騎都尉破龍
	七 六年三月庚子、莊侯宣虎元年、	七 六年三月庚子、敬侯蔡寅元年、
	七	七
	八	八
	八 九年、共侯戎元年、 十一 後四年、侯千秋元年、 四	二 三年、莊侯成元年、 十四 後元年、侯奴元年、 七
	七 中元年、千秋坐傷人免、	元年、侯奴薨、無後、國除、
	六十三	六十六

奔燕、燕封於此、肥國也、如往也、因以爲縣也、	曲成【索隱】曲成縣、漢志闕、表在涿郡、【考證】漢志、曲成屬東萊、
且及彭城、侯、千戶、【考證】漢表、都尉作將軍、	以曲成戶將、卒三十七人、初從起碭、至霸上、爲執珪、爲二隊將、屬悼武王、入漢、定三秦、以都尉
	七 六年三月庚子、圉侯蟲逢元年、【索隱】曲城圉侯蟲達、蟲音如字、楚漢春秋云、夜侯蟲達、蓋改封也、夜縣屬東萊、又謚法威德彊武曰圉、子恭侯捷封垣、故位次曰夜侯、垣亦誤、【考證】蟲當依
	七
	八
	八 元年、侯捷元年、有罪、絕、 五 後三年、復封恭侯捷元年、
	十三 有罪、絕、 垣五 中五年、復封恭侯捷元年、【考證】孝景止十六年、去垣五年、餘十一年、此十三字有誤、
	二十五 建元二年、侯皐柔元年、元鼎三年、侯皐柔坐爲汝南太守、知民不用赤側錢爲賦、【索隱】不用赤側爲賦、案時用赤側錢、而汝南不以爲賦也、國除、【考證】皐柔、漢表作皇柔、
	十八

破項羽軍陳下、功侯、四千戶、爲將軍擊燕代、拔之、

漢表作蟲、古有蟲姓、無蟲姓、

河陽 【索隱】縣名、屬河內、

以卒前元年起碭、從以二隊將入漢、擊項羽、身得郎將處、功侯、以丞相定齊地、【考證】從字當在起上、

七　六年三月庚子、莊侯陳涓元年、

七

八

三　元年、侯信元年、四年、侯信坐不償人責過六月、奪侯國、除、

二十九

淮陰 【索隱】縣名、屬臨淮、

兵初起、以卒從項梁、梁死、屬項羽爲郎中、至咸陽、亡從入漢、爲連敖典客、蕭何言爲大將軍、別定魏齊、爲王、徙楚、坐擅發兵、廢爲淮陰侯、【索隱】典客

五

六年、侯韓信元年、【考證】淮陰之封、高紀在六年十二月甲申、

十一　十一年、信謀反關中、呂后誅信、夷三族、國除、

漢表作粟客、蓋字誤、傳作治粟都尉、或先爲連敖典客也、【考證】典當作粟、索隱引漢表可證、今本漢表誤作票客、

芒 【索隱】縣名、屬沛、

以門尉前元年初起碭、至霸上、爲武定君、入漢、還定三秦、以都尉擊項羽、侯、【考證】漢表

三　六年、侯昭元年、【集解】徐廣曰、昭一作起、漢書年表云、芒侯耏跖、【索隱】耏跖音而隻二音、耏又音人才反、字林以多須髮曰耏、耏姓也、左傳宋有耏班、

張　十一　孝景三年、昭以故芒侯將兵從太尉亞夫擊吳楚有

三　後元三年三月、侯申元年、【考證】三月二字疑衍、

十七　元朔六年、侯申坐尚南宮公主、不敬、國除、【索隱】南宮公主、景帝女、初南宮侯張坐尚之、有罪、後

武定作定武、

九年、侯昭有罪、國除、

功、復侯、【考證】孝景二字疑衍、

張侯耏申倘之也、

故市 【索隱】縣名、屬河南、

以執盾初起、入漢、爲河上守、遷爲假相、擊項羽、侯、千戶、功比平定侯、

三　六年四月癸未、侯閻澤赤元年、

四　九年、夷侯毋害元年、

七

八

十九

四　後四年、戴侯續元年、

四　孝景五年、侯穀嗣、

十二

二十八　元鼎五年、侯穀坐酎金、國除、

五十

五

柳丘 【索隱】縣名、屬渤海、

以連敖從起薛、以二隊將入漢、

七　六年六月丁亥、齊侯戎賜元年、

七

四　五年、定侯安國

二十三

三　十　四年、敬侯嘉成元年、後元年、侯

三十

九

定三秦、以都尉破項籍軍、爲將軍、侯、千戶、【考證】漢表作八千戶、誤、

元年、

角嗣、有罪國除、

魏其【索隱】縣名、屬瑯邪、

以舍人從沛、以郎中入漢、爲周信侯、定三秦、遷爲郎中騎將、破籍東城、侯、千戶、【考證】沛上

七

六年六月丁亥、莊侯周定元年、【考證】漢表作周止、

七

四

五年、侯閒元年、【考證】漢表、閒作簡、

四

二十三

二

前三年、侯閒反、國除、

四十

四

缺起字、

祁【索隱】縣名、屬太原、

以執盾漢王三年初起從晉陽、以連敖擊項籍、漢王敗走、賀方將軍擊楚、追騎以故不得進、漢王顧謂賀祁子、留彭城、軍執圭東擊羽、

七

六年六月丁亥、穀侯繒賀元年、【索隱】諡法、行見中外曰穀、

七

八

十一

十二年、頃侯湖元年、【考證】漢表、湖作胡、

十二

五

六年侯它元年、

十一

八

元光二年、侯它坐從射擅罷不敬、國除、【集解】徐廣曰、射一作酎、

五十

一

急絕其近壁、侯、千四百戶、【集解】徐廣曰、戰彭城爲尉、敗斬將、又云、漢王顧歎、賀祁戰彭城、斬將、【考證】祁字衍、軍當作以、

平【索隱】縣名、屬河南、

兵初起、以舍人從擊秦、以郎中入漢、以將軍定諸侯守洛陽、功、

六

十二年、六月、悼侯沛嘉元年、【考證】漢表、

一

七

八

十五

十六年、侯執元年、

八

十一

中五年、侯執有罪、國除、

三十

二

侯、比費沛嘉

侯賀、千作工

三百戶、師喜、

魯【索隱】縣名、屬魯國、

以舍人從起沛、至咸陽爲郎中、入漢、以將軍從定諸侯、侯、四千八百戶、功比舞陽侯、死事、母代侯、【集解】徐廣曰、漢書云、魯侯涓、涓死無

七

六年中、母侯疵元年、【考證】母侯之稱奇、不知何以無諡、

七

四

五年、母侯疵薨、無後、國除、

七

	子、封毋疵、【索隱】消無子、封中毋侯疵也、							
故城【索隱】漢表作城父、屬沛郡、	兵初起、以謁者從、入漢、以將軍擊諸侯、以右丞相備守淮陽、功比厭次侯、二千戶、【考證】功上缺功字、	七 六年中、莊侯尹恢元年、	一 三年、侯開方元年、五	二 三年、侯開方奪侯、爲關內侯、				二十六、【考證】各本皆缺、凌本有、疑依漢表補、
任【索隱】縣名、屬廣平、	以騎都尉漢五年從起東垣、擊燕代、屬雍齒、有功、侯、爲車騎將軍、	七 六年、侯張越元年、【索隱】任侯張成、漢表作張戚、	七	二 三年、侯越坐匿死罪、免爲庶人、國除、				
棘丘【索隱】漢志棘丘地闕、	以執盾隊史前元年從起碭、破秦、以治粟內史入漢、以上郡守擊定西魏地、功、侯、	七 六年、侯襄元年、【索隱】襄、名也、史失姓及謚、	七	四【考證】依漢表、襄以呂后元年免、則此四字衍、依史表、四年奪侯、則四當作三、四年、侯襄奪侯、爲士伍、國除、				

阿陵【索隱】縣名、屬涿郡、	以連敖前元年從單父、以塞疏入漢、【集解】徐廣曰、一云塞路、一云以衆入漢中、【索隱】起單父、塞路入漢、一云、塞疏、一云以衆疏入漢、案塞路字誤爲疏、小顏云、主遮塞要路也、【考證】從下脫起字、塞疏、塞路疏通也、	七 六年七月庚寅、頃侯郭亭元年、	七	八	二 三年、惠侯歐元年、二十一	一 八 前二年、侯勝客元年、有罪、絕、中六年、靖侯延居元年、【考證】靖侯上失書復封二字、南四	二 元光六年、侯則元年、元鼎五年、侯則坐酎金、國除、十七	二十七
昌武【索隱】漢志昌武闕、【考證】昌武屬膠東、	初起以舍人從、以郎中入漢、定三秦、以郎中將擊諸侯、侯、九百八十戶、比魏其侯、	七 六年七月庚寅、靖信侯單甯元年、【索隱】單甯、音善侯、【考證】單甯、漢表作單究、	五 六年、夷侯如意元年、【考證】漢表、夷作惠、二	八	二十三	十 中四年、康侯賈成元年、六	十 元光五年、侯得元年、元朔二年、侯得坐傷人二旬內死、弃市、國除、【考證】二年當作三年、四	四十五
高苑【索隱】高宛、縣名、屬千乘、	初起以舍人從、入漢、定三秦、以中尉破籍、侯、千六百戶、比斥丘侯、【考證】	七 六年七月戊戌、制侯丙倩元年、【索隱】倩、音七淨反、	元年、簡侯得元年、七	八	十五 十六年、孝侯武元年、【考證】漢表、孝侯作平侯、八	十六	二 建元元年、侯信元年、建元三年、侯信坐出入屬車閒、奪侯、國除、	四十一

	宣曲 索隱 漢志闕、	絳陽 索隱 漢志
漢表、以舍人從、作以客從、	以卒從起留、以騎將入漢、定三秦、破籍軍滎陽、爲郎騎破鍾離眛軍固陵、侯、六百七十戶、 考證 漢表、郎騎作郎騎將、	以越將從起留、
	七 六年七月戊戌、齊侯丁義元年、	七 六年七月
	七	七
	八	八
	十 十一年、侯通元年、 十三	三 十六 四 四年、後四
	四 有罪、絕、 發婁 中五年、復封、侯通元年、中六年、侯通有罪、國除、 考證 除當作絕、	三 前四年侯
	四十三	四十六

闕、漢表作終陵也、	東茅 索隱 漢志闕、一作柔也、
入漢定三秦、擊臧荼、侯、七百四十戶、從攻馬邑及布、	以舍人從碭、至霸上、以二隊入漢、定三秦、以都尉擊項羽、破臧荼、侯、捕韓信、爲將軍、益
戊戌、齊侯華無害元年、	七 六年八月丙辰、敬侯劉釗元年、
	七
	八
恭侯勃齊元年、 考證 漢表無齊字、 年、侯祿元年、	二 十三 三年、侯吉元年、十六年、侯吉奪爵、國除、
祿坐出界有罪、國除、	
	四十八

	斥丘 索隱 縣名、屬魏郡、
邑千戶、 考證 從下脫起字、	以舍人從起豐、以左司馬入漢、以亞將攻籍、剋敵、爲東郡都尉、擊破籍武城、爲漢中尉、擊布、爲斥丘侯、千戶、 集解 徐廣曰、一云城武、 索隱 破
	七 六年八月丙辰、懿侯唐厲元年、
	七
	八
	八 十三 二 九年、恭侯鼂元年、後六年、侯賢元年、 考證 侯賢失謚、
	十六
	二十五 三 元鼎二年、侯尊元年、元鼎五年、侯尊坐酎金國除、
	四十

	臺 索隱 案臨淄郡有臺鄉縣、 考證 前後漢志濟南郡有臺縣、水經注云、臺縣故城、戴野所封、	安國 索隱 縣名、
籍武城、初爲武城侯、後擊布、改封斥丘、	以舍人從起碭、用隊率入漢、以都尉擊籍、籍死、轉擊臨江、屬將軍賈、功、侯、以將軍擊燕、	以客從起豐、以
	七 六年八月甲子、定侯戴野元年、	七 六年八月
	七	七 其六年爲
	八	七 一 八年、
	三 二十 四年、侯才元年、	二十三 元年、終侯游
	二 三年、侯才反、國除、	十六
		二十 八 建元 元狩三
	三十五	十二

安國（續）	樂成
屬中山、	樂成 [索隱] 漢志
廐將別定東郡南陽、從至霸上、入漢守豐上東、因從戰不利、奉孝惠魯元出淮水中、及堅守豐、于雍侯、五千戶、[考證] 淮當作睢、于當作封、	以中涓騎從碭
甲子、武侯王陵元年、定侯安國、[考證] 定侯安國四字當移上格侯字下、	七 六年八月
右丞相、	七
哀侯忌元年、	八
元年、[集解] 徐廣曰、游一作昭、	四 十八 一 五年、後七
	十六
元年三月、安侯辟方元年、年、侯定元年、元鼎五年、侯定坐酎金國除、	二十五 三 元鼎二
	四十二

樂成（續）	辟陽
闕、[考證] 南陽有樂成縣、	辟陽 [索隱] 縣名、屬信都、
中、為騎將、入漢、定三秦、侯、以都尉擊籍、屬灌嬰、殺龍且、更為樂成侯、千戶、[考證] 從碭中、漢表作從起碭、	以舍人初起、侍呂后孝惠沛三歲十月、呂后入
甲子、節侯丁禮元年、	七 六年八月甲子、幽侯審食其元年、[考證] 失書審食其為丞相、
	七
	八
夷侯馬從元年、年、武侯客元年、[考證] 漢表作式侯吾客、	三 四年、侯平元年、 二十
	二 三年、平坐反、國除、
年、侯義元年、[考證] 漢表同、郊祀志名登、元鼎五年、侯義坐言五利侯不道、弃市、國除、	
	五十九

辟陽（續）	安平
	安平 [索隱] 縣名、屬涿郡、
楚、食其從一歲、侯、[考證] 三歲當作二歲、呂后入楚、在漢二年四月、歸也在四年九月、則此所書十月乃四月之誤、一歲乃三歲之誤、	以謁者漢王三年初從、定諸侯有功、秋舉蕭何、功侯、二千戶、
	七 六年八月甲子、敬侯諤千秋元年、
	二 孝惠三年、簡侯嘉元年、[考證] 孝惠二字 五
	七 八年、頃侯應元年、 一
	十三 十四年、煬侯寄元年、 十
	十五 後三年、侯但元年、 一
	十八 元狩元年、坐與淮南王女陵通、遺淮南書、稱臣盡力、弃
	六十一

安平（續）	蒯成
[考證] 秋上脫千字、	蒯成 [索隱] 漢志闕、晉書地道記、屬北地、案、緤封池陽、後定封蒯成、音苦壞反、小顏音普肯反、
	以舍人從起沛、至霸上、侯、[考證] 漢書無侯字、此衍、入漢、定三秦、食邑池陽、擊項羽軍榮陽、絕甬道、從出度平陰、遇淮陰侯軍襄國、楚漢約
	七 六年八月甲子、尊侯周緤元年、[考證] 尊侯、本傳作貞侯、十二年十月乙未、定蒯成、
疑衍、	七
	八
	五 緤薨、子昌代、有罪絕、國除、
	鄲 一 中元年、封緤子康侯應元年、[索隱] 緤子紹封鄲、案漢志周沛郡、如淳引闞駰州志、音多、 八 中二年、侯中居元年、[索隱] 中音仲、
市、國除、	二十六 元鼎三年、居坐為太常有罪、國除、[考證] 居上脫中字、
	二十一

分鴻溝、以繻爲信、戰不利、不敢離上、侯、三千三百戶、【索隱】信下脫武侯二字、

北平 【索隱】縣名、屬中山、

以客從起陽武、至霸上、爲常山守、得陳餘、爲代相、從趙相、侯、爲計相四

七 六年八月丁丑、文侯張蒼元年、

七

八

二十三 其四爲丞相、【索隱】爲計相也、五歲、罷、【考證】四下缺年字、五上缺十字、孝文四年張蒼爲丞相、凡十五年而免、

五 六年、康侯奉元年、

八

三 後元年、侯預元年、【考證】史傳漢表傳竝此侯名類、

四 建元五年、侯預坐臨諸侯喪後、不敬、國除、

六十五

歲、淮南相十四歲、千三百戶、【考證】從當作徙、

高胡 【索隱】漢志闕、

以卒從起杠里、入漢、以都尉擊籍、以都尉定燕、侯、千戶、【考證】漢表以都尉定燕、作以將軍定燕、

七 六年中、侯陳夫乞元年、

七

八

四 五年、殤侯程嗣、薨、無後、國除、

八十二

厭次 【索隱】漢志闕、苔

以慎將前元年從起留、

七 六年中、侯元頃元年、

七

八

五 元年、侯賀

六年、侯賀

二十四

書地道記屬平原、後乃屬樂陵國也、

入漢、以都尉守廣武、功、侯、【考證】愼、地名、地理志屬汝南郡、

【集解】徐廣曰、漢書作爰類、

元年 謀反、國除、

平皋 【索隱】縣名、屬河內、

項它、漢六年以碭郡長初從、賜姓爲劉氏、功比戴侯彭祖、五百八十戶、【考證】漢表、戴侯作軑侯、

六 七年十月癸亥、煬侯劉它元年、

四

三 五年、恭侯遠元年、

八

二十三

十六 元年、節侯光元年、

二十八 建元元年、侯勝元年、元鼎五年、侯勝坐酎金國除、

百二十一

復陽 【索隱】縣名、屬南陽、復音伏、應劭云、在桐柏山下復水之陽也、【考證】水經注爲封于河內復陽、

以卒從起薛、以將軍入漢、以右司馬擊項籍、侯、千戶、

六 七年十月甲子、剛侯陳胥元年、

七

八

十

十三 十一年、恭侯嘉元年、

五

十一 六年、康侯拾元年、

十二

七 元朔元年、侯彊元年、元狩二年、坐父拾非嘉子、國除、

四十九

陽河 【索隱】縣名、屬上黨、【考證】漢表

以中謁者從入漢、以郎中騎從定諸侯、

三 七年十月甲子、齊哀

三 十年、侯安國元年、

七

八

二十三

十

六 中四年、侯午元年、中

二十七 埤山三 元鼎四年、恭侯章元年、

二十 元封元年、侯仁元年、

八十三

同、或云河阿、乃誤、	朝陽 【索隱】縣名、屬南陽、【考證】水經注、爲封濟南朝陽縣、
侯、五百戶、功比高胡侯、	以舍人從起薛、以連敖入漢、以都尉擊項羽、後攻韓王信、侯、千戶、
侯元年、【索隱】陽河齊侯卞訢、漢表作其石、【考證】漢表單稱齊侯、	六 七年三月丙寅、齊侯華寄元年、【考證】漢表、丙寅作壬寅、
	七
	八 元年、文侯要元年、
	十三 十 十四年、侯當元年、
絕、【考證】元朔四年、改封埤山、或嘗中絕、	十六
年、【索隱】埤、音卑、征和三年十月、仁與母坐祝詛大逆無道、國除、	十三 元朔二年、侯當坐教人上書枉法罪、國除、
	六十九

棘陽 【索隱】棘、音紀力反、縣名、屬南陽、	涅陽 【索隱】縣名、屬南陽、
以卒從起胡陵、入漢、以郎將迎左丞相軍、以擊諸侯、侯、千戶、【考證】漢表、諸侯作項籍、千戶作二千戶、	以騎士漢王二年從出關、以郎將擊斬項羽、侯、千五百戶、
六 七年七月丙辰、莊侯杜得臣元年、【索隱】壯侯、【考證】漢表、丙辰作丙申、	六 七年中、莊侯、【索隱】壯侯、案、五侯斬項籍、皆諡壯、漢表以爲莊、皆避諱、改作嚴、誤也、呂勝元年、
七	七
八	八
五 十八 六年、質侯但元年、	四 五年、莊侯子成實非子、不當爲侯、國除、
十六	
九 七 元光四年、懷侯武元年、元朔五年、侯武薨、無後、國除、	
八十一	百四

	平棘 【索隱】縣名、屬常山、	羹頡
戶、比杜衍侯、【考證】比上缺功字、	以客從起亢父、斬章邯所署蜀守、用燕相侯、千戶、	以高祖
	六 七年中、懿侯執元年、【集解】徐廣曰、漢表作林摯、	六
	七	七
	七 一 八年、侯辟彊元年、【考證】漢表云、懿侯二十四年薨、辟彊以孝文五年嗣、與此異、	
	五 六年、侯辟彊有罪、爲鬼薪、國除、	
	六十四	

	深澤 【索隱】縣名、屬中山、
兄子從軍、擊反韓王信、爲郎中將、信母嘗有罪、高祖微時、太上憐之、故封爲羹頡侯、	以趙將漢王三年降、屬淮陰侯、定趙齊楚、以擊平城、侯、
七年中、侯劉信元年、	五 八年十月癸丑、齊侯趙將夜元年、【索隱】漢表作將夕、
	七
元年、信有罪、削爵一級、爲關內侯、【考證】此高后元年也、信母封陰安侯、見孝文紀、是高后封之、當附羹頡下、	一 奪、絕、三年復封、一年絕、
	四 六 十四年、復封將夜元年、後二年、戴侯頭元年、
	更五 三年、侯循元年、罪絕、【考證】漢表、循作脩、中五年、封頭子夷侯胡、元年、【考證】漢表、更作臾、
	十六 元朔五年、夷侯胡薨、無後、國除、
	九十八

	七百戶、							
柏至 【索隱】漢志闕、	以駢憐從起昌邑、以說衞入漢、以中尉擊籍、侯、千戶、 【集解】漢表師古曰、二馬曰駢憐、謂駢兩騎爲軍翼也、說讀曰稅、說衞、謂軍行止舍王爲衞也、 【索隱】姚氏、憐鄰聲相近、駢鄰猶比鄰也、說衞者、說稅也、稅衞謂	六 七年七月戊辰、靖侯許溫元年、 【索隱】漢表作許盎、 【考證】漢表、七月作十月、	七	一 二年、有罪、絕、 六 三年、復封溫如故、	十四 元年、簡侯祿元年、 九 十五年、哀侯昌元年、 【考證】失書昌爲丞相、	十六	七 元光二年、共侯如安元年、 【考證】漢表、如安作安如、 十三 元狩三年、侯福元年、 五 元鼎二年、侯福有罪、國除、	五十八

	軍行初稅之時主爲衞也、							
中水 【索隱】縣名、屬涿郡、應劭云、易滱二水之中、	以郎中騎將漢王元年從起好畤、以司馬擊龍且、後共斬項羽、侯、千五百戶、	六 七年正月己酉、莊侯、 【索隱】壯侯、 呂馬童元年、	七	八	九 三 十年、夷侯假元年、 【考證】漢表、假作瑕、 十一 十三年、共侯青肩元年、 【考證】漢表、肩作眉、	十六	五 建元六年、靖侯德元年、 一 元光元年、侯宜成元年、 【考證】二十三、當作二十二、 二十三 元鼎五年、宜成坐酎金國除、	百一

杜衍 【索隱】縣名、屬南陽、	以郎中騎漢王三年從起下邳、屬淮陰、從灌嬰共斬項羽、侯、千七百戶、 【考證】淮陰下脫復字、	六 七年正月己酉、莊侯王翳元年、 【索隱】漢表作王翥也、	七	五 三 六年、共侯福元年、	四 五年、侯市臣元年、 【考證】漢表市臣、謚孝、 七 十二年、侯翕元年、 【考證】漢表、翕作舍、 十二	十二 有罪、絕、 三 後元年、復封翳子彊侯郢人元年、 【集解】徐廣曰、彊、一作景、	九 十二 元光四年、侯定國元年、元狩四年、侯定國有罪、國除、 【考證】漢表、十二作十三、元狩四年、作元狩五年、	百二
赤泉 【索隱】漢志闕、	以郎中騎漢王二年從起杜、屬淮陰、後從灌嬰、共斬項羽、侯、千	六 七年正月己酉、莊侯楊喜元年、	七	元年、奪、絕、 七 二年、復封、	十一 十二 十二年、定侯殷元年、 【考證】漢表、殷作敷、	三 六 四年、侯無害元年、有罪、絕、 臨汝五 中五年、復封侯無害、元年、	七 元光二年、侯無害有罪、國除、	百三

	九百戶、 【考證】柏至、中水、杜衍、赤泉四侯封年月、當次陽阿之後、							
栒 【索隱】縣名、屬扶風、音荀、故周文王封其子之邑、河東亦有郇城也、	以燕將軍漢王四年從、破曹咎軍、爲燕相、告燕王荼反、侯、以燕相國定盧奴、千九百戶、	五 八年十月丙辰、頃侯溫疥元年、	七	八	五 六年、文侯仁元年、 十七 後七年、侯河元年、 【考證】漢表、河作何、下格同、 一	十 中四年、侯河有罪、國除、		九十一
武原 【索隱】	漢七年、以梁將	五 八年、十二	三 四 四年、	八	二十三	三 十三 四年、侯不		九十三

漢志闕、[考證]武原縣、屬楚國、	歷 [索隱]歷、漢志闕、
軍初從擊韓信陳豨黥布、功、侯、二千八百戶、功比高陵侯、[考證]武原以八年十二月封侯、歷以八年七月封、漢以十月爲歲首、故七月在十二月之後、故其次先歷、	以趙衛將軍、漢王三年
月丁未、靖侯衛胠元年、[索隱]漢表胠作脇、音脅、又音怯、[考證]今漢表亦作胠、	五 八年七月癸酉、簡侯
共侯寄元年、	七
	二 三年、孝侯 六
	十六 後元年、侯 七
害元年、後二年、不害坐葬過律、國除、[考證]不害以後二年免、在位十一年、此三字誤、	七 中元年、寵有罪、國除、
	九十二 [考證]歷之

表作歷、歷縣在信都、劉氏依字讀、言天下地名多、既無定證、且依字、是不決之詞、地之與邑並無歷、誤也、	稾 [索隱]漢志、稾縣屬山陽也、
從起盧奴、擊項羽敖倉下、爲將軍、攻臧荼、有功、侯、千戶、	高帝七年、爲將軍、從擊代陳豨、
程黑元年、	五 八年十二月丁未、祗侯陳錯元
	二 三年、懷侯嬰元 五
釐元年、	八
寵元年、	六 七年、共侯應元 十四 後五年、侯安元 三
	十六
	十三 不得千秋父、[集解] 七 元狩二年、侯千秋元年、 九
侯第當是九十七、若在九十二、則與高陵同位、	百二十四

[考證]稾當作槀、卽山陽郡槀縣、水經注可證、史漢表並譌、	宋子 [索隱]漢志、宋子縣屬鉅鹿也、
有功、侯、六百戶、	以漢三年、以趙羽林將初從、擊定諸侯、功比歷侯、五百四十戶、
年、[索隱]漢表作鐠、音楷、三倉云、九江人名鐵曰鐠、	四 八年十二月丁卯、惠侯許瘛元年、 一 十二年、共侯不疑元年、[索隱]瘛、音充志反、[考證]漢表不疑作留、
年、	七
	八
年、 年、[考證]安諡節、	九 十年、侯九元年、 十四
	八 中二年、侯九坐買塞外禁物罪、國除、
徐廣曰、千秋父以元朔元年立、 元鼎五年、侯千秋坐酎金國除、	
	九十 九

	猗氏 [索隱]縣名、屬河東、	清
	以舍人從起豐、入漢、以都尉擊項羽、侯、二千四百戶、[考證]漢表作千一百戶、	以弩將
[索隱]音尺制反、郭璞音胡計反、亦作瘛字、林音巨月反、	五 八年三月丙戌、敬侯陳遬元年、[索隱]遬、音速、	五
	六 七年、靖侯交元年、 一	七
	八	八
	二十三	七 十六
	二 三年、頃侯差元年、薨、無後、國除、	十六
		二十 七 一
	五十	七十

【索隱】縣名、屬東郡、	初起、從入漢、以都尉擊項羽代、侯比彭侯、千戶、【考證】代上脫定字、下三侯同、	八年三月丙戌、簡侯空中元年、【集解】徐廣曰、空一作窒、【索隱】清簡侯空中同、空一作窒、窒中、姓、見風俗通、	元年、頃侯聖元年、		八年、康侯鮒元年、		元狩三年、恭侯石元年、 元鼎四年、侯生元年、元鼎五年、生坐酎金國除、	一
彊【索隱】漢志彊闕、	以客吏初起、從入漢、以都尉擊項羽代、侯比彭侯、千戶、	三 八年三月丙戌、簡侯留勝元年、 二 十一年、戴侯章元年、	七	八	十二 二 十三年、侯服元年、十五年、侯服有罪、國除、			七十二
彭【索隱】	以卒從起薛、以	八年三月 五	七	八	二 二十一 三年、戴	二 十一 三年、侯武		七十

漢表屬東海郡、【考證】東海郡無彭縣、	弩將入漢、以都尉擊項羽代、侯、千戶、	丙戌、簡侯秦同元年、			侯執元年、	元年、後元年、侯武有罪國除、		
吳房【索隱】縣名、屬汝南、	以郎中騎將、漢王元年、從下邽、擊陽夏、以都尉斬項羽、有功、侯、七百戶、【考證】從下脫起字、	五 八年三月辛巳、莊侯楊武元年、【考證】漢表、辛巳作辛卯、	七	八	十二 十一 十三年、侯去疾元年、	十四 後元年去疾有罪國除、		九十四
甯【索隱】漢表	以舍人從起碭、	五 八年四月	七	八	十五 八 十六	三 元年、侯指元		七十八

甯陽屬濟南也、【考證】甯卽河南之脩武、水經注可證、索隱以濟南之甯陽當之、誤、	入漢、以都尉擊臧荼、功、侯、千戶、	辛卯、莊侯魏選元年、【考證】選當作遬、			年、恭侯連元年、	年、四年、侯指、坐出國界、有罪、國除、		
昌【索隱】縣名、屬琅邪、	以齊將、漢王四年、從淮陰侯起無鹽、定齊擊籍及韓王	五 八年六月戊申、圉侯盧卿元年、【索隱】漢表姓旅、旅卽盧古、旅弓字亦然也、	七	八	十四 九 十五年、侯通元年、	二 三年、侯通反、國除、		百九

	信於代、侯、千戶、							
共【索隱】縣名、屬河內、	以齊將、漢王四年、從淮陰侯起臨淄、擊籍及韓王信於平城、有功、侯、千二百戶、	五 八年六月壬子、莊侯盧罷師元年、	七	八	六 七年、惠侯黨元年、 八 十五年、懷侯商元年、後四年、侯商薨、無後、國除、【考證】漢表、商作高、 五			百十四
閼氏【索隱】縣名、屬安	以代太尉漢王三年降、	四 八年六月 一 十二	薨、無		十四 二年封恭 八 十六年、恭	五 前六年、侯平元 十一	二十八 元鼎五年	百

定、[考證]漢志安定有烏氏、無閼氏、	安丘 [索隱]安丘、縣名、屬北海也、
爲鴈門守、以特將平代反寇、侯、千戶、[索隱]漢表、太尉作大與、大與爵名、音奉也、	以卒從起方與、屬魏豹、二歲五月、以執鈹入漢、以司馬擊籍、以將軍定代、侯、三
壬子、節侯馮解敢元年、[考證]漢表作馮解散、 年、恭侯它元年、	八年七月癸酉、懿侯張說元年、[考證]說、音悅、 五
後、絕、	七
	八
侯遺、腹子、文侯遺元年、 侯勝之元年、	十二 十三年、恭侯奴元年、 十一
年、	二 三年、敬侯執元年、 一 四年、康侯訢元年、[考證]漢表、訢作新、 十三
侯平坐酎金、國除、	十八 元狩元年、侯指元年、[考證]漢表、指作拾、 九 元鼎四年、侯指坐入上林謀盜鹿、國除、
	六十七

	合陽 [索隱]合陽、屬馮翊、
千戶、[考證]漢表、執鈹作執盾、三千作二千、	高祖兄、兵初起、侍太公守豐、天下已平、以六年正月立仲爲代王、高祖八年、匈奴攻代、王弃國亡、廢爲合陽侯、[考證]八年
	八年九月丙子、侯劉仲元年、[集解]徐廣曰、一名嘉、[索隱]仲名嘉、高祖弟、[考證]仲之降在高祖七年十二月、集解索隱嘉當作喜、元王世家云、名喜字仲、 五
	二 仲子濞爲吳王、以子吳王故、尊仲謚爲代頃侯、

	襄平 [索隱]縣名、屬臨淮、[考證]水經注云、紀通封于遼東之襄平、	龍 [索隱]廬江有龍舒縣、蓋其地也、[考證]
當作七年、	兵初起、紀成以將軍從擊破秦、入漢、定三秦、功比定平侯、戰好畤、死事、子通襲成功侯、	以卒從漢王元年起霸上、以謁者擊籍、斬曹咎、
	八年九月丙午、侯紀通元年、 五	八年後九月己未、敬侯陳署元年、 五
	七	七
	八	六 七年、侯堅元年、 二
	二十三	十六 後元年、侯堅奪侯、國除、
	九 中三年、康侯相夫元年、 七	
	十二 元朔元年、侯夷吾元年、元封元年、夷吾薨、無後、國除、 十九	
	六十六 [考證]六十六與秦寅侯同、當五十六、	八十四

龍在泰山博縣、	繁 [索隱]地理志有繁陽、恐別有繁縣、志闕、[考證]漢志蜀郡有繁縣、	陸梁 [索隱]陸量、如淳據始皇紀所謂陸量
侯、千戶、	以趙騎將從漢、三年從擊諸侯、侯、比吳房侯、千五百戶、	詔以爲列侯、自置吏、受令長沙王、
	九年十一月壬寅、莊侯彊瞻元年、[索隱]漢表、作平嚴侯張瞻、此作強瞻、[考證]今本漢表作張瞻師、 四	三 九年三月丙辰、侯須毋元 十二年、共侯 一
	四 五年、康侯昫獨元年、[集解]一云侯惸、 三	七
	八	八
	二十三	十八 後三年、康侯慶忌元年、 五
	三 四年、侯寄元年、 六 中三年、侯安國元年、 七	元年、侯冄元年、 十六
	十八 元狩元年、安國爲人所殺、國除、	二十八 元鼎五年、侯冄坐酎金國
	九十五	百三十七

地、案今在江南也、		年、[索隱]漢表作須無、 桑元年、					除、	
高京 [索隱]徐廣曰、一作景、[索隱]漢志闕、	周苛起兵、以內史從擊破秦、爲御史大夫、入漢、圍取諸侯、堅守滎陽、功比辟陽、苛以御史大夫死事、子成爲後	四 九年四月丙寅、侯周成元年、[考證]漢表、丙寅作戊寅、	七	八	二十 後五年、坐謀反、繫死、國除、絕、	繩 中元年、封成孫應元年、 侯平嗣、不得元、	元狩四年、平坐爲太常不繕治園陵不敬、國除、	六十

	襄侯、							
離 [索隱]漢志闕、	失此侯始所起及所絕、[索隱]案楚漢春秋、亦闕、漢表、成帝時光祿大夫滑堪日旁占驗曰、鄧弱以長沙將兵侯、是所起也、	九年四月戊寅、鄧弱元年、						
義陵 [集解]徐廣曰、一作義陽、[索隱]義陽、在汝南、	以長沙柱國侯、千五百戶、	四 九年九月丙子、侯吳程元年、[考證]漢表、程作郢、	三 四年、侯種元年、 四	六 七年、侯種薨、無後、國除、皆失謚、[考證]皆失謚三字、後人所加、				百三十四

[考證]義陵縣屬武陵、此侯以長沙柱國封、故在楚地也、								
宣平 [索隱]楚漢春秋、南宮侯張耳、此作宣平侯敖、敖、耳子、陳平錄第時、耳已薨、	兵初起、張耳誅秦、爲相、合諸侯兵鉅鹿、破秦、定趙、爲常山王、陳餘反襲耳、耳棄國、與大臣	四 九年四月、武侯張敖元年、	七	六 薨、子偃爲魯王、國除、[集解]徐廣曰、改封信平、[考證]薨上脫侯敖二字、 信平	十五 元年、以故魯王爲南宮侯、 八 十六年、哀侯歐元年、	九 七 中三年、侯生元年、	七 罪、絕、 睢陽 十六 元光三年、封偃孫侯廣元年、 十三 元鼎三年、侯昌元年、太初三年、[考證]廣、漢功臣表作廣孫、公卿 侯昌爲太常、乏祠、國	三、[考證]高祖作十八侯位次、決不以放居第三、顏師古曰、張耳及放並無大

故也、	歸漢、漢定趙、爲王、卒、子敖嗣、其臣貫高不善、廢爲侯、						表及傳作廣國、 除、[考證]漢表在位十二年、以太初二年免、	功、蓋以魯元之故、呂后曲升之也、
東陽 [索隱]縣名、屬臨淮、	高祖六年爲中大夫、以河間守擊陳豨力戰、功、侯、千三百戶、	二 十一年十二月癸巳、武侯張相如元年、	七	八	十五 五 十六年、共侯殷元年、 三 後五年、戴侯安國元年、	三 四年、哀侯彊元年、 十三	建元元年、侯彊薨、無後、國除、	百十八
開封 [索隱]縣名、屬河	以右司馬漢王五年初	一 十一年十 一 十二年、夷	七	八	二十三	九 景帝、 七 中三年、節	十 十八 元光五年、侯睢	百十五

南、	從、以中尉擊燕、定代、侯、比共侯、二千戶、	二月丙辰、閔侯陶舍元年、侯青元年、				時爲丞相、侯偃元年、	元年、元鼎五年、侯睢坐酎金國除、	
沛 【索隱】縣名、屬沛郡、	高祖兄合陽侯劉仲子、侯、	一 十一年十二月癸巳、侯劉濞元年、十二年、十月辛丑、侯濞爲吳王、國除、						
慎陽 【索隱】慎陽屬汝南、如淳曰、音震、	爲淮陰舍人、告淮陰侯信反、侯、二千戶、	二 十一年十二月甲寅、侯欒說元年、【考證】漢	七	八	二十三	十二 四 中六年、靖侯願之元	二十二 建元元年、侯買之元年、元狩五年、侯買之坐鑄白金	百三十一

闞駰云、合作滇陽、永平五年失印更刻、遂誤以水爲心、續漢書作滇陽也、	【考證】漢表作三千戶、	表作樂說、				年、【考證】漢表無之字、	弃市、國除、	
禾成 【索隱】漢志闕、	以卒漢二年初從、以郎中擊代、斬陳豨、侯、千九百戶、【索隱】漢表、二年作五年、	二 十一年正月己未、孝侯公孫耳元年、【索隱】漢表、耳作昔、	七	八	四 九 五年、懷侯漸元年、十四年、侯漸薨、無後、國除、			百十七

堂陽 【索隱】縣名、屬鉅鹿、	以中涓從起沛、以郎入漢、以將軍擊籍、爲惠侯、坐守滎陽降楚免、後復來、以郎擊籍、爲上黨守、擊豨、侯、八百戶、	二 十一年正月己未、哀侯孫赤元年、	七	八 元年、侯德元年、	二十三	十二 中六年、侯德有罪、國除、		七十七
祝阿 【索隱】縣名、屬平原、	以客從起齧桑、以上隊將入漢、	二 十一年正月己未、孝侯高邑元	七	八	四 十四 五年、侯成元年、後三年、			七十四

	以將軍定魏太原、破井陘、屬淮陰侯、以缻度軍、擊籍及攻豨、侯、八百戶、【考證】上隊、一作十隊、或云、當作二隊、漢表、八百戶作千八百戶、	年、【考證】漢表、己未作己卯、			侯成坐事國人過律、國除、			
長脩 【索隱】縣名、屬河東、	以漢二年用御史初從、出關、以內史擊	二 十一年正月丙辰、平侯杜恬元年、【集解】一	二 五 三年、懷侯中元年、	八	四 十九 五年、侯喜元年、【考證】漢表、喜作意、恐非、	八 陽平五 罪絕、中五年、復封、侯相夫元年、	三十三 元封四年、侯相夫坐	百八

諸侯功比須昌侯、以廷尉死事、千九百戶、【考證】漢法死事者、其子封侯、如長脩侯杜恬、以廷尉死事、即其子當封侯、何得自爲侯四年乎、長脩侯杜恬爲廷尉、政與其子釁侯之年相合、殊不可解、或云、死事二字衍、

云杜恪、【索隱】案位次曰信平侯、【考證】漢表丙辰作丙戌、

爲太常、與樂令無可當鄭舞人、擅繇不如令、闌出函谷關、國除、【考證】漢表謂相夫封三元年免、與百官表合、則此三

十三當作三、三十作二、元封四年、當作三年、作無年、可作漢、表中何不知、孰是、蓋人名、師京在內、闌大、此供樂祭、朝用、之擅而使、繇鄭、爲之、衛又、舞闌出

江邑【索隱】漢志闕、

以漢五年、爲御史用奇計、從御史大夫周昌爲趙相而伐陳豨、功侯、六百戶、【考證】漢表、從作從相、下有代昌爲御史大夫、而作從、當云從御史大夫周昌爲趙相而代之、從擊陳豨、

二

十一年正月辛未、侯趙堯元年、

七

元年、侯堯有罪國除、

闕外也、

營陵【索隱】縣名、屬北海、

以三年爲郎中擊項羽、以將軍擊陳豨、得王黃、爲侯、與高祖疏屬劉氏、世爲衛尉、萬二千戶、【考證】三年上脫漢字、百官表劉澤在孝惠高后時爲衛尉、安得言世、漢表作萬一千戶、

二

十一年、侯劉澤元年、

七

五

六年、侯澤爲瑯邪王、國除、

八十

八

土軍 【索隱】包愷云、地理志、西河有土軍縣、	高祖六年、爲中地守、以廷尉擊陳豨、侯、千二百戶、就國、後爲燕相、【考證】漢表作千一百戶、	二 十一年二月丁亥、武侯宣義元年、【索隱】案位次曰信成侯也、【考證】漢表武作式、	五 二 六年、孝侯莫如元年、	八	二十三	二 十四 三年、康侯平元年、	五 八 建元六年、侯生元年、元朔二年、生坐與人妻姦罪、國除、	百二十二
廣阿 【索隱】縣名、屬鉅鹿、	以客從起沛、爲御史、守豐二歲、擊籍、爲上黨守、陳豨反、堅守、侯、	二 十一年二月丁亥、懿侯任敖元年、	七	八	二 一 二十 三年、夷侯竟元年、四年、敬侯但元年、	十六	四 二十一 建元五年、侯越元年、【考證】漢書侯表百官表竝作越人、此脫人字、元鼎二年、侯越坐爲	八十九

	千八百戶、後遷御史大夫、						太常廟酒酸不敬、國除、	
須昌 【索隱】縣名、屬東郡、	以謁者漢王元年初起漢中、雍軍塞陳、謁上、【考證】漢表、謁作渭、近是、謂雍王章邯之軍陳渭上、塞漢出兵口也、上計欲還、衍言從他道、	二 十一年二月己酉、貞侯趙衍元年、【考證】漢表己酉作己丑、	七	八	十五 四 四 十六年、戴侯福元年、後四年、侯不害元年、	四 五年、侯不害有罪、國除、		百七

	道通、後爲河閒守、陳豨反、誅都尉相如、功侯、千四百戶、							
臨轅 【索隱】漢志闕、	初起從爲郎、以都尉守蘄城、以中尉侯、五百戶、【考證】以中尉下、有缺文、	二 十一年二月乙酉、堅侯戚鰓元年、	四 三 五年、夷侯觸龍元年、	八	二十三	三 十三 四年、共侯忠元年、【考證】漢表、忠作中、	三 二十五 建元四年、侯賢元年、元鼎五年、侯賢坐酎金、國除、	百十六
汲 【索隱】漢表	高祖六年爲太僕、擊代	二 十一年二月己巳、終	一 六 二年、夷侯	八	十三 十 十四年、康	十六	一 九 建元二年、元光五年、廣德	百二十三

作伋、伋與汲竝縣名、屬河內、【考證】今本漢表作汲、百官表亦作汲、	豨、有功、侯、千二百戶、爲趙太傅、【考證】漢表作千三百戶、	侯公上不害元年、【索隱】公上姓、不害名也、【考證】漢表作三月乙酉、	武元年、		侯通元年、		侯廣德元年、坐妻精大逆罪、頗連廣德、弃市、國除、	
寧陵 【索隱】縣名、屬陳留、	以舍人從陳留、以郎入漢、破曹咎成皋、爲上解隨馬、都尉擊陳豨、功、侯、	二 十一年二月辛亥、夷侯呂臣元年、	七	八	十 十三 十一年、戴侯射元年、【考證】漢表、射作謝、	三 一 四年、惠侯始元年、五年、侯始薨、無後、國除、【考證】漢表云、始在位十七年、是以武		七十三

戴 [索隱]戴地名、音再、應劭云、章帝改曰考城、在故甾縣也、[考證]漢志梁國甾縣、注云、故戴國、	汾陽 [索隱]縣名、屬太原、	
以卒從起沛、以卒開沛城門、爲太公僕、以中令擊豨、侯、千二百戶、[考證]中令當作中廐令、千二百戶、漢表作千一百戶、	以郎中騎千人前二年從起陽夏、擊項羽、以中尉破鍾離眛、功、侯、[考證]漢表、前二年作前三年、陽夏作櫟陽、	千戶、[考證]漢表無解隨馬語、蓋呂臣爲高祖解追騎之厄也、都尉上脫以字、
十一年三月癸酉、敬侯彭祖元年、[索隱]戴敬侯秋彭祖、漢表作總、音轡、又韋昭音符蔑反、今檢史記諸本、竝作秋、今見有姓秋氏、 二	十一年二月辛亥、侯靳彊元年、[索隱]壯侯靳強、[考證]漢表作嚴侯、蓋避國諱、 二	
七	七	
二 三年、共侯悼元年、[考證]漢表、悼作憚、 六	二 三年、共侯解元年、 六	
七 八年、夷侯安國元年、[考證]漢表作安侯軫、 十六	二十三	
十六	四 五年、康侯胡元年、絕、 十二	帝建元五年薨、與此異、
十六 元朔五年、侯安期元年、 十二 元鼎五年、侯蒙元年、後元元年五月甲戌、坐祝詛無道、國除、[考證]二十五及	江鄒 十九 元鼎五年、侯石元年、[考證]侯上脫復封二字、太始四年五月丁卯、侯石坐爲太常行太僕事、治齋夫可年益縱年、國除、[考證]史訖太初、安得記太始四年事、此妄續、當刪、罪狀亦與漢侯表百官表不同、年數亦異、	
百二十六		

邔 [索隱]	中牟 [索隱]縣名、屬河南、	平州 [索隱]漢志闕、晉書地道記屬巴郡、	衍 [索隱]漢志闕、	
以故羣	以卒從起沛、入漢、以郎中擊布、功侯、二千三百戶、始高祖微時、有急、給高祖一馬、故得侯、[考證]漢表作二千二百戶、	漢王四年、以燕相從擊籍、還擊荼、以故二千石將爲列侯、千戶、	以漢二年爲燕令、以都尉下楚九城、堅守燕、侯、九百戶、	
一	十二年十月乙未、共侯單父聖元年、[索隱]漢表作單父左車、[考證]今本漢表譌作單右車、蓋單父複姓、聖其名、左車其字、 一	十一年八月甲辰、共侯昭涉掉尾元年、[索隱]昭涉、姓、掉尾、名也、[考證]廣韻注通志略、昭涉作昭沙、 二	十一年七月乙巳、簡侯翟盱元年、[索隱]況于反、 二	
七	七	七	七	
八	八	八	三 四年、祇侯山元年、 二 六年、節侯嘉元年、 三	
十一 九 三	七 八年、敬侯繒元年、 五 十三年、戴侯終根元年、 十一	一 二年、戴侯福元年、[考證]漢表名種、 三 五年、懷侯它人元年、 四 九年、孝侯馬童元年、 十五	二十三	
十六	十六	十四 後二年、侯昧元年、 二	十六	
十六 八	十 元光五年、侯舜元年、 十八 元鼎五年、侯舜坐酎金、國除、	三十三 元狩五年、侯昧坐行馳道中更呵馳去罪、國除、	二 建元三年、 十 侯不疑元年、元朔元年、不疑坐挾詔書論罪、國除、	後元元年以下、後人所加、可刪、
百十	百二十五	百十一	百三十	

郘	博陽
漢書音義曰、音巨已反、【索隱】郘、縣名、屬南郡、漢書音義音其已反、漢表、長下有爲字、此周成雜字解詁云、郘、音跽、	博陽 【索隱】縣名、屬彭城、【考證】陳濞既封
盎長臨江將、已而爲漢擊臨江王及諸侯、破布、功侯、千戶、【考證】漢表、長下有爲字、此脫、	以卒從起豐、以隊卒入漢、擊籍成皋有功、爲將
十二年十月戊戌、莊侯黃極中元年、	一 十二年十一月辛丑、節侯周聚元年、
	七
	八
十二年、慶侯榮盛元年、【考證】漢表作夷侯榮成、 後五年、共侯明元年、	八 十五 九年、侯遬元年、
	十一 中五年、侯遬奪爵一級、國除、【考證】漢表云、孝景元
元朔五年、侯遂元年、元鼎元年、遂坐賣宅縣官故貴、國除、【考證】漢表云、坐搶搏公主馬、與此異、	
三	五十三

博陽（續）	陽義
博陽、則不應一地兩侯、此當作傅陽、傅陽、楚國縣聚、	陽義 【集解】徐廣曰、一作羨、【索隱】漢表、義作羨也、陽羨縣、屬丹陽、【考證】作陽羨是也、縣
軍、布反、定吳郡、侯、千四百戶、	以荊令尹、漢王五年初從、擊鍾離眛及陳公利幾、破之、徙爲漢大夫、從至陳、取韓信、還
	一 十二年十月壬寅、定侯靈常元年、
	七
	六 二 七年、共侯賀元年、
	六 六 七年、哀侯勝元年、十二年、侯勝薨、無後、國除、
年奪爵、與此異、	
	百十九

陽義（續）	下相	德
屬會稽、	下相 【索隱】縣名、屬臨淮、	德 【索隱】
爲中尉、從擊布、功侯、二千戶、【考證】漢表、大夫作中大夫、	以客從起沛、用兵從擊破齊田解軍、以楚丞相堅守彭城、擊布軍、功侯、二千戶、	以代頃王子侯、
	一 十二年十月乙酉、莊侯冷耳元年、【考證】漢表、乙酉作己酉、	一 十二年十
	七	七
	八	二 六 三年、
	二 二十一 三年、侯慎元年、【考證】漢表、慎作順、	二十三
	二 三年三月、侯慎反、國除、	五 十一 六年、侯
		二十七 一 元鼎四
	八十五	百二十七

德（續）	高陵
漢志闕、表在濟南、	高陵 【索隱】高陵縣、志屬琅邪也、
頃王、吳王濞父也、廣、濞之弟也、【考證】代頃王者劉仲也、惠帝二年追尊、然德侯封時、仲見爲合陽侯、	以騎司馬漢王元年從起廢丘、以都尉破田橫龍且、追籍至東城、以將
一月庚辰、哀侯劉廣元年、	一 十二年十一月丁亥、圉侯王周元年、【索隱】漢表作王虞人、【考證】漢表、十一月作十二月、
	七
頃侯通元年、	二 六 三年、惠侯并弓元年、【考證】漢表、并弓作弃弓、
	十二 十一 十三年、侯行元年、
齕元年、【考證】齕謚康、	二 三年、反、國除、【考證】反上脫侯行二字、
年、侯何元年、元鼎五年、侯何坐酎金國除、	
	九十二

	軍擊布、九百戶、【考證】布下脫侯字、							
期思【索隱】縣名、屬汝南、	淮南王布中大夫、有郄、上書告布反、侯、二千戶、布盡殺其宗族、	一 十二年十二月癸卯、康侯賁赫元年、【索隱】賁姓、音肥、又如字、	七	八	十三 十四年、赫薨、無後、國除、			百三十二
穀陵【索隱】漢志闕、【考證】漢表作穀陽、穀陽屬	以卒從、前二年起柘、擊籍、定代、爲將軍、功、侯、	一 十二年正月乙丑、定侯馮谿元年、【索隱】表作馮谿、	七	八	六 十七 七年、共侯熊元年、	二 三年、隱侯卬元年、【考證】漢表、 十三 五年、獻侯解元年、【考證】漢表	三 建元四年、侯偃元年、	百五

沛郡、						卬作卯、 作懿侯解中、		
戚【索隱】漢志闕、晉地道記屬東海、【考證】漢志戚屬東海、未審闕、漢表戚侯在穀陽侯之前、	以都尉漢二年初起櫟陽、攻廢丘、破之、因擊項籍、別屬丞韓信、破齊軍、攻臧荼、遷爲將軍、擊信、侯、合千戶、【考證】丞下脫相字、漢表、合千戶作千	一 十二年十二月癸卯、圉侯季必元年、【考證】案灌嬰傳、重泉人李必、此作季、譌也、	七	八	三 【考證】失書元年賁侯長元年七字、 二十 四年、齊侯班元年、【考證】漢表作躁侯瑕、	十六	一 二十 建元三年、侯信成元年、元狩五年、侯信成坐爲太常縱丞相侵神道壖不敬、國除、	九十

	五百戶、							
壯【集解】徐廣曰、一作莊、【索隱】徐廣云、一作莊、【考證】漢表作嚴、	以楚將漢王三年降、起臨濟、以郎中擊籍陳豨、功、侯、六百戶、【考證】漢表、三年作二年、	一 十二年正月乙丑、敬侯許倩元年、【索隱】壯敬侯許猜、猜音偲、	七	八	二十三	一 十五 二年、共侯恢元年、	一 建元二年、殤侯則元年、【考證】漢表、殤作煬、 九 十五 元光五年、侯廣宗元年、元鼎元年、侯廣宗坐酎金國除、【考證】漢表、元光五年、節侯周嗣、三年薨、元朔二年、侯廣宗嗣、十二年、元鼎五年、坐酎金免、此失節侯 二	百十二

							一代、又誤書廣宗之年、	
成陽【索隱】縣名、屬汝南、	以魏郎漢王二年從起陽武、擊籍、屬魏豹、豹反、屬相國彭越、以太原尉定代、侯、六百戶、	一 十二年正月乙酉、定侯意元年、【索隱】成陽定侯奚意、	七	八	十 十三 十一年、侯信元年、	十六	建元元年、侯信罪鬼薪、國除、【考證】漢表、鬼薪作要斬、	百一十
桃【索隱】縣名、屬信都、【考證】	以客從漢王二年從起定陶、以	一 十二年二月丁巳、安侯劉襄元年、	七	一 奪、絕、 七 二年復封襄、	九 十四 十年、哀侯舍元年、【考證】漢表、哀侯	十六 景帝時爲丞相、	十三 十五 建元元年、厲侯 元朔二年、侯自爲元年、	百三十五

桃、蓋東郡之桃城、	高梁【索隱】漢志闕、【考證】水經注以爲左傳高梁之虛、
大謁者、擊布、侯、千戶、爲淮陰守、項氏親也、賜姓、【考證】漢表、淮陰作淮南、是、	食其兵起、以客從擊破秦、以列侯入漢、還定諸侯、常使約和諸侯、列卒兵聚、侯、
年、【考證】漢表二月作三月、	一　十二年三月丙寅、共侯酈疥元年、
	七
	八
作蹏侯、	二十三
	十六
申元年、【考證】漢表、申作由、元鼎五年、侯自爲坐酎金國除、	八　十　元光三年、侯勃元年、元狩元年、坐詐詔衡山王取金、當死、病死、國除、【考證】勃在位無年數、而詐取衡山王金者、勃
	六十六

	紀信【索隱】漢志闕、	甘泉【集解】
功比平侯嘉、以死事、子疥襲食其功、侯、九百戶、	以中涓從起豐、以騎將入漢、以將軍擊籍、後攻盧綰、侯、七百戶、	以車司
	一　十二年六月壬辰、匡侯陳倉元年、【考證】紀信以下六侯、惟酈陵無月、餘皆書六月、攷高祖四月甲辰崩、則此六侯者、豈孝惠封之歟、抑誤書六月也、	一
	七	六　一
	二　三年、夷侯開元年、六	八
	十七　後二年六月、侯陽元年、【考證】六月二字、漢表衍、陽、漢表作煬、六	十　十三
	二　三年、陽反、國除、	九
嗣平、表失書侯平一代、又以平事并入勃、		
	八十	百六

【集解】徐廣曰、一作景、【索隱】案志、甘泉闕、疑甘泉是甘水、漢表作景侯也、【考證】甘泉、景之譌、分爲二字耳、景屬勃海、	煮棗【索隱】徐廣云、在宛句、
馬漢王元年初從起高陵、屬劉賈、以都尉從軍、侯、【考證】漢表云、五百戶、	以越連敖從起豐、別以
十二年六月壬辰、侯王竟元年、【索隱】壯侯王竟、【考證】漢表作嚴侯王競、	一　十二年六月壬辰、靖
七年、戴侯莫搖元年、【考證】漢表、莫搖作眞粘、	七
	八
十一年、侯嫖元年、【索隱】嫖、匹妙反、漢書作嬹、許孕反、說文、嬹、悅也、	一　二年、赤子康侯武元　二十二
十年、侯嫖有罪、國除、	八　中二年、侯昌元年、中　二
	七十五

	張【索隱】縣名、屬廣平、	鄢陵【索隱】
郎將入漢、擊諸侯、以都尉侯、九百戶、【考證】漢表、豐作薛、郎作越、	以中涓騎從起豐、以郎將入漢、從擊諸侯、七百戶、【考證】七百上缺侯字、	以卒從起豐、入
侯赤元年、【索隱】煑棗端侯棘朱、漢表作端侯革朱、革音棘、亦作東、誤也、棘、姓、蓋子成之後也、	一　十二年六月壬辰、節侯毛澤元年、【索隱】毛澤亦作釋之也、	一　十二年中、
	七	七
	八	三　四年、五
年、【考證】漢表、革朱以孝惠七年薨、嗣子有罪不得代、文帝二年、始以他子紹封、則當衍八字、漢表、武作式、	十　十一年、夷侯慶元年、二　十三年、侯舜元年、十一	六【考證】六當作七、
四年、有罪、國除、	十二　中六年、侯舜有罪、國除、	
	七十九	五十二

縣名、屬潁川、	漢以都尉擊籍、茶、侯七百戶、[考證]漢表、作二千七百戶、	莊侯朱濞元年、		恭侯慶元年、	七年、恭侯慶薨、無後、國除、			
菌 [集解]徐廣曰、一作鹵、[索隱]漢志闕、菌音求阻反、徐作鹵、音魯、又作鹵、	以中涓前元年從起單父、不入關、以擊籍布燕王綰、得南陽、侯、二千七百戶、[考證]漢表、中涓作中尉、	一 十二年六月、莊侯張平元年、	七	四 四 五年、侯勝元年、	三 四年、侯勝有罪、國除、			四十八 [illegible] 四十八當作六十八、若四十八、則與東茅侯同位、

[索隱]述贊、聖賢影響、風雲潛契、高祖膺籙、功臣命世、起沛入秦、憑謀仗計、紀勳書爵、河盟山誓、蕭曹輕重、絳灌權勢、咸就封國、或萌罪戾、仁賢者祀、昏虐者替、永監前脩、良慙固蔕、

高祖功臣侯者年表第六

史記十八

史記會注考證卷十九

漢　太　史　令　司　馬　遷　撰
宋中郎外兵曹參軍裴　駰集解
唐國子博士弘文館學士司馬　貞索隱
唐諸王侍讀率府長史張　守　節正義
日　本　出　雲　瀧　川　資　言　考證

惠景閒侯者年表第七　史記十九

[考證]史公自序云、惠景之間、維申功臣宗屬爵邑、作惠景閒侯者年表第七、

太史公讀列封至便侯、[索隱]便音鞭、縣名也、吳淺所封、[考證]便侯、長沙王子、趙恒曰、列封者、惠景間之封也、高祖遺功臣一也、從代來二也、吳楚之勞三也、諸侯子弟四也、肺腑五也、外國歸義六也、便侯即在遺功臣數內、曰、有以也夫。長沙王者著令甲、稱其忠焉。[集解]鄧展曰、漢約非劉氏不王、如芮王、故著令使特王、或曰、以芮至忠故著令也、瓚曰、漢以芮忠故特王之、以非制故特著令、[考證]漢書宣帝紀、令甲、死者不可復生、張釋之傳、乙令、蹕先至而犯者罰金四兩、後漢章帝紀、令丙、箠長短有數、漢時決事、集爲令三百餘篇、令有先後、故有令甲令乙令丙、若今第一第二第三篇、中井積德曰、長沙王之王、在約之前、注失前後、昔高祖定天下、功臣非同姓疆土而王者八國。[集解]異姓國八王者、吳芮、英布、張耳、臧荼、韓王信、彭越、盧綰、韓信也、[索隱]非同姓而王者八國、齊王韓信、韓王韓信、燕王盧綰、梁王彭越、趙王張耳、淮南王英布、臨江王共敖、長沙王吳芮、凡八也、[考證]中井積德曰、索隱齊王當稱楚王、又曰、臨江王共敖先項羽死、其子尉不降漢、漢虜之、不得八國之數、宜除臨江、加燕王臧荼、荼與盧綰雖前後相踵、不同時、而異姓王不當泄者、集解得之、至孝惠時、唯獨長沙全禪五世、[索隱]禪者傳也、案諸侯王表、芮國至五世而絕、以無嗣絕。[集解]徐廣曰、孝文後七年、靖王薨、無嗣、竟無過、爲藩守職。信矣。[考證]爲藩守職、蓋令甲中語、故其澤流枝庶、毋功而侯者數人。[索隱]案此

表、芮子淺封便侯、傳至玄孫、又封成王臣之子爲沅陵侯、亦至曾孫、及孝惠訖孝景閒五十載。追修高祖時遺功臣、及從代來、吳·楚之勞、諸侯子弟若肺腑、[索隱]柿府二音、柿、木札也、附、木皮也、以喩人主疏末之親、如木札出於木、樹皮附於樹也、詩云、如塗塗附、注云、附、木皮也、[考證]肺腑、蓋漢代語、詩書左國未見、肺肝之肺、臟腑之腑、凌稚隆云、猶骨肉也者、得之、但骨肉以稱同姓、而肺腑則并稱外戚、亦不相混、漢書劉向傳云、臣幸得託肺腑、向、楚元王交之後、是同姓之義、田蚡傳、蚡以肺腑爲相、又曰、臣以肺腑幸得待罪、衞青傳、青幸以肺腑待罪行間、王莽傳、臣莽伏自惟念得託肺腑、獲爵土、蚡、景帝王皇后母弟、武帝之舅氏、青、武帝衞皇后母弟、莽乃元帝皇后王家之子、是外戚之義、腑又作附、音通、或轉肺爲柹、轉腑爲附、釋之以木札樹皮、迂甚若、及之辭、當世仁義成功之著者也。[考證]外國歸義、謂匈奴內附者、方苞曰、仁義之著者、謂追修高祖時遺功臣、及諸侯子弟若肺腑、外國歸義封者九十有餘。咸表始終。外國歸義封者、成功之著、謂從代來、及吳楚之勞封者、

國名	侯功	孝惠七	高后八	孝文二十三	孝景十六	建元至元封六年三十六	太初已後
便 [索隱]漢志、縣名、屬桂陽、音鞭、	長沙王子、侯二千戶、	七　元年九月、頃侯吳淺元年、[考證]漢表月下有癸卯二字、	八	二十二　一　後七年、恭侯信元年、	五　前六年、侯廣志元年、　十一　[考證]廣志之冀千秋之嗣、史漢不記其年、	二十八　元鼎五年、侯千秋坐酎金國除、	[考證]太初已後四字當衍、漢表侯第百三十三、
軑 [集解]音大、[索隱]軑音大、縣名、在江夏也、	長沙相、侯七百戶、	六　二年四月庚子、侯利倉元年、[索隱]漢書作軑侯朱倉、故長沙相、[考證]今本漢表軑侯黎朱蒼、	二　三年、侯豨元年、[考證]漢表諡孝、　六	十五　十六年、侯彭祖元年、　八	十六	三十　元封元年、侯秩爲東海太守、行過不請、擅發卒兵爲衞、當斬、會赦、國除、[考證]漢表彭祖嗣二十四年薨、則秩以建元元年嗣、此脫秩元年、三十、當作十、其下當書二十、	[考證]漢表侯第百二十、

平都〔索隱〕縣名、屬東海、〔考證〕平都縣屬上郡、	以齊將高祖三年降、定齊、侯、千戶、	三　五年六月乙亥、孝侯劉到元年、〔索隱〕故齊將、已上孝惠時三人也、	八	二　三年、侯成元年、　二十一	十四　後二年、侯成有罪、國除、		〔考證〕漢書侯第百一十、
	右孝惠時三						
扶柳〔索隱〕縣名、屬信都、	高后姊長姁子、侯、		七　元年四月庚寅、侯呂平元年、　八年、侯平坐呂氏事誅、國除、				
郊〔索隱〕一作洨、縣	呂后兄悼武王、身佐高祖定天		五　元年四月　六年七月壬辰、				

名、屬沛郡、〔考證〕郊當作洨、	下、呂氏佐高祖治天下、天下大安、封武王少子產爲郊侯、〔考證〕武王上缺悼字、		辛卯、侯呂產元年、　產爲呂王、國除、〔考證〕產爲呂王、在十月丙辰、　八年　九月、產以呂王爲漢相、謀爲不善、大臣誅產、遂滅諸呂、〔考證〕產以高后七年二月徙王梁、更名梁曰呂、仍稱呂王也、而產之爲				

			相、在七年七月、此誤、				
南宮〔索隱〕縣名、屬信都、	以父越人爲高祖騎將、從軍、以大中大夫侯、〔考證〕漢表作中大夫、		七　元年四月丙寅、侯張買元年、　八年、侯買坐呂氏事誅、國除、				
梧〔索隱〕縣名、屬彭城、	以軍匠從起郟、入漢、後爲少府、作長樂未央宮、築長安城先就、功、侯、五百戶、		六　元年四月乙酉、齊侯陽成延元年、　二　七年、敬侯去疾元年、	二十三	九　七　中三年、靖侯偃元年、	八　十四　元光三年、侯戎奴元年、　元狩五年、侯戎奴坐謀殺季父、棄市、國除、	〔考證〕漢表侯第七十六、

平定〔索隱〕漢志闕、或鄉名、	以卒從高祖起留、以家車吏入漢、以梟騎都尉擊項籍、得樓煩將功、用齊丞相侯、一云項涓、〔考證〕一云項涓四字、似非史文、		八　元年四月乙酉、敬侯齊受元年、	四　二年、齊侯市人元年、　十八　六年、恭侯應元年、	十六	七　元光二年、康侯延居元年、　十八　元鼎二年、侯昌元年、　二　元鼎四年、侯昌有罪、國除、	〔考證〕漢表侯第五十四、
博成〔索隱〕漢志闕、〔考證〕此卽泰山郡之博縣、成卽	以悼武王郎中兵初起、從高祖起豐、攻雍丘、擊項籍、力戰奉衞悼武王出		三　元年四月乙酉、敬侯馮無擇元　四　四年、侯代元年、八年、侯代坐呂氏事誅、國除、				

城字、	沛【索隱】縣名、屬沛郡、	襄成【索隱】縣名、屬潁川、
滎陽、功侯、	呂后兄康侯少子、侯、奉呂宣王寢園、	孝惠子、侯、
年、【考證】漢表、乙酉作己酉、	七 元年四月乙酉、侯呂種元年、 一 爲不其侯、八年、侯種坐呂氏事誅、國除、	一 元年四月辛卯、侯義元年、 二年、侯義爲常山王、國除、

軹【索隱】縣名、屬河內、	壺關【索隱】縣名、屬河內、【考證】縣屬上黨、	沅陵【索隱】沅陵、縣、近長沙、漢志屬武陵、
孝惠子、侯、	孝惠子、侯、	長沙嗣成王子、侯、
三 元年四月辛卯、侯朝元年、 四年、侯朝爲常山王、國除、	四 元年四月辛卯、侯武元年、 五年、侯武爲淮陽王、國除、	元年十一月壬申、頃侯吳陽元年、【考證】漢表作七月丙申、 八
		十七 後二年、頃侯福元年、【考證】 六
		十一 中五年、哀侯周元年、 四 後三年、侯周薨、無後、國除、
		【考證】漢表云、侯第百三十六、

	上邳【考證】在魯國薛縣西、	朱虛【索隱】縣名、屬琅邪、	昌平【索隱】縣名、屬上谷、【考證】呂后紀及漢書
	楚元王子、侯、	齊悼惠王子、侯、	孝惠子、侯、【索隱】實呂氏也、
	二年五月丙申、侯劉郢客元年、 七	二年五月丙申、侯劉章元年、 七	三 四年二月癸未、侯太元年、【考證】太當作大、 七年、太爲呂王、國除、
父子同謚、必有一誤、	元年、侯郢客爲楚王、國除、【考證】郢客爲王、在孝文二年、	一 二年、侯章爲城陽王、國除、	
	【考證】漢表云、侯第百二十六、	【考證】漢表侯第百二十九、	

異姓王表作平昌、平昌屬平原、	贅其【索隱】縣名、屬臨淮、	中邑【索隱】漢志闕、【考證】縣名、在勃海、
	呂后昆弟子、用淮陽丞相侯、	以執矛從高祖入漢、以中尉破曹咎、用呂相侯、六百戶、
	四 四年四月丙申、侯呂勝元年、 八年、侯勝坐呂氏事誅、國除、	四年四月丙申、貞侯朱通元年、【考證】漢表作貞侯朱進、 五
		十七 後二年、侯悼元年、 六
		十五 後三年、侯悼有罪、國除、

樂平 [索隱]漢志闕、[考證]漢表作樂成、鄉名、在東郡、	以隊卒從高祖起沛、屬皇訢、以郎擊陳餘、用衛尉侯、六百戶、		二 四年四月丙申、簡侯衛無擇元年、三 六年、恭侯勝元年、	二十三	十五 後三年、侯侈元年、一	五 建元六年、侯侈坐以買田宅不法、又請求吏罪、國除、[考證]坐下以字衍、求當作賕、	
山都 [索隱]漢志闕、[考證]山都縣、屬南陽、	高祖五年、爲郎中柱下令、以衛將軍擊陳豨、用梁相侯、		五 四年四月丙申、貞侯王恬開元年、	三 [考證]三二十字、誤例、恬開以後四年卒、二十者開恬在文帝之朝爲侯之 二十 四年、惠侯中黃元年、	三 十三 四年、敬侯觸龍元年、[考證]四年當作五年、漢表謚憲、	二十二 元狩五年、侯當元年、八 元封元年、侯當坐與奴闌入上林苑、國除、	

				歲、三者中黃在文帝之朝嗣侯歲數也、			
松茲 [集解]徐廣曰、松一作祝、[索隱]漢表作祝、縣名、屬廬江、	兵初起、以舍人從起沛、以郎吏入漢、還得雍王邯家屬功、用常山丞相侯、[考證]郎吏、漢表作郎中、		五 四年四月丙申、夷侯徐厲元年、	六 十七 七年、康侯悼元年、	十二 四 中六年、侯偃元年、	五 建元六年、侯偃有罪、國除、	
成陶 [集解]徐廣曰、一作陰、	以卒從高祖起單父、爲呂氏舍人、度呂氏		五 四年四月丙申、夷侯周信元年、	十一 三 十二年、孝侯勃元年、十五年、			

[索隱]漢表作成陰也、漢志闕、	淮之功、用河南守侯、五百戶、[考證]漢表、呂氏作呂后、			侯勃有罪、國除、[考證]漢法、諸侯以罪失國者、歿不賜謚、漢表無謚、			
俞 [集解]如淳曰、音輸、[索隱]俞、音輸、俞縣、屬清河也、	以連敖從高祖破秦、入漢以都尉定諸侯、功比朝陽侯、嬰死子它襲功、用太中大夫侯、[考證]朝陽侯華寄也、它封在高后四年、不入位次內、		四 四年四月丙申、侯呂它元年、[索隱]呂他、他音駝、呂嬰子也、八年、侯它坐呂氏事誅、國除、				
滕 [索隱]	以舍人郎中、十二歲		四 四年 八年、				

勝侯一作滕、劉氏云、作勝恐誤、今案滕縣、屬沛郡、勝未聞、	以都尉屯田霸上、用楚相侯、		四月丙申、侯呂更始元年、侯更始坐呂氏事誅、國除、[索隱]更始、呂氏之族、				
醴陵 [索隱]縣名、今在長沙、	以卒從、漢王二年初起櫟陽、以卒吏擊項籍、爲河內都尉、長沙相、侯、六百戶、		五 四年四月丙申、侯越元年、[考證]此侯失其姓、	三 四年、侯越有罪、國除、			
呂成 [考證]水經	呂后昆弟子、侯、		四 四年四 八年、侯				

注、南陽宛縣西有呂城、疑呂忿封此、			月丙申、侯呂忿元年、忿坐呂氏事誅、國除、				
東牟 索隱縣名、屬東萊、	齊悼惠王子、侯、		六年四月丁酉、侯劉興居元年、 三	一 二年、侯興居爲濟北王、國除、			
鍾 集解一作鉅、索隱縣名、屬東萊、	呂肅王子、侯、		二 六年四月丁酉、侯呂通元年、八年、侯通爲燕王、坐呂氏事、國除、索隱呂后兄子、				

信都 索隱縣名、屬信都、	以張敖魯元太后子、侯、		一 八年四月丁酉、侯張侈元年、索隱敖子、以魯元公主封、	元年、侯侈有罪、國除、考證信都與下樂昌、以張敖前妻之子侯、不當封、故孝文免之、漢表云、以非正免、			
樂昌 考證樂昌、卽汝南細陽池陽縣、	以張敖魯元太后子、侯、		一 八年四月丁酉、侯張受元年、	元年、侯受有罪、國除、			
祝茲 索隱漢書作琅邪、考證祝茲卽東海卽	呂后昆弟子、侯、		八年四月丁酉、侯呂榮元年、坐呂氏事誅、國除、				

丘縣、							
建陵 索隱漢表作東海、	以大謁者侯、宦者多奇計、		八年四月丁酉、侯張澤元年、索隱一名釋、九月、奪侯、國除、				
東平 集解徐廣曰、一作康、索隱縣名、在東平、	以燕王呂通弟侯、		八年五月丙辰、侯呂莊元年、坐呂氏事誅、國除、考證莊當作庀、				
	右高后時三十一 考證三十一者、高后封侯之數也、然高后元年、封呂祿爲胡陵侯、二年、封蕭何夫人爲酇侯、蕭延爲筑陽侯、四年、封女弟嬃爲臨光侯、又封劉信母爲陰安侯、皆不在此數、						
陽信 索隱	高祖十二			十四 九	五		

表在新野、志屬勃海、恐有二縣、考證陽信屬勃海、	年爲郎、以典客奪趙王呂祿印、關殿門、拒呂產等入、共尊立孝文、侯、二千戶、			元年三月辛丑、侯劉揭元年、索隱陽信夷侯劉揭、考證漢表作十一月、 十五年、侯中意元年、	六年、侯中意有罪、國除、		
軹 索隱縣名、屬河內也、	高祖十年、爲郎從軍、十七歲、爲太中大夫、迎孝文代、用車騎將軍迎太后、			十 元年二月乙巳、侯薄昭元年、 十三 十一年、易侯戎奴元年、	十六	一 建元二年、侯梁元年、	

國名	侯功	孝惠	高后	孝文	孝景	建元至元封	太初已後
	侯、萬戶、薄太后弟、【考證】十年當作十一年、漢表、太中大夫作中大夫、			【考證】漢表、二月作正月、漢書文紀十年、書將軍薄昭死、坐殺漢使者罪、此脫不書、有罪而死、自當奪絕、文帝不除國者、爲太后也、			
壯武【索隱】縣名、屬膠東、	以家吏從高祖起山東、以都尉從之滎陽、食邑、以代中尉勸代王入、驂乘至代邸、王卒爲帝、功侯、千四百戶、【考證】之當作守、			二十三　元年四月辛亥、侯宋昌元年、	十一【考證】一字衍、　中四年、侯昌奪侯、國除、		
清都【集解】徐廣曰、一作鄡、音苦堯反、【索隱】清郭、侯駟鈞、齊	以齊哀王舅父侯、【索隱】舅父卽舅、猶姨曰姨母然也、			五　元年四月辛未、侯駟鈞元年、　前六年、鈞有罪、國除、			

國名	侯功	孝惠	高后	孝文	孝景	建元至元封	太初已後
封田嬰爲清郭君、漢表鄡侯駟鈞、太原、齊縣、【考證】清都當作清郭、							
周陽【索隱】縣名、屬上郡、【考證】當作陽周、	以淮南厲王舅父侯、			五　元年四月辛未、侯趙兼元年、　前六年、兼有罪、國除、			
樊【索隱】縣名、屬東平、	以睢陽令高祖初起從阿、以韓家子還定北地、用常山相侯、千二百戶、【考證】從字當在高上、			十四　元年六月丙寅、侯蔡兼元年、　九　十五年、康侯客元年、【集解】徐廣曰、客一作容、	九　七　中三年、恭侯平元年、	十三　十四　元朔二年、侯辟方元年、　元鼎四年、侯辟方有罪、國除、	
管【索隱】管古國、今縣、屬滎陽、【考證】管當作菅、菅縣屬濟南、	以齊悼惠王子、侯、			二　四年五月甲寅、恭侯劉罷軍元年、【索隱】共侯劉罷軍、　十八　六年、侯戎奴元年、	二　三年、侯戎奴反、國除、		
瓜丘【索隱】斥丘、縣在魏郡、	以齊悼惠王子、侯、			十一　四年五月甲寅、　九　十五年、侯	二　三年、侯假反、國除、		

【考證】漢表作氏丘、

侯劉寧國元年、 假元年、

營【索隱】表在濟南、【考證】營卽營丘、在齊郡臨淄縣、

齊悼惠王子、侯、

十　四年五月甲寅、平侯劉信都元年、

十　十四年、侯廣元年、

二　三年、侯廣反、國除、

楊虛

齊悼惠王子、侯、

十二　四年五月甲寅、恭侯劉將廬元年、【考證】楊虛共侯劉將廬、漢書

十六年、侯將廬爲齊王、有罪、國除、

作將閭、齊悼惠王子、襄封、王子也、【考證】將廬有罪國除、惡得有謚、此楊丘之文誤入者、恭字宜削、說詳盧氏鍾山札記、張氏史記札記、

楊丘【考證】今本史記脫去楊丘一侯、今從索隱補之、

齊悼惠王子、侯、

十二　四年五月甲寅、恭侯劉平元年、

八　四年、侯偃有罪、國除、

朸【集解】音力、【索隱】扐、縣名、屬平原、音力、

齊悼惠王子、侯、

十二　四年五月甲寅、侯劉辟光元年、

十六年、侯辟光爲濟南王、國除、

安都【索隱】漢志闕、【考證】屬涿郡、

齊悼惠王子、侯、

十二　四年五月甲寅、侯劉志元年、

十六年、侯志爲濟北王、國除、

平昌【索隱】縣名、屬平原、【考證】水經注云、

齊悼惠王子、侯、

十二　四年五月甲寅、侯劉卬元年、

十六年、侯卬爲膠西王、國除、

此侯封于琅邪之平昌、

武城【索隱】漢志闕、凡闕者或鄉名、或尋廢、故志不載、【考證】齊王子所封者、必是南武城、卽漢東海郡南成縣、

齊悼惠王子、侯、

十二　四年五月甲寅、侯劉賢元年、

十六年、侯賢爲菑川王、國除、

白石【索隱】縣名、屬金城、【考證】白石、在平原安德、	齊悼惠王子、侯、			十二 四年五月甲寅、侯劉雄渠元年、十六年、侯雄渠爲膠東王、國除、			
波陵【索隱】漢志作泒、音泜、	以陽陵君侯、			五 七年三月甲寅、康侯魏駟元年、十二年、康侯魏駟薨、無後、國除、【考證】漢表、甲寅作丙寅、			
南郎【集解】徐廣曰、一作朝、	以信平君侯、			一 七年三月丙寅、孝文時坐後父			

【索隱】韋昭、音貞、一音程、李形云、河南有郎亭、音楨、				侯起元年、【索隱】起、名也、史失其姓、 故、奪爵級、關內侯、【考證】級上脫一字、下脫爲字、顏師古曰、會于廷中而隨父、失朝廷以爵之序、故削爵也、			
阜陵【索隱】縣名、屬九	以淮南厲王子、侯、			八 八年五月丙午、安爲淮			

江、				侯劉安元年、 南王、國除、			
安陽【索隱】安陵、縣名、屬馮翊、恐別有安陵、【考證】漢志有四安陽、此在汝南、水經注可證、索隱本作安陵、疑誤、	以淮南厲王子侯、			八 八年五月丙午、侯勃元年、 十六年、侯勃爲衡山王、國除、			
陽周【考證】	以淮南厲			八			

城陽莒縣之鄉名、	王子侯、			八年五月丙午、侯劉賜元年、 十六年、侯賜爲廬江王、國除、			
東城【索隱】縣名、屬九江、	以淮南厲王子侯、			七 八年五月丙午、哀侯劉良元年、 十五年、侯良薨、無後、國除、			
犂【索隱】縣名、屬東郡、	以齊相召平子侯、千四百一十戶			十一 十年四月癸丑、頃侯召奴元年、 三 後五年、侯澤元年、	十六	十六 元朔五年、侯延元年、 十九 元封六年、侯延坐不出持馬、斬、國除、	
餅	以北地都				十二		

【考證】縣名、屬琅邪、瓡音瓶、	尉孫卬、匈奴入北地、力戰死事、子侯、			十四年三月丁巳、侯孫單元年、	前三年、侯單謀反、國除、		
弓高 【考證】漢表在營陵、地理志屬河間、	以匈奴相國降、故韓王信孽子、侯、千二百三十七戶、			八 十六年六月丙子、莊侯韓頹當元年、【考證】漢表頹作隤、	十六 前元年、侯則元年、【考證】漢表云、不得隤當嗣侯者年名、元朔五年侯則嗣、薨、與本傳頹當傳子至孫合、此誤、	十六 元朔五年、侯則薨、無後、國除、	
襄成 【考證】襄城、志屬潁川、	以匈奴相國降侯、故韓王信太子之子、侯、千四百三十二戶、【考證】漢表作			七 十六年六月丙子、哀侯韓嬰元年、一 後七年、侯澤之元年、	十六	十五 元朔四年、侯澤之坐詐病不從、不敬、國除、	

	二千戶、						
故安 【考證】縣名、屬涿郡、	孝文元年、舉淮陽守、從高祖入漢、功侯、食邑五百戶、用丞相侯、一千七百一十二戶、【考證】功下侯者、爲關內侯也、漢表不書申屠嘉食邑、			五 後三年四月丁巳、節侯申屠嘉元年、	二 前三年、恭侯蔑元年、 十四	十九 元狩二年、清安侯臾元年、五 元鼎元年、臾坐爲九江太守有罪、國除、	
章武 【考證】縣名、屬勃海、	以孝文后弟侯、萬一千八百六十九戶、【考證】漢表作萬一千戶、			一 後七年六月乙卯、景侯竇廣國元年、	六 十 前七年、恭侯完元年、【考證】漢表完作定、	八 十 元光三年、侯常坐元年、【考證】漢表常坐作常生、元狩元年、	

						侯常坐謀殺人未殺罪、國除、	
南皮 【考證】縣名、屬勃海、	以孝文后兄竇長君子侯、六千四百六十戶、			一 後七年六月乙卯、侯竇彭祖元年、	十六	五 建元六年、夷侯良元年、五 元光五年、侯桑林元年、十八 元鼎五年、侯桑林坐酎金罪、國除、	
右孝文時二十九 【考證】孝文共封二十九侯、而各本表止二十八者、因脫誤楊丘一侯也、今補、							
平陸 【考證】縣名、屬西河、又有東	楚元王子、侯、三千二百六十七戶、				二 元年四月乙巳、【考證】一云乙卯、 三年、侯禮爲楚		

平陸、在東平、					侯劉禮元年、王、國除、		
休 【考證】休、鄉名、孟子去齊居休之休、故城在今兗州府滕縣北、	楚元王子、侯、				二 元年四月乙巳、侯富元年、三年、侯富以兄子戎爲楚王反、富與家屬至長安北闕自歸、不能相教、上印綬、詔復王、後以平陸侯爲楚王、更封富爲紅侯、		
沈猶 【考證】漢表	楚元王子、侯、千三百				十六 元年四月乙	四 十八 建元五年、	

在高苑、
八十戶、
巳、夷侯劉穢元年、
侯受元年、元狩五年、侯受坐故爲宗正聽謁、不具宗室不敬、國除、

紅 [索隱] 紅休蓋二鄉名、王莽封劉歆爲紅休侯、一云、紅卽虹縣也、[考證] 表例、凡更封者、卽附書初封之下、劉富先封休侯、更封紅侯、自當連書之、蓋後人妄析、
楚元王子、侯、千七百五十戶、
四 三年四月乙巳、莊侯富元年、[索隱] 紅雅侯劉富、一云禮侯也、
一 前七年、悼侯澄元年、
九 中元年、敬侯發元年、[集解] 發一作嘉、[考證] 漢表作嘉、
楚元王子、案王傳、休侯富、免後封紅侯、此則竝列、誤也、漢表一書而已、[考證] 四月乙巳、當作六月乙亥、漢表莊侯作懿侯、
十五 元朔四年、侯章元年、
一 元朔五年、侯章薨、無後、國除、[考證] 漢表章謚哀、

宛朐 [索隱] 縣名、屬濟陰、
楚元王子、侯、
二 元年四月乙巳、侯劉埶元年、[索隱] 蕭該埶音藝、
三年、侯埶反、國除、

魏其 [索隱] 縣名、屬琅邪、
以大將軍屯滎陽、扞吳楚七國、侯、三千三百五十戶、
十四 三年六月乙巳、侯竇嬰元年、
九 建元元年、爲丞相、二歲免、元光四年、侯嬰坐爭灌夫事、上書稱爲先帝詔、矯制罪、弃市、國除、

棘樂
楚元王子、侯、戶千二百一十三、
十四 三年八月壬子、敬侯劉調元年、
一 十一 十六 建元二年、恭侯應元年、元朔元年、侯慶元年、元鼎五年、侯慶坐酎金、國除、

兪 [索隱] 兪音輸、縣名、屬清河、
以將軍吳楚反時、擊齊有功、布故彭越舍人、越反時、布使齊還、已梟越、布祭哭之、當亨、出忠言、高祖舍之、黥布反、布爲都尉、侯、戶千八百、
六 六年四月丁卯、侯欒布元年、
中 中五年、侯布薨、
十 元狩六年、侯賁坐爲太常、廟犧牲不如令、有罪國除、[集解] 一云元朔二年、侯賁元年、[考證] 孝景中五年布薨、國絕、至元朔二年續封賁也、漢表、廟作雍、

建陵　以將軍擊吳楚功、用中尉侯、戶一千三百一十、

十一　六年四月丁卯、敬侯衞綰元年、【考證】失書綰爲丞相、

十　十八　元光五年、侯信元年、元鼎五年、侯信坐酎金國除、

建平【索隱】縣名、屬沛郡、　以將軍擊吳楚功、用江都相侯、戶三千一百五十、

十一　六年四月丁卯、哀侯程嘉元年、【考證】漢表作敬侯、

七　一　一　元光二年、節侯横元年、元光三年、侯回元年、元光四年、侯回薨、無後、國除、

平曲【索隱】案漢表在高城、　以將軍擊吳楚功、用隴西太守侯、戶三千

五　六年四月己巳、中四年、侯昆邪

【考證】平曲、東海縣、　二百二十、

侯公孫昆邪元年、有罪、國除、太僕賀父、【索隱】漢書作渾、

江陽【索隱】縣在東海也、【考證】帝紀作江陵、南郡縣名、　以將軍擊吳楚功、用趙相侯、戶二千五百四十一、

四　七　六年四月壬申、康侯蘇嘉元年、【集解】徐廣曰、蘇一作籍、【索隱】漢表作蘇　中三年、懿侯盧元年、【集解】徐廣曰、一作哀侯、

二　十五　十一　建元三年、侯明元年、元朔六年、侯雕元年、元鼎五年、侯雕坐酎金國除、

息、

遽【索隱】案漢表、鄉名、在常山、　以趙相建德、王遂反、建德不聽、死事、子侯、戶千九百七十、【考證】漢表、九作一、

六　中二年四月己巳、侯横元年、【索隱】史失其姓、【考證】漢表、己巳作乙巳、後二年、侯横有罪、國除、

新市【索隱】縣名、屬鉅鹿、　以趙內史王愼、王遂反、愼不聽、死事、子侯、戶一千十四、【考證】楚元王世家、漢表、愼作悍、

五　三　中二年四月乙巳、侯王康元年、【考證】漢表名棄之、史蓋以諡爲名、後元年、殤侯始昌元年、

九　元光四年、殤侯始昌爲人所殺、國除、【考證】漢表、殤作煬、疑非、

商陵【索隱】漢表、在臨淮、【考證】商陵當作高陵、在琅邪、　以楚太傅趙夷吾、王戊反、不聽、死事、子侯、千四十五戶、

八　中二年四月乙巳、侯趙周元年、

二十九　元鼎五年、侯周坐爲丞相知列侯酎金輕、下廷尉、自殺、國除、

山陽【考證】縣屬河內、　以楚相張尙、王戊反、尙不聽、死事、子侯、戶千一百一十四、

八　中二年四月乙巳、侯張當居元年、

十六　元朔五年、侯當居坐爲太常、程博士弟子、故不以實、罪、國除、【集解】徐廣曰、程一作澤、【考證】漢表作擇、

安陵	以匈奴王降、侯、戶一千五百一十七、【考證】漢表作千五百五十戶、				七 中三年十一月庚子、侯子軍元年、	五【考證】五當作六、建元六年、侯子軍薨、無後、國除、	
垣【索隱】縣名、屬河東、【考證】水經注以爲涿郡之垣縣、	以匈奴王降、侯、				三【考證】三當作四、中三年十二月丁丑、侯賜元年、六年、賜死、不得及嗣、【考證】六上脫中字、賜、垣侯名、及當作共、		
遒【索隱】縣名、	以匈奴王降、侯、戶五				中三年十二	後元年四月	

屬涿郡、音茲鳩及、	千五百六十九、【考證】五字衍、漢表作千五百七十戶、				月丁丑、侯隆彊元年、【索隱】遒侯李隆彊、不得隆彊嗣、	甲辰、侯則坐使巫齊少君祠祝詛、大逆無道、國除、【集解】徐廣曰、漢書云武後二年、【考證】史至太初、何記武帝後元事、	
容成【索隱】縣名、屬涿郡、【考證】漢表作容城、	以匈奴王降、侯、七百戶、				七 中三年十二月丁丑、侯唯徐盧元年、【索隱】容成侯唯徐盧、【考證】漢表、擕侯徐盧、蓋擕其謚、唯徐其姓、盧其名、	十四 建元元年、康侯綽元年、二十三 元朔三年、侯光元年、	十六 後二年三月壬辰、侯光坐祠祝詛、國除、【考證】表至太初、何書武帝後元事、
易【索隱】	以匈奴王降、侯、【考證】				六 中三年後二年、		

縣名、屬涿郡、	漢表云、千一百十戶、				十二月丁丑、侯僕黥元年、侯僕黥薨、無嗣、【考證】漢表、黥作黶、無嗣下脫國除二字、		
范陽【索隱】縣名、屬涿郡、	以匈奴王降、侯、戶千一百九十七、				七 中三年十二月丁丑、端侯代元年、【索隱】范陽靖侯代、【考證】漢表作靖侯范代、疑衍范字、	七 二【考證】二當作三、元光二年、懷侯德元年、元光四年、侯德薨、無後、國除、	
翕【索隱】漢表、在內黃、	以匈奴王降、侯、				七 中三年十二、月丁丑、侯邯鄲元年、	九 元光四年、侯邯鄲坐行來不請長信、不敬、	

						國除、	
亞谷【索隱】一作惡父、漢表在河內、	以匈奴東胡王降、故燕王盧綰子、侯、千五百戶、【考證】盧它之爲盧綰孫、史漢本傳可證、漢表千五百戶作千戶、				二 中五年四月丁巳、簡侯它父元年、【索隱】簡侯他父、【考證】景紀正義引此表、它父作它之、與本傳及漢表合、三 後元年、安侯種元年、【考證】漢表、元作五、偏作漏、	十一 建元元年、康侯偏元年、元年、二十五 元光六年、侯賀元年、	十五 征和三年七月辛巳、侯賀坐太子事、國除、【考證】此十六字當削、
隆慮【索隱】音林閭、縣名、屬河內、	以長公主嫖子侯、戶四千一百二十六、【考證】漢表作				五 中五年五月丁丑、侯蟜元年、【集解】徐廣曰、案本紀乃前	二十四 元鼎元年、侯蟜坐母長公主薨、未除服、姦	

	五千戶、				五年、非中元年、【考證】侯姓陳、堂邑侯陳嬰之曾孫、	禽獸行、當死、自殺、國除、	
乘氏【索隱】縣名、屬濟陰、	以梁孝王子侯、				中五年五月丁卯、侯買元年、中六年、侯買嗣爲梁王、國除、		
桓邑	以梁孝王子侯、				一 中五年五月丁卯、侯明元年、中六年、爲濟川王、國除、		
蓋【索隱】漢表在勃	以孝景后兄侯、戶二千八百九				五 中五年五月甲戌、靖侯王	二十八 元狩三年、侯偃元年、	

海、【考證】索隱、當作勃海、泰山、	十、				信元年、【考證】漢表蓋侯信薨、頃侯充嗣、又侯受嗣、雖不出充受薨嗣之年、而傳位三世甚明、此蓋有誤脫、	元鼎五年、侯偃坐酎金、國除、	
塞	以御史大夫前將軍兵擊吳楚、功侯、戶千四十六、【考證】漢表無軍字、				三 後元年八月、侯直不疑元年、【考證】不疑諡信、	三 十二 十三 建元四年、侯相如元年、【考證】漢表亦作相如、史傳作堅、漢傳作彭祖、史傳作望、相如諡康、元朔四年、侯堅元年、元鼎五年、堅坐酎金國除、	
武安	以孝景后						

一九五

【索隱】縣名、屬魏郡、	同母弟侯、戶八千二百一十四、				後三年三月、侯田蚡元年、【考證】失書蚡爲丞相、	元光四年、侯梧元年、【考證】列傳及漢書表、悟作恬、元朔三年、侯梧坐衣襜褕入宮廷中不敬、國除、	
周陽【索隱】縣名、屬上郡、【考證】據水經注、地在東聞喜縣、	以孝景后同母弟侯、戶六千二十六、				一 後三年三月、懿侯田勝元年、	十一 八 元光六年、侯彭祖元年、元狩二年、侯彭祖坐當歸與章侯宅不與罪、國除、【考證】漢	

						表章侯作輒侯、上與字衍、	

右孝景時三十一【考證】表中止三十人、而此言三十一者、誤以休改紅竝列也、

【索隱】述贊、惠景之際、天下已平、諸呂構禍、吳楚連兵、條侯出討、壯武奉迎、薄竇恩澤、張趙忠貞、本枝分蔭、肺腑歸誠、新市死事、建陵勳榮、咸開青社、俱受丹旌、旋窺甲令、吳便有聲、

惠景閒侯者年表第七　史記十九

史記會注考證卷二十

漢　太史令司馬遷撰
宋中郎外兵曹參軍裴駰集解
唐國子博士弘文館學士司馬貞索隱
唐諸王侍讀率府長史張守節正義
日本出雲瀧川資言考證

建元以來侯者年表第八　史記二十

【索隱】七十二國、太史公舊、餘四十五國、褚先生補也、【考證】史公自序曰、北討彊胡、南誅勁越、征伐夷蠻、武功爰列、作建元以來侯者年表第八、齊召南曰、漢表列長平冠軍於外戚恩澤、甚爲失平、夫以衞霍之功勳、其將校得封者皆稱功臣、豈可以呂竇王田例哉、史記敍功、於長平不曰皇后弟、於冠軍不曰皇后姊子、可謂公論、

太史公曰。匈奴絕和親、攻當路塞、閩越擅伐、東甌請降。二夷交侵、當盛漢之隆。以此知功臣受封、侔於祖考矣。【考證】二夷、匈奴閩越、盛漢、猶言大漢也、何者、自詩·書稱三代戎狄是膺、荊荼是徵。【集解】毛詩傳曰、膺、當也、鄭玄曰、徵、艾、【索隱】荼、音舒、徵、音澄、【考證】毛詩魯頌閟宮篇、荼作舒、徵作懲、齊桓越燕伐山戎、【考證】左傳莊三十年、武靈王以區區趙服單于、【考證】事見趙策、武靈蓋却匈奴耳、未至服單于也、秦繆用百里霸西戎、【考證】百里、百里之地、吳·楚之君以諸侯役百越。況乃以中國一統明天子在上、兼文武、席卷四海、內輯億萬之衆。豈以晏然不爲邊境征伐哉。自是後遂出師、北討彊胡、南誅勁越、將卒以次封矣。【考證】王念孫曰、卒當作率、率卽帥字、汪越曰、表建元至太初已後、侯者蓋主軍功、而擊匈奴則軍功之大者、或從大將軍衞青、或從驃騎將軍霍去病、多取封侯、南越東甌朝鮮功又其次也、有自匈奴降者、有自南越東甌朝鮮小月氏降者、可以威遠、因侯之、有父死事南越、而其子侯者、繆世樂韓千秋是也、有以父擊匈奴功、而其子侯者、大將軍衞青之三子是也、有從擊匈奴及使絕域而侯者、張騫是也、其不以軍功、則周子南君以周後紹封、公孫弘以丞相詔襃爲侯、石慶以丞相及先人萬石積德謹行侯、是也、最下、則樂通以方術侯矣、陳仁錫曰、元光侯者二、元朔侯者二十二、元狩侯者十六、皆以匈奴封、元鼎侯者十六、以匈奴南粵封、元封侯者十七、以東越甌駱南越朝鮮西域封、當時之兵、孰多孰少、皆可知矣、

國名	侯功	元光	元朔	元狩	元鼎	元封	太初已後
翕【索隱】音吸、案漢表在內黃也、	匈奴相降、侯、元朔二年、屬車騎將軍擊匈奴、有功、益封、【考證】漢表益封千六百八十戶、	三 四年七月壬午、侯趙信元年、【考證】漢表、七月作十月、	五 六年、侯信爲前將軍擊匈奴、遇單于兵敗、信降匈奴、國除、				【考證】已後二字衍、後人增入、
持裝【索隱】漢表作轅、在南陽也、【考證】今漢表作特轅、	匈奴都尉降、侯、【考證】漢表六百五十戶、	六年後九月丙寅、侯樂元年、【索隱】音岳、	六	六	元年、侯樂死、無後、國除、【考證】當書一字、無罪而薨者、當存其年、以罪死者去之、後放此、		
親陽【索隱】漢表在舞陽也、【考證】索隱舞陽當作舞陰、南陽之縣、	匈奴相降、侯、【考證】漢表六百八十戶、		三 二年十月癸巳、侯月氏元年、五年、侯月氏坐亾斬、國除、				
若陽【索隱】表在平陽也、	匈奴相降、侯、【考證】漢表五百三十戶、		三 二年十月癸巳、侯猛元年、五年、侯猛坐亾				

國名	侯功	元光	元朔	元狩	元鼎	元封	太初
【考證】今漢表在平氏、卽南陽縣、			侯猛元年、 斬、國除、				
長平【索隱】地理志、縣名、在汝南、	以元朔二年、再以車騎將軍擊匈奴、取朔方河南、功、侯、元朔五年、以大將軍擊匈奴、破右賢王、益封三千戶、【考證】衞青本以三千八百戶封長平侯、而兩次益封、一、三千戶、卽在爲侯之年、一、六千戶、在元朔六年、此脫去本封及再封戶數、		五 二年三月丙辰、烈侯衞青元年、【集解】徐廣曰、青以元封五年薨、	六	六	六	太初元年、今侯伉元年、【考證】太初二字衍、後放之、
平陵【索隱】	以都尉從車騎將軍青擊匈奴、		五【考證】五當作四、	六【考證】六字衍、	六【考證】六字衍、		

國名	侯功	元光	元朔	元狩	元鼎	元封	太初
表在武當、【考證】武當、屬南陽、	功、侯、以元朔五年、用遊擊將軍從大將軍、益封、【考證】漢表連益封止千戶、傳言建本封千一百戶、		二年三月丙辰、侯蘇建元年、	六年、侯建爲右將軍、與翕侯信俱敗、獨身脫來歸、當斬、贖、國除、【考證】建敗在元朔六年、卽六年侯建廿四字、當移入元朔格內、			
岸頭【索隱】表在皮氏、	以都尉從車騎將軍青擊匈奴、功、侯、元朔六年、從大將軍、益封、【考證】六年當作五年、漢表封二千戶、		五 二年六月壬辰、侯張次公元年、【考證】漢表、六月作五月、	元年、次公坐與淮南王女姦、及受財物罪、國除、			
平津【索隱】表在高城、	以丞相詔所褒侯、【考證】漢傳載封弘詔云、六百五十戶、而漢表爲三百		四【考證】四當作二、三年十一月	二 三年、侯慶元年、 四	六	三 四年、侯慶坐爲	

國名	侯功	元光	元朔	元狩	元鼎	元封	太初
【考證】其地在勃海、	七十三戶、		乙丑、獻侯公孫弘元年、			山陽太守有罪、國除、【考證】弘傳及漢表、慶作度、	
涉安	以匈奴單于太子降、侯、		三【考證】宋本、三作一、三年四月丙子、侯於單元年、【索隱】音丹、五年卒、無後、國除、【考證】漢表、年作月、是、				
昌武【索隱】表在武陽、【考證】昌武、	以匈奴王降、侯、以昌武侯從驃騎將軍擊左賢王、功、益封、【考證】本傳云、益封三百		三 四年七月庚申、堅侯趙安稽元年、	六	六	一 二年、侯充國元年、【考證】漢表安稽 五	太初元年、侯充國薨、亡後、國除、

國名	侯功	元光	元朔	元狩	元鼎	元封	太初
當作武昌、武昌在東郡之東武陽、	戶、					薨于元朔六年、充國以太初元年嗣、四年薨、與此異、	
襄城【索隱】漢表作襄武侯乘龍、不同也、案韓嬰亦封襄城侯、地理志、襄城在潁川、襄武在隴西也、	以匈奴相國降、侯、【考證】漢表四百戶、		三 四年七月庚申、侯無龍元年、【集解】一云、乘龍、	六	六	六	一 太初二年、無龍從浞野侯戰死、 三年、侯病己元年、 二

【考證】今本漢表、譌作襄陽、索隱所引爲是、蓋襄城屬潁川、匈奴降相之封、不應在潁川、必隴西襄武縣、

南奅 【集解】徐廣曰、匹孝反、【索隱】

以騎將軍從大將軍青擊匈奴、得王、功、侯、太初二年、以丞相封

二 五年四月丁未、侯公孫賀元年、

六

四 五年、賀坐酎金、國除、絕十歲、【考證】十當作

十三 太初二年三月丁卯、封葛繹侯、

徐廣曰、匹孝反、劉氏普敎反、張揖窌空也、纂文云、奅虛大也、茂陵中書云、南奅侯、此本字也、衞青傳作窌、說文以爲從穴、音柳宥反、從大、音正孝反、

爲葛繹侯、【考證】傳云、以千三百戶封、

七、

征和二年、賀子敬聲有罪、國除、【考證】征和已下十二字、後人妄續、與列傳同、當刪之、又當書賀復封之年、

合騎 【索隱】表在高城也、【考證】號爲合騎、而食于南郡高城縣、

以護軍都尉三從大將軍擊匈奴、至右賢王庭、得王、功、侯、元朔六年、益封、【考證】傳云、封戶一千五百、漢表益封九千五百戶、敖本封千五百戶、何以一益封而戶若是多乎、疑表誤、

二 五年四月丁未、侯公孫敖元年、

一 二年、侯敖將兵擊匈奴、與驃騎將軍期後、畏懦當斬、贖爲庶人、國除、

樂安 【索隱】安樂、表在昌、地理志、昌縣在琅邪也、【考證】史漢他處皆作

以輕車將軍再從大將軍青擊匈奴、得王、功、侯、【考證】傳、封戶千六百、漢表作二千戶、

二 五年四月丁未、侯李蔡元年、

四 五年、侯蔡以丞相盜孝景園神道壖地、罪、自殺、國除、

樂安、水經注亦云、千乘樂安、封李蔡、

龍頟 【索隱】地理志、縣名、屬平原、劉氏音額、崔浩音洛、又云、今河閒有龍頟村、與弓高相近、

以都尉從大將軍青擊匈奴、得王、功、侯、元鼎六年、以橫海將軍擊東越、功、爲案道侯、【索隱】漢表以龍頟案道爲二人封、非也、韋昭云、案道屬齊也、【考證】傳、封一千三百戶、

二 五年四月丁未、侯韓說元年、

六

四 五年、侯說坐酎金國除、絕、二歲復侯、

六 元年五月丁卯、案道侯說元年、【考證】漢表、丁卯作己卯、

十三 征和二年、子長代、有罪、絕、子曾復封爲龍頟侯、【考證】十八字、後人妄續、

隨成 以校尉三從大

二

三 【考證】三當作二、

	從平［索隱］表在樂昌邑、	涉軹［索隱］
［索隱］表在千乘、		
將軍青擊匈奴、攻農吾、先登石累、［索隱］累、音壘、險阻地名、漢表作壘、音門、得王、功、侯、［考證］漢表云、攻辰吾先登石壘、侯、七百戶、傳云、封戶千三百、	以校尉三從大將軍青擊匈奴、至右賢王庭、數爲鴈行上石山、先登、功、侯、［考證］封戶、漢表作千一百、傳作千三百、	以校尉三從大將軍擊匈奴、至
五年四月乙卯、侯趙不虞元年、	二　五年四月乙卯、公孫戎奴元年、	二　五年四月丁
三年、侯不虞坐爲定襄都尉、匈奴敗太守、以聞非實、坐謾、國除、［索隱］謂上聞天子狀不實、爲謾而國除、謾、音木干反、	一　二年、侯戎奴坐爲上郡太守發兵擊匈奴、不以聞、謾、國除、	元年、侯朔有

漢表、軹在西安、無涉字、地理志、西安在齊郡、涉軹猶從驃、然皆當時意也、故上文有涉安侯、	宜春［索隱］志、縣名、屬汝南、豫章亦有之、
右賢王庭、得王虜閼氏、功、侯、［考證］傳一千三百戶、	以父大將軍青破右賢王功、侯、［考證］傳云、千三百戶、
未、侯李朔元年、	二　五年四月丁未、侯衞伉元年、
罪、國除、［考證］漢表云、元朔六年免、比史表先一年、	六
	元年、侯伉坐矯制不害、國除、

陰安［索隱］志、縣名、屬魏郡、	發干［索隱］志、縣名、屬東郡、	博望［索隱］志、縣名、屬南陽、	冠軍［索隱］縣名、屬南
以父大將軍青破右賢王功、侯、［考證］傳云、千三百戶、	以父大將軍青破右賢王功、侯、［考證］傳云、千三百戶、	以校尉從大將軍、六年擊匈奴、知水道、及前使絕域大夏功、侯、	以嫖姚校尉再從大將軍、六年從大將軍擊匈
			［考證］傳云、去病本以千六百戶封冠軍侯、而又四益封、一因出隴西有功益二
二　五年四月丁未、侯衞不疑元年、	二　五年四月丁未、侯衞登元年、	一　六年三月甲辰、侯張騫元年、	一　六年四月壬申、景桓侯霍
六	六	一　二年、侯騫坐以將軍擊匈奴畏懦、當斬、贖、國除、	六
四　五年、侯不疑坐酎金、國除、	四　五年、侯登坐酎金、國除、		六　元年、哀侯嬗元年、
			元年、哀侯嬗薨、無後、

陽、	衆利［索隱］衆利、表在陽城姑莫、後以封伊卽軒也、［考證］衞霍傳作終利、	潦［索隱］表在
奴、斬相國功、侯、元狩二年、以驃騎將軍擊匈奴、至祁連、益封、迎渾邪王、益封、擊左右賢王、益封、	以上谷太守四從大將軍、六年擊匈奴、首虜千級以上功、侯、［考證］封千一百戶、	以匈奴趙王降、侯、［考證］封五百六
千戶、一因破祁連益五千戶、一因迎渾邪益千七百戶、一因擊左右賢王益五千八百戶、此與漢表皆缺不具、		
去病元年、	一　六年五月壬辰、侯郝賢元年、［索隱］郝、音呼惡反、又音釋、	
	一　二年、侯賢坐爲上谷太守、入戍卒財物、上計謾罪、國除、	一　元年七月壬
國除、［集解］徐廣曰、嬗字子侯、爲武帝奉車、登封泰山、暴病死、		

舞陽、	十戶、			午、悼侯趙王煖訾元年、【索隱】煖、音況遠反、訾、卽移反、【考證】漢表、煖作援、死當作薨、 二年煖訾死、無後、國除、			
宜冠【索隱】冠、音官、表在昌也、【考證】琅邪昌縣、	以校尉從驃騎將軍、二年再出擊匈奴功、侯、故匈奴歸義、			二 二年正月乙亥、侯高不識元年、四年、不識擊匈奴戰軍功、增首不以實、當斬、贖罪、國除、			
煇渠【索隱】鄉名、案表	以校尉從驃騎將軍、二年再出擊匈奴、得王、功、			二年二月乙丑、忠侯僕多 五	三 四年、侯電元年、 三	六	四

在魯陽煇、上下故音徽、	侯、以校尉從驃騎將軍、二年虜五王、功、益封、故匈奴歸義、			元年、【索隱】漢表作僕朋、此云僕多、與衞青傳同、			
從驃【索隱】以從驃騎得封、故曰從驃、後封浞野侯、	以司馬再從驃騎將軍、數深入匈奴、得兩王子騎將、功、侯、以匈河將軍、元封三年擊樓蘭、功、復侯、【考證】案漢表及列傳、子乃千誤、謂得兩王、又得千騎將也、史傳本封千五百、益封三百、漢表云、二千戶、			二年五月丁丑、侯趙破奴元年、【考證】漢表、丁丑作丙戌、 五	四 五年、侯破奴坐酎金、國除、	三年、侯破奴元年、 浞野四	一 二年、侯破奴以浚稽將軍擊匈奴、失軍、爲虜所得、國除、
下麾【索隱】表在猗氏、	以匈奴王降、侯、【考證】漢表七百戶、			二年六月乙亥、侯呼毒尼 五	四 五年、煬侯伊卽軒元 二	六	四

麾、音抵、				元年、【考證】呼毒尼之降、在元狩二年秋、安得六月已封侯乎、此與漢表皆有誤、	年、【考證】煬、當作今、後人妄改爲諡、		
潔陰【索隱】表在平原、【考證】漢表、潔作濕、	以匈奴渾邪王將衆十萬降、侯、萬戶、			二年七月壬午、定侯渾邪元年、 四	元年、魏侯蘇元年、【索隱】魏、諡、蘇、名、諡法、克捷行軍曰魏也、 六	五 五年、魏侯蘇薨、無後、國除、	
渾渠【索隱】韋昭云、僕多所封則作煇渠、應庀所封則作渾	以匈奴王降、侯、			三年七月壬午、悼侯扁訾元年、【索隱】漢表作悼侯應庀、庀、讀必二反、扁、必顯反、訾、子移反、 四	一 二年、侯扁訾死、無後、國除、【考證】死當作薨、		

渠、二者皆鄉名、在魯陽、今故作煇、誤也、案漢表及傳亦作煇、孔文祥云、同是元狩中封、則一邑分封二人也、其義爲得、							
河綦【索隱】表在	以匈奴右王與渾邪降、侯、【考證】右下脫賢字、下文			三年七月壬 四	二 三年、餘利 四	六	四

濟南郡、	倣此、漢表封六百戶、			午、康侯烏犂元年、【索隱】漢書作禽犂、	䩞元年、		
常樂【索隱】表在濟南、	以匈奴大當戶與渾邪降、侯、【考證】漢表五百七十戶、			四 三年七月壬午、肥侯稠雕元年、【索隱】漢書衞青傳作彫離、	六	六	二 太初三年、今侯廣漢元年、
符離【索隱】縣名、屬沛郡、	以右北平太守從驃騎將軍、四年擊右王、將重會期、【索隱】將重、將字上屬、重者再也、會期言再赴期、將、去聲、重、平聲、【考證】王、漢表右作左、將重會期者、將輜重至軍、及期而會、傳所謂路博德屬驃			三 四年六月丁卯、侯路博德元年、	六	六	太初元年、侯路博德有罪、國除、
	騎將軍、會與城不失期也、索隱誤、首虜二千七百人、功、侯、【考證】封戶千六百、						
壯【索隱】表在東平、【考證】漢表云、在重平、則勃海重平縣、平鄉名、	以匈奴歸義匈奴因淳王、從驃騎將軍、四年擊左王、以少破多、捕虜二千一百人、功、侯、【考證】義下匈奴二字衍、漢表作三千一百人、又封千三百戶、			三 四年六月丁卯、侯復陸支元年、	二 三年、今侯偃元年、 四	六	四
衆利【索隱】表志闕、【考證】衆利蓋琅	以匈奴歸義樓剸王、【索隱】剸音專、從驃騎將軍、四年擊右王、手自劒合、功、侯、【索隱】			三 四年六月丁卯、質侯伊卽軒元年、【索隱】軒、居言反、	六	五 六年、今侯當時元年、 一	四

邪姑幕縣之鄉名、	手自劒、謂手刺其王而合戰、得封、【考證】傳封戶千八百、漢表作千一百戶、又右作左、						
湘成【索隱】表在陽城、	以匈奴符離王降、侯、【考證】漢表千八百戶、			三 四年六月丁卯、侯敞屠洛元年、	四 五年、侯敞屠洛坐酎金、國除、		
義陽【索隱】表在平氏、	以北地都尉從驃騎將軍、四年擊左王、得王、功、侯、【考證】史傳封千二百戶、漢表作千一百、			三 四年六月丁卯、侯衞山元年、	六	六	四
散【索隱】表在陽城、	以匈奴都尉降、侯、【考證】漢表千一百戶、			三 四年六月丁卯、侯董荼吾元年、【索隱】劉	六	六	二 太初三年、今侯安漢元 二
				氏荼音大姑反、蓋誤耳、今以其人名余吾、余吾匈奴小名也、【考證】漢表、荼吾作舍吾、			年
臧馬【索隱】表在朱虛、	以匈奴王降、侯、【考證】漢表八百七十戶、			一 四年六月丁卯、康侯延年元年、【考證】漢表作離延年、五年、侯延年死、不得置後、國除、			
周子南君【索隱】表在長社、	以周後紹封、【考證】漢表三千戶、				三 四年十一月丁卯、侯姬嘉元年、	三 四年、君買元年、 三	四
樂道	以方術侯、【考證】				一		

索隱 韋昭云、在臨淮高平、	漢表三千戶、				四年四月乙巳、侯五利將軍欒大元年、五年、侯大有罪斬、國除、		
瞭 索隱 音遼、表在舞陽、	以匈奴歸義王降、侯、考證 漢表七百九十戶、				一 四年六月丙午、侯次公元年、五年、侯次公坐酎金國除、		
術陽 索隱 述陽、表在下邳、	以南越王兄越高昌侯、考證 漢表三千戶、				一 四年、侯建德元年、五年、侯建		

					德有罪、國除、考證 建德、趙氏、		
龍亢 索隱 晉灼云、龍亢、左傳齊侯圍龍、龍、魯邑、蕭該云、廣德所封止是龍、有亢者誤也、考證 漢志沛郡有龍亢縣、	以校尉摎世樂擊南越死事、子侯、考證 世字衍、漢表六百七十戶、				二 五年三月壬午、侯廣德元年、	六 六年、侯廣德有罪誅、國除、	

成安 索隱 表在郟、志在陳留、	以校尉韓千秋擊南越死事、子侯、考證 漢表千三百八十戶、				二 五年三月壬子、侯延年元年、考證 漢志、壬子作壬午、	六 六年、侯延年有罪、國除、	
昆 索隱 表在鉅鹿、	以屬國大且渠擊匈奴、功侯、				二 五年五月戊戌、昆侯渠復累元年、索隱 欒彥、累力委反、顏師古、音力追反、	六	四
騏 索隱 志屬河東、表在北屈、	以屬國騎擊匈奴、捕單于兄、功、侯、考證 漢表五百二十戶、				二 五年五月壬子、侯駒幾元年、集解 一云騎幾、	六	四

梁期 索隱 志屬魏郡、	以屬國都尉、五年閒出擊匈奴、得復累絺縵等功、侯、				二 五年七月辛巳、侯任破胡元年、	六	四
牧丘 索隱 表在平原、	以丞相及先人萬石積德謹行侯、				二 五年九月丁丑、恪侯石慶元年、考證 傳及漢書、恪作恬、	六	二 三年、侯德元年、 二
瞭 索隱 表在下邳、初以封次公、又封畢取、	以南越將降侯、考證 漢表五百一十戶、				一 六年三月乙酉、侯畢取元年、	六	四
將梁 索隱	以樓船將軍擊南越、摧鋒郤敵、				一 六年三月	三 四年、侯	

表志闕、[考證]在涿郡廣望縣、	侯、				乙酉、侯楊僕元年、	僕有罪、國除、[考證]朝鮮傳及漢書紀傳、在元封三年、	
安道 [索隱]表在南陽、	以南越揭陽令、聞漢兵至自定降、侯、六百戶、[考證]漢表				一　六年三月乙酉、侯揭陽令定元年、[考證]定上缺史字、	六	四
隨桃 [索隱]表在南陽、	以南越蒼梧王、聞漢兵至降、侯、[考證]漢表三千戶、				一　六年四月癸亥、侯趙光元年、	六	四
湘成 [索隱]表在堵陽、	以南越桂林監、聞漢兵破番禺、諭甌駱兵四十				一　六年五月壬申、侯監	六	四

	餘萬降、侯、[考證]漢表八百三十戶、				居翁元年、[索隱]監、官也、居姓、翁字、		
海常 [索隱]表在琅邪、	以伏波司馬、捕得南越王建德功、侯、				一　六年七月乙酉、莊侯蘇弘元年、	六	太初元年、侯弘死、無後、國除、
北石 [索隱]漢表作外石、在濟南、	以故東越衍侯、佐繇王斬餘善功、侯、[考證]漢表千戶、					六　元年正月壬午、侯吳陽元年、	三　太初四年、今侯首元年、
下鄜 [索隱]漢表作鄜、	以故甌駱左將、斬西于王功、侯、[考證]西于乃西干之譌、卽交趾也、封戶七百、					六　元年四月丁酉、侯左將黃同元年、[索隱]西南夷傳、甌駱左將黃同、則	四

						左是姓、恐誤、漢表云、將黃同、則左將是官不疑、	
繚嫈 [索隱]繚、音繚繞之繚、嫈、案字林音乙耕反、西南夷傳音聊嫈、	以故校尉從橫海將軍說、擊東越功、侯、[考證]漢表無故字、					一　元年五月乙卯、侯劉福元年、二年、侯福有罪、國除、	
虆兒 [索隱]韋昭云、在吳越界、今爲鄉也、	以軍卒斬東越徇北將軍功、侯、					六　元年閏月癸卯、莊侯轅終古元年、[索隱]徐廣曰、閏四月	太初元年、終古死、無後、國除、

						也、	
開陵 [索隱]表在臨淮、	以故東越建成侯、與繇王共斬東越王餘善功、侯、					六　元年閏月癸卯、侯建成元年、[考證]案東越傳、侯名敖、	
臨蔡 [索隱]表在河內、	以故南越郎、聞漢兵破番禺、爲伏波得南越相呂嘉功、侯、[考證]漢表千戶、					六　元年閏月癸卯、侯孫都元年、	[考證]漢表有侯纍嗣、太初元年坐擊番禺、奪人虜掠死、此疑有脫文、
東成 [索隱]表在九江、	以故東越繇王、斬東越王餘善功、侯、萬戶、					六　元年閏月癸卯、侯居服元年、	
無錫 [索隱]	以東越將軍、漢兵至弃軍降、侯、					六　元年、侯多	

表在會稽、	[考證]漢表千戶、					軍元年、	
涉都 [索隱]涉多、表在南陽、	以父弃故南海守、漢兵至、以城邑降、子侯、[考證]封二千四十戶、					六 元年中、侯嘉元年、[考證]漢表、嘉作喜、	二 太初二年、侯嘉薨、無後、國除、
平州 [索隱]表在梁父、	以朝鮮將、漢兵至降、侯、[考證]封千四百八十戶、					一 三年四月丁卯、侯唊元年、[集解]如淳曰、唊音頰、四年、侯唊薨、無後、國除、	
荻苴 [索隱]	以朝鮮相、漢兵至圍之、降、侯、					四 三年四月、	

音狄、蛆、表在勃海、	[考證]封五百四十戶、					侯朝鮮相韓陰元年、[考證]漢表、陰作陶、	
澅清 [索隱]表在齊、澅、音獲、水名、在齊、又音乎封反、	以朝鮮尼谿相、使人殺其王右渠、來降、侯、[考證]封千戶、					四 三年六月丙辰、侯朝鮮尼谿相侯參元年、[考證]參上侯字衍、	
騠茲 [索隱]騠、音啼、表在琅邪、	以小月氏若苴王將衆降、侯、[索隱]苴、子餘反、[考證]漢表、若作右、封戶千九百、					三 四年十一月丁卯、侯稽谷姑元年、[索隱]稽滑姑、[考證]漢表、丁卯作丁未、	太初元年、侯稽谷姑薨、無後、國除、

浩 [索隱]表志闕、	以故中郎將將兵捕得車師王功、侯、					一 四年正月甲申、侯王恢元年、四年四月、侯恢坐使酒泉矯制害、當死、贖、國除、封凡三月、	
瓡讘 [集解]徐廣曰、在河東、瓡、音胡、讘、之涉反、[索隱]縣名、	以小月氏王將衆千騎降、侯、[考證]七百六十戶、					二 四年正月乙酉、侯扜者元年、[索隱] 一 六年、侯勝元年、	四

案表在河東、志同、亦卽狐字、						扜、音烏、亦音汙、	
幾 [索隱]音機、表在河東、	以朝鮮王子、漢兵圍朝鮮、降、侯、					二 四年三月癸未、侯張路歸義元年、[索隱]韋昭云、路、姑洛反、[考證]史漢傳、皆作幾侯長、而表皆作張路、歸義二字衍、六年、侯張路使朝鮮、謀反、死、國除、	

涅陽 [索隱]表在齊、志屬南陽、　以朝鮮相路人、漢兵至、首先降、道死、其子侯、　三　四年三月壬寅、康侯子最元年、[考證]子字衍、　二　太初二年、侯最死、無後國除、

右太史公本表

[考證]六字、褚生所改、史表元文、必如惠景侯表之例、云右元光至太初若干人、

當塗 [索隱]表在九江、　魏不害、以圉守尉捕淮陽反者公孫勇等侯、[考證]以下褚王孫所續、

蒲 [索隱]表在琅邪、　蘇昌、以圉尉史捕淮陽反者公孫勇等侯、

潦陽 [索隱]潦音遼、表在清河、　江德、以圉廄嗇夫共捕淮陽反者公孫勇等侯、

富民 [索隱]表在蘄、　田千秋、家在長陵、以故高廟寢郎上書諫孝武曰、子弄父兵、罪當笞、父子之怒、自古有之、蚩尤畔父、黃帝涉江、上書至意、拜爲大鴻臚、[考證]生、猶致也、征和四年爲丞相、封三千戶、至昭帝時、病死、子順代立、爲虎牙將軍、擊匈奴、不至質、誅死、國除、[集解]漢書音義曰、質、所期處也、

右孝武封國名

後進好事儒者褚先生曰、太史公記事、盡於孝武之事、故復修記孝昭以來功臣侯者、編於左方、令後好事者得覽觀成敗長短絕世之適、得以自戒焉、當世之君子、行權合變、度時施宜、希世用事、以建功有土封侯、立名當世、豈不盛哉、觀其持滿守成之道、皆不謙讓、驕蹇爭權、喜揚聲譽、知進不知退、終以殺身滅國、以三得之、[集解]以三得之者、即上所謂行權合變、度時施宜、希世用事也、及身失之、不能傳功於後世、令恩德流子孫、豈不悲哉、夫龍頟侯曾爲前將軍、世俗順善、厚重謹信、不與政事、退讓愛人、其先起於晉六卿之世、有土君國、以來爲王侯、子孫相承不絕、歷年經世、以至于今、凡百餘歲、豈可與功臣及身失之者同日而語之哉、悲夫、後世其誡之、[考證]徐孚遠曰、龍頟之事具前表、此復推美、以其貴盛故也、愚按、龍頟侯韓說、

博陸　霍光、家在平陽、以兄驃騎將軍故貴、前事武帝、覺捕得侍中謀反者馬何羅等、功侯、三千戶、[集解]文穎曰、博、廣、陸、平、取其嘉名、無此縣也、食邑北海河東、瓚曰、漁陽有博陸城也、中輔幼主昭帝、爲大將軍、謹信、用事擅治、尊爲大司馬、益封邑萬戶、後事宣帝、歷事三主、天下信鄉之、益封二萬戶、子禹代立、謀反族滅、國除、

秺　金翁叔、名日磾、以匈奴休屠王太子從渾邪王將衆五萬、降漢歸義、侍中事、[考證]中井積德曰、此脫休

[集解]漢書音義曰、音妒、在濟陰成武、今有亭矣、　屠見殺、日磾爲奴事、雖略傳、頗覺失實、武帝、覺捕侍中謀反者馬何羅等功、侯、三千戶、中事昭帝、謹厚、益封三千戶、子弘代立、爲奉車都尉、事宣帝、

安陽 [索隱]表在蕩陰、志屬汝南、　上官桀、家在隴西、以善騎射從軍、稍貴、事武帝、爲左將軍、覺捕斬侍中謀反者馬何羅弟重合侯通、功侯、三千戶、中事昭帝、與大將軍霍光爭權、因以謀反、族滅、國除、

桑樂 [索隱]表在千乘、　上官安、以父桀爲將軍、故貴侍中、事昭帝、安女爲昭帝夫人、立爲皇后、故侯、三千戶、驕蹇、與大將軍霍光爭權、因以父子謀反、族滅、國除、

富平 [索隱]志屬平原、　張安世、家在杜陵、以故御史大夫張湯子、武帝時給事尚書、爲尚書令、事昭帝、謹厚習事、爲光祿勳右將軍、輔政十三年、無適過、侯、三千戶、及事宣帝、代霍光爲大司馬、用事、益封萬六千戶、子延壽代立、爲太僕侍中、

義陽 [索隱]表在平氏、　傅介子、家在北地、以從軍爲郎、爲平樂監、昭帝時、刺殺外國王、天子下詔書曰、平樂監傅介子、使外國殺樓蘭王、以直報怨、不煩師、有功、其以邑千三百戶封介子爲義陽侯、子厲代立、爭財相告、有罪國除、

商利 [索隱]表在徐郡、　王山、齊人也、[考證]中井積德曰、王山、漢表作王山壽、故爲丞相史、會騎將軍上官安謀反、山說安、與俱入丞相、斬安、山以軍功爲侯、三千戶、上書願治民、爲代太守、爲人所上書言、繫獄當死、會赦、出爲庶人、國除、

建平 [索隱]表在濟陽、　杜延年、以故御史大夫杜周子、給事大將軍幕府、發覺謀反者騎將軍上官安等罪、封爲侯、邑二千七百戶、拜爲太僕、元年、出爲西河太守、五鳳三年、入爲御史大夫、

弋陽 [索隱]志屬汝南、　任宮、以故上林尉、捕格謀反者左將軍上官桀、殺之便門、封爲侯、二千戶、後爲太常、及行衞尉事、節儉謹信、以壽終、傳於子孫、

宜城 [索隱]表在濟陰、　燕倉、以故大將軍幕府軍吏、發謀反者騎將軍上官安罪、有功、封侯邑二千戶、爲汝南太守、有能名、

宜春 [索隱]　王訢、家在齊、本小吏佐史、稍遷至右輔都尉、武帝數幸扶風郡、訢共置辦、拜爲右扶風、

志屬汝南、

至孝昭時、代桑弘羊為御史大夫、元鳳三年、代田千秋為丞相、封二千戶、【考證】在元鳳四年、立二年、為人所上書言、暴自殺、不殊、子代立、為屬國都尉、

安平　【索隱】表在汝南、志屬涿郡、

楊敞、家在華陰、故給事大將軍幕府、稍遷至大司農、為御史大夫、元鳳六年、代王訢為丞相、封二千戶、立二年病死、子賁代立、十三年病死、子翁君代立、為典屬國、三歲、以季父惲故出惡言、繫獄、當死、得免為庶人、國除、

右孝昭時所封國名

陽平　【索隱】志屬東郡、

蔡義、家在溫、故師受韓詩、為博士、給事大將軍幕府、為杜城門候、入侍中、授昭帝韓詩、為御史大夫、是時年八十、衰老、常兩人扶持乃能行、然公卿大臣議、以為為人主師、當以為相、以元平元年、代楊敞為丞相、封二千戶、病死、絕無後、國除、

扶陽　【索隱】志屬沛郡、表在蕭、

韋賢、家在魯、通詩禮尚書、為博士、授魯大儒、入侍中、為昭帝師、遷為光祿大夫大鴻臚、長信少府、以為人主師、本始三年、代蔡義為丞相、封扶陽侯、千八百戶、為丞相五歲、多恩、不習吏事、免相、就第、病死、子玄成代立、為太常、坐祠廟騎、奪爵為關內侯、

平陵　【索隱】

范明友、家在隴西、以家世習外國事、使護西羌事、昭帝拜為度遼將軍、擊烏桓、功侯、二千戶、取霍光女為妻、地節四年、與諸霍子禹等謀反、族滅、國除、

表在武當、

營平　【索隱】表在濟南、

趙充國、以隴西騎士、從軍得官、侍中、事武帝、數將兵擊匈奴、有功、為護軍都尉、侍中、事昭帝、昭帝崩、議立宣帝、決疑定策、以安宗廟、功侯、封二千五百戶、

陽成　【索隱】表在濟陰、非也、且濟陰有城陽縣耳、而潁川汝南又各有陽城縣、城字從土在陽之下、今

田延年、以軍吏事昭帝、發覺上官桀謀反事、後留遲不得封、為大司農、本造廢昌邑王議立宣帝、決疑定策、以安宗廟、功侯、二千七百戶、逢昭帝崩、方上事並急、因以盜都內錢三千萬、【集解】漢書百官表曰、司農屬官有都內、發覺自殺、國除、

此似誤、不可分別也、

平丘　【索隱】志屬陳留、表在肥城、

王遷、家在衛、【索隱】一作衙、音牙、地理志、衙縣在馮翊、為尚書郎、習刀筆之文、侍中事昭帝、帝崩、立宣帝、決疑定策、以安宗廟、功侯、二千戶、為光祿大夫、秩中二千石、坐受諸侯王金錢財、漏洩中事、誅死、國除、

樂成　【索隱】表在平氏、志屬南陽、

霍山、山者大將軍光兄子也、【考證】中井積德曰、一山字衍、光未死時上書曰、臣兄驃騎將軍去病、從軍有功、病死、賜諡景桓侯、絕無後、臣光願以所封東武陽邑三千五百戶分與山、天子許之、拜山為侯、後坐謀反族滅、國除、

冠軍　【索隱】志屬南陽、

霍雲、以大將軍兄驃騎將軍適孫為侯、地節三年、天子下詔書曰、驃騎將軍去病、擊匈奴有功、封為冠軍侯、薨卒、子侯代立、病死無後、春秋之義、善善及子孫、其以邑三千戶封雲為冠軍侯、後坐謀反、族滅、國除、

平恩　【索隱】志屬

許廣漢、家昌邑、坐事下蠶室、獨有一女、嫁之、宣帝未立時、素與廣漢出入相通、卜相者言當大貴、以故廣漢施恩甚厚、地節三年、封為侯、邑三千戶、病死、無後、國除、

魏郡、

昌水　【索隱】表在於陵、

田廣明、故郎、為司馬、稍遷至南郡都尉・淮陽太守・鴻臚・左馮翊、昭帝崩、議廢昌邑王立宣帝、決疑定策、以安宗廟、本始三年、封為侯、邑二千三百戶、為御史大夫、後為祁連將軍、擊匈奴、軍不至質、當死、自殺、國除、

高平　【索隱】志屬臨淮、

魏相、家在濟陰、少學易、為府卒史、以賢良舉為茂陵令、遷河南太守、坐賊殺不辜、繫獄當死、會赦、免為庶人、有詔守茂陵令、為揚州刺史、入為諫議大夫、復為河南太守、遷為大司農・御史大夫、地節三年、譖毀韋賢代為丞相、封千五百戶、病死、長子賓代立、坐祠廟失侯、

博望　【索隱】志屬南陽、

許中翁、【集解】名舜、以平恩侯許廣漢弟封為侯、邑二千戶、亦故有私恩、為長樂衛尉、死、子延年代立、

樂平

許翁孫、以平恩侯許廣漢少弟故為侯、封二千戶、拜為彊弩將軍、擊破西羌、還更拜為大司馬光祿勳、亦故有私恩、故得封、嗜酒好色、以早病死、子湯代立、

將陵

史子回、【集解】名曾、以宣帝大母家封為侯、二千六百戶、與平臺侯昆弟行也、子回妻宜君、故成王孫、嫉妒、絞殺侍婢四十餘人、盜斷婦人初產子臂膝以為媚道、為人所上書言、論弃市、子回以外家故不失侯、

國名	侯功
平臺 志屬常山、	史子叔、名玄、以宣帝大母家封爲侯、二千五百戶、衞太子時、史氏內一女於太子、嫁一女魯王、今見魯王亦史氏外孫也、外家有親、以故貴、數得賞賜、
樂陵 志屬臨淮、平原亦有樂陵、	史子長、名高、以宣帝大母家貴、侍中、重厚忠信、以發覺霍氏謀反事、封三千五百戶、
博成 表在臨淮、	張章、父故潁川人、爲長安亭長、失官之北闕、上書寄宿霍氏第舍、臥馬櫪閒、夜聞養馬奴相與語言諸霍氏子孫欲謀反狀、因上書告反、爲侯、封三千戶、
都成 志屬潁川、	金安上、先故匈奴、以發覺故大將軍霍光子禹等謀反事有功、封侯、二千八百戶、安上者、奉車都尉秺侯從羣子、行謹善退讓以自持、欲傳功德於子孫、
平通 表在博陽、	楊惲、家在華陰、故丞相楊敞少子、任爲郎、好士自喜、知人、居衆人中、常與人顏色、以故高昌侯董忠引與屏語、言霍氏謀反狀、共發覺告反、侯、二千戶、爲光祿勳、到五鳳四年、作爲妖言、大逆罪腰斬、國除、中井積德曰、惲坐事失侯、家居、死乃在後年耳、此序失前後、

國名	侯功
高昌 志屬千乘、	董忠、父故潁川陽翟人、以習書詣長安、忠有材力、能騎射、用短兵、給事期門、漢書東方朔傳曰、武帝微行、出與侍中常侍武騎及待詔隴西北地良家子能騎射者、期諸殿門、故有期門之號、與張章相習知、章告語忠霍禹謀反狀、忠以語常侍騎郎楊惲、共發覺告反、侯、二千戶、今爲梟騎都尉侍中、坐祠宗廟乘小車、奪百戶、
爰戚	趙成、漢表作趙長平、用發覺楚國事侯、二千三百戶、地節元年、楚王與廣陵王謀反、成發覺反狀、天子推恩廣德義、下詔書曰、無治廣陵王、廣陵不變更、後復坐祝詛、滅國自殺、國除、今帝復立子爲廣陵王、
酇	地節三年、天子下詔書曰、朕聞漢之興、相國蕭何功第一、今絕無後、朕甚憐之、其以邑三千戶封蕭何玄孫建、世爲酇侯、
平昌	王長君、名無故、家在趙國、常山廣望邑人也、衞太子時、嫁太子家、爲太子男史皇孫爲配、生子男、絕不聞聲問、行且四十餘歲、至今元康元年中、詔徵立以爲侯、封五千戶、宣帝舅父也、
樂昌 表在汝南、	王稚君、名武、家在趙國、常山廣望邑人也、以宣帝舅父外家、封爲侯、邑五千戶、平昌侯王長君弟也、
邛成 表在	王奉光、家在房陵、以女立爲宣帝皇后、故封千五百戶、言奉光初生時、夜見光其上、傳聞者以爲富貴云、後果以女故爲侯、

國名	侯功
濟陰、	
安遠 表在慎、	鄭吉、家在會稽、以卒伍起、從軍爲郎、使護將弛刑、士田渠棃、會匈奴單于死、國亂相攻、日逐王將衆來降漢、先使語吉、吉將吏卒數百人往迎之、衆頗有欲還者、斬殺其渠率、遂與俱入漢、以軍功侯、二千戶、
博陽 表在南頓、	邴吉、家在魯、本以治獄爲御史屬、給事大將軍幕府、常施舊恩宣帝、遷爲御史大夫、封侯、二千戶、神爵二年、代魏相爲丞相、立五歲病死、子翁孟代立、爲將軍侍中、甘露元年、坐祠宗廟不乘大車而騎至廟門、有罪奪爵、爲關內侯、
建成 表在沛、	黃霸、家在陽夏、以役使徙雲陽、以廉吏爲河內守丞、遷爲廷尉監、行丞相長史事、坐見知夏侯勝非詔書大不敬罪、久繫獄三歲、從勝學尚書、會赦、以賢良舉爲揚州刺史、潁川太守、善化、男女異路、耕者讓畔、賜黃金百斤、秩中二千石、居潁川、入爲太子太傅、遷御史大夫、五鳳三年、代邴吉爲丞相、封千八百戶、
西平 表在臨淮、	于定國、家在東海、本以治獄給事爲廷尉史、稍遷御史中丞、上書諫昌邑王、遷爲光祿大夫、爲廷尉、乃師受春秋、變道行化、謹厚愛人、遷爲御史大夫、代黃霸爲丞相、
	右孝宣時所封
陽平	王稚君、名傑、漢表名禁、家在魏郡、故丞相史、女爲太子妃、太子立爲帝、女爲皇后、故侯、千

國名	侯功
表在東郡、	二百戶、初元以來方盛貴用事、游宦求官於京師者、多得其力、未聞其有知略廣宜於國家也、

索隱述贊孝武之代、天下多虞、南討甌越、北擊單于、長平鞠旅、冠軍前驅、術陽銜璧、臨蔡破禺、博陸上宰、平津巨儒、金章且佩、紫綬行紆、昭帝已後、勳寵不殊、惜哉絕筆、褚氏補諸、

建元以來侯者年表第八　史記二十

史記會注考證卷二十一

漢　太史令司馬遷撰
宋　中郎外兵曹參軍裴駰集解
唐　國子博士弘文館學士司馬貞索隱
唐　諸王侍讀率府長史張守節正義
日本　出雲瀧川資言考證

建元已來王子侯者年表第九　史記二十一

[考證]史公自序云、諸侯既彊、七國爲從、子弟衆多、無爵封邑、推恩行義、其勢銷弱、德歸京師、作王子侯者年表、第九、齊召南曰、漢書直題曰王子侯表、起高祖之封羹頡、而

史記截自建元、最有深意、蓋武帝以前卽有王子封侯、出自特恩、非通例也、至主父偃之策行、則王子無不封侯、而諸侯益弱矣、陳仁錫曰、元光侯者七、元朔侯者一百二十七、元狩侯者二十五、元鼎侯者三、當時分封諸侯子弟、施行次第皆可知矣、

制詔御史。諸侯王或欲推私恩分子弟邑者、令各條上。朕且臨定其號名。[考證]梁玉繩曰、案此元朔二年詔也、漢書詔曰、諸侯王請與子弟邑者、朕將親覽、使列位焉、所載不同、豈班馬于詔辭亦擅改之邪、王子之封、是分本國之邑以爲侯國、乃表中國名、頗有越封異地者、中山靖王傳云、分封子弟、別屬漢郡、竊意當日衆建之制、必上其分封邑戶于朝、天子別以附近之郡地易而封之、愚按推恩之說、賈誼之遺策、而自主父偃發、

太史公曰。盛哉天子之德。一人有慶、天下賴之。[考證]盛哉天子之德、所謂推私恩也、書呂刑、一人有慶、兆民賴之、注越曰、諸王子之後失侯者、坐酎金凡五十五、無後四、此外則不朝不敬一、棄綬出國不敬一、其甚者、則簒死罪一、姦人妻一、姦姊妹一、殺人坐棄市一、殺弟坐棄市一、有罪不明所坐十、而謀叛者無聞焉、豈戶邑分而勢銷弱故與、然漢自是遂無大藩國、至哀平之際、王氏專政、一歲之中、無罪而免者數十、捽而去之、如揮羊豕、其欲誅莽者、武平侯璜、陵鄉侯會、翟義所立者嚴鄉侯信、祇駢首就戮、無一人應、惡覩所謂百足不僵者乎、故觀王子侯表、合漢興以來諸侯表、究其終始、此西京二百三十年之大勢也、

國名	茲 [索隱]表志闕、	安成 [索隱]表在豫章、[考證]縣在長沙、故封長沙王子、水經注可證、漢表作安城、	宜春 [索隱]表志闕、[考證]汝南、豫章皆有宜春、此侯封于豫章、水經注可證、	句容 [索隱]表在會稽、
王子號	河閒獻王子、	長沙定王子、	長沙定王子、	長沙定王子、
元光	二　五年正月壬子、侯劉明元年、	一　六年七月乙巳、思侯劉蒼元年、	一　六年七月乙巳、侯劉成元年、	六年七月乙巳、哀侯劉黨元年、
元朔	二　三年、侯明坐謀反殺人、弃市、國除、[集解]徐廣曰、一作掠殺人弃市、[考證]明何嘗謀反、但殺人耳、漢表作坐殺人自殺、	六	六	元年、哀侯黨薨、無後、國除、
元狩		六	六	
元鼎		六　元年、今侯自當元年、	四　五年、侯成坐酎金國除、	
元封		六		
太初		四		

句陵【集解】徐廣曰、一作容陵、【索隱】表志闕、【考證】容陵縣屬長沙、	長沙定王子、	一 六年七月乙巳、侯劉福元年、	六	六	四 五年、侯福坐酎金國除、		
杏山【索隱】表志闕、	楚安王子、	一 六年後九月壬戌、侯劉成元年、	六	六	四 五年、侯成坐酎金國除、		
浮丘【索隱】表在沛、	楚安王子、	一 六年後九月壬戌、侯劉不審元年、【考證】漢表作劉不害、	六	四 二 五年、侯霸元年、	四 五年、侯霸坐酎金國除、		
廣戚【索隱】表志闕、【考證】縣名、屬沛、	魯共王子、		六 元年十一月丁酉、節侯劉擇元年、【集解】徐廣曰、擇一作將、	六 元年、侯始元年、	四 五年、侯始坐酎金國除、		
丹楊【索隱】丹陽、表在蕪湖、	江都易王子、		六 元年十二月甲辰、哀侯敢元年、	元狩元年、侯敢薨、無後、國除、			
盱台【索隱】表志闕、【考證】縣在臨淮、即楚懷王所都者、	江都易王子、		六 元年十二月甲辰、侯劉象之元年、【索隱】表作蒙之、	六	四 五年、侯象之坐酎金國除、		

湖孰【索隱】表在丹陽、	江都易王子、		六 元年正月丁亥、頃侯劉胥元年、【索隱】表作胥行、【考證】漢表丁亥作丁卯、	六	四 二 五年、今侯聖元年、	六	四
秩陽【索隱】表作秣陵、	江都易王子、		六 元年正月丁卯、終侯劉漣元年、【索隱】表名纏、	六	三 四年、終侯漣薨、無後、國除、		
睢陵【索隱】表作淮陵、	江都易王子、		六 元年正月丁卯、侯劉定國元年、	六	四 五年、侯定國坐酎金國除、		
龍丘【索隱】表在琅邪、	江都易王子、【考證】漢表在張梁侯後、云菑川懿王子、此誤、		五 二年五月乙巳、侯劉代元年、	六	四 五年、侯代坐酎金國除、		
張梁【索隱】表志闕、	江都易王子、【考證】漢表張梁在龍丘前、謂梁共王子所封、		五 二年五月乙巳、哀侯劉仁元年、	六	二 四 三年、今侯順元年、	六	四
劇【索隱】表志闕、【考證】劇在北海、	菑川懿王子、		五 二年五月乙巳、原侯劉錯元年、	六	一 五 二年、孝侯廣昌元年、	六	四
壤【索隱】表志闕、【考證】漢表作懷昌、	菑川懿王子、		五 二年五月乙巳、夷侯劉高遂元年、【索隱】劉高、	六	六 元年、今侯延元年、【考證】高遂在位二年、延以元朔四年嗣、	六	四

平望【索隱】表志闕、【考證】縣在北海、	菑川懿王子、		五 二年五月乙巳、夷侯劉賞元年、	二 三年、今侯楚人元年、 四	六	六	四
臨原【索隱】表作臨衆、【考證】縣在琅邪、	菑川懿王子、		五 二年五月乙巳、敬侯劉始昌元年、	六	六	六	四
葛魁【集解】徐廣曰、葛一作莒、【索隱】表志闕、或鄉名、	菑川懿王子、		五 二年五月乙巳、節侯劉寬元年、	三 四年、今侯戚元年、【考證】今字衍、 三	二 三年、侯戚坐殺人弃市、國除、【考證】漢表云、坐家吏恐猲受賕棄市、		

益都【索隱】表志皆闕、【考證】北海郡益縣鄉名、	菑川懿王子、		五 二年五月乙巳、侯劉胡元年、	六	六	六	四
平酌【索隱】漢表作平的、志屬北海、	菑川懿王子、		五 二年五月乙巳、戴侯劉彊元年、	六	六 元年、思侯中時元年、	六	四
劇魁【索隱】志屬北海、	菑川懿王子、		五 二年五月乙巳、夷侯劉墨元年、	六	六	三 元年、侯昭元年、 三 四年、侯德元年、	四
壽梁【索隱】	菑川懿王子、		五 二年五月乙	六	四 五年、侯守		

表在壽樂、			巳、侯劉守元年、		坐酎金國除、		
平度【索隱】志屬東萊、	菑川懿王子、		五 二年五月乙巳、侯劉衍元年、	六	六	六	四
宜成【索隱】表在平原、	菑川懿王子、		五 二年五月乙巳、康侯劉偃元年、	六	六 元年、侯福元年、	六	四 元年、侯福坐殺弟弃市、國除、
臨朐【索隱】表在東海、【考證】地理志東海無臨朐、當作東萊、	菑川懿王子、		五 二年五月乙巳、哀侯劉奴元年、	六	六	六	四

雷【索隱】表在東海、	城陽共王子、		五 二年五月甲戌、侯劉稀元年、【考證】漢表、稀作豨、	六	五 五年、侯稀坐酎金國除、		
東莞【索隱】志屬琅邪、	城陽共王子、		三 二年五月甲戌、侯劉吉元年、【考證】三當作二、 三 五年、侯吉有痼疾、不朝、廢、國除、				
辟【索隱】表在東海、【考證】漢表作辟土、字亦	城陽共王子、		三 二年五月甲戌、節侯劉壯元年、 二 五年、侯朋元年、【考證】漢表朋作	六	四 五年、侯朋坐酎金國除、		

作璧、傳寫調析爲二也、			元年、明、				
尉文【索隱】表在南郡、	趙敬肅王子、【考證】趙王彭祖薨於太始四年、不應稱謚、當云趙王彭祖子、後人妄改、下倣之、		五 二年六月甲午、節侯劉丙元年、	六 元年、侯犢元年、	四 五年、侯犢坐酎金國除、		
封斯【索隱】志屬常山、	趙敬肅王子、		五 二年六月甲午、共侯劉胡陽元年、【考證】漢表、共侯作戴侯、胡陽作胡傷、	六	六	六	二 三年、今侯如意元年、 二
榆丘【索隱】表志	趙敬肅王子、		五 二年六月甲	六	四 五年、侯壽		

皆闕、			午、侯劉壽福元年、【考證】漢表作受福、		福坐酎金國除、		
襄嚵【索隱】韋昭云、廣平縣、嚵音仕咸反、又仕儉反、	趙敬肅王子、		五 二年六月甲午、侯劉建元年、	六	四 五年、侯建坐酎金國除、		
邯會【索隱】志屬魏郡、	趙敬肅王子、		五 二年六月甲午、侯劉仁元年、	六	六	六	四
朝【索隱】凡侯不言郡縣	趙敬肅王子、		五 二年六月甲午、侯劉義元	六	二 三年、今侯祿元年、 四	六	四

皆表志闕、			年、【考證】謚節、				
東城【索隱】志屬九江、	趙敬肅王子、		五 二年六月甲午、侯劉遺元年、	六	元年、侯遺有罪、國除、【考證】漢表爲孺子所殺、		
陰城【索隱】表志闕、	趙敬肅王子、		五 二年六月甲午、侯劉蒼元年、	六	六	元年、侯蒼有罪、國除、【考證】漢表云、思侯蒼封十七年、太初元年薨、嗣子有罪不得代、	
廣望【索隱】志屬涿郡、	中山靖王子、		五 二年六月甲午、侯劉安中元年、【考證】漢表名忠、	六	六	六	四
將梁【索隱】	中山靖王		五	六	四		

表在涿郡、	子、		二年六月甲午、侯劉朝平元年、		五年、侯朝平坐酎金國除、		
新館【索隱】表在涿郡、	中山靖王子、		五 二年六月甲午、侯劉未央元年、	六	四 五年、侯未央坐酎金國除、		
新處【索隱】表在涿郡、	中山靖王子、		五 二年六月甲午、侯劉嘉元年、	六	四 五年、侯嘉坐酎金國除、		
陘城【索隱】表在涿郡、志屬中山、【考證】漢表作陸、	中山靖王子、		五 二年六月甲午、侯劉貞元年、	六	四 五年、侯貞坐酎金國除、		

城、							
蒲領【索隱】表在東海、	廣川惠王子、		四 三年十月癸酉、侯劉嘉元年、				
西熊【索隱】表志闕、	廣川惠王子、		四 三年十月癸酉、侯劉明元年、				
棗彊【索隱】志屬清河、	廣川惠王子、		四 三年十月癸酉、侯劉晏元年、				
畢梁【索隱】表在魏郡、	廣川惠王子、		四 三年十月癸酉、侯劉嬰元年、	六	六	三 四年、侯嬰有罪、國除、	

房光【索隱】表在魏郡、	河閒獻王子		四 三年十月癸酉、侯劉殷元年、	六	元年、侯殷有罪、國除、		
距陽【索隱】表志皆闕、	河閒獻王子、		四 三年十月癸酉、侯劉匄元年、【考證】謚憲、	四 二 五年、侯渡元年、【考證】漢表匄、元朔四年薨、在位十四年、子以元鼎五年嗣、與此異、	四 五年、侯渡有罪、國除、		
蔞安【索隱】蔞音力俱反、漢表蔞侯節無安字、節謚也、	河閒獻王子、		四 三年十月癸酉、侯劉邈元年、	六	六	六 元年、今侯嬰元年、	四

阿武【索隱】表志皆闕、【考證】縣在涿郡、	河閒獻王子、		四 三年十月癸酉、湣侯劉豫元年、【考證】漢表謚戴、	六	六	六	二 二 三年、今侯寬元年、【考證】漢表寬作宣、
參戶【索隱】志屬勃海、	河閒獻王子、		四 三年十月癸酉、侯劉勉元年、	六	六	六	四
州鄉【索隱】志屬涿郡、	河閒獻王子、		四 三年十月癸酉、節侯劉禁元年、	六	六【考證】漢表節侯禁封、十一年薨、元鼎二年、思侯齊嗣、盡元封五年、凡十年、史失思侯一代、	五 一 六年、今侯惠元年、	四
成平【索隱】表在南皮、	河閒獻王子、		四 三年十月癸酉、侯劉禮元年、	二 三年、侯禮有罪、國除、			

			年、				
廣【索隱】表在勃海、	河閒獻王子、		四 三年十月癸酉、侯劉順元年、	六	四 五年、侯順坐酎金國除、		
蓋胥【索隱】漢志在太山、表在魏郡、【考證】太山郡有蓋縣、而無蓋胥、	河閒獻王子、		四 三年十月癸酉、侯劉讓元年、	六	四 五年、侯讓坐酎金國除、		
陪安【索隱】表在魏郡、	濟北貞王子、		四 三年十月癸酉、康侯劉不	六	一 二 二年、哀侯秦客元年、		

國名	王子號	元光	元朔	元狩	元鼎	元封	太初已後
【考證】漢表作陰安、			客元年、		三年、侯秦客薨、無後、國除		
榮簡【集解】徐廣曰、一作營、【索隱】漢表作營闕、在茌平、	濟北貞王子、		四 三年十月癸酉、侯劉騫元年、	二 三年、侯騫有罪、國除、			
周堅【索隱】表志皆闕、【考證】漢表作周望、	濟北貞王子、		四 三年十月癸酉、侯劉何元年、【考證】何諡康、	四 五年、侯當時元年、 二	四 五年、侯當時坐酎金國除、		
安陽	濟北貞王		四	六	六	六	四

國名	王子號	元光	元朔	元狩	元鼎	元封	太初已後
【索隱】表在平原、	子、		三年十月癸酉、侯劉桀元年、【考證】漢表、桀作樂、				
五據【索隱】表在泰山、	濟北貞王子、		四 三年十月癸酉、侯劉臒丘元年、【索隱】臒丘舊作纆、音劬、劉氏音烏翟反、	六	四 五年、侯臒丘坐酎金國除、		
富【索隱】表志皆闕、	濟北貞王子、		四 三年十月癸酉、侯劉襲元年、【考證】漢表、襲作龍、	六	六	六	四
陪【索隱】陪、表在平原、	濟北貞王子、		四 三年十月癸酉、繆侯劉明	六	二 二 三年、侯邑元年、 五		

國名	王子號	元光	元朔	元狩	元鼎	元封	太初已後
			元年、【考證】漢表明作則、		年、侯邑坐酎金國除、		
叢【集解】徐廣曰、一作散、【考證】集解散疑取、【索隱】叢音緱、漢表作菽、在平原、今平原無菽縣、此例非一、蓋鄉名也、	濟北貞王子、		四 三年十月癸酉、侯劉信元年、	六	四 五年、侯信坐酎金國除、		

國名	王子號	元光	元朔	元狩	元鼎	元封	太初已後
平【索隱】志屬河南、【考證】平侯為濟北所分、其封國未必在河南、	濟北貞王子、		四 三年十月癸酉、侯劉遂元年、	元年、侯遂有罪、國除、			
羽【索隱】志屬平原、	濟北貞王子、		四 三年十月癸酉、侯劉成元年、	六	六	六	四
胡毋【索隱】表在泰山、	濟北貞王子、【索隱】自陪安侯不害已下十一人、是濟北貞王子、而		四 三年十月癸酉、侯劉楚元年、	六	四 五年、侯楚坐酎金國除、		

	漢表自安陽侯已下、是濟北式王子、同是元朔三年十月封、恐因此誤也、						
離石 [索隱]表在上黨、志屬西河、[考證]今漢表無上黨之文、	代共王子、		四、三年正月壬戌、侯劉綰元年、	六	六	六	四
邵 [索隱]表在山陽、[考證]漢表無山陽之	代共王子、		四 三年正月壬戌、侯劉慎元年、[考證]漢表、慎作順、	六	六	六	四

文、							
利昌 [索隱]昌利、志屬齊郡、	代共王子、		四 三年正月壬戌、侯劉嘉元年、	六	六	六	四
藺 [索隱]志屬西河、	代共王子、		三年正月壬戌、侯劉憙元年、[考證]漢表作罷軍、	[考證]各本元朔以下四格不記年、自此至千章六侯竝同、獨凌本有、漢表亦不詳年世、蓋後人妄加、			
臨河 [索隱]志屬朔方、[考證]疑是西河臨水、	代共王子、		三年正月壬戌、侯劉賢元年、				
隰成	代共王子、						

[索隱]志屬西河、			三年正月壬戌、侯劉忠元年、				
土軍 [索隱]志屬西河、	代共王子、		三年正月壬戌、侯劉郢客元年、		侯郢客坐與人妻姦弃市、[考證]漢表云、坐酎金免、		
皋狼 [索隱]表在臨淮、[考證]在西河、	代共王子、		三年正月壬戌、侯劉遷元年、				
千章 [集解]徐廣曰、一作斥、[索隱]千章、	代共王子、		三年正月壬戌、侯劉遇元年、				

表在平原、[考證]千章、西河縣、							
博陽 [索隱]志屬汝南、	齊孝王子、		四 三年三月乙卯、康侯劉就元年、[考證]漢表謚頃、	六	二 三年、侯終吉元年、[考證]漢表、終吉作終古、五年、侯終吉坐酎金國除、		
寧陽 [索隱]表在濟南、[考證]縣在泰山、	魯共王子、		四 三年三月乙卯、節侯劉恢元年、[考證]漢表水經注、恢作恬、	六	六	六	四

瑕丘 [考證]志屬山陽、水經注作敬丘、	魯共王子、		四 三年三月乙卯、節侯劉貞元年、[考證]漢表水經注、貞作政、	六	六	六	四
公丘 [索隱]志屬沛郡、	魯共王子、		四 三年三月乙卯、夷侯劉順元年、	六	六	六	四
郁狼 [索隱]韋昭云、屬魯、志不載、狼、音盧黨反、又音郎、	魯共王子、		四 三年三月乙卯、侯劉騎元年、[考證]漢表、騎作驕、	六	四 五年、侯騎坐酎金國除、		

西昌	魯共王子、		四 三年三月乙卯、侯劉敬元年、	六	四 五年、侯敬坐酎金國除、		
陘城 [索隱]漢表作陸地、爲得、靖王子貞已封陸、二人不應重封、	中山靖王子、		四 三年三月癸酉、侯劉義元年、[考證]漢表、癸酉作乙卯、	六	四 五年、侯義坐酎金國除、		
邯平 [索隱]表在廣平、	趙敬肅王子、[索隱]趙敬肅王子四人、以異年封、故別見於此、		四 三年四月庚辰、侯劉順元年、	六	四 五年、侯順坐酎金國除、		
武始	趙敬肅王		四	六	六	六	四

[索隱]表在魏、	子、[索隱]後立爲趙王、		三年四月庚辰、侯劉昌元年、				
象氏 [索隱]韋昭云、在鉅鹿、	趙敬肅王子、		四 三年四月庚辰、節侯劉賀元年、	六	六	二 四 三年、思侯安德元年、[考證]思侯當作今侯、	四
易 [索隱]一作鄗、志屬涿郡、表在鄗、			四 三年四月庚辰、安侯劉平元年、	六	六	四 二 五年、今侯種元年、	四
洛陵 [索隱]表作路陵、在南陽、	長沙定王子、		三 四年三月乙丑、侯劉章元年、[考證]漢表、章作童、	一 二年、侯章有罪、國除、			

攸輿 [索隱]案今長沙有攸縣、本名攸輿、漢表在南陽、	長沙定王子、		三 四年三月乙丑、侯劉則元年、	六	六	六	元年、侯則篡死罪、弃市、國除、[考證]漢表作坐篡死罪囚、棄市、
茶陵 [索隱]表在桂陽、志屬長沙、	長沙定王子、		三 四年三月乙丑、侯劉欣元年、[考證]謚節、	六	一 五 二年、哀侯陽元年、[考證]漢表、陽作湯、	六	元年、侯陽薨、無後、國除、
建成 [索隱]表在豫章、[考證]今漢表無、	長沙定王子、		三 四年三月乙丑、侯劉拾元年、	五 六年、侯拾坐不朝不敬、國除、[考證]漢表元鼎二年免、			

安衆【索隱】志屬南陽、	長沙定王子、		四年三月乙丑、康侯劉丹元年、 三	六	六	五 六年、今侯山柎元年、【索隱】柎音趺、 一	四
葉【索隱】葉音攝、縣名、屬南陽、	長沙定王子、		四年三月乙丑、康侯劉嘉元年、【考證】漢表作平侯喜、 三	六	四 五年、侯嘉坐酎金國除、【考證】坐酎金免、不應有謚、		
利鄉【考證】水經注、東海利城縣、故利鄉也、漢武帝封劉嬰、	城陽共王子、		四年三月乙丑、康侯劉嬰元年、【考證】嬰不應有謚、 三	二 三年、侯嬰有罪、國除、			

有利【索隱】表在東海、	城陽共王子、		四年三月乙丑、侯劉釘元年、 三	元年、侯釘坐遺淮南書稱臣、弃市、國除、			
東平【索隱】表在東海、	城陽共王子、		四年三月乙丑、侯劉慶元年、 三	二 三年、侯慶坐與姊妹姦、有罪、國除、【考證】漢表無妹字、			
運平【索隱】表在東海、	城陽共王子、		四年三月乙丑、侯劉訢元年、【考證】漢表、訢作記、 三	六	四 五年、侯訢坐酎金國除、		
山州【索隱】表志闕、	城陽共王子、		四年三月乙丑、侯劉齒元 三	六	四 五年、侯齒坐酎金國		

			年、		除、		
海常【索隱】表在琅邪、	城陽共王子、		四年三月乙丑、侯劉福元年、 三	六	四 五年、侯福坐酎金國除、		
鈞丘【索隱】漢表作騶丘、	城陽共王子、		四年三月乙丑、侯劉憲元年、【考證】漢表作敬侯寬、 三	三 四年、今侯執德元年、【考證】漢表作報德、 三	六	六	四
南城【索隱】表志闕、【考證】縣、屬東海、	城陽共王子、		四年三月乙丑、侯劉貞元年、 三	六	六	六	四
廣陵【集解】徐廣	城陽共王子、		四年三月乙 三	四 五年、侯成 二	四 五年、侯成		

曰、一作陽、			丑、常侯劉表元年、【索隱】漢侯表、晉灼曰、虒音斯、【考證】漢表作虒侯表、	元年、	坐酎金國除、		
莊原【索隱】漢表作杜原、	城陽共王子、		四年三月乙丑、侯劉皋元年、 三	六	四 五年、侯皋坐酎金國除、		
臨樂【索隱】韋昭云、縣名、屬勃海、	中山靖王子、		四年四月甲午、敦侯劉光元年、【索隱】謚法善行不怠曰敦、 三	六	六	五 六年、今侯建元年、 一	四
東野【索隱】表志闕、	中山靖王子、		四年四月甲午、侯劉章元 三	【考證】漢表戴侯章龔、侯中時嗣、太初四年龔、此 六	六	六	四

			年、【索隱】戴侯脫、章、				
高平【索隱】表在平原、【考證】縣在臨淮、	中山靖王子、		四年四月甲午、侯劉嘉元年、【考證】漢表、嘉作喜、　三	六	四　五年、侯嘉坐酎金國除、		
廣川	中山靖王子、		四年四月甲午、侯劉頗元年、　三	六	四　五年、侯頗坐酎金國除、		
千鍾【集解】徐廣曰、一作重、【索隱】漢表作重侯擔、	河間獻王子、		四年四月甲午、侯劉搖元年、【集解】一云劉陰、【考證】水經注引史表亦作陰、下文正作陰、漢表作擔、　三	一　二年、侯陰不使人爲秋請、有罪、國除、			

在平原、地理志有重丘也、							
披陽【索隱】蕭該披音皮、劉氏音彼、皮彼反、志屬千乘也、	齊孝王子、		四年四月乙卯、敬侯劉燕元年、　三	六	四　五年、今侯隅元年、【考證】漢表、隅作偃、　二	六	四
定【索隱】定、地名、	齊孝王子、		四年四月乙卯、敫侯劉越元年、【索隱】敫侯越、敫諡也、說文云、敫讀如躍、【考證】水經名成、漢表諡敷、與此異、　三	六	三　四年、今侯德元年、　三	六	四

稻【索隱】志屬琅邪、	齊孝王子、		四年四月乙卯、夷侯劉定元年、　三	六	二　三年、今侯都陽元年、【考證】漢表作陽都、　四	六	四
山【索隱】表在勃海、	齊孝王子、		四年四月乙卯、侯劉國元年、　三	六	六	六	四
繁安【索隱】表志闕、【考證】在千乘、	齊孝王子、		四年四月乙卯、侯劉忠元年、【索隱】夷侯忠、　三	六	六	【考證】漢表、元封四年安侯守嗣、此失一代、　六	三　四年、今侯壽元年、【考證】漢表、壽作壽漢、　一
柳【索隱】表志闕、【考證】	齊孝王子、		四年四月乙卯、康侯劉陽元年、【考證】漢　三	六	三　四年、侯罷師元年、【考證】漢表諡　三	四　五年、今侯自爲元年　二	四

在勃海、			表作陽已、		歟、		
雲【索隱】志屬琅邪、	齊孝王子、		四年四月乙卯、夷侯劉信元年、　三	六	五　六年、今侯歲發元年、【考證】漢表、歲作茂、　一	六	四
牟平【集解】徐廣曰、一作羊、【索隱】志屬東萊、	齊孝王子、		四年四月乙卯、共侯劉渫元年、【索隱】渫、音薛、　三	二　三年、今侯奴元年、　四	六	六	四
柴【索隱】志屬泰山、	齊孝王子、		四年四月乙卯、原侯劉代元年、【考證】原字衍、　三	六	六	六	四

柏陽 [索隱]漢表作暢、在中山、	道敬肅王子、		二 五年十一月辛酉、侯劉終古元年、	六	六	六	四
鄗 [索隱]漢表作鬷、音㚇、志屬常山郡、	趙敬肅王子、		二 五年十一月辛酉、侯劉延年元年、[索隱]安侯、	六	四 五年、侯延年坐酎金國除、		
桑丘 [索隱]表在深澤、	中山靖王子、		二 五年十一月辛酉、節侯劉洋元年、[索隱]漢表名將夜、[考證]三月癸酉、	六	三 四年、今侯德元年、三	六	四
高丘 [索隱]	中山靖王子、		二 五年三月癸	六	元年侯破		

表志闕、			酉、哀侯劉破胡元年、		胡薨、無後、國除、		
柳宿 [索隱]表在涿郡、[考證]今本漢表無、	中山靖王子、		二 五年三月癸酉、夷侯劉蓋元年、	二 三年、侯蘇元年、四	四 五年、侯蘇坐酎金國除、		
戎丘 [索隱]表志闕、	中山靖王子、		二 五年三月癸酉、侯劉讓元年、	六	四 五年、侯讓坐酎金國除、		
樊輿 [索隱]表志闕、	中山靖王子、		二 五年三月癸酉、節侯劉條元年、[考證]漢表名脩、侯薨于征和四年、節字、	六	六	六	四

			後人妄加、				
曲成 [索隱]表在涿郡、	中山靖王子、		二 五年三月癸酉、侯劉萬歲元年、	六	四 五年、侯萬歲坐酎金國除、		
安郭 [索隱]表在涿郡、	中山靖王子、		二 五年三月癸酉、侯劉博元年、[考證]漢表水經注並云、名傳富、	六	六	六	四
安險 [索隱]志屬中山、	中山靖王子、		二 五年三月癸酉、侯劉應元年、	六	四 五年、侯應坐酎金國除、		
安遙 [索隱]表作	中山靖王子、		二 五年三月癸	六	四 五年、侯恢		

安道、			酉、侯劉恢元年、		坐酎金國除、		
夫夷	長沙定王子、		二 五年三月癸酉、敬侯劉義元年、[考證]長沙子封、宜皆在六月壬子、不應夫夷獨先、	六	四 五年、今侯禹元年、六	六	四
舂陵 [索隱]志屬南陽、	長沙定王子、		二 五年六月壬子、侯劉買元年、[索隱]節侯、[考證]節侯買爲光武之高祖、	六 [考證]漢表、元狩二年買薨、子熊渠嗣、此缺一代、	六	六	四
都梁 [索隱]志屬零陵、	長沙定王子、		二 五年六月壬子、敬侯劉遂元年、[考證]漢	六	六 元年、今侯係元年、[考證]漢表名傒、	六	四

			表水經注、名定、				
洮陽[索隱]志屬零陵、洮音滔、又音道、	長沙定王子、		五年六月壬子、靖侯劉狗彘元年、[索隱]漢表名將燕、[考證]今本漢表作狩燕、 二	五[考證]當作六、六年、侯狗彘薨、無後、國除、			
泉陵[索隱]志屬零陵、	長沙定王子、		五年六月壬子、節侯劉賢元年、[考證]賢、薨于宣帝時、節字衍、 二	六	六	六	四
終弋[索隱]表在汝南、	衡山王賜子、		六年四月丁丑、侯劉廣置元年、[索隱]廣買、 一	六	四 五年、侯廣置坐酎金國除、		

麥[索隱]表在琅邪、	城陽頃王子、			元年四月戊寅、侯劉昌元年、[考證]麥侯至襄陵侯五人、漢表竝以元鼎元年封、史表以元鼎之年入元狩、蓋傳寫誤一格耳、 六	四 五年、侯昌坐酎金國除、		
鉅合[索隱]表在平原、	城陽頃王子、			元年四月戊寅、侯劉發元年、[考證]水經注作發干、 六	四 五年、侯發坐酎金國除、		
昌[索隱]志屬琅邪、	城陽頃王子、			元年四月戊寅、侯劉差元年、[索隱]昌侯差、 六	四 五年、侯差坐酎金國除、		

萁[索隱]費侯音祕、又扶謂反、表在琅邪、[考證]今本漢表無、	城陽頃王子、			元年四月戊寅、侯劉方元年、[索隱]費侯萬、 六	四 五年、侯方坐酎金國除、		
雩殷[索隱]雩康侯澤、志屬琅邪、音呼加二音、[考證]漢表作虖葭、志作雩	城陽頃王子、			元年四月戊寅、康侯劉澤元年、[考證]康字衍、 六	六	六	四

段、							
石洛[索隱]表在琅邪、[考證]漢表作原洛、	城陽頃王子、			元年四月戊寅、侯劉敬元年、[索隱]石洛侯敢、 六	六	六	四
扶滯[索隱]漢表作挾術、在琅邪、滯音浸、	城陽頃王子、			元年四月戊寅、侯劉昆吾元年、 六	六	六	四
挍[索隱]音效、志闕、說者或以爲琅	城陽頃王子、			元年四月戊寅、侯劉霸元年、[索隱]漢表、名雲、城陽頃王 六	六	六	四

邪被縣、恐不然也、				子十九人、漢表二十人有挾僖侯霸、疑此表脫、			
枸【索隱】音勒、枸縣屬平原、	城陽頃王子、			六 元年四月戊寅、侯劉讓元年、	六	六	四
父城【集解】徐廣曰、一作六城、【索隱】志在遼西、表在東海、【考證】漢表作文成、在	城陽頃王子、			六 元年四月戊富、侯劉光元年、	四 五年、侯光坐酎金國除、		

東海、							
庸【索隱】表在琅邪、	城陽頃王子、			六 元年四月戊寅、侯劉譚元年、【索隱】漢表名餘、	六	六	四
翟【索隱】表在東海、	城陽頃王子、			六 元年四月戊寅、侯劉壽元年、	四 五年、侯壽坐酎金國除、		
鱣【索隱】表在襄賁、賁音肥、襄賁縣名、【考證】襄賁屬東	城陽頃王子、			六 元年四月戊寅、侯劉應元年、	四 五年、侯應坐酎金國除、		

海、							
彭【索隱】表在東海、	城陽頃王子、			六 元年四月戊寅、侯劉偃元年、【索隱】彭侯讓、	四 五年、侯偃坐酎金國除、		
瓡【集解】徐廣曰、一作報、【索隱】報侯、報縣名、志屬北海、漢作瓡、節謚也、韋昭以瓡爲諸繁	城陽頃王子、			六 元年四月戊寅、侯劉息元年、	六	六	四

反、顏師古云、卽瓠字也、然此作報、徐廣云、又作瓠也、							
虛水【索隱】虛音墟、志屬琅邪、	城陽頃王子、			六 元年四月戊寅、侯劉禹元年、	六	六	四
東淮【索隱】表在東海、【考證】東淮、當東濰、在北海、	城陽頃王子、			六 元年四月戊寅、侯劉類元年、	四 五年、侯類坐酎金國除、		

栒【索隱】栒、音荀、表在東海、案志栒在扶風、與栒別也、	城陽蚑王子、			元年四月戊寅、侯劉買元年、【索隱】栒侯賢、 六	四 五年、侯買坐酎金國除、		
消【索隱】消、音育也、表在東海、消水在南陽、南陽有消陽縣、疑表非也、【考證】	城陽頃王子、			元年四月戊寅、侯劉不疑元年、 六	四 五年、侯不疑坐酎金國除、		

水經注、消水出馬耳山、北注于濰水、消韰鄉亭之以水得名者、漢表、索隱恐誤、							
陸【索隱】表在壽光、	菑川靖王子、			元年四月戊寅、侯劉何元年、【考證】漢表作七月辛卯、 六	六	六	四
廣饒【索隱】志屬齊郡、	菑川靖王子、			元年十月辛卯、康侯劉國元年、 六	六	六	四

				元年、【考證】十月當作七月、下二侯同、劉國薨于地節間、不應書謚、			
餅【索隱】餅、音萍、韋昭云、古餅邑、音蒲經反、志屬瑯邪也、	菑川靖王子、			元年十月辛卯、侯劉成元年、【索隱】敬侯成、【考證】漢表作七月辛卯、下三侯皆同日、 六	六	六	四
俞閭	菑川靖王子、			元年十月辛卯、侯劉不害元年、【索隱】侯無害、 六	六	六	四
甘井	廣川穆王			六	六	六	四

【索隱】表在鉅鹿、	子、【考證】廣川穆王齊、以建元五年嗣位、征和元年薨、不應稱謚、			元年十月乙酉、侯劉元元年、【考證】漢表名光、			
襄陵【索隱】表在鉅鹿、志屬河東、【考證】漢表作襄隄、	廣川穆王子、			元年十月乙酉、侯劉聖元年、 六	六	六	四
皋虞【索隱】志屬琅邪、	膠東康王子、				三 元年五月丙午、侯劉建元年、 三 四年、今侯處元年、【考證】漢表名定、	六	四

					考證 漢表作元封元年封、此誤上一格、下三侯同、漢表建謚煬、		
魏其 索隱 志屬琅邪、	膠東康王子、				六 元年五月丙午、暢侯劉昌元年、考證 漢表暢作煬、	六	四
祝茲 索隱 案志松茲在廬江、亦作祝茲、表在瑯邪、劉氏云、諸侯封名、史漢表多有不同、不敢輒改、今亦略檢表志同異、以備多識也、	膠東康王子、				四 元年五月丙午、侯劉延元年、五年、延坐弃印綬出國、不敬、國除、考證 漢表延作延年、		

索隱述贊、漢氏之初、矯枉過正、欲大本枝、先封同姓、建元已後、藩翰克盛、主父上言、推恩下令、長沙濟北、中山趙敬、分邑寘封、振振在詠、扞城禦侮、曄曄輝映、百足不僵、一人有慶、

建元已來王子侯者年表第九　史記二十一

史記會注考證卷二十二

漢　太史令司馬遷撰
宋　中郎外兵曹參軍裴駰集解
唐　國子博士弘文館學士司馬貞索隱
唐　諸王侍讀率府長史張守節正義
日本　出雲瀧川資言考證

漢興以來將相名臣年表第十　史記二十二

[考證]史公自序云、國有賢相良將、民之師表也、維見漢興以來將相名臣年表、賢者記其治、不賢者彰其事、作漢興以來將相名臣年表第十、汪越曰、此表年經而人緯、冠年于上、以元起數者、高祖孝惠高后孝文孝景孝武卽位之年也、列年于中、以一二起數者、則蕭何曹參王陵陳平周勃諸人、爲相及將在官之年也、相必記年、將則有年者、有不年者、御史大夫皆不年、齊召南曰、此表多可以補本紀之闕、如立大市、本紀所無也、漢書地理志、長安高帝五年置、此作六年、更名咸陽曰長安、必得其實、漢志蓋追書耳、但咸陽自漢元年更名新城、漢志與曹參傳合、愚按史公自序集解引張晏云、遷沒之後、亡漢興已來將相年表、今本現在、未嘗亡也、但推例、卷首當有序語、後來缺亡、天漢以後紀事、後人續之者、非史公手筆、

	大事記 [索隱]謂誅伐封建薨叛、	相位 [索隱]置立丞相太尉三公也、	將位 [索隱]命將興師、	御史大夫位 [索隱]亞相也、
高皇帝元年	春、沛公爲漢王之南鄭、秋、還定雍、	一 丞相蕭何守漢中、		御史大夫周苛守滎陽、
二	春、定塞翟魏河南韓殷國、夏、伐項籍至彭城、立太子、還據滎陽、	二 守關中、	一 太尉長安侯盧綰、	
三	魏豹反、使韓信別定魏伐趙、楚圍我滎陽、	三	二	
四	使韓信別定齊及燕、太公自楚歸、與楚界洪渠、[考證]洪渠卽鴻溝、	四	三 周苛守滎陽死、	御史大夫汾陰侯周昌、[索隱]汾陰縣屬河東、[考證]此時周昌未爲侯、蓋追敘也、下文多類此者、
五	冬、破楚垓下、[索隱]垓、音陔、隄名、在洨縣、殺項籍、春、王踐皇帝位定陶、[索隱]在濟陰流水之陽、人都關中、[索隱]成陽也、東函谷、南嶢武、西散關、北蕭關、在四關之中、故曰關中、用劉敬張良計都之也、	五	四 後九月、綰爲燕王、	
六	尊太公爲太上皇、[索隱]名執嘉、一名瑞、劉仲爲代王、立大市、更命咸陽曰長安、[索隱]案上盧綰已封長安侯者、蓋當時別有長安君、[考證]漢志、高帝五年置長安縣、則此書于六年者、因置縣而定爲主名也、	六 封爲酇侯、[索隱]音嵯、此在沛郡、後代音贊、在南陽也、張蒼爲計相、[索隱]計相主天下書計及計吏、[考證]計相、司計之官、不當載入將相表中、	罷太尉官、	
七	長樂宮成、自櫟陽徙長安、伐匈奴、匈奴圍我平城、	七		
八	擊韓信反虜於趙城、貫高作亂、明年、覺誅之、匈奴攻代王、代王弃國亡、廢爲郃陽侯、[索隱]郃、音合、在馮翊、劉仲封也、[考證]代王棄國、在高祖七年、	八		
九	未央宮成、置酒前殿、太上皇輦上坐、帝奉玉卮上壽曰、始常以臣不如仲力、今臣功孰與仲多、太上皇笑、	九 遷爲相國、[考證]蕭何爲相國、在十一年、		御史大夫昌爲趙丞相、

	十	十一	十二	孝惠元年	二
殿上稱萬歲、[考證]未央長樂、以七年二月始成、徙齊田楚昭屈景于關中、	太上皇崩、陳豨反代地、	誅淮陰、彭越黥布反、[考證]一名一否、蓋有微意、	冬、擊布、還過沛、夏、上崩、置長陵、[考證]置、當作葬、	趙隱王如意死、始作長安城西北方、除諸侯丞相爲相、[考證]除、猶改也、	楚元王齊悼惠王來朝、
	十	十一	十二	十三	十四 七月癸巳、齊相平陽
		周勃爲太尉、攻代、後官省、[考證]伐當作代、			
	御史大夫江邑侯趙堯、[索隱]江邑、食侯、趙堯、御史大夫、江邑、漢志闕、				

	三	四	五	六
七月辛未、何薨、	初作長安城、蜀湔氐反、[索隱]湔、音煎、氐、音抵、蜀郡縣名、擊之、[考證]此事本紀不載、	三月甲子、赦、無所復作、	爲高祖立廟於沛、城成、置歌兒一百二十人、[考證]城成、長安城成也、 八月乙丑、參卒、	七月、齊悼惠王薨、立太倉西市、八月赦齊、[考證]漢惠紀以齊王薨爲十月事、立太倉西市、卽脩敖倉立西市也、八月赦齊、未詳、
侯曹參爲相國、	二	三	四	一 十月乙巳、安國侯王陵爲右丞相、十月己巳、曲逆侯陳平爲左丞相、[考證]乙巳當作己
				堯抵罪、[考證]事在高后元年、
				廣阿侯任敖爲御史大夫、[集解]徐廣曰、漢書在高后元年、

	七	高后元年	二	三
	上崩、大臣用張辟彊計、呂氏權重、以呂台爲呂王、[考證]呂台爲呂王、在高后元年、立少帝、己卯、葬安陵、[考證]漢紀云、九月辛丑、葬安陵、	王孝惠諸子、置孝悌力田、	十二月、呂王台薨、[考證]呂后紀及諸侯王表、竝爲十一月、子嘉代立爲呂王、行八銖錢、	
巳、十月己巳四字衍、	二	三 十一月甲子、徙平爲右丞相、辟陽侯審食其爲左丞相、	四 平 二 食其	五 三
			平陽侯曹窋、[集解]一本爲御史大夫在六年、[索隱]窋、竹律反、[考證]公卿表謂曹窋高后四年爲御史大夫、五年免、與任敖傳合、	

四	五	六	七	八	孝文元年
廢少帝、更立常山王弘爲帝、	八月、淮陽王薨、以其弟壺關侯武爲淮陽王、令戍卒歲更、	以呂產爲呂王、四月丁酉、赦天下、晝昏、	趙王幽死、以呂祿爲趙王、梁王徙趙、自殺、	七月、高后崩、九月、誅諸呂、後九月、代王至、踐皇帝位、 後九月、食其免相、	除收帑相坐律、立太子、賜民爵、
六 置太尉官、[考證]事在孝惠六年、 四	七 五	八 六	九 七	十 七月辛巳、爲帝太傅、九月丙戌、復爲丞相、[考證]丙戌當據呂紀作壬戌、 八	十一 十一月辛巳、平徙爲
一 絳侯周勃爲太尉、	二	三	四	五 隆慮侯竈、[集解]徐廣曰、姓周、爲將軍擊南越、[考證]漢書本紀書于七年九月、	六 勃爲相、潁陰侯灌嬰
				御史大夫蒼、[考證]張蒼、	

		左丞相、太尉絳侯周勃為右丞相、考證 陳平徙左丞相、紀書於十月辛亥、漢百官表同、勃以八月辛未免、此失書、	為太尉、	
二	除誹謗律、皇子武為代王、參為太原王、勝為梁王、考證 梁王名揖、十月丞相平薨、	一 十一月乙亥、絳侯勃復為丞相、	一	
三	徙代王武為淮陽王、索隱 景帝子、後封梁、上幸太原、濟北王反、匈奴大入上郡、以地盡與太原、太原更號代、十一月丞相勃免、之國、	一 十二月乙亥、太尉潁陰侯灌嬰為丞相、罷太尉官、	二 棘蒲侯陳武為大將軍、擊濟北、昌侯盧卿、共侯盧罷師、甯侯遬、深澤侯將夜、集解 徐廣曰、遬、姓魏、將夜、姓趙、皆為將軍、屬武祁侯賀、將兵屯滎陽、	
四		一 正月甲午、御史大夫	安丘侯張說為將軍、擊胡出代、考證 此事他	關中侯申屠嘉為御史大夫、

	十二月乙巳、嬰卒、	北平侯張蒼為丞相、	書不載、攷匈奴傳、是時方議和親、不應有出代之師、	
五	除錢律、民得鑄錢、	二		
六	廢淮南王、遷嚴道、道死雍、索隱 嚴道、在蜀郡、雍、在扶風、	三		
七	四月丙子、初置南陵、	四		
八	太僕汝陰侯滕公卒、索隱 汝陰侯、夏侯嬰也、為滕令、故曰滕公、	五		
九	溫室鐘自鳴、以芷陽鄉為霸陵、索隱 芷、音止、又音昌改反、地理志有芷陽縣、名霸陵者、以霸水為名也、	六		御史大夫敬、考證 馮敬為御史大夫在七年、
十	諸侯王皆至長安、考證 案表、是年止三國來朝、不得言皆至、	七		
十一	上幸代、地動、	八		

十二	河決東郡金隄、徙淮陽王為梁王、	九		
十三	除肉刑及田租稅律、戍卒令、	十		
十四	匈奴大入蕭關、發兵擊之、及屯長安旁、	十一	成侯董赤、內史欒布、昌侯盧卿、隆慮侯竈、甯侯遬、皆為將軍、考證 赤當作赫、內史非布也、疑有誤、東陽侯張相如為大將軍、皆擊匈奴、中尉周舍、郎中令張武、皆為將軍、屯長安旁、	
十五	黃龍見成紀、上始郊見雍五帝、	十二		
十六	上始見渭陽五帝、	十三		
後元年	新垣平詐言方士、覺、	十四		

	誅之、考證 士、一本作上、			
二	匈奴和親、地動、八月戊辰、蒼免相、	十五 八月庚午、御史大夫申屠嘉為丞相、封故安侯、		御史大夫青、考證 陶青、
三	置谷口邑、	二		
四		三		
五	上幸雍、	四		
六	匈奴三萬人入上郡、二萬人入雲中、考證 史漢文紀及匈奴傳、二萬作三萬、	五	以中大夫令免為車騎將軍、軍飛狐、故楚相蘇意為將軍、軍句注、索隱 故如字、句又音鉤、將軍張武屯北地、河內守周亞夫為將軍、軍細柳、宗正劉禮軍霸上、祝茲侯徐厲	

年	大事記	相位	將位	御史大夫位
			軍棘門，以備胡。數月，胡去，亦罷。考證 祝茲當作松茲。	
七	六月己亥，孝文皇帝崩。其年丁未，太子立。民出臨三日，葬霸陵。考證 年當作月。	六	中尉亞夫為車騎將軍，郎中令張武為復土將軍，索隱 復音伏。屬國捍 索隱 戶幹反，亦作悍。徐廣曰：姓徐，一名厲。即祝茲侯。考證 屬國悍，松茲侯徐厲子，厲以文帝後六年薨，悍嗣侯。為將屯將軍，詹事戎奴為車騎將軍，侍太后。考證 車騎將軍，已有亞夫，何以又命戎奴，詹事之官，元掌太后宮者，何必將軍，蓋太后送葬霸陵，別有儀衛，戎奴以本官為將軍扈行也。	
孝景元年	立孝文皇帝廟郡國，為太宗廟。	七　置司徒官。考證 此事他書不載，疑衍文。		

年	大事記	相位	將位	御史大夫位
二	立皇子德為河閒王，閼為臨江王，餘為淮陽王，非為汝南王，彭祖為廣川王，發為長沙王。四月中，孝文太后崩。考證 閼當作閼，淮南當作淮陽。　嘉卒。	八　開封侯陶青為丞相。		御史大夫錯。考證 鼂
三	吳楚七國反，發兵擊，皆破之。皇子端為膠西王，勝為中山王。	二　置太尉官。	中尉條侯周亞夫為太尉，索隱 脩侯周亞夫，脩音條，渤海有脩市縣，一作條。擊吳楚；曲周侯酈寄為大將軍，擊趙；竇嬰為大將軍，屯滎陽；欒布為大將軍，擊齊。考證 寄、布為將軍，非大將軍也。	
四	立太子。	三	二　太尉亞夫。	御史大夫蚡。考證 蚡失其姓，漢表名介。

年	大事記	相位	將位	御史大夫位
五	置陽陵邑。丞相北平侯張蒼卒。	四	三	御史大夫陽陵侯岑邁。考證 漢表不載。
六	徙廣川王彭祖為趙王。考證 徙趙在五年。	五	四	
七	廢太子榮為臨江王。四月丁巳，膠東王立為太子。　青罷相。	六月乙巳，太尉條侯亞夫為丞相。考證 六當作二。　罷太尉官。	五　遷為丞相。	御史大夫舍。考證 劉舍。
中元年		二		
二	皇子越為廣川王，寄為膠東王。	三		
三	皇子乘為清河王。　亞夫免相。	四　御史大夫桃侯劉舍為丞相。		御史大夫綰。索隱 衛綰。
四	臨江王徵自殺，葬藍田，燕數萬為銜土置	二		

年	大事記	相位	將位	御史大夫位
	冢上。			
五	皇子舜為常山王。	三		
六	梁孝王武薨，分梁為五國，王諸子：子買為梁王，明為濟川王，彭離為濟東王，定為山陽王，不識為濟陰王。	四		
後元年	五月，地動。七月乙巳，日蝕。　舍免相。	五　八月壬辰，御史大夫建陵侯衛綰為丞相。		御史大夫不疑。考證 直不疑。
二		二	六月丁丑，御史大夫岑邁卒。	
三	正月甲子，孝景崩。二月丙子，太子立。考證 梁玉繩曰：景帝正月甲子崩，以二月癸酉葬，是崩後九日而葬也；丙子太子立，是葬後三日而即位也，乃	三		

年	大事記	相位	將位	御史大夫位
	漢書謂甲子太子卽皇帝位、何歟、大事記曰、史記書正月甲子、孝景崩、二月丙子、太子立、用惠帝以來既葬卽位之典也、班氏武紀書甲子太子卽皇帝位、是崩之日遽卽位也、其誤甚矣、蓋武帝享國多歷年所、招方士、求長年、恤典廢而不講、亡遺大臣、如霍光輩、皆不學少文、故武帝以丁卯崩、明日戊辰、昭帝遽卽位、是後元之繼、宣成之繼、元皆以葬前正位號、自古既葬卽位之禮遂廢矣、班氏徒習見漢中葉以後故事、不復知先王典制、謬誤若此、比者非一條也、東萊斯論甚正、然尙有未覈古者、古者天子崩、太子卽位、始死則先定嗣子之位、尙書顧命、逆子釗于南門之外、延入翼室、是已、既殯則正繼體之位、顧命、王麻冕黼裳、入卽位、是已、然則班氏所書甲子卽位者、乃嗣位喪次、指始死定位之儀			

年	大事記	相位	將位	御史大夫位
	也、史記所書丙子立者、卽既殯而正繼體之禮也、班馬所書各有典據、			
孝武建元元年 [索隱] 年之有號、始自武帝、自建元至後元、凡十一號、[考證] 今上作孝武、續表者改之、	綰免相、	四 魏其侯竇嬰爲丞相、 罷太尉、	武安侯田蚡爲太尉、	御史大夫抵、[集解] 漢表云、牛抵、
二	置茂陵、 嬰免相、	二月乙未、太常柏至侯許昌爲丞相、 罷太尉官、 蚡免太尉、		御史大夫趙綰、[索隱] 代衞綰、[考證] 田蚡傳、綰以元年爲御史大夫、漢書武紀言綰以二年十月自殺、
三	東甌王廣武侯望、率其衆四萬餘人來降、	二		

年	大事記	相位	將位	御史大夫位
四	處廬江郡、	三		御史大夫青翟、[索隱] 姓莊、[考證] 田蚡傳云、青翟爲御史大夫、在建元二年、
五	行三分錢、[集解] 徐廣曰、漢書云、半兩、四分曰兩、[考證] 漢武紀云、罷三銖錢、行半兩錢、又平準書食貨志云、半兩錢、法重四銖、則此言三分、非也、	四		
六	正月、閩越王反、孝景太后崩、[集解] 徐廣曰、景帝母竇氏、[考證] 武紀、太后以五月丁亥崩、閩越反、在八月、 昌免相、	五 六月癸巳、武安侯田蚡爲丞相、	青翟爲太子太傅、	御史大夫安國、[考證] 韓安國、
元光元年		二		
二	帝初之雍、郊見五時、	三	夏、御史大夫韓安國爲護軍將軍、衞尉李	

年	大事記	相位	將位	御史大夫位
			廣爲驍騎將軍、太僕公孫賀爲輕車將軍、大行王恢爲將屯將軍、太中大夫李息爲材官將軍、篡單于馬邑、不合、誅恢、	
三	五月丙子、決河于瓠子、[考證] 決河謁倒、	四		
四	十二月丁亥、地動、[考證] 漢紀作五月、 蚡卒、[考證] 田蚡卒在元光三年、	五 平棘侯薛澤爲丞相、[考證] 田蚡以三年三月卒、則薛澤繼相、則在其時、		御史大夫歐、[考證] 張歐、
五	十月、族灌夫家、弃魏其侯市、[考證] 灌夫魏其之死、在三年、不在五年、	二		
六	南夷始置郵亭、	三	太中大夫衞青爲車騎將軍、出上谷、衞尉李廣爲驍騎將軍、出	

	元朔元年	二	三
	衛夫人立爲皇后、		匈奴敗代太守友、[集解]徐廣曰、太守、姓共、名友、[考證]敗當作殺、
	四	五	六
鴈門、大中大夫公孫敖爲騎將軍出代、太僕公孫賀爲輕車將軍出雲中、皆擊匈奴、	車騎將軍青出雁門擊匈奴、衛尉韓安國爲將屯將軍軍代、明年、屯漁陽卒、[考證]匈奴傳及漢紀、安國屯漁陽、在元光六年、此及安國傳百官表、言元朔元年、誤、且安國屯漁陽、非軍代也、軍代者、乃將軍李息、	春、車騎將軍衛青出雲中、至高闕、取河南地、	
			御史大夫弘、[考證]公孫弘、

四	五	六
匈奴入定襄代上郡、	匈奴敗代都尉朱英、[考證]敗當作殺、 澤免相、	
七	八　十一月乙丑、御史大夫公孫弘爲丞相、封平津侯、	二
	春、長平侯衛青爲大將軍、擊右賢、[考證]青破右賢王後、乃拜大將軍、是時爲車騎將軍、下大將軍同、衛尉蘇建爲游擊將軍屬青、左內史李沮[索隱]音子如反、爲强弩將軍、太僕賀爲車騎將軍、[考證]傳及漢書無車字、不應與青同官、代相李蔡爲輕車將軍、岸頭侯張次公爲將軍、大行息爲將軍、皆屬大將軍擊匈奴、	大將軍青再出定襄擊胡、合騎侯公孫敖爲中將軍、太僕賀爲
	[考證]百官表、五年四月丁未、河東太守九江番係爲御史大夫、	

	元狩元年	二	三	四
	十月中、淮南王安衡山王賜謀反、皆自殺、國除、[考證]漢紀十一月、	匈奴入鴈門代郡、江都王建反、膠東王子慶立爲六安王、 弘卒、	匈奴入右北平定襄、	
	三	四　御史大夫樂安侯李蔡爲丞相、	二	三
左將軍、郎中令李廣爲後將軍、翕侯趙信爲前將軍、敗降匈奴、衞尉蘇建爲右將軍、敗身脫、左內史沮爲彊弩將軍、皆屬青、		冠軍侯霍去病爲驃騎將軍、擊胡至祁連、合騎侯敖爲將軍、出北地、博望侯張騫郎中令李廣爲將軍、出右北平、		大將軍青出定襄、郎
	御史大夫蔡、[考證]李蔡、	御史大夫湯、[考證]張湯、		

	五	六	元鼎元年	二
	蔡坐侵園堧自殺、[索隱]廟堧垣、而緣反、堧、外垣短牆也、	四月乙巳、皇子閎爲齊王、旦爲燕王、胥爲廣陵王、		青翟有罪、自殺、
	四　太子少傅武彊侯莊青翟爲丞相、	二	三	四　太子太傅高陵侯趙周爲丞相、
中令李廣爲前將軍、太僕公孫賀爲左將軍、主爵趙食其爲右將軍、平陽侯曹襄爲後將軍、擊單于、				湯有罪、自殺、
				御史大夫慶、[考證]石慶、

年	大事記	相位	將位	御史大夫位
三		二		
四	立常山憲王子平爲眞定王、商爲泗水王、六月中、河東汾陰得寶鼎、	三		
五	三月中、南越相嘉反、殺其王及漢使者、考證 漢紀云、四月、八月、周坐酎金自殺、考證 漢紀及公卿表、趙周之死、在九月、	四 九月辛巳、御史大夫石慶爲丞相、封牧丘侯、考證 漢公卿表、石慶以九月丙申爲丞相、	衞尉路博德爲伏波將軍、出桂陽、主爵楊僕爲樓船將軍、出豫章、皆破南越、考證 主爵下脫都尉字、	
六	十二月、東越反、考證 史漢傳東越反在秋、	二	故龍頟侯韓說爲橫海將軍、出會稽、樓船將軍楊僕出豫章、中尉王溫舒出會稽、皆破東越、	御史大夫式、索隱 卜式也、考證 正文及索隱各本皆脫、今依索隱單本補、
元封元年		三		御史大夫寬、索隱 兒寬也、

年	大事記	相位	將位	御史大夫位
二		四	秋、樓船將軍楊僕、左將軍荀彘出遼東擊朝鮮、	
三		五		
四		六		
五		七		
六		八		
太初元年	改曆、以正月爲歲首、索隱 始用夏正也、	九		
二	正月戊申、慶卒、考證 漢百官表作戊寅、	十 三月丁卯、太僕公孫賀爲丞相、封葛繹侯、考證 漢百官表作閏月丁丑、		
三		二		御史大夫延廣、
四		三		

年	大事記	相位	將位	御史大夫位
天漢元年		四		御史大夫卿、索隱 王卿也、
二		五		
三		六		御史大夫周、索隱 杜周也、
四		七	春、貳師將軍李廣利出朔方、至余吾水上、游擊將軍韓說出五原、因杅將軍公孫敖皆擊匈奴、索隱 杅、音于、因杅、地名、	
太始元年 集解 班固云、司馬遷記事訖于天漢、自此已後、後人所續、索隱 表		八		

年	大事記	相位	將位	御史大夫位
顯以爲自天漢已後、後人所續、即褚先生所補也、後史所記又無異呼、故今不討論也、				
二		九		
三		十		御史大夫勝之、考證 暴勝之、
四		十一		
征和元年	冬、賀坐爲蠱死、	十二		
二	七月壬午、太子發兵、殺游擊將軍說使者江充、	三月丁巳、涿郡太守劉屈氂爲丞相、封彭城侯、		御史大夫成、考證 商丘成、

三	六月、劉屈氂因蠱斬、	二	春、武師將軍李廣利出朔方、以兵降胡、重合侯莽通出酒泉、御史大夫商丘成出河西、擊匈奴、	
四		六月丁巳、大鴻臚田千秋爲丞相、封富民侯、		
後元元年		二		
二		三	二月己巳、光祿大夫霍光爲大將軍、博陸侯、都尉金日磾爲車騎將軍、秺侯、太僕安陽侯上官桀爲大將軍、	
孝昭始		四		

元元年	九月、日磾卒、			
二		五		
三		六		
四		七	三月癸酉、衞尉王莽爲左將軍、騎都尉上官安爲車騎將軍、	
五		八		
六		九		
元鳳元年		十	九月庚午、光祿勳張安世爲右將軍、	御史大夫訢、考證王訢、
二		十一		
三		十二	十二月庚寅、中郎將范明友爲度遼將軍、擊烏丸、	
四		三月乙丑、御史大夫		御史大夫楊敞、

	三月甲戌、千秋卒、	王訢爲丞相、封富春侯、		
五	十二月庚戌、訢卒、	二		
六		十一月乙丑、御史大夫楊敞爲丞相、封安平侯、	九月庚寅、衞尉平陵侯范明友爲度遼將軍、擊烏丸、	
元平元年	敞卒、	九月戊戌、御史大夫蔡義爲丞相、封陽平侯、	四月甲申、光祿大夫龍頟侯韓曾爲前將軍、五月丁酉、水衡都尉趙充國爲後將軍、右將軍張安世爲車騎將軍、	御史大夫昌水侯田廣明、
孝宣本始元年		二		
二		三	七月庚寅、御史大夫田廣明爲祁連將軍、	

			龍頟侯韓曾爲後將軍、營平侯趙充國爲蒲類將軍、度遼將軍平陵侯范明友爲雲中太守、富民侯田順爲虎牙將軍、皆擊匈奴、	
三	三月戊子、皇后崩、	六月甲辰、長信少府韋賢爲丞相、封扶陽侯、		御史大夫魏相、
	六月乙丑、義薨、	田廣明、田順擊胡還、皆自殺、充國奪將軍印、		
四	十月乙卯、立霍后、	二		
地節元年		三		
二		四	二月丁卯、侍中中郎	

		三月庚午將軍光卒、	將霍禹爲右將軍、	
三	立太子、 五月甲申、賢老、賜金百斤、	六月壬辰、御史大夫魏相爲丞相、封高平侯、	七月、安世爲大司馬衞將軍、禹爲大司馬、	御史大夫邴吉、
四		二 七月壬寅、禹腰斬、		
元康元年		三		
二		四		
三		五		
四		六 八月丙寅、安世卒、		
神爵元年	上郊甘泉太畤汾陰后土、	七	四月、樂成侯許延壽爲強弩將軍、後將軍充國擊羌、酒泉太守	

			辛武賢爲破羌將軍、韓曾爲大司馬車騎將軍	
二	上郊雍五畤、祋祤出寶璧玉器、	八		
三		三月、相卒、 四月戊戌、御史大夫邴吉爲丞相、封博陽侯、		御史大夫望之、蕭望之、【考證】
四		二		
五鳳元年		三		
二		四 五月己丑、曾卒、	五月延壽爲大司馬車騎將軍、	御史大夫霸、霸、【考證】黃
三		正月、吉卒、 三月壬申、御史大夫黃霸爲丞相、封建成侯、		御史大夫延年、杜延年、【考證】

四		二		
甘露元年		三 三月丁未、延壽卒、		
二	赦殊死、賜高年及鰥寡孤獨[illegible]、女子牛酒、	四		御史大夫定國、于定國、【考證】
三		三月己丑、霸薨、 七月丁巳、御史大夫于定國爲丞相、封西平侯、		太僕陳萬年爲御史大夫、
四		二		
黃龍元年		三	樂陵侯史子長爲大司馬車騎將軍、太子太傅蕭望之爲前將軍、	
孝元初元元年		四		
二		五		

三		六	十二月、執金吾馮奉世爲右將軍、	
四		七		
五		八	二月丁巳、平恩侯許嘉爲左將軍、	中少府貢禹爲御史大夫、十二月丁未、長信少府薛廣德爲御史大夫、
永光元年	十月戊寅、定國免、	九 七月、子長免、就第、	九月、衞尉平昌侯王接爲大司馬車騎將軍、 二月、廣德免、	七月、太子太傅韋玄成爲御史大夫、
二	三月壬戌朔、日蝕、	二月丁酉、御史大夫韋玄成爲丞相、封扶陽侯、丞相賢子、	七月、太常任千秋爲奮武將軍擊西羌、雲中太守韓次君爲建威將軍擊羌、後不行、	二月丁酉、右扶風鄭弘爲御史大夫、
三		二	右將軍平恩侯許嘉	

	四	五	建昭元年	二	三	四	五
					六月甲辰、玄成薨。		
	三	四	五	六	七月癸亥、御史大夫匡衡爲丞相、封樂安侯、	二	三
爲車騎將軍、侍中光祿大夫樂昌侯王商爲右將軍、右將軍馮奉世爲左將軍、				弘免。			
				光祿勳匡衡爲御史大夫、	衛尉繁延壽爲御史大夫、		

竟寧元年	孝成建始元年	二	三	四
			十二月丁丑、衡免。	
四	五	六	七　八月癸丑、遣光祿勳詔蓋上印綬、免、賜金二百斤、	三月甲申、右將軍樂昌侯王商爲右丞相、
六月己未、衛尉楊平侯王鳳爲大司馬大將軍、延壽卒。			十月、右將軍樂昌侯王商爲光祿大夫、右將軍、執金吾弋陽侯任千秋爲右將軍、譚免。	任千秋爲左將軍、長樂衛尉史丹爲右將軍、十月己亥、尹忠自剄殺。
三月丙寅、太子少傅張譚爲御史大夫、			廷尉尹忠爲御史大夫、	少府張忠爲御史大夫、

河平元年	二	三	四	陽朔元年	二	三	四
			四月壬寅、丞相商免。				
二	三	四	六月丙午、諸吏散騎光祿大夫張禹爲丞相、	二	三		祿勳平安侯王章卒、
		十月辛卯、史丹爲左將軍、太僕平安侯王章爲右將軍、			張忠卒、	九月甲子、御史大夫王音爲車騎將軍、	
					六月、太僕王音爲御史大夫、	十月乙卯、光祿勳于永爲御史大夫、	

	鴻嘉元年
	三月、禹卒、
	四月庚辰、薛宣爲丞相、
七月乙丑、右將軍光	
閏月壬戌、永卒、	

考證 梁玉繩曰、天漢已下至孝成鴻嘉元年、皆後人所續、以漢書校之、太半乖迕、如劉屈氂爲澎侯、而稱彭城侯、王章爲安平侯、而兩書平安侯、韋元成嗣父爲侯也、而曰因爲丞相封扶陽侯、元帝永光二年七月、馮奉世擊西羌、八月、任千秋別將竝進、乃此移奉世擊羌之月爲千秋反遣郤奉世主帥、張禹以鴻嘉元年免相、哀帝建平二月卒、乃謂禹卒于鴻嘉之元、斯皆誤之大者、其餘年月官職駮戾頗多、因均在刪例之列、不復匡訂矣、

索隱 述贊、高祖初起、嘯命羣雄、天下未定、王我漢中、三傑既得、六奇獻功、章邯已破、蕭何築宮、周勃厚重、朱虛至忠、陳平作相、條侯總戎、丙魏立志、湯堯飭躬、天漢之後、表述非功、

漢興以來將相名臣年表第十　史記二十二

史記會注考證卷二十三

漢　太史令司馬遷撰

宋中郎外兵曹參軍裴駰集解

唐國子博士弘文館學士司馬貞索隱

唐諸王侍讀率府長史張守節正義

日本　出雲瀧川資言考證

禮書第一　史記二十三

【索隱】書者、五經六籍總名也、此之八書、記國家大體、班氏謂之志、志、記也、【正義】天地位、日月明、四時序、陰陽和、風雨節、羣品滋茂、萬物宰制、君臣朝廷、尊卑貴賤有序、咸

謂之禮、五經六籍、咸謂之書、故曲禮云、道德仁義、非禮不成、教訓正俗、非禮不備、分爭辯訟、非禮不決云云、【考證】史公自序云、維三代之禮、所損益各殊務、然要以近情性、通王道、故禮因人質爲之節文、畧協古今之變、作禮書第一、錢大昕曰、張晏謂禮書樂書、遷沒之後亡、今二篇俱有、今上卽位之文、似非褚先生所補、陳仁錫曰、禮樂二書殘篇斷簡、首序、蓋太史公草具未成者、楊愼曰、自禮由人起、至儒墨之分一段、荀子禮論之文、中間治辨之極也、至刑錯而不用一段、荀子議兵篇答陳囂之文、後自天地者生之本也、至終篇、亦皆禮論之文、乃斷至矣哉之上、加太史公曰、此小司馬譏其率略、蕪陋、其爲褚少孫補明矣、愚按、禮由人起以下、後人妄增、但未可必定爲褚少孫、趙翼曰、八書史遷所創、以紀朝章國典、漢書因之作十志、律歷志則本於律書歷書也、禮樂志則本於禮書樂書也、食貨志則本於平準書也、郊祀志則本於封禪書也、天文志則本於天官書也、溝洫志則本於河渠書也、此外又增刑法五行地理藝文四志、

太史公曰。洋洋美德乎。宰制萬物、役使羣衆。豈人力也哉。【索隱】洋、音羊、洋洋、美盛貌、鄒誕生音翔、【正義】言天地宰制萬物、役使羣品、順四時而動、咸有成功、豈藉人力營爲哉、是美善盛大衆多之德也、故孔子曰、四時行焉、百物生焉、【考證】方苞曰、言禮爲洋洋美德、其宰制萬物、役使群衆、皆天理之自然、豈人力所强設哉、役使羣衆者有禮、而羣衆爲所運動也、中井積德曰、洋洋美德者、美禮也、非頌天地宰制亦是、役使亦是、

余至大行禮官、觀三代損益、乃知緣人情而制禮、依人性而作儀。其所由來尚矣。【索隱】大行、秦官、主禮儀、漢景帝改曰大鴻臚、鴻臚掌九賓之儀也、人道經緯萬端、規矩無所不貫。誘進以仁義、束縛以刑罰。故德厚者位尊、祿重者寵榮。所以總一海內、而整齊萬民也。人體安駕乘。爲之金輿錯衡、以繁其飾。【集解】周禮、王之五路、有金路、鄭玄曰、以金飾諸木、【索隱】錯鏤衡軛爲文飾也、詩曰、約軧錯衡、毛傳云、錯衡、文衡也、【正義】乘、時證反、爲、于僞反、錯、作鏓、七公反、【考證】中井積德曰、金輿、只是金飾之車、岡白駒曰、衡、轅端橫木、駕馬領者、目好五色。爲之黼黻文章、以表其能。【考證】白與黑謂之黼、其狀斧形、黑與青謂之黻、其狀兩己相背、文作亞、愚按、阮元云、兩己相背、當作兩弓相背、說見秦紀、黼黻、衣裳之文、猶今日用回工卐卍等諸文、其曰取斷割之義、曰取背惡向善之義者、後人附會之說耳、能讀爲態、耳樂鐘磬。爲之調諧八音、以蕩其心。【考證】八音、金石絲竹匏土革木、蕩、蕩滌之蕩、樂書云、蕩滌邪穢、口甘五味。爲之庶羞酸鹹、以致其美。【集解】周禮曰、羞用百有二十品、鄭玄曰、羞出于牲及禽獸、以備其滋味、謂之庶羞、鄭衆曰、羞者、進也、情好珍善。爲之琢磨圭璧、以通其意。故大路越席、

【集解】服虔曰、大路、祀天車也、越席、結括草以爲席也、王肅曰、不緣也、【正義】按括草、蒲草、越、戶括反、皮弁布裳、【集解】周禮曰、王視朝則皮弁之服、鄭玄曰、皮弁之服、十五升、白布衣、素積爲裳也、【正義】以鹿子皮爲弁也、按襞積素布而爲裳也、朱弦洞越、【集解】鄭玄曰、朱弦、練朱絲弦也、越、瑟底孔、大羹玄酒、【集解】鄭玄曰、大羹、肉湆不調以鹽菜也、玄酒、水也、所以防其淫侈、救其彫敝。【索隱】彫、謂彫飾也、言彫飾是奢侈之弊也、【考證】彫、讀爲凋、凋、傷也、是以君臣朝廷尊卑貴賤之序、下及黎庶車輿衣服宮室飲食嫁娶喪祭之分、事有宜適、物有節文。仲尼曰。禘自既灌而往者、吾不欲觀之矣。【集解】孔安國曰、禘祫之禮、爲序昭穆也、故毀廟之主及羣廟之主、皆合食于太祖、灌者、酌鬱鬯、灌于太祖、以降神也、既灌之後、列尊卑、序昭穆、而魯逆祀、躋僖公、亂昭穆、故不欲觀之、【考證】仲尼曰、見于論語八佾篇、禮、禘者、諦也、言使昭穆之次、審禘而不亂也、與祫祭合食于太祖者異、不欲觀之、言其非禮也、周衰、禮廢樂壞、大小相踰。管仲之家、兼備三歸。【集解】包氏曰、三歸、娶三姓女也、婦人謂嫁曰歸、【考證】論語八佾篇、或曰、管仲儉乎、曰、管氏有三歸、官事不攝、焉得儉、方苞曰、於諸侯之僭擧魯、秉禮之國也、於大夫擧管仲、賢大夫也、愚按、三歸、詳管晏傳、循法守正者、見侮於世。奢

溢僭差者、謂之顯榮。自子夏門人之高弟也。猶云。出見紛華盛麗而說。入聞夫子之道而樂。二者心戰、未能自決。【索隱】言子夏是孔子門人之中高弟者、謂才優而品第高也、故論語四科、有文學子游子夏也、【考證】岡白駒曰、悅華麗與樂道義二者戰於胸中、愚按子夏之言、未詳其所出、　而況中庸以下、漸漬於失教、被服於成俗乎。孔子曰。必也正名於衞。所居不合。【集解】論語曰、子路曰、衞君待子而爲政、子將奚先、子曰、必也正名乎、馬融曰、正百事之名、【考證】論語子路篇、　仲尼沒後、受業之徒、沈湮而不舉。或適齊・楚、或入河・海。豈不痛哉。【正義】論語云、大師摯適齊、亞飯干適楚、鼓方叔入于河、少師陽、擊磬襄、入于海、魯哀公時、禮壞樂崩、人皆去也、【考證】論語微子篇、張文虎曰、師摯諸人、雖非弟子、而當孔子反魯正樂、或得奉教左右、執弟子禮、未可知、觀語魯大師樂、及韓詩外傳師襄稱夫子可觀、　至秦有天下、悉內六國禮儀、采擇其善。雖不合聖制、其尊君抑臣、朝廷濟濟、依古以來。【正義】秦采擇六國禮儀、尊君抑臣、朝廷濟濟、依古以來典法行之、【考證】濟濟、多威儀也、　至于高祖光有四海、叔孫

通頗有所增益減損。大抵皆襲秦故、【集解】應劭曰、抵、至也、瓚曰、抵、歸也、【索隱】按大抵、猶大略也、臣瓚以抵訓爲歸、則是大略大歸、其義通也、　自天子稱號、下至佐僚及宮室官名、少所變改。【正義】稱、尺證反、　孝文卽位、有司議欲定儀禮。孝文好道家之學、以爲繁禮飾貌、無益於治。躬化謂何耳。【正義】孝文本紀云、上身衣弋綈、所幸愼夫人、令衣不曳地、幃帳不得文繡、治霸陵、皆以瓦器、是躬化節儉、謂何嫌耳、不須繁禮飾貌也、【考證】中井積德曰、躬化謂何耳、猶言顧躬化如何耳、　故罷去之。孝景時、御史大夫鼂錯、明於世務刑名。【考證】鼂錯傳、鼂錯學申商刑名於軹張恢生所、愚按刑名、猶言名實也、刑、形通、以名正形也、　數干諫孝景曰。諸侯藩輔、臣子一例。古今之制也。今大國專治異政、不禀京師。恐不可傳後。【考證】干、干冒之干、　孝景用其計、而六國畔逆、【正義】吳、楚、趙、菑川、濟南、膠西爲六國也、齊孝王狐疑城守、三國兵圍齊、齊使路中大夫告天子、故不言七國也、【考證】梁玉繩曰、六乃七字之誤、正義甚謬、　以錯首名。天子誅錯以解難。【正義】上紀買反、下乃憚反、　事在袁

盎語中。【考證】事見袁鼂合傳、　是後官者、養交安祿而已。莫敢復議。今上卽位、招致儒術之士、令共定儀。十餘年不就。或言古者太平、萬民和喜、瑞應辨至。【正義】辨、音遍、　乃采風俗、定制作。上聞之、制詔御史曰。蓋受命而王、各有所由興、殊路而同歸。【考證】易繫辭傳、天下同歸而殊塗、一致而百慮、　謂因民而作、追俗爲制也。議者咸稱太古。百姓何望。漢亦一家之事。典法不傳、謂子孫何。化隆者閎博、治淺者褊狹。可不勉與。【考證】岡白駒曰、百姓何望、非百姓所望也、　乃以太初之元、改正朔、易服色、封太山、定宗廟百官之儀、以爲典常、垂之於後云。【集解】應劭曰、初用夏正、以正月爲歲首、改年爲太初、【考證】以上禮書序、其曰事在袁盎語中、曰今上卽位、爲史公手筆無疑、以下後人雜采荀子禮論議兵二篇妄增、　禮由人起。人生有欲。欲而不得、則不能無忿。忿而無度量則爭。爭則

亂。【正義】爭、音諍、【考證】荀子禮論篇、忿作求、度量下有分界二字、　先王惡其亂。故制禮義以養人之欲、給人之求、使欲不窮於物、物不屈於欲。【正義】屈、羣物反、【考證】凌稚隆曰、義下一本有分之二字、愚按荀子有以分之三字、楊倞曰、屈、竭也、　二者相待而長。是禮之所起也。【考證】荀子二作兩、待作持、此似長、　故禮者養也。稻粱五味、所以養口也。椒蘭芬茝、所以養鼻也。【索隱】茝、音止、又昌改反、　鐘鼓管弦、所以養耳也。刻鏤文章、所以養目也。疏房牀笫几席、所以養體也。【集解】服虔曰、簀謂之笫、【索隱】疏、謂窻也、【正義】疏、謂窻也、笫、側里反、【考證】荀子、茝作茨、席作筵、楊倞曰、疏房、通明之房也、　故禮者養也。君子既得其養、又好其辨也。所謂辨者、貴賤有等、長少有差、貧富輕重皆有稱也。【考證】荀子、辨作別、楊倞曰、稱、謂各當其宜、　故天子大路越席。所以養體也。【正義】謂蒲草爲席、既絜且柔、絜可以祀神、柔可以養體也、　側載臭茝。所以養鼻也。【索隱】劉氏云、側、特也、臭、香也、茝、香草也、言天子行、特得以香草自

隨也、其餘則否、臭爲香者、山海經云、臭如蘼蕪、易曰、其臭如蘭、是臭爲草之香也、今以側爲邊、側載者置也、言天子之側常置芳香於左右、[考證]臭、荀子作睪、臭同、中井積德曰、側載、謂側置車中、前有錯衡、所以養目也。[集解]詩云、約軝錯衡、毛傳云、錯衡、文衡也、和鸞之聲、[集解]鄭玄曰、和鸞、皆鈴也、所以爲車行節也、韓詩內傳曰、鸞在衡、和在軾、前升車則馬動、馬動則鸞鳴、鸞鳴則和應、服虔曰、鸞在鑣、和在衡、續漢書輿服志曰、鸞雀立衡也、[正義]皇侃云、鸞以金爲鸞、懸鈴其中、於衡上、以爲遲疾之節、所以正威儀行舒疾也、步中武象、驟中韶濩、所以養耳也。[集解]鄭玄曰、武、武王樂也、象、武舞也、韶、舜樂也、濩、湯樂也、[正義]步、猶緩、緩車則和鸞之音中於武象、驟車中於韶濩也、[考證]荀子、驟作趨、龍旂九斿。所以養信也。[集解]周禮曰、交龍爲旂、[正義]斿、音旒、寢兕、[索隱]按以兕牛皮爲席、[正義]兕、音似、爾雅云、兕似牛、[考證]寢兕、伏兕、持虎、[索隱]持虎者、以猛獸皮文飾倚較及伏軾、故云持虎、劉氏云、畫之於斿竿及楯仗等、以今所見爲說也、[考證]盧文弨曰、持、當作特、字之誤也、寢兕特虎、謂畫輪爲飾也、劉昭注輿服志引古今注、武帝天漢四年、令諸侯王朱輪、特虎居前、左兕右麋、小國朱輪、畫特熊居前、寢麋居左右、白虎通亦曰、朱輪特熊居前、寢麋居左右、此謂朱輪、每輪畫一虎居前、兕麋在兩旁、郤後而相竝、故虎稱特、左右、謂每輪兩旁也、寢、伏也、大國畫特虎、兕麋不寢、小國則畫特熊、二寢麋、無兕、天子乘輿、蓋畫二寢兕居輪左右、畫特虎居前鮫、此段若膺說、鮫韅、[集解]徐廣曰、鮫魚皮可以飾服器、音交、韅者、當馬腋之革、音呼見反、[索隱]以鮫魚皮飾韅、韅、馬腹帶

九

也、[考證]荀子、鮫作蛟、楊倞曰、蓋象蛟形、盧文弨曰、楊說與上下文虎兕龍一例、勝徐說、愚按左傳、晉車七百乘、韅靷鞅靽、注、在背曰韅、在腹曰鞅、彌龍。[集解]徐廣曰、乘輿車、金薄璆龍爲輿倚較、文虎伏軾、龍首衡軛、[索隱]彌、亦音弭、謂金飾衡軛爲龍、此皆王者服御崇飾、所以示威武、故云所以養威也、此文皆出大戴禮、蓋是荀卿所說、劉氏云、薄猶飾也、璆然、龍貌、璆、音虯、[考證]盧文弨曰、徐說得之、文虎伏軾、龍首衡軛、此徐引古類及之、非正釋也、索隱皆出大戴禮、五字疑誤、所以養威也。故大路之馬、必信至教順、然后乘之、所以養安也。[考證]王先謙曰、信至、謂馬調良之極、荀子、作倍良、形近而譌、岡白駒曰、順與馴通、孰知夫士出死要節之所以養生也。[索隱]言人誰知夫志士推誠守死要立名節、仍是養生安身之本、故下云、人苟生之爲見、若者必死、是解上意、言人苟以貪生之爲見、不能見危致命、若者必死、若、猶如也、言孰心爲見如此者、必刑戮及身、故云必死、下文皆放此也、[正義]夫、音扶、要、音腰、孰知、猶審知也、出死、猶處死也、審知志士推誠處死、要立名節、若曹沫茅焦、所以養生命也、[考證]荀子、無士字、此誤衍、孰知、索隱是、中井積德曰、出死、猶授命也、意謂出死要節、若可以死而却以得生也、愚按也、讀爲邪、下同、孰知夫輕費用之所以養財也。[正義]費、音芳味反、輕、猶薄、言審知尠薄費用、則能畜聚、所以養財貨也、[考證]李笠曰、輕費用者、謂不以財用爲重、而以禮義爲務也、中井積德曰、輕、猶不吝也、是謂予之爲取之、孰知夫恭敬辭讓之所以養安也。[正義]言審知恭敬

一〇

辭讓、所以養體安身、[考證]中井積德曰、養安、謂所以爲安也、非兩項、孰知夫禮義文理之所以養情也。[正義]言審知禮義文章道理所以養其情性、此四科是儒者有禮義、故兩得之也、人苟生之爲見、若者必死。[正義]苟、且若、如此也、言平凡好生之人、且見操節之士、以禮義處死、養得其生有效、如此者必死也、[考證]中井積德曰、苟生之爲見、猶言唯生是視也、謂一於此而他無所顧也、下文倣此、愚按、與出死要節反、苟利之爲見、若者必害。[正義]言平凡好利之人、且見利義之士、以輕省費用、養得其財有效、如此者必害身也、[考證]中井積德曰、唯利是視之人、害必至焉、愚按、與輕用相反、怠惰之爲安、若者必危。[正義]惰、徒臥反、言平凡怠惰之人、且見有禮之士、以恭敬禮讓、養得安樂有效、如此者必危亡也、[考證]中井積德曰、以怠惰爲安者、必不能自安、愚按、與恭敬辭讓相反、情勝之爲安。若者必滅。[索隱]覆解上禮義文理之所以養情也、[正義]勝、音叔證反、言平凡好勝之人、且見利義之士、禮義文理、養得其情性有效、如此者必滅亡也、此四科是墨者無禮義、故兩失之也、[考證]與禮義文理相反、中井積德曰、情勝、謂恣情任欲也、凌稚隆曰、一本作情性、愚按王本慶長本作情性、正與下文合、故聖人一之於禮義、則兩得之矣。一之於情性、則兩失之矣。故儒者將使人兩得之者也。墨者將使人兩失之者也。[索隱]墨者不尚禮

一一

義而任儉嗇、無仁恩、故使人兩失之、易曰、悅以使人、人忘其死、是也、是儒墨之分。[正義]分、扶問反、分、猶等也、若儒等者是治辨之極、彊固之本、威行之道、功名之總、則天下歸之矣、[考證]分、別也、以上采荀子禮論篇文、荀子、分下有也字、治辨之極也、彊固之本也、[索隱]自此已下、皆是儒分之功也、[正義]固、堅固也、言國以禮義、四方欽仰、無有攻伐、故爲彊、而且堅固之本也、[考證]荀子議兵篇、韓詩外傳四、治上有禮者二字、固作國、愚按、治辨彊固對言、威行之道也、[正義]以禮義導天下、天下伏而歸之、故爲威行之道也、功名之總也。[正義]以禮義率天下、天下咸遵之、故爲功名之總、總、合也、聚也、[考證]外傳、總作統、王公由之、所以一天下臣諸侯也。弗由之、所以捐社稷也。[正義]言由禮義也、[考證]荀子、外傳、捐作隕、故堅革利兵、不足以爲勝。[索隱]覆上功名之總也、[考證]荀子、外傳、革作甲、外傳、勝作武、高城深池、不足以爲固。嚴令繁刑、不足以爲威。由其道則行。不由其道則廢。楚人鮫革犀兕、所以爲甲、堅如金石、宛之鉅鐵施、鑽如蠭蠆、[集解]徐廣曰、大剛曰鉅、[索隱]鑽、謂矛刃及矢鏃也、[正義]宛、城、今鄧州南陽縣城是也、音於元反、鉅、剛鐵也、[考證]荀子、外傳、兕下無所字、此衍、荀子、堅作鞈、張照曰、荀子、作宛鉅鐵鉇、慘如蠭蠆、楊

一二

倞注云、鉇與鍦同、矛也、正義以鐵斷句、誤、王先謙曰、索隱以施屬下讀、例以上下文、軨如金石、卒如飄風、則荀子本書文義較長、中井積德曰、鑽、猶刺也、輕利剽遬、卒如熛風。【正義】剽遬、上匹妙反、下音速、剽遬、疾也、卒、村忽反、熛、必遙反、熛風、疾也、然而兵殆於垂涉、唐昧死焉、【集解】許愼曰、垂涉、地名也、【考證】垂涉、當依荀子外傳作垂沙、楚策云、垂沙之事、死者以千數、漢地理志、沛國有垂鄉、楊倞曰、史記楚懷王二十八年、秦與齊韓魏共攻楚、殺楚將唐昧、取我重丘而去、昧與蔑同、莊蹻起、楚分而爲四【索隱】蹻、音其略反、楚將之名、言其起兵亂後、楚遂分爲四、按漢志、滇王、莊蹻之後也、【正義】以起字爲絕句、或曰、楚莊王苗裔也、按括地志云、師州、黎州、在京西南五千六百七十里、戰國楚威王時、莊蹻王滇、則爲滇國之地、楚昭王徙都鄀、莊蹻王滇、楚襄王徙都陳、楚考烈王徙都壽春、咸被秦逼、乃四分也、然、昭王雖在莊蹻之前、故荀卿兼言之也、【考證】館本考證云、唐無師州、地理志云、黎州至京師二千九百五十里、參。是豈無堅革利兵哉。【索隱】參者、驗也、言驗是楚豈無利兵哉、【正義】參、七含反、言蹻楚國、豈無堅甲利兵哉、爲其不由禮義、故衆分也、【考證】荀子、外傳、四參作三四、陳仁錫曰、楚分爲四參、句、參與三同、荀子作三四、尤明、索隱參是二字連讀、非也、其所以統之者、非其道故也。汝·潁以爲險、【正義】括地志云、汝水源出汝州魯山縣西伏牛山、亦名猛山、汝水至豫州郾城縣、名濆水、爾雅云、河有灉、汝有濆、亦汝之別名、潁水源出洛水嵩高縣東南三十五里陽乾山、俗名潁山、地理志、高陵山、汝出東南至新蔡縣入淮、陽乾山、潁水出東

至下蔡入淮也、【考證】外傳、汝潁作汝淮、江·漢以爲池、【正義】江卽岷江、從蜀入楚、在荊州南、漢江、從漢中東南入江、四水爲楚之險固也、阻之以鄧林、【集解】山海經曰、夸父與日逐走、日入、渴欲得飲、飲於渭河、不足、北飲大澤、未至、道渴而死、弃其杖、化爲鄧林、駰謂鄧林後遂爲林名、【索隱】按裴氏引山海經、以爲夸父弃杖爲鄧林、其言北飲大澤、蓋非在中國也、劉氏以爲今襄州南鳳林山、是古鄧祁侯之國、在楚之北境、故云阻以鄧林也、【考證】荀子、外傳、阻作限、緣之以方城。【正義】括地志云、方城、房州竹山縣東南四十一里、其山頂上平、四面險峻、山南有城、長十餘里、名爲方城、卽此山也、【考證】左傳僖四年、楚屈完曰、楚國方城以爲城、漢水以爲池、然而秦師至、鄢郢舉若振槁。【索隱】振、動也、擊也、槁、乾葉也、【正義】鄢、音偃、括地志云、故城、在襄州安養縣北三里、古鄢子之國、鄧之南鄙也、又率道縣南九里有故鄢城、漢惠帝改曰宜城也、郢城、荊州江陵縣東北六里、卽吳公子光伐楚、楚平王恐城郢者也、又楚武王始都郢、紀南故城是也、在江陵北十五里也、【考證】荀子、至下有而字、外傳、有於字、楊倞曰、謂白起伐楚、一戰舉鄢郢也、中井積德曰、槁、枯木也、振、搖枯木、則葉墜不勞力也、是豈無固塞險阻哉。其所以統之者、非其道故也。紂剖比干、囚箕子、爲炮烙刑、殺無辜。時臣下懍然莫必其命。【索隱】言無人必保其性命、【考證】烙、當作格、說見殷紀、懍然、畏也、然而周師至、而令不行乎下、

不能用其民。是豈令不嚴、刑不峻哉。其所以統之者、非其道故也。古者之兵、戈矛弓矢而已。然而敵國不待試而詘。【集解】徐廣曰、試、一作誠也、【正義】詘、丘勿反、試、用也、城郭不集、溝池不掘、固塞不樹、機變不張。【正義】掘、求勿反、又求厥反、【考證】荀子、集作辨、楊倞曰、辨、治也、掘、荀子作抇、當作相、與掘同、然而國晏然不畏外而固者、無他故焉。明道而均分之、【正義】分、扶問反、言明儒墨之分、使禮義均等、則下應之如影響耳、【考證】荀子、而固作而明內、史記爲長、岡白駒曰、分如字、正義非是、久保愛曰、道、謂禮義也、王制篇云、制禮義以分之、荀子、均分作分鈞、時使而誠愛之、則下應之如景響。有不由命者、然後俟之以刑、則民知辠矣。【正義】事君以禮義、民有不由禮義者、然後待之以刑、則民之罪伏刑矣、【考證】中井積德曰、不由命、謂不遵上之教令也、故刑一人而天下服、辠人不尤其上。知辠之在己也。是故刑罰省、而威行如流。無他故焉。由其道故也。故由其道則行。不由其道則廢。【考證】荀子、無故由

其道十二字、古者帝堯之治天下也、蓋殺一人、刑二人而天下治。【考證】楊倞曰、殺一人、謂殛鯀于羽山、刑二人、謂流共工于幽州、放驩兜于崇山、傳曰。威厲而不試。刑措而不用。【考證】王念孫曰、厲、猛也、錯、置也、置、設也、言威雖猛而不試、刑雖設而不用也、愚按以上采荀子議兵篇文、又見韓詩外傳四、天地者、生之本也。先祖者、類之本也。君師者、治之本也。【正義】類、種類也、無天地惡生。無先祖惡出。無君師惡治。【正義】惡、音烏、【考證】大戴禮、禮三本、惡作焉、三者偏亡、則無安人。【索隱】偏、鄒音遍、【正義】偏、疋然反、【考證】楊倞曰、偏亡、謂闕一也、故禮上事天、下事地、尊先祖而隆君師。是禮之三本也。【考證】大戴禮、尊作宗、事、隆作寵、故王者天太祖。諸侯不敢懷。【索隱】懷、思也、言諸侯不敢思以太祖配天而食也、又一解、王之子孫爲諸侯、不思祀其父祖、故禮云、諸侯不敢祖天子、蓋與此同意、【考證】荀子禮論篇、大戴禮、懷作壞、楊倞曰、謂不祧其廟、若魯周公、史記作不敢懷、司馬貞云、思也、蓋誤耳、【集解】毛詩敘曰、文武之功、起於后稷、故推以配天焉、大夫士有常宗。【集解】禮記曰、別子爲祖、繼別爲宗、百世不遷者、謂別子之後也、【考證】孔廣森曰、常宗、大宗也、禮、大夫不敢祖諸侯、諸侯之支子、祀

於家爲始祖、其適子孫世世收族、大傳曰、宗其繼別子之所自出者、百世不遷者也、所以辨貴賤。貴賤治、得之本也。考證荀子、作所以別貴始、貴始、得之本也、大戴禮、不疊貴始二字、得作德、餘同荀子、愚按是申貴始之義、史記傳鈔致誤、得德、通用、郊疇乎天子。索隱疇、類也、天子類得郊天、餘竝不合祭、今大戴禮、作郊止乎天子、是也、止或作時、因誤耳、考證荀子、大戴禮、疇作止、張文虎曰、疇當作止、止與時音近、疇則由時而誤也、說文、時、天地五帝所基止、祭地也、是時亦有止義、社至乎諸侯。索隱言天子已下至諸侯、得立社、考證荀子、大戴禮、至作止、史文爲長、函及士大夫。集解函、音含、索隱啗、音含、含、謂包容、諸侯已下至士大夫得祭社、故禮云、大夫成羣立社、曰置社、亦曰里社也、鄒誕生音、啗、徒濫反、意義亦通、但不見古文、各以意爲音耳、今按大戴禮、作導及士大夫、導亦通也、今此爲啗者、當以導與蹈同、後足字失、止唯有口存、故使解者穿鑿也、考證荀子、大戴禮、函作道、郝懿行曰、祭法云、大夫以下成羣立社曰置社、鄭注、羣、衆也、大夫以下、謂下至庶人也、大夫不得特立社、與民族居、百家以上、則共立一社、今時里社是也、此則社之禮下達庶人、道、通也、愚按、函、道、形聲皆異、函、當從索隱爲包容之義、說詳于王氏經義述聞、所以辨尊者事尊、卑者事卑、宜鉅者鉅、宜小者小。考證荀子、大戴禮、辨作別、大戴禮、尊上有尊卑二字、故有天下者事七世。有一國者事五世。考證王制、天子七廟、三昭三穆、與太祖之廟而七、諸侯五廟、二昭二穆、與太祖之廟而五、荀子七作十、誤、孫詒讓曰、案

禮記王制孔疏引聖證論、孫卿云、有天下者事七世、則王肅所見荀子七字尙不誤、有五乘之地者、事三世。集解鄭玄曰、古者方十里、其中六十四井、出兵車一乘、此兵法之賦、考證王制、大夫三廟、一昭一穆、與太祖之廟而三、楊倞曰、五乘之地、謂大夫有采地者、有三乘之地者、事二世。集解穀梁傳曰、天子至于士皆有廟、天子七、諸侯五、大夫三、士二、始封之者、必爲其太祖、考證穀梁傳僖公二十五年文、祭法亦云、適士二廟、有特牲而食者、不得立宗廟。集解禮記曰、庶人祭於寢、考證岡白駒曰、葢謂有一牛而耕者也、有特牲、荀子作持手、楊倞曰、持其手而食、謂農工食力也、久保愛曰、持當作恃、大戴禮作待年、孔廣森曰、農夫力田者也、所以辨積厚者流澤廣、積薄者流澤狹也。考證荀子、大戴禮、辨作別、大饗上玄尊、俎上腥魚。集解鄭玄曰、大饗、祫祭先王、以腥魚爲俎實、不臑孰之也、考證荀子、大戴禮、上作尙、俎上腥魚、作俎生魚、李笠曰、上字誤衍、俎字虛用、孔廣森曰、玄尊、玄酒之尊、玄酒者、明水也、又曰、大饗九獻、王祼一、后祼二、朝踐、王獻三、后獻四、饋食、王獻五、后獻六、醑尸、王獻七、后獻八、賓獻九、朝踐之事、牲俎腥肆、故有生魚、至饋食時乃薦熟也、先大羹。貴食飲之本也。考證食飲、大戴禮、作飲食、楊倞曰、大羹肉汁、無鹽梅之味者也、本、謂造飲食之初、大饗上玄尊而用薄酒、食先黍稷而飯稻粱、考證荀子、無大字、薄酒作酒醴、無食字、義長、大戴禮、無薄字、孔廣森曰、

玄酒、陳而不酌、黍稷、簠實正饌也、稻粱、簠實加饌也、飯、啖之也、食、音嗣、祭嚌先大羹、集解鄭玄曰、嚌至齒、考證荀子、嚌作齊、無先字、大戴禮亦無先字、愚按嚌先當衍其一字、楊倞曰、祭、月祭也、俞樾曰、楊倞注荀子、讀齊爲嚌、此因大戴記而誤也、齊、當作躋、躋、升也、升大羹、正與上文尙玄酒先黍稷一律、下文云、豆之先大羹也、其義也、史記嚌下有先字、疑原文作先大羹、後人因大戴之文、妄增嚌字耳、而飽庶羞。考證孔廣森曰、庶羞、醢[illegible]肴核之屬、周禮、羞用百有二十品、其名物略見內則、貴本而親用也。考證孔廣森曰、玄酒黍稷大羹、是貴本、酒稻粱庶羞味美、故親用、貴本之謂文。親用之謂理。兩者合而成文、以歸太一。是謂大隆。索隱貴本親用、兩者合而成文、以歸太一、太一者、天地之本也、得禮之文理、是合於太一也、隆者、盛也高也、得禮文理、歸于太一、是禮之盛者也、考證楊倞曰、文、謂脩飾、理、謂合於宜、太一、謂太古時、禮運曰、夫禮必本於太一、故尊之上玄尊也、正義皇侃云、玄酒、水也、上古未有酒、而始之祭、但酌水用之、至晚世、雖有酒存古禮、尙用水代酒也、考證荀子、大戴禮、上作尙、尊作酒、俎之上腥魚也、豆之先大羹、一也。索隱尊之上玄尊、俎之上生魚、豆之先大羹、三者如一、皆是本、故云一也、考證荀子、大戴禮、腥作生、羹下有也字、孔廣森曰、太羹盛於登、豆云者、爾雅曰、瓦豆謂之登、亦通言之、利爵弗啐也、集解鄭玄曰、啐、入口也、索隱按儀禮、祭畢獻祝、西面告成、是爲利爵、祭初未行無算爵、故不啐入口也、考證爵下、荀子、大戴

禮、有之字、啐、荀子作醮、大戴禮作卒、久保愛曰、利爵、謂佐食者所獻之爵也、儀禮謂佐食者爲利、俞樾曰、利爵不醮、葢據大夫儐尸之禮、有司徹篇利洗爵獻於尸、尸酢獻祝、祝受祭酒、啐酒奠之、是其事也、利既獻尸、尸卒爵酢利、利又獻祝、祝受、奠之不啐、示祭事畢也、成事俎弗嘗也、索隱成事、卒哭之祭、故記曰、卒哭曰成事、既是卒哭之祭、始從吉祭、故受胙爵、而不嘗俎也、考證荀子、大戴禮、事下有之字、三侑之弗食也、索隱禮、祭必立侑以勸尸食、至三飯而後止、每飯有侑一人、故有三侑、既是勸尸、故不相食也、考證荀子、侑作臭、也下當依荀子大戴禮補一也二字、孔廣森曰、特牲饋食禮、尸三飯告飽、祝侑尸又三飯告飽、祝侑之如初、尸又三飯告飽、祝侑之如初、注云、不復飯者、三三者士之禮大成也、一也、三者皆禮之終、大昏之未廢齊也、索隱廢齊、謂昏禮、父親醮子而迎之前、故曲禮云、齋戒以告鬼神、是昏禮有齊也、考證荀子、大戴禮、廢作發、盧文弨曰、古廢發音同通用、孔廣森曰、發、始也、昏禮、將親迎必先齊、齊、音齋、俞樾曰、發猶致也、大廟之未內尸也、考證大戴禮無大字、孔廣森曰、謂若饋食尸未入之前爲陰厭也、始絕之未小斂、一也。索隱此五者皆禮之初、始質而未備、亦是貴本之義、故云一也、考證荀子、大戴禮、絕作卒、荀子、斂下有也字、孔廣森曰、三者皆禮之始、大路之素幬也、集解禮記曰、乘素車、貴其質也、鄭玄曰、素車、殷輅也、索隱幬、音稠、謂車葢以素帷、亦質也、考證幬、荀子作未集、大戴禮作幭、郊之麻絻、集解周禮曰、王祀昊天上帝、服大裘而冕、論語曰、麻冕禮也、孔安國曰、冕、緇布冠、古者績麻三十升布以爲之、正義

絻、音免、亦作冕、【考證】大戴禮、絻作冕、荀子大戴禮絻下有也字、喪服之先散麻、一也。【集解】儀禮士喪禮曰、始死、主人散帶、垂之三尺、禮記曰、大功已上散帶也、【索隱】大路已下、三事相似如一、故云一也、散麻、取其質無文飾、亦貴本也、【考證】大戴禮麻作帶、荀子麻下有也字、散麻、要絰也、喪禮小斂主人始絰散垂之、既成服乃絞、三年哭之不反也、【集解】禮記曰、斬衰之哭、若往而不反、【考證】荀子、年下有之字、喪二字、大戴禮、哭之作之哭、荀子、大戴禮、反作文、楊倞曰、不文、謂無曲折也、清廟之歌、【集解】鄭玄曰、清廟、謂作樂歌清廟、一倡而三歎、【集解】鄭玄曰、倡、發歌句者、三歎、三人從歎、【考證】禮樂記鄭注、者作也、縣一鐘尚拊膈、【集解】徐廣曰、一作搏膈、【索隱】縣一鍾尚拊膈、膈、懸鐘格、拊、音撫、膈不擊其鐘、而拊其格、不取其聲、亦質也、鄭氏隔、音膊、蓋依大戴禮也、而鄭禮注云、搏、拊祝敔也、【考證】大戴禮、鐘作罄、下有而字、膈作搏、荀子、拊下有之字、郝懿行曰、樂論篇、以拊鞷與鞉柷椌楬相儷、則皆樂器名也、拊者以韋爲之、實以糠、膈彼作鞷、其字從革、鞷疑亦拊之類、荀子之字誤倒、縣之一鐘句、尚拊膈句、尚者上也、鐘聲宏大、言不貴彼而上此、聲之近質者也、愚按史文自通、不必依荀子補之字、朱弦而通越、一也。【索隱】大瑟而練朱其弦、又通其下孔、使聲濁且遲、上質而貴本、不取其聲、又自三年已下四事、皆不取其聲也、【考證】陳仁錫曰、古本、通作洞、荀子楊倞注引史記、亦作洞、尚書大傳云、古者帝王升歌清廟之樂、大琴練弦達越、大瑟朱弦達越、凡禮始乎脫、【索隱】脫、猶疏略也、始、初也、言禮之初尚疏略也、【考證】大戴禮、乎作於、下同、荀子、脫作梲、成乎

文、【索隱】言禮成就有文飾、終乎稅。【集解】徐廣曰、一作悅、【索隱】音悅、言禮終卒和悅人情也、大戴禮、作終於隆、隆、謂盛也、【考證】荀子、稅作悅、校、校讀若於人心獨無恔乎之恔、快也、卽大戴禮終於隆之意、故至備情文俱盡。【集解】徐廣曰、古情字或假借作請、諸子中多有此比、【正義】言情文俱盡、言是禮之至備也、【考證】據集解、徐廣本情作請、楊倞曰、情、謂禮意、喪主哀、祭主敬之類、文、謂禮物威儀也、其次情文代勝。【索隱】勝、音昇、又尸證反、或文勝情、或情勝文、是情文更代相勝也、大戴禮、作迭興也、其下復情以歸太一。【索隱】言其次情文俱失、歸心渾沌天地之初、復禮之本、是歸太一也、【考證】楊倞曰、雖無文飾、但復情以歸質素、是亦禮也、若潢汙行潦之水、可薦於鬼神也、中井積德曰、其次其下、就禮中次第其事也、非美惡之等、天地以合、日月以明、四時以序、星辰以行、江河以流、萬物以昌、好惡以節、喜怒以當、以爲下則順、以爲上則明。【正義】自天地以下八事、大禮之備、情文俱盡、故用爲下則順、用爲上則明也、【考證】大戴禮、四時句在日月以明句下、洽作序、昌作倡、史文爲長、以上采荀子禮論篇文、又見大戴禮禮三本篇、明行昌當明韵、太史公曰。至矣哉、【索隱】已下亦是太史公取荀卿禮論之意、極言禮之損益、以結禮書之論也、【考證】以下亦荀子禮論篇文、太史公曰四字、後人妄增、至矣哉、荀子作禮豈不至矣哉、立隆以爲極。而天下莫之能益

損也。本末相順、【索隱】謂禮之盛、文理合以歸太一、隆殺皆歸太一者、是本末相順也、【考證】荀子、益損作損益、隆如上文太隆之隆、楊倞曰、立隆盛之禮、以極盡人情、使天下不復更能損益也、終始相應、【索隱】禮始於脫略、終於稅、稅亦殺也、殺與脫略、是始終相應也、【正義】應、乙隆反、當也、【考證】岡白駒曰、物始乎脫畧、終乎全成、全成亦於和悅、故曰終始相應、索隱於上文訓稅爲悅、至此改訓殺、互相支吾、至文有以辨。【索隱】言禮之至文、能辨尊卑貴賤、故云有以辨也、【考證】荀子、有以作以有、辨作別、至察有以說。【索隱】言禮之至察、有以明隆殺損益、委曲情文、足以悅人心、故云有以說也、【考證】荀子、有以作以有、王念孫曰、史記以有二字皆誤倒、以猶而也、天下從之者治、不從者亂。從之者安、不從者危。小人不能則也。【正義】小人、猶庶人也、則、法也、言天下士以上至于帝王、能從禮者、則治安、不能從禮者、則危亂、庶人據於事、不能法禮也、【考證】荀子、危下有從之者存、不從者亡九字、則作測、禮之貌誠深矣。【索隱】有本作懇誠者、非也、【考證】荀子、貌、竝作理、堅白同異之察、入焉而弱。【正義】言禮之貌信深厚矣、雖有鄒子堅白同異之辯、明察入於禮義之中、自然成懦弱敗壞之禮也、【考證】荀子、弱作溺、猪飼彥博曰、溺、沈滅也、久保愛曰、據荀子非十二子篇、堅白同異、斥惠施鄧析、其貌誠大矣。擅作典制褊陋之說、入焉而嗛。【索隱】言擅作典制、及褊陋之說、入焉、謂入禮、則自嗛望

知其失、【正義】言禮之貌信廣大矣、雖有擅作典制褊陋之說、文辭入於禮義之中、自然成淫俗褊陋之言、【考證】嗛、他本作望、今從王本、嗛、恨也、荀子作喪、久保愛曰、斥愼到田駢、正義、文辭二字疑衍、其貌誠高矣。暴慢恣睢輕俗以爲高之屬、入焉而墜。【索隱】恣睢、猶毀訾也、言訾毀禮者、自取隊滅也、【正義】言禮之貌信尊高矣、雖有暴慢恣睢輕俗以爲高之屬、入於禮義之中、自然成墜落、暴慢輕俗之人、【考證】荀子、墜作隊、楊倞曰、恣睢、矜放之貌、中井積德曰、輕俗、謂輕侮世俗、久保愛曰、此斥它囂魏牟、愚按正義暴慢輕俗之人六字、疑衍、故繩誠陳、則不可欺以曲直。【集解】鄭玄曰、誠、猶審也、陳、設也、謂彈畫也、【考證】中井積德曰、繩是縣垂之繩、非今之墨繩、陳、設也、列也、不必指彈畫、衡誠縣、則不可欺以輕重。【集解】鄭玄曰、衡、稱也、縣、謂錘也、【正義】縣、音玄、規矩誠錯、則不可欺以方員。【索隱】錯、置也、規、員也、矩、曲尺也、【正義】錯、七故反、【考證】荀子、錯作施、君子審禮、則不可欺以詐僞。【正義】詐僞、謂堅白同異、擅作典制、暴戾恣睢自高也、故陳繩曲直定、縣衡輕重分、錯規矩方員口、審禮詐僞自消滅矣、【考證】正義員下有脫字、故繩者、直之至也。衡者、平之至也。規矩者、方員之至也。禮者、人道之極也。然而不法禮者、不足禮。謂之無方之民。【集解】鄭玄曰、方、猶道也、【考證】荀

子、無者字、依下文、此衍、法禮足禮、謂之有方之士。禮之中能思索、謂之能慮。【索隱】索、求也、能慮勿易、謂之能固。【正義】易、謂輕易也、【考證】楊倞曰、勿易、不變也、能慮能固、加好之焉聖矣。【正義】好、火到反、言人以得禮之中、又能思審索求其禮、謂之能思慮、又不輕易其禮、謂之能堅固、能慮能固其禮、更加好之、乃聖人矣、【考證】加、猶益也、荀子、焉作者、下有斯字、聖下有人字、天者高之極也。地者下之極也。日月者明之極也。無窮者廣大之極也。聖人者道之極也。【正義】道、謂禮義也、言人有禮義則爲聖人、比於天地日月廣大之極也、【考證】荀子、無日月者明之極也七字、以財物爲用。【考證】荀子、以上有禮者二字、楊倞曰、以貢獻問遺之類爲行禮之用也、以貴賤爲文、【考證】楊倞曰、以車服旗章爲貴賤文飾也、以多少爲異、【考證】楊倞曰、多少異制、所以別上下也、以隆殺爲要、【索隱】隆、猶厚也、殺、猶薄也、文貌繁、情欲省、禮之隆也。【考證】荀子、貌作理、欲作用、下同、楊倞曰、文理謂威儀、情用謂忠誠、若享獻之禮、賓主百拜、情唯主敬、文過於情、是禮之隆盛也、愚按正義本亦欲作用、文貌省、情欲繁、禮之殺也。【考證】楊倞曰、若尊之尙玄酒、本於質素、情過於文、雖減殺是亦禮也、文貌情

欲、相爲內外表裏、竝行而雜、禮之中流也。【正義】言文飾情用、表裏外內、合於儒墨、是得禮情之中、而流行不息也、【考證】楊倞曰、或豐或殺、情文代勝、並行相雜、是禮之中流、愚按、中流、禮之中道也、君子上致其隆、下盡其殺、而中處其中、【正義】中、謂情文也、【考證】荀子、君上有故字、楊倞曰、致、極也、言君子於大禮極其隆厚、小禮則盡其降殺、中得其中、皆不失禮也、步驟馳騁廣鶩不外。【正義】鶩、音務、言君子之人、上存文飾、下務減省、而合情文、處得其中、縱有戰陣殺戮邪惡、則不弃於禮義矣、三皇步、五帝驟、三王馳、五伯鶩也、【考證】荀子、廣作厲、外下有是矣二字、是以君子之性守宮庭也。【索隱】言君子之性、守正不慢遠行、如常守宮庭也、【正義】宮庭聽朝處、喻君子心內常守禮義、若宮庭焉、【考證】荀子、無以字、性守作壇宇、愚按步驟以下十八字、當依荀子作步驟馳騁厲鶩不外是矣、是君子之壇宇宮庭也、厲亦馳也、言君子以禮爲壇宇宮庭、步驟馳騁、不出其外也、人域是域、士君子也。【索隱】域、居也、言君子之行、非人居亦弗居也、【正義】處平凡人域之中、能知禮義之域限、卽爲士及君子也、【考證】荀子、域作有、無下域字、愚按上域、居也、下域、禮也、言人居禮中者爲士君子、外是、民也。【索隱】外、謂人域之外、非人所居之地、以喻禮義之外、別爲它行、卽是小人、故云、外是人也、【考證】楊倞曰、是猶此也、民、民氓無所知者、愚按是斥禮、外猶離也、於是中焉房皇周浹、曲直得其次序、聖人也。【索隱】房、音旁、旁皇、猶徘徊也、周浹、猶周匝、言徘徊周浹、委曲得禮之序、動不失中、則是聖人之行也、【考證】愚按荀子、是下有其字、房作方、浹作挾、無直字、王引之曰、直字衍、荀子正作曲得其次序、索隱本亦似無直字、是、斥禮而言、故厚者、禮之積也。大者、禮之廣也。【索隱】言君子聖人、有厚大之德、則爲禮之所積益弘廣也、故曰、甘受和、白受采、忠信之人、可以學禮、苟無忠信、則禮不虛道、然此文皆荀卿禮論也、高者、禮之隆也。明者、禮之盡也。【正義】言君子內守其禮、德厚大積廣、至於高尊明禮、則是禮之終竟也、此書是褚先生取荀卿禮論兼爲之、【考證】以上采荀子禮論篇文、中井積德曰、言厚大高明之德、因禮而得之也、索隱故曰甘受和、白受采、並失倫、又曰、盡字只承明而不承高、【索隱】述贊、禮因人心、非從天下、合誠飾貌、救弊興雅、以制黎甿、以事宗社、情文可重、豐殺難假、仲尼坐樹、孫通蕝野、聖人作教、罔不由者、

禮書第一

史記二十三

史記會注考證卷二十四

漢　太　史　令　司　馬　遷　撰
宋　中　郎　外　兵　曹　參　軍　裴　駰　集　解
唐　國　子　博　士　弘　文　館　學　士　司　馬　貞　索　隱
唐　諸　王　侍　讀　率　府　長　史　張　守　節　正　義
日　本　出　雲　瀧　川　資　言　考　證

樂書第二　史記二十四

正義 天有日月星辰、地有山陵河海、歲有萬物成熟、國有聖賢宮觀周域官僚、人有言語衣服體貌端修、咸謂之樂、樂書者、猶樂記也、鄭玄云、以其記樂之義也、此於別錄

屬樂記、蓋十一篇、合爲一篇、十一篇者有樂本、有樂論、有樂施、有樂言、有樂禮、有樂情、有樂化、有樂象、有賓牟賈、有師乙、有魏文侯、今雖合之、亦略有分焉、劉向校書、得樂書二十三篇、著於別錄、今樂記惟有十一篇、其名猶存也、考證 史公自序云、樂者所以移風易俗也、自雅頌聲興、則已好鄭衞之音、鄭衞之音所從來久矣、人情之所感、遠俗則懷、比樂書以述來古、作樂書第二、陳仁錫曰、余每讀虞書、至誹謗聖制當族、俱太史公妙筆也、張照曰、按樂書謂褚先生補者、亦出張守節正義、今考太史公曰以下敍虞書以至秦二世、見古樂之失傳、自高祖過沛至天馬來、志漢樂之梗概、後載汲黯正直之言、公孫詒諛之語以結之、以明漢樂之所以不興、當馬遷之時、所應作之樂書、如是止矣、然則樂書未嘗不竟也、後人復以樂記全文寫入公孫弘語之下、又取晉平公事不經之談以附益之、而馬遷之義始晦矣、

太史公曰。余每讀虞書、至於君臣相敕、維是幾安、而股肱不良、萬事墮壞、未嘗不流涕也。考證 起首至黯誹謗聖制當族、是史公樂書序、虞書、今文臯陶謨、維是幾安、作惟時維幾、徐孚遠曰、歌言志、樂之所由作也、則樂書當推本虞歌、方苞曰、以公孫弘語結、故以此發端、愚按、十二諸侯年表序云、太史公讀春秋曆譜諜、至周厲王、未嘗不廢書而歎也、孟荀列傳序云、太史公曰、余讀孟子書、至梁惠王問何以利吾國、未嘗不廢書而歎也、屈原傳贊、太史公曰、余讀離騷天問招魂哀郢、悲其志、適長沙觀屈原所自沈淵、未嘗不垂涕、想見其爲人、儒林傳序、太史公曰、余讀功令、至於廣厲學官之路、未嘗不廢書而歎也、與是篇同一起法、蓋史公慣家手段、後世蘇子瞻好用此法、成王作頌、

推己懲艾、正義 音刈、悲彼家難、正義 乃憚反、家難、謂文王囚羑里、武王伐紂、考證 陳仁錫曰、頌、卽周頌小毖之詩、家難、謂武庚管蔡之叛、正義非、愚按小毖詩云、予其懲而毖後患、又云、未堪家難、予又集于蓼、可不謂戰戰恐懼、善守善終哉。正義 言成王作頌、悲文王戰戰恐懼、推己戒勵爲治、是善守善終也、君子不爲約則修德、滿則弃禮。正義 爲、于僞反、佚能思初、安能惟始。沐浴膏澤、而歌詠勤苦。非大德誰能如斯。傳曰。治定功成、禮樂乃興海內。考證 傳曰、未詳、中井積德曰、海內二字、衍、方苞曰、正與武帝好大喜功相反、人道益深、其德益至、所樂者益異。滿而不損則溢。盈而不持則傾。考證 盈、不避廟諱、何也、凡作樂者、所以節樂。正義 音洛、言不樂至荒淫也、君子以謙退爲禮、以損減爲樂。樂其如此也、以爲州異國殊、情習不同。故博采風俗、協比聲律、以補短移化、助流政教。正義 比、音鼻、天子躬於明堂臨觀、而萬民咸蕩滌邪穢、斟酌飽滿、以

飾厥性。故云。雅頌之音理而民正。嘄噭之聲興而士奮。鄭衞之曲動而心淫。索隱 嘄噭、上姑堯反、又音叫、下音擊、及其調和諧合、鳥獸盡感。而況懷五常含好惡。自然之勢也。考證 列子楊朱篇、人肖天地之類、懷五常之性、有生之最靈者人也、漢書董仲舒傳、夫仁誼禮知信、五常之道、王者所當務也、刑法志亦曰、夫人宵天地之貌、懷五常之性、聰明精粹、有生之最靈者也、愚按史記五常文字、獨見乎此、治道虧缺、而鄭音興起、封君世辟、名顯鄰州、爭以相高。索隱 辟、君也、正義 辟、幷亦反、自仲尼不能與齊優遂容於魯。索隱 齊人歸女樂、而孔子行、言不能遂容於魯而去也、或作逐客、考證 與、偕也、方苞曰、視用誤耳、倡優協律、薦馬歌於祖廟者何如、雖退正樂以誘世、作五章以刺時、猶莫之化。索隱 按家語云、孔子嗤季桓子作歌引詩曰、彼婦人之口、可以出走、彼婦人之謁、可以死敗、優哉游哉、聊以卒歲、是五章之刺也、考證 梁玉繩曰、此歌止可五章之一、不得遂該五章也、陵遲以至六國、流沔沈佚、遂往不返、卒於喪身滅宗、幷國於秦。秦二世尤以爲娛。丞相李斯進諫曰。放弃詩

書、極意聲色、祖伊所以懼也。【正義】祖伊諫殷紂、紂不聽、孔安國云、祖己後賢臣也、【考證】凌稚隆曰、李斯既導秦焚書矣、此又以放棄詩書爲懼乎、抑其所指詩書、乃刻石刑名之類也、愚按李斯所焚止民間詩書、蓋懼黔首以古非今也、而官府舊藏仍存、且其言見便而發、前後往往相異、見本傳所記可以觀矣、放棄詩書之諫、史公所記、未必失其實、輕積細過、恣心長夜、紂所以亡也。趙高曰。五帝三王、樂各殊名、示不相襲。上自朝廷、下至人民、得以接歡喜合殷勤。非此、和說不通、解澤不流。【正義】說、音悅、解、音蟹、言非此樂、和適亦悅樂之不通、散恩澤之事不流、各一世之化也、諫二世故名之也、【考證】張文虎曰、上自二字凌本有、各本無、岡白駒曰、解澤、散下恩澤也、言雖下恩澤而不流散、張文虎曰、正義有誤脫、亦各一世之化、度時之樂。何必華山之騄耳而后行遠乎。二世然之。高祖過沛、詩三侯之章、【索隱】按過沛詩、卽大風歌也、其辭曰、大風起兮雲飛揚、威加海內兮歸故鄉、安得猛士兮守四方、是也、侯、語辭也、詩曰、侯其禕而者是也、兮亦語辭也、沛詩有三兮、故云三侯也、【考證】梁玉繩曰、大風歌有三兮、而無三侯、明方以智通雅四謂兮與侯古通用、但侯發語辭、與兮不同也、愚按漢書禮樂志、作作風起之詩、令小兒歌之。【考證】漢志、

小兒作僮兒、高祖崩、令沛得以四時歌儛宗廟。孝惠・孝文・孝景、無所增更、於樂府習常肄舊而已。【正義】肄、音異、【考證】凌稚隆曰、肄當作肆、習也、至今上卽位、作十九章。【索隱】按禮樂志、安世房中樂有十九章、【考證】陳仁錫曰、十九章乃武帝郊祀樂也、見漢書樂志、若安世房中樂十七章、則高祖唐山夫人所作也、索隱注誤、愚按漢書禮樂志云、至武帝定郊祀之禮、祠太一於甘泉、祭后土於汾陰、乃立樂府、采詩夜誦、有趙代秦楚之謳、以李延年爲協律都尉、多擧司馬相如等數十人、造爲詩賦、略論律呂、以合八音之調、作十九章歌、卽此事、令侍中李延年次序其聲、拜爲協律都尉。通一經之士、不能獨知其辭。皆集會五經家、相與共講習讀之、乃能通知其意。多爾雅之文。【考證】胡三省曰、漢時五經之學、各專門名家、故通一經者、不能盡通歌詩之辭意、必集五經家、相與講讀、乃得通也、漢家常以正月上辛祠太一甘泉。【考證】顏師古曰、用上辛、用周禮郊天日也、辛、取齋戒自新之義、以昏時夜祠、到明而終。【考證】張文虎曰、御覽引史記、無夜字、疑衍、常有流星經於祠壇上。【考證】漢志、作常有神光如流星、止集于祠壇、使僮男僮女七十

人俱歌。春歌靑陽、夏歌朱明、【集解】瓚曰、爾雅云、春曰靑陽、夏曰朱明、秋歌西皞、冬歌玄冥。【集解】韋昭曰、西方少皞也、【正義】禮記月令云、玄冥、水官也、【考證】岡白駒曰、靑陽朱明西皞玄冥、皆在十九章中、愚按四歌皆取起首二字名篇、漢志西皞作西顥、世多有。故不論。【索隱】言四時歌多有其詞、故此不論載、今見漢書禮樂志、【考證】管晏列傳贊云、至其書、世多有之、是以不論、申韓列傳云、申子韓子、皆著書傳於後世、學者多有、孫吳列傳贊云、世俗所稱師旅、皆道孫子十三篇、吳起兵法、世多有、故弗論、司馬穰苴傳贊、世既多司馬兵法、以故不論、史公常用文字、又嘗得神馬渥洼水中。【集解】李斐曰、南陽新野有暴利長、當武帝時、遭刑、屯田燉煌界、人數於此水旁見羣野馬中有奇異者、與凡馬異、來飲此水旁、利長先爲土人持勒靽於水旁、後馬玩習、久之、代土人持勒靽、收得其馬、獻之、欲神異此馬、云從水中出、蘇林曰、洼、音窪曲之窪也、【索隱】洼、音一佳反、烏花反、蘇林音窪曲之窪、窪卽窊也、【考證】據漢書武紀、馬生渥洼水作歌、在元鼎四年之秋、禮樂志誤以爲元狩三年、復次以爲太一之歌。歌曲曰。太一貢兮天馬下。【索隱】按禮樂志、貢作況、況、與貢意亦通、【正義】太一、北極大星也、【考證】漢志、兮字竝無、顏師古曰、此天馬乃太一所賜、故來下也、霑赤汗兮沫流赭。【集解】應劭曰、大宛馬汗血霑濡也、流沫如赭、【考證】漢志、下有志俶儻精權奇、籋浮雲晻上馳二句、騁容與兮跇萬里。【集解】孟康曰、跇、音逝、如淳曰、跇、謂超踰也、【索隱】音逝、鄒誕生云、跇、一作世、亦音

跇、跇、超也、【考證】漢志、騁作體、跇作泄、今安匹兮龍爲友。【考證】顏師古曰、言今更無與匹者、唯龍可爲之友耳、愚按漢志所載樂歌三十六章、皆不用兮字、蓋協律之日刪之、後伐大宛得千里馬。馬名蒲梢。【集解】應劭曰、大宛舊有天馬種、蹋石汗血、汗從前肩髆出如血、號一日千里、【索隱】梢、音史交反、又本作騷、亦同音、【考證】宛馬名蒲梢、他書無所考、漢志載太初四年誅宛王獲宛馬歌、凡六章、章二句、其首章、與是書所載歌首尾二句相似、蓋後來所補訂也、次作以爲歌。歌詩曰。天馬來兮從西極。經萬里兮歸有德。承靈威兮降外國。涉流沙兮四夷服。中尉汲黯進曰。凡王者作樂、上以承祖宗、下以化兆民。今陛下得馬、詩以爲歌、協於宗廟。先帝百姓、豈能知其音邪。上默然不說。丞相公孫弘曰。黯誹謗聖制。當族。【考證】梁玉繩曰、獲宛馬作歌、在太初四年之春、而公孫弘卒于元狩二年三月、渥洼大宛事不及見、安得有誹謗聖制之譖哉、汲黯未嘗爲中尉之官、得渥洼馬時、黯在淮陽爲太守、無緣面譏武帝、得大宛馬時、黯卒已十二年、又安得誹謗聖制哉、困學紀聞通鑑問答、謂樂書後人所續、厚誣古人、非史遷之筆、豈有遷在當時而乖舛如此、通鑑攷異不得其說、疑馬生渥洼作歌在元狩三年、汲黯爲右內史而譏之、言當族

者、非公孫弘、殊不然也、愚按、據漢公卿表、太初四年得大宛馬時、公孫賀爲丞相、則弘字當賀字之訛、史記汲黯傳云、上以黯故官其弟汲仁至九卿、蘇秦弟有蘇代蘇厲、樂毅子有樂間、兄弟親戚資性近似者、往往有之、面譏武帝者、安知不汲仁乎、後人校史記者、熟公孫弘汲黯名、而不究其事、以意妄改、亦未可知也、又按結末數語、與平準書烹弘羊、天乃雨同一筆法、言外有無限意味、彼欲歸罪於桑弘羊、此不欲顯言君惡、史公妙筆、後人不可企及、又按以上史公禮書序、以下後人取禮記樂記韓非子十過等書妄增、

凡音之起、由人心生也。【正義】皇侃云、此章有三品、故名爲樂本、備言音聲所起、故名樂本、夫樂之起、其事有二、一是人心感樂、樂聲從心而生、一是樂感人心、心隨樂聲而變也、人心之動、物使之然也。【正義】物者、外境也、外有善惡來觸於心、則應觸而動、故云物使之然也、感於物而動、故形於聲。【集解】鄭玄曰、宮商角徵羽雜比曰音、單出曰聲、形猶見也、王肅曰、物、事也、謂哀樂喜怒和敬之事、感人而動、見於聲、聲相應、故生變。【集解】鄭玄曰、樂之器、彈其宮則衆宮應、然而不足樂、是以變之使雜也、【正義】崔靈恩云、緣五聲各自相應、不足爲樂、故變使雜、令聲音諧和也、【考證】郝懿行曰、變謂清濁高下相變、變成方、謂之音。【集解】鄭玄曰、方猶文章、【正義】皇侃云、單聲不足、故變雜五聲、使交錯成文、乃謂爲音也、【考證】郝懿行曰、方猶體也、清濁變而成曲調、愚按、下文云情動於中、故形於聲、聲成文謂之音、比音而樂之、及干戚羽旄。謂之樂也。【集解】鄭玄曰、干、楯也、戚、斧也、武舞所執也、羽、翟羽也、旄、旄牛尾、文舞所執也、

【正義】比、音鼻、次也、音、五音也、言五音雖雜、猶未足爲樂、復須次比器之音、及文武所執之物、共相諧會、乃是由音得名爲樂、武陰文陽、故所執有輕重異、【考證】禮記樂記、無也字、樂者、音之所由生也。【正義】合音乃成樂、是樂由音而生、諸樂生起之所由也、【考證】中井積德曰、此論音之初起、是未有樂之時耳、蓋本文錯謬、樂者音之所由起也、當作音者樂之所由起也、館本考證云、正義諸樂生起所由之生也、宜云諸樂生起之所由也、其本在人心感於物也。【正義】本、猶初也、物、外境也、言將欲明樂隨心見、故更陳此句也、【考證】說苑脩文篇、無也字、是故其哀心感者、其聲噍以殺。【集解】鄭玄曰、噍、踧也、【索隱】焦、音如字、鄭誕生作噍、音將妙反、【正義】殺、所介反、噍、踧急也、若外境痛苦、則其心哀戚、哀戚在心、故樂聲踧急而殺也、此下六者、皆人君見前境來感己而制樂音、隨心見之也、【考證】索隱本噍作焦、其樂心感者、其聲嘽以緩。【集解】鄭玄曰、嘽、寬綽之貌、【正義】嘽、寬也、若外境可美、則其心歡樂、歡樂在心、故樂聲必隨而寬緩也、其喜心感者、其聲發以散。【集解】鄭玄曰、發、揚也、【正義】若外境會意、其心喜悅、悅喜在心、故樂聲發揚也、【考證】中井積德曰、發暢散渙、正是譙殺之反、其怒心感者、其聲麤以厲。【正義】若外境乖失、故己心怒、恚怒在心、心隨怒而發揚、故無輭核、則樂聲麤彊而嚴厲也、【考證】說苑、麤作壯、其敬心感者、其聲直以廉。【正義】廉、隅也、若外境尊高、故己心悚敬、悚敬在內、則樂聲直而有廉角也、其愛心感

者、其聲和以柔。【正義】柔、輭也、若外境憐慕、故己心愛惜、愛惜在內、則樂和柔也、【考證】說苑、柔作調、六者非性也。【正義】性本靜寂、無此六事、六事之生、由應感見而動、故云非性、【考證】說苑、六者作人之善惡、感於物而后動。【集解】鄭玄曰、言人聲在所見、非有常、是故先王愼所以感之。【正義】六事隨見而動、非關本性、聖人在上、制正禮以防之、故先王愼所以感之者也、【考證】禮記、之下有者字、故禮以導其志、樂以和其聲、政以壹其行、刑以防其姦。【正義】行、胡孟反、【考證】說苑、導作定、志作意、禮樂刑政、其極一也。【集解】鄭玄曰、極、至也、【正義】四事防愼所感之由也、用禮教導其志、用世樂諧和其聲、用法律齊其行、用刑辟防其凶、民不復流僻徒感、防之、使同其一敬、不爲非也、極、至也、【考證】中井積德曰、極一、猶言歸一也、所以同民心而出治道也。【集解】鄭玄曰、此其所謂至也、【正義】上四事功成、民同其心、俱不邪僻、故治道出也、民心所觸、有前六者不同、故聖人用後四者制之、【考證】說苑、出作立、凡音者生人心者也。【正義】此樂本章第二段、明樂感人心也、人心、卽君人心也、樂音善惡、由君上心之所好、故云生於人心者也、【考證】中井積德曰、人心及情、皆汎說、不專指君、情動於中、故形於聲。【正義】情、君之情也、中、猶心也、心旣感物而動、故形見於聲也、聲成文、謂之音。【正義】謂之音、清濁雖異、

各見於外、成於文彩、並謂之音也、是故治世之音、安以樂。其正和。【正義】樂、音洛、言平理之世、其樂音安靜而歡樂也、正、政同也、【考證】正、諸本作政、禮記說苑亦作政、下並同、張文虎曰、政、柯本作正、錢泰吉云、正文作正、故正義有正政同也四字、亂世之音、怨以怒。其正乖。【集解】徐廣曰、一作煩、【正義】亂世之音、民心怨怒、樂聲亦怨、由其正乖僻故、亡國之音、哀以思。其民困。【正義】思、音四、亡國謂將欲滅亡之國、樂音悲哀而愁思、亡國之時、民之心哀思、其樂音亦哀思、由其民困苦故也、聲音之道、與正通矣。【集解】鄭玄曰、言八音和否隨政也、【正義】正和則聲音安樂、正乖則聲音怨怒、是聲音之道、與正通矣、宮爲君。【集解】王肅曰、居中總四方、【索隱】居中總四方、宮弦最大、用八十一絲、聲重而尊、故爲君、【正義】宮屬土、居中央總四方、君之象也、【考證】鄭玄曰、音生於宮、其數八十一、凡聲尊卑取象五行、數多者濁、數少者清、大者不過宮、細者不過羽、商爲臣。【集解】王肅曰、秋義斷、【索隱】商是金、金爲決斷、臣事也、弦用七十二絲、次宮、如臣次君也、【考證】鄭玄曰、三分徵益一、以生商、商數七十二、角爲民。【集解】王肅曰、春物並生、各以區別、民之象也、【索隱】弦用六十四絲、聲居宮羽之中、比君爲劣、比物爲優、故音清濁中、人之象也、【正義】角屬木、以其清濁中、民之象、【考證】鄭玄曰、三分羽益一、以生角、角數六十四、徵爲事。【集解】王肅曰、夏物盛、故事多、【索隱】徵屬夏、夏時生長萬物、皆成形體、事亦有體、故配事、弦用五十四絲、【正義】徵屬火、以其徵清事之象也、【考證】鄭玄曰、三分宮去一、以生徵、徵數五十四、羽

爲物。【集解】王肅曰、冬物聚、【索隱】羽爲水、最清、物之象、王肅云、冬物聚、故爲物、弦用四十八絲、【考證】鄭玄曰、三分商去一、以生羽、羽數四十八、五者不亂、則無沾懘之音矣。【集解】鄭玄曰、沾懘、獘敗不和之貌也、【索隱】苦滯、又本作沾懘、【正義】沾、獘也、懘、敗也、君臣民事物五者、各得其用、不相壞亂、則五音之響無弊敗也、【考證】禮記沾作怗、說苑五者一句作五音亂則無法、無法之音、宮亂則荒。其君驕。【集解】鄭玄曰、荒、猶散、【正義】宮亂、則其聲放散、由其君驕溢故也、商亂則搥。其臣壞。【集解】徐廣曰、搥、今禮作陂也、【索隱】槌、鄒音都回反、徐廣曰、今禮作陂、言詖也、【正義】商音亂、其聲欹邪不正、由其臣不理於官壞故也、【考證】搥、鄒誕生讀爲頹、禮記說苑作陂、角亂則憂。其民怨。【正義】角音亂、其聲憂愁、由政虐民怨故也、徵亂則哀。其事勤。【正義】徵音亂、其聲哀苦、由繇役不休、其民事勤勞也、羽亂則危。其財匱。【正義】羽音亂、其聲傾危、由君賦重、於其民貧乏故也、五者皆亂、迭相陵、謂之慢。【正義】迭、互也、陵、越也、五聲竝不和、則君臣上下互相陵越、所以謂之爲慢也、【考證】說苑、迭作代、中井積德曰、相陵、皆以音聲言也、如此、則國之滅亡無日矣。【集解】鄭玄曰、君臣民事物也、其道亂、則其音應而亂也、【索隱】無日、猶言無復一日也、以言君臣陵慢如此則國之滅亾、朝夕可待、無復一日也、【考證】中井積德曰、無日、無幾日也、鄭衛之音、亂世之音也。比於慢矣。【集解】鄭玄曰、比、猶

同、【正義】鄭音好濫淫志、衞音促速煩志、竝是亂世音、雖亂而未滅亾、故比慢也、比、必以反、【考證】中井積德曰、比、近也、桑間濮上之音、亡國之音也。【集解】鄭玄曰、濮水之上地、有桑間、在濮陽南、【正義】昔殷紂使師延作長夜靡靡之樂、以致亾國、武王伐紂、此樂師師延將樂器投濮水而死、後晉國樂師師涓、夜過此水、聞水中作此樂、因聽而寫之、既得還國、爲晉平公奏之、師曠撫之曰、此亡國之音也、得此必於桑閒濮上乎、紂之所由亡也、【考證】中井積德曰、桑間與濮上、樂章蓋自別、濮上之事在後、政散、其民流、誣上行私、而不可止。【正義】若用此濮上之音、其政必離散、而民人流徙逃亡、緣臣誣上各行私情、國卽滅亡、而不可禁止也、【考證】說苑、止下有也、凡音者生於人心者也。【正義】此樂章第三段也、前第一段、明人心感樂、第二段、明樂感人心、此段聖人制正樂以應之、此段自有二重、自凡音至反人道爲一重、卻應第二段樂感人心也、又自人心生而靜至王道備矣、爲一重、卻應第一段人心感樂也、【考證】正義自人下心字疑衍、樂者通於倫理者也。【集解】鄭玄曰、倫、猶類也、理、分也、【正義】音初生、自君心形而成樂、樂成則能通於百姓、使各盡其類分、故曰通倫理者也、【考證】姜兆錫曰、謂通乎萬物倫類之分理也、是故知聲而不知音者、禽獸是也。知音而不知樂者、衆庶是也。唯君子爲能知樂。【集解】鄭玄曰、禽獸知此爲聲耳、不知其宮商之變、八音竝作克諧曰樂、是故審聲以知音、【正義】聲爲

音本、若欲知音、當須審定其聲、然後音可知、審音以知樂、【正義】音爲樂本、前審定其音、然後可知樂也、審樂以知政、【正義】樂爲政本、前審定其樂、然後政可知也、而治道備矣。【正義】前審定其本、後識其末、則爲治之道乃可備也、是故不知聲者、不可與言音。不知音者、不可與言樂。知樂則幾於禮矣。【集解】鄭玄曰、幾、近也、【正義】禮、謂治國之禮、包萬事、萬事備具、始是禮極、今知樂者、但正君臣民事物五者之情、於禮末極、故云幾於禮也、【考證】應鏞曰、倫理之中、皆禮之所寓、知樂則通于禮矣、不曰通而曰幾者、辨析精微之極也、禮樂皆得、謂之有德。德者得也。【集解】鄭玄曰、聽樂而知政之得失、則能正君臣民事物之禮、【正義】若聽樂而知禮、則是禮樂皆得、二者備具、則是有德之君也、又言有德之人、是能得禮樂之情、故云德者得也、是故樂之隆、非極音也。【集解】鄭玄曰、隆、猶盛也、極、猶窮也、【正義】大樂之盛、本在移風易俗、非窮鐘鼓之音、故云非極音也、故論語、樂云樂云、鐘鼓云乎哉、是也、食饗之禮、非極味也。【正義】食、音嗣、食享、謂宗廟祭也、大禮之盛、本在安上治民、非崇玉帛至味、故云非極味也、故論語、禮云禮云、玉帛云乎哉、是也、清廟之瑟、【集解】鄭玄曰、清廟、謂作樂歌清廟、王肅曰、於清廟中所鼓之瑟、朱弦而疏越、【集解】鄭玄曰、越、瑟底孔、畫疏之、使聲遲、一倡而三歎。有遺音者矣。【集解】鄭玄

曰、遺、猶餘也、王肅曰、未盡音之極、【正義】倡、音唱、一唱、謂一人始唱歌、三歎、謂三人讚歎也、樂歌此先王之道、不極音聲、故但以熟弦廣孔少唱寡和、此音有德傳於無窮、是有餘音不已、一云、所重在德本、不在音、是有遺餘音、念之不忘也、大饗之禮、【正義】大享、卽食享也、變食言大、崇其名故也、不尚重味、故食言大也、此言禮盛不作至味之事、尚玄酒、【正義】祫祭之禮、則列玄尊在上、五齊在下也、而俎腥魚、【正義】凡俎有肴生腊、是俎腥魚者生魚也、俎雖有三牲、而兼載生魚也、大羹不和。【正義】和、胡臥反、大羹、肉汁也、祫祭有肉汁爲羹、無鹽菜之芼和也、有遺味者矣。【正義】遺、亦餘也、此著質素之食禮、人主誠設之道、不極滋味、故尚明水而腥魚、此禮可重、流芳竹帛、傳之無已、有餘味、一云、禮本在德、不在甘味、故用水魚而遺味也、【考證】呂氏春秋適音篇、有遺音矣、作有進乎音者矣、酒作尊、腥作生、有遺味者矣、作有進乎味者也、中井積德曰、遺味遺音、只是不極盡之意也、不和、謂無五味之和也、不數菜芼、俞樾曰、注所謂遺猶餘也者、非美其音之有餘、味之有餘也、天下之音、不盡於此、是謂有餘音、天下之味、不盡於此、是謂有餘味、上文曰、樂之隆、非極音也、食饗之禮、非致味也、兩言有遺、正見不極音不致味之意、是故先王之制禮樂也、非以極口腹耳目之欲也。將以教民平好惡、而反人道之正也。【集解】鄭玄曰、教之知好惡、【正義】好、火到反、惡、一故反、平、均也、言先王制禮作樂、本是教誨澆民、平於好惡之理、故去惡歸善、不爲口腹耳目之欲、令反歸人之正道也、【考證】中井積德曰、教、使也、人生而靜、

天之性也。【正義】此第三段第二重也、人初生、未有情欲、其情欲至靜、稟于自然、是天之性也、感於物而動、性之頌也。【集解】徐廣曰、頌、音容、今禮作欲、【正義】其心雖靜、感於外、情因物而動、是性之貪欲也、【考證】禮記頌作欲、兪樾曰、性之欲也、義不可通、史記樂書作性之頌也、疑古本禮記如此、徐廣曰、頌音容、當從之、月令篇、有不戒其容止者、注、容止、猶動靜也、以動訓容、以靜訓止、是容有動義、孟子盡心篇、動容周旋中禮、動容連文、其義一也、感於物而動、性之容也、上句言動、下句言容、文義相應、蓋動容本古人常語耳、且此兩句、以動容爲韻、上兩句以靜性爲韻、皆有韻之文、物至知知、然后好惡形焉。【集解】王肅曰、事至、能以智知之、然後情之好惡見、【正義】上知、音智、好惡無節於內、知誘於外、不能反己、天理滅矣。【集解】王肅曰、內無定節、智爲物所誘於外、情從之動、而失其天性、【正義】言好惡不自節量於心、唯知情慾誘之於外、不能反還己躬之善、則天性滅絕矣、【考證】禮記樂記己作躬、王應麟曰、天理二字、始見於樂記、又曰、文子曰、人生而靜、天之性也、感於物而動、性之善也、物至而應、智之動也、智與物接而好憎生焉、好憎成形、而智怵於外、不能反己、而天理滅矣、與樂記相出入、古之遺言歟、黃震曰、樂記間多精語、如曰人生而靜、天之性也、感於物而動、性之欲也、如曰好惡無節於內、知誘於外、不能反躬、天理滅矣、皆近世理學所據以爲淵源、夫物之感人無窮、而人之好惡無節、則是物至而人化物也。【集解】鄭玄曰、隨物變化、【正義】夫物不一、故言無窮也、若人心嗜慾無度、隨好惡不

不能節之、則與之而化、故云人化物、人化物也者、滅天理而窮人欲者也。【集解】鄭玄曰、言無所不爲、【正義】心隨物化、則滅天性而恣人心之欲也、【考證】岡白駒曰、天理人欲、專語聲音之感人也、始未嘗爲道言、宋儒取以說其道、於是有悖逆詐僞之心。有淫佚作亂之事。是故彊者脅弱、衆者暴寡、知者詐愚、勇者苦怯、疾病不養、老幼孤寡不得其所。此大亂之道也。是故先王制禮樂、人爲之節。【集解】鄭玄曰、爲作法度以遏其欲也、王肅曰、以人爲之節、言得其中也、【考證】禮記、王下有之字、中井積德曰、人、謂人人也、衰麻哭泣、所以節喪紀也。【正義】此以下竝是陳禮節人之事也、制五服哭泣、所以紀喪事之節、而不使背死忘生也、事死者難、故以哀哭爲前也、鐘鼓干戚、所以和安樂也。婚姻冠笄、所以別男女也。【集解】鄭玄曰、男二十而冠、女許嫁而笄、【正義】冠、音貫、笄、音雞、射鄉食饗、所以正交接也。【集解】鄭玄曰、射鄉、大射鄉飲酒、【考證】中井積德曰、射、不必大射、此當以鄉射爲主、孔穎達曰、食饗、饗食賓客也、禮節民心、樂和民聲、政以行之、刑以防之。禮樂刑政、四達而不悖、則王道備

矣。樂者爲同。禮者爲異。【集解】鄭玄曰、同、謂協好惡也、異、謂別貴賤、【正義】此第二章、名爲樂論、其中有四段、此章論禮樂同異也、夫樂、使率土合和、是爲同也、禮、使父子殊別、是爲異也、【考證】鄭說是、同則相親。異則相敬。樂勝則流。【集解】王肅曰、流遁不能自還、禮勝則離。【集解】王肅曰、離析而不親、【正義】勝、式證反、勝、猶過也、禮樂雖有同異、而又相須也、若樂過和同、而無禮、則流慢、無復尊卑之敬、若禮過殊隔、無樂、則親屬離析、無復骨肉之愛也、合情飾貌者、禮樂之事也。【集解】鄭玄曰、欲其竝行彬彬然、【正義】樂和內、是合情也、禮檢迹、是飾貌也、禮義立、則貴賤等矣。【集解】鄭玄曰、等、階級、樂文同、則上下和矣。【正義】文、謂聲成文也、若作樂文爲諧同、則上下竝和、是樂和民聲也、【考證】此言樂文之理也、下文正義云、宮商錯而成文、好惡著、則賢不肖別矣。【正義】好惡、竝去聲、又竝如字、著、張慮反、若法律分明、善惡章著、則賢愚斯別、政化行矣、刑禁暴、爵舉賢、則政均矣。【正義】王者爲用刑、則禁制暴慢、疏爵以舉賢良、則政治均平、是刑以防之矣、既是禁暴、而又言舉賢者、示刑最爲重、不宜獨行、必須賞罰兼明也、然禮樂之用、非政不行、明須四事連行也、仁以愛之、義以正之。如此則民治行矣。【正義】言禮樂刑政既均、又須仁以愛民、義以正民、如此則民順理、正行矣、【考證】應鏞曰、上言王道備、言其爲治之具也、此言民治行、言其爲治之效、

樂由中出。【集解】鄭玄曰、和在心、【正義】此樂論第二段、謂樂功也、出、猶生也、爲人在中和有未足、故生此樂也、禮自外作。【集解】鄭玄曰、敬在貌、【正義】作、猶起也、爲人在外敬有未足、故起此禮也、樂由中出、故靜。【正義】樂和人心、心在內、故云靜、禮自外作、故文。【集解】鄭玄曰、文、猶動、【正義】禮肅人貌、貌在外、故云動、大樂必易。【正義】易、以豉反、朱弦疏越是也、大禮必簡。【集解】鄭玄曰、易簡、若於清廟大饗然、【正義】玄酒腥魚是也、樂至則無怨。禮至則不爭。【集解】鄭玄曰、至、猶達也行也、【正義】樂行主和、和達則民無復怨怒也、禮行主謙、謙達則民不爭競也、揖讓而治天下者、禮樂之謂也。暴民不作、諸侯賓服、兵革不試、【集解】鄭玄曰、賓、協也、試、用也、五刑不用、百姓無患、天子不怒。如此則樂達矣。合父子之親、【正義】前云禮至不爭、故致天下尊卑之序也、禮使父慈子孝、是合父子之親也、卽父事三老是也、明長幼之序、【正義】長坐幼立、是明長幼之序、卽兄事五更是也、以敬四海之內。【正義】孝經云、教以孝、所以敬天下之爲人父、教以弟、所以敬天下之爲人兄、教以臣、所以敬天下之爲君、卽是敬四海之內也、【考證】應鏞曰、四海之內四字、當在合父子之親上、天子如此則禮行矣。【正義】言天子能躬行禮、則臣下必用禮、如此則禮行矣、

合父子以下、悉自天子自身行之也、[考證]李慈銘曰、天子如此四字、甚不成語、此段上節有云如此則民治行矣、下節有云如此則四海之內合敬同愛矣、文皆一律、此處不得添出天子二字、當是涉上文天子不怒而衍、愚按李說似是、大樂與天地同和。[正義]此樂論第三段、論以禮與樂唯聖能識也、言天地以氣氤氳合生萬物、大樂之理、順陰陽律呂、生養萬物、是大樂與天地同和也、大禮與天地同節。[集解]鄭玄曰、言順天地之氣與其數也、[正義]言天有日月、地有山川、高卑殊形、生用各別、大禮辯尊卑貴賤等差異別、是大禮與天地同節、和、故百物不失。[集解]鄭玄曰、不失其性、[正義]樂與天地同和、能生成萬物、節、故祀天祭地。[集解]鄭玄曰、成物有功報焉、[正義]禮與天地同節、有尊卑上下、報生成萬物之功、明則有禮樂。[集解]鄭玄曰、教人者也、[正義]明、猶外也、言聖王能使樂與天地同和、禮與天地同節、又能顯明其禮樂以教人也、幽則有鬼神。[集解]鄭玄曰、助天地成物者也、易曰、知鬼神之情狀、然則聖人精氣謂之神、賢智之精氣謂之鬼也、[正義]幽、內也、言聖王又能內敬鬼神、助天地生成萬物、如此、則四海之內、合敬同愛矣。[正義]言行禮同節、故四海合敬矣、樂同和、故四海同愛矣、禮者、殊事合敬者也。[正義]尊卑貴賤之別、是殊事也、施之同以莊敬、是合敬也、樂者、異文合愛者也。[正義]宮商錯而成文、隨事而制變、是異文、同以勸愛、是合愛也、禮樂之情同。故明王以相沿也。[集解]鄭玄

曰、沿、猶因述也、殷因於夏、周因於殷、[正義]樂情主和、禮情主敬、致化是同、以其致化情同、故明王相因述也、故事與時竝、[集解]鄭玄曰、舉事在其時也、王肅曰、有其時、然後得立其事、[正義]言聖王所爲之事、與所當之時竝行、也、若堯舜揖讓之事、與淳和之時竝行、湯武干戈之事、與澆薄之時竝行、此句明禮也、名與功偕。[集解]鄭玄曰、爲名在於其功也、偕、猶俱也、王肅曰、有功然後得受其名、[正義]名、謂樂名也、偕、俱也、功者、揖讓干戈之功也、聖王制樂之名、與所建之功俱作也、若堯舜樂名咸池大韶、湯武樂名大濩大武也、[考證]中井積德曰、名與功偕、言明禮樂者所爲之事、合于時會、不失機宜、故能功立而聲聞與偕垂于後世也、故鐘鼓管磬、羽籥干戚、樂之器也。[正義]此陳樂事也、鐘鼓之屬、是樂之器、有形質、故爲事也、詘信俯仰、級兆舒疾、[集解]徐廣曰、級、今禮作綴、駰案鄭玄曰、兆、其外營域、[索隱]徐廣曰、級、今禮作綴、綴、舞者綴列也、又按下文、其舞行及遠及短、禮皆作綴、蓋是字之殘缺訛變耳、故此爲級、而下又爲及也、然竝依字讀、義亦俱通、恐違古記耳、[考證]級兆、禮記作綴兆、鄭玄曰、綴、謂酇、舞者之位也、兆、其外營域也、孔穎達曰、酇、謂酇聚、洪頤煊曰、說文、酇、聚也、又儹、最也、最古作冣字、漢書叔孫通傳、爲緜蕞野外、應劭云、立竹及茅索營之、習禮儀其中也、蕞卽冣字、愚按下文云、執其干戚、習其俯仰屈伸、而容貌得莊焉、行其綴兆、要其節奏、而行列得正焉、進退得齊焉、樂之文也。[正義]文飾之事也、[考證]中井積德曰、文、謂文章、簠簋俎豆、制度文章、禮之器也。升降上下、周旋裼襲、禮之文

也。[考證]禮記、旋作還、孔穎達曰、周旋、謂行禮周曲迴旋也、裼、謂袒上衣而露裼也、襲、謂掩上衣也、禮盛者尙質、故襲、不盛者尙文、故裼、愚按裼、袒也、捲袖也、襲、旣袒裼而復下其所捲之袖也、古人於裘外皆加正服、裼者兩袖微捲起、以露裘之美、襲則下其所捲之袖而已、說詳于經義叢鈔、故知禮樂之情者能作。[正義]既能窮本知末知變、又能著誠去僞、所以能述作、故謂之聖也、識禮樂之文者能述。[集解]鄭玄曰、述、謂訓其義、[正義]謂上文屈伸俯仰升降上下也、作者之謂聖。[正義]堯舜禹湯之屬是也、述者之謂明。[正義]游、夏之屬是也、明聖者、述作之謂也。樂者、天地之和也。禮者、天地之序也。[正義]此樂論第四段也、謂禮樂之情也、樂、法天地之氣、故云天地之和、禮法天地之形、故云天地之序、禮樂從天地而來、王者必明於天地、然後能興起禮樂也、[考證]孔穎達曰、樂調暢陰陽、是天地之和也、禮明貴賤、是天地之序也、和、故百物皆化。序、故羣物皆別。[集解]鄭玄曰、化、猶生也、別、謂形體異、[考證]岡白駒曰、在上者安于上、在下者安于下、在山者安于山、在川者安于川、故曰羣物皆別、樂由天作。禮以地制。[集解]鄭玄曰、言法天地、[正義]天用和氣化物、物從氣化、是由天作也、地有高下區分、以生萬物、禮有品節殊文、是由地制也、過制則亂。過作則暴。[集解]鄭玄曰、過、猶誤也、暴失文武意也、[考證]中井積德曰、過、失謬也、非過不及之過、不和故亂、不序故暴、明於

天地、然後能興禮樂也。[正義]禮樂既不可誤、故須明天地者、乃可制作也、論倫無患、樂之情也。[集解]王肅曰、言能合道論、中倫理、而無患也、[正義]既云唯聖人識禮樂之情、此以下更說其情狀不同也、倫、類也、賀瑒云、樂使物得類序而無害、是樂之情也、[考證]郝懿行曰、論、辭足論也、詩靈臺篇曰、於論鼓鐘、倫、律呂之條理也、欣喜驩愛、樂之容也。[正義]容、猶事也、賀瑒云、八音克諧、使物欣喜、此樂之事迹也、[考證]禮記、容作官、鄭玄曰、官、猶事也、愚按容字自通、中井積德曰、容如字、不待別解、中正無邪、禮之質也。[集解]鄭玄曰、質、猶本、[正義]明禮情也、質、本也、禮以心內中正、無有邪僻、是禮之本、莊敬恭順、禮之制也。[正義]明禮情之事也、謂容貌莊敬、謙恭謹愼、是禮之節制也、若夫禮樂之施於金石、越於聲音、用於宗廟社稷、事于山川鬼神、則此所以與民同也。[集解]王肅曰、自天子至民人、皆貴禮之敬樂之和、以事鬼神先祖也、[正義]言四者施用祭祀、隨世而異、則前王所不專、故又云則此所以與民同、言隨世也、[考證]越、發揚也、王者功成作樂、治定制禮。[集解]鄭玄曰、功成治定、同時耳、功主于王業、治主于教民、[正義]此第三章、名樂禮章、言明王爲治、制禮作樂、故名樂禮章、其中有三段、一、明禮樂齊其用必對、二、明禮樂法天地之事、三、明天地應禮樂也、[考證]中井積德曰、功成在前、武王是也、治定在後、成王是也、其功大者其樂

備。其治辨者其禮具。【集解】徐廣曰、辨、一作別、駰案鄭玄曰、辨、徧也、【正義】辨、皮勉反、又邊練反、夫禮樂必由功治有小大、故禮樂應之而廣狹也、若上世民淳易化、故王者功治廣徧、是以禮樂備也、而殷周民澆難化、故王者功治徧狹、則禮樂亦不具、干戚之舞、非備樂也。【集解】鄭玄曰、樂以文德爲備、若咸池也、【正義】證樂不備也、干戚、周武也、樂以文德爲備、故用朱絲疏越、干戚之舞、故非備樂也、亨孰而祀、非達禮也。【集解】鄭玄曰、達、猶具也、至敬不饗味、而貴氣臭、【正義】解禮不具也、謂腥俎玄尊、表誠象古而已、不在芬苾孰味、是乃澆世爲之、非達禮也、【考證】岡白駒曰、亨烹通、孰熟通、禮記義疏云、樂之備由功之大、則戡亂繼治、各有其功、必不以干戚之舞爲備、樂可知、禮之具由於治之辯、則準今酌古、各有其治、必非孰亨而祀爲達禮可知、以起下、聖人所以遞變之故、五帝殊時、不相沿樂。三王異世、不相襲禮。【集解】鄭玄曰、言其有損益、【正義】庾蔚之云、樂興於五帝、禮成於三王、樂與王者之功、禮隨世之質文、崔靈恩云、五帝淳澆不同、故不得相沿爲樂、三王文質之不等、故不得相襲爲禮、樂極則憂。禮粗則偏矣。【集解】鄭玄曰、樂人之所好也、害在淫佚、禮人之所勤、害在倦略、及夫敦樂而無憂、禮備而不偏者、其唯大聖乎。【集解】鄭玄曰、敦、厚也、【考證】郝懿行曰、敦者樂不極也、備者禮不粗也、天高地下、萬物散殊、而禮制行也。【集解】鄭玄曰、禮爲異、【正義】天高於上、地卑於下、萬物布散、殊別於其中、而大聖

制禮、別異尊卑、是衆大而行、故云禮制行矣、禮以節制爲義、故云禮制、流而不息、合同而化、而樂興也。【集解】鄭玄曰、樂爲同、【正義】天地二氣、流行不息、合同氤氳化生萬物、而大聖作樂、合同人心、是以象天地而起、故云樂興也、春作夏長、仁也。秋斂冬藏、義也。仁近於樂。義近於禮。【集解】鄭玄曰、言樂法陽而生、禮法陰而成、【正義】近、其靳反、春夏生長萬物、故爲仁愛、樂主陶和萬性、故仁近於樂也、秋則殺斂、冬則蟄藏、竝是義主斷割、禮爲節限、故義近於禮也、【考證】長藏韻、二句蓋古語、樂者敦和、率神而從天。【集解】鄭玄曰、敦和、樂貴同、【正義】此釋仁近樂之義、言樂之爲體、敦厚和同、因循聖人之神氣、而從順於天、【考證】方苞曰、神者天地之氣化、樂達天地之和、則氣化之行順而不愆、如有以率之也、禮者辨宜、居鬼而從地。【集解】鄭玄曰、別宜、禮尙異也、孫炎曰、居鬼、品處人鬼之志、【正義】此解義近禮之由、居鬼、猶循神也、鬼、謂先賢也、禮之爲體、尊卑殊別、各有其宜、因居先賢鬼氣、而從順於地、分別禮分、【考證】禮記、辨作別、方苞曰、居鬼者、廟社壇兆、各有其方也、故聖人作樂以應天、作禮以配地。禮樂明備、天地官矣。【集解】鄭玄曰、各得其事也、王肅曰、各得其位也、【考證】郝懿行曰、天地官、猶云天地位焉、上淸下寧、各效其職也、天尊地卑、君臣定矣。【正義】此樂禮章第二段也、明禮樂法天地事也、言君尊於上、臣卑於下、是象天地定矣、【考證】天尊地卑至煖之以日月、與易繫辭傳、文似義異、

高卑已陳、貴賤位矣。【集解】鄭玄曰、高卑、謂山澤也、位矣、尊卑之位象山澤、【考證】禮記、易繫辭傳、已作以、動靜有常、小大殊矣。【集解】鄭玄曰、動靜、陰陽用事也、小大、萬物也、大者常存、小者隨陰陽出入、【考證】方苞曰、天地萬物、動靜有常、而小大之事法之、殊、謂動靜異宜、非謂小與大殊、方以類聚、物以羣分、則性命不同矣。【集解】鄭玄曰、方、謂行蟲、物、謂殖生者、性之言、生也、命、生之長短、【正義】性、生也、萬物各有嗜好、謂之性、命者、長短夭壽也、所禀之物、既禀大小之殊、故性命夭壽不同也、【考證】方、道也、事也、羣、同類相羣也、分、與他類相分也、類聚羣分、文異事同、在天成象、在地成形。【集解】鄭玄曰、象、光耀、形、體貌、【正義】言日月星辰之光耀、草木鳥獸之體貌也、如此、則禮者天地之別也。【正義】結禮之別也、如此、則聖人制禮殊別、是天地之分別也、亦是辨宜居鬼而從地也、地氣上隮、【集解】鄭玄曰、隮、升也、天氣下降。【正義】明禮樂法天地氣也、天地二氣之升降、合而生物、故樂以氣法地、弦歌聲氣升降相合以敎民也、然氣從下升、此樂象氣、故從地始也、形以上尊、故禮象形、從天始也、陰陽相摩、【正義】二氣切摩、而萬物生發、作樂亦令聲氣切摩、使民生心生敬也、天地相蕩。【集解】鄭玄曰、蕩、動也、【正義】天地八節蕩動也、天地化物、八節更相感動、作樂亦令八音相感動也、鼓之以雷霆、【正義】萬物雖以氣生、而物未發、故雷霆以鼓動之、如樂用鐘鼓以發節也、大雷曰霆、奮之以風雨、【集解】鄭玄曰、奮、迅也、

【正義】萬物皆以風雨奮迅而出、如樂用儛奮迅以象之、使發人情也、動之以四時、【正義】萬物生長、隨四時而動、如樂各逐心內所須而奏之、煖之以日月、【正義】煖、音喧遠反、萬物之生、必須日月煖照、如樂有蘊藉、使人宜昭也、蘊藉者、歌不直言、而長言嗟歎之屬、而百物化興焉。【集解】鄭玄曰、百物化生、【考證】禮記、無物字、此衍、如此、則樂者天地之和也。【正義】結樂之和也、如此則聖人作樂法天地和同、是樂者天地之和也、亦是敦和率神而從天也、【考證】禮記義疏云、此節樂未作而天地之雷霆風雨、已藹然一樂、聖人因之作樂、淸明象天、廣大象地、奮發象雷霆、周旋象風雨、終始象四時、文明象日月、其百物不失、亦如百化之興者然、是樂未作、而聖人之樂在天地、樂既作、而天地之和在聖人也、化不時則不生。【正義】此樂禮章第三段、明天地應於禮樂也、前聖人既作禮樂、此明天地應禮樂也、若人主行化失時、天地應以惡氣毀物、故云化不時則不生也、【考證】中井積德曰、化、謂天地之和、男女無別則亂登。【集解】鄭玄曰、登、成也、樂失則害物、禮失則亂人、【正義】此明天地應禮也、登、成也、若人君行禮、男女無別、則天地應而錯亂成之也、【考證】禮記、別作辨、登作升、此天地之情也。【正義】結隨禮樂得失而應之、是天地之情也、然樂是氣化、故云害物、禮是形教、故言亂人也、及夫禮樂之極乎天而蟠乎地、【集解】鄭玄曰、極、至也、蟠、猶委也、【索隱】蟠、音盤、鄭誕本作播、亦作蟠、行乎陰陽、而通乎鬼神、【正義】言陰陽和、四時順、以應禮樂、禮樂

與鬼神竝、助天地而成化也、

窮高極遠、而測深厚。【集解】鄭玄曰、高遠、三辰也、深厚、山川也、言禮樂之道、上至於天、下委於地、則其閒無所不之矣、【考證】輔廣曰、上言天地自然之禮樂、此言聖人制禮作樂之功、

樂著太始、【集解】王肅曰、著、明也、明太始、謂法天也、【索隱】著、明也、太始、天也、言樂能明太始、是法天、

而禮居成物。【集解】成物、謂地也、居亦謂法也、【索隱】言地能成萬物、故成物、謂地也、居、亦法也、言禮法地也、【正義】著、猶處也、天爲萬物之始、故曰太始、天蒼而氣化、樂亦氣化、故云處太始也、成物、地也、體盤薄長成萬物也、在地成形、禮亦形教、故云居成也、地卑、故曰居、天高故曰著也、【考證】方苞曰、居成物者、因已成之物而措置之也、君臣父子、物之已成者也、而制禮以明其分誼、聯其恩愛、所以居之也、俞樾曰、下文著不息者天也、著不動者人也、即承此文而言、

著不息者天也。著不動者地也。【集解】鄭玄曰、著、猶明白也、息、謂休止也、【索隱】著、謂著明、運生不息者、天之功也、故易乾卦云、天行健、君子以自強不息、是著養萬物不動者、地之德也、故易坤卦云、安貞吉、是也、【正義】此美禮樂配天地也、著、亦處也、言樂氣化處運生不息者、配天地、禮制尊卑定位、成養萬物、處不移動者、配地也、

一動一靜者、天地之閒也。【集解】鄭玄曰、閒、謂百物也、【正義】此美禮樂、若分則配天地、若合則與百物齊一也、靜動而生百物、稟天地動靜而生、故呼百物爲天地之閒也、

故聖人曰禮云樂云。【集解】鄭玄曰、言禮樂之法天地也、【正義】引聖證此章也、言聖人云、明此一章是禮樂法天地也、故言聖人曰禮云樂云、樂動禮靜、其竝用事、如天地陰物有動靜也、

【考證】禮記、禮下無云字、此疑衍、

昔者舜作五弦之琴、以歌南風。【集解】鄭玄曰、南風、長養之風也、言父母之長養己也、其辭未聞也、王肅曰、南風育養民之詩也、其辭曰、南風之薰兮、可以解吾民之慍兮、【索隱】此詩之辭、出尸子及家語、【正義】此第四章、名樂施、明禮樂前備後施布天下也、中有三段、一明施樂以賜諸侯也、二明施樂須節、既賜之所以宜節也、三明禮樂所施、各有本意、本德、世本、神農作琴、今云舜作者、非謂舜始造也、改用五弦琴、特歌南風詩、始自舜也、五弦者、無文武二弦、唯宮商角徵羽之五弦也、南風、是孝子之詩也、南風養萬物、而孝子歌之、言得父母生長、如萬物得南風也、舜有孝行、故以五弦之琴、歌南風詩、以教理天下之孝也、【考證】淮南子詮言訓、舜彈五絃之琴、而歌南風之詩、高誘註、古琴五弦、至周有七律、增爲七弦也、南風、愷樂之風、齊召南曰、南風詩、鄭以意說耳、竝無所據、王肅難鄭、是也、

夔始作樂、以賞諸侯。【集解】鄭玄曰、夔欲舜與天下之君共此樂、

故天子之爲樂也、以賞諸侯之有德者也。德盛而敎尊、五穀時孰、然后賞之以樂。【正義】陳其合賞也、若諸侯孝德明盛、敎令尊嚴、年穀豐稔、故天子賞樂也、天下因而法之也、

故其治民勞者、其舞行級遠。【正義】行、音胡郎反、級、音子衛反、本或作綴、音同、此明雖得樂賜、而隨功德優劣也、舞、位、行、列也、綴、謂酇列也、若諸侯治民勞苦、由君德薄、王賞之以樂、則舞人少不滿、將去酇疏遠也、

其治民佚者、其舞行級短。【集解】王肅曰、遠以象民行之勞、近以象民行之逸、

【正義】佚、音逸、言若諸侯治民暇逸、由君德盛、王賞舞人多則滿、將去酇促近也、庾蔚之云、此爲虞夏禮也、虞猶淳、故可隨功賜樂、殷周漸澆、易生忿怨、不宜猶有優劣、是以同制、諸侯六佾、故與周禮不同也、【考證】禮記、級竝作綴、應鏞曰、勤於治民、則德盛而樂隆、故舞列遠而長、怠於治民、則德薄而樂殺、故舞列近而短、

故觀其舞而知其德、【正義】觀其佾位人多少、去綴近遠、即知其君德薄厚也、

聞其謚而知其行。【集解】鄭玄曰、謚者、行之迹、【正義】行、音胡孟反、制死謚隨君德、故聞死謚、則知生行、此一句、比擬其舞也、【考證】禮記行下有也字、

大章、章之也。【集解】鄭玄曰、堯樂名、言堯德章明、【正義】既生時舞則知德、死則聞謚驗行、故更引死後聞樂、則知生時行事、大解之也、大章、堯樂也、章、明也、民樂堯德大明、故名樂曰大章、後人聞大章、則知堯生時德大明、上章、是堯德之明、下章、是後明於堯德、白虎通云、大章、大明天地之道、【考證】張文虎曰、各本大作泰、據正義改、愚按禮記亦作大、又按帝堯爲大章以祭上帝、詳于呂氏春秋古樂篇、

咸池、備也。【集解】鄭玄曰、黃帝所作樂名、堯增脩而用之、咸、皆也、池之言施也、言德之無不施也、王肅曰、包容浸潤行化皆然、故曰備也、【考證】禮記也作矣、

韶、繼也。【集解】鄭玄曰、舜樂名、言能繼堯之德、

夏、大也。【集解】鄭玄曰、禹樂名、言禹能大堯舜之德、

殷周之樂盡也。【集解】鄭玄曰、言盡人事也、周禮曰、殷曰大濩、周曰大武、【考證】禮記、也作矣、

天地之道、寒暑不時則疾。【正義】此則樂施章第二段、明施樂須節也、既必須節、故引譬例、寒暑天地之氣也、若寒暑不時、則民多疾疫也、

風雨不節

則饑。【正義】風雨、天事也、風雨有聲形、故爲事也、若飄灑凄厲、不有時節、則穀損民饑也、

敎者、民之寒暑也。【集解】鄭玄曰、敎、謂樂也、

敎不時則傷世。【正義】寒暑不時、既爲民疾苦、樂敎不時、則傷世俗之化也、

事者、民之風雨也。事不節則無功。【正義】風雨不節、則民饑、禮事不節、則治無功也、

然則先王之爲樂也、以法治也。【集解】王肅曰、作樂、所以法其治行也、

善則行象德矣。【集解】王肅曰、君行善、即臣下之行、皆象君之德、【正義】此廣樂所以須節己、言先王爲樂、必以法治、治善、則臣下之行、皆象君之德也、

夫豢豕爲酒、【集解】鄭玄曰、以穀食犬豕曰豢、爲、作也、

非以爲禍也。【正義】此言禮須節也、豢、養也、言前王豢犬豕、及作酒之事、本以爲禮祀神祇、設賓客、和親族、禮賢能、而實非爲民作禍災也、【考證】中井積德曰、酒所以合歡也、下文自有解、不須拘說、

而獄訟益煩、則酒之流生禍也。【集解】鄭玄曰、小人飲之、善酗以致獄訟、【正義】此禮事也、言民得豢酒、無復節限、卒至沈酗鬬爭殺傷、而刑獄益生煩多、則是酒之流害生其禍也、

是故先王因爲酒禮。一獻之禮、賓主百拜、【集解】鄭玄曰、一獻、士飲酒之禮、百拜以喩多也、

終日飮酒、而不得醉焉。此先王之所以備酒禍也。故酒食者所以合歡也。【正義】此結節功也、既防酒禍、故飮

不醉爭、以時合歡適也、【考證】中井積德曰、所以合歡、元來如此而已、非結節功、又正義既字故字舛、**樂者所以象德也。**【正義】此樂施、章第三段、明禮樂之所施、各有本意、在於象德也、此言樂意也、言樂之所施於人、本有和愛之德、**禮者所以閉淫也。**【正義】此言禮意也、言禮之所施於人、大止邪淫過失也、【考證】禮記閉作綴、鄭注云、綴、止也、方苞曰、淫、過也、愚按、猶若淫雨之淫、**是故先王有大事、必有禮以哀之。**【集解】鄭玄曰、大事、謂死喪、【正義】民有喪、則先王制衰麻哭泣之禮、以節之、使其各遂哀情、是禮以哀之也、**有大福、必有禮以樂之。**【正義】樂音洛、大福、祭祀者慶也、民慶必歌舞飲食、庶羞之禮使不過、而各遂歡樂、是有以樂之也、**哀樂之分、皆以禮終。**【正義】分、扶問反、結二事、哀樂雖反、皆用禮節、各終其分、故云皆以禮終、**樂也者施也。禮也者報也。**【集解】鄭玄曰、言樂出而不反、而禮有往來、【正義】施、式豉反、此第六段、樂象法章、第五段、不以次第而亂升、在此段、明禮樂用別也、庾蔚之云、樂者所以宣暢四氣、導達情性、功及物而不知其所報、卽是出而不反、所以謂施也、禮者所以通彼之意、故有往必有來、所以謂報也、【考證】樂者報也以下、與禮記次第不同、說具於各條、**樂、樂其所自生。**【集解】鄭玄曰、自、由也、【正義】此廣施也、樂名所起、由民下之心所樂生、非有所報也、**而禮、反其所自始。**【正義】此廣報也、反、猶報也、禮生無名、但是事耳、隨時得質文之事而報之、**樂章德、**【正義】聞名知德、若大章是也、**禮報情。**

反始也。【集解】孫炎曰、作樂者、緣民所樂於己之德、若舜之民樂其紹堯也、周之民樂其伐紂、而作韶武也、制禮者、本己所由得民心、殷尚質、周尚文是也、【正義】禮報人情而制、隨質文之始也、【考證】禮記義疏云、德蘊於中、樂形於外、是樂主於施、人以禮來、我以禮往、是禮主於報、然樂之施、雖達於外、而達於外者、實本於中心之德、是樂之章德、實樂其所自生、禮之報、雖因乎人、而致之人者、原以行乎敬、是禮以報人之情、亦以反吾心所自始也、**所謂大路者、天子之輿也。**【正義】此以下、廣言禮以報爲體之事、輿、車也、大路、天子之車也、諸侯朝天子、脩其職貢、若有勳勞者、天子賜之大路也、【考證】禮記、輿作車、**龍旂九旒、天子之旌也。**【正義】庾蔚之云、龍旂九旒、上公之旌、**青黑緣者、天子之葆龜也。**【集解】公羊傳曰、龜青緣、何休曰、緣、甲頾也、千歲之龜青頾、明乎吉凶也、【索隱】葆、與寶同、史記多作此字、公羊傳、寶龜青緣、何休以緣爲甲頾、千歲之龜青頾、明于吉凶、頾音耳占反、【正義】緣、以絹反、【考證】禮記、葆作寶、集解引公羊春秋定八年文、**從之以牛羊之羣、則所以贈諸侯也。**【集解】鄭玄曰、贈諸侯、謂來朝將去、送之以禮也、【正義】合結上諸事、皆是天子送諸侯禮也、言五等諸侯朝畢反去、天子贈之大路龍旂寶龜、又送之以牛羊之羣也、【考證】禮記義疏引石梁王氏曰、此八句專言禮、與上下文不相承、當是他篇錯簡、**樂也者、情之不可變者也。**【正義】此第七章、明樂之情與之符、達鬼神、合而不可變也、中有三段、一、明禮樂情達鬼神也、二、證禮樂達鬼神之事、三、明識禮樂之本可尊也、前第六章明象、象必見情、故以樂主情、樂變則禮

情變、故云情之不可變也、【考證】岡白駒曰、人之性情、不能無所樂、**禮也者、理之不可易者也。**【集解】鄭玄曰、理、猶事也、【正義】禮主事、禮、別也、故云、事之不可易者也、**樂、統同、**【正義】解情不變也、統、領也、同、和合之情者也、**禮、別異。**【集解】鄭玄曰、統同、同和合也、辨異、異尊卑之位、【正義】解事不可易也、禮別於尊卑之事也、【考證】禮記、別作辨、**禮樂之說、貫乎人情矣。**【正義】貫、猶通也、言人情莫過於同異、而禮樂能統同辨異、故其說理能通人情、【考證】禮記荀子樂論篇、貫作管、**窮本知變、樂之情也。**【正義】庾蔚之云、樂能通和性分、使各不失其所、是窮自然之本也、使人不失其所守、是知變通之情也、【考證】郝懿行曰、樂之動、其本在人心感於物、故曰窮本、聲相應、故生變、故曰知變、**著誠去僞、禮之經也。**【正義】著、竹慮反、去、丘呂反、著、明也、經、常也、著明誠信、違去詐僞、是禮之常行也、【考證】郝懿行曰、禮之經、如親疏隆殺不相混、使人習之、厚者既以益其誠、薄者亦漸化其僞、著、如土著之著、謂安其居也、岡白駒曰、著、直略反、正義非、**禮樂、見天地之情、**【正義】見、胡練反、合明禮樂也、禮出於地、尊卑有序、是見地之情也、樂出於天、遠近和合、是見天之情也、【考證】見天地之情、各本作順天地之誠、張照曰、正義云、見、胡練反、又云、見地之情、見天之情、可知古本亦作見天地之情、今改正、愚按、禮記見作偩、**達神明之德、**【正義】達、通也、禮樂不失、則天降甘露、地出醴泉、是通於神明之德也、**降興上下之神、**【集解】鄭玄曰、降、下也、興、猶出也、【正義】樂六變、天神下、八變、地祇出、是興降上下之神、

而凝是精粗之體、領父子君臣之節。【集解】鄭玄曰、凝、猶成也、精粗、謂萬物大小也、領、猶理治也、【考證】郝懿行曰、禮樂之文、體之粗者、禮樂之情、體之精者、凝、如至道不凝之凝、禮記正義云、是、正也、**是故大人舉禮樂、則天地將爲昭焉。**【正義】爲、于僞反、昭、音照、此樂情章第二段、明禮樂能通達鬼神之事、前既云能通鬼神、此明其事也、大人、聖人、與天地合德、故舉禮樂爲教、而天地從之大明也、【考證】中井積德曰、謂天地亦因此而自明也、非明之、**天地欣合、陰陽相得、**【正義】欣、喜也、合、猶蒸也、禮樂化行、故天氣下、地氣蒸合、陰陽交會、故相得也、論體謂之天地、論氣謂之陰陽也、【考證】禮記、欣作訢、**煦嫗覆育萬物、**【集解】鄭玄曰、氣曰煦、體曰嫗、【考證】中井積德曰、煦嫗覆育、喩人養子而言、不當分屬天地形氣、**然后草木茂、區萌達、**【集解】鄭玄曰、屈生曰區、【正義】區、音勾、草木據其成體之茂、區萌、據其新牙、故曰達、達、猶出也、曲出曰區、菽豆之屬、直出曰萌、稻稷之屬也、**羽翮奮、角觡生、**【集解】鄭玄曰、無䚡曰觡、【索隱】牛羊有䚡曰角、麋鹿無䚡曰觡、【正義】觡、加客反、羽翮、鳥也、角觡、獸也、鳥獸得天地覆育煦嫗、故飛者則奮翅翮、走者則生角觡也、**蟄蟲昭蘇、**【集解】鄭玄曰、昭、曉也、凡蟄蟲以發出爲曉、更息曰蘇、【正義】蟄蟲得陰陽煦嫗、故皆出地上、如夜得曉、如死更有氣也、**羽者嫗伏、毛者孕鬻、**【集解】鄭玄曰、孕、任也、鬻、生也、【正義】伏、房富反、羽、鳥也、毛、獸也、二氣既交、萬物生乳、故鳥生卵嫗伏之、獸懷孕而生育之也、**胎生者不**

殰、而卵生者不殈。[集解]鄭玄曰、內敗曰殰、殈、猶裂也、[正義]殰、音讀、殈、音呼覓反、胎生、獸也、卵生、鳥也、懷任在內而死曰殰、卵坼不成子曰殈、今和氣不殰殈也、則樂之道歸焉耳。[集解]孫炎曰、樂和陰陽、故歸此也、[正義]庾蔚之云、一論天地二氣、萬物各得其所、乃歸於樂耳、[考證]郝懿行曰、單言樂之道歸、禮亦同也、中井積德曰、樂上疑脫禮字、樂者、非謂黃鍾大呂弦歌干揚也。[集解]鄭玄曰、揚、鉞也、[索隱]鄭玄曰、干、楯也、揚、鉞也、則揚與鍚同、皇侃以揚爲舉、恐非也、[正義]此樂情章第三段、明識禮樂本者爲尊、識末者爲卑、黃鍾大呂之屬、故云非謂也、揚、舉也、謂舉楯以舞也、樂之末節也。[正義]黃鍾已下、是樂之末節也、故童者舞之。[正義]末事易之、不足貴重、故使童子小兒儛奏之也、布筵席、陳樽俎、列籩豆、以升降爲禮者、[正義]此亦明末也、用禮之本、在著誠去僞、安上理民、不在鋪筵席樽俎升降爲禮之事也、禮之末節也。[正義]布筵以下、是禮之末節也、故有司掌之。[集解]鄭玄曰、言禮樂之本由人君也、禮本著誠去僞、樂本窮本知變、[正義]有司、典禮小官也、末節事易解、不爲可重、故小官掌其事也、樂師辯乎聲詩。故北面而弦。[集解]王肅曰、但能別聲詩、不知其義、故北面而弦、鄭玄曰、弦、謂鼓琴瑟、[正義]此更引事證、樂師曉樂者、辯別聲詩、聲、謂歌也、言樂師雖能別歌詩、竝是末事、故北面、言坐處卑也、[考證]禮記、辯並作辨、中井積德曰、聲、謂器之聲也、宗祝辯乎宗

廟之禮。故後尸。[集解]鄭玄曰、後尸、居後贊禮儀也、此言知本者尊、知末者卑、[正義]此禮事也、宗祝、太祝、卽有司之屬也、雖能分別正宗廟之禮、然佐於尸、而非爲敬之主、爲卑、故在尸後也、商祝辯乎喪禮。故後主人。[集解]鄭玄曰、商祝、祝習商禮者、商人敎以敬於接神、[正義]商祝者、殷商之神祝、習商家神禮、以相佐喪事、故云辯喪禮、其雖掌喪事、而非發喪之主、故在主人後、言立處賤也、是故德成而上、[正義]上、謂堂上也、德成、謂人君禮樂德成、則爲君、故居堂上南面、尊之也、藝成而下。[正義]下、堂下也、藝成、謂樂師伎藝雖成、唯識禮樂之末、故在堂下北面、卑之也、行成而先、[正義]行、胡孟反、先、猶前也、尸及喪主也、行成、謂尸尊而人孝、故爲行成、事成而後。[集解]鄭玄曰、德、三德也、行、三行也、藝、才伎也、先、謂位在上也、後、謂位在下也、[正義]事爲劣、故爲在宗商二祝也、識尸及主人後也、是故先王有上有下、有先有後。然后可以有制於天下也。[集解]鄭玄曰、言尊卑備、乃可制作以爲治、[正義]故先王使上下前後尊卑分、乃可制禮作樂、以班於天下也、如周公六年乃爲禮也、[考證]陳澔云、德行在君尸主人、童子習于藝、宗祝習于事、故上下先後之席如此、樂者、聖人之所樂也。[正義]此樂施章第樂也者施也至可以有制於天下也三百五十字、禮記在故曰生民之道樂爲大焉下、三段後也、誤在此、閉淫之後、又用此章、廣爲象其德、故云、聖人之所以觀德也、[考證]禮記、上樂下有也、荀子禮論篇、漢書禮樂志、同史文、而可以善

民心。其感人深、其風移俗易。故先王著其教焉。[集解]鄭玄曰、謂立司樂以下、使敎國子也、[考證]禮記荀子、及說苑脩本篇、風移俗易作移風易俗、漢志作移風易俗、易、王引之曰、當從漢書補易字、蓋樂之感人既深、則其移風易俗必易、二句相對成文、漢書董仲舒傳、樂者所以變民風化民俗也、其變民也易、正與此易字同、夫人有血氣心知之性、[正義]此第五章、名樂言、明樂歸趣之事、中有三段、一、言人心隨王之樂也、二、明前王制正樂化民也、三、言邪樂不可化民也、前既以施人、人必應之、言其歸趣也、此言人心隨王之樂也、夫人不生則已、既已生、必有血氣心知之性也、[考證]禮記、人作民、而無哀樂喜怒之常。[正義]性合五常之行、有喜怒哀樂之分、但其發無常時、隨外境所觸、故亦無常也、應感起物而動。[正義]解所有四事之由也、緣外物來感心、心觸感來起動應之、故有上四事也、[考證]漢書禮樂志、無起物二字、然后心術形焉。[集解]鄭玄曰、言在所以感之也、術、所由也、形、猶見也、[考證]方苞曰、起物、與起於物也、志微噍殺之類、所以感也、思憂之類、心術之所形也、是故志微焦衰之音作、而民思憂。[集解]鄭玄曰、志微、意細也、吳公子札曰、其細已甚、[正義]殺、音所界反、又色例反、思、音先利反、此以下皆言心樂感而應見外事也、若人君叢脞、情志細劣、其樂音噍戚殺急不舒緩也、音既局促、故民應之而憂也、[考證]禮記、作志微噍殺、說苑脩本篇、作感激憔悴、漢志、作纖微癄瘁、注、顏師古云、癄瘁、謂減縮也、嘽緩慢易繁文簡節之音

作、而民康樂。[集解]鄭玄曰、簡節、少易也、[正義]嘽、昌單反、易、以豉反、樂、音洛、嘽、綽也、緩、和也、慢、疏也、繁、文、多也、康、和、樂、安也、言人君道德綽和疏易、則樂音多文采與節奏簡略、而下民所以安、[考證]禮記說苑、緩作諧、漢志、嘽緩慢易作闡諧嫚易、無繁文簡節四字、愚按志微焦衰、就樂音而言、不以君德、正義非是、下文倣此、粗厲猛起奮末廣賁之音作、而民剛毅。[集解]王肅曰、粗厲、亢厲、猛起、發揚、奮末、浸疾、廣賁、廣大也、[正義]粗、音麤、賁、房粉反、又音墳、粗、略也、厲、嚴也、猛、剛、起、動也、末、支體也、廣、大也、賁、氣充也、言人君若性麤嚴剛動、而四支奮躍、則樂充大、民應之所以剛毅也、[考證]說苑、無起末二字、漢志、無起末廣賁四字、鄭玄曰、奮末、動使四支也、賁讀爲憤、怒氣充實也、春秋傳曰、血氣狡憤、愚按起字末字、皆就音而言、蓋非通假則訛誤、陳澔集說云、起、初也、末、終也、恐非其義、上文志微、下文肉好狄成等字面倣此、廉直經正莊誠之音作、而民肅敬。[集解]孫炎曰、經、法也、[索隱]孫炎曰、經、法也、今禮本作勁、[正義]經、音勁、言人君廉直勁而剛正、則樂音矜嚴而誠信、民應之所以肅敬也、[考證]禮記說苑、經作勁、漢志、無經莊二字、寬裕肉好順成和動之音作、而民慈愛。[集解]王肅曰、肉好、言音之洪美、[索隱]王肅曰、肉好、言音之洪潤、[正義]肉、仁救反、好、火到反、肉、肥也、謂音如肉之肥、言人君寬容肥好、則樂音順成而和動、民應之所以慈愛也、[考證]漢志、肉好順成和動作和順、鄭玄注禮記云、肉或作潤、流辟邪散狄成滌濫之音作、而民淫亂。[集解]王肅曰、狄成、言成

而似夷狄之音也、滌放盪、濫僭差也、【索隱】王肅曰、狄成、言成而似夷狄之音也、【正義】辟、疋亦反、邪音斜、狄音惕、狄滌皆往來疾速也、往來速而成、故云狄成、往來疾而僭濫、故云滌濫也、言君上流淫縱僻、回邪放散、則樂音有往來速疾僭差之響、故民應之而淫亂也、心本無此六事、由隨樂而起也、【考證】漢志、無狄成滌濫四字、陳澔曰、狄與逖同、遠也、方苞曰、篇首言音之生由人心之感於物、此節言樂之作、又能感人心、而使之各以類應也、故下文言先王之有樂敎、取其和聲以厚民德、又言禮慝樂淫則滅和平之德、意義蓋相承、

是故先王本之情性、【正義】此樂言章第二段也、前言民隨樂變、此言先王制正樂化民也、言聖人制樂必本人之性情也、**稽之度數、制之禮義、**【正義】稽、考也、制樂又考天地度數爲之、如律呂應十二月、八音應八風之屬也、**合生氣之和、道五常之行、**【集解】鄭玄曰、生氣、陰陽也、五常、五行也、【正義】道音導、行胡孟反、合、應也、【考證】說苑、合作含、**使之陽而不散、陰而不密、**【集解】鄭玄曰、密之言閉也、【正義】陽、謂稟陽氣多人也、陽氣舒散、人稟陽多則奢、陰氣閉密、人稟陰多則纘密、今以樂通二者之性、皆使中和、故陽者不散、陰者不密也、【考證】漢志、密作集、査德基曰、密當讀爲閟、閟、閉也、**剛氣不怒、柔氣不懾、**【集解】鄭玄曰、懾、猶恐懼也、【正義】懾、之涉反、懼也、性剛者好怒、柔者好懼、今以樂和、使各得其所、不至怒懼也、**四暢交於中、而發作於外、**【正義】四、陰陽剛柔也、暢、通也、交、互也、中、心也、今以樂調和四事通暢、交互於中心而行用、舉動發於外、不至散密怒懾者也、**皆安其位、**

而不相奪也。【正義】此結樂爲本情性之事也、閉陽開陰、抑剛引柔、悉使中庸、故天下安其位、無復相侵奪之也、【考證】方苞曰、制之禮義、謂聲音中倫次、如宮商角徵羽、象君臣民事物、以次降殺、而不可相陵之類、陽而不散四句、皆言聲律節奏分際、非以天地人心言也、交於中者、律之諧乎聲、作於外者、聲之達於器、作樂之始、以度數禮義劑其陰陽剛柔之分、而無不調、所謂四暢交於中也、是內之安其位而不相奪也、由是聲之發無少乖戾、是外之安其位而不相奪也、**然后立之學等、**【集解】鄭玄曰、等、差也、各用其材之差學之也、【正義】前用樂陶情和暢、然後乃以樂語樂舞二事敎之民、各隨己性才等差而學之、以備分也、**廣其節奏、省其文采、**【集解】鄭玄曰、廣、增習之也、省、猶審習之也、文采、謂節奏合也、【考證】方苞曰、廣其節奏、如自一成而九成也、歌咏其聲、則有文、舞動其容、則有采、**以繩德厚也。**【集解】鄭玄曰、繩、猶度也、王肅曰、繩、法也、法其德厚、【考證】禮記說苑、無也字、郝懿行曰、繩、猶束也、樂有學等節奏文采、皆所以檢束其德性、使之敦厚堅固也、**類小大之稱、**【集解】孫炎曰、作樂器大小、稱十二律、【索隱】類、今禮作律、孫炎曰、作樂器小大、稱十二律也、【考證】禮記說苑、類作律、**比終始之序、**【集解】鄭玄曰、始於宮、終於羽、**以象事行、**【集解】鄭玄曰、宮爲君、商爲臣、【考證】陳澔曰、律、以法度整齊之、比、以次序聯合之、宮音至大、羽音至小、律之使各得其稱、始於黃鐘之初九、終於仲呂之上六、比之使各得其序、**使親疏貴賤長幼男女之理、皆形見於樂。**【正義】此結本人之情、以下緣本而敎親疏、以下之理悉

章著樂功、使聞者皆知而見輯睦情也、**故曰。樂觀其深矣。**【正義】此引古語、證觀感人之深矣、【考證】呂氏春秋音初篇、作樂之爲觀也深矣、郝懿行曰、律呂相生爲親、相閒爲疏、宮爲君、貴也、商爲臣、賤也、長幼、猶大小也、男女之理、形見於樂、謂律娶妻、呂生子之類、**土敝、則草木不長。水煩、則魚鼈不大。**【正義】此樂言章第三段、言邪樂不可化民、將言邪樂之由、故此前以天地爲譬、此以地爲譬也、敝、猶勞熱、煩則數攪動也、土過勞熱、水過撓動、則草木魚鼈不長大也、**氣衰、則生物不育。**【正義】此以天譬也、氣者天時氣也、氣若衰微、則生物不復成遂也、【考證】禮記說苑、育作遂、**世亂、則禮廢而樂淫。**【正義】此合譬也、世、謂時、世亂、其禮不備、樂不節、故流淫過度、水土勞敝、則草木魚鼈不長大、如時世濁亂之禮樂不可爲化矣、【考證】呂氏春秋、亂作濁、禮記說苑、廢作慝、呂氏春秋、作煩、**是故其聲哀而不莊、樂而不安、**【正義】樂、音洛、此證樂淫之事也、淫樂則聲哀而無莊、故雖奏以自樂、必致傾危、非自安之道、故云樂而不安、若關雎樂而不淫、哀而不傷、則是有莊敬而安者也、**慢易以犯節、**【正義】易、以豉反、言無莊敬、慢易也、無節奏、故云犯節也、卽是哀而不莊也、**流湎以忘本、**【正義】湎、音沔、靡靡無窮、失於終止、故言忘本、卽樂而不安之義也、**廣則容姦、**【正義】言淫慝禮樂聲無節也、廣、聲緩也、容、含也、其聲緩者、則含容姦僞也、**狹則思欲、**【集解】王肅曰、其音廣大、則容姦僞、其狹者則使人思利欲也、【正義】狹、聲急也、其聲急者、則思欲攻之

也、**感滌蕩之氣、而滅平和之德。**【正義】感、動也、言此惡樂、能動善人、滌蕩之善氣、使失其所、而滅善人平和之德也、【考證】禮記、滌蕩作條暢、査德基曰、滌蕩之氣、言氣之邪也、平和之德、言德之正也、上句言感於邪、下句言失其正、中間加一而字、言感於邪者、未有不失其正也、滌卽上文流辟邪散狄成滌濫之滌字、彼集解引王肅訓滌爲放盪、則此處滌蕩卽放蕩矣、**是以君子賤之也。**【正義】君子用樂調和、是故賤於動滅平和之氣也、**凡姦聲感人、而逆氣應之。**【正義】此第六章、名樂象也、本第八、失次也、明人君作樂、則天地必法象應之、中有五段、一、明淫樂正樂俱能成象、二、明君子所從正樂、三、明邪正皆有本、非可假僞、四、證第三段有本不僞之由、五、明禮樂之用前有證、故明其用別也、今此明淫正二樂、俱能成象、故先言淫樂爲習應人事也、言君奏姦聲之樂以感動人民、則天地應之、而生逆亂之氣也、**逆氣成象、**【集解】鄭玄曰、成象、謂人樂習之也、**而淫樂興焉。**【正義】興、生也、若逆氣流行於世、而民又習之爲法、故云成象、既習亂爲法、故民之樂聲生於淫佚也、【考證】荀子樂論篇、淫樂興焉、作亂生焉、**正聲感人、而順氣應之。順氣成象、而和樂興焉。**【正義】言順氣流行、民習成法、故樂聲亦生於和也、【考證】荀子、和樂興焉、作治生焉、**倡和有應、**【正義】倡、音昌尚反、和、胡臥反、君唱之、天地和之、民應之、故云唱和有應也、**回邪曲直、各歸其分、**【正義】分、房問反、此是有應也、回邪、不正也、曲、折也、直、不邪也、言相應和、表直影正、表曲影邪、各歸其分

也、【考證】回、疑當作正、而萬物之理、以類相動也。【正義】姦聲致慝、正響招順、是以天下萬物之理、各隨君善惡、以類而相動也、是故君子反情以和其志、【集解】鄭玄曰、反、猶本也、【正義】此樂象章第二段也、明君子從正樂也、君子、人君也、反、猶本也、民下所習、既從於君、故君宜本情、不使流宕、以自安和其志也、比類以成其行、【正義】行、胡孟反、萬物之理、以類相動、故君子比於正類以成己行也、姦聲亂色、不畱聰明、淫樂廢禮、不接於心術、惰慢邪辟之氣、不設於身體、【正義】此以下、皆反情性之類事也、術、道也、既本情和志、又比類成行、故姦聲亂色、不留視聽、淫樂穢禮、不與心道相接、惰慢邪僻、不設置己身也、聲色、是事、故云聽明、而氣無形、故於身爲設也、【考證】說苑、不留聽明、作不習於聽、禮記說苑、廢作慝、陳澔曰、比類、分次善惡之類也、不留不接不設、皆反情比類之事、李格非曰、反情以和其志、以內脩內者也、比類以成其行、以外治外者也、姦聲亂色、不留聽明、淫樂慝禮、不接心術、以外治內者也、惰慢邪辟之氣不設身體、以內治外也、使耳目鼻口心知百體、皆由順正以行其義、【正義】百體、謂身體百節、既不行姦亂已下諸事、故能使諸行竝由順正以行其德美、化其天下也、不留聽明於姦聲亂色、故耳目得順正也、不用心術接淫慝禮樂、故心知得順正也、不設身於邪僻、故百體得順正也、不言鼻口者、嗜不一也、亦因戒臭味順正也、然后發以聲音、文以琴瑟、【正義】其身

已正、故然後乃可制樂爲化、故用歌之音聲、內發己之德、用琴瑟之響、外發己之行、歌者在上、此是堂上之樂、故前明之也、動以干戚、飾以羽旄、從以簫管。【正義】又用干戚羽旄簫管、從而播之、絲竹在下、此是堂下之樂、故後明之也、【考證】荀子禮論篇、簫作磬、孔穎達曰、隨從諸樂以簫管、中井積德曰、從、縱同、愚按、後說較長、奮至德之光、【索隱】孫炎曰、至德之光、天地之道也、動四氣之和、【索隱】孫炎曰、四氣之和、四時之化、以著萬物之理。【集解】孫炎曰、奮、發也、至德之光、天地之道也、四氣之和、四時之化也、著、猶誠也、是故清明象天、廣大象地、終始象四時、周旋象風雨。【集解】王肅曰、清明廣大終始周旋、皆樂之節奏容儀發動也、【正義】歷解樂所以能通天地、言歌聲清明、是象天氣也、廣大、謂鐘鼓、有形質、是象地形也、謂奏歌周而復始、如四時循環也、若樂六變九變是也、謂舞人迴旋、如風雨從天而下、五色成文而不亂、八風從律而不姦、百度得數而有常、【集解】鄭玄曰、五色、五行也、八風從律應節至也、百度、百刻也、言日月晝夜不失正也、王肅曰、至樂之極能使然耳、小大相成、【正義】大小、謂月晦小大相通以成歲也、賀瑒云、十二月律互爲宮羽而相成也、終始相生。【正義】歲月終而更始也、賀瑒云、五行宮商迭相爲終始也、倡和清濁、代相爲經、【集解】鄭玄曰、清、謂蕤賓至應鐘也、濁、謂黃鍾至仲呂也、【正義】代、更也、經、常也、日月半歲陰陽更相爲

常也、卽還相爲宮也、【考證】方苞曰、干戚羽毛旌題服物、雜用五色、各成文理、屈伸俯仰綴兆舒疾之度、皆有數以紀之、應鏞曰、不亂不姦、以至有常、言其常而不紊也、相成相生、以至迭相爲經、言其變而不窮也、順其常則能極其變矣、愚按常生經韻、故樂行而倫清。【集解】鄭玄曰、倫、謂人道也、【正義】謂上正樂之行也、謂下事張本也、卽樂行之事也、由正樂既行、故人倫之道淸也、【考證】荀子、倫作志、方苞曰、親疏貴賤長幼男女之理、皆形見於樂、故樂行而倫淸、耳目聰明、【正義】不視聽姦亂、故視聽聰明、血氣和平、【正義】口鼻心知百體、皆由從正、故血氣和平、移風易俗、天下皆寧。【正義】既皆由從正以行其義、故風移俗革、天下陰陽皆安寧、移、是移徙之名、易、是改易之稱也、文王之國、自有文王之風、桀紂之邦、亦有桀紂之風、桀紂之後、文王之風被於紂民、易前之惡俗、從今之善俗、上行謂之風、下習謂之俗、【考證】清平明寧韻、故曰、樂者、樂也。【正義】引舊語樂名、廣證前事也、前事邪正之樂雖異、竝是其人所樂、故名曰樂也、君子樂得其道、【正義】雖其人所樂而名爲樂、而人心不同、故所樂有異、有異而名通、故皆名樂、君子、堯舜也、道、謂仁義、故制樂亦仁義也、小人樂得其欲。【正義】小人、桀紂也、人欲、邪淫也、以道制欲、則樂而不亂。【正義】若君子在上、小人在下、君子樂用仁義、以制小人之欲、則天下安樂、而不敢爲亂也、以欲忘道、則惑而不樂。【集解】鄭玄曰、道、謂仁義也、欲、謂邪淫也、【正義】若小人在上、君子在下、則小人肆縱其慾、忘正道、而天下從化皆爲亂惑、不得安

樂、是故君子反情以和其志、【正義】若以道制欲、則是君子、以欲忘道、則爲小人、故君子之人、本情脩性、以和其志、不使逐欲忘道、反情以至其行也、【考證】說苑、志作意、廣樂以成其教、【正義】內本情和志、而外又廣於樂以成其教、然後發以聲音、以著萬物之理也、樂行而民鄉方、【集解】鄭玄曰、方、猶道也、【正義】君上內和志行、樂教流行、故民皆向君子之道、卽仁義制欲者、故樂行而倫淸、以至天下安寧也、可以觀德矣。【正義】結樂使人知上之事、故觀知其德也、德者、性之端也。【正義】此樂象章第三段、明邪正有本、皆不可僞也、德、得理也、性之端本也、言人稟生、皆以得理爲本也、樂者、德之華也。【正義】得理於內、樂爲外、故云德華也、金石絲竹、樂之器也。【正義】歷解飾所須也、樂爲德華、若莫之能用、故須金石之器也、詩、言其志也。【正義】前金石爲器、須用詩述申其志、志在心、不述不暢、故用詩述之也、【考證】說苑、無也字、下同、歌、詠其聲也。【正義】若直述其志、則無醞藉之美、故又長言歌詠、使聲音之美可得而聞之也、舞、動其容也。【正義】若直詠歌未暢、故又舉手蹈足、以動其形容也、三者本乎心、然后樂氣從之。【正義】三者、志聲容也、樂氣、詩歌舞也、君子前有三德爲本乎心、後乃詩歌舞可觀、故云、然後樂氣從之也、是故情深而文明、【正義】德爲性本、故曰情深也、樂爲德華、故云文明、【考證】禮記、氣作器、禮記義疏云、禮

記諸本、俱作樂器、惟史記說苑、作樂氣、張守節輔廣二氏、皆以氣釋之、其說亦似、但細玩記文、以志承性之端、以聲容承德之華、則末二語、自當承樂器言、**氣盛而化神、**【正義】歌舞蹈樂、氣從之、故云氣盛、天下咸寧、故曰化神也、**和順積中、而英華發外。唯樂不可以爲僞。**【集解】鄭玄曰、三者、本志也、聲也、容也、言無此本於內、則不能爲樂耳、【正義】內外符合、而無有虛假、不可以爲僞也、【考證】禮記義疏云、文明言志聲容三者本於心、不當又以志聲容三者爲本、郝懿行曰、五德見性之端倪、樂又發德之英華、情深以志言、文明以聲言、氣盛以樂器言、化神以感化而言也、**樂者、心之動也。**【正義】此樂象章第四段也、明證前第三段樂本之事、緣有前境可樂、而心動應之、故云樂者心之動也、**聲者、樂之象也。**【正義】象、法也、樂舞無聲則不彰、故聲爲樂之法也、**文采節奏、聲之飾也。**【正義】若直有聲而無法度、故須文采節奏聲之儀飾也、**君子動其本、**【正義】本、德也、心之動必應德也、**樂其象、**【正義】德行必應法也、【考證】說苑、作君子之動本、樂之象也、**然后治其飾。**【正義】飾、文采節奏也、前動心有德、次行樂有法、然後乃理其文飾也、【考證】說苑、無然字、**是故先鼓以警戒、**【集解】鄭玄曰、將奏樂、先擊鼓以警戒衆也、【正義】此引武王伐紂之事、證前有德後有飾也、武王聖人、是前有德也、而用此節奏、是後有飾也、先鼓者、爲武王伐紂、未戰之前、鳴皮鼓以警戒、使軍衆逆備也、今作武樂者、未奏之前、鳴皮鼓以敕人、使豫備具也、是明志後有事也、**三步以見**

方、【集解】鄭玄曰、將舞、必先三舉足、以見其舞之漸也、王肅曰、舞武樂、三步爲一節者、以見伐道也、【正義】見、胡練反、三步、足三步也、見方、謂方戰也、武王伐紂、未戰之前、兵士樂奮其勇、出軍陣前、三步示勇氣、方將戰也、今作樂象之纘列、畢而儛者、將欲儛、先舉足三頓爲步、以表方將儛之勢也、**再始以著往、**【集解】鄭玄曰、武舞再更始、以明伐紂時再往之、【正義】著、竹慮反、再始、謂兩過爲始也、著、明也、文王受命十一年、而武王除喪、軍至孟津觀兵、曰紂未可伐也、乃還師、是一始也、至十三年、更興師伐之、是再始也、今舞武者、前成列將欲舞而不儛、是一始也、去復更來、是二過始、明象武王再往、故云再始著往也、**復亂以飾歸、**【集解】鄭玄曰、謂鳴鐃而退、明以整歸也、【正義】復者、伏也、飾、音勑、復亂者、紂凶亂而安復之、飾歸者、武王伐紂勝、鳴金鐃整武而歸也、以去奏皮鼓、歸奏金鐃者、皮、文也、金、武也、初示文德、使紂自改之、則不伐、紂既不改、因而用兵、用兵既竟、故鳴金鐃而歸、示用已竟也、今奏武儛、初皮鼓警衆、末鳴鐃以歸、象伐紂已竟也、鐃鐙鐸也、【考證】胡銓曰、此經汎論樂、不指武王、陳澔曰、再始、謂一節終而再作也、往、進也、亂、終也、如云關雎之亂、歸、舞畢而退就位也、再始以著往者、再擊一鼓以明其進也、復亂以飭歸者、復擊鐃以謹其退也、此兩句、言舞者周旋進退之事、郝懿行曰、再始以著前始之既往、復亂以飭繼亂之所歸、凡樂之九成、皆然、注專指武舞、先儒駁之、是也、**奮疾而不拔也、**【集解】王肅曰、舞雖奮疾而不失節、若樹本得疾風而不拔、【正義】謂舞形也、奮、迅、疾、速也、拔、傾側也、伐紂時、士卒歡喜、奮迅急速、以尙威勢、猛而不傾側也、今武舞亦奮迅急而速、不倒、象、【考證】禮記說苑、無也字、方苞曰、再始二句、舊說專以舞言、似未安、樂重在聲、奮疾而不拔、於聲亦然、舊說專屬舞、亦未安、**極幽而不隱、**

【集解】鄭玄曰、極幽、謂歌也、【正義】皆謂文采節奏也、**獨樂其志、不厭其道、**【集解】王肅曰、樂能使仁人獨樂其志、不厭倦其道也、【正義】言武王諸將、人各忻悅、象武王有德、天下之志、竝無厭干戈、君臣之道、**備舉其道、不私其欲。**【正義】緣人不厭、故作樂者、事事法之、欲備舉武王之道耳、非爲私情之所欲也、**是以情見而義立、**【正義】不厭武王之道、其情既見、則不私其欲、義亦立也、【考證】禮記、以作故、**樂終而德尊。**【正義】爲樂之理既終、是象德之事、其德亦尊顯也、**君子以好善、小人以息過。**【正義】樂理周足、象德可尊、以此教世、何往而不可、君子聞之則好善、小人聞之則改過也、【考證】息、禮記、作聽、說苑、作飾聽、方苞曰、備舉其道、廣樂以成其教也、不私其欲、聞者皆得以蕩滌邪穢也、卽下文君子好善、小人聽過之事、感於樂、則人之情見、事之義立、莫不和敬、莫不和親、情見也、而君臣上下父子兄弟之義、由是立矣、**故曰。生民之道、樂爲大焉。**【正義】此引舊語、結樂道之爲大、【考證】樂者聖人之所樂也至生民之道樂爲大焉八百二十八字、禮記、在禮樂之分、皆以禮終下、**君子曰。禮樂不可以斯須去身。**【正義】此第十章、名爲樂化章第十、以化民、故次賓牟賈成第十也、其章中皆言樂陶化爲善也、凡四段、一、明人生禮樂恆與己俱也、二、明禮樂不可偏用、各有一失也、三、明聖人制禮作樂之由也、四、明聖人制禮作樂、天下服從、此初段、人生禮樂恆與己俱也、恆故能化、化故在前也、引君子之言以張本也、斯須、俄頃也、失之者死、故俄頃不可去身者也、**致樂以治心、**

【集解】鄭玄曰、致、猶深審也、樂由中出、故治心也、**則易直子諒之心油然生矣。**【集解】王肅曰、易、平易、直、正直、子諒、愛信也、鄭玄曰、油、新生好貌、【考證】韓詩外傳、子諒作慈良、**易直子諒之心生則樂。樂則安、安則久、久則天、天則神。天則不言而信。神則不怒而威。**【集解】鄭玄曰、若善心生、則寡於利欲、寡於利欲則樂矣、志明行成、不言而見信如天也、不怒而見畏如神也、**致樂以治心者也。**【正義】結所由也、有威信、由於深審樂以結心之故、**致禮以治躬者也。**【正義】前明樂治心、今明禮檢迹、若深審於禮以治身、則莊敬也、鄭玄云、禮自外作、故治身也、【考證】禮記、無治躬者也四字、中井積德曰、此衍、**治躬則莊敬。莊敬則嚴威。**【集解】鄭玄曰、禮自外作、故治身也、【正義】既身莊敬、儼然人望而畏之、是威嚴也、治內難見、發明樂句多、治外易觀、發明禮句少、而又結也、**心中斯須不和不樂、而鄙詐之心入之矣。**【集解】鄭玄曰、謂利欲生也、**外貌斯須不莊不敬、而慢易之心入之矣。**【集解】鄭玄曰、易、輕易也、**故樂也者、動於內者也。禮也者、動於外者也。樂極和。禮極順。內和而外順、則民瞻其顏色、而弗與**

爭也。望其容貌、而民不生易慢焉。德煇動乎內、而民莫不承聽。理發乎外、而民莫不承順。【集解】鄭玄曰、德煇、顏色潤澤也、理、容貌進止也、孫炎曰、德煇、明惠也、理、言行也、【考證】禮記、動乎作動於、發乎作發諸、郝懿行曰、內和則顏色和、故民瞻之不爭矣、德煇動於內、和順積中、英華發外也、理發諸外者、禮者理之不可易者也、發於四支、暢於事業、則民莫不承順矣、故曰。知禮樂之道、擧而錯之天下、無難矣。【正義】錯、七故反、引舊證民莫不承聽、莫不承順也、聖王有能詳審極致禮樂之道、擧而措之於天下、天下悉從、無難爲之事也、【考證】禮記、知作致、郝懿行曰、莫不承聽、莫不承順也、稱故曰者、引成文、樂也者、動於內者也。禮也者、動於外者也。【正義】此樂化章第二段也、明禮樂不可偏用、各有一失、既方明所失、故前更言其所發外內不同也、動、亦感觸、故禮主其謙。【集解】鄭玄曰、人所倦也、王肅曰、自謙損也、【索隱】王肅曰、自謙愼也、【考證】禮記、謙竝作減、史義爲長、樂主其盈。【集解】鄭玄曰、人所懽也、王肅曰、充氣志也、禮謙而進、以進爲文。【集解】鄭玄曰、進者、謂自勉强也、文、猶美也、善也、王肅曰、禮自減損、所以進德修業也、【考證】郝懿行曰、美相雜曰文、樂盈而反、以反爲文。【集解】鄭玄曰、反、謂自抑止也、王肅曰、樂充氣志而反本也、禮謙而不進則銷。樂盈而不反

則放。【集解】鄭玄曰、放淫於聲樂、不能止也、故禮有報。【集解】孫炎曰、報、謂禮尙往來以勸進之、王肅曰、禮自減損、而以進爲報也、而樂有反。【集解】孫炎曰、反、謂曲終還更始、【索隱】孫炎曰、反、謂曲終還更始也、禮得其報則樂。樂得其反則安。禮之報、樂之反、其義一也。【集解】鄭玄曰、俱起立於中、不銷不放、夫樂者、樂也。人情之所不能免也。【正義】此樂化章第三段也、明聖人所以制樂、由人樂於歌舞、故聖人制樂以和樂之、故云、樂者樂也、但懽樂是人所貪、貪不能自止、故云人情也、【考證】荀子、不能作必不、下有故人不能無樂一句、樂心發諸聲音、形於動靜。人道也。【集解】鄭玄曰、人道、人之所爲也、【考證】禮記荀子、諸作於、人下有之字、聲音動靜、性術之變、盡於此矣。【集解】鄭玄曰、不可過、故人不能無樂。樂不能無形。【集解】鄭玄曰、形、聲音動靜也、【考證】禮記、能竝作耐、荀子、無樂作不樂、形而不爲道、不能無亂。先王惡其亂。故制雅頌之聲以道之、使其聲足以樂而不流、使其文足以綸而不息、【集解】鄭玄曰、文、篇辭也、息、銷也、【考證】禮記、惡作恥、綸作論、荀子、亂下有也字、綸作辨、息作諰、使其曲直繁省廉肉

節奏、足以感動人之善心而已矣。【集解】鄭玄曰、曲直、歌之曲折、繁省廉肉、聲之洪殺也、【考證】禮記、省作瘠、尋文義、省爲長、不使放心邪氣得接焉。是先王立樂之方也。【集解】鄭玄曰、方、道也、【考證】荀子、無而已矣三字、不使一句作使夫邪汙之氣無由得接焉、是故樂在宗廟之中、君臣上下同聽之、則莫不和敬。在族長鄉里之中、長幼同聽之、則莫不和順。在閨門之內、父子兄弟同聽之、則莫不和親。故樂者審一以定和、比物以飾節、節奏合以成文。【集解】鄭玄曰、審一、審其人聲也、比物、謂雜金革土匏之屬以成文、五聲八音、克諧相應和也、【考證】荀子、無二在字、族長以下十六字、在莫不和親下、定和、飾節、成文下竝有者也二字、節奏合作合奏、郝懿行曰、和敬和順和親、竝以和言、樂主和也、久保愛曰、一、謂律也、國語、以律平聲、愚按、合字、涉下文衍、郝懿行曰、節、以分析言之、奏、以分聚言之、所以合和父子君臣、附親萬民也。是先王立樂之方也。故聽其雅頌之聲、志意得廣焉。【正義】前云先王制之聲音形於動靜、故此證其事也、此是發於聲音也、民聽正聲、得益盛德之美、志意得廣大也、執其干戚、習其

俯仰詘信、容貌得莊焉。行其綴兆、【集解】鄭玄曰、綴、表也、所以表行列也、要其節奏、【集解】鄭玄曰、要、猶會也、行列得正焉、進退得齊焉。故樂者、天地之齊、中和之紀、【集解】鄭玄曰、紀、總要之名、【考證】禮記、齊作命、荀子、作大齊、人情之所不能免也。【考證】荀子、不能作必不、夫樂者、先王之所以飾喜也。【正義】此樂化章第四段也、明樂唯聖人在上者制作、天下乃從服也、若內有喜、則外歌舞以飾之、故云先王以樂飾喜也、軍旅鈇鉞者、先王之所以飾怒也。故先王之喜怒、皆得其齊矣。喜則天下和之、怒則暴亂者畏之。先王之道、禮樂可謂盛矣。【考證】禮記、齊作儕、郝懿行曰、齊、才細切、謂分齊也、樂記作儕、假借字耳、愚按、君子曰、禮樂不可以斯須去身、至先王禮樂可謂盛矣、六百二十八字、禮記在故曰生民之道樂爲大下、魏文侯問於子夏曰。【正義】此章第八、明文侯問也、文侯故晉大夫畢萬之後、見子夏而問於樂也、吾端冕而聽古樂、則唯恐臥。【集解】鄭玄曰、端、玄衣也、古樂、先王之正樂、【正義】此文侯問事也、端冕、謂玄冕、凡冕服、其制正幅袂二尺二寸、故稱端也、著玄冕衣、與玄端同色、故曰端冕、聽古樂也、此當是廟中聽樂、玄冕、祭服也、聽鄭衛之音、則

不知倦。敢問古樂之如彼何也。新樂之如此何也。子夏荅曰。今夫古樂、進旅而退旅、【集解】鄭玄曰、旅、猶俱也、俱進俱退、言其齊一也、【正義】子夏之荅、凡有三、初則擧古禮、次新樂、以酬問意、又因更別說、以誘引文侯、欲使更問也、此是荅述古樂之情、旅、衆也、【考證】禮記荅竝作對、和正以廣、【集解】鄭玄曰、無姦聲也、弦匏笙簧、合守拊鼓。【集解】鄭玄曰、合、皆也、言衆皆待擊鼓乃作也、拊者、以韋爲表、裝之以糠也、【正義】拊、音敷武反、拊一名相、亦奏古笙樂也、弦、琴也、匏、瓠屬也、四十六簧笙、十九至十三簧也、簧施於匏笙之管端者也、合、會也、守、待也、拊者、皮爲之以糠實如革囊也、用手撫之鼓也、言奏弦匏笙簧之時、若欲令堂上作樂、則撫拊、堂上、樂工聞撫拊乃弦歌也、若欲令堂下作樂、則擊鼓、堂下、樂工聞鼓、乃吹管播樂也、言弦匏笙簧、皆待拊爲節、故言會守拊鼓也、【考證】禮記、合作會、郝懿行曰、拊亦擊也、書曰、擊石拊石、始奏以文、止亂以武、【集解】鄭玄曰、文、謂鼓、武、謂金也、治亂以相、訊疾以雅。【集解】孫炎曰、整其亂行、節之以相、赴敵迅疾、趨之以雅、鄭玄曰、相、卽拊也、亦以節樂、雅、亦樂器名、狀如漆筩、中有椎、【考證】禮記、止作復、相雅未詳、君子於是語、於是道古、修身及家、平均天下。此古樂之發也。【考證】中井積德曰、於是語、於是道古、是談論義理古道也、竝不指樂、今夫新樂、進俯退俯、【集解】鄭玄曰、俯、猶曲也、言不齊一也、【正義】此第二、述

雜樂也、俯、曲也、新樂行列不齊、進退曲也、姦聲以淫、溺而不止。【集解】王肅曰、姦聲淫、使人溺而不能自止、【考證】禮記、淫作濫、及優侏儒、【集解】王肅曰、俳優、短人也、獶雜子女、不知父子、【集解】鄭玄曰、獶、獼猴也、言舞者如獼猴、戲亂男女尊卑也、【考證】中井積德曰、獶、疑擾之譌、樂終不可以語、不可以道古。此新樂之發也。【正義】此結新樂荅也、今君之所問者樂也。所好者音也。【正義】此第三段、誘引文侯更問前、故說此句、言文侯所問乃是樂、而好鏗鎗之音、非律呂克諧之正樂也、夫樂之與音、相近而不同。【集解】鄭玄曰、鏗鎗之類、皆爲音、應律乃爲樂、文侯曰。敢問如何。【集解】鄭玄曰、欲知音樂異意、子夏荅曰。夫古者天地順而四時當、【正義】當、丁浪反、此荅古樂之由也、天地從、四時當、聖人在上故也、民有德、而五穀昌、疾疢不作、而無祅祥、此之謂大當。【集解】鄭玄曰、當謂不失其所也、然后聖人作爲父子君臣、以爲之紀綱。紀綱既正、天下大定。天下大定、然后正六律、和五聲、弦歌詩頌。此之謂德音。德音之謂樂。

【考證】禮記、爲下無之字、郝懿行曰、民有德、何以五穀昌、傳所謂民和年豐也、先正紀綱、然後正六律和五聲、所謂禮先而樂後也、詩曰。莫其德音、其德克明。克明克類、克長克君、王此大邦、克順克俾。【集解】鄭玄曰、德正應和曰莫、照臨四方曰明、勤施无私曰類、敎誨不倦曰長、慶賞刑威曰君、慈和徧服曰順、俾、當爲比、擇善而從之曰比、俾於文王、其德靡悔。既受帝祉、施于孫子。此之謂也。【集解】鄭玄曰、施、延也、言文王之德、皆能如此、故受天福、延及後世、【考證】禮記、曰作云、詩、大雅皇矣篇、毛詩、章首有維此王季、帝度其心八字、莫、作貊、俾、並作比、於、作于、貊、安定也、俾於之俾、讀爲比、比于文王、至于文王也、今君之所好者、其溺音與。【集解】鄭玄曰、言無文王之德、則所好非樂、【考證】禮記、與作乎、文侯曰。敢問溺音者、何從出也。子夏荅曰。鄭音好濫、淫志。【集解】鄭玄曰、濫、濫竊姦聲也、【正義】子夏歷述四國之所由、以荅文侯也、宋音燕女、溺志。【集解】王肅曰、燕、歡悅、衞音趣數、煩志。【集解】孫炎曰、趣數、音促速而數變也、鄭玄曰、煩、勞也、【考證】禮記、趣作趨、愚按、曰趣數、曰驁辟、皆就音而言、則好濫、燕女、亦就音而言、當某字假借、齊音驁辟、驕志。四者皆淫於色、而害於德。是以祭祀不用也。【集解】鄭玄曰、言四國出此溺音、【考證】

禮記、驕作喬、齊召南曰、宋無風、而與鄭衞齊並列、或是但論四國之音、不涉詩篇也、詩曰。肅雍和鳴、先祖是聽。夫肅、肅敬也。雍、雍和也。夫敬以和、何事不行。【集解】鄭玄曰、古者樂敬且和、故無事而不用、溺音無所施、【考證】詩周頌有瞽篇、爲人君者、謹其所好惡而已矣。君好之、則臣爲之。上行之、則民從之。詩曰。誘民孔易。此之謂也。【集解】鄭玄曰、誘、進也、孔、甚也、言民從君之所好惡、進之於善无難也、【考證】詩、大雅板篇、毛詩、誘作牖、然后聖人作爲鞉鼓椌楬壎篪。【集解】鄭玄曰、椌楬、謂柷敔、【索隱】壎、以土爲之、大如鵝子、形似錘、吹之爲聲、篪、以竹爲之、六孔、一孔上出、名翹、橫吹之、今之橫笛是也、詩云、伯氏吹壎、仲氏吹篪、是也、此六者、德音之音也。【集解】鄭玄曰、六者爲本、以其聲質、然后鐘磬竽瑟以和之、干戚旄狄以舞之。此所以祭先王之廟也。所以獻酬酳酢也。所以官序貴賤、各得其宜也。【集解】鄭玄曰、官序貴賤、謂尊卑樂器列數有差、【考證】狄翟通、說苑脩文篇、酳作酢、酢作酬、張雨曰、六者聲皆質素、故云德音、然後用鐘磬竽瑟華美之音以和之、干戚、武舞所執、旄翟、文舞所執、旄、牛尾、翟、雉尾也、此所以示後世有尊卑長

幼序也。鐘聲鏗。鏗以立號、【集解】鄭玄曰、號令所以警衆也、王肅曰、鐘聲高、故以之立號也、號以立橫、【集解】鄭玄曰、橫、充也、謂氣作充滿、橫以立武。君子聽鐘聲則思武臣。石聲硜。【集解】王肅曰、聲果勁、硜以立別、【集解】鄭玄曰、謂分明於節義、【考證】禮記說苑、硜竝作磬、別竝作辨、錢大昕曰、說文硜即磬之古文、釋名、磬、罄也、聲堅罄罄然、論語、子擊磬于衛、荷蕢言鄙哉硜硜乎、硜硜猶罄罄、謂磬聲也、鐘磬皆以聲得名、辨別、聲義皆同、古人往往通用、別以致死。君子聽磬聲、則思死封疆之臣。絲聲哀。哀以立廉、【集解】鄭玄曰、廉、廉隅、廉以立志。君子聽琴瑟之聲、則思志義之臣。【考證】陳澔曰、人心雖放逸、忽聞哀怨聲、必惻然收斂、是哀能立廉也、絲聲淒切、有廉劌裁割之義、竹聲濫。【集解】王肅曰、濫、會諸音、濫以立會、會以聚衆。君子聽竽笙簫管之聲、則思畜聚之臣。鼓鼙之聲讙。讙以立動、動以進衆。君子聽鼓鼙之聲、則思將帥之臣。【集解】鄭玄曰、聞讙囂則人意動作也、君子之聽音、非聽其鏗鎗而已也、彼亦有所合之也。【集解】鄭玄曰、以聲合己志、【考證】禮記

說苑、鎗作鏘、賓牟賈侍坐於孔子。【正義】此第九章、名賓牟賈問者、蓋孔子之問、本為牟賈而設、故云牟賈問也、孔子與之言及樂。曰、夫武之備戒之已久、何也。【集解】鄭玄曰、武、謂周舞也、備戒、擊鼓警衆也、【正義】此孔子問牟賈及樂之事、凡問有五、此其一也、備戒者、謂將欲作樂、前鳴鼓警戒、使樂人各備容儀、言初欲奏樂時、既已備戒、使有節奏、故令武舞者備戒已久、疑其遲久、故問之也、【考證】已、甚也、荅曰。病不得其衆也。【集解】鄭玄曰、病、猶憂也、以不得衆心為憂、憂其難、【正義】牟賈荅也、亦有五、而二荅是、三荅非、今荅是也、言武王伐紂時、憂不得衆心、故前鳴鼓戒衆、久之乃出戰也、故令舞者久、久乃出、象武王憂不得衆心故也、【考證】禮記、荅竝作對、永歎之、淫液之、何也。【集解】鄭玄曰、永歎淫液、歌遲之也、【正義】此第二問也、【考證】禮記、永作咏、家語作詠、禮記義疏云、咏歎淫液、聲淫及商、皆謂歌聲、荅曰。恐不逮事也。【集解】鄭玄曰、逮、及也、事、伐事也、【正義】此荅亦是也、言衆士望武王欲伐速、恆恐不及伐事之機、故有永歎淫液之聲、發揚蹈厲之已蚤、何也。【集解】王肅曰、厲、疾也、備戒雖久、至其發作又疾也、【正義】第三問也、發、初也、揚、舉袂也、蹈、頓足蹋地、厲、顏色勃然如戰色也、問樂舞何意發初揚袂、又蹈頓足蹋地、勃然作色、何忽如此、何也、荅曰。及時事也。【集解】鄭玄曰、時至、武事當施也、王肅曰、欲令之事各及時、【正義】此荅非也、牟賈意言發揚蹈厲、象武王一人意欲及時之事、故早為此也、鄭玄隨賈意注之也、武坐致

右憲左、何也。【集解】王肅曰、右膝至地、左膝去地也、【正義】憲、音軒、第四問也、坐、跪也、致、至也、軒、起也、問舞人何忽有時而跪也、【考證】家語、憲作軒、荅曰。非武坐也。【集解】鄭玄曰、言武之事、無坐也、【正義】此荅亦非也、牟賈言武奮之士不應有坐也、聲淫及商、何也。【集解】王肅曰、聲深淫貪商、【正義】第五問也、【考證】方苞曰、淫、過也、商者殺伐之聲、祭祀不用、而舞大武之時、樂音或過而入於商聲商調、荅曰。非武音也。【集解】王肅曰、言武王不獲已為天下除殘、非貪商也、【正義】此荅又非也、子曰。若非武音、則何音也。【正義】孔子評其荅武音不貪、但不知其實解理、空言其非、反問也、荅曰。有司失其傳也。【集解】鄭玄曰、有司、典樂者、傳、猶說也、【正義】傳、直緣反、賈荅言武王非有貪、是有司傳之謬妄、故有此矣、如非有司失其傳、則武王之志荒矣。【集解】鄭玄曰、荒、老耄也、言典樂者失其說、時人妄說也、【正義】賈又云、假令非傳者謬妄、則是武王末年年志荒耄之時、故有貪商之聲也、【考證】禮記義疏云、國語、牧野之事、音皆尚宮、周官大祭祀之樂無商、而當時有淫而及商聲者、故知非武音、若武樂果有此音、則武王殺伐之心動而志荒矣、賈知武王無此心、故夫子亟許之、子曰。唯。丘之聞諸萇弘、亦若吾子之言是也。【集解】鄭玄曰、萇弘、周大夫、【索隱】按大戴禮云、孔子適周、訪禮於老聃、學樂於萇弘、是也、【正義】萇、音直良反、吾子、牟賈也、言我聞萇弘所言、亦如賈今所言之也、賓牟賈起、免席

而請曰。【正義】免、猶避也、前所荅四事、五不被叩問、今疑不知前荅之是非、故起所疑而問也、【考證】中井積德曰、正義四當作五、五當作三、夫武之備戒之已久、則既聞命矣。【集解】孫炎曰、聞命、謂言是、敢問遲之遲而又久、何也。【集解】鄭玄曰、遲之遲、謂久立於綴、【考證】方苞曰、賈言戒備之久、既已聞命、而又發問、則所疑乃六成復綴之後、遲之又久而後退也、故孔子歷序至豐以後諸大政、而曰、如此則周道四達、禮樂交通、則夫武之遲久不亦宜乎、其遲之又久、正以俟周道之達且通也、安得仍以舞者未出以前戒備之久為義乎、子曰。居。吾語汝。【集解】鄭玄曰、居、猶安坐也、夫樂者、象成者也。【集解】王肅曰、象成功而為樂、總干而山立、【集解】王肅曰、總持干楯、山立不動、武王之事也。【正義】此下明應象成之事也、荅所以遲也、象武王伐紂、持楯立以待諸侯至、故云武王之事也、發揚蹈厲、太公之志也。【集解】王肅曰、志在鷹揚也、【正義】荅遲久已竟、而牟賈前荅發揚蹈厲、以為象武王欲及時事、非也、言此是太公志耳、太公相武王伐紂、志願武王之速得、自奮其威勇以助也、武亂皆坐、周召之治也。【集解】王肅曰、武亂、武之治也、皆坐、以象安民無事也、【正義】賈前荅武坐、非也、因又為之說、言當伐紂時、士卒行伍有亂者、周召二公以治正之、使其跪敬、致右軒左、以待處分、故今八佾象鬭時之亂、挨相正之則俱跪、跪乃更起以作行列、象周召之事耳、非武舞有坐之也、【考證】郝懿行曰、亂、樂之卒章也、且夫武始

而北出、【集解】鄭玄曰、始奏、象觀兵盟津時也、【正義】說五事既竟、而遲久之意未周、故更廣其象成之事、非苔前五事、故云且夫也、始而北出者、謂奏樂象武王觀兵孟津之時也、王居鎬在南、紂居朝歌在河北、故儛者南來、持楯向北、倘象之也、再成而滅商、【集解】鄭玄曰、成、猶奏也、再奏象克殷時、【正義】再成、謂儛者再來奏時也、儛者初始前、一向北而不儛、象武王前觀孟津、不伐而反也、至再往而向北、遂奏成擊刺、三成而南、【集解】王肅曰、誅紂已而南、【正義】儛者第三奏、往而轉向南、象武王勝紂、向南還鎬之時也、四成而南國是疆、【集解】王肅曰、有南國以爲疆界、【正義】儛者第四奏、象周太平時、南方荊蠻竝來歸服、爲周之疆界、五成而分陝、周公左、召公右、【集解】王肅曰、分陝東西而治、【正義】儛者至第五奏、而東西中分之、爲左右二部、象周太平後、周公召公分職、爲左右二伯之時、【考證】禮記無陝字、陳仁錫曰、此衍陝字、六成復綴以崇天子、【集解】鄭玄曰、六奏、象兵還振旅也、復綴、反位止也、王肅曰、以象尊崇天子、【考證】家語以下有其、子下有焉、陳仁錫曰、六成復綴以崇、句、天子夾振之而四伐、句、兪樾曰、毛詩崇朝其雨、傳云、崇、終也、是崇與終聲近義通、故古字通用、以崇猶言以終、上文曰、且夫武始而北出、此云六成復綴以崇、正以始終對言、愚按一成至五成、皆併說周事、六成止言武舞、文不一律、且天子二字下屬不成義、王肅讀天子上屬、[illegible]作樂六成尊崇天子者、是也、夾振之而四伐、盛振威於中國也。【集解】王肅曰、振威、武也、四伐者、伐四方與紂同惡者、一擊一刺爲一伐也、【正義】夾音古合反、夾振、謂武王與大將軍夾軍而奮鐸、振動士卒也、言當奏武樂時、亦兩人執鐸夾之、爲節之象也、凡四伐到一止、當伐紂時、士卒皆四伐一止也、故牧誓云、今日之事、不過四伐五伐、是也、故作武樂儛者、亦以干戈伐之象也、【考證】家語、夾上有樂字、禮記、盛下無振字、館本倒之、郝懿行曰、夾之者、二人振鐸夾舞人、非天子親夾之也、分夾而進、【集解】徐廣曰、一作遲、【考證】家語夾作陝、事蚤濟也。【集解】王肅曰、分部而竝進者、欲事早成、久立於綴、以待諸侯之至也。【集解】鄭玄曰、象武王伐紂待諸侯也、【考證】方苞曰、如鄭說、則不宜倒字於分夾而進事蚤濟也之下、按武成、丁未祀周廟、來相祀者、不過邦甸侯衛、至大誥武成、然後庶邦冢君暨百工受命於周、則必六成而南、又久立於綴、象既告武成、而待庶邦冢君之至也、且夫女獨未聞牧野之語乎。【集解】鄭玄曰、欲語以作武樂之意、【正義】今衞州所理汲縣、卽牧野之地也、更欲語尒賈奏武樂遲久之意、其語卽下所陳是也、【考證】禮記無夫字、此疑衍、武王克殷反商、【集解】鄭玄曰、反、當爲及、謂至紂都也、未及下車、【索隱】給、禮文作及、蓋聲相近、而字誤耳、【正義】車、戎車也、軍法、一車三人乘之、步卒七十二、牧誓云、戎車三百兩、則二萬二千五百人也、【考證】據索隱、小司馬所見史文作給、今本作及、蓋後人依記改、中井積德曰、此車、謂武王之乘輿、而封黃帝之後於薊、封帝堯之後於祝、【正義】地理志云、平原郡祝阿縣也、薊、音計、幽州縣是也、封帝舜之後於陳。【正義】陳州宛丘縣、故陳城是也、下車而封夏后

氏之後於杞、【正義】汴州雍丘縣、故杞國、封殷之後於宋、【考證】郝懿行曰、封微子於宋、在成王時、據此則武王時已徙微子於宋、其後周公乃就封之耳、又曰、史記周紀、稱武王封神農之後于焦、黃帝之後於祝、帝堯之後於薊、與此不同、封王子比干之墓、【集解】鄭玄曰、積土爲封、封比干之墓、崇賢也、釋箕子之囚、使之行商容而復其位、【集解】徐廣曰、周本紀云、命召公釋箕子之囚、又曰、表商容之閭、【考證】王肅曰、商容、商之禮、其位、舊居也、或曰、行、猶索也、使箕子索商容而復其位、然不能得、故表其閭爾、中井積德曰、據此文、商容是里名、蓋箕子之舊居、故使箕子行商容而復其位也、是與武成史記不合、兪樾曰、禮記鄭注云、行、猶視也、使箕子視商禮樂之官、賢者所處、皆令反其官也、按武王左右自不乏其人、何必箕子、是使脫故主之幽囚、而劾新君之奔走、稍有人心者所不爲、而謂箕子爲之乎、鄭注非也、使之行商容而復其位、卽就箕子言、蓋釋其囚而使之復位也、商容、猶言商禮、禮以容儀爲主、故行禮之臺謂之容臺、至漢世而徐氏之容、與制氏之聲竝傳、然則以容言禮、猶以聲言樂也、武王優崇箕子、不奪其志、俾得仍用殷禮、故曰、釋箕子之囚、使之行商容、而復其位、自鄭失其解、而陸德明復引孔安國說、以商容爲殷之賢人、於是異說滋多、而經義益晦矣、庶民弛政、庶士倍祿。【集解】鄭玄曰、弛政、去紂時苛役、倍祿、復其紂時薄者、濟河而西、【正義】濟、渡也、河、黃河也、武王伐紂事畢、從懷州河陽縣南渡河、至洛州、從洛城而西歸鎬京也、馬散華山之陽、而弗復乘、【集解】鄭玄曰、散、猶放、【考證】禮記散下並有之

字、牛散桃林之野、而不復服、【集解】徐廣曰、在弘農縣、今曰桃丘、【正義】示無復用、服、亦乘也、桃林、在華山之旁、此二處竝是牛馬放生地、初伐就此取之、今事竟、歸之前處、故尙書武成篇序云、武王伐殷、往伐歸獸、是也、車甲弢、【集解】徐廣曰、音韜、【考證】禮記弢作衅、與釁同、而藏之府庫、而弗復用、倒載干戈、苞之以虎皮、【集解】鄭玄曰、包干戈以虎皮、明能以武服兵也、【考證】禮記苞作包、孔穎達曰、倒載干戈者、倒載而還鎬京也、凡載兵之法、皆刃向外、今倒載者、刃向內、不與常同也、將率之士、使爲諸侯、名之曰建櫜。【集解】王肅曰、所以能櫜弓矢而不用者、將率之士力也、故建以爲諸侯、謂之建櫜也、【索隱】王肅云、將帥能櫜弓矢而不用、故建以爲諸侯、因謂建櫜也、【考證】禮記率作帥、鄭玄曰、建讀爲鍵、字之誤也、兵甲之衣曰櫜、言閉藏兵甲也、中井積德曰、建鞬同、弓衣也、愚按家語作鞬、然后天下知武王之不復用兵也。散軍而郊射、【集解】鄭玄曰、郊射、爲射宮於郊也、王肅曰、郊有學宮、可以習禮也、左射貍首、右射騶虞、【集解】鄭玄曰、左、東學、右、西學也、貍首騶虞所歌爲節也、而貫革之射息也。【集解】鄭玄曰、貫革、射穿甲革也、裨冕搢笏、【集解】鄭玄曰、裨冕、衣裨衣而冠冕也、裨衣、袞之屬也、搢、插也、【考證】中井積德曰、革、謂的也、所謂布侯棲革、是也、時事戰爭、則射必以貫的爲賢、不貫者、不必爲中、以尙弓力也、論語所謂主皮、卽貫革矣、不必軍中之事、而虎

賁之士稅劒也。考證稅脫、通、禮記、作說、祀乎明堂、而民知孝。集解鄭玄曰、文王之廟爲明堂、考證郝懿行曰、先儒以斯時未有明堂、因文王廟爲明堂制、而卽曰明堂、似未安、朝覲、然后諸侯知所以臣。耕藉、然后諸侯知所以敬。集解鄭玄曰、耕藉、藉田也、五者天下之大教也。食三老五更於太學、集解鄭玄曰、老更、互言之耳、皆老人、更知三德五事者也、周名太學曰東膠、考證禮記、太作大、天子袒而割牲、執醬而饋、執爵而酳、冕而總干、集解鄭玄曰、冕而總干、在舞位、所以教諸侯之悌也。考證禮記、悌作弟、若此則周道四達、禮樂交通、則夫武之遲久、不亦宜乎。集解鄭玄曰、言武遲久、爲重禮樂也、考證魏文侯問於子夏至武之遲久不亦宜乎、一千二百三十字、禮記在然後可以制於天下也下、又見於家語辯樂篇、子貢見師乙而問焉。集解鄭玄曰、師、樂官也、乙、名也、曰。賜聞聲歌各有宜也、集解鄭玄曰、氣順性、如賜者宜何歌也。師乙曰。乙、賤工也。集解鄭玄曰、樂人稱工也、何足以問所宜。請誦其所聞、而吾子自執焉。集解鄭玄曰、執、猶

處也、寬而靜、柔而正者、宜歌頌。廣大而靜、疏達而信者、宜歌大雅。恭儉而好禮者、宜歌小雅。正直清廉而謙者、宜歌風。肆直而慈愛者、宜歌商。集解鄭玄曰、肆、正也、溫良而能斷者、宜歌齊。考證寬而靜至直而慈四十九字、禮記在下文商者五帝之遺聲也下、鄭玄注禮記云、此文換簡失其次、寬而靜宜在上、愛者宜歌商、宜承此下行、讀云肆直而慈愛者宜歌商、愚按此鄭氏依樂書以正禮記、樂書後人妄增、而去古未遠、故其資於考據如此、讀者勿以贋鼎棄之、郝懿行曰、風雅頌四歌、皆合性之所近、商齊二歌、皆矯性之所偏、中井積德曰、歌頌歌風雅、皆取其性之近者、所謂直己陳德也、獨於商齊有濟偏之說、何也、不特與上文例相乖、又與直己陳德句不相容、蓋是錯誤耳、歌商當作歌齊、而歌齊當作歌商、互相易而後可、愚按中說於理爲長、夫歌者、直己而陳德。鄭玄曰、各因其德歌所宜、考證禮記、德下有也字、動己而天地應焉、四時和焉、星辰理焉、萬物育焉。集解鄭玄曰、育、生也、故商者、五帝之遺聲也。商人志之。故謂之商。齊者、三代之遺聲也。齊人志之。故謂之齊。考證禮記、志、竝作識、商卽宋、國語、宋正考甫得商頌于周大師、論語述而篇、子在齊聞韶章、皇侃義疏引范寧云、陳、舜之後也、樂

在陳、敬仲竊以奔齊、其餘宋齊傳五帝三代遺聲、未聞、明乎商之詩者、臨事而屢斷。集解鄭玄曰、以其肆直、明乎齊之詩者、見利而讓也。集解鄭玄曰、以其溫良而能斷也、考證禮記、詩竝作音、讓下無也字、臨事而屢斷、勇也。見利而讓、義也。有勇有義、非歌孰能保此。故歌者、上如抗、下如隊、曲如折、止如槀木、居中矩、句中鉤、累累乎殷如貫珠。集解鄭玄曰、言歌聲之著、動人心之審、而有此事、考證禮記、居作倨、累作纍、殷作端、郝敬曰、如抗七者、歌之法也、上者聲高、下者聲卑、曲者聲回、止者聲絕、矩、曲尺也、半環曰鉤、故歌之爲言也、長言之也。集解鄭玄曰、長言引其聲、說之、故言之。言之不足、故長言之。長言之不足、故嗟歎之。嗟歎之不足、故不知手之舞之足之蹈之。集解鄭玄曰、手舞足蹈、歡之至、考證禮記、蹈之下有也字、子貢問樂。正義結此前事、悉是荅子貢問之事、其樂記者、公孫尼子次撰也、爲樂記、通天地、貫人情、辯政治、故細解之以前、劉向別錄篇次、與鄭目錄同、而樂記篇次、又不依鄭目、今此文篇次顚倒者、以褚先生升降故今亂也、今逐舊次第、隨段記之、使後略知也、以後文出褚意耳、考證子貢見師乙而問焉、至子貢問樂、二百九十五字、禮記在先

王之道、禮樂可謂盛矣下、凡音之起由人心生也、後人取禮記樂記妄增、禮記義疏云、子貢問樂、是此一篇之名、古書篇名多在後、此偶其存者耳、鄭氏從爲之辭、鑿矣、凡音由於人心。天之與人有以相通、如景之象形、響之應聲。故爲善者天報之以福、爲惡者天與之以殃。其自然者也。故舜彈五弦之琴、歌南風之詩、而天下治。紂爲朝歌北鄙之音、身死國亡。舜之道何弘也。紂之道何隘也。夫南風之詩者、生長之音也。舜樂好之。樂與天地同意、得萬國之驩心。故天下治也。夫朝歌者、不時也。北者敗也。鄙者陋也。紂樂好之、與萬國殊心、諸侯不附、百姓不親、天下畔之。故身死國亡。考證以上百五十八字、亦後人取他書妄增、而衛靈公之時、正義時衛都楚丘、楚故城、在宋州楚丘縣北三十里、衛之楚丘邑也、考證韓非子十過篇、無之時二字、將之晉。至於濮水之上舍。正義括地志云、在曹州離狐縣界、卽師延投處也、考證舍、次舍之舍、韓非子作稅車

而放馬、設舍以宿、夜半時聞鼓琴聲。問左右、皆對曰、不聞。乃召師涓曰、吾聞鼓琴音、問左右皆不聞。其狀似鬼神。爲我聽而寫之。師涓曰、諾。因端坐援琴、聽而寫之。明日曰、臣得之矣。然未習也。請宿習之。靈公曰、可。因復宿。明日報曰、習矣。卽去之晉、見晉平公。平公置酒於施惠之臺。【正義】一本、慶祁之堂、左傳云、虒祁之宮、杜預云、虒祁、地名也、在絳州西四十里、臨汾水也、【考證】韓非子、作施夷、酒酣、靈公曰、今者來聞新聲。請奏之。平公曰、可。卽令師涓坐。師曠旁援琴鼓之。未終。師曠撫而止之曰、此亡國之聲也。不可遂。平公曰、何道出。【考證】諸本、遂作聽、今從毛本宋本、王念孫曰、何上脫是字、道、從也、言此聲何從出也、御覽引史記、作是何道出、韓子作此道奚出、論衡作此何道出、皆可證也、師曠曰、師延所作也。與紂爲靡靡之樂。武王伐紂。師延東走、自投濮水之中。故聞此聲必於濮

水之上。先聞此聲者國削。平公曰、寡人所好者音也。願遂聞之。師涓鼓而終之。平公曰、音無此最悲乎。師曠曰、有。平公曰、可得聞乎。師曠曰、君德義薄。不可以聽之。平公曰、寡人所好者音也。願聞之。師曠不得已援琴而鼓之。一奏之、有玄鶴二八、集乎廊門。再奏之、延頸而鳴、舒翼而舞。平公大喜、起而爲師曠壽。反坐問曰、音無此最悲乎。師曠曰、有。昔者黃帝以大合鬼神。今君德義薄、不足以聽之。聽之、將敗。平公曰、寡人老矣。所好者音也。願遂聞之。師曠不得已、援琴而鼓之。一奏之、有白雲從西北起。【考證】韓非子、白雲作玄雲、再奏之、大風至而雨隨之、飛廊瓦。左右皆奔走。平公恐懼、伏於廊屋之閒。晉國大旱、赤地

三年。聽者或吉或凶。夫樂不可妄興也。【考證】以上節錄韓非十過篇、又見論衡紀妖篇、

太史公曰、夫上古明王舉樂者、非以娛心自樂、快意恣欲。將欲爲治也。正教者、皆始於音。音正而行正。故音樂者、所以動盪血脈、通流精神、而和正心也。故宮動脾而和正聖。商動肺而和正義。角動肝而和正仁。徵動心而和正禮。羽動腎而和正智。故樂所以內輔正心、而外異貴賤也。上以事宗廟、下以變化黎庶也。琴長八尺一寸。正度也。弦大者爲宮、而居中央。君也。商張右傍、其餘大小相次、不失其次序、則君臣之位正矣。故聞宮音、使人溫舒而廣大。聞商音、使人方正而好義。聞角音、使人惻隱而愛人。聞徵音、使人樂善而好施。聞羽音、使

人整齊而好禮。夫禮由外入、樂自內出。故君子不可須臾離禮。須臾離禮、則暴慢之行窮外。不可須臾離樂。須臾離樂、則姦邪之行窮內。故樂音者、君子之所養義也。夫古者天子諸侯聽鐘磬、未嘗離於庭。卿大夫聽琴瑟之音、未嘗離於前。所以養行義而防淫佚也。【考證】不可須臾離樂以下、又見說苑脩文篇、夫淫佚生於無禮。故聖王使人耳聞雅頌之音、目視威儀之禮、足行恭敬之容、口言仁義之道。故君子終日言、而邪辟無由入也。【考證】太史公曰以下亦後人妄增、非史公手筆、

【索隱】述贊、樂之所興、在乎防欲、陶心暢志、舞手蹈足、舜曰簫韶、融稱屬續、審音知政、觀風變俗、端如貫珠、清同叩玉、洋洋盈耳、咸英餘曲、

樂書第二　　史記二十四

史記會注考證卷二十五

漢　太史令司馬遷撰
宋中郎外兵曹參軍裴駰集解
唐國子博士弘文館學士司馬貞索隱
唐諸王侍讀率府長史張守節正義
日本　出雲瀧川資言考證

律書第三　史記二十五

【考證】史公自序云、非兵不彊、非德不昌、黃帝湯武以興、桀紂二世以崩、可不愼歟、司馬法所從來尙矣、太公孫吳王子、能紹而明之、切近世、極大變、作律書第三、楊愼曰、漢

書音義云、律書缺、有錄無書、索隱云、兵書亡不補、略述律而言兵、遂分歷述以次之、皆疑其爲褚所補、今按太史公自序律書云、非兵不彊、又云、司馬法所從來尙矣、太公孫吳王子、能紹而明之、蓋言兵也、律書卽兵書、非亡而不補也、其律書略述律而言兵語焉不詳、誠如小司馬所云也、其云分歷述以次之者、蓋自書曰七正二十八舍以下、皆關律法也、然曆之月數、實應乎律、非分曆述以次之也、兵之與律相因者然、非特以律聰兵聲而已也、先儒謂太史公論文帝寢兵息民、天下和樂、爲得論律本意、余以爲此書雖頗殘缺、而補綴之、非全失而全出褚少孫手也、洪頤煊曰、疑律書自王者制事立法以下至孔子所稱有德君子者邪、本爲兵書、自書曰七正二十八舍以下至篇末、爲曆書篇首、後人誤割附於上篇兵書之後、而改其目曰律書、故張晏以爲亡也、漢書稱律曆志、似猶見其原本、王元啓曰、史記所闕十篇、說者皆云褚少孫所補、余讀律書首言律爲兵家所重、因序歷代兵制、以附其後、末復詳述律管長短之數、以爲後人審律候氣之準、中所闕者、唯景武兩朝兵制耳、要其首尾完善、必非少孫所能代爲、惟所述二十八舍十母十二子方隅氣候、乃後之讀史者剿取術家之言以爲訓釋、愚按篇首至有德君子者邪、歷書序、史公手筆、非後人改兵書爲律書也、書曰七正至篇末與上文氣脉不貫、王說是也、

王者制事立法、物度軌則、壹稟於六律。【索隱】按律有十二、陽六爲律、黃鍾、太蔟、姑洗、蕤賓、夷則、無射、陰六爲呂、太呂、夾鍾、中呂、林鍾、南呂、應鍾是也、名曰律者、釋名曰、律、述也、所以述陽氣也、律曆志云、呂、旅、助陽氣也、案古律用竹、又用玉、漢末以銅爲之、呂亦稱閒、故有六律

六閒之說、元閒大呂、二閒夾鍾是也、漢京房知五音六律之數、十二律之變至六十、猶八卦之變爲六十四卦也、故中呂上生執始、執始下生去滅、上下相生、終於南呂、而六十律畢也、六律爲萬事根本焉。【索隱】律曆志云、夫推曆生律制器、規圜矩方、權重衡平、準繩嘉量、探賾索隱、鉤深致遠、莫不用焉、是萬事之根本、【考證】岡白駒曰、凡度量物數、其原皆出于律、詳見乎漢書律歷志、豬飼彥博曰、晉書律歷志引此、法物二字倒、根作之、焉字在下文所重下、其於兵械尤所重。【索隱】按易稱師出以律、是於兵械尤重也、【正義】內成曰器、外成曰械、械謂弓矢殳矛戈戟、劉伯莊云、吹律審聲、聽樂知政、師曠審歌、知晉楚之彊弱、故云兵家尤所重、【考證】張照曰、械字、爲戒字之訛、蓋審幾察微、莫精於律、氣者生死之根也、氣不可見、以聲審之、兵者千萬人之死生係焉、故於兵戒爲尤重也、於器械何涉、張文虎曰、械疑機字誤、或戎字訛、然據索隱正義、則唐時已誤矣、故云。望敵知吉凶、【索隱】凡敵陣之上、皆有氣色、氣強則聲強、聲強則其衆勁、律者所以通氣、故知吉凶也、【正義】凡兩軍相敵、上皆有雲氣及日暈、天官書云、暈等力鈞、厚長大有勝、薄短小無勝、故望雲氣知勝負彊弱、引舊語、乃曰故云、【考證】望敵、望敵氣也、或云、敵、當作氣、聞聲效勝負。【索隱】周禮太師執同律以聽軍聲、而詔其吉凶、是也、故左傳稱師曠知南風之不競、此卽其類也、【正義】周禮云、太師執同律以聽軍聲、而詔其吉凶、左傳云、師曠知南風之不競、卽其類、【考證】錢大昕曰、效、見也、百王不易之道也。武王伐紂、吹律聽聲。【索隱】其事當有所出、今則未詳、【考證】張照曰、武王伐紂吹律聽聲、至今明載周國語、何未詳也、愚按周語伶州鳩對

周景王曰、凡神人以數合之、以聲昭之、數合聲龢、然後可同也、故以七同其數、而以律龢其聲、於是乎有七律、武王以二月癸亥夜陳、未畢而雨、以夷則之上宮畢之、當辰、辰在戌上、故長夷則之上宮、名之曰羽、所以藩屛民則也、王以黃鐘之下宮、布戎于牧之野、故謂之厲、所以厲六師也、以大蔟之下宮、布令於商、昭顯文德、底紂之多辠、故謂之宣、所以宣三王之德也、推孟春以至于季冬、殺氣相并、【正義】人君暴虐酷急、卽常寒應、寒生北方、乃殺氣也、武王伐紂、吹律從春至冬、殺氣相并、律亦應之、故洪範咎徵云、急常寒若、是也、【考證】張文虎曰、推孟春以至于季冬、疑當推季冬以至于孟春、商之十二月正月、卽周之一月二月、武王伐紂之月也、下云、音尙宮、蓋卽伶州鳩所云、詳見國語、而音尙宮。【正義】兵書云、夫戰、太師吹律合音、商則戰勝、軍士彊、角則軍擾多變、失士心、宮則軍和、主卒同心、徵則將急數怒、軍士勞、羽則兵弱少威焉、【考證】音尙宮之說、蓋本國語伶州鳩之言七律、愚按正義本周禮大師鄭注文、多訛舛、今改、同聲相從、物之自然。何足怪哉。兵者、聖人所以討彊暴平亂世、夷險阻救危殆。自含血戴角之獸、見犯則校。而況於人懷好惡喜怒之氣。喜則愛心生、怒則毒螫加。【正義】螫音釋、情性之理也。昔黃帝有涿鹿之戰、以定火災。【集解】文穎曰、神農子孫暴虐、黃帝伐之、故以定火災、【考證】岡白駒曰、神農以火德王、其子孫暴虐、故云火災、

顓頊有共工之陳、以平水害。【集解】文穎曰、共工、主水官也、少昊氏衰、秉政作虐、故顓頊伐之、本主水官、因爲水行也、【考證】岡白駒曰、共工之作亂、振滔洪水、以禍天下、故云水害、成湯有南巢之伐、以殄夏亂。【正義】南巢、今廬州巢縣是也、淮南子云、湯伐桀、放之歷山、與末喜同舟浮江、奔南巢之山而死、按巢、卽山名、古巢伯之國、云南巢者、在中國之南也、【考證】杭世駿曰、淮南修務訓云、整兵鳴條、困夏南巢、譙以其過、放之歷山、無末喜同舟之語、遞興遞廢、勝者用事。所受於天也。自是之後、名士迭興、晉用咎犯、【正義】狐偃也、咎季也、又云、胥臣也、【考證】錢大昕曰、古文舅爲咎、狐偃、晉文公之舅、故稱咎犯、禮記亦作舅犯也、正義以爲二人、而齊用王子、【索隱】徐廣云、王子成父、吳用孫武、申明軍約、賞罰必信、卒伯諸侯、兼列邦土。【考證】梁玉繩曰、邦字犯諱、何以不改、雖不及三代之誥誓、然身寵君尊、當世顯揚。可不謂榮焉。豈與世儒闇於大較、【索隱】大較、大法也、淳于髡曰、車不較則不勝其任、是也、較音角、不權輕重、猥云德化不當用兵、大至君辱失守、【索隱】徐廣云、如宋襄公是也、【考證】張文虎曰、各本君作窘、宋本作君、與索隱本合、小乃侵犯削弱、遂執不

移等哉。故教笞不可廢於家。刑罰不可捐於國。誅伐不可偃於天下。用之有巧拙、行之有逆順耳。【考證】呂氏春秋蕩兵篇、故怒笞不可偃於家、刑罰不可偃於國、誅伐不可偃於天下、有巧有拙而已矣、高誘注、巧者以治、拙者以亂、夏桀・殷紂、手搏豺狼、足追四馬。勇非微也。【考證】岡白駒曰、一車四馬、百戰克勝、諸侯懾服。權非輕也。秦二世宿軍無用之地、連兵於邊陲。力非弱也。【索隱】謂常擁兵於郊野之外也、【正義】謂三十萬備北邊、五十萬守五嶺也、云連兵於邊陲、卽是宿軍無用之地也、結怨匈奴、絓禍於越。勢非寡也。【正義】絓、胡卦反、顧野王云、絓者所礙、及其威盡勢極、閭巷之人爲敵國。咎生窮武之不知足、甘得之心不息也。【考證】李廷機曰、已上以尊寵顯榮與窘辱失守、侵犯削弱相反、便見武可用而不可窮、巧而順、則爲王霸、拙而逆、則爲桀紂與秦、自夏桀至息也、言窮兵之害、見其用之拙而行之逆、自高祖至末、言偃兵之效、而以和樂結之、意深遠矣、高祖有天下、三邊外畔、大國之王、雖稱蕃輔、臣節未盡。會高祖厭苦軍事、亦有蕭・張

之謀。【考證】沈家本曰、三邊、以下文推之、謂南北東也、其文云、南越朝鮮、自全秦時內屬爲臣子、後且擁兵阻阸、又云、今匈奴內侵、軍吏無功、又云、願且堅邊設候、結和通使、休寧北陲、此其證也、岡白駒曰、所謂任蕭曹之文、用良平之謀也、愚按、不幸有事、恃蕭張之謀也、故偃武一休息、羈縻不備。【考證】司馬相如傳、天子之於夷狄也、羈縻勿絕而已、言控制夷狄如羈縻牛馬也、不備、不設邊戍也、歷至孝文卽位、將軍陳武等議曰。南越・朝鮮、【正義】潮仙二音、高驪平壤城、本漢樂浪郡王險城、卽古朝鮮地、時朝鮮王滿據之也、自全秦時、內屬爲臣子。後且擁兵阻阸、選蠕觀望。【集解】阸、音尼賣反、選、音思兗反、蠕、音而兗反、【索隱】蠕、音軟、選蠕、謂動身欲有進取之狀也、【考證】選蠕、讀爲耎惴、莊子胠篋篇、惴耎之蟲、肖翹之物、耎、謂微動、惴、一作喘、謂微息、岡白駒曰、觀望、謂伺消息也、高祖時、天下新定、人民小安、未可復興兵。今陛下仁惠撫百姓、恩澤加海內。宜及士民樂用、征討逆黨、以一封疆。【考證】朝鮮南越不宜言逆黨、疑文有訛誤、孝文曰。朕能任衣冠。【正義】朕、音而禁反、【考證】岡白駒曰、言以文治也、念不到此。會呂氏之亂、功臣宗室、共不羞恥、誤居正位、常戰戰慄慄、恐

事之不終。且兵凶器、雖克所願、動亦秏病。謂百姓遠方何。【考證】國語越語范蠡曰、勇者逆德也、兵者凶器也、尉繚子武議篇、兵者凶器也、爭者逆德也、將者死官也、韓非子存韓篇、兵凶器也、不可不審用也、又先帝知勞民不可煩、故不以爲意。朕豈自謂能。今匈奴內侵、軍吏無功。邊民父子、荷兵日久。【正義】荷、音何我反、朕常爲動心傷痛、無日忘之。今未能銷距、【考證】岡白駒曰、距、拒通、言未能拒之而銷邊患也、願且堅邊設候、結和通使、休寧北陲。爲功多矣。且無議軍。【考證】候、望候也、方苞曰、此詔不入本紀、而載律書、正與樂書懲其家難、戰戰恐懼、善守善終相發、愚按此詔漢書不載、故百姓無內外之繇、得息肩於田畝、天下殷富、粟至十餘錢、【考證】繇、繇役也、梁玉繩曰、粟下或斗或斛、必有缺文、鳴雞吠狗、煙火萬里。可謂和樂者乎。太史公曰。文帝時、會天下新去湯火、【索隱】謂秦亂楚漢交兵之時、如遭墜湯火、卽書云、人墜塗炭、是也、人民樂業、因其欲然、能不擾亂。故百姓遂安。自年

六七十翁、亦未嘗至市井、游敖嬉戲、如小兒狀。孔子所稱有德君子者邪。【索隱】論語曰、善人爲邦百年、亦可以勝殘去殺也、【考證】岡白駒曰、未嘗至市井、樂業自足故也、張文虎曰、宋本無翁字、愚按、以上史公律書本文、以下後人妄補、

書曰。七正。二十八舍。【索隱】七正、日月五星、七者可以正天時、又孔安國曰、七正、日月五星、各異政也、二十八宿之所舍也、舍、止也、宿、次也、言日月五星運行、或舍於二十八次之分也、【考證】七正、七政也、尚書堯典文、二十八舍上添卽字看、下文云、旋璣玉衡、以齊七政、卽天地二十八宿云云、張文虎曰、書曰以下、與上絕不相蒙、王柯凌竝連上、毛空一格、皆非、今提行、中井積德曰、以下妄誕太甚、無足辨、律歷、天所以通五行八正之氣、天所以成孰萬物也。【索隱】八、謂八節之氣以應八方之風、【考證】豬飼彥博曰、隋蕭吉五行大義、引此成孰上無天所以三字、此因上文而誤衍、舍者、日月所舍。舍者、舒氣也。不周風居西北、主殺生。【考證】黃以周曰、白虎通曰、八風所以象八卦、陽立於五、極於九、五九四十五日而變、變而爲風、距冬至四十五日條風至、四十五日明庶風至、四十五日清明風至、四十五日景風至、四十五日涼風至、四十五日閶闔風至、四十五日不周風至、四十五日廣莫風至、其所說風至之期、本於淮南天文訓、而與史記亦相通、史記云、不周風居西北、東壁居不周風東、而東之至於營室、東至於危、十月也、律中應鍾、其於十二子爲亥、廣莫風居北方、東至於虛、東至於須女、十一月也、律中黃鍾、其於十二子爲子、東至於牽牛、東至於建星、十二月也、律中大呂、其于十二子爲丑、蓋不周風至、在立冬日奎五度、故云東壁居其東、至大雪末危度止、故曰、東至于危、凡四十五日、廣莫風至、在冬至日危二度、故曰、東至于虛、至大寒末斗度止、故曰、東至于建星、凡四十五日、史記又曰、條風居東北、南至于箕、正月也、律中太簇、其于十二子爲寅、南至于尾、南至于心、南至于房、明庶風居東方、二月也、律中夾鍾、其于十二子爲卯、南至于氐、南至于亢、南至于角、三月也、律至姑洗、其于十二子爲辰、蓋條風至在立春、日斗十二度、故南之曰、至于箕、至雨水末心度止、故曰、南至于心、凡四十五日、明庶風居東方五字、宜在南至房之上、明庶風至、在春分日心初度、故曰、南至於房、至清明末、入軫尚淺、故曰、南至於角、凡曰至於某者、必及星度之半、凡四十五日、史記又曰、清明風居東南維、西之軫、西至于翼、四月也、律中中呂、其于十二子爲巳、西至于七星、西至于張、蓋清明風至、在立夏日軫十一度、故變其文曰、西之軫、明其西皆軫度也、不云西至于軫、明其至日卽在軫度也、王氏讀書雜志云、當作西至于軫、誤、至芒種末張度止、故曰、西至于張、凡四十五日、史記又曰、西至于注、五月也、律中蕤賓、景風居南方、其于十二子爲午、西至于弧、西至于狼、此文與諸書違異、當有錯簡、竊以本書例之、景風居南方五字、當在西至于注之上、凡史記于八風之至、必言其月、今此景風獨無月、一可疑也、又史記凡言律中之下、卽繼以十二子之月、此節律中蕤賓之下、不言其于十二子、其於十二子爲午之上、又不言律中、揆之全例不合、二可疑也、史記凡言某風居某方、皆居方之正中者、言景風居南方、必在午位之中可知、依今誤本推之、則景風之位、偏西在午末、三可疑也、今移景風居南方五字于西至于注之上、則諸疑盡釋、而每風之四十五日之數亦符矣、蓋景風之至在夏至日張

三度、故西之曰至于注、柳八星、一曰注、至大著末井度止、故曰西至于狼、狼在參之東南、與井近、亦四十五日、史記又曰、涼風居西南維、六月也、律中林鍾、其于十二子爲未、北至于罰、北至于參、七月也、律中夷則、其于十二子爲申、北至于濁、北至于留、八月也、律中南呂、其于十二子爲酉、此處亦有錯簡、凡一風値四十五日、居一月半、故前一風擧一月、後一風可擧兩月、斷無一風連擧三月之理、六月也、律中林鍾、其于十二子爲未十四字、亦宜繫于景風、蓋涼風居西南維六字、又誤置在上也、涼風至、在立秋日井十五度、故北之曰至于罰、至白露末昴度止、故曰至于留、留卽昴、亦四十五日、史記又曰、閶闔風居西方、北至于胃、北至于婁、北至于奎、九月也、律中無射、其於十二子爲戌、蓋閶闔風至、在秋分日昴八度、故北之曰至于胃、至霜降奎度止、故曰北至于奎、凡四十五日、東壁居不周風東、主辟生氣。【索隱】辟、音闢、而東之至於營室。【索隱】定星也、定中而可以作室、故曰營室、其星有室象也、故天官書、主廟、此言主營胎陽氣而產之、是說異也、【正義】天官書云、營室爲清廟、曰離宮閣道、是有宮室象、此言主營胎陽氣而產之、二說不同、營室者、主營胎陽氣而產之。【集解】徐廣曰、胎、一作含、東至于危。危、垝也。【索隱】垝、音鬼毀反、言陽氣之危垝。故曰危。【考證】王念孫曰、垝上本無危字、此訓危爲垝、故曰、危、垝也、言陽氣之垝、爾雅曰、垝、毀也、言陽氣至十月而毀也、今本疑衍、十月也。律中應鍾。【正義】應、乙證反、白虎通云、應者應也、言萬物應陽而動下藏也、漢初依秦以十月爲歲首、故起應鍾、應鍾者、陽氣之應不用事也。其

於十二子爲亥。亥者、該也。【索隱】按律歷志云、該閡於亥、【正義】孟康云、閡、藏塞也、陰雜陽氣藏塞、爲萬物作種也、言陽氣藏於下。故該也。廣莫風居北方。廣莫者、言陽氣在下、陰莫陽廣大也。故曰廣莫。東至於虛。虛者、能實能虛。言陽氣冬則宛藏於虛、【正義】宛、音蘊、日冬至、則一陰下藏、一陽上舒。故曰虛。東至于須女。【索隱】婺女名也、言萬物變動其所、陰陽氣未相離、尙相如胥也。故曰須女。【考證】張文虎曰、如字疑衍、胥須、義通、十一月也。律中黃鍾。【正義】白虎通云、黃、中和之氣、言陽氣於黃泉之下動養萬物也、黃鍾者、陽氣踵黃泉而出也。其於十二子爲子。子者、滋也。滋者、言萬物滋於下也。其於十母爲壬癸。壬之爲言任也。【考證】豬飼彥博曰、任、妊通、言陽氣任養萬物於下也。癸之爲言揆也。言萬物可揆度。故曰癸。東至牽牛。牽牛者、言陽氣牽

引萬物出之也。牛者、冒也。言地雖凍、能冒而生也。牛者、耕植種萬物也。東至於建星。建星者、建諸生也。【考證】豬飼彥博曰、此以生爲星也、十二月也。律中大呂。大呂者、其於十二子爲丑。【正義】徐廣云、此中闕不說大呂及丑也、按此下闕文、或一本云、丑者紐也、言陽氣在上未降、萬物厄紐未敢出也、【考證】陳仁錫曰、大呂一律不釋、今以漢書補之曰、大呂者旅也、言陰大旅助黃鍾宣化而牙物也、丑者、紐也。言陽氣在上未降、萬物厄紐未敢出也。【考證】丑者紐也云云十九字、各本有、蓋依正義增入、條風居東北、主出萬物。條之言條治萬物而出之。故曰條風。南至於箕。箕者、言萬物根棋。故曰箕。【集解】徐廣曰、棋、一作橫也、【考證】錢大昕曰、棋讀如荄、易箕子之明夷、趙賓以爲萬物方荄茲也、其義蓋本於史公、豬飼彥博曰、棋、基通、愚按、錢說較長、正月也。律中泰蔟。【正義】蔟、音千豆反、白虎通云、泰者大也、蔟者湊也、言萬物始大湊地而出之也、泰蔟者、言萬物蔟生也。故曰泰蔟。其於十二子爲寅。寅、言萬物始生螾然也。故曰寅。【索隱】螾、音引、又音以愼反、

南至於尾。言萬物始生如尾也。南至於心。言萬物始生有華心也。【集解】徐廣曰、華、一作莖、南至於房。房者、言萬物門戶也。至于門則出矣。明庶風居東方。明庶者、明衆物盡出也。二月也。律中夾鍾。【正義】白虎通云、夾、孚甲也、言萬物孚甲種類分也、夾鍾者、言陰陽相夾廁也。其於十二子爲卯。卯之爲言茂也。言萬物茂也。其於十母爲甲乙。甲者、言萬物剖符甲而出也。乙者、言萬物生軋軋也。【集解】符、音孚、【索隱】符甲、猶孚甲也、南至于氐。氐者、言萬物皆至也。【正義】氐、音丁禮反、南至於亢。亢者、言萬物亢見也。南至于角。角者、言萬物皆有枝格如角也。三月也。律中姑洗。【正義】姑、音沽、洗、音先典反、白虎通云、沽者、故也、洗者、鮮也、言萬物去故就新、莫不鮮明也、姑洗者、言萬物洗生。其於十二子爲辰。辰者、言萬物之蜄也。【集解】音之愼反、【索隱】蜄、音振、或作娠、同音、律歷

志云、振美於辰、清明風居東南維、主風吹萬物而西之。軫。【考證】錢大昕曰、東南巽方也、故主風、王念孫曰、軫上當有至於二字、主風吹萬物而西之爲句、至於軫爲句、上文云、東壁居不周東、主辟生氣而東、至於營室、自此以下、皆有至於二字、是其證、軫者、言萬物益大而軫軫然。西至於翼。翼者、言萬物皆有羽翼也。四月也。律中中呂。【正義】中、音仲、白虎通云、言陽氣將極中充大也、故復申言之也、中呂者、言萬物盡旅而西行也。其於十二子爲巳。巳者、言陽氣之已盡也。西至于七星。七星者、陽數成於七。故曰七星。西至于張。張者、言萬物皆張也。【考證】陳仁錫曰、三四月間不言西至於張、蓋缺文也、王元啓曰、西至于張云云十二字、當在西至于七星上、西至于注。注者、言萬物之始衰、陽氣下注。故曰注。【索隱】音丁救反、注、味也、天官書云、柳爲鳥味、則注、柳星也、【考證】陳仁錫曰、此文曰下注、則與天官書別義、五月也。律中蕤賓。【正義】蕤、音仁佳反、白虎通云、蕤者、下也、賓者、敬也、言陽氣上極、陰氣始賓敬之也、蕤賓者、言陰氣幼少。故曰蕤。痿陽不用事。故曰賓。景風

居南方。景者、言陽氣道竟。故曰景風。其於十二子爲午。午者陰陽交。故曰午。【索隱】律歷志云、咢布於午、其於十母爲丙丁。丙者、言陽道著明。故曰丙。丁者、言萬物之丁壯也。故曰丁。西至于弧。弧者言萬物之吳落且就死也。【集解】徐廣曰、吳、一作柔、【考證】楊愼曰、吳、音弧、弧落、彫落也、注作柔、非也、萬物之生也、柔弱、其死也、剛強、既云弧落且就死、焉得柔也、且此篇八風十二律、皆以協聲取義、下文云、濁者、觸也、留、言陽氣之稽留也、是其例也、於弧而言柔落、亦不倫矣、西至于狼。狼者、言萬物可度量斷萬物。故曰狼。涼風居西南維、主地。【考證】錢大昕曰、西南者、坤方也、故主地、於通甲爲死門、故云萬物就死氣也、地者、沈奪萬物氣也。【正義】沈、一作洗、六月也。律中林鍾。【正義】白虎通云、林者、衆也、言萬物成熟種類多也、林鍾者、言萬物就死氣林林然。其於十二子爲未。未者、言萬物皆成、有滋味也。【索隱】律歷志云、味薆於未、其意殊也、【考證】梁玉繩曰、此獨不言於十母爲戊己者、缺文也、北至於罰。罰者、言萬物氣奪可伐也。

[考證]錢大昕曰、罰與伐同、此敍二十八舍、有罰無觜觿、北至於參。[正義]音所林反、參、言萬物可參也。故曰參。七月也。律中夷則。夷則、言陰氣之賊萬物也。[集解]徐廣曰、陰、一作陽、賊、一作則、[正義]白虎通云、夷、傷也、則、法也、言萬物始傷被刑法也、其於十二子爲申。申者、言陰用事申賊萬物。故曰申。[集解]徐廣曰、賊、一作則、[索隱]律歷志、物堅於申也、北至於濁。[索隱]按爾雅、濁謂之畢、濁者、觸也。言萬物皆觸死也。故曰濁。北至於留。留者、言陽氣之稽留也。故曰留。[索隱]留、卽昴、毛傳亦以留爲昴、八月也。律中南呂。[正義]白虎通云、南、任也、言陽氣尙任包、大生薺麥也、南呂者、言陽氣之旅入藏也。其於十二子爲酉。酉者、萬物之老也。故曰酉。[索隱]律歷志、留孰於酉、閶闔風居西方。閶者、倡也。闔者、藏也。言陽氣道萬物、闔黃泉也。其於十母爲庚辛。庚者、言陰氣庚萬物。故曰庚。辛者、言萬物之辛生。故曰辛。[考證]詩緯推度災云、庚

者更也、辛者新也、北至於胃。胃者、言陽氣就藏皆胃胃也。北至於婁。婁者、呼萬物且內之也。北至於奎。[集解]徐廣曰、一作蛙、[索隱]按天官書、奎爲溝瀆、婁爲聚衆、胃爲天倉、今此說竝異、及六律十母、又與漢書不同、今各是異家之說也、奎者、主毒螫殺萬物也。奎而藏之。[考證]後漢書蘇竟傳、奎爲毒螫、主庫兵、九月也。律中無射。[正義]音亦、白虎通云、射、終也、言萬物隨陽而終、當復隨陰而起、無有終已、此說六呂十干十二支、與漢書不同、無射者、陰氣盛用事、陽氣無餘也。故曰無射。其於十二子爲戌。戌者、言萬物盡滅。故曰戌。[索隱]律歷志、畢入於戌也、[考證]錢大昕曰、說文、戌、滅也、五行火死于戌、陽氣至戌而盡、故威、从火戌、愚按呂氏春秋音律篇云、大聖至理之世、天地之氣、合而生風、日至、則鐘其風以生十二律、仲冬日短至、則生黃鐘、季冬生大呂、孟春生太簇、仲春生夾鐘、季春生姑洗、孟夏生仲呂、仲夏日長至、則生蕤賓、季夏生林鐘、孟秋生夷則、仲秋生南呂、季秋生無射、孟冬生應鐘、天地之氣正、則十二律定矣、全與律書合、

律數

九九八十一、以爲宮。三分去一、五十四以爲徵。三分益一、七

十二以爲商。[考證]三分去一、三分宮去其一也、三分益一、三分徵益其一也、下倣此、稱曰三分損益法也、三分去一、四十八以爲羽。三分益一、六十四以爲角。[考證]張文虎曰、舊刻三分上空二格、他本提行、蓋皆以意爲之、今依下生鍾分例連屬、下放此、

黃鍾。長八寸十分一。宮。[索隱]黃鍾長八寸十分一、宮、案上文云、律九九八十一、以爲宮、故云長八寸十分一、宮、而云黃鍾長九寸者、九分之寸也、劉歆鄭玄等、皆以爲長九寸、卽十分之寸、不依此法也、云宮者、黃鍾爲律之首、宮爲五音之長、十一月以黃鍾爲宮、則聲得其正、舊本多作七分、蓋誤也、[考證]各本十作七、誤、今從索隱本凌一本、周禮大師云、掌六律六同、以分陰陽之聲、陽聲、黃鍾大簇姑洗蕤賓夷則無射、陰聲大呂應鍾南呂函鍾小呂夾鍾、皆文之以五聲宮商角徵羽、皆播之以八音、金石土革絲木匏竹、鄭注云、函鍾一名林鍾、小呂一名中呂、呂氏春秋音律篇云、黃鍾生林鍾、林鍾生大簇、大簇生南呂、南呂生姑洗、姑洗生蕤賓、蕤賓生大呂、大呂生夷則、夷則生夾鍾、夾鍾生無射、無射生仲呂、三分所生、益之一分以上生、三分所生、去其一分以下生、黃鍾大呂太簇夾鍾姑洗仲呂蕤賓爲上、林鍾夷則南呂無射應鍾爲下、淮南子天文訓云、以三參物、三三如九、故黃鍾之律九寸、而宮音調、因而九之、九九八十一、故黃鍾之數立焉、黃者土德之色、鍾者氣之所種也、黃鍾位子、其數八十一、主十一月、下生林鍾、林鍾之數五十四、主六月、上生大簇、大簇之數七十二、主正月、下生南呂、南呂之數四十八、主八月、上生姑洗、姑洗之數六十四、主三月、下生應鍾、應鍾之數四十

二、主十月、上生蕤賓、蕤賓之數五十七、主五月、上生大呂、大呂之數七十六、主十二月、下生夷則、夷則之數五十一、主七月、上生夾鍾、夾鍾之數六十八、主二月、下生無射、無射之數四十五、主九月、上生仲呂、仲呂之數六十、主四月、極不生、愚按史此文曰黃鍾長八寸十分一、下文及淮南子曰九寸、蓋一以漢尺言、一以古尺言、其餘概皆喒合、但今本傳寫多訛、說見三書正譌、二十二史考異、淮南天文訓補注、大呂。長七寸五分三分一。[索隱]謂十一月以黃鍾爲宮、五行相次、土生金、故以大呂爲商者、大呂所以助陽宜化也、[考證]淮南子云、蕤賓之數五十七、上生大呂、大呂之數七十六、王元啓曰、三分一、當作三分二、自黃鍾以至姑洗、得數皆整、姑洗以後其數奇零不齊、故此下備擧十二律全數、別爲約法、整者以十分爲約法、不整者以三分爲約法、過半者曰三分二、不及半者曰三分一、太簇。長七寸七分二。角。[考證]淮南子云、林鍾之數五十四、上生太簇、太簇之數七十二、又云、凡十二律、黃鍾爲宮、太簇爲商、姑洗爲角、林鍾爲徵、南呂爲羽、史記歷書云、黃鍾爲宮、林鍾爲徵、太簇爲商、南呂爲羽、姑洗爲角、其說相合、而此篇獨異、蓋傳寫之誤、王元啓曰、七分二、當作十分二、角當作商、十分二者十分寸之二、謂二分也、夾鍾。長六寸一分三分一。[考證]淮南子云、夷則之數五十一、上生夾鍾、夾鍾之數六十八、王元啓曰、夷則上生夾鍾、得六寸七分、餘數九百二十七、寸下一字七、七字之誤文也、姑洗。長六寸七分四。羽。[索隱]亦以金生水故也、[考證]淮南子云、南呂之數四十八、上生姑洗、姑洗之數六十四、王元啓曰、七分四、當作十分四、羽當作角、仲呂。長五寸九分三分二。徵。

【考證】淮南子云、無射之數四十五、上生仲呂、仲呂之數六十、王元啓曰、徵字衍、蕤賓。長五寸六分三分一。【考證】淮南子云、應鍾之數四十二、上生蕤賓、蕤賓之數五十七、王元啓曰、三分一、當作三分二、林鍾。長五寸七分四。角。【索隱】水生木、故爲角、不用蕤賓者、以陰氣起陽不用事、故去之也、【考證】淮南子云、黃鍾之數八十一、下生林鍾、林鍾之數五十四、王元啓曰、七分四、當作十分四、愚按角當作徵、夷則。長五寸四分三分二。商。【考證】淮南子云、大呂之數七十六、下生夷則、夷則之數五十一、王元啓曰、四分字、商字衍、南呂。長四寸七分八。徵。【考證】淮南子云、太蔟之數七十八、下生南呂、南呂之數四十八、王元啓曰、七分當作十分、徵當作羽、無射。長四寸四分三分二。【考證】淮南子云、夾鍾之數六十八、下生無射、無射之數四十五、應鍾。長四寸二分三分二。羽。【考證】淮南子云、姑洗之數六十八、下生應鍾、應鍾之數四十二、王元啓曰、羽字衍、愚按十二律之數、史記淮南子所記、傳寫有錯誤、王元啓所訂、亦未精、今以黃鍾爲八一、以示三分損益之法、

律	算
黃鍾	81
林鍾	$81 \times \frac{2}{3} = 54$
太蔟	$54 \times \frac{4}{3} = 72$
南呂	$72 \times \frac{2}{3} = 48$
姑洗	$48 \times \frac{4}{3} = 64$
應鍾	$64 \times \frac{2}{3} = 42\frac{2}{3}$
蕤賓	$42\frac{2}{3} \times \frac{4}{3} = 56\frac{8}{9}$
大呂	$56\frac{8}{9} \times \frac{4}{3} = 75\frac{23}{27}$
夷則	$75\frac{23}{27} \times \frac{2}{3} = 50\frac{46}{81}$
夾鍾	$50\frac{46}{81} \times \frac{4}{3} = 67\frac{103}{243}$
無射	$67\frac{103}{243} \times \frac{2}{3} = 44\frac{692}{729}$
仲呂	$44\frac{692}{729} \times \frac{4}{3} = 59\frac{2039}{2187}$

生鍾分、【索隱】此算術生鍾律之法也、【正義】分、音扶問反、【考證】豬飼彦博曰、分謂分數、三分二、九分八之類是也、

子、一分。【索隱】自此已下十一辰、皆以三乘之、爲黃鍾積實之數、【考證】豬飼彦博曰、分字因下文而衍、晉志云、起子、黃鍾九寸爲一、是也、十二律以黃鍾爲本、一呂一律、三分損益、其數奇零不能盡、故借十二辰以立其算位、先置一算、象黃鍾也、

丑、三分二。【索隱】案子律黃鍾、長九寸、林鍾爲衡、長六寸、以九比六、三分少一、故云丑三分二、是黃鍾三分去一、下生林鍾之數也、【考證】豬飼彦博曰、以子爲一、丑以下十一次、以三乘之、以其分之數、得其律之長也、蔡元定云、分字以上者、黃鍾之全數、分字以下者、諸律所取於黃鍾長短之數也、索隱正義云、三分二、九分八、竝是分之餘數、非也、錢大昕曰、林鍾長六寸、其數五十四、于黃鍾本數中得三分二也、下倣此、

寅、九分八。【索隱】十二律以黃鍾爲主、黃鍾長九寸、太蔟長八寸、寅九分八、卽是林鍾三分益一、上生太蔟之義也、【正義】孟康云、元氣始起於子、未分之時、天地人混合爲一、故子數獨一、漢書律歷志云、太極元氣、函三爲一、行於十二辰、始動於子、參之於丑、得三、又參之於寅、得九、又參之於卯、得二十七、又參之於辰、得八十一、又參之於巳、得二百四十三、又參之於午、得七百二十九、又參之於未、得二千一百八十七、又參之於申、得六千五百六十一、又參之於酉、得萬九千六百八十三、又參之於戌、得五萬九千四十九、又參之於亥、得十七萬七千一百四十七、此陰陽合德、氣鍾於子、化生萬物者也、然丑三分二、寅九分八者、竝是分之餘數、而漢書不說也、【考證】錢大昕曰、寅九分八、謂大蔟長八寸、其數七十二、得黃鍾本數九分之八、卯二十七分十六、謂南呂長五寸三分寸之一也、以分子爲實、前兩位分母爲法、實如法、得十分之數、後倣此、其數

四十八、豬飼彦博曰、十二辰者、算家約分之權術耳、漢志所言、動於子、參於丑之類、皆附會之說、

卯、二十七分十六。【索隱】此以丑三乘寅、寅三乘卯、得二十七、南呂爲卯衡、長五寸三分寸之一、以三約二十七得九、卽黃鍾之本數、又以三約十六得五、餘三分之一、卽南呂之長、故云卯二十七分十六、亦是太蔟三分去一、下生南呂之義、已下八辰竝準此、然云丑三分二寅九分八者、皆分之餘數也、

辰、八十一分六十四。巳、二百四十三分一百二十八。午、七百二十九分五百一十二。未、二千一百八十七分一千二十四。【考證】一千二十四當作二千四十八、蓋傳寫之誤、申、六千五百六十一分四千九十六。酉、一萬九千六百八十三分八千一百九十二。【考證】八千一百九十二當作一萬六千三百八十四、戌、五萬九千四十九分三萬二千七百六十八。亥、十七萬七千一百四十七分六萬五千五百三十六。【考證】六萬五千五百三十六、當作十三萬一千七十二、史文有訛誤、作表以示十二辰長短之數、幷及十二律積實之數、

十二辰長短法

十二律積實數

子	黃鍾	1
丑	林鍾	$1\times\frac{2}{3}=\frac{2}{3}$
寅	太簇	$\frac{2}{3}\times\frac{4}{3}=\frac{8}{9}$
卯	南呂	$\frac{8}{9}\times\frac{2}{3}=\frac{16}{27}$
辰	姑洗	$\frac{16}{27}\times\frac{4}{3}=\frac{64}{81}$
巳	應鍾	$\frac{64}{81}\times\frac{2}{3}=\frac{128}{243}$
午	蕤賓	$\frac{128}{243}\times\frac{4}{3}=\frac{512}{729}$
未	大呂	$\frac{512}{729}\times\frac{4}{3}=\frac{2048}{2187}$
申	夷則	$\frac{2048}{2187}\times\frac{2}{3}=\frac{4096}{6561}$
酉	夾鍾	$\frac{4096}{6561}\times\frac{4}{3}=\frac{16384}{19683}$
戌	無射	$\frac{16384}{19683}\times\frac{2}{3}=\frac{32768}{59049}$
亥	仲呂	$\frac{32768}{59049}\times\frac{4}{3}=\frac{131072}{177147}$

黃鍾	十七萬七千百四十七
林鍾	十一萬八千九十八
太簇	十五萬七千四百六十四
南呂	十萬四千九百七十六
姑洗	十三萬九千九百六十八
應鍾	九萬三千三百十二
蕤賓	十二萬四千四百十六
大呂	十六萬五千八百八十八
夷則	十一萬五百九十二
夾鍾	十四萬七千四百五十六
無射	九萬八千三百四
仲呂	十二萬一千七十二

生黃鍾術曰。[考證]張文虎曰、索隱出正文、無生字、各本以術曰別提行、皆誤、今正、王氏正譌謂黃字衍、似矣、乃幷刪曰字、則非、生鍾術曰者、正承上生鍾分而解之、**以下生者、**[索隱]黃鍾術曰以下生者、案蔡邕曰、陽生陰爲下生、陰生陽爲上生、子午已東爲上生、已西爲下生、又律曆志云、陰陽相生、自黃鍾始、黃鍾生太蔟、左旋八八爲五、從子至未得八、下生林鍾、是也、又自未至寅亦得八、上生太蔟、然上下相生、皆以此爲率也、**倍其實三其法。**[索隱]謂黃鍾下生林鍾、黃鍾長九寸、倍其實者二九十八、三其法者、以三爲法、約之得六、爲林鍾之長也、[考證]倍其實三其法者、算家所謂 $\frac{2}{3}$ 也、**以上生者、四其實三其法。**[索隱]四其實者、謂林鍾上生太蔟、林鍾長六寸、以四乘六、得二十四、以三約之得八、卽爲大蔟之長、[考證]四其實三其法者、算家所謂 $\frac{4}{3}$ 也、**上九商八。羽七。角六。宮五。徵九。**[索隱]此五聲之數、亦上生三分益一、下生三分去一、宮下生徵、徵益一上生商、商下生羽、羽益一上生角、然此文似數錯、未暇研覈也、[考證]王元啓曰、當云、角七、徵六、羽五、若以律數、誤文爲據、亦當云羽七角六徵五、宮字誤、徵九二字衍、錢大昕曰、族子唐、以太玄淮南天文訓證明史公之義、今述之左方、太玄云、甲巳之數九、乙庚八、丙辛七、丁壬六、戊癸五、淮南云、戊子、黃鐘之宮也、庚子、無射之商也、壬子、夷則之角也、甲子、仲呂之徵也、丙子、夾鐘之羽也、蓋古法六十律旋相爲宮、黃鐘爲宮起戊子、則林鐘爲徵配己丑、太簇爲商配庚寅、南呂爲羽配辛卯、姑洗爲角配壬辰、夾應鐘爲宮配癸巳、蕤賓爲徵配甲午、大呂爲商配乙未、夷則爲羽配丙午、夾鐘爲角配丁酉、夾無射爲宮配戊戌、中呂爲徵配己亥、黃鐘爲商配庚子、(故云庚子無射之商)林鐘爲羽配辛丑、太簇爲角配壬寅、夾南呂爲宮配癸卯、姑洗爲徵配甲辰、應鐘爲商配乙巳、蕤賓爲羽配丙午、大呂爲角配丁未、夾夷則爲宮配戊申、夾鐘爲徵配己酉、無射爲商配庚戌、中呂爲羽配辛亥、黃鐘爲角配壬子、(故云壬子夷則之角)夾林鐘爲宮配癸丑、大簇爲徵配甲寅、南呂爲商配乙卯、姑洗爲羽配丙辰、應鐘爲角配丁巳、夾蕤賓爲宮配戊午、大呂爲徵配己未、夷則爲商配庚申、夾鐘爲羽配辛酉、無射爲角配壬戌、夾中呂爲宮配癸亥、黃鐘爲徵配甲子、(故云甲子中呂之徵)林鐘爲商配乙丑、大簇爲羽配丙寅、南呂爲角配丁卯、夾姑洗爲宮配戊辰、應鐘爲徵配己巳、蕤賓爲商配庚午、大呂爲羽配辛未、夷則爲角配壬申、夾夾鐘爲宮配癸酉、無射爲徵配甲戌、中呂爲商配乙亥、黃鐘爲羽配丙子、(故云丙子夾鐘之羽)林鐘爲角配丁丑、夾太簇爲宮配戊寅、南呂爲徵配己卯、姑洗爲商配庚辰、應鐘爲羽配辛巳、蕤賓爲角配壬午、夾大呂爲宮配癸未、夷則爲徵配甲申、夾鐘爲商配乙酉、無射爲羽配丙戌、中呂爲角配丁亥、而六十律終矣、戊癸爲宮聲、故宮之數五、甲巳爲徵聲、故徵之數九、乙庚爲商聲、故商之數八、丙辛爲羽聲、故羽之數七、丁壬爲角聲、故角之數六也、愚按上九商八羽七角六宮五徵九十二字、與生鍾術無干涉、恐錯簡、錢說湊合甚巧、未免傅會、王說亦未確、姑錄備考、**置一、而九三之以爲法。**[索隱]漢書律曆志曰、太一元氣函三爲一、行之於十二辰、始動於子、參之於丑得三、又參之於寅得九、是謂因而九三之也、韋昭曰、置一而九以三乘之、是也、樂彥云、一氣生於

子、至丑而三、是一三也、又自丑至寅爲九、皆以三乘之、是九三之也、又參之卯得二十七、參之於辰得八十一、又參之於巳得二百四十三、又參之午得七百二十九、又參於未得二千六百八十七、又參之於申得六千五百六十三、又參於酉得一萬九千六百八十三、又參於戌得五萬九千四十九、又參至於亥得十七萬七千一百四十七、謂之該數、此陰陽合德、氣鍾於子、化生萬物也、然丑三分寅九分者、卽分之餘數也、**實、如法、得長一寸。**[索隱]實如法得一、實謂以子一乘丑三至亥得十七萬七千一百四十七爲實數、如法、謂以上萬九千六百八十三之法除實、得九、爲黃鍾之長、言得一者、算術設法辭也、得下有長、一下有寸者、皆衍字也、韋昭云、得九寸之一也、姚氏謂得一、卽黃鍾之子數、**凡得九寸。命曰黃鍾之宮。**[考證]漢書律歷志、實如法上有十一三之以爲實七字、此脫、云九、云十一、算家所謂九乘十一乘也、置一而九三之得一萬九千六百八十三、置一而十一三之、得十七萬七千一百四十七、前以爲法、後以爲實、得九、此黃鍾之長也、實如法、法與實、其數相同也、

$$1\times3\times3\times3\times3\times3\times3\times3\times3\times3=19683$$

$$1\times3\times3\times3\times3\times3\times3\times3\times3\times3\times3\times3=177147$$

$$\frac{19683}{19683}=1 \qquad \frac{177147}{19683}=9$$

故曰。音、始於宮、窮於角。[索隱]卽如上文宮下生徵、徵上生商、商下生羽、羽上生角、是其窮也、**數、始於一、**

終於十、成於三。氣、始於冬至、周而復生。神生於無形、【正義】形、爲太陽無氣、天地未形之時、言神本在太虛之中而無形也、【考證】正義太陽氣、當作大易氣、成於有。形【正義】天地既分、二儀已質、萬物之形、成於天地之間、神在其中、【考證】張文虎曰、神生於無句、形字屬下、然後數。形而成聲。【正義】數、謂天數也、聲、謂宮商角徵羽也、言天數既形、則能成其五聲也、【考證】張文虎曰、形然後數、爲句、形然後數、形而成聲、謂有形而有數、有形而後有聲也、正義以然後數形而成聲爲句、非、故曰。神使氣、氣就形。形理如類有可類。或未形而未類。或同形而同類。類而可班。類而可識。【考證】張文虎曰、形理如類有可類七字、不可解、當有脫誤、王元啓曰、或未形而未類、二未字皆當作異、惠棟曰、班、別也、義與辨同、聖人知天地識之別。故從有以至未有。【正義】從有、謂萬物形質也、未有、謂天地未形也、【考證】王元啓曰、地下識字衍、張文虎曰、此下多脫訛、不可強解、以得細若氣、微若聲。【正義】氣、謂太易之氣、聲、謂五聲之聲也、然聖人因神而存之、【正義】言聖人因神理其形體、尋迹至於太易之氣、故云因神而存之、上云從有以至未有是也、雖妙必效情。核其華、道者明矣。【正義】妙、謂微妙之性也、效、猶見也、核、研核也、華道、神妙之道也、言人雖有微妙之性、必須程督己之情理、然後研

核神妙之道、乃能究其形體、辨其成聲、故謂明矣、故下云、非有聖心以乘聰明、孰能存天地之神、而成形之情哉是也、非有聖心以乘聰明、孰能存天地之神、而成形之情哉。【考證】張文虎曰、館本明監本、有字與上正義引合、它本誤其、神者物受之、而不能知及其去來。【正義】言萬物受神妙之氣、不能知覺及神去來、亦不能識其往復也、【考證】及字衍、故聖人畏而欲存之。唯欲存之、神之亦存。【正義】言聖人畏神妙之理難識、而欲常存之、唯欲常存之、故其神亦存也、其欲存之者、故莫貴焉。【正義】言平凡之人、欲得精神存者、故亦莫如貴神之妙焉、太史公曰故旋璣玉衡、以齊七政。【考證】故字、不可承太史公曰、愚按、太史公曰四字、妄人所增、故字、承篇首昔曰七正二十八舍、即天地二十八宿、【正義】宿、音息袖反、又音肅、謂東方角亢氐房心尾箕、南方井鬼柳星張翼軫、西方奎婁胃昴畢觜參、北方斗牛女虛危室壁、凡二十八宿一百二十八宿星也、【考證】張文虎曰、正義句有誤、疑當云一百六十一星也、十母、【正義】十干、甲乙丙丁戊己庚辛壬癸、十二子、【正義】十二支、子丑寅卯辰巳午未申酉戌亥、鍾律調自上古。建律運歷、造曰度、可據而度也。【正義】度、音田洛反、【考證】陳仁錫曰、曰字當作日、張文虎曰、建律句、疑有脫文、合符節、通道

德。即從斯之謂也。

【索隱】述贊、自昔軒后、爰命伶倫、雄雌是聽、厚薄伊均、以調氣候、以軌星辰、軍容取節、樂器斯因、自微知著、測化窮神、大哉虛受、含養生人、

律書第三

史記二十五

史記會注考證卷二十六

漢　太史令　司馬遷　撰
宋　中郎外兵曹參軍　裴駰　集解
唐　國子博士弘文館學士　司馬貞　索隱
唐　諸王侍讀率府長史　張守節　正義
日本　出雲　瀧川資言　考證

歷書第四　　史記二十六

【考證】史公自序云、律居陰而治陽、歷居陽而治陰、律歷更相治、間不容翲忽、五家之文怫異、維太初之元論、作歷書第四、陳仁錫曰、歷書多采大戴禮左傳國語之文、

昔自在古、歷建正、作於孟春。【索隱】按古歷者、謂黃帝調歷以前有上元太初歷等、皆以建寅爲正、謂之孟春也、及顓頊、夏禹、亦以建寅爲正、唯黃帝及殷周魯、竝建子爲正、而秦正建亥、漢初因之、至武帝元封七年、始改用太初歷、仍以周正建子爲十一月朔旦冬至、改元太初焉、今按此文、至於十二月節、皆出大戴禮虞史伯夷之辭也、【考證】陳仁錫曰、歷建正作於孟春、乃一書之綱領也、猪飼彥博曰、詩商頌、自古在昔、昔自二字恐倒、大戴禮誥志篇作虞夏之歷、正建於孟春、索隱云、古歷者、謂黃帝調歷以前有上元太初歷、非也、夫黃帝始作歷、黃帝以前、豈有歷乎、漢書律歷志云、前歷上元泰初四千六百一十七歲者、今所推原之歷元也、非謂上古已有此歷也、太初以後造歷者數十家、皆立歷元、是歷家之恒例、附索隱又云、殷周魯竝建子爲正、豈不見本篇殷正以十二月之文歟、又云、仍以周正建子爲十一月朔旦、朔旦冬至、天運自然、何關於周正、張文虎曰、索隱於字、當作撫、案此篇自首至凡事易壞而難成矣、皆大戴記文、不止至撫十二節句、注有誤、於時冰泮發蟄、百草奮興、秭鴂先滜。【集解】徐廣曰、秭音姊、鴂音規、子鴂鳥也、一名鷶鴂、【索隱】按徐廣云、秭音規者誤也、當云秭音姊、鴂音規、蓋遺失耳、言子鴂鳥、春氣發動、則先出野澤而鳴也、又按大戴禮作瑞鴂、無釋、未測其旨、當是字體各有訛變耳、鷶音弟、鴂音桂、楚詞云、虛鷶鴂之先鳴、使夫百草爲之不芳、解者以鷶鴂爲杜鵑、【考證】大戴禮、作百草權興、瑞雉無釋、史改權興爲奮興、義長、秭鴂、鳥名、中井積德曰、首春先鳴、必非鷶鴂杜鵑之類、猪飼彥博曰、無古作无、蓋先譌作无、又作無、釋即滜字訛耳、先滜即楚詞先鳴也、滜讀爲嘷、物迺歲具、生於東、次順四時、卒于冬分。【索隱】卒子律反、分如字、卒盡也、言建歷起孟春、盡季冬、則一歲事具也、冬盡之後、分爲來春、故云冬分也、【考證】大戴禮、具作俱、次作以、分作方、具俱同、次作以、當依訂、分作方、

時雞三號、卒明。【集解】徐廣曰、卒、一作平、又云、卒、斯也、【索隱】三號、三鳴也、言夜至雞三鳴、則天曉、乃始爲正月一日、言異歲也、徐廣云、卒一作平、又作斯、於文皆便、【考證】大戴禮、時上有於字、明下有載于青色四字、卒、當作平、蓋因下文譌、諸注以時字屬上、非是、索隱單本不誤、撫十二節、卒于丑。【正義】撫、猶循也、自平明寅至雞鳴丑、凡十二辰、辰盡丑、又至明朝寅、使一日一夜、故曰幽明、【考證】大戴禮、節上有月字、猪飼彥博曰、言自建寅月而循十二月節、以絕于建丑月也、日月成、故明也。【考證】大戴禮、成下有歲字、其義更晰、明字從日從月、易傳云、日月相推而明生焉、明者孟也。幽者幼也。幽明者雌雄也。【考證】猪飼彥博曰、此以下至起明于西、大戴禮在虞夏之歷正建于孟春之上、亦虞史伯夷之辭也、錢大昕曰、明孟、聲相近、古讀孟如芒、而孟亦與芒通、毛公詁詩、正爲長、寅爲幼、而鄭康成箋之、以正爲晝、寅爲夜、然則晝爲長、夜爲幼、與大戴太史公之義正合、查德基曰、幽與窈通、窈從幼得聲、故幽可以幼字釋之、幽之爲言窈也、是幽通乎窈、陰爲幽、陽爲明、陽先陰後、長幼之義曉然矣、雌雄代興、而順至正之統也。日歸于西、起明於東。月歸於東、起明于西。【考證】月生於西、謂三日哉生明、月正在西、嗣後每日昏見、漸轉而東、至望乃正東也、禮

記禮器云、大明生于東、月生于西、參同契納甲術云、三日出爲爽、震庚受西方、八日兌受丁、上弦平如繩、十五乾體就、盛滿甲東方、正不率天、又不由人、則凡事易壞而難成矣。【索隱】正不率天、亦不由人、此文出大戴禮、是孔子稱周太史之詞、【考證】正、讀爲政、大戴禮作政、又、大戴禮作下、史義長、愚按、篇首至此、皆大戴禮誥志篇文、字句少異、次第不同、王者易姓受命、必愼始初。改正朔、易服色、推本天元、順承厥意。【索隱】言王者易姓而興、必當推本天之元氣行運所在、以定正朔、以承天意、故云承順厥意、【考證】猪飼彥博曰、天元、即所謂上元也、造歷之所推本、故曰推本也、索隱非也、太史公曰。神農以前尚矣。蓋黃帝考定星歷、【索隱】按系本及律歷志、黃帝使羲和占日、常儀占月、臾區占星氣、伶倫造律呂、大橈作甲子、隸首作算數、容成綜此六術而著調歷也、【考證】黃、各本譌皇、今從宋本毛本索隱本、建立五行、起消息、【正義】皇侃云、乾者陽生、爲息、坤者陰死、爲消也、【考證】消息、以陰陽言、正閏餘。【集解】漢書音義曰、以歲之餘爲閏、故曰閏餘、【正義】鄧平落下閎云、一月之日二十九日八十一分日之四十三、按計其餘分成閏、故云正閏餘也、每一歲三百六十六日、餘六日、小月六日、是一歲餘十二日、大計三十三月則一閏之耳、【考證】張文虎曰、正義四十三、各本譌四十八、小月六日、各本譌作小月大月、依漢志師古注改、小月上、當有又除二字、於是有天地神祇物類之官。是謂五官。

各司其序、不相亂也。【正義】應劭云、黃帝受命、有雲瑞、故以雲紀官、春官爲青雲、夏官爲縉雲、秋官爲白雲、冬官爲黑雲、中官爲黃雲、按黃帝置五官、各以物類名其職掌也、【考證】猪飼彥博曰、此以下至使復典之、楚語觀射父之辭也、楚語祇作民、漢書郊祀同、此傳寫之誤、愚按天、地、神、民、物類、各一官、物類、禽獸草木也、楚語、作類物、義同、民是以能有信。神是以能有明德。民神異業、敬而不瀆。故神降之嘉生、民以物享、災禍不生、所求不匱。【集解】應劭曰、嘉生、嘉穀也、【索隱】應劭云、嘉穀也、【正義】劉伯莊云、物、事也、人皆順事而享福也、【考證】楚語、信上有忠字、所求作求用、王元啓曰、物、謂祭祀所具之牢醴也、神降嘉穀以養民、民則具牢禮以報享也、少皞氏之衰也、九黎亂德。民神雜擾、不可放物。【集解】漢書音義曰、九黎、少皞時諸侯作亂者、【索隱】放、音昉、依也、【考證】九黎、與三苗竝言、蓋南方種族名、言九者非一族也、放、楚語作方、方、猶別也、物、猶類也、禍菑薦至、莫盡其氣。【索隱】薦至、上音在見反、古荐字、假借用耳、荐、集也、【考證】楚語、薦至作荐臻、韋昭曰、荐、重也、氣、壽命之氣、顏師古曰、言不究其性命也、顓頊受之、乃命南正重司天以屬神、命火正黎司地以屬民、使復舊常、無相侵瀆。【集解】應劭曰、黎、陰官也、火數二、二、地數也、故火正司地、以屬萬民、【索隱】按左傳、重爲句芒木正、黎爲祝融火正、

此言南者、劉氏以爲南字誤、非也、蓋重黎二人、元是木火之官、兼司天地職、而天是陽、南是陽位、故木亦是陽、所以木正爲南正也、而火是地正、亦稱北正者、火數二、二、地數、地陰、主北方、故火正亦稱北正、爲此故也、臣瓚以爲古文火字似北、未爲深得也、【考證】正、長也、屬、以其事委之也、其後三苗服九黎之德、【正義】孔安國云、三苗、縉雲氏之後諸侯也、按、服、從也、言九黎之君、在少皞之世作亂、今三苗之君、從九黎亂德、故南北二官皆廢、使歷數失序、【考證】漢書律歷志作三苗亂德、服、行也、德、凶德也、韋昭曰、三苗爲亂、行其凶德、如九黎之爲也、故二官咸廢所職、而閏餘乖次、【集解】漢書音義曰、次、十二次也、史推歷失閏、則斗建與月名錯、孟陬殄滅、【集解】漢書音義曰、正月爲孟陬、閏餘乖錯、不與正歲相值、謂之殄滅、【索隱】按正月爲陬、陬、音鄒、又作侯反、楚詞云、攝提貞乎孟陬、言歷數乖誤、乃使孟陬殄滅、不得其正也、攝提無紀、歷數失序。【集解】漢書音義曰、攝提、星名、隨斗杓所指、建十二月、若歷誤、春三月當指辰、而指巳、是謂失序、【索隱】攝提失方、按天官書云、攝提三星、若鼎足句之、直斗杓所指、以建時節、故曰攝提格、格、至也、言攝提隨月建至、故云格也、【考證】柯維騏曰、太史公此文前後百餘言、皆採國語而稍刪省、其云二官咸廢所職、而閏餘乖次、孟陬殄滅、攝提無紀、曆數失序、此則太史公所增者也、愚按漢志、無紀作失方、無歷數失序四字、漢書劉向傳云、歷失則攝提失方、孟陬無紀、大戴禮用兵篇云、歷失制、攝提失方、鄒大無紀、鄒與陬同、鄒大卽孟陬、皆云無紀、不云殄滅、猪飼彥博曰、雖閏餘乖次、孟陬豈殄滅乎、當從劉向傳改正之、堯復遂重·黎之後不忘舊者、使復典之、

【考證】以上采楚語、間有增損、猪飼彥博曰、楚語、遂作育、漢志同、遂、卽長育之意、而立羲·和之官、明時正度、則陰陽調、風雨節、茂氣至、民無夭疫。【考證】堯典云、乃命羲和、欽若昊天、歷象日月星辰、敬授民時、猪飼彥博曰、重黎固非歷官、羲和亦非其後、史遷誤以重黎爲歷官、遂以堯典羲和充楚語重黎之後、年耆禪舜、申戒文祖云、天之歷數在爾躬。【集解】徐廣曰、戒、一作敕、何晏曰、歷數、謂列次也、【正義】言於文祖之廟、以申戒舜也、舜亦以命禹。【集解】孔安國曰、舜亦以堯命己之辭命禹也、【考證】采論語堯曰篇、柯維騏曰、堯舜禹以天之曆數相告戒、朱子謂帝王相繼之次第、猶歲時氣節之先後、史遷班固、直以此爲造曆之事、非也、由是觀之、王者所重也。夏正以正月、殷正以十二月、周正以十一月。【考證】尚書大傳、夏以孟春月爲正、殷以季冬月爲正、周以仲冬月爲正、蓋三王之正、若循環。窮則反本。天下有道、則不失紀序。無道、則正朔不行於諸侯。幽·厲之後、周室微、陪臣執政、史不記時、君不告朔。【集解】鄭玄曰、禮、人君每月告朔於廟有祭、謂之朝享、【考證】猪飼彥博曰、史不記時、言史官失月日而不書也、漢志、作史官喪紀、故疇人子弟分散、或在諸夏、

或在夷狄。【集解】如淳曰、家業世世相傳爲疇、律、年二十三傳之、疇官各從其父學、【索隱】韋昭云、疇、類也、孟康云、同類之人明歷者也、樂彥云、疇昔知星人、【考證】程大昌曰、疇人卽籌人、古字假借、以算數而名、愚按樂官亦曰疇人、律歷皆以算數爲本也、是以其禨祥廢而不統。【集解】如淳曰、呂氏春秋、荊人鬼而越人禨、今之巫祝禱祠淫祀之比也、晉灼曰、禨、音珠禨之禨、【考證】猪飼彥博曰、禨祥、謂天見吉凶之兆也、言察禨祥之法廢墜、而不得其統也、注非、周襄王二十六年閏三月、而春秋非之。【考證】春秋、謂左傳也、公穀竝無此說、左傳文公元年云、於是閏三月、非禮也、杜預注、於歷法閏當在僖公末年、誤於今年三月置閏、蓋時達歷者所譏、顧炎武曰、經傳之文、凡閏不言其月者、閏卽歲之終可知也、今魯改歷法置閏在三月、故爲非禮、據漢書表及史記、漢未改秦歷之前、屢書後九月、是知歷法故然、梁玉繩曰、案東遷已後、王不頒朔、而國自爲歷、各有不齊、春秋之非閏三月、謂魯歷也、史公以爲周歷誤、先王之正時也、履端於始、【集解】韋昭曰、謂正歷必先稱端始也、若十一月朔旦冬至也、舉正於中、【集解】韋昭曰、氣在望中、則時日昏明皆正也、歸邪於終。【集解】邪、音餘、韋昭曰、邪、餘分也、終、閏月也、中氣在晦、則後月閏、在望、是其正中也、【考證】左傳、邪作餘、中井積德曰、端、謂節也、正、謂中氣、終、謂歲杪、古曆置閏、必於歲杪、履端於始、序則不愆。舉正於中、民則不惑。歸邪於終、事則不悖。【考證】閏三月以下、采文元年左傳、其後戰

國竝爭、在於彊國禽敵、救急解紛而已。豈遑念斯哉。是時獨有鄒衍、明於五德之傳、而散消息之分、以顯諸侯。〔正義〕傳、音竹戀反、五德、五行也、〔考證〕五德、見始皇紀孟荀傳、張文虎曰、散字分字、疑有誤、而亦因秦滅六國、兵戎極煩、又升至尊之日淺、未暇遑也。〔考證〕凌稚隆曰、亦因下疑有缺文、張文虎曰、而亦因三字、涉下文而衍、刪之、與上文氣直接、或疑有缺文、非也、而亦頗推五勝、而自以爲獲水德之瑞。更名河曰德水、而正以十月、色上黑。然歷度閏餘、未能睹其眞也。〔集解〕漢書音義曰、五行相勝、秦以周爲火、用水勝之也、〔正義〕正、音征、以秦始皇名諱之、故改也、〔考證〕中井積德曰、秦以十月爲歲首而已、正月則用夏正、愚按事見始皇二十六年紀、漢興、高祖曰。北畤待我而起。〔考證〕封禪書、高祖二年入關、問故秦博士、上帝祠何帝也、對曰、四帝、有白青黃赤帝之祠、高祖曰、天有五帝、而四、待我而具五也、乃立黑帝祠、命曰北畤、亦自以爲獲水德之瑞。雖明習歷及張蒼等、咸以爲然。〔考證〕梁玉繩曰、案漢之王、或以土德、或以火德、或以水德、所說不同、語在孝文事中、李笠曰、及、疑如字之誤、是時天下初

定、方綱紀大基。高后女主。皆未遑。故襲秦正朔服色。至孝文時、魯人公孫臣以終始五德上書言、漢得土德。宜更元改正朔易服色。當有瑞。瑞黃龍見。事下丞相張蒼。張蒼亦學律歷以爲非是。罷之。〔考證〕王元啓曰、前有明習歷句、此云張蒼學律歷、複出、蓋後人注語也、其後黃龍見成紀。張蒼自黜、所欲論著不成。〔考證〕猪飼彥博曰、張蒼傳云、於是文帝召公孫臣以爲博士、草土德之曆、制度更元年、張丞相由是自絀、謝病稱老、孝文紀云、張蒼以爲今水德、始明正十月上黑事、此所謂所欲論著者也、而新垣平以望氣見、頗言正歷服色事、貴幸。後作亂。故孝文帝廢不復問。〔考證〕封禪書、垣平詐令人獻玉杯、又詐言日郤復中、孝文故改元、事覺誅三族、蓋以詐妄誅耳、非作亂也、至今上卽位、招致方士唐都、分其天部。〔集解〕漢書音義曰、謂分部二十八宿爲距度、而巴落下閎、運算轉歷、然後日辰之度、與夏正同。〔集解〕徐廣曰、陳術云、徵士巴郡落下閎也、〔索隱〕姚氏案益部耆舊傳云、閎字長公、明曉天文、隱於落下、武帝徵待詔太史、於地中轉渾天、改顓

頊歷作太初歷、拜侍中、不受、〔考證〕楊愼曰、漢武歷得夏正、應篇端引大戴禮之說、張文虎曰、漢志敍造太初歷、首選鄧平、又云、詔司馬遷用鄧平所造八十一分律歷、則太初歷固鄧平主之、而此文祇及都閎、疑有殘缺、錢大昕曰、集解陳述、蜀人、譙益部耆舊雜記、乃改元、更官號、封泰山。〔考證〕猪飼彥博曰、更官號者、更郎中令曰光祿勳、大行令曰大鴻臚之類、詳見漢書百官表、封泰山、在元封元年、此書誤、愚按漢書律歷志云、武帝元封七年、漢興百二歲矣、大中大夫公孫卿、壺遂、太史令司馬遷等言、歷紀壞廢、宜改正朔、是時御史大夫兒寬明經術、上迺詔寬曰、與博士共議、今宜何以爲正朔、服色何上、此太初改歷、本史公等議也、因詔御史曰。乃者有司言星度之未定也。廣延宣問、以理星度。未能詹也。〔集解〕徐廣曰、詹、一作售也、〔索隱〕按漢書作讎、故徐廣云、一作售、售卽讎也、韋昭云、讎、比校也、鄭德云、相應爲讎也、〔考證〕漢志、星度之未定也、作歷未定、理作考、詹作讎、顏師古曰、讎相當、方苞曰、古卜筮之官名詹尹、似有占驗符合之義、觀下十一月甲子朔旦冬至已詹可見、蓋聞昔者黃帝合而不死。名察度驗、定清濁、起五部、建氣物分數。〔集解〕應劭曰、言黃帝造歷得仙、名節會、察寒暑、致啓閉分至、定清濁、起五部、五部、金木水火土也、建氣物分數、皆敍歷之意也、孟康曰、合、作也、黃帝作歷、歷終復始、無窮已、故曰不死、清濁、律聲之清濁也、五部、五行也、天有四時、分爲五行也、氣、二十四氣、物、萬物也、分、歷數之分也、瓚曰、黃帝聖德、與虛合契、升龍登仙、於天、故曰合而不死、題名宿度、候察進退、謂三辰之度、吉凶之驗

也、〔索隱〕臣瓚云、題名宿度、候察進退、以爲吉凶之狀、依文作解爲得、案漢書、作名察發斂、韋昭云、發、氣發、斂、氣斂、又續漢書以爲道之發斂、景之長短、則發斂是日行道、去極盈縮也、〔考證〕方苞曰、合而不死、卽封禪書所云、黃帝迎日推策、率二十歲復朔旦冬至、凡三百八十年、而仙登於天、蓋方士誕語也、合者、至日適與朔旦合也、名察者、五星二十八宿之名、於是辨也、度驗者、其宿離遲速之數、皆可驗也、定清濁者、卽下所謂氣復正、羽聲復正也、起五部者、卽下所謂黃鐘爲宮、至姑洗爲角、是也、氣者、在天之節氣也、物者十二律之管也、建氣物分數者、唯能知其消息損益之分數、然後立十二管、以應十二月之氣也、王元啓曰、名察度驗、猶言察名驗度、愚按、漢志作名察發斂、孟康云、春夏爲發、秋冬爲斂、晉灼云、蔡邕天文志、渾天名察發斂、以行日月、以步五緯、又周髀算經、冬至夏至者日道發斂之所同也、與索隱所引續漢書同義、近時王念孫、猪飼彥博諸人、以發斂爲是、併錄備考、然蓋尙矣。〔考證〕漢志作然則上矣、王先謙曰、言其所由來遠也、書缺樂弛。朕甚閔焉。朕唯未能循明也。〔考證〕漢書、作朕甚難之、依違目惟、未能修明、據此循當作修、紬績日分、〔索隱〕紬、音宙、又如字、紬績者、女工紬緝之意、以言造歷算運者、猶若女工緝而織之也、率應水德之勝。〔集解〕徐廣曰、蓋以爲應土德、土勝水、今日順夏至。〔索隱〕按夏至、謂夏至冬至、〔考證〕猪飼彥博曰、漢書武帝紀云、夏五月、正歷以正月爲歲首、蓋其日當夏至也、黃鐘爲宮、〔考證〕中井積德曰、是謂夏至之調也、猪飼彥博曰、淮南子云、斗指午則夏至、音比黃鐘、愚按此武紀所謂協音律者、林鐘爲徵、太簇爲商、南呂

爲羽、姑洗爲角。自是以後氣復正、羽聲復淸、名復正變、【考證】中井積德曰、名疑當作各、王元啓曰、變字衍、愚按中說是、以至子日、當冬至、則陰陽離合之道行焉。【考證】王元啓曰、按古者太初上元甲子夜半冬至、七曜皆會斗牽牛分度、自此而後、諸曜或遲或疾、各異其行、所謂離合之道也、十一月甲子朔旦冬至已詹。其更以七年爲太初元年。【索隱】按改元封七年爲太初元年、然漢始以建亥爲年首、今改以建寅、故以七年爲元年、韋昭云、漢興至此百二歲、案律歷志云、乃以前歷上元太初四千六百一十七歲、至元封七年、復得閼逢攝提之歲、中冬十一月甲子朔日冬至、【考證】中井積德曰、以舊歷元封七年歲首建亥、及建子建丑三月、還屬六年、而以建寅以後爲太初元年也、愚按詹、足也、至也、說又見上文、年名焉逢攝提格、【集解】徐廣曰、歲陰在寅、左行、歲星在丑、右行、【索隱】按爾雅云、歲在甲曰焉逢、寅曰攝提格、則此甲寅之年十一月甲子朔旦夜半冬至也、然此篇末亦云、寅名攝提格、則此甲寅之歲也、又據二年名單閼、三年名執徐等、年次分明、而漢志以爲其年在丙子、當是班固用三統、與太初歷不同、故與太史公說有異、而爾雅近代之作、所記年名又不同也、左行右行、按蘇林云、歲與星行所在之次、【正義】焉、音於乾反、後同、【考證】漢書律歷云、元封七年、復得閼逢攝提之歲、仲冬十一月甲子朔旦冬至、日月在建星、太歲在子、又云、漢歷太初元年十一月甲子朔旦冬至、歲在星紀婺女六度、故漢志曰、歲名曰困敦、正月歲星出婺女、焉逢、甲也、攝提格、寅也、星紀、丑也、困敦、子也、史漢所言不同、

王元啓曰、歷家推步之術、代有不同、甲曰焉逢、寅曰攝提格、從古更無異說、況太初歷史公手定、不應年歲甲子尙有錯記、漢志云、以前歷上元泰初四千六百一十七歲、至元封七年、復得閼逢攝提格之歲、則是歲之爲甲寅、班氏亦既明知、而其下復有太歲在子之云、前後自爲乖異、必誤文也、或疑是漢志之世經一篇、所載歷代甲子甚明、豈於是年獨誤、余謂卽以世經覈之、班氏之誤可決也、天官書云、攝提格歲、大歲左行在寅、歲星右轉居丑、世經載太初元年前十一月朔旦冬至、歲在星紀婺女六度、歲星在丑、則太歲是寅非子明矣、天官書所載諸星行度、雖不盡史公手筆、然亦西漢諸儒纂入、去史公不遠、所言當據太初歷法、因此逆數高祖入秦之歲、太歲在申、歲星在未、故五星皆得從聚東井、漢志太歲在午、徐廣月表注、又以爲其年乙未、午未之歲、歲星當在大梁實沈之次、與土火金水同聚東井、亦非行度所宜、今謂太初元年丙子、則甲寅之歲在前爲元朔三年、相距二十二年、後爲元康四年、相距三十八年、歷法縱有不同、何至相違若是之遠、王引之曰、漢志太歲在子、當作太歲在寅、後人改之也、太歲在寅曰攝提格、上言攝提格之歲、則下當言太歲在寅、錢大昕曰、古法歲陰與太歲不同、太歲與歲星常相應、歲星自丑右行、太歲自子左行、歲在星紀、則太歲必在子、在元枵、則太歲必在丑、歲星百四十四年而超一辰、卽太歲亦超一辰、太初之元、歲在星紀、故漢志以爲太歲在子、而當時詔書以爲年爲閼逢攝提格者、乃指歲陰所在、非太歲所在也、歲陰亦謂之太陰、又曰靑龍、亦左行、周十二辰、而常在太歲之前二辰、如太歲在子、則太陰在寅、淮南天文訓、太陰在寅、歲名曰攝提格、太陰在卯、歲名曰敦牂、云云、蓋古人以太陰紀歲、攝提格以下十二名、皆曰太陰所在、淮南子言太陰元始建于甲寅、故以焉逢攝提格之歲爲歷元、而太初三統推上元日月五星、皆起于星紀、故太歲起丙子、史記歷術甲子篇云甲寅年者、以太陰所在紀歲名、班

史云、歲名困敦、乃眞太歲所在也、東漢以降、術家鮮知太陰太歲之別、又不知太歲超辰之義、而古書多難通矣、愚按二王蓋得之、漢志云歲在星紀婺女六度者、劉歆以三統術逆推之耳、不若史公在當時自驗自筆之可據、錢氏據淮南云、史記以太陰紀年、漢書以太歲紀年、其說極巧、但旣有太陰紀年之法、何更以太歲紀年、據古書、太陰太歲、名異實同、說詳于吳仁傑兩漢刊誤補遺、王引之太歲考、月名畢聚、日得甲子、夜半朔旦冬至。【集解】文穎曰、律居陰而治陽、歷居陽而治陰、更相治、閒不容翲忽、五家文悖異、推太初之元也、【索隱】聚、音娵、案虞喜云、天元之始、於十一月甲子夜半朔旦冬至、日月若連珠、俱起牽牛之初、歲雄在閼逢、雌在攝提格、月雄在畢、雌在訾、訾則娵訾之宿、日雄在甲、雌則在子、此則甲寅之元、天道之首、【考證】張文虎曰、集解語見自序、與正文無涉、漢書無此注、蓋傳寫誤衍、

歷術甲子篇。

【索隱】以十一月朔旦冬至得甲子、甲子是陽氣支干之首、故以甲子命歷術、爲篇首、非謂此年歲在甲子也、【考證】月自朔至晦二九、五三〇五八日、十二月三五四日、日、一歲三六五、二四二二日、(歷家稱三六五、二五日)其差約十一日、十九年七置閏月、猶剩〇、七五日、七十六年之後、日時季節略合、故曆家以十九年爲一章、七十六年爲一蔀、是篇自焉逢攝提格至祝犂大荒落、方七十六年、張文虎曰、歷術甲子篇、或以爲褚少孫所補、或以爲褚取歷官舊課綴之、以太初爲歷元、仍用四分術氣朔分演算、梁玉繩志疑、王念孫太歲考、皆以爲殷術、不知殷術是年入天紀乙酉蔀第二章首、歲名丁丑、天正氣朔皆有餘分四之三、不得爲元首、幷不得爲殷術、反覆思之、則史公與壺遂等初受詔改歷時所定也、蓋帝詔直以元封六年十一月朔旦冬至爲歷元、不復計及餘分、遷遂等依違承詔、徙以歲星在丑、則太歲在寅、命爲焉逢攝提格、

其餘仍用舊氣朔分、〔黃帝術以下六術、皆用四分〕推算、以爲太初新歷、不能他有所更格、〔周歷太初元年入地紀、第一蔀首甲子朔旦冬至、氣朔皆無餘分、正與此合〕迨鄧平改定、破紀法八十章爲八十一、而謂之統法、一元之終、多五十七年、不得復其歲名、歲餘朔餘、皆强於四分、〔當時亦以氣朔餘分爲嫌、而無法消弭之、故漢志言射姓等奏不能爲筭、逮鄧平定歷、增其小餘、以四千六百十七年爲元法、餘分適盡、蓋得之巧算、而卽以此爲張壽王所詆〔詳舒藝隨筆卷五〕而改歲星與日同次之斗建、命爲歲在困敦〔此據十一月朔之星次耳、其實此時歲星在婺女六度、逮至婺女八度、歲星自丑度子、太歲則自子度丑矣〕史公心有所不善焉、特以詔用平術〔漢志云、迺詔遷用平所造八十一分律歷〕不敢執舊法以爭、故於歷書存此篇、以見意、自焉逢攝提格至祝犂大荒落、凡七十六歲、合一蔀之數、其歲名下本不著年、今本有者、後人增之、然則前文不及鄧平、又詔更七年爲太初元年下、不復詳定歷終始、蓋有故焉、非闕略也、愚按、張說蓋得當時情事、

太初元年、歲名焉逢【索隱】甲、歲雄也、漢書作閼逢、亦音焉、與此音同、攝提格、【索隱】寅、歲陰也、此依爾雅、甲寅之歲、若據漢志、以爲丙子之年、月名畢聚。【索隱】謂月値畢及陬訾也、畢、月雄也、聚、月雌也、日得甲子、【索隱】謂十一月冬至朔旦得甲子也、夜半朔旦冬至。【索隱】以建子爲正、故以夜半爲朔、其至與朔同日、故云夜半朔旦冬至、若建寅爲正者、則以平旦爲朔也、正北。【索隱】謂蔀首十一月甲子朔旦時加子爲冬至、故云正北也、然每歲行周天、全度外餘有四分之一、以十二辰分之、冬至常居四仲、故子年在子、丑年

在卯、寅年在午、卯年在酉、至後十九年、章首在酉、故云正西、其正南正東竝準此也、【正義】黃鐘管子時氣應稱正北、順行四時、仲所至爲正月一日、是歲之始、盡一章十九年、黃鐘管、應在酉、則稱正西、他皆放此、【考證】王元啓曰、按四分之一、卽十二辰之三、計全歲之周、當得三百六十五日加三時、故子年甲子日子時冬至、丑年必在己巳日卯時、寅年必在甲戌日午時、卯年必在己卯日酉時、然太初歷、寅年起算正北、是歲前冬至、則本年十一月冬至時、當加卯、卯年在午、辰年在酉、巳年在子、至後十九年、歲在壬申、時當加卯、故曰正西、索隱以漢志解歷書、不自知其錯數也、

十二【索隱】歲有十二月、有閏則云十三也、

無大餘。無小餘。【索隱】其歲甲子朔旦、日月合於牽牛之初、餘分皆盡、故無大小餘也、【正義】無大小餘者、以出閏月之歲、有三百五十四日三百四十八分、除五甲三百日、餘有五十四日三百四十八分、緣未滿六十日、故置爲來年大小餘、亦爲太初元年、日得甲子朔旦冬至、前年無奇日分、故無大小餘也、【考證】下文正義云、大餘者日也、小餘者日之奇分也、又云、小餘者、未滿日之分數也、

無大餘。無小餘。【索隱】上大小餘、朔之大小餘、此謂冬至大小餘、冬至亦與朔同日、竝無餘分、至與朔法異、故重列之、

焉逢攝提格太初元年。【索隱】如漢志太初元年歲在丙子、據此則甲寅歲也、爾雅釋天云、歲陽者、甲乙丙丁戊己庚辛壬癸十歲干是也、歲陰者、子丑寅卯辰巳午未申酉戌亥十二支是也、歲陽在甲云焉逢、謂歲干也、歲陰在寅云攝提格、謂歲支也、【考證】太初元年至建始元年、年號年數、後人妄增、說既見上文張說、

十二【考證】無閏月、故云十二、後倣此、

大餘五十四【索隱】歲十二月、六大六小、合三百五十四日、以六除之、五六三十、除三百日、餘五十四日、故下云、大餘者日也、【正義】月朔旦甲子日法也、

小餘三百四十八【索隱】太初歷法、一月之日、二十九日九百四十分日之四百九十九、每兩月合成五十九日、餘五十八分、今十二月合餘六箇五十八、得此數、故云小餘者月也、【正義】未滿日之分數也、其分每滿九百四十則成一日、卽歸上成五十五日矣、大餘五十四者、每歲除小月六日、則成三百五十四日、除五甲三百日、猶餘五十四日、爲未滿六十日、故稱大餘五十四也、小餘三百四十八者、其大數五十四之外、更餘分三百四十八、故稱小餘三百四十八也、此大小餘、是月朔甲子日朔、以出閏月之數、一歲則有三百五十四日三百四十八分、每六十日除之、餘爲未滿六十日、故有大小餘也、此是太初元年奇日奇分也、置大餘五十四算、每年加五十四日、滿六十日除之、奇算留之、每至閏後一年、加二十九算、亦滿六十日除之、奇算留之、若纔足六十日、明年云無大餘無小餘也、又明年以置五十四算如上法、置小餘三百四十八算、每年加三百四十八分、滿九百四十分成一日、歸上餘算、留之若至閏後一年、加八百四十七分、亦滿九百四十分成日、歸大餘、奇留之、明年以加三百四十八算、如上法也、【考證】張文虎曰、索隱、故下當有下字、正義、置大餘五十四算以下至如上法也、百四十九字、原錯在上文日得甲子下、今移正、

大餘五【索隱】周天三百六十五度四分度之一、日行一度、去歲十一月朔在牽牛初爲冬至、今歲十一月十二日又至牽牛初、爲一周、以六甲除之、六六三十六、除三百六十餘五、故云大餘五也、【正義】冬至甲子日法也、

小餘八【索隱】卽四分之一、小餘滿三十二、從大餘一、四八三十二、故云小餘八、明年又加八得十六、故下云小餘十六、次明年又加八得二十四、故下云小餘二十四、又明年加八得三十二、爲滿、故下云無小餘、此竝依太初法行之也、【正義】未滿日之分數也、其分每滿三十二則成一日、卽歸上成六日矣、大餘五者、每歲三百六十五日、除六甲三百六十日、猶餘五日、故稱大餘五日也、小餘八者、每歲三百六十五日四分日之一、則一日三十二分、是一歲三百六十五日八分、故稱小餘八也、此大小餘、是冬至甲子日法、未出閏月之數、每六十日除之、爲未滿六十日、故有大小餘也、此是太初元年奇日奇分也、置大餘五算、每年加五算、滿六十日則除之、後年更置五算如上法、置小餘八算、每年加八算、滿三十二分爲一日、歸大餘、後年更置八算如上法、大餘者日也、小餘者日之奇分也、【考證】張文虎曰、正義、置大餘五算至奇分也六十九字、原錯在朔旦冬至下、今移正、

端蒙單閼二年。【集解】徐廣曰、單閼、一作亶安、【索隱】端蒙、乙也、爾雅作旃蒙、單閼、卯也、丹遏二音、又音蟬焉、二年、歲在乙卯也、【正義】單音丹、又音時連反、閼音烏葛反、又於連反、【考證】張文虎曰、索隱正義、於每年下注年數、是所見本本文無年數也、今有者、蓋又後人所增、盧氏抱經錢氏溉亭說同、

閏十三【考證】閏十三、是歲有閏、幷十二經月、爲十三也、王元啓曰、按漢志云、八章三歲一閏、六歲二閏、九歲三閏、十一歲四閏、十四歲五閏、十七歲六閏、十九歲七閏、據三統歷、太初二年爲八章十四歲、天漢三年爲十九歲之終、今天漢三年無閏、而閏四年、則似以太初二年爲八章三十歲、然依法推算、太初二年冬至在十一月二十三日甲戌、此歲中不應置閏、置閏當在三年、則太初元年、實爲八章之第一歲、此篇所載閏十三、皆先一年言之、蓋爲來歲大小餘加算之地、謂自此歲冬至後、當加一閏爲十三月、非謂此年卽已加閏也、

大餘四十八【考證】王元啓曰、按五十四加五十四、成一百八日、除去一甲子六十、故云四十八、

小餘六百九十六【考證】王元啓曰、按三百四十八、又加三百四十八、得此數、

大餘十【考證】王元啓曰、按又加五日、合前歲大餘、得此數、

小餘十六【考證】王元啓曰、按又加八分、合前歲小餘、得此數、後悉倣此推之、

游兆執徐三年。【索隱】游兆、景也、爾雅作柔兆、執徐、辰也、三年、【正義】三年丙辰歲也、【考證】游兆丙也、索隱避唐諱云景、

十二

大餘十二 考證王元啓曰、此係閏後一年、應加二十三算、四十八加二十三、除去一甲子六十、餘十一、又小餘滿一日歸大餘、故云十二、

小餘六百三 考證王元啓曰、上年小餘六百九十六、此係閏後一年、應加八百四十七、除去九百四十分滿一日歸大餘、小餘存此數、

大餘十五小餘二十四

彊梧大荒落四年 索隱彊梧、丁也、大芒駱、巳也、四年、正義梧、音語、四年丁巳歲也、考證宋本毛本、荒作芒、索隱本作大芒駱、

十二

大餘七 考證王元啓曰、按十二加五十四、止得六十六、因下文小餘又滿一日歸大餘、得六十七、除去六十、餘此數 小餘十一 考證王元啓曰、按上年六百懸三、加本年三百四十八、共九百五十一、除去九百四十、餘十一、

大餘二十一 考證王元啓曰、按十五加五、得二十、因小餘滿三十二分、又成一日、故爲二十一、 無小餘 考證王元啓曰、按二十四加八、共餘三十二分、成一日歸大餘、故無小餘也、

徒維敦牂天漢元年 索隱徒維、戊也、敦牂、午也、天漢元年、正義牂、音作郎反、天漢元年戊午歲也、

閏十三

大餘一小餘三百五十九

大餘二十六小餘八

祝犂協洽二年 索隱祝犂、己也、爾雅作著雍、汁洽、未也、二年、正義二年己未歲也、

十二

大餘二十五 考證閏後加法同前、後不復出、 小餘二百六十六

大餘三十一小餘十六

商橫涒灘三年 索隱商橫、庚也、爾雅、作上章、赤奮若、丑也、天官書及爾雅、申爲汭漢、丑爲赤奮若、今自太初已來計歲次、與天官書不同者有四、蓋後歷術改故也、三年也、正義涒、音吐魂反、灘、音吐丹反、又作涒漢、字音與上同、三年庚申歲也、考證張文虎曰、索隱本作商橫赤奮若、而本始四年、作端蒙汭漢、蓋小司馬

所見本互誤、致與天官書及爾雅釋天違異、張守節與小司馬同時、而所據本作涒灘、則知赤奮若之誤矣、

十二

大餘十九小餘六百一十四

大餘三十六小餘二十四

昭陽作鄂四年 索隱昭陽、辛也、爾雅、作重光、作鄂、酉也、四年、正義四年辛酉歲也、

閏十三

大餘十四 考證王元啓曰、下文小餘滿一日歸大餘、故云十四、 小餘二十二 考證王元啓曰、滿九百四十分歸大餘、故止存二十二、

大餘四十二 考證王元啓曰、并下小餘滿數、得此數、 無小餘 考證王元啓曰、滿數歸大餘、

橫艾淹茂太始元年 索隱橫艾、壬也、爾雅、作玄黓、淹茂、戌也、太始元年、正義太始元年壬戌歲也、

十二

大餘三十七小餘八百六十九

大餘四十七小餘八

尙章大淵獻二年 索隱尙章、癸也、爾雅、作昭陽、困敦、亥也、天官書、子爲困敦、爾雅同、二年、正義二年癸亥年也、考證張文虎曰、索隱本、此文大獻淵、與下年困敦互易、亦誤本也、

閏十三

大餘三十二小餘二百七十七

大餘五十二小餘一十六

焉逢困敦三年 索隱焉逢、甲也、大淵獻、子也、天官書、亥爲大淵獻、與爾雅同、三年也、正義敦、音頓、三年甲子歲也、考證張文虎曰、索隱本、困敦誤作大淵獻、說見上、

十二

大餘五十六小餘一百八十四

大餘五十七小餘二十四

端蒙赤奮若四年 【索隱】端蒙、乙也、汭漢、丑也、天官書作赤奮若、與爾雅同、四年已後、自太始征和已下訖篇末、其年次甲乙、皆準此、並褚先生所續、【正義】四年乙丑歲也、【考證】索隱本赤奮若誤作汭漢、

十二

大餘五十小餘五百三十二

大餘三無小餘

游兆攝提格征和元年 【集解】徐廣曰、作游桃、【正義】李巡注爾雅云、萬物承陽而起、故曰攝提格、格、起也、孔文祥云、以歲在寅正月出東方、爲衆星之紀、以攝提宿、故曰攝提、以其爲歲月之首、起於孟陬、故云、格、正也、【考證】張文虎曰、游兆已見太初三年、此集解疑錯簡、釋攝提格正義、亦當在前、

閏十三

大餘四十四小餘八百八十

大餘八小餘八

彊梧單閼二年 【正義】李巡云、言陽氣推萬物而起、故曰單閼、單、盡、閼、止也、

十二

大餘八 【考證】王元啓曰、此係閏後一年、又小餘滿一日、除去六十、正當餘八、 小餘七百八十七

大餘十三小餘十六

徒維執徐三年 【正義】李巡云、伏蟄之物、皆敷舒而出、故云執徐也、

十二

大餘三小餘一百九十五

大餘十八小餘二十四

祝犂大芒落四年 【集解】芒、一作荒、【正義】姚察云、言萬物皆熾盛而大出、霍然落之、故云荒落也、

閏十三

大餘五十七小餘五百四十三

大餘二十四無小餘

商橫敦牂後元元年 【正義】爾雅云、敦、盛也、牂、壯也、言萬物盛壯也、【考證】張文虎曰、爾雅上當脫孫炎注三字、

十二

大餘四十一小餘四百五十

大餘二十九小餘八

昭陽汁洽二年 【集解】汁、一作協、【正義】李巡云、言陰陽化生、萬物和合、故曰協洽也、

閏十三

大餘十五小餘七百九十八

大餘三十四小餘十六

橫艾涒灘始元元年 【集解】涒灘、一作芮漢、【正義】孫炎注爾雅云、涒灘、萬物吐秀傾垂之貌也、

十二

正西 【考證】王元啓曰、推得是年冬十一月癸卯加酉冬至、爲第二章之首、

大餘三十九小餘七百五

大餘三十九小餘二十四

尚章作噩二年 【集解】噩、一作鄂、【正義】李巡云、作鄂、萬物皆落、枝起之貌也、

十二

大餘三十四小餘一百一十三

大餘四十五無小餘

焉逢淹茂三年【集解】淹、一作閹、【正義】李巡云、言萬物皆蔽冒、故曰閹茂、蔽冒也、

閏十三

大餘二十八小餘四百六十一

大餘五十小餘八

端蒙大淵獻四年【正義】孫炎云、淵獻、深也、獻萬物於天、深于藏蓋也、

十二

大餘五十二小餘三百六十八

大餘五十五小餘十六

游兆困敦五年【正義】孫炎云、困敦、混沌也、言萬物初萌、混沌於黃泉之下也、

十二

大餘四十六小餘七百一十六

無大餘小餘二十四

彊梧赤奮若六年【正義】李巡云、陽氣奮迅萬物而起、無不若其性、故曰赤奮若、赤、陽色奮迅也、若、順也、

閏十三

大餘四十一小餘一百二十四

大餘六無小餘

徒維攝提格元鳳元年

十二

大餘五小餘三十一

大餘十一小餘八

祝犂單閼二年

十二

大餘五十九小餘三百七十九

大餘十六小餘十六

商橫執徐三年

閏十三

大餘五十三小餘七百二十七

大餘二十一小餘二十四

昭陽大荒落四年

十二

大餘十七小餘六百三十四

大餘二十七無小餘

橫艾敦牂五年

閏十三

大餘十二小餘四十二

大餘三十二小餘八

尚章汁洽六年

十二

大餘三十五小餘八百八十九

大餘三十七小餘十六

焉逢涒灘元平元年

十二

大餘三十小餘二百九十七

大餘四十二小餘二十四

端蒙作噩本始元年

閏十三

大餘二十四小餘六百四十五

大餘四十八無小餘

游兆閹茂二年

十二

大餘四十八小餘五百五十二

大餘五十三小餘八

彊梧大淵獻三年

十二

大餘四十二小餘九百

大餘五十八小餘十六

徒維困敦四年

閏十三

大餘三十七小餘三百八

大餘三小餘二十四

祝犂赤奮若地節元年

十二

大餘一小餘二百一十五

大餘九無小餘

商橫攝提格二年

閏十三

大餘五十五小餘五百六十三

大餘十四小餘八

昭陽單閼三年

正南 考證 王元啓曰、推得是年冬十一月癸未朔時加午冬至、是爲第三章之首、

十二

大餘十九小餘四百七十

大餘十九小餘十六

橫艾執徐四年

十二

大餘十三小餘八百一十八

大餘二十四小餘二十四

尙章大荒落元康元年

閏十三

大餘八小餘二百二十六

大餘三十無小餘

焉逢敦牂二年

十二

大餘三十二小餘一百三十三

大餘三十五小餘八

端蒙協洽三年

十二

大餘二十六小餘四百八十一

大餘四十小餘十六

游兆涒灘四年

閏十三

大餘二十小餘八百二十九

大餘四十五小餘二十四

彊梧作噩神雀元年

十二

大餘四十四小餘七百三十六

大餘五十一無小餘

徒維淹茂二年

十二

大餘三十九小餘一百四十四

大餘五十六小餘八

祝犂大淵獻三年

閏十三

大餘三十三小餘四百九十二

大餘一小餘十六

商横困敦四年

十二

大餘五十七小餘三百九十九

大餘六小餘二十四

昭陽赤奮若五鳳元年

閏十三

大餘五十一小餘七百四十七

大餘十二無小餘

横艾攝提格二年

十二

大餘十五小餘六百五十四

大餘十七小餘八

尚章單閼三年

十二
大餘十小餘六十二
大餘二十二小餘十六
焉逢執徐四年
閏十三
大餘四小餘四百一十
大餘二十七小餘二十四
端蒙大荒落甘露元年
十二
大餘二十八小餘三百一十七

大餘三十三無小餘
游兆敦牂二年
十二
大餘二十二小餘六百六十五
大餘三十八小餘八
彊梧協洽三年
閏十三
大餘十七小餘七十三
大餘四十三小餘十六
徒維涒灘四年

十二
大餘四十小餘九百二十
大餘四十八小餘二十四
祝犂作噩黃龍元年
閏十三
大餘三十五小餘三百二十八
大餘五十四無小餘
商橫淹茂初元元年
正東　考證　王元啓曰，推得是年冬十一月癸亥朔時加卯冬至，爲第四章之首，
十二

大餘五十九小餘二百三十五
大餘五十九小餘八
昭陽大淵獻二年
十二
大餘五十三小餘五百八十三
大餘四小餘十六
横艾困敦三年
閏十三
大餘四十七小餘九百三十一
大餘九小餘二十四

尙章赤奮若四年
十二
大餘十一小餘八百三十八
大餘十五無小餘
焉逢攝提格五年
十二
大餘六小餘二百四十六
大餘二十小餘八
端蒙單閼永光元年
閏十三

無大餘小餘五百九十四
大餘二十五小餘十六
游兆執徐二年
十二
大餘二十四小餘五百一
大餘三十小餘二十四
彊梧大荒落三年
十二
大餘十八小餘八百四十九
大餘三十六無小餘

徒維敦牂四年
閏十三
大餘十三小餘二百五十七
大餘四十一小餘八
祝犂協洽五年
十二
大餘三十七小餘一百六十四
大餘四十六小餘十六
商橫涒灘建昭元年
閏十三

大餘三十一小餘五百一十二
大餘五十一小餘二十四
昭陽作噩二年
十二
大餘五十五小餘四百一十九
大餘五十七無小餘
橫艾閹茂三年
十二
大餘四十九小餘七百六十七
大餘二小餘八

尙章大淵獻四年

閏十三

大餘四十四小餘一百七十五

大餘七小餘十六

焉逢困敦五年

十二

大餘八小餘八十二

大餘十二小餘二十四

端蒙赤奮若竟寧元年

十二

大餘二小餘四百三十

大餘十八無小餘

游兆攝提格建始元年

閏十三

大餘五十六小餘七百七十八

大餘二十三小餘八

彊梧單閼二年

十二

大餘二十小餘六百八十五

大餘二十八小餘十六

徒維執徐三年

閏十三

大餘十五小餘九十三

大餘三十三小餘二十四

祝犂大荒落四年 考證錢大昕曰、自太初元年、至祝犂大荒落四年、凡七十六歲、古術家以十九年爲一章、七十六歲爲一蔀、太初冬至日得甲子、所謂甲子蔀也、至是歲而一蔀終、其明年入癸卯蔀、加時亦在正北、至朔皆無小餘、惟大餘同爲三十九耳、

右歷書、大餘者、日也。小餘者、月也。考證錢大昕曰、案本書自太初元年至建始四年、每年再擧大餘小餘之數、前之大餘小餘、推天正經朔所用、後之大餘小餘、推冬至所用也、十干十二支相配以紀日、六十而周、不滿六十、謂之大餘、故云大餘者日也、然而中節朔晦不皆當夜半子時、於是分一日爲若干分、謂之日法、不滿法謂之小餘、以課加時之早晚、推正朔以九百四十爲日法、故小餘有多至九百卌一者、推冬至則以卌二爲日法、故小餘多者不過卌四、兩小餘、雖有多寡之異、要爲加時而設、則其理不異、依文當云小餘者時也、今本作月、乃傳寫之誤、小司馬謂十二月餘此三百四十八數、故云小餘者月、然天正之小餘、謂生

於月可也、冬至之小餘、謂出於月、可乎、蓋唐本已誤、小司馬不能是正、就曲傳會、不知其終不能合也、張文虎曰、時疑當作分、愚按猪飼彥博亦同張說、比錢改爲時爲長、分者、下文正義所謂日之餘分也、端旃蒙者、年名也。考證王念孫曰、爾雅作端蒙、後人旁記旃字、遂誤入正文、支、丑名赤奮若、寅名攝提格。干、丙名游兆。正北、冬至加子時。正西、加酉時。正南加午時。正東、加卯時。正義準前解、小餘、是日之餘分也、自右歷書已下小餘、又非是年名、復不周備、恐褚先生沒後人所加、考證張文虎曰、冬至加子時、加酉時、加午時、加卯時、各本皆注文、王氏正譌改大字、今從之、正義三十九字、各本錯在征和元年冬至大小餘下、亦依正譌移此、

索隱述贊、歷數之興、其來尚矣、重黎是司、容成斯紀、推步天象、消息母子、五勝輪環、三正互起、孟陬貞歲、疇人順軌、敬授之方、履端爲美、

歷書第四

史記二十六

史記會注考證卷二十七

漢　太　史　令　司　馬　遷　撰
宋中郎外兵曹參軍裴　駰集解
唐國子博士弘文館學士司馬　貞索隱
唐諸王侍讀率府長史張　守　節正義
日　本　出　雲　瀧　川　資　言　考　證

天官書第五　　史記二十七

〔索隱〕案天文有五官、官者、星官也、星座有尊卑、若人之官曹列位、故曰天官、〔正義〕張衡云、文曜麗乎天、其動者有七、日月五星是也、日者、陽精之宗、月者、陰精之宗、五星、

五行之精、衆星列布、體生於地、精成於天、列居錯峙、各有所屬、在野象物、在朝象官、在人象事、其以神著有五列焉、是有三十五名、一居中央、謂之北斗、四布於方各七、爲二十八舍、日月運行、歷示吉凶也、〔考證〕史公自序曰、星氣之書、多雜禨祥、不經、推其文考其應、不殊、比集論其行事、驗于軌度以次、作天官書第五、猪飼彥博曰、天官謂天之星官也、漢書王鳳傳云、太史公書有天官災異、谷永傳云、於天官、京氏易傳最密、太史公自序亦云、學天官于唐都、張衡靈憲云、中外之官、常明者百有二十四、索隱極是、柯維騏云、掌天文之官、謂之天官、而名其業亦曰天官、非也、愚按、書堯典曰、欽若昊天、歷象日月星辰、敬授民時、曰在璿璣玉衡、以齊七政、專就授時言之、天人相涉之說、發端洪範、其後左傳國語國策諸書、錄之者漸多、韓非飾邪篇云、初時者、魏數年東鄉攻盡陶衛、數年西鄉、以失其國、此非豐隆五行太一王相攝提六神五括天河殷搶歲星數年在西也、又非天缺弧逆刑星熒惑奎台數年在東也、左右背鄉、不足以專戰、然而恃之、愚莫大焉、呂覽明理篇云、至亂之化、君臣相賊、長少相殺、父子相忍、弟兄相誣、知交相倒、夫妻相冒、日以相危、失人之紀、心若禽獸、長邪苟利、不知義理、其雲狀有若犬若馬、若白鵠、若衆車、有其狀若人、蒼衣赤首、不動、其名曰天衡、有其狀若懸旍而有赤、其名曰雲旍、有其狀若衆鳥、以闕其名曰滑馬、有其狀若衆植華以長、黃上白下、其名曰蚩尤之旗、其日有闕蝕、有倍僪、有暈珥、有不光、有反景、有衆日竝出、有晝盲、有宵見、其月有薄蝕、有暈珥、有偏盲、有四月竝出、有二月竝見、有小月承大月、有大月承小月、有月蝕星、有出而無光、其星有熒惑、有彗星、有天棓、有天欃、有天竹、有天英、有天干、有賊星、有闕星、有貧星、其氣有上不屬天、下不屬地、有豐上殺下、有若水之波、有若山之楫、春則黃、夏則黑、秋則蒼、冬則赤、可見周末其說盛也、至淮南子天文訓、敍述更廣、皆先於

史記、史公既世其職、又承唐都之說于其父、宜矣、其言之詳也、然亦未免有錯誤、此不獨爲觀測未精、後人妄意勦入者多也、王元啓曰、按書分七章、一經星、二五緯、三二曜、四異星、五雲氣、六候歲、七總論、又曰、此書敍周天列宿、於其句圜隋兌之形、前後向背之勢、縱橫指畫、宛列目前、又無一語爲近今人所能道、決其爲史公親筆無疑、中敍五緯、宜備列其行度疾徐、以備後人之攷驗、今顧不爾者、天官書前無所承、史公首創爲之、不能如後代測驗之詳、陳仁錫曰、天官書獨無序、何也、豈後世缺亡之耶、篇末有太史公論自初生民以來、至天官備矣一章、蓋本書之首序、而錯簡在後耳、唐順之曰、當併漢書及晉書參看、愚按、孫星衍問字堂集卷六、有天官書補目、

中宮、天極星。〔索隱〕姚氏案、春秋元命包云、官之爲言宣也、宣氣立精爲神垣、又文耀鉤曰、中宮大帝、其精北極星、含元出氣、流精生一也、案爾雅、北極謂之北辰、又春秋合誠圖云、北辰其星五、在紫微中、楊泉物理論云、北極、天之中、陽氣之北極也、極南爲太陽、極北爲太陰、日月五星行太陰則無光、行太陽則能照、故爲昏明寒暑之限極也、〔考證〕錢大昕曰、此中宮天極星及東宮蒼龍、南宮朱鳥、西宮咸池、北宮玄武、五宮字皆當作官、按下文云、紫宮房心權衡咸池虛危、此天之五官坐位也、可證、史公本文皆作官矣、索隱于中宮下引春秋元命包官之爲言宣也、下文紫宮下乃引元命包宮之言中也、又可證小司馬元本中宮作中官矣、小司馬解天官云、天文有五官、官者星官也、星座有尊卑、若人之官曹列位、故曰天官、張文虎曰、錢說確、司馬相如傳大人賦正義引此文正作中官天極星、則張所見本與小司馬同、柯維騏曰、天極、一名北極、位在中央、四方所取正、故曰中宮、故曰天極、卽孔子所謂北辰居其所者也、王元啓曰、按北極五星、所謂天極者、第五星近極而最小者也、今云中宮天極星、乃統指五星言之、故

下云、其一明者云云、猪飼彥博曰、以北極爲中、二十八宿爲四方、蓋周髀蓋天之說也、

其一明者、太一常居也。〔索隱〕案春秋合誠圖云、紫微大帝室、太一之精也、〔正義〕泰一、天帝之別名也、劉伯莊云、泰一、天神之最尊貴者也、

旁三星、三公。或曰子屬。〔正義〕三公三星、在北斗杓東、又三公三星、在北斗魁西、竝爲太尉司徒司空之象、主變出陰陽、主佐機務、占以徙爲不吉、居常則安、金火守之、竝爲咎也、〔考證〕柯維騏曰、天極星凡五、其一明者、太乙所居、旁三星、或謂三公、或曰子屬、諸家之說不同耳、王元啓曰、疑此所謂三星者、既指大帝前後三星、所謂第一星爲太子、第三星爲庶子、第四星爲后宮屬者是也、故曰旁三星、以其在帝左右、故謂之三公、或又以爲子屬也、正義於天官書徵引極博、然昧於決擇、其有古今異名、及同名而宮度各殊者、往往移彼釋此、反足迷誤觀者、張照曰、正義變出、疑變化之誤、猪飼彥博曰、當作燮理、

後句四星。末大星、正妃。餘三星、後宮之屬也。〔索隱〕句音鉤、句、曲也、案援神契云、辰極橫、后妃四星從端、大妃光明、又案星經、以後句四星名爲四輔、其句陳六星爲六宮、亦主六軍、與此不同也、〔考證〕王元啓曰、句音鉤、篇內竝同、又曰、援神契所指、今所謂句陳、句陳本六星、微似斗形、第三星最光明、今以大星爲末、援神契又以大星爲端、蓋指四星斜指大帝者言之、餘二星類斗口者、蓋不數也、若四輔四星、甚微暗、無大星、

環之匡衛十二星、藩臣。皆曰紫宮。〔索隱〕案元命包曰、紫之言此也、宮之言中也、言天神運動、陰陽開閉、皆在此中也、宋均又以爲十二軍、中外位各定、總謂之紫宮也、〔考證〕王元啓曰、按晉志、紫宮垣十五星、其西藩七、東藩八、攷之天象、

作十五星爲是、王先謙曰、藩亦作蕃、匡正其內、衛扞其外也、猪飼彥博曰、索隱十二軍、當作十二星、**前列直斗口三星、隨北端兌、**【索隱】劉氏云、直如字、直、當也、又音值也、隋、音湯果反、劉氏云、斗、一作北、案漢書天文志、作北、端作耑、兌作銳、銳謂星形尖銳也、【考證】兌銳通、王先謙曰、詩破斧釋文、隋形狹而長也、愚按索隱作北、當隋作隨、**若見、若不、曰陰德、或曰天一。**【索隱】案文耀鉤曰、陰德爲天下綱、宋均以爲陰行德者道常也、【正義】星經云、陰德二星、在紫微宮內尚書西、主施德惠者、故贊陰德遺惠周急賑撫、占、以不明爲宜、明、新君踐極也、又云、陰德星、中宮女主之象、星動搖、釁起宮掖、貴嬪內妾惡之、天一一星、疆閶闔外、天帝之神、主戰鬭、知人吉凶、明而有光、則陰陽和萬物成、人主吉、不然反是、太一一星、次天一南、亦天帝之神、主使十六神、知風雨水旱兵革饑饉疾疫、占、以不明及移爲災也、星經云、天一太一二星、主王者即位、令諸立赤子而傳國位者、星不欲微、微則廢立、不當其次、宗廟不享食矣、【考證】漢志、不下有見字、王元啓曰、按晉志、門內東南維五星曰尚書、尚書西二星曰陰德陽德、今圖但云陰德、又止二星在宮垣內、不與斗口相直、下云或曰天一、天一在垣外、與斗近、然止一星、疑史公所謂斗口、卽指宮垣南口、非謂斗魁之口也、王先謙曰、陰德二星、在垣內、天一一星、在垣外、史併三星數之、故謂陰德、或曰天一也、張文虎曰、正義疆字疑誤、**紫宮左三星曰天槍。右五星曰天棓。**【集解】蘇林曰、音欃打之欃、【索隱】槍、音楚庚反、棓、音皮、韋昭音剖、又詩緯曰、槍三星、棓五星、在斗杓左右、主槍人棓人、石氏星讚云、槍棓八星、備非常也、【正義】棓、龐掌反、天棓五星、在女牀東北、天子先驅、所以禦兵也、占、星不具、國兵起也、【考證】王元啓曰、星

象、槍居西垣之外、棓居東垣之外、當云右槍左棓、此云左槍右棓者、蓋就星座南向者言之、則右槍左棓、就北向觀星者言之、則槍反居左、棓反居右矣、猶之參星北拱、故其兩肩之色、前漢及晉宋諸書、皆言左青右黃、史就南向觀星者言、獨云左黃右青、卽其例也、張文虎曰、棓無皮音、索隱音皮、疑當作皮項反、正義棓龐掌反、掌字誤、後文作蒲講反、梁玉繩曰、漢志言右四星、非、**後六星、絕漢抵營室曰閣道。**【索隱】絕、度也、抵、屬也、又案樂汁圖徵云、閣道、北斗輔、石氏云、閣道六星、神所乘也、【正義】漢、天河也、直度曰絕、抵、至也、營室七星、天子之宮、亦爲玄宮、亦爲清廟、主上公、亦天子離宮別館也、王者道被草木、營室歷九象而可觀、閣道六星、在王良北、飛閣之道、天子欲遊別宮之道、占、一星不見、則輦路不通、動搖、則宮掖之內起兵也、【考證】漢志、六星作十七星、史始皇紀、象天極閣道絕漢抵營室、索隱引天官書云、天極紫宮後十七星、絕漢抵營室曰閣道、蓋誤以天文志爲天官書、此索隱引石氏閣道六星、正是史文作六星之明證、王元啓曰、按今營室二星外、又離宮六星、合之凡八星、正義營室七星、未詳、張文虎曰、考證云、營室止二星、正義七字誤、**北斗七星、**【索隱】案春秋運斗樞云、斗第一天樞、第二旋、第三璣、第四權、第五衡、第六開陽、第七搖光、第一至第四爲魁、第五至第七爲標、合而爲斗、文耀鉤云、斗者天之喉舌、玉衡屬杓、魁爲璇璣、徐整長曆云、北斗七星、星閒相去九千里、其二陰星不見者、相去八千里也、**所謂旋璣玉衡、以齊七政。**【索隱】案尚書、旋作璿、馬融云、璿、美玉也、機、渾天儀、可轉旋、故曰機、衡、其中橫筩、以璿爲機、以玉爲衡、蓋貴天象也、鄭玄注大傳云、渾儀中筩爲旋機、外規爲玉衡也、案尚書大傳云、七政、謂春秋冬夏天文地理人道、所以爲政也、人道正而萬事順成、又馬融注尚

書云、七政者、北斗七星、各有所主、第一曰主日、法天、第二曰主月、法地、第三曰命火、謂熒惑也、第四曰煞土、謂填星也、第五曰伐水、謂辰星也、第六曰危木、謂歲星也、第七曰罰金、謂太白也、日月五星各異、故曰七政也、【考證】引堯典以解北斗七星政、七星運行也、張文虎曰、索隱第一曰正日、第二曰主月法、各本竝作第一曰主日法天、第二曰主月法地、與單本異、案晉志引石氏云、第一曰正星、二曰法星、又一主天、二主地、疑此注有脫字、又曰命火謂熒惑也以下五謂字、皆不可通、疑法字之誤、下文集解引孟康曰傳曰、斗第七星法太白、又曰、斗第一星法於日、是其證也、又曰、單本罰金作剽金、猪飼彥博曰、各異故、當作各異政、**杓、攜龍角。**【集解】孟康曰、杓、北斗杓也、龍角、東方宿也、攜、連也、【正義】案角星爲天關、其閒天門、其內天庭、黃道所經、七曜所行、左角爲理、主刑、其南爲太陽道、右角爲將、主兵、其北爲太陰道也、蓋天之三門、故其星明大、則天下太平、賢人在位、不然反是也、**衡、殷南斗。**【集解】晉灼曰、衡、斗之中央、殷、中也、【索隱】案晉灼云、殷、中也、宋均云、殷、當也、**魁、枕參首。**【正義】枕、之禁反、衡、斗衡也、魁、斗第一星也、言北方斗、斗衡直當北之魁、枕於參星之首、北斗之杓、連於龍角、南斗六星爲天廟、丞相大宰之位、主薦賢良授爵祿、又主兵、一曰天機、南二星天梁、中央一星天相、北二星天府庭也、占、斗星盛明、王道和平、爵祿行、不然反是、參主斬刈、又爲天獄、主殺罰、其中三星橫列者、三將軍、東北曰左肩、主左將、西北曰右肩、主右將、東南曰左足、主後將、西南曰右足、主偏將、故軒轅氏占參應七將也、中央三小星曰伐、天之都尉也、主戎狄之國、不欲明、若明與參等、大臣謀亂、兵起、夷狄內戰、七將皆明、主天下兵、振、芒角張、王道缺、參失色、軍散敗、參芒角動搖、邊候有急、參左足入玉井中、及金火守、皆爲起兵、【考證】猪飼彥博曰、正義北方斗斗衡直當、當作北斗之衡直當南

斗、北之魁、當作北斗之魁、張照曰、正義此條蓋引用天文志、參合星經爲之、歲久傳訛舛錯殊甚、不可讀、今依晉書改正、張文虎曰、案魁枕參首四字爲句、與上杓衡一例、正義似以衡殷南斗魁五字爲句、誤、**用昏建者杓。杓、自華以西南。**【集解】孟康曰、傳曰、斗第七星法太白主、杓斗之尾也、尾爲陰、又其用昏、昏、陰位、在西方、故主西南、【索隱】用昏建中者杓、說文云、杓、斗柄、音匹遙反、卽招搖、【正義】杓、東北第七星也、華、華山也、言北斗昏建用斗杓、星指寅也、杓、華山西南之地也、【考證】朱一新曰、以下文魁第一星法爲日主齊例之、集解太白主下、當有脫文、猪飼彥博曰、當作法爲太白主秦、**夜半建者衡。衡、殷中州河·濟之閒。**【集解】徐廣曰、第五星、孟康曰、假令杓昏建寅、衡夜半亦建寅、【索隱】孟康曰、假令杓昏建寅、衡夜半亦建寅也、【正義】衡、北斗衡也、言北斗夜半建、用斗衡指寅、殷、當也、斗衡、黃河濟水之閒地也、【考證】正義河濟、各本作河淸、今從館本、**平旦建者魁。魁、海·岱以東北也。**【集解】孟康曰、傳曰、斗第一星、法於日、主齊也、魁、斗之首、首、陽也、又其用在明、陽與明德、在東方、故主東北、齊分、【正義】言北斗旦建、用斗魁指寅也、海岱、代郡也、言魁星主海岱之東北地也、隨三時所指、有前三建也、**斗爲帝車。運于中央、臨制四鄉、分陰陽、建四時、均五行、移節度、定諸紀、皆繫於斗。**【索隱】斗爲帝車、運于中央、姚氏案宋均曰、言是大帝乘車巡狩、故無所不紀也、【考證】猪飼彥博曰、鄉、音向、星經晉志、竝作方、漢志作每、王先謙曰、淮南天文訓、日冬至、則斗北中繩、日夏至、則斗南中繩、

帝張四維、運之以斗、月徙一辰、復反其所、正月指寅、十二月指丑、周而復始、**斗魁戴匡六星、曰文昌宮。**[集解]晉灼曰、似匡、故曰戴匡也、[索隱]文耀鉤曰、文昌宮爲天府、孝經援神契云、文者、精所聚、昌者、揚天紀、輔拂竝居以成天象、故曰文昌、[考證]漢志、匡作筐、注同、**一曰上將、二曰次將、三曰貴相、四曰司命、五曰司中、六曰司祿。**[索隱]春秋元命包曰、上將建威武、次將正左右、貴相理文緒、司祿賞功進士、司命主災咎、司中主左理也、[考證]梁玉繩曰、四曰司命、五曰司中、六曰司祿、漢志、五司祿、六司災、晉以下志、皆作四曰司祿、五曰司命、六曰司寇、與此不同、**在斗魁中、貴人之牢。**[集解]孟康曰、傳曰、天理四星、在斗魁中、貴人牢、名曰天理、[索隱]樂汁圖徵云、天理、理貴人牢、宋均曰、以理牢獄也、[正義]占、明及其中有星、此貴人下獄也、[考證]王念孫曰、索隱本漢書、無斗字、此本疑衍、王元啓曰、在上當有四星二字、星名天理、與斗魁第三星相近而側立、猪飼彥博曰、中下蓋脫四星曰天理五字、愚按王猪二說略得其意、魁中下、當有四星二字、貴人之牢、四星總稱、又名天理、**魁下六星、兩兩相比者、名曰三能。**[集解]蘇林曰、能音台、[索隱]魁下六星、兩兩相比、曰三台、案漢書東方朔願陳泰階六符、孟康曰、泰階、三台也、台星凡六星、六符、六星之符驗也、應劭引黃帝泰階六符經曰、泰階者、天子之三階、上階上星爲男主、下星爲女主、中階上星爲諸侯三公、下星爲卿大夫、下階上星爲士、下星爲庶人、三階平、則陰陽和、風雨時、不平、則稼穡不成、冬雷夏霜、天行暴令、好興甲兵、修宮榭、廣苑囿、則上階爲之坼也、[考證]陳仁錫曰、能、古台字、王念孫曰、名字後人

所加、此書稱星名、皆言曰某、無言名曰某、索隱本、太平御覽所引漢書天文志、亦無名字、張文虎曰、索隱本幷無者字、**三能色齊、君臣和。不齊、爲乖戾。輔星明近、輔臣親彊、斥小疏弱。**[集解]孟康曰、輔星、在北斗第六星旁、蘇林曰、斥、遠也、[正義]大臣之象也、占、欲其小而明、若大而明、則臣奪君政、小而不明、則臣不任職、明大與斗合、國兵暴起、暗而遠斗、臣不死則奪、若近臣專賞、排賢用佞、則輔生角、近臣擅國符印、將謀社稷、則輔生翼、不然則死也、[考證]漢志、輔星上有柄字、王先謙曰、上下魁杓、皆承北斗言、柄字當有、晉志、輔星薄乎開陽、所以佐斗成功、丞相之象也、又曰、言輔星明而近斗、則輔臣親彊、輔星小而遠斗、則輔臣疏弱也、**杓端有兩星。一內爲矛、招搖。**[集解]孟康曰、近北斗者招搖、招搖爲天矛、晉灼曰、梗河三星、天矛天鋒招搖一星耳、[索隱]案詩記歷樞云、梗河中招搖爲胡兵、宋均云、招搖星在梗河內、又樂汁圖云、梗河天矛、宋均以爲梗河名天矛、則梗河是星名也、[考證]集解天鋒二字、恐衍、梗河、各本作更河、館本依晉書改正、**一外爲盾、天鋒。**[集解]晉灼曰、外、遠北斗也、在招搖南、一名玄戈、[正義]星經云、梗河星爲戟劍之星、若星不見、或進退不定、鋒鏑亂起、將爲邊境之患也、[考證]漢志、鋒作鏠、注引晉灼、一名玄戈、作一名天鏠、當依訂、王先謙曰、鏠同鋒、天鋒亦名盾也、**有句圜十五星、屬杓、曰賤人之牢。**[索隱]句、音鉤、圜、音員、其形如連環、卽貫索星也、[正義]屬、音燭、[考證]王元啓曰、按句七星曰七公、圜八星曰貫索、貫索本九星、正北一星常隱不見、見則反以爲變、故與七公竝數得十五星也、在招搖南、故曰屬杓、舊注專指貫索、則

但有圜星、無句星、**其牢中星實則囚多、虛則開出。**[索隱]案詩記歷樞云、賤人牢、一曰天獄、又樂汁圖云、連營賤人牢、宋均以爲連營貫索也、[正義]貫索九星、在七公前、一曰連索、主法律、禁暴彊、故爲賤人牢也、牢口一星爲門、欲其開也、占、星悉見、則獄事繁、不見、則刑務簡、動搖則斧鉞用、中虛、則改元、口開、則有赦、人主憂、若閉口、及星入牢中、有自繫死者、常夜候之、一星不見、有小喜、二星不見、則賜祿、三星不見、則人主德令且赦、遠十七日、近十六日、若有客星出、視其小大、大有大赦、小亦如之、也、[考證]漢志、牢上無其字、**天一・槍・棓・矛・盾、動搖、角大、兵起。**[集解]李奇曰、角、芒角、[考證]王先謙曰、此數星或動搖、或有芒角、及大、皆兵起之象、**東宮蒼龍、房・心。**[索隱]案文耀鉤云、東宮蒼帝、其精爲龍也、案爾雅云、大辰、房心尾也、李巡曰、大辰、蒼龍宿體最明也、**心爲明堂。**[索隱]春秋說題辭云、房心爲明堂、天王布政之宮、尙書運期授曰、房、四表之道、宋均云、四星閒有三道、日月五星所從出入也、**大星、天王。前後星、子屬。**[索隱]鴻範五行傳曰、心之大星、天王也、前星、太子、後星、庶子、**不欲直。直則天王失計。房爲府、曰天駟。**[索隱]房爲天府、曰天駟、爾雅云、天駟、房、詩紀歷樞云、房爲天馬、主車駕、宋均云、房既近心爲明堂、又別爲天府及天駟也、[考證]張文虎曰、志疑云、索隱及御覽、府竝作天府、案漢志亦有天字、**其陰右驂。**[正義]房星、君之位、亦主左驂、亦主良馬、故爲駟、王者恆祠之、是馬祖也、[考證]王元啓曰、按陰、謂房星之北、右上當有左字、房星之北、左右各四星、今名東咸西咸、蓋卽房之左右驂也、又按正義曰、

房星、君之位、亦主左驂、可知不專主右驂也、**旁有兩星曰鈐。**[索隱]房有兩星曰鈐、一音其炎反、元命包云、鉤鈐兩星、以閑防神府闓舒爲主、鉤距以備非常也、[正義]占、明而近房、天下同心、鉤鈐房心之閒、有客星出及疏坼者、皆地動之祥也、[考證]鈐、漢書作衿、館本考證云、監本訛作衿、今改正、**北一星曰舝。**[集解]徐廣曰、音轄、[正義]說文云、舝、車軸耑鍵也、兩相穿背也、星經云、鍵閉一星、在房東北、掌管籥也、占、不居其所、則津梁不通、宮門不禁、居則反是也、[考證]漢志、北上有衿字、非是、**東北曲十二星曰旗。**[正義]兩旗者、左旗九星、在河鼓左也、右旗九星、在河鼓右也、皆天之鼓旗、所以爲旌表、占、欲其明大光潤、將軍吉、不然、爲兵憂、及不居其所、則津梁不通、動搖則兵起也、[考證]王元啓曰、此所謂旗、在房心東北、蓋天市之左右垣、晉志云、一曰天旗、是也、東西各十一星、凡二十二星、曰十二者、十上脫二字也、正義以河鼓左右旗當之、不特星數不符、位次隔遠、且彼係北宮玄武之星、何得混入蒼龍之宮、**旗中四星曰天市。**[正義]天市二十二星、在房心東北、主國市聚交易之所、一曰天旗、明則市吏急、商人無利、忽然不明、反是、市中星衆則歲實、稀則歲虛、熒惑犯、戮不忠之臣、彗星出、當徙市易都、客星入、兵大起、出之有貴喪也、**中六星曰市樓。**[考證]天市四星、市樓六星、在天旗二十二星中、王元啓曰、天旗南北門左右各兩星爲天市、市樓六星、在市中、臨箕星之上、愚按漢志、奪中六星曰市樓六字、王先謙曰、不應刪之、**市中星衆者實。其虛則耗。**[正義]耗、貧無也、[考證]言市中星聚則貨實、稀則貨虛也、漢志、市上有天字、**房南衆星曰騎官。**[考證]王元啓曰、騎官二

十七星、三相連、在陣車南、天子宿衛之騎士、卽虎賁也、**左角李。右角將。**索隱李、卽理、理、法官也、故元命包云、左角理物以起右角將帥而動、又石氏云、左角爲天田、右角爲天門也、考證漢、志、李作理、李理通用、管子皐陶爲李、注云、李同理、王元啓曰、角二星、左爲理、右爲將、天田二星、又在理之左、天門二星、又在將之右也、**大角者、天王帝廷。**索隱大角、天王帝廷、案援神契云、大角爲坐候、宋均云、坐、帝坐也、正義大角一星、在兩攝提閒、人君之象也、占、其明盛黃潤、則天下大同也、考證晉志、帝作坐、漢志、帝下有坐字、王先謙曰、天王卽帝也、無坐字則文不成義、豬飼彥博曰、帝字衍、**其兩旁各有三星。鼎足句之曰攝提。攝提者、直斗杓所指、以建時節。故曰攝提格。**集解晉灼曰、如鼎足之句曲、索隱案元命包云、攝提之爲言、提攜也、言提斗攜角以接於下也、正義攝提六星、夾大角、大臣之象、恆直斗杓所指、紀八節、察萬事者也、占、色溫溫不明而大者、人君恐、客星入之、聖人受制也、考證豬飼彥博曰、格字衍、集解各本脫足字、依漢志注補、**亢爲疏廟。主疾。**索隱元命包曰、亢四星爲廟廷、又文耀鉤爲疏廟、宋均以爲疏、外也、廟、或爲朝也、正義聽政之所也、其占、明大則輔臣忠、天下寧、不然則反是也、考證漢志、疏廟作宗廟、王念孫云、後人不曉疏字之義、以意改之耳、**其南北兩大星曰南門。**正義南門二星、在庫樓南、天之外門、占、明則氐羌貢、暗則諸夷叛、客星守之、外兵且至也、考證豬飼彥博曰、北字衍、**氐爲天根。主疫。**索隱爾雅云、天根、氐也、孫炎以爲角亢下繫於氐、若木

之有根也、宋均云、疫、病也、三月榆莢落、故主疾疫也、然此時物雖生、而日宿在奎、行毒氣、故有疫也、正義星經云、氐四星爲路寢、聽朝所居、其占、明大則臣下奉度、合誠圖云、氐、爲宿宮也、氐房心三宿爲火、於辰在卯、宋之分野、**尾爲九子。曰君臣。斥絕不和。**索隱宋均云、屬後宮場、故得兼子、子必九者、取尾有九星也、元命包云、尾九星、箕四星、爲後宮之場也、正義尾箕、尾爲析木之津、於辰在寅、燕之分野、尾九星爲後宮、亦爲九子、星近心、第一星爲后、次三星妃、次三星嬪、末二星妾、占、均明、大小相承、則後宮敍而多子、不然則不、金火守之、後宮兵起、若明暗不常、妃嫡乖亂、妾媵失序、考證王元啓曰、按君臣字、句斷、尾爲九子、又曰君臣、如前文房爲府、曰天駟、下文箕爲敖客、曰口舌、卽其例也、斥遠、隔絕大小不相承、則君臣不和、舊讀連君臣斥絕不和爲句、非是、**箕爲敖客。曰口舌。**索隱宋均云、敖、調弄也、箕以簸揚調弄象也、箕又受物、有去去來來、客之象也、詩云、維南有箕、載翕其舌、又詩緯云、箕爲天口、主出氣、是箕有舌、象讒言、詩曰、哆兮侈兮、成是南箕、謂有敖客行謁請之也、正義敖、音傲、箕主八風、亦后妃之府也、移徙入河、國人相食、金火入守、天下亂、月宿其野、爲風起、考證漢志、敖客下有后妃之府四字、**火犯守角、則有戰。房·心、王者惡之也。**索隱案韋昭曰、火、熒惑也、正義熒惑犯守箕尾氐星自生芒角、則有戰陣之事、若熒惑守房心、及房心自生芒角、則王者惡之也、考證漢志、無也字、張照曰、正義以角爲芒角之角、竊謂馬遷之意、指角宿而言、謂熒惑犯角星、或守角星、當有戰鬪、若犯房心、則災及人君也、考之星占、亦復如此、**南宮朱鳥、權·衡。**集解孟康曰、軒轅爲權、太微爲衡、索隱案文耀鉤云、南宮赤帝、

其精爲朱鳥、孟康曰、軒轅爲權、太微爲衡也、正義柳八星爲朱鳥咮、天之廚宰、主尙食和滋味、權四星、在軒轅尾西、主烽火備警急、占、以明爲安靜、不則警急動搖、芒角亦如之、衡、太微之庭也、考證王元啓曰、軒轅十七星、在七星北、一曰權星、正義以軒轅西四星主烽火者當之、此爟也、非權也、豬飼彥博曰、權、軒轅、下有明文、**衡、太微、三光之廷。**索隱宋均曰、太微、天帝南宮也、三光、日月五星也、**匡衛十二星、藩臣。西、將。東、相。南四星、執法。中、端門。門左右、掖門。**索隱十二星、蕃臣、春秋合誠圖曰、太微主法式、陳星十二、以備武急也、正義太微宮垣十星、在翼軫地、天子之宮庭、五帝之坐、十二諸侯之府也、其外蕃、九卿也、南蕃中二星閒爲端門、次東第一星爲左執法、廷尉之象、第二星爲上相、第三星爲次相、第四星爲次將、第五星爲上將、端門西第一星爲右執法、御史大夫之象也、第二星爲上將、第三星爲次將、第四星爲次相、第五星爲上相、其東垣北左執法上相兩星閒、名曰左掖門、上相兩星閒、名曰東華門、上相次相上將次將閒、名曰太陽門、其西垣右執法上將閒、名曰右掖門、上將閒、名曰西華門、次將次相閒、名曰中華門、次相上相兩星閒、名曰太陰門、各依其名、是其職也、占、與紫宮垣同也、考證漢志、匡作筐、誤、端下不重門字、王元啓曰、太微十星、此云十二星、殆兼郎將虎賁二星言、郎將在東垣北、虎賁在西垣北、又曰、按星圖、東垣左執法上相兩星間、爲左掖門、左掖門之北爲東太陽門、又北爲中華東門、又北爲東太陰門、又北爲中華西門、又北爲西太陰門、舊本正義自左掖門以下、語多舛錯、**門內六星、諸侯。**正義內五諸侯五星、列在帝庭、其星並欲光明潤澤、若枯燥、則各於其處受其災變、大至誅戮、小至流亡、若動搖、則擅命以干主者、審

其分以占之、則無惑也、又云、諸侯五星、在東井北河、主刺擧戒不虞、又曰、理陰陽、察得失、一曰帝師、二曰帝友、三曰三公、四曰博士、五曰太史、此五者爲天子定疑議也、占、明大潤澤大小齊等、則國之福、不然則上下相猜、忠臣不用、考證漢志、門上有掖字、王元啓曰、按星書、太微垣五諸侯、五黑星、東井北河五諸侯、五紅星、二星同名異處、色亦不同、又諸侯星五、史漢俱云六者、或六字誤、或古今星數隱見不同、**其內五星、五帝坐。**索隱詩含神霧云、五精星坐其東、蒼帝坐神名靈威仰、精爲青龍之類是也、正義黃帝坐一星、在太微宮中、含樞紐之神、四星夾黃帝坐、蒼帝、東方靈威仰之神、赤帝、南方赤熛怒之神、白帝、西方白昭矩之神、黑帝、北方叶光紀之神、五帝並設、神靈集謀者也、占、五座明而光、則天子得天地之心、不然則失位、金火來守入太微、若順入軌道、司其出之所守、則爲天子所誅也、其逆入、若不軌道、以所犯命之、中坐成形、羣下從謀也、**後聚一十五星蔚然、曰郞位。**集解徐廣曰、蔚然、一云哀烏、索隱徐廣云、一云哀烏、案漢書、作哀烏、則哀烏蔚然、皆星之貌狀、其星爲郞位、正義郞位十五星、在太微中帝坐東北、周之元士、漢之光祿中散諫議、此三署郞中、是今之尙書郞、占、欲其大小均耀、光潤有常、吉也、考證漢志、曰字在星下、史文爲長、王念孫曰、郞位爲星名、王引之曰、漢志、烏疑當作焉、哀焉、猶依然也、依然、猶蔚然也、**傍一大星、將位也。**索隱案宋均云、爲羣郞之將帥、是也、正義將、子象反、郞將一星、在郞位東北、所以爲武備、今之左右中郞將、占、大而明、角將恣、不可當也、**月五星順入軌道。**索隱韋昭云、謂循軌道不邪逆也、順入、從西入之也、正義謂月五星順入軌道、入太微庭也、考證王念孫曰、順入、一事也、軌道、又一事也、順入者、韋氏以爲

從西入、是也、軌道者、軌、猶循也、謂月五星皆循道而行、不旁出也、下文曰、其逆入、若不軌道、逆入爲一事、不軌道又一事、此尤其明證矣、**司其出。所守、天子所誅也。**【索隱】宋均云、司察日月五星所守列宿、若請官屬不去十日者、於是天子命使誅討之也、【考證】錢大昕曰、司、古伺字、王元啓曰、司其出三字爲句、所守又別爲句、謂順入軌道、雖無凶咎之占、然又必伺察其出、苟其守而不出、則所守之宿、必遭誅戮之凶、如守垣西東、則將相當之、其他諸侯郎將、各以所守爲占、索隱請官屬、當作諸官屬、王先謙曰、誅、責也、**其逆入、若不軌道、以所犯命之、中坐成形。皆羣下從謀也。**【集解】晉灼曰、中坐、犯帝坐也、成形、禍福之形見也、【索隱】宋均云、逆入、從東入、不軌道、不由康衢而入者也、以其所犯命之者、亦謂隨所犯之位、天子命誅其人也、【正義】命、名也、謂月五星逆入、不依軌道、司察其所犯太微中帝坐、帝坐必成其刑戮、皆是羣下相從而謀上也、【考證】漢志命作名、下下有不字、王先謙曰、名命字通、朱一新曰、正義皆是羣下相從而謀上也、則無不字、是、猪飼彥博曰、晉志形作刑、謂刑罰、**金火尤甚。**【索隱】案火主銷物、而金爲兵、故尤急、然則木水土爲小變也、【正義】若金火逆入、不軌道、犯帝坐、尤甚於月及水土木也、**廷藩西有隋星五。曰少微。士大夫。**【集解】隋、音他果反、【索隱】宋均云、南北爲隋、又他果反、隋爲垂下、春秋合誠圖云、少微、處士位、又天官占云、少微、一名處士星也、【正義】廷、太微廷、藩、衛也、少微四星、在太微西、南北列、第一星處士也、第二星議士也、第三星博士也、第四星大夫也、占以明大黃潤、則賢士舉、不明、反是、月五星犯守、處士憂、宰相易也、【考證】漢志五作四、邵

秦衡曰、隋者、垣西四星、南北列、曰少微、非五星也、**權、軒轅。軒轅、黃龍體。前大星、女主象。旁小星、御者、後宮屬。**【集解】孟康曰、形如騰龍、【索隱】援神契曰、軒轅十二星、后宮所居、石氏星讚、以軒轅龍體、主后妃也、【正義】軒轅十七星、在七星北、黃龍之體、主雷雨之神、後宮之象也、陰陽交感、激爲雷電、和爲雨、怒爲風、亂爲霧、凝爲霜、散爲露、聚爲雲、氣立爲虹蜺、離爲背璚、分爲抱珥、二十四變、皆軒轅主之、其大星、女主也、次北一星、夫人也、次北一星、妃也、其次諸星、皆次妃之屬、女主南一小星、女御也、左一星、少民、后宗也、右一星、大民、太后宗也、占、欲其小黃而明、吉、大明則爲後宮爭競、移徙則國人流迸、東西角大張而振、后族敗、水火金守軒轅、女主惡也、【考證】漢志不重軒轅二字、**月五星守犯者、如衡占。**【索隱】宋均云、責在后黨嬉讌賊與、招此祥、案亦當天子命誅也、【考證】王先謙曰、逆入不軌道、權衡占同也、**東井爲水事。**【索隱】元命包云、東井八星、主水衡也、【考證】漢志此下有火入之、一星居其左右、天子且以火爲敗十六字、沈欽韓曰、十六字、本下文晉灼解禍成井語、而錯入之、**其西曲星曰鉞。**【正義】東井八星、鉞一星、輿鬼四星、一星爲質、爲鶉首、於辰在未、皆秦之分野、一大星、黃道之所經、爲天之亭候、主水衡事、法令所取平也、王者用法平、則井星明而端列、鉞一星附井之前、主伺奢淫而斬之、占、不欲其明、明與井齊、或搖動、則天子用鉞於大臣、月宿井、有風雨之變也、【考證】鉞、漢志作戉、晉宋隋志作鉞、**鉞、北、北河。南、南河。**【正義】南河三星、北河三星、分夾東井、南北置而爲戒、南河、南戒、一曰陽門、亦曰越門、北河、北戒、一曰陰門、亦爲胡門、兩戒閒、三光之常道也、占、以南星不見、則南

道不通、北亦如之、動搖及火守、中國兵起也、又云、動則胡越爲變、或連近臣以結之、【考證】漢志刪鉞字、語欠分明、**兩河天闕閒、爲關梁。**【索隱】宋均云、兩河六星、知逆邪、言關梁之限、知邪僞也、【正義】闕丘二星、在南河南、天子之雙闕、諸侯之兩觀、亦象魏縣書之府、金火守之、主兵戰闕下也、【考證】王先謙曰、晉志、南河北河各三星、夾東井、一曰天高、天之關門也、主關梁、日月五星之常道也、天闕者、晉志、南河北河南二星曰闕丘、主宮門外象魏也、正義以爲卽天闕、猪飼彥博曰、正義以天闕爲闕丘、非也、王元啓曰、索隱言字衍、**輿鬼、鬼祠事。中白者爲質。**【集解】晉灼曰、輿鬼五星、其中白者爲質、【正義】輿鬼四星、主祠事、天目也、主視明察姦謀、東北星主積馬、東南星主積兵、西南星主積布帛、西北星主積金玉、隨其變占之、中一星爲積屍、一名質、主喪死祠祀、占、鬼星明大、穀成、不明、百姓散、質欲其沒不明、明則兵起、大臣誅、下人死之、【考證】梁玉繩曰、以下文主急事等例之、疑是主祠事之誤、古主字作丶、轉相傳寫、誤爲上鬼字省文、遂重作鬼爾、王先謙曰、以上東井爲水事例之、下鬼字是爲字之誤、質同鑕、愚按王說是、陳子龍曰、舊傳鬼宿中積屍氣如雲耳、近測得二大星、中間實有三十六小星、此皆古人儀器未精之故、**火守南北河、兵起、穀不登。故德成衡、觀成潢、**【集解】晉灼曰、日月五星不軌道也、衡、太微廷也、觀、占也、潢、五帝車舍、【考證】索隱解觀爲游觀、是、王元啓曰、按天五潢在畢東北、西宮咸池之舍、又天潢八星、卽天津、在虛危北、北宮玄武之舍、皆非本宮之宿、或云、井南有四瀆星、此潢字蓋係瀆字之譌、**傷成鉞、**【集解】晉灼曰、賊傷之占、先成形於鉞、【索隱】案德成衡、衡則能平物、故有德公平者、先成形於衡、觀成潢、潢爲帝車舍、言

王者遊觀、亦先成形於潢也、傷成鉞者、傷、敗也、言王者敗德、亦先成形於鉞、以言有敗亂、則有鉞誅之、然案文耀鉤、則云德成潢、敗成鉞、其意異也、又此下文禍成井、誅成質、皆是東井下義、總列於此也、**禍成井、**【集解】晉灼曰、東井主水事、火入一星居其旁、天子且以火敗、故曰禍也、**誅成質。**【集解】晉灼曰、熒惑入輿鬼天質、占曰、大臣有誅、【考證】張照曰、上文云白者爲質、此云誅成質、晉書天文志、鬼中一星名鈇鑕、蓋質卽鑕也、**柳爲鳥注。主木草。**【索隱】案漢書天文志注作喙、爾雅云、鳥喙謂之柳、孫炎云、喙、朱鳥之口、柳其星聚也、以注爲柳星、故主草木、【正義】作喙、丁救反、一作注、柳八星、星七星、張六星、爲鶉火、於辰在午、皆周之分野、柳爲朱鳥咮、天之廚宰、主尙食、和滋味、占以順明爲吉、金火守之、國兵大起、【考證】漢志注作喙、王念孫曰、喙當作啄、字之誤也、啄音晝、字本作咮、或作噣、通作啄、又通作注、天官書作柳爲鳥注、注啄古同聲而通用、爾雅、咮謂之柳、柳、鶉火也、襄九年左傳、咮爲鶉火、心爲大火、是柳星謂之咮、愚按據王說、索隱正義喙當作啄、啄與咮注聲遠、**七星、頸爲員官、主急事。**【索隱】七星頸爲員宮、主急事、案宋均云、頸、朱鳥頸也、員宮、喉也、物在喉嚨、終不久留、故主急事也、【正義】七星爲頸、一名天都、主衣裳文繡、主急事、以明爲吉、暗爲凶、金火守之、國兵大起、【考證】梁玉繩曰、案宮字譌作官、索隱本作宮、漢以後志皆然、王先謙曰、辰星下云、七星爲員官、則作官者是、査慎行曰、頸嗉羽翮四字、多從鳥取義、**張素爲廚、主觴客。**【索隱】素、嗉也、爾雅云、鳥張嗉、郭璞云、嗉、鳥受食之處也、【正義】張六星、六爲嗉、主天廚飲食賞賚觴客、占以明爲吉、暗爲凶、金火守之、國兵大起、【考證】漢志素作嗉、猪飼彥博曰、正義星下六字衍、**翼爲羽翮、主**

遠客。【正義】翼二十二星、軫四星、長沙一星、轄二星、合軫七星、皆爲鶉尾、於辰在巳、楚之分野、翼二十二星爲天樂府、又主夷狄、亦主遠客、占、明大、禮樂興、四夷服、徙、則天子舉兵、以罰亂者、**軫爲車、主風。**【索隱】宋均云、軫四星居中、又有二星爲左右轄、車之象也、軫與巽同位、爲風車動行疾似之也、【正義】軫四星、主冢宰輔臣、又主車騎、亦主風、占、明大則車騎用、太白守之、天下學校散、文儒失業、兵戈大興、熒惑守之、南方有不用命之國、當發兵伐之、辰星守之、徐泗有戮之者、**其旁有一小星、曰長沙星。**【正義】長沙一星在軫中、主壽命、占、明、主長壽、子孫昌也、【考證】依文例、星字疑衍、王氏漢書補注、以長沙斷句、星字屬下讀、云、星星者白微有光、以狀不欲明之象、非是、**星不欲明。明與四星等、若五星入軫中、兵大起。**【索隱】宋均云、五星主行使、使動、兵車亦動也、【考證】若、及也、王先謙曰、五星謂水火木金土星、張照曰、五星入軫、即五星聚軫矣、乃大吉也、若五星不拘何星入軫、則無歲無之、又安得兵大起、張文虎曰、軫下各本衍星字、索隱本無、與漢志合、今刪、**軫南衆星曰天庫樓。庫有五車。**【正義】天庫一星、主太白、秦地、在五車中、【考證】漢志、脫樓字、晉志、庫樓十星、其六大星爲庫、南四星爲樓、一曰天庫、兵甲之府也、旁十五星、三三而聚者、柱也、中央四小星、衡也、主陳兵、猪飼彥博曰、正義以爲五車中之天庫、非也、**車星角、若益衆、及不具、無處車馬。**【考證】朱一新曰、言五車星或生芒角、或益衆、或不具、則其占將當無以處車馬也、**西宮、咸池。**【索隱】文燿鉤云、西宮、白帝、其精白虎、【正義】咸池三星、

在五車中、天潢南、魚鳥之所託也、金犯守之、兵起、火守之、有災也、【考證】吳仁傑曰、天文志、東宮蒼龍、南宮朱鳥、西宮咸池、北宮玄武、仁傑案、蒼龍總東方七宿言之、朱鳥玄武、亦各總其方七宿而言之、至咸池、則別一星名、自在二十八舍之外、晉天文志所謂天潢南三星曰咸池、魚囿者是已、此豈所以總西方七宿者哉、今以咸池與蒼龍朱鳥玄武竝稱、又列參白虎於昴畢之後、何其類例之駁也、錢大昕曰、淮南天文訓、斗柄爲小歲、正月建寅、月從左行十二辰、咸池爲大歲、從右行四仲、終而復始、蓋斗爲帝車、有連轉之象、咸池以五車爲匡衞、亦有運行之象、故古人指其所建、以定四時、古書言咸池者、皆兼五潢五車三柱言之、故史公以咸池爲五帝車舍、春秋元命包云、咸池主五穀、其星五者各有所職、然則五車即咸池也、後人析爲數名、僅以三小星當咸池、而淮南太史公書、遂不能通矣、史公以紫宮房心權衡咸池虛危爲天之五官、坐位豈專指三小星而言哉、王元啓曰、咸池者、西宮諸宿之總名、與前後蒼龍朱鳥玄武一例、五車中又有咸池、猶北宮斗南之有龜鼈、室上之有騰蛇、不得竟指龜蛇爲玄武也、正義注非、**曰天五潢。五潢、五帝車舍。**【索隱】案元命包云、咸池主五穀、其星五者各有所職、咸池言穀生於水、含秀含實、主秋垂、故一名五帝車舍、以車載穀而販也、【正義】五車、五星、三柱、九星、在畢東北、天子五兵車舍也、西北大星曰天庫、主太白、秦也、次東北曰天獄、主辰、燕趙也、次東曰天倉、主歲、衞魯也、次東南曰司空、主鎭、楚也、次西南曰卿、主熒惑、魏也、占、五車均明、柱皆見、則倉庫實、不見、其國絕食、兵見起、五車三柱有變、各以其國占之、三柱入出一月、米貴三倍、期二年、出三月、貴十倍、期三年、柱出不與天倉相近、軍出米貴、轉粟千里、柱倒出尤甚、火入、天下旱、金入、兵、水入、水也、【考證】張文虎曰、索隱含秀含實秋垂、有脫誤、正義三柱入出一月、入字疑衍、**火入、旱。**

金、兵。水、水。【索隱】謂火金水入五潢、則各致此災也、案宋均云、不言木土者、木土、德星、於此不爲害故也、【考證】陳仁錫曰、金兵水水、言金星入五潢、則有兵戈、水星入五潢、則有水潦、不言入者、承上句火入、省文也、**中有三柱。柱不具、兵起。**【考證】王念孫曰、中有三柱者、謂五潢中有三柱也、**奎曰封豕、爲溝瀆。**【正義】奎、苦圭反、十六星、婁三星爲降婁、於辰在戌、魯之分野、奎、天之府庫、一曰天豕、亦曰封豕、主溝瀆、西南大星、所謂天豕目、占、以明爲吉、星不欲闓闠、闓闠則兵起、暗則臣干命之咎、亦不欲開闔無常、當有白衣稱命於山谷者、五星犯奎、人主爽德、權臣擅命、不可禁者、王者宗祀不潔、則奎動搖、若𤆬𤆬有光、則近臣謀上之應、亦庶人饑饉之厄、太白守奎、胡貊之憂、可以伐之、熒惑星守之、則有水之憂、連以三年、塡星歲星守之、中國之利、外國不利、可以興師動衆、斬斷無道、【考證】漢志、作封豨、封、大也、張文虎曰、正義、則有水之憂、水疑當作火、**婁爲聚衆。**【正義】婁三星爲苑、牧養犧牲以共祭祀、亦曰聚衆、占、動搖則衆兵聚、金火守之、兵起也、【考證】張文虎曰、正義祭祀、柯淩作郊祀、柯本兵起上有國死二字、死疑危字之譌、**胃爲天倉。**【正義】胃三星、昴七星、畢八星爲大梁、於辰在酉、趙之分野、胃主倉廩、五穀之府也、占、明則天下和平、五穀豐稔、不然、反是也、**其南衆星、曰廥積。**【集解】如淳曰、芻藁積爲廥也、【正義】芻藁六星、在天苑西、主積藁草者、不見、則牛馬暴死、火守、災起也、**昴曰髦頭。胡星也。爲白衣會。**【正義】昴七星爲髦頭胡星、亦爲獄事、明、天下獄訟平、暗、爲刑罰濫、六星明與大星等、大水且至、其兵大起、搖動若跳躍者、胡兵大起、一星不見、皆兵之憂也、【考證】漢志、髦作旄、

晉志、昴七星、六星皆明、與大星等、大水、七星黃、兵大起、一星亡、爲兵喪、搖動、有大臣下獄及白衣之會、王元啓曰、主喪、故又爲白衣會、陳子龍曰、昴七星、或曰六星、近測之、實三十六星、猪飼彥博曰、依晉志、正義其兵當作黃兵、黃、星色黃也、**畢曰罕車。爲邊兵。主弋獵。**【索隱】爾雅云、濁謂之畢、孫炎以爲掩兔之畢、或呼爲濁、因名星云、【正義】畢八星曰罕車、爲邊兵、主弋獵、其大星曰天高、一曰邊將、主四夷之尉也、星明大、天下安、遠夷入貢、失色、邊亂、畢動、兵起、月宿、則多雨、毛萇云、畢所以掩兔也、【考證】錢大昭曰、後漢書蘇竟傳云、畢爲天網、主網羅無道之君、故武王將伐紂、上祭於畢、求助天也、王元啓曰、天高四星、宋志云、在畢口東北、正義以畢大星爲天高、恐大星下有脫文、**其大星旁小星、爲附耳。附耳搖動、有讒亂臣在側。**【正義】附耳一星、屬畢大星之下、次天高東南隅、主爲人主聽得失伺愆過、星明、則中國微、邊寇警、移動則讒佞行、入畢、國起兵、**昴畢閒爲天街。**【索隱】元命包云、畢爲天階、爾雅云、大梁昴、孫炎云、昴畢之閒、日月五星出入要道、若津梁也、【正義】天街三星、在畢昴閒、主國界也、街南爲華夏之國、街北爲夷狄之國、土金守、胡兵入也、【考證】猪飼彥博曰、昴畢之閒、日月五星之所由也、故曰天街、猶晉志角星中閒曰天門、房星中閒曰天衢也、晉隋志所謂天街二星者、以其在昴畢之閒、後人因天官書名之耳、此星甚微、不足以表陰陽兩界、正義誤、**其陰、陰國。陽、陽國。**【集解】孟康曰、陰、西南、象坤維、河山已北國、陽、河山已南國、**參爲白虎。**【正義】觜三星、參三星外四星爲實沈、於辰在申、魏之分野、爲白虎形也、參、色林反、下同、【考證】沈欽韓曰、晉志、參十星、陳氏啓源稽古編、古以爲

三星、攷工記、數伐而爲六星、丹元子、不數伐、而數左右肩股爲七星、天官家各有師承、古今多不相同、**三星直者、是爲衡石。**集解孟康曰、參三星者、白虎宿中東西直、似稱衡、**下有三星兌、曰罰、爲斬艾事。**集解孟康曰、在參閒、上小下大、故曰銳、晉灼曰、三星少斜列、無銳形、正義罰、亦作伐、春秋運斗樞云、參伐事、主斬艾也、**其外四星、左右肩股也。**考證王元啓曰、晉志云、中三星橫列、三將也、東北曰左肩、主左將、西北曰右肩、主右將、東南曰左足、主後將軍、西南曰右足、主偏將軍、故黃帝占、參應七將、**小三星隅置、曰觜觿。爲虎首。主葆旅事。**集解如淳曰、關中俗謂桑榆孽生爲葆、晉灼曰、葆、菜也、禾野生曰旅、今之飢民采旅也、索隱姚氏案宋均云、葆、守也、旅、猶軍旅也、言佐參伐以斬艾除凶也、正義觜、子思反、觿、胡規反、葆、音保、觜觿爲虎首、主收斂葆旅事也、葆旅、野生之可食者、占、金水來守、國易政、災起也、考證王元啓曰、葆、障也、旅、次也、舍也、保障軍旅次舍、採取荊榛、編爲儲胥、以護軍之營壘、防閑周密、以禦寇敵之具也、按此即宋均葆守軍旅之意、徐鴻鈞曰、宋注是也、上文參爲白虎、三星直者、是爲衡石、下有三星、銳曰罰、爲斬艾事、下文各星、曰天矢、曰天旗、天苑九斿、皆不外軍事、則觜觿一星、宜亦一律、葆與堡通、**其南有四星、曰天廁。**正義天廁四星、在屏東、主溷也、占、色黃吉、青與白皆凶、不見則人寢疾、考證陳子龍曰、舊傳觜南四星、共天矢爲五星、近測之、實二十一星、**廁下一星、曰天矢。**正義天矢一星、在廁南、占與天廁同也、**矢黃、則吉。青白黑、凶。**

其西有句曲九星、三處羅。正義句、音鉤、考證漢志、羅下有列字、**一曰天旗。**正義旗九星、在參西、天旗也、指麾遠近以從命者、王者斬伐當理、則天旗曲直順理、不然、則兵動於外、可以憂之、若明而稀、則邊寇動、不然則不、考證猪飼彥博曰、正義邊寇下脫不字、**二曰天苑。**正義天苑十六星、如環狀、在畢南、天子養禽獸所、稀暗則多死也、考證猪飼彥博曰、天苑十六星、其數不合、王元啓曰、按十六星云九星者、蓋指自東斜轉西南九星類旗者言之、其下七星、微似斗形、或古時別有名也、**三曰九斿。**集解徐廣曰、音流、正義九斿九星、在玉井西南、天子之兵旗、所以導軍進退、亦領州列邦、竝不欲搖動、搖動、則九州分散、人民失業、信命一不通於中國、憂、以金火守之、亂起也、考證正義、信命以下疑有脫誤、**其東有大星。曰狼。狼角變色、多盜賊。**正義狼一星、參東南、狼爲野將、主侵掠、占、非其處、則人相食、色黃白而明、吉、赤角、兵起、金木火守、亦如之、考證陳子龍曰、近測云、星大者莫過於狼與織女、其體大於地、**下有四星。曰弧。直狼。**正義弧九星、在狼東南、天之弓也、以伐叛懷遠、又主備賊盜之知姦邪者、弧矢向狼動移、多盜、明大變色、亦如之、矢不直狼、又多盜、引滿、則天下盡兵也、考證王元啓曰、按六星彎者爲弧、中三星直者爲矢、今云四星曰弧、四字誤、猪飼彥博曰、四、當作九、**狼比地有大星。曰南極老人。**集解晉灼曰、比地、近地也、正義老人一星、在弧南、一曰南極、爲人主占壽命延長之應、常以秋分之曙見於景、春分之夕見於丁、見、國長命、故謂之壽昌、天下安寧、不見、人主憂也、考證梁玉繩曰、狼字衍、漢志

無之、晉志、弧九星在狼東南、老人一星、在弧南、則豈與狼比地哉、南極星、中原常不見、恐按正義於景之景、當讀爲丙、唐諱易字、**老人見、治安。不見、兵起。常以秋分時候之于南郊。附耳入畢中、兵起。**考證漢志、無附耳入畢中兵起七字、王元啓曰、後人增入者、猪飼彥博曰、當在上文附耳搖動之上、張文虎曰、中官天一、槍、棓、矛、盾動搖、角大、兵起、東宮、火犯守角、則有戰、房心王者惡之也、皆書在末、此亦其例、乃文法之變、非錯簡也、**北宮、玄武。**索隱文耀鉤云、北宮、黑帝、其精玄武、正義南斗六星、牽牛六星、竝北宮玄武之宿、**虛、危。**索隱爾雅云、玄枵、虛也、又云、北陸、虛也、解者以陸爲道、孫炎曰、陸、中也、北方之宿中也、正義虛二星、危三星、爲玄枵、於辰在子、齊之分野、虛主死喪哭泣事、又爲邑居廟堂祭祀禱祝之事、亦天之冢宰、主平理天下、覆藏萬物、占、動則有死喪哭泣之應、火守、則天子將兵、水守、則人饑饉、金守、臣下兵起、危爲宗廟祀事、主天市架屋、占、動則有土功、火守、天下兵、水守、下謀上也、**危、爲蓋屋。**索隱宋均云、危上一星高、旁兩星隋下、似乎蓋屋也、正義蓋屋二星、在危南、主天子所居宮室之官也、占、金火守入、國兵起、孛彗尤甚、危、爲架屋、蓋屋自有星、恐文誤也、考證王元啓曰、宋志云、危三星、在天津東南、主天府天市架屋受藏之事、此所謂危爲蓋屋是也、又晉志、天壘城南二星曰蓋屋、宋志云、在危宿南九度、此則別又二星、非此所云蓋屋也、猪飼彥博曰、屋棟曰危、危三星似蓋屋、故名危、**虛、爲哭泣之事。**索隱虛爲哭泣事、姚氏案荊州占、以爲其宿二星、南星主哭泣、虛中六星、不欲明、明則有大喪也、考證猪飼彥博曰、晉志虛南二星曰哭、哭東二星曰泣、亦後人因此文而名

之者也、索隱虛宿中六星、謂司危司祿司命、各二星、王元啓曰、索隱主哭下、脫北星主三字、**其南有衆星、曰羽林天軍。**正義羽林四十五星、三三而聚散、在壘壁南、天軍也、亦天宿衛之兵革、出不見、則天下亂、金火水入、軍起也、考證顧炎武曰、今天官家所傳星名、皆起於甘石、如郎將、羽林、三代以下之官、左更、右更、三代以下之爵、王良、造父、三代以下之人、巴蜀、河南、三代以下之國、春秋時無此名也、張文虎曰、正義四十五星、官本與晉隋二志及御覽六引大象列星圖合、各本四誤三、**軍西爲壘。或曰鉞。**正義壘壁陳十二星、橫列在營室南、天軍之垣壘、占、五星入、皆兵起、將軍死也、考證漢志、鉞作戉、同、王元啓曰、軍南有鈇鉞三星、在八魁西北、又西即北落師門、今云軍西爲壘、壘蓋鉞之異名、正義以壘壁陳當之、壘壁在軍北、且與北落隔遠、下文不得云旁一星爲北落也、**旁有一大星、爲北落。北落若微亡、軍星動角、益希、及五星犯北落、入軍、軍起。**正義北落師門一星、在羽林西南、天軍之門也、長安城北落門、以象此也、主非常以候兵、占、明則軍安、微弱則兵起、金火守、有兵、爲虜犯塞、土水則吉、考證漢志、希作稀、王元啓曰、北落若微亡句、軍星動角益希句、按微、謂不光明、亡、謂伏匿不見、軍星、謂羽林天軍之四十五星、動搖芒角、或星動不角備而益希、謂軍星強弱不齊、皆有害也、入軍、謂五星入犯天軍也、此四句、北落天軍皆舉言之、舊本句讀皆誤、王先謙曰、星動角益希、與上文車星角若益衆、同一句例、**火、金、水尤甚。**考證王元啓曰、晉志云、五星有在天軍中者、皆爲兵起、熒惑太白辰星尤甚、**火、軍憂。水、患。**考證漢志作火入軍、憂、

水、水患、王元啓曰、火軍、憂、謂火星入軍則有憂也、水下當複水字、水、水患、謂水星入軍有水患也、張文虎曰、旣云火金水尤甚、下祇言火水、不及金、蓋脫文、疑火軍憂火下、當有金字、**木土、軍吉。**【集解】漢書音義曰、木星土星入北落、則吉也、【考證】猪飼彥博曰、集解入北落、當作犯北落入軍、**危東六星兩兩相比、曰司空。**【正義】比、音鼻、比、近也、危東兩兩相比者、是司命等星也、司空、唯一星耳、又不在危東、恐命字誤爲空也、司命二星、在虛北、主喪送、司祿二星、在司命北、主官司、危二星、在司祿北、主危亡、司非二星、在危北、主愆過、皆實司之職、占、大爲君憂、常則吉也、【考證】漢志、司空作司寇、梁玉繩曰、司空司寇皆不在危東、亦非六星也、正義疑命字誤空、然虛東危西兩兩相比者、乃司命司祿司危司非八星、無所謂危東六星、亦不專指司命二星爲說也、恐本文有誤、**營室爲清廟、曰離宮閣道。**【索隱】元命包云、營室十星、埏陶精類、始立紀綱、包物爲室、又爾雅云、營室謂之定、郭璞云、定、正也、天下作宮室、皆以營室中爲正也、案荊州占云、閣道、王良旗也、有六星、【考證】王先謙曰、晉志、營室二星、天子之宮也、宋志、營室、一星爲天子宮、一星爲太廟、故置羽林以衞、又爲離宮閣道、與抵營室之閣道相距遙遠、晉志、閣道六星下云、天子遊別宮之道、此足以當之、猪飼彥博曰、此有脫文、宜言旁六星兩兩相比曰離宮閣道、已見中宮、此爲衍文、愚按猪說得之、梁玉繩曰、此下宜列東壁一宿、蓋二十八宿爲經星、史及漢志于他宿備載無遺、獨缺東壁、何歟、王氏史記正譌從晉志補十五字云、東壁二星、主文章、天下圖書之秘府也、**漢中四星、曰天駟。**【索隱】案元命包云、漢中四星曰騎、一曰天駟也、**旁一星、曰王良。**【索隱】春秋合誠圖云、王良主天馬

也、【正義】王良五星、在奎北河中、天子奉御官也、其動策馬、則兵騎滿野、客星守之、津橋不通、金火守入、皆兵之憂、【考證】漢志、良作梁、正義兵當作車、**王良策馬、車騎滿野。**【正義】策一星、在王良前、主天子僕也、占、以動搖移在王良前、或居馬後、別爲策馬、策馬而兵動也、案豫章周騰、字叔達、南昌人、爲侍御史、桓帝當南郊、平明應出、騰仰觀曰、夫王者象星、今宮中星及策馬星悉不動、上明日必不出、至四更、皇太子卒、遂止也、**旁有八星絕漢、曰天潢。**【索隱】元命包曰、潢主河渠、所以度神通四方、宋均云、天潢、天津也、津、湊也、故主計度也、【考證】漢志、潢作橫、**天潢旁、江星。江星動、人涉水。**【正義】天江四星、在尾北、主太陰也、不欲明、明而動、水暴出、其星明、大水不禁也、【考證】王元啓曰、尾北四星、東方蒼龍之宿、與此無涉、此所謂江、即在天潢旁、據星經、天津九星、在虛危北、橫漢中、一曰天江、太史公分江旁一星曰江、故謂天潢八星、星經合而言之、故謂天津九星、天潢、宋均以爲即天津者是也、**杵臼四星、在危南。**【正義】杵臼三星、在丈人星旁、主軍糧、占、正下直臼吉、與臼不相當、軍糧絕也、臼星在南、主舂、其占、覆則歲大饑、仰則大熟也、【考證】梁玉繩曰、星經、臼四星、杵三星、在人星旁、蓋危星之北、此云危南四星、恐誤也、猪飼彥博曰、杵下蓋脫三星二字、南當作北、正義杵臼三星丈人星、丈字衍、臼星在南、星上脫四字、**匏瓜、有青黑星守之、魚鹽貴。**【索隱】案荊州占云、匏瓜、一名天雞、在河鼓東、匏瓜明、歲則大熟也、【正義】匏、音白包反、匏瓜五星、在離珠北、天子果園、占、明大光潤、歲熟、不、則包果之實不登、客守、魚鹽貴也、【考證】猪飼彥博曰、匏瓜下、蓋脫五星在虛北五字、王先謙曰、青黑星、

客星也、猪飼彥博曰、正義、客下脫星字、**南斗爲廟。**【正義】南斗六星、在南也、【考證】晉志、北方南斗六星、天廟也、南二星魁、天梁也、中央二星、天相也、北二星、天府庭也、亦爲壽命之期也、柯維騏曰、斗、北宮之宿、以夏秋之閒見于南方、故謂之南斗也、**其北建星。建星者、旗也。**【正義】建六星、在斗北、臨黃道、天之都關也、斗建之間、七耀之道、亦主旗輅、占、動搖則人勞、不然則不、月暈、蛟龍見、牛馬疫、月五星犯守、大臣相謀、爲關梁不通及大水也、**牽牛爲犧牲。**【正義】牽牛爲犧牲、亦爲關梁、其北二星、一曰即路、一曰聚火、又上一星、主道路、次二星、主關梁、次三星主南越、占、明大、關梁通、不明、不通、天下牛疫死、移人漢中、天下乃亂、【考證】張文虎曰、正義聚火、晉志作聚久、次二星主關梁次二星主南越十五字、館本與晉志合、各本脫、**其北河鼓。河鼓大星、上將。左右、左右將。**【索隱】爾雅云、河鼓謂之牽牛、孫炎曰、河鼓之旗十二星、在牽牛北、或名河鼓爲牽牛也、【正義】河鼓三星、在牽牛北、主軍鼓、蓋天子三將軍、中央大星、大將軍、其南左星、左將軍、其北右星、右將軍、所以備關梁而拒難也、占、明大光潤、將軍吉、動搖差戾、亂兵起、直、將有功、曲、則將失計也、自昔傳牽牛織女七月七日相見、此星也、【考證】猪飼彥博曰、爾雅、河作何、郭注、今荊楚人呼牽牛星爲擔鼓、擔者荷也、晉志云、河鼓三星、旗九星、在牽牛北、爾雅謂何鼓爲牽牛、非也、孫炎併河鼓及旗云、河鼓之旗十二星、誤也、正義、潤戾直下、皆脫則字、**婺女。**【索隱】務女、爾雅云、須女謂之務女、是也、一作婺、【正義】須女四星、亦婺女、天少府也、南斗牽牛須女、皆爲星紀、於辰在丑、越之分野、而斗牛爲吳之分野也、須女、賤妾之稱、婦職之卑者、主布帛裁製嫁娶、占、水守之、萬物不成、火守、布帛貴、人多死、土守、

有女喪、金守、兵起也、【考證】猪飼彥博曰、索隱爾雅、當作廣雅、**其北織女。織女、天女孫也。**【集解】徐廣曰、孫、一作名、【索隱】織女、天孫也、案荊州占云、織女一名天女、天子女也、【正義】織女三星、在河北天紀東、天女也、主果蓏絲帛珍寶、占、王者至孝於神明、則三星俱明、不然、則暗而微、天下女工廢、明則理、大星怒而角、布帛涌貴、不見、則兵起、晉書天文志云、晉太史令陳卓總甘石巫咸三家所著星圖、大凡二百八十三官、一千四百六十四星、以爲定紀、今略其昭昭者、以備天官云、【考證】以上天官總敍、**察日月之行、以揆歲星順逆。**【索隱】姚氏案天官占云、歲星一曰應星、一曰經星、一曰紀星、物理論云、歲行一次、謂之歲星、則十二歲而星一周天也、【正義】晉灼云、太歲在四仲、則歲行三宿、太歲在四孟四季、則歲行二宿、二八十六、三四十二、而行二十八宿、十二歲而周天、天官占云、歲星者、東方木之精、蒼帝之象也、其色明而內黃、天下安寧、夫歲星欲春不動、動則農廢、歲星盈縮、所在之國不可伐、可以罰人、失次、則民多病、見則喜、其所居國、人主有福、不可以搖動、人主怒、無光、仁道失、歲星順行、仁德加也、歲星、農官、主五穀、天文志云、春、日甲乙、四時春也、五常仁、五事貌也、人主仁虧、貌失、逆時令、傷木氣、則罰見歲星、【考證】史下文云、歲行三十度十六分度之七、率日行十二分度之一、十二歲而周天、淮南子天文訓亦云、十二歲而行二十八宿、日行十二分度之一、歲行三十度十六分度之七、十二歲而周、其言全同、此以周天爲三百六十五度四分度之一量之也、後人見其有錯誤、遂謂歲星之行、時有遲疾逆順、而其實未曾變易、至漢劉歆、始有超辰之說、見于漢律歷志、左傳昭九年孔疏云、歷家以周天十二次、次別爲百四十四分、歲星每年行百四十五分、是歲星行一次外、剩行一分、積一百四十四年、乃剩一次、此超辰之說也、盛

百二曰、歲星歲移十一辰、亦就大略言之、實則歲行十一辰有餘、據今法、分一辰爲十萬八千秒、歲星每年平行十一萬九千三百零三秒有奇、八十三年卽超一辰、授時法亦然、三統法謂百四十四年超一辰、與今不合、愚按歲星一年運行三十度有奇、一一・八五六五年而周天、每八二・六年超一辰、盛氏概說之耳、說詳見于新城新藏東洋天文學硏究、愚又按當時觀測未精、下文四星舒疾隱見、往往不免少異、今不一一述之、

曰東方。木。主春。日甲乙。義失者、罰出歲星。【考證】出、猶見也、淮南子天文訓云、東方木也、其帝太皞、其佐句芒、執規而治春、其神爲歲星、其獸蒼龍、其音角、其日甲乙、漢志云、逆春令傷木氣、罰見歲星、

歲星贏縮、以其舍命國。所在國不可伐。可以罰人。【索隱】案天文志曰、凡五星早出爲贏、贏爲客、晚出爲縮、縮爲主人、五星贏縮、必有天應、見杓也、【正義】舍、所止宿也、命、名也、【考證】漢志、罰作伐、爲是、王先謙曰、占經引荊州占云、歲星居次順常、其國不可以加兵、可以伐無道之國、伐之必剋、王元啓曰、贏縮之義、詳後文總論五星條下、索隱引漢志爲證、蓋忘其爲史記本語也、

其趨舍而前曰贏、退舍曰縮。【索隱】趨、音聚、謂促、【考證】漢志、趨作超、王先謙曰、占經引七曜云、超舍而前過其所當舍之宿、以上一舍二舍三舍、謂之贏、退舍以下一舍二舍三舍、謂之縮、張文虎曰、索隱音聚、疑當作音趨、

贏、其國有兵不復。縮、其國有憂、將亡、國傾敗。【正義】將、音子匠反、【考證】漢志、將亡作其將死、王先謙曰、兵不復、謂敗散不還也、

其所在、五星皆從而聚於一舍。

其下之國、可以義致天下。【索隱】案漢高帝元年、五星皆聚于東井、是也、據天文志、其年歲星在東井、故四星從而聚之也、【考證】從、從歲星也、

以攝提格歲、歲陰左行在寅、歲星右轉居丑。【索隱】太歲在寅、歲星正月晨出東方、案爾雅、歲在寅爲攝提格、李巡云、言萬物承陽起、故曰攝提格、格、起也、【考證】王元啓曰、此章所述歲星行度、如某月與某星晨出等語、皆出石氏星經、攷之漢志甘氏及太初歷、與此又有不同、然其大率如歲陰在寅、歲星居丑云云、則固太初歷術也、錢大昕曰、歲陰者太陰也、淮南子天文訓、天神之貴者、莫貴於青龍、或曰天一、或曰太陰、太陰所居、不可背而可鄉、又云、太陰所建、蟄蟲首穴而處、鵲巢鄉而爲戶、太陰在寅、寅爲建、卯爲除、辰爲滿、巳爲平、午爲定、未爲執、申爲破、酉爲危、戌爲成、亥爲收、子爲開、主太歲、丑爲閉、此太陰與太歲之別也、古法、太歲與歲星相應、歲星居丑、則太歲當在子、而稱攝提格歲者、史公以太陰紀歲、不以太歲紀歲、與淮南天文訓同也、貨殖傳、太陰在卯、穰、明歲衰惡、至午、旱、明歲美、至酉、穰、明歲衰惡、至子、大旱、明歲美、有水、此亦以太陰紀歲之證、新城新藏曰、歲星右行、與十二辰相反、故歷家假設太歲左行、以與十二辰相應、又曰歲陰、太陰、太歲、名異、其實一也、錢氏分爲二物、非是、

正月與斗・牽牛、晨出東方。名曰監德。【索隱】歲星正月晨見東方之名、已下、出石氏星經文、乃云星在斗牽牛、失次應見杓也、漢書天文志、則載甘氏及太初星歷所在之宿、不同也、【考證】錢大昕曰、淮南天文訓、太歲在寅、歲名曰攝提格、其雄爲歲星、舍斗牽牛、以十一月與之晨出東方、此云正月者、史公據石氏星經、較淮南書每後兩月、王引之曰、後人以太初歷太歲在子、歲星十一月出在建星牽牛、故改淮南正月爲十一月、以合太初之法、而自此以下、皆遞改其所出之月、愚按說詳于王氏太歲考、新城氏東洋天文學史硏究、孫星衍問字堂集亦有太陰考、

色蒼蒼有光。其失次、有應見柳。歲早、水。晚、旱。歲星出、東行十二度、百日而止、反逆行。逆行八度、百日復東行。歲行三十度十六分度之七。率日行十二分度之一。十二歲而周天。【考證】當時無超辰之說、故有此言、其實一一・八五六五年而周天、說見上、

出、常東方以晨。入、於西方用昏。單閼歲、【索隱】在卯也、歲星二月晨出東方、爾雅云、卯爲單閼、李巡云、陽氣推萬物而起、故曰單閼、單、盡也、閼、止也、

歲陰在卯、星居子、以二月與婺女・虛・危晨出、曰降入。【索隱】卽歲星二月晨見東方之名、其餘竝準此、【考證】錢大昕曰、淮南、二月作十二月、

大有光。其失次、有應見張。名曰降入。其歲大水。【考證】陳仁錫曰、名曰降入四字、衍、

執徐歲、【索隱】爾雅、辰爲執徐、李巡云、伏蟄之物、皆敦舒而出、故曰執徐、執、蟄、徐、舒也、【考證】王元啓曰、執讀爲蟄、

歲陰在辰、星居亥。以三月居與營室・東壁晨出、曰青章。青青甚章。【考證】錢大昕曰、淮

南、三月作正月、月下居字衍、

其失次、有應見軫、曰青章。歲早、旱。晚、水。【考證】陳仁錫曰、曰青章三字、衍、

大荒駱歲、【索隱】爾雅云、在巳爲大荒駱、姚氏云、言萬物皆熾盛而大出、霍然落落、故曰荒駱也、【考證】漢志淮南、大荒駱作大荒落、

歲陰在巳、星居戌、以四月與奎・婁・胃・昴晨出曰跰踵。熊熊赤色有光。其失次、有應見亢。【集解】徐廣曰、一曰路踵、【索隱】天文志作路踵、字詁云、踵、今作踵也、【正義】跰、白邊反、踵、之勇反、【考證】錢大昕曰、淮南、四月作二月、胃昴二字衍、漢志淮南、俱無、

敦牂歲、【索隱】爾雅云、在午爲敦牂、孫炎云、敦、盛、牂、壯也、言萬物盛壯、韋昭云、敦、音頓也、

歲陰在午、星居酉、以五月與胃・昴・畢晨出、曰開明。【集解】徐廣曰、一曰天津、【索隱】天文志、作啓明、【考證】淮南、五月作三月、

炎炎有光。偃兵、唯利公王、不利治兵。其失次、有應見房。歲早、旱。晚、水。【正義】炎、鹽驗反、

叶洽歲、【索隱】爾雅云、在未爲叶洽、李巡云、陽氣欲化萬物、故曰協、和、洽、合也、【考證】漢志爾雅、叶洽作協洽、

歲陰在未、星居申。以六月與觜觿・參晨出、曰長列。昭昭有光。利行兵。其失次、有應見箕。【正義】觜、子斯反、觿、胡規反、【考證】

淮南、六月作四月、漢志、長列作長烈、涒灘歲、【索隱】涒灘歲、爾雅云、在申爲涒灘、李巡曰、涒灘、物吐秀傾垂之貌也、涒、音他昆反、灘、音他丹反、歲陰在申、星居未、以七月與東井・輿鬼晨出、曰大音。昭昭白。其失次、有應見牽牛。【考證】淮南、七月作五月、漢志、大音作大晉、作鄂歲、【索隱】爾雅、在酉爲作鄂、李巡云、作咢、皆物芒枝起之貌、咢、音愕、今案下文云、作鄂有芒、則李巡解亦近得、天文志云、作詻、音五格反、與史記及爾雅竝異也、歲陰在酉、星居午、以八月與柳七星張晨出、曰爲長王。作作有芒。國其昌、熟穀。其失次、有應見危、曰大章。有旱而昌。有女喪、民疾。【考證】淮南、八月作六月、王元啓曰、曰下爲字衍、漢志、長王作長壬、曰大章三字、大淵獻節語、錯衍於此、有旱上、當有其歲二字、閹茂歲、【索隱】爾雅云、在戌曰閹茂、孫炎云、萬物皆蔽冒、故曰閹、蔽、茂、冒也、天文志、作掩茂也、歲陰在戌、星居巳、以九月與翼・軫晨出、曰天睢。白色大明。其失次、有應見東壁。歲水、女喪。【索隱】睢、劉氏音吁唯反也、【考證】淮南、九月作七月、大淵獻歲、【索隱】爾雅云、在亥爲大淵獻、孫炎云、淵、深也、大獻萬物於深、謂蓋藏之於外耳、歲陰在亥、星居辰、以十月

與角・亢晨出、曰大章。蒼蒼然星若躍而陰出旦。是謂正平。起師旅、其率必武、其國有德、將有四海。其失次、有應見婁。【集解】徐廣曰、大章、一曰天皇、【索隱】徐廣云、一作天皇、案天文志、亦作天皇也、【考證】淮南、十月作八月、困敦歲、【索隱】爾雅、在子爲困敦、孫炎云、困敦、混沌也、言萬物初萌混沌於黃泉之下也、歲陰在子、星居卯、以十一月與氐・房・心晨出、曰天泉。玄色甚明、江池其昌、不利起兵。其失次、有應在昴。【考證】淮南、十一月作九月、漢志、天泉作天宗、在昴之在、當作見、前後竝見、此獨作在、誤、赤奮若歲、【索隱】爾雅、在丑爲赤奮若、李巡云、言陽氣奮迅、若、順也、歲陰在丑、星居寅、以十二月與尾・箕晨出、曰天晧。黫然黑色甚明。其失次、有應見參。【索隱】晧、音昊、漢志、作昊、黫、於閑反、【考證】淮南、十二月作十月、楊愼曰、黫即左傳左輪朱殷之殷、王元啓曰、按他歲皆有歲星失次之應、及水旱之占、獨其在巳未申亥子丑者、但言失次、不言水旱、攷之漢志、他歲但云失次、杓無見柳見張等語、其在巳未等六辰者、竝不著失次之語、未詳其義云何、當居不居、居之又左右搖、未當去去之、與他星會、其國凶。

所居久、國有德厚、其角動、乍小乍大、若色數變、人主有憂。其失次舍以下、進而東北。三月生天棓。長四尺、末兌。【索隱】案天文志、此皆甘氏星經文、而志又兼載石氏、此不取、石氏名申夫、甘氏名德、【正義】棓、音蒲講反、歲星之精、散而爲天槍・天棓・天衡・天猾・國皇・天欃、及登天・荆眞・若天猿・天垣・蒼彗、皆以應凶災也、天棓者、一名覺星、本類星而末銳、長四丈、出東北方西方、其出則天下兵爭也、【考證】岡白駒曰、舍以下、一舍以下、王元啓曰、東北字絕句、舊連三月爲句、非、三月者、漢志云、不出三月也、愚按長四尺、北宋本作四丈、與晉隋志及正義合、漢志作四尺、與各本合、進而東南。三月生彗星。長二丈、類彗。【正義】天彗者、一名掃星、本類星、末類彗、小者數寸、長或竟天、而體無光、假日之光、故夕見則東指、晨見則西指、若日南北、皆隨日光而指、光芒所及爲災變、見則兵起、除舊布新、彗所指之處弱也、【考證】各本、彗下衍星字、今從館本、漢志亦無、退而西北。三月生天欃。長四丈、末兌。【集解】韋昭曰、欃、音參差之參、【正義】欃、楚咸反、天欃者、在西南、長四丈、銳、京房云、天欃爲兵、赤地千里、枯骨籍籍、天文志云、天欃主兵亂也、【考證】方苞曰、天棓天槍天欃名、見恆星中、今曰歲星所生、則非恒星也、又皆定以丈尺、不知所據、吳肅曰、歲星所變妖星、非紫宮中天棓天槍、退而西南。三月生天槍。長數丈、兩頭兌。【正義】槍、楚行反、天槍者、長數丈、兩頭銳、出西南方、其見、不過三月、必有破國亂君、伏死其辜、天文

志云、孝文時、天槍夕出西南、占曰、爲兵喪亂、其六年十一月、匈奴入上郡雲中、漢起兵以衞京師也、謹視其所見之國、不可舉事用兵。其出如浮如沈、其國有土功。如沈如浮、其野亡。色赤而有角、其所居國昌。迎角而戰者不勝。星色赤黃而沈、所居野大穰。【集解】徐廣曰、迎、一作御、【正義】穰、人羊反、豐熟也、【考證】岡白駒曰、星云野、分野之國也、色青白而赤灰、所居野有憂。歲星入月、其野有逐相。與太白鬭、其野有破軍。【集解】韋昭曰、星相擊爲鬭、歲星一曰攝提、曰重華、曰應星、曰紀星。營室爲清廟。歲星廟也。【考證】以上敘歲星、猪飼彥博曰、晉志云、五星行至其廟、謹候其命、以熒惑推之、此下脫謹候此三字、察剛氣以處熒惑。【集解】徐廣曰、剛、一作罰、【索隱】徐廣云、剛、一作罰、案姚氏引廣雅、熒惑謂之執法、天官占云、熒惑方伯象、司察妖孽、則此文察罰氣爲是、春秋緯文耀鉤云、赤帝熛怒之神爲熒惑焉、位在南方、禮失則罰出、晉灼云、常以十月入太微、受制而出行列宿、司無道、出入無常、【考證】岡白駒曰、處、居也、言定熒惑所居之位也、曰南方。火。主夏。日丙丁。禮失、罰出熒惑。熒惑失行。是也。【考證】王元啓曰、熒

失行是也六字、係注語、出則有兵。入則兵散。以其舍命國熒惑。熒惑爲勃亂殘賊疾喪饑兵。【集解】徐廣曰、以下云熒惑爲理、外則理兵、內則理政、【正義】天官占云、熒惑爲執法之星、其行無常、以其舍命國、爲殘賊、爲疾、爲喪、爲饑、爲兵、環繞句己、芒角動搖、乍前乍後、其殃逾甚、熒惑主死喪、大鴻臚之象、主甲兵、大司馬之義、伺驕奢亂孽、執法官也、其精爲風伯、惑童兒歌謠嬉戲也、【考證】岡白駒曰、舍、二十八舍也、以其分野命其國也、某舍則爲某國之分野、陳仁錫曰、國下衍熒惑二字、錢大昕曰、勃卽悖字、張文虎曰、晉志云、營惑降爲童兒歌謠嬉戲、正義疑有脫誤、反道二舍以上、【考證】漢志、作逆行一舍、二舍爲不祥、居之三月、有殃。五月、受兵。七月、半亡地。九月、太半亡地。因與俱出入、國絕祀。【考證】王先謙曰、因與俱出入者、至九月後、因止不去、與俱出入也、占經引春秋緯云、反道若二舍以上、居之三月、有淫佚、五月受夷狄之兵、七月半亡地、九月大半亡地、因與宿俱入俱出、國絕祀、居之、殃還至、雖大當小。【索隱】案還、音旋、旋、疾也、若熒惑反道居其舍、所致殃禍、速至則雖大反小、久而至、當小反大。【索隱】案久、謂行遲也、如此禍小反大、言久腊毒也、【考證】久、旋之反、言殃來遲也、索隱非、其南爲丈夫、北爲女子喪。【索隱】案宋均云、熒惑守輿鬼、南爲丈夫受其咎、北則女子受其凶也、【考證】漢志、丈夫下有喪字、若角、動、繞環之、及

乍前乍後、左、右、殃益大。【考證】王先謙曰、角與動及繞環爲三、晉志、環繞鉤己、漢志、左右作乍左乍右、與他星鬬、光相逮、爲害。不相逮、不害。【正義】凡五星鬬、皆爲戰鬬、兵不在外、則爲內亂、鬬、謂光芒相及、【考證】下文云、相陵爲鬬、宋史天文志云、兩體俱動而直曰觸、離復合、合復離曰鬬、以其往復離合、有鬬之象、故曰鬬、五星皆從而聚于一舍、其下國可以禮致天下。【正義】三星若合、是謂驚立絕行、其國外內有兵與喪、人民饑乏、改立侯王、四星若合、是爲大陽、其國兵喪暴起、君子憂、小人流、五星若合、是謂易行、有德者受慶、掩有四方、無德者受殃、乃以死亡也、【考證】正義大陽、一本作大王、張文虎曰、漢志作大湯、晉灼云、湯者、猶蕩滌也、則陽字字誤、柯凌本、死亡作滅亡、法、出東行十六舍而止。逆行二舍六旬、復東行。自所止數十舍。十月而入西方。伏行五月、出東方。【集解】晉灼曰、伏行、伏不見、其出西方曰反明。主命者惡之。【考證】方苞曰、命令之所從出者、天下則天子、一國則諸侯、東行急、一日行一度半。【考證】漢志云、東行九十二分度之五十三、與此異、其行、東西南北疾也、兵各聚其下。【考證】漢志云、東行疾、則兵聚於東方、西行疾、則兵聚於西方、用戰。順之勝、逆之敗。【考證】之字承行字、王元啓曰、漢志

云、在其野者亡地、以戰不勝、與此異義、熒惑從太白、軍憂。離之、軍卻。【考證】王先謙曰、相隨曰從、愚按漢志、郤作舒、蓋誤、出太白陰、有分軍。行其陽、有偏將戰。【考證】西北爲陰、東南爲陽、當其行、太白逮之、破軍殺將。【索隱】宋均云、太白宿、主軍來衝拒也、【考證】漢志、逮作還、王念孫曰、逮、及也、言熒惑行、而太白及之、則主破軍殺將也、作還誤、其入守犯太微·軒轅·營室、主命惡之。【集解】孟康曰、犯、七寸已內、光芒相及也、韋昭曰、自下觸之曰犯、居其宿曰守、【考證】漢志、無入守犯以下語、心、爲明堂。熒惑廟也。謹候此。【考證】以上敍熒惑、漢志云、熒惑、天子理也、故曰、雖有明天子、必視熒惑所在、愚按下文論贊、熒惑爲索、外則理兵、內則理政、故曰、雖有明天子、必視熒惑所在、二十五字、當在熒惑廟下、曆斗之會、以定塡星之位。【索隱】曆斗之會以定鎭星之位、晉灼曰、常以甲辰之元始建斗、歲鎭一宿、二十八歲而周天、廣雅曰、鎭星、一名地侯、文耀鉤云、鎭、黃帝含樞紐之精、其體旋璣、中宿之分也、【考證】曆讀如歷象之歷、或云曆上疑脫察字、曆斗之會、謂塡星歷天與南斗會也、亦通、淮南天文訓、鎭星以甲寅元始建斗、歲鎭行一宿、二十八歲而周天、許愼云、甲寅元始曆起之年也、建斗起于斗也、晉灼云甲辰者誤、王元啓曰、塡讀如鎭壓之鎭、亦作鎭、讀田者非是、塡星曰中央。土。主季夏。日戊己。黃帝主德。女主象也。【考證】淮南天文訓、中央土也、其帝黃帝、其佐后土、

執繩而治四方、其神爲鎭星、其獸黃龍、其音宮、其日戊己、歲塡一宿、其所居國吉。未當居而居、若已去而復還、還居之、其國得土。不、乃得女。【考證】漢志、而居下有之字、不重還字、淮南天文訓、未可居而居之、其國增地歲熟、王元啓曰、不、音否、下同、若當居而不居、既已居之、又西東去、其國失土。不、乃失女。不可舉事用兵。其居久、其國福厚。易、福薄。【集解】徐廣曰、易、猶輕速也、其一名曰地侯。主歲。【考證】王元啓曰、廣雅云、塡星一名地侯、歲行十二度百十二分度之五。日行二十八分度之一。二十八歲周天。【考證】王元啓曰、按塡星日行不及二十八分度之一、故今法三十歲周天、漢志亦云、壹見行十二度有奇、然此文所步、與漢志殊、以日行分度計之、十二度當作十三度、其所居、五星皆從而聚于一舍、其下之國、可重致天下。【正義】重、音逐隴反、言五星皆從塡星、其下之國、倚重而致天下、以塡主土故也、【考證】王念孫曰、可下、當有以字、開元占經引石氏曰、可以重德致天下、與歲星熒惑太白辰星句法一例、又曰、重、猶厚也、土德重厚、故五星從塡星、則其下之國、可以厚重之德致天下也、禮德義殺刑盡失、而塡星乃爲之

動搖。贏、爲王不寧。其縮、有軍不復。塡星其色黃、九芒。音曰黃鍾宮。【考證】王元啓曰、太白五芒、塡星九芒、五九皆數也、一作光芒、非是、猪飼彥博曰、此以五音配當、猶漢志以五常五事配五星也、然他星不言、梁玉繩曰、案此文上下俱論塡星之盈縮、無緣夾入塡星其色黃以下十二字、必是錯簡、王氏正譌移在前文其一名曰地侯主歲之上、其失次上二三宿曰贏。有主命不成。不、乃大水。【考證】漢志、主作王、王先謙曰、王命不成、下不奉命也、愚按不讀爲否、下同、失次下二三宿曰縮。有后戚、其歲不復。不、乃天裂若地動。【考證】葉德輝曰、易復卦、先王以至日閉關、王弼注、冬至、陰之復、夏至、陽之復、其歲不復、卽陰陽失和之謂、愚按漢志戚作慼、斗爲文太室。塡星廟、天子之星也。【考證】叙塡星、木星與土合、爲內亂饑。主勿用。戰敗。【正義】星經云、凡五星、木與土合爲內亂饑、與水合、爲變謀更事、與火合、爲旱、與金合、爲白衣會也、【考證】王元啓曰、按漢志、凡五星歲與塡合云云、晉志及正義所引星經、凡五星木與土合云云、皆有凡五星三字、梁玉繩曰、此下總論五星、當別爲一條、漢志列辰星後、是也、此誤連塡星之後、又木星與土合五字、當作凡五星木與土合、岡白駒曰、土卽塡星、水、則變謀而更事。火、爲旱、金、爲白衣會若水。【考證】白衣會、又見咸池、言喪也、陳仁錫曰、若、及也、言木

與火合、則爲旱、木與金合、則爲國家喪及水潦也、金在南曰牝牡。年穀熟。金在北、歲偏無。【索隱】晉灼曰、歲、陽也、太白、陰也、故曰牝牡也、【正義】星經云、金在南、木在北、名曰牝牡、年穀大熟、金在北、木在南、其年或有或無、【考證】漢志、金在南曰牝牡、年穀熟、作太白在南、歲在北、名曰牝牡、年穀大孰、金在北、歲偏無、作太白在北、歲在南、年或有或亡、王元啓曰、金在南、謂在歲星之南、在北亦然、索隱是、張文虎曰、據索隱及正義、史文金在南句或上或下、當有木在北三字、金在北句或上或下、當有木在南三字、今本失之、火與水合、爲焠。與金合、爲鑠爲喪。皆不可舉事。用兵大敗。【集解】晉灼曰、火入水、故曰焠、【索隱】火與水合曰焠、案謂火與水俱從塡星合也、【正義】焠、忽內反、星經云、凡五星火與水合爲焠、用兵舉事大敗、與金合爲鑠爲喪、不可舉事、用兵從軍、爲憂離之軍、郤與土合爲憂、主孽卿、與木合、饑戰敗也、【考證】王元啓曰、晉說是、索隱誤、土爲憂、主孽卿。【索隱】案文耀鉤云、水土合則成鑪冶、鑪冶成、則火興、火興則土之子焠、金成消爍、消爍則土無子輔父、無子輔父則益妖孽、故子憂、【考證】主、各本作生、今從毛本凌所引一本館本、猪飼彥博曰、漢志、作與塡合、則爲憂主孽卿、索隱以爲土憂、非也、王元啓曰、卿字之義、未詳、岡白駒曰、孽卿、妖害之卿、大饑、戰敗爲北軍、軍困、舉事大敗。【正義】爲北、軍北也、凡軍敗曰北、【考證】木、各本作大、猪飼彥博曰、古本、大饑作木饑、梁玉繩曰、上文正義引星經云、火與木合、饑、漢志亦然、則大字乃木之譌、張文虎曰、依上下文例、當作木爲饑、土與水合、穰而擁

閼、有覆軍、其國不可舉事、出亡地、入得地。【集解】徐廣曰、或云、木火土三星若合、是謂驚立絕行、【正義】擁、於拱反、閼、烏葛反、沮、音沮溼之沮、水性雍而潛土、故曰雍沮、【考證】漢志云、土與水合爲雍沮、不可舉事用兵、晉灼注、一曰、雍、塡也、愚按雍讀爲壅、雍沮卽雍閼、王元啓曰、按集解三星若合云云、自在下文、或本誤衍於此、金爲疾、爲內兵亡地。【考證】以上言木火土三星相合之應、其特不詳金木二星者、太白辰星二條已言之、故不復說、三星若合、其宿地國、外內有兵與喪、改立公王。【考證】漢志、作三星若合、是謂驚立絕行、其國外內有兵與喪、民人乏飢、改立王公、四星合、兵喪竝起、君子憂、小人流。【考證】漢志、四星下有若字、合下有是謂太湯四字、五星合、是爲易行。有德受慶、改立大人、掩有四方、子孫蕃昌。無德、受殃若亡。【考證】漢志、星下有若字、大人作王者、受殃、作受罰離其國家、滅其宗廟、百姓離去、被滿四方、五星皆大、其事亦大。皆小、事亦小。蚤出者爲贏。贏者爲客。晚出者爲縮。縮者爲主人。必有天應、見於杓。【考證】王先謙曰、斗杓居中而運、歷指十二辰、五星失行、則天應隨之而見、王元啓曰、漢志、於天官書所云失次有水旱之應者、必曰失次杓、星同舍爲合、相

陵爲鬬。七寸以內必之矣。【集解】孟康曰、陵、相冒占過也、韋昭曰、突掩爲陵、【索隱】案韋昭云、必有禍也、【考證】王元啓曰、漢志、七寸上、有二星相近者其殃大、二星相遠者殃無傷也二句、然則七寸者、所以別合鬬之遠近、七寸以內則近矣、故必有禍、依索隱、集解占過、當作有禍、五星色白圜、爲喪旱。赤圜、則中不平、爲兵。【考證】漢志、無則字、此疑衍、青圜、爲憂水。【考證】憂水二事、漢志作爲憂爲水、黑圜、爲疾、多死。黃圜、則吉。赤角、犯我城。黃角、地之爭。白角、哭泣之聲。青角、有兵憂。黑角、則水意行窮兵之所終。【集解】徐廣曰、意、一作志、【考證】漢志、無意行窮兵之所終七字、張文虎猪飼彥博以意字爲患字譌、屬上讀、王元啓以爲赤字譌、屬下讀、云辰星條下意作赤、屬下句、蓋赤譌志、又譌爲意也、然赤角之應、上文已見、不當複出、亦此七字、義亦未詳、攷之漢志、無之、當直定爲衍文、愚按後說是、五星同色、天下偃兵、百姓寧昌、春風秋雨、冬寒夏暑。【考證】以上總論五星、動搖常以此。【考證】五字疑他章錯簡、塡星出百二十日、而逆西行。西行百二十日、反東行。見三百三十日而入。入三十日、復出東方。【考證】王元啓曰、西行百二十日、當作西

行百三十日、又曰、據漢志、晨始見、順行五度八分、八十七日始留、三十四日旋逆行六度四分有奇、百一日復留、三十三日有奇、旋復順行五度九分度之六、八十五日而伏、凡見三百四十日有奇、除逆定行星五度有奇、伏三十七日、行星七度有奇、壹見三百七十七日有奇、行星十二度有奇、太歲在甲寅、鎭星在東壁。故在營室。【考證】以上敍塡星、塡星出百二十日以下、錯簡、當在上文塡星條其一、名曰地侯主歲下、王元啓曰、按太初歷以甲寅爲歷元、故又特書起算之年、塡星所在之宿、然故在營室一語、前無所承、知此書殘缺多矣、察日行以處位太白。【索隱】案太白晨出東方曰啓明、故察日行以處太白之位也、韓詩云、太白晨出東方爲啓明、昏見西方爲長庚、又孫炎注爾雅、以爲晨出東方、高三丈、命曰啓明、昏見西方高三舍、命曰太白、【正義】晉灼云、常以正月甲寅與熒惑晨出東方、二百四十日而入、入四十日、又出西方、二百四十日而入、入三十五日、而復出東方、出以寅戌、入以丑未、天官占云、太白者西方、金之精、白帝之子、上公大將軍之象也、一名殷星、一名大正、一名熒星、一名官星、一名梁星、一名滅星、一名大囂、一名大衰、一名大爽、徑一百里、天文志云、其日庚辛、四時秋也、五常義也、五事言也、人主義虧言失、逆時令傷金氣、罰見太白、春見東方以晨、秋見西方以夕、【考證】方苞曰、太白半行距冬至與日同度、一歲行度、比日行度、故察日行以處其距限之位、猪飼彥博曰、位字衍、正義晉灼說、出淮南子天文訓、愚按淮南子、甲寅作建寅、入四十日作入百四十日、又、作夕、寅戌作辰戌、曰。西方。秋。司兵。月行及天矢。【正義】太白五芒出、早爲月蝕、晚爲天矢及彗、其精散爲天杵天柎伏靈大敗司姦天狗賊星天殘卒起星、是古曆星若竹彗牆星猿星白藿、皆以示變也、【考證】依文例、西方下脫金主二字、王念孫曰、司兵月行及天矢七字衍、王元啓曰、此卽後文所謂出蚤爲月蝕、晚爲天矢及彗也、誤衍于此、又逸其半而加譌舛焉、

日庚辛。主殺。殺失者、罰出太白。【考證】依文例、主殺二字衍、太白失行、以其舍命國。其出行十八舍。二百四十日而入。入東方伏行十一舍、百三十日。【考證】猪飼彥博曰、入東方上、脫其字、王元啓曰、據漢志、晨始見、去日半次、逆行三度、六日始留、八日旋順行、三十三度四十六日、順疾行二百一十四度百八十餘日而伏、凡見二百四十四日、除逆定行星二百四十四度、伏八十三日、行星百十三度有奇、其入西方、伏行三舍、十六日而出。【考證】王元啓曰、據漢志、夕始見、去日半次、順行二百一十一度、百八十一日有奇、順遲行三十三度四十六日始留、七日有奇、旋逆行三度、六日而伏、凡見二百四十一日、除逆定行星二百四十一度、伏十六日、逆行十四度有奇、當出不出、當入不入、是謂失舍。不有破軍、必有國君之簒。【考證】漢志、作必有死王之墓、有亡國、與此異、占經引石氏、作必有死王亡國、其紀上元。【索隱】案上元、是古曆之名、言用上元紀曆法、則攝提歲而太白與營室晨出東方、至角而入、與營室夕出西方、至角而入、凡出入東西各五、爲八歲二百三十日、復與營室晨出東方、大率歲一周天也、【正義】其紀上元、是星古曆、初起上元之法也、以攝提格之歲、與營室晨出東方、

至角而入、與營室夕出西方、至角而入、【考證】王元啓曰、按營室至角、歷十七宿、與角晨出入畢、與角夕出入畢、【考證】王元啓曰、角至畢、歷十九宿、與畢晨出入箕、與畢夕出入箕、【考證】王元啓曰、畢至箕、十七宿、與箕晨出入柳、與箕夕出入柳、【考證】王元啓曰、箕至柳、十八宿、與柳晨出入營室、與柳夕出入營室。【考證】王元啓曰、柳至營室、十八宿、凡出入東西各五。爲八歲二百二十日。【集解】徐廣曰、一云、三十二日、【考證】凌稚隆曰、一本作二百三十日、張文虎曰、上文索隱、正作三十日、復與營室晨出東方。其大率歲一周天。【考證】王元啓曰、按太白行度、凡歷八歲又千四百六十一分之九百二十、而復於原位、計每歲之行、雖或贏縮各異、合數歲而總計之、大率歲一周天、漢志亦云、日行一度、其始出東方、行遲。率日半度。【考證】王元啓曰、據漢志、日半度者、太白逆行度、非遲行度、遲行日四十六分度之三十三、一百二十日必逆行一二舍。上極而反、東行。行日一度半。【考證】王元啓曰、據漢志、順疾日行一度九十二分度之十五、云一度半者、立法未精、姑取整數言之、一百二十日入。其庳近日曰

明星。柔。高遠日曰大囂。剛。【集解】徐廣曰、一作變、其始出西行、疾。率日一度半。【考證】王元啓曰、西下脫方字、漢志疾行度見前、百二十日、上極而行遲。日半度。【考證】王元啓曰、按日半度、亦取整數言之、據漢志、行十二分度之七有餘、百二十日旦入。必逆行一二舍而入。其庳近日曰大白。柔。高遠日曰大相。剛。出以辰戌、入以丑未。當出不出、未當入而入、天下偃兵、兵在外。入、未當出而出、當入而不入、下起兵、有破國。【考證】陳仁錫曰、下上缺天字、愚按漢志有、其當期出也、其國昌。其出東爲東、入東爲北方。出西爲西。入西爲南方。【考證】岡白駒曰、出東、其占在東、愚按下倣之、又按、漢志、爲東爲西下、竝有方字、占經引石氏同、所居久、其鄉利。疾、其鄉凶。【集解】蘇林曰、疾過也、【考證】王念孫曰、疾、本作易、故蘇林訓爲疾過、張文虎曰、漢志作易、注、引蘇林云、疾過也、一說、易、向而出入也、是本作易、可知、岡白駒曰、鄕、嚮通、出西逆行至東、正西國吉。出東至西、正東國吉。【考證】王元啓曰、按出東至西、爲逆行、出西至東、乃順行也、逆行二

字衍、其出、不經天。經天、天下革政。【索隱】孟康曰、謂出東入西、出西入東也、太白、陰星、出東當伏東、出西當伏西、過午爲經天、又晉灼曰、日、陽也、日出則星沒、太白晝見午上、爲經天、【考證】漢志革政作革民更王、小以角動、兵起。始出大後小、兵弱。出小後大、兵強。出高、用兵深、吉。淺、凶。庳淺、吉。深、凶。日方南、金居其南、日方北、金居其北曰贏。侯王不寧。用兵、進吉、退凶。【正義】鄭玄云、方、猶向也、謂晝漏半而置土圭表陰陽、審其南北也、影短於土圭、謂之日南、是地於日爲近南也、長於土圭、謂之日北、是地於日爲近北也、凡日影於地、千里而差一寸、周禮云、日南則影短多暑、日北則影長多寒、孟康云、金、謂太白也、影、日中之影也、【考證】豬飼彥博曰、宋志云、夏至後、日方南行、而金居其南、冬至後、日方北行、而金居其北曰盈、王元啓曰、日南、謂日躔朱鳥七宿、日北、謂日躔玄武七宿、日方南、金居其北、日方北、金居其南曰縮。侯王有憂。用兵、退吉、進凶。用兵象太白。太白行疾、疾行。遲、遲行。角、敢戰。動搖躁、躁。圜以靜、靜。【考證】圜、各本作國、今從毛本、漢志亦作圜、行疾、行遲、角、動搖躁、圜以靜、皆太白之狀、疾行、遲行、敢戰、躁、靜、皆用兵之道、漢志云、太白、兵象也、行疾、用兵疾、行遲、用兵遲、角、敢戰、進退左右、用兵進退左右、圜以靜、用兵靜、出則兵出、入則兵

入、順角所指、吉。反之、皆凶。【考證】漢志順作擊、出則出兵。入則入兵。赤角、有戰。白角、有喪。黑圜角、憂、有水事。青圜小角、憂、有木事。黃圜和角、有土事、有年。【正義】太白星圓、天下和平、若芒角、有土事、有年、謂豐熟也、【考證】黑圜以下疑有譌誤、王元啓曰、圜則不角、角則不圜、兩圜字、一小字皆衍、圜和二字、當在有土事下、和、謂色不怒、正義不得其讀而誤解也、參存、其已出三日而復、有微入、入三日乃復盛出、是謂耎。其下國有軍敗將北。【集解】晉灼曰、耎、退之不進、【索隱】是謂需、又作耎、音奴亂反、【考證】漢志、其出三日上、有入七日復出、將軍戰死、入十日復出、相死之、入又復出、人君惡之二十五字、耎下、有而伏二字、注、晉灼曰、耎、退也、不進而伏、伏不見也、其已入三日、又復微出、出三日而復盛入、其下國有憂、師有糧食兵革、遺人用之、卒雖衆、將爲人虜。【正義】遺、唯季反、【考證】漢志云、帥師雖衆、敵食其糧、用其兵、虜其師、其出西失行、外國敗。其出東失行、中國敗。其色大圜黃滜、可爲好事。其圜大赤、兵盛不戰。【集解】滜、音澤、【考證】王元啓曰、按好事、和好之事、如通使會盟皆

是、音去聲、前云赤角有戰、今圜大而不角、故兵雖盛不戰、梁玉繩曰、其色大圜以下十八字、當在上文有年句下、錯簡于此、上文言赤角有戰、黃角有土事、圜和有年、則此所占當類從、參存、太白白比狼、赤比心、黃比參左肩、蒼比參右肩、黑比奎大星。【正義】比、卑耳反、下同、比、類也、晉書天文志云、凡五星、有色、大小不同、各依其行而應時節、色變有類、凡青比參左肩、赤比心大星、黃比參右肩、白比狼星、黑比奎大星、不失本色、而應其四時者吉、色害、其行凶也、【考證】漢志、作右肩青比參、左肩黑、比奎大星、亦以太白言、依晉志、五星色比同、不獨太白、王元啓梁玉繩諸人、欲改太白爲五星、移其下二十三字於總論五星條內、未必然、五星皆從太白而聚乎一舍、其下之國可以兵從天下。居實、有得也。居虛、無得也。【索隱】按實、謂星所合居之宿、虛、謂贏縮也、行勝色。色勝位。【集解】晉灼曰、太白行得度者、勝色也、【正義】勝、音升剩反、下同、有位勝無位。有色勝無色。行得盡勝之。【集解】晉灼曰、行應天度、唯有色得位、行盡勝之、行重而色位輕、星經、得字作德、【正義】晉書天文志云、凡五星所出所直之辰、其國爲得位者、歲星以德、熒惑爲禮、鎭星有福、太白兵強、辰陰陽和、所直之辰、順其色而角者勝、其色害者敗、居實有得、居虛無得也、色勝位、行勝色、行得盡勝之、【考證】集解唯有、漢志注、作雖有、張文虎曰、正義、館本與漢晉志及上史文合、各本也下脫色字、位下脫行字、之誤作也、出而留桑榆間、疾其下國。

【集解】晉灼曰、行遲而下也、正出舉目、平正出桑榆上者、餘二千里、【正義】疾、漢書作病也、【考證】王先謙曰、御覽天部引淮南天文訓云、日西垂、景在樹端、謂之桑虞、注云、其光在桑榆上、今淮南子無之、張文虎曰、集解平出舉目平正、北宋本舊刻毛本竝同、它本舉目二字、誤作氣言、案平正疑當作平望、上而疾、未盡其日、過參天、疾其對國。【集解】晉灼曰、三分天過其一、此在戌酉之閒、孟康曰、謂出東入西、出西入東、【考證】陳仁錫曰、漢志、其作期、今本日作曰、誤、梁玉繩曰、漢晉志、作期日、是也、方苞曰、當作其日、蓋疾而未盡其當行之日而遽過也、顧炎武曰、對國、謂所對之國、漢書五行志所謂歲在壽星、其衝降婁、左傳襄二十八年、歲棄其次、而旅於明年之次、以害鳥帑、周楚惡之、杜氏所謂失次於北、禍衝在南者也、豬飼彥博曰、集解孟康注、誤重出、當刪、上復下、下復上、有反將。其入月、將僇。金木星合光、其下戰不合、兵雖起而不鬬。合相毀、野有破軍。【考證】王元啓曰、按金木之木、當作水、總論五星、凡木火土與諸星相合、各有應、獨不言金水相合之應者、以其已見於此也、又後文辰星條下、言辰星出而與太白不相從、野雖有軍不戰、卽此所謂戰不合也、合光者、雖合而光不相毀也、同舍爲合、相淩爲鬬、雖合而不揜其光、則同舍而相遠、所謂殃無傷也、若至突揜而爲淩、則必至於毀其光矣、故曰、野有破軍、出西方、昏而出陰、陰兵彊。暮食出、小弱。夜半出、中弱。雞鳴出、大弱。是謂陰陷於陽。其在東方、乘

明而出陽、陽兵之彊。雞鳴出、小弱。夜半出、中弱。昏出、大弱。是謂陽陷於陰。考證猪飼彥博曰、陽兵下之字衍、太白伏也、以出兵、兵有殃。考證王元啓曰、也字當加土作地、謂入地不見也、其出卯南、南勝北方。出卯北、北勝南方。正在卯、東國利。出酉北、北勝南方。出酉南、南勝北方。正在酉、西國勝。其與列星相犯、小戰。五星、大戰。其相犯、太白出其南、南國敗。出其北、北國敗。行疾、武。不行、文。色白五芒、出蚤爲月蝕。晚爲天矢及彗星。考證漢志、天矢作天祆、張文虎曰、各本作天矢、王氏讀書雜志云、宋本作天天、天與祆同、亦作妖、漢志作天祆、占經引甘氏作天妖、當依改、將發其國、出東爲德。擧事、左之迎之、吉。出西、爲刑。擧事、右之背之、吉。反之、皆凶。考證漢志、將發其國、作將發於亡道之國、屬上句、與此異義、太白光見景、戰勝。晝見而經天、是謂爭明。彊國弱、小國彊、女主昌。考證漢志云、晝見與日爭光、

亢爲疏廟。太白廟也。太白、大臣也。其號上公。其他名殷星・太正・營星・觀星・宮星・明星・大衰・大澤・終星・大相・天浩・序星・月緯。大司馬位。謹候此。考證猪飼彥博曰、上文司兵二字、及亢爲疏廟、太白廟也二句、當在謹候此句上、愚按以上敍太白、察日辰之會、以治辰星之位。索隱案下文正四時及星辰之會、是也、皇甫謐曰、辰星、一名毚星、或曰鉤星、元命包曰、北方、辰星、水、生物布其紀、故辰星理四時、宋均曰、辰星正四時之位、得與北辰同名也、正義晉灼云、常以二月春分見奎婁、五月夏至見東井、八月秋分見角亢、十一月冬至見牽牛、出以辰戌、入以丑未、二旬而入、晨候之東方、夕候之西方也、曰。北方。水。太陰之精。主冬。日壬癸。刑失者、罰出辰星。正義天官占云、辰星、北水之精、黑帝之子、宰相之祥也、一名細極、一名鉤星、一名爨星、一名伺祠、徑一百里、亦偏將廷尉象也、天文志云、其日、壬癸、四時、冬也、五常、智也、五事、聽也、人主智虧聽失、逆時令傷水氣、則罰見辰星也、考證漢志、出作見、以其宿命國。是正四時。仲春春分、夕出郊奎・婁・胃東五舍、爲齊。仲夏夏至、夕出郊東井・輿鬼・柳東七舍、爲楚。仲秋秋分、夕出郊角・亢・氐・房東四舍、

爲漢。仲冬冬至、晨出郊東方、與尾・箕・斗・牽牛俱西、爲中國。考證錢大昕曰、四郊字、皆效字之譌、淮南天文訓、辰星正四時、常以二月春分効奎婁、以五月夏至効東井輿鬼、以十一月冬至効斗牽牛、高誘云、効、見也、予謂說文無効字、當作效、梁玉繩曰、以後文效不效句觀之、此郊字乃效之譌、正義云、效、見也、其出入常以辰戌丑未。其蚤爲月蝕、晚爲彗星及天夭。集解孟康曰、辰星月相淩不見者、則所蝕也、張晏曰、彗所以除舊布新、索隱案宋均云、辰星與月同精、月爲大臣、先期而出、是躁也、失則當誅、故月蝕見祥、又云、辰星、陰也、彗、亦陰、陰謀未成、故晚出也、考證張文虎曰、各本天夭作天矢、王氏雜志云、天文志作天祆、矢、亦夭之譌、今依改、其時宜效不效爲失。正義效、見也、言宜見不見、爲失罰之也、追兵在外不戰。考證五字屬上句、漢志無、一時不出、其時不和。四時不出、天下大饑。其當效而出也、色白爲旱、黃爲五穀熟、赤爲兵、黑爲水。出東方、大而白、有兵於外、解。考證猪飼彥博曰、宋志、解上有兵字、常在東方、其赤、中國勝。其西而赤、外國利。考證猪飼彥博曰、宋志、其西作在西方、無兵於外而赤、兵起。考證猪飼彥博曰、此句當在有兵於外

解下、其與太白俱出東方、皆赤而角、外國大敗、中國勝。其與太白俱出、西方皆赤而角、外國利。五星分天之中、積于東方、中國利。積于西方、外國用者利。考證猪飼彥博曰、積、聚也、漢志、外國用者利、作夷狄用兵者利、五星皆從辰星、而聚于一舍、其所舍之國、可以法致天下。辰星不出、太白爲客。其出、太白爲主。出而與太白不相從、野雖有軍不戰。出東方、太白出西方、若出西方、太白出東方、爲格。野雖有兵不戰。索隱謂辰星出西方、辰、水也、太白出東方、太白、金也、水生金、母子不相從、故上有軍不戰、今母子各出一方、故爲格、格、謂不和同、故野雖有兵不戰然也、考證猪飼彥博曰、宋志、爲格作爲格對、張文虎曰、索隱水生金、水金當互易、或生下有於字、上有軍、當爲主有軍、失其時而出、爲當寒反溫、當溫反寒。當出不出、是謂擊卒。兵大起。其入太白中而上出、破軍殺將、客軍勝。下出、客亡地。考證漢志、中下而上、有五日乃出及入六字、王元啓曰、

按辰星出、太白爲主人、出於主人之上、是客勝之象也、下出則主人勝、故曰客亡地、辰星來抵太白、太白不去、將死。【考證】漢志、無太白二字、正旗上出、破軍殺將、客勝。下出、客亡地。【索隱】正旗、出案旗、蓋太白芒角似旌旗、【正義】旗、星名、有九星、言辰星上、則破軍殺將、客勝也、【考證】漢志、旗作其、梁玉繩曰、旗上出十五字、與上文複衍、愚按、正字亦衍、視旗所指、以命破軍。【考證】旗、當作其、漢志正作其、謂辰星、其繞環太白、若與鬬、大戰客勝。【考證】漢志、其作辰星、勝下有主人吏死四字、免過太白、閒可楲劍、小戰客勝。【集解】蘇林曰、楲、音函、函、容也、其閒可容一劍、【索隱】免過太白、案廣雅云、辰星謂之免星、則辰星之別名、免、或作毚也、楲、音函、函、容也、言中閒可容一劍、則函字本有咸音、故字從咸、劍古作劍也、【正義】漢書云、辰星過太白、閒可楲劍、明廣雅是也、免居太白前、軍罷。【考證】漢志、前下有旬三日三字、出太白左、小戰。摩太白、有數萬人戰、主人吏死。【考證】漢志、作歷太白右、宋志云、摩者光明相及也、張文虎曰、毛本、有作右、案下文云出太白右、則此文非右字矣、占經引荊州占云、辰星從太白、光芒相及、若摩之、其下有數萬人戰、正作有、出太白右、去三尺、軍急約戰。青角、兵憂。黑角、水。赤、行窮兵之所終。【考證】陳仁錫曰、青角、兵憂以下十四字、當在下文

白角號泣之聲下、免七命。曰小正・辰星・天欃・安周星・細爽・能星・鉤星。【索隱】謂星凡有七名、命者、名也、小正、一也、辰星、二也、天欃、三也、安周星、四也、細爽、五也、能星、六也、鉤星、七也、其色黃而小、出而易處、天下之文變而不善矣。免五色。青圜、憂。白圜、喪。赤圜、中不平。黑圜、吉。赤角、犯我城。黃角、地之爭。白角、號泣之聲。其出東方、行四舍四十八日、其數二十日、而反入于東方。其出西方、行四舍四十八日、其數二十日、而反入于西方。其一候之。營室・角・畢・箕・柳、出房・心閒、地動。辰星之色、春青黃、夏赤白、秋青白、而歲熟。冬黃而不明、卽變其色、其時不昌。春不見、大風、秋則不實。夏不見、有六十日之旱。月蝕。秋不見、有兵、春則不生。冬不見、陰雨六十日。有流邑。夏則不長。【考證】以上敍辰星、角・亢・氐、兗州。房・

心、豫州。尾・箕、幽州。斗、江湖。牽牛・婺女、楊州。虛・危、青州。營室至東壁、幷州。奎・婁・胃、徐州。昴・畢、冀州。觜觿・參、益州。東井・輿鬼、雍州。柳・七星・張、三河。翼・軫、荊州。【正義】括地志云、漢武帝置十三州、改梁州爲益州、廣漢、廣漢、今益州咎縣是也、分今河州內上黨雲中、然案星經、益州魏地、畢觜參之分、今河內上黨雲中、是未詳也、【考證】王先謙曰、九江、廬江、豫章、丹楊諸地、皆襟帶江湖、故曰江湖、漢志、營室下無至字、王元啓曰、至字衍、因上文室字而誤、三河、河內河東河內、梁玉繩曰、本書于中宮條內、謂用昏建者杓、杓自華以西南、夜半建者衡、衡殷中州河濟之間、平旦建者魁、魁海岱以東北、是以北斗言分野也、此云角亢氐兗州等、是以二十八宿言分野也、下文甲乙丙丁之占、是以日時言分野也、秦候太白諸語、是以五星言分野也、界華夷爲陰陽、是以畢昴天街言分野也、夫列宿主十二州、而斗之七星、亦各有屬、奚獨杓衡魁三星而已乎、天街分國陰陽、理固有之、卽上文所稱昴畢閒爲天街、其陰陰國、陽陽國也、然謂畢昴二星主華夷、實所未聞、若五星占候以及干支日時之配合、竝與二十八宿言分野同義、周禮保章氏以星土辨九州、則分野之法、自古傳之、左氏內外傳載伶州鳩萇弘士弱子產裨竈梓愼諸人所論、確然可證、但竊有疑者、二十八宿主中國、故漢藝文志歷家、有海中二十八宿國分臣分二十八卷、豈日星只在中國而不臨四夷哉、疑一、以宿配州、或多或少、地廣多者星反少、地狹者星反多、疑二、淮南天文訓、漢書地理志、以郡國配二十八宿、嗣後言分野者、雖有異同、遞爲祖述、唐李淳風僧一行、更闢發無遺、而獨不宗史記、疑三、占地于天、必天應

乎地而始驗、乃楊州在南、而牛女在北、青州在東、而虛危在北、冀州在北、而昴畢在西、雍州在西、而井鬼在南、往往相反、而不相應、疑四、故宋周密癸辛雜識、以分野爲疏誕也、蓋州郡有廢置、封國有變遷、安得以屢改之地、占不改之星、而星一日移一度、一月移一次、又安得以無定之星、占常定之地、愚按、分野之說、疑之者甚多、齊顏之推家訓歸心篇云、天地初開、便有星宿、列國未分、翦疆區野、若爲躔次、封建已來、誰所制割、國有增減、星無進退、災祥禍福、就中不差、乾象之大、列星之夥、何爲分野、止繫中國、昴爲旄頭、匈奴之次、西胡東越、彫題交阯、獨棄之乎、至明蘇伯衡著分野論、其說最詳、見于平仲集及明文在、七星爲員官。辰星廟、蠻夷星也。【考證】以上敍諸星分野、陳仁錫曰、七星以下十二字、當在上文辰星出房心閒地動之下、蓋與歲星廟熒惑廟塡星廟太白廟相類、而錯簡在此、梁玉繩曰、當在辰星條末、夏則不長之下、愚按、梁說是、兩軍相當、日暈、【集解】如淳曰、暈、讀曰運、【考證】豬飼彥博曰、兩軍相當、將戰、會有日暈、王先謙曰、晉隋志竝云、日旁有氣、員而周匝、內赤外青者爲暈、暈等、力鈞。【考證】豬飼彥博曰、厚薄大小齊等、則敵與我軍勢相均、厚長大、有勝。【考證】厚在東、東軍勝、在西、西軍勝、下句反之、薄短小、無勝。重抱、大破。無抱爲和。背不和、爲分離相去。【考證】漢志、無作亡、屬上句、與此義異、背下有爲字、當依補、漢志序云、暈適背穴抱珥、注、孟康云、皆日旁氣也、背形如背字也、抱、氣向日也、如淳云、凡氣向日爲抱、向外爲背、王念孫曰、孟注、當作背形如北字、韋注國語云、北、古之背字、說文、北、乖也、從二人相背、然則日兩旁氣外向者爲背、形與北字相似、直

爲自立。立侯王、指暈若曰殺將。[考證]指暈曰三字、疑衍、漢志、作直爲自立、立兵破軍、若曰殺將、義異、負且戴、有喜。[考證]氣在日背爲負、在日上爲戴、圍在中、中勝。在外、外勝。[考證]圍一作圍、王元啓曰、此論圍城之師、圍在中者、外暈有芒也、在外、謂中暈有芒也、中勝、被圍者勝、外勝、圍人者勝、靑外赤中、以和相去。赤外靑中、以惡相去。氣暈先至而後去、居軍勝。先至先去、前利後病。後至後去、前病後利。後至先去、前後皆病、居軍不勝。見而去、其發疾、雖勝無功。[考證]王念孫曰、疾、速也、言氣暈既見而速去也、漢志、其下有後字、衍、見半日以上、功大。白虹屈短、上下兌有者、下大流血。[集解]李奇曰、屈、或爲尾也、韋昭曰、短而直、[考證]猪飼彥博曰、有字疑衍、王元啓曰、兌、音銳、日暈制勝、近期三十日、遠期六十日。其食、食所不利、復生、生所利、而食益盡、爲主位。[考證]王元啓曰、食、謂日食、生、謂復吐、王念孫曰、益卽盡之譌衍、漢志、無益字、是也、如食盡則咎在主位也、漢志引夏氏日月傳曰、日食盡、主位也、不盡、臣位也、王元啓曰、句下補不盡臣位也五字、語乃明白、以其直及日

所宿、加以日時、用命其國也。[考證]以上敍日暈日食、猪飼彥博曰、占以其直日之甲子、王元啓曰、漢志、宿作躔、命作名、按日所宿、角亢氐、兗州是也、日、謂甲乙海外、及甲齊乙東夷之類是也、時、謂子周丑翟之類是也、月行中道、安寧和平。[索隱]案中道、房中閒也、房有四星、若人之房三閒有四表、然故曰房、南爲陽閒、北爲陰閒、則中道房星之中閒也、故房是日月五星之行道、然黃道亦經房心、若月行得中道、故陰陽和平、若行陰閒、多陰事、陽閒則人主驕恣、若歷陰星陽星之南北、太陰太陽之道、卽有大水若兵及大旱若喪也、[考證]王元啓曰、按漢志、月有九行、黑赤白靑各二道、與黃而九、然用之、一決房中道、故史公首以房之南北爲候、陰閒多水陰事。外北三尺、陰星、北三尺、太陰、大水兵。[索隱]案謂陰閒外北三尺曰陰星、又北三尺曰太陰道、則下陽星及太陽、亦在陽閒之南、各三尺也、[考證]陳仁錫曰、陰星下、缺多亂二字、衍北三尺三字、下文陽星多暴上、又缺南三尺三字、彼是互誤、王元啓曰、漢志云、月失節度而妄行、出陽道則旱風、出陰道則陰、又云、月出房北、爲雨爲亂爲兵、出房南、爲旱爲夭喪、水旱至衡而應、按陳氏多亂二字、蓋據漢志增入、對下多暴獄言之、理當增此二字、陽閒驕恣、陽星多暴獄、太陽、大旱喪也。[索隱]太陰太陽、皆道也、月行近之、故有水旱兵喪也、[考證]驕恣下、可補南三尺三字、說見上、角・天門、十月爲四月、十一月爲五月、十二月爲六月。水發、近三尺、遠五尺。[索隱]角閒天門、謂

月行入角與天門、若十月犯之、當爲來年四月成災、十一月、則主五月也、[考證]索隱本、角下有閒字、晉志云、角二星、其閒天門也、其南爲太陽道、其北爲太陰道、據此則史文當有閒字、言月犯角閒天門也、索隱以天門爲別一座、非是、王元啓曰、水發二字、當置天門之下、與前太陰大水、太陽大旱一例、猪飼彥博曰、近三尺、遠五尺、謂近則平地水三尺、遠則水五尺也、犯四輔、輔臣誅。[索隱]案謂月犯房星也、四輔、房四星也、房以輔心、故曰四輔、行南北河、以陰陽言、旱水兵喪。[正義]南河三星、北河三星、若月行北河以陰、則水兵、南河以陽、則旱喪也、[考證]張文虎曰、各本水字錯在旱上、兵字錯在喪上、館本不誤、月蝕歲星、其宿地饑若亡。[正義]孟康云、凡星入月、見月中、爲星蝕月、月掩星、星滅、爲月蝕星也、[考證]猪飼彥博曰、月天最卑、故常掩五星、正義云、星蝕月、非也、熒惑也、亂。[考證]猪飼彥博曰、月掩火星、則有亂、土金水倣此、塡星也、下犯上。太白也、彊國以戰敗。辰星也、女亂。食大角、主命者惡之。[集解]徐廣曰、一云、食于大角、[正義]大角一星、在兩攝提閒、人君之象也、[考證]亦掩大角也、漢志、作月食大角、王者惡之、昭和八年十二月二十日夜、句讀至此、月方蝕金土二星、測星家云、數千年閒、一有此象也、心、則爲內賊亂也。[考證]王元啓曰、謂月蝕心也、列星、其宿地憂。[索隱]謂月蝕列星二十八宿、當其分地有憂、憂、謂兵及喪也、月食始日、五月者六、六月者五、五月復

六、六月者一、而五月者五、凡百一十三月而復始。[索隱]始日、謂食始起之日也、依此文計、唯有一百二十一月、與元數甚爲懸校、既無太初曆術、不可得而推定、今以漢志三統曆法計、則六月者七、五月者一、又六月者一、五月者一、凡一百三十五月而復始耳、或術家各異、或傳寫錯謬、故此不同、無以明知也、[考證]錢大昕曰、按本文傳寫固有錯謬、小司馬所引三統法亦誤也、今攷三統四分術、竝以五月二十三分之二十而一食、依次推之、則五月者一、六月者六、又五月者一、六月者七、又五月者一、六月者七、凡百三十五月而復始也、張文虎曰、依術當云六月者七、五月者一、又六月者七、五月者一、又六月者六、五月者一、錢氏考異所推、亦前後失次、故月蝕、常也。日蝕、爲不臧也。[考證]往時唯推月食而未能推日食、故有此言、詩小雅十月之交篇、彼月而食、則維其常、此日而食、于何不臧、甲乙、四海之外、日月不占。[集解]晉灼曰、海外遠、甲乙日時、不以占候、[考證]兪樾曰、甲乙主東方、天地左海、中國之地、東至於海而止、故甲乙在海外也、云四海之外、概言之耳、漢書、止作海外、丙丁、江・淮・海・岱也。戊己、中州・河・濟也。庚辛、華山以西。壬癸、恆山以北。日蝕、國君。月蝕、將相當之。[考證]以上敍月行月食、國皇星、大而赤。[集解]孟康曰、歲星之精散所爲也、五星之精、散爲六十四變、記不盡、[正義]國皇星者、大而赤、類南極老人、去地三丈、如炬火、見則內外有兵喪之難、狀類南極。[集解]徐廣曰、老人

星也、所出、其下起兵。兵彊、其衝不利。【考證】朱一新曰、當其衝則不利也、昭明星、大而白、無角、乍上乍下。所出國、起兵多變。【集解】孟康曰、形如三足机、机上有九彗上向、熒惑之精、【索隱】案春秋合誠圖云、赤帝之精、象如太白、七芒、釋名爲筆星、氣有一枝、末銳似筆、亦曰筆星也、五殘星、出正東東方之野。其星狀類辰星。【索隱】孟康云、星表有青氣、如暈有毛、塡星之精也、【正義】五殘、一名五鋒、出正東東方之分野、狀類辰星、去地可六七丈、見則五分毀敗之徵、大臣誅亡之象、去地可六丈、大。【集解】徐廣曰、大、一作六、【考證】漢志、大下有而黃二字、陳仁錫曰、史缺此二字、賊星、出正南南方之野。星去地可六丈。大而赤、數動有光。【集解】孟康曰、形如彗九尺、太白之精、【正義】大賊星者、一名六賊、出正南南方之野、星去地可六丈、大而赤、數動有光、出則禍合天下、【考證】正義、以上大字屬下讀、漢志、作六賊星、司危星、出正西西方之野。星去地可六丈。大而白、類太白。【集解】孟康曰、星大而有尾、兩角、熒惑之精也、【正義】司危者、出正西西方分野也、大如太白、去地可六丈、見則天子以不義失國而豪傑起、獄漢星、出正北北方之野。星去地可六丈。大而赤、數動。察之中靑。【集解】孟康曰、靑中赤表、下有二彗

縱橫、亦塡星之精、漢書天文志、獄漢、一名咸漢、【考證】正義二彗、漢志注作三彗、此四野星所出、出非其方、其下有兵。衝不利。【考證】漢志、無野字、此疑衍、四塡星、所出四隅。去地可四丈。【考證】漢志、無所字、地維咸光、亦出四隅。去地可三丈、若月始出。所見、下有亂、亂者亡、有德者昌。【考證】猪飼彥博曰、漢志、咸作藏、晉志作藏、云、大而赤、漢志、不重亂字、此衍、各本地維咸光下有正義一條云、四鎭星出四隅、去地可四丈、地維咸光星、亦出四隅、去地可三丈、若月始出、所見、下有亂者亡、有德者昌也、此上塡星及此條全文、今刪、其四鎭星下無所字、下有下不重亂字、與漢志合、燭星、狀如太白。其出也不行。見則滅。所燭者城邑亂。【集解】孟康曰、星上有三彗上出、亦塡星之精、【考證】猪飼彥博曰、晉志、作見則不久而滅、漢志、無者字、如星非星。如雲非雲。命曰歸邪。歸邪出、必有歸國者。【集解】李奇曰、邪、音虵、孟康曰、星有兩赤彗上向、上有蓋狀如氣、下連星、【考證】張文虎曰、漢志注、無如字、案集解蓋與氣、疑當互易、星者、金之散氣。本曰火。星衆、國吉。少、則凶。【集解】孟康曰、星、石也、【考證】漢志、本曰火、作其本曰人、注、孟康曰、星、石也、金石相生、人與星氣相應也、張文虎曰、史文脫其字、疑漢志人字卽火字壞文、孟康承誤本、强爲之說、

漢者、亦金之散氣。其本曰水。【索隱】案水生金、散氣卽水氣、河圖括地象曰、河精爲天漢也、【考證】陳子龍曰、舊以雲漢爲氣、近測之、微星積聚耳、張文虎曰、索隱水金當互易、或生下脫於字、漢、星多、多水。少則旱。其大經也。【集解】孟康曰、漢、河漢也、水生於金、多少、謂漢中星、天鼓、有音如雷非雷。音在地、而下及地。【考證】張文虎曰、志疑云、下乃不之譌、案漢志亦作下、疑當作音在天而下及地、觀下文可見、其所往者、兵發其下。【考證】漢志、往作住、天狗、狀如大奔星。有聲。其下止地類狗。【集解】孟康曰、星有尾、旁有短彗、下有如狗形者、亦太白之精、【考證】漢志、奔作流、所墮及望之如火光。炎炎衝天。【索隱】炎火星、豔音也、【考證】張文虎曰、各本及字下衍炎火二字、毛本無、單本索隱本、出炎火星三字、亦誤、漢志幷無及字、御覽七、又八百七十五引天官書皆無、疑亦衍文、其下圜如數頃田處。上兌者則有黃色。千里破軍殺將。【考證】王元啓曰、按者誤、漢志作見、又按見則二字、當著黃色之下、今本史記漢書竝誤、猪飼彥博曰、晉志作色黃有聲云云、其上兌其下圓云云、見則千里破軍殺將、格澤星者、如炎火之狀、黃白、起地而上、下大上兌。其見也、不種而穫。不有土功、必

有大害。【索隱】格澤、一音鶴鐸、又音格宅、格、胡客反、【考證】梁玉繩曰、漢晉諸志、害作客、是也、蚩尤之旗、類彗而後曲、象旗。見、則王者征伐四方。【集解】孟康曰、熒惑之精也、晉灼曰、呂氏春秋曰、其色黃上白下、旬始、出於北斗旁。狀如雄雞。【集解】徐廣曰、蚩尤也、旬、一作營、其怒、靑黑、象伏鼈。【集解】李奇曰、怒、當音帑、晉灼曰、帑、雌也、或曰、怒則色靑、【考證】宋均曰、怒、謂芒角刺出、愚按與或說合、枉矢、類大流星、虵行而倉黑。望之如有毛羽然。【考證】王元啓曰、虵行、謂屈曲行也、梁玉繩曰、漢晉隋志、毛羽作毛目、長庚、如一匹布著天。此星見、兵起。【正義】著、音直略反、星墜至地、則石也。河・濟之閒、時有墜星。【正義】春秋云、星隕如雨、是也、今吳郡西鄉、見有落星石、其石天下多有也、天精而見景星。景星者、德星也。其狀無常。常出於有道之國。【集解】孟康曰、精、明也、有赤方氣與靑方氣相連、赤方中有兩黃星、靑方中一黃星、凡三星、合爲景星、【索隱】韋昭云、精、謂淸朗、漢書、作暒、亦作暒、郭璞注三蒼云、暒、雨止無雲也、【正義】景星、狀如半月、生於晦朔、助月爲明、見則人君有德、明聖之慶也、【考證】以上敍瑞星妖星、張文虎曰、出上常字、館本有、與漢志合、凌擧一本同、各本脫、志疑云、類聚一引有、按御覽七引亦有、凡望雲氣、【正義】春秋元命包云、陰

陽聚爲雲氣也、釋名云、雲、猶云云、衆盛也、氣、猶餼然也、有聲卽無形也、【考證】張文虎曰、案釋名云、雲猶云云、衆盛也、氣餼也、餼然有聲而無形也、此正義有脫誤、文不成義、

仰而望之、三四百里。平望在桑榆上、千餘里二千里。【考證】張文虎曰、千餘里、宋本與漢志合、毛脫里字、佗本脫千里二字、 登高而望之、下屬地者三千里。雲氣有獸居上者勝。【正義】勝、音升剩反、雲雨氣相敵也、兵書云、雲或如雄雞臨城、有城必降、【考證】猪飼彥博曰、勝、勝負之勝、張文虎曰、正義、各本雲下衍雄字、館本無、 自華以南、氣下黑上赤。嵩高・三河之郊、氣正赤。恆山之北、氣下黑上靑。勃・碣・海・岱之閒、氣皆黑。江・淮之閒、氣皆白。【考證】王元啓曰、此氣之因地而殊者、 徒氣白。土功氣黃。車氣乍高乍下、往往而聚。騎氣卑而布。卒氣摶。【集解】如淳曰、摶、專也、或曰、摶、徒端反、【考證】王元啓曰、此氣之隨時而變者、 前卑而後高者疾。前方而高、後兌而卑者郤。【考證】前方而高二句、從淩本、與晉隋志合、北宋本、作前方而後高者兌、後兌而卑者郤、與漢志合、今不取、郤、退也、 其氣平者、其行徐。前高而後卑者、不止而反。【考證】王元啓曰、止、止軍

也、不止而反、卽所謂郤也、 氣相遇者、卑勝高、兌勝方。【索隱】遇、音偶、漢書、作禺、【考證】王念孫曰、遇、本作禺、禺讀爲偶、謂兩氣相敵偶也、 氣來卑而循車通者、不過三四日、去之五六里見。【集解】車通、車轍也、避漢武諱、故曰通、【考證】漢書、通作道、梁玉繩曰、通乃道字之譌、 氣來高七八尺者、不過五六日、去之十餘里見。【考證】張文虎曰、淩擧一本、十餘下有二十餘三字、志疑云、與漢志合、 氣來高丈餘二丈者、不過三四十日、去之五六十里見。稍雲精白者、其將悍、其士怯。【考證】漢書、稍作捎、晉灼云、捎、音霄、韋昭云、音髾、王元啓曰、搖捎、動貌、此處恐當從搖捎之義、精、當作靑、以下文靑白低、及赤仰等句例之可見、 其大根而前絕遠者、當戰。靑白其前低者、戰勝。其前赤而仰者、戰不勝。【考證】猪飼彥博曰、當戰、當作戰當、謂殺傷相當、愚按漢志、前作芒、非是、 陣雲如立垣。杼雲類杼。【索隱】姚氏案兵書云、營上雲氣如織、勿與戰也、 軸雲摶、兩端兌。【考證】張文虎曰、案杼軸、二物也、各本以軸字上屬、誤、今正、摶字、北宋本舊刻同、它本譌搏、漢志、兩作而、晉志、作杼軸雲類軸、摶而端兌、史與二志竝有脫誤、 杓雲如繩者、居前亙天、其半半天。【索隱】杓、劉

氏音、時酌反、說文音丁了反、許愼注淮南云、杓、引也、 其蚻者類闕旗。故【索隱】天蚻、五結反、亦作蜺、音同、【考證】此亦一雲、但文有譌脫、不可解、張文虎曰、各本及字類引竝同、晉志亦同、索隱本出天蚻二字、疑誤、漢志作蜺雲者類闕旗、疑闕字亦誤也、故下漢志有鉤字、 鉤雲句曲。【正義】句、音古侯反、 諸此雲見、以五色合占、而澤摶宓。【正義】崔豹古今注云、黃帝與蚩尤戰於涿鹿之野、常有五色雲氣、金枝玉葉、止於帝上、有花葩之象、故因作華蓋也、京房易飛候云、視四方、常有大雲、五色具、其下賢人隱也、靑雲潤澤蔽日在西北、爲擧賢良也、【考證】按此句兼承上文稍雲以下諸雲言之、漢志晉志、皆無合字、王元啓曰、占之誤複、王先謙曰、澤謂雲氣潤澤、張文虎曰、北宋本舊刻毛本摶字、與漢志合、它本譌搏、 其見動人、乃有占。兵必起、合鬭其直。【考證】張文虎曰、各本乃作及、淩引一本作乃、案漢志作迺、則乃字是、沈欽韓引通典雜占云、凡氣不積不結、散漫一方、不能災、必須和雜、殺氣森森然疾起、乃可論占、此史所謂見動人也、合鬭其直、合鬭其所直之地也、漢志、合作占、非是、 王朔所候、決於日旁。【考證】下文云、氣則王朔、又見封禪書李將軍傳、王先謙曰、藝文志、有漢日旁氣行事占驗、殆朔撰邪、占經日占中多引朔說、 日旁雲氣、人主象。皆如其形以占。【正義】洛書云、有雲象人、靑衣無手、在日西、天子之氣、【考證】張文虎曰、正義無手、館本與晉志及御覽十五引洛書合、各本手譌夈、 故北夷之氣、如羣畜穹閭。【索隱】鄒云、一作弓閭、天文志、作弓字、音穹、蓋謂以氈爲

閭、崇穹然、又宋均云、穹、獸名、亦異說也、【考證】北夷牧羣畜居穹閭、穹閭卽穹廬、 南夷之氣、類舟船幡旗。【考證】南夷居舟船、樹幡旗、 大水處、敗軍場、破國之虛、下有積錢。金寶之上、皆有氣。不可不察。【集解】徐廣曰、錢、古作泉字、 海旁蜄氣象樓臺、廣野氣成宮闕然。【考證】然、猶焉、語詞、 雲氣各象其山川人民所聚積。【正義】淮南子云、土地各以類生人、是故山氣多勇、澤氣多瘖、風氣多聾、林氣多躄、水氣多傴、石氣多力、險阻氣多壽、谷氣多痺、丘氣多狂、廟氣多仁、陵氣多貪、輕土多利足、重土多遲、淸水音小、濁水音大、湍水人重、中土多聖人、皆象其氣、皆應其類也、【考證】上文自華以南云云、下文入國邑云云、卽其義、猪飼彥博曰、正義引淮南子、大乖文義、愚按、淮南子地形訓文、與正義小異、 故候息秏者、入國邑、視封疆田疇之正治、城郭室屋門戶之潤澤、次至車服畜產精華、實息者吉、虛秏者凶。【集解】如淳曰、蔡邕云、麻田曰疇、【考證】王先謙曰、息秏卽盈虛消息之謂、息、生長也、秏、虛損也、漢志、正作整、 若煙非煙、若雲非雲、郁郁紛紛、蕭索輪囷、是謂卿雲。卿雲見、喜氣也。【正義】卿、音慶、【考證】張文虎曰、輪、它本作輸、毛本作輪、與漢志晉志及御覽八引合、王念孫曰、見字衍、

凡言某星見、某氣見者、其下必有吉凶之事、此是以喜氣釋卿雲、猶言卿雲者、喜氣也、初學記、御覽引史記、皆無見字、若霧非霧、衣冠而不濡。見則其域被甲而趨。索隱霧、音如字、一音蒙、一音亡遘反、爾雅云、天氣下地不應曰霧、言蒙昧不明之意也、考證而字衍、漢志無、漢志、域作城、譌、愚按此與卿雲別、句下當有是謂某數字、天雷、電、蝦、虹、辟歷、夜明者、陽氣之動者也。考證漢志、天作夫、此譌、蝦與霞同、漢志作赮、謂其色赤也、辟歷即霹靂、夜明未詳、猪飼彥博曰、左傳、恆星不見、夜明也、春夏則發、秋冬則藏。故候者無不司之。考證王先謙曰、司讀曰伺、天開縣物、地動坼絕、集解孟康曰、謂天裂而見物象、天開示縣象、正義趙世家、幽繆王遷立年、代地動、自樂徐以西北至平陰、臺屋墻垣、太半壞、地坼、東西百三十步、山崩及徙、川塞谿垘、集解徐廣曰、土雍曰垘、音服、駰案孟康曰、谿、谷也、垘、崩也、蘇林曰、伏流也、考證漢志、徙作陁、梁玉繩曰、案此段皆用韻語、而徙垘獨不叶、疑徙字有譌、水澹澤竭、地長見象。考證錢大昕曰、漢志云、水澹地長、澤竭見象、蓋以長象爲韻、與上下文同例、澹古贍字、水澹與澤竭、意亦相對、此顚倒兩字、蓋傳寫之譌、城郭門閭、閨臬枯槀、考證漢志、閨臬作潤息、王先謙云、潤息二字連文見義、孟子是其日夜之所息、雨露之所潤、錢大昕曰、枯槀、當作槀枯、枯與閭韻也、潤息於義爲長、張照曰、此節多訛謬、不可強解、宮廟邸第、人民

所次、謠俗車服、觀民飲食、考證謠俗二字、又見貨殖傳、猶言習俗也、五穀草木、觀其所屬、倉府廄庫、四通之路、六畜禽獸、所產去就、魚鼈鳥鼠、觀其所處、鬼哭若呼、其人逢俉。化言誠然。集解俉、迎也、伯莊曰、音五故反、索隱俉、音五故反、逢俉、謂相逢而驚也、亦作迕、音同、化、當爲訛、字之誤耳、考證以上敍雲氣、漢志、俉作遻、玉篇、遻、遇也、朱一新曰、化、訛借字、謂訛言之興、其後必誠有此事、明訛言非徒興也、愚按化疑此字之壞、此言斥天開縣物以下八十八字、蓋引古語也、諸解以化爲訛、辭費理塞、凡候歲美惡、謹候歲始。歲始、或冬至日。產氣始萌。臘明日、人衆卒歲、一會飲食、發陽氣。故曰初歲。考證臘字上添或字看、王先謙曰、產、生氣也、大宗伯注、生其種曰產、沈欽韓曰、荊楚歲時記、十二月八日爲臘日、諺曰、臘鼓鳴、春草生、四民月令云、過臘一日、謂之小歲、拜賀君親、進椒酒、正月旦、王者歲首。立春日、四時之卒始也。索隱謂立春日是去年四時之終卒、今年之始也、考證漢志、無卒字、此衍、四始者、候之日。正義謂正月旦、歲之始、時之始、日之始、月之始、故云四始、言以四時之日候歲吉凶也、考證顧炎武曰、四始者候之日、謂歲始也、冬至日也、臘明日也、立春也、正義專指正月旦、非也、而漢魏鮮、集臘明正

月旦決八風。集解孟康曰、魏野、人姓名、作占候者、考證朱一新曰、臘明、謂臘明日也、風從南方來、大旱。西南、小旱。西方、有兵。西北、戎菽爲。集解孟康曰、戎菽、胡豆也、爲、成也、索隱戎叔爲、韋昭云、戎叔、大豆也、爲、成也、又郭璞注爾雅亦云、戎叔、胡豆、孟康同也、考證漢志、菽作叔、沈欽韓曰、通卦驗、清明風當至、不至、菽豆不爲、與此爲字義同、淮南天文、禾不爲、董子五行順逆、魚大爲、竝同、也、小雨、趣兵。集解徐廣曰、一無此上兩字、索隱趣、音促、謂風從西北來、則戎叔成、而又有小雨、則國兵趣起也、考證梁玉繩曰、徐廣謂一無小雨二字、是也、漢志蓋仍史譌、正譌云、前後皆言占風、不當于此獨兼言占雨、王先謙曰、八風占云、西北來、有邊兵、野豆成、野豆成、即戎叔爲也、有邊兵、即趣兵也、似無小雨二字是、北方、爲中歲。東北、爲上歲。集解韋昭曰、歲太穰、東方、大水。東南、民有疾疫、歲惡。故八風各與其衝對。課多者爲勝。多勝少、久勝亟、疾勝徐。考證王先謙曰、課、第也、以八方相衝之風對、次第其多少久亟疾徐、以定勝負、旦至食爲麥。食至日昳爲稷。昳至餔爲黍。餔至下餔爲菽。下餔至日入爲麻。考證漢志、昳作跌、餔作晡、王先謙曰、占風者、以其時知五穀之善惡、閻白駒曰、食、辰時、日昳、未時、餔、申時、欲終日有雨有雲、有風有日。日

當其時者、深而多實。正義正月旦、欲其終一日有風有日、則一歲之中、五穀豐熟、無災害也、考證漢志、有雨二字無、不重日字、王元啓曰、有雨二字衍、下文但以雲風日占、日字複衍、無雲有風日、當其時、淺而多實。考證漢志、多作少、王元啓曰、占歲以風日爲主、有風日、宜乎多實、惟無雲、故云淺也、漢志恐非、有雲風無日、當其時、深而少實。有日無雲不風、當其時者、稼有敗。如食頃、小敗。熟五斗米頃、大敗。考證王元啓曰、謂食頃無風雲則小敗、或更久至熟五斗米頃、無風雲、則大敗也、閻白駒曰、炊熟五斗米之頃、則風復起有雲、其稼復起。考證王念孫曰、則、猶即也、若也、各以其時用雲色占、種其所宜。考證漢志、種下無其字、王元啓曰、種、謂五種、上文麥稷黍菽麻是也、各以其時、言自旦至日入六時也、其雨雪若寒、歲惡。是日光明、聽都邑人民之聲。聲宮、則歲善吉。商、則有兵。徵、旱。羽、水。角、歲惡。考證漢志、善作美、王元啓曰、此又占之於聲、或從正月旦比數雨。索隱比、音鼻律反、數、音疏矩反、謂以次數日、以候一歲之雨、以知豐穰也、考證此下又占之於雨、王元啓曰、比、猶排也、從正月旦、排日數雨、以知此歲之豐歉、至初七日、則其分數可見矣、率日食一升至七

升而極。過之、不占。【集解】孟康曰、正月一日雨、民有一升之食、二日雨、民有二升之食、如此至七日、【考證】姚範曰、一升七升、未詳、數至十二日、日直其月、占水旱。【集解】孟康曰、月一日雨、正月水、此言爲國占者、【考證】岡白駒曰、一日爲正月、二日爲二月、餘倣此、漢志、不重日字、爲其環城千里內占、則其爲天下候、竟正月。【集解】孟康曰、月三十日周天、歷二十八宿、然後可占天下、【正義】案月列宿、日風雲有變、占其國、幷太歲所在、則知其歲豐稔水旱饑饉也、【考證】漢志、城作域、則作卽、無其字、爲是、環城千里、言大國也、卽猶若也、言爲大國占、若爲天下候、則疆域既廣、豐凶不能皆一、故不以日直月、用正月三十日以知其得失也、月所離列宿、日風雲、占其國。【索隱】月離于畢、案韋昭云、離、歷也、【考證】岡白駒曰、月、正月也、以列宿知分野、然必察太歲所在、在金穰、水毀、木饑、火旱。此其大經也。【考證】王元啓曰、按此所謂金水木火、蓋以歲陰言之、申酉戌爲金、亥子丑爲水、卯辰爲木、巳午未爲火、又必緯之以雲風日雨、而後其占乃驗、故曰此其大經、愚按貨殖傳云、太陰在卯、穰、明歲衰惡、至午旱、明歲美、至酉穰、明歲衰惡、至于大旱、明歲美、有水、與此異、正月上甲、風從東方、宜蠶。風從西方、若旦黃雲、惡。【考證】漢志、二方字下有來字、旦下有有字、王先謙曰、惡、歲惡也、冬至短極、縣土炭。【集解】孟康曰、先冬至三日、縣土炭於衡

兩端、輕重適均、冬至日陽氣至則炭重、夏至日陰氣至則土重、晉灼曰、蔡邕律曆記、候鍾律權土炭、冬至陽氣應黃鍾通、土炭輕而衡仰、夏至陰氣應蕤賓通、土炭重而衡低、進退先後五日之中、【考證】淮南子天文訓、陽氣爲火、陰氣爲水、水勝、故夏至溼、火勝、故冬至燥、燥故炭輕、溼故炭重、愚按炭易燥易溼、土則不然、故縣以候氣也、淮南爲是、集解諸說皆非也、炭動、鹿解角、蘭根出、泉水躍。【考證】漢志、鹿作麋、方苞曰、炭、當作灰、張文虎曰、灰上脫葭字、愚按此承上文、炭動、所縣炭燥而輕也、禮記月令云、仲冬之月、芸始生、荔挺出、蚯蚓結、麋角解、水泉動、王念孫曰、御覽時令部引史記、鹿作麋、與漢志合、當從之、夏至鹿解角、冬至麋解角、諸書皆然、楊愼曰、泉出躍、卽月令水泉動、張文虎曰、泉水躍、各本作泉出動、今從北宋毛本、略以知日至。要決晷景。【考證】以上敍候歲、凌稚隆曰、按冬至日、古人以土圭測日之晷景以觀長短、正義與歲星竝注、誤、王念孫曰、晷景上屬爲句、言日至測晷景之事也、愚按晷景長短卽日去極遠近、事詳漢志、歲星所在、五穀逢昌。其對爲衝、歲乃有殃。【正義】言晷景歲星行不失次、則無災異、五穀逢其昌盛、若晷景歲星行而失舍有所衝、則歲乃有殃禍災變也、【考證】王念孫曰、自歲星所在以下、別爲一事、與晷景無涉、歲星所在者、謂歲星所居之地、五穀逢昌者、逢與豐古字通、逢以昌卽豐昌、其對爲衝者、言與歲星所居之地相對爲衝、假歲在壽星、則降婁爲衝、歲在大火、則大梁爲衝、地在歲星之衝則有殃、襄二十八年左傳、歲棄其次而旅於明年之次、以害鳥帑、杜注、失次於北、禍衝在南、淮南天文訓曰、歲星之所居、五穀豐昌、其對爲衝、歲乃有殃、是其明證矣、豬飼彥博曰、四句錯簡、當在歲星章之末、正義所解皆誤、

太史公曰。自初生民以來、世主曷嘗不歷日月星辰。及至五家三代、紹而明之。【索隱】案謂一紀歲月日星辰曆數、各有一家、顓學習之、故曰五家也、【正義】五家、黃帝高陽高辛唐虞堯舜也、三代、夏殷周也、言生民以來何曾不歷日月星辰、及至五帝三王、亦於紹繼而明天數陰陽也、【考證】書堯典、歷象日月星辰、敬授民時、五家、正義是、內冠帶、外夷狄、分中國爲十有二州、仰則觀象於天、俯則法類於地。天則有日月、地則有陰陽。天有五星、地有五行。天則有列宿、地則有州域。三光者、陰陽之精。氣本在地、而聖人統理之。幽・厲以往尚矣。所見天變、皆國殊窟穴、家占物怪、以合時應。其文圖籍禨祥不法。【正義】禨、音機、顧野王云、禨祥、吉凶之先見也、案自古以來、所見天變、國皆異具、所說不同、及家占物怪、用合時應者書、其文幷圖籍、凶吉竝不可法則、故孔子論六經記異事、而說其所應、不書變見之蹤也、是以孔子論六經、紀異而說不書。【考證】方苞曰、直記災異、而所應之說則不書也、至天道命不傳。【考證】論語公冶長篇、子貢曰、夫子之文章、可得而聞也、夫子之言性與

天道、不可得而聞也、子罕篇、子罕言利與命與仁、王念孫曰、命上當有性字、正義兩言天道性命、是其證、傳其人、不待告。【正義】待、須也、言天道性命、忽有志事、可傳授之、則傳其大指、微妙自在天性、不須深告語也、【考證】豬飼彥博曰、傳當作得、明達之人、自知其說、不待告之、張文虎曰、正義、忽有志事、疑當作或有志士、告非其人、雖言不著。【正義】著、作慮反、著、明也、言天道性命、告非其人、雖爲言說、不得著明微妙曉其意也、昔之傳天數者、高辛之前重・黎、【正義】左傳云、蔡墨曰、少昊氏之子曰黎、爲火正、號祝融、卽火行之官、知天數、【考證】豬飼彥博曰、正義引左傳、不言南正重、蓋傳寫之失、愚按說又見太史公自序、於唐・虞羲・和、【正義】羲氏和氏、掌天地四時之官也、有夏昆吾、【正義】昆吾、陸終之子、虞翻云、昆吾名樊、爲己姓、封昆吾、世本云、昆吾衞者也、殷商巫咸、【正義】巫咸、殷賢臣也、本吳人、家在蘇州常熟海隅山上、子賢亦在此也、周室史佚・萇弘、【正義】史佚、周武王時太史尹佚也、萇弘、周靈王時大夫也、於宋子韋、【考證】豬飼彥博曰、漢書藝文志、陰陽家有宋司星子韋三篇、注云、景公之史、鄭則裨竈、【正義】裨竈、鄭大夫也、在齊甘公、【集解】徐廣曰、或曰、甘公名德也、本是魯人、【正義】七錄云、楚人、戰國時作天文星占八卷、【考證】梁玉繩曰、案續天文志及晉隋志、竝以甘德爲齊人、而正義引七錄謂楚人、蓋本漢藝文楚有甘公之語也、徐廣又云、本是魯人、未詳其孰實、楚唐眛、【正義】莫葛反、【考證】梁玉繩曰、案眛爲楚將、非掌天文之官、亦不聞其傳天數、豈別有一唐眛歟、眛讀

刻味、趙尹皋、魏石申。【正義】七錄云、石申、魏人、戰國時作天文八卷也、夫天運三十歲一小變。百年中變、五百載大變、三大變一紀、三紀而大備。此其大數也。爲國者必貴三五。上下各千歲、然后天人之際續備。【索隱】三五、謂三十歲一小變、五百歲一大變、【考證】張文虎曰、貴疑貫之譌、後文必通三五、貫通、義相因、王元啓曰、五、謂五百載、一大變、三五卽三大變之謂、三大變凡千五百年、故曰、上下各千歲、後文三五俱同此解、索隱非是、太史公推古天變、未有可考于今者、蓋略以春秋二百四十二年之閒、【正義】謂從隱公元年至哀公十四年獲麟也、隱公十一年、桓公十八年、莊公三十二年、閔公二年、僖公三十三年、文公十八年、宣公十八年、成公十八年、襄公三十一年、昭公三十二年、定公十五年、哀公十四年、凡二百四十二年也、日蝕三十六、【正義】謂隱公三年二月乙巳、桓公三年七月壬辰朔、十七年十月朔、莊公十八年三月朔、二十五年六月辛未朔、二十六年十二月癸亥朔、三十年九月庚午朔、僖公五年九月戊申朔、十二年三月庚午朔、十五年五月朔、文公元年二月癸亥朔、十五年六月辛卯朔、宣公八年七月庚子朔、十年四月丙辰朔、十七年六月癸卯朔、成公十六年六月丙辰朔、十七年七月丁巳朔、襄公十四年二月乙未朔、十五年八月丁巳朔、二十年十月丙辰朔、二十一年九月庚戌朔、十月庚辰朔、二十三年二月癸酉朔、二十四年七月甲子朔、八月

癸巳朔、二十七年十二月乙亥朔、昭公七年四月甲辰朔、十五年六月丁巳朔、十七年六月甲戌朔、二十一年七月壬午朔、二十二年十二月癸酉朔、二十四年五月乙未朔、三十一年十二月辛亥朔、定公五年三月辛亥朔、十二年十一月丙寅朔、十五年八月庚辰朔、凡蝕三十六也、彗星三見、【正義】謂文公十四年七月、有星入于北斗、昭公十七年冬、有星孛于大辰、哀公十三年、有星孛于東方、【考證】柯維騏曰、春秋无彗星之書、太史公所引、蓋指星孛也、公羊傳曰、孛者何、彗星也、郭璞亦釋彗爲孛、其實彗孛二星、占不同、宋襄公時、星隕如雨。【正義】謂僖公十六年正月戊申朔、隕石于宋、五也、【考證】楊愼曰、春秋、星隕如雨、魯莊七年、非宋襄時、正義以隕石於宋當之、時雖當、事不當、天子微、諸侯力政、五伯代興、更爲主命。【集解】徐廣曰、政、一作征、【正義】趙岐注孟子云、齊桓、晉文、秦穆、宋襄、楚莊也、【考證】漢志、天子微、作周室微弱、梁玉繩曰、徐廣政作征、是也、淮南要略云、諸侯力征、後書襄楷傳、諸侯以力征相尙、自是之後、衆暴寡、大幷小。秦·楚·吳·越、夷狄也、爲彊伯、【正義】秦祖非子、初邑於秦、地在西戎、楚子鬻熊、始封丹陽荊蠻、吳太伯居吳、周章因封吳、號句吳、越祖、少康之子、初封於越、以守禹祀、地稱東越、皆戎夷之地、故言夷狄也、後秦穆、楚莊、吳闔閭、越句踐、皆得封爲伯也、田氏簒齊、【正義】周安王二十三年、齊康公卒、田和幷齊而立爲齊侯、三家分晉、【正義】周安王二十六年、魏武侯、韓文侯、趙敬侯、共滅晉靜、而三分其地、竝爲戰國、爭於攻取、兵革更起、城

邑數屠、因以饑饉疾疫焦苦、臣主共憂患。【考證】漢志、更起作遞起、因、如論語因之以饑饉之因、其察禨祥、候星氣尤急。【考證】如淳曰、呂氏春秋、荊人鬼、越人禨、今之巫祝禱祠淫祀之比也、近世十二諸侯、七國相王、言從衡者繼踵。【正義】王、于放反、謂漢孝景帝三年、吳王濞、楚王戊、趙王遂、濟南王辟光、淄川王賢、膠東王雄渠也、【考證】近世、言周末也、王先謙曰、十二諸侯、史記所表十二諸侯、七國、言七雄也、正義謬、而皋·唐·甘·石、因時務論其書傳。故其占驗淩雜米鹽。【正義】淩雜、交亂也、米鹽、細碎也、言皋唐甘石等、因時務論其書傳中災異所記錄者、故其占驗交亂細碎、其語在漢書五行志中也、【考證】漢志、淩雜作鱗雜、韓非子說難、米鹽博辯、則以爲多而交之、二十八舍主十二州、【正義】二十八舍、謂東方、角亢氐房心尾箕、北方、斗牛女虛危室壁、西方、奎婁胃昴畢觜參、南方、井鬼柳星張翼軫、星經云、角亢、鄭之分野、兗州、氐房心、宋之分野、豫州、尾箕、燕之分野、幽州、南斗牽牛、吳越之分野、揚州、須女虛、齊之分野、青州、危室壁、衞之分野、幷州、奎婁、魯之分野、徐州、胃昴、趙之分野、冀州、畢觜參、魏之分野、益州、東井輿鬼、秦之分野、雍州、柳星張、周之分野、三河、翼軫、楚之分野、荊州也、斗秉兼之。所從來久矣。【正義】言北斗所建秉十二辰、兼十二州二十八宿、自古所用、從來久遠矣、【考證】錢大昕曰、秉、卽柄字、晉志云、北斗七星、一、主秦、二、主楚、三、主梁、四、主吳、五、主燕、六、主趙、七、主齊、是北斗兼之也、秦之疆

也、候在太白、占於狼·弧。【正義】太白狼弧、皆西方之星、故秦占候也、吳·楚之疆、候在熒惑、占於鳥·衡。【正義】熒惑鳥衡、皆南方之星、故吳楚之占候也、鳥衡、柳星也、一本作注張也、【考證】鳥、朱雀、衡、太微、燕·齊之疆、候在辰星、占於虛·危。【正義】辰星虛危、皆北方之星、故燕齊占候也、宋·鄭之疆、候在歲星、占於房·心。【正義】歲星房心、皆東方之星、故宋鄭占候也、晉之疆、亦候在辰星、占於參·罰。【正義】辰星參罰、皆北方西方之星、故晉占候也、及秦幷吞三晉·燕·代、自河山以南者中國、【正義】河、黃河也、山、華山也、從華山及黃河以南爲中國也、中國於四海內、則在東南爲陽。【正義】爾雅云、九夷八狄七戎六蠻、謂之四海之內、中國、從河山東南爲陽也、陽則日。歲星·熒惑·塡星、【正義】日、人質反、塡、音鎭、日、陽也、歲星屬東方、熒惑屬南方、塡星屬中央、皆在南及東爲陽也、占於街南、畢主之。【正義】天街二星、主畢昴、主國界也、街南爲華夏之國、街北爲夷狄之國、則畢星主陽、【考證】豬飼彥博曰、上云、昴畢閒爲天街、其陰、陰國、陽、陽國、街南、卽天街之南陽國也、正義、主畢昴、當作昴畢閒、其西北、則胡·貉·月氏·諸衣旃裘引弓之民爲陰。【正義】貉、音陌、氏、音支、從河山西北及秦晉爲陰也、陰則月。太

白·辰星、【正義】月、陰也、太白屬西方、辰星屬北方、皆在北及西、爲陰也、占於街北、昴主之。【正義】天街星北爲夷狄之國、則昴星主之、陰也、故中國山川東北流。其維首在隴·蜀、尾沒于勃·碣。【正義】言中國山及川、東北流行、若南山首在崑崙蔥嶺、東北行連隴山、至南山華山、渡河、東北盡碣石山、黃河首起崑崙山、渭水岷江、發源出隴山、皆東北、東入勃海也、【考證】猪飼彥博曰、此唯言中國山川、正義言崑崙蔥嶺、非也、是以秦·晉好用兵、復占太白。太白主中國。【集解】韋昭曰、秦晉西南維之北爲陰、猶與胡貉引弓之民同、故好用兵、而胡·貉數侵掠、獨占辰星。【正義】主、猶領也、入也、星經云、太白在北、月在南、中國敗、太白在南、月在北、中國不敗也、是胡貉數侵掠之也、【考證】此說太白主中國、王元啓曰、上文太白占胡狢、不主中國、因秦晉好用兵、與胡狢無殊、故復占太白、主中國之秦晉、而胡狢則獨占辰星、不更占太白也、愚按王說得之、正義以胡狢數侵略句屬上、非是、辰星出入躁疾、常主夷狄。【考證】此說辰星主夷狄、其大經也。此更爲客主人。【正義】更、格行反、下同、星經云、辰星不出、太白爲客、辰星出、太白爲主人、辰星太白不相從、雖有軍不戰、辰星出東方、太白出西方、若辰星出西方、太白出東方爲格野、雖有兵不戰、合宿乃戰、辰星入太白中五日、及入而上出、破軍殺將、客勝、不出、客亡地、視旗所指、【考證】此結太白辰星、太白主中國、辰星主夷狄、是更爲客爲主人也、熒惑爲孛、外則理

兵、內則理政。故曰。雖有明天子、必視熒惑所在。【索隱】必視熒惑之所在、此據春秋緯文耀鉤、故言故曰、【考證】張文虎曰、前熒惑文下、徐廣引此文、孛作理、志疑謂理亦作李、因譌孛耳、案如梁說、與下理兵理政爲合、然今惟凌本作孛、各本皆作勃、葢又因彼文熒惑爲勃亂殘亂而誤也、猪飼彥博曰、此語見管子、熒惑以下二十五字、錯簡也、當在熒惑章之末、愚按說已見前章、諸侯更彊時、菑異記無可錄者。秦始皇之時、十五年彗星四見。久者八十日、長或竟天。【考證】漢志、年下有閒字、其後秦遂以兵滅六王、并中國、外攘四夷、死人如亂麻。因以張楚竝起。三十年之閒、兵相駘藉、不可勝數。自蚩尤以來、未嘗若斯也。【集解】蘇林曰、駘、音臺、登躡也、【正義】謂從秦始皇十六年起兵滅韓、至漢高祖五年滅項羽、則三十六年矣、【考證】周壽昌曰、張楚、陳涉之號、竝興、兼項羽而言、正義下六字衍、項羽救鉅鹿、枉矢西流。山東遂合從、諸侯西坑秦人、誅屠咸陽。【考證】漢志云、項羽救鉅鹿、枉矢西流、枉矢所觸、天下所伐射、滅亡象也、物莫直於矢、今蛇行不能直而枉者、執矢者亦不正、以象項羽執政亂也、愚按此班氏依史文敷演耳、漢之興、五星聚于東井。

【考證】班書荀紀皆云、漢元年冬十月、五星聚于東井、史公于天官書張耳傳、皆言星聚事、而不書月日、本紀亦不載、漢志云、以歷推之、從歲星也、劉敞曰、案歷、太白辰星、去日率不能一兩次、今十月而從歲星于東井、非其理也、然則五星以秦之十月聚東井耳、秦之十月、今七月、日當在鶉尾、故太白辰星得從歲星也、梁玉繩曰、漢元年冬十月、五星聚于東井、其實在漢前三年七月、卽秦胡亥三年七月、紀事者欲明漢瑞、移書于元年十月耳、王引之曰、是從魏書高允傳、崔浩前三月聚東井之說、其實非也、漢志、客謂張耳曰、東井秦地、漢王入秦、五星從歲星聚、當以義取天下、是五星聚東井、在入秦之月、高紀曰、秦三年九月、趙高立二世兄子子嬰爲秦王、下遂云、元年冬十月、五星聚于東井、沛公至霸上、秦王子嬰、封皇帝符璽節、降軹道旁、是入秦在十月、上與九月相接、非建亥之月而何、若七月、則沛公猶未入秦、不足受命之符矣、史記張蒼傳、蒼爲計相時、緒正律歷、以高祖十月始至霸上、以十月爲歲首弗革、若以十月爲今七月、則非秦之歲首矣、愚按王說爲是、平城之圍、月暈參·畢七重。【索隱】漢高祖之七年、案天文志、其占者畢昴閒天街也、街北、胡也、街南、中國也、昴爲匈奴、參爲趙、畢爲邊兵、是歲高祖自將兵擊匈奴、至平城、爲冒頓所圍、七日乃解、則天象有若符契、七重、主七日也、諸呂作亂、日蝕晝晦。【考證】漢書五行志、高后七年正月己丑晦、日有食之、旣、吳·楚七國叛逆、彗星數丈、天狗過梁野。及兵起、遂伏尸流血其下。【考證】孝景本紀、二年八月、彗星出東北、漢志、孝景二年、天狗下、占爲破軍殺將、元光元狩、蚩尤之旗再見、長則

半天。其後京師師四出、誅夷狄者數十年、而伐胡尤甚。【正義】元光元年、太中大夫衞青等伐匈奴、元狩二年、冠軍侯霍去病等擊胡、元鼎五年、衞尉路博德等破南越、及韓說破東越、并破西南夷、開十餘郡、元年、樓船將軍楊僕擊朝鮮也、【考證】梁玉繩曰、漢書、元光元狩之閒、無蚩尤旗見事、正義、元下缺封二二字、越之亡、熒惑守斗。【正義】南斗、爲吳越之分野、【考證】漢志、元鼎中、熒惑守南斗、占曰、其國絕祀、南斗、越分也、朝鮮之拔、星茀于河戒。【索隱】茀、音佩、卽孛星也、案天文志、武帝元封之中、星孛于河戍、其占曰、南戒爲越門、北戒爲胡門、其後漢兵擊拔朝鮮、以爲樂浪玄菟郡、朝鮮在海中、越之象、居北方、胡之域也、其河戒、卽南河北河也、【考證】漢志、作星孛于河戍、錢大昕云、戒當作式、東井西曲星曰式、式北三星爲北河、南三星爲南河、所謂南戍北式也、漢志作戍、亦誤、猪飼彥博王引之諸人駁之云、當從漢志作戍、天象式在井西、兩河在井之東南、東北、坐位異方、說文、戍、守邊也、戍訓守邊、故南戍爲越門、北戍爲胡門、晉隋志竝云、南河曰南戍、北河曰北戍、占經、南北戍字、前後百餘見、皆作戍、不作戒、說詳于猪氏三書管窺、王氏讀書雜志、兵征大宛、星茀招搖。【正義】招搖一星、次北斗杓端、主胡兵也、占、角變、則兵革大行、【考證】漢志云、太初中、星孛于招搖、傳曰、客星守招搖、蠻夷有亂民死君、其後漢兵擊大宛、斬其王、招搖、遠夷之分也、此其犖犖大者。若至委曲小變、不可勝道。【索隱】犖、力角反、犖犖、大事分明也、由是觀之、未有不先形見而應隨

之者也。夫自漢之爲天數者、星則唐都、氣則王朔、占歲則魏鮮。故甘石歷五星法、唯獨熒惑有反逆行。逆行所守、及他星逆行、日·月薄蝕、皆以爲占。【集解】孟康曰、日月無光曰薄、京房易傳曰、日赤黃爲薄、或曰不交而蝕曰薄、韋昭曰、氣往迫之爲薄、虧毀爲蝕、【考證】逆行所守、承熒惑、猪飼彥博曰、言甘石歷法、五星唯火星有逆行、至漢爲天數者、其法詳備、於是火星逆行所守、及土木金水逆行、日月薄蝕、皆有占也、王元啓曰、薄、薄迫之薄、非厚薄之薄、韋說是、余觀史記考行事、【考證】猪飼彥博曰、史記、史官所記、行事、往事也、百年之中、五星無出而不反逆行。反逆行、嘗盛大而變色。【考證】嘗常、通、盛百二曰、逆行時、在本天最卑、故盛大、日月薄蝕、行南北有時。此其大度也。【考證】猪飼彥博曰、月食在日之衝、冬在北、夏在南、故紫宮·房·心·權·衡·咸池·虛·危·【正義】紫宮、中宮也、房心、東宮也、權衡、南宮也、咸池、西宮也、虛危、北宮也、列宿部星、此天之五官坐位也。【正義】五官、列宿部內之星也、【考證】猪飼彥博曰、篇中唯此字未訛、方苞云、官當作宮、首所列五宮也、不知五官爲正、五佐爲副、於文義亦不可易官爲宮也、爲經不移徙。大小有差。闊狹有常。

【集解】孟康曰、闊狹、若三台星相去遠近、水·火·金·木·塡星、此五星者天之五佐。爲經緯、【集解】徐廣曰、木火土三星若合、是謂驚位絕行、【正義】言水火金木土五星、佐天行德也、五星行南北爲經、東西爲緯也、【考證】何焯曰、經字衍、猪飼彥博曰、五佐爲緯、與五官爲經對、王元啓曰、五星皆東行、逆則西行、無所謂南北行、正義不知經字爲衍文、强爲之說、見伏有時。所過行、贏縮有度。日變脩德、月變省刑、星變結和。凡天變過度、乃占。國君彊大有德者昌、弱小飾詐者亡。太上脩德、其次脩政、其次脩救、其次脩禳、正下無之。【考證】猪飼彥博曰、正下、猶言最下、愚按正當作最、貨殖傳、善者因之、其次利道之、其次敎誨之、其次整齊之、最下與之爭、無之、不以爲意也、夫常星之變希見、而三光之占亟用。【考證】亟、屢也、日月暈適雲風、此天之客氣。其發見亦有大運。【集解】徐廣曰、適者、災變咎徵也、李斐曰、適見災于天、劉向以爲日月蝕、及星逆行、非太平之常、自周衰以來、人事多亂、故天文應之、遂變耳、【索隱】案孟康曰、暈、日旁氣也、適、日之將食、先有黑氣之變、【考證】適讁同、謂蝕也、然其與政事俯仰、最近大人之符。【考證】王元啓曰、大字誤、當作天、此五者、天之感動。

爲天數者、必通三五。終始古今、深觀時變、察其精粗、則天官備矣。【索隱】案三、謂三辰、五、謂五星、【考證】五者二字、上無所承、疑有脫文、三五卽三大變、索隱誤、說旣見上、猪飼彥博曰、太史公本書止此、蒼帝行德以下、恐是後人附益、蒼帝行德、天門爲之開。【索隱】案謂王者行春令、布德澤、被天下、應靈威仰之帝、而天門爲之開、以發德化也、天門、卽左右角閒也、【正義】爲、于僞反、下同、蒼帝、東方靈威仰之帝也、春萬物開發、東作起、則天發其德化、天門爲之開也、赤帝行德、天牢爲之空。【索隱】亦謂王者行德、以應火精之帝、謂擧大禮封諸侯之地、則是赤帝行德、夏陽主舒散、故天牢爲之空、則人主當赦宥也、【正義】赤帝、南方赤熛怒之帝也、夏萬物茂盛、功作大興、則天施德惠、天牢爲之空、虛也、天牢六星、在北斗魁下、不對中台、主秉禁暴、亦貴人之牢也、黃帝行德、天矢爲之起。【正義】黃帝、中央含樞紐之帝、季夏萬物盛大、則當大赦含養羣品也、【考證】張文虎曰、中統游毛、竝作天夭、北宋柯凌本作天矢、疑皆誤、御覽八百七十二引作天爲之起、蓋脫一字、風從西北來、必以庚辛、一秋中、五至、大赦、三至、小赦。白帝行德、以正月二十日二十一日。月暈圍、常大赦。載謂有太陽也。【考證】王元啓曰、常爲當字之譌、載字誤、前文無所謂載也、張文虎曰、謂有大陽也、有脫誤、一日。【索隱】一曰、二曰、案謂星家之異說、太史公兼記之

耳、白帝行德、畢·昴爲之圍。圍三暮、德乃成。【正義】白帝、西方白招矩之帝也、秋萬物成、成則昰圍畢昴三暮、帝德乃成也、不三暮、及圍不合、德不成。二曰。以辰、圍不出其旬。黑帝行德、天關爲之動。【正義】黑帝、北方叶光紀之帝也、冬萬物閉藏、爲之動爲之開閉也、天關一星、在五車南、畢西北、爲天門、日月五星所道、主邊事、亦爲限隔內外、障絕往來、禁道之作違者、占、芒角、有兵起、五星守之、主貴人多死也、天行德、天子更立年。不德、風雨破石。【索隱】案天、謂北極紫微宮也、言王者當天心、則北辰有光耀、是行德也、北辰光耀、則天子更立年也、【考證】猪飼彥博曰、天行德一句、疑當作天子行德、天更立年、言天子行德、風雨順、大有年、不德則風雨不順、三能三衡者、天廷也。【索隱】上云南宮朱鳥權衡、衡、太微、三光之廷、則三衡者、卽太微也、其謂之三者、爲日月五星也、然斗第六第五星、亦名衡、又參三星、亦名衡、然竝不爲天廷也、【正義】晉書天文志云、三台、主開德宣符也、所以和陰陽、而理萬物也、三衡者、北斗魁四星爲璇璣、杓三星爲玉衡、人君之象、號令主也、又太微、天子宮庭也、太微爲衡、衡主平也、爲天庭、理法平辭理也、案言三台三衡者、皆天帝之庭、號令舒散平理也、故言三台三衡、言若有客星、出三台三衡之廷、必有奇異敎令也、【考證】猪飼彥博曰、三衡未詳、客星出天廷、有奇令。【考證】梁玉繩曰、三能三句、有闕文、索隱正義解費而義晦、

【索隱】述贊、在天成象、有同影響、觀文察變、其來自往、天官既書、太史攸掌、雲物必記、星辰可仰、盈縮匪僭、應驗無爽、至哉玄監、云誰欲諷、

天官書第五

史記二十七

史記會注考證卷二十八

漢　太　史　令　司　馬　遷　撰

宋中郎外兵曹參軍裴　駰集解

唐國子博士弘文館學士司馬貞索隱

唐諸王侍讀率府長史張守節正義

日　本　出　雲　瀧　川　資　言　考　證

封禪書第六　　史記二十八

[正義]此泰山上築土爲壇以祭天、報天之功、故曰封、泰山下小山上除地、報地之功、故曰禪、言禪者、神之也、白虎通云、或曰封者、金泥銀繩、或曰石泥金繩、封之印璽也、五經通義云、易姓而王、致太平、必封泰山、禪梁父、荷天命以爲王、使理羣生、告太平於天、報羣神之功。[考證]史公自序云、受命而王、封禪之符罕用、用則萬靈罔不禋祀、追本諸神名山大川禮、作封禪書第六、梁玉繩曰、三代以前無封禪、乃燕齊方士所僞造、昉于秦始、侈于漢武、此書先雜引鬼神之事、比類見義、遂因其傳會、備錄于篇、政以著其妄、用意微矣、惟牽引郊社巡狩諸典禮、未免騃經、馬端臨云、西漢郊祀、襲秦制、而雜以方士之說、曰太乙、曰五帝、叢雜而祀之、皆謂之郊天、史公所序者、秦漢不經之祠、而以舜類上帝、三代郊祀之禮先之、至孟堅直名郊祀志、于是以祀六帝爲郊、自遷固以來議論相襲而然已、或問封禪雖禮經不載、然管子莊子韓詩外傳皆言之、路史前紀六九謂封禪乃易姓告代之大禮、一姓惟一行、本袁宏後漢紀續後書祭祀志、豈俱不足信歟、曰、管子雜篇、多後人附竄、非其本書、而管莊于諸子中最顯、因竝竄焉、故封禪篇管仲諫桓公語、與此書無異、蓋作僞者造爲成文、史全錄之爾、梁許懋封禪議、謂管仲設言以屈桓公、又取夷吾所記七十二君細數而辨駁之、得毋錯認爲眞乎、韓嬰生當其時、更無足怪、託諸孔氏、其誕益明、袁宏諸人之說竝無據、洪邁曰、東坡作趙德麟字說云、漢武帝獲白麟、司馬遷班固書曰、獲一角獸、蓋麟云、蓋之爲言疑之也、予觀史漢所記事、或曰若、或曰云、或曰焉、或曰蓋、其語舒緩含深意、姑以封禪書郊祀志考之、漫記于此、雍州好時、自古諸神祠皆聚云、蓋黃帝時嘗用事、雖晚周亦郊焉、三神山蓋嘗有至者、諸僊人及不死之藥皆在焉、未能至、望見之焉、新垣平望氣、言有神氣成五采、若人冠絻焉、權火舉而祠、若光輝然屬天焉、出長安門、若見五人於道北、蓋夜致王夫人之貌云、天子自帷中望見焉、登中嶽太室、從官在山下聞若言萬歲云、祭封禪祠、其夜若有光、封欒大詔、天若遺朕士而大通焉、河東迎鼎、有黃雲蓋焉、見神人東萊山若云欲見天子、方士言蓬萊諸神若將可得、天子爲塞河、興通天臺、若見有光云、獲若石于陳倉、此外如所謂及羣臣有言老父則大以爲僊人也、可爲觀如緱城、神人宜可致、天旱、意乾封乎、然其效可睹矣、詞旨亦相似、凌稚隆曰、按此書直書其事、而其失自見、有諷意、無貶辭、可爲作史紀時事者之法、又曰、此書以命字德字符瑞字爲關鍵、又連用蓋字若字云字焉字矣字、皆極有意、又曰、書中多用皆字如字各字、俱省文也、

自古受命帝王、曷嘗不封禪。[考證]楊慎曰、與後所引管仲對齊桓公曰、七十二君皆受命然後得封禪相應、方苞曰、言特不以爲不死之術也、蓋有無其應而用事者矣。[考證]楊慎曰、與後所論秦始皇云、豈所謂無其德而用其事者邪相應、未有睹符瑞見而不臻乎泰山者也。[考證]楊慎曰、與後言符瑞如黃龍寶鼎相應、雖受命而功不至、至梁父矣而德不洽、洽矣而日有不暇給。是以即事用希。[考證]梁父二字衍、數句與下文文王受命、政不及泰山、武王克殷天下未寧而崩、周德之洽維成王相應、傳曰。三年不爲禮、禮必廢。三年不爲樂、樂必壞。每世之隆、則封禪荅焉。及衰而息。厥曠遠者千有餘載、近者數百載。故其儀闕然堙滅、其詳不可得而記聞云。[考證]傳曰、論語陽貨篇引宰我言、廢作壞、壞作崩、廢壞、韻、數句與下文上與公卿諸生議封禪、封禪用希曠絕莫知其儀相應、

尚書曰。舜在璇璣玉衡、以齊七政。遂類于上帝、禋于六宗、望山川、徧羣神、輯五瑞、擇吉月日、見四嶽諸牧還瑞。[集解]徐廣曰、還、一作班、[考證]五帝本紀、望下徧下有于字、徧作辯、輯作揖、還作班、歲二月、東巡狩、至于岱宗。岱宗、泰山也。[正義]括地志云、泰山、一曰岱宗、東岳也、在兗州博城縣西北三十里、周禮云、兗州鎭曰岱宗、[考證]岱宗、泰山也、史公釋書文、將敘泰山封禪事、不可無此注、下文衡山也、華山也、恆山也、嵩高也、亦史公以所傳釋之也、尚書不載、柴望秩于山川、遂覲東后。東后者、諸侯也。[考證]五帝本紀、柴作祡、覲作見、徐孚遠曰、上古封禪無明文、以尚書所載柴岱宗之事當之、雖非蹇然、其於諸說較近、故先敘舜事、後及黃帝、凌稚隆曰、是言巡狩、以附會封禪之始、中井積德曰、舜之柴望、只是祭山川而已、猶旅之類、與後世封禪迥然異科、合時月、正日、同律度量衡、修五禮、五玉三帛二生一死贄。五月、巡狩至南嶽。南嶽、衡山也。[正義]括地志云、衡山、一名岣嶁山、在衡州湘潭縣西四十里、八月、巡狩至西嶽。西嶽、

華山也。【正義】括地志云、華山在華州華陰縣南八里、古文以爲敦物、周禮云、豫州鎮曰華山、十一月、巡狩至北嶽。北嶽、恆山也。【正義】括地志云、恆山、在定州恆陽縣西北百四十里、周禮云、幷州鎮曰恆山、【考證】梁玉繩曰、恒字宜避、下文恆字倣之、皆如岱宗之禮。中嶽、嵩高也。【索隱】獨不言至者、蓋以天子所都也、【正義】括地志云、嵩山亦名曰太室、亦名曰外方也、在洛州陽城縣西北二十三里、【考證】尚書、五帝本紀、竝無中嶽事、中井積德曰、中嶽句以上列四嶽附記耳、非巡狩所至、索隱非也、五載一巡狩。【考證】以上史公補修今文堯典文、禹遵之。【考證】淩稚隆曰、大禹歷盡山川、有事山岳、而太史公止括之以一言、曰禹遵之、短長各有其度、類如此、後十四世至帝孔甲。淫德好神。神瀆。二龍去之。【索隱】如淳按國語、二龍漦于夏庭是也、【考證】國語鄭語、徐孚遠曰、孔甲之事、不爲封禪也、蓋祀神所自始矣、後乃雜敘焉、漢書郊祀志、十四世作十三世、張文虎曰、三代世表、自禹訖孔甲共十四世、其後三世、湯伐桀、欲遷夏社。不可。作夏社。【考證】湯伐桀以下、采尚書夏社序、顏師古曰、夏社、尚書篇名、今則序在、而書亡逸、後八世至帝太戊。有桑穀生於廷。一暮大拱。懼。伊陟曰。妖不勝德。【集解】徐廣曰、陟、古作敕、太戊修德。桑穀死。伊陟贊巫咸。巫咸之

興、自此始。【索隱】案尚書、巫咸、殷臣名、伊陟贊告巫咸、今此云巫咸之興自此始、則以巫咸爲巫覡、然楚詞亦以巫咸主神、蓋太史公以巫咸是殷臣、以巫接神事、太戊使禳桑穀之災、所以伊陟贊巫咸、故云、巫咸之興自此始也、【考證】桑穀生廷、呂覽制樂篇、韓詩外傳爲湯時、說苑敬愼篇爲武丁時、史記據書序、愚按下咸字疑衍、或云、當作覡、或云、當作祝、當時巫家假巫咸爲說、史公下文欲言神巫事、故著此語、後十四世、帝武丁得傅說爲相。殷復興焉。稱高宗。有雉登鼎耳雊。【集解】徐廣曰、一作鷮、音嬌、武丁懼。祖己曰。修德。武丁從之。位以永寧。【考證】以上采尚書高宗肜日篇及序、淩稚隆曰、此言禨祥以附符瑞之始、後五世、帝武乙慢神而震死。【索隱】謂武乙射天、後獵於河渭而震死也、後三世、帝紂淫亂。武王伐之。【考證】尚書微子篇云、今殷民乃攘竊神祇之犧牷牲用、墨子非命篇引太誓云、紂夷之居、不肎事上帝、棄闕其先神而不祀也、是紂亦慢神者、由此觀之、始未嘗不肅祇。後稍怠慢也。【考證】田汝成曰、與功臣表始未嘗不欲固其根本、而枝葉稍陵夷衰微也同一句法、周官曰。冬日至、祀天於南郊、迎長日之至。夏日至、祭地祇。皆用樂舞。而神乃可得而禮也。【考證】漢書郊祀志、刪周官曰以下三十一字、愚按

周官卽周禮、周禮春官大司樂云、凡樂、圜鍾爲宮、黃鍾爲角、大簇爲徵、姑洗爲羽、靁鼓靁鼗、孤竹之管、雲和之琴瑟、雲門之舞、冬日至、於地上之圜丘奏之、若樂六變、則天神皆降、可得而禮矣、凡樂、函鍾爲宮、大簇爲角、姑洗爲徵、南呂爲羽、靈鼓靈鼗、孫竹之管、空桑之琴瑟、咸池之舞、夏日至、於澤中之方丘奏之、若樂八變、則地示皆出、可得而禮矣、史公蓋約是文、天子祭天下名山大川。五嶽視三公、四瀆視諸侯。諸侯祭其疆內名山大川。【考證】取禮記王制文、顏師古曰、瀆者發源而注海者也、視謂其禮物之數也、四瀆者、江·河·淮·濟也。【考證】五嶽見上、故不釋、天子曰明堂辟雍。【集解】韋昭曰、水外四周、圓如辟雍、蓋以節觀者也、諸侯曰泮宮。【集解】張晏曰、制度半於天子之辟雍、【索隱】按服虔云、天子水匝爲辟雍、諸侯水不匝、至半爲泮宮、禮統又云、半有水、半有宮、是也、【考證】禮記王制、無明堂二字、泮作頖、鄭玄曰、辟、明也、雍、和也、所以明和天下、頖之言班也、所以班政教也、中井積德曰、辟雍泮宮、元是離宮別館已、漢儒以爲學宮也、蓋起于緯書之妄、周公既相成王。郊祀后稷、以配天、【集解】王肅曰、配天於南郊祀之、宗祀文王於明堂、以配上帝。【集解】鄭玄曰、上帝者、天之別名也、神無二主、故異其處、避后稷也、自禹興而修社祀。后稷稼穡。故有稷祠。郊社所從來尚矣。自周克殷後十四世、世

益衰、禮樂廢、諸侯恣行。而幽王爲犬戎所敗。【集解】徐廣曰、犬、一作畎、【考證】張文虎曰、三代世表、武王至幽王十二世、周東徙雒邑。秦襄公攻戎救周。始列爲諸侯。【正義】秦襄公、周平王元年封也、【考證】徐孚遠曰、神靈之祠、多秦所興、故敘周室東遷、以啓其事、秦襄公既侯居西垂。【正義】漢隴西郡西縣也、今在秦州上邽縣西南九十里也、【考證】中井積德曰、西垂、猶西邊也、自以爲主少皞之神。作西畤、祠白帝。其牲用駵駒。【索隱】赤馬黑鬣曰駵也、【考證】沈欽韓曰、周禮正祭皆無用馬牲之事、大司馬職、喪祭奉詔馬牲、校人職、凡將事於四海山川、則飾黃駒、古禮僅用之、沈辜祈禳、或以盟誓、高帝刑白馬而盟、漢武帝幸瓠子決河、湛白馬璧、是也、至匈奴殺馬以祭天、戎狄皆然、則秦乃循西戎之俗也、黃牛羝羊各一云。【索隱】詩傳云、羝、牡羊、【考證】畤、蓋秦人語、淩稚隆曰、是作壇畤之始、其後十六年、秦文公東獵汧·渭之閒。卜居之而吉。【索隱】按地理志、汧水出汧縣西北、入渭、皇甫謐云、文公徙都汧者也、【正義】括地志云、郿縣故城、在岐州郿縣東北十五里、卽此城也、【考證】漢志、十六年作十四年、據年表秦紀、襄公八年立西畤、後八年、文公四年、至汧渭之會、後又六年、文公十四年作鄜畤、文公夢黃蛇自天下屬地、其口止於鄜衍。【集解】李奇曰、鄜、音孚、山阪曰衍、【索隱】鄜、地名、後

爲縣、屬馮翊、衍者、鄭衆注周禮云、下平曰衍、又李奇三輔記云、三輔謂山阪閒爲衍也、文公問史敦。敦曰。此上帝之徵。君其祠之。於是作鄜畤、用三牲郊祭白帝焉。自未作鄜畤也、而雍旁故有吳陽武畤。【集解】李奇曰、於旁有吳陽地、【考證】王先謙曰、吳陽、吳山之陽、吳山見下、雍東有好畤。皆廢無祠。或曰。自古以雍州積高神明之隩、故立畤、郊上帝。諸神祠皆聚云。【考證】顏師古曰、土之可居者曰隩、蓋黃帝時嘗用事。雖晚周亦郊焉。其語不經見。縉紳者不道。【集解】李奇曰、縉、插也、插笏於紳、紳、大帶、【索隱】姚氏云、縉、當作搢、鄭衆注周禮云、縉讀爲薦、謂薦之於紳帶之閒、今按鄭意以縉爲薦、則薦亦是進、進而置於紳帶之閒、故史記亦多作薦字也、作鄜畤後九年、文公獲若石云。于陳倉北阪城祠之。【集解】蘇林曰、質如石也、服虔曰、在北、或曰、在陳倉北、【索隱】蘇林云、質如石、似肺、【正義】三秦記云、太白山西有陳倉山、山有石雞、與山雞不別、趙高燒山、山雞飛去、而石雞不去、晨鳴山頭、聲聞三里、或言是玉雞、括地志云、陳倉山在今岐州陳倉縣南、又云、寶雞神祠、在漢陳倉縣故城中、今陳倉縣東、石雞在陳倉山上、祠在陳倉城、故言獲若石于陳倉北阪城祠之、【考證】劉敞曰、蓋於陳倉北阪上築城作祠祠之、下文云、集

於祠城、是也、其神或歲不至。或歲數來。來也常以夜、光輝若流星。從東南來、集于祠城、則若雄雞。其聲殷云、【考證】漢志、雞作雉、愚按、聲如雄雞、故野雞聞之和應也、作雉、非是、漢志重殷字、愚按、殷云云者、其聲殷然也、周本紀云、其色赤、其聲魄云、魄云云者、其聲魄然也、與此同例、殷字不必重、野雞夜雊。【集解】如淳曰、野雞、雉也、呂后名雉、故曰野雞、瓚曰、殷、聲也、云、足句之詞、【考證】顧炎武曰、野雞者、野中之雞耳、注拘於荀悅云諱雉之字曰野雞、夫諱恆曰常、諱啓曰開、史固有言常言開者、豈必其皆爲恆與啓乎、上文曰、有雉登鼎耳雊、下文云、公孫卿言見仙人迹緱氏城上、有物如雉、往來城上、又云、縱遠方奇獸飛禽及白雉、竝無所諱、漢書地理志南陽郡有雉縣、江夏郡有下雉縣、五行志王音等上言、雉者聽察、先聞雷聲、則漢時未嘗諱雉也、以一牢祠。命曰陳寶。【集解】瓚曰、陳倉縣有寶夫人祠、或一歲二歲與葉君合、葉君神來時、天爲之殷殷雷鳴、雉爲之雊也、在長安正西五百里、韋昭曰、在陳倉縣、寶而祠之、故曰陳寶、【索隱】案列異傳云、陳倉人得異物以獻之、道遇二童子、云、此名爲媦、在地下食死人腦、媦乃言云、彼二童子名陳寶、得雄者王、得雌者伯、乃逐童子、化爲雉、秦穆公大獵、果獲其雌、爲立祠、祭、有光、雷電之聲、雄止南陽、有赤光、長十餘丈、來入陳倉祠中、所以代俗謂之寶夫人祠、抑有由也、葉、縣名、在南陽、葉君卽雄雉之神、故時與寶夫人神合也、作鄜畤後七十八年、秦德公既立、卜居雍。後子孫飲馬於河。遂都雍。雍之諸祠

自此興。用三百牢於鄜畤。【索隱】案秦本紀、德公元年、以犧三百祠鄜畤、今案、百當爲白、秦君西祀少昊、時、牲尙白、秦、諸侯也、雖奢侈祭郊、本特牲、不可用三百牢以祭天、蓋字誤耳、【考證】漢志、七十八年作七十一年、雍故城、在今陝西鳳翔縣南、後子孫飲馬於河、卜人之辭、作伏祠。【索隱】案服虔云、周時無伏、磔犬以禦災、秦始作之、漢舊儀云、伏者、萬鬼行日、故閉不求也、故東觀漢記、和帝初令伏閉晝日、是也、又厤忌釋曰、伏者何、金氣伏藏之名、四時代謝、皆以相生、而春木代水、水生木也、夏火代木、木生火也、冬水代金、金生水也、至秋、則以金代火、金畏於火、故至庚日必伏、庚者金日也、【考證】中井積德曰、伏字義未詳、索隱引漢舊儀、非也、當時未嘗有五行生剋之說、柯維騏曰、伏者、禳邪氣使退伏、磔狗邑四門、以禦蠱菑。【索隱】案左傳云、皿蟲爲蠱、梟磔之鬼、亦爲蠱、故月令云、大儺旁磔、注云、磔、禳也、厲鬼爲蠱、將出害人、旁磔於四方之門、故此亦磔狗邑四門也、風俗通云、殺犬磔禳也、德公立二年卒。其後六年、秦宣公作密畤於渭南、祭青帝。【考證】漢志、六年作四年、此誤、其後十四年、秦繆公立。【考證】漢志、十四年作十三年、此誤、病臥五日不寤。寤乃言。夢見上帝。上帝命繆公平晉亂。史書而記藏之府。而後世皆曰。秦繆公上天。【考證】梁玉繩曰、趙世家及扁鵲傳、備載此事、宋葉適習學記言曰、此醫師語也、遷載之、蕪妄甚矣、西京賦、有天帝饗穆公一段、卽

上天之說、明陶宗儀說郛載、尙書中候言穆公出狩、天大雷、有火化白雀、銜綠丹書、集于車、書言穆公之霸、訖胡亥事、尤爲詭異、秦繆公卽位九年、齊桓公既霸。會諸侯於葵丘、【正義】括地志云、葵丘、在曹州考城縣東南一里五十步郭內、卽桓公所會處也、【考證】葵丘會、在僖九年、而欲封禪。【考證】中井積德曰、封禪之說、蓋昉於秦皇之時、前此無有也、所謂怪迂之徒所稱述耳、齊桓之時、豈有此等說、管子書多係僞撰、焉足據哉、愚按、梁玉繩說同、見上、管仲曰。【索隱】案今管子書、其封禪篇亡、【考證】今本管子有封禪篇、尹知章云、元篇亡、今以司馬遷封禪書所載管子言以補之、古者封泰山禪梁父者七十二家。【正義】括地志云、梁父山、在兗州泗水縣北八十里、而夷吾所記者十有二焉。【正義】韓詩外傳云、孔子升泰山、觀易姓而王可得而數者七十餘人、不得而數者萬數也、案管仲所記、自無懷氏以下十二家、其六十家、無紀錄也、昔無懷氏【集解】服虔曰、古之王者、在伏羲前、見莊子、封泰山、禪云云。【集解】李奇曰、云云山、在梁父東、【索隱】晉灼云、山、在蒙陰縣、故城東北、下有云云亭也、【正義】括地志云、云云山、在兗州博城縣西南三十里也、虙羲封泰山、禪云云。神農封泰山、禪云云。炎帝封泰山、禪云云。【索隱】鄧展云、神農後子孫亦稱炎帝而登封者、律歷志、黃帝與炎帝戰於阪泉、豈黃帝與神農身戰乎、皇甫謐云、炎帝傳位八代也、黃帝封泰

山、禪亭亭。【集解】徐廣曰、在鉅平、駰案、服虔曰、亭亭山、在牟陰、【索隱】應劭云、在鉅平北十餘里、服虔云、在牟陰、非也、【正義】括地志云、亭亭山、在兗州博城縣西南三十里也、顓頊封泰山、禪云云。帝俈封泰山、禪云云。【考證】管子、藝文類聚、俈作嚳、與漢志合、堯封泰山、禪云云。舜封泰山、禪云云。禹封泰山、禪會稽。【索隱】晉灼云、本名茅山、吳越春秋云、禹巡天下、登茅山、羣臣乃大會計、更名茅山爲會稽、亦曰苗山也、【正義】括地志云、會稽山、一名衡山、在越州會稽縣東南一十二里也、【考證】徐孚遠曰、以上帝王封泰山、禪不過其域、今禹乃禪會稽、其地遠不相應也、蓋以禹朝諸侯於是山、故假其說以實之、湯封泰山、禪云云。周成王封泰山、禪社首。【集解】應劭曰、山名、在博縣、晉灼曰、在鉅平南十三里、皆受命然後得封禪。桓公曰、寡人北伐山戎、【索隱】服虔云、蓋今鮮卑是、過孤竹、【正義】括地志云、孤竹故城、在平州盧龍縣南一十里、殷時孤竹國也、西伐大夏、涉流沙、【考證】中井積德曰、齊桓足跡不能踰秦而西矣、安能望大夏流沙哉、斯言之妄、亦可以知矣、愚按漢志無大夏涉流沙五字、束馬懸車、上卑耳之山。【集解】韋昭曰、將上山纏束其馬、縣鉤其車也、卑耳、卽齊語所謂辟耳、【索隱】案山名、在河東大陽、卑讀如字也、齊語、卽春秋外傳國語之書也、辟、音僻、賈逵云、山險也、南伐至召

陵、【正義】召、音邵、括地志云、召陵故城、在豫州郾城縣東四十五里也、登熊耳山、以望江漢。【索隱】登熊耳、案荊州記、耒陽益陽二縣東北有熊耳、東西各一峯、狀如熊耳、因以爲名、齊桓公竝登之、或云、弘農熊耳、下云望江漢、知非也、兵車之會三。【索隱】案左傳、三、謂魯莊十三年會北杏、平宋亂、僖四年、侵蔡、遂伐楚、六年、伐鄭、圍新城、是也、而乘車之會六。【索隱】據左氏傳云、謂莊十四年、會于鄄、十五年、又會鄄、十六年、盟于幽、僖五年、會于首止、八年、盟于洮、九年、會葵丘也、【考證】齊世家同、國語齊語、管子小匡、亦有此語、莊二十七年、穀梁傳云、衣裳之會十一、兵車之會四、愚按春秋傳、桓公之會諸侯、不止於此、九合諸侯、一匡天下。諸侯莫違我。昔三代受命、亦何以異乎。於是管仲睹桓公不可窮以辭、因設之以事曰、古之封禪、鄗上之黍、北里之禾、所以爲盛。【集解】應劭曰、鄗上、山也、鄗、音臛、蘇林曰、鄗上、北里、皆地名、【索隱】韋昭云、設以不可得之物、鄗、音霍、應劭云、光武改高邑曰鄗、姚氏云、鄗縣屬常山、一云、鄗上、山名、【考證】顏師古曰、盛、謂以實簠簋、江淮之間、一茅三脊、所以爲藉也。【集解】孟康曰、所謂靈茅也、【考證】顏師古曰、藉、以藉地也、東海致比目之魚、【集解】韋昭曰、各有一目、不比不行、其名曰鰈、【索隱】鰈、音荅、郭璞云、如牛脾、身薄細鱗、紫黑色、只一眼、兩片合乃得行、今江東呼爲王餘、亦曰版魚、西

海致比翼之鳥、【集解】韋昭曰、各有一翼、不比不飛、其名曰鶼鶼、【索隱】案山海經云、崇吾之山、有鳥、狀如鳧、一翼一目、相得乃飛、名云蠻、郭璞注爾雅、亦作鶼鶼、然后物有不召而自至者、十有五焉。今鳳皇麒麟不來、嘉穀不生、而蓬蒿藜莠茂、鴟梟數至。而欲封禪。毋乃不可乎。於是桓公乃止。【考證】漢志、數至作羣翔、余有丁曰、此所謂睹符瑞而臻太山者也、楊愼曰、管仲之言、是謂無其應而事焉不可也、應前、是歲、秦繆公內晉君夷吾。其後三置晉國之君、平其亂。【索隱】三置晉君、案謂惠公懷公文公也、繆公立三十九年而卒。其後百有餘年、而孔子論述六藝、傳略言易姓而王、封泰山、禪乎梁父者七十餘王矣。【考證】梁玉繩曰、秦繆公卒後至孔子論述六經、幾百四十年、而孔子又安得有易姓封禪之言哉、託諸孔子、猶之嫁名管仲也、其俎豆之禮不章。蓋難言之。【考證】與上文封禪遠者千有餘載、近者數百載、其儀闕然湮滅、下文上議封禪、封禪用希、曠絕、莫知其儀相應、或問禘之說。孔子曰、不知。知禘之說、其於天下也。視其掌。【集解】孔安國曰、爲魯諱

也、包氏曰、孔子謂或人言知禘之說者於天下之事、如指視以掌中之物、言其易了、【考證】論語八佾篇、詩云、紂在位、文王受命。政不及泰山。【考證】王若虛曰、指其掌、孔自指其掌而言耳、直云其于治天下也、視其掌、不已疏乎、程一枝曰、詩、當作書、張照曰、詩云二字、不審所謂、注家皆略、蓋唐時無此文也、視其掌云爲句、衍詩字、盧文弨曰、說詩者、以虞芮質成爲文王受命之年、史公所引卽此、愚按張說最確、其于天下也、夫子之言也、視其掌云、夫子自示其掌、狀其甚易也、又按與上文雖受命功不至句相應、武王克殷二年、天下未寧而崩。【考證】與上文德洽矣而日有不暇給相應、武王崩年、諸書所記不同、詳于周本紀、爰周德之洽維成王。成王之封禪則近之矣。及後陪臣執政、季氏旅於泰山。仲尼譏之。【集解】馬融曰、旅、祭名、禮、諸侯祭山川在封內者、陪臣祭泰山、非禮也、【考證】論語八佾篇、是時萇弘以方事周靈王。諸侯莫朝周。周力少。萇弘乃明鬼神事、設射貍首。貍首者、諸侯之不來者。依物怪欲以致諸侯。【集解】徐廣曰、貍一名不來、【考證】凌稚隆曰、大射儀、奏貍首、鄭玄云、貍之言不來也、其詩有射諸侯首不朝者之言、因以名篇、故萇弘因諸侯不朝、設射貍首、而太史公釋其義曰、諸侯之不來也、錢大昕曰、萇弘所行、乃是古禮、戰國後禮廢、乃疑其神怪爾、愚按貍讀爲埋、不來反、諸

侯不從。而晉人執殺萇弘。周人之言方怪者、自萇弘。[集解]皇覽曰、萇弘冢在河南洛陽東北山上、[考證]梁玉繩曰、左傳昭十一年、萇弘始見、魯昭十一、爲周景王十四、恐未逮事靈王也、而以爲事靈王、誤一、弘之見殺、當敬王二十八年、魯哀公三年、而以爲殺於靈王時、誤二、弘與于范中行之難、周人殺之、以說於晉、固非爲致諸侯、亦非晉執而殺之、誤三、又曰、漢志、晉人殺萇弘上有周室愈微後二世至敬王時十一字、疑此或脫、其後百餘年、秦靈公作吳陽上畤、祭黃帝、作下畤、祭炎帝。[集解]徐廣曰、凡距作密畤二百五十年、[索隱]吳陽、地名、蓋在岳之南、又上云、雍旁有故吳陽武畤、今蓋因武畤又作上下畤、以祭黃帝炎帝、[考證]梁玉繩曰、敬王廿八年弘見殺、威烈王四年秦靈作畤、首尾七十一年、安得百餘年哉、愚按史公自靈王時言之、後四十八年、周太史儋[索隱]音丁甘反、孟康云、卽老子也、韋昭案年表、儋在孔子後百餘年、非老耼也、見秦獻公曰。秦始與周合、合而離、五百歲當復合。[索隱]案大顏歷評諸家而云、周平王封襄公爲諸侯、至昭王五十二年西周君獻邑、凡五百一十六年爲合、亦舉全數、合十七年而霸王出焉。[索隱]合十七年、伯王出、自昭王滅周之後、至始皇元年誅嫪毐、正一十七年、孟康云、謂周封秦爲別、秦幷周爲合、此襄公爲霸、始皇爲王也、[正義]王、于放反、秦周俱黃帝之後、至非子末別封、是合也、合而離者、謂非子末年、周封非子爲附庸、邑之秦、是離也、五百歲當復合者、謂從非子邑秦後二

十九君、至秦孝公二年、五百歲、周顯王致文武胙於秦孝公、復與之親、是復合也、十七年霸王出焉者、謂從秦孝公三年至十九年、周顯王致伯於秦孝公、是霸出也、至惠王稱王、王者出焉、然五百歲者、非子生秦侯已下二十八君、至孝公二年、合四百八十六年、兼非子邑秦之後十四年、則五百歲矣、諸家解皆非也、[考證]此事又見於周秦本紀老子傳、中井積德曰、霸王、謂雄于天下者、非謂霸與王、愚按是斥始皇、說詳于周本紀、櫟陽雨金。秦獻公自以爲得金瑞、故作畦畤櫟陽、而祀白帝。[集解]晉灼曰、漢注在隴西西縣人先祠山下、形如種韭畦、畦各一土封、[索隱]漢舊儀云、祭人先於隴西西縣人先山、山上皆有土人、山下有畤、埒如菜畦、畤中各有一土封、故云畤、三蒼云、畤、埒也、[考證]漢志櫟陽上有儋見後七年五字、其後百二十歲、而秦滅周。[集解]徐廣曰、去太史儋言時百二十年、[考證]梁玉繩曰、秦獻十八年作畦畤、爲顯王二年、至赧王五十九年滅、凡百十一年、若數至滅東周、則百十八歲、卽依徐注亦不合、周之九鼎入于秦。或曰。宋太丘社亡、[集解]爾雅曰、左陵太丘、[索隱]應劭云、亡、淪入地也、案亡、社主亡也、爾雅云、左陵太丘、郭璞云、宋有太丘、[考證]六國表、周顯王三十三年、秦惠文王二年格、宋太丘社亡、呂氏大事記云、古者立社、植木以表之、因謂其木爲社、所謂亡者、震風凌雨、此社之樹摧損散落、不見蹤迹也、而鼎沒于泗水彭城下。[考證]曰或曰者、史公記異聞、以爲下文汾陰出鼎之地、又與始皇紀泗水求鼎之事相應、宋、殷之後、其社主亦殷之物、與周鼎竝重、同年同亡、所以爲異、兪樾曰、秦取九鼎、著於周本紀、九鼎

入秦、著於秦本紀、史公之辭固甚明也、始皇二十六年、使人沒泗水求周鼎、鼎不言九、非禹鼎也、禹鼎自在秦、而後世不見者、燬於咸陽三月之火矣、封禪書云、周之九鼎入於秦、又云、或曰、宋太丘社亡而鼎沒於泗水彭城下、乃方士新垣平輩之妄說也、夫周鼎自在雒邑、何緣而入泗水乎、宋之社亡、又與周鼎何預乎、且年表載宋太丘社亡於周顯王之三十三年、則秦惠文王之二年也、後此二十年、爲惠文王之後九年、張儀欲伐韓、尙有周自知不救、九鼎寶器必出之言、安得已亡於周顯王之三十三年也、漢郊祀志曰、周德衰、鼎遷於秦、秦德衰、宋之社亡、鼎乃淪伏而不見、尤爲無據、當秦之時、豈復有宋哉、故知九鼎入秦、史公之實錄、九鼎沒泗、方士之空談、秦所求泗水之鼎、漢所出汾陰之鼎、均非禹鼎也、沈欽韓曰、九鼎之亡、周自亡之、虞大國之數甘心也、爲宗社之殃、又當困乏時、銷毀爲貨、謬云鼎亡耳、王先謙曰、秦之滅周取鼎、自由時人揣度之詞、而鼎實未入秦、淪沒泗水、則係秦人傳聞如此、故有始皇有禱祠出鼎之事、鼎早不見、周自亡之、沈說可謂推見至隱、愚按沈王二說、似得情事、其後百一十五年、而秦幷天下。秦始皇既幷天下而帝。或曰。黃帝得土德。黃龍地螾見。[集解]應劭曰、螾、丘蚓也、黃帝土德、故地見其神、蚓大五六圍、長十餘丈、韋昭曰、黃者地色、螾亦地物、故以爲瑞、[索隱]出呂氏春秋、音引、夏得木德。青龍止於郊、草木暢茂。殷得金德。銀自山溢。[集解]蘇林曰、流出也、周得火德。有赤烏之符。[索隱]中候及呂氏春秋皆云、有火自天、止于王屋、流爲赤烏、五至以穀俱來、今秦

變周。水德之時。[考證]或曰以下、本呂氏春秋應同篇、昔秦文公出獵、獲黑龍。此其水德之瑞。於是秦更命河曰德水、以冬十月爲年首、色上黑、度以六爲名。[正義]張晏云、水北方、黑、水終數六、故以方六寸爲符、六尺爲步、[考證]始皇本紀、數以六爲紀、符法冠皆六寸、而輿六尺、六尺爲步、乘六馬、音上大呂。[考證]顏師古曰、大呂、陰律之始也、事統上法。[集解]服虔曰、政尙法令也、瓚曰、水陰、陰主刑殺、故尙法、卽帝位三年、東巡郡縣、祠騶嶧山、[索隱]騶縣之嶧山、騶縣本邾國、魯穆公改作鄒、從征記、北巖有秦始皇所勒銘、頌秦功業。於是徵從齊·魯之儒生博士七十人、至乎泰山下。諸儒生或議曰。古者封禪爲蒲車。[索隱]謂蒲裹車輪、惡傷草木、惡傷山之土石草木。埽地而祭。席用葅稭。[集解]應劭曰、稭、禾稾也、去其皮以爲席、如淳曰、葅讀曰租、稭讀曰戞、晉灼曰、葅、藉也、[索隱]上音租、下音戞、周禮、祭祀供茅葅、說文云、葅、茅藉也、稭、禾稾去其皮、祭天以此、言其易遵也。始皇聞此議、各乖異難施用。由此絀儒生。[考證]中井積德曰、封禪實昉於此、宜乎其無典禮故事也、儒者惷愚、尙欲討論故事、絀

之固宜、而遂除車道。上自泰山陽至巓、立石頌秦始皇帝德。明其得封也。【考證】漢志、刪秦始皇帝四字、從陰道下禪於梁父。其禮頗采太祝之祀雍上帝所用。而封藏皆祕之。世不得而記也。始皇之上泰山、中阪遇暴風雨、休於大樹下。諸儒生既絀、不得與用於封事之禮。聞始皇遇風雨、則譏之。【考證】漢志、與下無用字、徐孚遠曰、始皇遇風雨不得上者、非是時所傳語也、蓋因武帝上封之後、方士誇大之詞耳、於是始皇遂東遊海上、行禮祠名山大川及八神、求僊人羨門之屬。八神將自古而有之。或曰。太公以來作之。齊所以爲齊、以天齊也。【集解】蘇林曰、當天中央齊、其祀絕、莫知起時。八神、一曰天主。祠天齊。【索隱】謂主祠天、【考證】程一枝曰、天主、句、天、地、兵、日、月、陰、陽、四時者八神名也、主字舊屬下句讀、據後武帝至梁父禮祀地主、則此八神名、當在主字句絕也、天齊、淵水、居臨菑南郊山下者。【索隱】顧氏案解道彪齊記云、臨菑

城南有天齊泉、五泉竝出、有異於常、言如天之腹齊也、下下者、小顏云、下下謂最下也、【考證】漢志、重下字、張文虎曰、索隱本重下字、與漢志合、各本脫、二曰地主。祠泰山・梁父。蓋天好陰。祠之必於高山之下小山之上。命曰時。【集解】徐廣曰、一云、之下上畤命曰畤、【索隱】此之一云、與漢書郊祀志文同也、【考證】今本漢志、作必於高山之下畤命曰畤、下下多畤、無小山之上四字、梁玉繩曰、集解上字衍、地貴陽。祭之、必於澤中圜丘云。【考證】梁玉繩曰、下文亦云、祠后土宜于澤中圜丘、祠地圜丘、不知出何禮經、豈非方士之談乎、三曰兵主。祠蚩尤。蚩尤在東平陸監鄉。齊之西境也。【集解】徐廣曰、屬東平郡、【索隱】監、音闞、韋昭云、縣名、屬東平、皇覽云、蚩尤冢在東平郡壽張縣闞鄉城中、四曰陰主。祠三山。【索隱】小顏以爲下所謂三神山、顧氏案地理志、東萊曲成有參山、卽此三山也、非海中三神山也、五曰陽主。祠之罘。【正義】括地志云、之罘山在萊州文登縣西北九十里、六曰月主。祠之萊山。【集解】韋昭曰、在東萊長廣縣、【考證】王先謙曰、之字緣上文而衍、地理志、長廣有萊山萊王祠、皆在齊北、竝勃海。七曰日主。祠成山。成山斗入海、【集解】韋昭曰、成山在東萊不夜、斗入海、不夜、古縣名、【索隱】不夜、縣名、屬東萊、案解道彪齊記云、不夜城、蓋古有日夜出見於境、故萊子立城、以不夜爲名、斗入海、謂斗絕曲入

海也、【考證】顧炎武曰、成山斗入海、謂斜曲入之如斗柄然、匈奴傳、匈奴有斗入漢地、直張掖郡、最居齊東北隅、以迎日出云。八曰四時主。祠琅邪。【索隱】案山海經云、琅邪臺在勃海閒、案是山如臺、地理志、琅邪縣有四時祠也、琅邪在齊東方。蓋歲之所始、皆各用一牢具祠。而巫祝所損益珪幣雜異焉。【考證】顏師古曰、言八神牲牢皆同、而圭幣各異也、自齊威・宣之時、騶子之徒、論著終始五德之運。【集解】韋昭曰、騶子名衍、如淳曰、今其書有五德終始、五德各以所勝爲行、秦謂周爲火德、滅火者水、故自謂水德、【索隱】威宣、威王宣王也、及秦帝、而齊人奏之。故始皇采用之。而宋毋忌・【索隱】案樂彥引老子戒經云、月中仙人宋無忌、白澤圖云、火之精曰宋無忌、蓋其人火仙也、正伯僑・【索隱】樂彥案馬相如云、正伯僑、古仙人、顧氏案裴秀冀州記云、緱山仙人廟者、昔有王喬、犍爲武陽人、爲柏人令、於此得仙、非王子喬也、【考證】梁玉繩曰、相如大人賦、揚雄甘泉賦、正作征、古字通、充尙・【索隱】無別所見、【考證】充尙、漢志作元尙、沈濤曰、當作元谷、卽列仙傳之元俗、谷與尙相近、傳寫遂誤以爲尙、史記又誤元爲充、羨門高・【索隱】案秦始皇求羨門子高、是也、【考證】諸本門下有子字、索隱本無、與漢志合、今從之、最後皆燕人。【索隱】案最後、猶言甚後也、服虔說止有四人、是也、小顏云、自宋無忌至最後凡五人、劉伯莊

亦同、此說非也、【考證】中井積德曰、最後二字、專係羨門高、王念孫曰、最疑冣字之誤、高唐賦、有方之士、羨門高谿上成鬱林公樂聚穀、聚與冣古字通、穀有瞉音、與後相近、疑史記之最後、高唐賦之聚穀也、愚按王說爲長、爲方僊道、形解銷化、依於鬼神之事。【集解】韋昭曰、皆慕古人名效神仙者、服虔曰、尸解也、張晏曰、人老而解去故骨、如變化也、今山中有龍骨、世人謂之龍解骨化去也、騶衍以陰陽主運顯於諸侯。【集解】如淳曰、今其書有主運、五行相次、轉用事、隨方面爲服、【索隱】案主運是鄒子書篇名也、而燕・齊海上之方士、傳其術不能通。然則怪迂阿諛苟合之徒自此興、不可勝數也。【考證】王念孫曰、迂讀爲訏、說文、訏、譎詭也、孟荀列傳曰、作怪迂之變、義同、自威・宣・燕昭、使人入海求蓬萊・方丈・瀛洲。此三神山者、其傳在勃海中。【集解】服虔曰、傳、音附、或曰、其傳書云爾、【考證】沈欽韓曰、列子湯問篇、夏革曰、渤海之東幾億萬里、有五山、岱輿、員嶠、方壺、瀛洲、蓬萊、五山之根、無所連著、常隨潮波上下、帝恐流於四極、失仙聖之居、乃命禺彊、使巨鼇十五擧首而戴之、龍伯之國有大人、一釣而連六鼇、於是岱輿員嶠二山、流於北極、沈於大海、仙聖之播遷巨億計、岱輿員嶠已失、故但三神山也、去人不遠、患且至、則船風引而去。【考證】蓋望海上蜃氣、以爲神山也、蓋嘗有

至者。諸僊人及不死之藥皆在焉。其物禽獸盡白。而黃金銀爲宮闕。考證王念孫曰、世說文選注、藝文類聚、初學記、太平御覽引此、銀上有白字、陳瞿安曰、鄒子四十九篇、鄒子終始五十六篇、漢志竝著錄在陰陽家、而燕齊方士傳其術、則方士與陰陽家之關係、可以推知、劉向別錄述方士傳鄒衍在燕吹律事、則陰陽家與方士、是一是二、尤難區別、史記孟荀列傳稱鄒衍深觀陰陽消息、而作怪迂之變、終始大聖之篇十餘萬言、又云、稱引天地剖判以來、五德轉移、治各有宜、而符應若茲、又云、先序今以上至黃帝、學者所共術、大竝世盛衰、因載其禨祥度制、是陰陽家著書、固注重五德終始、禨祥度制、及符應之說、與神仙一流、因緣不淺矣、且陰陽家鄒子之書、及春秋類鄒子十一篇、今雖竝佚、其詳不可得聞、而史記封禪書集解引如淳說、今其書有主運、五行相次、轉用事、隨方面爲服、文選魏都賦引七略曰、鄒子五德終始、從所不勝、木德繼之、金德次之、火德次之、水德次之、文選齊故安陸昭王碑文注又引鄒子云、五德從所不勝、虞土、夏木、殷金、周火、與漢書嚴安傳安所引論政教文質語、大抵相符、此史記所謂五德轉移、各有宜也、周禮春官鐘師疏引五經異義云、謹按古山海經鄒子書云、鄒虞獸說、與毛詩同、蓋衍書有記騶虞語、以爲王者符應之徵也、又周禮夏官司爟先鄭注、引鄒子取火說、賈公彥疏謂其出於周書、蓋以取火之事、傳會五行者也、凡此雖非方士說經之辭、而儒生之引用其言以傳會經指者衆矣、未至、望之如雲。及到、三神山反居水下。臨之、風輒引去、終莫能至云。世主莫不甘心焉。索隱謂心甘羨也、及至

秦始皇并天下、至海上、則方士言之、不可勝數。始皇自以爲至海上而恐不及矣。使人乃齎童男女、入海求之。船交海中。皆以風爲解。索隱顧野王云、皆自解說遇風不至也、曰。未能至。望見之焉。考證據始皇二十八年紀、齎童男童女入海者、即徐市、曰恐不及、曰以風爲解、曰未能至、與上文風輒引去終莫能至相應、其明年、始皇復游海上、至琅邪、過恆山、從上黨歸。考證始皇二十九年、梁玉繩曰、恆字宜避、後三年、游碣石、考入海方士、集解服虔曰、疑詐、故考之、瓚曰、考校其虛實也、從上郡歸。考證始皇三十二年、後五年、始皇南至湘山、遂登會稽、竝海上、冀遇海中三神山之奇藥、不得。還至沙丘崩。正義括地志云、沙丘臺在邢州平鄉東北三十里、考證始皇三十七年、二世元年、東巡碣石、竝海、南歷泰山、至會稽、皆禮祠之、而刻勒始皇所立石書旁、以章始皇之功德。索隱小顏云、今諸山皆有始皇所刻石、及胡亥重刻、其文具存也、考證齊召南曰、始皇紀、二世元年春、東行郡

縣、到碣石、竝海南至會稽、而盡刻始皇所立刻石、石旁著大臣從者名、以章先帝成功盛德、按碣石之罘琅邪泰山鄒嶧會稽、始皇皆有刻石、二世東行、則盡刻其石旁也、封禪書刻勒是盡刻之訛、愚按刻勒二字成義、不必誤、其秋、諸侯畔秦。三年而二世弒死。始皇封禪之後十二歲秦亡。諸儒生疾秦焚詩書、誅僇文學、百姓怨其法、天下畔之。皆譌曰。始皇上泰山、爲暴風雨所擊、不得封禪。此豈所謂無其德而用事者邪。索隱即封禪書序云、蓋有無其應而用事者矣、此當有所本、太史公再引以爲說、考證漢志、禪下此上有云字、昔三代之君、皆在河・洛之閒。正義世本云、夏禹都陽城、避商均也、又都平陽、或在安邑、或在晉陽、帝王世紀云、殷湯都亳、在梁、又都偃師、至盤庚徙河北、又徙偃師也、周文武都豐鄗、至平王徙都河南、案三代之君、皆在河洛之閒也、考證梁玉繩曰、君乃居之譌、漢志作居、張文虎曰、正義王本亦作居、故嵩高爲中嶽、而四嶽各如其方。四瀆咸在山東。至秦稱帝、都咸陽、則五嶽四瀆、皆并在東方。自五帝以至秦、軼興軼衰、考證漢志軼作迭、顏師古曰、互也、名山大川、或在諸侯、或在

天子。其禮損益世殊、不可勝記。及秦并天下、令祠官所常奉天地名山大川鬼神、可得而序也。於是自殽以東、索隱案殽、即崤山、杜預云、崤、在弘農澠池縣西南、即今之崤山是也、亦音豪、名山五。大川祠二。曰太室。太室、嵩高也。恆山・泰山・會稽・湘山。索隱湘山、地理志在長沙、水曰濟、曰淮。索隱案風俗通云、濟廟在臨邑、淮廟在平氏也、春、以脯酒爲歲祠。因泮凍。集解服虔曰、解凍、索隱爲、于僞反、秋、涸凍、索隱案字林、涸、竭也、下各反、小顏云、涸、讀與沍同、沍、凝也、下故反、春則解、秋則凝、冬、塞禱祠、索隱塞、先代反、與賽同、賽、今報神福也、其牲用牛犢各一。牢具珪幣各異。自華以西、名山七、名川四。曰華山・薄山。正義括地志云、華山在華州華陰縣南八里、古文以爲敦物也、注云、華嶽本一山、當河水過而行、河神巨靈、手盪腳蹋、開而爲兩、今腳跡在東首陽下、手掌在華山、今呼爲仙掌、河流於二山之閒也、關山圖云、巨靈胡者、偏得神仙之道、能造山川、出江河也、考證正義注上疑脫水經二字、水經河水注引爲左丘明國語、薄山者、衰山也。集解徐廣曰、蒲阪縣有襄山、或字誤也、索隱薄山者、襄山也、應劭云、在潼關北十餘里、穆天子傳云、自河首襄山、酈元水經云、薄山統目、與襄

地志云、薄山亦名衰山、一名寸棘山、一名渠山、一名雷首山、一名獨頭山、一名首陽山、一名吳山、一名條山、在陝州芮縣城北十里、此山西起雷山、東至吳阪、凡十名、以州縣分之、多在蒲州、今史文云、自華以西、未詳也、【考證】漢志衰作襄、何焯曰、襄當作衰、楊雄河東賦、爪華蹈衰、張文虎曰、據集解正義、其所據本作衰山、姚範說同、

山不殊、在今芮城北、與中條山相連、是薄襄一山也、【正義】薄、音白落反、衰、音色眉反、括

岳山。【集解】徐廣曰、武功縣有大壺山、又有岳山、**岐山。**【索隱】地理志、在美陽縣西北也、**吳岳。**【集解】徐廣曰、在汧也、【索隱】徐廣云、在汧、**鴻冢。**【索隱】黃帝臣大鴻葬雍、鴻冢蓋因大鴻葬爲名也、**瀆山。瀆山、蜀之汶山也。**【索隱】地理志、蜀郡湔氏道、湔山在西、郭璞注云、山在汶陽郡廣陽縣、一名瀆山也、【考證】漢志岳作山、汶作岷、梁玉繩曰、岳乃垂字誤、今本徐注太壺作爲大壺、垂山爲岳山、並誤、張文虎曰、吳岳、漢志作吳山、注、吳山在今隴州吳山縣、案周禮雍州嶽山、鄭注吳嶽也、續漢郡國志、右扶風有五嶽山、郭璞曰、別名吳山、周禮所謂嶽山者、郡縣志、隴州吳山縣、吳山、秦都咸陽、以爲西岳、然則吳山亦名吳嶽、亦名嶽山、非二山矣、岳嶽字古同、陳仁錫曰、汶山下蘇本缺也字、愚按、漢志亦有也字、

水曰河。祠臨晉。【索隱】韋昭云、馮翊縣、地理志、臨晉有河水祠、【正義】即同州馮翊縣、本漢臨晉縣、收大荔、秦獲之更名、括地志云、大河祠在同州朝邑縣南三十里、山海經云、水夷人面、乘兩龍也、太公金匱云、馮脩也、龍魚河圖云、河伯姓呂、名公子、夫人姓馮、名夷、河伯字也、華陰潼鄉隄首人、水死化爲河伯、應劭云、夷、馮夷、乃水仙也、**沔。祠漢中。**【索隱】水經云、沔水出武都沮縣、注云、東南注漢、謂漢水、故祠之漢中、樂產云、漢女、漢神也、**湫淵。祠朝那。**

【集解】蘇林曰、湫淵在安定朝那縣、方四十里、停不流、冬夏不增減、不生草木、音將蓼反、【索隱】湫、音子小反、又子由反、即龍之所處也、【正義】括地志云、朝那湫祠在原州平高縣東南二十里、湫谷水源出寧州安定縣、**江水。祠蜀。**【索隱】案風俗通云、江出嶓山、嶓山廟在江都、地理志、江都有江水祠、蓋漢初祠之於源、後祠之於委也、又廣雅云、江神謂之奇相、江記云、帝女也、卒爲江神、華陽國志云、蜀守李冰於彭門闕立江神祠三所、漢舊儀云、祭四瀆用三正牲、沈圭、有車馬紺蓋也、【正義】括地志云、江瀆祠在益州成都縣南八里、秦幷天下、江水祠蜀、**亦春秋泮涸禱塞、如東方名山川。而牲牛犢牢具珪幣各異。而四大冢鴻·岐·吳·岳、皆有嘗禾。**【集解】孟康曰、以新穀祭、【索隱】案謂四山爲大冢也、又爾雅云、山頂曰冢、蓋亦因鴻冢而爲號也、**陳寶、節來祠。**【集解】服虔曰、陳寶神應節來也、**其河加有嘗醪。此皆在雍州之域、近天子之都。故加車一乘騮駒四。**

灞·產·【正義】括地志云、灞水、古滋水也、亦名藍谷水、即秦嶺水之下流、在雍州藍田縣、滻水、即荊溪、狗枷之下流也、在雍州萬年縣、**長水·**【索隱】案百官表、有長水校尉、沈約宋書云、營近長水、因以爲名、水經云、長水出白鹿原、今之荊溪水是也、**灃·**【索隱】十三州記、灃水出鄠縣南、【正義】括地志云、灃水源在雍州長安縣西南山灃谷、**澇**【集解】徐廣曰、音勞、駰案漢書音義、水名、在鄠縣界、**涇·渭、皆非大川。以近咸陽盡**

得比山川祠、而無諸加。【集解】韋昭曰、無車騶之屬、**汧·洛·**【正義】括地志云、汧水源出隴州汧源縣西南汧山、東入渭、洛水源出慶州洛源縣白於山、南流入渭、又云、洛水商州洛南縣西冢嶺山東、北流入河、案有二洛水、未知祠何者、**二淵、**【正義】地理志云、二川源在慶州華池縣西子午嶺東、二川合、因名也、**鳴澤·**【索隱】案服虔云、鳴澤、澤名、在涿郡遒縣也、【正義】括地志云、鳴澤在幽州范陽縣西十五里、案遒縣在易州淶水縣北一里、故遒城是也、澤在遒南、【考證】沈欽韓曰、漢書武紀、北出蕭關、歷獨鹿鳴澤、自代而還、彼鳴澤固在涿郡遒縣、此以近咸陽、則非涿郡之鳴澤也、**蒲山·嶽壻山之屬、爲小山川。亦皆歲禱塞、泮涸祠。禮不必同。**【集解】徐廣曰、壻、音先許反、**而雍有日·月·參·辰、**【索隱】案漢舊儀云、祭參辰星於池陽谷口、夾道左右爲壇也、【考證】何焯曰、參謂三辰也、非參昴、**南北斗·熒惑·太白·歲星·塡星·二十八宿·風伯·雨師·四海·九臣·十四臣。**【集解】晉灼曰、自此以下星至天淵玉女、凡二十六、小神不說、【索隱】九臣、十四臣、並不見其名數所出、故昔賢不論之也、【考證】漢志、塡星下有辰星二字、沈家本曰、上已言辰、恐漢志誤、皮錫瑞曰、九臣十四臣、疑九臣六十四臣之脫誤、九皇六十四民、見小宗伯都宗人注、又漢舊儀祭九皇六十四民、皆古帝王、是在漢時嘗列祀典、九臣、當是九皇之臣、六十四民、當是六十四民之臣、漢時亦列祀典、故史著之、**諸布·**【索隱】案爾雅、祭星曰布、或諸布是祭星之處、**諸嚴·諸**

逑之屬、百有餘廟。【索隱】逑亦未詳、漢書作遂、【考證】葉德輝曰、諸嚴、當作諸莊、避漢明帝諱改字、爾雅釋宮、六達謂之莊、釋名釋道、六達曰莊、即此義、逑、漢志作遂、周禮稻人注、遂、田首受水小溝、考工記匠人注、遂者、夫間小溝、地官序官注、遂、謂王國百里外、皆主道路言之、諸嚴諸遂、謂路神耳、愚按、逑術通、亦道路之義、**西亦有數十祠。**【索隱】西、即隴西之西縣、秦之舊都、故有祠焉、【考證】王先謙曰、索隱非也、西者長安之西、數十、統詞、對上百有餘廟言之、漢地理志、西縣下、並無一祠也、**於湖有周天子祠。**【索隱】地理志、湖縣屬京兆、有周天子祠二所、**於下邽有天神。灃滈有昭明·**【索隱】案樂產引河圖云、熒惑星散爲昭明、**天子辟池。**【索隱】樂產云、聞顧氏以爲璧池、即滈池、所謂華陰平舒道逢使者、持璧以遺滈池君、故曰璧池、今謂天子辟池、即周天子辟雍之地、故周文王都酆、武王都滈、既立靈臺、則亦有辟雍耳、張衡亦以辟池爲雍、【考證】沈欽韓曰、周辟雍故地、故曰辟池、所祀者滈池君也、**於社亳有三社主之祠·**【集解】韋昭曰、亳、音薄、湯所都、瓚曰、濟陰薄縣是、【索隱】徐廣云、京兆杜縣有亳亭、則社字誤、合作杜亳、且據文列於下、皆是地邑、則杜是縣、案秦寧公與亳王戰、亳王奔戎、遂滅湯社、皇甫謐亦云、周桓王時自有亳王、號湯、非殷也、而臣瓚以亳爲成湯之邑、故云在濟陰、非也、案謂杜亳有二邑、有三社主之祠也、【考證】梁玉繩曰、於杜亳有三社主之祠、漢郊祀志作杜亳有五杜主之祠、此誤杜爲社、漢志、五乃三之譌、攷地理志云、杜陵有杜主祠四所、乃合杜亳三祠、乃下雍菅廟言之、安得有五、**壽星祠。**【索隱】壽星、蓋南極老人星也、見則天下理安、

故祠之以祈福壽、【正義】角亢在辰爲壽星、三月之時、萬物始生、建於春、氣布養、各盡其性、不罹災夭、故壽、而雍菅廟亦有杜主。【集解】李奇曰、菅、茅也、杜主、故周之右將軍。【索隱】案地理志、杜陵故杜伯國、有杜主祠四、墨子云、周宣王殺杜伯不以罪、後宣王田於圃、見杜伯執弓矢射、宣王伏弢而死也、【正義】括地志云、杜祠、雍州長安縣西南二十五里、【考證】梁玉繩曰、周宣王殺杜伯、事見國語、墨子、然杜伯是國君、非將軍也、且宣王時安得有右將軍哉、蓋杜伯爲最小鬼之神者、朱衣冠而操弓矢、厥狀甚武、因以將軍目之、右將軍者、以右尊故也、其在秦中、最小鬼之神者。【索隱】謂其鬼雖小而有神靈、各以歲時奉祠。唯雍四時、上帝爲尊。【索隱】雍有五時、而言四者、顧氏以爲兼下文上帝爲五、非也、案四時據秦舊而言也、【正義】括地志云、鄜時、吳陽上下時、是言秦用四時祠上帝、青黃赤白、最尊貴之也、【考證】梁玉繩曰、秦舊有六時、而言四者、索隱謂是密時上下時、畦時、西鄜二時不在雍、故別祀不數、則正義引括地志以鄜時吳陽上下時爲四、固非、而下文西時畦時祠如其故語、必西時鄜時也、畦字誤、畦時在櫟陽、亦不在雍、而列于四時之內者、以白帝合于炎黃青爲四、故高帝增黑帝而五也、其光景動人民唯陳寶。故雍四時、春以爲歲禱、因泮凍、秋涸凍、冬塞祠。五月嘗駒。及四仲之月祠、若月祠。陳寶節來一祠。【考證】顏師古曰、四仲、謂四時之仲月、梁玉繩曰、漢志云、四仲

之月月祠、若陳寶節來一祠、此當衍上祠字、移若字於陳寶上、春夏用騂、秋冬用騮。時、駒四匹、木禺龍、【集解】漢書音義曰、禺、寄也、寄生龍形於木也、【索隱】禺、一音寓、寄也、寄龍形於木、寓車馬亦然、一音偶、亦謂偶其形於木也、【考證】顧炎武曰、古文偶寓通用、木寓、木偶也、補武帝紀、作木偶馬、欒車一駟、【索隱】謂車有鈴、鈴乃有欒和之節、故取名也、木禺車馬一駟。各如其帝色。黃犢羔各四、珪幣各有數。皆生瘞埋、無俎豆之具。【正義】豆以木爲之、受四升、高尺二寸、漆其中、大夫以上赤雲氣畫、諸侯加象飾口足、天子以玉飾之也、三年一郊。秦以冬十月爲歲首。故常以十月上宿郊見。【集解】李奇曰、宿、猶齋戒也、通權火、【集解】張晏曰、權火、烽火也、狀若井絜皐矣、其法類稱、故謂之權、欲令光明遠照通祀所也、漢祠五時於雍、五里一烽火、如淳曰、權、舉也、【索隱】權如字、解如張晏、一音爟、周禮有司爟、爟、火官、非也、【考證】權讀爲爟、索隱一音是、中井積德曰、夜中行事、執事者往來、故舉火燭之、惠士奇曰、通權火、蓋燔柴之遺法、拜於咸陽之旁、而衣上白。其用如經祠云。【集解】服虔曰、經、常也、西時·畦時、祠如其故。【考證】畦祠、當作鄜時、說已見上、上不親往。諸此祠、皆太祝常主、以歲時奉祠之。至如他名山川

諸鬼·及八神之屬、上過則祠、去則已。【考證】漢志、諸鬼作諸神、郡縣遠方神祠者、民各自奉祠、不領於天子之祝官。祝官有祕祝。即有菑祥、輒祝祠、移過於下。【正義】謂有災祥、輒令祝官祠祭、移其咎惡於衆官及百姓也、【考證】祕祝祠、漢文帝時除之、事見下文、徐孚遠曰、以上敍秦諸祠、或經、或不經、皆無貶詞、以漢所仍者多也、漢興、高祖之微時、嘗殺大蛇。有物曰。蛇、白帝子也。而殺者赤帝子。高祖初起、禱豐枌榆社。【集解】張晏曰、枌、白榆也、社在豐東北十五里、或曰、枌榆、鄉名、高祖里社也、徇沛爲沛公。則祠蚩尤、釁鼓旗。【考證】梁玉繩曰、釁鼓、經有明文、而釁旗不見于經、以高紀校之、旗下似脫幟、皆赤三字、釁鼓句絕、然孫侍御云、漢志亦作釁鼓旗、疑古有釁旗之典、呂氏春秋愼大篇有釁鼓旗甲兵語、愚按若改作旗幟皆赤、則與下文色上赤複、遂以十月至灞上、與諸侯平咸陽、立爲漢王。因以十月爲年首、而色上赤。【考證】中井積德曰、漢初以十月爲歲首者、只沿秦制耳、未嘗有意義也、其十月至灞上、是偶然耳、後人乃附會、二年、東擊項籍而還入關。問故秦時上帝祠何帝也。對

曰。四帝。有白青黃赤帝之祠。【考證】何焯曰、無黑帝者、秦自以水德當其一也、高祖曰。吾聞天有五帝。而有四、何也。莫知其說。於是高祖曰。吾知之矣。乃待我而具五也。乃立黑帝祠、命曰北時。有司進祠。上不親往。悉召故秦祝官、復置太祝太宰、如其故儀禮。因令縣爲公社。【集解】李奇曰、猶官社、下詔曰。吾甚重祠而敬祭。今上帝之祭、及山川諸神當祠者、各以其時、禮祠之如故。【集解】徐廣曰、高祖本紀曰、二年六月、令祠官祀天地四方上帝山川以時祀之、後四歲、天下已定。詔御史、令豐謹治枌榆社。常以四時春、以羊彘祠之。【考證】漢志、豐下無謹字、以下無時字、令祝官立蚩尤之祠於長安。長安置祠祝官女巫。其梁巫、祠天地·天社·天水·房中·堂上之屬。【索隱】案禮樂志、有安世房中歌、皆謂祭時室中堂上歌先祖功德也、【考證】中井積德曰、房中堂上堂下、皆指其神、索隱舛、晉巫祠五帝·

東君・雲中・司命・巫社・巫族人・先炊之屬。【索隱】廣雅曰、東君、日也、王逸注楚詞、雲中、雲也、東君雲中、亦見歸藏易也、【正義】先炊、古炊母神也、【考證】漢志、雲中下有君字、無司命二字、族上有祠字、炊上無先字、梁玉繩曰、司命是荆巫所祠、非晉巫之祠也、故漢志無之、索隱釋司命在下文、則唐初尚無、不知何時妄增、雲中下宜有君字、族人上脫祠字、當依漢志補、顏師古云、巫社巫祠、皆古巫之神也、沈欽韓曰、巫祠者、詛楚文云、有秦嗣王告於不顯大神巫咸、此秦舊典也、族人者、祭法有族厲、炊者、禮器注、老婦先炊者也、愚按東君雲中君、皆見楚辭九歌、漢志、炊上失先字、 秦巫祠社主・巫保・族纍之屬。【索隱】社主、即上文三社主也、巫保族纍、二神名、纍、力追反、【考證】漢志、社作杜、是、即上文杜主、 荆巫祠堂下・巫先・【集解】應劭曰、先人所在之國、及有靈施化民人、又貴、悉置祠巫祝、博求神靈之意、文穎曰、巫、掌神之位次者也、范氏世仕於晉、故祠祝有晉巫、范會支庶留秦爲劉氏、故有秦巫、劉氏隨魏都大梁、故有梁巫、後徙豐、豐屬荆、故有荆巫、【索隱】巫先、謂古巫之先有靈者、蓋巫咸之類也、【考證】中井積德曰、巫所掌、豈特位次、文穎注謬、 司命・【索隱】案周禮、以槱燎祠司命、鄭衆云、司命、文昌四星也、【考證】索隱所引周禮、太宗伯文、楚辭九歌亦有大司命少司命、 施糜之屬。【索隱】鄭氏云、主施糜粥之神、 九天巫祠九天。【索隱】案孝武本紀云、立九天廟於甘泉、三輔故事云、胡巫事九天於神明臺、淮南子云、中央曰鈞天、東方曰蒼天、東北旻天、北方玄天、西北幽天、西方皓天、西南朱天、南方炎天、東南陽天也、【正義】太玄經云、一中天、二羨天、三徙天、四罰更天、五晬天、六郭天、七咸天、八治天、九

成天也、 皆以歲時祠宮中。其河巫祠河於臨晉。而南山巫祠南山秦中。秦中者二世皇帝。【集解】張晏曰、子產云、匹夫匹婦強死者、魂魄能依人爲厲也、【考證】漢志注、張晏曰、以其彊死、魂魄爲厲、故祠之、成帝時匡衡奏罷之、 各有時月。【考證】漢志、月作日、 其後二歲、或曰。周興而邑邰、立后稷之祠、至今血食天下。【正義】顏師古云、祭有牲牢、故言血食、 於是高祖制詔御史。其令郡國縣立靈星祠。【集解】張晏曰、龍星左角曰天田、則農祥也、晨見而祭、【正義】漢舊儀云、五年脩復周家舊祠、祀后稷於東南、爲民祈農報厥功、夏則龍星見而始雩、龍星左角爲天田、右角爲天庭、天田爲司馬、教人種百穀爲稷、靈者神也、辰之神爲靈星、故以壬辰日祠靈星於東南、金勝爲土相也、廟記云、靈星祠、在長安城東十里、【考證】中井積德曰、靈星祠、即祀后稷也、上文可據、 常以歲時祠以牛。高祖十年春、有司請令縣常以春三月及時臘祀社稷以羊豕、【考證】王念孫曰、漢志、三月作二月、臘上無時字、可從、 民里社各自財以祠。【考證】漢志、財作裁、顏師古曰、隨其祠具之豐儉也、沈欽韓曰、祭法、大夫以下、成羣立社、注云、大夫不得立社、與民族居百家以上、則共立一社、今時里社是也、又有二十五家爲社、則書社是也、各自逐便置社耳、顏注非、 制

曰可。其後十八年、孝文帝即位。即位十三年、下詔曰。今祕祝移過于下。朕甚不取。自今除之。【考證】凌稚隆曰、應前祝官有秘祝、洪亮吉曰、祕祝、蓋周禮甸師代王受災眚遺意、事又見文紀、 始名山大川在諸侯、諸侯祝各自奉祠、天子官不領。及齊・淮南國廢、【正義】齊有泰山、淮南有天柱山、二山初天子祝官不領、遂廢其祀、令諸侯奉祠、今令太祝盡以歲時致禮、如秦故儀、 令太祝盡以歲時致禮如故。是歲制曰。朕即位十三年于今。【考證】漢志、是年作明年、史漢文紀、亦繫是詔於十四年、十三年于今、作十四年于今、此疑誤、 賴宗廟之靈、社稷之福、方內艾安、民人靡疾、閒者比年登。朕之不德、何以饗此。皆上帝諸神之賜也。蓋聞古者饗其德、必報其功。欲有增諸神祠。有司議增雍五畤路車各一乘、駕被具。【正義】顏師古云、駕車被馬之飾皆具也、【考證】艾、讀爲乂、治也、下同、梁玉繩曰、雍五畤祠、白青黃赤黑五帝、攷秦襄公西畤、文公鄜畤、獻公畦畤、俱祠白帝、宣公密畤祠青帝、靈公上畤祠黃帝、下畤祠炎帝、高祖北畤祠黑帝、則西鄜二畤、當與吳陽武畤好畤、均

不在五畤之數、蓋白帝不應有三畤、且西畤鄜畤非雍也、而此載有司議加五畤偶車馬、更言西畦二畤、豈其時取鄜畤而充五畤之數、而以西畤與畦畤作別祠乎、疑與上文言畦畤同誤、 西畤・畦畤、禺車各一乘、禺馬四匹、駕被具。其河・湫・漢水、【正義】河湫、黃河及湫泉、 加玉各二。【正義】言二水、祭時各加玉璧二枚、 及諸祠各增廣壇場、珪幣俎豆、以差加之。而祝釐者、歸福於朕、百姓不與焉。自今祝致敬、毋有所祈。【考證】如淳曰、釐、福也、顏師古曰、釐、本字作禧、假借用耳、 魯人公孫臣上書曰。始秦得水德。今漢受之。推終始傳、則漢當土德。土德之應、黃龍見。宜改正朔、易服色、色上黃。【考證】上文云、齊威宣之時、騶子之徒、論著終始五德之運、終始傳即是、 是時丞相張蒼好律歷。以爲漢乃水德之始。【考證】漢志、始作時、梁玉繩曰、始字誤、 故河決金隄。【集解】漢書音義曰、在東郡界、 其符也。【索隱】謂河決、乃水德之符應也、【考證】河渠書云、漢興三十九年、文帝時、河決酸棗、東潰金隄、於是東都大興卒塞之、陳子龍曰、殷爲金德、而河何以屢決耶、以何決爲水德、誣甚矣、 年始冬十月、色外黑內赤、【集解】服虔曰、十月

陰氣在外、故外黑、陽氣尙伏在地、故內赤、與德相應。如公孫臣言、非也。罷之。【考證】事又見文帝十四年紀、張丞相傳、後三歲、黃龍見成紀。【集解】徐廣曰、在文帝十五年春、【正義】案成紀、今秦州縣也、【考證】梁玉繩曰、後三歲、當依漢志作明年、文帝乃召公孫臣、拜爲博士。與諸生草改歷服色事。【考證】顏師古曰、草、謂創造之、其夏下詔曰。異物之神、見于成紀。【考證】史文紀、漢志、異上有有字、無害於民、歲以有年。朕祈郊上帝諸神。禮官議、無諱以勞朕。【考證】文紀、祈郊作郊祀、漢志、祈作幾、郊下有祀字、顏師古曰、幾、冀也、有司皆曰。古者天子夏親郊祀上帝於郊。故曰郊。【考證】文紀、郊祀作禮祀、於是夏四月、文帝始郊、見雍五時祠。衣皆上赤。【考證】又見文紀十五年、其明年、【考證】梁玉繩曰、其明年三字、當依漢志移下文夏四月文帝親拜霸渭上、趙人新垣平以望氣見上。言長安東北有神氣成五采。若人冠絻焉。【考證】漢志、絻作冕、二字通、或曰。東北、神明之舍。西方、神明之墓也。【集解】張晏

曰、神明、日也、日出東北、舍、謂陽谷、日沒於西墓、謂濛谷也、【考證】顏師古曰、張說非也、蓋總言凡神明以東北爲居、西方爲冢墓之所、故立廟於渭陽者也、天瑞下。宜立祠上帝以合符應。於是作渭陽五帝廟。同宇。【集解】韋昭曰、宇、謂上同下異、禮所謂複廟重屋也、瓚曰、一營宇之中立五廟、【正義】括地志云、渭陽五帝廟、在雍州咸陽縣東三十里、宮殿疏云、五帝廟、一宇五殿也、按一宇之內而設五帝、各依其方、帝別爲一殿、而門各如帝色也、【考證】中井積德曰、立下疑脫廟字、顏師古曰、廟記云、五帝廟、在長安東北也、帝一殿。面各五門。各如其帝色。祠所用及儀、亦如雍五時。夏四月、文帝親拜霸·渭之會、【集解】如淳曰、二水之會、【正義】渭陽五廟、在二水之合北岸、以郊見渭陽五帝。五帝廟、南臨渭、北穿蒲池溝水。【正義】顏師古云、蒲池、爲池而種蒲也、蒲字或作滿、言其水滿、恐顏說非、按括地志云、渭北咸陽縣有蘭池、始皇逢盜蘭池者也、言穿溝引渭水入蘭池也、疑滿字誤作蒲、重更錯失、【考證】各本正義有譌缺、今從梁玉繩校訂、權火擧而祠。若光煇然屬天焉。於是貴平上大夫、賜累千金、而使博士諸生刺六經中作王制。【索隱】小顏云、刺、謂采取之也、劉向七錄云、文帝所造書、有本制兵制服制篇、刺、音七賜反、【考證】漢志、平下有至字、王鳴盛曰、索隱引劉向七錄云、文帝所造書

有本制兵制服制篇、案卽封禪書所謂王制也、非今禮記所有王制、盧植妄以當之、彼疏引鄭目錄云、名曰王制者、以其記先王班爵授祿祭祀養老之法度、此於別錄屬制度、又鄭荅臨碩云、孟子當赧王之際、王制之作、復在其後、鄭意不以王制爲文帝作、明矣、藝文志、禮記百三十一篇、七十子後學者所記也、大小戴刪取之、今存四十九篇、王制在此內、與文帝所作何涉、許愼說文自序云、壁中書者、魯恭王壞孔子宅而得禮記尙書春秋論語孝經、禮記亦孔壁中所得、其非漢儒作甚明、下文武帝得寶鼎、命羣臣采封禪尙書周官王制事、此王制則是文帝所作、蓋文帝原爲封禪作之、武帝亦以議封禪采之也、愚按禮記王制、非文帝所造、說又見何焯讀書記、孫志祖讀書脞錄、臧庸拜經日記、左暄三餘續筆、姚範援鶉堂筆記諸書、謀議巡狩封禪事。文帝出長門。【集解】徐廣曰、在霸陵、駰按如淳曰、亭名、【索隱】徐云、在霸陵也、【正義】括地志云、長門故亭、在雍州萬年縣東北苑中、後館陶公主長門園、武帝以長門名宮、卽此、【考證】一本、長下有安字、錢大昕曰、安字衍、下文云、長門五帝、可證也、漢志亦作長門、愚按索隱本亦作長門、若見五人於道北。遂因其直北立五帝壇、祠以五牢具。【集解】孟康曰、直、値也、値其立處以作壇、【考證】漢志、直下無北字、其明年、新垣平使人持玉杯、上書闕下獻之。平言上曰。闕下有寶玉氣來者。已視之。果有獻玉杯者。刻曰。人主延壽。平又言臣候日再中。【索隱】晉灼云、淮南

子云、魯陽公與韓構、戰酣日暮、援戈麾之、日爲卻三舍、豈其然乎、居頃之、日卻復中。於是始更以十七年爲元年、令天下大酺。【考證】何焯曰、此人主自改元之始、不祥莫大焉、平言曰。周鼎亡在泗水中。今河溢通泗。臣望東北、汾陰直有金寶氣。意周鼎其出乎。兆見不迎則不至。【考證】王念孫曰、直有金寶氣五字連讀、直猶特也、言東北汾陰之地、特有金寶氣也、直特古字通、史記直隍其履氾下、義正同、中井積德曰、無端言有金氣、可知平既作鼎而埋焉、盧舜治曰、後來得寶鼎之端、微見于此、於是上使使治廟汾陰、南臨河、欲祠出周鼎。【集解】徐廣曰、後三十七年、鼎出汾陰、人有上書告新垣平所言氣神事、皆詐也。下平吏治。誅夷新垣平。【考證】又見文紀、誅夷、誅夷三族也、自是之後、文帝怠於改正朔服色神明之事。【考證】漢志、無朔色二字、愚按文紀贊云、漢興至孝文四十有餘載、德至盛也、廩廩鄉改正服封禪矣、謙讓未成於今、亦此事、而渭陽長門五帝、使祠官領、以時致禮、不往焉。明年、匈奴數入邊。興兵守禦。後歲少不登。數

年而孝景卽位。十六年、祠官各以歲時祠如故。無有所興、至今天子。【集解】自此後武帝事、褚先生取爲武帝本紀、注解已在第十二卷、今直載徐義、【考證】凌本、移置補武帝本紀集解索隱正義於是篇云、此以下錄封禪書文、注釋竝入原書、此不載、葢凌氏以意改易也、今悉復其舊第、但錄其要義於各條下、以便讀者、其不悉揭注家姓名者、從簡也、 今天子初卽位、尤敬鬼神之祀。元年、漢興已六十餘歲矣。天下艾安、搢紳之屬、皆望天子封禪改正度也。而上鄕儒術、招賢良。趙綰・王臧等、以文學爲公卿、欲議古立明堂城南以朝諸侯、草巡狩封禪改歷服色事。未就。會竇太后治黃・老言、不好儒術。使人微伺得趙綰等姦利事、召案綰・臧。綰・臧自殺。諸所興爲皆廢。【考證】徐孚遠曰、如史所言、尊天子之義也、不爲姦利、葢有司以太后旨坐之耳、 後六年、竇太后崩。【考證】建元六年、 其明年、徵文學之士公孫弘等。【考證】元光元年、 明年、今上初至雍郊見五

時。後常三歲一郊。【索隱】案漢舊儀云、元年祭天、二年祭地、三年祭五時、三歲一遍、皇帝自行也、 是時上求神君、舍之上林中蹏氏觀。【考證】漢志、觀作館、 神君者、長陵女子、以子死見神於先後宛若。【考證】子死、當作字死、漢志、作乳死、產乳而死也、兄弟妻相謂先後、古之娣姒、宛若其字也、 宛若祠之其室。民多往祠。平原君往祠。其後子孫以尊顯。【考證】平原君、武帝外祖母也、 及今上卽位、則厚禮置祠之內中。聞其言、不見其人云。【考證】內中、卽蹏氏觀內中也、 是時李少君亦以祠竈穀道卻老方見上。上尊之。少君者、故深澤侯舍人。主方。【索隱】案表、深澤侯趙將夕、孫夷侯胡紹封、【考證】藝文類聚引史、穀道作辟穀、王充論衡道虛篇亦作辟穀、 匿其年及其生長。【考證】漢志、其作所、生長、謂其郡縣所屬、及居止處、 常自謂七十。能使物卻老。【考證】物、鬼物也、 其游以方徧諸侯。無妻子。人聞其能使物及不死、更饋遺之。常餘金錢衣食。人皆以爲不治生業而饒給。又

不知其何所人。愈信、爭事之。少君資好方、善爲巧發奇中。【考證】資、藉也、巧發奇中、時時發言有所中、 嘗從武安侯飲。【索隱】案是田蚡也、 坐中有九十餘老人。少君乃言與其大父游射處。老人爲兒時、從其大父、識其處。一坐盡驚。少君見上。上有故銅器。問少君。少君曰、此器、齊桓公十年陳於柏寢。【索隱】案韓子云、齊景公與晏子遊於少海、登柏寢之臺而望其國、【考證】梁玉繩曰、齊景公新成柏寢之臺、見晏子春秋雜下篇、桓公時安得此臺乎、少君甚妄、 已而案其刻、果齊桓公器。一宮盡駭、以爲少君神、數百歲人也。少君言上曰、祠竈則致物。致物而丹沙可化爲黃金。黃金成、以爲飲食器、則益壽。益壽而海中蓬萊僊者乃可見。見之以封禪則不死。黃帝是也。【考證】茅坤曰、至是始以封禪爲不死之術、 臣嘗游海上、見安期生。安期生食巨棗大如瓜。【索隱】案包愷云、巨或作臣、【考證】沈濤

曰、作臣者是也、臣、少君自稱、謂安期生以棗餌耳、張文虎曰、北宋本舊刻本、作臣、與郊祀志合、愚按索隱本已譌巨、趙翼曰、史記樂毅傳、河上丈人以黃老敎安期生、數傳至葢公、爲曹相國師、敎相國以清淨爲治、而齊國大治、蒯通傳、安其生嘗以策干項羽、項羽不能用、授以官、不受而去、則安期葢隱君子也、梁玉繩曰、考田儋傳論、安期生、辨士之流、卽其時見存、不過八九十歲人、安得以爲古之眞仙哉、 安期生僊者。通蓬萊中。合則見人。不合則隱。於是天子始親祠竈、遣方士入海求蓬萊安期生之屬、而事化丹沙諸藥齊爲黃金矣。【考證】齊、音劑、 居久之、李少君病死。天子以爲化去不死、而使黃錘史寬舒受其方。【集解】徐廣曰、錘、音才恚反、錘縣、黃縣、皆在東萊、【考證】黃錘之史、其名寬舒、徐孚遠曰、少君已死、何所從受、當是修其遺方、 求蓬萊安期生、莫能得。而海上燕・齊怪迂之方士、多更來言神事矣。亳人謬忌奏祠太一方。【考證】補武紀、漢志、太一竝作泰一、 曰、天神貴者太一。【索隱】樂汁徵圖曰、天宮紫微北極天一太一、宋均云、天一太一、北極神之別名、春秋佐助期曰、紫宮、天皇曜魄寶之所理也、石氏云、天一太一、各一星、在紫宮門外、立承事天皇大帝、 太一佐曰五帝。古者天

子以春秋祭太一東南郊。用太牢七日。爲壇、開八通之鬼道。【索隱】開八通鬼道、案司馬彪續漢書祭祀志云、壇有八陛、通道以爲門、又三輔黃圖云、上帝壇八觚、神道八通、廣三十步、於是天子令太祝立其祠長安東南郊、常奉祠如忌方。其後人有上書言、古者天子、三年壹用太牢祠神三一。天一・地一・太一。【考證】補武紀、漢志、壹作一、漢志無神字、姚範曰、三一句絕、王先謙曰、天一地一泰一爲神三一、郊祀歌云、天地竝況、維予有慕也、天子許之、令太祝領祠之於忌太一壇上、如其方。後人復有上書言。古者天子常以春解祠。【索隱】謂祠祭、以解殃咎求福祥也、【考證】沈欽韓曰、論衡解除篇、祭祀之禮、解除之法、衆多非一、且以一事效其非也、世間繕治宅舍、鑿池掘土、功成作畢、解除土神、名曰解土、爲土偶人以象鬼形、令巫祝延以解土神、已祭之後、心快意喜、謂鬼神解謝、殃禍除去、案此則解祠者、祓除之祭也、祠黃帝用一梟破鏡。【考證】梟、鳥名、食母、破鏡、獸名、食父、皆惡逆之物、祠用之者、欲絕其類也、冥羊用羊。祠馬行用一靑牡馬。太一・澤山君地長用牛。【集解】徐廣曰、澤、一作皋、【索隱】此則人上書言古天子祭太一、太一、天神也、澤山、本紀作皋山、皋山君

地長、謂祭地於皋山、同用太牢、故云用、蓋是異代之法也、【考證】漢志、澤山君地長作皋山山君、李慈銘曰、皋、翠、澤、古書多相亂、此蓋本作翠山君、謂翠山之神也、與下武夷君同、太一者、上所祠之太一、太一與翠山君、皆用牛也、漢志及史武紀、君字皆誤重、志下卷同、其下文云、祠太一於忌太一壇旁者、王氏鳴盛謂史孝武紀封禪書、祠下皆無太一二字、郊祀志誤衍者是也、蓋自黃帝冥羊馬行及皋山君武夷君、皆祠於亳人謬忌所奏立之太一壇旁、以此是春日解祠、或用羊、或用馬、或用牛、或用乾魚、所祭各異、而太一亦有春日解祠之祭、與忌所奏祠太一之方春秋各祭七日者異、故竝令祠官領之、而皆祠太一壇旁也、史記之地長、疑當時嶧山君之別稱、以嶧山君爲地長、故班志以繁文去之、史記正義、謂皋山山君地長三竝神者、非也、武帝時太一之祀凡四、一、謬忌所奏立長安城東南郊者、所謂忌太一壇也、一、此春解祠之太一用牛者也、一、神君所下之太一、祠於甘泉北宮之壽宮者也、一、祠官寬舒等所立之太一、祠壇在雲陽甘泉宮之南、所謂太時、三年一郊見者、以祀之時、禮皆別、故各爲祭、蓋漢以祀太一當祀天、而皆用方士之說、故雜出不經、武夷君用乾魚、【索隱】顧氏案地理志云、建安有武夷山、溪有仙人葬處、卽漢書所謂武夷君、是時既用越巫勇之、疑卽此神、今案其祀用乾魚、不饗牲牢、或如顧說也、陰陽使者以一牛、【考證】冥羊、馬行、太一、澤山君地長、武夷君、陰陽使者、皆神名、令祠官領之如其方、而祠於忌太一壇旁。其後天子苑有白鹿。以其皮爲幣、以發瑞應、造白金焉。【索隱】案樂彥云、謂龍馬龜、其明年、郊雍。【集解】徐廣

曰、武帝立已十九年、【考證】漢武紀、元狩元年冬十月幸雍、祠五時、獲白麟、作白麟之歌、郊祀志、其明年作後二年、獲一角獸。若麟然。【考證】補武紀漢志、麟作麃、注、麃、鹿屬、音蒲交反、張文虎曰、北宋本作麃、凌稚隆曰、與管仲言麒麟來、暗廬、梁玉繩曰、獲麟在元狩元年、而造白金及皮幣、在元狩四年、此誤也、漢志、刪其後天子廿一字、改其明年爲後二年、有司曰。陛下肅祗郊祀、上帝報享、錫一角獸。蓋麟云。於是以薦五時。時加一牛以燎。錫諸侯白金。風符應合于天也。於是濟北王以爲天子且封禪。乃上書獻太山及其旁邑。天子以他縣償之。常山王有罪。遷。天子封其弟於眞定、以續先王祀、【集解】徐廣曰、元鼎四年時、【考證】王先謙曰、據表、濟北成王胡、又曰、據紀表、元鼎三年、常山憲王舜子勃、有罪、徙房陵、上更封憲王子平爲眞定王、而以常山爲郡。然后五岳皆在天子之邦。【考證】王觀國曰、漢高祖名邦、史記爲諱之、悉代以國字、然封禪書曰、五岳皆天子之邦、漢文帝名恆、改恆山爲常山、故封禪書曰、以常山爲郡、然又曰至琅邪過恆山、呂后名雉、改雉爲野雞、故封禪書曰、野雞夜呴、然又曰縱遠奇飛禽及白雉、凡此用字不一如此、何耶、梁玉繩曰、漢志及補今上紀、竝作天子之郡、疑邦乃郡之譌、愚按野雞非雉、說既見上、其明年、

齊人少翁、以鬼神方見上。【考證】凌稚隆曰、篇中凡其明年、其後某年、其來年、其春、其冬、竝是歲等語、俱略不詳、王先謙曰、通鑑、誅文成在元狩四年、下云居歲餘云云、是見上或在元狩三年、上有所幸王夫人。【集解】徐廣曰、外戚傳曰、趙之王夫人幸、有子、封爲齊王、夫人卒。少翁以方蓋夜致王夫人及竈鬼之貌云。天子自帷中望見焉。【索隱】漢書、作李夫人卒、帝悼之、李少翁致其形、帝爲作賦、此云王夫人、新論亦同、未詳、【考證】陳仁錫曰、李夫人卒時、少翁死久矣、沈欽韓曰、論衡自然篇、武帝幸王夫人、王夫人死、思見其形、道士以方術作王夫人形、形成、出入宮門、武帝大驚、立而迎之、忽不復見、本史記而附益之、於是乃拜少翁爲文成將軍、賞賜甚多、以客禮禮之。文成言曰。上卽欲與神通、宮室被服非象神、神物不至。乃作畫雲氣車。及各以勝日駕車辟惡鬼。【索隱】案樂彥云、謂畫靑車以甲乙、畫赤車丙丁、畫玄車壬癸、畫白車庚辛、畫黃車戊己、將有水事、則乘黃車、故下云、駕車辟惡鬼、是也、【考證】勝日、謂甲乙五行相克之日也、例如庚辛日駕赤車、丙丁日駕黑車也、林伯桐曰、作畫雲車、此一事、各以勝日駕辟惡鬼、此又一事、索隱似誤、又作甘泉宮。中爲臺室、畫天地太一諸鬼神、而置祭具、以致天神。居

歲餘、其方益衰、神不至。乃爲帛書以飯牛、詳不知、言曰。此牛腹中有奇。殺視得書。書言甚怪。天子識其手書、問其人、果是僞書。【正義】上音于僞反、或人果爲文成書帛飯牛、【考證】補武紀、作天子疑之、有識其手書、問之人、果爲書、郊祀志、作天子識其手、問之、果爲書、愚按手書、手迹、言人之所書也、其人養牛之人、正義本僞作爲、爲僞古通。於是誅文成將軍、隱之。【考證】補武紀、隱上有而字。其後則又作柏梁銅柱、承露仙人掌之屬矣。【集解】徐廣曰、元鼎二年時、文成死明年、天子病鼎湖甚。【索隱】案三輔黃圖、鼎湖、宮名、在藍田、韋昭云、地名、近宜春、案湖本屬京兆、後分屬弘農、恐非鼎湖之處也、【正義】郊祀志云、黃帝采首山之銅、鑄鼎荊山之下、有龍垂胡髯下迎黃帝、後人名其處曰鼎湖、【考證】顧炎武曰、湖當作胡、鼎胡、宮名、漢書楊雄傳、南至宜春鼎胡御宿昆吾、是也、故卒起幸甘泉、而行右內史界、王先謙曰、通鑑、在元狩五年、巫醫無所不致。不愈。游水發根言、上郡有巫、病而鬼神下之。【考證】游水、地名、發根、人名、上召置祠之甘泉。及病、使人問神君。神君言曰。天子無憂病。病少愈、彊與我會甘泉。於是病愈。

遂起、幸甘泉。病良已。【正義】善也、已、止也、病善止也、大赦、置壽宮神君。壽宮神君、最貴者太一。【考證】補武紀漢志、無下壽宮二字、何焯曰、小字宋本、不重壽宮神君四字、張文虎曰、置壽宮神君、從北宋本、與補武紀郊祀志合、各本置下衍酒字、又疑此文當作神君壽宮、愚按下壽宮二字疑衍、補武紀、太一作大夫、兪樾曰、神君乃巫之神、以巫爲主人、居帷幄中、與人言、卽所謂上郡有巫、病而鬼神降之者也、太一乃天神之最貴者、漢祀太一、有二、其一則天子三年親一郊祠、如雍郊之禮、其一則亳人謬忌所奏祠、謂之薄忌太一、是二者均與神君無涉也、太一之佐曰五帝、亦非太禁司命之屬也、然則此太一當作大夫、大夫蓋巫神之貴者曰大夫耳、秦時民俗相稱、尊之則曰大夫、若蕭何稱沛中吏是也、巫覡鄙俚、亦沿此稱、非謂太一也、當以紀爲長、參存、其佐曰大禁。司命之屬皆從之。非可得見。聞其言、言與人音等。時去時來。來則風肅然。居室帷中、時晝言。然常以夜。天子祓、然后入。因巫爲主人。關飮食。所以言行下。【考證】王先謙曰、關猶通也、所欲飮食、巫關白之、愚按以、用也、補紀、作所欲者言行下、漢志、作所欲言行下、又置壽宮北宮、張羽旗、設供具、以禮神君。神君所言、上使人受書其言。命之曰畫法。【考證】策畫之法、其所

語、世俗之所知也、無絕殊者。而天子心獨喜。其事祕、世莫知也。其後三年、有司言、元宜以天瑞命、不宜以一二數。一元曰建、二元以長星曰光、三元以郊得一角獸曰狩云。【考證】漢志、改三元作今、中井積德曰、一二者、是元之一二、下文所謂一元二元三元是也、當初時未制年號、但以一元二元三元稱之、猶文帝景帝有中元後元也、錢大昕曰、元光之後、尙有元朔、則元狩乃四元、非三元、班史改以爲今、無三元字、蓋得之矣、言建元元光而不言元朔者、建以斗建爲名、光以長星爲名、皆取天象、若元朔紀年、應劭解朔爲蘇、取品物蘇息之義、不主天瑞、故不及之耳、劉攽曰、所謂其後三年者、蓋盡元狩六年至元鼎三年也、然元鼎四年方得寶鼎、又無緣先三年而稱之、以此而言、自元鼎以前之元、皆有司所追命、其實年號之始在元鼎耳、故元封改元、則始有詔書矣、吳仁傑刊誤云、年號之起、在元鼎耳、通鑑考異云、元鼎年號、亦如建元元光、皆後來追改、案魏司空王朗曰、古者有年數、無年號、漢初猶然、其後乃有中元後元、元改彌數、中後之號不足、故更假取美名、蓋文帝凡兩改元、故以前後別之、景帝凡三改元、故以前中後別之、武帝卽位以來、大率六年一改元、二十七年之間、改元者五、當時但以一元二元三元四元五元爲別、五元之三年、有司言、元宜以天瑞、不宜以一二數、蓋爲是也、時雖從有司之議、改一元爲建元、二元爲元光、三元爲元朔、四元爲元狩、至五元則未有以名、帝意將有所待也、明年寶鼎出、遂改五元爲元鼎、而以是年爲元鼎四年、然則謂年號起於元鼎固然、謂元鼎爲後來追改者、亦不誤也、趙翼曰、

武帝自建元至元封、每六年一改元、太初至征和、每四年一改元、征和四年後改爲後元年、而無復年號、蓋帝亦將終矣、其明年冬、天子郊雍。議曰。今上帝朕親郊。而后土無祀、則禮不荅也。【考證】漢志、無議字、有司與太史公祠官寬舒議、【考證】中井積德曰、太史公者、遷所以稱其父、以爲其私史耳、愚按漢志改作太史令談、天地、牲角繭栗。【考證】牛角之形、或如繭、或如栗、言其小、今陛下親祠后土。后土宜於澤中圜丘爲五壇。壇一黃犢太牢具。【考證】漢志、無太字、已祠盡瘞。而從祠衣上黃。【考證】侍祠之人、皆著黃衣、於是天子遂東、始立后土祠汾陰脽丘、如寬舒等議。【集解】徐廣曰、元鼎四年、【考證】補武紀、漢紀志、丘作上、漢志云、天子東幸汾陰、汾陰男子公孫滂洋等、見汾旁有光如絳、上遂立后土祠於汾陰脽上、上親望拜如上帝禮。禮畢、天子遂至滎陽而還。過雒陽、下詔曰。三代邈絕、遠矣難存。其以三十里地、封周後爲周子南君、以奉其先祀焉。【考證】漢書武紀、元鼎四年十一月甲子、立后土祠于汾陰脽上、禮畢、行幸滎陽、還至洛陽、詔曰、祭地冀州、瞻望河

洛、巡省豫州、觀于周室、邈而無祀、詢問耆老、迺得孽子嘉、其封嘉爲周子南君、以奉周祀、事同文異、蓋班錄全文、馬從刪略也、是歲、天子始巡郡縣、侵尋於泰山矣。【考證】張文虎曰、毛本侵、與補武紀合、各本作浸、郊祀志作寖、愚按侵尋即浸淫、其春、樂成侯上書言欒大。【考證】樂成侯丁義、後與欒大同誅、漢志、侯下有登字、非是、欒大、膠東宮人。故嘗與文成將軍同師。已而爲膠東王尚方。而樂成侯姊爲康王后。【索隱】康王名寄也、無子。康王死、他姬子立爲王。【集解】徐廣曰、以元狩二年薨、而康后有淫行、與王不相中。【索隱】案三蒼云、中、得也、相危以法。康后聞文成已死、而欲自媚於上、乃遣欒大、因樂成侯求見言方。天子既誅文成、後悔其蚤死、惜其方不盡。及見欒大大說。大爲人長美、言多方略。而敢爲大言、處之不疑。大言曰。臣常往來海中、見安期・羨門之屬。顧以臣爲賤、不信臣。又以爲康王諸侯耳、不足與方。

臣數言康王。康王又不用臣。臣之師曰。黃金可成。而河決可塞。不死之藥可得。僊人可致也。然臣恐效文成、則方士皆奄口。惡敢言方哉。上曰。文成食馬肝死耳。【索隱】案論衡云、氣熱而毒盛、故食走馬肝殺人、儒林傳云、食肉無食馬肝、是也、子誠能脩其方、我何愛乎。【索隱】上語欒大、言子誠能脩文成方、我更何所愛惜乎、謂不悋金寶及祿位也、大曰。臣師非有求人。人者求之。陛下必欲致之、則貴其使者、令有親屬、以客禮待之、勿卑、使各佩其信印、乃可使通言於神人。神人尚肯邪不邪。【考證】令下有、漢志作爲、凌本引一本同、王先謙曰、尚、未敢定之詞、致尊其使、然后可致也。【考證】漢志、尊上無致字、於是上使驗小方鬬棊、棊自相觸擊。【索隱】顧氏案萬畢術云、取雞血、雜磨鍼鐵、杵和磁石、棊頭置局上、卽自相抵擊也、【考證】梁玉繩曰、棊與漢志作棊、補紀作旗、張守節謂旗本或作棊、故索隱引萬畢術、正義引高誘淮南子注、並作棊解、而通鑑獨作旗、攷異引漢武故事證之云、欒大嘗于殿前樹旍數百枚、令旍自相擊、繙繙竟庭中、去地十餘丈、觀者皆駭、兩解均有據、存參、

是時上方憂河決。而黃金不就。乃拜大爲五利將軍。居月餘、得四印。【索隱】謂五利將軍、天士將軍、地士將軍、大通將軍爲四也、佩天士將軍・地士將軍・大通將軍印。制詔御史。昔禹疏九江、決四瀆。閒者河溢皋陸。隄繇不息。【考證】漢志、九江作九河、是、繇、役也、朕臨天下二十有八年。【集解】徐廣曰、元鼎四年也、天若遺朕士而大通焉。乾稱蜚龍。鴻漸于般。【考證】顏師古曰、飛龍在天、乾卦九五爻辭、鴻漸于般、漸卦六二爻辭、方苞曰、飛龍在天、利見大人、言君之得臣也、鴻漸于磐、飲食衎衎、言臣之遇君也、武帝以欒大爲天所遺士、故引此、朕意庶幾與焉。其以二千戶封地士將軍大爲樂通侯。賜列侯甲第、僮千人、乘轝斥車馬、帷幄器物、以充其家。又以衞長公主妻之。【索隱】案衞子夫之子曰衞太子、女曰衞長公主、是衞后長女、故曰長公主、非如帝姊曰長公主之例、【正義】劉伯莊云、衞后女三人、以最長妻欒大也、非天子姊妹也、漢書外戚傳云、衞子夫生三女、元朔三年生男、據此則是太子之姊、【考證】斥、不用也、梁玉繩曰、索隱甚通、若劉敬傳稱魯元公主爲長公主、外戚世家稱文帝女嫖爲長公主矣、中井積德曰、帝姊妹曰長公主

者、蓋昉於昭帝時鄂邑公主也、武帝以上、未有此例、此但以其長幼稱焉耳、如魯元公主、未嘗稱長公主也、何焯曰、以衞公主妻大者、令爲親屬、如大所言也、齎金萬斤。更命其邑曰當利公主。【索隱】案地理志、東萊有當利縣、【考證】漢志、萬斤作十萬斤、天子親如五利之第、使者存問、供給相屬於道。自大主將相以下、皆置酒其家獻遺之。【集解】徐廣曰、大主、武帝姑、於是天子又刻玉印曰天道將軍、使使衣羽衣夜立白茅上。【正義】喻有潔白之德、【考證】顏師古曰、羽衣以羽爲衣、取其神仙飛翔之意、五利將軍亦衣羽衣夜立白茅上、受印。以示不臣也。【考證】紀、志、無夜字、此衍、而佩天道者、且爲天子道天神也。【考證】中井積德曰、當初立天道將軍之號、未必導天神之意、後乃附會作此說耳、於是五利常夜祠其家、欲以下神。神未至、而百鬼集矣。然頗能使之。其後裝治行、東入海求其師云。大見數月、佩六印、【索隱】更加樂通侯及天道將軍印、爲六印、貴震天下。而海上燕・齊之閒、莫不搤捥而自言有

禁方能神僊矣。【正義】搤捥、猶執手也、言海上燕齊之間方術之士、見少君欒大貴振天下、皆自言有禁方服之、能令人神仙矣、冀武帝召之、其夏六月中、汾陰巫錦、爲民祠魏脽后土。營旁見地如鉤狀。掊視得鼎。【正義】掊、音白侯反、師古曰、掊、手把土也、【考證】營、祠之兆域、鼎大異於衆鼎。文鏤無款識。【正義】劉伯莊曰、自古諸鼎皆有銘記識其事、此鼎能無款識也、【考證】陰文曰款、陽文曰識、中井積德曰、是鼎係新垣平僞造、蓋平作鼎埋之、欲待其鑄壞、祠而出之、而身先死、至此鼎自出也、怪之言吏。吏告河東太守勝。勝以聞。天子使使驗問巫得鼎。無姦詐。乃以禮祠、迎鼎至甘泉。從行上薦之。至中山。【集解】徐廣曰、河渠書曰、鑿涇水自中山西、【考證】顏師古曰、中讀曰仲、沈欽韓曰、長安志、仲山在雲陽縣西北四十里、漢志、行上作上行、曣嘔、有黃雲蓋焉。【考證】補武紀、漢志、曣嘔作晏溫、藝文類聚引史亦作晏溫、如淳曰、日出清濟爲晏、錢大昕曰、說文、晏、天清也、中井積德曰、曣嘔、蓋鼎徵熒發光彩也、下文光潤龍變指此、愚按後說近是、有麃過。上自射之、因以祭云。【集解】徐廣曰、上言從行上薦之、或者祭鼎也、至長安。公卿大夫皆議、請尊寶鼎。天子曰。閒者河溢、歲數不登。

故巡祭后土、祈爲百姓育穀。今歲豐廡、未報。鼎曷爲出哉。【考證】廡讀爲膴、詩大雅緜篇、周原膴膴、堇荼如飴、傳、膴、美也、有司皆曰。聞昔泰帝興神鼎一。【索隱】案孔文祥云、泰帝、太昊也、一者壹統天地。萬物所繫終也。【考證】漢志、終作象、黃帝作寶鼎三。象天地人。禹收九牧之金、鑄九鼎。皆嘗亨鬺上帝鬼神。【集解】徐廣曰、亨、烹也、鬺、音殤、皆嘗以亨牲牢而祭祀、【考證】亨鬺、補武紀作鬺亨、顏師古曰、鬺亨一也、鬺亨、煮而祀也、韓詩采蘋曰、于以鬺之、唯錡及釜、何焯曰、鬺、古烹飪字、下亨、乃古亨祀字也、一之者非也、中井積德曰、史記亨鬺二字倒、亨亨通、言皆嘗鬺而饗上帝鬼神也、愚按錢大昕張文虎說同、遭聖則興。【考證】方苞曰、遭聖則興、承上文言、中井積德曰、遭聖、論古昔、非指漢、漢志、無遭聖一句、而別有數句、其末曰、周德衰、鼎遷于秦、秦德衰、宋之社亡、鼎遷于夏商。周德衰、宋之社亡、鼎乃淪沒、伏而不見。【考證】梁玉繩曰、史公述有司議、缺略不具、當以漢志校之、得失自見、然周德衰下有鼎遷于秦、秦德衰二語、社亡鼎沒、不在秦衰之時、議者未免失詞、頌云。自堂徂基、自羊徂牛。鼐鼎及鼒。不吳不驚。胡考之休。【考證】漢志、頌上有周字、補武紀、吳作虞、漢志、驚作敖、此周頌絲衣之詩、基、門塾之基也、吳、讙譁也、

驁、讀爲敖、慢也、胡考、壽也、休、美也、言執祭事者、或升堂、或之門塾、視羊牛之牲、及舉大小之鼎、不讙不慢、神降之福、故獲壽考之美也、今鼎至甘泉、光潤龍變。承休無疆、合茲中山。【集解】徐廣曰、關中、亦復有中山也、非魯中山、【考證】適在中山有此事也、有黃白雲降蓋。【考證】蓋字屬上句、卽上文所謂黃雲蓋焉者、若獸爲符、路弓乘矢、集獲壇下。【考證】若、如此也、獸指麃、符、符瑞、路、大、四矢曰乘、言以大弓四矢獲之於壇下也、報祠大享。【集解】徐廣曰、一云、大報祠享、【考證】享、補武紀作饗、漢志作亨、唯受命而帝者、心知其意而合德焉。【考證】此謂武帝、非謂高祖、鼎宜見於祖禰、藏於帝廷、以合明應。制曰。可。【考證】漢志、見作視、示也、入海求蓬萊者、言蓬萊不遠、而不能至者、殆不見其氣。【考證】凌稚隆曰、接上東入海求其神、上乃遣望氣佐候其氣云。【考證】高祖紀、秦始皇帝常曰、東南有天子氣、於是因東游以厭之、高祖亡匿隱於山澤巖石之間、呂后與人俱求、常得之、曰、季所居、上常有雲氣、是漢高假望氣之名、以駭愚夫愚婦也、其後新垣平以望氣見文帝、其秋、上幸雍且郊。【考證】上、天子也、或曰。五帝、太一之佐也。宜立太一而上親郊之。上疑未定。

齊人公孫卿曰。今年得寶鼎。其冬辛巳朔旦冬至、與黃帝時等。卿有札書曰。黃帝得寶鼎宛朐、問於鬼臾區。【考證】札、木之薄小者、宛朐、補紀、作宛侯、漢志、作冕侯、蓋地名、濟陰郡宛句縣、是、鬼臾區對曰。黃帝得寶鼎神策。是歲己酉朔旦冬至、得天之紀。終而復始。於是黃帝迎日推策。後率二十歲、復朔旦冬至。凡二十推、三百八十年。黃帝僊登于天。【考證】補武紀、歲下復作得、日月朔望未來而推之、故曰迎日、卿因所忠欲奏之。所忠視其書不經、疑其妄書、謝曰。寶鼎事已決矣。尙何以爲。【正義】所以謝公孫卿、言寶鼎已決知矣、不須上此書、【考證】所忠、武帝幸臣、姓名、又見平準書五宗世家司馬相如傳萬石君傳、卿因嬖人奏之。上大說、乃召問卿。對曰。受此書申公。申公已死。上曰。申公何人也。卿曰。申公齊人、與安期生通。受黃帝言。無書。獨有此鼎。書曰。漢興、復當黃帝之

時曰、漢之聖者、在高祖之孫且曾孫也。寶鼎出、而與神通封禪。封禪七十二王。唯黃帝得上泰山封。申公曰、漢主亦當上封。上封則能僊登天矣。黃帝時萬諸侯。而神靈之封居七千。索隱 韋昭云、黃帝時萬國、其以脩神靈得封者七千國、或爲七十國、樂彥云、以舜爲神明之後、封嬀滿於陳之類是也、顧氏案國語、仲尼云、山川之守足以紀綱天下者、其守爲神、汪芒氏之君、守封禺之山也、考證 漢志、居作君、訛、余有丁曰、神靈之封居七千、謂封守之中、神靈當祭告者居七千也、天下名山八。而三在蠻夷、五在中國。中國華山・首山・太室・泰山・東萊。正義 首山、一名雷首山、亦名申修山、名歷山、亦名蒲山、亦名襄山、又名甘棗山、亦名獨頭山、泰室、嵩高、泰山、岱宗、此五山、黃帝之所常游與神會。黃帝且戰且學僊。患百姓非其道者、乃斷斬非鬼神者。索隱 謂有非毀鬼神之人、乃斷理而誅斬之、考證 凌稚隆曰、卿見武帝好征伐好神仙、則曰、黃帝且戰且學仙、懼人攻其邪妄、則曰、斷斬非鬼神者、此小人極意逢迎之態、專權固寵之術也、百餘歲、然後得與神通。考證 何焯曰、恐其言不驗被誅、故遠其期於百餘歲、卽後言非少寬假神不來之意、

黃帝郊雍上帝、宿三月。鬼臾區號大鴻。死葬雍。故鴻冢是也。其後黃帝接萬靈明廷。明廷者、甘泉也。所謂寒門者、谷口也。集解 徐廣曰、寒一作塞、黃帝采首山銅、鑄鼎於荊山下。鼎既成。有龍垂胡頷、下迎黃帝。索隱 說文曰、胡、牛垂頷也、釋名云、胡在咽下垂者、卽所謂嚨胡也、黃帝上騎。羣臣後宮從上者七十餘人。龍乃上去。餘小臣不得上。乃悉持龍頷。龍頷拔墮。墮黃帝之弓。百姓仰望、黃帝既上天。乃抱其弓與胡頷號。考證 論衡道虛篇、號上有呼字、故後世因名其處曰鼎湖、其弓曰烏號。於是天子曰。嗟乎、吾誠得如黃帝、吾視去妻子如脫躧耳。考證 漢志、躧作屣、乃拜卿爲郎、東使候神於太室。上遂郊雍、至隴西、西登崆峒、幸甘泉。考證 元鼎五年、令祠官寬舒等具太一祠壇。祠壇放薄忌太

一壇。壇三垓。集解 徐廣曰、垓、次也、考證 漢志、垓作陔、三垓、三重壇也、五帝壇環居其下、各如其方。黃帝西南、除八通鬼道。太一其所用、如雍一時物、而加醴棗脯之屬。考證 補武紀、漢志、所上無其字、此衍、殺一貍牛以爲俎豆牢具。考證 貍、補武紀作薺、漢志作鬻、李奇云、音貍、則薺字爲是、而五帝獨有俎豆醴進。考證 顏師古曰、具俎豆酒醴而進之、中井積德曰、進、羞也、唯有庶羞無牢具、其下四方地爲醊。食羣神從者及北斗云。考證 醊、補武紀作餟、漢志作腏、王肇釗曰、說文、餟、祭酹也、字林、餟、以酒沃地祭也、餟字本爲祭酹義、餟食者、蓋羣臣從者其位尚卑、不必設壇、且莫可主名、故但于四方之地酹酒祭之、以申其誠敬耳、沈欽韓曰、腏與綴同、樂記、其舞行綴遠、注、作酇、正義、綴、謂酇也、酇、聚舞人行位之處、立表酇以識之、說文、酇、聚也、神位亦立表酇依四方、愚按爲餟、句、餟、王說是、食、讀爲飤、猶饗也、已祠。胙餘皆燎之。其牛色白。鹿居其中。彘在鹿中。水而泊之。集解 徐廣曰、泊一作酒、灌水於釜中曰泊、音冀、正義 又以水合肉汁、內鹿中也、晉灼曰、此說合牲物燎之也、考證 漢志、重白字及鹿中三字、泊作酒、胙、謂祭餘酒肉、祭日以牛。祭月以羊彘。特。索隱 案樂彥云、祭日以太牢、月以少牢、特、不用牝也、小顏云、牛羊若彘止一牲、故云特也、

太一祝、宰則衣紫及繡。五帝各如其色。日赤。月白。十一月辛巳朔旦冬至昧爽、天子始郊、拜太一。朝朝日、夕夕月則揖。考證 中井積德曰、始字主泰一也、不然嘗屢郊矣、此何稱始郊也、劉攽曰、則揖二字屬上句、而見太一如雍郊禮。其贊饗曰。索隱 案顧氏云、饗、祀祠也、漢舊儀云、贊饗一人、秩六百石也、天始以寶鼎神策授皇帝。朔而又朔。終而復始。皇帝敬拜見焉。考證 沈欽韓曰、春秋繁露郊祀篇、郊祝曰、皇皇上帝、照臨下土、集地之靈、降甘風雨、庶物羣生、各得其所、靡今靡古、惟予一人某、敬拜皇天之祜、亦見大戴公冠、案此古祝辭、漢所用也、今以得寶鼎、故別爲辭、中井積德曰、神策是公孫卿所上、武帝乃以爲天授、妄哉、而衣上黃。其祠列火滿壇。壇旁亨炊具。有司云。祠上有光焉。公卿言皇帝始郊見太一雲陽。有司奉瑄玉。嘉牲薦饗。是夜有美光。及晝黃氣上屬天。考證 雲陽、宮名、祭天之處、璧大六寸謂之瑄、李光縉曰、天子始郊拜太一、而有司云、祠上有光、又云、是夜有美光、及晝黃氣上屬天、於是諸方士遂爭神奇怪、得其似以爲眞矣、以後凡曰山下聞若有言萬歲、曰其夜若有光、曰若有象景光、曰蓬萊諸神若將可得、曰神人若云

欲見天子、曰若見有光云、皆用若字描寫、太史公・祠官寬舒等曰。考證漢志、太史公作太史令談、錢大昕曰、封禪書兩稱太史公、與祠官寬舒連文、而不著名、爲父諱也、是年郊雍、爲元鼎四年、其明年冬至郊拜泰一、皆談爲太史公時、談以元封元年卒、卒後遷始繼之、漢史稱談名、得其實矣、神靈之休。祐福兆祥。宜因此地光域、立太畤壇、以明應。考證凌本、宜下衍此字、令太祝領、秋及臘閒祠、三歲天子一郊見。考證方苞曰、三歲天子一郊見、其二歲則祠以秋、或以臘、故曰閒、其秋爲伐南越、告禱太一、以牡荊畫幡、日月北斗登龍、以象天一三星、爲太一鋒、命曰靈旗。爲兵禱、則太史奉以指所伐國。集解徐廣曰、天官書曰、天極星明者太一常居也、斗口三星曰太一、考證晉灼曰、牡荊節間不相當者、顏師古曰、牡荊爲幡竿、而畫幡爲日月龍及星也、而五利將軍使、不敢入海、之泰山祠。上使人隨驗、實毋所見、五利妄言見其師、其方盡多不讎。上乃誅五利。索隱案鄭德云、相應爲讎、謂其言語不相應無驗也、考證遙承上文五利治裝入海、補武紀正義引漢武故事云、東方朔言欒大無狀、上發怒乃斬之、其冬、公孫卿

候神河南、言見僊人跡緱氏城上。考證王先謙曰、據漢書武紀、則元鼎六年冬也、當云明年冬、有物如雉、往來城上。天子親幸緱氏城視跡。問卿、得毋效文成五利乎。卿曰。僊者非有求人主。人主者求之。其道非少寬假、神不來。言神事、事如迂誕、積以歲、乃可致也。於是郡國各除道、繕治宮觀名山神祠所。以望幸也。考證姚範曰、所、句、其春、既滅南越。上有嬖臣李延年。以好音見。上善之、下公卿議曰。民閒祠、尙有鼓舞樂。考證補武紀、舞下有之字、今郊祀而無樂、豈稱乎。公卿曰。古者祠天地皆有樂。而神祇可得而禮。或曰。太帝使素女鼓五十弦瑟。悲。帝禁不止。故破其瑟爲二十五弦。於是塞南越、禱祠太一后土、始用樂舞。考證不止、謂鼓瑟不止也、塞讀爲賽、胡三省曰、爲伐南越告禱泰一、故今賽祠、益召歌兒作

二十五弦集解徐廣曰、瑟、及空侯。集解徐廣曰、應劭云、武帝令樂人侯調、始造此器、正義釋名云、箜篌、師延所作靡靡樂、後出於桑間濮上之地、蓋空國侯之所出也、琴瑟自此起。考證補武紀漢志、無琴字、此衍、其來年冬、考證據漢武紀、元封元年、上議曰。古者先振兵澤旅、集解徐廣曰、古釋字作澤、正義上音亦、謂飲畢上酒也、考證漢志、澤作釋、正義讀爲醳、非是、然后封禪。乃遂北巡朔方、勒兵十餘萬、還祭黃帝冢橋山。釋兵須如。集解徐廣曰、須、一作涼、上曰。吾聞黃帝不死。今有冢。何也。或對曰。黃帝已僊上天。羣臣葬其衣冠。考證通鑑、或作公孫卿、考異、史記漢書皆云或對、漢武故事云公孫卿對、今取之、黃震曰、方士之說、惟以黃帝乘龍上天爲誇、武帝巡行、親至黃帝冢而祭之、方士尙何辭、而從者復遁其說爲葬衣冠、主暗臣諛、一至此甚、悲夫、既至甘泉、爲且用事泰山、先類祠太一。考證周壽昌曰、類、祭名、書、肆類於上帝、是也、自得寶鼎、上與公卿諸生議封禪。封禪用希。曠絕莫知其儀禮。考證陳仁錫曰、用希曠、句、絕字屬下句讀、愚按上文云、即事用希、又云、厥曠遠者千有餘載、此用希、句、曠絕、屬下讀、陳說非、而羣儒采封禪尙書

周官王制之望祀射牛事。考證周禮春官大宗伯、以血祭祭社稷五祀五嶽、夏官射人、祭祀則贊射牲、禮記王制、祭天地之牛角繭栗、宗廟之牛角握、國語楚語、天子禘郊之事、必自射其牲、注、牲、牛也、齊人丁公年九十餘。曰。封禪者、合不死之名也。秦皇帝不得上封。考證補武紀、無禪字、漢志、合作古、陛下必欲上、稍上、卽無風雨、遂上封矣。上於是乃令諸儒習射牛、草封禪儀數年。正義伍緝之從征記曰、漢武封壇、廣丈三尺、高丈尺、下有玉錄書、以金銀爲鏤、封以璽、應劭曰、漢官封禪儀云、建武二年、登泰山、就武帝封處累其石、發壇上方石、置玉牒書封石此中、後蓋封石、檢以金爲繩、以石爲泥、南方北方二十三檢、東方西方各二檢、太帝建武廿三年、登封太山、登畢、出更衣、卽皇帝位於壇南北面、群臣從者、以次陳後、尙書令奉玉檢壇上西面、太常曰、詣封、皇帝升北面、尙書令奉檢進、南面跪、太常曰、請封、皇帝親封畢、退復位、大行治跪禮、發上石、尙書令藏玉牒、已禮覆壇、尙書令封親檢畢、太常跪曰、請拜、群臣皆稱萬歲、太常跪曰、事畢、皇帝後下道、風俗通曰、封者立石一丈二尺、至且行、天子既聞公孫卿及方士之言、黃帝以上、封禪皆致怪物、與神通。欲放黃帝以上、接神僊人蓬萊士、高世、比德於九皇。考證漢志、神下無僊字、萊下無士字、義異、中井積德曰、所謂九皇

者、黃帝以上伏羲神農、及天皇地皇人皇之等、其數有九、皆封禪而德盛者云、是術士之言、不可窮詰者、注家以臆度質之、非也、而頗采儒術以文之。羣儒既已不能辨明封禪事。又牽拘於詩書古文而不能騁。【考證】補武紀漢志、騁上能作敢、上爲封禪祠器示羣儒。羣儒或曰。不與古同。徐偃又曰。太常諸生行禮、不如魯善。周霸屬圖封禪事。於是上絀偃·霸、而盡罷諸儒不用。【考證】漢書兒寬傳云、上議欲放古巡狩封禪之事、諸儒對者五十餘人、未能有所定、先是司馬相如病死、有遺書、頌功德言符瑞、足以封泰山、上奇其書、以問兒寬、寬對曰、天地竝應、符瑞昭明、其封泰山、禪梁父、昭姓考瑞、帝王之盛節也、然享薦之義、不著於經、唯聖主所由、制定其當、非羣臣之所能列、上然之、乃自制儀、采儒術以文焉、蓋此時事、三月、遂東幸緱氏。【考證】漢書武紀、作正月、禮登中嶽太室。從官在山下、聞若有言萬歲云。【考證】漢志、山下作山上、中井積德曰、漢武帝紀載詔云、御史乘屬在廟旁、吏卒咸聞萬歲者三、則山上似優、問上、上不言。問下、下不言。【考證】王先謙曰、山上下人皆未言、是以神之、於是以三百戶封太室奉祠。命曰崇高邑。【正義】韋昭云、嵩高

有太室、嵩高、總名也、嵩高山記、山高二千八百丈、周廻七十五里、【考證】漢書紀志竝云、令祠官加增太室祠、禁毋伐其山木、以山下戶三百封崇高、爲之奉邑、獨給祠、復、無有所與、東上泰山。泰山之草木葉未生。乃令人上石立之泰山巔。上遂東巡海上、行禮祠八神。【考證】中井積德曰、行禮祠八神者、行道中所祠之神有八也、補武紀索隱引郊祀志得之、卽上文所謂繕治諸神祠以望幸者是也、齊人之上疏言神怪奇方者以萬數。然無驗者。乃益發船、令言海中神山者數千人求蓬萊神人。公孫卿持節、常先行候名山。至東萊、言夜見大人長數丈。就之則不見。見其跡甚大、類禽獸云。羣臣有言、見一老父牽狗。言吾欲見巨公。已忽不見。【考證】漢志、巨作鉅、張晏曰、天子爲天下父、故曰巨公、上卽見大跡、未信。及羣臣有言老父、則大以爲僊人也。【正義】大、謂崇大其事、【考證】補紀漢志、卽作既、宿留海上、予方士傳車、及閒使求僊人以千數。【考證】閒、微也、隨閒隙而行、四月、還

至奉高。上念諸儒及方士言封禪、人人殊、不經難施行。天子至梁父、禮祠地主。乙卯、令侍中儒者皮弁薦紳射牛行事、封泰山下東方、如郊祠太一之禮。封廣丈二尺、高九尺。其下則有玉牒書。書祕。【考證】方苞曰、太乙明堂贊饗、具載其文、而此書獨祕、蓋以登僊禱也、禮畢、天子獨與侍中奉車子侯上泰山。亦有封。其事皆禁。【正義】霍嬗、子侯、去病子也、明日下陰道。丙辰、禪泰山下阯東北肅然山。如祭后土禮。天子皆親拜見。衣上黃、而盡用樂焉。江·淮閒一茅三脊爲神藉。【正義】括地志云、辰州盧溪縣西南三百五十里有苞茅山、武陵記云、山際出苞茅、有刺而三脊、因名茅山是也、【考證】胡三省曰、藉、薦也、凌稚隆曰、一茅三脊、與管仲言一茅三脊相應、五色土益雜封、縱遠方奇獸蜚禽及白雉諸物、頗以加禮。【考證】補武紀、漢志、禮作祠、梁玉繩曰、禮、祠之訛、兕牛犀象之屬不用。皆至泰山祭后土。【考證】王先謙曰、諸

獸本以加祠、今竝縱之、祭后土、補武紀、漢志、作然後去、此疑誤、中井積德曰、兕象之屬害人者、不可用縱、但以爲遠物、同將來、然後罷去也、方苞曰、皆至太山、遙承上文天子獨與侍中奉車子侯上太山、故曰皆至、謂從行公卿侍從儒者也、封禪祠、其夜若有光、晝有白雲起封中。【考證】顏師古曰、雲出於所封之中、天子從禪還坐明堂。羣臣更上壽。【考證】太山東北、有古明堂遺趾、則此所坐者、明年秋乃作明堂、更、互也、於是制詔御史。朕以眇眇之身承至尊、兢兢焉懼不任。維德菲薄、不明于禮樂。脩祠太一、若有象景光、屑如有望。【考證】卽上文所謂其夜若有光、晝有白雲起封中者、震於怪物、欲止不敢。【考證】王先謙曰、怪物、猶言神怪、震、畏敬也、遂登封太山、至于梁父、而後禪肅然、自新。【考證】中井積德曰、自新兩字屬上句、嘉與士大夫更始。賜民百戶牛一酒十石、加年八十孤寡布帛二匹、復博·奉高·蛇丘·歷城、無出今年租稅。其大赦天下、如乙卯赦令。【考證】漢武紀、元朔三年乙卯三月、詔曰、以百姓之未洽于教化、朕嘉與士大夫日新厥業、祗而不懈、其赦天下、行所過、

毋有復作。【正義】毋、音無、復、音伏、毋有、弛刑徒也、事在二年前、皆勿聽治。【考證】此詔見漢武紀、文有異同、又下詔曰。古者天子五載一巡狩、用事泰山。諸侯有朝宿地。其令諸侯各治邸泰山下。【考證】沈欽韓曰、據公羊義、天子有事於泰山、諸侯皆從泰山之下、諸侯皆有湯沐之邑、諸侯時朝乎天子、天子之郊、諸侯皆有朝宿之邑、左傳正義、王制、方伯爲朝天子、皆有湯沐之邑於天子之縣內、然則朝宿之邑、亦名湯沐、但向京師、主爲朝王、從王巡狩、主爲助祭、祭必沐浴、隨事立名、朝宿湯沐、亦互言之耳、天子既已封泰山、無風雨災。而方士更言蓬萊諸神、若將可得。於是上欣然庶幾遇之。乃復東至海上、望冀遇蓬萊焉。奉車子侯暴病一日死。【索隱】新論云、武帝出璽印石、財有朕兆、子侯則沒、印帝畏惡、故殺之、風俗通亦云然、顧胤按武帝集、帝與子侯家語云、道士皆言子侯得仙、不足悲、此說是也、【考證】漢志、望下無冀遇蓬萊四字、通鑑亦刪之、沈欽韓曰、文心雕龍哀弔篇云、霍子侯暴亡、帝傷而作詩、豈有殺之之理乎、上乃遂去、竝海上、北至碣石、巡自遼西、歷北邊、至九原。【正義】秦九原城、在勝州楡林縣西界、漢武帝元朔二年、更名五原郡、五月、反至甘泉。【正義】姚察

云、三月幸緱氏、五月乃至甘泉、則八旬中、周萬八千里、其不然乎、按武紀正月是、【考證】漢志、下補周萬八千里云六字、有司言寶鼎出爲元鼎、以今年爲元封元年。【考證】梁玉繩曰、有司言以下十七字、當在前羣臣更上壽句下、錯簡也、其秋、有星茀于東井。後十餘日、有星茀于三能。望氣王朔言、候獨見塡星出如瓜、食頃復入焉。【索隱】樂彥包愷、竝作旗星、旗星、卽德星也、符瑞圖云、旗星之極、芒豔如旗、本亦作旗也、【考證】能、讀爲台、望氣王朔、又見李將軍傳、塡星、北宋本與索隱本合、各本作旗星、補武紀作其星、漢志作塡星、何焯曰、當作塡星、故下文云信星昭見也、張文虎曰、塡星、土也、公孫臣說漢以土德王、文帝以來用之、故謂塡星爲德星、作旗字誤、梁玉繩曰、當依補紀作其星、卽指上文茀于東井三能之星也、彗星爲德星、猶以天旱爲乾封、阿諛無理、中井積德曰、但謂旗星爲德星耳、不必別討歲星矣、要皆術士之諛言、愚按旗、天官書所謂類彗而後曲象旗者、封禪書原作旗星、補武紀作其星者卽旗字破體、班氏不得其義、以下文言德星、改爲塡星、後人又依班史改史記、有司皆曰。陛下建漢家封禪。天其報德星云。其來年冬、【考證】元封二年、郊雍五帝。還、拜祝祠太一。【正義】漢書郊祀志、況字作祝、下云贊饗則祝拜也、況字誤、當音祝、【考證】正義本祝誤作況、贊饗曰。德星昭衍。厥維休祥。壽星仍出。淵耀

光明。【正義】壽星、南極老人星、爲人主壽命延長之應、當以秋侯之南郊、見則國家安樂、所以長年、故謂壽星、信星昭見。【正義】塡星中主上爲信、爲君之年、爲天子福祿之精、順時而見、所見之分、其下穀自登、有不耕而食、不蠶而衣、故知和平遠近安樂之應、【考證】中井積德曰、信星非星名、乃謂符信之星也、指上德星壽星、皇帝敬拜太祝之享。其春、公孫卿言見神人東萊山。若云欲見天子。天子於是幸緱氏城。拜卿爲中大夫。遂至東萊。宿留之數日、無所見。見大人跡云。復遣方士、求神怪采芝藥、以千數。是歲、旱。於是天子既出無名。乃禱萬里沙、過祠泰山、還至瓠子、自臨塞決河。留二日、沈祠而去。【考證】萬里沙、神祠也、在今山東萊州府掖縣、瓠子隄、在今直隸大名府開州、河渠書云、武帝自臨塞決河、將軍已下皆負薪、沈白馬祭河決、於是作瓠子歌、使二卿將卒塞決河、徙二渠、復禹之故跡焉。【考證】河決、在元光二年、今始臨塞之、二卿、汲仁郭昌、二渠、在今河南衞輝府滑縣、一曰宿胥口、卽漯也、一曰大河、河北漯南、分而東北流入海、梁玉繩曰、所復非禹迹也、說在河渠書、是時既滅兩越。【考證】兩越、南越閩越、承上文塞南越禱祠太一后土、

越人勇之乃言、越人俗鬼。而其祠皆見鬼。數有效。【考證】補武紀、俗下有信字、昔東甌王敬鬼、壽百六十歲。後世怠慢、故衰耗。【正義】東海王繇、號爲東甌王、乃令越巫立越祝祠。安臺無壇。亦祠天神上帝百鬼、而以雞卜。上信之。越祠雞卜始用。【考證】李奇曰、持雞骨卜、如鼠卜、公孫卿曰。仙人可見。而上往常遽。以故不見。今陛下可爲觀如緱城、置脯棗。【集解】徐廣曰、一云如緱氏城、【考證】補武紀漢志、竝有氏字、神人宜可致也。【考證】宜、猶殆也、且僊人好樓居。於是上令長安則作蜚廉桂觀、甘泉則作益延壽觀。【索隱】小顏以爲作益壽延壽二館、案漢武故事云、作延壽觀、高三十丈、【考證】漢志、益下有壽字、梁玉繩曰、漢武故事及括地志、皆曰延壽觀、無益壽、三輔黃圖亦但云延壽、蓋此多益字、漢志更多一壽字、使卿持節設具而候神人。乃作通天莖臺。【集解】徐廣曰、在甘泉、【索隱】案漢書竝無莖字、疑衍也、【正義】漢書、無莖字、疑衍字、括地志云、通天臺在雍州雲陽西北八十里、武帝以五月避暑、八月乃還、【考證】補武紀漢武紀郊祀志、竝無莖字、下文亦曰通

天臺、置祠具其下、將招來僊神人之屬。〔考證〕補武紀漢志、僊神作神僊、下無人字、此疑訛、於是甘泉更置前殿、始廣諸宮室。夏有芝生殿房內中。〔集解〕徐廣曰、元封二年、〔考證〕王先謙曰、據禮樂志、內中則齋房也、天子爲塞河興通天臺。若見有光云。〔考證〕中井積德曰、興通天臺、是塞河之報賽矣、故曰爲也、乃下詔。甘泉房中生芝九莖。赦天下、毋有復作。〔考證〕補武紀、詔下有曰字、其明年、伐朝鮮。〔考證〕王先謙曰、據漢武紀、元封二年伐朝鮮、三年平之、此繫於平朝鮮之年、夏旱。公孫卿曰。黃帝時、封則天旱乾封。三年、上乃下詔曰。天旱。意乾封乎。其令天下尊祠靈星焉。〔考證〕靈星、卽龍星、見上、中井積德曰、祠靈星、蓋祈雨也、其明年、〔考證〕元封四年、上郊雍。通回中道巡之。〔正義〕括地志云、回中宮、在岐州雍縣西三十里、按武帝郊雍五畤、遂通西口回中道、往處回中宮也、巡之、巡回中也、〔考證〕回中、今陝西鳳翔府隴州、春、至鳴澤、從西河歸。〔考證〕鳴澤、今直隸順天府涿州、其明年冬、上巡南郡、〔集解〕徐廣曰、元封五年、至江陵而東、登禮灊之

天柱山、號曰南岳。〔考證〕補武紀、灊作潛、在今湖北六安州霍山縣、天柱卽霍山、在安陸府潛江縣西北、浮江、自尋陽出樅陽、〔考證〕漢志、尋陽作潯陽、在今黃州府黃梅縣北、樅陽、在安慶府桐城縣東南、過彭蠡、禮其名山川、北至琅邪、竝海上、四月中、至奉高、脩封焉。初天子封泰山。泰山東北阯、古時有明堂處。處險不敞。上欲治明堂奉高旁。未曉其制度。濟南人公玉帶上黃帝時明堂圖。明堂圖中有一殿。四面無壁、以茅蓋。通水圜宮垣、爲複道。上有樓、從西南入。命曰昆侖。天子從之入、以拜祠上帝焉。〔考證〕漢志、祠作祀、於是上令奉高作明堂汶上。〔集解〕徐廣曰、在元封二年秋、如帶圖。及五年脩封、則祠太一五帝於明堂上坐、令高皇帝祠坐對之、祠后土於下房、以二十太牢。〔考證〕沈欽韓曰、據其祠泰一及五帝高帝后土合用八太牢、蓋其外尙有配食者、而史不詳也、天子從昆侖道入、始

拜明堂如郊禮。禮畢、燎堂下。而上又上泰山。〔考證〕劉攽曰、而上字屬下句、自有祕祠其巔。而泰山下祠五帝、各如其方。黃帝幷赤帝、而有司侍祠焉。〔考證〕漢志、幷作竝、而作所、顏師古曰、與赤帝同處、山上舉火、下悉應之。其後二歲、〔考證〕太初元年、十一月甲子朔旦冬至、推曆者以本統。〔考證〕方苞曰、十一月朔旦冬至、爲得歷數之本統、故云、天子親至泰山、以十一月甲子朔旦冬至日、祠上帝明堂。毋脩封禪。〔集解〕徐廣曰、常五年一脩耳、今適二年、故但祠於明堂、其贊饗曰。天增授皇帝太元神策。周而復始。〔正義〕筴、數也、言得十一月甲子朔旦冬至日、祀上帝明堂、是天授古昔上皇創曆泰元神筴之數爲首、故周而復始、皇帝敬拜太一。〔考證〕以上贊祝者詞、東至海上、考入海及方士求神者。莫驗。然益遣冀遇之。十一月乙酉、柏梁裁。十二月甲午朔、上親禪高里、祠后土、臨勃海。〔考證〕高里、在今山東泰安府泰安縣、將以望祀蓬萊

之屬、冀至殊廷焉。〔考證〕漢書武紀、無將以二字、上還。以柏梁裁故、朝受計甘泉。〔考證〕漢志、刪朝字、非是、公孫卿曰。黃帝就青靈臺。十二日燒。黃帝乃治明廷。明廷、甘泉也。方士多言古帝王有都甘泉者。其後天子又朝諸侯甘泉。甘泉作諸侯邸。勇之乃曰。越俗有火裁、復起屋、必以大、用勝服之。於是作建章宮。度爲千門萬戶。前殿度高未央。其東則鳳闕。高二十餘丈。其西則唐中。數十里虎圈。〔考證〕唐中、漢志作商中、非、其北治大池・漸臺。高二十餘丈。命曰太液。池中有蓬萊・方丈・瀛洲・壺梁。象海中神山龜魚之屬。其南有玉堂・璧門・大鳥之屬。〔正義〕漢武故事云、玉壁內殿十二門、階陛咸以玉爲之、門門三層、臺高十餘丈、椽首欂以璧爲之、因名璧門、乃立神明臺・井幹樓。度五十丈。輦道相屬焉。〔正義〕輦道、門道也、屬、音燭、續也、夏、漢改歷、

以正月爲歲首。【考證】漢書武帝紀、夏五月正歷、以正月爲歲首、先是漢用秦正、以十月爲歲首、卽建亥之月也、至此改從夏正、以正月爲歲首、卽建寅之月也、蓋是歲合有十五月、而色上黃。官名更印章以五字。爲太初元年。【考證】漢書武紀、官上有定字、此疑脫、張晏曰、漢據土德、土數五、故以五字爲印文也、若丞相曰丞相之印章、諸卿及守相印文不足五字者、以之足也、是歲、西伐大宛。蝗大起。【考證】漢書五行志、太初元年夏、蝗從東方飛至敦煌、丁夫人·雒陽虞初等、以方祠、詛匈奴·大宛焉。【考證】丁夫人、虞初皆人姓名、其明年、有司上言、雍五時無牢熟具、芬芳不備。乃令祠官進時犢牢具。色食所勝。【考證】孟康曰、若火勝金、則祠赤帝以白牲也、而以木禺馬代駒焉。【考證】伐宛馬少、故用木偶馬、獨五月嘗駒。【考證】梁玉繩曰、漢志、無此語、是既以木禺馬代駒、尙何五月嘗駒之有、下文行過乃用駒、是總上五時諸山川在內、又何必兩言用駒乎、其爲後人誤增無疑、行親郊用駒。及諸名山川用駒者、悉以木禺馬代、行過乃用駒。【考證】岡白駒曰、天子親行過乃用駒、他禮如故。其明年、【考證】太初三年、東巡海上、考神僊之屬、未

有驗者。方士有言、黃帝時爲五城十二樓、以候神人於執期。命曰迎年。【考證】執期、地名、上許作之如方。命曰明年。【考證】補武紀、命作名、明年、殿名、上親禮祠上帝焉。【考證】梁玉繩曰、補紀云、上親禮祠上帝、衣上黃焉、漢志云、上親禮祠、上犢黃焉、疑此上帝是上黃之訛、公玉帶曰。黃帝時雖封泰山、然風后·封巨·岐伯、令黃帝封東泰山禪凡山。【集解】徐廣曰、一作丸、【考證】風后、封巨、岐伯、皆黃帝臣、巨、凌本作臣、訛、補武紀漢志、皆作鉅、凡當作丸、地理志、丸山、在琅邪朱虛縣、合符然后不死焉。天子既令設祠具、至東泰山。泰山卑小、不稱其聲。【考證】補武紀漢志、泰山上有東字、此脫、乃令祠官禮之、而不封禪焉。【考證】漢志無禪字、其後令帶奉祠候神物。夏、遂還泰山、脩五年之禮如前、而加以禪祠石閭。石閭者在泰山下阯南方。方士多言此僊人之閭也。故上親禪焉。【正義】石閭山、在兗州博城縣西二十五里、應劭曰、石閭山、在太山正南、其後五年、復至泰山

脩封、【集解】徐廣曰、天漢三年、【考證】漢武紀、在天漢三年、王先謙曰、太初止四年、後五年者、併太初三年數之、還過祭恆山。【考證】梁玉繩曰、史公載武帝太初三年禪石閭、後卽總敍所興諸祠、而以方士候神終焉、此其後五年復至太山脩封、還過祭恆山十五字、及下文今上封禪其後十二歲而還、徧于五岳四瀆矣十八字、後人妄增、史訖太初、安得敍至天漢已下乎、蓋漢志欲終武帝事、故連言云、其後五年復至泰山脩封、還過恆山、自封泰山後十三歲而周于五岳四瀆矣、下又兩言後五年以終之、補今上紀者、不知斷限、謬割漢志以續本紀、竝增封禪書、遂令文義隔紀、注家未察之邪、或曰、後人不知補紀者、是從截取漢志來、反認爲史記本文、因而增入此書也、今天子所興祠、太一·后土、三年親郊祠。建漢家封禪、五年一脩封。薄忌太一、及三一·冥羊·馬行·赤星·五寬舒之祠、【索隱】案郊祀志云祠官寬舒議祠后土爲五壇、故謂之五寬舒祠官也、【考證】李慈銘曰、案此皆武帝所興者、馬行以上、俱見上文、赤星者、武紀索隱謂卽上所云靈星祠、是也、官以歲時致禮。凡六祠。皆太祝領之。【考證】索隱本、以官字屬上、非、今訂、中井積德曰、官以歲時致祀、與下行過則祠、去則已者異、六祠、薄忌太一也、三一也、冥羊也、赤星也、寬舒之祠也、至如八神諸神、明年·凡山他名祠、行過則祠、行去則已。【考證】八神下諸字、依補武紀補、去上行字、補武紀漢志亦無、此衍、方士所興祠、各

自主。其人終則已。祠官不主。他祠皆如其故。今上封禪、其後十二歲而還、徧於五岳四瀆矣。【考證】漢志、十二歲作十三歲、自元封元年漢武封泰山、至天漢三年、實十三歲、梁玉繩以今上封禪至四瀆矣十八字爲後人妄增、說已見上、而方士之候祠神人、入海求蓬萊、終無有驗。而公孫卿之候神者、猶以大人之跡爲解。無有效。天子益怠厭方士之怪迂語矣。然羈縻不絕。冀遇其眞。自此之後、方士言神祠者彌衆。然其效可睹矣。【考證】岡白駒曰、言其效之有無可睹已、太史公曰。余從巡祭天地諸神名山川而封禪焉。入壽宮侍祠神語、究觀方士祠官之意。【考證】方苞曰、言推究其意、專爲道諛、逢君之惡、而不主於鬼神之祀、於是退而論次自古以來用事於鬼神者、具見其表裏。【考證】方苞曰、自古帝王典祀、乃致敬於鬼神、其餘淫祀、則妄意福祥、至漢武封禪、則以爲招來神僊人、致不死之術、而假儒術以文之、故曰、具見其表裏、以儒術文之、用自託於古帝王之功至德洽者、表

也、而妄意於上封則不死、褒也、後有君子、得以覽焉。若至俎豆珪幣之詳、獻酬之禮、則有司存。考證論語泰伯篇、籩豆之事、則有司存、

索隱述贊禮載升中、書稱肆類、古今盛典、皇王能事、登封報天、降禪除地、飛英騰實、金泥石記、漢承遺緒、斯道不墜、仙閭肅然、揚休勒誌、

封禪書第六　史記二十八

史記會注考證卷二十九

漢　太史令司馬遷　撰
宋　中郎外兵曹參軍裴駰　集解
唐　國子博士弘文館學士司馬貞　索隱
唐　諸王侍讀率府長史張守節　正義
日本　出雲瀧川資言　考證

河渠書第七　史記二十九

【考證】史公自序云、維禹浚川、九州攸寧、爰及宣防、決瀆通溝、作河渠書、第七、凌稚隆曰、此書初言夏禹治水之源流、次言秦漢治渠之利害、正以知歷代水利之由、馮班曰、

水患莫大於河、故最詳、國用莫急于漕、而民間所急在水利、三事錯綜成文、語脉復井井、沈家本曰、漢書改爲溝洫志、以示異於史公、而溝洫之制、自阡陌既開、而後久已廢、而不可復、非有遂人匠人之經緯也、謂之溝洫、非其實矣、

夏書曰、禹抑洪水、十三年過家不入門。【索隱】抑、音懚、抑者遏也、洪水滔天、故禹遏之、不令害人也、漢書溝洫志作堙、堙抑、皆塞也、【考證】孟子滕文公篇、禹抑洪水而天下平、注、抑、止也、又云、禹八年於外、三過其門而不入、梁玉繩曰、夏書無十三年之文、且與孟子不合、以事關禹、故引爲夏書也、陸行乘車、水行載舟、泥行蹈毳、山行卽橋。【集解】徐廣曰、橋近遙反、一作檋、檋、直轅車也、音己足反、尸子曰、山行乘樏、音力追反、又曰、行塗以楯、行險以樶、行沙以軌、又曰、乘風車、音去喬反、【索隱】毳字亦作橇、同、音昌芮反、注、以樶子芮反、又子絕反、與蕝音同、【考證】卽、就也、漢志作則、恐非、橋、夏本紀作檋、漢志作梮、卽今屐、如淳曰、梮、謂以鐵如錐頭半寸施之履下、以上山不蹉跌也、以別九州、隨山浚川、任土作貢、通九道、陂九澤、【正義】顏師古云、通九州之道、及障遏其澤也、度九山。【正義】度、田洛反、釋名云、山者產也、治水以志九州山澤所生物產、言於地所宜、商而度之、以制貢賦也、【考證】以別九州以下、采書禹貢、方苞曰、度九山、相度山勢所趣、以知水之所會也、中井積德曰、度、定其道路也、愚按、二說皆是、然河菑衍溢、害中國也尤甚。唯是爲

務。故道河自積石歷龍門、【正義】在同州韓城縣北五十里、爲鑿廣八十步、南到華陰、【正義】華陰、縣也、魏之陰晉、秦惠文王更名寧秦、漢高帝改曰華陰也、東下砥柱、【正義】底柱山、俗名三門山、在硤石縣東北五十里、在河之中也、及孟津、【正義】在洛州河陽縣南門外也、維汭至于大邳。【正義】孔安國云、山再成曰邳、按在衞州黎陽縣南七里是也、【考證】尙書、邳作伾、道河以下、采禹貢、於是禹以爲河所從來者高、水湍悍、難以行平地、數爲敗。【集解】韋昭曰、湍、疾、悍、强也、乃厮二渠以引其河、北載之高地、【集解】漢書音義曰、厮、分也、二渠、其一出貝丘西南二折者也、其一則漯川、【索隱】厮、漢書作釃、史記舊本亦作灑、字從水、按韋昭云、疏決爲釃、字音疏跬反、厮卽分其流泄其怒、是也、又按二渠、其一卽漯川、其二王莽時遂空也、【考證】葉適曰、按禹貢無所謂厮二渠引其河、北載之高地者、然則二渠之功、非禹之所自以爲績者、他書不當特出而僞見也、遷豈以是著後世有渠之始乎、河者水之道也、渠者水之利也、治其道者禹之事也、治其利者後世之事也、愚按、史公生於龍門、又闚洛汭大邳、迎河行漯洛渠、尤詳河事、後又從武帝負薪塞宣房、其曰禹厮二渠以引河者、蓋錄所親聞見也、可以補禹貢之遺矣、過降水、【正義】降水源出潞州屯留縣西南方山東北、至于大陸、【正義】大陸澤、在邢州及趙州界、一名廣河澤、一名鉅鹿澤也、播爲九河、【正義】言過降水及大陸水之口、至冀州分爲九河、

同爲逆河、入于勃海。【集解】瓚曰、禹貢云、夾右碣石入于海、然則河口之入海、乃在碣石也、武帝元光二年、河徙東郡、更注勃海、禹之時不注勃海也、【考證】過降水以下、采禹貢、禹貢無勃字、齊召南曰、河自周定王以後、雖漸遷移不定、而入海口總在直沽、至漢如故、武紀元光三年、河水徙從頓丘東南流入勃海、其入勃海、與禹時不異、所異者改道從頓丘移徙耳、中井積德曰、碣石左右、亦是勃海矣、勃海、海名、此非指郡、集解謬、又曰、禹貢云、同爲逆河、入于海、未嘗言夾右也、其夾右云者、是冀州貢道、云夾右碣石入于河也、未嘗云入海、注家援引失實如此、九川既疏、九澤既灑、諸夏艾安、功施于三代。【考證】漢志、灑作陂、與禹貢合、自是之後、滎陽下引河、東南爲鴻溝、【索隱】楚漢中分之界、文穎云、卽今官渡水也、蓋爲二渠、一南經陽武、爲官渡水、一東經大梁城、卽鴻溝、今之汴河是也、以通宋・鄭・陳・蔡・曹・衞、與濟・汝・淮・泗會。【考證】陳仁錫曰、會字句絕、舊本會於楚連讀、非也、於楚別屬下句、與於吳於齊於蜀句法一例、西方東方、謂楚之東西也、愚按、困學紀聞引朱子說同、于楚、西方則通渠漢水・雲夢之野、東方則通鴻溝・江・淮之間、【考證】陳仁錫曰、鴻溝當作邗溝、卽吳夫差掘以通江淮者是也、梁玉繩曰、困學紀聞云、吳之通水有二、左傳哀九年、吳城邗溝通江淮、此自江入淮之道、吳語、夫差起師北征、闕爲溝于商魯之間、北屬之沂、西屬之濟、在哀十三年、此自淮入汴之道、是江淮之通、固屬吳、馬班于此似有誤、王氏之言甚審、余謂此鴻

字因上文有鴻溝而誤增之、漢志無鴻字也、蓋此溝卽邗溝、吳所掘以通江淮者、不得指爲滎陽之鴻溝、愚按沈欽韓說同、更詳、於吳、則通渠三江五湖、【集解】韋昭曰、五湖、湖名耳、實一湖、今太湖是也、在吳西南、【索隱】三江、按地理志、北江從會稽毗陵縣北東入海、中江從丹陽蕪湖縣東北至會稽陽羨縣、東入海、南江、從會稽吳縣南東入海、故禹貢有北江中江也、五湖者、郭璞江賦云、具區、洮滆彭蠡青草洞庭是也、又云、太湖周五百里、故曰五湖、【考證】沈欽韓曰、外傳、子胥曰、吳之與越也、三江環之、民無所移、韋昭注、三江、松江錢塘浦陽江也、又范蠡曰、與我爭三江五湖之利者、非吳耶、三江、但就吳越言、與大江無與、梁玉繩曰、禹貢錐指引明韓邦憲、廣通垻攷、謂吳王闔廬伐楚、用伍員計、開渠運糧、卽今高淳縣之胥溪也、漢唐來言地理者、以爲水源本通、蓋指吳所開者爲禹貢三江故道、爾然墨子云、禹治天下、南爲江漢淮汝、東流注之五湖、則周末已誤以後世溝通江湖之道爲禹迹矣、況漢唐乎、於齊、則通菑·濟之閒、於蜀、蜀守冰、【集解】漢書曰、冰姓李、鑿離碓、【集解】晉灼曰、古堆字也、【考證】顏師古曰、堆、岸也、辟沫水之害、【索隱】辟、音避、沫、音末、按說文云、沫水、出蜀西南徼外、與青衣合、東南入江也、穿二江成都之中。【正義】括地志云、大江一名汶江、一名管橋水、一名清江、亦名水江、西南自溫江縣界流來、又云、郫江一名成都江、一名市橋江、亦名中日江、亦曰內江、西北自新繁縣界流來、二江竝在益州成都縣界、任豫益州記云、二江者、郫江流江也、風俗通云、秦昭王使李冰爲蜀守、開成都縣兩江、溉田萬頃、神須取女二人以爲婦、冰自以女與神爲婚、徑至祠、勸神酒、酒杯澹澹、因厲聲責之、因忽不見、良久有兩蒼牛、

鬬於江岸、有閒輒還流江、謂官屬曰、吾鬬疲極、不當相助邪、南向腰中正白者我綬也、主簿刺殺北面者、江神遂死、華陽國志云、蜀時濯錦流江中、則鮮明也、此渠皆可行舟。有餘則用溉浸。百姓饗其利。至于所過往往引其水、益用溉。田疇之渠、以萬億計。然莫足數也。西門豹引漳水溉鄴、以富魏之河內。【正義】括地志云、漳水、一名濁漳水、源出潞州長子縣西力黃山、地理志云、濁漳水、在長子鹿谷山東、至鄴入清漳、按力黃鹿谷二山北鹿也、鄴、相州之縣也、【考證】漢志云、魏文侯時西門豹爲鄴令、有令名、至文侯曾孫襄王時、與羣臣飲酒、王爲羣臣祝曰、令臣皆如西門豹之爲人臣也、史起曰、魏氏之行田也以百畝、鄴獨二百畝、是田惡也、漳水在其旁、西門豹不知用、是不智也、知而不興、是不仁也、仁智豹未之盡、何足法也、於是以史起爲鄴令、遂引漳水溉鄴、以富魏之河內、民歌之曰、鄴有賢令兮爲史公、決漳水兮灌鄴旁、終古舄鹵兮生稻粱、與此異、梁玉繩曰、引漳水溉鄴、溝洫志據呂氏春秋樂成篇、以爲史起、史起譏豹不知漳水溉田語、然攷後漢書安帝紀、初元二年正月、脩理西門豹所分漳水爲支渠、以溉民田、水經注云、魏文侯以西門豹爲鄴令、引漳以溉鄴、民賴其用、其後至魏襄王、以史起爲鄴令、又堰漳以溉鄴田、與此書相合、蓋二人皆爲鄴令、皆引漳水、左太沖魏都賦所謂西門溉其前、史起灌其後也、高誘注呂氏春秋、謂魏文侯用西門豹爲鄴令、史起亟之、以言襄王時爲謬、未知出何書、而韓聞秦之好興事、欲罷之毋令東伐【集解】如淳曰、欲罷勞之、息秦伐韓

之計、乃使水工鄭國閒說秦、【集解】韋昭曰、鄭國能治水、故曰水工、令鑿涇水自中山西邸瓠口爲渠、【索隱】小顏云、中、音仲、卽今九嵕山之東仲山是也、邸、至也、瓠口、卽谷口、乃郊祀志所謂寒門谷口是也、與池陽相近、故曰、田於何所、池陽谷口也、【正義】括地志云、中山一名仲山、在雍州雲陽縣西十五里、又云、焦穫藪亦名瓠、在涇陽北城外也、邸、至也、至渠首起雲陽縣西南二十五里、今枯也、【考證】藝文類聚引史、邸作抵、邸、抵通、正義、渠上至字疑衍、竝北山、東注洛三百餘里。欲以溉田。中作而覺。【集解】徐廣曰、渠出馮翊懷德縣、秦欲殺鄭國。【考證】於是秦又有逐客議、詳始皇本紀李斯傳、鄭國曰。始臣爲閒。然渠成、亦秦之利也。【索隱】溝洫志、鄭國云、臣爲韓延數歲之命、爲秦建萬代之功、是也、【考證】顏師古曰、中作、謂用功中道、事未畢也、秦以爲然、卒使就渠。渠就。用注塡閼之水、溉澤鹵之地四萬餘頃。【索隱】溉、音古代反、澤、一作舄、音昔、又竝音尺、本或作斥、則如字讀之、【考證】顏師古曰、注、引也、塡閼、謂壅泥也、言引淤濁之水、灌澤鹵之田、更令肥美也、漢志、澤作舄、收皆畝一鐘。【考證】漢志、鐘作鍾、洪頤煊曰、貨殖傳、畝鍾之田、集解徐廣曰、六斛四斗也、漢書食貨志、歲收畝一石半、上孰、其收自四、淮南主術訓、中畝之獲、卒歲之收、不過畝四石、其畝六石四斗者爲上畝矣、東方朔傳、酆鎬之間、號爲土膏、其賈畝一金、一金、黃金一斤、直錢萬、於

是關中爲沃野、無凶年。秦以富彊、卒幷諸侯。因命曰鄭國渠。漢興三十九年、孝文時、河決酸棗、東潰金隄。【正義】括地志云、金隄、一名千里隄、在白馬縣東五里、【考證】王應麟曰、陳留郡酸縣、今屬開封府、於是東郡大興卒塞之。其後四十有餘年、今天子元光之中、而河決於瓠子、東南注鉅野、通於淮·泗。【正義】括地志云、鄆州鉅野縣東北大澤是、【考證】齊召南曰、溝洫志、四十有餘年、作三十六年、自孝文十二年河決東郡、至元光三年河決濮陽、實三十六年、無四十餘年也、此則志訂史記之失、於是天子使汲黯·鄭當時興人徒塞之。輒復壞。是時武安侯田蚡爲丞相。其奉邑食鄃。【索隱】音輸、韋昭云、清河縣也、【正義】貝州縣也、【考證】梁玉繩曰、田蚡封于魏郡武安、何以食邑在清河縣之鄃縣、蓋因爲丞相別食奉邑、如張安世國在陳留、別邑在魏之比、時欒布絕封、故得食邑于鄃也、鄃居河北、河決而南、則鄃無水菑、邑收多。蚡言於上曰。江·河之決、皆天事。未易以人力爲彊塞。塞之、未必應天。【考證】錢大昕曰、此老成謀國之言、當時惡蚡者、謂蚡邑

在河北、故沮塞河之役、其實非公論也、建元三年、閩越舉兵圍東甌、使人告急、蚡云、越人相攻擊、固其常、又數反覆、不足煩中國往救、事見東越傳、此語與汲黯相似、蚡雖進由外戚、負貴好權、此兩事殊足稱也、 而望氣用數者、亦以爲然。【考證】望氣、又見文帝紀、天官書、封禪書、李將軍傳、 於是天子久之不事復塞也。是時鄭當時爲大農。言曰。異時關東漕粟、從渭中上、度六月而罷。【考證】顏師古曰、計度其功、六月而後可罷也、 而漕水道九百餘里、時有難處。引渭穿渠、起長安、竝南山下、至河、三百餘里。徑易漕。度可令三月罷。而渠下民田萬餘頃、又可得以溉田。此損漕省卒、而益肥關中之地、得穀。【考證】劉奉世曰、今渭汭至長安、僅三百里、固無九百餘里、而云穿渠起長安旁南山至河、中間隔灞滻數大川、固又無緣山成渠之理、此說可疑、今亦無其迹、沈欽韓曰、此謂關東漕粟、由河入渭之路耳、唐食貨志、北運自陝州太原倉、浮於渭以實關中、計漢時當由陝起程也、王先謙曰、渭水注、漕渠、鄭當時所開也、其渠自昆明池南傍山原、東至于河、且田且漕、大以爲便、今無水、 天子以爲然、令齊人水工徐伯表、【索隱】舊說、徐伯表、水工姓名也、小顏以爲表者巡行穿渠之處而表記之、若今豎標、表不是名也、

悉發卒數萬人、穿漕渠。【集解】徐廣曰、一云悉衆、 三歲而通。通以漕、大便利。其後漕稍多、而渠下之民、頗得以溉田矣。其後河東守番係、【索隱】上音婆、又音潘、按詩小雅云、番維司徒、番氏也、下音系也、 言漕從山東西、歲百餘萬石。【索隱】按謂從山東運漕、而西入關也、 更砥柱之限、敗亡甚多。而亦煩費。穿渠引汾、【正義】括地志云、汾水、源出嵐州靜樂縣北百三十里管涔山北、東南流入幷州、即西南流入至絳州蒲州入河也、【考證】顏師古曰、更、歷也、限、阻也、漢志作險、 溉皮氏汾陰下、【正義】括地志云、皮氏故城、在絳州龍門縣西百三十步、自秦漢魏晉皮氏縣皆治此、汾陰故城、俗名殷湯城、在蒲州汾陰縣北九里、漢汾陰縣是也、 引河溉汾陰蒲坂下、度可得五千頃。五千頃、故盡河壖弃地。【集解】韋昭曰、壖、音而緣反、謂緣河邊地也、【索隱】又音人兗反、 民茭牧其中耳。【索隱】茭、乾草也、謂人收茭及牧畜於中也、【考證】中井積德曰、茭、菰也、茭牧、謂放牛馬使食生茭也、愚按、書、峙乃芻茭、 今溉田之、度可得穀二百萬石以上。穀從渭上、與關中無異。【考證】顏師古曰、雖從關外、而來於渭水運上、皆可致之、故曰與關中收穀無異也、 而砥柱之

東、可無復漕。天子以爲然、發卒數萬人、作渠田數歲。河移徙、渠不利。則田者不能償種。【考證】神田氏唐鈔本、無則字、今本疑衍、 久之河東渠田廢。予越人、令少府以爲稍入。【集解】如淳曰、時越人有徙者、以田與之、其租稅入少府、【索隱】其田既薄、越人徙居者習水利、故與之、而稍少其稅、入之于少府、 其後人有上書欲通襃・斜道。【集解】韋昭曰、襃中縣也、斜、谷名、音邪、瓚曰、襃斜、二水名、【正義】括地志云、襃谷、在梁州襃城縣北五十里、斜水、源出襃城縣西北九十八里衙嶺山、與襃水同源而派流、漢書溝洫志云、襃水通沔、斜水通渭、皆以行船、是也、按襃城、即襃中縣也、【考證】蘇輿曰、道字句絕、及漕、當屬下爲文、謂以此及漕事、下湯議也、 及漕事。下御史大夫張湯。湯問其事、因言、抵蜀從故道。【正義】括地志云、鳳州兩當縣、本漢故道縣也、在州西五十里、【考證】顏師古曰、抵、至也、中井積德曰、道、謂通行道路、入蜀之道、有古今也、當參考高帝紀、後因以名縣耳、不當以縣名爲本義、 故道多阪回遠。今穿襃・斜道、少阪、近四百里。而襃水通沔、斜水通渭。皆可以行船漕。漕從南陽、【正義】南陽縣、即今鄧州也、 上沔入襃。襃之絕水、至斜閒百餘里、以車

轉、從斜下下渭。【考證】漢志、不重下字、中井積德曰、一下字衍、 如此漢中之穀可致、山東從沔無限。【正義】無限、言多也、山東、謂河南之東、山南之東、及江南淮南、皆經砥柱主運、今竝從沔、便於三門之漕也、【考證】王先謙曰、漢世謂關外爲山東、 便於砥柱之漕。且襃・斜材木竹箭之饒、凌稚隆曰、限字、正與上文砥柱之限限字同、無所阻隔也、 擬於巴蜀。天子以爲然、拜湯子卬爲漢中守、發數萬人作襃・斜道五百餘里。道果便近、而水多湍石不可漕。【集解】徐廣曰、湍、一本作溲、【考證】各本無多字、神田鈔本有、與漢志合、今依補、 其後莊熊羆言、臨晉民願穿洛以溉重泉。【正義】括地志云、同州本臨晉城也、一名大荔城、亦曰馮翊城、洛、漆沮水也、括地志云、重泉故城、在同州蒲城縣東南四十五里、在同州西北亦四十五里、【考證】漢志、莊熊羆作嚴熊羆、顏師古曰、臨晉、重泉、皆馮翊之縣也、 以東萬餘頃、故鹵地。誠得水、可令畝十石。【考證】張文虎曰、北宋中統、毛本、作故、它本譌攻、愚按、神田本作故惡、與漢志合、 於是爲發卒萬餘人穿渠、自徵引洛水、【集解】應劭曰、徵、在馮翊、【索隱】音懲、縣名也、小顏云、即今之澄城也、 至商顏下。【集解】服虔曰、顏、音崖、或曰、商顏、山名也、

【索隱】顏，音崖，又如字，商顏，山名也。【考證】各本顏下有山字，神田本淩本無，依索隱，當衍，今删，商顏，山名，顏不讀爲崖，劉奉世、顧亭林、梁伯子、姚薑塢諸人，論之太詳、岸善崩。【集解】如淳曰，洛水岸【正義】言商原之崖岸，土性疏，故善崩毀也、【考證】中井積德曰，岸，謂所穿渠岸也，故鑿井以濟之耳、乃鑿井。深者四十餘丈。往往爲井。井下相通行水。水穨以絕商顏、東至山嶺、十餘里閒。【集解】瓚曰，下流曰穨、【考證】神田本，四十作卌、王先謙曰，欲水下相通，徑度此山而東也、井渠之生、自此始。穿渠得龍骨。【正義】括地志云，伏龍祠在同州馮翊縣西北四十里，故老云，漢時自徵穿渠引洛，得龍骨，其後立祠，因以伏龍爲名，今祠頗有靈驗也、故名曰龍首渠。作之十餘歲、渠頗通、猶未得其饒。

自河決瓠子後、二十餘歲、歲因以數不登、而梁·楚之地尤甚。【考證】神田本，二十作廿、天子既封禪、巡祭山川。其明年、旱乾封、少雨。天子乃使汲仁·郭昌、發卒數萬人塞瓠子決。【考證】神田本，無旱字、事又見封禪書、於是天子已用事萬里沙、【正義】括地志云，萬里沙，在華州鄭縣東北二十里也、【考證】徐孚遠曰，此文不詳言巡幸所自來，蓋與封禪書

相出入也、洪頤煊曰，封禪書，天子乃禱萬里沙，過祠泰山，還至瓠子，臨決河，漢書地理志，東萊郡曲成有萬里沙祠，正義誤、則還，自臨決河、沈白馬玉璧于河、令羣臣從官、自將軍已下、皆負薪寘決河。是時東郡燒草。以故薪柴少。而下淇園之竹【集解】晉灼曰，衞之苑也，多竹篠、以爲楗。【集解】如淳曰，樹竹塞水決之口，稍稍布插接樹之，水稍弱，補令密，謂之楗，以草塞其裏，乃以土塡之，有石，以石爲之，音建、【索隱】楗，音其免反，楗者樹於水中，稍下竹及土石也、【考證】各本東下有流字，神田本北宋毛本無，與漢志合，依删、楗，漢志作揵，兪正燮曰，如淳之言，乃作小塘堰之法，非塞決法，且文言薪柴少，則非以草塞其裏，下竹楗，卽下竹埽也，漢書溝洫志，建始四年，河決，王延世塞以竹落，長四丈，大九圍，盛以小石，兩船夾載而下之，卽此下竹楗，沈欽韓曰，元和志，李冰作揵尾堰，以防江決，破竹爲籠，圓徑三尺，長十丈，以石實中，累而壅水，此下竹爲揵之法、天子既臨河決、悼功之不成、乃作歌曰。【考證】梁玉繩曰，瓠子歌，天子所作，決無敢改之者，而字句與漢志異，何也、

瓠子決兮將柰何。晧晧旰旰兮閭殫爲河。【集解】如淳曰，殫，盡也、駰謂，州閭盡爲河、【考證】漢志，旰旰作洋洋、無兮字，閭作慮，水經注引此歌，無是語，錢大昕曰，慮閭以音同借用，遼東無慮縣，以醫無閭山得名，是也，此閭字，亦借爲憂慮之慮，裴駰解爲州閭，非是，王念孫曰，閭慮同音假借，慮猶大氐也，言河水浩浩洋洋，大氐盡爲河也，愚按王說是、殫

爲河兮地不得寧。功無已時兮吾山平。【集解】徐廣曰，東郡東阿有魚山，或者是乎、駰按，如淳曰，恐水漸山使平也，韋昭曰，鑿山以塡河也、【考證】水經注，無得字，中井積德曰，吾，我也，愚按，吾山平，韋說是、吾山平兮鉅野溢。【集解】如淳曰，瓠子決，灌鉅野澤使溢也、魚沸鬱兮柏冬日。【集解】徐廣曰，柏，猶迫也，冬日行天邊，若與水相連矣、駰按，漢書音義曰，鉅野滿溢，則衆魚沸鬱而滋長也，迫冬日乃止也、【考證】王念孫曰，沸鬱讀爲沸渭，沸渭猶汾沄，魚衆多之貌也，楊雄長揚賦，汾沄沸渭，李善曰，汾沄沸渭，衆盛貌也，河溢鉅野，則其地皆魚矣，故曰，魚沸鬱兮，下文蛟龍騁兮放遠遊，意亦與此同，迫冬日者，言時已近冬，而水猶汎濫也，迫冬日，指水害言之，非指魚言之，漢武紀，元鼎二年詔曰，今水潦移於江南，迫隆冬至，朕懼其饑寒不活、與此迫冬日同意、延道弛兮離常流。【集解】徐廣曰，延，一作正、駰按，晉灼曰，言河道皆弛壞也、【索隱】言河之決，由其源道延長弛溢，故使其道皆離常流，故晉灼云，言河道皆弛壞、【考證】錢大昕曰，漢書亦延作正，正道弛者，失其正道也，梁玉繩曰，水經注亦作正，方苞曰，弛，傾圮也，延道傾圮，故水離所常流之地、蛟龍騁兮方遠遊。歸舊川兮神哉沛。【集解】瓚曰，水還舊道，則羣害消除，神祐滂沛、【考證】梁玉繩曰，漢志水經注，方作放、不封禪兮安知外。【考證】顏師古曰，言不因巡狩封禪而出，則不知關外有此水、爲我謂河伯兮何不仁。【考證】梁玉繩曰，漢志水經注，作皇謂河公，下亦作河公、泛濫不止兮愁

吾人。齧桑浮兮淮·泗滿。【集解】張晏曰，齧桑，地名也、如淳曰，邑名，爲水所浮漂、【考證】姚範曰，楚世家，齧桑，正義曰，在梁與彭城之間，又絳侯世家，攻齧桑先登，今沛縣西南有齧桑亭、久不反兮水維緩。【考證】顏師古曰，水維，水之綱維也、一曰。河湯湯兮激潺湲。【考證】顏師古曰，歌有二章，自河湯湯以下，更是其一，故云一曰也，湯湯，疾貌也，潺湲，激流也、北渡迂兮浚流難。【考證】漢志，迂作回，浚作迅、搴長茭兮沈美玉。【集解】如淳曰，搴，取也，茭，草也，音郊，一曰，茭，竿也，取長竿樹之，用著石閒，以塞決河、瓚曰，竹葦絚謂之茭，下所以引致土石者也、【索隱】搴，音己免反，茭，音交，一作茇，音廢，鄒氏又音紼也、【考證】方苞曰，祭川必沈玉，疑搴茭亦爲祭也，管子，淵深而不涸，則沈玉極矣，梁玉繩曰，班酈竝作茭，師古曰，字宜從竹，而說文繫傳引此書作茭，蓋傳寫譌茭也，如淳以茭爲草，索隱謂一作茇，竝非、河伯許兮薪不屬。【集解】如淳曰，旱燒，故薪不足、【考證】顏師古曰，沈玉禮神，見許福祐，但以薪不屬逮，故無功也，中井積德曰，集解旱字當刪，若旱何罪衞人、薪不屬兮衞人罪。【考證】顏師古曰，東郡本衞地，故言此衞人之罪也、方苞曰，東郡燒草，以致柴薪少，故曰衞人罪也，神田本，衞下有之字、燒蕭條兮噫乎何以禦水。穨林竹兮楗石菑、【集解】如淳曰，河決，楗不能禁，故言菑，韋昭曰，楗，柱也，木立死曰菑、【考證】神田本，噫作意，穨林竹者，卽上所說下淇園之竹以爲楗也，石菑者，謂插石立之，然後以土就塡塞也，沈欽韓曰，菑讀如詩

籛熾菑之菑、俗謂之磯礬、累石爲之、宣房塞兮萬福來。【考證】姚範曰、宣房、在今開州東南二十里、古濮陽故城、中井積德曰、萬福句亦庶幾之辭、於是卒塞瓠子、築宮其上、名曰宣房宮、而道河、北行二渠、復禹舊迹。【考證】梁玉繩曰、上文言禹廝二渠以引河、北載之高地、蓋禹分二渠、自黎陽宿胥口始、其一引而北、爲大河之經流、其一東流爲漯川、自周定王五年河徙之後、河徙、見漢志王横所引周譜、遂從宿胥口東行漯川、孟康所謂出貝丘西南、王莽時遂空者、即水經大河故瀆、一名北瀆、是也、武帝所道、乃行漯川之北瀆、安得以商竭周移之變道、指爲鄴東之禹河、史不書河徙、已屬疏略、而此與封禪書、竝稱武帝道二渠復禹迹、豈史公明知非禹所穿、而以武帝自多其功、姑妄紀之乎、而梁・楚之地復寧、無水災。自是之後、用事者爭言水利。朔方・西河・河西・酒泉、皆引河及川谷以溉田。而關中輔渠靈軹、【集解】如淳曰、地理志、盩厔有靈軹渠、【索隱】按溝洫志、兒寬爲左內史奏請穿六輔渠、小顏云、今尚謂之輔渠、亦曰六渠也、【考證】梁玉繩曰、漢志、靈軹有成國漳渠、攷地理志、靈軹渠在盩厔、成國渠在郿、皆屬扶風、所謂輔渠也、而漳渠無徵、如淳曰、水出韋谷、引堵水、【集解】徐廣曰、一作諸川、汝南・九江引淮、東海引鉅定、【集解】瓚曰、鉅定、澤名、【考證】顧炎武曰、河渠書、東海引鉅定、漢書溝洫志因之、東海疑是北海之誤、地理志、齊郡縣十二、其五曰鉅定、下云、馬車瀆水

首受鉅定、東北至琅槐入海、又千乘郡博昌下云、博水東北至鉅定、入馬車瀆、而孝武紀云、征和四年行幸東萊臨大海上、耕于鉅定、還幸泰山脩封、計其道里、亦當在齊、去東海遠矣、泰山下引汶水。皆穿渠爲溉田、各萬餘頃。佗小渠披山通道者、不可勝言。【考證】神田本、小作川、披作陂、中井積德曰、漢志、披作陂、謂隨山勢造陂隄以導水也、然其著者在宣房。

太史公曰。余南登廬山、觀禹疏九江、遂至于會稽太湟、【集解】徐廣曰、一作湍、上姑蘇、望五湖、東闚洛汭・大邳・迎河、【考證】姚範曰、諸本皆以迎河屬下、然同爲逆河、漢書作迎河、疑屬上爲長、行淮・泗・濟・漯・洛渠、西瞻蜀之岷山及離碓、北自龍門至于朔方。曰。甚哉水之爲利害也。【考證】岡白駒曰、利、謂溉田、害、謂河決也、余從負薪塞宣房、悲瓠子之詩、而作河渠書。【集解】徐廣曰、溝洫志、行田二百畝、分賦田與一夫二百畝也、以田惡、故更歲耕之、【考證】館本考證云、此集解與本文全不比附、乃他處錯簡、愚按此當上文收皆畝一鍾集解、

【索隱】述贊、水之利害、自古而然、禹疏溝洫、隨山濬川、爰洎後世、非無聖賢、鴻溝既劃、龍骨斯穿、填閼攸墾、黎蒸有年、宣房在詠、梁楚獲全、

河渠書第七

史記二十九

史記會注考證卷三十

漢　太史令司馬遷撰
宋　中郎外兵曹參軍裴駰集解
唐　國子博士弘文館學士司馬貞索隱
唐　諸王侍讀率府長史張守節正義
日本　出雲瀧川資言考證

平準書第八　史記三十

集解漢書百官表曰、大司農屬官、有平準令、索隱大司農屬官、有平準令丞者、以均天下郡國轉販、貴則賣之、賤則買之、貴賤相權、輸歸于京都、故命曰平準、考證史

公自序云、維幣之行、以通農商、其極則玩巧、幷兼茲殖、爭於機利、去本趨末、作平準書以觀事變、第八、茅坤曰、平準一書、太史公只敍武帝興利、而其精神融會處、眞見窮兵黷武、酷吏興作、敗俗僨事、壞法亂紀、俱與興利、相爲參伍、相爲根柢、故錯綜縱橫、摹寫曲盡、篇首自軍旅糧餉起論、正此義也、而結按以誅弘羊、天乃雨、終之、其意尤可見、查愼行曰、史記平準書、漢書改爲食貨志、平準以理財爲主、食貨兼農末而言、蓋平準之名、殽自漢武、而食貨之名、則出於周書、平準寓刺譏於一時、故其辭微而婉、食貨垂法戒於異代、故其辭達而暢、兩人手筆、易地皆然、後儒或指此爲班馬異同、非通論也、

漢興接秦之弊、考證漢興二字突起、接秦之弊四字、無所承上、漢興年表歷書外戚世家儒林酷吏遊俠佞幸諸傳序、皆起首有數十字數百字議論、然後曰及漢興、曰漢興、此篇獨殊、可異、柯維騏史記攷要謂末段太史公曰四百字、乃平準書之發端、後人截爲書末之論、非史記之舊、此說的確、無可疑者、梁氏志疑駁之、云、趙汸讀貨殖傳云、書首言秦之弊、高祖重本抑末、輕徭薄賦、故文景之世、國家無事、百姓給足、府庫充實、人人自愛、而重犯法、後面序武帝事、節節與前相反、至論始推唐虞三代以來、而舉戰國秦皇功利之禍爲證、則武帝不能法祖宗之仁厚、而蹈始皇之覆轍、不待譏議而可見、學者先讀此論、而後讀其書、使先後相承、則太史公之意瞭然矣、方氏補正亦云、七書皆依世次順序、以其事歷代之所同、平準乃武帝一時之法、故序上古及秦漢於書後、當然也、諸說雖辯、恐未能從之、說又具于下文太史公曰條下、丈夫從軍旅、老弱轉糧饟、作業劇而財匱、自天子不能具鈞駟、

索隱天子駕駟馬、其色宜齊同、今言國家貧、天子不能具鈞色之駟馬、漢書作醇駟、醇與純同、純一色也、或作騂、非也、而將相或乘牛車、齊民無藏蓋。集解如淳曰、齊等無有貴賤、故謂之齊民、若今言平民矣、晉灼曰、中國被教之民也、蘇林曰、無物可蓋藏也、考證齊民如說是、中井積德曰、藏、蓋、猶儲蓄也、於是爲秦錢重難用、更令民鑄錢。集解漢書食貨志曰、鑄榆莢錢、索隱顧氏按古今注云、秦錢半兩、徑一寸二分、重十二銖、食貨志云、鑄莢錢、按古今注云、榆莢錢、重三銖、錢譜云、文爲漢興也、考證漢書食貨志、錢上有莢字、此脫、不則下文孝文時莢錢益多、不可解、蔡雲曰、莢錢、如榆莢耳、民間嫌其薄小而呼之、決非本名、平準書不於初鑄時著莢字、而著之孝文時、可見行之久、而後有是稱也、參存、一黃金、一斤。索隱按如淳云、時以錢爲貨、黃金一斤、直萬錢、非也、又臣瓚下注云、秦以一鎰爲一金、漢以一斤爲一金、是其義也、考證漢志、黃上無一字、張文虎曰、索隱本、北宋本、毛本、無一字、與漢志合、梁玉繩曰、方氏補正云、一黃、疑當作十貫、以字形相近而誤、王孝廉云、黃、疑萬字之譌、王說較方爲長、中井積德曰、一黃金、謂黃金一錠也、黃金輕而賤、錢從之可知矣、蓋秦一鎰金直萬錢、而漢一斤金直萬錢云、愚按中說更長、約法省禁、而不軌逐利之民、蓄積餘業、以稽市物、物踊騰。集解李奇曰、稽、貯滯也、如淳曰、稽、考也、考校市物價貴賤有時、晉灼曰、踊、甚也、言計市物賤、而豫益稽之也、物貴而出賣、故使物甚騰也、漢書、糶字作躍、索隱李奇云、稽、貯滯、韋昭云、稽、留待也、稽字當如李韋二釋、晉灼及馬融、訓稽爲計、及考、於義爲疏、如淳云、踊騰、猶低昂

也、低昂者、乍賤乍貴也、今按漢書糶字作躍者、謂物踊貴而價起、有如物之騰躍而起也、然糶者、出賣之名、故食貨志云、大熟則上糶三而舍一、是也、考證漢志、業作贏、義兩通、踊、跳也、騰、上也、物踊騰、斷句、下文云、反本而萬物不得騰踊、騰踊、踊騰、同義、漢志、踊作痛、下文糶作躍、連讀、譌、索隱曲爲之說、稽市物、韋李二說、是、糶米至石萬錢、馬一匹則百金。集解瓚曰、秦以一鎰爲一金、漢以一斤爲一金、天下已平、高祖乃令賈人不得衣絲乘車、重租稅以困辱之。孝惠・高后時、爲天下初定、復弛商賈之律。然市井之子孫、亦不得仕宦爲吏。正義古人未有市及井、若朝聚井汲水、便將貨物於井邊貨賣、故言市井也、考證孟子、市井與草莽對言、漢志、作市肆、義同、留青札記云、蓋市井之道、四達如井、故曰市井、張文虎曰、正義、及井二字、疑衍、量吏祿、度官用、以賦於民。而山川園池市井租稅之入、自天子以至于封君湯沐邑、皆各爲私奉養焉、不領於天下之經費。索隱按、經訓常、言封君已下、皆以湯沐邑爲私奉養、故不領入天子之常稅、爲一年之費也、考證中井積德曰、山川市井之入、則爲人君之私財、而不以爲國家經費之數也、天子亦然、封君小侯亦然、齊召南曰、蓋大司農掌天下之經費、若幾輔以內之山川園池市肆租稅、則盡入少府、爲天子私藏、其封君湯沐邑、又各

收以自供、俱不領於大司農也、漕轉山東粟、以給中都官、歲不過數十萬石。【索隱】按、中都則都內也、皆天子之倉府、以給中都官者、卽今太倉以畜官儲、是也、【考證】說文云、漕、水轉穀也、一曰、車運曰轉、水運曰漕、漢志、山東作關東、顏師古曰、中都官、京師諸官府也、至孝文時、莢錢益多輕、【集解】如淳曰、如榆莢也、【考證】漢志作益多而輕、乃更鑄四銖錢。其文爲半兩。【考證】中井積德曰、錢重與文不相應也、愚按、此取名於秦錢、與武帝時鑄三銖錢重如其文異、令民縱得自鑄錢。【考證】賈誼諫之、文帝不聽、見漢志、故吳、諸侯也。以卽山鑄錢、富埒天子。其後卒以叛逆。【集解】徐廣曰、埒者際畔、言鄰接相次也、駰按、孟康曰、富與天子等而微減也、或曰、埒、等也、【索隱】按卽訓就、就山鑄錢、故下文云銅山、是也、一解、卽山、山名也、鄧通、大夫也。以鑄錢財過王者。故吳·鄧氏錢布天下。【考證】蔡雲曰、四京雜記云、文帝賜鄧通蜀銅山、聽自鑄錢、文字肉好、皆與天子錢同、時吳王亦有銅山、微重、文字肉好、與漢錢不異、據此則吳鄧所鑄錢、仍遵漢制、葉德輝曰、是故能流行天下也、而鑄錢之禁生焉。匈奴數侵盜北邊、屯戍者多。邊粟不足給食當食者。於是募民能輸、及轉粟於邊者、

拜爵。爵得至大庶長。【索隱】按漢書食貨志云、文帝用鼂錯言、令人入粟邊、六百石爵上造、稍增至四千石爲五大夫、萬二千石爲大庶長、各以多少爲差、【考證】鼂錯言、見于食貨志、中井積德曰、轉粟、轉官粟也、據是文、轉官粟者、亦以率拜爵也、錢大昕曰、文帝用鼂錯之言、令民入粟拜爵、此賣爵、非賣官也、爵自公士至公乘、凡八等、雖有爵不得復除、與編戶無異、自五大夫至大庶長十等、爵雖高、初無職事、非有治民之責也、官有定員、而爵無定員、故曰、爵者上之所擅、出於口而无窮、蓋假以虛名、未嘗列于仕籍、錯雖言利、猶不妨吏道矣、孝武用兵、府庫益虛、乃有入羊爲郎之例、後置武功爵、爵至官首者、得試吏先除、雖買爵亦得入仕、蓋祖鼂錯之意、而失之者也、孝景時上郡以西旱。亦復脩賣爵令、而賤其價以招民。【考證】漢志、賤作裁、價作賈、義同、及徒復作、得輸粟縣官以除罪。【考證】漢書宣帝紀、女徒復作、注、孟康曰、復、音服、謂弛刑徒也、有赦令詔書、去其鉗鈦赭衣、更犯事不從徒、加與民爲例、故當復爲官作、滿其本罪年月日、律名爲復作也、方苞曰、復、除也、徒當作者、得入粟以除之也、旣曰徒復作、又曰輸粟縣官以除罪者、明景帝時獨徒作者許除罪、至武帝則一切當刑者、皆可贖也、益造苑馬以廣用。【索隱】謂增益苑囿、造廄而養馬以廣用、則馬是軍國之用也、【考證】漢志、益作始、中井積德曰、苑所以牧馬之處、非廄養、苑卽牧地、與苑囿不同、而宮室列觀、輿馬益增脩矣。至今上卽位數歲、漢興七十餘年之閒、國家無

事、非遇水旱之災、民則人給家足、【考證】漢志、民則作則民、都鄙廩庾皆滿、而府庫餘貨財、京師之錢累巨萬、貫朽而不可校。【集解】韋昭曰、巨萬、今萬萬、如淳曰、校、數也、【考證】校、考查也、太倉之粟、陳陳相因、充溢露積於外、至腐敗不可食。衆庶街巷有馬、阡陌之閒成羣、而乘字牝者、擯而不得聚會。【集解】漢書音義曰、皆乘父馬、有牝馬閒其閒、則相踶齧、故斥不得出會同、【考證】漢志、字作牸、廣雅釋獸、牸、雌也、顏師古曰、言時富饒、故恥乘牸牝、不必以其踶齧也、守閭閻者食粱肉、爲吏者長子孫、【集解】如淳曰、時無事、吏不數轉、至于子孫長大、而不轉職任、居官者以爲姓號。【集解】如淳曰、倉氏庾氏是也、【索隱】注倉氏庾氏、按出食貨志、【考證】索隱食貨志、當作貨殖傳、故人人自愛而重犯法、先行義而後絀恥辱焉。【考證】漢志、無後字、絀作黜、此後字衍、下文論贊云、先本絀末、是先與絀對言、當此之時、網疏而民富、役財驕溢、【考證】役、以人言、財以貨言、下文云、蹛財役貧、或至兼幷豪黨之徒、以武斷於鄉曲、【索隱】謂鄉曲豪富、無官位、而以威勢主斷曲直、故曰武

斷也、【考證】中井積德曰、武斷只是橫恣、任意撓政也、未當以曲直解、宗室有土公卿大夫以下、爭于奢侈、室廬輿服、僭于上、無限度。【考證】茅坤曰、將言武帝耗財、先言其富溢、以爲起岸、物盛而衰、固其變也。【考證】淩稚隆曰、結上起下、自是之後、嚴助·朱買臣等、招來東甌、【正義】甌、烏侯反、今台州永寧是也、【考證】浙江溫州永嘉縣、事兩越、【正義】南越及閩越、南越、今廣州南海也、閩越、今建州建安也、【考證】南越、今廣東、閩越、今福建、江·淮之閒、蕭然煩費矣。【考證】顏師古曰、蕭然、猶騷然、勞動之貌、唐蒙·司馬相如、開路西南夷、鑿山通道千餘里、以廣巴蜀。巴蜀之民罷焉。【考證】林伯桐曰、史公於司馬相如傳錄其文章、多美辭焉、其通西南夷一事、則多婉辭、爲才人諱也、至於平準書則曰、司馬相如開路西南夷、巴蜀之民罷焉、不隱惡也、彭吳賈滅朝鮮、置滄海之郡、則燕·齊之閒、靡然發動。【索隱】彭吳、人姓名、彭吳始開其道而滅之也、【考證】賈滅朝鮮、漢志作穿穢貊朝鮮、王念孫曰、賈當依漢志作穿、顏師古云、本皆荒梗、始開通之、故言穿、錢大昕曰、滅字當濊字之訛、漢書武帝紀、元朔元年、東夷薉君南閭等口二十八萬人降、爲蒼海郡、食貨志、彭吳穿穢貊朝鮮置滄海郡、濊穢薉同、滅字與濊相似而訛、愚按索隱以始開其道解賈字、則其所見之本、亦作穿、

及王恢設謀馬邑，匈奴絕和親，侵擾北邊，兵連而不解，天下苦其勞，而干戈日滋，行者齎，居者送，中外騷擾而相奉，百姓抏獘以巧法，【索隱】按三蒼，抏音五官反，鄒氏又五亂反，按，抏者耗也，消耗之名，言百姓貧獘，故行巧抵之法也。【考證】抏與刓同，鈍無廉隅也，獘、敝同，壞也，淮陰侯傳，印刓弊，忍不能予，亦手弄角耗也，彼以印言，此以人言，索隱貧獘當作貧弊，貧刓義近，顏師古曰，爲巧詐以避法也，愚按所謂免無恥也、財賂衰耗而不贍，入物者補官，出貨者除罪，選舉陵遲，廉恥相冒，武力進用，法嚴令具，興利之臣，自此始也。【集解】韋昭曰，桑弘羊、孔僅之屬。【考證】顏師古曰，冒，蒙也、其後漢將歲以數萬騎出擊胡。及車騎將軍衛青取匈奴河南地，【正義】謂靈夏三州地，取在元朔二年。築朔方。【正義】今夏州也，括地志云，夏州，秦上郡，漢分置朔方郡，魏不改，隋置夏州也。當是時，漢通西南夷道，作者數萬人，千里負擔餽糧，率十餘鍾致一石。【集解】漢書音義曰，鍾六石四斗。散幣於邛·僰以集之，【索隱】應劭云，邛，屬臨邛，僰，屬犍爲。【考證】邛，四川邛州，僰，四川敘州，漢志、集作輯，顏師古曰，輯，安定也。數歲道不通，蠻夷因以數攻，吏發兵誅之。【索隱】吏發興誅之，謂發軍興以誅之也。【考證】沈家本曰，漢志重一吏字，愚按索隱本兵作興，漢志與今本同。悉巴蜀租賦，不足以更之。【集解】韋昭曰，更，續也，或曰更，償也。【考證】後說是。乃募豪民田南夷，入粟縣官，而內受錢於都內，【集解】服虔曰，入穀於外縣，受錢於內府也。【考證】顏師古曰，服說非也，都內，京師主藏者也，百官公卿表，大司農屬官有都內令丞也。東至滄海之郡。人徒之費，擬於南夷。【考證】漢志至作置，誤，擬，猶比也。又興十萬餘人，築衛朔方。【考證】顏師古曰，既築其城，又守衛之。轉漕甚遼遠，【索隱】按說文云，漕，水轉穀也，一云，車運曰轉，水運曰漕也。自山東咸被其勞，費數十百巨萬，府庫益虛。乃募民能入奴婢得以終身復，爲郎增秩。【考證】顏師古曰，庶人入奴婢則復終身，爲郎者就增其秩也。及入羊爲郎，始於此。其後四年，【集解】徐廣曰，元朔五年也。而漢遣大將將六將軍軍十餘萬擊右賢王，獲首虜萬五千級。【考證】大將下疑脫軍字，

下文可證，大將軍衛青。明年，大將軍將六將軍，仍再出擊胡，得首虜萬九千級。【考證】元朔六年。捕斬首虜之士，受賜黃金二十餘萬斤。虜數萬人，皆得厚賞。衣食仰給縣官。而漢軍之士馬死者十餘萬。兵甲之財，轉漕之費不與焉。於是大農陳藏錢經耗，賦稅既竭，猶不足以奉戰士。【集解】韋昭曰，陳，久也。【考證】漢志，大下有司字，藏作臧，耗作用，無猶字，顏師古曰，陳，謂列奏之，經，常也，既，盡也，言常用之錢及諸賦稅，竝竭盡也，方苞曰，陳，奏也，既曰大農陳，又曰有司言者，大農陳奏，有司計要之質詞如此也，與後大農上鹽鐵丞孔僅咸陽言同義，中井積德曰，錢經，疑當作經錢，愚按於是以下史公敘事之文，正承上文財賂衰耗而不贍，陳藏錢經耗五字，必有譌誤，漢志以意改，與史義異。有司言。【考證】有司奏此事也。天子曰。朕聞五帝之教，不相復而治，禹·湯之法，不同道而王。所由殊路，而建德一也。北邊未安。朕甚悼之。日者大將軍攻匈奴，斬首虜萬九千級，留蹛無所食。【索隱】留蹛無所食，蹛音迭，謂貯也，韋昭音滯，謂積也，又按古今字詁，蹛今滯字，則蹛與滯同，按謂富人貯滯積穀，則貧者無所食也。【考證】姚鼐曰，捕斬首虜之士，受賜黃金十餘萬斤，此言應賜者有是數，而大農實無以與之，故詔曰留蹛無食，愚按食猶享也。議令民得買爵，及贖禁錮免減罪。【考證】王先謙曰，漢志，減作臧，非，減，謂免罪及減罪也，漢武紀亦云，得減乃罪，愚按以上天子言。請置賞官，命曰武功爵。【集解】瓚曰，茂陵中書有武功爵，一級曰造士，二級曰閑輿衛，三級曰良士，四級曰元戎士，五級曰官首，六級曰秉鐸，七級曰千夫，八級曰樂卿，九級曰執戎，十級曰左庶長，十一級曰軍衛，此武帝所制，以寵軍功。【考證】請上，當有有司二字，有司所請止于此，中井積德曰，集解左庶長，漢志注作政戾庶長，恐非。級十七萬，凡直三十餘萬金。【索隱】大顏云，一金，萬錢也，計十一級，級十七萬，合百八十七萬金，而此云三十餘萬金，其數必有誤者，顧氏按解云，初一級十七萬，自此已上每級加二萬，至十一級，合成三十七萬也。【考證】胡三省曰，級十七萬者，賣爵一級，爲錢十七萬，至二級則三十四萬矣，自此以上每級加增，王莽時黃金一斤，直錢萬，以此推之，則三十萬金，爲錢三十餘萬萬矣，此當時鬻武功爵所直之數也，中井積德曰，級十七萬，是爲十七金，是買爵之定價矣，是時戰士有功，賜爵者多矣，以級十七金筭之，凡當三十餘萬金也，應上文受賜黃金二十餘萬斤句，以見置武功爵之功効也，初苦無金可賞，及置爵，乃綽綽有餘裕，得首虜萬九千級，級各受爵一級，級十七金，而萬九千之，則爲三十二萬三千金矣，又一級造士十七金，二級閑輿衛三十四金，以至十一級軍衛，則爲百八十七金，各以率受爵也，凡民欲買爵者，凡就軍士受爵者一買也，非官自賣之，愚按姚鼐亦有此說，諸買武

功爵官首者、試補吏、先除。【索隱】官首、武功爵第五也、位稍高、故得試爲吏先除用也。千夫如五大夫。【索隱】千夫、武功爵第七、五大夫、二十爵第九也、言千夫爵秩、比於五大夫、二十爵第九、故楊僕以千夫爲吏、是也、【考證】李慈銘曰、五大夫得復卒一人、千夫如五大夫亦得免徭役、下文言兵革數動、民多買復、及五大夫、徵發之士益鮮、於是除千夫五大夫爲吏、不欲者出馬、足見復役者優於補吏、以爲吏多得罪譴也、愚按索隱故楊僕上、二十爵第九五字衍、其有罪又減二等。爵得至樂卿、【集解】徐廣曰、樂卿、爵名也、駰案、漢書音義曰、十爵左庶長以上至十八爵爲大庶長也、名樂卿、樂卿者、朝位從九卿、加樂者、別正卿、又十九爵爲樂公、食公卿祿而無職也、【索隱】按此言武功置爵、惟得至於樂卿也、臣瓚所引茂陵書、蓋後人記其爵失次耳、今注稱十爵至十八庶長爲樂卿、十九至二十爲樂公、乃以舊二十爵釋武功爵、蓋亦臆說、非也、大顏亦以爲然、【考證】顏師古曰、樂卿者武功爵第八等也、言買爵唯得至第八也、中井積德曰、得至樂卿者、承上文謂買爵者也、若第九執戎以上、非實有軍功者不能得焉、故下文曰、以顯軍功、愚按是承上文入物者補官、出貨者、除罪、以顯軍功。軍功多、用越等、大者封侯卿大夫、小者郎吏。吏道雜而多端、則官職秏廢。【考證】承上文選舉陵遲、武力進用、自公孫弘以春秋之義繩臣下取漢相、張湯用峻文決理爲廷尉、於是見知

之法生、而廢格沮誹窮治之獄用矣。【集解】張晏曰、吏見知不舉、劾爲故縱、如淳曰、廢格、廢格天子文法使不行也、誹、謂非上所行、若顏異反脣之比也、【索隱】格、音閣、亦如字、沮、音才緒反、誹、音非、按謂廢格天子之命而不行、及沮敗誹謗之者、皆被窮治、故云廢格沮誹之獄用矣、【考證】酷吏傳云、趙禹與張湯作見知吏傳相監司、用法益刻、漢書刑法志云、張湯趙禹之屬、條定法令、作見知故縱監臨部主之法、緩深故之罪、急縱出之誅、酷吏傳又云、天子以爲廢格沮事棄市、沮誹與腹誹異、如淳引顏異反脣、恐非、又按、此一節承上文法嚴令具、其明年、【考證】元狩元年、淮南・衡山・江都王、謀反迹見、而公卿尋端治之、竟其黨與。而坐死者數萬人。【考證】漢志、而坐、倒、長吏益慘急、而法令明察。【考證】漢志、無長字、當是之時、招尊方正賢良文學之士、或至公卿大夫。公孫弘以漢相布被、食不重味、爲天下先。然無益於俗、稍騖於功利矣。其明年、【考證】元狩二年、驃騎仍再出擊胡、獲首四萬。【考證】驃騎將軍霍去病、其秋、渾邪王率數萬之衆來降。於是漢發車二萬乘迎之。【考證】汲黯傳同、漢志、二萬乘作三萬兩、

既至、受賞賜、及有功之士。是歲、費凡百餘巨萬、初先是往十餘歲、【考證】初往二字、校勘者旁注、誤入本文、漢志無、河決觀。【集解】徐廣曰、觀、縣名也、屬東郡、光武改曰衞公國、【考證】錢大昕曰、是時河決瓠子、東注鉅野、不及觀也、漢書作灌、屬下句、當從之、齊召南曰、瓠子地在濮陽、其對岸卽觀縣、史作河決觀、是也、梁・楚之地、固已數困、而緣河之郡、隄塞河輒決壞。費不可勝計。其後番係欲省底柱之漕、穿汾河渠、以爲溉田。作者數萬人。【考證】番係、人姓名、詳河渠書、鄭當時爲渭漕渠回遠、鑿直渠、自長安至華陰。作者數萬人。【考證】顏師古曰、回、曲繞也、朔方亦穿渠。作者數萬人。各歷二三朞、功未就。費亦各巨萬十數。【考證】顏師古曰、巨萬十數、謂十萬萬也、愚按又見河渠書、天子爲伐胡、盛養馬。馬之來食長安者數萬匹。卒牽掌者、關中不足、乃調旁近郡。而胡降者皆衣食縣官、縣官不給。【考證】漢志、皆上有數萬人三字、顏師古曰、調、謂選發也、天子乃損

膳、解乘輿駟、出御府禁藏以贍之。【考證】何焯曰、損膳、與上文布被對、其明年、【考證】元狩三年、山東被水菑、民多飢乏。於是天子遣使者、虛郡國倉廥、以振貧民。【集解】徐廣曰、廥、音膾、【考證】漢志、作廩、猶不足。又募豪富人相貸假。【考證】王先謙曰、武紀元狩三年、吏民能假貸者、以名聞、卽此事也、尙不能相救。乃徙貧民於關以西、及充朔方以南新秦中、七十餘萬口。【集解】服虔曰、地名、在北方千里、如淳曰、長安已北、朔方已南、瓚曰、秦逐匈奴以收河南地、徙民以實之、謂之新秦、今以地空、故復徙民以實之、【考證】中井積德曰、上文言衞靑取河南地、是也、此不當遠引秦事、蓋秦收河南之後、楚漢相距數年、匈奴又取河南也、衣食皆仰給縣官數歲、假予產業、使者分部護之、冠蓋相望。其費以億計、不可勝數。【考證】漢志、刪不可勝數四字、於是縣官大空。而富商大賈、或蹛財役貧、轉轂百數、【集解】漢書音義曰、蹛、停也、一曰、貯也、李奇曰、轂、車也、【索隱】蕭該按字林云、貯、塵也、音佇、此謂居積停滯塵久也、或作貯、子貢發貯鬻財、是也、廢居【集解】徐廣曰、廢居者、貯畜之名也、有所廢、有所畜、言其乘時射利也、

【索隱】劉氏云、廢、出賣、居、停蓄也、是出賣於居者爲廢、故徐氏云、有所廢、有所畜、是也、居邑、【集解】駰按、服虔曰、居穀於邑也、如淳曰、居賤物於邑中、以待貴也、【索隱】服虔云、居穀於邑中、是也、【考證】中井積德曰、廢卽居矣、卽畜矣、愚按、廢居居邑、四字一事、上居、如奇貨可居之居、中說得之、下居、置也、封君皆低首仰給。【集解】晉灼曰、低、音抵、距、服虔曰、仰給於商賈、【索隱】按服虔云、仰給於商賈、是也、而劉伯莊以爲封君及大商、皆低首營私、以自給、不佐天子、非也、【考證】顏師古曰、封君、受封邑者、謂公主及列侯之屬也、低首、猶俯首也、時公主列侯、雖有國邑、而無餘財、其朝夕所須者、皆俯首而取給於富商大賈、後方以邑入償之、冶鑄煑鹽、財或累萬金、而不佐國家之急。黎民重困。【考證】亦就富商大賈而言、凌稚隆曰、暗伏後卜式助邊案、於是天子與公卿議、更錢造幣以贍用、而摧浮淫幷兼之徒。是時禁苑有白鹿、而少府多銀錫。【考證】漢書百官表、少府秦官、掌山海池澤之稅、以給共養、自孝文更造四銖錢、至是歲四十餘年、【考證】梁玉繩曰、鑄四銖錢、在孝文五年、至孝武元狩四年、造白金皮幣、凡五十七年、此云四十餘年、非也、又文帝鑄四銖錢後、建元元年、壞四銖、行三銖、建元五年、罷三銖、行半兩錢、至元狩四年、始改白金皮幣、何嘗五十餘年皆用孝文四銖錢哉、漢志亦仍此誤、愚按是歲承上文其明年山東被水菑、民多飢乏、則元狩三年也、梁氏據漢書武紀元狩四年造白金、以史記爲

誤、蓋曰三年者、依議更造之歲、曰四年者、依行錢幣之歲、皆未嘗誤也、四十、疑當五十之訛、從建元以來用少。縣官往往卽多銅山而鑄錢、民亦閒盜鑄錢、不可勝數。錢益多而輕、【集解】如淳曰、磨錢取鋊故也、瓚曰、鑄錢者多、故錢輕、輕亦賤也、【考證】何焯曰、下云錢益輕薄而物貴、如說是、瓚說非也、周壽昌曰、輕對重言、非賤之謂也、鑄錢益多則工省而質薄也、愚按、錢多則物貴、物多則錢貴、是自然之理、今物益少而錢益多、則物貴錢賤可知也、多而輕、與少而貴對言、以價言、不以質言、與下文輕薄義殊、瓚說可從、何周二氏非是、物益少而貴。【集解】如淳曰、但鑄作錢、不作餘物、【考證】中井積德曰、民爭逐什一、不唯不務農業、工技亦寡、故物少耳、豈人人鑄錢哉、愚按、貴、謂物價踊騰也、五字檃上文、敘錢物貴賤之狀、有司言曰。古者皮幣、諸侯以聘享。金有三等。黃金爲上、白金爲中、赤金爲下。【集解】漢書音義曰、白金、銀也、赤金、丹陽銅也、【索隱】說文云、銅、赤金也、注云、丹陽銅者、神異經云、西方金山有丹陽銅也、【考證】中井積德曰、赤金、銅也、何必丹陽、今半兩錢、法重四銖。【集解】韋昭曰、文爲半兩、實重四銖、而姦或盜摩錢裏取鋊、【集解】徐廣曰、音容、呂靜曰、冶器法謂之鋊、【考證】漢志、裏作質、張文虎曰、鋊、諸本作鎔、毛本作鋊、下同、字類引同、漢志亦作鋊、師古曰、音浴、攷異云、說文、鋊、銅屑也、愚按、漢志注臣瓚云、摩錢漫面、以取其屑、更以鑄錢、西京黃圖敘曰、民摩錢取屑、是也、

錢益輕薄而物貴、則遠方用幣、煩費不省。【考證】以上有司之言、乃以白鹿皮方尺、緣以藻繢、爲皮幣。直四十萬。【集解】徐廣曰、藻、一作紫也、【考證】漢志、無藻字、顏師古曰、繢、繡也、繪五綵而爲之、王侯宗室、朝覲聘享、必以皮幣薦璧、然后得行。又造銀錫爲白金、【集解】如淳曰、雜鑄銀錫爲白金也、以爲天用莫如龍。【索隱】易云、行天莫如龍也、地用莫如馬。【索隱】易云、行地莫如馬也、人用莫如龜。【索隱】禮曰、諸侯以龜爲寶也、故白金三品。其一曰重八兩。圜之。其文龍。【索隱】顧氏案錢譜、其文爲龍、隱起、肉好皆圜、文又作雲霞之象、名曰白選。【索隱】名白選、蘇林曰、選、音選擇之選、包愷及劉氏、音息戀反、尚書大傳云、夏后氏不殺不刑、死罪罰二千饌、馬融云、饌、六兩、漢書作撰、音同、直三千。【索隱】晉灼按黃圖、直三千二百、二曰重差小。方之。【索隱】謂以八兩差爲三品、此重六兩、下小隋、重四兩也、云以重差小者、謂半兩爲重、故差小、重六兩而其形方也、【考證】中井積德曰、圜者重八兩、而直三千、是一兩三百七十五也、然則方者直五百、是重應踰於兩、楕者直三百、是重當不足兩也、各以錢數而乘除、以知其輕重、故後二者不論其重耳、索隱大誤、如索隱所云、下品四兩、重半上品、而直十之一矣、豈有是理哉、愚按、史云、圜者重八兩、方者差小、橢者復小、三

品之形無大差可知、但銀錫和造、品質不同、故三千、五百、三百、其直不同耳、索隱蓋有所依、未必爲誤、其文馬。直五百。【索隱】錢譜、肉好皆方、隱起馬形、肉好之下、又是有連珠文也、三曰復小。撱之。【索隱】復小隋之、湯果反、爾雅注、隋者、狹長也、謂長而方去四角也、其文龜。直三百。【索隱】錢譜、肉圓好方、爲隱起龜甲文、【考證】漢志、名下無曰字、選作撰、二曰下、有以字、劉奉世曰、白選當在其一曰之下、衍名字、二曰三曰之下、皆當有金名、史文錯脫、姚鼐曰、劉說非也、重八兩、重差小、復小、乃白金上有此字、故加曰字、而白選乃其名、非白金上字、姚範曰、重八兩、重差小、復小、上、皆衍曰字、愚按姚範說是、差小、承八兩、復小、承差小、史記其重耳、白金上不當鑄此等字也、令縣官、銷半兩錢、更鑄三銖錢。文如其重。【考證】蔡雲曰、特書文如其重、見前此文爲半兩之非實也、盜鑄諸金錢、罪皆死。而吏民之盜鑄白金者、不可勝數。【考證】徐孚遠曰、白金本輕而值重、故盜鑄者愈多、嚴刑而不能禁也、於是以東郭咸陽孔僅爲大農丞、領鹽鐵事、桑弘羊以計算用事侍中。【索隱】東郭姓、咸陽名也、按風俗通、東郭牙齊大夫、咸陽其後也、【考證】漢書百官表、治粟內史、秦官、掌穀貨、有兩丞、景帝元年、更名大農令、武帝太初元年、更名大司農、屬官有太倉、均輸、平準、都內、籍田五令丞、咸陽、齊之大煑鹽、孔僅、南陽大冶、皆致生累千

金。故鄭當時進言之。弘羊、雒陽賈人子、以心計年十三侍中。故三人言利事析秋豪矣。【索隱】按言百物毫芒、至秋皆美細、今言弘羊等三人言利事纖悉、能分析其秋毫也、【考證】沈欽韓曰、鹽鐵論大夫曰、余結髮束脩、年十三、幸得宿衞、給輦轂、案其進蓋入羊爲郎之類、中井積德曰、秋毫以獸毛而言、不兼草穀、楊愼曰、用東郭咸陽等三語、所以摧兼幷浮淫、而奪其利、曰三人言利析秋毫矣、前應興利之臣自此始、後起籠鹽鐵算緡錢平準之事、法既益嚴、吏多廢免、【考證】凌稚隆曰、應前爲吏長子孫、兵革數動、民多買復及五大夫、徵發之士益鮮。【考證】顏師古曰、入財於官以取優復、錢大昕曰、鼂錯言爵五大夫以上、迺復卒一人、武帝置武功爵、爵千夫如五大夫、故五大夫與千夫、皆不在徵召之限、於是除千夫五大夫爲吏。不欲者出馬。故吏皆通適令伐棘上林、作昆明池。【集解】韋昭曰、欲令出馬、無馬者令伐棘、【索隱】故吏皆適伐棘、謂故吏先免者、皆適令伐棘上林、不謂無馬者、韋說非也、按黃圖云、昆明池周四十里、以習水戰、又荀悅云、昆明子居滇河中、故習水戰以伐之也、【考證】索隱本無通字、與漢志合、可從、錢大昕曰、吏多坐法廢免、買爵者多不顧除吏、故又使出馬、顏師古曰、適讀曰讁、責罰也、中井積德曰、鑿池亦適故吏爲之、其明年、大將軍·驃騎大出擊胡。【集解】徐廣曰、元狩四年也、得

首虜八九萬級。賞賜五十萬金。漢軍馬死者十餘萬匹。轉漕車甲之費不與焉。【考證】仍用前文、著用兵之弊、是時財匱、戰士頗不得祿矣。【考證】是時仍有武功爵、而戰士頗不得祿、則民不復欲買之矣、有司言、三銖錢輕、易姦詐。乃更請諸郡國鑄五銖錢。周郭其下、令不可磨取鋊焉。【考證】漢志、下作質、査愼行曰、所謂周郭其下者、其形製不復見、豈在下則不可磨耶、大農上鹽鐵丞孔僅·咸陽言。山海、天地之藏也。皆宜屬少府。【索隱】韋昭云、天子私所給賜經用也、公用屬大司農也、【考證】少府、掌山海池澤之稅、以給共養、故云、顏師古曰、大司農供軍國之用、少府以養天子也、陛下不私、以屬大農佐賦。願募民自給費。因官器作、煑鹽、官與牢盆。【集解】如淳曰、牢、廩食也、古者名廩爲牢也、盆者、煑鹽之盆也、【索隱】予牢盆、按蘇林云、牢、價直也、今代人言雇手牢盆、晉灼云、蘇說是、樂産云、牢乃盆名、其說異、【考證】中井積德曰、作、謂冶鑄也、愚按、作字、句、言採鐵者以官器冶鑄、煑鹽者官與牢盆、牢盆未詳、或云、牢、蓄鹽之處、盆、盛鹽之器、又按漢志注、引蘇林、無盆字、浮食奇民、欲擅管山海之貨、以致富羨、役利細民。

【集解】張晏曰、若人執倉庫之管籥、或曰管固、【索隱】奇、包愷音羈、諸侯也、非農工之儔、故言奇也、擅筦、音管、上音善、羨、弋戰反、羨、饒也、與衍同義、【考證】奇民、奇邪之民、管、主也、其沮事之議、不可勝聽。【索隱】沮、止也、僅等言山海之藏、宜屬大農、奇人欲擅利、必有沮止之議、此不可聽許也、【考證】不可勝聽、言多也、敢私鑄鐵器煑鹽者、釱左趾、沒入其器物。【集解】史記音義曰、釱、音徒計反、韋昭曰、釱以鐵爲之、著左趾以代刖也、【索隱】按三蒼云、釱、踏脚鉗也、字林、徒計反、張斐漢晉律序云、狀如跟衣、著左足下、重六斤、以代臏、至魏武改以代刖也、郡不出鐵者、置小鐵官、便屬在所縣。【集解】鄧展曰、小鐵官、鑄故鐵、【考證】漢志、便作使、恐謬、朱一新曰、便屬、言以其便屬也、方苞曰、在所、應爲所在、誤倒、中井積德曰、大農之言、止于此、使孔僅·東郭咸陽乘傳擧行天下鹽鐵、作官府。除故鹽鐵家富者爲吏。吏道益雜不選、而多賈人矣。【考證】凌稚隆曰、此選擧陵遲、商賈以幣之變多、積貨逐利。於是公卿言、郡國頗被菑害、貧民無産業者、募徙廣饒之地、陛下損膳省用、出禁錢以振元元、寬貸賦、而民不齊出於南畝、商

賈滋衆。【集解】李奇曰、齊、皆也、【考證】顏師古曰、言農人尙少、不皆務耕種也、貧者畜積無有、皆仰縣官。異時算軺車、【索隱】異時、猶昔時也、說文云、軺、小車也、傅子云、漢代賤乘軺、今則貴之、言算軺車者、有軺車、使出稅一算二算也、【考證】錢大昕曰、異時、謂漢初也、上文言高祖初平天下、令賈人不得乘車、重租稅以困辱之、蓋謂此、沈欽韓曰、異時、謂元光六年、初算商車也、愚按、元光六年算商車、見漢書武紀、算緡、亦當有其事、史失書之也、下文如故二字可證、中井積德曰、一算、蓋錢二十也、賈人緡錢皆有差。【集解】李斐曰、緡、絲也、以貫錢也、一貫千錢、出二十算也、詩云、維絲伊緡、如淳曰、胡公名錢爲緡者、詩云、氓之蚩蚩、抱布貿絲、故謂之緡也、【索隱】緡、音旻、緡者、絲繩以貫錢者、千錢出二十算也、請算如故。諸賈人末作、貰貸買、居邑稽諸物、【索隱】稽者、停也、畱也、卽上文所謂廢居居邑也、【考證】漢志、貸下有賣字、此疑脫、稽、作貯積、顏師古曰、貰、賖也、貸、假與也、及商以取利者、雖無市籍、各以其物自占、率緡錢二千而一算、【集解】瓚曰、此緡錢爲是儲緡錢也、故隨其用所施、施於利重者、其算亦多、【索隱】按郭璞云、占、自隱度也、謂各自隱度其財物多少、爲文簿送之官也、若不盡、皆沒入於官、音之贍反、【考證】姚鼐曰、是時商賈以幣之變、多積貨逐利、所藏者非錢幣、乃貨也、故令以其物自占、自占者、有物若干、値錢若干、自言於官也、直二千則一算、然則緡者、猶今商賈言貨本、以錢準之耳、而手力所作者、無本錢、則以其所作直四千、乃一算、其匿不自占、占不悉者、沒入、緡錢其實物而

非錢、故後言得民財物以億計、奴僕以千萬數、及田宅、此皆非錢、特以錢計耳、諸作有租及鑄、率緡錢四千一算。【集解】如淳曰、以手力所作而賣之、【考證】岡白駒曰、言諸作有租及鑄者、凡稅皆曰租、非吏比者、三老、北邊騎士、軺車以一算。【集解】如淳曰、非吏而得與吏比者官、謂三老北邊騎士也、樓船令邊郡選富者爲車騎士、【考證】顏師古曰、比、例也、身非爲吏之例、非爲三老、非爲北邊騎士、而有軺車、皆令出一算、中井積德曰、吏比者一、三老一、騎士一、凡三項、愚按、吏比、非吏而比吏者、商賈人軺車二算。【集解】如淳曰、商賈有軺車、使出二算、重其賦也、船五丈以上一算。匿不自占、占不悉、戍邊一歲、沒入緡錢。【索隱】悉、盡也、具也、若通家財不周悉盡者、罰戍邊一歲、有能告者、以其半畀之。賈人有市籍者、及其家屬、皆無得籍名田、以便農。【索隱】謂賈人有市籍、不許以名占田也、【考證】漢書、得下無籍字、賈人多財、使之得買田、則兼并之弊生、農民失產、是豫防之也、敢犯令、沒入田僮。【索隱】若賈人更占田、則沒其田及僮僕、皆入之於官也、天子乃思卜式之言、召拜式爲中郎、爵左庶長、賜田十頃、布告天下、使明知之。初卜式者河南人也。以

田畜爲事。親死。式有少弟。弟壯、式脫身出分、獨取畜羊百餘、田宅財物、盡予弟。式入山牧十餘歲、羊致千餘頭、買田宅。而其弟盡破其業。式輒復分予弟者數矣。是時、漢方數使將擊匈奴。【考證】張文虎曰、舊刻無數使將三字、卜式上書、願輸家之半縣官、助邊。天子使使問式。欲官乎。【考證】漢書卜式傳、欲下有爲字、式曰。臣少牧、不習仕宦。不願也。使問曰。家豈有冤、欲言事乎。【考證】漢傳、問作者、式曰。臣生與人無分爭。式邑人貧者貸之、不善者教順之、【考證】分讀爲紛、順讀爲訓、所居人皆從式。式何故見冤於人。無所欲言也。使者曰。苟如此、子何欲而然。式曰。天子誅匈奴。愚以爲賢者宜死節於邊。有財者宜輸委。如此而匈奴可滅也。使者具其言、入以聞。天子以

語丞相弘。弘曰。此非人情。不軌之臣、不可以爲化、而亂法。願陛下勿許。於是上久不報式。數歲乃罷式。式歸復田牧。歲餘會軍數出、渾邪王等降。縣官費衆、倉府空。【考證】顏師古曰、倉、粟所積也、府、錢所聚也、其明年、【考證】元狩三年、貧民大徙、皆仰給縣官、無以盡贍。卜式持錢二十萬、予河南守、以給徙民。河南上富人助貧人者籍。天子見卜式名識之曰。是固前而欲輸其家半助邊。乃賜式外繇四百人。【集解】漢書音義曰、外繇、謂戍邊也、一人出三百錢、謂之過更、式歲得十二萬錢也、一說、在繇役之外、得復除四百人、【考證】漢傳、無而字、愚按、而與之通、郭嵩燾曰、漢律、踐更過更、謂之繇戍、出錢給代更者、皆官主之、故名更賦、外繇、正謂出繇戍錢者、下云式又盡與官、是所賜四百人更賦錢、又復納之官、非復除至四百人也、疑古無除其家子四百人之例、一說誤、中井積德曰、式免徭戍四百人也、式多僮僕、故賜免也、愚按中說是、式又盡復予縣官。是時富豪皆爭匿財。唯式尤欲輸之助費。天子於是以式終長

者。故尊顯以風百姓。【考證】結上文爲中郎爵左庶長、賜田十頃、初式不願爲郎。上曰。吾有羊上林中、欲令子牧之。【考證】漢傳、羊下有在字、王念孫曰、類聚御覽引史記、竝有在字、今本脫去、式乃拜爲郎、布衣屩而牧羊。【集解】韋昭曰、屩、草屝、【考證】漢傳、衣下有草字、歲餘羊肥息。上過見其羊、善之。式曰。非獨羊也。治民亦猶是也。以時起居、惡者輒斥去、毋令敗羣。上以式爲奇、拜爲緱氏令試之。緱氏便之。遷爲成皋令。將漕最上。【考證】顏師古曰、爲縣令而又使領漕、其課最上、以爲式朴忠。拜爲齊王太傅。【考證】胡三省曰、齊王次昌、元朔三年薨、無後、國除、元狩六年、始封皇子閎爲齊王、式蓋傅閎也、而孔僅之使天下鑄作器、三年中、拜爲大農、列於九卿。【集解】徐廣曰、元鼎二年、時丙寅歲也、而桑弘羊爲大農丞、筦諸會計事、稍稍置均輸、以通貨物矣。【集解】孟康曰、謂諸當所輸於官者、皆令輸其土地所饒、平其所在時價、官更於他處賣之、輸者既便、而官有利、漢書百官表、大司農屬官有均輸令、【考證】鹽鐵論本議篇、大夫

曰往者郡國諸侯各以其物貢輸往來煩雜物多苦惡或不償其費故郡置輸官以相給運故曰均輸均輸則民齊勞逸九章術均輸以御遠近勞費、始令吏得入穀補官。郎至六百石。【考證】顏師古曰、吏更遷補高官、郎又就增其秩、得至六百石也、沈欽韓曰、前此鬻爵高者復除而已、此乃直任職也、黃霸亦以是進、然言吏則庶民商賈不得也、自造白金五銖錢後五歲、赦吏民之坐盜鑄金錢死者數十萬人。其不發覺相殺者、不可勝計。【考證】梁玉繩曰、案漢武紀元狩四年、造白金、五年、行五銖錢、元鼎元年、赦天下、首尾纔四年耳、五當作三、愚按死字上添當字看、相殺二字不可解、漢志文同、而顏氏不注、通鑑武紀元狩六年載此事、而刪赦字相殺字、義殊、赦自出者百餘萬人。然不能半。自出【考證】赦自出、蓋聞赦令自首也、下自出疑上文複衍、天下大抵無慮皆鑄金錢矣。【索隱】抵音氐、抵歸也、劉氏云、大抵猶大略也、案、大抵無慮者、謂言大略歸於鑄錢、更無他事從慮、【考證】王念孫曰、無或作亡、漢書趙充國傳、亡慮萬二千人、注、亡慮、大計也、愚按、大抵無慮、與莊周列傳大抵率寓言也同一字法、犯者衆、吏不能盡誅取。於是遣博士褚大・徐偃等、分曹循行郡國。【集解】服虔曰、分曹職案行、【考證】漢武紀、元狩六年六月詔云、今遣博士大等六人、分循行天下、注云、大、褚大也、終軍傳、元鼎中、博士徐偃使行

風俗、鹽鐵論刺復篇、大夫曰、博士褚泰徐偃等、承明詔、建節馳傳、巡省郡國、舉孝廉、勸元元、而流俗不改、蓋皆此事、但終軍傳元鼎、當元狩之訛、舉兼幷之徒、守相爲吏者。【考證】顏師古曰、守、郡守也、相、諸侯相也、中井積德曰、吏當作利、漢志作利、而御史大夫張湯方隆貴用事、減宣・杜周等爲中丞、義縱・尹齊・王溫舒等、用慘急刻深爲九卿、【考證】諸人詳于酷吏傳、而直指夏蘭之屬始出矣。【考證】漢書百官表、侍御史有繡衣直指、出討姦猾、治大獄、武帝所制、不常置、注、服虔曰、直指、指事而行、無阿私也、顏師古曰、衣以繡者、尊寵之也、蘇林曰、夏蘭、人姓名、而大農顏異誅。【集解】徐廣曰、元狩四年、時壬戌歲也、【考證】王先謙曰、百官表、元狩四年、大農令顏異、二年坐腹非誅、六年再書大農令正夫、以此文序事推之、異誅當在六年、初異爲濟南亭長。以廉直稍遷至九卿。上與張湯既造白鹿皮幣、問異。異曰。今王侯朝賀以蒼璧、直數千。而其皮薦反四十萬。本末不相稱。天子不說。張湯又與異有郤。及人有告異以它議、事下張湯治異。異與客語。客語、初令下、有不

便者。【集解】李奇曰、異與客語、道詔令初下、有不便處也、【考證】中井積德曰、此客語、非異語、注誤、初令、猶言新令也、異不應。微反脣。【考證】張照曰、蓋異聞客語不敢應、而倉卒自禁、不覺微笑、而脣褰耳、湯奏當。異九卿。見令不便、不入言而腹誹。論死。自是之後、有腹誹之法以此。【考證】各本、當異作異當、陳仁錫曰、漢志、作當異、當、去聲、謂處斷其罪、張文虎曰、北宋本與漢志合、梁玉繩曰、以字衍、此當作比、張文虎曰、梁說與漢志合、顏師古曰、比、則例也、而公卿大夫、多諂諛取容矣。天子既下緡錢令而尊卜式。百姓終莫分財佐縣官。於是楊可告緡錢縱矣。【考證】錢大昕曰、漢志無楊可二字、索隱於此處無注、至下文楊可告緡徧天下始云、楊姓、可名也、則此處本無楊可二字明矣、顏師古曰、縱、放也、放使相告言也、郡國多姦鑄錢、錢多輕。【索隱】謂多姦巧、襍以鉛錫也、而公卿請令京師鑄鍾官赤側。【集解】如淳曰、以赤銅爲其郭也、今錢見有赤側者、不知作法云何、【索隱】鍾官掌鑄赤側之錢、韋昭云、側、邊也、故晉灼云、以赤銅爲郭、今錢見有赤側者、【考證】梁玉繩曰、漢志脫鍾字、考百官表、水衡都尉之屬、有鍾官、主鑄者、卽下文所說上林三官之一、愚按令京師依倣鍾官所鑄赤側鑄錢也、一當五。賦、官用、非赤側不得行。【集解】漢書音義曰、

俗所謂紫紺錢也、【考證】顏師古曰、充賦及給官用、皆令以赤側、白金稍賤、民不寶用。縣官以令禁之。無益。歲餘白金終廢不行。是歲也、張湯死、而民不思。【集解】徐廣曰、元鼎三年、【索隱】樂產云、諸所廢興、附上困下、皆自湯、故人不思之也、【考證】王先謙曰、漢武紀、湯死在元鼎二年、其後二歲、赤側錢賤、民巧法用之。不便。又廢。【考證】漢書公卿表云、元鼎三年、鄲侯周仲居爲太常、坐不收赤側錢、收行錢論、蓋此時事、於是悉禁郡國無鑄錢、專令上林三官鑄。【集解】漢書百官表、水衡都尉、武帝元鼎二年初置、掌上林苑、屬官有上林均輸、鍾官、辨銅令、然則上林三官、其是此三令乎、【考證】據百官表、水衡都尉諸官、武帝元鼎二年置、齊召南曰、鹽鐵論云、廢天下諸錢、而專命水衡三官作、卽言此事、錢既多、而令天下、非三官錢不得行。諸郡國所前鑄錢、皆廢銷之、輸其銅三官。而民之鑄錢益少。計其費不能相當。唯眞工大姦、乃盜爲之。卜式相齊。而楊可告緡徧天下、【集解】瓚曰、商賈居積、及伎巧之家、非桑農所生出、謂之緡、茂陵中書、有緡田奴婢是也、【索隱】姓楊、名可、如淳云、告緡者、令楊可告占緡之不盡者也、【考證】顏師古曰、如說非也、楊可據令

而發動之、故天下皆被告、周白駒曰、卜式相齊一語、於文前後不相蒙、而大意自聯貫、愚按、卜式相齊、不在京師、無復言聚斂之害者、前後呼應、是史公文章之妙、中家以上、大抵皆遇告。【考證】周壽昌曰、中家、猶文帝所云中人產也、杜周治之、獄少反者。【集解】如淳曰、治匿緡之罪、其獄少有反者、【索隱】反、音番、反、謂反使從輕也、案劉德爲京兆尹、每行縣多所平反、是也、【考證】反、翻前案也、非稍輕之謂、乃分遣御史廷尉正監、分曹往。【索隱】如淳云、曹、輩也、謂分曹輩而出爲使也、【考證】漢百官表、廷尉秦官、掌刑辟、有正左右監、漢書、誤重往字、卽治郡國緡錢、得民財物以億計、奴婢以千萬數、田大縣數百頃、小縣百餘頃、宅亦如之。於是商賈中家以上大率破、民偷甘食好衣、不事畜藏之產業。【考證】顏師古曰、偷、苟且也、而縣官有鹽鐵緡錢之故、用益饒矣。益廣關、置左右輔。【集解】徐廣曰、元鼎三年丁卯歲、徙函谷關於新安東界、【考證】百官表、元鼎四年、更置二輔都尉、都尉丞各一人、何焯曰、始之以重斂、繼之以奪攘、其貧者既爲盜賊、富者知不可保、亦爲不終之計、武帝之不亡者、賴祖宗休養之澤深耳、初大農筦鹽鐵官布多。置水衡、欲以主鹽鐵。【索隱】布、謂

泉布、【考證】官布、官錢也、及楊可告緡錢、上林財物衆。乃令水衡主上林。上林既充滿益廣。是時越欲與漢用船戰逐。【集解】韋昭曰、戰鬬馳逐也、乃大修昆明池、列觀環之、治樓船高十餘丈、旗幟加其上、甚壯。【索隱】蓋始穿昆明池、欲與滇王戰、今乃更大修之、將與南越呂嘉戰逐、故作樓船、於是楊僕有將軍之號、又下云、因南方樓船卒二十餘萬擊南越也、昆明池有豫章館、豫章、地名、以言將出軍於豫章也、【考證】昆明池所作樓船、雖以習水戰、不過用爲游觀、索隱非是、說詳下文、於是天子感之、乃作柏梁臺、高數十丈。宮室之修、由此日麗。【考證】漢書武紀、作柏梁臺、在元鼎二年、顏師古曰、三輔舊事云、以香柏爲之、乃分緡錢諸官、而水衡、少府、大農、太僕、各置農官、往往卽郡縣比沒入田田之、【索隱】比者所沒入之田也、【考證】顏師古曰、卽、就也、其沒入奴婢、分諸苑養狗馬禽獸、及與諸官。【考證】漢舊儀、武帝時、官奴婢及天下貧民貲不滿五千、徙置苑中養鹿、因收取鹿矢、人日五錢、到元帝時七十億萬、以給軍擊西域、諸官益雜置多。【集解】如淳曰、水衡少府太僕司農、皆有農官、是爲多、【考證】漢志無諸

字、張文虎曰、雜、從北宋本、與食貨志合、各本譌新、顏師古曰、謂雜置官員分衆事耳、非農官也、中井積德曰、雜置多、承上文置農官、而曰益、可知不特農官也、徒奴婢衆、而下河漕度四百萬石。【索隱】樂產云、度、猶運也、【考證】梁玉繩曰、他本、徒多作徒、與漢志合、此譌、愚按、梁說非也、徒奴婢、謂沒入奴婢自郡國徙者、顏師古曰、度、計也、音大各反、及官自糴、乃足。【索隱】按謂天子所給廩食者多、故官自糴乃足也、【考證】中井積德曰、合河漕與官糴、用乃足也、所忠言世家子弟富人、【集解】如淳曰、世家、世世有祿秩家、【索隱】所忠、人姓名、服虔云、掌故官、取書於司馬相如者、封禪書、公孫卿因所忠言寶鼎、是也、唯姚察獨以爲所患、非也、或鬬雞、走狗馬、弋獵博戲、亂齊民。【索隱】晉灼云、中國被教整齊之人也、【考證】齊、等也、若言平民、乃徵諸犯令、相引數千人。命曰株送徒。入財者得補郎、郎選衰矣。【集解】應劭曰、株、根本也、送、引也、如淳曰、株、根蒂也、諸坐博戲事決爲徒者、能入錢、得補郎也、或曰、先至者爲根、【索隱】李奇云、先至者爲魁株、應劭云、株、根本也、送、當作選、選、引也、應李二音是、先至之人、令之相引、似若得其株本、則枝葉自窮、故曰株送徒、又文穎曰、凡鬬雞勝者爲株、傳云、陽溝之雞、三歲爲株、今則鬬雞走馬者用之、因其鬬雞本勝時名、故云株送徒者也、【考證】中井積德曰、諸犯、犯事非一、又曰、株送、意如拔茅也、蓋灌木及草、一株或數十百莖、故悉其類送之、命爲株送耳、徒、謂罪人也、卽因徒矣、非徒刑、愚按、株送徒句、入財者以下、別是一事、是時山東

被河菑、及歲不登數年、人或相食、方一二千里。天子憐之。【考證】漢武紀、關東水災、在元鼎二年、人相食、在三年、此併敍、漢志一二千里、作二三千里、詔曰、江南火耕水耨。【集解】應劭曰、燒草下水種稻、草與稻竝生、高七八寸、因悉芟去、復下水灌之、草死、獨稻長、所謂火耕水耨也、【考證】貨殖傳云、楚越之地、地廣而人希、飯稻羹魚、火耕而水耨、鹽鐵論通有篇云、荊揚南有桂林之饒、內有江湖之利、伐木而樹穀、燔萊而播粟、火耕而水耨、愚按、先以火焚草、然後植之以苗、灌之以水、則土肥而苗長、及雜草生、輒除去之、今飢民得流就食江·淮閒。欲畱畱處。【考證】張文虎曰、下畱、從北宋本、與漢志合、各本譌之、顏師古曰、流、謂恣其行移若水之流、愚按、漢武紀、錄此詔于元鼎二年、文更詳、遣使冠蓋相屬於道、護之、下巴·蜀粟以振之。其明年、天子始巡郡國、東度河。河東守不意行至。不辨。自殺。【考證】不辨、供張不具也、行西踰隴。隴西守以行往卒、天子從官不得食。隴西守自殺。【集解】漢書音義曰、踰、度也、卒、倉卒也、【考證】王先謙曰、幸河東、在元朔四年、西踰隴、在五年、此併敍之、於是上北出蕭關、從數萬騎、獵新秦中、以勒邊兵而歸。新秦中或千里

無亭徼。【集解】如淳曰、徼、亦卒求盜之屬也、晉灼曰、徼、塞也、瓚曰、既無亭候、又不徼循、無衞邊之備也、【考證】徼、晉說是、 於是誅北地太守以下、而令民得畜牧邊縣。【集解】漢書音義曰、令民得畜牧於邊縣也、瓚曰、先是新秦中千里無民、畏寇不敢畜牧、令設亭徼、故民得畜牧也、 官假馬母、三歲而歸、及息什一、以除告緡、用充仞新秦中。【集解】李奇曰、邊有官馬、今令民能畜官母馬者、滿三歲歸之也、及有蕃息、與當出緡算者、皆復令居新秦中、又充仞之也、謂與民母馬、令得為馬種、令十母馬還官一駒、此為息什一也、瓚曰、前以邊用不足、故設告緡之令、設亭徼、邊民無警、皆得田牧、新秦中已充、故除告緡、不復取於民也、【考證】岡白駒曰、十母一駒、其息為輕、所以優遇邊民也、中井積德曰、除告緡、特謂邊縣畜牧出息之民也、非總能告緡、下文入粟處、亦言不告緡、可以見、 既得寶鼎、立后土・太一祠。公卿議封禪事。【集解】徐廣曰、元鼎四年、立后土、五年、立泰畤、【考證】詳于封禪書、 而天下郡國、皆豫治道橋、繕故宮。及當馳道縣、縣治官儲、設供具、而望以待幸。【考證】漢志、官儲作宮儲、凌稚隆曰、鑒河東隴之守、以不辨抵罪、 其明年、南越反、西羌侵邊為桀。【考證】元鼎五年、 於是天子為山東不贍、赦天下、【考證】漢志、下下有囚字、 因南

方樓船卒二十餘萬人、擊南越、【考證】方苞曰、昆明池所作樓船、雖以習水戰、不過為游觀、而近粵之地、別有習戰之樓船、故特言南方樓船卒以別之、南越傳、令罪人及江淮以南樓船十萬師往討之、是也、索隱謂卽昆明池樓船二十餘萬人、豈昆明池所能容乎、梁玉繩曰、南越傳及漢書武紀、擊南越樓船十萬人、此非也、漢志仍其誤、 數萬人發三河以西騎擊西羌。【考證】漢志、無數萬人三字、似當衍、卽有、亦宜在騎字下、而武紀是十萬人、 又數萬人、渡河築令居。【索隱】令、音零、姚氏音連、韋昭云、金城縣、 初置張掖・酒泉郡。【集解】徐廣曰、元鼎六年、【考證】梁玉繩曰、武紀元狩二年、匈奴昆邪王來降、以其地為酒泉郡、與武威郡共置、地理志謂酒泉郡太初元年開、武威郡太初四年開者誤也、元鼎六年、分武威為張掖郡、與分酒泉為敦煌郡共置、地理志謂張掖郡太初元年開、敦煌郡後元年分者誤也、而此書謂置張掖酒泉、皆在元鼎六年、不但以酒泉之建誤居于張掖之後、且以分置之張掖誤同于始置之酒泉矣、而漢志亦仍此誤、王先謙曰、酒泉字誤、當作敦煌、 而上郡・朔方・西河・河西開田官、斥塞卒六十萬人、戍田之。【集解】如淳曰、塞候斥卒、【考證】顏師古曰、開田、始開屯田也、斥塞、廣塞令卻、初置二郡、故塞更廣也、以開田之官、廣塞之卒、戍而田之也、 中國繕道餽糧、遠者三千、近者千餘里、皆仰給大農。邊兵不足。【考證】兵、兵器、 乃發武庫工

官兵器以贍之。車騎馬乏絕。縣官錢少、買馬難得。乃著令、令封君以下至三百石以上吏、以差出牝馬。天下亭亭有畜牸馬。歲課息。【考證】錢大昭曰、昭帝始元五年、罷天下亭母馬、是也、 齊相卜式上書曰。臣聞主憂臣辱。【考證】國語越語、范蠡曰、為人臣者、君憂臣勞、君辱臣死、韓非子又云、主辱臣苦、上下相與同憂久矣、 南越反。臣願父子與齊習船者往死之。天子下詔曰。卜式雖躬耕牧、不以為利。有餘、輒助縣官之用。今天下不幸有急。而式奮願父子死之。雖未戰、可謂義形於內。賜爵關內侯、金六十斤、田十頃、【考證】漢書卜式傳、錄是詔更詳、六十斤作四百斤、食貨志、作四十斤、 布告天下。天下莫應。列侯以百數、皆莫求從軍擊羌・越。【索隱】劉氏言其多以百而數、故坐酎金失侯者一百六人、 至酎、少府省金。【集解】如淳曰、省、視諸侯金、有輕有重也、或曰、至嘗酎飲宗廟時、少府視其金多少也、【考證】漢書、景紀元年、高廟酎奏五德文始五行之舞、武紀元鼎五年九月、列侯坐獻黃金酎祭宗廟不

如法、奪爵者百六人、張晏注、正月旦作酒、八月成、名曰酎、酎之言純也、服虔注、因八月獻酎祭宗廟、使諸侯各獻金助祭也、顏師古注、酎、丈救反、三重釀醇酒也、中井積德曰、省金、察其美惡也、又曰、酎金非大罪、而皆失侯者、武帝有怨怒於諸侯也、非特帝之貪毒也、 而列侯坐酎金失侯者百餘人。【集解】如淳曰、漢儀注、王子為侯、侯歲以戶口酎黃金於漢廟、皇帝臨受獻金以助祭、大祀日飲酎、飲酎受金、金少不如斤兩、色惡、王削縣、侯免國、 乃拜式為御史大夫。【集解】徐廣曰、元鼎六年、 式既在位、見郡國多不便縣官作鹽鐵、鐵器苦惡、賈貴、【集解】瓚曰、謂作鐵器、民患苦其不好、【索隱】器苦惡、苦、音苦楛反、言苦其器惡而買賣也、言器苦窳不好、凡病之、器云苦窳、音庾、語見本紀、苦如字讀、亦通也、【考證】張文虎曰、索隱本無一鐵字、與漢志合、此衍、方苞曰、器苦惡、而買又貴也、愚按苦、音盬、 或彊令民賣買之、【考證】漢志、無賣字、 而船有算、商者少、物貴。乃因孔僅言船算事。上由是不悅卜式。漢連兵三歲、誅羌滅南越、番禺以西至蜀南者、置初郡十七。【集解】徐廣曰、南越為九郡、駰案晉灼曰、元鼎六年、定越地、以為南海、蒼梧、鬱林、合浦、交阯、九眞、日南、珠崖、儋耳郡、定西南夷、以為武都、牂柯、越嶲、沈黎、汶山郡、及地理志西南夷傳所置犍為、零陵、益州郡、凡十七也、 且以其故俗治、毋賦稅。南

陽漢中以往郡、各以地比給初郡吏卒奉食幣物傳車馬被具。索隱 比、音鼻、南陽漢中已往之郡、各以其地比近給初郡、初郡、卽西南夷初所置之郡、奉、扶用反、包氏詞、考證 岡白駒曰、各以地比至車馬被具十八字、當連爲一句、愚按比、比鄰之比、地比、地與初郡近接也、王先謙曰、被具、文不成義、當作傳車駕被具、言傳車駕車、被馬之物、皆具也、郊祀志兩言駕被具、是其證、駕字脫上半、故訛爲馬耳、愚按漢志亦作馬、被具、言傳車馬之被具、不必改其字、 而初郡時時小反、殺吏。漢發南方吏卒往誅之。閒歲萬餘人。費皆仰給大農。大農以均輸調鹽鐵助賦。故能贍之。然兵所過縣、爲以訾給毋乏而已。不敢言擅賦法矣。集解 徐廣曰、擅一作經、經、常也、惟取用足耳、不暇顧經常法則也、考證 然兵以下、漢志、作然兵所過縣、縣以爲訾給毋乏而已、不敢言輕賦法矣、何焯曰、擅賦法、謂常法正供外、擅取諸民、以訾給所過軍也、方苞曰、軍所過、縣吏擅賦法、以多取於民、而衆亦不敢以爲言也、愚按縣字不必重、以爲、漢志似長、擅賦、史記爲長、訾、貲通、 其明年、元封元年、卜式貶秩爲太子太傅。而桑弘羊爲治粟都尉、領大農、盡代僅、筦天下鹽鐵。考證 劉攽曰、大司農、舊治粟都尉耳、弘羊爲搜粟都尉也、愚按僅、孔僅、 弘

羊以諸官各自市、相與爭、物故騰躍、考證 方苞曰、先是水衡、少府、太僕、大農、分受緡錢、弘羊欲併歸大農也、諸官各自市者、儲以待用、及貴而糶之也、 而天下賦輸、或不償其僦費。索隱 不償其僦、服虔云、雇載云僦、言所輸物不足償其雇載之費也、僦、音子就反、考證 中井積德曰、僦假車馬而運轉、故謂給費爲僦費也、 乃請置大農部丞數十人、分部主郡國、各往往縣置均輸鹽鐵官、考證 錢大昭曰、河東有均輸長、見漢書黃霸傳、郡國有鹽官者三十六、有鐵官者五十、皆弘羊請置、愚按漢志、置上無縣字、蓋奪、 令遠方各以其物貴時、商賈所轉販者爲賦、而相灌輸、考證 漢志、物下有如字、貴作異、史文義較明、方苞曰、前此稍置均輸以通貨物、然猶官自輸、故弘羊以爲賦輸或不償其僦、今曰相灌輸、民以次相輸如灌也、名爲不加賦而私費不啻倍之矣、故當時論其弊、卽謂農民重苦、女工再稅也、 置平準于京師、都受天下委輸、考證 葉德輝曰、續漢志補注、引漢官解詁云、委、積也、郡國所積聚金帛貨財、隨時輸送諸司農曰委輸、以供國用、 召工官治車諸器、皆仰給大農、大農之諸官、盡籠天下之貨物、貴卽賣之、賤則買之、如此富商大賈、無所牟大利、則反本、

而萬物不得騰踊。故抑天下物。名曰平準。集解 如淳曰、牟、取也、考證 鹽鐵論本議篇、大夫曰、開委府于京、以籠貨物、賤卽買、貴卽賣、是以縣官不失實、商賈無所牟利、故曰平準、平準則民不失職、故平準所以平萬物也、文學曰、縣官猥發、闔門擅市、則萬物竝收、萬物竝收、則物騰躍、騰躍則商賈侔利自市、侔利自市、則吏容姦豪、而富商積貨儲物、以待其急、輕賈姦吏、收賤以取貴、未見準之平也、 天子以爲然、許之。於是天子北至朔方、東到太山、巡海上、竝北邊以歸。所過賞賜、用帛百餘萬匹、錢金以巨萬計。皆取足大農。弘羊又請令吏得入粟補官、考證 梁玉繩曰、漢志作令民得入粟補吏、恐非、觀下文云、令民能入粟甘泉、各有差、以復終身、則此當是吏入粟補官矣、 及罪人贖罪。令民能入粟甘泉、各有差、以復終身、不告緡。他郡各輸急處、索隱 謂他郡能入粟、輸所在急要之處也、考證 各本、郡下有國字、張文虎曰、索隱本無國字、與漢志合、 而諸農各致粟山東。漕益歲六百萬石、一歲之中、太倉甘泉倉滿。邊餘穀諸物、均輸帛五百萬匹。民不益賦、而天下用饒。於

是弘羊賜爵左庶長、黃金再百斤焉。是歲小旱。上令官求雨。考證 漢志、黃金再百斤焉、作黃金者再百焉、官上有百字、 卜式言曰。縣官當食租衣稅而已。今弘羊令吏坐市列肆、販物求利。索隱 坐市列、謂吏坐市肆行列之中、考證 漢志無肆字、 亨弘羊、天乃雨。考證 凌稚隆曰、一篇結束、借此以斷興利之臣之罪、顧炎武曰、古人作史、有不待論斷、而于序事之中、卽見其指者、惟太史公能之、平準書末載卜式語、王翦傳末載客語、荊軻傳末載魯句踐語、鼂錯傳末載劉公與景帝語、武安侯田蚡傳末載武帝語、皆史家於敘事中寓論斷法也、

太史公曰。農工商交易之路通、而龜貝金錢刀布之幣興焉。所從來久遠。自高辛氏之前尙矣。靡得而記云。考證 柯維騏曰、太史公此贊、乃平準書之發端耳、上述三代貢賦之常、中列管仲李克富强之術、下及嬴秦虛耗之弊、次及漢事、文理相續、不然、則此書首云漢興接秦之弊、似無原因、其贊不敘漢事、似欠結束、漢書食貨志頗採此文、條理甚明、乃知俗本非太史公舊也、所敘武帝事、未竟而遷死、不得成就其書、故其文止于烹弘羊天乃雨、後之人遂截首一段、移爲書末之贊、不恤其文之無章也、姚鼐曰、柯維騏之說、極爲的當、惟云其文止於烹弘羊、天乃雨、爲敘事未竟而遷死、不得成就、則非是、太史公此書以平準爲題、敘至此年置平準則事窮矣、截卜式之言

以論平準、義亦盡矣、無可復益以長語矣、此書止於元封元年、封禪書止於天漢三年、較平準過十年、以報任安書、少卿抱不測之罪語推之、是征和二年、太史公尚見任安之及禍、又過封禪書十年矣、豈因其死而有未竟哉、太史公本文謂至是可以止耳、

故書道唐·虞之際、詩述殷·周之世。安寧則長庠序、先本絀末、以禮義防于利。事變多故、而亦反是。是以物盛則衰、時極而轉、【集解】徐廣曰、時、一作衰、 一質一文、終始之變也。禹貢九州、各因其土地所宜、人民所多少、而納職焉。湯·武承獘易變、使民不倦、各兢兢所以爲治、而稍陵遲衰微。齊桓公用管仲之謀、通輕重之權、徼山海之業、以朝諸侯、用區區之齊、顯成霸名。【集解】管子、有輕重之法、【考證】漢食貨志云、管仲相桓公、通輕重之權曰、歲有凶穰、故穀有貴賤、令有緩急、故物有輕重、人君不理、則畜賈游於市、乘民之不給、百倍其本矣、故萬乘之國、必有萬金之賈、千乘之國、必有千金之賈者、利有所并也、計本量委則足矣、然而民有飢餓者、穀有所臧也、民有餘則輕之、故人君斂之以輕、民不足則重之、故人君散之以重、凡輕重斂散之以時則準平、守準平、使萬室之邑必有萬鍾之臧、臧繦千萬、千室之邑必有千鍾之臧、臧繦百萬、

春以奉耕、夏以奉耘、耒耜器械、種饟糧食必取澹焉、故大賈畜家、不得豪奪吾民矣、桓公遂用區區之齊、合諸侯顯霸名、愚按班氏采管子國蓄篇文、以釋輕重之義、

魏用李克、盡地力、爲彊君。【考證】貨殖傳云、當魏文侯時、李克務盡地力之教、魏世家、吳起傳、有李克對魏文侯語、且嘗爲中山守、而不及盡地力之事、孟荀列傳則云、魏有李悝盡地力之教、漢書食貨志亦云、李悝爲魏文侯作盡地力之教、王應麟曰、以藝文志考之、李克七篇、在儒家、李悝三十二篇、在法家、盡地力者、悝也、非克也、愚按克·悝同時、豈悝唱之、而克行之耶、漢食貨志云、李悝爲魏文侯作盡地力之教、以爲地方百里、提封九萬頃、除山澤邑居、參分去一、爲田六百萬畮、治田勤謹、則畮益三升、不勤則損亦如之、地方百里之增減、輒爲粟百八十萬石矣、又曰、糴甚貴傷民、甚賤傷農、民傷則離散、農傷則國貧、故甚貴與甚賤、其傷一也、善爲國者、使民毋傷、而農益勸、今一夫挾五口、治田百畮、歲收畮一石半、爲粟百五十石、除十一之稅十五石、餘百三十五石、食、人月一石半、五人終歲爲粟九十石、餘有四十五石、石三十、爲錢千三百五十、除社閭嘗新春秋之祠、用錢三百、餘千五十、衣、人率用錢三百、五人終歲用錢千五百、不足四百五十、不幸疾病死喪之費、及上賦斂、又未與此、此農夫所以常困有不勸耕之心、而令糴至於甚貴者也、是故善平糴者、必謹觀歲有上中下孰、上孰其收自四、餘四百石、中孰自三、餘三百石、下孰自倍、餘百石、小飢則收百石、中飢七十石、大飢三十石、故大孰則上糴三而舍一、中孰則糴二、下孰則糴一、使民適足賈平則止、小飢則發小孰之所斂、中飢則發中孰之所斂、大飢則發大孰之所斂、而糶之、故雖遇饑饉水旱、糴不貴而民不散、取有餘以補不足也、行之魏國、國以富彊、愚按班氏時、李悝之書猶存、故錄其說尤詳、

自是之後、天下爭於戰

國、貴詐力而賤仁義、先富有而後推讓。故庶人之富者或累巨萬、而貧者或不厭糟糠。有國彊者、或并羣小以臣諸侯、而弱國或絕祀而滅世。以至於秦、卒并海內。虞·夏之幣、金爲三品。【索隱】即下或黃、或赤白、黃、黃金也、白、白銀也、赤、赤銅也、並見食貨志、【考證】書禹貢、楊州荊州並貢金三品、史公蓋據此以爲虞夏之幣也、 或黃、或白、或赤、或錢、或布、【集解】如淳曰、布於民閒也、 或刀、【集解】如淳曰、名錢爲刀者、以其利於民也、 或龜貝。【索隱】按錢本名泉、言貨之流如泉也、故周有泉府之官、及景王乃鑄大錢、布者、言貨流布、故周禮有二夫之布、食貨志、貨布首長八分、足支八分、刀者錢也、食貨志、有契刀錯刀、形如刀、長二寸、直五千、以其形如刀故曰刀、以其利於人也、又古者貨貝寶龜、食貨志、有十朋五貝、皆用爲貨、其各有多少、元龜直十貝、故直二千一百六十、已下各有差也、【考證】王鳴盛曰、漢書食貨志云、太公爲周立九府圜法、黃金方寸而重一斤、錢圜函方、輕重以銖、布帛廣二尺二寸爲幅、長四丈爲匹、故貨寶於金、利於刀、流於泉、布於布、東於帛、據此則周人所用貨幣、凡有四種、或曰布亦名錢者、天官外府、掌邦布之入出、鄭康成注、布、泉也、其藏曰泉、其行曰布、賈疏、一物兩名、是也、而與此處所言布帛之布不同、言豈一端而已、各有所當也、元帝時貢禹言、鑄錢采銅、民心動搖、棄本逐末、宜罷鑄錢、毋復以幣、租稅祿賜、皆以布帛及穀、使百姓壹意農桑、議者以交易待錢、布帛不可尺寸分

裂、禹議亦寢、然即此可見古固有以布帛爲市者、而布固非錢也、愚按古又以龜爲幣、故易云、或錫之十朋之龜、又以貝爲幣、故財貨貢賦賄賂購買貲資貰貸貧貪販賣等字皆從貝、禽獸害人、出入佩刀、是刀亦有爲幣之時、中井積德曰、索隱契刀錯刀、是王莽之制、不當以解古文、貨布長二寸五分亦然、其引班志、於本文無所當、亦莽制云、

及至秦、中一國之幣爲三等、黃金以溢名、爲上幣、【集解】孟康曰、二十兩爲溢、【考證】姚範曰、中、猶分也、愚按、折中之中、徐孚遠曰、名爲三等、止敘其二、不及中幣、恐三字誤也、愚按毛本及漢志、作二、 銅錢識曰半兩、重如其文。爲下幣。【考證】二十四銖爲兩、半兩錢重十二銖、 而珠玉龜貝銀錫之屬、爲器飾寶藏、不爲幣。然各隨時而輕重無常。於是外攘夷狄、內興功業、海內之士、力耕不足糧饟、女子紡績不足衣服。古者嘗竭天下之資財以奉其上、猶自以爲不足也、無異故云。【考證】也下添者字看、張文虎曰、無異故、猶言無它故也、岡白駒曰、此引始皇事也、婉言曰古者、或於無異絕句非、 事勢之流、相激使然。曷足怪焉。【考證】黃震曰、平準者、桑弘羊籠天下貨、官自爲商賈買賣於京師之名也、蓋漢更文景恭儉、至武帝初、公私之富極矣、自開西南夷滅朝鮮、至置初郡、自設謀馬

邑、挑匈奴、至大將軍驃騎將軍連年出塞、大農耗竭、猶不足以奉戰士、乃賣爵、乃更錢幣、乃算舟車、而事益煩、財益屈、宜天下無可枝梧之術矣、未幾孔僅、東郭咸陽乘傳行天下、鹽鐵、楊可告緡徧天下、得民財物以億計、而縣官之用反以饒、而宮室之修於是日麗、繫無爲有、逢君之惡、小人之術何怪也、然漢自是連兵三歲、費皆仰給大農、宜無可復繼之術矣、又未幾桑弘羊領大農置平準、於是天子北至朔方、東至泰山、巡海上、巡北邊以歸、用帛百餘萬疋、錢金以巨萬計、又一歲之中、太倉甘泉倉皆滿、而邊餘穀其始愈取而愈不足於用、及今愈用而反愈有餘、小人之術、展轉無窮、又何怪之甚也、嗚呼、武帝五十年間、因兵革而財用耗、因財用而刑法酷、沸四海而爲鼎、生民無所措手足、迨至末年、平準之置、則海內蕭然、戶口減半、陰奪於民之禍、於斯爲極、遷備著始終相因之變、特以平準名書、而終之曰、烹弘羊、天乃雨、嗚呼旨哉、

【索隱】述贊、平準之立、通貨天下、既入縣官、或振華夏、其名刀布、其文龍馬、增算告緡、裒多益寡、弘羊心計、卜式長者、都內充殷、取贍郊野、

平準書第八　史記三十

史記會注考證卷三十一

漢　太史令司馬遷　撰
宋　中郎外兵曹參軍裴駰　集解
唐　國子博士弘文館學士司馬貞　索隱
唐　諸王侍讀率府長史張守節　正義
日本　出雲瀧川資言　考證

吳太伯世家第一

史記三十一

【索隱】系家者、記諸侯本系也、言其下及子孫常有國、故孟子曰、陳仲子齊之系家、又董仲舒曰、王者封諸侯、非官之也、得以代爲家也、【正義】世家者、志曰、謂世世有祿秩

之家、案累世有爵土封國、故孟子云、陳仲子齊之世家也、【考證】史公自序云、太伯避歷、江蠻是適、文武攸興、古公王跡、闔廬弒僚、賓服荊楚、夫差克齊、子胥鴟夷、信嚭親越、吳國既滅、喜伯之讓、作吳世家、劉知幾曰、馬遷之記諸國也、其編次之體、與本紀不殊、蓋欲抑彼諸侯、異乎天子、故假以他稱、名爲世家耳、愚按孟子所謂世家、猶言世祿之家、以稱侯王將相及聖賢名世者、與本紀列傳對言、蓋自史公創、趙甌北引衛世家贊世家言、以爲自古有此稱、不知世家言三字、又見管蔡陳杞各世家、史公自稱其書也、

吳太伯、【集解】韋昭曰、後武王追封爲吳伯、故曰吳太伯、【索隱】國語曰、黃池之會晉定公使謂吳王夫差曰、夫命圭有命、固曰吳伯、不曰吳王、是吳本伯爵也、范甯解論語曰、太者善大之稱、伯者長也、周太王之元子、故曰太伯、稱仲雍季歷、皆以字配名、則伯亦是字、又是爵、但其名史籍先闕耳、【正義】吳、國號也、太伯居梅里、在常州無錫縣東南六十里、至十九世孫壽夢居之、號句吳、壽夢卒、諸樊南徙吳、至二十一代孫光、使子胥築闔閭城都之、今蘇州也、【考證】中井積德曰、索隱云、吳本伯爵、按吳是子爵矣、春秋經傳可證、國語恐不足據、太伯弟仲雍、【索隱】伯仲季、是兄弟次第之字、若表德之字、意義與名相符、則系本曰、吳孰哉居蕃離、宋忠曰、孰哉、仲雍字、蕃離、今吳之餘暨也、解者云、雍是孰食、故曰雍字孰哉也、皆周太王之子、而王季歷之兄也。季歷賢、而有聖子昌。太王欲立季歷以及昌。於是太伯・仲雍二人、乃犇荊蠻、文身斷髮、示不可用、以避季歷。【集解】應劭曰、常在水中、故斷其髮、文其

身、以象龍子、故不見傷害、【正義】江熙云、太伯少弟季歷、生文王昌、有聖德、太伯知其必有天下、故欲傳國於季歷、以太王病、託採藥於吳越、不反、太王薨而季歷立、一讓也、季歷薨而文王立、二讓也、文王薨而武王立、遂有天下、三讓也、又釋云、太王病、託採藥、生不事之以禮、一讓也、太王薨而不反、使季歷主喪、不葬之以禮、二讓也、斷髮文身、示不可用、使歷主祭祀、不祭之以禮、三讓也、【考證】左傳僖五年云、大伯虞仲、大王之昭也、大伯不從、是以不嗣、哀七年云、大伯端委以治周禮、仲雍嗣之、斷髮文身、臝以爲飾、論語泰伯篇、子曰、泰伯其可謂至德也已矣、三以天下讓、民無得而稱焉、微子篇、謂虞仲夷逸、隱居放言、身中清、廢中權、王應麟曰、左傳言太伯端委、仲雍斷髮、史記云、二人皆文身斷髮、示不可用、與傳異、崔述曰、大王、周之賢主也、廢長立少、庸主猶或不爲、況大王乎、聖人之生、固有異於常兒、然其德亦必待壯而後成、生而有聖德、特國語列女傳事後之推崇云爾、豈得以此爲據也哉、且大王安知王季之必傳之文王也哉、己既不欲廢長而立少矣、安知王季之不亦然、況大伯之德、固自足以興周、而何爲舍之而待夫不可必立之文王乎、由是言之、大伯之讓王季、乃大伯自欲讓之耳、又按詩云、柞棫斯拔、松柏斯兌、帝作邦作對、自大伯王季、似大伯已嘗君周、而後讓之王季、論語記逸民有虞仲、而無大伯、亦似獨虞仲未嘗爲君者、或大伯既立之後、讓之虞仲、虞仲逃之、而後讓之王季乎、春秋傳又云、大伯端委以治周禮、仲雍嗣之、斷髮文身、裸以爲飾、然則斷髮文身、亦非大伯事矣、愚按論語既曰泰伯以天下讓、春秋傳亦曰大伯不嗣、則泰伯未嘗君周明矣、詩曰自大伯王季者、言天生兄弟以興周室耳、詩人義泰伯讓位、特存其名於此、亦未可知也、季歷果立。是爲王季。而昌爲文王。太伯之犇荊蠻、自號句吳。【集解】宋衷

曰、句吳、太伯始所居地名、【索隱】荊者、楚之舊號、以州而言之曰荊、蠻者、閩也、南夷之名、蠻亦稱越、此言自號句吳、吳名起於太伯、明以前未有吳號、地在楚越之界、故稱荊蠻、顏師古注漢書、以吳言句者、夷語之發聲、猶言於越耳、此言號句吳、當如顏解、而注引宋忠以爲地名者、系本居篇曰、孰哉居蕃離、孰姑徙句吳、宋氏見史記有太伯自號句吳之文、遂彌縫解彼云、是太伯始所居地名、裴氏引之、恐非其義、蕃離既有其地、句吳何總不知眞實、吳人不聞別有城邑曾名句吳、則系本之文、或難依信、吳地記曰、泰伯居梅里、在闔閭城北五十里許、【正義】宋忠世本注云、句吳、太伯所居地名也、荊蠻義之、從而歸之千餘家。立爲吳太伯。太伯卒。【集解】皇覽曰、太伯冢、在吳縣北梅里聚、去城十里、【正義】括地志、太伯冢、在吳縣北五十里無錫縣界西梅里鴻山上、去太伯所居城十里、無子。弟仲雍立。是爲吳仲雍。仲雍卒。【索隱】吳地記曰、仲雍冢、在吳鄉常孰縣西海虞山上、與言偃冢竝列、【考證】吳虞同音相通、詩不吳不敖、史封禪書作不虞不驁、可證、吳仲雍、論語左傳所謂虞仲也、子季簡立。季簡卒。子叔達立。叔達卒。子周章立。是時周武王克殷、求太伯・仲雍之後、得周章。周章已君吳。因而封之。乃封周章弟虞仲於周之北故夏虛。【集解】徐廣曰、在河東大陽縣、是爲虞仲。【索隱】夏都安邑、虞仲都大陽之虞城、在安邑南、故曰夏虛、左傳曰、太伯

虞仲、太王之昭、則虞仲是太王之子必也、又論語稱虞仲夷逸隱居放言、是仲雍稱虞仲、今周章之弟亦稱虞仲者、蓋周章之弟字仲、始封於虞、故曰虞仲、則仲雍本字仲、而爲虞之始祖、故後代亦稱虞仲、所以祖與孫同號也、【正義】周本紀云、古公有長子曰太伯、次曰虞仲、左傳云、太伯虞仲、太王之昭、按周章弟亦稱虞仲、當是周章弟仲初封於虞、號曰虞仲、然太伯弟仲雍亦稱虞仲者、當是周章弟封於虞、仲雍是其始祖、後代人以國配仲、故又號始祖爲虞仲、【考證】顧炎武曰、虞仲、仲雍之曾孫、殷時諸侯有虞國、所謂虞芮質厥成者、武王時國滅、而封周章弟於其故墟、乃有虞仲之名耳、列爲諸侯。周章卒。子熊遂立。【考證】梁玉繩曰、吳越春秋、章子熊、熊子遂、是二代、熊遂卒。子柯相立。【正義】柯音歌、相音相匠反、柯相卒。子彊鳩夷立。彊鳩夷卒。子餘橋疑吾立。【正義】橋音蹻驕反、【考證】吳越春秋、橋作喬、餘橋疑吾卒。子柯盧立。柯盧卒。子周繇立。【正義】繇音遙、又音由、【考證】吳越春秋、盧作廬、周繇卒。子屈羽立。【正義】屈、居勿反、屈羽卒。子夷吾立。夷吾卒。子禽處立。禽處卒。子轉立。【索隱】譙周古史考云、柯轉、【考證】梁玉繩曰、吳越春秋、轉作專、字省耳、轉卒。子頗高立。【索隱】古史考、作頗夢、頗高卒。子句卑立。【索隱】古史考云、畢軫、【考證】梁玉繩曰、吳越春秋、作句畢、是時晉獻公滅

周北虞公。以開晉伐虢也。【索隱】春秋經僖公五年、冬、晉人執虞公、左氏二年傳曰、晉荀息請以屈產之乘與垂棘之璧假道伐虢、宮之奇諫、不聽、虞公許之、且請先伐之、遂伐虢、滅下陽、五年傳曰、晉侯復假道伐虢、宮之奇諫、不聽、以其族行、曰、虞不臘矣、八月甲午、晉侯圍上陽、冬十有二月、滅虢、師還、遂襲虞滅之也、【正義】晉滅虞虢、在周惠王之二十二年、從武王元年至滅、四百七十八年、【考證】是歲以下、本僖五年春秋經傳、北虞、即周章弟仲封於夏墟者、下文又稱之中國之虞、句卑卒。子去齊立。去齊卒。子壽夢立。【正義】夢、莫公反、當周簡王元年、左傳、吳子乘卒、杜預云、壽夢也、左傳及世本又云、吳孰姑、壽夢也、世謂孰夢諸也、春秋傳壽作孰、音相近、姑之言諸也、毛詩傳、讀月諸爲月姑、是以知姑爲諸也、則知孰姑壽夢一人耳、又名乘、【考證】春秋書吳子乘卒、則當乘其名、壽夢其號、顧炎武云、壽夢非號也、一言爲乘、二言爲壽夢、果如顧說、則僚爲州于、光爲闔閭、亦可謂合音乎、梁玉繩曰、史于壽夢諸樊闔盧之立、皆舍名稱號、非例也、壽夢立、而吳始益大。稱王。自太伯作吳五世、而武王克殷。封其後爲二。其一虞。在中國。其一吳。在夷蠻。十二世而晉滅中國之虞。中國之虞滅二世、而夷蠻之吳興。【正義】中國之虞滅後二世、合七十一年、至壽夢而興大稱王、大凡從太伯至壽夢十九世。【索隱】壽夢、是仲雍十九代孫也、王

壽夢二年。【索隱】自壽夢已下、始有其年、春秋唯記卒年、計二年、當成七年也、【考證】兪樾曰、春秋之世、吳楚稱王、然夷狄大國、無不稱王者、秦本紀襄公元年、以女弟繆嬴爲豐王妻、秦寧公三年、與亳戰、亳王奔戎、皇甫謐曰、亳王號湯、西夷之國也、秦穆公三十四年、戎王使由余於秦、厲共公十六年、伐大荔、取其王城、三十三年、伐義渠、虜其王、孝公元年、西斬戎之獂王、然則吳楚之稱王、亦沿夷狄之俗耳、齊桓不以稱王責楚、其以此乎、楚之亡大夫申公巫臣、怨楚將子反而犇晉。自晉使吳、教吳用兵乘車、令其子爲吳行人。【集解】服虔曰、行人、掌國賓客之禮籍、以待四方之使、賓大客、受小客之幣辭、【索隱】左傳魯成二年曰、巫臣使齊、及鄭、使介反幣、而以夏姬行、遂犇晉、七年傳曰、子重子反、殺巫臣之族而分其室、巫臣遺二子書曰、余必使爾罷於奔命以死、巫臣使於吳、吳子壽夢悅之、乃通吳于晉、教吳乘車、教之戰陳、教之叛楚、寘其子狐庸焉、使爲行人、吳始伐楚、伐巢、伐徐、馬陵之會、吳入州來、子重子反、於是乎一歲七奔命、是、【考證】三條本、車下有戰字、中井積德曰、怨子反在出奔後、非怨而奔、史筆失前後、又曰、行人掌出使、故曰行人、若待賓客、其餘事耳、非職之主、張文虎曰、集解使賓之賓、周禮作擯、吳於是始通於中國。吳伐楚。【考證】楚之亡大夫以下、本成公七年左傳、十六年、楚共王伐吳至衡山。【集解】杜預曰、吳興烏程縣南也、【索隱】春秋經、襄三年、楚公子嬰齊帥師伐吳、左傳曰、楚子重伐吳、爲簡之師、克鳩茲、至于衡山也、【考證】十六年以下、采襄公三年左傳、錢大昕曰、烏程、吳之南境、楚兵不能深入至此、

今當塗縣北有橫山、即春秋之衡山也、二十五年、王壽夢卒。【索隱】襄十二年經曰、秋九月、吳子乘卒、左傳曰、壽夢、計從成六年至此、正二十五年、系本曰、吳孰姑徙句吳、宋忠曰、孰姑、壽夢也、代謂祝夢乘諸也、壽孰音相近、姑之言諸也、毛詩傳、讀姑爲諸、知孰姑壽夢是一人、又名乘也、【考證】采左傳襄十二年經傳、壽夢有子四人。長曰諸樊。【索隱】春秋經書吳子遏、左傳稱諸樊、蓋遏是其名、諸樊是其號、公羊傳遏作謁、次曰餘祭。次曰餘昧。【索隱】左傳曰、閽戕戴吳、杜預曰、戴吳、餘祭也、又襄二十八年左傳、齊慶封奔吳、句餘與之朱方、杜預曰、句餘、吳子夷末也、計餘祭以襄二十九年卒、則二十八年賜慶封邑、不得是夷末、且句餘餘祭或謂是一人、夷末惟史記公羊作餘昧、左氏及穀梁竝爲餘祭夷末、句餘音字各異、不得爲一、或杜氏誤耳、【正義】祭、側界反、昧、莫葛反、【考證】梁玉繩曰、餘祭、左傳襄二十八年稱句餘、杜注以爲夷末、索隱謂別一人、皆誤、三十一年傳、又稱戴吳、蓋音近隨呼耳、夷末之名、左穀春秋竝同、公羊末作昧、史于刺客傳作夷昧、從公羊也、而表與世家作餘昧、夷餘聲近、古文通借、次曰季札。【索隱】公羊傳曰、謁也、餘祭也、夷末也、與季子同母者四人、季子弱而才、兄弟皆愛之、同欲以爲君、兄弟遞相爲君、而致國乎季子、故謁也死、餘祭也立、餘祭也死、夷末也立、夷末也死、則國宜之季子、季子使而亡焉、僚者長庶也、即之、闔閭曰、將從先君之命與、則國宜之季子也、如不從君之命、則宜立者我也、僚惡得爲君乎、於是使專諸刺僚、史記壽夢四子、亦約公羊文、但以僚爲餘昧子、爲異耳、左氏其文不明、服虔用公羊、杜預依史記及吳越春秋、下注徐廣引系本曰、夷昧及僚、昧夷生光、檢系本今無此語、然按左狐庸對趙文子、謂夷末甚德而度、其天所啓

也、必此君之子孫實終之、若以僚爲末子、不應此言、又光言我王嗣國、是夷昧子、且明是庶子、【考證】中井積德曰、狐庸之言、不悉應焉、然亦唯言王僚有國而已、意實未及于孫矣、不當以孫之不應別立論、季札賢。而壽夢欲立之。季札讓不可。於是乃立長子諸樊、攝行事當國。【考證】以上本襄公二十九年公羊傳、王諸樊元年、【集解】世本曰、諸樊徙吳也、諸樊已除喪、讓位季札。季札謝曰。曹宣公之卒也、諸侯與曹人不義曹君。【集解】服虔曰、宣公、曹伯盧也、以魯成公十三年會晉侯伐秦、卒于師、曹君、公子負芻也、負芻在國、聞宣公卒、殺太子而自立、故曰不義之也、將立子臧。子臧去之、以成曹君。【集解】服虔曰、子臧、負芻庶兄、【索隱】成十三年左傳曰、曹宣公卒于師、曹人使公子負芻守、使公子欣時逆喪、秋負芻殺其太子而自立、杜預曰、皆宣公庶子也、負芻、成公也、欣時、子臧也、十五年傳曰、會于戚、討曹成公也、執而歸諸京師、諸侯將見子臧於王而立之、子臧曰、前志有之、曰、聖達節、杜預曰、聖人應天命、不拘常禮也、次守節、杜預曰、謂賢者也、下失節、杜預曰、愚者妄動也、爲君非吾節也、雖不能聖、敢失守也、遂逃奔宋、君子曰。能守節矣。【索隱】君子者、左丘明所爲史評、仲尼之詞、指仲尼爲君子也、【考證】張照曰、季札聘魯、孔子八歲、讓國時孔子未生也、其引子臧之事、何遽得孔子論斷之語而稱之、左氏于孔子論斷類皆明著其說、其稱君子曰者、是記當時之君子有此語耳、或以爲邱明自謂、或以君子爲孔子、

皆未達左氏之義也、君義嗣、【集解】王肅曰、義、宜也、嫡子嗣國、得禮之宜、杜預曰、諸樊嫡子、故曰義嗣、【考證】龜井昱曰、自不義曹君來、誰敢干君。有國非吾節也。札雖不材、願附於子臧之義。【考證】楓山、三條本、義下有以無失節四字、吳人固立季札。季札棄其室而耕。乃舍之。【索隱】諸樊元年已除喪、至乃舍之、皆襄十四年左氏傳、【正義】舍音捨、秋、吳伐楚。楚敗我師。【考證】梁玉繩曰、是年爲諸樊二年、當魯襄十四年、是楚伐吳、吳敗楚師、若吳伐楚而敗、乃前年事也、此誤、四年、晉平公初立。【索隱】左傳襄十六年春、葬晉悼公、平公即位、是也、【考證】梁玉繩曰、世家于各國之事、有附書在當年者、有追書往年者、挂一漏萬、殊無義例、豈皆本舊史、如春秋傳所云告則書、不然則否邪、十三年、王諸樊卒。【索隱】春秋經襄二十五年十有二月、吳子遏伐楚、門于巢卒、左傳曰、吳子諸樊伐楚、以報舟師之役、門于巢、巢牛臣曰、吳王勇而輕、若啓之、將親門、我獲射之、必殪、是君也死、疆其少安、從之、吳子門焉、牛臣隱於短牆以射之、卒、有命授弟餘祭。欲傳以次、必致國於季札而止、以稱先王壽夢之意、且嘉季札之義、兄弟皆欲致國、令以漸至焉。【考證】楓山、三條本、止作上、季札封於延陵。故號曰延陵季子。

【索隱】襄三十一年左傳、趙文子問於屈狐庸曰、延州來季子其果立乎、杜預曰、延州來、季札邑也、昭二十七年左傳曰、吳子使延州來季子聘于上國、杜預曰、季子本封延陵、後復封州來、故曰延州來、成七年左傳曰、吳入州來、杜預曰、州來、楚邑、淮南下蔡縣是、昭十三年傳、吳伐州來、二十三年傳、吳滅州來、則州來本爲楚邑、吳光伐滅、遂以封季子也、地理志云、會稽毗陵縣、季札所居、太康地理志曰、故延陵邑、季札所居、栗頭有季札祠、地理志沛郡下蔡縣云、古州來國、爲楚所滅、後吳取之、至夫差遷昭侯於此、公羊傳曰、季子去之延陵、終身不入吳國、何休曰、不入吳朝廷也、此云封於延陵、謂因而賜之以采邑、而杜預春秋釋、土地名則云延州來闕、不知何故而爲此言也、【考證】中井積德曰、州來、蓋季子之別邑、其采地有兩邑也、非前後遷移、王餘祭三年、齊相慶封有罪。自齊來犇吳。吳予慶封朱方之縣、以爲奉邑、以女妻之、富於在齊。【集解】吳地記曰、朱方、秦改曰丹徒、【考證】事詳于襄二十八年左傳、但慶封先奔魯而來吳也、又無以女妻之之事、四年、吳使季札聘於魯。【集解】在春秋魯襄公二十九年、【考證】竹添光鴻曰、自盟宋後、中夏諸侯盡朝於楚、吳楚方讎、故歷聘上國、以聯遠交、且以觀諸侯之嚮背也、請觀周樂。【集解】服虔曰、周樂、魯所受四代之樂也、杜預曰、魯以周公故有天子禮樂、【考證】竹添光鴻曰、聘禮記、歸大禮之日、既受饔餼、請觀、鄭注云、聘於是國、欲見其宗廟之好、百官之富、然則古禮於所聘之國、本有請觀之事、爲歌周南、召南。【集解】杜預曰、此皆各依其本國歌所常用聲曲、曰。美哉。始基

之矣。【集解】王肅曰、言始造王基也、猶未也。【集解】賈逵曰、言未有雅頌之成功也、杜預曰、猶有商紂、未盡善也、【考證】龜井道載曰、言王化未洽也、然勤而不怨。【集解】杜預曰、未能安樂、然其音不怨怒、【考證】龜井昱曰、勤、詩序所謂憂勤勤勞是也、此語與論語勞而不怨同、二南之時、士民猶有勤勞、如汝墳殷其雷、是勤而不怨之辭也、故聲音亦與時勢人情通矣、歌邶、鄘、衞。【集解】杜預曰、武王伐紂、分其地爲三監、三監叛、周公滅之、幷三監之地、更封康叔、故三國盡被康叔之化、【正義】漢書地理志云、河內殷之舊都、周既滅殷、分其畿內爲三國、邶以封紂子武庚、鄘管叔尹之、衞蔡叔尹之、以監殷人、謂之三監、又帝王世紀云、自殷都以東爲衞、管叔監之、殷都以南爲鄘、蔡叔監之、殷都以北爲邶、霍叔監之、是爲三監、二說不同、未詳、【考證】三監、正義後說近是、說詳于周本紀、曰。美哉淵乎。憂而不困者也。【集解】賈逵曰、淵、深也、杜預曰、亾國之音、哀以思、其民困、衞康叔武公德化深遠、雖遭宣公淫亂、懿公滅亾、民猶秉義、不至於困、【考證】龜井昱曰、有憂而憂、憂也、窮居戚戚、困也、困則失志失身、此遭憂而委頓已、吾聞衞康叔、武公之德如是。是其衞風乎。【集解】賈逵曰、康叔遭管叔蔡叔之難、武公罹幽王褒姒之憂、故曰康叔武公之德如是、杜預曰、康叔武公、皆衞之令德君也、聽聲以爲別、故有疑言、【考證】龜井昱曰、楚莊王論周頌審矣、吳楚接壤、蚤已往來、季札而不知詩三百乎、知而未聞雅聲、今聞其音、憂而不困、合於康叔武公之德、始得觀衞之風、故曰是其衞風乎、彼不告以其國、故稱其國答之、如未始知其詩者、蓋謙也、歌王。【集解】服虔曰、王室當在雅、衰微而列在風、故國人猶尊

之、故稱王、猶春秋之王人也、杜預曰、王、黍離也、曰、美哉、思而不懼、其周之東乎。【集解】服虔曰、平王東遷雒邑、杜預曰、宗周殞滅、故憂思、猶有先王之遺風、故不懼也、【正義】思音肆、歌鄭。【集解】賈逵曰、鄭風、東鄭是、曰、其細已甚、民不堪也。是其先亾乎。【集解】服虔曰、其風細弱已甚、攝於大國之閒、無遠慮持久之風、故曰民不堪、將先亾也、【考證】左傳、曰下有美哉二字、歌齊。曰、美哉、泱泱乎大風也哉。【集解】服虔曰、泱泱、舒緩深遠、有大和之意、其詩風刺、辭約而義微、體疏而不切、故曰大風、【索隱】泱、於良反、泱泱、猶汪汪洋洋、美盛貌也、杜預曰、弘大之聲也、表東海者、其太公乎。【集解】王肅曰、言爲東海之表式、【考證】中井積德曰、言在東海之濱、而爲諸邦之表式也、國未可量也。【集解】服虔曰、國之興衰、世數長短、短可量也、杜預曰、言其或將復興、【考證】杜說爲是、呂氏亾、田氏興、季札何豫知之乎、但聽其弘大之聲、言有興隆之勢耳、顧炎武曰、季札聞鄭風以爲先亾、而鄭至三家分晉之後、始滅于韓、聞齊風以爲未可量、乃不久簒于陳氏、左傳所記之言、不盡信也、愚按、左氏亦記所傳耳、歌豳。曰、美哉、蕩蕩乎。樂而不淫。【集解】賈逵曰、蕩然無憂、自樂而不荒淫也、【考證】龜井昱曰、蕩乎、王民皡皡之意、愚按、樂而不淫、以音聲言之、其周公之東乎。【集解】杜預曰、周公遭管蔡之變、東征、爲成王陳后稷先公、不敢荒淫、以成王業、故言其周公東乎、【考證】中井積德曰、周公之東、以東山狼跋篇而言、非指七月、歌秦。曰。

此之謂夏聲。夫能夏則大。大之至也。其周之舊乎。【集解】杜預曰、秦仲始有車馬禮樂、去戎狄之音、而有諸夏之聲、故謂之夏聲、及襄公佐周、平王東遷、而受其故地、故曰周之舊也、【考證】中井積德曰、秦國卽周之舊都、故其聲夏也、夏聲、猶言京音也、故曰周之舊乎、非去戎狄之音之謂、卽以爲諸夏之聲、則十五國皆夏聲矣、何特秦、歌魏。曰、美哉、渢渢乎。【索隱】渢音馮、又音泛、杜預曰、中庸之聲、【考證】錢大昕曰、說文無渢字、葢卽汎之異文、中井積德曰、渢乃汎字、汎汎、浮沈宛轉之貌、大而寬、儉而易行。【索隱】左傳作大而婉、杜預曰、婉約也、大而約則儉節易行、寬字宜讀爲婉也、【考證】左傳寬作婉、儉作險、張文虎曰、寬、各本作婉、索隱本作寬、與注合、各本依左傳改、錢大昕、梁玉繩說同、龜井道載曰、雖大而婉、雖險而易行也、杜改儉、恐誤、龜井昱曰、大中有婉、險中有易、細大難易、和而不相奪、所以爲渢渢也、愚按、儉險古通用、以德輔此、則盟主也。【集解】徐廣曰、盟、一作明、駰案、賈逵曰、其志大直而有曲體、歸中和、中庸之德、難成而實易行、故曰以德輔此則盟主也、杜預曰、惜其國小而無明君、【索隱】注引徐廣曰、盟一作明、按左傳亦作明、此以聽聲知政、言其明聽耳、非盟會也、【考證】沈濤曰、左傳明主當作盟主、謂有德則爲諸侯之盟主耳、史記正作盟主、可證、集解引賈逵傳注亦作盟主、則元凱之說非也、歌唐。曰、思深哉。其有陶唐氏之遺風乎。不然何憂之遠也。【集解】杜預曰、晉本唐國、故有堯之遺風、憂深思遠、情發於聲也、非令德之後、誰能

若是。歌陳。曰。國無主。其能久乎。【集解】杜預曰、淫聲放蕩、無所畏忌、故曰國無主、自鄶以下無譏焉。【集解】服虔曰、鄶以下及曹風也、其國小、無所刺譏、【正義】括地志云、故鄶城在鄭州新鄭縣東北四十二里、【考證】龜井道載曰、譏、察也、闕譏而不徵之譏、無所省察臧否也、龜井昱曰、昭公十九年傳、吾以是譏之、歌小雅。【集解】杜預曰、小雅、小正、亦樂歌之章、【考證】陸粲曰、二雅篇數既多、當時樂師或問歌其一二、札因就所聞而評議之、服虔以爲數變小雅也、中井積德曰、陸所云問歌一二者、當通前後、不特二雅、曰、美哉、思而不貳。【集解】杜預曰、思文武之德、無貳叛之心也、怨而不言。【集解】王肅曰、非不能言、畏罪咎也、【考證】中井積德曰、不言、不敢言也、忠厚之意、其周德之衰乎。【集解】杜預曰、衰、小也、猶有先王之遺民也。【集解】杜預曰、謂有殷王餘俗、故未大、【考證】服虔曰、先王指文武成康、徐孚遠曰、葢言文武遺民、周衰尙在、鎬京無緣有殷王餘俗、歌大雅。【集解】杜預曰、大雅陳文王之德、以正天下、曰、廣哉。熙熙乎。【集解】杜預曰、熙熙、和樂聲、【考證】竹添光鴻曰、周語云、熙、廣也、重言之則曰熙熙、謂其廣熙熙然也、曲而有直體。【集解】杜預曰、論其聲、【考證】龜井昱曰、易象稱文王之德曰、內文明而外柔順、其文王之德乎。歌頌。【集解】杜預曰、頌者以其成功告於神明、曰。至矣哉。【集解】賈逵曰、言道備至也、直而不倨、【集解】杜預曰、倨、傲也、【考證】

倨、倨中矩之倨、龜井昱曰、以下極言中和之德、音無不具也、曲而不詘、【集解】杜預曰、詘、撓也、近而不偪、【集解】杜預曰、謙退也、【考證】中井積德曰、偪、切迫、遠而不攜、【集解】杜預曰、攜、貳也、遷而不淫、【集解】服虔曰、遷徙也、文王徙酆、武王居鄗、杜預曰、淫、過蕩也、復而不厭、【集解】杜預曰、常日新也、哀而不愁、【集解】杜預曰、知命也、樂而不荒、【集解】杜預曰、節之以禮也、用而不匱、【集解】杜預曰、德弘大、廣而不宣、【集解】杜預曰、不自顯也、施而不費、【集解】杜預曰、因民所利而利之、取而不貪、【集解】杜預曰、義然後取、【考證】龜井昱曰、施取得中、故不至費、又不至貪、處而不底、【集解】杜預曰、守之以道、【考證】董份曰、不底、言其不觝滯也、葢居則易滯、故云、行而不流。【集解】杜預曰、制之以義、五聲和、八風平、【集解】杜預曰、宮商角徵羽、謂之五聲、八方之氣、謂之八風、節有度、守有序。【集解】杜預曰、八音克諧、節有度也、無相奪倫、守有序也、盛德之所同也。【集解】杜預曰、頌有殷魯、故曰盛德之所同、【考證】劉炫曰、此直據周頌、非挾商魯頌說、且魯頌唯美僖公之德、本非德洽之類、龜井昱曰、周頌卽盛德所集也、劉炫得之、見舞象箾南籥者。【集解】賈逵曰、象、文王之樂武象也、箾、舞曲也、南籥、以籥舞也、【索隱】箾、音朔、又素交反、【考證】中井積德曰、象與南是舞名、箾與籥是器名、舞者所執、孔穎達曰、箾卽簫也、程大昌曰、南籥者、二南之籥、鼓鍾之詩所

謂以雅以南以籥不僭者也、龜井道載曰、蓋吹籥以舞象、執以舞二南也、曰、美哉、猶有感。集解 服虔曰、憾、恨也、恨不及己以伐紂而致太平也、索隱 感讀爲憾、字省耳、胡暗反、考證 張文虎曰、索隱本感、各本作憾、蓋今本依左傳改、讀書雜志云、襄二十九年左傳釋文作感、見舞大武。集解 賈逵曰、大武、周公所作、武王樂也、曰、美哉、周之盛也、其若此乎。見舞韶護者。集解 賈逵曰、韶護、殷成湯樂、大護也、考證 館本考證云、左傳及他書護皆作濩、曰、聖人之弘也。集解 賈逵曰、弘、大也、猶有慙德。聖人之難也。集解 服虔曰、慙於始伐、而無聖佐、故曰聖人之難也、考證 龜井昱曰、不革命、則生民塗炭、彝倫滅矣、自具聖德、其可坐視乎、革命則有來世口實、進退有大難處者、故曰聖人之難也、弘者、言其德盛大能達節通變也、省美哉字與秦同、其美見於論矣、見舞大夏。集解 賈逵曰、夏、禹之樂大夏也、曰、美哉、勤而不德。集解 服虔曰、禹勤其身以治水土也、非禹其誰能及之。考證 左傳、及作脩、見舞招箾。集解 服虔曰、有虞氏之樂大韶也、索隱 韶箾二字、體變耳、考證 龜井昱曰、尚書曰簫韶、蓋韶樂兼簫爲名、簫字或上或下耳、曰、德至矣哉。大矣。集解 服虔曰、至帝王之道、極於韶也、盡美盡善也、如天之無不幬也。如地之無不載也。集解 賈逵曰、幬、覆也、雖甚盛德、無以加矣。觀

止矣。若有他樂、吾不敢觀。集解 服虔曰、周用六代之樂、堯曰咸池、黃帝曰雲門、魯受四代、下周二等、故不舞其二、季札知之、故曰有他樂、吾不敢請、考證 左傳吾不敢觀、作吾不敢請已、止、猶言極也、盡也、舞故曰觀、傅遜曰、季札以韶樂至盛無加、故云、雖有他樂不敢請、非謂樂之終也、去魯、遂使齊。說晏平仲曰、子速納邑與政。集解 服虔曰、入邑與政職於公、不與國家之事、無邑無政、乃免於難。考證 邑下無字、淩本作與、涉上而誤、齊國之政、將有所歸。未得所歸、難未息也。故晏子因陳桓子以納政與邑。是以免於欒・高之難。索隱 難、在魯昭公八年、正義 難、乃憚反、在魯昭公八年、欒施高彊二氏作難、陳桓子和之、乃解也、考證 中井積德曰、左傳昭公十年、陳氏鮑氏伐欒氏高氏、欒高伐虎門、戰于稷、敗奔魯、難者蓋指此也、竹添光鴻曰、帶敍後事、去齊、使於鄭。見子產如舊交。謂子產曰。鄭之執政侈。難將至矣。政必及子。子爲政、愼以禮。集解 服虔曰、禮所以經國家利社稷也、不然、鄭國將敗。去鄭、適衛。說蘧瑗・史狗・史鰌・公子荊・公叔發・公子朝。曰。衛多君子。未有患也。自衛如晉、將

舍於宿。集解 左傳曰、將宿於戚、索隱 注引左傳曰、將宿於戚、按太史公欲自爲一家、事雖出左氏、文則隨義而換、既以舍字替宿、遂誤下宿字替於戚、戚既是邑名、理不易、今宜讀宿爲戚、戚、衞邑、孫文子舊所食地、正義 宿音戚、考證 錢大昕曰、古音戚如蹙、蹙與縮通、宿本有蹙音、聞鍾聲。集解 服虔曰、孫文子鼓鐘作樂也、曰、異哉。吾聞之、辯而不德、必加於戮。集解 服虔曰、辯、若鬭辯也、夫以辯爭不以德居之、必加於刑戮也、考證 龜井昱曰、辯、辨相混、此辯謂才幹知略能治辨者、後世所謂有才而無德者、林父頗有幹局、故引是語以風之、注誤、夫子獲罪於君以在此。集解 賈逵曰、夫子、孫文子也、獲罪、出獻公以戚畔也、懼猶不足、而又可以畔乎。索隱 左傳曰、而又何樂、此畔字宜讀曰樂、樂謂所聞鐘聲也、畔、非其義也、考證 洪頤煊曰、畔即般字、古字通用、爾雅釋詁、般、樂也、錢大昕梁玉繩說同、夫子之在此、猶燕之巢于幕也。集解 王肅曰、言至危也、君在殯、而可以樂乎。集解 賈逵曰、衞君獻公棺在殯、未葬、考證 古鈔本、君下有又字、與左傳合、樂、音逆學反、遂去之。文子聞之、終身不聽琴瑟。集解 服虔曰、聞義而改也、琴瑟不聽、況於鐘鼓乎、考證 亦帶敍後事、適晉。說趙文子・索隱 名武也、韓宣子・索隱 名起也、正義 世本云、名秦、魏獻子。索隱 名鍾舒也、考證 沈家本曰、按左傳獻子名舒、曰。晉國其萃

於三家乎。集解 服虔曰、言晉國之祚、將集於三家、考證 左傳杜注、祚作政、將去。謂叔向曰。吾子勉之。君侈而多良大夫。皆富。政將在三家。集解 杜預曰、富必厚施、故政在三家也、考證 中井積德曰、君侈則人心離焉、臣良則人心歸焉、且富者人之所趨、自然之符也、不必以厚施爲說、崔適曰、趙韓魏三子、雖相繼釆政、然前乎趙文子者、爲中行穆子、中行獻子、後乎魏獻子者爲范獻子、至中行文子范昭子與趙簡子相攻、知伯瑤尤強、幾滅趙氏、是時六卿之勢力不相上下、季札非蓍非蔡、何由知中行范必滅、分晉者在此三家乎、自是三家分晉後語、愚按此事昔人亦疑之、然季子但言晉國萃於三家耳、未嘗言中行范必滅、三家分晉國、崔說未得、且季子之言於晉則徵、於齊鄭則否、左氏之言、未必悉浮誇也、吾子直。集解 服虔曰、直、不能曲撓以從衆、必思自免於難。考證 吳使季札聘於魯、以下、采襄二十九年左傳、季札之初使、北過徐君。考證 論衡祭意篇、藝文類聚無君字、徐君好季札劍、口弗敢言。季札心知之、爲使上國未獻。還至徐。徐君已死。於是乃解其寶劍、繫之徐君冢樹而去。正義 括地志云、徐君廟、在泗州徐城縣西南一里、即延陵季子挂劍之徐君也、從者曰。徐君已死。尚誰予乎。季子曰。不然。始吾心已許之。豈以死倍

吾心哉。【考證】新序節士篇又錄是事云、徐人嘉而歌之曰、延陵季子兮不忘故、脫千金之劍兮帶丘墓、又見于論衡祭意書虛篇、 七年、楚公子圍弑其王夾敖而代立。是爲靈王。【索隱】春秋經襄二十五年、吳子遏卒、二十九年、閽殺吳子餘祭、昭十五年、吳子夷末卒、是餘祭在位四年、餘昧在位十七年、系家倒錯二王之年、此七年正是餘昧之三年、昭元年經曰、冬十有一月、楚子麇卒、左傳曰、楚公子圍將聘于鄭、未出竟、聞王有疾而還、入問王疾、縊而殺之、孫卿曰、以冠纓絞之、遂殺其子幕及平夏、葬王于郟、謂之郟敖也、【考證】據昭元年左傳、 十年、楚靈王會諸侯、而以伐吳之朱方、以誅齊慶封。吳亦攻楚、取三邑而去。【集解】左傳曰、吳伐楚入棘櫟麻、以報朱方之役、【索隱】杜預注彼云、皆楚東鄙邑也、譙國酇縣東北有棘亭、汝陰新蔡縣東北有櫟亭、按解者以麻即襄城縣故麻城、是也、【考證】據昭四年左氏經傳、改入爲取、未詳、 十一年、楚伐吳至雩婁。【集解】服虔曰、雩婁、楚之東邑、【索隱】昭五年左傳曰、楚子使沈尹射待命于巢、薳啓彊待命於雩婁、今直言至雩婁、略耳、【考證】本昭五年左傳、 十二年、楚復來伐、次於乾谿。楚師敗走。【集解】杜預曰、乾谿在譙國城父縣南、楚東境、【考證】昭六年左傳、 十七年、王餘祭卒。【索隱】春秋襄二十九年經曰、閽殺吳子餘祭、左傳曰、吳人伐越、獲俘焉、以爲閽、使守舟、吳子餘祭觀舟、閽以刀殺之、公羊傳曰、近刑人則輕死之道、是也、【考證】王觀國曰、春秋襄二十九年

閽殺吳子餘祭、是餘祭嗣位四年被弑也、左氏公羊穀梁、史記十二諸侯年表皆同、唯其世家稱十七年、餘祭卒、梁玉繩曰、餘祭四年、夷昧十七年、史誤倒、愚按索隱說同、見上、 弟餘昧立。【考證】餘昧、左氏春秋經作夷末、公羊經作夷昧、 王餘昧二年、楚公子弃疾弑其君靈王、代立焉。【索隱】據春秋、即昧之十五年也、昭十三年經曰、夏四月、楚公子比自晉歸于楚、弑其君虔于乾谿、楚公子棄疾殺公子比、左傳具載、以詞繁不錄、公子比棄疾、皆靈王弟也、比、即子干也、靈王、公子圍也、即位後易名爲虔、棄疾即位後易名熊居、是爲平王、史記以平王遂有楚國、故曰棄疾弑君、春秋以子干已爲王、故曰比弑君、彼此各有意義也、 四年、王餘昧卒。【考證】昭十五年左氏經、春王正月、吳子夷末卒、 欲授弟季札。季札讓逃去。於是吳人曰、先王有命、兄卒弟代立、必致季子。季子今逃位、則王餘昧後立。今卒、其子當代。乃立王餘昧之子僚爲王。【集解】吳越春秋曰、王僚、夷昧子、與史記同、【索隱】此文以爲餘昧子、公羊傳以爲壽夢庶子也、【考證】史記公羊不同、詳具下文公子光者諸樊之子也下、 王僚二年、【索隱】計僚元年、當昭十六年、此二年公子光亾王舟、事在昭十七年左傳、 公子光伐楚。【集解】徐廣曰、世本云、夷昧生光、 敗而亡王舟。光懼、襲楚、復得王舟而還。【集解】左傳

曰、舟名餘皇、 五年、楚之亡臣伍子胥來犇。公子光客之。【索隱】左傳昭二十年曰、伍員如吳、言伐楚之利於州于、杜預曰、州于、吳子僚也、公子光曰、是宗爲戮、而欲反其讎、不可從也、員曰、彼將有他志、余姑爲之求士、而鄙以待之、乃見鱄設諸焉、而耕於鄙、是謂客禮以接待也、【考證】楓山三條本、客作容、 公子光者、王諸樊之子也。【索隱】此文以爲諸樊子、系本以爲夷昧子、【考證】梁玉繩曰、左傳昭二十年、稱僚爲州于、當是其號、攷公羊傳、僚長庶也、世本夷昧及僚、夷昧生光、服虔云、夷昧生光而廢之、僚者夷昧之庶兄、夷昧卒、僚代立、故光曰、我王嗣、左氏襄三十一年、狐庸對趙文子謂夷昧天所啓、必此君子孫實終之、若僚是夷昧子、不應此言、則光是夷昧子、僚是壽夢庶子、而史謂僚爲夷昧子、光爲諸樊子、何休杜預孔穎達及王逸天問注、元徐天祐吳越春秋注、皆從之、孔疏又云、世本多誤、不足依憑、二者未知孰是、杜注左傳昭廿七年二公子掩餘燭庸云、僚母弟、是夷昧子也、而昭廿三年傳掩餘注又云、壽夢子、世族譜云、二公子壽夢子、用公羊爲說、何自相矛盾邪、 常以爲吾父兄弟四人、當傳至季子。季子即不受國、光父先立。即不傳季子、光當立。陰納賢士、欲以襲王僚。【考證】常以爲以下、本襄二十九年公羊傳、 八年、吳使公子光伐楚。敗楚師。迎楚故太子建母於居巢以歸。因北伐、敗陳・蔡之師。【考證】據昭二十三

年左傳、是役吳子自將、非使公子光伐、且敗楚及陳蔡、與取建母二事也、建母在郹、亦非居巢也、 九年、公子光伐楚、拔居巢・鍾離。【集解】服虔曰、鍾離、州來西邑也、【索隱】昭二十四年經曰、冬、吳滅巢、左傳曰、楚子爲舟師以略吳疆、沈尹戌曰、此行也、楚必亾邑、不撫人而勞之、吳不動而速之、吳人踵楚、邊人不備、遂滅巢及鍾離、乃還也、地理志、居巢屬廬江、鍾離屬九江、應劭曰、鍾離子之國也、【考證】左傳言吳人、不言公子光、史公別有所據、 初、楚邊邑卑梁氏之處女、與吳邊邑之女爭桑。【索隱】左傳無其事、【考證】史公據呂氏春秋察微篇、 二女家怒相滅。兩國邊邑長聞之、怒而相攻、滅吳之邊邑。吳王怒、故遂伐楚、取兩都而去。【正義】兩都、即鍾離居巢、【考證】趙翼曰、伍子胥傳亦云、兩女子爭桑、而楚世家則曰、吳邊邑卑梁、與楚邊邑小童爭桑、一事也、而或云女子、或云小童、且吳世家則以卑梁屬楚、楚世家以卑梁屬吳、是文之失檢者、張照說同、梁玉繩曰、卑梁是吳邑、當依十二侯表及楚世家伍子胥傳爲是、然此乃誤承呂氏春秋察微篇來、宜云吳邊邑之處女、與楚邊邑之女爭桑、張文虎曰、類聚引怒相滅、作相怒喧、 伍子胥之初犇吳、說吳王僚以伐楚之利。公子光曰、胥之父兄爲僇於楚、欲自報其仇耳。未見其利。於是伍員知光有他志、【集解】服虔曰、欲取國、

乃求勇士專諸、見之光。【集解】賈逵曰、吳勇士。【索隱】專或作剸、左傳作鱄設諸、刺客傳曰、諸、堂邑人也、【正義】吳越春秋云、專諸、豐邑人、伍子胥初亡楚如吳時、遇之於途、專諸方與人鬭、甚不可當、其妻呼還、子胥怪而問其狀、專諸曰、夫屈一人之下、必申萬人之上、胥因而相之、雄貌深目、侈口熊背、知其勇士、【考證】沈家本云、正義豐邑、今本吳越春秋作堂邑、與刺客傳合、光喜。乃客伍子胥。子胥退而耕於野、以待專諸之事。【索隱】依左傳、卽上五年公子光客之、是也、事合記於五年、不應略彼而更具於此也、【考證】伍子胥以下、采昭二十年左傳、子胥欲報父讎、而從光弒僚、事敗、不免夷滅、薦專諸、所以結于光、退耕于野、所以全身、子胥之慮深矣、十二年冬、楚平王卒。【索隱】昭二十六年春秋經、書楚子居卒、是也、按十二諸侯年表及左傳、合在僚十一年、【考證】梁玉繩曰、此與刺客傳言九年、竝誤、十三年春、吳欲因楚喪而伐之。【索隱】據表及左氏傳、止合有十二年、事竝見昭二十七年左傳也、【考證】十三年春、當作十二年夏、使公子蓋餘・燭庸【集解】賈逵曰、二公子、皆吳王僚之弟、【索隱】春秋作掩餘、史記竝作蓋餘、義同而字異、或者謂太史公被腐刑、不欲言掩也、賈逵及杜預及刺客傳皆云、二公子王僚母弟、而昭二十三年左傳曰、光帥右、掩餘帥左、杜注彼則云、掩餘吳王壽夢子、又系族譜亦云、二公子竝壽夢子、若依公羊、僚爲壽夢子、則與系族譜合也、【考證】梁玉繩曰、史公未嘗諱掩、如項羽紀梁掩其口、封禪書方士皆奄口、李斯傳掩馳說之口、彭越傳上使使掩梁王、其他不及徧擧、又何不欲言掩之有、刺客傳燭作

屬、字相亂、吳越春秋庸作傭、文通用、以兵圍楚之六灊。【集解】杜預曰、灊在廬江六縣西南、【考證】左傳無六字、使季札於晉、以觀諸侯之變。【集解】服虔曰、察彊弱、楚發兵絕吳兵後。吳兵不得還。於是吳公子光曰。此時不可失也。【集解】賈逵曰、時、言可殺王時也、告專諸曰。不索何獲。【集解】服虔曰、不索當何時得也、我眞王嗣。當立。吾欲求之。季子雖至、不吾廢也。【集解】王肅曰、聘晉還至也、專諸曰。王僚可殺也。母老子弱。【集解】服虔曰、母老子弱、專諸託其母子於光也、王肅曰、專諸言王母老子弱也、【索隱】依王肅解、與史記同、於理無失、服虔杜預、見左傳下文云我爾身也、以其子爲卿、遂强解、是無若我何、猶言我無若是何、語不近情、過爲迂回、非也、而兩公子將兵攻楚、楚絕其路。方今吳外困於楚、而內空無骨鯁之臣。【考證】左傳無而兩公子至骨鯁之臣四句二十七字、母老子弱句、直接是無奈我何句、崔適曰、四句當移上文於是吳公子光曰下、兩公子上而字衍、是無柰我何。【考證】竹添光鴻曰、言時極可、而母老子弱、身不可死、是我自無若我身何、杜預曰、欲以老弱託光、光曰。我身、子之身也。【集解】服虔曰、言我身猶爾身也、【考證】龜井昱曰、汝爲我死、我必成汝立其子爲

卿、猶不死、四月丙子、【索隱】春秋經唯言夏四月、左傳亦無丙子、當別有按據、不知出何書也、光伏甲士於窟室、【集解】杜預曰、掘地爲室也、而謁王僚飮。【索隱】謁、請也、本或作請也、王僚使兵陳於道。自王宮至光之家、門階戶席、皆王僚之親也。人夾持鈹。【集解】音披、【索隱】音披、劉逵注吳都賦、鈹兩刃小刀、【考證】孔穎達曰、從門至戶、從戶至席、親、謂父兄宗族也、公子光詳爲足疾、【索隱】詳爲、上音陽、下如字、左傳曰、光僞足疾、詳卽僞也、或讀此爲字音僞、非也、豈詳僞重言邪、【考證】龜井昱曰、蓋僞顚躓而稱疾也、入于窟室。【集解】杜預曰、恐難作、王黨殺己、素避之也、使專諸置匕首於炙魚之中以進食。【集解】服虔曰、全魚炙也、【索隱】劉氏曰、匕首短劍也、按鹽鐵論、以爲長尺八寸、通俗文云、其頭類匕、故曰匕首也、【考證】中井積德曰、食字衍、左傳作以進、刺客傳作而進之、竝無食字、手匕首刺王僚。鈹交於匈。【集解】賈逵曰、交專諸匈也、遂弒王僚。公子光竟代立爲王。是爲吳王闔廬。【考證】古鈔本、凌本、無代字、闔廬乃以專諸子爲卿。季子至。曰。苟先君無廢祀、民人無廢主、社稷有奉、乃吾君也。吾敢誰

怨乎。哀死事生、以待天命。【集解】服虔曰、待其天命之終也、非我生亂、立者從之。先人之道也。【集解】杜預曰、吳自諸樊以下、兄弟相傳、而不立適、是亂由先人起也、季子自知力不能討光、故云、【考證】龜井昱曰、先人猶前人、汎斥先君也、不立適而使國人從立者、此前世之習也、中井積德曰、季子卽欲討而力不能、宜出奔、何必事讎之爲、力能討焉、亦不肯討、季子之爲人素如此耳、故闔閭曾不忌云、季子蓋過於仁柔者、元凱有回護之意、復命、哭僚墓、【集解】服虔曰、復命於僚、哭其墓也、【正義】復、音伏、下同、復命、反歸報命也、復位而待。【集解】杜預曰、復本位待光命、【考證】十三年春以下、采昭二十七年左傳、又見伍子胥傳刺客傳、呂氏春秋論威篇、又按襄二十九年公羊傳云、闔閭使專諸刺僚、而致國乎季子、季子不受曰、爾殺吾君、吾受爾國、是吾與爾爲篡也、爾殺吾兄、吾又殺爾、是父子兄弟相殺、終身無已也、去之延陵、終身不入吳國、所傳不同、吳公子燭庸・蓋餘二人、將兵遇圍於楚者、聞公子光弒王僚自立、乃以其兵降楚。楚封之於舒。【索隱】左傳昭二十七年曰、掩餘奔徐、燭庸奔鍾吾、三十年經曰、吳滅徐、徐子奔楚、左傳曰、吳子使徐人執掩餘、使鍾吾人執燭庸、二公子奔楚、楚子大封而定其徙、無封舒之事、當是舒徐字亂、又且疏略也、【考證】梁玉繩曰、左傳燭庸掩餘二公子奔楚而已、楚世家是、此與伍子胥傳云、以兵降楚、誤一、闔閭元年、掩餘奔徐、燭庸奔鍾吾、至三年、二公子奔楚、此云奔楚在元年、誤二、楚城養、使二公子居之、與以城父胡田、無封舒之事、此與子胥傳云

封舒、誤三、王闔廬元年、擧伍子胥爲行人、而與謀國事。楚誅伯州犂、其孫伯嚭亾奔吳。【集解】徐廣曰、伯嚭、州犂孫也、史記與吳越春秋同、嚭、音披美反、【考證】定四年左傳云、伍員爲吳行人以謀楚、楚之殺郤宛也、伯氏之族出、伯州黎之孫嚭、爲吳大宰以謀楚、梁玉繩曰、嚭奔吳非因誅州犂也、吳以爲大夫。三年、吳王闔廬與子胥・伯嚭將兵伐楚、拔舒。殺吳亾將二公子。光謀欲入郢。【考證】張文虎曰、光疑王字誤、將軍孫武曰。民勞。未可。待之。【索隱】左傳、此年有子胥對耳、無孫武事也、【考證】左傳子胥對、亦無是言、梁玉繩曰、攷春秋傳、旹使卿爲軍將、謂之將中軍將上軍將下軍、雖有將軍之文、未定將軍之官、而其名實起于此、自是之後、遂以爲官名、故晉狐夜姑爲將軍、穀梁傳魏獻子爲將軍、左傳趙文子問叔向六將軍、晏子淮南子新序此外楚有將軍子重、公羊傳將軍屈完、將軍子常、楚世家秦有三將軍、秦本紀齊有諸將軍、晏子春秋將軍穰苴、史本傳及晏子春秋衛有將軍文子、檀弓鄭有將軍詹伯、國語吳有將軍孫武、吳世家又黃池之會、十旌一將軍、國語魯有將軍慎子、孟子又魯召子貢授將軍之印、淮南子其餘未可悉數、而將軍尙無異名也、惟國策梁王以故相爲上將軍、越范蠡爲上將軍、魏太子申爲上將軍、楚屈匄爲大將軍、竝世家但有上與大之異名、而無前後左右之稱也、漢書百官公卿表云、前後左右將軍皆

周末官、殊未核、四年、伐楚、取六與灊。【考證】昭三十一年左傳云、吳人伐夷、侵潛六、不云取六與灊、五年、伐越敗之。【考證】昭三十二年春秋經、夏吳伐越、左傳云、始用師於越也、六年、楚使子常囊瓦伐吳。【正義】左傳云、楚囊瓦爲令尹、杜預云、子囊之孫子常、【考證】中井積德曰、子常是子囊之孫、名瓦、以祖字爲氏、迎而擊之、大敗楚軍於豫章。取楚之居巢而還。【索隱】左傳定二年當爲七年、【考證】楓山三條本、迎上有吳字、梁玉繩曰、事在楚昭八年、吳闔閭七年、此與楚世家伍子胥傳及年表、誤在前一年、九年、吳王闔廬謂伍子胥孫武曰。始子之言郢未可入。今果如何。【索隱】言今欲果敢伐楚可否也、【考證】中井積德曰、言今而伐楚、其可入不可入、果如何也、二子對曰。楚將子常貪。而唐・蔡皆怨之。王必欲大伐、必得唐・蔡、乃可。闔廬從之。【考證】唐蔡怨子常、見定三年左傳、悉興師、與唐・蔡西伐楚、至於漢水。楚亦發兵拒吳、夾水陳。【正義】音陣、吳王闔廬弟夫槩欲戰。闔廬弗許。【正義】槩、音古代反、夫槩曰。王已屬臣兵。兵以利爲上。尙何待焉。

【考證】楓山三條本、何下有以復二字、遂以其部五千人襲冒楚。楚兵大敗走。於是吳王遂縱兵追之。比至郢、五戰。楚五敗。【索隱】定四年、戰于柏擧、吳入郢是也、楚昭王亡、出郢奔鄖。【集解】服虔曰、鄖、楚縣、鄖公弟欲弑昭王。【正義】左傳云、鄖公辛之弟懷也、昭王與鄖公犇隨。【集解】服虔曰、隨、楚與國也、而吳兵遂入郢。【考證】悉興師以下、據定四年左傳、子胥・伯嚭、鞭平王之尸以報父讎。【索隱】左氏無此事、說具于子胥傳中、【考證】尸疑當作墓、中井積德曰、伯嚭二字衍、楚殺伯州犂在昭王之世、伯嚭何怨於平王乎哉、顧棟高曰、案武王定天下、此時泰伯之子孫、已自立于句吳、武王因而封之、時大江以南、尙屬蠻夷之地、分茅胙土之所不及、非中原齊魯星羅棊置也、故其地最廣遠、春秋初、尙服屬于楚、自後寖强、遂爲勍敵、而其所幷吞之國、亦歷歷可紀焉、大抵北出則擾廬壽、東出則向番陽、其他略有江南全省、而徐州屬宋、廬鳳屬楚、安慶屬羣舒、最後廬鳳亦入于吳、而入郢之禍自此始、太平府則與楚之和州對岸、江寧府則與楚之六合接境、其自浙之嘉興以及湖州杭州則與越日相角逐之區也、其自浙之嚴州以及江南之徽州江西之饒州則與楚日相窺之地也、方輿家以江西全省亦俱爲吳地、然于經傳無所見、十年春、越聞吳王之在郢國空、乃伐吳。【考證】定五年左氏經傳、吳使別兵擊越。【考證】左傳無此事、

蓋史公以意補之、楚告急秦。【考證】定四年左傳云、申包胥如秦乞師、秦遣兵救楚擊吳。吳師敗。闔廬弟夫槩、見秦・越交敗吳、吳王留楚不去、夫槩亡歸吳、而自立爲吳王。闔廬聞之、乃引兵歸攻夫槩。夫槩敗奔楚。楚昭王乃得以九月復入郢。而封夫槩於堂谿。爲堂谿氏。【集解】司馬彪曰、汝南吳房有堂谿亭、【索隱】案地理志而知、【正義】括地志云、豫州吳房縣、在州西北九十里、應劭云、吳王闔閭弟夫槩奔楚、封之於堂谿氏、本房子國、以封吳、故曰吳房、【考證】秦遣兵以下、據定五年左傳、十一年、吳王使太子夫差伐楚、取番。楚恐而去郢徙鄀。【集解】服虔曰、鄀、楚邑、【索隱】定六年左傳、四月己丑、吳太子終纍敗楚舟師、杜預曰、闔廬子夫差兄、此以爲夫差、當謂名異而一人耳、左傳又曰、獲潘子臣小惟子及大夫七人、楚於是乎遷郢於鄀、此言番、番音潘、楚邑名、子臣、即其邑之大夫也、【考證】梁玉繩曰、蓋史公以獲潘子臣爲伐番也、此與楚世家伍子胥傳年表皆取番同誤、索隱彌縫其說、妄甚、愚按、鄀縣故城、在今湖北襄陽府宜縣東南九十里、十五年、孔子相魯。【索隱】定十年左傳曰、夏、公會齊侯于祝、其實夾谷、孔丘相、犂彌言於齊侯曰、孔丘知禮而無勇、是也、杜預以爲相會儀也、而史遷孔子系家云、攝行相事、案左氏孔丘以公退曰、士兵之、又使茲無還揖對、是攝國相

也、【考證】中井積德曰、孔子是會儀之相矣、太史公誤爲國相也、索隱牽合太甚、趙翼曰、列國世家與孔子毫無相涉者、亦皆書是歲孔子相魯、孔子卒、以其繫天下輕重也、

十九年夏、吳伐越。越王句踐迎擊之檇李。【集解】賈逵曰、檇李、越地、杜預曰、吳郡嘉興縣南有檇李城也、檇、音醉、【考證】楓山、三條本檇下有敗字、公羊作醉李、今浙江嘉興府秀水縣、有檇李故城、卽吳越戰處、越使死士挑戰。【集解】徐廣曰、死、一作亶、越世家亦然、或者以爲人名氏乎、駰案賈逵曰、死士、死罪人也、鄭衆曰、死士欲以死報恩者也、杜預曰、敢死之士也、【正義】挑、音田鳥反、【考證】左傳云、勾踐患吳之整也、使死士再禽焉、不應、三行造吳師、呼自剄。【集解】左傳曰、使罪人三行屬劍於頸、【正義】行、胡郎反、造、千到反、呼、火故反、頸、堅鼎反、【考證】依左傳、三行上脫使罪人三字、王若虛曰、案左氏、死士與罪人是兩節、而遷混之、故義理不明、吳師觀之。越因伐吳、敗之姑蘇。【集解】越絕書曰、闔廬起姑蘇臺、三年聚材、五年乃成、高見三百里、【索隱】姑蘇、臺名、在吳縣西三十里、左傳定十四年曰、越子大敗之、靈姑浮以戈擊闔廬、闔廬傷將指、還卒於陘、去檇李七里、杜預以爲檇李在嘉興縣南、靈姑浮、越大夫也、【正義】姑蘇檇李、相去二百里、【考證】左傳無姑蘇二字、陳仁錫曰、此衍姑蘇二字、傷吳王闔廬指。軍卻七里。吳王病傷而死。【集解】越絕書曰、闔廬冢在吳縣昌門外、名曰虎丘、下池廣六十步、水深一丈五尺、桐棺三重、澒池六尺、玉鳧之流、扁諸之劍三千、方員之口三千、槃郢魚腸之劍在焉、卒十餘萬人治之、取土臨湖、葬之三日、白虎居

其上、故號曰虎丘、【索隱】澒、胡貢反、以水銀爲池、【正義】顧野王云、水銀謂之澒也、闔廬使立太子夫差、謂曰。爾而忘句踐殺汝父乎。【考證】左傳云、夫差使人立於庭、苟出入必謂己曰、夫差、而忘越王之殺而父乎、則對曰、唯、不敢忘、與此異、王念孫曰、爾字衍、左傳可證、愚按爾汝也、而字衍、伍子胥傳可證、對曰。不敢。【索隱】此以爲闔廬謂夫差、夫差對闔廬、若左氏傳則云對曰者、夫差對所使之人也、三年乃報越王。【考證】十九年以下、本定十四年左傳、龜井昱曰、三年間一年也、與尚書數日法同、儀禮、日用丁巳、筮旬有一日、敖氏云、以丁巳筮丁巳、而曰十一日、則是幷筮日之日而數之也、古數日之法、於此可見、夫差元年、【集解】越絕書曰、太伯到夫差二十六代、且千歲、【索隱】史記太伯至壽夢十九代、諸樊已下六王、唯二十五代、以大夫伯嚭爲太宰。【索隱】案左傳、定四年、伯嚭爲太宰、當闔廬九年、非夫差代也、【考證】史公欲言諫子胥、先補此句、習戰射、常以報越爲志。二年、吳王悉精兵以伐越、敗之夫椒。【集解】賈逵曰、夫椒、越地、杜預曰、太湖中椒山也、【索隱】賈逵云越地、蓋近得之、然其地闕、不知所在、杜預以爲太湖中椒山、非戰所、夫椒與椒山不得爲一、且夫差以報越爲志、又伐越、當至越地、何乃不離吳境、近在太湖中、又案越語云、敗五湖也、【正義】杜預曰、太湖中也、賀循會稽記云、句踐逆吳、戰於五湖中、大敗而退、今夫椒山在太湖中洞庭山西北、【考證】中井積德曰、按越世家、句踐聞吳王且報越、先往伐之、吳王聞之、悉發精兵擊越、然則戰在半途、或在吳地耳、

報姑蘇也。【正義】越世家云、吳師敗於檇李、言報姑蘇、誤也、姑蘇乃是夫差敗處、太史公甚疎、【考證】哀元年左傳云、吳王夫差敗越于夫椒、報檇李也、陳仁錫曰、姑蘇當作檇李、梁玉繩曰、姑蘇乃吳都所在、越師雖勝、豈能直抵吳都、越世家依左傳作檇李、是、此與子胥傳同誤、越王句踐乃以甲兵五千人棲於會稽。【集解】賈逵曰、會稽、山名、【索隱】鳥所止宿曰棲、越爲吳敗、依託於山林、故以鳥棲爲喻、左傳作保、國語作棲、【考證】中井積德曰、甲兵五千人、左傳作甲楯五千、棲於山上、如鳥棲宿於木上、故曰棲、愚按會稽山在今浙江紹興府會稽縣東南十二里、使大夫種因吳太宰嚭而行成。請委國爲臣妾。【集解】服虔曰、行成、求成也、【索隱】大夫、官也、種、名也、吳越春秋以爲種姓文、而劉氏云、姓大夫、非也、【正義】國語云、越飾美女八人納太宰嚭曰、子苟然、放越之罪、成、平也、吳王將許之。伍子胥諫曰。昔有過氏【集解】賈逵曰、過、國名也、【索隱】過、音戈、寒浞之子、堯所封國也、猗姓國、晉地道記曰、東萊掖縣有過鄉、北有過城、古過國也、殺斟灌以伐斟尋。【集解】斟灌、斟尋、夏同姓、夏后相依斟灌而國、故曰殺夏后相也、【索隱】斟灌斟尋夏同姓、賈氏據系本而知也、按地理志、北海壽光縣、應劭曰、古斟灌亭是也、平壽縣復云古北㪷尋、禹後、今㪷城是也、然㪷與斟同、【考證】龜井昱曰、殺斟灌、殺其君也、滅夏后帝相。【集解】服虔曰、夏后相、啓之孫、帝相之妃后緡方娠。【集解】賈逵曰、緡、有仍之姓也、杜預曰、娠、懷身也、逃於有

仍、【集解】賈逵曰、有仍、國名、后緡之家、【索隱】未知其國所在、春秋經桓五年、天王使仍叔之子來聘、穀梁經傳竝作任叔、仍任、聲相近、或是一地、猶甫呂虢郭之類、案地理志、東平有任縣、蓋古仍國、而生少康。【集解】服虔曰、后緡遺腹子、少康爲有仍牧正。【集解】王肅曰、牧正、牧官之長也、有過又欲殺少康。少康奔有虞。【集解】賈逵曰、有虞、帝舜之後、杜預曰、梁國虞縣、【正義】括地志云、宋州虞城縣、本虞國、舜後所封之邑也、左傳云、伍員曰、昔少康奔有虞、虞思妻之以二姚、杜預云、思、虞君也、姚、虞姓也、有虞思夏德、【考證】張照曰、按左傳、思是虞君名、此直作思念之思、梁玉繩曰、當依傳衍有夏德三字、於是妻之以二女、而邑之於綸。【集解】賈逵曰、綸、虞邑、有田一成。有衆一旅。【集解】賈逵曰、方十里爲成、五百人爲旅、後遂收夏衆、撫其官職。【集解】服虔曰、因此基業、稍收取夏遺民餘衆、撫修夏之故官憲典、使人誘之、【索隱】左傳云、使女艾諜澆、遂滅過戈、杜預曰、諜、候也、遂滅有過氏、復禹之績、祀夏配天、【集解】服虔曰、以鯀配天也、【考證】陳仁錫曰、以禹配天也、不失舊物。【集解】賈逵曰、物、職也、杜預曰、物、事也、【考證】中井積德曰、舊物、猶舊業、又曰、左傳襄四年魏莊子之言、說羿促之事甚明、滅帝相者后羿也、非浞澆也、滅二斟者寒浞也、非過也、伍子胥之言則差舛尤多、今吳不如有過之彊。而句踐大於

少康。今不因此而滅之、又將寬之。不亦難乎。且句踐爲人能辛苦。【考證】能讀曰耐、今不滅、後必悔之。吳王不聽。聽太宰嚭、卒許越平。與盟、而罷兵去。【考證】二年以下、本哀元年左傳、楓山、三條本、越下有王字、七年、吳王夫差聞齊景公死、而大臣爭寵、新君弱、仍興師北伐齊。【考證】梁玉繩曰、是年無伐齊事、伐齊在魯哀十年、當夫差十一年、且吳之伐齊、因前年齊悼公與吳謀伐魯、既而齊與魯平、吳恨之、反與魯謀伐齊、其事去齊景公之卒已四年矣、此及子胥傳同誤、而卽以此爲艾陵之役、則更誤矣、子胥諫曰。越王句踐、食不重味、衣不重采、弔死問疾。且欲有所用其衆。此人不死、必爲吳患。今越在腹心疾。【考證】楓山、三條本、在作猶、與吳語合、而王不先、而務齊。不亦謬乎。吳王不聽。遂北伐齊。敗齊師於艾陵。【集解】杜預曰、艾陵、齊地、【索隱】七年、魯哀公之六年也、左傳此年無伐齊事、哀十一年敗齊艾陵爾、【考證】國語吳語、亦爲夫差十二年事、與左傳合、艾陵、在今山東泰安府泰安縣博縣故城南、至繒。【集解】杜預曰、琅邪繒縣、【考證】今山東兗州府嶧縣東、召

魯哀公而徵百牢。【集解】賈逵曰、周禮、王合諸侯、享禮十有二牢、上公九牢、侯伯七牢、子男五牢、【索隱】事在哀七年、是年當夫差八年、不應上連七年、案左傳曰、子服景伯對、不聽、乃與之、非謂季康子使子貢說、得不用百牢、太宰嚭自別召康子、乃使子貢辭之耳、季康子使子貢以周禮說太宰嚭。乃得止。【考證】梁玉繩曰、左傳、會繒、在魯哀七年、當夫差八年、艾陵之師、在哀十一年、當夫差十二年、此倒敘會繒于艾陵之後、而幷書乎夫差之七年、誤一、子胥傳同誤、吳之會繒、欲以求霸、非因伐齊而至繒也、誤二、魯世家同誤、繒之會、吳徵百牢、子服景伯對曰、先王未之有也、吳人弗聽、乃與之、太宰嚭召季康子、康子使子貢辭曰、寡君既共命焉、其老豈敢棄其國、判然兩事、而此與年表魯世家、竟合與牢辭召爲一、以徵牢之對出于子貢、若魯未嘗與吳百牢者、誤三、此云召哀公、尤非也、因留略地於齊魯之南。九年、爲騶伐魯。【索隱】左傳騶作邾、聲相近自亂耳、杜預注左傳亦曰、邾、今魯國騶縣是也、騶、宜音邾、至、與魯盟乃去。【考證】九年以下、據哀八年左傳、十年、因伐齊而歸。【考證】梁玉繩曰、十下脫一字、因而歸三字衍、說在後、沈家本曰、吳越春秋亦在十一年、十一年、復北伐齊。【索隱】依左氏、十一年合作十二年也、越王句踐率其衆以朝吳、厚獻遺之。吳王喜。【考證】左傳云、吳將伐齊、越子率其衆以朝焉、王及列士皆有饋賂、吳人皆喜、唯子胥懼曰。是弃吳也。【集解】左氏

三作豢、吳、豢、養也、【考證】楓山、三條本、是下有天字、義長、諫曰。越在腹心。今得志於齊、猶石田無所用。【集解】王肅曰、石田不可耕、且盤庚之誥、有顚越勿遺。【集解】服虔曰、顚、隕也、越、墜也、顚越無道、則割絕無遺也、【索隱】左傳曰、其顚越不共、則劓殄無遺育、無俾易種于玆邑、是商所以興也、今君易之、此則艾陵戰時也、【正義】杜預云、顚越不共、從橫不承命者也、【考證】言顚越者悉滅絕之、勿有所遺育、商之以興。【集解】徐廣曰、一本作盤庚之誥、有顚之越之商之以興、子胥傳、誥曰、有顚越商之興、【考證】中井積德曰、以上脫所字、子胥傳可證、集解引傳有脫文、吳王不聽。使子胥於齊。子胥屬其子於齊鮑氏。【集解】服虔曰、鮑氏、齊大夫、【索隱】左傳直曰使於齊、杜預曰、私使人至齊、屬其子、案左傳又曰、反役、王聞之、明非子胥自使也、【考證】穆文熙曰、子胥屬子於齊、蓋誓以死諫、且不欲絕先人之後也、或謂屬鏤之劍、乃所自招、不知其心矣、還報吳王。吳王聞之大怒、賜子胥屬鏤之劍以死。【集解】服虔曰、屬鏤、劍名、賜使自刎、【索隱】劍名、見越絕書、【正義】屬音燭、鏤、音力于反、【考證】竹添光鴻曰、荀子榮辱篇注、钃、刺也、之欲反、故良劍謂之钃鏤、亦取其利也、書禹貢孔傳、鏤、鋼鐵也、將死。曰。樹吾墓上以梓。令可爲器。【索隱】左傳云、樹吾墓檟、檟可材也、吳其亾乎、梓檟相類、因變文也、【正義】言吳必滅亡、梓木耐濕、可以爲棺、故樹、【考證】秦鼎曰、暗致備王棺材之意、龜井昱曰、襄二年左傳、穆姜使擇美檟以

自爲櫬、其四年、季孫爲己樹六檟、檟之爲棺材審矣、愚按、越王句踐以下、采哀十一年左傳、抉吾眼置之吳東門。以觀越之滅吳也。【索隱】抉、烏穴反、此國語文、彼以抉爲辟、又云、以手抉之、王慍曰、孤不使大夫得有見、乃盛以鴟夷、投之江也、【正義】吳俗傳云、子胥亾後、越從松江北開渠、至橫山東北、築城伐吳、子胥乃與越軍夢、令從東南入破吳、越王卽移向三江口岸、立壇、殺白馬祭子胥、杯動酒盡、越乃開渠、子胥作濤、盪羅城東開、入滅吳、至今猶號曰示浦、門曰鱛鮃、是從東門入滅吳也、【考證】抉吾眼以下、依國語吳語、梁玉繩曰、誅員在魯哀十一年、爲夫差十二年、此與年表子胥傳竝誤、又曰、抉吾眼置之吳東門、此是一時忿詞、而呂氏春秋知化篇、韓詩外傳七、言夫差實抉子胥之目、著于門、莊子盜跖篇、楚辭劉向九歎、竝有子胥抉眼之語、殆未可信、齊鮑氏弑齊悼公。【索隱】公名陽生、左傳哀十年曰、吳伐齊南鄙、齊人殺悼公、不言鮑氏、又鮑牧以哀八年爲悼公所殺、今言鮑氏、蓋其宗黨爾、且此伐在艾陵戰之前年、今記於後、亦爲顚倒錯亂也、吳王聞之、哭於軍門外三日。【集解】服虔曰、諸侯相臨之禮、乃從海上攻齊。【集解】徐廣曰、上一作中、齊人敗吳。吳王乃引兵歸。【考證】梁玉繩曰、此卽十一年伐齊事、疑錯簡于此、應移在上文十一年伐齊之下、譌作十年因伐齊而歸也、齊人弑悼公、亦不得言鮑氏、當云十二年伐齊齊人弑悼公云云、十三年、吳召魯衞之君、會於橐皋。【集解】服虔曰、橐皋、地名也、杜預曰、在淮南逡遒縣東南、【索隱】哀十二年左傳曰、公會吳于橐皋、衞侯會吳

于鄖。此幷言會衞、槖皐者，案左傳，吳徵會于衞，初衞殺吳行人，懼謀於子羽，子羽曰，不如止也。子木曰，往也。以本不欲赴會，故魯以夏會，衞及秋乃會，太史公以其本召於槖皐，故不言鄖。鄖，發陽也，廣陵縣東南有發繇口。槖，音他各反，遂適，上七巡反，下酒尤反。【正義】槖，音柘。【考證】槖皐，今安徽廬州府巢縣西北六十里柘皐鎮，俗猶名吳會城，杭世駿曰，左傳，槖皐之會，但有魯君，秋，徵會于衞，乃會于鄖耳，此幷兩事爲一、梁玉繩曰，此與表言衞亦會于槖皐，非，索隱知其誤而曲爲之說。**十四年春，吳王北會諸侯於黃池。**【集解】杜預曰，陳留封丘縣南有黃亭，近濟水。【考證】通鑑輯覽云，黃池在今河南開封府封丘縣西南、王夫之曰，黃池，黃水也，水出小黃之黃溝，經外黃，至沛入泗，黃水所自出，謂之黃溝，一曰黃池，在今杞縣之西，大河之南，故國語曰，吳王夫差起師將北會黃池，闕溝于商魯之間，北屬之沂，西屬之沛，蓋自沛泝黃水而上也，云商魯之間者，商，宋也，黃水經外黃，今考城縣宋地也，以地考吳子但泝沛黃二水，未嘗濟河而北，杞縣在河之南，與考城相近，黃池在此必矣，杜云封丘縣南黃亭近濟水，則在大河之北，失之。**欲霸中國以全周室。**【考證】楓山、三條本，全作令。**六月戊子，越王句踐伐吳。**【考證】梁玉繩曰，戊子，左傳作丙子，此誤，愚按楓山、三條本作丙子。**乙酉，越五千人與吳戰。**【考證】陳子龍曰，外傳，范蠡、舌庸，率師沿海泝淮以絕吳路，當起毀道之師，不止五千人也，梁玉繩曰，攷哀十三年左傳，是戰也，吳大夫王孫彌庸屬徒五千，史公必因此而誤。**丙戌，虜吳太子友。丁亥，入吳。吳人告敗於王夫差。夫**

差惡其聞也。【集解】賈逵曰，惡其聞諸侯。**或泄其語。吳王怒，斬七人於幕下。**【集解】服虔曰，以絕口。**七月辛丑，吳王與晉定公爭長。吳王曰，於周室我爲長。**【集解】杜預曰，吳爲太伯後，故爲長。**晉定公曰，於姬姓我爲伯。**【集解】杜預曰，爲侯伯。**趙鞅怒，將伐吳。**【考證】梁玉繩曰，案左傳，鞅與司馬寅之言，祇是爭長耳，非怒而欲伐吳也，史與傳不合。**乃長晉定公。**【集解】徐廣曰，黃池之盟，吳先歃，晉次之，與外傳同。駰案賈逵曰，外傳曰，吳先歃，晉亞之，先敍晉，晉有信，又所以外吳。【索隱】此依左傳文。案左傳趙鞅呼司馬寅曰，建鼓整列，二臣死之，長幼必可知也。是趙鞅怒，司馬寅請姑視之，反曰，肉食者無墨，今吳王有墨，國其勝乎。杜預曰，墨，氣色下也，國爲敵所勝。又曰，太子死乎，且夷德輕，不忍久，請少待之。乃先晉人，是也。徐賈所云，據國語，不與左傳合，非也。左氏魯襄公代晉楚爲會，先書晉，晉有信耳。外傳卽國語也。書有二名也。外吳者，吳夷賤之，不許同中國，故言外也。【正義】國語云，晉責吳曰，夫周室命圭，有命曰吳伯，不言吳王，諸侯是以敢辭。夫諸侯無二君，而無卑天子以干不祥，而曰吳公，孤敢不順從君命，吳王許諾，吳公先歃，晉侯次之。【考證】梁玉繩曰，案公羊哀十三年會黃池傳曰，吳主會也，與外傳言吳公先歃，晉侯亞之同，左傳云，乃先晉人，先吳于晉也，先儒謂經書吳在下，是晉實先之，誤矣，史公于秦紀及晉趙兩世家言長吳，而此言長晉，共說一事，二文不同，何自歧也，以情勢揆之，晉人不競，已歷數世，自宋之會，卽爲楚所先，而況其能與吳爭乎，李笠曰，晉趙世家言長吳，此言長晉者，亦傳疑之例也。

吳王已盟，與晉別，欲伐宋。太宰嚭曰，可勝而不能居也。【考證】言宋可敗也，而我不可久止也。**乃引兵歸國。國亡太子，內空，王居外久，士皆罷敝。於是乃使厚幣以與越平。**【考證】十四年春以下，依哀十三年左傳，中井積德曰，使下似脫一使字，愚按，古鈔本有。**十五年，齊田常殺簡公。**【考證】哀十四年左氏經傳，楓山、三條本殺下有其君二字。**十八年，越益彊。越王句踐率兵，使伐敗吳師於笠澤。**【正義】吳地記云，笠澤，江、松江之別名，在蘇州南三十五里，又云，笠澤卽太湖。【考證】本哀十七年左傳，中井積德曰，使字衍，張文虎曰，當復之譌。**楚滅陳。**【考證】哀十七年左傳。**二十年，越王句踐復伐吳。**【索隱】哀十九年左傳曰，越人侵楚，以誤吳也，杜預曰，誤吳使不爲備也，無伐吳事。**二十一年，遂圍吳。**【考證】哀二十年左傳。**二十三年十一月丁卯，越敗吳。越王句踐欲遷吳王夫差於甬東。**【集解】賈逵曰，甬東，越東鄙，甬江東也，韋昭曰，句章東海口外州也。【索隱】國語曰，甬句東，越地，會稽句章縣東海中州也，案今鄮縣是也。**予百家居之。吳王曰，孤老矣，不能事君王也。**

【考證】哀二十二年左傳。**吾悔不用子胥之言，自令陷此。遂自剄死。**【集解】越絕書曰，夫差冢，在猶亭西卑猶位，越王使干戈人一壘土以葬之，近太湖，去縣五十七里。【索隱】左傳乃縊，越人以歸也。猶亭，亭名，卑猶位三字，共爲地名，吳地記曰，徐枕山一名卑猶山是。壘，音路禾反，小竹籠以盛土也。【正義】壘，力和反。【考證】國語吳語云，夫差將死，使人說於子胥曰，使死者無知，則已矣，若其有知，吾何面目以見員也，遂自殺，史公取其意，易其說文，梁玉繩曰，左傳作縊，越世家云自殺，其義一也，而此言自剄，越絕書吳越春秋作伏劍，淮南道應、說苑正諫與此同，子胥傳又言越殺夫差，竝小異，孫詒讓曰，集解卑猶當作申酉，申酉正西方，此記墓所在方位，纍乃虆之俗也。**越王滅吳，誅太宰嚭，以爲不忠而歸。**【考證】越世家云，越王葬吳王而誅太宰嚭，伍子胥傳云，殺王夫差而誅太宰嚭，吳越春秋云，誅嚭，幷妻子，劉恕曰，左傳哀二十四年閏月，哀公如越，季孫懼，使因太宰嚭而納賂焉，在吳亡後二年也，如左氏之說，則嚭入越亦用事，安吳亡卽誅哉，竹添光鴻曰，據左氏，則此時未必誅嚭，越之誅嚭，當在季孫納賂之後，史公特因滅吳而牽連書之爾。

太史公曰，孔子言太伯可謂至德矣。三以天下讓，民無得而稱焉。【集解】王肅曰，太伯弟季歷賢，又生聖子昌，昌必有天下，故太伯以天下三讓於王季，其讓隱，故無得而稱言之者，所以爲至德也。【正義】繆協云，其讓之跡，詭權反常，當時莫知，故無明稱，可謂至德也已，范甯云，其德弘遠，故曰至也。【考證】論語泰伯篇。**余讀春秋古文，乃知中國**

之虞、與荊蠻句吳兄弟也。【考證】春秋古文、卽左氏春秋傳、劉歆與太常博士書、許愼說文序可證、延陵季子之仁心慕義無窮。見微而知淸濁。嗚呼、又何其閎覽博物君子也。【集解】皇覽曰、延陵季子冢、在毗陵縣暨陽鄉、至今吏民皆祀之、

【索隱】述贊、太伯作吳、高讓雄圖、周章受國、別封於虞、壽夢初霸、始用兵車、三子遞立、延陵不居、光旣篡位、是稱闔閭、王僚見殺、賊由專諸、夫差輕越、取敗姑蘇、甬東之恥、空慙伍胥、

吳太伯世家第一　史記三十一

史記會注考證卷三十二

漢　太　史　令　司　馬　遷　撰
宋中郎外兵曹參軍裴　駰　集解
唐國子博士弘文館學士司馬　貞　索隱
唐諸王侍讀率府長史張　守　節　正義
日　本　出　雲　瀧　川　資　言　考　證

齊太公世家第二

史記三十二

正義括地志云、天齊池、在青州臨淄縣東南十五里、封禪書云、齊之所以爲齊者、以天齊也、考證史公自序云、申呂肖矣、尙父側微、卒歸西伯、文武是師、功冠羣公、繆權

于幽、番番黃髮、爰饗營丘、不背柯盟、桓公以昌、九合諸侯、霸功顯彰、田闞爭寵、姜姓解亡、嘉父之謀、作齊太公世家第二、顧棟高曰、齊於春秋號爲大國、然以山東全省計之、兗州强半屬魯、泰安與魯參半、東昌晉衞錯處、他如青州濟南、魯地犬牙其間、齊所全有者、武定登萊三府、及曹沂所屬數縣而已、其形勢要害不如晉、幅員廣遠不如吳楚、徒以東至海、饒魚鹽之利、西至河、憑襟帶之固、南至穆陵、有大峴之險、北至無棣、收廣莫之地、用管子之計、官山府海、遂成富强、爲五伯首、豈惟地利、抑亦人謀之善也、然管子以圖伯者、陳氏亦用以竊國、器一也、而操之者則異、豈非得其人則用以興、失其人則遂以亡者歟、愚按、左傳僖四年所謂東至海、西至河四句、就太公賜履之地而言之、非說齊封疆也、而顧氏云、穆陵、山東青州臨朐縣南、無棣、直隸天津慶雲縣、誤以近齊地名充之、故其所說封疆則略得其要、說又見太公條下、

太公望呂尙者、東海上人。集解呂氏春秋曰、東夷之士、索隱譙周曰、姓姜、名牙、炎帝之裔、伯夷之後、掌四岳、有功、封之於呂、子孫從其封姓、尙其後也、按後文王得之渭濱云、吾先君太公望子久矣、故號太公望、蓋牙是字、尙是其名、後武王號爲師尙父也、正義按蘇州海鹽縣有太公宅及廟、其縣臨海、故云東海、考證崔述曰、孟子春秋傳、皆稱爲太公、果如史記之說、則太公卽王季、豈可去望而以太公稱之、蓋望其名、尙父其字、呂其氏也、姜其姓也、師其官也、公其爵也、太公、齊人之追稱之也、是時諸侯尙未有謚、周之大臣有謚、自周公始、太公爲齊始封君、故號之曰太公、猶亶父之號爲太王也、師尙父者、連官與字而稱之者也、猶所謂保奭史佚也、太公望者、連號與名而稱之者也、猶所謂周公旦召公奭也、呂尙者、連氏與字而稱之、而省文者也、猶子游之稱言游、子華之稱公西華也、牙之名、尙父之官、皆不見於經傳、蓋由不

知望之卽名、尙父之卽字、而妄爲之說者也、梁玉繩曰、孟子曰太公望、則其名望審矣、中井積德曰、太公不知何許人也、孟子稱辟紂居東海之濱、則其非東海上人也明矣、梁玉繩曰、呂氏春秋當染首時注、淮南氾論注、水經注九、竝言太公河內汲人、

其先祖嘗爲四嶽、佐禹平水土、甚有功。考證國語周語曰、四岳、共工之從孫、佐伯禹、高高下下、疏川導滯、鍾水豐物、皇天嘉之、祚四岳國、命爲侯伯、賜姓曰姜、氏曰有呂、謂其能爲禹股肱心膂、以養物豐民人也、史公所本、柯維棋曰、周語以四岳爲共工之從孫、佐禹治水、又鄭語云、姜、伯夷之後、太史公子陳杞世家云、伯夷之後、至周武王、復封于齊、曰太公望、乃本鄭語、而齊世家云四岳者、乃本周語、豈四岳卽伯夷邪、虞・夏之際、封於呂、集解徐廣曰、呂、在南陽宛縣西、或封於申。索隱地理志、申、在南陽宛縣、申伯國也、呂、亦在宛縣之西也、考證國語周語、申呂雖衰、齊許猶在、姓姜氏。夏・商之時、申・呂或封枝庶。子孫或爲庶人。尙其後苗裔也。本姓姜氏、從其封姓。故曰呂尙。呂尙蓋嘗窮困、年老矣。索隱譙周曰、呂望嘗屠牛於朝歌、賣飮於孟津、考證荀子君道篇、文王舉太公於州人而用之、行年七十有二、齳然而齒墮矣、以漁釣奸周西伯。正義奸、音干、括地志云、茲泉水、源出岐州岐山縣西南凡谷、呂氏春秋云、太公釣於茲泉、遇文王、酈元云、磻磎中有泉、謂之茲泉、泉水潭積、自成淵渚、卽太公釣處、今人謂之凡谷、石壁深高、幽篁邃密、林澤秀

阻、人跡罕及、東南隅有石室、蓋太公所居也、水次有磻石可釣處、卽太公垂釣之所、其投竿跪餌、兩膝遺跡猶存、是有磻磎之稱也、其水淸冷神異、北流十二里、注于渭、說苑云、呂望年七十、釣于渭渚、三日三夜、魚無食者、望卽忿脫其衣冠、上有農人者、古之異人、謂望曰、子姑復釣、必細其綸、芳其餌、徐徐而投、無令魚駭、望如其言、初下得鮒、次得鯉、刺魚腹得書、書文曰、呂望封於齊、望知其異、考證張文虎曰、詩文王疏、引奸作干、冊府元龜同、梁玉繩曰、太公就養西歸、天下仰爲大老、何云奸也、獵渭載歸之說、余猶疑之、此皆戰國好事者僞造、不足依信、呂覽首時篇謂太公聞文王賢、故釣于渭以觀之、言尙近理、然聖如文王、太公應久見知、何煩觀乎、蓋太公未遇時、若漁釣、若屠牛、若賣食、或曾爲之、總非歸西伯時事、諸子紛馳、千言成實、甚且衍爲魚腹得書之異、其妄與搜神記神託夢同、

西伯將出獵。卜之。曰。所獲非龍非彲。集解徐廣曰、彲、勑知反、索隱彲、徐廣音勑知反、餘本亦作螭字、非虎非羆。考證梁玉繩曰、章懷崔駰達旨注、李善班固答賓戲注、初學記、竝引史記、作非熊非羆、所獲霸王之輔。考證當時不當有霸王語、彲羆輔韻、於是周西伯獵。果遇太公於渭之陽。與語大說。曰。自吾先君太公曰。當有聖人適周。周以興。子眞是邪。吾太公望子久矣。故號之曰太公望、載與俱歸、立爲師。考證梁玉繩曰、詩齊風譜疏引世家、作立爲太師、呂子長見篇注同、崔述曰、戰國時人以割烹要湯誣伊尹、

以食牛干秦、誣百里奚、孟子皆嘗辯之、太公、伊尹儔也、其不以漁干文王也明甚、然卽所謂文王田渭濱、與語而載與俱歸者、亦恐未必然也、中井積德曰、漁釣干西伯、固是俗說、至太公望子、妄亦太甚、顧炎武曰、周之太王、齊之太公、吳之太伯、有國之始祖、謂之太祖、其義一也、或曰。太公博聞。嘗事紂。紂無道。去之、游說諸侯。無所遇。而卒西歸周西伯。【考證】崔述曰、孟子云、太公辟紂居東海之濱、則是太公不仕紂也、太公辟紂之不暇、而寧肯自投於朝歌孟津紂之國中哉、梁玉繩曰、周初無游說之風、而太公又豈游說之士、明是戰國好事者爲之、孫子用間云、周之興也、呂牙在殷、鬼谷子午合云、呂尚三入殷朝、三就文王、然後合于文王、或之說本此、或曰。呂尚處士。隱海濱。周西伯拘羑里。散宜生·閎夭·素知而招呂尚。呂尚亦曰。吾聞西伯賢。又善養老。盍往焉。三人者、爲西伯求美女奇物、獻之於紂、以贖西伯。西伯得以出反國。【考證】梁玉繩曰、依此說、則是太公非身遇文王、而閎散爲之介紹也、豈其然乎、況囚羑里之時、太公猶未歸周也、此本尚書大傳之繆說、而增損之、美女奇物之獻尤妄、辨見殷紀中、言呂尚所以事周雖異、然要之爲文武師。周西伯昌之脫羑里歸、與呂尚陰謀修德、

以傾商政。其事多兵權與奇計。【正義】六韜云、武王問太公曰、律之音聲、可以知三軍之消息乎、太公曰、深哉王之問也、夫律管十二、其要有五、宮商角徵羽、此其正聲也、萬代不易、五行之神、道之常也、可以知敵、金木水火土、各以其勝攻之、其法以天清靜無陰雲風雨、夜半遣輕騎往至敵人之壘九百步、偏持律管橫耳、大呼驚之、有聲應管、其來甚微、角管聲應、當以白虎、徵管聲應、當以玄武、商管聲應、當以句陳、五管盡不應、無有商聲、當以青龍、此五行之府、佐勝之徵、陰敗之機也、【考證】楓山三條本、正義消息下、有勝負之決四字、應當間有當以朱雀羽聲應七字、無有商聲四字、作宮也二字、府作符、陰敗作成敗、故後世之言兵及周之陰權、皆宗太公爲本謀。【考證】葉夢得曰、此說出六韜、夫太公賢者、其所用王術、其所事聖人、則出處必有義、而致君必有道、自墨翟以太公干文王爲忤合、孫子謂之用間、且以嘗爲文武將兵、故尚權詐者、多竝緣自見、周西伯政平。及斷虞·芮之訟、而詩人稱西伯受命曰。文王伐崇·密須·【索隱】按郡國志、在東郡廩丘縣北、今曰顧城、密須、姞姓、在河南密縣東、故密城是也、與安定姬姓密國別也、犬夷。【考證】錢大昕曰、犬戎卽昆夷、中井積德曰、以虞芮之符者、漢儒之誣誕耳、大作豐邑。天下三分、其二歸周者、太公之謀計居多。文王崩、武王卽位。九年、欲修文王業、東伐以觀諸侯集否。師

行。師尚父【集解】劉向別錄曰、師之尚之父之、故曰師尚父、父亦男子之美號也、左杖黃鉞、右把白旄、以誓曰。蒼兕蒼兕。【索隱】亦有本作蒼雉、按馬融曰、蒼兕主舟楫官名、又王充曰、蒼兕者、水獸九頭、今誓衆令急濟、故言蒼兕以懼之、然此文上下竝今文泰誓也、【正義】按言以此獸名官、令其衆庶便水而疾濟、【考證】臧琳曰、郭氏山海經序曰、鈞天之庭、豈伶人之所躡、無航之津、豈蒼兕之所涉、蒼兕與伶人相對、是郭氏亦同馬說、謂無涯之水、非世閒主舟楫官所能涉也、蓋蒼兕本水獸、善覆舟、故以此名官、張文虎曰、蒼兕本水獸、又善奔突、故以名水軍、猶秦官名犀首、犀兕同類、愚按、索隱王充曰、論衡是應篇、今本論衡譌作蒼光、總爾衆庶、與爾舟楫。後至者斬。遂至盟津。諸侯不期而會者八百諸侯。【考證】梁玉繩曰、諸侯二字衍、諸侯皆曰。紂可伐也。武王曰。未可。還師。與太公作此太誓。【考證】楓山三條本、師作歸、梁玉繩曰、作此太誓者、卽上文所謂蒼兕諸語也、愚按、此伏生所傳今文泰誓文、說具殷紀、居二年、紂殺王子比干、囚箕子。武王將伐紂。卜龜兆不吉。風雨暴至。羣公盡懼。唯太公彊之勸武王。武王於是遂行。【考證】通典一百六十二、引六韜云、周武王伐紂、師至氾水牛頭山、風甚雷疾、鼓旗毀折、王之驂乘、惶恐而死、太公曰、好賢而

能用、舉事而得時、則不看時日而事利、不假卜筮而事吉、不禱祀而福從、遂命驅之前進、周公曰、今時迎太歲、龜灼言凶、卜筮不吉、星變爲災、請還師、太公怒曰、今紂刳比干、囚箕子、以飛廉爲政、伐之有何不可、枯草朽骨、安可知乎、乃焚龜折蓍、援枹而鼓、率衆先涉河、武王從之、遂滅紂、梁玉繩曰、六韜之書、後人所作、史記又采用六韜、好事者妄矜太公、非實事也、十一年【集解】徐廣曰、一作三年、正月甲子、誓於牧野、伐商紂。【考證】十一年以下、本書泰誓牧誓序、紂師敗績。紂反走登鹿臺。遂追斬紂。【考證】斬紂、妄也、說在周紀、明日、武王立于社。羣公奉明水、【索隱】周本紀、毛叔鄭奉明水也、【考證】梁玉繩曰、周紀本逸書、此言羣公誤、衞康叔封布采席、【索隱】周本紀、衞康叔封布茲、茲是席、故此亦云采席也、師尚父牽牲、史佚策祝以告神、討紂之罪、【考證】楓山、三條本、討作說、散鹿臺之錢、發鉅橋之粟、以振貧民、封比干墓、釋箕子囚、遷九鼎、脩周政、與天下更始。師尚父謀居多。【考證】淩稚隆曰、一曰太公之謀居多、一曰師尚父謀多、是收拾上文、且與前陰謀修德宗太公爲本謀二句相應、於是武王已平商而王天下。封師尚父於齊營丘。【正義】括地志云、營丘、在青州臨淄北百

步外城中、【正義】臨淄城中有丘、淄水出其前、經其左、故有營丘之名、【考證】營丘故城、在今山東青州昌樂縣、東就國。【考證】梁玉繩曰、鄭注檀弓云、太公受封留爲大師、則太公固與旦奭同相周也、故金縢稱二公、此言就國者、或受封之始、往治其國、旋卽返周歟、道宿行遲。逆旅之人曰。吾聞時難得而易失。客寢甚安。殆非就國者也。太公聞之、夜衣而行、犂明至國。【索隱】犂、音里奚反、犂、猶比也、一云、犂、猶遲也、【考證】御覽引甚作處、就國之國、作封、萊侯來伐、與之爭營丘。營丘邊萊。萊人夷也。會紂之亂、而周初定、未能集遠方。是以與太公爭國。【考證】中井積德曰、據下文、萊侯當作萊人、愚按說苑權謀篇以爲鄭桓公就封事、蓋適曰、客寢甚安、殆非就國者、此後世鄙語、而遷以施之周公師尚父之間、是世無復有聖賢、何取於論載也、太公至國脩政、因其俗簡其禮。【考證】魯世家載太公言云、吾簡其君臣禮、從其俗爲也、通商工之業、便魚鹽之利。而人民多歸齊、齊爲大國。及周成王少時、管蔡作亂、淮夷畔周。【正義】孔安國云、淮浦之夷、徐州之戎、乃使召康公【集解】服虔曰、召公奭、命太公曰。東至海、西至

河、南至穆陵、北至無棣、【集解】服虔曰、是皆太公始受封土地疆境所至也、【索隱】舊說穆陵在會稽、非也、按今淮南有故穆陵門、是楚之境、無棣在遼西孤竹、服虔以爲太公受封境界所至、不然也、蓋言其征伐所至之域也、【考證】或云、穆陵、今山東青州臨朐縣南、無棣、直隸天津慶雲縣、皆就齊境言之、據此、則下文五侯九伯八字不可解、索隱爲長、五侯九伯、實得征之。【集解】杜預曰、五等諸侯、九州之伯、皆得征討其罪也、【考證】召康公以下采僖四年左傳管仲言、龜井昱曰、九伯、蓋每州一伯統五侯者、齊由此得征伐爲大國。都營丘。蓋太公之卒百有餘年。【集解】禮記曰、太公封於營丘、比及五世、皆反葬於周、鄭玄曰、太公受封、留爲太師、死葬於周、五世之後、乃葬齊、皇覽曰、呂尙冢、在臨菑縣城南、去縣十里、【考證】沈家本曰、按太公反周、安得冢在臨菑、子丁公呂伋立。【集解】徐廣曰、一作及、【正義】謚法、述義不克曰丁、【考證】鄭樵曰、謚法雖始有周、是時諸侯猶未能徧及、齊五世後稱謚、則知所謂丁公者、長第之次也、汪中曰、史記呂伋稱丁公、丁公之子得稱乙公、乙公子慈母稱癸公、丁乙癸竝从十干、周初諸侯、未有稱謚、周文公見於國語、經傳但稱周公、召康公見於左氏春秋、毛詩序、經傳但稱召公、齊之太公、亦非謚也、故伯禽稱魯公、蔡叔之子胡稱蔡仲、蔡仲之子荒稱蔡伯、振鐸稱曹叔、曹叔之子脾稱大伯、大伯之子平稱仲君、封稱康叔、康叔之子稱康伯、宋始封之君稱微子、微仲、微仲之子稽稱宋公、宋公之子申亦稱丁公、虞稱唐叔、唐叔之子燮稱晉侯、當時易名之典、惟施于王者、諸侯之得謚者多在再傳及三四傳之後、前此或以伯仲、或以國邑、而夏殷之禮相沿而未革、故猶有以甲

乙爲號者、齊之丁乙癸、宋之丁公是也、梁玉繩曰、謚法、述義不克曰丁、呂伋賢嗣、何以蒙此不韙之名字、丁公卒。子乙公得立。乙公卒。子癸公慈母立。【索隱】系本、作齊公慈母、譙周亦曰祭公慈母也、癸公卒。子哀公不辰立。【索隱】系本、作不臣、譙周亦作不辰、宋忠曰、哀公荒淫田游、國史作還詩以刺之也、【考證】據詩序、齊風雞鳴還二詩、刺哀公也、中井積德曰、哀侯始用謚、謚始起于此時、哀公時、紀侯譖之周。周烹哀公。【集解】徐廣曰、周夷王、【考證】周烹哀侯、見莊四年公羊傳、何休注、鄭氏云、懿始受譖而烹齊哀公、是也、周語亦有其事、而立其弟靜。是爲胡公。【正義】論法、彌年壽考曰胡、胡公徙都薄姑。【正義】括地志云、薄姑城、在青州博昌縣東北六十里、而當周夷王之時。哀公之同母少弟山怨胡公。乃與其黨、率營丘人、襲攻殺胡公而自立。是爲獻公。【索隱】宋忠曰、其黨周馬繻人、將胡公於貝水殺之、而出自立也、獻公元年、盡逐胡公子、因徙薄姑、都治臨菑。【考證】詩大雅烝民篇毛傳、以齊去薄姑遷臨菑、爲宣王時、與史異、毛公在馬遷之前、其言當有準據、存參、九年、獻公卒。【考證】梁玉繩曰、獻公之年有脫誤、疑是二十九年、子武公壽立。武公九年、周

厲王出奔居彘。【正義】直厲反、括地志云、晉州霍邑縣也、鄭玄云、霍山在彘、本秦時霍伯國、十年、王室亂、大臣行政。號曰共和。二十四年、周宣王初立。二十六年、武公卒。子厲公無忌立。厲公暴虐。故胡公子復入齊。齊人欲立之。乃與攻殺厲公。胡公子亦戰死。齊人乃立厲公子赤爲君。是爲文公。而誅殺厲公者七十人。【考證】梁玉繩曰、厲公在位九年、此脫、文公十二年卒。子成公脫立。【索隱】系本及譙周、皆作說、【考證】舊刻毛本、脫作說、與年表及齊風譜疏引合、作說爲是、成公九年卒。子莊公購立。【索隱】劉氏音神欲反、系家及系本竝作贖、【考證】張文虎曰、單本無此索隱、蓋從年表移屬、莊公二十四年、犬戎殺幽王。周東徙雒。秦始列爲諸侯。【考證】程一枝曰、秦繼周而王者乎、其始爲諸侯也、列國世家皆書曰、秦襄公始爲諸侯、曷爲書之、愼其始也、謂其係天下之强弱也、五十六年、晉弑其君昭侯。六十四年、莊公卒。子釐公祿甫立。釐公九年、魯隱公初立。【考證】馮班

曰、世家書魯隱公立、春秋之始也、十九年、魯桓公弑其兄隱公、而自立爲君。【考證】隱十一年左傳、二十五年、北戎伐齊。鄭使太子忽來救齊。齊欲妻之。忽曰。鄭小齊大。非我敵。遂辭之。【考證】桓六年左傳、三十二年、釐公同母弟夷仲年死。其子曰公孫無知。釐公愛之、令其秩服奉養比太子。【考證】釐公以下、采莊八年左傳、但不記夷仲年沒年、三十三年、釐公卒。太子諸兒立。是爲襄公。襄公元年、始爲太子時、嘗與無知鬭。及立絀無知秩服。無知怨。【考證】梁玉繩曰、案莊八年左傳、是因其竝適而絀之、非鬬也、史豈別有據乎、四年、魯桓公與夫人如齊。齊襄公故嘗私通魯夫人。魯夫人者、襄公女弟也。自釐公時、嫁爲魯桓公婦。及桓公來、而襄公復通焉。魯桓公知之怒夫人。夫人以告齊襄公。齊襄公與魯君飲、醉之、使力士彭生

抱上魯君車、因拉殺魯桓公。【集解】公羊傳曰、搚幹而殺之、何休曰、搚、折聲也、【正義】拉、音力合反、幹、脅也、桓公下車則死矣。魯人以爲讓。【集解】讓、猶責也、而齊襄公殺彭生以謝魯。【考證】魯桓公以下、雜采桓十八年左公羊二氏、八年、伐紀。紀遷去其邑。【集解】徐廣曰、年表云、去其都邑、【索隱】按春秋莊四年、紀侯大去其國、左傳云、違齊難、是也、【正義】括地志云、故劇城、在青州壽光縣南三十一里、故紀國城也、帝王世紀云、周之紀國、姜姓也、紀侯譖齊哀公於周懿王、烹之、外傳云、紀侯入爲周卿士、竹書云、齊襄公滅紀遷紀、【考證】莊四年經傳、梁玉繩曰、春秋書紀侯大去其國、此遷字未安、蓋齊以漸滅紀、非僅此年伐之而已、徐孚遠曰、紀侯譖烹齊哀公、故齊伐之、所謂襄公復九世之仇也、十二年、初襄公使連稱・管至父戍葵丘。【集解】賈逵曰、連稱、管至父、皆齊大夫、杜預曰、臨淄縣西、有地名葵丘、【索隱】杜預曰、臨淄西有地名葵丘、又桓三十五年會諸侯於葵丘、當魯僖公九年、杜預曰、陳留外黄縣東有葵丘、不同者、蓋葵丘有兩處、杜意以成葵丘當不遠出齊境、故引臨淄縣西之葵丘、若三十五年會諸侯於葵丘、杜氏又以不合在本國、故引外黄東葵丘爲注、所以不同爾、瓜時而往。及瓜而代。【集解】服虔曰、瓜時、七月、及瓜、謂後年瓜時、【考證】李笠曰、及上當據左氏補曰字、往戍一歲、卒瓜時。而公弗爲發代。或爲請代。公弗許。故此二人怒、因

公孫無知謀作亂。連稱有從妹在公宮。無寵。【集解】服虔曰、爲妾在宮也、使之閒襄公。【集解】王肅曰、候公之閒隙、曰。事成、以女爲無知夫人。【考證】楓山、三條本、女作汝、冬十二月、襄公游姑棼、【集解】賈逵曰、齊地也、【正義】音扶云反、遂獵沛丘。【集解】杜預曰、樂安博昌縣南、有地名貝丘、【索隱】左傳作貝丘、【正義】左傳云、齊襄公田于貝丘、墜車傷足、卽此也、【考證】梁玉繩曰、貝、沛、古以音近通借、見彘。從者曰彭生。【集解】服虔曰、公見彘、從者乃見彭生、鬼改形爲豕也、【考證】龜井昱曰、杜云、從者見彭生、然既曰豕、則非妖鬼、從者紿而驚怵之耳、其爲無知之黨可知矣、公怒射之。彘人立而啼。【考證】龜井昱曰、忽擧前足而悲叫也、公懼墜車、傷足失屨。反而鞭主屨者茀三百。【正義】非佛反、下同、茀主屨者也、【考證】左傳云、誅屨于徒人費、茀得鞭之見血、茀出宮。而無知連稱・管至父等、聞公傷、乃遂率其衆襲宮。逢主屨茀。茀曰。且無入驚宮。驚宮未易入也。無知弗信。茀示之創。【正義】音瘡、乃信之待宮外、令茀先入。茀先入、卽匿襄公戶閒良久。

無知等恐、遂入宮。茀反、與宮中及公之幸臣攻無知等。不勝皆死。無知入宮求公。不得。或見人足於戶閒。發視乃襄公。遂弑之。而無知自立爲齊君。【考證】十二年以下、據莊八年左傳、方苞曰、觀史公所增益、知左傳敍事神施鬼設之奇、桓公元年春、齊君無知游於雍林、【集解】賈逵曰、渠丘大夫也、【索隱】亦有本作雍廩、賈逵曰、渠丘大夫、左傳云、雍廩殺無知、杜預曰、雍廩、齊大夫、此云游雍林、雍林人嘗有怨無知、遂襲殺之、蓋以雍林爲邑名、其地有人殺無知、賈言渠丘大夫者、渠丘、邑名、雍林爲渠丘大夫也、【正義】按林廩、齊語輕重、隨音改異也、蓋雍林地名云、【考證】莊八年左傳云、初公孫無知虐于雍林、梁玉繩曰、雍廩人名、賈逵以爲渠丘大夫者、因昭十一年左傳及楚語上、並有齊渠丘實殺無知之語、渠丘爲雍廩邑、雍廩爲人名益信、岡白駒曰、是年小白立、故繫於桓公元年、雍林人嘗有怨無知。及其往游、雍林人襲殺無知。【考證】莊九年左傳、春、雍林殺無知、告齊大夫曰。無知弑襄公自立。臣謹行誅。唯大夫更立公子之當立者。唯命是聽。【考證】告齊大夫以下、史公以意補、初襄公之醉殺魯桓公、通其夫人、殺誅數不當、

淫於婦人、數欺大臣。【考證】莊八年左傳云、初襄公立無常、史公敷演爲廿六字、 羣弟恐禍及、故次弟糾奔魯。其母魯女也。管仲・召忽傅之。次弟小白奔莒。鮑叔傅之。【考證】中井積德曰、兩傳字、蓋後人揣量之言耳、且當時智者取奇貨而出、何必論官銜、左氏云、奉公子、乃得其實也、伊藤維楨曰、管子及莊子荀卿韓非越絕書等皆以子糾爲兄、物部茂卿曰、以子糾爲弟者自漢薄昭始、其言出於一時諱避、子糾兄而小白弟章章明哉、 小白母、衞女也。有寵於釐公。小白自少好善大夫高傒。【集解】賈逵曰、齊正卿、高敬仲也、【正義】傒音奚、 及雍林人殺無知、議立君。高・國先陰召小白於莒。魯聞無知死、亦發兵送公子糾、而使管仲別將兵遮莒道。射中小白帶鉤。小白詳死。管仲使人馳報魯。魯送糾者、行益遲。六日至齊、則小白已入、高傒立之。是爲桓公。桓公之中鉤詳死、以誤管仲。已而載溫車中馳行。亦有高・國內應。故得先入立。發兵距魯。

【考證】小白以下、史公蓋有所據、今其書亡逸、溫車、蓋密閉臥車、 秋、與魯戰于乾時。【集解】杜預曰、乾時、齊地也、時水在樂安界岐流、旱則涸竭、故曰乾時、 魯兵敗走。齊兵掩絕魯歸道。齊遺魯書曰、子糾兄弟、弗忍誅。請魯自殺之。召忽・管仲讎也。請得而甘心醢之。不然、將圍魯。魯人患之、遂殺子糾于笙瀆。【集解】賈逵曰、魯地句瀆也、【索隱】賈逵云、魯地句瀆、又按鄒誕生本作莘瀆、莘笙聲相近、笙如字、瀆音豆、論語作溝瀆、蓋後代聲轉而字異、故諸文不同也、【考證】梁玉繩曰、笙瀆、左傳作生竇、鄒誕生本作莘瀆、竇瀆古通、而生之爲笙爲莘、一以義通、一以音近、中井積德曰、論語溝瀆非地名、 召忽自殺。管仲請囚。【考證】秋與魯戰以下、莊九年左傳、 桓公之立、發兵攻魯、心欲殺管仲。鮑叔牙曰、臣幸得從君。君竟以立。君之尊、臣無以增君。君將治齊、卽高傒與叔牙足也。君且欲霸王、非管夷吾不可。夷吾所居國、國重。不可失也。於是桓公從之。乃詳爲召管仲欲甘心、實欲用之。管仲知之、故請往。

鮑叔牙迎受管仲。及堂阜而脫桎梏、【集解】賈逵曰、堂阜、魯北境、杜預曰、堂阜、齊地、東莞蒙陰縣西北有夷吾亭、或曰、鮑叔解夷吾縛於此、因以爲名也、 齋祓而見桓公。桓公厚禮、以爲大夫、任政。【考證】以上雜采莊九年左傳、國語齊語、 桓公既得管仲、與鮑叔・隰朋・高傒修齊國政、【集解】徐廣曰、朋或作崩也、 連五家之兵、【集解】國語曰、管子制國、五家爲軌、十軌爲里、四里爲連、十連爲鄉、以爲軍令、【考證】五家之兵、詳于國語齊語、管子小匡篇、 設輕重魚鹽之利、【索隱】按管子有理人輕重之法七篇、輕重、謂錢也、又有捕魚煮鹽法也、【考證】中井積德曰、輕重、謂權衡錢穀之貴賤而均平之也、愚按、輕重、又見平準書管仲傳、 以贍貧窮、祿賢能。齊人皆說。二年、伐滅郯。【集解】徐廣曰、一作譚、【索隱】據春秋魯莊十年、齊師滅譚、是也、杜預曰、譚國、在濟南平陵縣西南、然此郯乃東海郯縣、蓋亦不當作譚字也、【考證】洪亮吉曰、春秋宣四年、魯侯齊侯平莒郯、成八年、四國會伐郯、昭十六年、郯人會齊人盟蒲遂、十七年、郯子如魯、是郯未嘗滅也、杜預云、譚國、在濟南平陵縣、通典、濟南郡春秋時屬齊、桓公從齊奔莒、或先過譚、此記郯字、自當從左傳作譚、索隱說非、陳傳良曰、滅國始于此、春秋滅國三十六、五伯爲之也、 郯子奔莒。初桓公亡時過郯。郯無禮。故伐之。五年、伐魯。魯將師敗。魯莊公請獻

遂邑以平。【集解】杜預曰、遂在濟北蛇丘縣東北、【正義】蛇、音移、【考證】楓山三條本師作帥、中井積德曰、將字疑衍、梁玉繩曰、齊桓公五年、爲魯莊十三年、桓公爲北杏之會、遂人不至、故滅之、無齊伐魯、及魯敗獻邑事、滅遂亦與魯無涉、此及刺客傳同誤、愚按、莊十三年春秋經、齊侯宋人陳人蔡人邾人會于北杏、胡安國云、春秋之世、以諸侯而主天下會盟之政、自北杏始、其後宋襄晉文楚莊秦穆交主夏盟、跡之而爲之者也、北杏之會、所關極大、史公不記、何也、 桓公許、與魯會柯而盟。【集解】杜預曰、此柯、今濟北東阿、齊之阿邑、猶祝柯今爲祝阿、【考證】今兗州府陽穀縣東北有阿城鎭、卽春秋齊阿邑、 魯將盟。曹沫以匕首劫桓公於壇上。【集解】何休曰、土基三尺、階三等曰壇、會必有壇者、爲升降揖讓、稱先君以相接也、【考證】楓山三條本、無盟字、義長、中井積德曰、會所往往無大殿屋、故作壇耳、壇如假殿、 曰、反魯之侵地。桓公許之。已而曹沫去匕首、北面就臣位。桓公後悔、欲無與魯地而殺曹沫。管仲曰、夫劫許之、而倍信殺之。【集解】徐廣曰、一云已許之而背信殺劫也、 愈一小快耳。【考證】岡白駒曰、愈讀曰偸、苟也、 而弃信於諸侯、失天下之援。不可。於是、遂與曹沫三敗所亡地於魯。諸侯聞之、皆信齊而欲附焉。

【考證】本莊十三年公羊傳、崔適曰、柯盟於魯爲莊公十三年、春秋書之、太史公於曹沫劫桓公事、再見於魯世家、三見於管仲傳、四見於魯仲連傳、五見於刺客傳、且爲齊霸所自始、中錄管仲語、視公羊傳爲詳、繁露說苑亦載之、此固春秋時一大事焉、左氏於是盟無傳、惟於十年長勺之戰、有曹劌戰勝、而無反侵地事、劌沫聲近、必是一人、改扨爲戰、故與今文學立異、此古文家恆情也、葉適曰、遷言曹沫以七首劫齊桓公、遂與沫三敗所亡地、此事公羊先見、按左氏魯莊公九年、納糾敗于乾時、幾獲、十年有長勺之勝、劌實主之、齊猶未已、與宋次乘丘、公子偃敗宋師、齊乃還、十三年、北杏之會、齊將稱霸、其冬、魯乃會于柯、是三戰而再勝、未嘗失地、三年不交兵、何用要劫、二十三年、曹劌復諫觀社、詳其前後詞語、豈操七首于壇坫之間者邪、愚按葉說可從、七年、諸侯會桓公於甄。【集解】杜預曰、甄、衛地、今東郡甄城也、【正義】甄當作鄄、括地志云、濮州鄄城縣是也、【考證】莊十四年春秋經、年表及左氏甄作鄄、甄鄄通、音絹、今山東曹州府濮州鄄城故城是、而桓公於是始霸焉。十四年、陳厲公子完【正義】音桓、號敬仲。來奔齊。【考證】中井積德曰、敬謚也、仲字也、何號之有、齊桓公欲以爲卿。讓。於是以爲工正。【集解】賈逵曰、掌百工、【考證】莊廿二年左傳、田成子常之祖也。二十三年、山戎伐燕。【集解】服虔曰、山戎、北狄、蓋今鮮卑也、何休曰、山戎者、戎中之別名也、燕告急於齊。齊桓公救燕。【考證】莊卅年左傳、梁玉繩曰、左傳及燕世家、伐山戎、在齊桓

二十二年、此與年表竝誤、書于二十三年、遂伐山戎、至于孤竹而還。【考證】國語齊語、管子小匡篇、燕莊公遂送桓公入齊境。桓公曰。非天子、諸侯相送不出境。吾不可以無禮於燕。於是分溝割燕君所至與燕、命燕君復修召公之政、納貢于周、如成·康之時。諸侯聞之皆從齊。【考證】又見燕世家、未詳史所本、二十七年、魯湣公母曰哀姜。桓公女弟也。【考證】楓山、三條本、母下有姊字、梁玉繩曰、魯世家、依閔二年左傳、以湣公爲哀姜娣叔姜所生、哀姜無子也、此以哀姜爲湣公母者、適母也、哀姜淫於魯公子慶父。慶父弒湣公。哀姜欲立慶父。魯人更立釐公。【集解】徐廣曰、史記、僖字皆作釐、桓公召哀姜殺之。【考證】閔二年左傳、二十八年、衛文公有狄亂。告急於齊。齊率諸侯城楚丘。【集解】賈逵曰、衛地也、【索隱】杜預曰、不言城衛、衛未還、楚丘、在濟陰城武縣南、卽今之衛南縣、【考證】今河南衛輝府滑縣東、而立衛君。【考證】閔二年僖二年左傳、二十九年、桓公與夫人蔡姬

戲船中。蔡姬習水蕩公。【集解】賈逵曰、蕩、搖也、公懼、止之。不止。出船怒、歸蔡姬。弗絕。蔡亦怒、嫁其女。桓公聞而怒、興師往伐。【考證】僖三年左傳、三十年春、齊桓公率諸侯伐蔡。蔡潰。【集解】服虔曰、民逃其上曰潰也、遂伐楚。楚成王興師問曰。何故涉吾地。【考證】左傳作使楚子與師言曰、管仲對曰。昔召康公命我先君太公曰。五侯九伯、若實征之、以夾輔周室。【集解】左傳曰、周公太公、股肱周室、夾輔成王也、賜我先君履、【集解】杜預曰、所踐履之界、東至海、西至河、南至穆陵、北至無棣。楚貢包茅不入。王祭不具。【集解】賈逵曰、包茅、菁茅、包匭之也、以供祭祀、杜預曰、尚書包匭菁茅、茅之爲異未審、是以來責。昭王南征不復。是以來問。【集解】服虔曰、周昭王南巡狩、涉漢未濟、船解而溺昭王、王室諱之、不以赴諸侯、不知其故、故桓公以爲辭、責問楚也、【索隱】宋衷云、昭王南伐楚、辛由靡爲右、涉漢、中流而隕、由靡逐王、遂卒不復、周乃侯其後于西翟、楚王曰。貢之不入有之。寡人罪也。敢不共乎。

昭王之出不復、君其問之水濱。【集解】杜預曰、昭王時、漢非楚境、故不受罪、【正義】按鬻熊爲周文王師、至于文武以勤勞之後嗣、而封熊繹于楚蠻、封以子男之田、居丹陽、在荊州枝江縣界、有枝江故城是、故云漢非楚境、【考證】左氏楚使作對、故寡人作寡君、楓山、三條本、共作供、齊師進次于陘。【集解】杜預曰、陘、楚地、潁川召陵縣南有陘亭、左傳曰、凡師一宿爲舍、再宿爲信、過信爲次、【考證】陘、今開封府新縣南三十里陘山、杜說非是、夏、楚王使屈完將兵扞齊。【考證】左傳作楚子使屈完如師、龜井昱曰、如師、懼而求盟也、史記全失傳意、齊師退次召陵。【集解】杜預曰、召陵、潁州縣、【考證】今郾城縣東有召陵故城、卽屈完來盟地、桓公矜屈完以其衆。屈完曰。君以道則可。若不、則楚方城以爲城。江漢以爲溝。君安能進乎。【集解】服虔曰、方城山、在漢南、韋昭曰、方城、楚北之阨塞、杜預曰、方城山、在南陽葉縣南、是也、【索隱】按地理志、葉縣南有長城、號曰方城、則杜預韋昭說爲得、而服氏云、在漢南、未知有何憑據、【考證】左傳、江漢作漢水、中井積德曰、方城、漢池、誇天險也、乃與屈完盟而去。【正義】左傳云、齊桓公帥諸侯師、盟于召陵、是也、過陳。陳袁濤塗詐齊、令出東方。覺。秋、齊伐陳。【集解】左傳曰、討不忠也、【考證】以上僖四年左傳、是歲、晉殺太子申生。【考證】僖四年左傳、三十

五年夏、會諸侯于葵丘。【集解】杜預曰、陳留外黃縣東有葵丘也、【正義】左傳云、僖九年齊桓公會諸侯于葵丘、即此也、【考證】葵丘宋地、今河南歸德府考城縣有葵丘聚、其地有盟臺、亦名盟臺鄉、周襄王使宰孔賜桓公文武胙、彤弓矢、大路。【集解】賈逵曰、大路、諸侯朝服之車、謂之金路、【考證】左傳但曰賜胙、不曰賜彤弓矢大路、史公以齊語補、命無拜。【考證】依左國、拜上宜補下字、桓公欲許之。管仲曰。不可。乃下拜受賜。【集解】韋昭曰、下堂拜賜也、【考證】中井積德曰、左傳云、下拜登受、不可改、愚按齊語亦云、下拜升受、秋、復會諸侯於葵丘。【考證】孟子告子篇云、葵丘之會、諸侯束牲載書而不歃血、初命曰、誅不孝、無易樹子、無以妾爲妻、再命曰、尊賢育才、以彰有德、三命曰、敬老慈幼、無忘賓旅、四命曰、士無世官、官事無攝、取士必得、無專殺大夫、五命曰、無曲防、無遏糴、無有封而不告、曰、凡我同盟之後、言歸於好、僖九年穀梁傳云、葵丘之盟、壹明天子之禁、曰、毋壅泉、毋訖糴、毋易樹子、毋以妾爲妻、毋使婦人與國事、桓公會諸侯、葵丘最盛、盟辭亦完好無闕、史公不揭者何也、益有驕色。周使宰孔會。諸侯頗有叛者。【集解】公羊傳曰、葵丘之會、桓公震而矜之、叛者九國、晉侯病後。遇宰孔。宰孔曰。齊侯驕矣。弟無行。從之。【考證】以上采僖九年左傳、公羊傳、參以國語、是歲、晉獻公卒。里克殺奚齊・卓

子。【集解】徐廣曰、史記卓多作悼、【正義】卓、丑角反、秦穆公以夫人入公子夷吾爲晉君。桓公於是討晉亂、至高梁。【集解】服虔曰、晉地也、杜預曰、在平陽縣西南、【考證】僖九年左傳、高梁、今山西平陽府臨汾縣、使隰朋立晉君還。是時周室微、唯齊・楚・秦・晉爲彊。晉初與會。【正義】與、音預、下同、獻公死、國內亂。秦穆公辟遠、不與中國會盟。楚成王初收荊蠻有之、夷狄自置。【考證】置、猶居也、唯獨齊爲中國會盟。而桓公能宣其德。故諸侯賓會。於是桓公稱曰。寡人南伐至召陵、望熊山。【考證】楓山・三條本、熊山作熊耳山、熊耳山、在商州上洛縣西四十里、國語管子作汶山、北伐山戎・離枝・孤竹、【集解】地理志曰、令支縣有孤竹城、疑離枝即令支也、令離聲相近、應劭曰、令音鈴、鈴離聲亦相近、管子亦作離字、【索隱】離枝音零支、又音令祗、又如字、離枝孤竹、皆古國名、秦以離枝爲縣、故地理志遼西令支縣、有孤竹城、爾雅曰、孤竹北戶西王母日下、謂之四荒也、【考證】離枝、國語作令支、管子作冷支、西伐大夏、涉流沙、【正義】大夏、幷州晉陽是也、【考證】大夏、國語作西吳、管子作西虞、中井積德曰、齊桓北伐山戎而已、未嘗西涉流沙也、是等語皆後人之附益矣、非桓公之言、東

馬懸車、登太行、至卑耳山而還。【正義】卑、音壁、劉伯莊及韋昭如字、【考證】卑耳、管子同、國語作辟耳、韋昭曰、山險、故縣鉤其車、偪束其馬而以度也、諸侯莫違寡人。寡人兵車之會三。【正義】左傳云、魯莊十三年、會北杏、以平宋亂、僖四年、侵蔡、遂伐楚、六年、伐鄭、圍新城也、乘車之會六、【正義】左傳云、魯莊十四年、會于鄄、十五年、又會鄄、十六年、同盟于幽、僖五年、會首止、八年、盟于洮、九年、會葵丘、是也、【考證】封禪書同、國語管子竝有此語、而莊廿七年穀梁傳云、衣裳之會十一、兵車之會四、愚按春秋傳桓公之會諸侯、不止於此、說詳于梁玉繩史記志疑十六卷、九合諸侯、一匡天下。【正義】匡、正也、一匡天下、謂定襄王爲太子之位也、一說、謂陽穀之會、令諸侯云、無障谷、無貯粟、無以妾爲妻、天下皆從之、謂一匡天下、【考證】中井積德曰、兵車之會、乘車之會、是後人揣摩解九合之辭、非實然、注云、一一分疏、非也、又曰、九合一匡、出于論語、是樊稱霸功之語、以爲自語則無味、九語數之多也、非實數、一匡、謂卒弭天下之亂也、非定襄王之謂、梁玉繩曰、論語九合、朱子據春秋傳糾合以爲古字通用、固是、而實則九合、猶左傳夷于九縣、公羊叛者九國、不必改九爲糾、九之爲言多也、丹鉛錄云、九爲陽數之極、書傳稱九者、皆極言之、此解甚愜、若必求以實之、則左傳之九縣、乃十一國、公羊之九國、惟厲叛命、何以言九、推之楚詞九歌有十一篇、顏之推還冤志引周春秋曰、左儒九諫而王不聽、孫子云、善攻者動于九天之上、善守者伏于九地之下、以及九原九泉之類、莫不皆然、昔三代受命、有何以異於此乎。【考證】桓公稱曰以下、本管子小匡篇、國語齊語亦載此事、而

不爲桓公語、中井積德曰、何字宜在有字之上、此恐傳寫之譌、愚案、有讀爲又、或云、當作者、管子作昔三代之受命者其異於此乎、吾欲封泰山、禪梁父。管仲固諫。不聽。乃說桓公以遠方珍怪物至乃得封。桓公乃止。【考證】吾欲封泰山以下、盍本管子封禪篇、說既具封禪書、三十八年、周襄王弟帶、與戎翟合謀伐周。齊使管仲平戎於周。周欲以上卿禮管仲。管仲頓首曰。臣陪臣、安敢。【考證】杜預曰、諸侯之臣曰陪臣也、陪、重也、其君已爲王臣、己又爲王臣之臣、故對王曰重臣也、李笠曰、上臣字疑衍、周紀與左傳竝無、三讓、乃受下卿禮以見。【考證】僖十二年左傳、三十九年、周襄王弟帶來奔齊。齊使仲孫請王爲帶謝。襄王怒弗聽。【考證】僖十二十三年左傳、梁玉繩曰、叔帶奔齊、在桓公三十八年、此在三十九年、與周紀年表書于三十七年同誤、四十一年、秦穆公虜晉惠公。復歸之。【考證】僖十五年左傳、是歲管仲・隰朋皆卒。【正義】括地志云、管仲冢在青州臨淄縣南二十一里牛山上、與桓公冢連、隰朋墓在青州臨淄縣東北七里也、【考證】管子戒篇云、管仲卒、後十月隰朋亦卒、管仲病、桓公問曰。

羣臣誰可相者。管仲曰。知臣莫如君。【考證】通俗編云、管子大匡篇鮑叔曰、先人有言、知子莫若父、知臣莫若君、左傳僖七年令尹子文曰、古人有言、知臣莫若君、晉語祁奚曰、人有言、擇臣莫若君、擇子莫若父、戰國策趙武靈王謂周紹曰、選子莫若父、論臣莫若君、公曰。易牙如何。【正義】雍巫、雍人名巫、易牙也、賈逵云、對曰。殺子以適君。非人情。不可。公曰。開方如何。對曰。倍親以適君。非人情。難近。【集解】管仲曰、衞公子開方、去其千乘之太子、而臣事君也、【考證】集解據管子戒篇、公曰。豎刁如何。【正義】刁、鳥條反、顏師古云、豎刁易牙、皆齊桓公臣、管仲有病、桓公往問之曰、將何以教寡人、管仲曰、願君遠易牙豎刁、公曰、易牙烹其子以快寡人、尚何疑邪、對曰、人之情非不愛其子也、其子之忍、又將何愛於君、公曰、豎刁自宮以近寡人、猶尚疑邪、對曰、人之情非不愛其身也、其身之忍、又將何有於君、公曰、諾、管仲遂盡逐之、而公食不甘、心不怡者三年、公曰、仲父不已過乎、於是皆卽召反、明年公有病、易牙豎刁相與作亂、塞宮門、築高牆、不通人、有一婦人、踰垣入至公所、公曰、我欲食、婦人曰、吾無所得、公曰、我欲飲、婦人曰、吾無所得、公曰、何故、曰、易牙豎刁相與作亂、塞宮門、築高牆、不通人、故無所得、公慨然歎、涕出曰、嗟乎聖人所見、豈不遠哉、若死者有知、我將何面目見仲父乎、蒙衣袂而死乎壽宮、蟲流於戶、蓋以楊門之扇、二月不葬也、【考證】顏說蓋節錄呂氏春秋知接篇、中井積德曰、豎人也、閹豎也、桓公雖愚、豈有相之意哉、此問答蓋後人之附益耳、注所引稍近理、對曰。自宮以適君。非

人情。難親。管仲死、而桓公不用管仲言。卒近用三子。三子專權。【考證】管仲病以下、本韓非子難一、梁玉繩曰、管子戒篇列子力命、莊子徐無鬼、呂氏春秋貴公、韓子十過、皆言管仲將死、桓公問管仲欲相鮑叔、管仲以爲不可、惟隰朋可、又諫桓公去三子、亦見管小稱、韓非難一、呂知接、固兩事也、史略不具、且述三子事、亦不明晰、或問上文言是歲管仲隰朋皆卒、而說苑復恩篇言鮑叔先管仲死、與管子諸書不同、何故、曰、朋之卒、後仲十月、見管子戒篇、故仲歿時猶薦之、若說苑管仲哭鮑叔之事、前不賢曾辨其非、然韓子十過篇載桓公與管仲問答語云、居一年餘管仲死、安知鮑叔之卒不在此一年中乎、穀梁于僖十二年云、管仲死、非也、四十二年、戎伐周。周告急於齊。齊令諸侯各發卒戍周。【考證】僖十六年左傳、是歲、晉公子重耳來。桓公妻之。【考證】僖二十三年左傳、四十三年、初齊桓公之夫人三。曰王姬・徐姬・蔡姬。皆無子。【索隱】案系本徐嬴姓、禮婦人稱國及姓、今此言徐姬者、然姬是衆妾之總稱、故漢祿秩令云、姬妾數百、婦人亦總稱姬、姬亦未必盡是姓也、【考證】楓山三條本、三下有人字、中井積德曰、齊字疑衍、又曰、徐姬與上下二姬對、必是姓、非總稱之姬、下文亦皆稱姬、梁玉繩曰、徐本嬴姓、左傳作徐嬴、是也、桓公好內、【集解】服虔曰、內、婦官也、多內寵。如夫人者六人。長衞姬生無詭。【索隱】左傳作無虧也、【考證】梁玉繩曰、

詭虧古通、故人表亦作詭、少衞姬生惠公元。鄭姬生孝公昭。葛嬴生昭公潘。【考證】中井積德曰、昭公潘、以兄孝公之諱爲謚、可見古人避諱之不嚴、密姬生懿公商人。宋華子生公子雍。【集解】賈逵曰、宋華氏之女、子姓、桓公與管仲屬孝公於宋襄公、以爲太子。雍巫。【集解】賈逵曰、雍巫、雍人名巫、易牙字、【索隱】賈逵以雍巫爲易牙、未知何據、按管子有棠巫、恐與雍巫是一人也、【考證】雍饔通、此人爲掌食之官、有寵於衞共姬。因宦者豎刁以厚獻於桓公。亦有寵。桓公許之立無詭。【集解】杜預曰、易牙既有寵於公、爲長衞姬請立、【考證】左傳、共姬作恭姬、豎刁作寺人貂、共恭刁貂通、管仲卒、五公子皆求立。冬十月乙亥、齊桓公卒。易牙入、與豎刁因內寵殺羣吏、【集解】服虔曰、內寵如夫人者六人、羣吏、諸大夫也、杜預曰、內寵、內官之有權寵者、【考證】龜井昱曰、內寵主衞共姬言之、杜誤、而立公子無詭爲君。太子昭奔宋。【考證】四十三年以下、僖十八年左傳、桓公病、五公子各樹黨爭立。及桓公卒、遂相攻。以故宮中空、莫敢棺。【正義】音古患反、桓公尸在

牀上六十七日。尸蟲出于戶。【考證】晏子春秋諫上、桓公身死乎胡宮而不舉、蟲出而不收、韓非子十過篇、桓公身死、三月不收、蟲出於戶、呂氏春秋知接篇、桓公絕乎壽宮、蟲流出於戶、上蓋以楊門之扇、三月不葬、所傳不同、十二月乙亥、無詭立。乃棺赴。辛巳夜、斂殯。【集解】徐廣曰、斂、一作臨也、【考證】十二月以下、僖十八年左傳、左傳無斂字、桓公十有餘子、要其後立者五人。無詭立、三月死。無謚。次孝公。次昭公。次懿公。次惠公。孝公元年三月、宋襄公率諸侯兵送齊太子昭、而伐齊。齊人恐、殺其君無詭。齊人將立太子昭。四公子之徒攻太子。太子走宋。宋遂與齊人四公子戰。五月、宋敗齊四公子師、而立太子昭。是爲齊孝公。宋以桓公與管仲屬之太子、故來征之。以亂故、八月乃葬齊桓公。【集解】皇覽曰、桓公冢在臨菑城南七里所菑水南、【正義】括地志云、齊桓公墓在臨菑縣南二十一里牛山上、亦名鼎足山、一名牛首堈、一所二墳、晉永嘉末、人發之、初得版、次得水銀池、有氣不得入、經數日、乃牽犬入中、得金蠶數十薄、珠

襦、玉匣、繒綵、軍器、不可勝數、又以人殉葬、骸骨狼藉也、【考證】孝公元年以下、本僖十八年左傳、六年春、齊伐宋。以其不同盟于齊也。【集解】服虔曰、魯僖公十九年、諸侯盟于齊、以無忘桓公之德、宋襄公欲行霸道、不與盟、故伐之、【考證】僖廿三年左傳、夏、宋襄公卒。【考證】僖二十三年春秋經傳、七年、晉文公立。【考證】僖二十四年左傳、十年、孝公卒。【考證】僖二十七年春秋經傳、孝公弟潘、因衛公子開方、殺孝公子而立潘。是爲昭公。昭公、桓公子也。其母曰葛嬴。【考證】立下潘字疑衍、且與上文複、因衛公子開方、又見年表、昭公元年、晉文公敗楚於城濮。【正義】賈逵云、衛地也、【考證】今山東曹州府濮州南有臨濮故城、卽春秋城濮、梁玉繩曰、此事三傳不載、葢別有所本也、而會諸侯踐土、朝周。【正義】括地志云、故王宮在鄭州滎澤縣西北四十五里王宮城中、城內東隅、有踐土臺也、【考證】今滎澤縣屬河南開封府、天子使晉稱伯。【正義】音霸、【考證】晉文公以下、左傳僖二十八年、中井積德曰、伯音如字、是西伯侯伯之伯、六年、翟侵齊。晉文公卒。【考證】杭世駿曰、左傳文公卒于齊昭之五年、在翟侵齊之前、此作六年誤、秦兵敗於殽。【考證】僖卅三年春秋經傳、殽在今河南河南府永寧縣、十二年、秦穆公卒。

三三

【考證】文六年左傳、十九年五月、昭公卒。【考證】昭公卒、春秋經傳在魯文十四年、十九年當作二十年、子舍立、爲齊君。舍之母無寵於昭公。國人莫畏。昭公之弟商人、以桓公死、爭立而不得、陰交賢士、附愛百姓。百姓說。及昭公卒、子舍立孤弱。卽與衆。【考證】楓山、三條本、與作興、十月、卽墓上弑齊君舍、而商人自立。是爲懿公。懿公、桓公子也。其母曰密姬。【考證】子舍立以下、本文十四年左傳、左傳云、秋七月乙卯夜、齊商人殺舍、則十月當作七月、卽墓上、史公別有所本、董份曰、上既曰某姬生某公矣、則此復曰其母曰某姬、恐衍、葢太史公不及刪者、懿公四年春、初懿公爲公子時、與丙戎之父獵、爭獲不勝。【集解】左傳丙、作邴、邴歜也、【考證】梁玉繩曰、年表及衛世家作邴歜、與左傳楚語同、愚按獵爭獲、不勝、左傳作爭田而不勝、史公解田爲田獵也、及卽位、斷丙戎父足。【正義】左傳云、乃掘而刖之、杜預云、斷其尸足也、而使丙戎僕。【集解】賈逵曰、僕、御也、庸職之妻好。【索隱】左傳作閻職、此言庸職、不同者、傳所云閻、姓、職、名也、此言庸職、庸非姓、葢謂受顧織之妻、史意不同、字則異耳、【正義】國語及左傳、作閻職、【考證】錢大昕曰、庸

三四

閻聲相近、書、毋若火始燄燄、漢書作庸庸、公內之宮、使庸職驂乘。【考證】杜預曰、驂乘、陪乘也、五月、懿公游於申池。【集解】杜預曰、齊南城西門、名申門、齊城無池、唯此門左右有池、疑此是也、左思齊都賦注曰、申池、海濱、齊藪也、【考證】中井積德曰、索隱申池齊藪、未知當否、然言游於申池、則是山川風景佳處、或是苑囿矣、必非城湟、二人浴戲。職曰、斷足子。戎曰、奪妻者。二人俱病此言。乃怨、謀與公游竹中。二人弑懿公車上、弃竹中而亡去。懿公之立、驕。民不附。齊人廢其子、而迎公子元於衛立之。是爲惠公。惠公、桓公子也。【考證】初懿公以下、文十八年左傳、其母衛女、曰少衛姬。避齊亂。故在衛。【考證】何焯曰、五公子事、至此完、惠公二年、長翟來。【集解】穀梁傳曰、身橫九畝、斷其首而載之、眉見於軾、【正義】夏時號房風、今號長翟、【考證】左傳爲齊襄公二年事、誤、說詳下文、王子城父攻殺之、【集解】賈逵曰、王子城父、齊大夫、【正義】父、音甫、埋之於北門。【考證】文十一年左傳云、冬十月甲午、敗狄于鹹、獲長狄僑如、富父終甥摏其喉以戈、殺之、埋其首於子駒之北門、晉之滅潞也、獲僑如之弟焚如、魯宣十五年、齊襄公之二年、魯桓十六年、鄋瞞伐齊、齊王子成父獲其弟榮如、埋其首於周首之北門、衞人獲其季

三五

弟簡如、杜注、榮如、焚如之弟也、焚如後死、而先說者、欲其兄弟伯季相次也、榮如以魯桓十六年死、至宣十五年一百三歲、其兄猶在、傳言既長且壽也、陸粲曰、魯世家引此傳文、作齊惠公之二年、齊世家年表竝同、惠之二年、卽魯宣公二年也、知此傳寫誤、愚按豈有弟見獲而百有三年、其兄尚能爲冠者乎、陸說是、左傳齊襄公當依史記作齊惠公、史公所見左傳未誤、晉趙穿弑其君靈公。【考證】宣二年左傳、十年、惠公卒。子頃公無野立。【正義】頃、音傾、初崔杼有寵於惠公。惠公卒。高・國畏其偪也、逐之。崔杼奔衛。【考證】宣十年左氏經傳、杜預曰、高國二家、齊正卿也、竹添光鴻曰、崔杼此年奔衛、至魯襄公廿五年弑莊公、相距五十一年、又二年自縊、說者或有疑其年歲者、不知崔杼便佞性生、弱冠已擅寵也、頃公元年、楚莊王彊伐陳。【考證】宣十一年左氏經傳、二年、圍鄭。鄭伯降。已復國鄭伯。【考證】宣十二年左傳、楓山、三條本、國作圍、六年春、晉使郤克於齊。齊使夫人帷中而觀之。郤克上。夫人笑之。【考證】杜預曰、跛而登階、故笑也、杜葢據穀梁傳、公羊及晉世家所言微異、郤克曰、不是報、不復涉河。歸請伐齊。齊使至晉。郤克執齊使者四人河內、殺之。【考證】杭世駿

三六

曰、左傳及年表、在頃七年、爲魯宣十七年、此誤、梁玉繩曰、宣十七年左傳、晉徵會于齊、使高固晏弱蔡朝南郭偃會、高固先逃歸、晉執三子、及苗賁皇言于晉侯、以緩、得先後逸去、何嘗有殺四人于河內之事、史通已糾其謬矣、 八年、晉伐齊。齊以公子彊質晉。晉兵去。【考證】宣十八年左傳、 十年春、齊伐魯·衛。【考證】梁玉繩曰、齊頃十年、爲魯成二年、乃衛侵齊而敗、衛世家同、齊未嘗有伐衛之事也、 魯·衛大夫如晉請師。皆因郤克。【索隱】成二年左傳、魯臧宣叔衛孫桓子如晉、皆主於郤克、是、 晉使郤克以車八百乘爲中軍將、【集解】賈逵曰、八百乘、六萬人、 士燮將上軍、欒書將下軍、以救魯·衛伐齊。【考證】梁玉繩曰、案左傳、士燮是佐上軍、將上軍者荀庚也、時庚不出、 六月壬申、與齊侯兵合靡笄下。【集解】徐廣曰、靡、一作摩、賈逵曰、靡笄、山名也、【索隱】靡如字、靡笄山名、在濟南、與代地磨笄山不同、 癸酉、陳于鞌。【集解】服虔曰、鞌、齊地名也、 逢丑父爲齊頃公右。【集解】賈逵曰、丑父、齊大夫、 頃公曰、馳之。破晉軍會食。射傷郤克。流血至履。克欲還入壁。其御曰、我始入再傷、不敢言疾。恐懼士卒。願子忍之。遂復戰。戰齊

急。【考證】毛本、不重戰字、 丑父恐齊侯得、乃易處。頃公爲右。車絓於木而止。【正義】絓、胡卦反、止也、有所礙也、 晉小將韓厥、【考證】左傳云、韓厥爲司馬、 伏齊侯車前曰、寡君使臣救魯·衛。戲之。【考證】左傳云、韓厥執縶馬前、再拜稽首奉觴加璧以進、未嘗見戲侮之事、岡白駒曰、戲、三軍之偏也、言爲偏將也、 丑父使頃公下取飲。【正義】左傳云、及華泉、驂絓於木而止、丑父使公下如華泉取飲、鄭周父御佐車、菀茷爲右、載齊侯獲免也、 因得亡脫去入其軍。晉郤克欲殺丑父。丑父曰、代君死而見僇。後人臣無忠其君者矣。克舍之。【正義】舍、音捨、左傳云、郤子曰、人不難以死免其君、我戮之不祥、赦之以勸事君也、 丑父遂得亡歸齊。於是晉軍追齊至馬陵。【集解】徐廣曰、一作陘、駰案、賈逵曰、馬陘、齊地也、【考證】陵作陘是也、左傳作馬陘、馬陵非齊地、 齊侯請以寶器謝。【集解】左傳曰、賂以紀甗玉磬也、【正義】左傳云、賂以紀甗玉磬、按甗、玉甑也、齊伐紀得之、故曰紀甗、鄭司農云、甗、無底甑也、 不聽。必得笑克者蕭桐叔子、【集解】杜預曰、桐叔、蕭君之字、齊侯外祖父、子、女也、難斥言其母、故遠言之、賈逵曰、蕭、附庸、子姓、【考證】左傳無笑克者三字、史公添此、以見在帷笑者爲何人、然郤克大國之卿、中軍之

將、以君命接敵使、不宜及其私怨、必無此言也、左傳、桐作同、 令齊東畝。【集解】服虔曰、欲令齊隴畝東行、【索隱】壟畝東行、則晉車馬東向齊、行易也、 對曰、叔子、齊君母。齊君母亦猶晉君母。子安置之。【考證】左傳載齊使陳東畝之失、甚悉、史公省之者何也、李笠曰、疑且子二語上下、有脫文、 且子以義伐、而以暴爲後。其可乎。於是乃許令反魯·衛之侵地。【正義】左傳云、晉師及齊國使齊人歸我汶陽之田也、【考證】齊伐魯衛以下、本成二年左傳、中井積德曰、正義、國下脫佐盟于爰婁五字、 十一年、晉初置六卿、賞鞌之功。【考證】成三年左傳云、十二月甲戌、晉作六軍、韓厥趙括鞏朔韓穿荀騅趙旃皆爲卿、賞鞌之功也、 齊頃公朝晉、欲尊王晉景公。【索隱】王劭按張衡曰、禮、諸侯朝天子、執玉、既授而反之、若諸侯自相朝、則不授玉、齊頃公戰敗朝晉、而授玉、是欲尊晉侯爲王、太史公探其旨而言、今按此文、不云授玉、王氏之說、復何所依、聊記異耳、【考證】成三年左傳、齊侯朝于晉、將授玉、郤克趨進曰、寡君未之敢任、杜注、授玉行朝禮也、孔疏、此時天子雖微、諸侯竝盛、晉文不敢請隧、楚莊不敢問鼎、又齊弱於晉、所較不多、豈爲一戰而勝、卽以王相許、準時度勢、理不必然、齊侯朝於晉、將授玉、遷之意所以有此說者、當讀此傳將授玉、以爲將授王、遂飾爲此謬辭耳、梁玉繩曰、諸侯相朝授玉、春秋之禮爲然、成六年、鄭伯如晉、授玉東楹之東、乃知是時相朝授玉、無國不然、若授玉之故、便謂尊王、是鄭悼公亦欲尊晉景公爲王乎、張說不可通矣、 晉景公

不敢受。乃歸。【考證】梁玉繩曰、左傳疏及困學紀聞十一引史、不敢受、作不敢當、疑今本誤、 歸而頃公弛苑囿、薄賦斂、振孤問疾、虛積聚以救民。民亦大說。厚禮諸侯。竟頃公卒、百姓附、諸侯不犯。【考證】成八年公羊傳云、鞌之戰、齊師大敗、齊侯歸、弔死視疾、七年不飲酒、不食肉、 十七年、頃公卒。【集解】皇覽曰、頃公冢、近呂尙冢、【考證】成九年春秋、 子靈公環立。靈公九年、晉欒書弒其君厲公。【考證】成十八年左氏經傳、 十年、晉悼公伐齊。齊令公子光質晉。【考證】襄元年左傳、公子作太子、 十九年、立子光爲太子。高厚傅之。令會諸侯、盟於鍾離。【正義】括地志云、鍾離故城、在沂州承縣界、【考證】襄十年左傳、愚按光爲太子既久、今安徽鳳陽縣東有鍾離故城、 二十七年、晉使中行獻子伐齊。【索隱】荀偃祖林父、代爲中行、後改姓爲中行氏、獻子名偃、【考證】中井積德曰、中行族耳、未嘗廢荀氏、豈改姓云乎、 齊師敗。靈公走入臨菑。晏嬰止靈公。靈公弗從。曰、君亦無勇矣。【考證】梁玉繩曰、案左傳、晏子有君固無勇語、乃逆料之辭、未嘗止靈公之走也、 晉兵遂圍臨菑。臨菑城

守不敢出。晉焚郭中而去。【考證】以上襄十八年左傳。　二十八年、初靈公取魯女、生子光以爲太子。仲姬戎姬。【考證】左傳云、諸子、仲子、戎子、諸子謂宮人也。董份曰、爲太子下、即著仲姬戎姬、恐有脫字。陳仁錫曰、仲姬戎姬不言取、蒙上文也。梁玉繩曰、依上文取魯女之例、當脫取宋女三字、而二姬字、又子之誤。　戎姬嬖。仲姬生子牙、屬之戎姬。戎姬請以爲太子。公許之。仲姬曰、不可。光之立、列於諸侯矣。【集解】服虔曰、數從諸侯征伐盟會。　今無故廢之、君必悔之。公曰、在我耳。遂東太子光、【集解】賈逵曰、徙之東垂也。　使高厚傅牙爲太子。靈公疾。崔杼迎故太子光而立之。是爲莊公。莊公殺戎姬。五月壬辰、靈公卒、莊公即位。執太子牙於句竇之丘殺之。八月、崔杼殺高厚。晉聞齊亂、伐齊至高唐。【集解】杜預曰、高唐、在祝阿縣西北。【考證】以上本襄十九年左傳。張照曰、按左傳莊公即位、執公子牙于句瀆之丘、以夙沙衛異己、衛奔高唐以叛、晉士匄侵齊、及穀、聞喪而還、此皆在崔杼殺高厚前、爲五月事、馬遷并二事爲一、又有晉使至高唐之文、

皆與傳異。　莊公三年、晉大夫欒盈奔齊。【集解】徐廣曰、史記盈多作逞。【考證】錢泰吉曰、史記當避孝惠諱、諸盈字皆當作逞。梁玉繩曰、年表田完世家皆作逞。張文虎曰、案如徐廣說、則當時已有改作盈者矣。　莊公厚客待之。晏嬰・田文子諫。公弗聽。【考證】梁玉繩曰、襄廿年左傳、晏子諫納欒盈、弗聽、退告陳文子、而文子未嘗諫也、此與田完世家同誤。　四年、齊莊公使欒盈閒入晉曲沃爲內應。【集解】賈逵曰、曲沃、欒盈之邑。　以兵隨之、上太行、入孟門。【集解】賈逵曰、孟門、太行、皆晉山隘也。【索隱】孟門山、在朝歌東北、太行山、在河內溫縣西。【正義】左傳云、伐晉爲二隊、入孟門、登太行。　欒盈敗、齊兵還取朝歌。【集解】賈逵曰、晉邑。【考證】襄二十三年左傳。　六年、初棠公妻好。【集解】賈逵曰、棠公、齊棠邑大夫。　棠公死。崔杼取之。莊公通之、數如崔氏。以崔杼之冠賜人。侍者曰、不可。崔杼怒、因其伐晉、欲與晉合謀襲齊、而不得閒。【考證】李笠曰、左氏襄公二十五年傳、侍者曰、不可、公曰、不得崔氏、其無冠乎、崔氏因此云云、此不可下、無公語、則文氣不完、疑或脫公不聽三字。　莊公嘗笞宦者賈舉。賈舉復侍、爲崔杼閒公、以報

怨。【集解】服虔曰、伺公閒隙。【正義】閒、音閑、又如字。　五月、莒子朝齊。齊以甲戌饗之。崔杼稱病不視事。乙亥、公問崔杼病、遂從崔杼妻。崔杼妻入室、與崔杼自閉戶不出。公擁柱而歌。【集解】服虔曰、公以爲姜氏不知己在外、故歌以命之也。一曰、公自知見欺、恐不得出、故歌以自悔。【考證】梁玉繩曰、此當依左傳、作姜與崔子自側戶出、若閉戶不出、則公知有變、必不拊楹而歌矣、列女傳依史。　宦者賈舉遮公從官而入、閉門。崔杼之徒、持兵從中起。公登臺而請解。不許。請盟。不許。請自殺於廟。不許。皆曰、君之臣杼、疾病不能聽命。【集解】服虔曰、言不能親聽公命。【考證】解、免也。皆、皆持兵者也。　近於公宮。【集解】服虔曰、崔杼之宮、近公宮、淫者或詐稱公。　陪臣爭趣、有淫者。【集解】徐廣曰、爭、一作扞。【索隱】左傳作扞趣、此爲爭趣者、是太史公變左氏之文、言陪臣但爭趣投有淫者耳、吏不知他命也。【正義】言行夜得淫人、受崔杼命討之、不知他命也、此言爭趣者、太史公變文、今依字讀、言陪臣但爭向有淫者捉之、吏不知他命也。【考證】梁玉繩曰、徐廣謂爭一作扞、是扞趣與左傳干掫同、杜預曰、干掫、行夜也。　不知二命。【集解】杜預曰、言得淫人、受崔子命討之、不知他命也。　公踰牆。射中公股。

公反墜。遂弒之。晏嬰立崔杼門外曰、【集解】賈逵曰、聞難而來。【考證】竹添光鴻曰、應閉門伏門開、　君爲社稷死則死之。爲社稷亡則亡之。【集解】服虔曰、謂以公義爲社稷死亡也、如是者、臣亦隨之死亡。　若爲己死己亡、非其私暱、誰敢任之。【集解】服虔曰、言君自以己之私欲取死亡之禍、則私近之臣所當任也。杜預曰、私暱、所親愛也、非所親愛、無爲當其禍也。【考證】楓山、三條本、死下有爲字、與左傳合。徐孚遠曰、莊公好勇、是變也、勇士從死者八人、故晏子云然。　門開而入、枕公尸而哭、三踊而出。【考證】踊、擗踊之踊。　人謂崔杼、必殺之。崔杼曰、民之望也。舍之得民。【集解】服虔曰、置之、所以得人心。【考證】以上襄二十五年左傳。　丁丑、崔杼立莊公異母弟杵臼。【集解】徐廣曰、史記多作箸臼。　是爲景公。景公母、魯叔孫宣伯女也。景公立、以崔杼爲右相、慶封爲左相。二相恐亂起、乃與國人盟曰、不與崔・慶者死。晏子仰天曰、嬰所不獲唯忠於君利社稷者是從。【考證】左傳作嬰所不唯忠於君利社稷者是與、有如上帝、史不唯間有獲字、是與、改作

是從、張文虎曰、獲字、疑衍、左傳無、愚按所不誓辭常語、是從、猶言從若是人、與有如上帝、文異義合、不肯盟。【考證】不肯盟、不從崔氏盟辭也、左傳作乃歃、慶封欲殺晏子。崔杼曰。忠臣也。舍之。【考證】梁玉繩曰、慶封欲殺晏子、未聞、齊太史書曰。崔杼弑莊公。崔杼殺之。其弟復書。崔杼復殺之。少弟復書。崔杼乃舍之。【考證】襄二十五年左傳、莊公作其君、梁玉繩曰、左傳云、其弟嗣書、而死者二人、如史言、則不見是二人矣、景公元年、【考證】梁玉繩曰、元當作二、崔杼生子成及彊。【考證】楓山、三條本、成作城、其母死。取東郭女生明。東郭女使其前夫子無咎與其弟偃相崔氏。【正義】杜預云、東郭偃、東郭姜之弟也、成有罪。【正義】左傳云、成有疾而廢之、杜預云、有惡疾也、二相急治之。立明爲太子。成請老於崔杼。【考證】梁玉繩曰、卿之後、何得稱爲太子、史公失辭、陳仁錫曰、崔、邑名、杼字衍、左傳無杼字、張文虎曰、吳校刪杼字、崔杼許之。二相弗聽。曰。崔、宗邑。不可。【集解】杜預曰、濟南東朝陽縣西北、有崔氏城也、【正義】崔杼乃崔家長、其宗邑宗廟所在、不可與成也、杜預云、濟南東朝陽縣西北有崔氏城、成欲居崔城以終老也、成·彊怒告慶封。【正義】左傳云、成彊

告慶封曰、夫子身亦子所知也、唯無咎與偃是從、父兄莫能進矣、恐害夫子、敢以告、慶封曰、苟利夫子、必去之、難、吾助汝、乃殺東郭偃棠無咎於崔氏朝也、其妻及崔杼皆縊死、崔明、奔魯、慶封與崔杼有郤。欲其敗也。成·彊殺無咎·偃於崔杼家。家皆奔亡。崔杼怒。無人。使一宦者御、見慶封。慶封曰。請爲子誅之。使崔杼仇盧蒲嫳攻崔氏。【集解】賈逵曰、嫳、齊大夫、慶封之屬、【考證】左傳無崔杼仇三字、梁玉繩曰、嫳乃慶封之屬、何以爲崔杼仇、莊公之難、盧蒲癸奔晉、意者嫳與癸或兄弟行、故以爲仇乎、初殺成·彊、盡滅崔氏。崔杼婦自殺。崔杼毋歸。亦自殺。【索隱】毋、音無也、【考證】楓山、三條本、崔杼下有歸字、慶封爲相國、專權。【考證】以上本襄二十七年左傳、梁玉繩曰、相國之稱誤、是時無此官名、三年十月、慶封出獵。初慶封已殺崔杼、益驕。嗜酒好獵、不聽政令。慶舍用政。【集解】服虔曰、舍、慶封之子也、生傳其職政與子、【考證】中井積德曰、用政、亦唯代攝也、非生傳之謂、已有內郤。田文子謂桓子曰。亂將作。【考證】田文子、左傳作陳文子、桓子、文子之子無宇也、田·鮑·高·欒氏相與謀慶氏。慶舍發甲圍

慶封宮。【正義】宮爲衛、【考證】方苞曰、圍慶封宮、圍繞以爲衛也、愚按左傳云、慶氏以其甲環公宮、與此異、四家徒共擊破之。【考證】左傳云、盧蒲癸刺慶舍、史脫、慶封還不得入。奔魯。齊人讓魯。封奔吳。吳與之朱方。聚其族而居之。富於在齊。【考證】本襄二十八年左傳、小異、其秋、齊人徙葬莊公、僇崔杼尸於市以說衆。【考證】秋當作冬、襄二十八年左傳、爲十二月乙亥朔事、九年、景公使晏嬰之晉。與叔向私語曰。齊政卒歸田氏。田氏雖無大德、以公權私有德於民。民愛之。【考證】景公以下、昭三年左傳、十二年、景公如晉見平公。欲與伐燕。【考證】梁玉繩曰、魯昭公六七兩年左傳、齊侯如晉請伐燕納簡公、晉許之、齊受燕賂、不克入其君而還、而齊世家云、景公如晉見平公、欲與伐燕、晉世家云、伐燕、燕世家又云、齊高偃如晉請共伐燕、晉許、與齊伐燕、入惠公、惠當作簡、十二諸侯年表亦云、入燕君、未知何據、伐燕二役、齊侯往晉自請、不得言高偃如晉、齊受賂不克入、亦不得言入其君矣、而晉實未嘗同齊出師、尤不得言晉伐燕、十八年、公復如晉見昭公。【考證】昭十二年左傳、二十六年、獵魯郊、因入魯、與晏嬰俱問魯禮。

【考證】魯世家、孔子世家、年表、竝載此事、而左傳無之、三十一年、魯昭公辟季氏難奔齊。齊欲以千社封之。【集解】賈逵曰、二十五家爲一社、千社、二萬五千家也、子家止昭公。昭公乃請齊、伐魯取鄆。【正義】鄆、城也、【考證】杜預曰、子家羈、莊公之玄孫也、岡白駒曰、子家教昭公不受也、愚按楓山、三條本、重齊字、以居昭公。【考證】昭廿五年左傳、梁玉繩曰、千社之封、齊侯之口惠、何待子家之止、子家勸公至晉耳、伐鄆居昭公、亦齊之意、非公請之也、三十二年、彗星見。景公坐柏寢嘆曰。堂堂。誰有此乎。【集解】服虔曰、景公自恐德薄不能久享齊國、故曰、誰有此也、【正義】柏寢、在青州千乘縣東北二十里、韓子云、景公與晏子游於少海、登柏寢之臺、而望其國、公曰、美哉堂堂乎、後代孰有此、晏子曰、其田氏乎、曰、寡人有國、而田氏有之奈何、對曰、君欲奪之、則近賢遠不肖、治其煩亂、緩其刑罰、賑窮乏、卹孤寡、行恩惠、崇節儉、雖十田氏、其如君何、蓋與此文不同也、【考證】梁玉繩曰、堂堂、御覽引史作堂乎堂乎、韓子外儲篇右上作堂堂乎、岡白駒曰、堂堂、整正貌、言室美盛也、中井積德曰、誰有此、自悲命之不長也、羣臣皆泣。晏子笑。公怒。晏子曰。臣笑羣臣諛甚。景公曰。彗星出東北、當齊分野。寡人以爲憂。【考證】分野、古謂王者封國、上應列宿之位、周禮春官保章氏、掌天星以志星辰日月之變動、以觀天下之遷、辨其吉凶、以星土辨九州之地所封、封域

皆有分星、以觀天祥、鄭玄注、九州諸國之封域、於星有分、今可言者十二次之分也、星紀、吳越也、玄枵、齊也、訾娵、衛也、降婁、魯也、大梁、趙也、實沈、晉也、鶉首、秦也、鶉火、周也、鶉尾、楚也、壽星、鄭也、大火、宋也、析木、燕也、國語周語、歲之所在、則我有周之分野、屬是也、晏子曰。君高臺深池、賦斂如弗得。刑罰恐弗勝。〔考證〕項羽紀、殺人如不能擧、刑人如恐不勝、韓非子難二、治亂之刑、如恐不勝、而姦當不盡、茀星將出。〔正義〕茀音佩、謂客星侵近邊側欲相害、〔考證〕錢大昕曰、茀卽孛字、中井積德曰、茀如彗而光芒四出、彗星何懼乎。〔正義〕彗、息歲反、若帚形、見其境、有亂也、公曰。可禳否。晏子曰。使神可祝而來、亦可禳而去也。〔正義〕祝、音章受反、百姓苦怨以萬數。而君令一人禳之。安能勝衆口乎。是時景公好治宮室、聚狗馬、奢侈厚賦重刑。故晏子以此諫之。〔考證〕梁玉繩曰、禳彗星、歎路寢、見左傳昭二十六年、及晏子諫篇外篇、泣牛山、見晏子諫篇、列子力命篇、是三事也、史公幷爲一事、而變易其辭耳、愚按又見韓非子外儲說右上、四十二年、吳王闔閭伐楚入郢。〔考證〕定四年左氏經傳、四十七年、魯陽虎攻其君不勝。奔齊。請齊伐魯。鮑子諫景公。乃囚陽虎。陽虎得

亡奔晉。〔考證〕定八年左傳、梁玉繩曰、虎欲去三桓、遂有劫公之事、非攻君也、或曰、其君、陽虎之君、指季氏、四十八年、與魯定公好會夾谷。〔集解〕服虔曰、東海祝其縣是也、犂鉏〔索隱〕且、卽餘反、卽犂彌也、曰。孔丘知禮而怯。請令萊人爲樂。〔集解〕杜預曰、萊人、齊所滅萊夷、因執魯君、可得志。景公害孔丘相魯。懼其霸。〔考證〕中井積德曰、據左傳、孔子相會儀耳、無爲國相之事、故從犂鉏之計。方會進萊樂。孔子歷階上、使有司執萊人斬之。〔考證〕歷階、不聚足也、中井積德曰、據左傳、孔子言士兵之、而齊侯遽辟之也、非實斬之、以禮讓景公。景公慙、乃歸魯侵地以謝、而罷去。〔考證〕定十八年左傳、歷階上、據穀梁傳、是歲晏嬰卒。〔考證〕梁玉繩曰、是歲爲景公四十八年、嬰先景十年卒也、然說苑君道載、景公謂弦章曰、吾失晏子、于今十有七年、則嬰又似非卒于是歲矣、五十五年、范·中行反其君於晉。〔考證〕楓山、三條本、行下有氏字、晉攻之急。來請粟。田乞欲爲亂、樹黨於逆臣、說景公曰。范·中行數有德於齊。不可不救。乃使乞救、而輸之粟。〔考證〕梁玉

繩曰、哀二年左傳云、齊輸范氏粟、范吉射逆之、此與田完世家及年表、皆增中行氏、非也、又曰、齊時叛晉、故助范中行、非因陳乞黨逆而然、此與田完世家同誤、五十八年夏、景公夫人燕姬適子死。景公寵妾芮姬生子荼。〔索隱〕左傳曰、鬻姒之子荼嬖、則荼母姓姒、此作芮姬、不同也、譙周依左氏作鬻姒、鄒誕生本作芮姁、姁、音五句反、〔考證〕梁玉繩曰、此文因景公之卒、而追敍前事、非當年事也、然承接欠明、荼母姒姓、非芮姓也、應依左傳作芮姒、下文孺子、亦與田完世家同誤、徐廣于彼云、一作粥子、索隱于此云、鄒誕本作芮姁、皆非、晏子諫篇上、淳于人納女于景公、生孺子荼、荼少、其母賤無行。諸大夫恐其爲嗣。乃言願擇諸子長賢者爲太子。景公老、惡言嗣事、又愛荼母、欲立之、憚發之口。乃謂諸大夫曰。爲樂耳。國何患無君乎。秋、景公病。命國惠子·高昭子、〔集解〕杜預曰、惠子、國夏也、昭子、高張也、立少子荼爲太子。逐羣公子、遷之萊。〔集解〕服虔曰、萊、齊東鄙邑、〔考證〕今山東登州府黃縣東有萊子城、徐孚遠曰、高國、命卿也、而受不正之命、蹈荀息之禍、蓋天啓田氏也、景公卒。〔集解〕皇覽曰、景公冢與桓公冢同處、太子荼立。是爲晏孺子。冬、未葬。而羣公子畏誅、皆出亡。

荼諸異母兄公子壽·〔索隱〕一作嘉、〔考證〕左傳作嘉、駒·黔、〔正義〕三公子、奔衛。〔集解〕徐廣曰、一云、壽·黔奔衛、〔索隱〕三人奔衛、公子駔·〔索隱〕左傳作鉏、陽生奔魯。〔索隱〕二人奔魯、凡五公子也、萊人歌之曰。景公死乎。弗與埋。三軍事乎。弗與謀。〔集解〕服虔曰、萊人見五公子遠遷鄙邑、不得與景公葬埋之事、及國三軍之謀、故愍而歌、杜預曰、稱諡蓋葬後而爲此歌、哀羣公子失所也、〔考證〕龜井昱曰、稱景公死、所以爲萊夷之歌、受葬埋以三軍、是齊國兵氣之見於歌謠者也、竹添光鴻曰、不與謀、言置之于萊不用也、謀、音媒、古支灰合韻、師乎師乎、胡黨之乎。〔集解〕服虔曰、師、衆也、黨、所也、言公子徒衆何所適也、〔考證〕龜井昱曰、羣公子其黨瓜分、國之衆庶、其將何之邪、此歌言國將有羣公子之爭亂也、愚按黨非黨與之黨、服解爲是、公羊文十三年傳往黨注、黨所也、蓋齊人之語、又按五十八年以下、本哀五年左傳、晏孺子元年春、田乞僞事高·國者、〔考證〕事、猶黨也、杜預曰、高張國夏、受命立荼、陳乞欲害之、故先僞事焉、每朝乞驂乘。言曰。子得君。大夫皆自危。欲謀作亂。〔考證〕杜預曰、得君、得君寵也、又謂諸大夫曰。高昭子可畏。及未發先之。〔考證〕梁玉繩曰、生而呼諡、非也、此與田完世家同誤、當依左傳作二子、謂國惠子高昭子、傳曰、二子者禍矣、愚按、昭當作國、大夫從之。六

月、田乞·鮑牧、乃與大夫以兵入公宮。攻高昭子。昭子聞之、與國惠子救公。公師敗。田乞之徒追之。國惠子奔莒。遂反殺高昭子。晏圉奔魯。集解賈逵曰、圉、晏嬰之子、考證晏孺子元年以下、本哀六年左傳、梁玉繩曰、攷左傳、高張奔魯、則此與田完世家言陳乞反兵殺高張、竝妄、愚按、攻高昭子四字、遂反殺三字、疑衍、八月、齊秉意茲、集解徐廣曰、左傳八月、齊邴意茲奔魯、考證張文虎曰、齊字疑衍、中井積德曰、意茲下脫奔魯二字、梁玉繩曰、秉邴以音同通借也、田乞敗二相、考證中井積德曰、蓋指前事也、乃使人之魯召公子陽生。陽生至齊、私匿田乞家。十月戊子、田乞請諸大夫曰。常之母有魚菽之祭。集解何休曰、齊俗婦人首祭事、言魚豆者、示薄陋無所有也、考證何休曰、常、陳乞子、難言其妻、故云爾、梁玉繩曰、案左傳、是十月丁卯、愚按公羊不記月日、幸來會飲。會飲。田乞盛陽生橐中、置坐中央。發橐出陽生曰。此乃齊君矣。大夫皆伏謁。將與大夫盟而立之。考證田乞敗二相以下、哀六年公羊傳、鮑牧醉。乞誣大夫曰。吾與鮑

牧謀、共立陽生。鮑牧怒曰。子忘景公之命乎。諸大夫相視欲悔。陽生前頓首曰。可則立之。否則已。鮑牧恐禍起、乃復曰。皆景公子也。何爲不可。乃與盟立陽生。是爲悼公。悼公入宮、使人遷晏孺子於駘、殺之幕下、而逐孺子母芮子。集解賈逵曰、駘、齊邑、考證楓山、三條本、幕作墓、左傳云、遷孺子於駘、不至、殺諸野幕之下、芮子故賤、而孺子少。故無權。國人輕之。考證鮑牧醉以下、哀六年左傳、悼公元年、齊伐魯取讙·闡。集解杜預曰、闡、在東平剛縣北、索隱二邑名、讙、在今博城縣西南、杜預曰、闡、在東平剛縣北、考證梁玉繩曰、元年、當作二年、愚按、哀八年左傳、年表亦係之二年、初陽生亡在魯。季康子以其妹妻之。及歸卽位、使迎之。季姬與季魴侯通、言其情。魯弗敢與。集解杜預曰、魴侯、康子叔父也、考證龜井昱曰、季、季氏之季、非伯季之季、楓山、三條本、言上有女字、與左傳合、故齊伐魯。竟迎季姬。季姬嬖。齊復歸魯侵地。考證以上哀八年左傳、鮑子與悼公有郤、

不善。考證哀八年左傳云、悼公殺鮑子、與此異、四年、吳·魯伐齊南方。考證哀十年左氏經傳、鮑子弑悼公。考證梁玉繩曰、悼公之弑、左傳但云齊人、史公於秦紀依左傳、齊人弑悼公、齊人者陳恆也、晏子春秋諫上篇、明云田氏殺陽生、乃此與吳衛世家伍子胥傳年表、或云鮑子、或曰鮑氏、而田完世家、直曰鮑牧、夫弑君大逆、何可輕誣、況牧旣于前二年爲悼公所殺、赴于吳。吳王夫差哭於軍門外三日。考證竹添光鴻曰、三日哭于軍門之外、諸侯相臨之禮、將從海入討齊。齊人敗之。吳師乃去。考證馮景曰、三日哭以謀齊、使不備也、舟師自海、正三日間事也、晉趙鞅伐齊、至賴而去。集解服虔曰、賴、齊邑、考證赴于吳以下、哀十年左傳、齊人共立悼公子壬。是爲簡公。集解徐廣曰、年表云、簡公壬者、景公之子也、考證館本考證云、鮑子殺悼公、齊人立其子壬爲簡公、無景公之子語、徐孚遠曰、左傳亦作悼公子、且簡公非悼公子、則在魯而監止有寵、其事難通、沈家本曰、今年表云、齊鮑子殺悼公、齊人立其子任、爲簡公、與徐廣所言本異、豈後人據世家改耶、簡公四年春、初簡公與父陽生俱在魯也、監止有寵焉。集解賈逵曰、闞止、子我也、索隱監、左傳作闞、音苦濫反、闞在東平須昌縣東南也、考證張文虎曰、官本監、與索隱本合、各本作闞、蓋妄依左傳改、及卽位使爲政。田成子憚之、驟顧

於朝。集解杜預曰、心不安、故數顧也、御鞅集解賈逵曰、鞅、齊大夫也、索隱鞅、名也、爲僕御之官、故曰御鞅、亦田氏之族、按系本陳桓子無宇、產子亹、亹產子獻、獻產鞅也、言簡公曰。田·監不可竝也。君其擇焉。集解杜預曰、擇用一人也、弗聽。子我夕。集解服虔曰、夕省事、考證人臣見於君、朝見謂之朝、暮見謂之夕、左傳昭十二年、子革夕、杜云、夕、莫見、是也、田逆殺人。逢之。集解服虔曰、子我將往夕省事於君、而逢逆之殺人也、杜預曰、逆、子行、陳氏宗、遂捕以入。集解杜預曰、執逆入至於朝也、田氏方睦。集解服虔曰、陳常方欲謀有齊國、故和其宗族、考證中井積德曰、田氏纂齊、是後來之事、當初未必有此謀也、其好施睦族、亦自美事、不當皆作詐譎也、其欲昌其家而假飾收人心、亦才人之常、不以姦謀詬之、使囚病、而遺守囚者酒。集解服虔曰、使陳逆詐病而遺也、考證囚卽田逆、左傳云、使疾、而遺之潘沐、備酒食焉、饗守囚者、醉而殺之而逃、杜注、使詐病、因內潘沐、幷得內酒肉、潘、米汁、可以沐頭、醉而殺守者、得亡。子我盟諸田於陳宗。集解服虔曰、子我見陳逆得生出、而恐爲陳氏所怨、故與盟而請和也、陳宗、宗長之家、初田豹欲爲子我臣。集解賈逵曰、豹、陳氏族也、使公孫言豹。集解賈逵曰、公孫、齊大夫也、杜預曰、言介達之意、考證左傳豹作己、豹有喪而止。後卒以爲臣。集解杜預曰、終喪也、考證中井積德曰、左傳

有憚其爲人等語言、故審敘豹有喪等、以示其遲澁也、此削去下句則豹有喪等皆贅言矣、是節略之不善者、不可以爲法、幸於子我。子我謂曰。吾盡逐田氏而立女。可乎。對曰。我遠田氏矣。【集解】服虔曰、言我與陳氏宗疏遠也、【考證】楓山・三條本、謂下有豹字、中井積德曰、言我於陳氏爲庶孼遠裔也、且其違者不過數人。【集解】服虔曰、違者不從子我者、【考證】竹添光鴻曰、違與回通、邪也、何盡逐焉。遂告田氏。子行曰。彼得君。弗先必禍子。【集解】服虔曰、彼謂闞止也、子謂陳常也、子行舍於公宮。【集解】服虔曰、止於公宮、爲陳氏作內閒也、夏五月壬申、成子兄弟四乘如公。【集解】服虔曰、成子兄弟八人、二人共一乘、故曰四乘、【索隱】服虔曰、成子兄弟八人、二人共乘一車、故四乘、按系本、陳僖子乞產成子常・簡子齒・宣子其夷・穆子安・廩丘子尙醫茲・子芒盈・惠子得、凡七人、杜預又取昭子莊以充八人之數、按系本、昭子是桓子之子、成子之叔父、又不名莊、彊相證會、言四乘有八人耳、今按田完系家云、田常兄弟四人如公宮、與此事同、今此唯稱四乘、不云人數、知四乘謂兄弟四人乘車而入、非二人共車也、然共昆弟三人不見者、蓋時或不在、不同入公宮、不可彊以四乘爲八人、添叔父爲兄弟之數、服杜殊失也、【正義】杜預云、成子兄弟、昭子莊、簡子齒、宣子夷、穆子安、廩丘子意茲、子盈、惠子得、凡八人、二人共一乘也、田完世家云、田常兄弟四人如公宮、服虔・杜預云八人四乘者、未詳、【考證】中井積德曰、四乘、四人共一車、兄弟中未詳其爲誰、愚按、據田敬仲

世家、四下疑脫人字、子我在幄。【集解】杜預曰、幄、帳也、聽政之處也、出迎之。遂入閉門。【集解】服虔曰、成子兄弟見子我出、遂突入、反閉門、子我不得復入、宦者禦之。【集解】服虔曰、闞豎以兵禦陳氏、【考證】中井積德曰、宦者拒之、不聽閉耳、不必以兵、子行殺宦者。【集解】服虔曰、舍於公宮、故得殺之、公與婦人飲酒於檀臺。【集解】服虔曰、當陳氏入時、飲酒於此臺、成子遷諸寢。【集解】服虔曰、欲徙公令居寢也、公執戈將擊之。【集解】杜預曰、疑其作亂也、太史子餘【集解】服虔曰、齊大夫、曰。非不利也。將除害也。【集解】杜預曰、言將爲公除害也、【考證】非字下添爲公二字看、成子出舍于庫。【集解】杜預曰、以公怒故也、聞公猶怒、將出。【集解】服虔曰、出奔也、曰。何所無君。【考證】龜井昱曰、何事非君之意、子行拔劍曰。需、事之賊也。【集解】杜預曰、言需疑則害事、【正義】需、音須、待也、言疑惑待事、恐賊害起也、誰非田宗。【集解】杜預曰、言陳氏宗族衆多、【考證】龜井昱曰、陳氏多族、皆可以代爲陳宗也、杜誤、所不殺子者、有如田宗。【集解】杜預曰、言子若欲出、我必殺子、明如陳宗、【考證】龜井道載曰、以陳宗要誓也、杜誤、龜井昱曰、陳氏之子誰非代子爲陳宗者、需疑賊大事者、陳宗之所不赦、故誓之曰、自有陳宗在、斷不子活、乃止。子我歸屬徒、

【集解】服虔曰、會徒衆、攻闈與大門。【集解】宮中之門曰闈、大門、公門也、【考證】孔穎達曰、公宮非止一門、蓋從別門入兵、得至闈、故與大門竝攻也、皆弗勝。乃出。田氏追之。豐丘人執子我以告。【集解】賈逵曰、豐丘、陳氏邑也、殺之郭關。【集解】服虔曰、齊關名、成子將殺大陸子方。【集解】服虔曰、子方、子我黨、大夫東郭賈也、田逆請而免之、以公命取車於道、【集解】杜預曰、子方取道中行人車、出雍門。【集解】杜預曰、齊城門、【正義】臨淄北門名雍門也、田豹與之車。弗受曰。逆爲余請、豹與余車。余有私焉。事子我而有私於其讎、何以見魯・衞之士。【集解】服虔曰、子方將欲奔魯衞也、左傳曰、東郭賈奔衞、庚辰、田常執簡公于徐州。【集解】春秋作舒州、賈逵曰、陳氏邑也、【索隱】徐、音舒、其字從人、左氏作舒、舒、陳氏邑、說文作𨙸、𨙸在薛縣、【考證】田完世家正義云、齊之西北界上地名、愚按是時薛尙存、正義可從、公曰。余蚤從御鞅言、不及此。【考證】中井積德曰、是悔並陳闞以致禍也、田午、田常弒簡公于徐州。【考證】簡公四年春以下、采哀十四年左傳、崔述曰、高國既微、欒高又滅、鮑氏亡、而政遂盡歸於陳氏、簡公力右闞止、使與之抗、卒不能勝、於是陳氏得以盡翦其宗族黨羽於

內之百僚、外之都邑、久而其勢益固、是以遷康公於海上而莫之禁、田常乃立簡公弟驁。【索隱】系本及譙周、皆作敬、蓋誤也、是爲平公。平公卽位、田常相之、專齊之政。割齊安平以東爲田氏封邑。【集解】徐廣曰、年表云、平公之時、齊自是稱田氏、【索隱】安平、齊邑、按地理志、涿郡有安平縣也、平公八年、越滅吳。【考證】越滅吳、哀二十三年左傳、二十五年卒。子宣公積立。【考證】梁玉繩曰、表名就帀、或有二名、宣公五十一年卒。子康公貸立。田會反廩丘。【索隱】田會、齊大夫、廩邑名、東郡有廩丘縣也、【考證】梁玉繩曰、年表田完世家、會反在宣公五十一年、此書于康公元年、康公二年、韓・魏・趙始列爲諸侯。十九年、田常曾孫田和、始爲諸侯。遷康公海濱。【考證】梁玉繩曰、康侯以十四年遷、當安王十一年、不與田和爲侯同歲、田完世家是也、此與年表誤以遷海上爲十九年、二十六年、康公卒。呂氏遂絶其祀。田氏卒有齊國、爲齊威王、彊於天下。【考證】中井積德曰、威王是和之孫、是文似混同、豈脫文邪、或曰、爲字當作及、

太史公曰。吾適齊、自泰山屬之琅邪、北被于海、膏壤二千里。考證岡白駒曰、此言適齊所觀之地勢也、其民闊達多匿知。其天性也。考證漢書地理志云太公治齊、修道術、尊賢智、賞有功、故其士多好經術、矜功名、舒緩闊達而足智、其失夸奢朋黨、言與行繆、虛詐不情、參諸貨殖傳所述、可以知齊國風尚矣、以太公之聖建國本、考證岡白駒曰、謂通商工之業便漁鹽之利、桓公之盛修善政、以爲諸侯會盟、稱伯、不亦宜乎。洋洋哉固大國之風也。考證襄二十九年左傳、吳季札觀齊風曰美哉泱泱乎大風也哉、表東海者其太公乎國未可量也、愚按洋洋猶泱泱也、

索隱述贊太公佐周、實秉陰謀、既表東海、乃居營丘、小白致霸、九合諸侯、及溺內寵、釁鍾蟲流、莊公失德、崔杼作仇、陳氏專政、厚貨輕收、悼簡遘禍、田闞非儔、渢渢餘烈、一變何由、

齊太公世家第二　史記三十二

史記會注考證卷三十三

漢　太史令司馬遷撰

宋中郎外兵曹參軍裴駰集解

唐國子博士弘文館學士司馬貞索隱

唐諸王侍讀率府長史張守節正義

日本　出雲瀧川資言考證

魯周公世家第三　　史記三十三

考證史公自序云、依之違之、周公綏之、憤發文德、天下和之、輔翼成王、諸侯宗周、隱桓之際、是獨何哉、三桓爭彊、魯乃不昌、嘉旦金縢、作周公世家第三、何焯曰、前據詩書、

後據春秋、顧棟高曰、案魯在春秋、兼有九國之地、極項鄅郭根牟、魯所取也、向須句郚鄅、則郳莒滅之、而魯從而有之也、其疆域全有兗州府之曲阜寧陽泗水金鄉魚臺汶上濟寧州嘉祥八州縣之地、後兼涉滕縣鄒縣嶧縣、與郯接境、又泰安府之泰安縣、與齊接境、兼有新泰萊蕪二縣、沂州府治及費縣沂水縣、曹州府之鄆城縣、爲魯西鄆、鉅野縣爲獲麟處、城父縣單縣爲高魚邑、涉范縣界、又兼涉青州府之安邱諸城二縣、與莒接境、又河南陳州府項城縣、爲魯所滅項國地、又涉江南之海州、跨三省、共二十六州縣、其地平衍、無高山大川爲之限隔、無魚鹽之利、爲之饒沃、故終春秋之世、常畏齊而附晉、又其西南則宋鄭衞及郳莒杞鄫諸國地、犬牙相錯、祊易之鄭、防取之宋、須句取之邾、向郚取之莒、而邾則空其國都、致邾衆退保嶧山、與莒爭鄆無寧日、逮晉文分曹地、則有東昌府濮州西南、而越既滅吳、而與魯泗東方百里、地界稍稍擴矣、然終不能抗衡齊晉、豈特其君臣之孱弱、亦其地當走集、以守則不足以固、以攻則不足以取勝也、徒以周公之後、世爲望國、爲晉楚所重、故楚靈爲章華之臺、致魯侯以落之、好以大屈、至戰國時猶存、豈非周公之明德遠哉、

周公旦者、周武王弟也。集解譙周曰、以太王所居周地爲其采邑、故謂周公、索隱周、地名、在岐山之陽、本太王所居、後以爲周公之菜邑、故曰周公、卽今之扶風雍東北故周城是也、諡曰周文公、見國語、正義括地志云、周公城、在岐縣北九里、此地周之畿內、周公食采之地也、周公邵公、周室元宰、輔佐文武成康已下、蓋嫡子封于燕魯、次子食采畿甸、奕葉爲卿士、故謂之周公邵公也、自文王在時、旦爲子孝、索隱鄒誕本、孝作敬也、篤仁異於羣子。及武王卽位、旦常輔翼武王、用事居多。武王九年、東伐至盟津。正義盟作孟、地名、津渡黃河處、周公輔行。十一年、伐紂至牧野。正義衞州卽牧野之地、東北去朝歌七十三里、周公佐武王、作牧誓。考證王若虛曰、牧誓王言也、以爲周公佐之而作、何所據、破殷入商宮。已殺紂、周公把大鉞、召公把小鉞、以夾武王、釁社、告紂之罪于天及殷民、釋箕子之囚、封紂子武庚祿父、使管叔·蔡叔傅之、以續殷祀。徧封功臣同姓戚者。封周公旦於少昊之虛曲阜。正義括地志云、兗州曲阜縣外城、卽魯公伯禽所築也、考證定四年左傳云、命以伯禽、而封於小皞之虛、愚按、此與衞世家封康叔爲衞君、居河淇間故商墟、同一文例、曲阜、今山東泰安府曲阜縣、是爲魯公。考證中井積德曰、是爲魯公句、當在下文代就封於魯下、魯公宜指伯禽、若周公未嘗以魯稱焉、周公不就封、留佐武王。武王克殷二年、天下未集。武王有疾不豫。羣臣懼。太公·召公乃繆卜。集解徐廣

曰、古書穆字多作繆、考證查德基曰、案今書繆作穆、穆繆聲之轉耳、春秋隱三年左氏傳、癸未葬宋穆公、公羊作繆、穀梁釋文、繆、音穆、本亦作穆、文十二年公羊傳、賢繆公也、釋文、繆、音穆、襄二年傳、齊姜與繆姜、釋文、繆、音穆、穀梁莊二十七年傳注、繆公召縣子而問焉、釋文、繆、音穆、並繆穆通用之證、愚按、書傳、穆、敬也、周公曰。未可以戚我先王。集解孔安國曰、戚、近也、未可以死近先王也、鄭玄曰、二公欲就文王廟卜、戚、憂也、未可憂怖我先王也、考證鄭說近是、周公於是乃自以爲質、設三壇。周公北面立、戴璧秉圭、集解孔安國曰、璧以禮神、圭以爲贄、考證尚書、質作功、戴作植、中井積德曰、史記所載金縢往往與今書文異、蓋依孔安國古文尚書也、又與今所有古文異、漢書儒林傳曰、司馬遷亦從安國故、遷書載堯典禹貢洪範微子金縢諸篇、多古文說、愚按、質贄通、或以爲周鄭交質之質、疑非、查德基曰、易林无妄之繇曰、載璧秉珪、戴載通用、告于太王·王季·文王。集解孔安國曰、告、謂祝辭、史策祝曰。集解孔安國曰、史爲策書祝祠也、鄭玄曰、策、周公所作、謂簡書也、祝者讀此簡書、以告三王、惟爾元孫王發、勤勞阻疾。集解徐廣曰、阻、一作淹、考證尚書、勤勞阻疾、作遘厲虐疾、若爾三王、是有負子之責於天。以旦代王發之身。集解孔安國曰、大子之責、謂疾不可救也、不可救于天、則當以旦代之、死生有命、不可請代、聖人敍臣子之心、以垂世敎、索隱尚書、負爲丕、今此爲負者、謂三王負於上天之責、故我當代之、鄭玄亦曰、

丕讀曰負、【考證】査德基曰、書正義引鄭玄云、丕讀曰不、小司馬引鄭玄云、負讀曰丕、疑轉寫之誤、愛子孫曰子、愛百姓亦曰子、玄孫阻疾、若爾三王不救、是將有不愛子孫之過、爲天所責、此語蓋周公告於三王、欲使三王爲之請命也、沈家本曰、集解孔安國曰云云、今孔傳無也不可救四字、且巧能多材多藝、能事鬼神。【集解】孔安國曰、言可以代武王之意、【考證】尚書、旦巧作予仁若考、史公訓考爲巧、故以巧字易之、巧考皆从丂聲、例得相通、乃王發不如旦多材多藝。不能事鬼神。乃命于帝庭、敷佑四方、【集解】馬融曰、武王受命於天帝之庭、布其道以佑助四方、用能定汝子孫于下地。四方之民、罔不敬畏。【集解】孔安國曰、言武王用受命帝庭之故、能定先人子孫於天下、四方之民、無不敬畏也、無墜天之降葆命。我先王亦永有所依歸。【集解】孔安國曰、言不救、則墜天寶命也、救之、則先王長有所依歸矣、鄭玄曰、降、下也、寶、猶神也、有所依歸、爲宗廟之主也、【正義】墜、直類反、【考證】尚書、無上有嗚呼二字、葆作寶、集解有所依歸下、楓山、三條本、有歎惜武王四字、今我其卽命於元龜。【集解】孔安國曰、就受三王之命於元龜、卜知吉凶者也、馬融曰、元龜、大龜也、【考證】尚書無其字、爾之許我、我以其璧與圭、歸以俟爾命。【集解】孔安國曰、許、謂疾瘳、待命、當以事神也、馬融曰、待汝命、武王當愈、我當死也、【考證】尚書以其倒、爾不

許我、我乃屏璧與圭。【集解】孔安國曰、不許、不愈也、屏、藏、言不得事神、【考證】集解不許下、楓山、三條本、有謂字、周公已令史策告太王・王季・文王、欲代武王發。於是乃卽三王而卜。卜人皆曰。吉。發書視之信吉。【集解】孔安國曰、占兆書也、【考證】方苞曰、發書視之信吉六字衍文、張文虎曰、乃卜三龜、一習吉、啓籥書見書乃幷是吉、蓋三龜一習吉、卜人之言、證之以兆書、果皆吉也、史依寫經文、而發書六字、與下文義複、疑是傍注誤混、周公喜、開籥乃見書。遇吉。【集解】王肅曰、籥、藏占兆書管也、周公入賀武王曰。王其無害。旦新受命三王。維長終是圖。【集解】孔安國曰、我新受三王命、武王維長終是謀周之道、【考證】尚書、無周公入賀四字、蓋史公以意補、尚書、王其上有體字、旦作予小子受命作命于、茲道能念予一人。【集解】馬融曰、一人、天子也、鄭玄曰、茲、此也、【正義】予、周公也、一人、武王也、【考證】尚書、茲道作茲攸俟、能念予一人、謂長念天子之康安也、周公藏其策金縢匱中。【集解】孔安國曰、藏之於匱、緘之以金、不欲人開也、誡守者勿敢言。【考證】六字尚書無、蓋史公以意補、明日武王有瘳。【考證】武王克殷二年、以下采尚書金縢、其後武王旣崩、成王少、在强葆之中。【索隱】强葆、卽襁褓、

古字少、假借用之、【正義】强、闊八寸、長八尺、用約小兒於背而負行、葆、小兒被也、【考證】梁玉繩曰、金縢曰、周公以詩貽王、而王亦未敢誚公、則成王非不識不知之孩稚矣、曰王與大夫盡弁、則成王已冠矣、故康成以爲武王崩時、成王年十歲、王肅以爲武王崩時、成王年十三、其詳見洛誥、詩豳風、禮明堂位、穀梁文十二年諸正義、及家語冠頌、先儒說成王卽位之年雖異詞、而其非居强葆明矣、乃魯世家及蒙恬傳、俱有强葆語、賈誼新書脩政篇、又言成王年六歲卽位、後書郞顗傳、言成王生于克紂之後、而路史發揮、反主襁褓之說、謂武王崩成王才一二歲、以康成爲非、羅苹注、更引眞源賦、謂武王之崩、成王始生、皆不根之論也、若武王崩時、成王方在襁褓、則成王母弟、尙有唐叔、應侯亦成王弟、其時將未晬邪、抑遺腹邪、魏源曰、若襁褓負扆之言、則由於誤讀保傅篇之文、以成王爲太子時事、譌爲卽天子位後之事、又曰、成王喪畢、年十五而冠矣、故能讀鴟鴞之詩、悟金縢之策、勝爵弁之服、有歸禾之弟、豈有襁褓之說、負扆之朝哉、周公恐天下聞武王崩而畔。周公乃踐阼、代成王攝行政當國。【考證】事見荀子儒效篇、禮記文王世子、明堂位、楓山、三條本、畔下重周字、管叔及其羣弟流言於國曰。周公將不利於成王。【集解】孔安國曰、放言於國、以誣周公、以惑成王也、【考證】金縢、成王作孺子、陳仁錫曰、成王未崩、以諡稱、史文誤也、梁玉繩曰、改孺子爲成王、何意、豈忘成王見在邪、周公乃告太公望・召公奭【考證】査德基曰、金縢但云告二公、而不言太公召公、考齊魯世家、太公受封後卽就國、不在王朝、書正義以爲時畢公爲太傅、是二公乃畢

公召公、非太公、理或然歟、張文虎說同、曰。我之所以弗辟而攝行政者、恐天下畔周、無以告我先王太王・王季・文王。【正義】辟、音避、三王之憂勞天下久矣。於今而后成。武王蚤終、成王少。將以成周。我所以爲之若此。【考證】金縢云、武王旣喪、管叔及其羣弟乃流言於國曰、公將不利於孺子、周公乃告二公曰、我之弗辟、我無以告我先王、史公蓋敷演之也、或云、是據古文尙書也、梁玉繩曰、此周公語也、可云成王乎、於是卒相成王、而使其子伯禽代就封於魯。周公戒伯禽曰。我文王之子、武王之弟、成王之叔父。我於天下亦不賤矣。【考證】其子伯禽以下、采尙書大傳、梁玉繩曰、世家前後誤稱成王者四、獨此乃仍大傳洛誥篇、荀子堯問篇、韓詩外傳三、史公采擇失檢爾、說苑、載周公戒伯禽語、改作今王之叔父、然我一沐三捉髮、一飯三吐哺、起以待士。猶恐失天下之賢人。【考證】呂覽謹聽篇云、昔者禹一沐而三捉髮、一食而三起、以禮有道之士、淮南子氾論篇亦爲夏禹事、梁玉繩曰、吐握之事、諸子所說、恐未必有之、黃氏日鈔云、此形容之語、本無其事、王滹南亦以爲妄、故呂覽淮南屬之夏禹、子之魯、愼無以國驕人

【考證】子之魯以下、采尚書大傳、管、蔡、武庚等、果率淮夷而反。周公乃奉成王命、興師東伐。作大誥。【考證】管蔡武庚以下、本書大誥序、遂誅管叔、殺武庚、放蔡叔、收殷餘民、以封康叔於衛、封微子於宋、以奉殷祀、寧淮夷東土。【考證】以上本書微子之命、康誥、成王政、周官序、二年而畢定。【考證】梁玉繩曰、書言周公居東二年、詩言周公東征三年、辭各不同、大傳、毛傳、以居東卽東征、王肅從之、僞孔傳古史朱子詩傳亦然、馬鄭以居東爲居東都、與東征是兩事、蔡傳從之、而謂居東爲居國之東、以居東爲東征者、解金縢我之弗辟爲法、以居東非東征者、解辟爲避、史公依伏毛之說、以居東卽東征、而又解弗辟爲不避位、考書言居東則非東征明甚、流言初起、莫知所由、公方見疑、出居自遠、詎宜遽爾東征乎、二年猶待罪也、蓋武王旣喪、管蔡流言、政當成王諒闇、周公攝政之時、公居東避之二年、始得罪人主名、公貽王鴟鴞之詩、王尙疑而未悟、迨感風雷而後迎公、管蔡等懼、遂叛、公乃奉王命東伐、王迎公之時、三年之喪已畢、故曰王與大夫盡弁、此其事之本末也、史記殊非、蔣悌生曰、三叔流言、語侵周公、此誠國家重事、周公不卽遏絕禍萠而避嫌疑、退居散地、三叔乘殷民之未靖、挾武庚以叛、設或張皇、則天下安危之寄、寧忍優游坐視、而託之他人乎、馬端辰曰、周公當流言四起之時、明知三監之必畔、使徒引嫌避位、舍而去之、則三監得乘虛而入、是直墮其術中而不知、豈周公之智而出此哉、劉逢祿曰、史不書東征、而曰居東、不斥管蔡、而曰罪人、緣周公之心、而爲之諱也、愚按、東居卽東征、蔣馬諸氏說是、史

公所記、終不可動、書曰二年、詩曰三年、一以月計、一以歲言、其實同耳、弗辟之辟、亦當從正義讀爲避、諸侯咸服宗周。【考證】楓山、三條本、服作復、天降祉福、唐叔得禾。異母同穎。【集解】徐廣曰、一作穗、穎卽穗也、【索隱】尚書曰、異畝、此母義竝通、鄒誕本同、【考證】錢大昕曰、古文、畝作晦、母卽晦之省、獻之成王。成王命唐叔以餽周公於東土。作餽禾。【考證】唐叔得禾以下、采書餽禾序、錢大昕曰、書序、餽作歸、歸有餽音、姚鼐曰、周公居東、卽伐殷事、故史記康叔得嘉穀、成王以歸周公於兵所、周公受禾於東土、此居東之證、周公旣受命禾、嘉天子命、【集解】徐廣曰、嘉一作魯、今書序作旅也、【索隱】徐廣云、一作魯、魯字誤也、今書序作旅、史記嘉天子命、於文亦得、何須作嘉旅、【考證】沈濤曰、嘉作魯者是也、古魯旅通字、書序作旅天子命、後人因嘉禾篇名、遂妄改爲嘉耳、愚按、周紀作魯、與旅通、爾雅釋詁、旅陳也、作嘉禾。【考證】以上采書嘉禾序、東土以集、周公歸報成王。【考證】中井積德曰、以已同、楓山三條本以上有已字、蓋衍其一、乃爲詩貽王。命之曰鴟鴞。【集解】毛詩序曰、成王未知周公之志、公乃爲詩以遺王、名之曰鴟鴞、毛傳曰、鴟鴞、鸋鴂也、【正義】貽音怡、與也、鸋音寧、鴂音決、【考證】見詩豳風、中井積德曰、鴟鴞之詩、蓋作於管蔡未誅之前、王亦未敢訓周公。【集解】徐廣曰、訓一作誚、【索隱】按尚書作誚、誚讓也、此作訓、字誤耳、義無所通、徐氏合定其本、何須云一作誚也、【考證】爲詩貽王以下、采

書金縢、錢大昕曰、誚从肖、古書或省从小、轉寫譌爲川耳、余有丁曰、按此文是成王疑周公時、不宜置于此、淩稚隆曰、乃爲詩至訓周公十七字、宜在上文我所以爲之若此句下、梁玉繩曰、若貽詩在誅管蔡後、詩何以云未雨綢繆乎、成王七年二月乙未、王朝步自周至豐。【集解】馬融曰、周、鎬京也、豐、文王廟所在、朝者、舉事上朝、將卽土中易都、大事、故告文王武王廟、鄭玄曰、步、行也、堂下謂之步、豐鎬異邑、而言步者、告武王廟卽行、出廟入廟、不以爲遠、爲父恭也、【索隱】豐、文王所作邑、後武王都鎬、於豐立文王廟、按豐在鄠縣東、臨豐水、東去鎬二十五里也、【考證】成王七年四字、史公以意補、尙書大傳云、周公攝政五年營成周、與此異、蓋五年始工、七年而成也、禮記明堂位云、周公七年致政於成王、是周公攝政七年、卽成王七年也、使太保召公先之雒相土。【集解】鄭玄曰、相、視也、其三月、周公往營成周雒邑。【集解】公羊傳曰、成周者何、東周也、何休曰、名爲成周者、周道始成、王所都也、卜居焉。曰吉。遂國之。【考證】二月乙未以下、采書召誥、洛誥、成王長、能聽政。於是周公乃還政於成王。成王臨朝。周公之代成王治、南面倍依以朝諸侯。【集解】禮記曰、周公朝諸侯于明堂之位、天子負斧依、南向而立、鄭玄曰、周公攝王位、以明堂之禮儀朝諸侯也、不於宗廟、避王也、天子、周公也、負之言倍也、斧依、爲斧文屛風於戶牖之閒、周公於前立也、【正義】倍音負、依音於致反、此段重敍周公初攝時也、鄭玄曰、負之言倍也、

及七年後、還政成王、北面就臣位、匑匑如畏然。【集解】徐廣曰、匑匑、謹敬貌也、見三蒼、音窮、窮、一本作夔夔也、【考證】書洛誥云、惟周公誕保文王受命惟七年、尸子云、昔者武王崩、成王少、周公旦踐東宮、履乘石、祀明堂、假爲天子七年、韓非子難二、周公旦假爲天子七年、成王壯、授之以政、禮記明堂位云、周公踐天子之位、七年致政於成王、史公蓋本於此、又按明堂位云、周公朝諸侯于明堂之位、天子負斧依、南鄕而立、是定天子之所居耳、非曰周公自居其位也、南面倍依四字可删、初成王少時病。周公乃自揃其蚤、沈之河以祝於神曰。王少未有識。奸神命者、乃旦也。亦藏其策於府。成王病有瘳。及成王用事、人或譖周公。周公奔楚。【索隱】經典無文、其事或別有所出、而譙周云、秦旣燔書、時人欲言金縢之事、失其本末、乃云、成王少時病、周公禱河、欲代王死、藏祝策于府、成王用事、人讒周公、周公奔楚、成王發府見策、乃迎周公、又與蒙恬傳同事、或然也、【考證】揃、翦也、蚤、蒙恬傳作爪、儀禮士喪禮、蚤揃他日、鄭注、蚤讀爲爪、成王發府、見周公禱書、乃泣反周公。【考證】事又見蒙恬傳、王應麟曰、考之書、啓金縢之書、在周公未薨前、而無揃蚤事、此蓋一事、傳之者不同耳、葉適曰、是時楚未有國、公奚之焉、周公歸、恐成王壯、治有所淫佚。乃作多士、作毋逸。【考證】楓山、三

條本、壯作枉、梁玉繩曰、多士非誡成王之作、與周紀言無佚告殷民同謬、蓋于紀不當云作無佚、于世家不當云作多士、愚按、下文云、多士稱曰、史記原文若是、作多士三字非衍、毋逸稱爲人父母、爲業至長久。子孫驕奢、忘之以亡其家。爲人子、可不愼乎。【考證】梁玉繩曰、此與毋逸迥殊、必史公約其意以爲文、非有異本也、然太不類、故昔在殷王中宗、嚴恭敬、畏天命、自度【集解】孔安國曰、用法度也、【考證】古鈔本、自作用、中井積德曰、天命自度、謂以命自律也、治民震懼、不敢荒寧。【集解】馬融曰、知民之勞苦、不敢荒廢自安也、故中宗饗國七十五年。其在高宗、【正義】武丁也、久勞于外、爲與小人。【集解】孔安國曰、父小乙使之久居人閒、勞是稼穡、與小人出入同事也、馬融曰、武丁爲太子時、其父小乙使行役有所勞役於外、與小人從事、知小人艱難勞苦也、鄭玄曰、爲父小乙將師役於外也、【考證】中井積德曰、武丁蓋降在民閒也、非行役、亦非父命故然也、豈庶出、初未見知邪、將有所諱而匿之也、李笠曰、爲疑爰之誤、尚書作爰曁小人、作其卽位、乃有亮闇三年不言。【集解】孔安國曰、武丁起其卽王位、則小乙死、乃有信嘿三年不言、言孝行著也、鄭玄曰、楣謂之梁、闇謂廬也、言乃讙。【集解】鄭玄曰、讙、喜悅也、言乃喜悅、則民臣望其言久矣、【考證】書讙作雍、岡白駒曰、在喪則不言、喪畢發言、則天下乃喜、愚按、讙讀爲懽、不敢荒

寧、密靖殷國、【集解】馬融曰、密、安也、【考證】書密作嘉、至于小大無怨。【集解】孔安國曰、小大之政、民無怨者、言無非也、【考證】蔡沈曰、萬民咸和也、中井積德曰、小大、猶貴賤也、故高宗饗國五十五年。【集解】尚書云、五十九年、其在祖甲、【集解】孔安國王肅曰、祖甲、湯孫太甲也、馬融鄭玄曰、祖甲、武丁子帝甲也、【索隱】孔安國以爲湯孫太甲、馬融鄭玄以爲武丁子帝甲、按紀年太甲唯得十二年、此云祖甲享國三十三年、知祖甲是帝甲明矣、【考證】中井積德曰、殷紀稱帝甲淫亂、殷復衰、或是別人、不義惟王、久爲小人【集解】孔安國曰、爲王不義、久爲小人之行、伊尹放之桐宮、馬融曰、祖甲有兄祖庚、而祖甲賢、武丁欲立之、祖甲以王廢長立少不義、逃亡民閒、故曰不義惟王、久爲小人也、武丁死祖庚立、祖庚死祖甲立、【考證】中井積德曰、不義惟王、以立爲王爲不義也、于外、【考證】中井積德曰、于外二字屬上文、愚按、書無此二字、知小人之依、能保施小民、不侮鰥寡。【集解】孔安國曰、小人之所依、依仁政也、故能安順於衆民、不敢侮慢惸獨也、【考證】中井積德曰、依、謂所依怙也、未遽謂仁政、故祖甲饗國三十三年。【集解】王肅曰、先中宗、後祖甲、先盛德、後有過也、【考證】毋逸稱以下、據書無逸、多士稱曰。自湯至于帝乙、無不率祀明德。帝無不配天者。【集解】孔安國曰、無敢失天道者、故無不配天也、【考證】因文例、曰字當衍、在今後嗣王紂、誕

淫厥佚、不顧天及民之從也、【集解】徐廣曰、一作敬之也、駰案馬融曰、紂大淫樂其逸、無所能顧念於天施顯道於民而敬之也、【正義】言紂信爲淫荒逸樂、不顧念於天道、不顧念民之從其化、故其民皆可誅也、【考證】書多士、不顧天及民之從也、作罔顧于天顯民祇、梁玉繩曰、依多士之從作敬之、是、中井積德曰、也字衍、其民皆可誅。【考證】以上見今本書多士、周多士【考證】言周多賢士也、文王日中昃、不暇食。饗國五十年。【考證】愚按、日中昃不暇食、蓋吐哺握髮之意、文王以下十三字、見書無逸、而此文承多士稱、則史公所見之書、與今本異、又按周多士三字、今本無逸亦無、作此以誡成王。成王在豐、天下已安。周之官政未次序、於是周公作周官、官別其宜。作立政、以便百姓。百姓說。【集解】孔安國曰、周公既致政成王、恐其怠忽、故以君臣立政爲戒也、【考證】書序云、周公作立政、成王既黜殷命、滅淮夷、還歸在豐、作周官、與此異、史公蓋以意補、楓山三條本、未下有有字、周公在豐、病將沒。曰。必葬我成周。【集解】徐廣曰、衛世家云、管叔欲襲成周、然則或說尚書者、不以成周爲洛陽乎、諸侯年表敍曰、齊晉楚秦、其在成周微之甚也、以明吾不敢離成王。周公既卒、成王亦讓、葬周公於畢。【正義】括地志云、周公墓、在雍州咸陽北十三里畢原上、【考證】張文虎

云、冊府元龜引史、離下無成字、是、從文王、以明予小子不敢臣周公也。【考證】周公在豐以下、采書序、尚書大傳、周公卒後、秋未穫、暴風雷雨、禾盡偃、大木盡拔。周國大恐。成王與大夫朝服、以開金縢書。【索隱】據尚書、武王崩後、有此雷風之異、今此言周公卒後更有暴風之變、始開金縢之書、當不然也、蓋由史遷不見古文尚書、故說乖誤、【正義】按尚書、武王崩後、周公被流言而東征、王亦未敢誚公、乃有風雨之異、此乃是周公卒後、疑太史公不見古文尚書、有斯乖誤矣、【考證】梁玉繩曰、王孝廉云、暴風雷雨、書作雷電以風、故下文云、天乃雨、今先雜入雨字、與下不相應、王乃得周公所自以爲功代武王之說。【集解】徐廣曰、一作簡、駰案孔安國曰、所藏請命策書本也、【考證】楓山三條本、所下有藏字、崔適曰、功當作質、後人據古文尚書改、致上文乃自以爲質乖異、二公及王、乃問史百執事。【集解】孔安國曰、二公倡王啓之、故先見書也、史百執事、皆從周公請命者、鄭玄曰、問者、問審然否也、史百執事曰。信有。昔周公命我勿敢言。成王執書以泣【集解】鄭玄曰、泣者傷周公忠孝如是而無知之者、曰。自今後、其無繆卜乎。【集解】孔安國曰、本欲敬卜吉凶、今天意可知、故止、昔周公勤勞王家。惟予幼人弗及

知。今天動威以彰周公之德。惟朕小子其迎。我國家禮亦宜之。【集解】王肅曰、亦宜襃有德也、【正義】孔安國云、周公以成王未寤、故留東未還、成王改過自新、遣使者逆之、亦國家禮有德之宜也、王孔二說非也、按言成王以開金縢之書、知天風雷以彰周公之德、故成王亦設郊天之禮以迎、我國家先祖配食之禮、亦當宜之、故成王出郊、天乃雨反風也、【考證】中井積德曰、此迎字不通、本文已異、王孔解無所當、愚按、迎、書金縢作逆、王親迎周公也、史記事在周公已卒後、則迎周公神也、宜依文解之、王出郊。天乃雨反風。禾盡起。【集解】孔安國曰、郊以玉幣謝天也、天卽反風起禾、明郊之是也、馬融曰、反風、風還反也、【考證】出郊在金縢則郊迎之義、在史記則爲郊祭之義、二公命國人、凡大木所偃、盡起而築之。【集解】徐廣曰、築、拾也、駰案、馬融曰、禾爲木所偃者、起其木、拾其下禾、乃無所失亾也、歲則大孰。【考證】崔述曰、成王感風雷之變而親迎周公一事、史記載於周公卒後、今按尚書金縢篇、在作鴟鴞後、伐武庚前、惟顏師古引尚書大傳文、以此爲成王將葬周公於成周時事、然則史記蓋因傳而誤也、夫以爲在周公卒後、則所謂親迎者、迎何人乎、所謂出郊者、欲何爲乎、史記不能解說、遂以郊爲郊祀之郊、而謂魯之得郊因此、是因一誤而再誤矣、愚按、漢書梅福傳云、梅福曰、成王以諸侯禮葬周公、而皇天動威、雷風著災、顏師古注引尚書大傳云、周公疾、曰吾死必葬於成周、示天下臣於成王也、周公死、天乃雷雨以風、禾盡偃、大木斯拔、國恐、王與大夫開金縢之書、執書以泣曰、周公勤勞王家、予幼人弗及知、乃不葬於成周、而葬之於畢、示天下不

敢臣、儒林傳注引大傳、意同文略、史公蓋從大傳、於是成王乃命魯得郊、【集解】禮記曰、魯君祀帝于郊、配以后稷、天子之禮、【考證】通鑑前編成王十一年、引尚書大傳云、魯郊、成王所以禮周公也、史公所本、祭文王。【集解】禮記曰、諸侯不得祖天子、鄭玄曰、魯以周公之故立文王之廟也、魯有天子禮樂者、以襃周公之德也。【考證】禮記明堂位云、成王以周公爲有勳勞於天下、命魯公世世祀周公以天子之禮樂、是以魯君孟春乘大路、載弧韣、旂十有二旒、日月之章、祀帝于郊、配以后稷、天子之禮也、祭統云、周公旣沒、成王康王追念周公之所以勳勞者、而欲尊魯、故賜之以重祭、外祭則郊社是也、內祭則大嘗禘是也、夫大嘗禘、升歌清廟、下而管象、朱干玉戚、以舞大武、八佾以舞大夏、此天子之樂也、史公所本、陳仁錫曰、竹書紀年、魯惠公使宰讓請郊廟之禮、平王使史角如魯、魯之用郊、蓋由惠公請之也、至僖公作頌、始以郊祭爲誇焉、梁玉繩曰、此乃好事者妄談、以誣周之賢王、以誤後之學士、唐文粹高郢魯議、責成王之賜、伯禽之受、爲非禮、程子因之、王安石又謂周公有人臣不能爲之功、而成王賜以人臣不得用之禮、悖孰甚焉、魯之僭禮、夫子以爲周公之衰、奈何移于成王伯禽時乎、桓林已弱、尚拒楚武之稱尊、襄鄭尤微、能禁晉文之請隧、況成王盛君、伯禽令子、邪、然則魯僭始于何時、曰、竹書平王四十二年、魯惠公使宰讓請郊廟之禮、呂氏春秋當染篇亦云、此一大確證、使成王已賜、惠公何必復請、且成王之賢、萬倍于宜白、平猶靳之、而成顧昧然賜之哉、斯論發于宋劉敞春秋意林、後儒多從之、而成王伯禽之誣、遂大白于千載矣、周公卒。子伯禽固已前受封。是爲魯公。【集解】周公元子、就封於

魯、次子留相王室、代爲周公、其餘食小國者六人、凡蔣邢茅胙祭也、魯公伯禽之初受封之魯、三年而後報政周公。周公曰。何遲也。伯禽曰。變其俗、革其禮、喪三年然後除之。故遲。太公亦封於齊。五月而報政周公。周公曰。何疾也。曰。吾簡其君臣禮、從其俗爲也。及後聞伯禽報政遲、乃歎曰。嗚呼、魯後世其北面事齊矣。夫政不簡不易、民不有近。【正義】爲政之法、必須略而易行、民則親近、若不簡不易、民則不親近也、平易近民、民必歸之。【集解】徐廣曰、一本云、政不簡不行、不行不樂、不樂則不平易、平易近民、民必歸之、又一本云、夫民不簡不易、有近乎、簡易、民必歸之、【索隱】言爲政簡易者、民必附近之、近、謂親近也、【正義】言政平等簡易、親近於民、遠方之衆、必襁負而歸之、周公見伯禽難其禮、故設此言、是也、【考證】呂氏春秋長見篇云、太公望封於齊、周公旦封於魯、二君者甚相善也、相謂曰、何以治國、太公望曰、尊賢上功、周公曰、親親上恩、太公曰、魯自此削矣、周公曰、魯雖削、有齊者亦必非呂氏也、淮南齊俗訓亦載此事、與史記異、困學紀聞十一引說齋唐氏曰、此後世苟簡之說、非周公之言、遷不能辨其是否、從而筆之于書、使後人務速成之功者、藉爲口實、其害豈小哉、伯禽卽位之後、有管·蔡等反

也。淮夷·徐戎亦竝興反。【集解】孔安國曰、淮浦之夷、徐州之戎、竝起爲寇、【考證】淮夷徐戎以下、依書費誓及其序、王鳴盛曰、淮安府淮水從此入海、卽詩所謂淮浦、大約今淮揚二府近海之地、皆古淮夷、而此經淮夷則在淮北者也、於是伯禽率師伐之於肸。作肸誓。【集解】徐廣曰、肸一作鮮、一作獮、駰案、尚書作費、孔安國曰、魯東郊之地名也、【索隱】尚書作費誓、徐廣云、一作鮮、一作獮、按尚書大傳見作鮮誓、鮮誓卽肸誓、古今字異、義亦變也、鮮、獮也、言於肸地誓衆、因行獮田之禮、以取鮮獸而祭、故字或作鮮、或作獮、孔安國云、費、魯東郊地名、卽魯卿季氏之費邑地也、【正義】周公伐三監、魯公伐淮夷、故於費地而盟衆、卽東伐淮夷徐奄之屬、【考證】本書大誥費誓序、費、今山東沂州府費縣西北、曰。陳爾甲冑。無敢不善。無敢傷牿。【正義】古毒反、牿、牛馬牢也、令臣無傷其牢、恐牛馬逸、馬牛其風、臣妾逋逃、【集解】鄭玄曰、風、走逸、臣妾、廝役之屬也、勿敢越逐、敬復之。【集解】徐廣曰、敬一作振、孔安國曰、勿敢棄越壘伍而求逐也、衆人有得佚馬牛逃臣妾、皆敬還、【正義】書、敬、作祗、祗、敬也、祗振古通用、【考證】査德基曰、祗作敬者、史公以訓詁字代經也、一作振者、今文尚書也、無敢寇攘踰牆垣。【集解】鄭玄曰、寇、劫取也、因其失亾曰攘、【考證】李笠曰、牆垣、當依書費誓作垣牆、傷牿與越逐敬復相韻叶、此牆字亦與攘字叶、魯人三郊三隧。【集解】王肅曰、邑外曰郊、郊外曰隧、不言四者、東郊留守、故言三也、【考證】今書隧作遂、隧遂古通用、中井積德曰、師出東方、則東郊東遂、

供兵賦之重、故於儲峙不與焉、王先謙曰、禮王制疏引大傳云、古者百里之國、三十里之遂、二十里之郊、魯國百里、則郊當在二十里之外、遂又在其外也、峙爾芻茭糗糧楨榦、[集解]孔安國曰、皆當儲峙汝糗糧、使足食、多積芻茭、供軍牛馬、馬融曰、楨榦皆築具、楨在前、榦在兩旁、[正義]糗、去九反、楨、音貞、[考證]峙峙庤通、儲具以待用也、無敢不逮。我甲戌築而征徐戎。[集解]孔安國曰、甲戌日當築攻敵壘距堙之屬、[考證]古鈔、楓山、三條本、無無敢不逮四字、中井積德曰、甲戌、此出師之日、使供具皆會於是日耳、又曰、築者築我之壁壘也、未及攻具、無敢不及。有大刑。[集解]馬融曰、大刑、死刑、作此肸誓。[考證]以上、節錄書費誓、遂平徐戎、定魯。魯公伯禽卒。[集解]徐廣曰、皇甫謐云、伯禽以成王元年封、四十六年康王十六年卒、[考證]漢書律歷志云、伯禽卽位四十六年、康王十六年薨、與皇甫謐合、子考公酋立。[索隱]系本、作就、鄒誕本、作遒、[考證]中井積德曰、考公始有諡、若齊第四世哀公始有諡、世家雖不同、年代相比、夫諡之起、蓋成康之後云、考公四年卒。立弟熙。[索隱]一作怡、考公弟、是謂煬公。煬公築茅闕門。[集解]徐廣曰、一作第、又作夷、世本曰、煬公徙魯、宋忠曰、今魯國、[考證]洪頤煊曰、古文雉茅夷三字通用、茅門、卽春秋所謂雉門、孫詒讓曰、茅闕門、卽春秋定二年經之雉門兩觀也、諸侯三門、庫、雉、路、外朝在雉門外、六年卒。[考證]錢大昕曰、漢書律歷志、煬公卽位六十年、子幽公宰立、此六下脫十字、愚按、洪亮吉洪頤煊說同、

梁玉繩駁之、非也、楓山、三條本、六年作十六年、蓋倒、子幽公宰立。[索隱]系本、名圉、幽公十四年、幽公弟濞殺幽公而自立。是爲魏公。[集解]徐廣曰、世本作微公、[索隱]系本、濞作弗、音沸、魏作微、且古書多用魏字作微、則太史公意亦不殊也、[考證]金履祥曰、按弒君爭國之禍自是始、而昭王不能討、失政甚矣、史稱昭王時王道微缺、朱子亦謂周綱陵夷、自昭王始、有故也、魏公五十年卒、子厲公擢立。[索隱]系本、作翟、音持角反、[正義]擢、音濁、厲公三十七年卒。魯人立其弟具。是爲獻公。獻公三十二年卒。[集解]徐廣曰、劉歆云、五十年、皇甫謐云、三十六年、[考證]梁玉繩曰、獻公在位五十年、漢志作五十年、謂出世家也、子眞公濞立。[索隱]眞、音愼、本亦多作愼公、按衞亦有眞侯、可通也、濞、系本作摯、或作鼻、音匹位反、鄒誕本作愼公嗅、[考證]梁玉繩曰、眞乃愼之誤、沈家本曰、左傳釋文引作順公、順愼聲轉字通、愚按、眞字春秋以前書無所見、而老莊二子常用之、眞公十四年、周厲王無道、出奔彘。共和行政。二十九年、周宣王卽位。三十年、眞公卒。弟敖立。是爲武公。武公九年春、[考證]表、作十年、國語、無春字、武公與長子括・少子戲、西朝周宣王。[正義]戲、許義反、又音許

宜反、後同、宣王愛戲、欲立戲爲魯太子。周之樊仲山父諫宣王曰。廢長立少、不順。不順、必犯王命。犯王命、[考證]群書治要、無樊字、韋昭曰、仲山父、王卿士、食采於樊、必誅之。故出令不可不順也。令之不行、政之不立。[集解]韋昭曰、令不行則政不行而不順、民將弃上。[集解]韋昭曰、使長事少、故民將弃上、夫下事上、少事長、所以爲順。今天子建諸侯、立其少。是教民逆也。[集解]唐固曰、言不教之順、而教之逆、若魯從之、諸侯效之、王命將有所壅。[集解]韋昭曰、言先王立長之命、將壅塞不行也、[考證]屠隆曰、將有所壅、卽上之犯王命而不從也、誅王命、乃自出令而自誅之也、俱在今王上說、註非、若弗從而誅之、是自誅王命也。[集解]韋昭曰、先王之命立長、今魯亦立長、若誅之、是自誅王命、[考證]中井積德曰、先王之教、卽今王之所以命諸侯、王命宜以今王解、誅之亦失。不誅亦失。[集解]韋昭曰、誅之、誅王命、不誅、則王命廢、王其圖之。宣王弗聽。卒立戲爲魯太子。夏、武公歸而卒。[集解]徐廣曰、劉歆云、立二年、[考證]國語、無夏字、戲

立。是爲懿公。懿公九年、[考證]漢律歷志同、國語、無九年二字、懿公兄括之子伯御、與魯人攻弒懿公、而立伯御爲君。伯御卽位。[正義]御、我嫁反、下同、[考證]漢志、作柏御、十一年、周宣王伐魯、殺其君伯御。[考證]國語、作宣王三十二年、依表、卽伯御十一年也、而問魯公子能道順諸侯者、[集解]徐廣曰、順、一作訓、[正義]道、音導、順、音訓、[考證]國語、作宣王欲得國子能導訓諸侯者、注、韋昭曰、國子同姓諸姬也、與史義異、以爲魯後。[考證]國語、無此四字、樊穆仲曰。[集解]韋昭曰、穆仲、仲山父之諡也、猶魯叔孫穆子謂之穆叔也、魯懿公弟稱、[正義]尺證反、[考證]國語、作魯侯、肅恭明神、敬事耈老、賦事行刑、必問於遺訓、而咨於固實、[集解]徐廣曰、固、一作故、韋昭曰、故實、故事之是者、[考證]國語、固作故、固故古通、中井積德曰、固實卽故事、注以是者解實字、泥、不干所問、不犯所知。[考證]國語、知作咨、王念孫曰、知當作咨、所問所咨、皆承上文而言、楓山、三條本、無不犯所知四字、宣王曰。然。能訓治其民矣。乃立稱於夷宮。[集解]韋昭曰、夷宮者、宣王祖父夷王之廟、古者爵命必於祖廟、[考證]立稱於夷宮、國語、作命魯孝公於夷宮、韋昭注、命爲侯伯也、蓋國語爲孝公立後事、史記爲未

立時事、是爲孝公。自是後、諸侯多畔王命。【考證】武公與長子括以下、采國語周語、孝公二十五年、諸侯畔周。犬戎殺幽王。秦始列爲諸侯。二十七年、孝公卒。【考證】館本考證云、二十七年、表作三十八年、宣王誅伯御、在伯御之十一年、其年乃孝公元年、而表以伯御元年爲孝公元年、故較世家多十一年、子弗湟立。【集解】徐廣曰、表云弗生也、【索隱】系本、作弗皇、年表、作弗生、【考證】梁玉繩曰、湟當作湼、沈家本曰、左傳正義引世家作弗皇、釋文隱元年作不皇、文十六年引世家作弗皇、是爲惠公。惠公三十年、晉人弒其君昭侯。四十五年、晉人又弒其君孝侯。四十六年、惠公卒。長庶子息【索隱】隱公也、系本、隱公名息姑、【考證】梁玉繩曰、息下缺姑字、今本脫之、魯頌疏、文十六年左傳疏、及釋文、穀梁首篇疏、竝引世家、作息姑、沈家本曰、年表、作息姑、攝當國、行君事。是爲隱公。【考證】隱元年左傳云、不書卽位、攝也、歐陽脩作春秋論駁之云、隱公非攝也、使隱果攝、則春秋不稱公、春秋稱公、則隱公非攝也、初惠公適夫人無子。【正義】適、音的、公賤妾聲子生子息。【考證】梁玉繩曰、聲子是繼室、何云賤妾、息長爲娶於宋。宋女至而好。惠公奪而自妻

之。【索隱】左傳、宋武公生仲子、仲子手中有爲魯夫人文、故歸魯、生桓公、今此云惠公奪息婦而自妻、又經傳不言惠公無道、左傳文見分明、不知太史公何據而爲此說、譙周亦深不信然、生子允。【集解】徐廣曰、一作軌、【索隱】系本亦作軌也、登宋女爲夫人、以允爲太子。【考證】梁玉繩曰、當惠公世、仲子未嘗爲夫人、桓亦未嘗爲太子也、杜元凱云、隱公繼室之子、當嗣世、以禎祥之故、追成父志、爲桓尚少、是以立爲太子、及惠公卒、爲允少、故魯人共令息攝政。不言卽位。【考證】左傳云、隱公立而奉桓公、不云魯人共令息姑攝位、隱公五年、觀漁於棠。【集解】賈逵曰、棠、魯地、陳漁而觀之、杜預曰、高平方與縣北有武棠亭、魯侯觀漁臺也、【考證】隱五年春秋經傳、八年、與鄭易天子之太山之邑祊及許田。君子譏之。【集解】穀梁傳曰、祊者鄭伯之所受命於天子、而祭泰山之邑也、許田、乃魯之朝宿之邑、天子在上、諸侯不得以地相與、【正義】括地志云、祊田在沂州費府東南、許田、在許州許昌縣有魯城、周公廟在焉、杜預云、成王營成周、有遷都之志、故賜周公許田、【考證】隱八年春秋經傳、天子之三字、史公以意補、梁玉繩曰、是年鄭歸祊爾、易許田、在後四年、泰山之祊近魯、而許田近鄭、故互割以相屬也、十一年冬、公子揮諂謂隱公曰。百姓便君。君其遂立。吾請爲君殺子允。君以我爲相。【集解】左傳曰、羽父請殺桓公、將以求太

宰也、【考證】史公蓋敷演左傳也、梁玉繩曰、左傳翬欲求爲太宰、何以易稱相也、太宰、元屬天官之長、齊吳僭設、竝爲尊秩、然宋亦有太宰、亞于司寇、楚鄭皆有太宰、又非正卿、以此例之、則太宰不定是相矣、隱公曰。有先君命。吾爲允少、故攝代。今允長矣。吾方營菟裘之地老焉、以授子允政。【集解】服虔曰、菟裘、魯邑也、營菟裘以作宮室、欲居之以終老也、杜預曰、菟裘、在泰山梁父縣南、【考證】楓山、三條本、集解、縣南下、有不欲復居魯朝故別營外邑十一字、揮懼子允聞而反誅之、乃反譖隱公於子允曰。隱公欲遂立去子。子其圖之。請爲子殺隱公。子允許諾。【考證】梁玉繩曰、生而稱諡、非也、當衍兩隱字、十一月、隱公祭鍾巫、【集解】賈逵曰、鍾巫、祭名也、【考證】龜井昱曰、鍾巫、蓋古之神巫也、周禮大筮、有巫更巫環、凡九巫、山海經有巫彭巫相六巫、及巫咸巫羅十巫、齊于社圃、【集解】杜預曰、社圃、園名、館于蔿氏。【集解】服虔曰、館、舍也、蔿氏、魯大夫、揮使人弒隱公于蔿氏、而立子允爲君。是爲桓公。【考證】以上依隱十一年左傳、桓公元年、鄭以璧易天子之許田。【集解】麋信曰、鄭以祊不足當許田、故復加璧、【正義】麋信字南山、東海人魏樂平太守、【考證】依桓元年春秋經傳、中井積德曰、春秋書鄭伯以璧假

許田、假字乃有意義也、今作易字、太史公之意不可曉、又曰、太山之祊、冒以天子猶可、若夫許田是魯朝宿之邑、何天子之有、周紀云、許田天子之用事太山田也、與此合、蓋太史公謬以許爲祊也、愚按、經典釋文、麋信注穀梁傳十二卷、二年、以宋之賂鼎入於太廟。君子譏之。【集解】穀梁傳曰、桓公內弒其君、外成人之亂、受賂而退、以事其祖、非禮也、公羊傳曰、周公廟曰太廟、【考證】桓二年春秋經傳、左氏傳云、取郜大鼎于宋、納于太廟、非禮也、臧哀伯諫之、公不聽、中井積德曰、譏者以賂也、如內弒君、非此所論、左氏宜從、穀梁失之、三年、使揮迎婦于齊、爲夫人。【考證】桓三年春秋經傳、六年、夫人生子。與桓公同日。故名曰同。同長爲太子。【考證】桓六年春秋經傳、十六年、會于曹伐鄭、入厲公。【考證】桓十六年經傳、梁玉繩曰、入上缺謀字、蓋厲未入也、十八年春、公將有行。【集解】杜預曰、始議行事也、遂與夫人如齊。申繻諫止。【集解】賈逵曰、申繻、魯大夫、【正義】繻音須、公不聽。遂如齊。齊襄公通桓公夫人。公怒夫人。夫人以告齊侯。夏四月丙子、齊襄公饗公。【集解】服虔曰、爲公設享讌之禮、公醉。使公子彭生抱魯桓公。因命彭生摺其脅。公死

于車。〔考證〕莊元年公羊傳云、齊侯怒、與之飮酒、於其出焉、使公子彭生送之、於其乘焉、搚幹而殺之、魯人告于齊曰。寡君畏君之威、不敢寧居、來脩好禮。禮成而不反。無所歸咎。請得彭生以除醜於諸侯。齊人殺彭生以說魯。〔考證〕以上采桓十八年左傳、補以公羊傳、立太子同。是爲莊公。莊公母夫人因留齊、不敢歸魯。〔考證〕中井積德曰、據春秋、姜氏已與喪俱還、莊元年、孫于齊、已而復還、二年以後、頻與齊侯爲姦會遇也、史記不據焉、豈別有所本邪、莊公五年冬、伐衞、內衞惠公。〔考證〕莊五年春秋經傳、八年、齊公子糾來奔。〔考證〕莊八年左傳、九年、魯欲內子糾於齊。後桓公。桓公發兵擊魯。魯急殺子糾。召忽死。齊告魯、生致管仲。〔考證〕莊九年左傳、魯人施伯曰。〔正義〕世本云、施伯、魯惠公孫、齊欲得管仲、非殺之也。將用之。用之則爲魯患。不如殺以其屍與之。〔考證〕屍、本亦作死字也、國語作屍、莊公不聽。遂囚管仲與齊。齊人相管仲。

〔考證〕魯人以下、采國語齊語、囚、束縛也、十三年、魯莊公與曹沫會齊桓公於柯。曹沫劫齊桓公、求魯侵地。已盟而釋桓公。桓公欲背約。管仲諫。卒歸魯侵地。〔考證〕本莊十三年公羊傳、穀梁傳亦云、冬公會齊侯盟于柯、曹劌之盟也、信齊侯也、劌沫音近、梁玉繩曰、劫齊事妄、說在刺客傳、十五年、齊桓公始霸。〔考證〕莊十五年左傳、二十三年、莊公如齊觀社。〔集解〕韋昭曰、齊因祀社、蒐軍實以示軍容、公往觀之、〔考證〕莊二十三年春秋經傳、三十二年、初莊公築臺臨黨氏、〔集解〕賈逵曰、黨氏、魯大夫、任姓、〔考證〕釋文云、黨音掌、見孟女。〔集解〕賈逵曰、黨氏之女、〔索隱〕即左傳云、孟任、黨氏二女、孟、長也、任、字也、非姓耳、〔考證〕中井積德曰、孟、字也、任、姓也、說而愛之、許立爲夫人、割臂以盟。〔集解〕服虔曰、割其臂以與公盟、孟女生子斑。斑長說梁氏女、往觀。〔集解〕杜預曰、梁氏、魯大夫也、〔考證〕春秋傳子斑作子般、圉人犖自牆外與梁氏女戲。〔集解〕服虔曰、圉人、掌養馬者、犖、其名也、〔正義〕犖、力角反、〔考證〕左傳子般與女公子同往梁氏、觀習雩祭之禮、犖與女公子戲、與此異、斑怒鞭犖。莊公聞之曰。犖有力焉。遂殺

之。是未可鞭而置也。斑未得殺。會莊公有疾。〔考證〕初莊公以下、本莊三十二年左傳、小異、說已見上、莊公有三弟。長曰慶父。次曰叔牙。次曰季友。〔考證〕依莊二十七年公羊傳、梁玉繩曰、公羊傳云、公子慶父、公子牙、公子友、莊公之母弟也、故齊語韋注云、慶父莊公之弟、史依公羊、而杜注左傳云、慶父莊公庶兄、爲叔牙同母兄、季友是莊公母弟、以公羊爲妄、杜注較長、莊公取齊女爲夫人。曰哀姜。哀姜無子。哀姜娣曰叔姜。生子開。〔正義〕娣、田戾反、莊公無適嗣。〔考證〕莊公取齊女以下、本閔二年左傳、梁玉繩曰、閔公名、當作開方、愛孟女、欲立其子斑。莊公病、而問嗣於弟叔牙。叔牙曰。一繼一及、魯之常也。〔集解〕何休曰、父死子繼、兄死弟及、慶父在可爲嗣。君何憂。〔考證〕莊公病以下、莊三十二年公羊傳、莊公患叔牙欲立慶父、退而問季友。季友曰。請以死立斑也。莊公曰。曩者叔牙欲立慶父。柰何。季友以莊公命、命牙待於鍼巫氏。〔集解〕杜預曰、鍼巫氏、魯大夫也、〔考證〕龜井道載曰、鍼氏、巫名、季其字、使鍼季劫飮

叔牙以鴆。〔集解〕服虔曰、鴆鳥、一曰運日鳥、曰。飮此則有後奉祀。不然、死且無後。牙遂飮鴆而死。魯立其子爲叔孫氏。〔集解〕杜預曰、不以罪誅、故得立後、世繼其祿也、八月癸亥、莊公卒。季友竟立子斑爲君、如莊公命。侍喪舍于黨氏。〔正義〕未至公宮、止於舅氏、〔考證〕莊公患叔牙以下、采莊卅二年左傳、左傳舍作次、無侍喪二字、中井積德曰、此疑衍、楓山三條本侍作持、先時慶父與哀姜私通、欲立哀姜娣子開。〔考證〕中井積德曰、據左傳、慶父之私通、蓋在莊公卒之後、史記似失、及莊公卒、而季友立斑。十月己未、慶父使圉人犖殺魯公子斑於黨氏。季友犇陳。〔集解〕服虔曰、季友內知慶父之情、力不能誅、故避其難出奔、慶父竟立莊公子開。是爲湣公。〔索隱〕系本、名啓、今此作開、避漢景帝諱耳、春秋作閔公也、〔考證〕十月以下、依莊卅二年左傳、慶父竟三字、史公以意補、中井積德曰、據閔二年左傳、立閔公非慶父之爲、國人之爲也、沈家本曰、按左傳疏引杜世族譜、名啓方、謂杜從世本、與小司馬異、疑此奪方也、湣公二年、慶父與哀姜通益甚。哀姜與慶父謀、殺湣公而立慶父。

【考證】中井積德曰、與慶父謀、立慶父、是行文疎處、慶父使卜齮襲殺湣公於武闈。【集解】賈逵曰、卜齮、魯大夫也、宮中之門、謂之闈、【正義】齮、魚綺反、闈、音韋、【考證】據左傳、公傳、奪卜齮田、公不禁、故卜齮怨公、季友聞之、自陳與湣公弟申如邾、請魯求內之。【正義】邾國、兗州鄒縣、古邾國也、【考證】閔元年春秋經云、秋八月、季子來歸、與此異、梁玉繩曰、季子已于前年歸魯、故春秋書季子來歸、此云自陳、與鳌公申如邾、下又云、陳送友及申、不但誤以友爲在陳、幷誤認鳌公亦在陳矣、請魯求內之五字當衍、友與申如邾、避慶父也、慶父奔莒、友卽入魯立申、魯無人焉、何請之有、又何求內之有、而申爲湣公庶兄、是以夏父弗忌曰、新鬼大、故鬼小、此云湣公弟申、亦誤、愚按、依左傳、自陳二字亦當刪、魯人欲誅慶父。慶父恐奔莒。於是季友奉子申入立之。是爲鳌公。【索隱】湣公弟名申、成季相之、魯國以理、於是魯人爲僖公作魯頌、【考證】中井積德曰、鳌公是湣公之兄、是逆祀所由起、所謂新鬼大、故鬼小、是也、注謬、又曰、魯頌起於僭禮、非作于戚戴、鳌公亦莊公少子。【考證】梁玉繩曰、鳌乃閔之兄、恐非少子、哀姜恐奔邾。季友以賂如莒、求慶父。慶父歸。使人殺慶父。慶父請奔。弗聽。乃使大夫奚斯行哭而往。【考證】梁玉繩曰、案傳、是慶父使奚斯請免死、不許、斯哭而往、此言季友使奚斯哭而往、雖與傳違、理亦得通、慶

父聞奚斯音、乃自殺。齊桓公聞哀姜與慶父亂以危魯、乃召之邾而殺之、【考證】左傳云、齊人取而殺之、不云桓公、以其屍歸、戮之魯。魯鳌公請而葬之。【考證】哀姜恐以下、本閔二年左傳、季友母陳女。故亡在陳。陳故佐送季友及子申。【考證】梁玉繩曰、昭三十二年傳云、昔成季友、桓之季也、文姜之愛子也、友爲莊公母弟、文姜所生、史言母陳女、妄也、申上衍子字、愚按、楓山、三條本、本無母陳女故四字、季友之將生也、父魯桓公使人卜之。【考證】張文虎曰、父魯二字衍、愚按、左傳無、曰。男也。其名曰友。閒于兩社、爲公室輔。【集解】賈逵曰、兩社、周社、亳社也、兩社之閒、朝廷執政之臣所在、【考證】閔二年左傳、其名曰友下、有在公之右四字、定六年左傳、陽虎盟公及三桓于周社、盟國人于亳社、周社卽國社、在中門內、亳社在庫門內、中井積德曰、閒于兩社、謂季子居第、季友亡、則魯不昌。【考證】左傳友作氏、龜井昱曰、子同爲伯仲、慶父叔牙亦既生矣、故呼爲季也、氏、家也、季氏、猶曰此少男之家、愚按、社輔亡昌韻、及生、有文在掌曰友。遂以名之。【考證】季友之將生以下、采閔二年左傳、古者言字爲文、左傳宣十二年、於文止戈爲武、十五年、文反正爲乏、昭元年、於文皿蟲爲蠱、中庸、書同文、孟子、說詩者、不以文害辭、可證、左氏隱元年前傳、有

文在其手、曰爲魯夫人、昭元年、有文在其手、曰虞、皆掌理自然成字、或若魯字、或若虞字、然季友之事、與此同、號爲成季。其後爲季氏。慶父後爲孟氏也。鳌公元年、以汶陽・鄪封季友。【集解】賈逵曰、汶陽、鄪、魯二邑、杜預曰、汶陽、汶水北地也、汶水、出泰山萊蕪縣、【索隱】鄪、或作費、同、音祕、按費在汶水之北、則汶陽非邑、賈言二邑、非也、地理志、東海費縣、班固云、魯季氏邑、蓋尙書費誓卽其地、【考證】僖元年左傳云、公賜季友汶陽之田及費、愚按、此靖難之功也、季氏有費始此、季友爲相。九年、晉里克殺其君奚齊・卓子。【集解】徐廣曰、卓一作悼、齊桓公率鳌公討晉亂、至高梁而還。【索隱】高梁、晉地、在平陽縣西北、【考證】今山西平陽府臨汾縣、立晉惠公。【考證】本僖九年左傳、梁玉繩曰、傳云令不及魯、故春秋不書、則魯未嘗與伐晉、此與表同誤、十七年、齊桓公卒。【考證】僖十七年春秋經傳、二十四年、晉文公卽位。【考證】僖二十四年左傳、三十三年、鳌公卒、子興立。是爲文公。【考證】僖三十三年、文元年春秋、文公元年、楚太子商臣、弑其父成王代立。【考證】文元年春秋經傳、三年、文公朝晉襄公。【考證】文三年春秋經傳、龜井昱曰、公如晉、春秋書之、自此始、十一年十月甲

午、魯敗翟于鹹。【集解】服虔曰、魯地也、獲長翟喬如。富父終甥舂其喉、以戈殺之。【集解】服虔曰、富父終甥、魯大夫也、舂猶衝、埋其首於子駒之門、【集解】賈逵曰、子駒、魯郭門名、以命宣伯。【集解】服虔曰、宣伯、叔孫得臣子喬如也、得臣獲喬如以名其子、使後世旌識其功、【考證】中井積德曰、左傳十一年十月甲午上、有卜使叔孫得臣追之數語、得臣、將也、終甥其同乘之人、是得臣之功、故以命其子耳、初宋武公之世、鄋瞞伐宋。【集解】服虔曰、武公、周平王時、在春秋前二十五年、鄋瞞、長翟國名、【正義】鄋作廋、音所劉反、瞞、莫寒反、仲尼云、汪罔氏之君守封禺之山、爲漆姓、在虞夏商爲汪罔、周爲長翟、今謂之大人、其國在湖州武康縣、本防風氏、杜預云、鄋瞞、狄國名也、防風之後、漆姓也、【考證】宋世家、十二諸侯年表、以宋獲緣斯爲昭公四年事、卽魯文公十一年、魯獲長翟僑如之歲也、此採左傳文、則當據此訂彼說、又見宋世家、司徒皇父帥師禦之、以敗翟于長丘。【集解】杜預曰、宋地名、【考證】楓山、三條本、司上有宋字、無皇父帥師四字、獲長翟緣斯。【集解】賈逵曰、喬如之祖、晉之滅路、【集解】在魯宣公十五年、【考證】左傳、路作潞、【正義】魯宣十六年、杜預云、潞、赤狄之別種也、按今潞州也、獲喬如弟棼如。齊惠公二年、鄋瞞伐齊。齊王子城父獲其弟榮如、埋其首於北門。【集解】按年表、

齊惠公二年、魯宣公之二年、【考證】左傳、惠公作襄公、陸粲曰、魯世家引左傳文、作齊惠公二年、齊世家年表三同、知今本左傳傳寫誤、衛人獲其季弟簡如。【集解】服虔曰、獲與僑如同時、鄋瞞由是遂亡。【集解】杜預曰、長翟之種絕、【考證】十一年甲午以下、依文十一年左傳、竹添光鴻曰、亡者謂其部落亡、非言長狄之種絕也、鄋瞞兄弟、身軀長大、其勇力蓋亦殊絕於一時、恃此以暴橫於諸夏、故歷序其死、至此乃言鄋瞞由是遂亡、其意蓋爲諸夏幸之也、十五年、季文子使於晉。【考證】文十五年春秋經傳、十八年二月、文公卒。文公有二妃、長妃齊女、爲哀姜。【索隱】此哀非謚、蓋以哭而過市、國人哀之、謂之哀姜、故生稱哀、與上桓夫人別也、【考證】哀姜、文公嫡夫人、不當與敬嬴竝稱爲二妃、生子惡及視。次妃敬嬴嬖愛。生子俀。【集解】徐廣曰、一作倭、【索隱】倭、音人唯反、一作俀、音同、【考證】梁玉繩曰、當作倭、漢志曰、宣公倭、左傳疏曰、名倭、或作接、釋文曰、名倭、一名接、又作委、楓山、三條本、作俀、俀私事襄仲。【集解】服虔曰、襄仲、公子遂、襄仲欲立之。叔仲曰、不可。【集解】服虔曰、叔仲、惠伯、【考證】楓山、三條本、無曰字、襄仲請齊惠公。惠公新立欲親魯。許之。【考證】中井積德曰、齊侯欲親魯、而許魯殺吾二姪、亦遠於人情、冬十月、襄仲殺子惡及視而立俀。是爲宣

公。哀姜歸齊、哭而過市。【考證】左傳、哭上有將行二字、曰、天乎、襄仲爲不道、殺適立庶。【正義】適、音的、市人皆哭。魯人謂之哀姜。【考證】十八年二月以下、文十八年左傳、魯由此公室卑、三桓彊。【集解】服虔曰、三桓、魯桓公之族、仲孫、叔孫、季孫、【考證】昭三十二年左傳云、晉史墨曰、魯文公薨、而東門遂殺適立庶、魯君於是乎失國、又見下文、宣公俀二年、楚莊王彊。圍鄭。鄭伯降。復國之。【考證】宣十二年春秋經傳、國白駒曰、彊、言兵強也、十八年、宣公卒。子成公黑肱立。【集解】徐廣曰、肱、一作股、【考證】李笠曰、以上下句例之、黑肱上成公二字衍、是爲成公。季文子曰、使我殺適立庶失大援者、襄仲。【集解】服虔曰、援、助也、仲殺適立庶、國政無常、鄰國非之、是失大援助也、杜預曰、襄仲立宣公、南通於楚、既不固、又不能堅事齊晉、故云失大援、【考證】楓山、三條本、集解、曰下有適謂子惡、齊外甥七字、仲下有殺之二字、襄仲立宣公、公孫歸父有寵。【集解】服虔曰、歸父、襄仲之子、宣公欲去三桓、與晉謀伐三桓。會宣公卒。季文子怨之。歸父奔齊。【考證】宣十八年左傳、成公二年春、齊伐取我隆。

【集解】左傳、作龍、杜預曰、魯邑、在泰山博縣西南、【考證】龍、今山東泰安府泰安縣西南龍鄉城、夏、公與晉郤克敗齊頃公於鞍。齊復歸我侵地。【考證】成二年春秋經傳、今山東歷城縣藥山東南有鞍山、舊傳晉伐齊戰于鞍、卽此、四年、成公如晉。晉景公不敬魯。魯欲背晉合於楚。或諫乃止。【考證】成四年左傳、張文虎曰、欲上魯字舊刻作公、愚按、依左傳季文子諫之也、十年、成公如晉。晉景公卒。因留。成公送葬。魯諱之。【索隱】經不書其葬、唯言公如晉、是諱之、【考證】成十年左傳、愚按、魯諱之、左氏釋經之詞、在史不必言、十五年、始與吳王壽夢會鍾離。【正義】括地志云、鍾離國故城、在濠州鍾離縣東五里、【考證】成十五年春秋經傳、今安徽鳳陽府鳳陽縣東四里有鍾離城、壽夢時吳楚以此爲界、十六年、宣伯告晉、欲誅季文子。【集解】服虔曰、宣伯、叔孫僑如、文子有義。晉人弗許。【考證】成十六年春秋經傳、十八年、成公卒。子午立。是爲襄公。【考證】成十八年春秋經傳、是時襄公三歲也。【考證】襄九年左傳云、晉公問公年、季武子對曰、會于沙隨之歲、寡君以生、晉侯曰、十二年矣、愚按、沙隨之會、在成十六年、則成公薨時襄公方三歲矣、襄公元年、晉立悼公。往年

冬、晉欒書弒其君厲公。【考證】成十八年左傳、史云襄元年悼公立者、從其卽位之年、四年、襄公朝晉。【考證】襄四年春秋經傳、五年、季文子卒、家無衣帛之妾。廄無食粟之馬。府無金玉、以相三君。【索隱】宣公、成公、襄公、君子曰、季文子廉忠矣。【考證】襄五年左傳、九年、與晉伐鄭。晉悼公冠襄公於衞。【集解】左傳曰、冠于成公之廟、假鐘磬焉、禮也、季武子從相、行禮。【考證】襄九年左傳、十一年、三桓氏分爲三軍。【集解】韋昭曰、周禮、天子六軍、諸侯大國三軍、魯伯禽之封、舊有三軍、其後削弱、二軍而已、季武子欲專公室、故益中軍、以爲三軍、三家各征其一、【索隱】征、謂起徒役也、武子爲三軍、故一卿主一軍之征賦也、【考證】襄十一年春秋經傳、國語魯語、中井積德曰、舊三軍、後二軍、竝無證、崔述曰、春秋魯襄公十年作三軍、傳云三分公室、季氏盡征之、叔孫氏臣其子弟、孟氏取其半焉、昭公五年、舍中軍、傳云、四分公室、季氏擇二、二子各一、皆盡征之、而貢於公、說者緣是遂謂魯國盡爲三桓所分、而魯君無復尺土一民之有、夫使魯國果盡屬於三桓、則當時三桓之外、魯之大夫尚多、若叔氏臧氏施氏郈氏叔仲氏東門之屬、其祿皆於何取之、蓋三桓所分者鄉遂、至於都鄙之地、固自若也、古者鄉遂之地、君所自奉、謂之公室、故曰三分公室、曰四分公室、明鄉遂以外魯之國自若也、故臧氏之邑在防、武仲出奔、仍入據防而請後、是諸大夫之采邑、未嘗歸三桓也、不但大夫之采邑然也、

都鄙之中、亦有公邑、仍爲公有、故季武子取卞、曰、卞人將叛、既取之矣、故告、襄公曰、欲之而言叛、祇見疏也、是季氏未取卞以前卞仍屬於魯君也、後人不達古人鄉遂都鄙之制、遂謂通國盡屬三桓、誤矣、十二年、朝晉。考證 襄十二年春秋經傳、十六年、晉平公卽位。考證 襄十六年左傳、二十一年、朝晉平公。考證 襄二十一年春秋經傳、二十二年、孔丘生。正義 生在周靈王二十一年、魯襄二十二年、晉平七年、吳諸樊十年、考證 公羊傳云、襄公二十有一年十有一月庚子孔子生、穀梁傳襄公二十有一年冬十月庚子、孔子生、竝與此異、兪樾曰、公羊穀梁兩傳、年日俱同、惟有一月之差、然陸德明公羊音義云、庚子孔子生、傳文上有十月庚辰、此亦十月也、一本作十一月庚子、又本無此句、是陸子所據本、無十有一月四字、與穀梁同、楊士勛穀梁疏云、仲尼以此年生、故傳因而錄之、史記世家云襄公二十二年生者、馬遷之言、與經典不同者非一、故與此傳異年耳、楊子、但言史記與穀梁異年、而不言公羊與穀梁異月、則其所見公羊傳、亦必無十有一月四字也、唐石經誤衍此四字、而各本從之、遂致兩傳有一月之差、是不可以不辯也、至生年爲襄二十一年、則兩傳皆同、襄三十一年左傳正義引二十一年賈逵注經云、此年仲尼生、哀公十六年夏四月卒七十三年、又引昭二十四年服虔載賈逵語云、是歲孟僖子卒、屬其子使事仲尼、時年三十五、計自襄二十一至昭二十四、凡三十五歲、是孔子以襄二十一年生、賈服舊說皆同、自襄二十一至哀十六、共七十四年、而賈逵云年七十三者、猶絳縣老人生於文十一年、至襄三十年、亦是七十四年、而傳稱七十三年也、杜預不達此義、乃從史記作襄二十二年生、朱子論語序說亦云襄二十二年十一月庚子生、胥

失之矣、今定孔子于襄二十一年十月庚子生、是月庚辰朔、則庚子二十一日也、周十一月、夏八月、爲今八月二十一日、二十五年、齊崔杼弒其君莊公、立其弟景公。考證 襄二十五年春秋經傳、二十九年、吳延陵季子使魯問周樂、盡知其意。魯人敬焉。考證 襄二十九年左傳、事詳吳世家、楓山、三條本、敬作驚、三十一年六月、襄公卒。其九月、太子卒。集解 左傳曰、毀也、索隱 左傳云、胡女敬歸之子子野立、三月卒、考證 杜預曰、敬歸、襄公之妾、楓山、三條本、索隱、立字在胡上、愚按、左傳云、敬歸之娣齊歸、魯人立齊歸之子裯爲君。集解 徐廣曰、裯、一作袑、服虔曰、胡、歸姓之國也、齊、謚也、索隱 系本作稠、又徐廣云、一作袑、音紹也、考證 世家從左傳作裯、年表從世本作稠、是爲昭公。昭公年十九、猶有童心。集解 服虔曰、言無成人之志、而有童子之心、穆叔不欲立。索隱 魯大夫叔孫豹也、宣伯喬如之弟、曰。太子死、有母弟可立。不卽立長。集解 服虔曰、無母弟則立庶子之長、年鈞擇賢、義鈞則卜之。集解 杜預曰、先人事後卜筮、義鈞、謂賢等、考證 龜井昱曰、年既鈞、而賢不肖不相遠、其義竝可以受終、則決之卜筮也、杜似直以義爲賢、失之、今裯非適嗣。且又居喪、意不在戚、而有喜色。

若果立、必爲季氏憂。季武子弗聽。卒立之。比及葬三易衰。集解 杜預曰、言其嬉戲無度、君子曰。是不終也。考證 三十一年以下、采襄三十一年左傳、愚按、不終也、謂其不終君位也、下文昭公奔齊伏案、語本左傳君子是以知其不能終也、昭公三年、朝晉至河。晉平公謝還之。魯恥焉。考證 春秋經傳、係之昭二年、梁玉繩曰、三字譌、表在二年、四年、楚靈王會諸侯於申。昭公稱病不往。考證 昭四年春秋經傳、七年、季武子卒。考證 昭七年春秋經傳、八年、楚靈王就章華臺召昭公。昭公往賀。集解 春秋云、七年三月、公如楚、賜昭公寶器。已而悔、復詐取之。集解 左傳曰、好以大屈、服虔曰、大屈寶金、可以爲劍、一曰、大屈弓名、魯連書曰、楚子享魯侯于章華、與之大曲之弓、既而悔之、大屈、殆所謂大曲之弓、正義 弨、尺招反、弛貌也、角弓不張也、禮云、張弓尙筋、弛弓尙角、是也、考證 本昭七年左傳、梁玉繩曰、案春秋在七年、此與表竝誤書于八年、楓山、三條本、集解、殆作弨、十二年、朝晉至河。晉平公謝還之。考證 昭十二年春秋經傳、十三年、楚公子弃疾弒其君靈王代立。考證 昭十三年春秋經傳、十五年、朝

晉。晉留之、葬晉昭公。魯恥之。考證 梁玉繩曰、昭公爲晉人所止、故十五年冬如晉、至十六年夏始返、竝非晉留使送葬、且晉昭公以八月卒、十月葬、在公歸之後、安謂晉留之送葬、此與年表俱誤、蓋是年季平子如晉葬昭公、史因誤以爲公耳、中井積德曰、此恐錯以成公送景公葬事附會也、二十年、齊景公與晏子狩竟、因入魯問禮。索隱 齊系家亦然、左傳無其事、考證 古鈔本、竟作境、岡白駒曰、狩魯境也、二十一年、朝晉至河。晉謝還之。考證 昭二十一年春秋經傳、二十五年春、鸜鵒來巢。集解 周禮曰、鸜鵒不踰濟、公羊傳曰、非中國之禽也、宜穴而巢、穀梁傳曰、來者來中國也、師己曰。文・成之世、童謠曰。集解 賈逵曰、師己、魯大夫也、文成、魯文公成公、鸜鵒來巢。公在乾侯。鸜鵒入處。公在外野。考證 童謠與左氏所記異、乾侯地名、伏下文晉居昭侯乾侯、季氏與郈氏鬭雞。集解 徐廣曰、郈、一本作厚、世本亦然、杜預曰、季平子郈昭伯二家相近、故鬭雞、季氏芥雞羽、集解 服虔曰、擣芥子、播其雞羽、可以坌郈氏雞目、杜預曰、或云、以膠沙播之爲介雞、正義 介、甲也、考證 左傳、芥作介、賈逵注左傳云、介、甲也、高誘注呂覽察微篇云、介、甲也、中井積德曰、左傳云、介其雞、介、甲也、用革護其膺以拒距擊也、芥子可以坌敵目、而亦以自坌其目、何利之有、郈氏金距。集解 服虔曰、以金鍇距、季平子怒、而

侵郈氏。【集解】服虔曰、怒其不下己也、侵郈氏之宮地以自益、郈昭伯亦怒平子。【索隱】按系本、昭伯名惡、魯孝公之後、稱厚氏也、臧昭伯之弟會、【集解】賈逵曰、昭伯、臧孫賜也、【索隱】系本、臧會、臧頃伯也、宜叔許之孫、與昭伯賜爲從父昆弟也、爲讒臧氏、匿季氏。【考證】據左傳、會竊臧氏寶玉以逃、而僞云、有爲讒構者、不得居臧氏、凌本、爲作僞、左傳、讒下有於字、臧昭伯囚季氏人。【考證】梁玉繩曰、臧氏逐會、執諸季氏中門之外、非囚季氏人也、楓山、三條本、人上有家字、季平子怒、囚臧氏老。【集解】服虔曰、老、臧氏家之大臣、臧・郈氏以難告昭公。【考證】楓山、三條本、臧下有氏字、昭公九月戊戌、伐季氏、遂入。【考證】中井積德曰、昭公二字、當在戊戌之下、平子登臺請曰。君以讒不察臣罪、誅之。請遷沂上。弗許。【集解】杜預曰、魯城南自有沂水、平子欲出城待罪也、大沂水出蓋縣南、至下邳入泗水、請囚於鄪。弗許。【集解】服虔曰、鄪、季氏邑、請以五乘亡。弗許。【集解】服虔曰、言五乘自省約以出、子家駒曰。君其許之。政自季氏久矣。爲徒者衆。衆將合謀。弗聽。【索隱】子家駒、魯大夫仲孫氏之族、名駒、謚懿伯也、【考證】楓山、三條本、衆衆間、有徒字、龜井昱曰、事幾正在此、昭公立斷、豈

其出辱、郈氏曰。必殺之。【考證】岡白駒曰、言殺季平子、叔孫氏之臣戾、【集解】左傳曰、鬷戾、謂其衆曰。無季氏、與有孰利。皆曰。無季氏。是無叔孫氏。戾曰。然救季氏。遂敗公師。【考證】左傳、然下有則、孟懿子聞叔孫氏勝、亦殺郈昭伯。【集解】賈逵曰、懿子、仲孫何忌、郈昭伯爲公使。故孟氏得之。【考證】淩稚隆曰、昭伯爲公使、蓋時方以昭公伐季氏之命告孟孫、故在孟孫所也、三家共伐公。公遂奔。己亥、公至于齊。齊景公曰。請致千社待君。【考證】杜預曰、二十五家爲一社、千社、二萬五千家、欲以給公也、子家曰。弃周公之業、而臣於齊、可乎。乃止。子家曰。齊景公無信。不如早之晉。弗從。【考證】陳仁錫曰、齊景公、當作齊君、叔孫見公、還見平子。平子頓首、初欲迎昭公。孟孫・季孫後悔。乃止。【考證】昭二十五年左傳、二十六年春、齊伐魯取鄆、而居昭公焉。【集解】賈逵曰、魯邑、夏、齊景公將內公、令無受魯賂。

申豐・汝賈【集解】賈逵曰、申豐・汝賈、魯大夫、【考證】杜預曰、豐・賈二人、皆季氏家臣也、許齊臣、高齕・子將粟五千庾。【集解】賈逵曰、十六斗爲庾、五千庾、八萬斗、【索隱】一本、子將上有貨字、子將卽梁丘據也、齕、音紇、子將家臣也、左傳、子將作子猶、【考證】梁玉繩曰、案左傳、高齕乃高齮之誤、子將乃子猶之誤、而子猶上脫貨字、故索隱云、一本將上有貨字、子將言於齊侯曰。羣臣不能事魯君。有異焉。【集解】服虔曰、異、猶怪也、【考證】左傳、作群臣不盡力于魯君者、非不能事君也、然據有異焉、史文削去數字、義欠分曉、據、子猶名、宋元公爲魯如晉、求內之。道卒。【集解】春秋曰、宋公佐卒于曲棘、叔孫昭子求內其君。無病而死。【索隱】昭子、名婼、卽穆叔子、不知天弃魯乎。抑魯君有罪于鬼神也。願君且待。齊景公從之。【考證】以上、昭二十六年左傳、楓山、三條本、有下有得字、二十八年、昭公如晉求入。季平子私於晉六卿。六卿受季氏賂、諫晉君。晉君乃止、居昭公乾侯。【集解】杜預曰、乾侯、在魏郡斥丘縣、晉竟內邑、【考證】本昭二十七年二十八年左傳、左傳但云、范獻子取貨於季孫、不云六卿、斥丘古城、在今直隸廣平府成安縣東南十三里、二十九年、昭公如鄆。齊

景公使人賜昭公書。自謂主君。【集解】服虔曰、大夫稱主、比公於大夫、故稱主君、【考證】昭二十九年左傳云、齊侯使高張唁公、稱主君、杜預注云、比公於大夫、與集解所引服說同、據此則稱魯君爲主君也、史記自字宜刪、梁玉繩曰、賜昭公書、不知何出、豈別有據乎、竹添光鴻曰、醫和謂趙孟曰、主是謂矣、魏戊曰、主以不賄聞於諸侯、此大夫稱主也、大夫唯稱主、加以君字、不必爲大夫之稱、第此中自有卑意、故子家子曰、齊卑君矣、史記甘茂傳、樂羊拔中山、魏文侯示之謗書、樂羊曰、此非臣之功也、主君之力也、戰國策、梁王魏嬰觴諸侯於范臺、魯君曰、主君之尊、儀狄之酒也、主君之味、易牙之調也、蓋世降而名稱變耳、昭公恥之、怒而去乾侯。【考證】左傳、去作如、自鄆如乾侯也、楓山、三條本、去下有復之二字、當依訂、三十一年、晉欲內昭公、召季平子。平子布衣跣行、【集解】王肅曰、示憂戚、【考證】梁玉繩曰、傳、布衣作練冠麻衣、因六卿謝罪。六卿爲言曰。晉欲內昭公。衆不從。晉人止。【考證】三十年以下、本昭三十年三十一年左傳、六卿作荀躒、陳仁錫曰、昭、當作魯、三十二年、昭公卒於乾侯。【考證】昭三十二年春秋經傳、魯人共立昭公弟宋爲君。是爲定公。定公立。趙簡子問史墨。曰。季氏亡乎。史墨對曰。不亡。【集解】服虔曰、史墨、晉史蔡墨、【考證】梁玉繩曰、案傳言簡子

問欒、季子出君而民服、諸侯與之、君死于外、莫之或罪、此云問季氏亡、與傳相反、誤矣、季友有大功於魯、受鄪爲上卿。至于文子·武子、世增其業。魯文公卒、東門遂殺適立庶。【集解】服虔曰、東門遂、襄仲也、居東門、故稱東門遂、【索隱】系本作述、鄒誕本作秫、又系本遂產子家歸父及昭子子嬰也、魯君於是失國政、政在季氏。於今四君矣。民不知君。何以得國。是以爲君、愼器與名、不可以假人。【集解】杜預曰、器、車服、名、爵號、【考證】定公立以下、采昭三十二年左傳、龜井昱曰、此段專言季氏得魯國、有自而然、非獨意如之不臣、時勢之所流激、有不可如何者、故以此句結之曰、名器一失、國非其國、雖至於見逐、亦末如之何也、又曰、政在季氏、此謂假名器、夫政者自君出之名也、而君之紀綱、國家之器也、成二年左傳、直指曲縣繁纓之名與器、故曰、若以假人、與人政也、此直謂假政、爲假名器、語勢之所注射、活潑自在、固不容彼此牽合矣、又曰、二句本古言、前傳所引、或是本義、定公五年、季平子卒。陽虎私怒、因季桓子。與盟乃捨之。【考證】定五年左傳、岡白駒曰、陽虎欲葬平子以璵璠、季氏臣不可、陽虎怒、是私怒也、七年、齊伐我取鄆、以爲魯陽虎邑、以從政。【考證】梁玉繩曰、案春秋傳、春齊人歸鄆陽關、陽虎居之以爲政、秋、齊伐魯、兩事也、此誤、八年、陽虎

欲盡殺三桓適、而更立其所善庶子以代之、載季桓子、將殺之。桓子詐而得脫。三桓共攻陽虎。陽虎居陽關。【集解】服虔曰、陽關、魯邑、【考證】定八年左傳、九年、魯伐陽虎。陽虎奔齊。已而奔晉趙氏。【正義】左傳云、仲尼曰、趙氏其世有亂乎、杜預云、受亂人故、【考證】定九年左傳、十年、定公與齊景公會於夾谷。孔子行相事。齊欲襲魯君。孔子以禮歷階、誅齊淫樂。齊侯懼乃止、歸魯侵地而謝過。【考證】定十年春秋經傳、歷階、登階不聚足也、中井積德曰、孔子相會儀而已、以此爲國相、謬也、淫樂又非實殺之、竝詳于齊世家、十二年、使仲由毀三桓城、收其甲兵。【集解】服虔曰、仲由、子路、孟氏不肯墮城。【集解】杜預曰、墮、毀、伐之。不克而止。【考證】定十二年春秋經傳、中井積德曰、據左傳、墮三都、是子路之謀、而帥師墮郈者叔孫也、墮費者、仲孫也、圍成者公也、史記竝似失矣、季桓子受齊女樂。孔子去。【集解】孔安國曰、桓子使定公受齊女樂、君臣相與觀之、廢朝禮三日、【考證】論語微子篇、楓山三條本、集解桓子下、有季孫斯也四字、十五年、定公卒。【考證】定十五

年春秋經傳、子將立。是爲哀公。【索隱】系本、將作蔣也、哀公五年、齊景公卒。【考證】哀五年春秋經傳、六年、齊田乞弒其君孺子。【考證】哀六年春秋經傳、七年、吳王夫差彊。伐齊至繒、徵百牢於魯。季康子使子貢說吳王及太宰嚭、以禮詘之。吳王曰。我文身不足責禮。乃止。【考證】哀七年左傳、文身不足責禮、言我生吳國、斷髮文身、不知中國之禮也、乃止、吳世家作乃得止、孔子世家作然後得已、言不復徵也、左傳無此二字、與史異、梁玉繩曰、會繒在伐齊前、非因伐齊至繒、且此年無伐齊事也、至徵牢之對、出自景伯、而仍與之、康子辭召、出自子貢、而得不往、此誤合兩事爲一、竝見吳世家、文身豈禮、卽是子貢語、史公竄易其言、而移于吳王口中、謬矣、八年、吳爲鄒伐魯至城下。盟而去。【正義】鄒作騶、見于陳世家、音鄒、後同也、【考證】春秋經、哀七年秋、公伐邾、入邾、以邾子益來、八年夏歸邾子益于邾、齊伐我、取三邑。【考證】八年以下、哀八年春秋經傳、館本考證云、左傳八年夏、齊人取讙及闡二邑、齊世家、亦作取二邑、此與年表皆誤、十年、伐齊南邊。【考證】哀十年經傳、十一年、齊伐魯。季氏用冉有有功。【考證】張文虎曰、十一年從宋本毛本、與左傳合、它本竝作十二年、楓山三條本亦作十一年、思孔子。孔子自

衞歸魯。【考證】哀十一年左傳、十四年、齊田常弒其君簡公於徐州。孔子請伐之。哀公不聽。【考證】哀十四年左傳、論語憲問篇、徐从人、左傳作舒、十五年、使子服景伯·子貢爲介適齊。【考證】哀十五年左傳、齊歸我侵地。【考證】杭世駿曰、齊歸我讙闡、在八年、春秋經傳無十五年歸侵地之事、大約因歸成之語而誤耳、梁玉繩曰、左傳公孫宿以成叛、因子貢言、齊歸成、非侵地也、此與表同誤、田常初相、欲親諸侯。【考證】張文虎曰、八字、疑非史文、十六年、孔子卒。【考證】哀十六年左傳、二十二年、越王句踐滅吳王夫差。【考證】哀二十二年左傳、二十七年春、季康子卒。【考證】梁玉繩曰、案傳、康子卒于夏四月己亥、非春也、當衍春字、移夏字于上、夏、哀公患三桓、將欲因諸侯以劫之。三桓亦患公作難。故君臣多閒。【集解】賈逵曰、閒、隙也、公游于陵阪。【集解】服虔曰、陵阪、地名、【考證】黃帝陵、在曲阜城東北、少皞陵、在黃帝陵東、相傳陵阪卽其地、遇孟武伯於衢。【索隱】有本作衞者、非也、左傳於孟氏之衢、曰。請問余及死乎。【集解】杜預曰、問己可得以壽死不、【考證】龜井昱曰、公欲去三桓、故三桓亦必有異圖矣、公恐有一朝之變、而不自安、

因問余能安穩以及死之日乎、以察其有異圖與否也、全身以至自死之時、曰及死、對曰。不知也。公欲以越伐三桓。八月、哀公如陘氏。【集解】杜預曰、陘氏、卽有山氏、【考證】梁玉繩曰、案傳作有陘氏、卽有山氏也、此脫有字、 三桓攻公。公奔于衞、去如鄒、遂如越。【正義】今蘇州西南四十五里橫山南、有魯郡村、村內有城、俗云、魯哀公如越、越居哀公焉、 國人迎哀公、復歸卒于有山氏。【考證】二十七年以下、哀二十七年左傳、梁玉繩曰、案傳言公孫于邾、卽鄒也、無奔衞事、【集解】徐廣曰、皇甫謐云、哀公元甲辰、終庚午、【考證】左傳正義云、傳稱國人施罪於有山氏、不得復歸而卒也、館本考證云、年表甲辰爲定十五年、哀公元爲丁未、 子寧立。是爲悼公。悼公之時、三桓勝。魯如小侯、卑於三桓之家。【考證】徐孚遠曰、自此以後、不紀三桓、其衰微之故、不可考也、 十三年、三晉滅智伯、分其地有之。三十七年、悼公卒。【考證】陳仁錫曰、自悼公以下、智伯之滅、秦惠懷之卒、秦拔郢、楚徙陳、皆與年表不合、蓋世家錯誤、梁玉繩曰、智伯之滅、在悼公十五年、此誤、【集解】徐廣曰、一本云、悼公卽位三十年、乃於秦惠王卒楚懷王死年合、又自悼公以下、盡與劉歆歷譜合、而反違年表、未詳何故、皇甫謐云、悼公四十年、元辛未、終庚戌、【考證】梁玉繩曰、徐廣引別本所紀年數、非、 子嘉立。是爲元公。元公二十一年卒。

【集解】徐廣曰、皇甫謐云、元辛亥、終辛未、 子顯立。是爲穆公。【索隱】系本、顯作不衍、 穆公三十三年卒。【集解】徐廣曰、皇甫謐云、元壬申、終甲辰、【考證】沈家本曰、漢律歷志、表止三十二年、 子奮立。是爲共公。共公二十二年卒。【集解】徐廣曰、皇甫謐云、元乙巳、終丙寅、【考證】沈家本曰、漢律歷志合、表爲二十三年、 子屯立。是爲康公。【索隱】屯、音竹倫反、 康公九年卒。【集解】徐廣曰、皇甫謐云、元丁卯、終乙亥、 子匽立。是爲景公。【索隱】匽、音偃、【考證】梁玉繩曰、匽乃古偃字、年表漢志、作偃、 景公二十九年卒。【集解】徐廣曰、皇甫謐云、元丙子、終甲辰、【考證】年表、景公立于顯王二十六年、薨于愼靚王六年、始戊辰、終丙午、與世家合、 子叔立。是爲平公。【索隱】系本、叔作旅、【考證】漢律歷志、作旅、 是時六國皆稱王。平公十二年、秦惠王卒。【考證】沈家本曰、按秦惠王卒、在平公八年、 二十二年、平公卒、【集解】徐廣曰、皇甫謐云、元乙巳、終甲子、【考證】年表、周赧王元年、魯平公元年、二十一年、魯文公元年、與此異、梁玉繩曰、下二字衍、平公在位二十年也、沈家本曰、二十年、與漢律歷志合、然楚表止十九年、 子賈立。是爲文公。【索隱】系本、作湣公、鄒誕本亦同、仍云系家或作文公、【考證】漢書律歷志、作緡公、中井積德曰、魯不得有兩文公、作湣爲是、然湣又與閔同、則亦有兩閔公也、或是別字之譌、今不可考、

文公七年、楚懷王死于秦。【考證】梁玉繩曰、事在文公元年、誤作七年、沈家本曰、按楚懷王卒於頃襄王三年、世家與表均、合在文公元年之上一年、以表年計之、則平公十九年也、 二十三年、文公卒。【集解】徐廣曰、皇甫謐云、元乙丑、終丁亥、 子讎立。是爲頃公。頃公二年、秦拔楚之郢。【集解】徐廣曰、年表云、文公十八年、秦拔郢、楚走陳、 楚頃王東徙于陳。【考證】梁玉繩曰、楚頃下、缺襄字、 十九年、楚伐我取徐州。【集解】徐廣曰、徐州在魯東、今薛縣、【索隱】按說文、郤、鄒之下邑、在魯東、又郡國志曰、魯國薛縣、六國時曰徐州、又紀年云、梁惠王三十一年、下邳遷于薛、故名曰徐州、則徐與郤竝音舒也、【考證】梁玉繩曰、徐州卽舒州、自來屬齊、其屬魯也、蓋在齊湣王之世、故呂氏春秋首時云、齊以東帝困于天下、而魯取徐州、或以史文爲誤、非、又攷是年楚取魯、封魯君于莒、年表書之、沈家本曰、表、於楚考烈八年、書取魯、魯君封於莒、爲魯頃之十八年、與此差一年、 二十四年、楚考烈王伐滅魯。頃公亡遷於卞邑、爲家人。【集解】徐廣曰、卞、一作下、【索隱】下邑、謂國外之小邑、或有本作卞邑、然魯有卞邑、所以惑也、【考證】岡白駒曰、家人、齊民也、韋昭云、庶人之家也、謂居家之人無官職也、梁玉繩曰、卞邑是也、胡三省曰、春秋、夫人姜氏會齊侯于卞、卽其地、班志、卞縣屬魯郡、 魯絕祀。頃公卒于柯。【集解】徐廣曰、皇甫謐云、元戊子、終辛亥、【索隱】按春秋、齊伐魯柯而盟、杜預云、柯、齊邑、今濟北東阿也、【考證】兪樾曰、魯亡

於頃公、齊亡於康公、晉亡於靜公、國亡矣、其君何以有謚也、鄭君乙、世家無謚、而年表曰鄭康公、宋王偃、史記無謚、而呂氏春秋、作宋康王、荀子、作宋獻王、則亦有謚也、楊倞注荀子曰、國滅之後、其臣子各私自爲謚、然則魯齊諸君之有謚、亦其臣子所爲也、 魯起周公、至頃公、凡三十四世。【考證】梁玉繩曰、史不數伯御一代、故云三十四世、

太史公曰、余聞孔子稱曰。甚矣魯道之衰也。洙・泗之閒、齗齗如也。【集解】徐廣曰、漢書地理志云、魯濱洙泗之閒、其民涉渡、幼者扶老者而代其任、俗既薄、長者不自安、與幼者相讓、故曰齗齗如也、齗、魚斤反、東州語也、蓋幼者患苦長者、長者忿愧自守、故齗齗爭辭、所以爲道衰也、【索隱】齗、音魚斤反、讀如論語誾誾如也、言魯道雖微、而洙泗之閒、尙誾誾如也、鄒誕生亦音銀、又作斷斷、如尙書讀、則斷斷是專一之義、徐廣又引地理志、音五艱反、云齗齗是鬪爭之貌、故繁欽遂行賦云、涉洙泗而飮馬兮、恥少長之齗齗、是也、今按下文云、至于揖讓之禮則從矣、魯尙有揖讓之風、如論語音誾爲得之也、【考證】楊愼曰、齗齗、鬪爭得之、索隱讀作誾誾、不通、繁欽賦曰、涉洙泗而飮馬、恥少長之齗齗、恥字益明、中井積德曰、齗齗只是瑣屑爭辯之貌、不必因涉渡、 觀慶父及叔牙・閔公之際、何其亂也。隱・桓之事、襄仲殺適立庶、三家北面爲臣、親攻昭公、昭公以奔。【考證】趙恒曰、言揖讓之禮則是、而行事

則戾、正是齗齗之意、至其揖讓之禮則從矣。而行事何其戾也。【正義】言魯被周公之化、揖讓之禮則從矣、而君臣相弒、何戾之甚、

【索隱述贊】武王既沒、成王幼孤、周公攝政、負扆據圖、及還臣列、北面匔如、元子封魯、少昊之墟、夾輔王室、系職不渝、降及孝公、穆仲致譽、隱能讓國、春秋之初、丘明執簡、褒貶備書、

魯周公世家第三　　史記三十三

史記會注考證卷三十四

漢　太　史　令　司　馬　遷　撰

宋中郎外兵曹參軍裴　駰集解

唐國子博士弘文館學士司馬貞索隱

唐諸王侍讀率府長史張守節正義

日　本　出　雲　瀧　川　資　言　考　證

燕召公世家第四　史記三十四

【考證】史公自序云、武王克紂、天下未協而崩、成王既幼、管蔡疑之、淮夷叛之、於是召公率德、安集王室、以寧東土、燕易之禪、乃成禍亂、嘉棠之詩、作燕世家、第四、

召公奭與周同姓。姓姬氏。【集解】譙周曰、周之支族、食邑於召、謂之召公、【索隱】召者、畿內菜地、奭始食於召、故曰召公、或說者以為文王受命、取岐周故墟周召地、分爵二公、故詩有周召二南、言皆在岐山之陽、故言南也、後武王封之北燕、在今幽州薊縣故城是也、亦以元子就封、而次子畱周室、代為召公、至宣王時、召穆公虎其後也、【考證】梁玉繩曰、穀梁莊三十年傳云、燕周之分子也、白虎通王者不臣章、召公、文王子、論衡氣壽篇、召公、周公之兄、書詩疏及詩禮釋文引皇甫謐曰、文王庶子、書君奭疏、及史集解引譙周曰、周之支族、皇甫之說、本白虎通論衡、然不可信、孔穎達、陸德明竝言左傳富辰數文昭十六國無燕、則召公必非文王子、斥士安為謬、蓋既為周同姓、稱分子也可、稱支族也可、周武王之滅紂、封召公於北燕。【集解】世本曰、居北燕、宋忠曰、有南燕、故云北燕、【正義】括地志云、滑州城、古之燕國也、應劭曰、南燕、姞姓之國、黃帝之後也、【考證】北燕、幽州薊縣故城、今直隸順天府薊州、其在成王時、召公為三公。【考證】書君奭序云、召公為保、周公為師、相成王為左右、自陝以西、召公主之。自陝以東、周公主之。【集解】何休曰、陝者、蓋今弘農陝縣是也、【考證】召公以下、據隱五年公羊傳、梁玉繩曰、此本公羊傳文、白虎通封公侯章、釋主陝東西云、不分南北何、東方被聖人化日少、西方被聖人化日久、故分東西、使聖人主其難、賢者主其易、乃俱致太平也、而王應麟詩地理攷曰、朱氏云、公羊分陝之說可疑、蓋陝東地廣、陝西只是關中雍州之地、恐不應分得如此不均、但各本史記多作陝、從兩人音甲、或作陝字、此從兩入、公羊釋文曰、陝一云、當作郟、王城郟鄏、余謂作

郟為是、崔述曰、傳云、成王定鼎郟鄏、周語云、晉文公既定襄王於郟、是洛亦稱郟也、洛邑天下之中、當於是分東西、為均、陝郟字形相似、或傳寫者之誤、成王既幼、周公攝政、當國踐祚。召公疑之。作君奭。【集解】孔安國曰、尊之曰君、陳古以告之、故以名篇、君奭不說周公。【集解】馬融曰、召公以周公既攝政致大平、功配文武、不宜復列在臣位、故不說、以為周公苟貪寵也、【考證】召公疑之以下、本書君奭序、余有丁曰、作君奭下、不應復說君奭不說周公、愚按、君奭不說周公六字、屬下文讀、蔡沈曰、諸家之說、皆為書序所誤、乃召公自以盛滿難居、欲避權位、退老厥邑、周公反覆告諭以留之爾、崔述曰、細玩篇中之語、無非勉厲召公、同心協力、共輔大業、不但不見召公有不說周公之意、亦殊不見召公有盛滿難居之心、然則此篇乃周公自與召公相勸勉之言、愚按、崔說與史記異、今就君奭原文推之、幾乎得其實、周公乃稱。湯時有伊尹、假于皇天。【集解】孔安國曰、伊摯佐湯、功大至天、謂致太平也、鄭玄曰、皇天、北極天帝也、【考證】楓山、三條本、有下有若字、與尚書合、蔡沈曰、假于皇天、其治化與天無間、中井積德曰、假天、只是合天道而已、在太戊時、則有若伊陟・臣扈、假于上帝。巫咸治王家。【集解】孔安國曰、伊陟臣扈、率伊尹之職、使其君不隕祖業、故至天之功不隕、巫咸治王家、言其不及二臣、馬融曰、道至于上帝、謂奉天時也、鄭玄曰、上帝、太微中其所統也、【正義】按巫咸吳人、今蘇州常熟縣西海隅山上、有巫咸冢及巫賢冢、【考證】中井積德曰、上帝即皇天、假字無二義、在祖乙時、則

有若巫賢。【集解】孔安國曰、時賢臣有如此巫賢也、賢、咸子、巫氏也、在武丁時、則有若甘般。【集解】孔安國曰、高宗即位、甘般佐之、後有傳說、率維茲有陳。保乂有殷。【集解】徐廣曰、一無此九字、駰案、王肅曰、循此數臣、有陳列之功、安治有殷也、【考證】以上采周書君奭、於是召公乃說。召公之治西方、甚得兆民和。召公巡行鄉邑、有棠樹。【正義】今之棠梨樹也、括地志云、召伯廟、在洛州壽安縣西北五里、召伯聽訟甘棠之下、周人思之、不伐其樹、後人懷其德、因立廟、有棠、在九曲城東阜上、決獄政事其下。自侯伯至庶人、各得其所、無失職者。召公卒、而民人思召公之政、懷棠樹不敢伐、哥詠之、作甘棠之詩。【考證】本詩召南甘棠篇、梁玉繩曰、案樹下決獄之說、史公必有所本、故漢書王吉諫昌邑、亦云、召公述職、當民事時、舍于棠下而聽斷焉、嗣後如說苑貴德篇、風俗通首卷、以及鄭箋竝同、然竊疑樹下非聽訟之所、周初盛規、不應簡陋如是、楊升菴嘗譏之、而韓詩外傳一、謂召公不欲勞民營居、出就蒸庶、廬于樹下、聽斷于隴畝之間、尤覺矯情難信、呂祖謙讀詩記引劉氏曰、召伯憩息此棠樹之下、說者謂召公不重煩勞百姓、止舍棠下、是為墨子之道也、黃氏日鈔曰、岷隱謂召伯行省風俗、偶憩棠下、非必受民訟、亦非有意于不擾、晦菴雪山華谷竝合、余因攷白虎通巡狩章引甘棠詩云、召公述職、親說舍于野樹之下、易林睽之第三十八云、召伯避暑、皆無聽訟

之說、史公妄耳、　自召公已下、九世至惠侯。【索隱】竝國史先失也、又自惠侯已下、皆無名、亦不言屬、惟昭王父子有名、蓋在戰國時、旁見他說耳、燕四十二代、有二惠侯、二釐侯、二宣侯、三桓侯、二文侯、蓋國史微失本謚、故重耳、　燕惠侯、當周厲王奔彘共和之時。惠侯卒。子釐侯立。【正義】釐、音僖、　是歲、周宣王初卽位。釐侯二十一年、鄭桓公初封於鄭。【考證】梁玉繩曰、宣王不與燕釐同元年、其卽位在前一年、　三十六年、釐侯卒。子頃侯立。頃侯二十年、周幽王淫亂、爲犬戎所弑。秦始列爲諸侯。二十四年、頃侯卒。子哀侯立。哀侯二年卒。子鄭侯立。【索隱】按謚法無鄭、鄭或是名、　鄭侯三十六年卒。子繆侯立。繆侯七年、而魯隱公元年也。十八年卒。子宣侯立。【索隱】譙周曰、系本謂燕自宣侯已上、皆父子相傳無及、故系家桓侯已下、竝不言屬、以其難明故也、按今系本、無燕代系、宋忠依太史公書、以補其闕、尋徐廣作音、尚引系本、蓋近代始散佚耳、　宣侯十三年卒。子桓侯立。【集解】徐廣曰、古史考曰、世家自宣侯已下、不說其屬、以其難明故也、【考證】張文虎曰、上文索隱引譙周曰、系本桓侯已下、

不言屬、與此同、引一書、既有參差、而上召公九世至惠侯、索隱又云、自惠侯已下不言屬、又復不同、然今史文釐頃哀鄭繆宣桓莊襄七侯二公、上皆有子字、梁氏志疑謂皆後人妄增、擧漢書人表獨燕諸君以世計數至三十六世、文公以後始注某公子爲證、或當然也、　桓侯七年卒。【集解】世本曰、桓侯徙臨易、宋忠曰、今河閒易縣是也、【考證】楓山、三條本、七年作十年、　子莊公立。莊公十二年、齊桓公始霸。【考證】莊十五年左傳、　十六年、與宋・衞共伐周惠王。惠王出奔溫。立惠王弟穨爲周王。【集解】譙周曰、按春秋傳、燕與子穨逐周惠王者、乃南燕姞姓也、世家以爲北燕、失之、【索隱】譙周云、據左氏、燕與衞伐周惠王、乃是南燕姞姓、而系家以爲北燕伯、故著史考云、此燕是姞姓、今檢左氏莊十九年、衞師燕師伐周、二十年傳云、執燕仲父、三十年、齊伐山戎、傳曰、謀山戎、以其病燕故也、據傳文及此記、元是北燕不疑、杜君妄說仲父是南燕伯、爲伐周故、且燕衞俱是姬姓、故有伐周納王之事、若是姞燕與衞伐周、則鄭何以獨伐燕而不伐衞乎、　十七年、鄭執燕仲父、而內惠王于周。【正義】杜預云、燕仲父、南燕伯也、周本紀云、鄭虢君怒、鄭與虢君伐殺王子穨、入惠王、故鄭怒南燕、所以執其仲父、【考證】十六年以下、本莊十九年二十年左傳、梁玉繩曰、十六十七兩年伐周、及執仲父事、當刪、蓋伐王是南燕也、仲父是南燕伯也、南燕姞姓、與召公後姬姓之北燕別、史公混而一之、又曰、衞與南燕伐周、與宋亦無涉、而奔溫者子穨也、惠王不奔溫、鄭虢納王、在燕莊十八年、非十七年、誤之中又誤焉、沈家本曰、宋字疑衍、　二十七年、

山戎來侵我。齊桓公救燕、遂北伐山戎而還。【正義】左傳莊三十年、齊人伐山戎、杜預云、山戎、北狄、無終國名也、括地志云、幽州漁陽縣、本北戎無終國、其後晉滅山戎也、【考證】莊三十年左傳、　燕君送齊桓公出境。桓公因割燕所至地予燕。【正義】予、音與、括地志云、燕畱故城、在滄州長蘆縣東北十七里、卽齊桓公分溝割燕君所至地與燕、因築此城、故名燕畱、　使燕共貢天子、如成周時職。使燕復修召公之法。【考證】燕君送齊桓公以下、未詳其所本、莊三十年穀梁傳云、燕、周之分子也、貢職不至、山戎爲之伐矣、范甯注、言由山戎爲害伐擊燕、使之隔絕於周室、與此義異、　三十三年卒。子襄公立。襄公二十六年、晉文公爲踐土之會稱伯。【考證】僖廿八年左傳、　三十一年、秦師敗于殽。【考證】僖卅三年春秋經傳、　三十七年、秦穆公卒。【考證】文六年左傳、　四十年、襄公卒。桓公立。桓公十六年卒。【索隱】譙周云、系本襄伯生宣伯、無桓公、今檢史記、竝有桓公立十六年、又宋忠據此史、補系家、亦有桓公、是允南所見本異、則是燕有三桓公也、【正義】燕四十三代、三桓公、二僖公、二宣公、二惠公、二文公、蓋國微、其謚故重、【考證】錢泰吉曰、索隱、家當作本、　宣公立。宣公十五年卒。昭公立。昭公

十三年卒。武公立。是歲、晉滅三郤大夫。【考證】梁玉繩曰、晉滅三郤、在前年、當燕昭公十三年、非武立之歲也、　武公十九年卒。文公立。文公六年卒。懿公立。懿公元年、齊崔杼弑其君莊公。【考證】襄二十五年春秋經、　四年卒。子惠公立。惠公元年、齊高止來奔。【考證】襄二十九年春秋經傳、　六年、惠公多寵姬。公欲去諸大夫而立寵姬宋。大夫共誅姬宋。【索隱】宋、其名也、或作宗、劉氏云、其父兄爲執政、故諸大夫共滅之、【考證】昭三年左傳云、燕簡公多嬖寵、欲去諸大夫而立其寵人、冬燕大夫比以殺公之外嬖、公懼奔齊、據此惠公當作簡公、張照曰、三姬字、俱當作臣、年表云、公殺公卿立幸臣、公恐出奔齊、然則三姬字、竝爲臣字之訛無疑也、公欲立寵姬爲妃、何必去諸大夫而後得立耶、梁玉繩曰、蓋簡公欲立之寵人多矣、而宋爲居首、故共誅之、然左傳竝無主名、不知史公何據、　惠公懼奔齊。四年、齊高偃如晉、請共伐燕入其君。晉平公許與齊伐燕入惠公。惠公至燕而死。【索隱】春秋昭三年、北燕伯款奔齊、至六年又云、齊伐北燕、一與此文合、左傳無納款之文、而云將納簡公、晏子曰、燕君不入矣、齊遂受賂而還、事與此乖、而又以款爲簡公、簡公去惠公已五代、則與春秋經傳不相協、未可强言也、【考證】梁

玉繩曰、齊侯如晉請伐燕、是九年事、昭六年左傳、齊受燕賂不克入其君、是十年事、昭七年左傳、齊高偃納燕伯、是十五年事、昭十二年左傳、而此以爲四年、殊謬、上文已書六年、何得于後倒書四年、張文虎曰、表、伐燕在九年、四字疑傳寫誤、愚按、墨子明鬼篇引燕春秋云、簡公寃其臣莊子儀、爲其所擊、殪于車上、與杜伯射宣王事相類、而亦不說其年、 燕立悼公。悼公七年卒。共公立。共公五年卒。平公立。晉公室卑、六卿始彊大。【考證】杭世駿曰、左傳、晉昭公卒、六卿强、晉室卑弱、是年爲燕共公之三年、 平公十八年、吳王闔閭破楚入郢。【考證】定四年春秋經傳、 十九年卒。簡公立。簡公十二年卒。【考證】梁玉繩曰、簡公、當作惠公、十二年、當作十五年、 獻公立。【索隱】王邵按紀年、簡公後次孝公、無獻公、然紀年之書、多是僞謬、聊記異耳、 晉趙鞅圍范·中行於朝歌。【考證】哀元年左傳、梁玉繩曰、表、圍朝歌、在前二歲、此書于獻公立年、誤、 獻公十二年、齊田常弑其君簡公。【考證】哀十四年春秋經傳、 十四年、孔子卒。【考證】哀十六年左傳、 二十八年、獻公卒。孝公立。【考證】梁玉繩曰、人表、孝作考、此下索隱所引紀年多誤、不盡可憑、當分別取之、 孝公十二年、韓·魏·趙滅知伯、分其地。【索隱】按紀年、智伯滅、在成公二年也、 三晉彊。

十五年、孝公卒。成公立。成公十六年卒。湣公立。【索隱】按紀年、成公名載、 湣公三十一年卒。釐公立。【索隱】年表、作釐侯、莊、徐廣云、一無莊字、按燕失年紀及其君名、表言莊者衍字也、【考證】楓山·三條本、釐作僖、 是歲、三晉列爲諸侯。【索隱】按紀年、作文公二十四年卒、簡公立、十三年、而三晉命邑爲諸侯、與此不同、 釐公三十年、伐敗齊于林營。【索隱】林營、地名、一云、林、地名、於林地立營、故曰林營也、【考證】各本、敗齊作齊敗、誤倒、今依志疑乙、張文虎曰、索隱本、無伐字、表、作敗齊于林孤、 釐公卒。【索隱】紀年、作簡公四十五年卒、妄也、按上簡公生獻公、獻公則此當是釐、但紀年又誤耳、 桓公立。桓公十一年卒。文公立。【索隱】系本、已上文公爲閔公、則湣與閔同、而上懿公之父、謚文公、【考證】梁玉繩曰、人表、以文公爲桓公子、又曰、索隱非也、不但前已有湣公、而國策人表、竝是文公、與史不殊、 是歲、秦獻公卒。秦益彊。文公十九年、齊威王卒。二十八年、蘇秦始來見說文公。文公予車馬金帛以至趙。【考證】戰國策燕策、 趙肅侯用之。因約六國爲從長。【正義】從、足從反、長、丁丈反、 秦惠王以其女爲燕太子婦。【考證】秦惠王以下、采燕策、 二十九

年、文公卒。太子立。是爲易王。易王初立。齊宣王因燕喪伐我、取十城。蘇秦說齊、使復歸燕十城。【考證】文公卒以下、采燕策、 十年、燕君爲王。【索隱】君、即易王也、言君初以十年即稱王也、上言易王者、易、謚也、後追書謚耳、 蘇秦與燕文公夫人私通。懼誅、乃說王使齊爲反閒、欲以亂齊。【集解】孫子兵法曰、反閒者、因敵閒而用之者也、凡軍之所欲擊、城之所欲攻、人之所欲殺、必先知其守將左右謁者門者舍人之姓名、令吾閒必索敵閒之來閒我者、因而利導舍之、故反閒可得用也、【正義】使、音所吏反、閒、音紀莧反、 易王立十二年卒。子燕噲立。燕噲既立。齊人殺蘇秦。蘇秦之在燕、與其相子之爲婚。【考證】燕策下文又云、燕相子之與蘇代婚、與此異、 而蘇代與子之交。及蘇秦死、而齊宣王復用蘇代。【考證】張照曰、田完世家及六國年表、齊宣王卒後四年、燕王噲方立、齊人殺蘇秦、及齊破燕、竝是齊湣王事、與孟子異、乃此處却謂是齊宣、太史公不應首鼠兩端、蓋宣爲湣字之訛也、顧孟子作齊宣、而史記作齊湣、其故不可得而考矣、愚按、田完世家六國年表及下文失之、此獨得之、顧趙諸人論之甚詳、說見下文、 燕噲三年、與楚三晉攻秦。不勝而還。子之

相燕。貴重主斷。【考證】橫田惟孝曰、斷、謂決斷國事、 蘇代爲齊使於燕。【索隱】按戰國策曰、子之使蘇代侍質子於齊、齊使代報燕、是也、 燕王問曰、齊王奚如。【考證】策、齊下有宣字、 對曰、必不霸。燕王曰、何也。對曰、不信其臣。蘇代欲以激燕王以尊子之也。於是燕王大信子之。子之因遺蘇代百金、而聽其所使。【正義】瓚云、秦以一溢爲一金、孟康云、二十四兩曰溢、【考證】平準書孟康注、孟子趙岐注、儀禮鄭玄注、皆以二十兩爲溢、 鹿毛壽謂燕王。【集解】徐廣曰、一作厝毛、又曰、甘陵縣、本名厝、【索隱】春秋後語、亦作厝毛壽、又韓子、作潘壽、【考證】橫田惟孝曰、鹿毛壽或人、皆代之所使也、愚按、索隱所引韓非外儲右下、 不如以國讓相子之。人之謂堯賢者、以其讓天下於許由。許由不受。有讓天下之名、而實不失天下。今王以國讓於子之。子之必不敢受。是王與堯同行也。燕王因屬國於子之。子之大重。【索隱】大重、謂尊貴也、 或曰、禹薦益。已【索隱】按以已配益、則益已、是伯益、而經傳無其文、未知所由、或曰、已、語終辭、【考證】策、無已

字、淩稚隆曰、已而、俱屬下爲句、盧文弨曰、索隱解非、當以已而以啓人爲吏爲句、下兩已而文法一例、若以益已爲名、則攻益奪之、又何單稱益也、 而以啓人爲吏。【索隱】人、猶臣也、謂以啓臣爲益吏、【考證】中井積德曰、人者謂親信者、 及老、而以啓人爲不足任乎天下、傳之於益。【考證】楓山、三條本、啓下無人字、與國策韓非合、中井積德曰、蓋由上文而衍、 已而啓與交黨攻益奪之。【考證】楓山、三條本、交作支、策作友、 天下謂禹名傳天下於益、已而實令啓自取之。今王言屬國於子之。而吏無非太子人者。【索隱】此人、亦訓臣也、 是名屬子之、而實太子用事也。王因收印自三百石吏已上、而效之子之。【索隱】鄭玄云、效、呈也、以印呈與子之、【正義】顧野王云、效、學也、象也、法也、【考證】效、索隱是、呂祖謙曰、以石計祿、始見于此、 子之南面行王事。而噲老不聽政、顧爲臣。【索隱】顧、猶反也、言噲反爲子之臣也、有本作願者、非、 國事皆決於子之。三年國大亂、百姓恫恐。【索隱】恫、音通、痛也、恐、懼也、【考證】楓山、三條本、恐作怨、下文同、與策合、王念孫曰、恫亦恐也、中井積德曰、恫、懼也、是恫疑之恫、 將軍市被與太子平謀、將攻子之。【正義】市被、人姓名、 諸將謂齊湣王曰。因而赴之、破燕必矣。【考證】策、湣王作宣王、顧炎武曰、孟子以伐燕爲齊宣王事、與史記不同、通鑑以威王宣王之卒、各下十年、以合孟子之書、今按史記、湣王元年爲周顯王之四十六年、歲在著雍閹茂、又八年、燕王噲讓國于相子之、又二年、燕人立太子平、則已爲湣王之十二年、而孟子書、吾甚慙于孟子、尙是宣王、何不以宣王之卒移下十二三年、則以孟子之書、無不皆合、而但拘於十年之成數邪、趙翼曰、齊伐燕一事、孟子手自著書以爲齊宣王、此、豈有錯誤、乃史記則以爲湣王、遂致後人紛紛之疑、按國策韓齊爲與國篇、燕噲以國與子之、國中大亂、適秦魏伐韓、田臣思曰、秦伐韓、則楚趙必救、而齊可以乘燕之亂、是天以燕賜我也、齊王乃起兵攻燕、三十日而擧燕、此篇所言齊王尙未確指宣王、而燕王噲既立、篇則明言子之亂、儲子勸齊宣王、因而仆之、幷載孟子勸王伐燕之語、宣王因令章子將五都兵伐之、是伐燕之爲宣王無可疑也、史記所以係之湣王者、則以湣王之走死、實因樂毅伐齊、而樂毅之伐齊、實因齊破燕、而爲燕昭王報怨、想齊伐燕與燕破齊之事、相距不甚遠、而湣王在位二十九年、燕齊相報、不應如是之久、故不得不以伐燕爲湣王事、不知是亦在國策、特史遷未詳考耳、國策言齊破燕之後二年、燕昭王始立、又昭王築宮事郭隗篇、言昭王與百姓同甘苦二十八年、然後以樂毅爲將破齊七十餘城、是齊破燕至燕破齊之歲、相去本有三十餘年、則破燕者宣王、而爲燕所破者湣王、國策原自明白、齊宣王破齊之後、不久卽卒、湣王嗣位二十九年、乃爲燕所破、計其年歲、正與燕昭二十八年之數約略相符、史遷漫不加考、故於燕世家則云、子之亂、孟子謂湣王曰、此文武之時、不可失也、王因令章子將兵伐之、而田齊世家則宣湣兩王俱不載伐燕之事、忽於湣

王二十九年、突出樂毅爲燕伐齊一段、可見史遷並未細核年歲、遂難於敍次、強以係之湣王、而不知國策之文、原自與孟子相合也、況將兵之章子、卽匡章也、匡章在威王時已將兵伐秦、若如史記所云、則歷威王三十六年、宣王十九年、湣王二十六七年、其人不且歷宦八九十年乎、有是理乎、愚按、顧趙二氏以伐燕爲宣王事、其說確不可易、荀子王霸篇云、齊閔薛公彊南足以破楚、西足以詘秦、北足以敗燕、中足以擧宋、及燕趙起而攻之、若振槁然、而身死國亡、爲天下大戮、南足以破楚數句、荀子唯稱齊之強耳、非謂齊閔有其事也、後人或據此以護史記、非也、 齊王因令人謂燕太子平曰。寡人聞太子之義、將廢私而立公、飭君臣之義、明父子之位。【正義】飭、音敕、 寡人之國小、不足以爲先後。【正義】先後、竝去聲、 雖然、則唯太子所以令之。太子因要黨聚衆。將軍市被圍公宮、攻子之。不克。將軍市被及百姓反攻太子平。將軍市被死。以徇。【正義】徇、行示也、【考證】策、徇作殉、李光縉曰、田藝衡云、將軍市被既初謀攻子之、又率百姓反攻太子、又死以徇國、何舛也、余謂讀者不察耳、當云將軍市被既攻子之不克、及至百姓之反攻太子也、市被遂赴鬭、爲太子死難、此及字、當作及至之至、不當作又及之及、愚按、及、猶與也、果如李說、是多了中間將軍市被四字、市被反覆、故徇之以顯其罪也、 因構難數月。死者數萬。衆人恫恐、百姓離志。【考證】策、因作國、屬上句讀、 孟軻謂齊王曰。今伐燕、此文武之時、不可失也。【索隱】謂如武王成文王之業伐紂之時、然此語與孟子不同也、【正義】軻、字子輿、鄒人、著孟子十四卷、趙岐注、【考證】策、齊下有宣字、吳師道曰、此當時所謂孟子勸齊伐燕者也、使無孟子之書、則人將此言之信乎、要之聖賢決無是事也、推此則凡後世之誣罔聖賢而無徵者可知、 王因令章子【集解】章子、齊人、見孟子、【索隱】按孟子云、章子、齊人、【考證】章子卽匡章、閻若璩曰、人名下係以子字者、當時有此稱、田盼爲盼子、田嬰爲嬰子、田文爲文子、秦魏冉稱冉子、匡章稱章子、亦是、 將五都之兵、【索隱】五都、卽齊也、按臨淄是五都之一也、【考證】中井積德曰、五都竝指國外別邑也、若臨淄是國治矣、必不在其數、 以因北地之衆、以伐燕。【索隱】北地、卽齊之北邊也、【正義】謂齊之北境、滄德等五衆也、 士卒不戰、城門不閉。燕君噲死、齊大勝燕。子之亡。【集解】徐廣曰、年表云、君噲及太子、相子之、皆死、駰案汲冢紀年曰、齊人禽子之而醢其身也、 二年而燕人共立太子平。是爲燕昭王。【集解】徐廣曰、噲立七年而死、其九年燕人共立太子平、【索隱】按上文太子平謀攻子之、而年表又云、君噲及太子相子之皆死、紀年又云、子之殺公子平、今此文云、立太子平、是爲燕昭王、則年表紀年爲謬也、而趙系家云、武靈王聞燕亂、召公子職於韓、立以爲燕王、使樂池送之、裴駰亦以此系家無趙送公子職之事、當是遙

立職而送之、事竟不就、則昭王名平、非職明矣、進退參詳、是年表既誤、而紀年因之而妄說耳、考證 蘇秦之在燕以下、采燕策、策以伐燕爲齊宣王事、史以爲湣王事、此爲異耳、梁玉繩曰、年表云、君噲及太子相子之皆死、而所謂太子者、世家以爲太子平卽昭王、余深疑之、世家稱太子平、年表紀年稱公子平、冢庶不明、疑一、先是太子與子之爭權、舉兵攻子之、不克、百姓反攻太子、則其不爲國人所戴可知、賢如昭王、不應有此、疑二、齊幷燕二年、燕人共立平、夫既攻之而又立之、于理頗乖、且何以遲至二年復立平、二年之中、太子安在、疑三、昭王語郭隗曰、齊因孤之國亂而襲破燕、齊之入燕、實因太子爲內應、今觀昭王之言、殊不合事情、疑四、攷趙世家、武靈王召公子職于韓、立爲燕王、使樂池送之、諸處俱不書、集解疑趙聞燕亂、遙立職爲燕王、雖使樂池送之、竟不能就、斯乃虛揣之譚、未見確證、竊意職爲王時、在噲死之後、昭王未立之先、職立二年卒、而始立昭王、而昭王竝非太子、太子已同君噲及相子之死于齊難矣、徐孚遠云、太子平與昭王當是二人、或昭王名平、太子不名平、徐說甚覈、世家謬仍國策耳、

燕昭王於破燕之後卽位。考證 策、於作收、 卑身厚幣、以招賢者。謂郭隗曰。齊因孤之國亂、而襲破燕。考證 策之國二字倒、新序雜事篇同策、 孤極知燕小力少、不足以報。然誠得賢士以共國、以雪先王之恥、孤之願也。考證 楓山、三條本、以共作與共、雪、音刷、趙翼曰、老子道化章、人之所惡、惟孤寡不穀、而侯王以爲稱、戰國策顏斶亦曰、孤寡者人之困賤下位也、而侯王以之自謂、蓋古人自稱、皆從謙詞、按

禮記、庶方小侯自稱曰孤、諸侯自稱曰寡人、其在凶服曰適子孤、是孤本小侯之稱、諸侯遭喪、則又稱之、此定制也、晉悼公將立、謂諸大夫曰、孤始願不及此、此未爲君之詞、猶沿遭喪稱孤之禮也、諸侯或遇危難、則亦有稱孤者、臧文仲曰、列國有凶、稱孤、禮也、及秦漢之間、而孤已爲南面之雄稱、田橫曰、吾始與漢王皆南面稱孤、韓王信對使者曰、陛下擢僕閭巷、南面稱孤、可見是時爲侯王美稱、非復古制適子孤及庶方小侯之詞矣、 先生視可者。得身事之。郭隗曰。王必欲致士、先從隗始。況賢於隗者。豈遠千里哉。考證 鮑彪曰、郭隗臣役之對、天下之格言、市馬之喩、萬世之美談、史公獨何爲削之、亦異于孔氏刪脩之法矣、 於是昭王、爲隗改築宮而師事之。樂毅自魏往、鄒衍自齊往、劇辛自趙往、士爭趨燕。考證 梁玉繩曰、樂毅諸人往燕、史本國策、然有可疑者、如劇辛自趙來、其年當非幼少、乃至後燕王喜十三年、將兵伐趙、爲趙將龐煖所殺、計去昭王卽位時、已七十年、恐未必如是之壽、則其來不在此時、 燕王弔死問孤、與百姓同甘苦。二十八年、燕國殷富、士卒樂軼輕戰。於是遂以樂毅爲上將軍、與秦·楚·三晉合謀以伐齊。齊兵敗、湣王出亡於外。燕兵獨追北、入至臨淄、盡取

齊寶、燒其宮室宗廟。齊城之不下者、獨唯聊·莒·卽墨。索隱 按餘篇及戰國策、竝無聊字、正義 括地志云、聊城、在博州聊城縣西二十四里、莒、卽密州莒縣是、卽墨故城、在萊州膠水縣南六十里、考證 以上采燕策、策無聊字、徐孚遠曰、燕將已下聊城、有鄒而不歸、則聊字衍文、且齊城未拔者惟二也、梁玉繩曰、史樂毅田單傳及齊燕策、竝無聊也、惟燕策又有三城未下之語、史或因此增加以實之、然後書李通傳論注、引史云、下齊七十餘城、其不下者唯莒卽墨、無聊字、愚按、聊字衍、 其餘皆屬燕。六歲、昭王三十三年卒。子惠王立。惠王爲太子時、與樂毅有隙。及卽位疑毅、使騎劫代將。樂毅亡走趙。齊田單以卽墨擊敗燕軍。騎劫死。燕兵引歸。齊悉復得其故城。考證 卽位疑毅以下、采燕策、策云、用齊人反閒疑樂毅、 湣王死于莒。乃立其子爲襄王。考證 湣王死以下、依齊策、 惠王七年卒。索隱 按趙系家、惠文王二十八年、燕相成安君公孫操、弒其王、樂資以爲卽惠王也、徐廣按年表、是年燕武成王元年、武成卽惠王子、則惠王爲成安君弒明矣、此不言者、燕遠、諱不告、或太史公之說疏也、考證 索隱燕遠諱不告五字、當削、 韓·魏·楚共伐燕。考證 梁玉繩曰、此時伐燕者、齊韓魏、而楚則救燕者、楚字當作齊字、 燕武成王

立。武成王七年、齊田單伐我拔中陽。正義 中陽故城、汾州隰城縣南十里、考證 梁玉繩曰、中陽、當作中人、 十三年、秦敗趙於長平、四十餘萬。正義 長平故城、在澤州高平縣西北二十一里、秦趙戰時所築也、考證 館本考證云、六國年表及秦本紀、秦昭襄之四十七年、于趙孝成王爲六年、是時秦阬趙卒、於燕武成王爲十二年、此云十三年、與趙世家合、於秦本紀及年表差一年、梁玉繩曰、毛本作十二年、是、 十四年、武成王卒。子孝王立。孝王元年、秦圍邯鄲者解去。三年卒。子今王喜立。索隱 今王、猶今上也、有作令者、非也、按謚法、無令也、考證 中井積德曰、當時書傳、蓋有記時事稱喜爲今王者、而轉入史編也、錢大昕曰、今王蓋當時人所稱、猶紀年稱魏襄王爲今王也、愚按、顧炎武梁玉繩、亦有此說、 今王喜四年、秦昭王卒。燕王命相栗腹、約歡趙、以五百金爲趙王酒。考證 策、作以百金爲趙孝成王壽、酒三日反報、酒疑當作壽、壽酒以音近譌、或云、酒所養老、獻金曰壽、義蓋本於此、則作酒亦通、鑿解、 還報燕王曰。趙王壯者皆死長平、其孤未壯。可伐也。考證 策、王作民、趙世家、作氏、 王召昌國君樂閒問之。考證 鮑彪曰、毅子、吳師道曰、史、毅奔趙後、燕王復以其子樂閒爲昌國君、 對曰。趙、四戰

之國。【正義】趙東鄰燕、西接秦境、南錯韓魏、北連胡貊、故言四戰、【考證】胡三省曰、言其四境皆鄰于彊敵、四面拒戰也、策、戰作達、 其民習兵、不可伐。王曰、吾以五而伐一。【索隱】謂以五人而伐一人、 對曰、不可。燕王怒。羣臣皆以爲可。卒起二軍。車二千乘。【考證】策、作六十萬、 栗腹將而攻鄗、【集解】徐廣曰、在常山、今曰高邑、【索隱】鄗氏音火各反、一音吳、【考證】今直隸趙州柏鄉縣北有鄗縣故城、春秋晉邑、戰國屬趙、 卿秦攻代。【索隱】戰國策曰、廉頗以二十萬遇栗腹於鄗、樂乘以五萬遇爰秦於代、燕人大敗、不同也、【正義】今代州也、戰國策云、廉頗以二十萬遇栗腹於鄗、樂乘以五萬遇慶秦於代、燕人大敗、與此不同也、【考證】燕王命相栗腹以下、見燕策、不同、 唯獨大夫將渠【索隱】人名姓也、一云、上卿秦及此將渠者、卿將皆官也、秦、渠、名也、國史變文、而書遂失姓也、戰國策云、爰秦、爰是姓也、卿是其官耳、【考證】沈濤曰、卿秦、將渠皆人姓名、卿秦、戰國策作慶秦、慶卿通字、明非公卿之卿、下文云、燕相將渠以處和、集解曰、以將渠爲相、又豈得爲將相之將乎、 謂燕王曰、與人通關約交、以五百金飲人之王、使者報、而反攻之。不祥。兵無成功。燕王不聽。自將偏軍隨之。將渠引燕王綬止之曰。王必無自往。往無成功。王

蹴之以足。將渠泣曰。臣非以自爲、爲王也。燕軍至宋子。【集解】徐廣曰、屬鉅鹿、 趙使廉頗將、擊破栗腹於鄗、破卿秦·樂乘於代。【考證】梁玉繩曰、案燕策云、趙使樂乘以五萬遇慶秦于代、則樂乘趙將也、故下文云、趙悼襄王使樂乘代廉頗、此與樂毅傳同誤、當以樂乘置破卿秦上、愚按、樂乘疑當作樂閒、 樂閒奔趙。【考證】趙使廉頗以下、見燕策、小異、 廉頗逐之、五百餘里、圍其國。燕人請和。趙人不許。必令將渠處和。燕相將渠以處和。【集解】以將渠爲相、【索隱】謂欲令將渠處之使和也、【考證】國、國都、中井積德曰、索隱宜言欲令將渠居閒以和也、愚按、將渠初諫燕王不令伐趙、趙人知之、 趙聽將渠解燕圍。六年、秦滅東西周、置三川郡。【考證】西字衍、西周已滅於赧王五十七年、 七年、秦拔趙榆次三七七城。秦置太原郡。【考證】梁玉繩曰、置太原郡在燕喜八年、 九年、秦王政初即位。十年、趙使廉頗將攻繁陽。【集解】徐廣曰、屬魏郡、【考證】故城在今河南彰德府內黃縣東、 拔之。趙孝成王卒。悼襄王立。使樂乘代廉頗。廉頗不聽。攻樂乘。

樂乘走。廉頗奔大梁。十二年、趙使李牧攻燕。拔武遂·【集解】徐廣曰、屬河閒、 方城。【集解】徐廣曰、屬涿、有督亢亭、 劇辛故居趙、與龐煖善。【索隱】煖、音況遠反、 已而亡走燕。燕見趙數困于秦、而廉頗去、令龐煖將也。欲因趙獘攻之。問劇辛。辛曰。龐煖易與耳。燕使劇辛將擊趙。【考證】張照曰、六國年表、劇辛死於趙在十三年、又曰、昭王即位、劇辛自趙往、至此經七十年、歷五王、當有兩劇辛耶、否則傳訛也、 趙使龐煖擊之。取燕軍二萬、殺劇辛。秦拔魏二十城、置東郡。十九年、秦拔趙之鄴九城。【正義】即相州鄴縣也、 趙悼襄王卒。二十三年、太子丹質於秦。亡歸燕。【考證】太子丹以下、燕策、 二十五年、秦虜滅韓王安、置潁川郡。二十七年、秦虜趙王遷、滅趙。趙公子嘉自立爲代王。燕見秦且滅六國、秦兵臨易水、禍且至。【集解】徐廣曰、易水出涿郡故安也、【考證】燕見秦以下、采燕策、 燕·太子丹陰養

壯士二十人、【考證】策不言養壯士二十人、史公別有所本、 使荊軻獻督亢地圖於秦。【索隱】徐廣云、涿有督亢亭、地理志、屬廣陽、然督亢之田在燕東、甚良沃、欲獻秦、故畫其圖而獻焉、【正義】地下有圖字者、俗本也、括地志云、督亢坡在幽州范陽縣東南十里、劉向別錄云、督亢、膏腴之地、風俗通云、亢、莽也、言平望莽莽無涯際也、亢、澤之無水斥鹵之謂、【考證】今順天府涿州東南有督亢陂、跨連新城固安二境、 因襲刺秦王。秦王覺、殺軻。【考證】使荊軻以下、采燕策、事在燕喜二十八年、 使將軍王翦擊燕。二十九年、秦攻拔我薊。【考證】薊、燕都、今直隸順天府大興縣、 燕王亡、徙居遼東、斬丹以獻秦。【考證】以上采燕策、 三十年、秦滅魏。三十三年、秦拔遼東、虜燕王喜、卒滅燕。【考證】秦拔以下、采燕策、 是歲、秦將王賁亦虜代王嘉。【正義】賁、音奔、王翦子、

太史公曰。召公奭可謂仁矣。甘棠且思之。況其人乎。【考證】襄十四年左傳引甘棠詩云、武子之德在民、如周人之思召公焉、愛其甘棠、況其子乎、史公句法所本、 燕北迫蠻貉、內措齊·晉。

索隱 措,交雜也,又作錯,劉氏云,爭陌反,正義 措,置也,安也,言燕之地都邑交在齊晉之境內也,考證 王念孫曰,北當作外,錯,笮同,迫也,風俗通義皇霸篇,燕外迫蠻貊,內窄齊晉,卽用史記之文,崎嶇彊國之閒,最爲弱小。幾滅者數矣。然社稷血食者八九百歲。於姬姓獨後亡。豈非召公之烈邪。考證 梁玉繩曰,姬姓之國,衞最後絕,燕先滅矣,何云後亡,中井積德曰,燕獨後亡者,以其在邊陲最遠也,且以此頌召公,則將置周公於何地也,太史公之論未得當,愚按,梁中二說失乎鑿,索隱 述贊,召伯作相,分陝而治,人惠其德,甘棠是思,莊迄霸主,惠罹寵姬,文公從趙,蘇秦騁辭,易王初立,齊宣我欺,燕噲無道,禪位子之,昭王待士,思報臨菑,脊亢不就,卒見芟夷,

燕召公世家第四　史記三十四

史記會注考證卷三十五

漢　太　史　令　司　馬　遷　撰
宋　中　郎　外　兵　曹　參　軍　裴　駰　集　解
唐　國　子　博　士　弘　文　館　學　士　司　馬　貞　索　隱
唐　諸　王　侍　讀　率　府　長　史　張　守　節　正　義
日　本　出　雲　瀧　川　資　言　考　證

管蔡世家第五

[考證]史公自序云、管蔡相武庚、將寧舊商、及旦攝政、二叔不饗、殺鮮放度、周公爲盟、太任十子、周以宗彊、嘉仲悔過、作管蔡世家第五、

史記三十五

管叔鮮・蔡叔度者、周文王子、而武王弟也。[正義]鮮、音仙、括地志云、鄭州管城縣、今州外城、卽管國城也、是叔鮮所封國也、[考證]楓山、三條本、無蔡叔度三字、武王同母兄弟十人。母曰太姒。[正義]國語云、杞繒二國、姒姓、夏禹之後、太姒之家、大姒、文王之妃、武王之母、列女傳云、太姒者、武王之母、禹後姒氏之女也、在郃之陽、在渭之涘、仁而明道、文王嘉之、親迎于渭、造舟爲梁、及入太姒、思媚太姜太任、旦夕勤勞、以進婦道、太姒號曰文母、文王理外、文母治內、太姒生十男、教誨自少及長、未嘗見邪僻之事、言常以正道持之也、文王正妃也。其長子曰伯邑考。次曰武王發。次曰管叔鮮。次曰周公旦。次曰蔡叔度。次曰曹叔振鐸。次曰成叔武。[正義]括地志云、在濮州雷澤縣東南九十一里、漢郕陽縣、古郕伯姬姓之國、其後遷於成之陽、次曰霍叔處。[正義]處、昌汝反、括地志云、晉州霍邑縣、本漢彘縣也、鄭玄注周禮云、霍山在彘、本春秋時霍伯國地、次曰康叔封。[索隱]孔安國曰、康、畿內國名、地闕、叔、字也、封、叔名、次曰冄季載。[索隱]冄、國也、載、名也、季、字也、冄、或作那、按國語曰、冄季鄭姬、賈逵曰、文王子聃季之國也、莊十八年、楚武王克權、遷於那處、杜預云、那處、楚地、南郡編縣有那口城、聃季與那皆音奴甘反、[正義]冄、音奴甘反、或作那、音同、冄、國名也、季載、人名也、伯邑考最長、所以加伯、諸中子咸言叔、以載最少、故言季載、[考證]中井積德曰、季、字也、故配邑爲稱、載、名也、或以字配名、則稱季載也、錢大昕曰、冄、左傳作聃、亦音乃甘切、洪頤煊曰、那當通作邥、卽沈國也、下文爲晉滅沈、集解杜預曰、汝南平輿縣有邥亭、是也、卽冄季載所封地、愚按、僖二十四年左傳、富辰以管、蔡、郕、霍、魯、衛、聃、毛爲序、與此不同、冄季載最少。同母昆弟十人。[集解]徐廣曰、文王之子爲侯者十有六國、[考證]徐廣依僖二十四年左傳、唯發・旦賢、左右輔文王。[正義]左右、並去聲、故文王舍伯邑考、而以發爲太子。[考證]禮記檀弓、文王舍伯邑考而立武王、中井積德曰、舍伯邑考、出于戴記、然彼以立子不立孫而言、伯邑考早死、而文王以發爲嗣也、非生時廢長之謂、史公恐失據也、及文王崩、而發立。是爲武王。伯邑考既已前卒矣。武王已克殷紂平天下、封功臣昆弟。於是封叔鮮於管、[集解]杜預曰、管、在滎陽京縣東北、[考證]今河南開封府鄭州有管城、鮮所封、封叔度於蔡。[集解]世本曰、居上蔡、[考證]今河南汝寧府新蔡縣故蔡城、度所封、二人相紂子武庚祿父、治殷遺民。封叔旦於魯而相周。爲周公。封叔振鐸於曹。[考證]今山東曹州府定陶縣有曹故城、振鐸所封、封叔武於成。[索隱]按春秋隱五年、衞師入郕、杜預曰、東平剛父縣南有郕鄉、後漢郡國志以爲成本國、又地理志、廩丘縣南有成故城、應劭云、武王封弟季載於成、是古之成邑、應仲遠誤云季載封耳、[考證]今山東兗州府寧陽縣有成縣故城、叔武所封、封叔處於霍。[索隱]春秋閔元年、晉滅霍、地理志、河東彘縣、霍太山在東北、是霍叔之所封、[考證]今山西平陽府霍州有霍城、霍叔所封、康叔封、冄季載皆少。未得封。[考證]中井積德曰、康叔封衞、宜去康號、而仍稱康者何也、豈亦周召之比邪、梁玉繩曰、牧野之役、康叔布玆、不可言少矣、楊慎曰、敍武王同母兄弟十人之爲支爲本、賢否成敗、條分晰列、可爲序支派之法、武王既崩、成王少。周公旦專王室。管叔・蔡叔疑周公之爲、不利於成王、乃挾武庚以作亂。[考證]中井積德曰、管蔡實有亂心、欲覆周室、於成王何有、所謂不利於成王、是流言之語、所以離閒周之君臣、非管蔡心事、此引用失倫、周公旦承成王命、伐誅武庚、殺管叔、而放蔡叔、遷之與車十乘、徒七十人。[考證]定四年左傳、十乘作七乘、從而分殷餘民爲二。其一、封微子啓於宋、以續殷祀。其一、封康叔爲衞君。是爲衞康叔。封季載於冄。冄季・康叔皆有馴行。[索隱]馴、如字、音巡、馴、善也、[考證]馴讀爲順、於是周公舉康叔爲周司寇。

冄季爲周司空。【索隱】事見定四年左傳、以佐成王治。皆有令名於天下。蔡叔度既遷而死。其子曰胡。胡乃改行率德馴善。【考證】馴讀爲順、左傳無馴善二字、周公聞之、而擧胡以爲魯卿士。【索隱】按尚書云、蔡仲克庸祗德、周公以爲卿士、叔卒、乃命諸王邦之蔡、元無仕魯之文、又伯禽居魯、乃是七年致政之後、此言乃說居攝政之初、未知史遷何憑而有斯言也、【考證】梁玉繩曰、左傳云、周公擧之、以爲己卿士、杜注爲周公臣、晩出尚書云、周公以爲卿士、此言仕魯、孔穎達司馬貞俱糾史之謬、但爲周公臣卽是仕魯、史似不誤、錢氏考異辨之矣、魯國治。於是周公言於成王、復封胡於蔡、【集解】宋忠曰、胡徙居新蔡、以奉蔡叔之祀。是爲蔡仲。餘五叔皆就國、【索隱】管叔、蔡叔、成叔、曹叔、霍叔、【考證】陳子龍曰、管叔已誅、不紹封、此言五叔者、總論前後也、梁玉繩曰、此因左傳五叔無官之語而誤者也、左傳是泛說、不專指管蔡、故杜注五叔以管蔡成霍毛當之、史直書于復封蔡仲之後、則不得有五叔矣、于情事未合、無爲天子吏者。【考證】管叔蔡叔疑周公以下、雜采書序及書金縢、定四年左傳、以意補之、蔡仲卒。子蔡伯荒立。蔡伯荒卒。子宮侯立。【考證】梁玉繩曰、蔡爲侯爵、何以荒稱伯、又諡無宮、宮侯卒。子厲侯立。厲侯

卒。子武侯立。武侯之時、周厲王失國奔彘。共和行政、諸侯多叛周。武侯卒。子夷侯立。夷侯十一年、周宣王卽位。二十八年、夷侯卒。子釐侯所事立。釐侯三十九年、周幽王爲犬戎所殺。周室卑而東徙。秦始得列爲諸侯。【正義】周幽王爲犬戎所殺、平王東徙洛邑、秦襄公以兵救、因送平王至洛、故平王封襄公、四十八年、釐侯卒。子共侯興立。共侯二年卒。子戴侯立。戴侯十年卒。子宣侯措父立。【考證】館本考證云、措父、春秋作考父、宣侯二十八年、魯隱公初立。三十五年、宣侯卒。【考證】隱八年春秋、子桓侯封人立。桓侯三年、魯弑其君隱公。二十年、桓侯卒。【考證】桓十七年春秋、弟哀侯獻舞立。哀侯十一年、初哀侯娶陳。息侯亦娶陳。【集解】杜預曰、息國、汝南新息縣、【考證】今河南光州息縣有古息里、卽息侯國、息夫人將歸過蔡。蔡侯不敬。息侯怒、請

楚文王。【考證】左傳、王下有曰字、義更明、來伐我。我求救於蔡、蔡必來。楚因擊之、可以有功。楚文王從之。虜蔡哀侯以歸。【考證】初哀公以下、采莊十年左傳、哀侯留九歲、死於楚。凡立二十年卒。【考證】梁玉繩曰、楚世家言文王虜哀侯、已而釋之、則哀侯不死于楚、與此異詞、莫知孰是、蔡人立其子肸。是爲繆侯。繆侯以其女弟爲齊桓公夫人。十八年、齊桓公與蔡女戲船中。夫人蕩舟。桓公止之。不止。公怒歸蔡女而不絕也。蔡侯怒、嫁其弟。【索隱】弟、女弟、卽蕩舟之姬、【考證】齊桓公以下、采僖三年左傳、齊桓公怒伐蔡。蔡潰。【考證】以上、采僖四年左傳、遂虜繆侯、南至楚邵陵。已而諸侯爲蔡謝齊。齊侯歸蔡侯。【考證】梁玉繩曰、此在繆侯十九年、而書于十八年、與表同誤、又春秋三傳、無虜繆侯事、恐妄、二十九年、繆侯卒。【考證】僖十四年春秋、子莊侯甲午立。莊侯三年、齊桓公卒。十四年、晉文公敗楚於城濮。【考證】徐孚遠曰、蔡邊楚、依楚

爲存亡、故此世家專敍楚事、二十年、楚太子商臣弑其父成王代立。二十五年、秦穆公卒。三十三年、楚莊王卽位。三十四年、莊侯卒。子文侯申立。文侯十四年、楚莊王伐陳、殺夏徵舒。十五年、楚圍鄭。鄭降楚。楚復醳之。【正義】醳音釋、二十年、文侯卒。【考證】宣十七年春秋、子景侯固立。【考證】固、各本誤作同、今依年表、景侯元年、楚莊王卒。二十九年、景侯爲太子般娶婦於楚。而景侯通焉。太子弑景侯而自立。【考證】景侯以下、本襄三十年春秋經傳、楓山、三條本、婦下有好字、梁玉繩曰、四誤作二、景公在位四十九年也、是爲靈侯。靈侯二年、楚公子圍弑其王郟敖、而自立爲靈王。【正義】郟、紀洽反、敖、五高反、九年、陳司徒招弑其君哀公。【索隱】招、或作昭、或作韶、竝時遙反、【考證】梁玉繩曰、招弑悼太子、非弑君也、此誤、楚使公子弃疾滅陳而有之。十二年、楚靈王以靈侯弑其父、誘蔡靈侯于申、

【正義】故申城在鄧州、伏甲飲之、醉而殺之、【考證】左傳云、三月丙申、楚子伏甲而饗蔡侯於申、醉而執之、夏四月丁巳殺之、梁玉繩曰、此與楚世家言醉殺蔡侯非也、刑其士卒七十人、令公子弃疾圍蔡。十一月、滅蔡、使弃疾爲蔡公。【正義】蔡之大夫也、【考證】誘蔡靈侯以下、采昭十一年左傳、以靈侯弒其君、未知其所本、楚滅蔡三歲、楚公子弃疾弒其君靈王、代立爲平王。【考證】中井積德曰、弒靈王者子比也、非棄疾、楚世家明言之、此略言之失當者、平王乃求蔡景侯少子廬立之。是爲平侯。【集解】宋忠曰、平侯徙下蔡、【索隱】今系本無者、近脫耳、【考證】梁玉繩曰、平侯爲景侯曾孫、其父爲隱太子友、又曰、集解引宋忠謂蔡仲徙新蔡、平侯徙下蔡、誤甚、蔡本都于上蔡、平侯徙新蔡、至昭侯遷州來、乃下蔡也、是年、楚亦復立陳。楚平王初立、欲親諸侯。故復立陳・蔡後。【集解】世本曰、平侯者、靈侯般之孫、太子友之子、【考證】平王以下、采昭十三年左傳、平侯九年卒。【考證】昭二十年春秋、靈侯般之孫東國、攻平侯子而自立。是爲悼侯。【考證】梁玉繩曰、昭二十一年左傳、平侯太子朱卽位、楚費無極取貨于東國、謂朱不用命、將圍蔡、蔡人懼、出朱而立東國、愬于楚、則東國未嘗攻殺平侯子也、此與年表同誤、

悼侯父曰隱太子友。隱太子友者、靈侯之太子。【考證】各本不重隱太子四字、今依楓山、三條本、毛本、館本、平侯立而殺隱太子。故平侯卒、而隱太子之子東國、攻平侯子而代立。是爲悼侯。【考證】梁玉繩曰、案殺隱太子者楚靈王也、立平侯者楚平王也、平侯爲東國兄、亦隱太子之子、何得妄加平侯以殺父之大逆乎、平侯之太子朱出奔楚、實緣楚費無極取貨于東國之故、亦不得言東國攻兄自立、蓋史公誤以平侯爲景侯子、遂別生異端、造爲世代相攻之事、而不知經傳所載甚明、豈可誣哉、中井積德曰、是爲悼侯、是複文當刪、悼侯三年卒。【考證】梁玉繩曰、悼侯止二年、無三年、弟昭侯甲立。【考證】張文虎曰、甲、中統、游、毛本、竝作申、表亦作申、與春秋哀四年經合、乃與文侯同名、它本作甲、又與莊侯同名、昭侯十年、朝楚昭王持美裘二、【考證】梁玉繩曰、左傳蔡侯作兩佩兩裘、此及表皆言裘而佩自在其中、猶傳言獻佩于子常、而裘卽在其中也、左氏言佩、公穀言裘、亦互見之、獻其一於昭王、而自衣其一。楚相子常欲之。不與。子常讒蔡侯。留之楚三年。蔡侯知之、乃獻其裘於子常。子常受之。乃言歸蔡侯。蔡侯歸而之晉、請與晉伐楚。【考證】昭公

十年以下、采定三年左傳、十三年春、與衞靈公會邵陵。蔡侯私於周萇弘以求長於衞。【集解】服虔曰、載書使蔡在衞上、衞使史鰌言康叔之功德。乃長衞。【考證】梁玉繩曰、案召陵之會、將長蔡于衞、衞侯使祝佗私于萇弘、此言蔡侯私弘、非、祝佗亦誤作史鰌、蓋以二人俱字魚而誤、夏、爲晉滅沈。【集解】杜預曰、汝南平輿縣北有沈亭、【考證】沈、今河南汝寧府汝陽縣有沈亭、春秋沈國、楚怒攻蔡。蔡昭侯使其子爲質於吳、【正義】質音致、以共伐楚。冬、與吳王闔閭遂破楚入郢。蔡怨子常。子常恐奔鄭。【考證】十三年以下、本定四年左傳、十四年、吳去。而楚昭王復國。【考證】十四年以下、定五年左傳、十六年、楚令尹爲其民泣以謀蔡。蔡昭侯懼【考證】梁玉繩曰、此事左傳不載、年表書于十七年、二十六年、孔子如蔡。楚昭王伐蔡。蔡恐、告急於吳。吳爲蔡遠、約遷以自近、易以相救。昭公私許。不與大夫計。吳人來救蔡。因遷蔡于州來。【索隱】州來、在淮南下蔡縣、【考證】州來、今江

南鳳陽府壽州北下蔡城、梁玉繩曰、案昭王伐蔡在二十五年、孔子如蔡在二十七年、蔡遷在二十六年、然攷哀元二兩年經傳及注、楚圍蔡、蔡聽命、楚彊于江汝之間而還、楚既還、蔡更叛、請遷于吳、中悔、吳因聘蔡納師、蔡侯告大夫、殺公子駟以說于吳、言不時遷駟之爲、遂遷州來、然則非蔡告急于吳也、非吳欲遷蔡也、非蔡侯私許不與大夫計也、非吳興師來救也、二十八年、昭侯將朝于吳。大夫恐其復遷、乃令賊利殺昭侯。【索隱】案利、賊名也、【考證】梁玉繩曰、案哀四年傳、殺昭侯者公孫翩也、孔子世家書之、此利字誤、索隱以利爲賊名、妄、已而誅賊利以解過。而立昭侯子朔。是爲成侯。【集解】徐廣曰、或作景、成侯四年、宋滅曹。【考證】宋滅曹、哀八年春秋經傳、十年、齊田常弒其君簡公。【考證】哀十四年左傳、十三年、楚滅陳。【考證】哀十七年左傳、十九年、成侯卒。子聲侯產立。聲侯十五年卒。子元侯立。元侯六年卒、子侯齊立。侯齊四年、楚惠王滅蔡。蔡侯齊亡。蔡遂絕祀。後陳滅三十三年。【索隱】魯哀十七年、楚滅陳、其楚滅蔡、又在滅陳之後三十三年、卽在春秋後二十三年、【考證】梁玉繩曰、案三十三年、當作三十一年、伯邑考、其後不知所封。

考證中井積德曰、伯邑考蓋無子也、 武王發其後爲周。有本紀言。考證董份曰、言如曰語也、管叔鮮作亂誅死。無後。周公旦其後爲魯。有世家言。蔡叔度其後爲蔡。有世家言。曹叔振鐸其後爲曹。有世家言。成叔武其後世無所見。考證梁玉繩曰、案春秋隱五年、衞師入郕、十年齊人鄭人入郕、莊八年、師及齊師圍郕、郕降于齊師、文十二年、郕伯來奔、皆有傳、此則後世之略可見者、特不知名謚年世耳、 霍叔處、其後晉獻公時滅霍。考證晉滅霍、見于閔元年左傳、文五年左傳、先且居曰霍伯、蓋食霍也、今山東平陽府霍州西有霍城、古霍城也、 康叔封、其後爲衞。有世家言。冄季載、其後世無所見。考證沈家本曰、周語、富辰言聃之亡、由鄭姬、而列于鄶之後、息鄧之前、鄶之亡、在釐王之時、則聃之亡、亦當在桓莊時乎、凌稚隆曰、前已敘兄弟十人、此復敘十人封邑以終其義、此最關鍵處、

太史公曰、管·蔡作亂。無足載者。然周武王崩、成王少。天下既疑。賴同母之弟成叔·冄季之屬十人爲輔拂。正義拂、音弼、本作弼、考證中井積德

曰、除伯邑考武王管蔡外、周公及曹成霍康冄僅六人矣、不得稱十人、又成王之時、不當稱母弟、 是以諸侯卒宗周。故附之世家言。

曹叔振鐸者、周武王弟也。索隱按上文、叔振鐸其後爲曹、有系家言、則曹亦合題系家、今附管蔡之末、而不出題者、蓋以曹微小、而少事迹、因附管蔡之末、不別題篇爾、且又管叔雖無後、仍是蔡曹之兄、故題管蔡而略曹也、考證篇首各本題曹叔世家四字、張文虎曰、史公自序不及曹叔、小司馬述贊、亦不別出、索隱云、附管蔡之末、而不出題、則史本無題矣、 武王已克殷紂、封叔振鐸於曹。集解宋忠曰、濟陰定陶縣、正義曹、在曹南、因名曹、按今曹州也、考證今曹州府定陶縣有曹故城、振鐸封此、 叔振鐸卒。子太伯脾立。太伯卒。子仲君平立。仲君平卒。子宮伯侯立。考證梁玉繩曰、平何以稱仲君、而謚亦無宮、 宮伯侯卒。子孝伯雲立。孝伯雲卒。子夷伯喜立。夷伯二十三年、周厲王奔于彘。三十年卒。弟幽伯彊立。幽伯九年、弟蘇殺幽伯代立。是爲戴伯。考證曹風疏、引世家同、年表、蘇作鮮、 戴伯元年、周宣王已

立三歲。三十年戴伯卒。子惠伯兕立。集解孫檢曰、兕、音徐子反、曹惠伯、或名雉、或名弟、或復名弟兕也、索隱按年表作惠公伯雉、注引孫檢、未詳何代、或云、齊人、亦恐其人不注史記、今以王儉七志阮孝緒七錄竝無、又不知是裴駰所錄否、正義孫檢、或云齊人、不知何代、史記注內有此人、其注無別音異、略存名字而已、王儉七志阮孝緒七錄竝無、疑非裴駰所錄、恐此人自加之、 惠伯二十五年、周幽王爲犬戎所殺。因東徙雒邑。諸侯畔之。秦始列爲諸侯。三十六年、惠伯卒。子石甫立。其弟武殺之代立。是爲繆公。考證梁玉繩曰、按繆公已下改稱公、不可曉、其弟者石甫之弟也、曹詩疏引史、石作碩、愚按、楓山、三條本、亦作碩、 繆公三年卒。子桓公終生立。集解孫檢云、一作終湦、湦、音生、 桓公三十五年、魯隱公立。考證馮班曰、世家書魯隱公立、春秋之始也、 四十五年、魯弒其君隱公。考證隱十一年春秋經傳、 四十六年、宋華父督弒其君殤公、及孔父。考證桓二年春秋經傳、四十六年、年表作四十七年、爲是、 五十五年、桓公卒。考證桓十年春秋經傳、子莊公夕姑立。索隱夕姑、上音亦、卽射姑也、同音亦、考證梁玉繩曰、攷釋文云、或作亦、人表作

亦姑、而春秋及史表竝作射姑、曹詩譜疏引世家同、此作夕者、必夜字之譌脫、猶功臣表深澤侯趙將夜、漢表譌作夕也、古射夜多通借、春秋文六年經、狐射姑、穀梁作夜姑、左昭二十五年申夜姑、釋文、或作射也、 莊公二十三年、齊桓公始霸。考證莊十五年春秋經傳、 三十一年、莊公卒。考證莊卄三年春秋、 子釐公夷立。考證莊二十四年春秋、戎侵曹、曹羈出奔陳、赤歸于曹、左氏無傳、杜注云、羈、蓋曹世子也、先君既葬而不稱爵者、微弱不能自定、曹人以名赴、赤、僖公也、蓋爲戎所納、故曰歸、與此異、 釐公九年卒。子昭公班立。昭公六年、齊桓公敗蔡、遂至楚召陵。考證齊桓公以下、僖四年春秋、 九年、昭公卒。考證僖七年春秋、 子共公襄立。共公十六年、初晉公子重耳、其亡過曹、曹君無禮、欲觀其駢脅。集解韋昭曰、駢者并幹也、正義駢、白邊反、脅、許業反、 釐負羈諫不聽。私善於重耳。考證沈家本曰、年表亦敘于十六年、然史文有初字、則非十六年之事、楓山、三條本、重耳下、無其字、駢脅謂脅骨比連若一骨然、左傳云、浴、薄而觀之、薄、帷也、 正義釐、音僖、曹大夫、考證楓山、三條本、聽下有負羈二字、初晉公子以下、采僖二十三年左傳、 二十一年、晉文公重耳伐曹。虜共公以歸。令軍毋入釐負羈

之宗族閭。或說晉文公曰。昔齊桓公會諸侯復異姓。今君囚曹君、滅同姓。何以令於諸侯。晉乃復歸共公。【考證】以上、采僖二十八年左傳、二十五年、晉文公卒。【考證】僖三十二年春秋經傳、三十五年、共公卒。【考證】文九年春秋、子文公壽立。文公二十三年卒。【考證】宣十四年春秋、子宣公彊立。【索隱】按左傳、宣公名廬、【考證】梁玉繩曰、案三傳春秋及漢書人表、宣公名廬、卽年表亦作盧、不聞名彊也、況宣公之先有幽伯彊、何容宣又名彊、其誤審矣、宣公十七年卒。弟成公負芻立。【考證】成十三年春秋經傳、左傳言公子負芻、不言弟、杜注以爲宣公庶子、近是、成公三年、晉厲公伐曹、虜成公以歸。已復釋之。【索隱】按左傳、成十五年、晉厲公執負芻歸于京師、晉立宣公弟子臧、子臧曰、聖達節、次守節、下失節、爲君非吾節也、遂逃奔宋、曹人請于晉、晉人謂子臧反國、吾歸而君、子臧反、晉於是歸負芻、【考證】成十五年左傳、陳仁錫曰、事在曹成公二年、張文虎曰、表、二年晉執我公以歸、春秋經傳皆云執之於會、不云伐、五年、晉欒書・中行偃、使程滑弑其君厲公。【考證】成十八年春秋經傳、二十三年、成公卒。【考證】襄十八年春秋、子武公

勝立。【考證】昭十四年春秋、勝作滕、武公二十六年、楚公子弃疾、弑其君靈王代立。【考證】昭十三年春秋經傳、二十七年、武公卒。【考證】昭十四年春秋、子平公頃立。【考證】楓山、三條本、頃作須、與年表春秋合、此誤、平公四年卒。【考證】昭十八年春秋經傳、子悼公午立。是歲、宋・衞・陳・鄭皆火。【考證】四國火、昭十八年春秋經傳、悼公八年、宋景公立。九年、悼公朝于宋。宋囚之。曹立其弟野。是爲聲公。悼公死於宋。歸葬。聲公五年、平公弟通弑聲公代立。是爲隱公。【索隱】按譙周云、春秋無其事、今檢系本及春秋、悼伯卒、弟露立、謚靖公、實無聲公隱公、蓋是彼文自疏也、隱公四年、聲公弟露、弑隱公代立。是爲靖公。【考證】靖公名露、與春秋合、年表作路、梁玉繩曰、案此所說、春秋皆無其事、不知史公何據、靖公四年卒。【考證】定八年春秋、子伯陽立。【考證】梁玉繩曰、伯者曹伯、陽者其名、蓋史公誤認伯亦是名、故連陽字呼之、伯陽三年、國人有夢衆君子立于社宮。【集解】賈逵曰、社宮、社也、鄭衆曰、社宮、中有室屋者、謀欲亡曹。曹叔振鐸

止之、請待公孫彊。許之。旦求之。曹無此人。夢者戒其子曰。我亡、【考證】左傳、亡作死、爾聞公孫彊爲政、必去曹。無離曹禍。【索隱】離、卽罹、罹、被也、及伯陽卽位、好田弋之事。六年、曹野人公孫彊、亦好田弋。獲白鴈而獻之、且言田弋之說。因訪政事。伯陽大說之、有寵。使爲司城以聽政【考證】竹添光鴻曰、曹國近宋、故倣宋司城之名、其曰聽政、蓋正卿也、夢者之子乃亡去。公孫彊言霸說於曹伯。十四年、曹伯從之、乃背晉干宋。【集解】賈逵曰、以小加大、【索隱】干、謂犯也、言曹因弃晉而犯宋、遂致滅也、裴氏引賈逵注云、以小加大者、加陵也、小、卽曹也、大、謂晉及宋也、【考證】梁玉繩曰、事不知何歲、左傳在哀七年、乃是追敍、故曰初、此與表書夢于陽三年、書爲司城于陽六年、未確也、宋景公伐之。晉人不救。【考證】國人有夢以下、采哀七年左傳、十五年、宋滅曹。執曹伯陽及公孫彊、以歸而殺之。曹遂絕其祀。【考證】宋滅曹以下、采哀八年春秋經傳、

太史公曰。【索隱】檢諸本、或無此論、余尋曹共公之不用僖負羈乃乘軒者三百人。【正義】晉世家云、晉師入曹、數之以其不用僖負羈言、而美女乘軒三百人也、列女傳云、曹僖負羈之妻者、曹大夫僖負羈之妻也、晉公子重耳亡過曹、曹恭公不禮、聞其駢脅、伺其將浴、設微薄而觀之、負羈妻言於負羈曰、吾觀晉公子、其從者三人、皆國相也、皆善戮力以輔一人、必得晉國、若得歸國、必霸諸侯、而討無禮、曹爲首、若曹有難、子必不免、子胡不早自貳焉、且吾聞之、不知其子者視其友、不知其君者視其所使、今其從者皆國相之僕也、則其君必霸王之主也、若加禮焉、必能報施矣、若有罪必能討過、子不早圖、禍至不久矣、負羈乃遺壺飱、加璧其上、公子受飱反璧、及公子反國伐曹、乃表負羈之閭、令兵士無入、士民扶老攜弱而赴其閭者、閭外成市、君子謂僖氏之妻能達識矣、知唯德之不建。【正義】夫治國立政、知唯在德、而不建立也、不用僖負羈言、乃美女三百人乘軒車、是不建立德也、【考證】楓山、三條本、建作逮、誤、說見下、及振鐸之夢、豈不欲引曹之祀者哉。如公孫彊不脩厥政、叔鐸之祀忽諸。【正義】至如公孫彊不脩霸道之政、而伯陽之子立、叔鐸猶尙饗祭祀、豈合忽絕之哉、【考證】淩本、及作乃、楓山・三條本、忽諸上有易字、柯維騏曰、按左氏文公六年、臧文仲聞六與蓼滅曰、皐陶庭堅、不祀忽諸、德之不建、民之无援、哀哉、太史公之語本此、杜預注謂忽諸者、忽然而絕也、正義乃謂豈合忽絕之哉、是蓋未讀左氏傳也、王念孫曰、張說甚謬、如讀爲而、言叔鐸非不欲引曹之祀、而無若公孫彊之不脩國政以致絕祀何也、此云知

德之不建、又云叔鐸之祀忽諸、皆用左氏臧文仲語、

索隱述贊武王之弟、管蔡及霍、周公居相、流言是作、狼跋致艱、鴟鴞討惡、胡能改行克復其爵、獻舞執楚、遇息禮薄、穆侯虜齊、蕩舟乖謔、曹共輕晉、負羈先覺、伯陽夢社、祚傾振鐸、

管蔡世家第五

史記三十五

史記會注考證卷三十六

漢　太　史　令　司　馬　遷　撰

宋　中　郎　外　兵　曹　參　軍　裴　駰　集解

唐　國　子　博　士　弘　文　館　學　士　司　馬　貞　索隱

唐　諸　王　侍　讀　率　府　長　史　張　守　節　正義

日　本　出　雲　瀧　川　資　言　考證

陳杞世家第六　史記三十六

【考證】史公自序云、王後不絕、舜禹是說、維德休明、苗裔蒙烈、百世享祀、爰周陳杞、楚實滅之、齊田既起、舜何人哉、作陳杞世家第六、

陳胡公滿者、虞帝舜之後也。【考證】本襄二十五年昭八年左傳、昔舜爲庶人時、堯妻之二女、居于嬀汭。【正義】括地志云、嬀汭水、源出蒲州河東縣南首山、地記云、河東郡首山北中有二泉、下南流者汭水、蒲坂城中有舜廟、城外有舜宅及二妃壇、按河東縣本漢蒲坂縣、【考證】本尙書堯典、正義依桃源鈔補、校之五帝本紀、譌脫甚多、其後因爲氏姓。姓嬀氏。【考證】梁玉繩曰、案帝舜姓姚、至周封胡公、乃賜姓爲嬀、史謂胡公之前巳姓嬀、不但乖舛無徵、且與下文言及胡公周賜之姓相違反、孔仲達鄭漁仲、皆辨其誤矣、王莽傳莽言、虞帝之先、受姓曰姚、其在陶唐曰嬀、在周曰陳、尤屬妄說、豈緣史誤而增飾之歟、舜已崩、傳禹天下。而舜子商均爲封國。【索隱】按商均所封虞、卽今之梁國虞城是也、【正義】譙周云、以虞封舜子、按宋州虞城縣、商均封爲虞公、其子虞思事少康爲相、號幕、下至遂公淮、事成湯爲司徒、湯滅夏、封爲遂公、號曰虞遂、遂後代子孫名希、去殷入周、事王季爲宮尹、希之子孫遏父、事文王爲陶正、遏父之子滿、武王滅殷、封爲陳侯、號嬀氏、謚胡公、【考證】趙翼曰、左傳哀元年、少康逃奔有虞、虞思妻以二姚、注云、思、舜之後也、則舜之後在夏時封於虞者、左傳昭八年、舜寘後於遂、注云、殷封舜後於遂、則舜之後、在殷時封於遂者、左傳襄廿五年、子產曰、昔虞閼父爲周陶正、武王以元女妻其子胡公、則胡公滿之父也、而陳世家皆不載、夏后之時、或失或續。【索隱】按夏代猶封虞思虞遂、是也、至于周武王克殷紂、乃復求舜後、【索隱】遏父

爲周陶正、遏父、遂之後、陶正、官名、生滿、得嬀滿、封之於陳、【索隱】左傳曰、武王以元女太姬配虞胡公、而封之陳、以備三恪、【正義】詩譜云、帝舜後有遏父者、爲周武王陶正、武王賴其器用、封其子嬀滿於陳丘、宛丘之側、按今陳州城、在古陳城內西北隅也、【考證】梁玉繩曰、案襄廿五傳、子產曰、虞閼父爲周陶正、以服事我先王、我先王庸以元女大姬配胡公、而封諸陳、則非求而得之矣、大戴禮少閒篇、謂禹受命、乃遷邑姚姓于陳、下文索隱引宋忠謂湯封虞遂于陳、然則胡公共續封歟、恐未可信、愚按、陳國於宛丘、今河南淮陽縣、以奉帝舜祀。是爲胡公。胡公卒。子申公犀侯立。申公卒。弟相公皐羊立。相公卒。立申公子突。是爲孝公。孝公卒。子愼公圉戎立。愼公當周厲王時。【考證】茅坤曰、胡公四傳而爲愼公、遂及周之厲王、其誤可知矣、愼公卒。子幽公寧立。幽公十二年、周厲王奔于彘。【考證】陳仁錫曰、史表在十三年、二十三年、幽公卒。子釐公孝立。釐公六年、周宣王卽位。【考證】陳仁錫曰、史表在五年、三十六年、釐公卒。子武公靈立。武公十五年卒。子夷公說立。是歲、周幽王卽位。【考證】梁玉繩曰、夷公立于幽王二年、此誤、夷

公三年卒。弟平公燮立。【正義】燮、先牒反、平公七年、周幽王爲犬戎所殺、周東徙。秦始列爲諸侯。二十三年、平公卒。子文公圉立。文公元年、取蔡女生子佗。【正義】佗、徒何反、【考證】楓山、三條本、圉作圍、梁玉繩曰、文不取于蔡、佗母未聞、說見後、十年、文公卒。長子桓公鮑立。桓公二十三年、魯隱公初立。【考證】春秋始于此、二十六年、衞殺其君州吁。【考證】隱四年春秋經傳、梁玉繩曰、州吁、弒君之賊也、而書曰其君、背于春秋書名之義矣、三十三年、魯弒其君隱公。【考證】隱十一年左傳、三十八年正月甲戌己丑、桓公鮑卒。【索隱】陳亂、故再赴其日、【正義】甲戌、己丑、凡十六日、【考證】依桓五年春秋經傳、各本桓公上衍陳字、今從索隱本、中井積德曰、春秋在魯記之、故隨赴書兩日耳、是不當入世家、且從前公卒不日、此何論日、桓公弟佗、其母蔡女。故蔡人爲佗殺五父及桓公太子免、而立佗。【集解】譙周曰、春秋傳、謂佗卽五父、世家與傳違、【索隱】譙周曰、春秋傳、謂他卽五父、與此違者、此以他爲厲公、太子免弟躍爲利公、而左傳以厲公名躍、他立未踰年、無謚、故蔡人殺陳他、又莊二十二年傳云、陳厲公蔡出也、故

蔡人殺五父而立之、則他與五父俱爲蔡人所殺、其事不異、是一人明矣、史記既以他爲厲公、遂以躍爲利公、尋厲利聲相近、遂誤以他爲厲公、五父爲別人、是太史公錯耳、班固表以厲公躍爲桓公弟、又誤、[考證]桓五年左傳云、陳侯鮑卒、於是陳亂、文公子佗殺大子免而代之、六年經云、蔡人殺陳佗、十二年經云、八年壬辰陳侯躍卒、莊二十二年左傳云、陳厲公蔡出也、故蔡人殺五父而立之、襄二十五年左傳云、子產曰、桓公之亂、蔡人欲立其出、我先君莊公奉五父而立之、蔡人殺之、我又與蔡人奉戴厲公、索隱所引未明、故特詳之、**是爲厲公。桓公病而亂作、國人分散。故再赴。**[集解]徐廣曰、班氏云、厲公躍者、桓公之弟也、[考證]桓公病以下、采桓五年左傳、中井積德曰、上文不題春秋、則再赴者、不知告于何國也、且是何論於世家、竝削可也、**厲公二年、生子敬仲完。周太史過陳。**[考證]梁玉繩曰、完未定生于是年、愚按、左傳止言周史、不言太史、**陳厲公使以周易筮之。卦得觀之否。**[集解]賈逵曰、坤下巽上、觀、坤下乾上、否、觀爻在六四、變而之否、**是爲觀國之光。利用賓于王。**[集解]杜預曰、此周易觀卦六四爻辭也、易之爲書、六爻皆有變象、又有互體、聖人隨其義而論之、[正義]君在親近而得其位、明習國之禮義、故利於賓於王、言爲王賓、否卦義云、否閉之世、非是人道交通之時、不利君子爲正也、上下不交、而天下困否也、言利賓於王、逢否困之世、故刺君子爲政必君困也、[考證]竹添光鴻曰、之適也、繫辭云、唯變所適、是變而有所之也、之字自包變義、而以變爲之字正訓則非也、古之筮法、有以前卦統後卦、有以後卦斷前卦、

有兼二卦、有止一卦、此遇觀之否、其吉在於觀國之光、利用賓于王、左傳襄二十五年、遇困之大過、其凶在於困于石、據于蒺蔾、此以前卦占之也、閔二年、遇大有之乾、其吉在於同復于父、敬如君所、此以後卦占之也、閔元年、遇屯之比、其吉在於車從馬、足居之、兄長之、母覆之、衆歸之、昭五年、遇明夷之謙、其凶在於火焚山、山敗、於人爲言、敗言爲讒、此兼二卦占之也、僖十五年、遇蠱、成十六年、遇復、此止一卦占之也、愚按、光王韻、**此其代陳有國乎。**[考證]龜井昱曰、代興之代也、應陳衰其昌、**不在此、其在異國。**[正義]六四變、內卦爲中國、外卦爲異國、**非此其身、在其子孫。**[正義]內卦爲身、外卦爲子孫、變在外、故知在子孫也、[考證]龜井昱曰、異國子孫、左氏詳說之、史公刪之、正義以外卦變說之、非是、**若在異國、必姜姓。**[正義]六四變、此爻是辛未、觀上體巽、未爲羊、巽爲女、女乘羊、故爲姜、姜、齊姓、故知在齊、[考證]必姜姓、亦左氏詳說、史公刪之、正義未爲羊以下可削、春秋時未嘗以十二支配十二神、**姜姓、太嶽之後、**[集解]杜預曰、姜姓之先、爲堯四嶽、[考證]龜井昱曰、所變者爲艮之主、故以艮言之、**物莫能兩大。陳衰、此其昌乎。**[正義]周敬王四十一年、楚惠王殺陳湣公、齊簡公、周敬王三十九年被田常殺之、[考證]龜井昱曰、後世陳若衰、則此子孫其必代而昌、愚按、生子敬仲以下、采莊二十二年左傳、**厲公取蔡女。蔡女與蔡人亂。厲公數如蔡淫。七年、厲公所殺桓公太子免之三弟、長曰**

躍、中曰林、少曰杵臼。共令蔡人誘厲公以好女、與蔡人共殺厲公而立躍。是爲利公。[集解]公羊傳曰、淫于蔡、蔡人殺之、[考證]桓六年公羊傳、又見穀梁傳、**利公者、桓公子也。利公立、五月卒。立中弟林。是爲莊公。**[考證]梁玉繩曰、案年表云、陳文公生桓公鮑、厲公他、他母蔡女、桓公三十八年卒、弟他殺太子免代立、厲公淫蔡、蔡殺公、田完世家云、陳完者陳厲公佗之子也、厲公者陳文公少子也、其母蔡女、文公卒、厲公兄鮑立、是爲桓公、桓公與佗異母、及桓公病、蔡人爲佗殺桓公鮑及太子免而立佗、爲厲公、厲公既立取蔡女、蔡女淫于蔡人、數歸、厲公亦數如蔡、桓公之少子林怨厲公殺其父與兄、乃令蔡人誘厲公而殺之、林自立、是爲莊公、凡此皆史之大誤也、考春秋經傳、厲公名躍、桓公之子、桓公取蔡女生厲公、故厲公母爲蔡女、若他乃文公子、桓公弟、卽五父也、他因桓公疾、殺太子免代立、而厲公蔡出、蔡人因殺佗立厲公、厲公在位七年卒、弟莊公林立、莊公卒、弟宣公杵臼立、佗簒立踰年、無謚、不成爲君、絕之焉爾、乃史以厲公爲文公子、則與公羊桓十二年傳注以厲公爲佗子何異、誤一、以陳佗爲厲公、誤二、以厲公母蔡女、爲佗之母、誤三、分佗與五父爲兩人、誤四、佗自殺免、于蔡何涉、謂蔡人爲佗殺之、誤五、佗但殺免、不殺桓公、謂佗殺桓公鮑、誤六、蔡人殺佗、卽在桓卒之明年、謂佗立七年見殺、誤七、取蔡女者桓公、左傳莊二十二、言厲公蔡出可據、謂厲公佗取蔡女、猶上文稱文公取蔡女、誤八、陳佗淫蔡、公殺二家之說、而傳會共事、謂厲公淫蔡、遂誘以好女而殺之、誤九、蔡自殺佗、于太子免之三弟亦復無干、謂三弟共令蔡誘殺佗、誤十、此言三弟以林爲中

子、而田完世家言少子林、不及躍與杵臼、誤十一、表、田完世家、皆無利公、而此別出利公躍、妄分厲公躍爲兩人、誤十二、陳佗踰年死、厲公躍七年卒、今既以佗爲厲公、在位七年、便稱利公躍立、五月而卒、誤十三、索隱及毛詩左傳疏、雖俱糾其謬、然不甚詳核、余故綜而辨之、又曰古利厲通用、論語利其器、漢書梅福傳作厲其器、左傳文七年利兵、亦卽厲兵也、**莊公七年卒。**[考證]莊元年春秋、**少弟杵臼立。是爲宣公。宣公三年、楚武王卒。楚始彊。**[考證]楚武卒、莊四年左傳、**十七年、周惠王娶陳女爲后。**[考證]莊十八年左傳、**二十一年、宣公後有嬖姬、生子款。欲立之。**[考證]梁玉繩曰、傳無嬖款之事、豈別有所據乎、**乃殺其太子禦寇。禦寇素愛厲公子完。完懼禍及己、乃奔齊。齊桓公欲使陳完爲卿。完曰。羇旅之臣、**[集解]賈逵曰、羇、寄旅客也、[考證]羇讀爲羈、**幸得免負擔。君之惠也。不敢當高位。**[考證]負擔、言勞役也、**桓公使爲工正。**[正義]周禮云、冬官爲考工、主作器械、[考證]杜預曰、掌百工之官也、**齊懿仲欲妻陳敬仲。卜之。**[考證]梁玉繩曰、齊懿仲、左傳作懿氏、杜注、陳大夫、此云仲、誤、云齊、尤誤、當作懿氏、而改齊字爲初字方合、蓋此追書前事也、**占曰。是**

謂鳳皇于飛、和鳴鏘鏘。【集解】杜預曰、雄曰鳳、雌曰皇、雄雌俱飛、相和而鳴、鏘鏘然也、猶敬仲夫妻有聲譽、【考證】中井積德曰、唯言夫妻和睦也、未及聲譽、若敬仲聲譽猶可、其妻何聲譽之有、竹添光鴻曰、上文是謂觀國之光二句、周易爻辭、則此二句亦卜書繇辭、上文此其代陳以下、筮者之辭、則此文有嬀之後以下、亦卜者之辭、愚按、鏘與姜卿京韻合、則竹說未必是、集解夫妻下、楓山三條本有相隨適齊四字、有嬀之後、將育于姜。【集解】杜預曰、嬀、陳姓、姜、齊姓、【考證】龜井昱曰、育、子孫蕃育也、卜妻之故曰育、隱八年左傳、不爲夫婦、何以能育、五世其昌、竝于正卿。【集解】服虔曰、言完後五世、與卿竝列、【正義】按五世、謂桓子無宇、【考證】龜井昱曰、左傳疏云、與卿竝爲上大夫也、按昭十年、謂陳無宇非卿、執諸中都、叔向曰、齊使上大夫送之、正與是占照應、八世之後、莫之與京。【集解】賈逵曰、京、大也、【正義】按陳敬仲八代孫田常之子襄子盤也、而杜以常爲八代者、以桓子無宇生武子開、與釐子乞、皆相繼事齊、故以常爲八代、【考證】乃殺太子禦寇以下、采莊二十二年左傳、莫之與京、言其位最高也、三十七年、齊桓公伐蔡。蔡敗。南侵楚、至召陵。還過陳。陳大夫轅濤塗惡其過陳、詐齊令出東道。東道惡。桓公怒、執陳轅濤塗。【考證】楓山、三條本、還作遠、齊桓公以下、采僖四年公羊傳、與左氏小異、是歲、晉獻公殺其太子申生。【考證】僖四年左傳、

四十五年、宣公卒。【考證】僖十二年春秋、子款立。是爲穆公。穆公五年、齊桓公卒。【考證】僖十七年春秋、十六年、晉文公敗楚師于城濮。是歲穆公卒。【考證】僖二十八年春秋經傳、子共公朔立。共公六年、楚太子商臣、弒其父成王代立。是爲穆王。【考證】文元年春秋經傳、十一年、秦穆公卒。【考證】文六年左傳、十八年共公卒。【考證】文十三年春秋、子靈公平國立。靈公元年、楚莊王卽位。【正義】謚法云、亂而不損曰靈、六年、楚伐陳。【考證】宣元年春秋經傳、十年、陳及楚平。【考證】宣五年左傳、十四年、靈公與其大夫孔寧・儀行父、皆通於夏姬。【正義】寧作甯、音寧、列女傳云、陳女夏姬者、陳大夫夏徵舒之母、御叔之妻也、三爲王后、七爲夫人、公侯爭之、莫不迷惑失意、杜預云、夏姬、鄭穆公女、陳大夫御叔之妻、左傳云、殺御叔、弒靈侯、戮夏南、出孔儀、喪陳國、衷其衣以戲於朝。【集解】左傳曰、衷其相服、穀梁傳曰、或衣其衣、或中其襦、【正義】相、尼乙反、近身衣、【考證】龜井昱曰、衷、衷甲之衷、泄冶諫曰。君臣淫亂、民何效焉。靈公以告二子。

二子請殺泄冶。公弗禁。遂殺泄冶。【集解】春秋曰、陳殺其大夫泄冶、【考證】宣九年左傳、十五年、靈公與二子飮於夏氏。公戲二子曰。徵舒似汝。二子曰。亦似公。【集解】杜預曰、靈公卽位十五年、徵舒已爲卿、年大無嫌是公子也、蓋以夏姬淫放、故謂其子多似、以爲戲也、【考證】正義本、公作君、竹添光鴻曰、荒淫無恥至此、千古無兩、徵舒怒。【考證】左傳、怒作病之、靈公罷酒出。徵舒伏弩廏門、射殺靈公。【集解】左傳曰、公出自其廏、【考證】中井積德曰、集解廏下、脫射而殺之四字、孔寧・儀行父、皆奔楚。【考證】以上、采宣十年左傳、靈公太子午奔晉。徵舒自立爲陳侯。【考證】蘇轍曰、太子未嘗奔晉、徵舒未嘗爲君、蓋楚入陳、然後陳侯奔晉耳、梁玉繩曰、時陳侯在晉、非奔晉也、全祖望曰、史記、夏氏弒君自立、成公以太子奔晉、楚人迎而立之、而不見于左傳、是史之誣也、夏氏未嘗自立、成公已預辰陵之盟、何嘗以太子出奔乎、使夏氏自立、則辰陵之盟、孔子豈肯書爲陳侯、可不辨而明已、徵舒、故陳大夫也。夏姬、御叔之妻、舒之母也。成公元年冬、楚莊王爲夏徵舒殺靈公、率諸侯伐陳。謂陳曰。無驚。吾誅徵舒而已。已誅徵舒、因縣陳而有

之。羣臣畢賀。申叔時使於齊、來還。獨不賀。【集解】賈逵曰、叔時、楚大夫、莊王問其故。對曰。鄙語有之。牽牛徑人田。田主奪之牛。徑則有罪矣。奪之牛、不亦甚乎。今王以徵舒爲賊弒君。故徵兵諸侯、以義伐之。已而取之、以利其地。則後何以令於天下。是以不賀。莊王曰。善。【考證】冬楚莊王以下、宣十一年左傳、乃迎陳靈公太子午於晉而立之。復君陳如故。是爲成公。【考證】宣十一年左傳云、陳侯在晉、是成公既卽位、奔竄在晉也、左傳下文又云、楚莊王復封陳、是成公自晉歸陳也、與史文異、孔子讀史記、至楚復陳曰。賢哉楚莊王。輕千乘之國而重一言。【集解】謂申叔時之語、【正義】家語云、孔子讀史記、至楚復陳、喟然曰、賢哉楚莊王、輕千乘之國、而重一言之信、非申叔時之忠、弗能建其義、非楚莊王之賢、不能受其訓也、【考證】孔子讀史記數句、三傳國語不載、凌稚隆曰、是敍事中入贊語、二十八年、楚莊王卒。【考證】杭世駿曰、年表、陳成公八年、楚莊王薨、此衍二十兩字、愚按、春秋爲宣十八年事、二十九年、陳倍楚盟。【考證】襄三年

春秋經傳、三十年、楚共王伐陳。是歲、成公卒。【考證】襄四年春秋經傳、子哀公弱立。【考證】梁玉繩曰、哀公之名、春秋作溺、漢人表作弱、蓋古通用、楚以陳喪罷兵去。【考證】襄四年左傳、哀公三年、楚圍陳。復釋之。【考證】襄八年左傳、二十八年、楚公子圍弒其君郟敖、自立為靈王。【考證】昭元年春秋經傳、三十四年、【考證】中井積德曰、據春秋、當作三十五年、初哀公娶鄭、長姬生悼太子師、少姬生偃。【索隱】按昭八年經云、陳侯之弟招、殺陳世子偃師、左傳、陳哀公元妃鄭姬生悼太子偃師、今此云兩姬、又分偃師為二人、亦恐此非、二嬖妾。長妾生留、少妾生勝。留有寵哀公。哀公屬之其弟司徒招。【正義】招一作苕、同韶、哀公病。三月、招殺悼太子、立留為太子。哀公怒欲誅招。招發兵圍守哀公。哀公自經殺。【集解】徐廣曰、三十五年時、【考證】左傳、自經作縊、義同、竹添光鴻曰、哀公實無廢殺太子之心也、不然、招殺之而何為憤恚自經乎、其屬留於招者、恐留素有寵、太子或恚、留不能善保其弟耳、招卒立留為陳君。四月、陳使使赴楚。楚靈王

聞陳亂、乃殺陳使者、【索隱】即司徒招也、一作苕也、【正義】使者干徵師也、左傳云、昭八年、陳哀公縊、干徵師赴於楚、楚執陳行人干徵師殺之、【考證】正義是、使公子弃疾發兵伐陳。陳君留奔鄭。九月、楚圍陳。十一月、滅陳。【考證】初哀公以下、本昭八年左傳、使弃疾為陳公。【考證】梁玉繩曰、案左傳、為陳公者穿封戌也、弃疾為蔡公、此誤、招之殺悼太子也、太子之子名吳、出奔晉。【考證】梁玉繩曰、案吳恐無奔晉之事、傳曰、楚公子弃疾奉孫吳圍陳、則未嘗奔晉矣、晉平公問太史趙曰。陳遂亡乎。對曰。陳、顓頊之族。【集解】服虔曰、陳祖虞舜、舜出顓頊、故為顓頊之族、陳氏得政於齊、乃卒亡。【集解】賈逵曰、物莫能兩盛、自幕至于瞽瞍、無違命。【集解】賈逵曰、幕、舜後虞思也、至于瞽瞍、無聞違天命以廢絕也、者、鄭衆曰、幕、舜之先也、顒案國語、賈義為長、【索隱】按賈逵以幕為虞思、非也、左傳言自幕至瞽瞍、知幕在瞽瞍之前、必非虞思明矣、【考證】龜井昱曰、魯語、幕能帥顓頊者也、有虞氏報焉、楚語、虞幕能聽協風以成物樂生者也、呂覽古樂篇、帝堯立、乃命夔為樂、瞽叟乃拌五絃之琴、以為十五絃之瑟、命之曰大章、以祭上帝、舜立、仰延乃拌瞽叟之所為瑟、益之八絃、以為二十三絃之瑟、蓋顓頊之宗亡、幕是其族、而舜之祖也、至于鼓瞍有土君后、故曰無違命、瞽瞍作大章祭上帝、能世幕之業、以不失隊、可知、疏云、瞽瞍始失國、果然、

傳不宜曰無違命也、蓋瞽瞍欲立象、故降黜舜、此所以在側陋、而耕稼陶漁也、殷代帝子、猶有勤苦民間、何復深疑之、舜重之以明德、至於遂。【集解】杜預曰、遂、舜後、蓋殷之興、存舜之後而封遂、言舜德乃至於遂也、【索隱】重、音持用反、按杜預以為舜有明德、乃至遂有國、義亦然也、且文云、自幕至瞽瞍、無違命、舜重之以明德、是言舜有明德為天子也、乃云、殷封遂代守之、亦舜德也、按系本云、陳、舜後、宋忠云、虞思之後、箕伯直柄中衰、殷湯封遂於陳以祀舜、世世守之。及胡公、周賜之姓、使祀虞帝。【集解】杜預曰、胡公滿、遂之後也、事周武王、賜姓曰嬀、封之陳、且盛德之後、必百世祀。虞之世未也。其在齊乎。【考證】晉平公以下、昭八年左傳、愚按左傳、之世下有數字、楚靈王滅陳五歲、楚公子弃疾弒靈王代立。是為平王。平王初立、欲得和諸侯、乃求故陳悼太子師之子吳、立為陳侯。【考證】以上據昭十三年左傳、梁玉繩曰、吳非行遯、不必言求、師上當補偃字、是為惠公。惠公立。探續哀公卒時年而為元。空籍五歲矣。【索隱】惠公探取哀公死楚陳滅之後年為元年、故今空籍五歲矣、一云、籍、借也、謂借失國之後年為五年、【正義】哀公被楚滅、使弃疾為陳侯五年、及弃疾立為楚王、而立惠公、探續哀公卒為元年、故空籍至此五歲也、【考證】洪頤煊曰、年表、哀公自殺、次年即書陳

惠公元年、索隱前說是、七年、陳火。【考證】昭十八年春秋經傳、表在十年、與春秋經傳合、七當作十、十五年、吳王僚使公子光伐陳。取胡・沈而去。【索隱】系本云、胡、歸姓、沈、姬姓、沈國、在汝南平輿、胡亦在汝南、【考證】昭二十三年春秋經傳、今安徽潁州府阜陽縣有胡城、春秋胡子國、河南汝寧府汝陽縣有沈亭、春秋沈國、二十八年、吳王闔閭與子胥敗楚入郢。是年、惠公卒。【考證】定四年春秋經傳、子懷公柳立。懷公元年、吳破楚在郢。召陳侯。陳侯欲往。大夫曰。吳新得意。楚王雖亡、與陳有故。不可倍。懷公乃以疾謝吳。【考證】吳破楚以下、本哀元年左傳、大夫、逢滑、梁玉繩曰、大夫數語、與逢滑之對不合、以疾謝吳、與以晉辭亦不合、四年、吳復召懷公。懷公恐如吳。吳怒其前不往、留之。因卒吳。【考證】定八年春秋止云、秋七月陳侯柳卒、九月葬陳懷公、三傳亦不記如吳留死之事、史公別有所據乎、陳乃立懷公之子越。是為湣公。【索隱】按左傳、湣公名周、是史官記不同、【考證】梁玉繩曰、左傳無湣公名周之文、孟子有之、小司馬誤、孟子曰、主司城貞子為陳侯周臣、趙岐注、陳侯周、陳懷公子、蓋湣公名越、又名周也、湣公六年、孔子適陳。

【考證】梁玉繩曰、孔子世家、是時孔子尚在衛、過陳在七年、此與表皆誤、吳王夫差伐陳、取三邑而去。【考證】陳仁錫曰、吳上當有八年二字、梁玉繩曰、攷哀元年春秋經傳及年表、皆不言取三邑、疑此與孔子世家同誤、十三年、吳復來伐陳。陳告急楚。楚昭王來救、軍於城父。吳師去。是年、楚昭王卒於城父。【正義】父、音甫、亳州縣、【考證】哀六年左傳、時孔子在陳。【索隱】按孔子以魯定公十四年適陳、當陳湣公之六年、上文說是、此十三年孔子仍在陳、凡經八年、何其久也、【考證】梁玉繩曰、案此謂湣公十三年也、攷孔子至陳、凡經五年、共二次、始則在定十五年、當陳湣七年、至哀二年而去、當湣九年、繼卽在哀二年、至四年而去、當湣十一、孔子世家甚明、金氏前編薛氏甲子會記、謂孔子三至陳者、俱謬、而其謬亦有自來、陳世家、言湣公六年、孔子適陳、當定十四、十三年、孔子在陳、當哀六、亦猶年表及衛世家、謂衛出公八年、當哀十、孔子自陳入衛也、而不知均屬誤書、定公十四年、孔子在衛、尚未適陳、哀公六年、孔子自楚返衛、久已去陳、哀公十年、孔子猶居衛、安得如年表陳衛世家之說、索隱未究其誤、妄疑孔子在陳、何以有八年之久、前編亦未究其誤、反據陳世家以駁孔子世家、皆非也、十五年、宋滅曹。【考證】哀八年春秋經傳、十六年、吳王夫差伐齊、敗之艾陵。【考證】哀十一年春秋經傳、梁玉繩曰、案艾陵之戰、在陳湣十八年、非十六年也、使人召陳侯。陳侯恐如吳。楚伐陳。【考證】春秋經傳無此事、梁玉繩曰、是時無

陳已服吳、何煩再召、蓋又因吳召懷公事而誤、二十一年、齊田常弑其君簡公。【考證】哀十四年春秋經傳、二十三年、楚之白公勝殺令尹子西・子綦、襲惠王。葉公攻敗白公。白公自殺。【正義】括地志云、白亭、在許州扶口縣北四十五里、卽勝所封、按白亭在豫州褒信縣者是也、以解在楚世家、【考證】哀十六年左傳、今河南光州東有白城、東北七十里有褒信城、二十四年、楚惠王復國、以兵北伐、殺陳湣公。遂滅陳而有之。【正義】楚惠王十年滅陳、當周敬王四十一年、魯哀公十六年、【考證】哀十七年左傳、是歲孔子卒。【考證】哀十六年左傳、梁玉繩曰、楚惠復國、及孔子之卒、皆在湣公二十三年、此誤、沈家本曰、此五字疑在上文白公自殺下、方與左傳文合、

杞東樓公者、夏后禹之後苗裔也。【索隱】杞、國名也、東樓公、號諡也、不名者、史先失耳、宋忠曰、杞今陳留雍丘縣、故地理志云、雍丘縣故杞國、周武王封禹後爲東樓公、是也、蓋周封杞、而居雍丘、至春秋時杞已遷東國、故左氏隱四年傳云、莒人伐杞取牟婁、牟婁、曹東邑也、僖十四年傳云、杞遷緣陵、地理志、北海有營陵、淳于公之縣、臣瓚云、卽春秋緣陵、淳于公所都之邑、又州、國名、杞後改國曰州、而稱淳于公、故春秋桓五年經云、州公如曹、傳曰、淳于公如曹、是也、然杞後代又稱子者、以微小又假居東夷、故襄二十九年經、稱杞子來盟、傳曰、書曰子、賤之、是也、【考證】中井積德曰、據春秋州公稱淳于公者、別自一國、州滅後、杞有其地也、殷

時或封或絕。周武王克殷紂、求禹之後、得東樓公、封之於杞、以奉夏后氏祀。【集解】宋忠曰、杞今陳留雍丘縣也、【考證】杞、今河南開封府杞縣、東樓公生西樓公。西樓公生題公。題公生謀娶公。【集解】徐廣曰、謀一作謨、【索隱】注謨一作諜、音牒、娶、音子臾反、【考證】陳子龍曰、東樓西樓、或所居地名、題、謀娶、或名字、必非諡也、謀娶公當周厲王時。謀娶公生武公。【考證】梁玉繩曰、案周有天下、至厲王流彘、二百八十餘年、而杞以四世當之、必無此理、王觀國曰、春秋始周平王四十九年、去厲王已六十年、則知杞武公在春秋前也、然春秋襄公六年三月壬午、杞伯姑容卒、姑容者杞桓公也、自襄公六年去隱公元年、一百六十一年矣、以史記世家攷之、自武公至杞桓公卒之年、纔一百一十有三年、是杞武公在春秋中也、然則世家謂周厲王時生武公、蓋誤也、武公立四十七年卒。子靖公立。靖公二十三年卒。子共公立。共公八年卒。子德公立。【集解】徐廣曰、世本曰惠公、【索隱】系本及譙周、竝作惠公、又云、惠公生成公及桓公、是此系家脫成公一代、故云弟桓公姑容立、非也、且成公又見春秋經傳、故左傳莊二十五年云、杞成公娶魯女、有婚姻之好、至僖二十三年卒、始赴而書、左傳云、成公也、未同盟、故不書名、是杞有成公、必當如譙周所說、【考證】梁玉繩曰、集解索隱引世本及譙周、竝作惠公、則德公非也、德公十八年卒。弟

桓公姑容立。【集解】徐廣曰、世本曰、惠公立十八年、生成公及桓公、成公立十八年、桓公立十七年、【考證】陳仁錫曰、史記脫成公一代、梁玉繩曰、攷春秋、僖二十三年書杞子卒、左氏以爲成公、則推而上之、至僖五年春秋書杞伯姬來朝其子、適合十八年、是成公者伯姬之子、而娶伯姬者惠公也、世家既脫成公一代、而又以桓爲德公弟、幷諡號亦不同、故知世家于小國尤多疎舛、桓公十七年卒。【考證】桓公卒、襄六年春秋經傳、梁玉繩曰、案春秋經傳、成公以僖二十三年卒、是桓公以僖二十四年卽位、至襄六年卒、則在位七十年、此作十七、仍世本之誤、自古諸侯享國之久、未有如杞桓公者也、子孝公匄立。【索隱】匄、音蓋、匄、名、孝公十七年卒。【考證】襄二十三年春秋經傳、弟文公益姑立。文公十四年卒。【考證】昭六年春秋經傳、弟平公鬱立。【索隱】鬱一作郁釐、譙周云、名郁來、蓋鬱郁、釐來、竝聲相近、遂不同耳、【考證】梁玉繩曰、春秋左穀、作郁釐、史從公羊、作鬱、平公十八年卒。【考證】昭二十四年春秋經傳、子悼公成立。悼公十二年卒。【考證】定四年春秋、子隱公乞立。七月、隱公弟遂、弑隱公自立。是爲釐公。【考證】梁玉繩曰、案春秋哀八年、僖公名過、孔疏引世家同、則遂字是今本之譌、釐公十九年卒。【考證】哀八年春秋、子湣公維立。湣公十五年、楚惠王滅陳。【考證】哀十七

年左傳、梁玉繩曰、楚惠王十一年滅陳、當陳湣公二十四年魯哀公十七年、乃杞湣公之九年也、此作十五年誤、十六年、湣公弟閼路弑湣公代立。是爲哀公。【索隱】閼、音遏、哀公殺兄湣公而立、謚哀、譙周云、謚懿也、哀公立十年卒。湣公子敕立。是爲出公。【集解】徐廣曰、敕、一作遫、【正義】敕、音速、注同音、出公十二年卒。子簡公春立。立一年、楚惠王之四十四年、滅杞。杞後陳亡三十四年。【正義】年表云、楚惠王十年滅陳、四十四年滅杞、是杞後陳亡三十四年、然湣公一年、哀公十年、出公十二年、簡公一年、合成二十四年、計數缺十年、未知缺何公十年、是太史公疎矣、【考證】楓山、三條本、王下之上、有殺字、梁玉繩曰、杞滅于楚惠王四十四年、陳滅于楚惠十一年、故云杞後陳亡三十四年、但陳滅之歲爲杞湣九年、此言湣公十六年、哀公十年、出公十二年、簡公一年滅、自湣十年至滅凡三十載、則杞君之年、必有誤、或謂簡公在位四年、非一年也、杞小微、其事不足稱述。舜之後、周武王封之陳。至楚惠王滅之。有世家言。禹之後周武王封之杞。楚惠王滅之。有世家言。契之後爲殷。殷有本紀言。殷破、周封其後於宋。齊湣王滅之。有世家言。后稷之

後爲周。秦昭王滅之。有本紀言。皋陶之後、或封英・六。【索隱】蓼六、本或作英六、皆通、然蓼六皆咎繇之後也、據系本、二國皆偃姓、故春秋文五年左傳云、楚人滅六、臧文仲聞六與蓼滅曰、皋陶庭堅、不祀忽諸、杜預曰、蓼與六、皆咎繇後、地理志云、六故國、皋陶後、偃姓、爲楚所滅、又僖十七年、齊人徐人伐英氏、杜預又曰、英六皆皋陶後、國名、是有英蓼、實未能詳、或者英後改號曰蓼也、【正義】括地志曰、光州固始縣、古蓼國、南蓼城也、春秋時蓼國也、偃姓、皋陶之後、又有北蓼城、在固始縣北六十里、蓼國有南北二城、故六城在嘉州安豐縣南百三十二里、帝王世紀云、皋陶生於曲阜之偃地、故帝因之賜姓曰偃也、英、見春秋僖十七年經、檢無英國、蓋英爲蓼耳、【考證】梁玉繩曰、索隱謂本或作蓼六、非也、英即春秋僖十七年所稱英氏、路史云、六分爲英、是已、此世家索隱、及夏本紀黥布傳正義、言英後改蓼、謬甚、楚穆王滅之。無譜。【考證】三條本譜作語、伯夷之後、至周武王復封於齊。曰太公望。【考證】梁玉繩曰、案史公作齊世家、四岳爲其祖、而此與鄭世家以齊爲伯夷後、則是齊有二祖矣、然史仍國語來、周語、富辰曰、齊許申呂由太姜、太子晉云、胙四岳國、命爲侯伯、賜姓曰姜氏、曰有呂、申呂雖衰、齊許猶在、鄭語、史伯曰、姜、伯夷之後、伯夷能禮于神以佐堯者、一以爲四岳、一以爲伯夷、不應出一人手而錯互至此、閻氏尚書疏證四云、言四岳者、是觀太公望稱呂尚、子丁公稱呂伋、系出四岳明甚、韋昭注、伯夷四岳之族、詎便爲一人、且伯夷典舜三禮、未聞佐堯、已明與書悖、他尙足信哉、余謂帝咨四岳、僉擧伯夷、自非一人、而齊竝稱爲祖者、以同爲炎帝之後、猶秦趙同祖之比、不得硬斷其誤、況四岳乃官名、人人

得爲之、安知作秩宗之伯夷、不又爲四岳之官、譙周云、伯夷掌四岳、必非無據、而其爲秩宗也、似舜仍其舊職、未是改官、觀稷契諸人非新命可見、何得斥佐堯爲悖乎、陳氏滅之。有世家言。伯翳之後、至周平王時封爲秦。項羽滅之、有本紀言。【索隱】秦祖伯翳、解者以翳益則一人、今言十一人、敘伯翳而又別言垂益、則是二人也、且按舜本紀敘十人、無翳而有彭祖、彭祖亦墳典不載、未知太史公意如何、恐多是誤、然據秦本紀、敘翳之功云、佐舜馴調鳥獸、與舜典命益作虞、若予上下草木鳥獸文同、則爲一人必矣、今未詳其所由也、【考證】伯翳、詳于秦本紀、垂・益・夔・龍、【考證】若以伯翳爲伯益、垂益之益不可解、梁玉繩曰、益字當衍、崔適曰、以舜本紀例之、此垂益夔龍、疑當作夔龍彭祖、後人習見垂益、不知益即翳、誤增益而去彭祖、以合十一人之數爾、其後不知所封。不見也。右十一人者、皆唐・虞之際、名有功德臣也。【考證】楓山、三條本、右上有此字、愚按、右此、衍其一、其五人之後、皆至帝王。【索隱】舜禹、身爲帝王、其稷契及翳、則後代皆爲帝王也、餘乃爲顯諸侯。【考證】董份曰、太史公重唐虞之際有功德之臣、故歷著其後裔或爲王、或爲顯諸侯、見有功德者之不泯也、滕・薛・騶、夏・殷・周之閒封也。小不足齒列。弗論也。【索隱】滕、不知本封、蓋軒轅氏子、有滕姓、是其祖也、後周封文王子錯叔繡於滕、故宋忠云、今沛國公丘是滕國也、薛、奚仲之後、任姓、蓋夏殷

所封、故春秋有滕侯薛侯、郳、曹姓之國、陸終氏之子會人之後、郳國、今魯國騶縣是也、然三國微小、春秋時亦預會盟、蓋史缺無可敘列也、【正義】鄒、音邾、括地志云、公丘故城、在徐州滕縣西南十五里、秦滕縣城、即古滕國、蓋黃帝之子滕姓所封、世本又云、滕錯叔繡周文王子、居滕、宋忠云、沛國公丘縣也、故薛城在滕縣、古薛國、黃帝之子任姓所封、又左傳定元年、薛宰云、薛之皇祖奚仲居薛、爲夏車正、奚仲遷於邳、隱十一年傳云、滕侯薛侯來朝、是也、故郳城在黃州□□縣東南一百二十一里、郳子曹姓、陸終氏之子會人之後、郳侯居郳、至隱公徙蘄、蘄今徐州縣也、後又□□□、今滕縣是、又徙鄒、魯穆公改郳作鄒、地理志云、鄒縣故郳國、曹姓、二十九世爲楚所滅、然三國微小、春秋之時、亦預會盟、蓋史缺無可敘列也、周武王時、侯伯尚千餘人。及幽・厲之後、諸侯力攻相并。【考證】楓山、三條本、攻作政、爲是、江・黃・【索隱】按系本、江黃二國、竝嬴姓、又地理志、江國、在汝南安陽縣、胡・沈之屬、【正義】括地志云、安陽故城、在豫州新息縣西南八十里、應劭曰、古江國也、黃國故城、在光州定城縣西十二里、春秋時黃國都也、胡沈解在前、不可勝數。故弗采著于傳上。【考證】張照曰、上、當是云字之譌、太史公曰。舜之德可謂至矣。禪位於夏、而後世血食者、歷三代。【考證】血食、享祭也、古者取毛血以祭、故云、及楚滅陳、而田常得政於齊、卒爲建國、

百世不絕、苗裔茲茲。有土者不乏焉。【正義】茲一作班、【考證】中井積德曰、以田常簒齊、亦爲舜之德乎、舜恐有不懌之色也、至禹、於周則杞。微甚。不足數也。楚惠王滅杞。其後越王句踐興。【考證】梁玉繩曰、勾踐非禹後、說在越世家、俞樾曰、楚之滅杞、在周定王之二十四年、而周敬王時勾踐已卽位、元王時勾踐已滅吳矣、越世家言周元王使人賜勾踐胙、命爲伯、是勾踐之霸、在楚滅杞之前、太史公乃謂杞滅而勾踐興、誤也、

【索隱述贊】盛德之祀、必及百世、舜禹餘烈、陳杞是繼、嬀滿受封、東樓纂系、閼路篡逆、夏姬淫嬖、二國衰微、或興或替、前幷後虜、皆亡楚惠、句踐勃興、田和吞噬、蟬聯血食、豈其苗裔、

陳杞世家第六　史記三十六

史記會注考證卷三十七

漢　太　史　令　司　馬　遷　撰

宋中郎外兵曹參軍裴　駰集解

唐國子博士弘文館學士司馬　貞索隱

唐諸王侍讀率府長史張守　節正義

日　本　出　雲　瀧　川　資　言　考　證

衛康叔世家第七　　史記三十七

[考證]史公自序云、收殷餘民、叔封始邑、申以商亂、酒材是告、及朔之生、衛頃不寧、南子惡蒯聵、子父易名、周德卑微、戰國既彊、衛以小弱、角獨後亡、嘉彼康誥、作衛世家、第

七、

衛康叔名封。[索隱]康、畿內國名、宋忠曰、康叔從康徙封衛、衛卽殷墟、定昌之地、畿內之康、不知所在、[正義]衛城、在衛州衛縣西二十里、本朝歌邑、殷都也、不□□□、康叔爲君居河淇間故商墟、卽朝歌是也、故康城、在洛州陽翟縣西北三十里、洛陽記云、是少康之故邑、[考證]衛、今河南衛輝府淇縣有朝歌故城、康叔封此、中井積德曰、封於衛、仍稱康叔者、蓋周召之比云、不得言徙封、 周武王同母少弟也。其次尚有冄季。冄季最少。武王已克殷紂。復以殷餘民封紂子武庚祿父、比諸侯、以奉其先祀勿絕。爲武庚未集、[索隱]集、猶和也、 恐其有賊心。[考證]張文虎曰、大誥序疏引作恐有側心、疑今本誤、 武王乃令其弟管叔·蔡叔傅相武庚祿父、以和其民。武王既崩、成王少、周公旦代成王治當國。管叔·蔡叔疑周公。[考證]中井積德曰、疑周公、失事實、 乃與武庚祿父作亂、欲攻成周。[索隱]成周、洛陽、其時周公相成王營洛邑、猶居西周鎬京、管蔡欲搆難、先攻成周、於是周公東居洛邑伐管蔡、[正義]括地志云、洛陽故城、在洛州洛陽縣東北二十

六里、周公所築、卽成周城也、[考證]中井積德曰、成字疑衍文、營洛邑、在武庚死後、尙書可徵、是時未有成周之名、此欲攻西周而已、梁玉繩曰、索史誤以鎬京爲成周、索隱曲說不足據、 周公旦以成王命、興師伐殷、殺武庚祿父·管叔、放蔡叔。[考證]楓山、三條本、管上有誅字、 以武庚殷餘民、封康叔爲衛君、居河·淇間故商墟。[索隱]宋忠曰、今定昌也、[考證]封康叔以下、依定四年左傳·書序、 周公旦懼康叔齒少、乃申告康叔曰。必求殷之賢人君子長者、問其先殷所以興所以亡、而務愛民。告以紂所以亡者、以淫於酒、酒之失、婦人是用。故紂之亂自此始。爲梓材示君子可法則。[正義]若梓人爲材、君子觀爲法則也、梓匠人也、[考證]楓山本、始下有告字、楓山、三條本、示上有亦字、 故謂之康誥·酒誥·梓材以命之。[考證]周公旦以下、依書康誥·酒誥·梓材篇及序、王若虛曰、酒誥之文、曷嘗有用婦人之語、 康叔之國、既以此命、能和集其民。民大說。成王長用事、舉康叔爲周司寇。賜衛寶祭器、以章有德。

[集解]左傳曰、分康叔以大路·大旂·少帛·綪茷·旃旌·大呂、賈逵曰、大路、金路也、少帛、雜帛也、綪茷、大赤也、通帛爲旃、析羽爲旌、大呂、鍾名、鄭衆曰、綪茷、旃名也、[考證]舉康叔以下、依定四年左傳、 康叔卒。子康伯代立。[索隱]系本、康伯名髡、宋忠曰、卽王孫牟也、事周康王爲大夫、按左傳所稱王孫牟父是也、牟髡聲相近、故不同耳、譙周古史考、無康伯、而云子牟伯立、蓋以不宜父子俱謚康、故因其名云牟伯也、[考證]梁玉繩曰、康叔之康、書疏引馬王云、圻內國名、甚是、白虎通姓名篇、康南皆采也、路史國名紀五曰、康城在潁川、受封于衛、仍兼康號、其時謚法初行、諸侯尙未徧行、列國之君、有至四世五世而後有謚者、康叔康伯、皆因食采以爲號、鄭康成以康爲謚、非、張文虎曰、髡與牟聲絕不近、疑髡本作髦、傳寫誤、 康伯卒。子考伯立。[考證]梁玉繩曰、案世表人表、作孝伯、詩疏引史亦作孝、則今本譌爲考伯也、 考伯卒。子嗣伯立。嗣伯卒。子庱伯立。[集解]史記音隱曰、音捷、 [索隱]系本、作摯伯、 庱伯卒。子靖伯立。靖伯卒。子貞伯立。[索隱]系本、作箕伯、[考證]楓山、三條本、貞作眞、蓋誤、 貞伯卒。子頃侯立。頃侯厚賂周夷王。夷王命衛爲侯。[索隱]按康誥、稱命爾侯于東土、又云、孟侯朕其弟小子封、則康叔初封已爲侯也、比子康伯卽稱伯者、謂方伯之伯耳、非至子卽降爵爲伯也、故孔安國曰、孟、長也、五侯之長、謂方伯、方伯、州牧也、故五代孫祖恆爲方伯耳、至頃侯德衰、不監諸侯、乃從本爵而稱侯、非是至子卽削爵、及頃侯賂夷王而稱侯也、[考證]顧炎武曰、是頃侯以前之稱伯、乃伯子

男之伯、雖有詩序毛立責衛伯之文可據、然非太史公意也、且古無以方伯之伯而繫謚者、周公召公、二伯也、其謚則曰文公康公、張照曰、衛始封侯、見于書、爲方伯見于詩、詩書竝有文、豈得復疑、索隱謂史遷之誤、是也、顧炎武申龍門而難小司馬、泥矣、謂古無以方伯之伯而繫謚者、安知其無邪、何不卽擧衛爲有之驗耶、余有丁曰、按言方伯、亦未確、或伯仲之伯耳、姚鼐曰、太史公疑衛本伯爵、不知周初字謚之法、其稱伯者以字爲謚也、非爵也、書康誥篇、王曰孟侯、衛自康叔爲侯矣、豈待夷王哉、愚按、姚說近是、下文云、謚曰共伯、可證、

頃侯立十二年卒。子釐侯立。釐侯十三年、周厲王出犇于彘、共和行政焉。【考證】梁玉繩曰、世家言頃侯賂夷王、頃侯十二年卒、子釐侯嗣立之十四年、便及共和之元、何歟、將逆推其世、而釐侯立于厲王二十五年、頃侯立于厲王十三年、安得逮事夷王、將順數其世、而夷厲兩王、凡四十五年、安得釐侯十四年當共和行政之歲、進退互乖、無從勘檢、蓋世家于頃侯之年有譌脫、

二十八年、周宣王立。四十二年、釐侯卒。太子共伯餘立爲君。共伯弟和有寵於釐侯。多予之賂。和以其賂賂士、以襲攻共伯於墓上。共伯入釐侯羨自殺。【索隱】羨、音延、延、墓道、又音以戰反、恭伯名餘也、衛人因葬之釐侯旁。謚曰共伯。而立和爲衛侯。是爲武公。【索隱】和殺恭伯代立、此

說蓋非也、按季札美康叔武公之德、又國語稱武公年九十五矣、猶箴誡於國、恭恪于朝、倚几有誦、至于沒身、謂之叡聖、又詩著衛世子恭伯蚤卒、不云被殺、若武公殺兄而立、豈可以爲訓而形之于國史乎、蓋太史公採雜說而爲此記耳、【考證】姚鼐曰、柏舟詩、髧彼兩髦、髦者子事父母之禮也、明共伯死於釐公之前、安得有立爲君之事、武公衛之賢君、而太史公采雜家之說、誣以篡弑、可謂考之至疎矣、梁玉繩曰、案淇奧詩疏云、詩美武公之德、武公殺兄篡國、得爲美者、美其逆取順守、德流于民、此仲達過信史記、妄爲之說、愚按、詩疏奉太宗勅以撰、太宗殺兄篡位、與史記所記武公事相似、仲達假以護之耳、其說不足據、

武公卽位、修康叔之政、百姓和集。四十二年、犬戎殺周幽王。武公將兵往佐周平戎。甚有功。周平王命武公爲公。【考證】梁玉繩曰、案東遷以後、諸侯于其國皆稱公、從未有天子命諸侯爲公者、武公蓋入爲王卿士耳、愚按、後世見於春秋、仍曰衛侯、則其不爲公可知、

五十五年卒。子莊公揚立。【考證】張文虎曰、表、揚作楊、與詩譜疏引合、

莊公五年、取齊女爲夫人。好而無子。又取陳女爲夫人。生子。蚤死。【考證】孔穎達曰、禮、諸侯不再娶、且莊姜仍在、左傳惟言又娶于陳、不言爲夫人、世家非也、梁玉繩曰、取齊女、何以在五年、亦未確、

陳女女弟、亦幸於莊公、而生子完。【索隱】女弟、戴嬀也、子桓公完、爲州吁所殺、戴嬀歸陳、詩燕燕于飛之篇

是、

完母死。莊公令夫人齊女子之。【索隱】子之、謂養之爲子也、齊女、卽莊姜也、詩碩人篇美之、是也、【考證】孔穎達曰、左傳惟言戴嬀生桓公、莊姜以爲己子、不言其死、云完母死、非也、立爲太子。莊公有寵妾、生子州吁。

十八年、州吁長好兵。莊公使將。石碏諫莊公曰、庶子好兵使將。亂自此起。不聽。【集解】賈逵曰、石碏、衛上卿、【考證】莊公取齊女以下、本隱三年左傳、中井積德曰、左傳無使將之語、梁玉繩曰、書于十八年、非、

二十三年、莊公卒。太子完立。是爲桓公。桓公二年、弟州吁驕奢。桓公絀之。州吁出犇。【考證】馬驌曰、左傳無州吁出奔事、

十三年、鄭伯弟段、攻其兄。不勝亡。【考證】隱元年左傳、而州吁求與之友。【考證】楓山本、友作交、馬驌曰、左傳無友段事、

十六年、州吁收聚衛亡人、以襲殺桓公。【考證】隱四年春秋云、二月戊申、衛州吁弑其君完、左傳云、衛州吁弑桓公而立、而不云收聚亡人、又不云襲、

州吁自立爲衛君。爲鄭伯弟段欲伐鄭、請宋・陳・蔡與俱。三國皆許州吁。【考證】齊召南曰、左傳及宋世家、鄭內公子馮、州吁弑君

自立、欲免諸侯、故爲公子馮而伐鄭、此云州吁友于叔段、爲段伐鄭、與彼異、梁玉繩曰、伐鄭、脩怨也、爲叔段乎哉、馬氏繹史亦云、

州吁新立、好兵弑桓公。衛人皆不愛。石碏乃因桓公母家於陳。詳爲善州吁。至鄭郊。石碏與陳侯共謀、使右宰醜進食、因殺州吁于濮。【集解】服虔曰、右宰醜、衛大夫、濮、陳地、【索隱】賈逵曰、濮、陳地、按濮水首受河、又受汴、汴亦受河、東北至離狐分爲二、俱東北至鉅野入濟、則濮在曹衛之閒、賈言陳地、非也、若據地理志、陳留封丘縣濮水受泲、當言陳留水也、【考證】梁玉繩曰、案隱四年傳、州吁如陳、石碏使告于陳而執之、使右宰醜涖殺州吁、非陳桓公至鄭、碏與共謀殺之也、而又何進食之有、中井積德曰、據此文以濮爲鄭郊也、諸說皆失之、然其實濮是衛地、據左傳、陳人執州吁涖致衛地濮而殺之也、此本文已失實、不得回護、

而迎桓公弟晉於邢而立之。是爲宣公。【集解】賈逵曰、邢、周公之胤、姬姓國、【考證】州吁新立以下、本隱四年春秋經傳、梁玉繩曰、以晉爲桓弟、未的、

宣公七年、魯弑其君隱公。【考證】隱十一年左傳、

九年、宋督弑其君殤公及孔父。【考證】桓二年春秋經傳、楓山三條本、父下有嘉字、

十年、晉曲沃莊伯弑其君哀侯。【考證】張照曰、按莊伯卒于哀侯之二年、是莊伯二字、明是武公之誤、觀年表及晉世家自見、

十八年、初宣公愛

夫人夷姜。夷姜生子伋。以爲太子。【考證】左傳云、宣公烝於夷姜、生急子、杜注云、夷姜、宣公之庶母、此謂之夫人、謬也、龜井昱曰、此在春秋前、莊公卒、在春秋前十三年、而令右公子傅之。【考證】據左傳、名職、龜井昱曰、此蓋宣公即位之後也、宣公元年、伋當十四五歲、右公子爲太子取齊女。未入室。而宣公見所欲爲太子婦者好、說而自取之、更爲太子取他女。【考證】楓山、三條本、室作至、婦上有入字、竹添光鴻曰、卽新臺詩所謂納伋之妻作新臺於河上以要之、是也、宣公得齊女生子壽・子朔。令左公子傅之。【集解】杜預曰、左右媵之子、因以爲號、【考證】據左傳、左公子名泄、中井積德曰、左右或以居室爲稱也、必非左右媵之謂、太子伋母死。【考證】左傳云、夷姜縊、杜注、失寵而自殺也、宣公正夫人、【考證】左傳、作宣姜、杜注、宣公所取急子之妻也、與朔共讒惡太子伋。宣公自以其奪太子妻也、心惡太子、欲廢之。及聞其惡大怒、乃使太子伋於齊、而令盜遮界上殺之。【正義】左傳云、衛宣公使太子伋之齊、使盜待諸莘、將殺之、杜預云、莘、衛地、與太子白旄、而告界盜、見持白旄者

殺之。【考證】左傳止言旌、不言白旄、且行。子朔之兄壽、太子異母弟也。知朔之惡太子、而君欲殺之、乃謂太子曰。界盜見太子白旄、卽殺太子。太子可毋行。【考證】李笠曰、左傳言使行者、欲令其亡去、此云毋行、欲令其毋使齊、欲其避界盜、一也、語反而意不反、志疑曰不合、非也、太子曰。逆父命求生不可。遂行。壽見太子不止、乃盜其白旄、而先馳至界。界盜見其驗、卽殺之。壽已死。而太子伋又至。謂盜曰。所當殺乃我也。盜并殺太子伋、以報宣公。【考證】初宣公以下、依桓十六年左傳、詩邶風二子乘舟序云、思伋壽也、衛宣公二子爭相爲死、國人傷而思之、作是詩也、亦與此合、梁玉繩曰、按新序節士篇、謂壽母及朔使人與伋乘舟、將沈而殺之、壽因與同舟不得殺、又謂伋見壽之死、載屍還境而自殺、愈演愈殊、與經史俱乖、其可信乎、宣公乃以子朔爲太子。十九年、宣公卒。【考證】宣公卒、桓十二年春秋、太子朔立。是爲惠公。左右公子、不平朔之立也。【考證】楓山、三條本、無朔之立也四字、惠公四年、左右公子怨惠公之讒殺

前太子伋而代立、乃作亂攻惠公、立太子伋之弟黔牟爲君。惠公犇齊。【考證】左右公子以下、采桓十七年左傳、衛君黔牟立八年、齊襄公率諸侯、奉王命共伐衛、【考證】梁玉繩曰、黔牟以桓十七年卽位、以莊六年奔周、首尾八年、世家言八年、固不誤、乃表旣滅惠公前立之一年、以益黔牟、又退惠公復入之一年、以歸黔牟、遂謂黔牟在位十年、誤矣、馬驌曰、春秋諸侯逆王命、此云奉王命、誤也、沈家本曰、按春秋王人子突救衛、無齊襄奉王命事、納衛惠公、誅左右公子。衛君黔牟犇于周。【考證】衛君黔牟以下、本莊五年六年春秋經傳、惠公復立。惠公立三年出亡、【考證】楓山、三條本、三作四、陳仁錫曰、三年乃四年之誤、孫人龍曰、上文云四年、亡八年復入。與前通年凡十三年矣。【考證】陳仁錫曰、三當作二、許應元曰、左傳衛朔立四年、出亡八年復入、通年十二、李笠曰、年字重、非誤衍也、晉世家、晉武公始都晉國、前卽位曲沃、通年三十八年、與此同、二十五年、惠公怨周之容舍黔牟、與燕伐周。周惠王犇溫。衛・燕立惠王弟頹爲王。【考證】梁玉繩曰、左傳莊十九年、五大夫奉子頹以伐王、不克、出奔溫、燕衛復伐周、遂立子頹、明年、王處于鄭之櫟、則燕衛其再伐也、非首伐也、奔溫乃子頹也、非王也、此與本紀

及鄭世家年表、言奔溫同謬、二十九年、鄭復納惠王。【考證】莊二十一年左傳、杭世駿曰、左傳及年表在二十七年、三十一年、惠公卒。【考證】莊二十五年春秋、子懿公赤立。懿公卽位好鶴、【正義】括地志云、故鶴城、在滑州匡城縣西南十五里、左傳云、衛懿公好鶴、鶴有乘軒者、狄伐衛、公欲戰、國人受甲者皆曰、使鶴、鶴實有祿位、余焉能戰、俗傳懿公養鶴於此城、因名也、淫樂奢侈。九年、翟伐衛。【考證】楓山、三條本翟下有人字、衛懿公欲發兵。兵或畔。大臣言曰。君好鶴。鶴可令擊翟。翟於是遂入殺懿公。【考證】閔二年左傳、梁玉繩曰、左傳使鶴之謂、國人言之、非大臣也、懿公之立也、百姓大臣皆不服。自懿公父惠公朔之讒殺太子伋代立、至於懿公、常欲敗之。卒滅惠公之後、而更立黔牟之弟昭伯頑之子申爲君。是爲戴公。【考證】立戴公、閔二年左傳、戴公申元年卒。齊桓公以衛數亂、乃率諸侯伐翟、爲衛築楚丘。【正義】括地志云、城武縣有楚丘亭、【考證】城楚丘封衛、僖二年春秋經傳、梁玉繩曰、案左傳及年表、城楚丘、在衛文二年、此

在初立之年、誤、今河南衛輝府滑縣東有衛南廢縣、卽齊桓公爲衛所築地、非戎伐凡伯之楚邱也、立戴公弟燬爲衛君。【集解】賈誼書曰、衛侯朝於周、周行人問其名、荅曰、衛侯辟疆、周行人還之曰、啓疆辟疆、天子之號、諸侯弗得用、衛侯更其名曰燬、然後受之、【正義】燬、音毀、【考證】今本賈子審微篇燬作燬、是爲文公。文公以亂故犇齊。齊人入之。初翟殺懿公也、衛人憐之、思復立宣公前死太子伋之後。【考證】梁玉繩曰、案憐懿公、則宜思立懿之後、何以思立伋後、況上文云、懿公之立、百姓大臣皆不服、自懿公父惠公朔之讒殺太子伋代立、至于懿公、常欲敗之、卒滅惠公之後、則衛人之不憐懿公也、明甚、此語必誤、愚按、此一節重複乖離、非史筆之至者、伋子又死、而代伋死者子壽又無子。太子伋同母弟二人。其一曰黔牟。黔牟嘗代惠公爲君八年、復去。【考證】楓山、三條本、代作伐、其二曰昭伯。昭伯·黔牟皆已前死。故立昭伯子申爲戴公。戴公卒。復立其弟燬爲文公。文公初立、輕賦平罪、【索隱】輕賦稅、平斷刑也、平或作卒、卒、謂士卒也、罪字連下讀、蓋亦一家之義耳、身自勞、與百姓同苦、以收衛民。【考證】閔二年

左傳云、衛文公大布之衣、大帛之冠、務材訓農、通商惠工、敬教勸學、授方任能、元年革車卅乘、季年乃三百乘、十六年、晉公子重耳過。無禮。【考證】僖二十三年左傳、梁玉繩曰、重耳過、書于十六年、誤、表書在二十三年、爲僖公二十三年、雖若與左傳合、而實是舛謬、蓋左傳追敍前事耳、晉語云、衛文公有邢翟之虞、不能禮焉、甯莊子言于公、弗聽、而衛文十六年、無邢狄之難、攷春秋僖十八年、邢人狄人伐衛、僖十八卽衛文十八、則重耳過衛、當在衛文之十八年、十七年、齊桓公卒。【考證】僖十七年左傳、二十五年、文公卒。【考證】僖二十五年春秋、子成公鄭立。成公三年、晉欲假道於衛救宋、成公不許。【考證】梁玉繩曰、案僖廿八年傳、假道伐曹、非爲救宋也、此誤、晉更從南河度。【集解】服虔曰、南河、濟南之東南流河也、杜預曰、從汲郡南度、出衛南、【正義】括地志云、衛州汲縣南、河水至此有棘津之名、亦謂之石濟津、故南津也、左傳云、僖公二十八年、晉伐曹、曹在衛東、假道于衛、衛人不許、還自南河濟、卽此也、【考證】渡河而南、出衛之東、救宋、徵師於衛。衛大夫欲許。成公不肯。大夫元咺攻成公、成公出犇。【索隱】犇楚、【正義】咺、況遠反、【考證】梁玉繩曰、案傳云、晉侯齊侯盟于斂盂、衛侯請盟、晉人弗許、衛侯欲與楚、國人不欲、故出其君以說于晉、衛侯居于襄牛、則晉無救宋徵師之事、衛亦無元咺攻公之事、晉文公重耳伐衛、分其地予宋。

討前過無禮、及不救宋患也。【考證】梁玉繩曰、案傳、乃是討其前過無禮、及不肯假道、非爲不救宋也、衛成公遂出犇陳。【索隱】按左傳、衛侯聞楚師敗、懼出奔楚、遂適陳、是、【考證】成公三年以下、本僖廿八年左傳、中井積德曰、此一節多與左傳不合、二歲、如周求入。與晉文公會。【考證】梁玉繩曰、案前二年爲與元咺訟殺叔武事、晉執衛侯歸于京師、非如周求入也、非與晉會也、史不言叔武元咺事、亦疏、晉使人鴆衛成公。成公私於周主鴆、令薄。得不死。【索隱】按私、謂賂之也、【考證】凌稚隆曰、按左傳云、晉侯使醫衍酖衛侯、甯俞貨醫、使薄其酖、不死、公魯僖公爲之請、納玉于王與晉侯、王許之、乃釋之、又曰、一本周主作晉主、愚按、作晉與左傳合、已而周爲請晉文公、卒入之衛、而誅元咺。【考證】晉使人鴆以下、本僖三十年左傳、衛君瑕出犇。【索隱】是元咺所立者、成公入而殺之、故僖三十年經云、衛殺其大夫元咺及公子瑕、此言奔、非也、七年、晉文公卒。【考證】僖三十二年春秋、十二年、成公朝晉襄公。【考證】文四年左傳、十四年、秦穆公卒。【考證】文六年左傳、二十六年、齊邴歜弑其君懿公。【索隱】邴歜與左氏同、而齊系家作邴戎者、蓋邴歜掌御戎車、故號邴戎、邴、音丙、歜亦作歜、【考證】文十八年春秋經傳、三十五年、成公卒。

【集解】世本曰、成公徙濮陽、宋忠曰、濮陽、帝丘地名、【考證】宣九年春秋、徙都于帝丘、成公六年事、見僖卅一年春秋經傳、子穆公遬立。【正義】遬、音速、【考證】梁玉繩曰、表作速、此作遬、從公羊也、左穀俱作速、穆公二年、楚莊王伐陳、殺夏徵舒。【考證】宣十一年春秋經傳、三年、楚莊王圍鄭。鄭降。復釋之。【考證】宣十二年春秋經傳、十一年、孫良夫救魯伐齊。復得侵地。穆公卒。【考證】成二年春秋經傳、孫良夫、衛大夫、梁玉繩曰、衛爲齊所敗、如晉乞師伐齊、非爲救魯也、子定公臧立。定公十二年卒。【考證】成十四年春秋經傳、子獻公衎立。獻公十三年、公令師曹教宮妾鼓琴。【集解】賈逵曰、師曹、樂人、【正義】師曹、樂官、曹、名也、妾不善。曹笞之。妾以幸惡曹於公。公亦笞曹三百。【考證】梁玉繩曰、案笞曹事、未必在十三年、十八年、獻公戒孫文子·甯惠子食。皆往。日旰不召。【集解】服虔曰、孫文子、林父也、甯惠子、甯殖也、敕戒二子、欲共宴食、皆服朝衣待命、旰、晏也、【考證】中井積德曰、二子朝服如公宮以待召入也、非待於家、而去射鴻於囿。二子從之。【集解】服虔曰、從公於囿、公不釋射服、與之言。【集解】左傳

曰、不釋皮冠、二子怒、如宿。【集解】服虔曰、孫文子邑也、【索隱】左傳作戚、此亦音戚也、【正義】宿音戚、【考證】中井積德曰、左傳、怒下有孫文子三字、如宿、孫文子、非甯子亦往也、此似謬、孫文子子數侍公飲。【集解】左傳曰、文子子、卽孫蒯也、使師曹歌巧言之卒章。【集解】杜預曰、巧言、詩小雅也、其卒章曰、彼何人斯、居河之麋、無拳無勇、職爲亂階、公欲以譬文子居河上而爲亂、師曹又怒公之嘗笞三百、乃歌之欲以怒孫文子、報衞獻公。【考證】衞獻二字、左傳無、宜刪、文子語蘧伯玉。伯玉曰。臣不知也。【集解】賈逵曰、伯玉、衞大夫、【考證】左傳云、孫蒯懼告文子、文子曰、君忌我矣、弗先必死、入見蘧伯玉曰、君之暴虐、子所知也、大懼社稷之傾覆、將若之何、對曰、君制其國、臣敢奸之、雖奸之、庸知愈乎、遂行、從近關出、遂攻出獻公。獻公犇齊。齊置衞獻公於聚邑。【考證】杭世駿曰、左傳、以郲寄衞侯、此謂爲聚、孫文子·甯惠子、共立定公弟秋、爲衞君。【集解】徐廣曰、班氏云、獻公弟猋、【索隱】左傳、作剽、古今人表、作猋、蓋音相亂、字易改耳、音方遙反、又匹妙反、【考證】梁玉繩曰、剽乃穆公子黑背之子、於定公爲從子、於獻公爲從父昆弟、此與年表俱云定公弟、謬、愚按、公使師曹敎宮妾以下、本襄十四年左傳、又見呂覽愼小篇、是爲殤公。殤公秋立、封孫文子林

父於宿。【考證】梁玉繩曰、案宿爲孫氏邑舊矣、奚待殤公封之、妄也、十二年、甯喜與孫林父爭寵相惡。殤公使甯喜攻孫林父。林父犇晉。復求入故衞獻公。獻公在齊。齊景公聞之、與衞獻公如晉求入。晉爲伐衞、誘與盟。衞殤公會晉平公。平公執殤公與甯喜、而復入衞獻公。【考證】楓山、三條本、入下有立字、梁玉繩曰、案襄二十六年左傳、甯喜欲復獻公、故伐孫氏弒殤公、孫林父以戚如晉、此言甯孫爭寵、殤公使喜攻林父、因而奔晉、求入獻公者、誤也、獻公初奔齊居郲、後晉納于夷儀、緣甯喜等納之、從夷儀入國、而獻公之入、與殤公之弒、皆在二月、獻公旣入侵戚、晉爲林父戍戚、獻公殺晉戍三百人、故六月晉會諸侯討衞、執獻公及喜、齊景公如晉請之、此誤以景公如晉、爲求入獻公、又誤以獻公被執爲殤公事、是時殤公已弒五月矣、尙安得與平公會而執之乎、此與表言齊晉殺殤公、復入獻公同誤、而世家之誤、尤甚、獻公亡在外十二年而入。獻公後元年、誅甯喜。【考證】襄二十七年春秋經傳、黃震曰、衞獻公亡在外十二年而入、稱後元年、漢文之稱後元年、殆昉於此歟、出公亡在外四年復入、亦稱元年、三年、吳延陵季子使過衞。【考證】楓山、三條本、無衞字、見蘧伯玉·史鰌曰。衞多君子。其國無故。

【考證】襄二十九年左傳、過宿。孫林父爲擊磬。曰。不樂、音大悲。使衞亂乃此矣。【考證】與襄二十九年左傳吳世家異、梁玉繩曰、案吳世家依左傳、此所載矛盾、不祇一以爲鐘、一以爲磬之異也、故滹南集辨惑云、如前說、是文子自作樂、而季子適聞之、如後說、是文子爲札而作也、前說、則罪其不自愧懼、而安于娛樂、後說、則以音聲之悲、而知其爲亂之徵、是何乖異邪、前說本于左氏、當以爲是、是年、獻公卒。【考證】襄二十九年春秋、子襄公惡立。襄公六年、楚靈王會諸侯。襄公稱病不往。【考證】昭四年春秋經傳、九年、襄公卒。【考證】昭七年春秋經傳、初襄公有賤妾。幸之有身。夢有人謂曰。我康叔也。令若子必有衞。名而子曰元。妾怪之、問孔成子。【集解】服虔曰、衞卿、孔烝鉏、成子曰。康叔者、衞祖也。及生子男也。以告襄公。襄公曰。天所置也。名之曰元。襄公夫人無子。於是乃立元爲嗣。是爲靈公。【考證】梁玉繩引邵氏疑問云、昭七年傳、孔成子史朝夢康叔、今云妾夢、與傳違、且閨中夢兆、先及外庭、生男告語、始呈公聽、夫豈衞襄嬖幸之寵姬、不若鄭文燕姞之徵蘭哉、靈公五年、朝晉昭公。

【考證】昭十二年左傳、六年、楚公子弃疾弑靈王、自立爲平王。【考證】昭十三年春秋經傳、十一年、火。【考證】昭十八年春秋經傳、三十八年、孔子來。祿之如魯。後有隙、孔子去。後復來。【考證】衞靈三十八年、魯定十三年、三十九年、太子蒯聵與靈公夫人南子有惡。【集解】賈逵曰、南子、宋女、欲殺南子。蒯聵與其徒戲陽遬謀、朝使殺夫人。【集解】賈逵曰、戲陽遬、太子家臣、【正義】戲、音羲、【考證】中井積德曰、朝謂朝於夫人、戲陽後悔不果。蒯聵數目之。夫人覺之。懼呼曰。【正義】呼、火故反、太子欲殺我。靈公怒。太子蒯聵犇宋。【考證】太子蒯聵以下、本定十四年左傳、已而之晉趙氏。【考證】哀二年左傳、四十二年春、靈公游于郊、令子郢僕。【集解】賈逵曰、僕、御也、【考證】梁玉繩曰、游郊、非當年事、左傳、是初字、宜改春爲初、郢、靈公少子也。字子南。靈公怨太子出犇、謂郢曰。我將立若爲後。郢對曰。郢不足以辱社稷。君更圖之。【集解】服虔曰、郢自謂己

無德、不足立以汚辱社稷、【考證】中井積德曰、辱是套語、勿泥解、 夏、靈公卒。夫人命子郢爲太子。曰、此靈公命也。【考證】梁玉繩曰、靈公甫卒、安得便有謚、當衍靈字、左傳、夫人曰、君命也、 郢曰、亡人太子蒯聵之子輒在也。不敢當。於是衞乃以輒爲君。【考證】靈公游于郊以下、哀二年左傳、 是爲出公。【考證】梁玉繩曰、案朱子注孟子、疑衞孝公卽出公輒、輒在位前後凡二十年、不應無謚、孝公當是出公、 六月乙酉、趙簡子欲入蒯聵。乃令陽虎詐命衞、十餘人衰絰歸。【集解】服虔曰、衰絰、爲若從衞來迎太子也、【考證】梁玉繩曰、案哀二年左傳云、晉趙鞅納衞太子于戚、宵迷、陽虎使太子絻、八人衰絰、僞自衞逆者、告于門、哭而入、此言十餘人、非、 簡子送蒯聵。衞人聞之、發兵擊蒯聵。蒯聵不得入。入宿而保。衞人亦罷兵。【考證】梁玉繩曰、左傳無衞發兵擊太子事、 出公輒四年、齊田乞弑其君孺子。【考證】哀六年春秋經傳、 八年、齊鮑子弑其君悼公。【考證】哀十年左傳云、齊人弑悼公、不云鮑子、此謬、 孔子自陳入衞。【考證】梁玉繩曰、時孔子自楚入衞、已五年矣、言自陳入衞、亦誤、 九年、孔文子問兵於仲

尼。仲尼不對。其後魯迎仲尼。仲尼反魯。【考證】哀十一年左傳、孔文子、衞大夫、名圉、左傳云、孔文子之將攻大叔也、訪於仲尼、仲尼曰、胡簋之事、則嘗學之矣、甲兵之事、未之聞也、崔述曰、按此文胡簋四句、與論語問陳章俎豆數語相類、其事亦相類、未必兩事適相符如此、而又皆適在衞、蓋本一事、而傳聞者異也、 十二年、【考證】梁玉繩曰、此十三年之誤、 初孔圉文子取太子蒯聵之姊生悝。孔氏之豎渾良夫美好。孔文子卒。良夫通於悝母。太子在宿。悝母使良夫於太子。太子與良夫言曰、苟能入我國、報子以乘軒、免子三死、毋所與。【集解】杜預曰、軒、大夫車也、三死、死罪三、【正義】杜預云、三罪、紫衣、袒裘、帶劍也、紫衣、君服也、熱故偏袒、不敬也、衞侯求令名者與之食焉、太子請使良夫、良夫紫衣狐裘、不釋劍而食、太子使牽退、數之罪而殺之、與、音預、【考證】中井積德曰、正義以紫衣等解三罪、大謬、杜注、元不若是、愚按、言雖三次有死罪皆宥之、又按左傳作服冕乘軒、三死無與、與此異、 與之盟、許以悝母爲妻。閏月、良夫與太子入舍孔氏之外圃。【集解】服虔曰、圃、園、 昏、二人蒙衣而乘。【集解】服虔曰、二人、謂良夫太子、蒙衣、爲婦人之服、以巾蒙其頭而共乘也、 宦者羅御如孔氏。孔

氏之老欒甯問之。【集解】服虔曰、家臣稱老、問其姓名、 稱姻妾以告。【集解】賈逵曰、婚姻家妾也、【考證】龜井道載曰、呼姻妾名氏以告也、 遂入、適伯姬氏。【集解】服虔曰、入孔氏家、適伯姬所居、【考證】伯姬卽悝母、 既食。【考證】龜井昱曰、見人無知者、悠然謀事也、 悝母杖戈而先。【集解】服虔曰、先至孔悝所、 太子與五人介、輿猳從之。【集解】賈逵曰、介、被甲也、輿猳豚、欲以盟故也、【考證】孔穎達曰、盟當用牛、於時迫促、難得牲耳、龜井昱曰、輿牛犨牛、非謀也、此豈得以諸侯平常之盟論乎、 伯姬劫悝於廁。【考證】竹添光鴻曰、居高臨垂邊曰廁、高岸夾水曰廁、漢書張釋之傳、上居霸北臨廁、使愼夫人鼓瑟、師古曰、廁、岸之邊側也、此曰迫孔悝於廁、蓋亦邊側之義、孔悝見衆至、必走避之、故迫之至邊側之處、使無可走避、乃得與之盟也、成十年左傳、晉侯如廁、陷而卒、此則溷廁也、史記汲黯傳、衞青大將軍侍中、上踞廁見之、郅都傳、賈姬如廁、有野彘入廁、則有踞字如字、此解爲溷廁、方穩、愚按、踞廁之廁、亦爲邊側、床側也、 彊盟之、遂劫以登臺。【集解】服虔曰、於衞臺上召衞羣臣、 欒甯將飲酒。炙未熟。聞亂、使告仲由、【集解】服虔曰、季路爲孔氏邑宰、故告之、 召護駕乘車、【集解】服虔曰、召護、衞大夫、駕乘車、不駕兵車也、言無距父之意、【考證】召護、左傳作召獲、 行爵食炙、【集解】服虔曰、欒甯使召季路、乃行爵食炙、【考證】古鈔本、爵作嚼、行嚼、食炙、尤見蒼黃之狀、 奉出公

輒犇魯。【集解】服虔曰、召護奉衞侯、【考證】龜井昱曰、日既昏矣、欒甯將飲、太子之亂自中起、疾雷不暇掩耳、欒甯曰、孔悝既見迫、無可如何、此亂非我所能禦、不如護君而避之、乃馳一个於季子、呼召獲以駕行車、食未熟之炙、相偕飲而後出也、太子劫孔悝、帥衆在臺上、而出公亦不敢拒其父、故欒甯如是問暇、是卽時光景、良史所摸寫、愚按、前說甚巧、然不近人情、不若讀爵爲嚼之勝也、 仲由將入。遇子羔將出。【集解】賈逵曰、子羔、衞大夫高柴、孔子弟子也、將出犇、 曰、門已閉矣。子路曰、吾姑至矣。【集解】杜預曰、且欲至門、 子羔曰、不及。莫踐其難。【集解】賈逵曰、言家臣憂不及國、不得踐履其難、鄭衆曰、是時輒已出、不及事、不當踐其難、子羔言不及、以爲季路欲死國也、【考證】不及、鄭說是、言事勢不可及也、 子路曰、食焉不辟其難。【集解】服虔曰、言食悝之祿、欲救悝之難、此明其不死國也、【考證】龜井昱曰、子羔仕衞侯輒、輒既出、則可以去矣、蒯聵非所可禦、子路仕孔悝、悝將見殺、義可以死矣、中井積德曰、子路、孔悝之臣也、非衞侯之臣、孔悝見劫、故往救之耳、專爲孔悝也、非爲出公、曰其難、曰其患、曰食焉、曰利其祿、皆就孔悝而言、不在衞侯矣、則與衞大夫高柴地位已異、非特氣象不同也、註不發是意、何也、 子羔遂出。子路入及門。公孫敢闔門曰、毋入爲也。【集解】服虔曰、公孫敢、衞大夫、言輒已出、無爲復入、【考證】龜井昱曰、子路欲救孔悝而至、然悝已見劫、孤身爲敵所奪、入無益也、故止之、注以輒已出說之、似不與下文緊接、 子路曰、是公孫也。

【考證】是公孫之聲也、我將告吾意、求利而逃其難。由不然。利其祿、必救其患。有使者出。子路乃得入。【正義】公孫敢既閉、因有使者出、子路乃得入、曰。太子焉用孔悝。雖殺之、必或繼之。【集解】王肅曰、必有繼續其後攻太子、【考證】中井積德曰、言別立孔氏宗人以爲難、謂不以孔悝一人作去就、然亦劫逼之言耳、龜井昱曰、此子路明救孔悝之死也、且曰。太子無勇。若燔臺、必舍孔叔。【考證】龜井昱曰、燔纔及半、以孔叔授我耳、子路之意、欲得孔悝以救其死耳、言於太子則稱孔悝、言於衆則稱孔叔、禮也、太子聞之懼。下石乞・盂黶敵子路。【集解】服虔曰、二子、蒯聵之臣、敵、當也、【正義】燔、音煩、舍、音捨、黶、音乙減反、【考證】龜井昱曰、蓋介者五人之二也、以戈擊之。割纓。子路曰。君子死、冠不免。結纓而死。【集解】不使冠在地、【正義】纓、冠綏也、【考證】左傳、割作斷、孔子聞衛亂曰。嗟乎、柴也其來乎。由也、其死矣。孔悝竟立太子蒯聵。是爲莊公。莊公蒯聵者、出公父也。居外、怨大夫莫迎立。元年、即位欲盡誅大臣。曰。寡人居外久矣。子亦嘗聞之

乎。羣臣欲作亂。乃止。【考證】初孔圉文子以下、采哀十五年左傳、梁玉繩曰、出公奔魯、春秋書于哀十六年正月、從告也、當依左傳在十五年、爲是、此與表俱誤在十四年、二年、魯孔丘卒。【考證】梁玉繩曰、卒卽在元年、二年當作是年、三年、莊公上城見戎州。【集解】賈逵曰、戎州、戎人之邑、【索隱】左傳曰、戎州人攻之、是也、隱二年、公會戎于潛、杜預云、陳留濟陽縣東南有戎城、濟陽與衛相近、故莊公登臺望見戎州、又七年云、戎伐凡伯于楚丘、是戎近衛、【正義】括地志云、宋州楚丘縣、古戎州己氏之城也、左傳隱七年、戎伐凡伯于楚丘以歸、括地志云、楚丘故城、在楚丘縣北三十里、衛楚丘之邑也、按諸侯爲衛城楚丘居文公者、卽滑州南縣是也、左傳哀公十七年、初衛莊公登城以望戎州以問之、以告、公曰我姬姓也、何戎之有焉、杜預云、己氏、戎人姓也、呂姜、莊公夫人也、【考證】今山東曹州府曹縣楚丘亭、梁玉繩曰、三年當作二年、莊公無三年也、曰。戎虜何爲是戎州。病之。【考證】左傳云、莊公登城以望、見戎州問之、以告、公曰、我姬姓也、何戎之有焉、翦之、呂氏春秋愼小篇云、莊公登臺以望、見戎州而問之曰、是何爲者也、侍者曰、戎州也、公曰、我姬姓也、戎人安敢居國、使奪之宅殘其州、據此則戎虜何爲是戎州七字、莊公之言、病之、翦殘之也、十月、戎州告趙簡子。簡子圍衛。十一月、莊公出犇。【索隱】按左傳、莊公本由晉趙氏納之、立而背晉、晉伐衛、衛人出莊公、立公子般師、晉師退、莊公復入、般師出奔、初公登城見戎州己氏之妻髮美、髡之以爲夫人髢、又欲翦戎州、兼逐石圃、故石圃攻莊公、莊公懼、踰北牆折股、入己氏、己氏殺之、今系家不言莊公復入、

及死己氏、直云出奔、亦其疏也、又左傳云、衛復立般師、齊伐衛、立公子起、執般師、明年衛石圃逐其君起、起奔齊、出公輒復歸、是左氏詳、而系家略也、【考證】莊公上城以下、本哀十七年左傳、梁玉繩曰、莊公翦戎州、後爲戎州人己氏所殺、而簡子之伐衛、與戎州無涉、不得云戎州告簡子也、公出奔在十月、若十一月、則晉師已還、爲莊公復入被殺之月矣、此與表俱誤、衛人立公子斑師爲衛君。【集解】左傳曰、斑師、襄公之孫、齊伐衛、虜斑師、更立公子起爲衛君。【集解】服虔曰、起、靈公子、【考證】哀十七年左傳、衛君起元年、衛石曼尃逐其君起。【索隱】左傳作石圃、此作尃、音徒和反、尃或作專、諸本或無曼字、【考證】梁玉繩曰、曼字衍、起犇齊。衛出公輒自齊復歸立。【考證】哀十八年左傳、初出公立、十二年亡。亡在外四年、復入。出公後元年、賞從亡者。立二十一年卒。【索隱】按出公初立十二年亡、在外四年、復入九年卒、是立二十一年、自卽位至卒、凡經二十五年而卒于越、【考證】梁玉繩曰、出公以魯哀三年立、至哀十五年亡、在位十三年、亡三年復入、爲哀十九年、在位七年復亡、爲哀二十五年、明年、悼公立、當周元王七年、卽表八年、出公後卒於越、左氏甚明、出公前後在位二十年、悼公之立、出公未卒、其卒不知何歲、乃衛世家云、出公立十二年亡、四年復入、立二十一年卒、其誤政與表同、索隱亦誤、出公季父黔、攻出公子而自立。是爲

悼公。【考證】楓山、三條本、黔上有子字、梁玉繩曰、案哀廿六年左傳、悼公乃衛人立之、無攻出公子之事、悼公五年卒。【索隱】按紀年云、四年卒于越、系本名虔、子敬公弗立。【集解】世本云、敬公費也、【索隱】系本、弗作費、【考證】李笠曰、弗費字通、敬公十九年卒。子昭公糾立。【索隱】系本云、敬公生棹公舟、非也、【考證】表、二十年、是時三晉彊。衛如小侯屬之。【正義】屬趙也、昭公六年、公子亹弒之代立。是爲懷公。【正義】亹、音尾、【考證】表、五年、梁玉繩曰、懷公、年表作悼公、與此駁、亹前三世爲悼公、後六世爲懷君、此必有誤、懷公十一年、公子穨弒懷公而代立。是爲愼公。愼公父公子適。【索隱】音的、按系本、適作虔、虔、悼公也、【考證】梁玉繩曰、適、敬公庶子、索隱謂卽悼公、非、適父敬公也。愼公四十二年卒。子聲公訓立。【索隱】訓、亦作馴、同、休運反、系本、作聖公馳、【考證】李笠曰、聲聖音近字通、左氏文十七年傳、聲姜、公羊傳作聖姜、聲公十一年卒。子成侯遬立。【索隱】遬、音速、系本、作不逝、按上穆公已名遬、不可成侯更名、則系本是、成侯十一年、公孫鞅入秦。【索隱】按秦本紀云、孝公元年、鞅入秦、又按年表、成侯與秦孝公同年、然則十一年、當爲元年、字誤耳、【考證】凌稚隆曰、公孫鞅入秦、特書、以衛之亡在鞅也、梁玉繩曰、秦孝公元

年、當衛成公十五年、年表于衛出公已下、其年皆錯、索隱不察、遂仍其誤耳、十六年、衛更貶號曰侯。二十九年、成侯卒。子平侯立。[考證]表、三十九年、平侯八年卒。子嗣君立。[索隱]按樂資據紀年、以嗣君即孝襄侯也、嗣君五年、更貶號曰君。獨有濮陽。[考證]濮陽、今山東曹州府濮州東、四十二年卒。子懷君立。懷君三十一年、朝魏。魏囚殺懷君。魏更立嗣君弟。是爲元君。[考證]表、三十年、元君爲魏壻。故魏立之。[集解]徐廣曰、班氏云、元君者懷君之弟、元君十四年、秦拔魏東地。[索隱]魏都大梁、濮陽、黎陽、並是魏之東地、故立郡名東郡也、[正義]東地、謂濮陽黎陽等地也、秦初置東郡。更徙衛野王縣。[索隱]按年表、元君十一年、秦置東郡、十三年、魏徙野王、與此不同也、[正義]元君徙濮陽、又徙野王、濮陽、濮州縣也、野王、懷州城、古野王邑也、而并濮陽爲東郡。二十五年、元君卒。子君角立。[集解]年表云、元君十一年、秦置東郡、十二年、徙野王、二十三年卒、[考證]梁玉繩曰、案元君在位二十五年、表誤在二十三年也、秦拔魏地置東郡、在始皇五年、當元君二十四年、此元君下脫二字、明年、衛徙野王、此亦誤、應移二十五年四字于更徙衛野王上、而元君卒之上、再補是年

二字、集解索隱俱仍年表之誤、君角九年、秦并天下、立爲始皇帝。二十一年、二世廢君角爲庶人。[考證]梁玉繩曰、君角立于始皇七年、至秦并天下凡二十年、廢于二世元年、在位三十二年、此書角立于始皇十八年、則所云九年二十一年、皆史公故縮其年以合之、衛絕祀。[考證]兪樾曰、秦滅六國、以天下爲郡縣、而古之建國猶有存者、衛是也、抑非獨此也、莊襄王使呂不韋滅周、盡入其國、不絕其祀、以陽人地賜周君、奉其祭祀、至始皇時、未聞見奪、則周君猶在也、秦始皇二十二年韓魏滅亡之後、尙有安陵君、陳項之亂、掃地盡矣、

太史公曰。余讀世家言、至於宣公之太子以婦見誅、弟壽爭死以相讓、此與晉太子申生不敢明驪姬之過同。俱惡傷父之志。然卒死亡。何其悲也。或父子相殺、兄弟相滅、亦獨何哉。

[索隱]述贊、司寇受封、梓材有作、成錫厥器、夷加其爵、暨武能脩、從文始約、詩美歸燕、傳矜石碏、皮冠射鴻、乘軒使鶴、宣縱淫嬖、壟生伋朔、蒯聵得罪、出公行惡、衛祚日衰、失於君角、

衛康叔世家第七　　史記三十七

史記會注考證卷三十八

漢　太　史　令　司　馬　遷　撰
宋中郎外兵曹參軍裴　駰　集解
唐國子博士弘文館學士司馬　貞　索隱
唐諸王侍讀率府長史張守節　正義
日　本　出　雲　瀧　川　資　言　考證

宋微子世家第八　史記三十八

【考證】史公自序云、嗟箕子乎、嗟箕子乎、正言不用、乃反爲奴、武庚既死、周封微子、襄公傷於泓、君子孰稱、景公謙德、熒惑退行、剝成暴虐、宋乃滅亡、嘉微子問太師、作宋微子世家、第八、

微子開者、【集解】孔安國曰、微、畿內國名、子、爵也、爲紂卿士、【索隱】按尚書微子之命篇云、命微子啓代殷後、今此名開者、避漢景帝諱也、殷帝乙之首子、而紂之庶兄也。【索隱】按尚書、亦以爲殷王元子、而是紂之兄、按呂氏春秋云、生微子時、母猶爲妾、及爲妃而生紂、故微子爲紂同母庶兄、【考證】徐孚遠曰、因尚書殷王元子之言、呂氏遷就而爲之說、其實殷王元子、不必元妃之子也、愚按、說詳于殷紀、索隱所引呂氏春秋當務篇、紂既立不明、淫亂於政。微子數諫。紂不聽。及祖伊以周西伯昌之修德滅阢國、懼禍至、以告紂。【集解】徐廣曰、阢、音耆、【索隱】阢、音耆、耆卽黎也、鄒誕本云、𨺅、音黎、孔安國云、黎在上黨東北、卽今之黎亭是也、【考證】張文虎曰、各本重阢字、攷異云、下阢衍、今依索隱本刪一阢字、阢當作阢、愚按、楓山三條本不重阢字、阢殷紀作飢、周紀作耆、其實一耳、又按耆與黎爲二國、伐耆者文王、戡黎者武王、史公據尙書大傳、以西伯戡黎篇載于伐耆下、幷爲一案、誤、說具于殷紀、紂曰。我生不有命在天乎。是何能爲。【考證】祖伊以下、本書西伯戡黎篇、於是微子度紂終不可諫、欲死之及去。未能自決。乃問於太師少師。【集解】孔安國曰、太師、三公箕

子也、少師、孤卿比干也、【考證】查德基曰、案今書微子篇、太師作父師、孔說以太師爲箕子、少師爲比干、此可疑、下文於比干死之後云、太師少師乃勸微子去、則少師非比干、太師非箕子、明甚、殷本紀亦云、微子與太師少師謀去、而比干剖心、箕子爲奴、殷之太師少師乃持其祭樂器奔周、周本紀又云、紂昏亂暴虐滋甚、殺王子比干、囚箕子、太師疵少師彊、抱其樂器而奔周、是則太師少師、爲殷之樂官、非箕子比干也、無待辨矣、愚按、方苞段玉裁姚範崔適李笠、亦有此說、曰。殷不有治政。不治四方。【集解】孔安國曰、言殷不有治政、四方之事、將必亡也、我祖遂陳於上。【集解】馬融曰、我祖湯也、孔安國曰、言湯遂其功、陳力於上世也、【考證】書微子篇、祖下有底字、紂沈湎於酒、婦人是用。【考證】書、無婦人是用句、亂敗湯德於下。【集解】馬融曰、下、下世也、殷既小大好草竊姦宄、【集解】孔安國曰、草野盜竊、又爲姦宄於外內、【考證】書、既小大作罔不小大、愚按、楓山、三條本、既作無、既當讀爲无、无無同、黃式三曰、草鈔、通、強掠也、見孫疏、竊、闇取之也、卿士師師非度、【集解】馬融曰、非但小人學爲姦宄、卿士已下、轉相師效、爲非法度、【考證】中井積德曰、此卿士通卿大夫元士之辭、皆有罪辜。乃無維獲。【集解】鄭玄曰、獲、得也、羣臣皆有是罪、其爵祿又無常得之者、言屢相攻奪、【考證】書、維作常、黃式三曰、所加辠者、無一定獲辠之法、言濫刑也、小民乃竝興、相爲敵讎。【集解】孔安國曰、卿士既亂、而小民各起、共爲敵讎、言不和同、【考證】書、竝作方、方旁通、

故史公訓爲竝、今殷其典喪。若涉水無津涯。【集解】徐廣曰、一作陟水無舟航、【索隱】尙言危也、駰謂、典、國典也、書、典作淪、篆字變易、其義亦殊、徐廣曰、典、國典也、喪、音息浪反、【考證】錢大昕曰、典讀如殄、典喪者殄喪也、攷工記注、鄭司農云、典讀爲殄、燕禮鄭注、古文腆作殄、是典腆與殄通、愚按、閻若璩亦有此說、殷遂喪、越至于今。【集解】馬融曰、越、於也、於是至矣、於今到矣、【考證】中井積德曰、越、發語辭、曰。太師少師。【集解】馬融曰、重呼告之、【考證】書、太作父、我其發出往。【集解】鄭玄曰、發、起也、紂禍敗如此、我其起作出往也、【索隱】往、尙書作狂、葢亦今文尙書意異耳、吾家保于喪。【集解】徐廣曰、一云、於是家保、駰案馬融曰、卿大夫稱家、【正義】言紂淫亂、吾宗室保喪亡、吾、微子也、【考證】書、作吾家耄遜于荒、與史異、崔適曰、案我其發出往者、我其起而出往于周也、吾家保于喪者、往周以保吾家、使不至於亡也、愚按、出往者去殷也、今女無故告。【集解】王肅曰、無意告我也、是微子求教誨也、【正義】微子言太師少師无別意故告我理殷國也、【考證】書、故作指、予顚躋、如之何其。【集解】馬融曰、躋、猶墜也、恐顚墜於非義、當如之何也、鄭玄曰、其、語助也、齊魯之閒、聲如姬、記曰、何居、太師若曰。王子。天篤下菑亡殷國。【集解】孔安國曰、微子、帝乙子、故曰王子、天生紂爲亂、是下菑也、鄭玄曰、少師不荅、志在必死、【正義】菑、音災、【考證】書、太作父、篤作毒、亡作荒、錢大昕曰、尙書、篤作毒、大宛傳、其東南有身毒國、卽天竺也、竺、古篤字、小司馬亦讀毒爲篤、中井積德曰、爲微子謀、何干己之死

生、鄭注、艸、乃毋畏畏、不用老長。[集解]孔安國曰、上不畏天菑、下不畏賢人、違戾耆老之長、不用其教、[考證]書、不用老長、作咈其耇長舊有位人、愚按、上畏讀如字、下畏讀爲威、今殷民乃陋淫神祇之祀。[集解]徐廣曰、一云、今殷民侵神犧、又一云、陋淫侵神祇、駰案馬融曰、天曰神、地曰祇、[索隱]陋淫、尙書作攘竊、劉氏云、陋淫、猶輕穢也、今誠得治國、國治身死不恨。爲死終不得治、不如去。[考證]乃問太師少師以下、本書微子篇、崔適曰、國治二字、與上句意複、必是衍文、王念孫曰、爲、猶如也、言如身死而國終不治、不如去也、中井積德曰、今誠以下數句、與上文不相肖、蓋太史公撑取書意而自言之也、遂亡。[考證]論語微子篇、箕子者、紂親戚也。[集解]馬融曰、箕、國名也、子、爵也、[索隱]箕國、子爵也、司馬彪曰、箕子名胥餘、馬融王肅以箕子爲紂之諸父、服虔杜預以爲紂之庶兄、杜預云、梁國蒙縣、有箕子冢、[考證]下文云、王子比干亦紂之親戚也、梁玉繩曰、案李斯傳紂殺親戚、亦謂箕子比干、然親戚有數解、左傳伍尙曰、親戚爲戮、大戴禮曾子疾病篇曰、親戚既沒、雖欲孝誰爲孝、孟子曰、人莫大焉亡親戚君臣上下、楚世家之如悲親戚、孟嘗傳之遺其親戚、是稱父兄也、左傳富辰曰、封建親戚以蕃屛周、是稱子弟也、國策蘇秦曰、富貴則親戚畏懼、是稱妻嫂也、曲禮曰、兄弟親戚、孔疏言親是族內、戚是族外也、攷商書左傳僖十五年、論語注疏、先儒論比干爲紂諸父、無異說、以孟子有明文、至于箕子、馬鄭王諸儒以爲紂之諸父、服杜以爲紂之庶兄、孔仲達謂既無正文、各以意言之、又謂父師呼微子爲王子、則父師非王子矣、鄭王等以爲紂之諸父、當是實

也、紂始爲象箸。[索隱]箸、音持略反、按下云、爲象箸必爲玉杯、杯箸事相近、周禮六尊、有犧象著壺泰山、著尊者著地無足、是也、劉氏音直慮反、則杯箸亦食用之物、亦竝通、箕子歎曰。彼爲象箸、必爲玉桮。爲桮、則必思遠方珍怪之物而御之矣。[考證]羣書治要、樂府詩集引史、下桮上有玉字、輿馬宮室之漸自此始。不可振也。[考證]紂始爲象著以下、本韓非子喻老篇說林篇、振、救也、梁玉繩曰、龜策傳雖非史公本書、而有紂爲象郎、乃圍之象郎語、象牙飾廊、視象箸更侈矣、紂爲淫泆。箕子諫不聽。人或曰。可以去矣。箕子曰。爲人臣諫不聽而去。是彰君之惡。而自說於民。吾不忍爲也。[考證]中井積德曰、此非箕子之言也、以後人之臆度相傳爲是語也、乃被髮詳狂而爲奴。[考證]戰國策秦策、箕子接輿、漆身而爲厲、被髮而爲狂、論語微子篇、箕子爲之奴、中井積德曰、奴者紂囚箕子奴之也、故書曰、囚奴正士、非箕子自爲奴、遂隱而鼓琴以自悲。故傳之曰箕子操。[集解]風俗通義曰、其道閉塞、憂愁而作者、命其曲曰操、操者言遇菑遭害、困厄窮迫、雖怨恨失意、猶守禮義、不懼不懾、樂道而不改其操也、[考證]中井積德曰、操是操絃作曲之謂、王子比干者、亦紂之親戚也。見

箕子諫不聽而爲奴、則曰。君有過而不以死爭、則百姓何辜。乃直言諫紂。紂怒曰。吾聞聖人之心有七竅。信有諸乎。乃遂殺王子比干、刳視其心。微子曰。父子有骨肉。而臣主以義屬。故父有過、子三諫不聽、則隨而號之。人臣三諫不聽、則其義可以去矣。於是太師少師乃勸微子去。遂行。[集解]時比干已死、而云少師者、似誤、[考證]父子有骨肉云云、亦非微子語、史公推其心事而言之耳、張文虎曰、微子曰至乃遂行五十二字、疑當在上文不如去下、遂行二字、卽遂亡之衍、殷本紀云、微子數諫不聽、乃與太師少師謀、遂去、事在比干剖心之前、其文正相應、錯簡於此、遂來裴氏之疑、梁玉繩以爲追敍、殆非也、愚按、中井積德亦有是說、劉敞曰、古者同姓雖危不去國、微子紂庶兄也、何入周之有、論語云、去之者、去紂都也、雖去不踰國、斯仁矣、崔述曰、箕比之奴與死、皆由所遇之異、非必自期於奴死也、且箕子不諫紂則已、被髮佯狂、欲何爲者、此必箕比皆驟諫紂、幸而紂怒未甚、則取而奴之、不幸而紂怒甚、則取而殺之耳、謂箕子不辭奴則然、謂箕子自欲奴則不然、謂比干不畏死則可、謂比干必欲死則不可、又曰、諫不聽而去、乃異姓疏遠之臣然耳、微子、商之懿親、豈得以此爲比、細玩微子一篇、似微子雖紂兄弟、而實不與於政事者、所處之地、與春秋衞文公頗相類、與箕比之有官守者不同、是以父師

少師、皆不以諫勸之、而但云王子弗出、我乃顚隮、不必待箕比之受禍而後去也、史記以爲數諫不聽、大抵亦出於揣度耳、周武王伐紂克殷。微子乃持其祭器、造於軍門、肉袒面縛、[索隱]肉袒者、袒而露肉也、面縛者、縛手于背而面向前也、劉氏云、面卽背也、義亦稍迂、左牽羊、右把茅、膝行而前以告。[考證]僖六年左傳云、蔡穆公將許僖公以見楚子於武城、許男面縛銜璧、大夫衰絰、士輿櫬、楚子問諸逢伯、對曰、昔武王克商、微子啓如是、王親釋其縛、受其璧、焚其櫬、禮而歸之、楚子從之、史記所本、孔穎達曰、史記之言、多有錯繆、微子手縛於後、故以口銜璧、又焉得牽羊把茅也、梁玉繩曰、案殷紀言太師少師持其樂器奔周、卽周紀所云太師疵少師彊、非箕子比干也、乃是二樂官、亦猶夏太史終古執圖法奔殷、殷內史向摯載圖法奔周、非微子也、而此以爲微子持器造軍門、至肉袒之事、更爲誣戾、其時微子已行矣、則伐商之際必不自歸以取辱、又呂氏春秋誠廉篇、載武王使召公盟微子于共頭之下、曰、世爲長侯、守殷常祀、相奉桑林、宜私孟諸、益可驗無軍門之辱也、蓋共頭之下、卽微子去位行遯處、故周就而盟之、其所以知微子遯共頭者、必物色得之耳、史本于左傳逢伯對楚成王語、而不知此乃左氏之妄記、武王非討微子、微子非亡國之子、何爲其然、通鑑前編據王柏之說云、面縛銜璧、必武庚也、後世失其傳也、斯論眞不可易、於是武王乃釋微子、復其位如故。武王封紂子武庚祿父、以續殷祀、使管叔·蔡叔傅相之。武王旣克殷、訪問箕

子。【考證】史公不爲箕子立傳、故附載之宋世家、梁玉繩曰、周紀言克殷後二年、訪洪範、因武王克殷在十一年、而洪範稱十三祀故耳、與大傳稱武王封箕子朝鮮、于十三祀來朝、而問洪範政合、此謂克殷之後、卽訪洪範、非訪洪範乃封朝鮮、武王曰。於乎、維天陰定下民、相和其居。【集解】孔安國曰、天不言而默定下民、助合其居、使有常生之資也、【考證】書洪範、定作騭、和作協、我不知其常倫所序。【集解】孔安國曰、言我不知天所以定民之常道理次序、問何由、【考證】書、常作彝、下同、箕子對曰。在昔鯀陻鴻水、汨陳其五行。【集解】孔安國曰、陻、塞、汨、亂也、治水失道、是亂陳五行、【考證】書、鴻作洪、下同、帝乃震怒、不從鴻範九等。常倫所斁。【集解】徐廣曰、一作釋、駰案、鄭玄曰、帝、天也、天以鯀如是、乃震動其威怒、不與天道大法九類、言王所問所由敗也、【考證】書、從作畀、等作疇、鯀則殛死、禹乃嗣興。【集解】鄭玄曰、春秋傳曰、舜之誅也殛鯀、其擧也興禹、天乃錫禹鴻範九等。常倫所序。【集解】孔安國曰、天與禹、洛出書也、神龜負文而出、列於背、有數至于九、禹遂因而第之、以成九類、【考證】楓山、三條本、九等作九疇、易繫辭傳云、河出圖、洛出書、聖人則之、書顧命云、天球河圖在東序、論語子罕篇云、子曰、鳳鳥不至、河不出圖、吾已矣夫、則河出圖、必有其事矣、必有其物矣、洛出書、亦必有其事矣、必有其物矣、而今不可臆定也、而後儒或以洪範九疇爲洛書、愚謂易傳但云洛出書、不云錫禹洪範、但云錫禹、不云河出九疇、彼此無些交

涉、林之奇云、洛出書之說、不可深信、帝乃震怒不畀洪範九疇、彝倫攸斁、猶言天奪之鑑也、天乃錫禹洪範九疇、彝倫攸敍、猶言天誘其衷也、又云、洪範之書、大抵發明彝倫之敍、本非由數而起、是說極是、初一曰五行。二曰五事。【考證】書、曰下、有敬用二字、三曰八政。【考證】書、曰下、有農用二字、四曰五紀。【考證】書、曰下、有協用二字、五曰皇極。【考證】書、曰下、有建用二字、六曰三德。【考證】書、曰下、有乂用二字、七曰稽疑。【考證】書、曰下、有明用二字、八曰庶徵。【考證】書、曰下、有念用二字、九曰嚮用五福、畏用六極。【集解】馬融曰、言天所以畏懼人用六極、【考證】嚮、讀爲饗、享也、書、畏作威、怵惕也、五行。一曰水、二曰火、三曰木、四曰金、五曰土、【集解】鄭玄曰、此數本諸陰陽所生之次也、【考證】五行、見於書甘誓、而不言其目、說者謂四時盛德所行之政也、以水火木金土爲五行、始於洪範、蓋以爲萬有之原、猶天竺以地水火風爲四大也、而未言其相生相克、又未言其相始終、至周末漢初、附益穿鑿益甚、於是乎伏勝董仲舒劉向劉歆班固諸人、各有述作、愈出愈怪、水曰潤下。火曰炎上。【集解】孔安國曰、言其自然之常性也、木曰曲直、【集解】孔安國曰、木可揉使曲直也、金曰從革、【集解】馬融曰、金之性從人、而更可銷鑠、【考證】張晏曰、革、改也、王先謙曰、曲直有二義、則從與革亦當分訓、言金可從順、又可變革、土曰稼穡。

【集解】王肅曰、種之曰稼、斂之曰穡、【考證】書、曰作爰、潤下作鹹。【集解】孔安國曰、水鹵所生、炎上作苦。【集解】孔安國曰、焦氣之味、曲直作酸、【集解】孔安國曰、木實之性、從革作辛、【集解】孔安國曰、金氣之味、稼穡作甘。【集解】孔安國曰、甘味生於百穀、五行以下箕子所陳、五事。一曰貌、二曰言、三曰視、四曰聽、五曰思。貌曰恭、言曰從、【集解】馬融曰、發言當使可從、【考證】蔡沈曰、從者順也、方苞曰、得其次序也、春秋傳、典從禮順、視曰明、聽曰聰、思曰睿。【集解】馬融曰、睿、通也、恭作肅、從作治、【集解】馬融曰、出令而從、所以爲治也、【考證】書、治作乂、明作智、聰作謀、【集解】孔安國曰、所謀必成審也、馬融曰、上聰則下進其謀、【考證】書、智作哲、睿作聖。【集解】孔安國曰、於事無不通、謂之聖、【考證】言貌恭則心肅、言順則事治、視明則裁斷不誤、聽聰則謀成、思睿則於事無不通、諸解以恭從明聰睿屬君、以肅治智謀聖屬臣、恐非、八政。一曰食、【考證】鄭玄曰、食、謂掌民食之官、若后稷者也、二曰貨、【考證】鄭玄曰、貨、掌金帛之官、若周禮司貨賄是也、三曰祀、【考證】鄭玄曰、祀、掌祭祀之官、若宗伯者也、四曰司空、【集解】馬融曰、司空、掌營城郭、主空土以居民、五曰司徒、【集解】孔安國曰、主徒衆教以禮義、六曰司寇、【集解】馬融曰、主誅寇害、七曰

賓、【集解】鄭玄曰、掌諸侯朝覲之官、八曰師。【集解】鄭玄曰、掌軍旅之官、五紀。一曰歲、二曰月、三曰日、四曰星辰、【集解】馬融曰、星、二十八宿、辰、日月之所會也、鄭玄曰、星、五星也、五曰曆數。【集解】孔安國曰、曆數、節氣之度、以爲曆數、敬授民時、【考證】江聲曰、分至啓閉以紀歲、朔望朏晦以紀月、永短昏昕以紀日、列星見伏昏旦中日月躔逡以紀星辰、贏縮經緯、終始相差、以紀曆數、皇極。皇建其有極、【集解】孔安國曰、太中之道、人立其有中、謂行九疇之義、斂時五福、用傅錫其庶民。【集解】馬融曰、當斂是五福之道、用布與衆民、【考證】斂、聚也、時、是也、書、傅作敷、普也、錫、與也、維時其庶民于女極、【集解】馬融曰、以其能斂是五福、故衆民於汝取中正以歸心也、錫女保極。【集解】鄭玄曰、又賜女以守中之道、【考證】黃式三曰、福極韻、凡厥庶民、毋有淫朋、人毋有比德、維皇作極。【集解】孔安國曰、民有善則無淫過朋黨之惡、比周之德、惟天下皆大爲中正也、【考證】黃式三曰、言君立其本則民人無淫比也、德極韻、愚按、德、猶行也、凡厥庶民、有猷有爲有守、女則念之。【集解】馬融曰、凡其衆民、有謀、有爲、有所執守、當思念其行、有所趣舍也、不協于極、不離于咎、皇則受之。【集解】孔安國曰、凡民之行、雖不合於中、而不罹於咎惡、皆可進用大法受之、【考證】守咎有、

韻、而安而色、曰予所好德、女則錫之福。【集解】孔安國曰、女當安女顏色、以謙下人、人曰我所好者德也、女則與之爵祿、時人斯其維皇之極。【集解】孔安國曰、不合于中之人、女與之福、則是人此其惟大之中、言可勉進也、【考證】黃式三曰、色德福極韻、毋侮鰥寡、而畏高明。【集解】馬融曰、高明顯寵者、不枉法畏之、【考證】毋字管下七字、書、鰥寡作煢獨、畏、猶憚也、人之有能有爲、使羞其行、而國其昌。【集解】王肅曰、使進其行、任之以政、則國爲之昌、【考證】黃式三曰、明行昌韻、凡厥正人、既富方穀、【集解】孔安國曰、正直之人、既當爵祿富之、又當以善道接之、【考證】楓山、三條本、方作有、女不能使有好于而家、時人斯其辜。【集解】孔安國曰、不能使正人有好於國家、則是人斯其詐取罪而去也、于其毋好、女雖錫之福、其作女用咎。【集解】鄭玄曰、無好於女家之人、雖錫之以爵祿、其動作爲女用惡、謂爲天子結怨於民、毋偏毋頗、遵王之義、【集解】孔安國曰、偏、不平、頗、不正、言當循先王正義以治民、【考證】頗義韻、書、義作誼、毋有作好、遵王之道。【集解】馬融曰、好、私好也、【考證】黃式三曰、作、擅爲之也、好道韻、毋有作惡、遵王之路。毋偏毋黨、王道蕩蕩。【集解】孔安國曰、言開辟也、鄭

玄曰、黨、朋黨、【考證】黃式三曰、惡路黨蕩韻、毋黨毋偏、王道平平。【集解】孔安國曰、言辨治也、【正義】平、音頻然反、【考證】平讀如辨、黃式三曰、偏平韻、毋反毋側、王道正直。【集解】馬融曰、反、反道也、側、傾側也、會其有極、【集解】鄭玄曰、謂君也、當會聚有中之人以爲臣也、歸其有極。【集解】鄭玄曰、謂臣也、當就有中之君而事之、【考證】黃式三曰、側直極韻、曰。王極之傅言、【集解】馬融曰、王者當盡極行之、使臣下布陳其言、【考證】書、王作皇、楓山、三條本、傅作敷、下同、與書合、是夷是訓、于帝其順。【集解】馬融曰、是大中而常行之、用是教訓天下、於天爲順也、【考證】書、夷作彝、順作訓、彝夷通、訓作順、史義長、黃式三曰、順訓韻、凡厥庶民、極之傅言、【集解】馬融曰、亦盡極敷陳其言於上也、是順是行、【集解】王肅曰、民納言於上、而得中者、則順而行之、【考證】書、順作訓、史義長、以近天子之光。【集解】王肅曰、近、猶益也、順行民言、所以益天子之光、【考證】黃式三曰、近、附也、曰。天子作民父母、以爲天下王。【集解】王肅曰、政教務中、民善是用、所以爲民父母、而爲天下所歸往、【正義】是箕子美中正之道、誠可爲天子也、君能守中正、而民順行之、是天子爲父母、而爲天下所歸往、【考證】蔡沈曰、曰者民之辭也、黃式三曰、行光王韻、三德。一曰正直。【集解】鄭玄曰、中平之人、二曰剛克。三曰柔克。【集解】鄭玄曰、克、能也、剛而能柔、柔而能剛、寬猛相

濟、以成治立功、【考證】克、勝也、治也、平康正直。【集解】孔安國曰、世平安、用正直治之、【考證】平康以下、皆言其資質、平康、得中者、彊不友剛克。【集解】孔安國曰、友、順也、世彊禦不順、以剛能治之、【考證】書、不作弗、弗讀爲怫、友字疑涉下而衍、蔡沈曰、以剛克剛也、內友柔克。【集解】孔安國曰、世和順、以柔能治之也、【索隱】內、當爲燮、燮、和也、【考證】楓山、三條本、內作燮、與書合、蔡沈曰、以柔克柔也、沈漸剛克。【集解】馬融曰、沈、陰也、潛、伏也、陰伏之謀、謂賊臣亂子、非一朝一夕之漸、君親無將、將而誅、【索隱】尚書、作沈潛、此作漸字、其義當依馬注、【正義】漸、音潛、謂溫和也、言溫和之人主政、須能剛斷、【考證】蔡沈曰、沈潛者沈深潛退不及中者也、黃式三曰、猶滯弱也、高明柔克。【集解】馬融曰、高明君子、亦以德懷也、【正義】高明、謂俊朗也、言俊朗之人主政、須能柔和、【考證】蔡沈曰、高明者高亢明爽過乎中者也、朱熹曰、言人資質沈潛者、當以剛治之、資質高明者、當以柔治之、黃式三曰、滯過弱勝以剛、高明勝以柔、能勝質之所偏也、德直克韻、維辟作福、維辟作威、維辟玉食。【集解】馬融曰、辟、君也、玉食、美食、不言王者、關諸侯也、鄭玄曰、作福、專爵賞也、作威、專刑罰也、玉食、備珍美也、【考證】福食韻、臣無有作福作威玉食。臣有作福作威玉食、其害于而家、凶于而國。人用側頗辟、民用僭忒。【集解】孔安國曰、在位不端平、則下民僭差、【正義】孔安國曰、家謂臣、國謂君也、爲上無制、爲下逼上、凶害之道、辟、音僻、【考證】書、辟作僻、食國忒韻、正義依

慶長本標記補、今本書傳無、稽疑。擇建立卜筮人、【集解】孔安國曰、龜曰卜、蓍曰筮、考正疑事、當選擇知卜筮人而建立之、乃命卜筮。曰雨、曰濟、曰涕、【集解】尚書作圛、【索隱】涕、音亦、尚書作圛、孔安國云、氣駱驛亦連續、今此文作涕、是涕泣、亦相連之狀也、曰霧、【集解】徐廣曰、一曰洟曰被、【索隱】霧、音蒙、然蒙與霧亦通、徐廣所見本涕作洟、蒙作被、義通而字變、【考證】錢大昕曰、書涕作驛、霧作蒙、又蒙在驛上、與此文異、梁玉繩曰、五兆之名、各本不同、如霽之爲濟、克之爲剋、字義竝通、不足爲異、所可異者、今本洪範曰驛、史作涕、徐廣一作洟、說文及鄭氏尚書注、詩載驅箋、周禮太卜注、皆作圛、今本曰蒙、史作霧、徐一作被、鄭尚書注作雺、太卜注作蟊、攷詩載驅疏云、古文作悌、今文作圛、賈逵以今文校之、定爲圛、鄭依賈所奏、然則史必作悌、史公從孔安國問、多得古文之說、故作悌也、尚書後案曰、說文口部、圛从口、睪聲、尚書曰圛、圛、升雲半有半無、讀若驛、葢古文作悌、太迂、故賈逵作圛、許愼書偁孔氏、又攷之于逵、其說宜從、僞孔乃因其讀若驛、而即改爲驛、妄矣、其作涕者、篆立心與水相似、讀者誤從水、洟又因涕而誤也、再攷霧與雺是一字、然當依鄭作雺爲定、鄭云、雺、聲近蒙也、尚書後案云、鄭讀若蒙、而即改爲蒙、則非矣、今俗刻史記誤雺爲霧、其作蟊者、音近而假借、錢大昕曰、被、蓋敄之譌、即霧之省、曰克、曰貞、曰悔。凡七。卜五。占之用二。衍貣。【集解】鄭玄曰、卜五占之用、謂雨濟圛霧克也、二衍貣、謂貞悔也、將立卜筮人、乃先命名兆卦而分別之、兆卦之名凡七、龜用五、易用二、審此道者、乃立之也、雨者、兆之體氣如雨然也、濟者、如雨止之雲氣在上者也、圛者、色澤而光明也、霧者、氣不釋、鬱冥冥也、克者、如祲氣之色相犯也、內卦曰貞、貞、

正也、外卦曰悔、悔之言晦也、晦、猶終也、卦象多變、故言衍貣也、【考證】書無之字、貣作忒、馬融曰、占、筮也、以占用二爲句、卜用五、占用二、以推其變也、愚按、卜五、雨濟圛雺克也、占二、貞悔也、江聲曰、衍、演也、貣、態也、林之奇曰、卜筮、天所示也、人事盡、然後可求之天、故龜筮稽疑、必在皇極三德之後、**立時人爲卜筮。**【集解】鄭玄曰、立是能分別兆卦之名者、以爲卜筮人、【考證】時人、是人也、**三人占、則從二人之言。**【集解】鄭玄曰、從其多者、著龜之道、幽微難明、慎之深、**女則有大疑、謀及女心、謀及卿士、謀及庶人、謀及卜筮。**【集解】孔安國曰、先盡謀慮、然後卜筮以決之、【正義】孔安國云、將擧事、而汝則有大疑、先盡汝心以謀慮之、次及卿士衆民、然後卜筮以決之、**女則從、龜從、筮從、卿士從、庶民從。是之謂大同。**【集解】孔安國曰、大同於吉、**而身其康彊、而子孫其逢吉。**【集解】孔安國曰、動不違衆、故後世遇吉也、【考證】馬融曰、逢、大也、黃式三曰、馬氏讀逢爲豐、存參、**女則從、龜從、筮從、卿士逆、庶民逆。吉。卿士從、龜從、筮從、女則逆、庶民逆。吉。庶民從、龜從、筮從、女則逆、卿士逆。吉。**【集解】鄭玄曰、此三者、皆從多、故爲吉、**女則從、龜從、筮逆、卿士逆、庶民逆。作內吉。作外凶。**【集解】鄭玄

曰、此逆者多、以故擧事於境內則吉、境外則凶、**龜筮共違于人。用靜吉。用作凶。**【集解】孔安國曰、安以守常則吉、動則凶、鄭玄曰、龜筮皆與人謀相違、人雖三從、猶不可以擧事、【考證】用以也、如下文用成用明之用、**庶徵。曰雨、曰陽、曰奧、曰寒、曰風。**【集解】孔安國曰、雨以潤物、陽以乾物、煖以長物、寒以成物、風以動物、五者各以時、所以爲衆驗、【考證】書、陽作暘、奧作燠、張文虎曰、蔡、王、柯、凌本作陽、中統、舊刻、游本作暘、段玉裁曰、五行志王莽傳作陽、假借字、**曰時五者來備、各以其序、庶草繁廡。**【集解】孔安國曰、言五者備至、各以次序、則衆草木繁廡滋豐也、【考證】五者、雨陽奧寒風也、書、繁作蕃、段玉裁曰、曰時五者來備六字、當作五是來備、後漢書李雲傳云、得其人則五氏來備、章懷注云、史記曰、五是來備、荀爽傳云、五韙咸備、注、史記曰、五是來備、各以其序、庶草繁蕪、案此二條、可以證今本史記之誤、愚按、毛本後漢書李雲傳注、作五者、不作五是、段氏不知據何本、曰時五者來備爲一句、曰、改端之詞、時是也、下文時毋易、時既易之時字同、不必據章懷注改今本史記、**一極備、凶。一極亡、凶。**【集解】孔安國曰、一者備極過甚則凶、一者極無、不至、亦凶、謂其不時失敘之謂也、**曰休徵。**【集解】孔安國曰、敘美行之驗、**曰肅、時雨若。**【集解】孔安國曰、君行敬、則時雨順之、【考證】黃式三曰、若、順也、應也、謂順其氣以應之也、**曰治、時暘若。**【集解】孔安國曰、君政治、則時暘順之、**曰知、時奧若。**【集解】孔安國曰、君昭哲、則時煖順之、**曰謀、時寒**

若。【集解】孔安國曰、君能謀、則時寒順之、**曰聖、時風若。**【集解】孔安國曰、君能通理、則時風順之、**曰咎徵。**【集解】孔安國曰、敘惡行之驗也、**曰狂、常雨若。**【集解】孔安國曰、君行狂妄、則常雨順之、**曰僭、常暘若。**【集解】孔安國曰、君行僭差、則常暘順之、**曰舒、常奧若。**【集解】孔安國曰、君臣逸豫、則常煖順之、【索隱】舒、依字讀、按下有曰急也、【考證】書、舒作豫、說者以爲猶豫之義、與舒意同、**曰急、常寒若。**【集解】孔安國曰、君行急、則常寒順之、**曰霧、常風若。**【集解】孔安國曰、君行霧闇、則常風順之、【考證】書、霧作蒙、心之不通明也、**王眚、維歲。**【集解】馬融曰、言王者所眚職、如歲兼四時也、【正義】眚、山井反、王者省歲之休咎、知民豐儉、此下教王者及民識歲月之善惡也、【考證】書、眚作省、察也、**卿士維月。**【集解】孔安國曰、卿士各有所掌、如月之有別、**師尹維日。**【集解】孔安國曰、衆正官之吏、分治其職、如日之有歲月也、【正義】師尹、謂長正、若今刺史縣令、師尹視旬日之變、【考證】江聲曰、王者所省、如歲之兼四時、卿士分職治事、如月統于歲、衆正之官、統于卿、如日統于月、**歲月日、時毋易、**【集解】孔安國曰、各順常、**百穀用成、治用明、**【集解】孔安國曰、歲月日無易、則百穀成、君臣無易、則正治明、【考證】書、治作乂、**畯民用章、家用平康。**【集解】孔安國曰、賢臣顯用、國家平寧、【考證】書、畯作俊、成明章康韻、**日月歲、時既易、百穀用不成、治用昏**

不明、畯民用微、家用不寧。【正義】孔安國云、君失其柄、權臣擅命、治闇賢隱、國家亂、【考證】成明寧韻、**庶民維星。**【集解】孔安國曰、星、民象、故衆民惟若星也、【考證】維星、言其衆也、**星有好風。星有好雨。**【集解】馬融曰、箕星好風、畢星好雨、【考證】是言庶民之心各異、馬說拘于好風好雨四字、**日月之行、有冬有夏。**【集解】孔安國曰、日月之行、冬夏各有常度、**月之從星、則以風雨。**【集解】孔安國曰、月經于箕則多風、離于畢則多雨、政教失常、以從民欲、亦所以亂、【考證】楓山、三條本、風下有以字、夏雨韻、**五福。一曰壽。二曰富。**【正義】壽、百二十年、富、財豐備也、**三曰康寧。**【集解】鄭玄曰、康寧、平安、**四曰攸好德。**【集解】孔安國曰、所好者德、福之道、**五曰考終命。**【集解】孔安國曰、各成其短長之命以自終、不橫夭、【考證】黃式三曰、攸、喜也、好德、美德也、考、成也、終、永也、成永長之命、如聖賢能終其天年、**六極。一曰凶短折。**【集解】鄭玄曰、未齔曰凶、未冠曰短、未婚曰折、【索隱】未齔、未毀齒也、音楚恡反、**二曰疾。三曰憂。四曰貧。五曰惡。**【集解】孔安國曰、惡、醜陋也、**六曰弱。**【集解】鄭玄曰、愚懦不壯毅曰弱、【考證】武王既克殷以下、采書洪範、黃式三曰、凶短折、謂短促、考終命之反也、疾、康之反、不安也、憂、寧之反、不如願也、貧、富之反、惡、謂惡人、攸好德之反也、弱、謂未老、壽之反也、愚按、弱、羸弱也、**於是武王乃封箕**

子於朝鮮、而不臣也。【索隱】潮仙二音、地因水爲名也、【正義】朝鮮潮仙二音、括地志云、高驪平壤城、本漢樂浪郡王儉城、即古朝鮮也、【考證】尚書大傳云、武王勝殷、釋箕子囚、箕子不忍周之釋、走之朝鮮、武王聞之、因以朝鮮封之、箕子既受周之封、不得無臣禮、於十三祀來、與此異、 其後箕子朝周、過故殷虛。感宮室毀壞生禾黍。箕子傷之。欲哭則不可。欲泣爲其近婦人。【索隱】婦人之性、多涕泣、 乃作麥秀之詩以歌詠之。其詩曰。麥秀漸漸兮。禾黍油油。【索隱】漸漸、麥芒之狀、音子廉反、又依字讀、油油者、禾黍之苗光悅貌、 彼狡僮兮、不與我好兮。【考證】油好韻、 所謂狡童者、紂也。殷民聞之、皆爲流涕。【集解】杜預曰、梁國蒙縣有箕子冢、【考證】麥秀之歌、尚書大傳以爲微子事、語亦有異同、梁玉繩曰、今本大傳云、麥秀蔪兮、黍禾蠅蠅、彼狡童兮、不我好仇、文選思舊賦注引大傳云、麥秀漸兮、黍禾曬曬、彼狡童兮不我好、又漢書伍被傳注、張晏曰、箕子歌曰、麥秀之漸漸兮、黍苗之繩繩兮、彼狡童兮、不與我好兮、崔述曰、麥秀之歌、有怨君之心、無傷舊之意、其詞亦大不敬、必後人所擬作、非微箕所爲、 武王崩、成王少、周公旦代行政當國。管・蔡疑之、乃與武庚作亂、欲襲成王・周公。【集解】徐廣曰、一云、欲襲成周、【考證】梁

玉繩曰、徐廣作欲襲成周、非也、史詮、刪成字、亦非、 周公既承成王命、誅武庚、殺管叔、放蔡叔。乃命微子開代殷後、奉其先祀。作微子之命以申之。國于宋。【集解】世本曰、宋更曰睢陽、【考證】宋、今河南歸德府商邱縣、通志、周封微子于宋、以爲商後、故曰商邱、中井積德曰、微子仍稱微者、猶周召康叔之類云、 微子故能仁賢。乃代武庚。故殷之餘民、甚戴愛之。【考證】岡白駒曰、故、固通、徐孚遠曰、周移殷遺民于洛邑、三世、其風始革、國于宋者、安然無虞、非微子之德、蓋新故異故也、陳子龍曰、殷之頑民、率在紂故都、宋之遺民非頑民也、 微子開卒。立其弟衍。是爲微仲。【集解】禮記曰、微子舍其孫腯而立衍也、鄭玄曰、微子適子死、立其弟衍、殷禮也、【索隱】按家語、微子弟仲思、名衍、一名泄、嗣微子爲宋公、雖遷爵易位、而班級不過其故、故以舊官爲稱、故二微雖爲宋公、猶稱微、至子稽、乃稱宋公也、【考證】集解所引禮記檀弓篇、索隱所引家語本姓解、中井積德曰、禮記所云、以衍爲微子之庶子也、此不可據作說、梁玉繩曰、仲乃微子之子、非弟也、僞家語恐不可信、方苞曰、微子之微仲、雖受周封、猶稱殷號、周家之忠厚也、洪範、王曰、嗚呼箕子、編書者、又以微子之命名篇、則知武王周公不忍革其故號、故微仲之子、始稱宋公、 微仲卒。子宋公稽立。【索隱】譙周云、未諡、故名之、 宋公稽卒。子丁公申立。丁公申卒。子湣公共立。【考證】沈家本曰、表云、丁

公弟、與此異、 湣公共卒。弟煬公熙立。煬公即位。湣公子鮒祀弑煬公而自立。曰。我當立。是爲厲公。【集解】徐廣曰、鮒、一作魴、【索隱】徐云、一本作魴、譙周亦作魴祀、據左氏、即湣公庶子也、弑煬公、欲立太子弗父何、何讓不受、 厲公卒。子釐公舉立。釐公十七年、周厲王出奔彘。二十八年、釐公卒。子惠公覸立。【集解】呂忱曰、覸音古莧反、 惠公四年、周宣王即位。三十年、惠公卒。子哀公立。【考證】錢大昕曰、表三十一年哀公薨、次年即爲戴公元年、少哀公一年、 哀公元年卒。子戴公立。戴公二十九年、周幽王爲犬戎所殺。秦始列爲諸侯。三十四年、戴公卒。子武公司空立。武公生女。爲魯惠公夫人。生魯桓公。【考證】武公生女以下、隱元年左氏前傳、 十八年、武公卒。子宣公力立。宣公有太子與夷。十九年、宣公病、讓其弟和曰。父死子繼。兄死弟及。天下通義也。我其立和。和亦三讓

而受之。【考證】宋、殷之後、故仍用兄弟相及之義、 宣公卒。弟和立。是爲穆公。穆公九年、病。召大司馬孔父謂曰。先君宣公、舍太子與夷而立我。我不敢忘。我死必立與夷也。孔父曰。羣臣皆願立公子馮。穆公曰。毋立馮。吾不可以負宣公。於是穆公使馮出居于鄭。八月庚辰、穆公卒。兄宣公子與夷立。是爲殤公。君子聞之曰。宋宣公可謂知人矣。立其弟以成義。然卒其子復享之。【考證】穆公九年病以下、采隱三年左傳、愚按、君子聞之曰、宋宣公可謂知人矣、正采左氏文、褒之至矣、而論贊則用公羊氏說曰、春秋譏宋之亂自宣公廢太子而立弟、前褒後譏、不一其揆、蓋釐正未至者也、 殤公元年、衞公子州吁弑其君完自立、欲得諸侯、使告於宋曰。馮在鄭。必爲亂。可與我伐之。宋許之。與伐鄭、至東門而還。【考證】隱四年左傳、 二年、鄭伐宋、以報東門之役。【考證】隱五年春秋經傳、 其後諸侯

數來侵伐。考證 楓山、三條本、無伐字、 九年、大司馬孔父嘉妻好。出道遇太宰華督。集解 服虔曰、戴公之孫、 督說、目而觀之。集解 服虔曰、目者、極視精不轉也、考證 王若虛曰、左氏目逆而送之、其言甚文、史乃云目而觀之、不成語矣、中井積德曰、目、目送之也、又曰、華父督不宜言華督、蓋華父其字也、是時未以爲氏族也、是太史公之粗處、 督利孔父妻、乃使人宣言國中曰、殤公卽位十年耳。而十一戰。集解 賈逵曰、一戰、伐鄭圍其東門、二戰、取其禾、三戰、取邾田、四戰、邾鄭伐宋入其郛、五戰、伐鄭圍長葛、六戰、鄭以王命伐宋、七戰、魯敗宋師于菅、八戰、宋衞入鄭、九戰、伐戴、十戰、鄭入宋、十一戰、鄭伯以虢師大敗宋、考證 董份曰、殤字當是死而諡者、今臣不宜稱、恐誤、卽張敖傳稱高祖也、梁玉繩曰、殤字誤、當省、 民苦不堪。皆孔父爲之。我且殺孔父以寧民。考證 楓山、三條本、爲上有所字、桓元年二年左傳、 是歲、魯弒其君隱公。考證 杭世駿曰、隱公弒于宋殤公八年、此敍在九年、誤、 十年、華督攻殺孔父取其妻。殤公怒。遂弒殤公、而迎穆公子馮於鄭而立之。是爲莊公。莊公元年、華督爲相。考證 桓二年左傳、 九年、執鄭之祭仲。正義 上側界反、括地志云、故祭城、在鄭

州管城縣東北五十里、鄭大夫祭仲邑也、杜預云、左傳釋例云、祭城、在河南、上有穀倉、周公所封也、 要以立突爲鄭君。祭仲許。竟立突。考證 桓十一年左傳、梁玉繩曰、事在宋莊公十年、 十九年、莊公卒。考證 莊二年春秋、陳仁錫曰、十九年、史表作十八年、梁玉繩曰、莊公十八年卒、無十九年、 子湣公捷立。湣公七年、齊桓公卽位。考證 莊九年春秋經傳、 九年、宋水。魯使臧文仲往弔水。集解 賈逵曰、問凶曰弔、 湣公自罪曰、寡人以不能事鬼神、政不脩、故水。臧文仲善此言。此言乃公子子魚教湣公也。考證 本莊十一年左傳、梁玉繩曰、此史公改左傳文而誤者、未必所見本異也、左傳云、宋大水、公使弔焉、未詳所使何人、其辭曰、孤實不敬、天降之災、文仲稱其言懼而名禮、若如史所云寡人、何得謂名禮、而辭出于公子御說、史又誤爲子魚、子魚乃桓公御說之子也、此與年表竝妄、 十年夏、宋伐魯、戰於乘丘。集解 徐廣曰、乘、一作滕、駰案杜預曰、乘丘、魯地、考證 梁玉繩曰、乘丘之役、在宋湣八年、此書于十年者、蓋因下左傳于莊十一年追敍南宮萬、而誤差二年也、 魯生虜宋南宮萬。集解 賈逵曰、南宮氏、萬名、宋卿、 宋人請萬。萬歸宋。考證 莊十一年左傳、 十一年秋、湣公與南宮萬獵。因博

爭行。湣公怒辱之曰、始吾敬若。今若魯虜也。萬有力。病此言。考證 雜取莊十一年左傳、十二年公羊傳、梁玉繩曰、十一年三字衍、湣公立十年而被弒、上文已書曰十年也、又史本公羊、以弒公因博起釁、然不聞獵也、豈別有據乎、 遂以局殺湣公于蒙澤。集解 賈逵曰、蒙澤、宋澤名也、杜預曰、宋地、梁國有蒙縣、考證 梁玉繩曰、公羊云、萬搏閔公絕其脰、此言以局殺、公亦異、 大夫仇牧聞之、以兵造公門。萬搏牧。牧齒著門闔死。集解 何休曰、闔、門扇、考證 公羊云、仇牧聞君弒、趨而至、遇之於門、手劍而叱之、萬臂摋仇牧、碎其首、齒著乎門闔、亦微異、 因殺太宰華督、乃更立公子游爲君。考證 子游、不知何公之子、 諸公子犇蕭。公子禦說犇亳。集解 服虔曰、蕭、亳、宋邑也、杜預曰、今沛國有蕭縣、蒙縣西北有亳城也、 萬弟南宮牛、將兵圍亳。冬、蕭及宋之諸公子、共擊殺南宮牛、考證 左傳、蕭下有叔大心三字、大心、蕭大夫名、叔其字、 弒宋新君游、而立湣公弟禦說。是爲桓公。考證 中井積德曰、游不成君、未可稱弒、愚按、左傳作殺、 宋萬犇陳。考證 中井積德曰、此宋世家也、與春秋不同、不得宋萬之稱、不可以爲法、 宋人請以賂陳。考證 楓山、三條本、無陳

字、義長、中井積德曰、請字當在路下、是傳寫之誤、亦通、 陳人使婦人飮之醇酒、集解 服虔曰、宋萬多力、勇不可執、故先使婦人誘而飮之酒、醉而縛之、 以革裹之、歸宋。集解 左傳曰、以犀革裹之、考證 左傳云、以犀革裹之、比及宋、手足皆見、能狀萬多力、千歲如生、史公節略數字、索然無味、 宋人醢萬也。集解 服虔曰、醢、肉醬、考證 殺湣公于蒙澤以下、采莊十二年左公二傳、 桓公二年、諸侯伐宋、至郊而去。考證 莊十四年春秋經傳、 三年、齊桓公始霸。考證 莊十五年春秋經傳、 二十三年、迎衞公子燬於齊立之。是爲衞文公。文公女弟爲桓公夫人。考證 閔二年左傳、 秦穆公卽位。三十年、桓公病。太子茲甫讓其庶兄目夷爲嗣。桓公義太子意、竟不聽。考證 僖八年左傳、 三十一年春、桓公卒。太子茲甫立。是爲襄公。以其庶兄目夷爲相。未葬。而齊桓公會諸侯于葵丘。襄公往會。考證 僖九年左傳、 襄公七年、宋地霣星如雨。與雨偕下。集解 左傳曰、隕石于宋五、隕星也、索隱 按僖十六年左傳、

隕石于宋五、霣星也、六鷁退飛過宋都、是當宋襄公之時、訪內史叔興曰、吉凶焉在、對曰、君將得諸侯而不終也、然莊七年傳又云、恆星不見、夜中星霣如雨、與雨偕也、且與雨偕下、自在別年、不與霣石退鷁之事同、此史以霣石爲霣星、遂連恆星不見之時與雨偕爲文、故與左傳小不同也、【考證】李笠曰、案與雨偕下四字、疑後人旁注溷入、六鷁退蜚。【集解】公羊傳曰、視之則六、察之則鷁、徐察之則退飛、風疾也。【集解】賈逵曰、風起於遠、至宋都高而疾、故鷁逢風卻退、【考證】春秋莊八年夏四月辛卯、夜恆星不見、夜中星隕如雨、在宋湣五年、僖十六年春王正月戊申朔、隕石于宋、是月、六鷁退飛過宋都、在宋襄七年、王若虛曰、星隕如雨、初不指其在宋、且莊七年、與僖十六年相去遠矣、安得併爲宋地同時之事乎、蓋見左氏釋隕石爲隕星、故誤誌焉、而隕石之事、反遺而不書、疏甚、八年、齊桓公卒。【考證】僖十七年春秋經傳、先是齊桓公立公子昭爲太子、屬諸宋襄公、桓公卒、易牙等立公子無虧、公子昭走宋、襄公以諸侯伐齊、殺無虧立昭、是爲孝公、是宋襄起事之始、龜井昱曰、宋襄一戰而殺無虧、再戰而立孝公、此其所以志氣炎上也、至此霸心遂決、故有明年之事、又曰、僖十六年左傳、周內史叔興曰、君將得諸侯而不終、蓋宋襄求霸既久矣、宋欲爲盟會、十二年春、宋襄公爲鹿上之盟、【集解】杜預曰、鹿上、宋地、汝陰有原鹿縣、【索隱】按汝陰原鹿、其地在楚、僖二十一年、宋人楚人齊人盟於鹿上、是也、然襄公始求諸侯於楚、楚纔許之、計未合至女陰鹿上、今濟陰乘氏縣北有鹿城、蓋此地也、【考證】王夫之曰、索隱以鹿上爲楚地、然宋齊不應遠如楚而相受盟、濟陰乘氏縣之鹿城、其地在今曹縣、乃曹宋之境、杜預以爲宋地、斯得之矣、以求

諸侯於楚。楚人許之。公子目夷諫曰。小國爭盟、禍也。不聽。秋、諸侯會宋公盟于盂。【集解】杜預曰、盂、宋地、【考證】楓山、三條本、公下無盟字、與左傳合、盂、今河南歸德府睢州盂亭是、目夷曰。禍其在此乎。君欲已甚。何以堪之。於是楚執宋襄公以伐宋。冬、會于亳以釋宋公。子魚曰。禍猶未也。【考證】僖廿一年左傳、子魚即公子目夷、十三年夏、宋伐鄭。子魚曰。禍在此矣。秋、楚伐宋以救鄭。襄公將戰。子魚諫曰。天之弃商久矣。不可。【考證】子魚之言至此、冬十一月、襄公與楚成王戰于泓。【集解】穀梁傳曰、戰于泓水之上、【考證】泓、水名、今河南歸德府柘城縣渙水支流、楚人未濟。【考證】中井積德曰、未濟、左傳作未既濟、既字不當省、目夷曰。彼衆我寡。及其未濟擊之。公不聽。已濟未陳。又曰。可擊。公曰。待其已陳。陳成。宋人擊之。宋師大敗。襄公傷股。國人皆怨公。【考證】左傳、怨作咎、公曰。君子不困人

於阸。不鼓不成列。【集解】何休曰、軍志、以鼓戰、以金止、不鼓不戰也、不成列、未成陳、【正義】阸、謂阻隘也、子魚曰。兵以勝爲功。何常言與。【集解】徐廣曰、一云、尚何言與、必如公言、即奴事之耳。又何戰爲。楚成王已救鄭。鄭享之。去而取鄭二姬以歸。【索隱】謂鄭夫人芈氏姜氏之女、既是鄭女、故云二姬、【考證】中井積德曰、據左傳、芈氏姜氏竝鄭伯之夫人勞楚子者、楚子所取二姬、是芈氏所生之女、叔瞻曰。成王無禮。【正義】謂取鄭二姬也、其不沒乎。爲禮卒於無別。有以知其不遂霸也。【考證】以上、僖廿二年左傳、左傳、別下有諸侯二字、叔瞻之言、止於無別、徐孚遠曰、此楚事、著于宋傳、失刪政也、梁玉繩曰、楚世家不載此事、則是史家帶敘之法、不得失于刪政、惟成王生而稱諡爲非、當曰楚王無禮、愚按、左傳作楚王、是年、晉公子重耳過宋。襄公以傷於楚、欲得晉援、厚禮重耳、以馬二十乘。【集解】服虔曰、八十匹、【考證】僖廿三年左傳、古鈔本、乘下有遺之二字、梁玉繩曰、案左傳、重耳歷游諸國、惟自鄭至楚、及楚送諸秦、當在魯僖二十三年、過衞、在僖十八年、餘皆追敘、莫定在何歲、此及晉世家、書過宋于宋襄十三年傷泓之後、謂國敗禮重耳、未確也、十四年夏、襄公病傷於泓而竟卒。【索隱】按春秋、戰于泓、在

僖二十三年、重耳過宋及襄公卒、在二十四年、今此文以重耳過與傷泓共歲、故云是年、又重耳過與宋襄公卒共是一歲、則不合更云十四年、是進退俱不合於左氏、蓋太史公之疏耳、【考證】僖廿三年春秋經傳、子成公王臣立。【考證】穀梁經、王臣作壬臣、成公元年、晉文公卽位。【考證】僖廿四年左傳、三年、倍楚盟親晉。以有德於文公也。【考證】僖廿六年左傳、四年、楚成王伐宋。宋告急於晉。【考證】僖廿七年左傳、五年、晉文公救宋。楚兵去。【考證】僖廿八年左傳、九年、晉文公卒。【考證】僖卅二年春秋經傳、十一年、楚太子商臣、弒其父成王代立。【考證】文元年春秋經傳、十六年、秦穆公卒。【考證】文六年左傳、十七年、成公卒。【正義】年表云、公孫固殺成公、【考證】文七年春秋經傳、成公弟禦、殺太子及大司馬公孫固、【正義】世本云、宋莊公孫名固、爲大司馬、【考證】沈家本曰、左傳無殺太子事、而自立爲君。宋人共殺君禦、而立成公少子杵臼。【正義】年表云、宋昭元年、杵臼、襄公之子、徐廣曰、一云成公少子、【考證】梁玉繩曰、案經傳無禦作亂事、是時樂豫代公孫固爲司馬、固已不爲司馬、故文七年傳、但云殺公孫固公孫鄭于公宮、是爲昭

公。昭公四年、宋敗長翟緣斯於長丘。【集解】魯世家云、宋武公之世、獲緣斯於長丘、今云此時、未詳、【索隱】徐廣曰、魯系家云、宋武公之代、獲緣斯於長丘、今云此時、未詳者、春秋文公十一年、魯敗翟于鹹、獲長狄緣斯於長丘、齊系家、惠公二年、長翟來、王子城父攻殺之、此竝取左傳之說、載於諸國系家、今考其年歲、亦頗相協、而魯系家云武公、此云昭公、蓋此昭當爲武、然前代雖已有武公、此杵臼當亦謚武也、若將不然、豈下五系公子特爲君、又合謚昭乎、【正義】裴駰云、魯世家云、武公之世、獲緣斯於長丘、今此云昭公、未詳、按春秋文公十一年、魯敗狄於鹹、獲長狄緣斯於長丘、與年表同、齊世家云、魯惠公二年、長翟來、王子城父殺之、年表亦同、據春秋及年表世家年歲符合、魯世家云宋武公、是誤、當爲昭公、卽符合矣、【考證】文十一年左傳云、冬十月甲午、敗狄于鹹、獲長狄喬如、初宋武公之世、鄋瞞伐宋、司徒皇父帥師禦之、敗狄于長丘、獲長狄緣斯、杜注、武公在春秋前也、余有丁曰、左傳載武公獲緣斯、在春秋前、魯世家語是、此云昭公誤也、索隱牽合以昭亦謚武、曲說不通、愚按、黃氏日抄考古質疑史記志疑亦主此說、可從、沈家本曰、索隱敗翟于鹹下文義不明、當有奪文、七年、楚莊王卽位。九年、昭公無道、國人不附。昭公弟鮑革、賢而下士。【集解】徐廣曰、一無革字、【考證】錢大昕曰、左氏無革字、下文亦有單稱公子鮑者、則革爲衍文明矣、愚按、年表亦無革字、先襄公夫人、欲通於公子鮑。不可。【集解】服虔曰、襄公夫人、周襄王之姊王姬也、不可、鮑不肯也、【考證】宋襄卒而二十七年、夫人年蓋進六十矣、乃助之施於

國。【正義】施、式是反、襄夫人助公子鮑、布施恩惠於國人也、因大夫華元爲右師。【正義】公子鮑因華元、請得爲右師、華元戴公五代孫華督之曾孫也、【考證】凌稚隆曰、按左傳云、昭公無道、國人奉公子鮑、以因夫人、於是華元爲右師、云云、此云因大夫華元爲右師、文義不順、中井積德曰、本文錯脫不可讀、注亦錯謬、恐當作公子鮑因華元請、然亦謬解、昭公出獵。夫人王姬使衛伯攻殺昭公。【考證】昭公無道以下、本于文十六年左傳、館本考證云、左傳昭公將田孟諸、未至、夫人王姬、使帥甸攻而殺之、此云衛伯、不知何據、中井積德曰、衛伯或是宮衛之長、杵臼弟鮑革立。是爲文公。文公元年、晉率諸侯伐宋、責以弑君。聞文公定立乃去。【考證】文十七年春秋經傳、二年、昭公子因文公母弟須與武·繆·戴·莊·桓之族爲亂。文公盡誅之、出武·繆之族。【集解】賈逵曰、出、逐也、【考證】梁玉繩曰、案文十八年左傳、武氏之族、道昭公子、將奉司城須作亂、宋公殺須及昭公子、使戴莊桓之族攻武氏、遂出武穆之族、然則始亂者武族、非昭公子因須爲亂也、黨于武者爲穆族、而戴莊桓三族、乃攻武族者、此謂戴莊桓亦偕亂被誅、誤矣、四年春、鄭命楚伐宋。【考證】凌稚隆曰、鄭公子歸生受命於楚伐宋、此云鄭命楚、恐誤、張照曰、此傳寫倒置耳、宋使華元將。鄭敗宋囚華元。華元

之將戰、殺羊以食士。其御羊羹不及。【集解】左傳曰、御、羊斟也、故怨。馳入鄭軍。故宋師敗、得囚華元。宋以兵車百乘·文馬四百匹、贖華元。【集解】賈逵曰、文、貍文也、王肅曰、文馬、畫馬也、【正義】按文馬者、裝飾其馬、四百匹用牽車百乘遺鄭、贖華元也、又云、文馬、赤鬣縞身、目如黃金、【考證】楓山、三條本、得四下無華元二字、文馬、正義前說得之、未盡入。華元亡歸宋。【考證】宣二年左傳、左傳、未盡入、作半入、十四年、楚莊王圍鄭。鄭伯降楚。楚復釋之。【考證】宣十二年春秋經傳、十六年、楚使過宋。宋有前仇、執楚使。【考證】中井積德曰、前仇者申舟孟諸之田抶宋公僕也、事在宋文公十二年、今申舟爲使、故執之也、史記不說者、事脫漏耳、又左傳曰殺之、此云執、亦謬、九月、楚莊王圍宋。【考證】宣十四年左傳、十七年、楚以圍宋、五月不解。【考證】中井積德曰、以已同、張照曰、按杜預注左傳云、在宋積九月、此云五月不解、承公羊傳夏五月宋人與及楚人平之文、年表遂云圍宋五月、其誤正與此同、呂氏春秋云、莊王圍宋九月、康王圍宋五月、聲王圍宋十月、沈家本曰、按此言楚圍宋、至夏五月、猶不解也、宋城中急、無食。華元乃夜私見楚將子反。子反告莊王。王問城中

何如。曰、析骨而炊、易子而食。【集解】何休曰、析骨、析破人骨也、莊王曰、誠哉言。我軍亦有二日糧。以信故遂罷兵去。【考證】雜采宣十五年左公二傳、楓山、三條本、言上有是字、二日作三日、舊刻、毛本、亦作三日、梁玉繩曰、案二日、公羊傳作七日、又公羊作子反告華元、此謂莊王喜華元之誠而自發斯言、亦異、蓋史公述楚圍宋事、合采公羊左氏而變易之、不盡依元文耳、中井積德曰、太史公每稱楚將晉將、是後世之語、非當時之稱、他竝傚此、二十二年、文公卒。子共公瑕立。始厚葬。君子譏華元不臣矣。【考證】成公二年左傳、春秋經三傳、共公名固、共公元年、華元善楚將子重、又善晉將欒書。兩盟晉·楚。【考證】成十一年十二年左傳、楓山、三條本、元年作九年、與左傳合、此傳寫之誤、梁玉繩曰、此成十二年傳所云、華元合晉楚之成、會于瑣澤也、愚按、自華元合晉楚之成三十六年、向戌又以善于二國執政、亦會于宋以盟、世稱曰弭兵之會、墨翟非攻之說、宋銒偃兵之義、蓋淵源于此矣、而皆宋人也、宋襄公云、君子不重傷、不禽二毛、不以阻隘、不鼓不成列、雖曰未知戰、亦不嗜殺者、華向之事、亦有所淵源也、十三年、共公卒。華元爲右師、魚石爲左師。司馬唐山攻殺太子肥、欲殺華元。華元犇晉。魚石止之。至河乃還。【集解】皇覽曰、

華元冢、在陳留小黃縣城北、誅唐山。【考證】本成十五年左傳、梁玉繩曰、案左傳、司馬蕩澤弱公室、殺公子肥、華元自罪身爲右師不能討澤、故出奔、魚石止之、乃反、因殺子山、蕩澤亦名子山、經止書山、唐與蕩疑古通、杜注、肥、文公子、然則唐山無欲殺華元之事、而肥亦非共公太子也、乃立共公少子成。是爲平公。【集解】左傳曰、魚石犇楚、【考證】梁玉繩曰、史以公子肥爲共公太子、故以成爲少子、平公之名、左穀經作成、史從之、公羊經兩見、俱作戊、平公三年、楚共王拔宋之彭城、以封宋左師魚石。【考證】成十八年春秋云、楚子鄭伯伐宋、宋魚石復入于彭城、左傳亦云、楚子辛鄭皇辰同伐彭城、納宋魚石向爲人鱗朱向帶魚府焉、以三百乘戍之而還、不云封魚石、四年、諸侯共誅魚石、而歸彭城於宋。【考證】襄元年左傳、左傳誅作討、梁玉繩曰、案左傳、晉降彭城、以魚石等五人歸、寘諸瓠丘、未嘗誅也、此與年表云誅魚石、誤、又曰、平公三十年、向戌善于晉楚、因爲宋之盟、以弭兵爲名、而史皆略之、陳氏測議云、向戌之盟、南北分霸之始、宋之大事也、史失書、愚按、弭兵之會、詳于襄二十七年左傳、說又見上、三十五年、楚公子圍弒其君自立爲靈王。【考證】昭元年左傳、四十四年、平公卒。【考證】昭十年春秋經傳、子元公佐立。元公三年、楚公子弃疾弒靈王、自立爲平王。【考證】昭十三年春秋經傳、中井積德曰、弒靈王者非弃疾、

八年、宋火。【考證】昭十八年春秋經傳、十年、元公毋信。詐殺諸公子大夫。華向氏作亂。楚平王太子建來犇。見諸華氏相攻亂、建去如鄭。【考證】昭二十年左傳、梁玉繩曰、殺公子寅等、乃華氏向氏、如史所說、竟似元公殺之矣、楚建黨于元公、故偕公子城等七人奔鄭、非見亂之故也、此與年表竝誤、十五年、元公爲魯昭公避季氏居外、爲之求入魯。行道卒。【考證】昭二十五年左傳、子景公頭曼立。【索隱】音萬、【考證】梁玉繩曰、案人表作兜欒、左傳作太子欒、與史異、景公十六年、魯陽虎來犇。已復去。【考證】定九年左傳、二十五年、孔子過宋。宋司馬桓魋惡之、欲殺孔子。孔子微服去。【考證】孟子萬章篇、梁玉繩曰、此爲魯哀三年、孔子在陳、左傳及世家可證、微服過宋、乃景公二十二年、魯定十五年也、正是去衞適陳時事、此與年表同誤、三十年、曹倍宋、又倍晉。宋伐曹。晉不救。遂滅曹有之。【正義】宋景公滅曹、在魯哀公八年、周敬王三十三年也、【考證】哀七年八年春秋經傳、顧棟高曰、案宋在春秋、兼有六國之地、宿、偪陽、曹三國、其見于經者也、杞、戴及彭城、則經傳俱不詳其入宋之年、而地實兼幷于宋、其封域、全有河南歸德府一州八縣之地、開封府之杞縣、封邱縣有

宋之長邱、蘭陽縣有宋之戶牖、衞輝府之滑縣、有宋之城鉏、陳州府治之睢寧縣、有宋櫟地、西華縣有宋鬼閻地、又江南徐州府之銅山縣、沛縣、蕭縣、潁州府之太和縣、山東兖州府之金鄉縣、嶧縣、泰安府之東平州、後滅曹、得曹州府之曹縣、荷澤縣、定陶縣、共跨三省九府二州二十三縣之地、又曰、周室棊布列侯、各有分地、豈無意哉、蓋自三監作櫱、武庚反叛、周公誅武庚、而封微子于宋、豈非懲創當日武庚國于紂都、有孟門太行之險、其民易煽、其地易震、而商邱爲四望平坦之地、又近東都、日後雖子孫自作不靖、無能據險爲患哉、故殷之遺民、屬之懿親康叔、而杞宋接壤、俱在開歸、匪特制馭、亦善全先代之後、宜爾也、入春秋時、宋乃有彭城、彭城俗勁悍、又當南北之衝、故終春秋之世、宋最喜事、齊興則首附齊、晉興則首附晉、悼公之再伯也、用吳以犄楚、先用宋以通吳、實于彭城取道、楚之拔彭城以封魚石也、非以助亂、實欲塞夷庚、使吳晉隔不得通也、晉之滅偪陽以界宋也、非以德宋、欲以宋爲地主、通吳晉往來之道也、蓋彭城爲宋有、而祖爲楚地、偪陽爲楚與國、皆在今沛縣境、如喉嚨中之有物、宋有偪陽、而吳晉相援如左右手矣、故當日楚最仇宋、常合鄭以蹄宋、亦最力、迨悼公已服鄭、不復恃吳、吳闔閭之世、力足以制楚、不復專賴晉、而宋于是安然無事、是彭城之係南北之故者非小、而宋常爲天下輕重者、以其有彭城也、自後吳日強橫、齊魯俱被其毒害、而宋始終不受兵、亦以前日爲東道主之故、而黃池之役、吳歸道自商魯、王欲伐宋、太宰嚭曰可勝也、而弗能居、蓋杞宋舊封其非險阨之地久矣、三十六年、齊田常弒簡公。【考證】哀十四年左傳、三十七年、楚惠王滅陳。【考證】館本考證云、楚惠王滅陳、左傳宋景三十九年、魯哀公之十七年也、沈家本曰、表在三十八年、亦誤也、此七字爲九之譌、熒惑守

心。心、宋之分野也。【考證】周禮春官保章氏、掌天星以志星辰日月之變動、以觀天下之遷、辨其吉凶、以星土辨九州之地所封、封域皆有分星、以觀妖祥、鄭玄注、九州諸國之封域、於星有分、今可言者十二次之分也、星紀吳越也、玄枵齊也、訾娵衞也、降婁魯也、大梁趙也、實沈晉也、鶉首秦也、鶉火周也、鶉尾楚也、壽星、鄭也、大火宋也、析木燕也、國語周語云、歲之所在、則我有周之分野、屬是也、愚按、分野之說、自古有之、其妄誕勿論己、秦本紀始皇三十六年、亦有此象、是時宋滅已久、誰當其咎者、景公憂之。司星子韋曰。可移於相。景公曰。相、吾之股肱。曰。可移於民。景公曰。君者待民。曰。可移於歲。景公曰。歲饑民困。吾誰爲君。子韋曰。天高聽卑。君有君人之言三。熒惑宜有動。於是候之、果徙三度。【考證】呂氏春秋制樂篇、淮南子道應篇、梁玉繩曰、此事左傳不載、出于諸子、然不在是年、若依延年二十一歲之說、亦當在二十七年、景公四十六年卒、而又誕不足稱也、六十四年、景公卒。【考證】哀二十六年左傳、梁玉繩曰、左傳、宋景公卒于哀二十六年、是四十八年卒也、此與年表作六十四、六國表、又作六十六、竝誤、宋公子特【索隱】昭公也、左傳作德、【考證】今本左傳作得、攻殺太子而自立。是爲昭公。【索隱】按左傳、景公無子、取元公庶曾孫公孫周之子德及啓、畜于公宮、及景公卒、先立啓、後

立德是爲昭公、與此全乖、未知太史公據何而爲此說、

昭公者、元公之曾庶孫也。昭公父公孫糾。糾父公子褍秦。【集解】徐廣曰、褍音端、褍秦、卽元公少子也。景公殺昭公父糾。【索隱】左傳、名周、故昭公怨殺太子而自立。【考證】梁玉繩曰、左傳、糾作周、蓋音近相借、如左成十七年皆孫周、亦作糾也、又韓詩外傳六、賈子先醒篇言昔者宋昭公出亡、歎曰、吾內外不聞吾過、是以至此、革心易行二年、宋人迎而復之、宋有兩昭公、所言必是昭公得史失書、蓋宋之賢君也、昭公四十七年卒。【集解】年表云、四十九年、【考證】沈家本曰、表四十七年、與此合、未詳集解何據云然、子悼公購由立。【索隱】購、音古候反、悼公八年卒。【索隱】按紀年爲十八年、子休公田立。【集解】徐廣曰、一云辟公兵、【考證】梁玉繩曰、諡法無休、休公田二十三年卒。子辟公辟兵立。【索隱】按紀年作桓侯璧兵、則璧兵諡桓也、又莊子云、桓侯行未出城門、其前驅呼辟、蒙人止之、後爲狂也、司馬彪云、呼辟、使人避道、蒙人以桓侯名辟、而前驅呼辟、故爲狂也、【考證】中井積德曰、無以諱爲諡之理、必有一誤也、莊子似可據、洪頤煊說同、梁玉繩曰、田字衍、辟公三年卒。子剔成立。【集解】年表云、剔成君也、【索隱】王劭按紀年云、宋易城盱、廢其君辟而自立也、【考證】梁玉繩曰、剔成者易城之誤、盱其名、盱封於易城之地、因以爲號、失其諡、剔成

四十一年、剔成弟偃、攻襲剔成。剔成敗奔齊。偃自立爲宋君。君偃十一年、自立爲王。【索隱】戰國策、呂氏春秋、皆以偃諡曰康王也、【考證】偃死國亡、未必有諡、然國策墨子（愚按、墨翟不及宋偃之時、）呂覽新書、俱以偃諡康王、而荀子王霸篇稱爲宋獻、楊倞注云、國滅之後、其臣子各私爲諡、故不同、則此與年表皆失書偃諡、東敗齊取五城、南敗楚取地三百里、西敗魏軍、乃與齊·魏爲敵國。【考證】梁玉繩曰、年表世家、皆無宋取齊楚地、及敗魏軍之事、惟田完世家、湣王七年、（依表、當偃十二年、其實是齊宣王廿六年、偃王三十年、）有與宋攻魏、敗之觀澤語、然攷年表魏趙世家、竝言齊敗魏趙于觀澤、非止敗魏、竝不言與宋攻之、且宋方與齊爲敵國、無緣共宋出兵、則田完世家固非、而此亦虛說也、又宋策、有齊伐宋一章云、齊伐宋、宋索救于荊、齊拔宋五城、而荊王不至、雖未知事在何年、而注家謂齊爲宣王、荊爲威王、其時甚合、則此誤以齊取宋城、爲宋取齊也、又宋策云、康王滅滕伐薛、取淮北之地、漢地理志、杜世族譜、稱滕爲齊滅、竹書曰、於越滅滕、通志謂秦滅之、策言宋滅滕、恐與竹書通志俱難信、而取淮北一語、得毋卽此取楚地乎、然云三百里、似誕、盛血以韋囊、縣而射之。命曰射天。淫於酒婦人。羣臣諫者輒射之。【考證】楓山三條本、婦上有及字、梁玉繩曰、宋策、康王射天笞地、斬社稷而焚滅之、罵國老諫臣、爲無顏之冠以示勇、剖傴之背、鍥朝涉之脛、燕策、蘇子謂齊王曰、宋王射天笞地、鑄諸侯之象、使侍屏匽、展其臂、彈其鼻、又蘇秦傳、蘇代約燕述秦告齊之

詞曰、宋王無道、爲木人以寫寡人、射其面、（燕策亦有、）此略不具射天事、又見呂氏春秋過理篇、愚按、賈子新書春秋篇所記略同宋策、崔適曰、案此事亦見呂氏春秋、然殷本紀帝武乙爲偶人謂之天人、與之博、令人爲行、天神不勝、乃繆辱之、爲革囊盛血、仰而射之、命曰射天、與此事相似、疑是一事、傳者誤分爲二事爾、於是諸侯皆曰桀宋。【索隱】晉太康地記、言其似桀也、宋其復爲紂所爲。不可不誅。告齊伐宋。【考證】桀紂同惡、宋、殷後、故曰復爲紂所爲也、梁玉繩曰、國策田完世家、宋湣王因蘇代之謀以伐宋、非諸侯告齊伐之也、王偃立四十七年、齊湣王與魏·楚伐宋、殺王偃、遂滅宋而三分其地。【集解】年表云、偃立四十三年、【正義】年表云、魏昭王十年、齊滅宋、宋王死於溫、田完世家云、湣王三十八年、齊遂伐宋、王亡死於溫、據年表、宋滅、周赧王二十九年、各當宋王偃四十三年、今云四十七年、竝誤也、【考證】梁玉繩曰、湣王滅宋、未嘗與楚魏共伐、而三分其地、六國表及各世家皆不書、惟此有之、

太史公曰。孔子稱微子去之、箕子爲之奴、比干諫而死。殷有三仁焉。【集解】何晏曰、仁者愛人、三人行異而同稱仁者、何也、以其俱在憂亂寧民也、夏侯玄曰、微子仁之窮也、箕子比干智之窮也、故或盡材而止、或盡心而留、皆其極也、致極斯君子之事矣、是以三仁不同、而其歸一揆也、【考證】論語微子篇、焦循曰、商紂時天下不安甚矣、而微箕比干能憂亂安民、故孔子歎之、謂商之末、有憂亂安

民者三人、而紂莫能用、令其去、令其奴、令其死、非指去奴死爲仁也、春秋譏宋之亂、自宣公廢太子而立弟。【集解】公羊傳曰、君子大居正、宋之禍、宣公爲之也、【考證】隱三年公羊傳、國以不寧者十世。【索隱】按春秋公羊有此說、左氏則無譏焉、【考證】黃震曰、按世家之首、併敍三仁、明微子歸周之本心、善矣、宣公舍子與夷立弟穆公、穆公不敢忘德、復立與夷、爲殤公、十年十一戰、而宋始亂、是穆賢而殤不肖甚明、史譏宣公廢太子而立弟、國以不寧者十世、春秋之世无寧國、豈皆讓使之然歟、當是時人君溺私愛、廢嫡立庶、或以弟弑兄而攘其國、子孫干戈相尋者總總也、史不之譏、而譏宣公之讓、何也、徐孚遠曰、立子、周制也、立弟、殷制也、宋之立弟、行古之道、不得譏其醜亂、梁玉繩曰、案宣之舍子而立弟、蓋知殤之不肖也、穆舍其子而復與宣之子、不忘德也、君子美之、乃此謂宋亂始宣公、本公羊之謬說、猶下文之褒襄公也、十世不寧、尤非、襄公之時、修行仁義、欲爲盟主。【考證】楓山三條本、修行仁義、作修仁行義、其大夫正考父美之。故追道契·湯·高宗、殷所以興、作商頌。【集解】韓詩商頌章句、亦美襄公、【索隱】按裴駰引韓詩商頌章句、亦美襄公、非也、今按毛詩商頌序云、正考父於周之太師、得商頌十二篇、以那爲首、國語亦同此說、今五篇存、皆是商家祭祀樂章、非考父追作也、又考父佐戴武宣、則在襄公前且百許歲、安得述而美之、斯謬說耳、【考證】朱熹曰、太史公蓋本於韓詩之說、頌皆天子之事、非宋所有、其辭古奧、亦不類周世之文、梁玉繩曰、案昭七年左傳、及魯語、詩序、言正考父佐戴武宣、得商頌十二篇于周

太師、以那爲首、則是從戴至襄百四五十年、正考父非襄公大夫也、非作頌之人也、非追作之也、但史公此說、實本韓詩、故法言學行篇曰、正考父睎尹吉甫、公子奚斯睎正考父、後書曹褒傳曰、奚斯頌魯、考甫詠殷、康成樂記注、以歌商爲宋詩、嗣後文人多仍此說、然與本義全乖、詩疏、史索隱、及困學紀聞、俱斥其誤、**襄公既敗於泓。而君子或以爲多。**集解公羊傳曰、君子大其不鼓不成列、臨大事而不忘大禮、有君而無臣、以爲雖文王之戰、亦不過此也、考證僖二十二年公羊傳、**傷中國闕禮義。褒之也。**索隱襄公臨大事不忘大禮、而君子或以爲多、且傷中國之亂、闕禮義之舉、遂不嘉宋襄之盛德、故太史公褒而述之、故云褒之也、考證梁玉繩曰、案此本公羊說、即上文所云襄公脩行仁義也、泓之役以迂致敗、得死爲幸、又多乎哉、執滕子、戕鄫子、行仁義不忘大禮者如是邪、何褒乎爾、中井積德曰、公羊說謬、太史公委曲斡旋焉、非以宋襄爲是也、言宋襄一敗塗地、無足取也已、然君子或多之者、非實以爲善也、蓋傷禮義廢缺之甚、故於宋襄多之而不譏、其意可悲也云爾、**宋襄之有禮讓也。**考證淩約言曰、言君子多宋襄於泓之敗、乃傷中國闕禮義、故多而褒之也、且以其能讓庶兄目夷爲嗣也、中井積德曰、末句不可曉、豈上下有脫文邪、索隱述贊殷有三仁、微箕紂親、一囚一去、不顧其身、頌美有客、書稱作賓、卒傳家嗣、或敍彝倫、微仲之後、世載忠勤、穆亦能讓、實爲知人、傷泓之役、有君無臣、偃號桀宋、天之弃殷、

宋微子世家第八

史記三十八

史記會注考證卷三十九

漢　太　史　令　司　馬　遷　撰

宋中郎外兵曹參軍裴駰集解

唐國子博士弘文館學士司馬貞索隱

唐諸王侍讀率府長史張守節正義

日本　出雲　瀧川資言考證

晉世家第九　　史記三十九

【考證】史公自序云、武王既崩、叔虞邑唐、君子譏名、卒滅武公、驪姬之愛、亂者五世、重耳不得意、乃能成霸、六卿專權、晉國以耗、嘉文公錫珪鬯、作晉世家第五、愚按、此篇多

采左氏國語、顧棟高曰、案晉所滅十八國、又衛滅之邢、秦滅之滑、皆歸于晉、景公時、竊滅衆狄、盡收其前日蹂躙中國之地、又東得衛之殷墟、鄭之虎牢、自西及東、延袤二千餘里、有山西全省、又有直隸大名府之元城縣、爲沙鹿山、晉所取五鹿地、廣平府之邯鄲、成安、清河、永年四縣、順德府治、與邢臺、任唐山三縣、俱與衛接境、眞定府之晉州、趙州、冀州、及藁城、欒城、柏鄉、臨城四縣、山東東昌府之恩縣、冠縣、曹州府之范縣、與齊魯二國接境、又河南懷慶府之濟源、修武、孟、溫四縣、衛輝府之汲縣、淇縣、輝縣、濬縣、新鄉三縣、南自解州平陸縣渡河、有河南府之陝州、閿鄉、靈寶、桃林之塞在焉、永寧、澠池、偃師三縣、後又得嵩縣陸渾地、與周接境、其西自蒲州永濟縣渡河、有陝西同州府之朝邑、韓城、澄城、白水四縣、及華州、華陰縣、又延安府、爲晉河西上郡、西安府之臨潼縣、爲所滅驪戎地、商州爲晉上雒、及菟和倉野之地、俱與秦接境、後驪戎地入秦、爲侯麗地、跨五省、共二十二府五州、

晉唐叔虞者。【索隱】按太叔以夢及手文而名曰虞、至成王誅唐之後、因戲削桐而封之、叔字也、故曰唐叔虞、而唐有晉水、至子燮、改其國號曰晉侯、然晉初封於唐、故稱晉唐叔虞也、且唐本堯後、封在夏墟、而都於鄂、鄂今在大夏、是也、及成王滅唐之後、乃分徙之於許郢之閒、故春秋有唐成公、是也、卽今之唐州也、【正義】餘才宋國都城記云、唐國、堯之裔子所封、爲唐、太叔因故唐侯之地封於唐、在河汾之東、方百里、故曰唐叔虞、叔者、仲叔次第、虞名也、周武王子、而成王弟。初武王與叔虞母會時、【集解】左傳曰、邑姜方娠太叔、服虔曰、邑姜、武王后、齊太公女也、夢天謂

武王曰、余命女生子名虞。余與之唐。及生子、文在其手曰虞。故遂因命之曰虞。【考證】昭元年左傳、楓山、三條本、虞下名上、有爲字、孔穎達曰、左傳云、邑姜方震、而夢、明是邑姜夢矣、安得以爲武王夢也、是馬遷之妄、梁玉繩曰、世家之異于傳者、言虞母夢天謂武王、不言是武王之夢、故御覽卷一引史作叔虞母夢天謂武王、孔疏錯會世家文也、鄭世家同傳、王念孫曰、文上脫有字、當依左傳及魯世家補、初學記、太平御覽引晉世家、皆有有字、愚按、文字也、古人言文不言字、左傳宣十二年、於文止戈爲武、十五年、文反正爲乏、昭元年、於文皿蟲爲蠱、中庸書同文、手卽掌也、手理自然成虞字、有若天命、故以爲名也、左傳隱元年、仲子生而有文在其手、曰爲魯夫人、閔二年、成季及生、有文在其手曰友、遂以命之、與此相類、武王崩、成王立。唐有亂。【正義】括地志云、故唐城在絳州翼城縣西二十里、卽堯裔子所封、春秋云、夏孔甲時、有堯苗裔劉累者、以豢龍事孔甲、夏后嘉之、賜氏御龍、以更豕韋之後、龍一雌死、潛醢之以食夏后、既而使求之、懼而遷於魯縣、夏后召孟別封劉累之孫于大夏之墟爲侯、至周成王時、唐人作亂、成王滅之、而封大叔、更遷唐人子孫于杜、謂之杜伯、卽范匄所云在周爲唐杜氏、按魯縣、汝州魯山縣是、今隨州棗陽縣東南一百五十里上唐鄉故城、卽後子孫徙於唐、周公誅滅唐。【考證】昭元年左傳、成王與叔虞戲、削桐葉爲珪、以與叔虞曰、以此封若。史佚因請擇日立叔虞。成王曰、吾與之戲耳。史

佚曰、天子無戲言。言則史書之、禮成之、樂歌之。於是遂封叔虞於唐。【考證】今山西平陽府翼城縣西、有唐城、叔虞所封、史記、唐在河汾之東、卽此、梁玉繩曰、案呂氏春秋重言、說苑君道、皆謂周公封叔虞、惟此作史佚、然其事非實、柳宗元曾辨其妄、晉語、叔向曰、唐叔射兕于徒林、殪以爲大甲、以封于晉、則非竊桐之故、中井積德曰、成王之世、叔虞封於唐、仍公卿之采地、其土未大、猶周公之周也、其後封叔虞之子燮爲晉侯、燮猶伯禽也、晉猶魯也、其封乃大、但唐采在晉封中、是爲異也、唐在河汾之東。方百里。故曰唐叔虞。【集解】世本曰、居鄂、宋忠曰、鄂地今在大夏、【正義】括地志云、故鄂城、在慈州昌寧縣東二里、按與絳州夏縣相近、禹都安邑、故城在縣東北十五里、故云在大夏也、然封于河汾二水之東、方百里、正合在晉州平陽縣、不合在鄂、未詳也、姓姬氏。字子于。唐叔子燮、是爲晉侯。【正義】燮、先牒反、括地志云、故唐城、在并州晉陽縣北二里、城記云、堯築也、宗國都城記云、唐叔虞之子燮父、徙居晉水傍、今并理故唐城、唐者、卽燮父所徙之處、其城南半入州城、中削爲坊、城牆北半見在、毛詩譜云、叔虞子燮父、以堯墟南有晉水、改曰晉侯、【考證】王若虛曰、周紀自有姓氏、既云武王子、何必更言姓、且魯衛管蔡等世家、類皆不著、而此獨著、何哉、楓山本、三條本、宋本、毛本、于作干、王引之曰、古人名字相應、于同迂、廣也、虞同吳、大也、作干非也、晉侯子寧族、是爲武侯。【索隱】系本作曼期、譙周作曼旗也、武侯之子服人、是爲成侯。成侯子

福、是爲厲侯。【索隱】系本作輻字、厲侯之子宜臼、是爲靖侯。靖侯已來、年紀可推。自唐叔至靖侯五世、無其年數。【考證】梁玉繩曰、靖侯當作厲侯、故云五世、愚按、自唐叔已下十二字、疑旁注誤入本文、靖侯十七年、周厲王迷惑暴虐。國人作亂。厲王出奔于彘。【考證】周厲王以下、國語周語、大臣行政。故曰共和。【正義】厲王奔彘、周召和其百姓行政、號曰共和、【考證】中井積德曰、共和者、謂大臣相共和同行政也、非和百姓之謂、十八年、靖侯卒。子釐侯司徒立。釐侯十四年、周宣王初立。十八年、釐侯卒。子獻侯籍立。【索隱】系本及譙周、皆作蘇、獻侯十一年卒。子穆侯費王立。【索隱】鄒誕本作弗生、或作潰王、竝音祕、【考證】楓山、三條本、王作生、與年表合、可從、索隱王字亦當作生、穆侯四年、取齊女姜氏爲夫人。【考證】左傳云、晉之穆公之夫人姜氏、但不記取之之年、七年、伐條。生太子仇。【集解】杜預曰、條、晉地、十年、伐千畝。有功。【集解】杜預曰、西河介休縣南、有地名千畝、【正義】界休縣屬汾州、本漢縣也、【考證】中井積德曰、左傳稱條之役千畝之役、蓋討伐或禦寇而戰于條千畝、

也、非伐條伐千畝、生少子。名曰成師。【集解】杜預曰、意取能成其衆也、【考證】中井積德曰、師有成功、故命以成師也、晉人師服曰。【集解】賈逵曰、晉大夫、異哉、君之命子也。太子曰仇。仇者讎也。少子曰成師。成師、大號成之者也。名自命也。物自定也。今適庶名反逆。此後晉其能毋亂乎。【考證】以上本于桓二年左傳、左傳云、名以制義、義以出禮、禮以體政、政以正民、是以政成而民聽、易則生亂、嘉耦曰妃、怨耦曰仇、古之命也、史公易之以仇者讎也數語、愚按、韓非子主道篇云、令名自命也、令事自定也、楊權篇亦云、名正物定、名倚物徙、故聖人執一以靜、使名自命、令事自定、名自命也、物自定也、蓋名自命也、物自定也、後世刑名之言、師服無此語也、二十七年、穆侯卒。弟殤叔自立。太子仇出奔。殤叔三年、周宣王崩。四年、穆侯太子仇、率其徒襲殤叔而立。是爲文侯。文侯十年、周幽王無道。犬戎殺幽王。周東徙。而秦襄公始列爲諸侯。三十五年、文侯仇卒。【考證】梁玉繩曰、案文侯仇與衛武公同爲平王功臣、書是以有文侯之命、世家無一言及之、何也、子昭侯伯立。昭侯元

年、封文侯弟成師于曲沃。【索隱】河東之縣名、漢武帝改曰聞喜也、【考證】今聞喜縣、屬山西絳州、曲沃邑大於翼。翼、晉君都邑也。【索隱】翼、本晉都也、自孝侯已下、一號翼侯、平陽絳邑縣東翼城是也、【正義】括地志云、故翼城一名故絳、在絳州翼城東南十五里、諸侯譜云、晉穆公遷都於絳、曾孫孝公改絳爲翼、至獻公、又命曰絳、【考證】今山西平陽府翼城、成師封曲沃。號爲桓叔。靖侯庶孫欒賓相桓叔。【正義】世本云、欒叔賓父也、桓叔、是時年五十八矣。好德。晉國之衆皆附焉。【考證】嚴粲曰、武公之事、國人所不與、詩無衣序、言美之者、特武公大夫之意耳、山有樞、揚之水、椒聊、杕杜諸詩、國人每以曲沃彊爲憂、拳拳願忠於昭公、以晉世家考之、初潘父弒昭侯而迎桓叔、將入晉、晉人發兵攻桓叔、桓叔敗、還歸曲沃、晉人共立昭侯子平、是爲孝侯、此桓叔初舉而國人不與也、其後曲沃莊伯弒孝公于翼、晉人又攻莊伯、莊伯復入曲沃、晉人復立孝侯子郄、是爲鄂侯、此莊伯再舉而國人又不與也、及鄂侯卒、莊伯伐晉、晉人共立鄂侯子光、是爲哀侯、此莊伯三舉、而國人又不與也、至武公虜哀侯、晉人復立哀侯子小子、是爲小子侯、此武公四舉、而國人又不與也、及武公誘小子侯殺之、晉復立哀侯弟緡、此武公五舉、而國人終不與也、最後武公伐晉侯緡滅之、盡以其寶器賂周僖王、王命武公爲諸侯、然後晉人力不能討、無如之何、然則武公之得國、晉人特迫於王命、不得已而從之耳、豈以武公爲可美哉、愚按、嚴說極是、晉國之衆皆附焉七字、不唯失事實、又與下文相乖、君子曰。晉之亂、其在

曲沃矣。末大於本、而得民心。不亂何待。【考證】是亦本桓二年左傳師服之言、七年、晉大臣潘父弒其君昭侯而迎曲沃桓叔。桓叔欲入晉。晉人發兵攻桓叔。桓叔敗還歸曲沃。晉人共立昭侯子平爲君。是爲孝侯、誅潘父。孝侯八年、曲沃桓叔卒。子鱓代桓叔。是爲曲沃莊伯。【索隱】鱓、音時戰反、又音善、又音陁、【考證】年表、八年作九年、孝侯十五年、【考證】年表、作十六年、曲沃莊伯弒其君晉孝侯于翼。晉人攻曲沃莊伯。莊伯復入曲沃。晉人復立孝侯子郄爲君。是爲鄂侯。【索隱】系本、作郄、而他本亦有作都、【正義】音丘戟反、【考證】昭公元年以下、補桓二年左傳、左傳云、鄂侯孝公弟、索隱本郄作都、鄂侯二年、魯隱公初立。【考證】隱元年左傳、鄂侯六年卒。曲沃莊伯聞晉鄂侯卒、乃興兵伐晉。周平王使虢公將兵伐曲沃莊伯。【考證】楓山、三條本、平王作桓王、與年表左傳合、此本誤、莊伯走保曲沃。

晉人共立鄂侯子光。是爲哀侯。【考證】以上本隱五年左傳、孔穎達曰、按左傳、隱五年、曲沃莊伯伐翼、翼侯奔隨、秋、王命虢公伐曲沃、而立哀公于翼、翼九宗五正頃父之子嘉父、逆晉侯于隨、納諸鄂、晉人謂之鄂侯、則哀侯之立、鄂侯未卒、世家言卒、非也、梁玉繩曰、哀侯之立、據左傳實出王命、此以爲晉人立之、非也、哀侯二年、曲沃莊伯卒。子稱代莊伯立。【正義】稱、尺證反、哀侯六年、魯弑其君隱公。【考證】隱十一年左傳、哀侯八年、晉侵陘廷。【集解】賈逵曰、翼南鄙邑名、陘廷與曲沃武公謀、【考證】桓二年左傳、九年、伐晉于汾旁、【正義】白郎反、汾水之旁、虜哀侯。【考證】桓三年左傳、晉人乃立哀侯子小子爲君。是爲小子侯。【集解】禮記曰、天子未除喪曰余小子、生名之、死亦名之、鄭玄曰、晉有小子侯、是取之天子也、【考證】中井積德曰、小子不稱名者、名不傳也、又曰、幼弱而無謚、遂稱小子侯焉耳、不言哀公子小子、蓋原言哀公小子、後人誤增一子字、沈家本曰、小子侯、猶言孺子王耳、小子元年、曲沃武公使韓萬殺所虜晉哀侯。【集解】賈逵曰、韓萬、曲沃桓叔之子、莊伯弟、【考證】梁玉繩曰、小子何以不書侯、愚按、左傳稱小子侯、曲沃益彊。晉無如之何。晉小子之四年、

曲沃武公誘召晉小子、殺之。【考證】殺小子侯、桓七年左傳、小子之、當作小子侯、周桓王使虢仲伐曲沃武公。【正義】馬融云、周武王克商、封文王異母弟虢仲於夏陽、武公入于曲沃。乃立晉哀侯弟緡爲晉侯。【考證】周王使虢仲立晉侯、魯桓八年事、使虢仲伐曲沃、九年事、竝見左傳、史公併敘、晉侯緡四年、宋執鄭祭仲而立突爲鄭君。【考證】館本考證云、執祭仲立突、左傳在魯桓十一年、於晉侯爲五年、年作、表六年、此又作四年、晉侯十九年、齊人管至父弑其君襄公。【考證】館本考證云、齊人弑襄公、左傳及齊世家、年表、於魯爲莊之八年、於齊爲襄之十二年、則晉侯可是二十一年、此作十九年、梁玉繩曰、弑襄公、但舉管至父、何以不曰無知、晉侯二十八年、齊桓公始霸。【考證】莊十五年左傳、梁玉繩曰、緡以魯桓八年立、莊十五滅、其在位二十六年、世家未嘗誤書年數、而曰二十八、何歟、年表、減哀公一年、小子侯一年、遂增緡之年至二十八、亦誤、曲沃武公伐晉侯緡滅之、盡以其寶器賂獻于周釐王。釐王命曲沃武公爲晉君、列爲諸侯。於是盡併晉地而有之。【考證】莊十六年左傳、但云、王使虢公命曲沃伯以一軍爲晉侯、不敘曲沃伐晉之詳、梁玉繩曰、魯莊十六年、爲滅晉侯

緡之明年、此與表皆幷書于滅緡之歲、非也、嚴粲曰、武公之初弑小子侯也、桓王猶能命虢仲立緡于晉、又命虢仲芮伯梁伯荀侯賈伯伐曲沃、是則周雖微、而名分猶存也、至僖王受武公之賂、而命之爲諸侯、則紀綱蕩然矣、他日三家分晉、周王又移命武公者命三家矣、嗚呼、王者代天爵人、而賄以行之、君子是以知周之不復振也、司馬溫公論三家之事、以爲晉大夫暴蔑其君、剖分其地、天子既不能討、又寵秩之、是區區之名分、復不能守、而幷棄之也、君臣之禮既壞、將使生民之類糜滅幾盡、遂特著以爲通鑑之首、愚於武公亦云、曲沃武公已卽位三十七年矣。【考證】梁玉繩曰、案三十七、當作三十八、武公立于哀公之二年、歷八年、又小子四年、緡侯二十六年、則卽位三十八年矣、下文通年三十八年、當作三十九、通年卽位凡三十九年而卒、當作四十、更號曰晉武公。【考證】楓山、三條本、曰作爲、中井積德曰、生時稱謚、史家之常、然至更號曰晉武公、則亦太甚、晉武公始都晉國。【考證】梁玉繩曰、案漢書地理志、詩唐風鄭譜及孔疏、叔虞封唐、子燮父改晉、至曾孫成侯、南徙曲沃、成侯曾孫之孫穆侯、徙于絳、昭侯以下徙翼、及武侯幷晉、又都絳、景公遷新田、史皆不書、而反謂武公始都晉、獻公始都絳、何疏舛也、前卽位曲沃、通年三十八年。武公稱者、先晉穆侯曾孫也。【索隱】晉有兩穆侯、言先、以別後也、【考證】張照曰、三代世表及左氏、竝無兩穆公、愚按、先晉猶言前晉、所以別曲沃之晉、先字屬晉、不屬穆公、陳仁錫曰、也字衍、曲沃桓叔孫也。桓叔者始封曲沃。武公、莊伯子也。自

桓叔初封曲沃、以至武公滅晉也、凡六十七歲。而卒代晉爲諸侯。武公代晉二歲卒。與曲沃通年、卽位凡三十九年而卒。【考證】張文虎曰、歲下卒字似衍、中井積德曰、總結處、冗複太甚、子獻公詭諸立。獻公元年、周惠王弟積攻惠王。惠王出奔、居鄭之櫟邑。【索隱】櫟、鄭邑、今河南陽翟是也、故鄭之十邑、有櫟有華也、【考證】莊十九年二十年左傳、魯莊十九年、卽晉獻二年、非元年也、周紀、鄭世家、年表不誤、五年、伐驪戎。得驪姬・驪姬弟、俱愛幸之。【集解】韋昭曰、西戎之別、在驪山也、【正義】殷周之驪戎國城也、【考證】梁玉繩曰、伐戎得姬、左傳附見于莊二十八年、卽晉獻十一年、不知的在何時、而世家與表俱書于五年、未詳所據、愚按、今陝西西安府臨潼縣東有驪戎城、故驪戎國、左傳、弟作娣、八年、士蔿說公曰。【集解】賈逵曰、士蔿、晉大夫、故晉之羣公子多。不誅、亂且起。乃使盡殺諸公子、而城聚都之。【集解】賈逵曰、聚、晉邑、命曰絳。始都絳。【索隱】春秋莊二十六年傳、士蔿城絳、是也、杜預曰、今平陽絳邑縣、應劭曰、絳水出西南也、【考證】莊二十五年左傳、孔穎達曰、案左傳、士蔿使羣公子盡殺游氏之族、乃城聚而處之、則城聚以處羣公子、非晉都之也、言命聚

曰絳、亦非也、梁玉繩曰、聚絳、二地、城絳在九年、此合爲一、科、竝書于八年、都絳亦非始獻公、說見前、九年、晉羣公子既亡奔虢。虢以其故再伐晉。弗克。【考證】虢再伐晉、莊二十六年左傳、梁玉繩曰、左傳、虢兩侵晉、非爲羣公子也、且晉之公子盡殺于聚矣、尚安得有未殺而奔虢者乎、下文言虢匿晉亡公子爲亂、同妄、十年、晉欲伐虢。士蔿曰。且待其亂。【考證】莊二十七年左傳、十二年、驪姬生奚齊。獻公有意廢太子。乃曰。曲沃、吾先祖宗廟所在。而蒲邊秦、屈邊翟。【集解】韋昭曰、蒲、今蒲阪、屈、北屈、皆在河東、杜預曰、蒲、今平陽蒲子縣是也、【考證】梁玉繩曰、三公子居鄙、在十一年、此誤書于十二年、中井積德曰、是時獻公未有廢太子意也、據左傳、惑於二五之言而鄙三子也、史記蓋誤、愚按、今山西隰州有古蒲城、春秋晉蒲邑、吉州有北屈廢縣、晉屈邑、不使諸子居之、我懼焉。於是使太子申生居曲沃、公子重耳居蒲、公子夷吾居屈。獻公與驪姬子奚齊居絳。【考證】驪姬生奚齊以下、莊二十八年左傳、晉國以此知太子不立也。太子申生其母齊桓公女也。曰齊姜。早死。【考證】陳仁錫曰、左傳、獻公烝於齊姜、生秦穆夫人及太子申生、則齊姜是武

公之妾、武公末年齊桓始立、不得爲齊桓女也、申生同母女弟、爲秦穆公夫人。【考證】秦本紀云、穆夫人太子申生姊、左傳亦敍在申生上、重耳母、翟之狐氏女也。夷吾母、重耳母女弟也。【考證】孔穎達曰、虢射、惠公之舅、狐偃文公之舅、二母不得爲姊妹、馬遷之妄獻公子八人、而太子申生・重耳・夷吾、皆有賢行。及得驪姬、乃遠此三子。【考證】楓山、三條本、皆有賢行、作皆賢有行、張照曰、左傳介子推曰、獻公之子九人、卽下文、敍子推語、亦曰九人、則八字乃九字之訛耳、中井積德曰、唯夷吾之賢行爲無徵、恐史家之臆說、諸子中唯三子長矣、故使出居焉、其他尙幼、是非以賢否之故必矣、十六年、晉獻公作二軍。【集解】左傳曰、王使虢公命曲沃伯、以一軍爲晉侯、今始爲二軍、【考證】集解、引莊十六年左傳、公將上軍。太子申生將下軍。趙夙御戎。畢萬爲右。伐滅霍、滅魏、滅耿。【集解】服虔曰、三國皆姬姓、魏在晉之蒲阪河東也、杜預曰、平陽皮氏縣東南有耿鄉、永安縣東北有霍太山也、【索隱】按永安縣西南汾水西有霍城、古霍國、有霍水出霍太山、地理志、河東河北縣、古魏國、地記亦以爲然、服虔云在蒲阪、非也、地記又曰、皮氏縣汾水南耿城、是故耿國也、【正義】晉州霍邑縣、本漢彘縣也、鄭玄注周禮云、霍山在彘縣、本春秋霍伯國、【考證】戎、公車、御、僕、右、右乘、霍、今山西平陽府有霍城、卽古霍國、山西解州芮城縣東北有河北故城、卽魏城、漢皮

氏縣、今絳州河津縣、還爲太子城曲沃。賜趙夙耿、賜畢萬魏、以爲大夫。士蔿曰。太子不得立矣。分之都城、【集解】服虔曰、邑有先君之主曰都、【考證】中井積德曰、有主曰都、左氏之妄解、可不從、而位以卿。【集解】賈逵曰、謂將下軍也、先爲之極。【集解】服虔曰、言其祿位極盡於此也、又安得立。不如逃之。無使罪至。爲吳太伯、不亦可乎。【集解】王肅曰、太伯知天命在王季、奔吳不反、猶有令名。【集解】王肅曰、雖去猶可有令名、何與其坐而及禍也、太子不從。卜偃曰。畢萬之後必大。【集解】賈逵曰、卜偃、晉掌卜大夫郭偃、萬、盈數也。魏、大名也。【集解】服虔曰、數從一至萬爲滿、魏喻巍巍高大也、【考證】梁玉繩曰、盈字何以不諱、魏世家皆作滿、以是始賞。天開之矣。【集解】服虔曰、以魏賞畢萬、是爲天開其福、天子曰兆民、諸侯曰萬民。今命之大、以從盈數。其必有衆。【集解】杜預曰、以魏從萬、有衆多之象、【考證】左傳命作名、命名通、上文云、魏、大名也、初畢萬卜仕於晉國。遇屯之比。【集解】賈逵曰、震下坎上、屯、坤下坎上、比、屯初九變之比、辛廖占之曰。吉。【集解】賈逵曰、辛廖、晉大夫、【考證】

龜井昱曰、服虔云、周人、劉炫從之、案辛氏周晉咸有之、然夷考之、劉說爲優、屯固。比入。吉孰大焉。【集解】杜預曰、屯、險難也、所以爲堅固、比、親密、所以得入、【考證】竹添光鴻曰、雲雷屯、雲雨集而未解、有堅固之義、地上有水、比、水在地上滲入之象、其後必蕃昌。【考證】獻公作二軍以下、閔元年左傳、十七年、晉侯使太子申生伐東山。【集解】賈逵曰、東山、赤狄別種、【正義】左傳云、晉侯使太子申生伐東山皋落氏、上黨記、皋落氏在潞州壺岡縣城東南山中百五十里、今名平皋、赤壤、其地險阻、百姓不居、今空之也、【考證】今山西平定州樂平縣有皋落山、寰宇記卽東山皋落地、里克諫獻公曰。【集解】賈逵曰、里克、晉卿里季也、太子奉冢祀社稷之粢盛、以朝夕視君膳者也。【集解】服虔曰、廚膳飲食、【考證】冢、大也、冢祀、宗廟之祀也、故曰冢子。君行則守。有守則從。【集解】服虔曰、有代太子守則從之、從曰撫軍。【集解】服虔曰、助君撫循軍士、守曰監國。古之制也。夫率師、專行謀也、【集解】杜預曰、率師者、必專謀軍事、【考證】左傳、無也字、此疑衍、誓軍旅、【集解】杜預曰、宣號令、君與國政之所圖也。【集解】賈逵曰、國政、正卿也、非太子之事也。師在制命而已。【集解】杜預曰、命、將軍所制、稟命則不

威。專命則不孝。故君之嗣適、不可以帥師。君失其官、【集解】杜預曰、太子統師、是失其官也、【考證】龜井昱曰、非太子之事而命之、是失官也、 率師不威。將安用之。【集解】杜預曰、專命則不孝、是為師必不威也、【考證】中井積德曰、太子不可不稟命、故不威也、 公曰。寡人有子。未知其太子誰立。【考證】左傳、無太子二字、此疑衍、 里克不對而退、見太子。太子曰。吾其廢乎。里克曰。太子勉之。教以軍旅。【集解】賈逵曰、將下軍、 不共是懼。何故廢乎。【考證】共、左傳作供、 且子懼不孝。毋懼不得立。【集解】服虔曰、不得立己也、 修己而不責人、則免於難。【考證】竹添光鴻曰、脩己、言使身無釁以遠讒謗也、人、暗指驪姬奚齊也、本是安慰之言、而免難二字、不覺脫之於口、 太子帥師。公衣之偏衣、【集解】服虔曰、偏裻之衣、偏異色、駮不純、裻在中、左右異、故曰偏衣、杜預曰、偏衣、左右異色、其半似公服、韋昭曰、偏、半也、分身之半以授太子、【正義】上衣、去聲、下衣、如字、【考證】顧野王曰、裻、背縫、 佩之金玦。【集解】服虔曰、以金為玦也、韋昭曰、金玦、兵要也、【正義】玦、音決、【考證】以上、閔二年左傳、顧野王曰、玦如環而缺不連、 里克謝病不從太子。太子遂伐東山。

【考證】左傳國語、無里克謝病不從之文、張文虎曰、宋本、毛本、無太子二字、此衍、 十九年、獻公曰。始吾先君莊伯。武公之誅晉亂、而虢常助晉伐我。【正義】言虢助晉伐曲沃也、 又匿晉亡公子、果為亂。弗誅、後遺子孫憂。【考證】春秋內外傳不載此事、 乃使荀息以屈產之乘、【集解】何休曰、屈產出名馬之地、乘、備駟也、【考證】杜預曰、屈地生良馬、 假道於虞。虞假道、遂伐虢。【集解】賈逵曰、虞在晉南、虢在虞南、 取其下陽。以歸。【集解】服虔曰、下陽、虢邑也、在大陽東北三十里、穀梁傳曰、下陽、虞虢之塞邑、【考證】乃使荀息以下、僖二年左傳、今山西解州平陸縣東有故下陽城、中井積德曰、以歸、不可曉、豈有缺誤邪、愚按、以已通、已歸屬下文讀、 獻公私謂驪姬曰。吾欲廢太子、以奚齊代之。驪姬泣曰。太子之立、諸侯皆已知之。而數將兵、百姓附之。柰何以賤妾之故、廢適立庶。君必行之、妾自殺也。驪姬詳譽太子、而陰令人譖惡太子、而欲立其子。【考證】獻公私謂以下、本國語晉語、 二十一年、驪姬謂太子曰。君夢見齊姜。

太子速祭曲沃、歸釐於君。【集解】服虔曰、曲沃、齊姜廟所在、 太子於是祭其母齊姜於曲沃、上其薦胙於獻公。獻公時出獵。置胙於宮中。驪姬使人置毒藥胙中。居二日。【索隱】左傳云、六日、不同、 獻公從獵來還。宰人上胙獻公。獻公欲饗之。驪姬從旁止之曰。胙所從來遠。宜試之。祭地。地墳。【集解】韋昭曰、將飲先祭、示有先也、墳、起也、 與犬。犬死。與小臣。小臣死。【集解】韋昭曰、小臣、官名、掌陰事、今閹士也、【考證】驪姬謂太子以下、僖四年左傳、安井衡曰、祭肉於地、地不必墳、可知其祭酒也、犬不飲酒、知其與肉也、故省文不言酒肉、愚按、小臣、猶言賤臣、 驪姬泣曰。太子何忍也。其父而欲弒代之。況他人乎。【考證】驪姬泣曰、本晉語、下文史公以意補、晉語、他人作國人、韋昭云、有父忍自殺之、況能愛國人乎、史公改作他人、蓋姬自道也、 且君老矣。旦暮之人、曾不能待。而欲弒之。謂獻公曰。太子所以然者、不過以妾及奚齊之故。妾願子母辟之他國、若早自殺。毋徒使母子

為太子所魚肉也。始君欲廢之。妾猶恨之至於今。妾殊自失於此。【索隱】太子之行如此、妾前見君欲廢而恨之、今乃自以恨為失也、【考證】中井積德曰、至於今連上句、言至今日猶恨之也、自失於此、自以不勸廢為己之過也、此字指錯愛太子之事、愚按、楓山、三條本、無於此二字、 太子聞之奔新城。【集解】韋昭曰、新城、曲沃也、新為太子城、 獻公怒。乃誅其傅杜原款。或謂太子曰。為此藥者乃驪姬也。太子何不自辭明之。太子曰。吾君老矣。非驪姬、寢不安、食不甘。即辭之、君且怒之。不可。或謂太子曰。可奔他國。太子曰。被此惡名以出。人誰內我。我自殺耳。十二月戊申、申生自殺於新城。【索隱】國語云、申生乃雉經於新城廟、韋昭云、曲沃也、新為太子城、故曰新城、 此時重耳·夷吾來朝。人或告驪姬曰。二公子怨驪姬譖殺太子。驪姬恐、因譖二公子。申生之藥胙、二公子知之。二子聞之恐、重耳走蒲、夷吾走屈、保

其城自備守。【考證】太子聞之以下、僖四年左傳、楓山、三條本申生上、有曰字、與左傳合、 初獻公使士蔿爲二公子築蒲·屈城。弗就。【正義】蔿、爲詭反、爲、于僞反、【考證】左傳云、不愼、寘薪焉、 夷吾以告公。公怒士蔿。士蔿謝曰。邊城少寇。安用之。退而歌曰。狐裘蒙茸。一國三公。吾誰適從。【集解】服虔曰、蒙茸以言亂貌、三公、言君與二公子將敵、故不知所從、【正義】蒙茸、言狠藉也、【考證】狐裘、貴人之服、蒙茸、左傳作尨茸、詩邶風作蒙戎、音義相通、裘毛雜亂貌、晤比國事紛擾也、中井積德曰、三公、謂二公子與太子、意謂蒲屈强、將與太子爭立也、以太子早死、斯言不全應也、故後人多謬解、愚按、適從、猶言適歸、適、主也、茸公從韻、 卒就城。及申生死、二子亦歸保其城。【考證】以上僖五年左傳、 二十二年、獻公怒二子不辭而去、果有謀矣。乃使兵伐蒲。蒲人之宦者勃鞮、【正義】勃、白沒反、鞮、都提反、韋昭云、伯楚、寺人披之字也、於文公時爲勃鞮也、【考證】梁玉繩曰、僖五年左傳、寺人披伐蒲、晉語同、此以爲蒲人之宦者、非也、又晉語、作寺人勃鞮、故見左僖廿五、亦稱奄楚、亦稱伯楚、韋注、披之字、史于此作勃鞮、于下文作履鞮、文選報任少卿書、及宦者傳論注、竝引史記作履貂、後漢書宦者傳序、作勃貂、何不同若是、蓋披其名、伯楚其字、宋庠國語補音曰、勃鞮官名、宋說甚得、然則內外傳云勃鞮、以及履鞮履貂勃貂、皆官號之異、乃主履者、若周官之鞮鞻氏、鞮是革履、貂是皮履、勃者排也、說文解、取排比之義、 命重耳促自殺。重耳踰垣。宦者追斬其衣袪。【集解】服虔曰、袪、袂也、【考證】僖五年左傳、不言促自殺、晉語云、令刺重耳、 重耳遂奔翟。【正義】括地志云、文城故城、在慈州文城縣北四十里、故老云、此城晉文公爲公子時、避驪姬之難、從蒲奔翟、因築此城、人遂呼爲文城、風俗通云、春秋傳曰、狄、本山戎之別種也、其後分居、號曰赤翟、白翟、 使人伐屈。屈城守、不可下。【考證】此事春秋內外傳不載、若以爲賈華事、則與下文複、 是歲也、晉復假道於虞以伐虢。虞之大夫宮之奇諫虞君曰。晉不可假道也。是且滅虞。虞君曰。晉我同姓。不宜伐我。宮之奇曰。太伯·虞仲、太王之子也。太伯亡去。是以不嗣。虢仲·虢叔、王季之子也。爲文王卿士。其記勳在王室、藏於盟府。【集解】杜預曰、盟府、司盟之官也、【考證】梁玉繩曰、案晉滅之虢、乃西虢、虢叔之後、仲爲東虢、鄭滅之、左隱元年僖五年注疏、及韋昭周鄭語注甚明、中井積德曰、府、庫也、 將虢是滅。何愛于虞。且虞之親、能親於桓·莊之族乎。桓·莊之族何罪。盡滅之。【考證】獻公八年、使士蔿盡殺諸公子、卽此事、 虞之與虢、脣之與齒。脣亡則齒寒。虞公不聽。遂許晉。宮之奇以其族去虞。其冬晉滅虢。虢公醜奔周。【集解】皇覽曰、虢公冢、在河內溫縣郭東、濟水南大冢是也、其城南有虢公臺、【正義】左傳云、童謠曰、丙子之辰、龍尾伏辰、均服振振、取虢之旂、鶉之賁賁、天策焞焞、火中成軍、虢公其奔、其九月十月之交乎、丙子旦、日在尾、月在策、鶉火中、必是時也、冬十二月丙子朔、晉滅虢、虢公醜奔京師、韋昭曰、鶉火、鳥星也、賁賁、鶉火星貌也、天策、尾上一星、名傅說、焞焞、近日月之貌、火、鶉火也、中、晨中也、成軍、軍有成功也、 還襲滅虞、虜虞公及其大夫井伯·百里奚、以媵秦穆姬、【集解】杜預曰、穆姬、獻公女、送女曰媵、以屈辱之、【正義】南雍州記云、百里奚宋井伯、宛人也、【考證】左傳、無百里奚三字、梁玉繩曰、奚與井伯非一人、且奚不及虞難也、說在秦紀、 而修虞祀。【集解】服虔曰、虞所祭祀命祀也、【考證】以上僖五年左傳、 荀息牽曩所遺虞屈產之乘馬、奉之獻公。獻公笑曰。馬則吾馬。齒亦老矣。【集解】公羊傳曰、蓋戲之也、何休曰、以馬齒戲喩荀息之年老也、【考證】僖二年公羊傳、穀梁傳云、獻公亡虢五年而後舉虞、荀息牽馬操璧而前曰、璧則猶是也、而馬齒加長矣、 二十三年、獻公遂發賈華等伐屈。【集解】賈逵曰、賈華、晉右行大夫、 屈潰。【正義】民逃其上曰潰、 夷吾將奔翟。冀芮曰。不可。【集解】韋昭曰、冀芮、晉大夫、 重耳已在矣。今往、晉必移兵伐翟。翟畏晉。禍且及。不如走梁。梁近於秦。秦彊。吾君百歲後、可以求入焉。遂奔梁。【考證】僖六年左傳、今陝西同州府澄城縣有夏陽故城、古梁國、 二十五年、晉伐翟。翟以重耳故、亦擊晉於齧桑。【集解】左傳、作采桑、服虔曰、翟地、【索隱】裴氏云、左傳作采桑、按今平陽曲南七十里河水有采桑津、是晉境、服虔云、翟地、亦頗相近、然字作齧桑、齧桑、衞地、恐非也、【考證】僖八年左傳、言晉敗狄于采桑、不言翟擊晉於齧桑、又不以爲重耳之故、采桑、在今山西吉州鄉寧縣西大河津濟處、 晉兵解而去。當此時晉彊。西有河西、與秦接境、北邊翟、東至河內。【索隱】河內、河曲也、內、音汭、【正義】河西、謂同丹等州之地也、河內、謂懷州、【考證】顧棟高曰、或曰、周室封建、在德不在險、信乎、曰、此爲後王守成者言之也、武王既勝殷有天下、大封功臣宗室、凡山川糾紛、形勢禁格之地、悉周懿親及親子弟、以鎭撫不靖、翼戴王室、自三監監殷、而封東虢于滎陽、據虎牢之險、西虢于宏農陝縣、阻崤函之固、太公于齊、召公于燕、又封叔虞于晉、四面環峙、而王畿則東西長、南北短、短長相覆、方千里、無事則都洛陽宅土中、以號令天下、有事則居關內、阻四塞以守、曷嘗不據形勝以臨制天下哉、褒姒煽虐、禍由內作、播遷東周、而西虢實爲東西都出入往來之地、周有西歸之志、不得不問途於虢、故平王之末年、卽以虢公爲卿士、迨乎惠王、鄭虢卒定王室、當晉之圖虢也、王曷不赫然震怒、命方伯以討罪于晉、晉必不敢動、乃談笑畐之、虢入晉、而晉日強、周日弱矣、 驪姬弟生悼子。【索隱】左傳作卓子、晉恥角反、弟、女弟也、【考證】莊廿八年僖四年左傳、梁玉繩曰、春秋三傳、及史于秦紀年表齊世家等處、皆作卓、此悼字誤、 二十六年夏、齊桓公大會諸侯於葵丘。【正義】在曹州考城縣東南一里、【考證】宋地、今河南歸德府考城縣東北有葵丘聚、 晉獻公病、行後。未至。逢周之宰孔。宰孔曰。齊桓公益驕、【考證】左傳、齊桓公作齊侯、 不務德而務遠略、諸侯弗平。君弟毋會。毋如晉何。【索隱】弟、但也、 獻公亦病、復還歸。【考證】僖九年左傳、國語晉語、 病甚。乃謂荀息曰。吾以奚齊爲後。年少、諸大臣不服。恐亂起。子能立之乎。荀息曰。能。獻公曰。何以爲驗。對曰。使死者復生、【索隱】謂荀息受公命而立奚齊、雖復身死、不背生時之命、是死者復生也、 生者不慙。【索隱】言生者見荀息不背君命而死、不爲之羞慙也、【正義】國語云、荀息曰、昔君問臣事君於我、我對以忠貞、君曰、何謂也、對曰、可以利公室、力有所能、無不爲、忠也、葬死者、養生者、死人復生不悔、生人不慙、

貞也、吾言既往矣、豈能欲行吾言、而又愛吾身乎、【考證】中井積德曰、死者謂公也、生者息自謂也、公死、息奉遺命無所違於公之志、則使公復生、息無所慚也、愚按、史公正用晉語文、索隱非是、 爲之驗。於是遂屬奚齊於荀息。【考證】雜取僖九年左傳晉語、 荀息爲相、主國政。秋九月、獻公卒。里克・邳鄭欲內重耳、以三公子之徒作亂。【集解】賈逵曰、邳鄭、晉大夫、三公子、申生重耳夷吾也、 謂荀息曰。三怨將起、秦・晉輔之、子將何如。【考證】龜井昱曰、猶曰將從何黨也、 荀息曰。吾不可負先君言。十月、里克殺奚齊于喪次。【考證】楓山三條本、無次字、 獻公未葬也。荀息將死之。或曰。不如立奚齊弟悼子而傅之。荀息立悼子、而葬獻公。十一月里克弒悼子于朝。【集解】列女傳曰、鞭殺驪姬于市、 荀息死之。君子曰。詩所謂白珪之玷猶可磨也。斯言之玷不可爲也。【集解】杜預曰、詩大雅、言此言之玷難治、甚於白珪、【考證】林堯叟曰、荀息不顧事之非正、而惟以不食言、是以君子惜其前言之失不可復治也、顧炎武曰、古人著書引成語、而反其意者多矣、管晏列傳論贊、方晏子伏

莊公尸、哭之成禮然後去、豈所謂見義不爲無勇者邪、言晏子之勇於義、此言荀息之能不玷其言、愚按、顧說爲是、與不負其言、文義相貫、 其荀息之謂乎。【考證】以上僖九年左傳、 不負其言。【考證】晉語云、君子曰、不食其言矣、公羊傳亦云、荀息可謂不食言矣、史公與左氏併取之、 初獻公將伐驪戎。卜曰。齒牙爲禍。【集解】韋昭曰、齒牙、謂兆端左右釁坼、有似齒牙中有縱畫、以象讒言之爲害也、【正義】國語曰、獻公卜伐驪戎、史蘇卜之、曰、勝而不吉、公飲大夫酒、令司正實爵與史蘇、曰、飲而無肴、驪戎之役、汝曰勝而不吉、故賞汝以爵、罰汝以無肴、克國得妃、其吉孰大焉、史蘇卒爵、再拜稽首曰、兆有之、臣不敢蔽、蔽兆之紀、失臣之官、有二罪焉、何以事君、大罰將及、不唯無肴、史蘇告大夫曰、夫有男戎、必有女戎、若晉以男戎勝戎、而戎亦必以女戎勝晉、里克曰、何如、史蘇曰、夏桀伐有施、有施人以妹喜女焉、與伊尹比而亡夏、殷辛伐有蘇、有蘇以妲己女焉、與膠鬲比而亡殷、周幽王伐有褒、有褒人以褒姒女焉、與虢石甫比而亡周、【考證】晉語、禍作猾、 及破驪戎、獲驪姬愛之。竟以亂晉。里克等已殺奚齊・悼子、使人迎公子重耳於翟、欲立之。【正義】國語云、里克及邳鄭、使屠岸夷告公子重耳於翟曰、國亂民擾、得國在亂、治民在擾、子盍入乎、 重耳謝曰。負父之命出奔、【正義】負、音佩、 父死、不得脩人子之禮侍喪。重耳何敢入。大夫其更立他子。還報

里克。【考證】初獻公以下、國語晉語、 里克使迎夷吾於梁。夷吾欲往。【考證】僖九年左傳云、晉郤芮使夷吾重賂秦以求入、晉語云、呂甥郤稱使蒲城午告公子夷吾於梁曰、子厚賂秦人以求入、吾主子、皆不云里克迎之、與此異、 呂省・【正義】省、音眚、杜預曰、姓瑕呂、名飴甥、字子金、【考證】梁玉繩曰、呂甥未嘗從夷吾在外也、此與郤芮竝舉、誤、又省乃甥之譌、內外傳皆作甥、 郤芮曰。【正義】郤成子卽冀芮、【考證】沈家本曰、郤成子乃郤缺、芮之子也、正義誤、 內猶有公子可立者、而外求。難信。計非之秦輔彊國之威以入、恐危。乃使郤芮厚賂秦、約曰。卽得入、請以晉河西之地與秦。【考證】僖十五年左傳云、晉侯賂秦伯以河外之列城五、東盡虢略、南及華山、內及解梁城、既而不與、卽此事、 及遺里克書曰。誠得立、請遂封子於汾陽之邑。【集解】賈逵曰、汾、水名、汾陽、晉地也、【索隱】按國語命里克汾陽之田百萬、命邳鄭以負蔡之田七十萬、今此不言、亦其疏略也、 秦繆公乃發兵送夷吾於晉。齊桓公聞晉內亂、亦率諸侯如晉。秦兵與夷吾亦至晉。齊乃使隰朋會秦俱入夷吾、立爲晉君。是爲惠公。齊桓公至晉

之高梁而還歸。【考證】秦穆公以下、僖九年左傳、惠公夷吾元年、使邳鄭謝秦曰、始夷吾以河西地許君。今幸得入立。大臣曰、地者先君之地。君亡在外。何以得擅許秦者。寡人爭之、弗能得。故謝秦。【考證】左傳國語、止云、使邳鄭聘秦謝緩賂、而不及惠公辭令、葢史公以意補、亦不與里克汾陽邑、【考證】僖十五年左傳、而奪之權。四月、周襄王使周公忌父會齊・秦大夫共禮晉惠公。【集解】賈逵曰、忌父、周卿士、惠公以重耳在外、畏里克為變、賜里克死。謂曰、微里子、寡人不得立。雖然子亦殺二君一大夫。【集解】服虔曰、奚齊、悼子、荀息也、為子君者、不亦難乎。里克對曰、不有所廢、君何以興。欲誅之、其無辭乎。【考證】杜預曰、言欲加己罪、不患無辭、乃言為此。【考證】左傳、無此句、臣聞命矣。遂伏劍而死。【考證】惠公之入、呂甥招之、郤芮勸之、而里克之意、實在文公、是所以有汾陽之賂、惠公既君、里克仍執政、呂郤不得逞意、伏劍之事不得已

也、晉語云、惠公殺里克而悔之曰、芮也、使寡人過殺我社稷之鎮、可以觀當時狀情矣、於是邳鄭使謝秦、未還。故不及難。晉君改葬恭太子申生。【集解】韋昭曰、獻公時申生葬不如禮、故改葬之、秋、狐突之下國、遇申生。【集解】服虔曰、晉所滅國以為下邑、一曰、曲沃有宗廟、故謂之國、在絳下、故曰下國也、【考證】下國、對國都之稱、申生與載而告之【集解】杜預曰、忽如夢而相見、狐突本為申生御、故復使登車、【考證】楓山、三條本、無而告之三字、曰、夷吾無禮。余得請於帝。【集解】服虔曰、帝、天帝、請罰有罪、將以晉與秦。秦將祀余。狐突對曰、臣聞神不食非其宗。君其祀毋乃絕乎。君其圖之。【考證】沈家本曰、君下其字、疑衍、申生曰、諾。吾將復請帝。後十日、【集解】左傳曰、七日、新城西偏將有巫者。見我焉。【集解】杜預曰、將因巫以見、許之。遂不見。【集解】杜預曰、狐突許其言、申生之象亦沒、及期而往。復見申生。告之曰、帝許罰有罪矣。弊於韓。【集解】賈逵曰、弊、敗也、韓、晉韓原、【考證】四月周襄王以下、僖十年左傳、兒乃謠曰、恭太子更葬矣。【索隱】更、作也、更喪、謂改喪、言

後十四年、晉不昌、【考證】索隱本、葬作喪、後十四年、晉亦不昌。昌乃在兄。【考證】葬、昌、兄、韻、晉語亦載國人之誦、與此異、邳鄭使秦、聞里克誅。乃說秦繆公曰、呂省・郤稱・冀芮、實為不從。【集解】杜預曰、三子晉大夫、不從、不與秦賂也、【索隱】呂省、左傳作呂甥、呂省、郤稱、冀芮三子、晉大夫、【考證】中井積德曰、不從、謂不服從於秦、若重賂與謀、出晉君入重耳、事必就。秦繆公許之。使人與歸報晉、厚賂三子。三子曰、幣厚言甘。此必邳鄭賣我於秦。【考證】左傳國語、賣作誘、遂殺邳鄭、及里克邳鄭之黨七輿大夫。【集解】韋昭曰、七輿、申生下軍之衆大夫也、杜預曰、侯伯七命、副車七乘、【考證】服虔曰、上軍之輿士七人、屬申生者、愚按、服韋二說是、邳鄭子豹奔秦、言伐晉。繆公弗聽。【考證】邳鄭使秦以下、僖十年左傳、惠公之立、倍秦地及里克、誅七輿大夫。國人不附。二年、周使召公過禮晉惠公。【集解】韋昭曰、召武公為王卿士、惠公禮倨。【索隱】謂受玉惰也、事見僖十一年、召公譏之。【考證】梁玉繩曰、僖十一年左傳、天王使召武公內史過

賜晉侯命、受玉惰、過歸告王曰、晉侯無後、告王之言、乃內史過、非召武公也、此云召公譏之、誤、其所以誤者、召武公亦名過耳、四年、晉饑、乞糴於秦。繆公問百里奚。【集解】服虔曰、秦大夫、百里奚曰、天菑流行、國家代有。救菑恤鄰、國之道也。與之。【考證】楓山、三條本、恤下有患字、邳鄭・子豹曰、伐之。繆公曰、其君是惡、其民何罪。卒與粟。自雍屬絳。【考證】僖十三年左傳、杜預曰、雍、秦國都也、絳、晉國都也、五年、秦饑。請糴於晉。晉君謀之。慶鄭曰、【集解】杜預曰、慶鄭、晉大夫、以秦得立。已而倍其地約。晉饑而秦貸我。今秦饑請糴。與之。何疑而謀之。【考證】以上僖十四年左傳、虢射曰、【集解】服虔曰、虢射、惠公舅、往年天以晉賜秦。秦弗知取而貸我。今天以秦賜晉。晉其可以逆天乎。遂伐之。【考證】李笠曰、案遂伐之、亦虢射言、非謂惠公遂伐之也、觀下文自明、遂上應有不如二字、惠公用虢射謀、不與秦粟。而發兵且伐秦。秦大怒、亦發兵伐晉。【考證】僖十四年左傳、國語晉語、亦載虢

射之語、與此異、且二背止言晉不與秦粟、而不言晉秦相伐、此疑誤、六年春、秦繆公將兵伐晉。【考證】梁玉繩曰、秦伐晉、左傳在九月、經從赴在十一月、此言春誤、中井積德曰、春字疑衍、晉惠公謂慶鄭曰、秦師深矣。【集解】韋昭曰、深入境、一曰深、猶重、奈何。鄭曰、秦內君、君倍其賂。晉饑秦輸粟、秦饑而晉倍之、乃欲因其饑伐之。其深不亦宜乎。晉卜御右、慶鄭皆吉。公曰、鄭不孫。【集解】服虔曰、孫、順、【考證】左傳國語皆云、卜右、慶鄭吉、公曰不孫、不使、與此異、乃更令步陽御戎、家僕徒為右、進兵。【集解】服虔曰、二子、晉大夫也、【考證】韋昭曰、御、御公戎車也、杜預曰、步揚、郤犨之父也、愚按、左傳國語、陽作揚、九月壬戌、秦繆公・晉惠公、合戰韓原。【索隱】在馮翊夏陽北二十里、今之韓城縣是、【考證】在今陝西同州府韓城縣、惠公馬鷙不行。【索隱】鷙、音竹二反、謂馬重而陷之於泥、【正義】左傳云、晉戎馬還濘而止、國語云、晉師潰、戎馬濘而止、韋昭曰、濘、泥也、顏師古曰、鄭玄云、鷙、狠也、秦兵至。公窘、召慶鄭為御。【考證】晉語云、公號慶鄭曰、載我、與此異、鄭曰、不用卜。敗不亦當乎。遂去。更令梁繇靡御、【正義】韋昭云、梁由靡、大夫也、虢射

為右、輅秦繆公。【集解】服虔曰、輅、迎也、【索隱】輅、音五稼反、鄒誕音五額反、【考證】左傳國語皆云、梁由靡御韓簡、輅秦公將止之、無更御惠公之事、此誤、六年以下、本僖十五年左傳、小異、繆公壯士冒敗晉軍。晉軍敗、遂失秦繆公。反獲晉公以歸。【考證】呂氏春秋愛士篇、秦將以祀上帝。【考證】梁玉繩曰、祀上帝、妄也、說在秦紀、晉君姊為繆公夫人。衰絰涕泣。公曰、得晉侯、將以為樂。今乃如此。【考證】左傳云、獲晉侯、以厚歸也、史公易以將以為樂四字、未切、且吾聞箕子見唐叔之初封曰、其後必當大矣。晉庸可滅乎。【考證】庸、猶何也、安也、詎也、說詳于王氏經傳釋詞三、乃與晉侯盟王城、而許之歸。【集解】杜預曰、馮翊臨晉縣東有王城、【考證】秦地、在今陝西同州府朝邑縣東、晉侯亦使呂省等報國人曰、孤雖得歸、毋面目見社稷。卜日立子圉。晉人聞之皆哭。秦繆公問呂省、晉國和乎。對曰、不和。小人懼失君亡親。【正義】君、惠公也、親、父母也、言懼失君、國亂恐亡父母、不憚立子圉也、【考證】中井積德曰、懼當從左傳作悼、失君亡親、蓋既往之事矣、愚按、

晉語亦作悼、不憚立子圉。曰、必報讎。寧事戎狄。【正義】小人言、立子圉為君、之後、必報秦、終不事秦、寧事戎狄耳、【考證】寧、何、戎狄、謂秦、其君子則愛君而知罪、以待秦命。【正義】君、惠公也、知罪謂惠公倍秦河西地也、言君子之人愛惠公、知惠公倍秦河西地之罪、欲歸惠公以待秦之命耳、【考證】僖十五年左傳云、晉侯之入也、賂秦伯以河外之列城五、東盡虢略、南及華山、內及解梁城、既而不與、晉饑、秦輸之粟、秦饑、晉閉之糴、故秦伯伐晉、所謂知罪者即此、曰、必報德。有此二。故不和。於是秦繆公更舍晉惠公、餽之七牢。【正義】餽、音匱、一牛、一羊、一豕為一牢、【考證】周禮掌客職、侯伯饔殘七牢、十一月、歸晉侯。晉侯至國、誅慶鄭、【考證】以上僖十五年左傳、修政教。謀曰、重耳在外。諸侯多利內之。欲使人殺重耳於狄。重耳聞之如齊。【考證】梁玉繩曰、如齊求入、非為惠公欲殺之故也、又事在惠公七年、八年、使太子圉質秦。【正義】質、音致、初惠公亡在梁。梁伯以其女妻之。生一男一女。梁伯卜之。男為人臣、女為人妾。故名男為圉、女為妾。【集解】服虔曰、圉人、掌養馬、臣之賤者、不聘曰妾、【考證】八年以下、僖十

七年左傳、十年、秦滅梁。梁伯好土功、治城溝、民力罷怨。【集解】賈逵曰、溝、塹也、【正義】罷、音皮、其衆數相驚曰、秦寇至。民恐惑。秦竟滅之。【考證】僖十九年左傳、中井積德曰、據左傳、寇至者、梁伯脅民之言、此謬用也、十三年、晉惠公病。內有數子。太子圉曰、吾母家在梁。梁今秦滅之。我外輕於秦、而內無援於國。君即不起、病大夫輕更立他公子。【考證】李笠曰、病、猶患也、輕、謂輕忽、言君即不起、患大去輕忽己而更立他公子也、乃謀與其妻俱亡歸。秦女曰、子一國太子、辱在此。秦使婢子侍、以固子之心。【集解】服虔曰、曲禮曰、世婦以下自稱婢子、婢子、婦人之卑稱、子亡矣。我不從子。亦不敢言。【考證】左傳、固人之心下、有從子而歸、棄君命也八字、子圉遂亡歸晉。【考證】乃謀與其妻以下、僖廿二年左傳、十四年九月、惠公卒。太子圉立。是為懷公。【考證】僖廿三年左傳、晉語、九月作十月、子圉之亡、秦怨之。乃求公子重耳欲內之。子圉之立、畏秦之

伐也。乃令國中諸從重耳亡者與期。期盡不到者、盡滅其家。狐突之子毛及偃、從重耳在秦。弗肯召。懷公怒囚狐突。突曰。臣子事重耳有年數矣。今召之、是教之反君也。何以教之。懷公卒殺狐突。[考證]以上僖二十三年左傳、 秦繆公乃發兵送內重耳。使人告欒・郤之黨為內應。[正義]欒枝、郤縠之屬也、 殺懷公於高梁入重耳。重耳立。是為文公。[考證]僖廿四年左傳、晉語、欒郤之黨為內應、本於昭十三年左傳叔向之言、 晉文公重耳、晉獻公之子也。自少好士。年十七有賢士五人。曰趙衰・狐偃・咎犯文公舅也、賈佗・先軫・魏武子。[正義]佗、音陁、即賈季、解在後、左傳曰五士、無賈也、乃顛頡之屬也、[考證]左傳僖廿三年、重耳出奔狄、從者狐偃趙衰顛頡魏武子司空季子、昭十三年、叔向云、先君文公生十七年、有士五人、有先大夫子餘子犯以為腹心、有魏犨賈佗以為股肱、有齊宋秦楚以為外主、有欒郤狐先以為內主、晉語、僖負羈云、晉公子生十七年而亡、卿材三人從之、公孫固云、晉公子亡長幼矣、父事狐偃、師事趙衰、而長事賈它、其言不同、傳遜左傳辨誤云、五人從公子在一時、而狐毛賈它或稍後、因而逸之耳、龜井昱左傳纘考云、出奔時五士從之、還時三士最顯、愚按、史五士與左氏不同、且據叔向言、先軫未嘗從亡、而史公併數之者、蓋偏就晉賢士屬意重耳者言之、不復問其行者與居者也、梁玉繩曰、咎犯文公舅也六字、是後人之注、錯入本文、愚按、楓山、三條本、正無此六字、

自獻公為太子時、重耳固已成人矣。獻公即位、重耳年二十一。[考證]梁玉繩曰、二十一、當作二十二、各本俱譌、史言文公二十二、獻公即位、四十三奔狄、六十二反國、卒時年七十、左國言文公生十七年而亡、亡十九年而反、凡三十六年、卒時四十四、何不同若是、余謂信左國不如信史記、奚以明之、其守蒲城也、二嬖曰、疆場無主、則啓戎心、若使重耳主蒲、可以懼戎、依史記、文公守蒲城時年三十二、與懼戎之說政合、依左國但六齡爾、適足以啓戎心乎、其戰城濮也、楚子曰、天假之年而除其害、依史記、文公戰城濮時、年六十六、與假年之說相符、依左國僅四十爾、年少于楚成、安得謂天假之年乎、竹添光鴻曰、文公奔蒲、正獻公滅虢媵秦穆姬之歲、姬係申生姊、必長於文公、如文公年四十三、豈穆姬及艾始嫁、而穆公致書公子、不宜稱為孺子矣、或疑從左氏則重耳居蒲止六歲、夷吾更少、不知莊二十八年夏、太子居曲沃、至二子之居蒲屈、則其後日事也、傳統敘於是年爾、觀士蔿築蒲云、三年將尋師、可見矣、龜井昱曰、左傳天假之年、言在外十九年、受其保身於奔竄中、愚按、後說近是、 獻公十三年、以驪姬故、重耳備蒲城守秦。[考證]莊廿八年左傳、中井積德曰、宜言守蒲城備秦也、 獻公二十一年、獻公殺太子申生。驪姬讒

之、恐不辭獻公而守蒲城。[考證]僖四年左傳、中井積德曰、守當作奔、 獻公二十二年、獻公使宦者履鞮趣殺重耳。[索隱]即左傳之勃鞮、亦曰寺人披也、[正義]履鞮、即勃鞮也、亦曰寺人披、杜預曰、寺人、閹人、[考證]前曰勃鞮、後曰履鞮、說詳于前文、 重耳踰垣。宦者逐斬其衣袪。重耳遂奔狄。狄其母國也。[考證]僖五年左傳、 是時重耳年四十三。從此五士。其餘不名者數十人。至狄。狄伐咎如。[集解]賈逵曰、赤狄之別、隗姓、[索隱]赤狄之別種也、隗姓也、咎、音高、鄒誕本、作囷如、又云、或作四、[考證]梁玉繩曰、左傳作廧咎如、此缺廧字、 得二女。以長女妻重耳、生伯鯈・叔劉。[正義]鯈、直留反、 以少女妻趙衰。生盾。[索隱]左傳云、伐廧咎如獲其二女、以叔隗妻趙衰、生盾、公子取季隗、生伯鯈叔劉、則叔隗長而季隗少、乃不同也、[考證]至狄以下、僖廿三年左傳、 居狄五歲。而晉獻公卒。里克已殺奚齊・悼子。乃使人迎、欲立重耳。重耳畏殺、因固謝不敢入。已而晉更迎其弟夷吾立之。是為惠公。[考證]國語晉語、 惠公七年、畏重耳、

乃使宦者履鞮與壯士欲殺重耳。[考證]本僖廿四年左傳、 重耳聞之、乃謀趙衰等曰。始吾奔狄。非以為可用與。[索隱]與、音余、諸本或為興、興起也、非翟可用興起、故奔之也、[正義]興、起也、本作與字者誤也、[考證]晉語、作非以翟為榮、可以成事也、與相與成事也、索隱正義本與作興、 以近易通。[考證]岡白駒曰、通、達也、言自蒲奔狄、近而易至、 故且休足。休足久矣。固願徙之大國。夫齊桓公好善、志在霸王、收恤諸侯。[考證]梁玉繩曰、桓公當作齊侯、愚按、霸王非當時語、 今聞管仲・隰朋死。此亦欲得賢佐。盍往乎。[考證]以上本國語晉語、梁玉繩曰、此即國語狐偃所云、管仲沒矣、必求善以終之說、特傳聞異詞耳、故年表亦云、重耳聞管仲死、去翟之齊、其實重耳如齊、將以求入、非聞仲死而往、若欲代其位也、愚按、是史公以意易國語文耳、 於是遂行。重耳謂其妻曰。待我二十五年、不來乃嫁。其妻笑曰。犂二十五年、[索隱]犂、猶比也、[考證]錢大昕曰、黎、遲也、猶言待也、 吾冢上柏大矣。[正義]杜預云、言將死入木也、不復成嫁也、[考證]冢上柏、即墓木、非棺也、正義以左傳說史記、非、 雖然妾待子。重耳居狄凡十二年而去。過衛。衛

文公不禮。【正義】國語云、衛文公有邢翟之虞、不禮焉、寧莊子言於公曰、夫禮、國之紀也、親、民之結也、善、德之建也、國無紀、不可以終、民無結、不可以固、德無建、不可以立、此三者君之所愼也、晉公子善人也、而衛親也、君不禮焉、棄三德矣、【考證】龜井昱曰、文公、良君也、故晉語云、衛文公有邢翟之虞、不能禮焉、左傳略、晉語、去翟、過五鹿、安於齊、自齊過衞、傳聞之異也、 去過五鹿。【集解】賈逵曰、衛地、杜預曰、今衛縣西北、有地名五鹿、陽平元城縣東、亦有五鹿、 飢而從野人乞食。野人盛土器中進之。重耳怒。趙衰曰。土者、有土也。君其拜受之。【考證】左傳國語、爲子犯之言、 至齊。齊桓公厚禮、而以宗女妻之。【考證】梁玉繩曰、傳言桓公妻之、是桓公之女、非宗女也、 有馬二十乘。重耳安之。【考證】重耳謂其妻以下、僖二十三年左傳、杜預曰、四馬爲乘、廿乘、八十匹也、 重耳至齊二歲。而桓公卒。會豎刁等爲內亂。齊孝公之立、諸侯兵數至。【考證】國語晉語、 留齊凡五歲。重耳愛齊女、毋去心。趙衰・咎犯乃於桑下謀行。齊女侍者在桑上聞之、以告其主。其主乃殺侍者、【集解】服虔曰、懼孝公怒、故殺之以滅口、【正義】主、齊女也、【考證】左傳晉語、

侍者作蠶妾、中井積德曰、恐未去而事泄、故殺之、 勸重耳趣行。重耳曰。人生安樂。孰知其他。必死於此。【集解】徐廣曰、一云、人生一世、必死於此、 不能去。【考證】重耳言至于此、 齊女曰。子一國公子。窮而來此。數士者以子爲命。子不疾反國報勞臣、而懷女德。竊爲子羞之。且不求何時得功。乃與趙衰等謀、醉重耳、載以行。行遠而覺。重耳大怒、引戈欲殺咎犯。咎犯曰。殺臣成子、偃之願也。重耳曰。事不成、我食舅氏之肉。咎犯曰。事不成、犯肉腥臊何足食。【考證】犯、疑臣之訛、或當作偃、 乃止。遂行。【考證】重耳愛齊女以下、本國語晉語、又見僖二十三年左傳、 過曹。曹共公不禮。欲觀重耳駢脅。【考證】左傳云、曹共公聞其駢脅、欲觀其裸、浴、薄而觀之、陸德明云、薄、簾也、 曹大夫釐負羈曰。晉公子賢、又同姓。窮來過我。柰何不禮。共公不從其謀。負羈乃私遺重耳食、置璧其下。重耳受

其食、還其璧。【考證】國語晉語、又見僖二十三年左傳、 去過宋。宋襄公新困兵於楚、傷於泓。聞重耳賢、乃以國禮禮於重耳。【索隱】以國君之禮禮之也、【考證】左傳國語竝云、襄公贈之以馬二十乘、 宋司馬公孫固善於咎犯。曰。宋小國、新困。不足以求入。更之大國。乃去。【考證】梁玉繩曰、晉語、公子與固善、言于襄公而禮之、非固善于犯使更之大國也、 過鄭。鄭文公弗禮。鄭叔瞻諫其君曰。【考證】左國、瞻作詹、 晉公子賢。而其從者皆國相。且又同姓。【考證】過鄭以下、僖廿三年左傳、 鄭之出、自厲王。而晉之出、自武王。鄭君曰。諸侯亡公子過此者衆。安可盡禮。【考證】梁玉繩曰、此史公約國語文、而以曹共公之言爲鄭君、舛矣、楓山本、者下衆上、有甚字、 叔瞻曰。君不禮、不如殺之。且後爲國患。鄭君不聽。【考證】叔瞻曰以下、國語晉語、 重耳去之楚。楚成王以適諸侯禮待之。【索隱】適、音敵、【正義】適、音敵、國語云、重耳如楚、成王以周禮饗之、九獻、庭實旅百、韋昭云、九獻、上公之享、庭實、庭中之陳也、百、擧成數也、周禮、上公出入五

積、饔餼九牢、米百有二十筥、醯醢百有二十甕、禾十車、芻薪倍禾也、 重耳謝不敢當。趙衰曰。子亡在外十餘年。小國輕子。況大國乎。今楚大國、而固遇子。子其毋讓。此天開子也。【考證】晉語、趙衰作子犯、 遂以客禮見之。【考證】以上本國語晉語、 成王厚遇重耳。重耳甚卑。成王曰。子卽反國、何以報寡人。重耳曰。羽毛齒角玉帛、君王所餘。未知所以報。王曰。雖然、何以報不穀。重耳曰。卽不得已、與君王以兵車會平原廣澤、請辟王三舍。【集解】賈逵曰、司馬法、從遯不過三舍、三舍、九十里也、 楚將子玉怒曰。【考證】梁玉繩曰、是畏之、非怒之也、 王遇晉公子至厚。今重耳言不孫。請殺之。成王曰。晉公子賢而困於外久。從者皆國器。此天所置。庸可殺乎。且言何以易之。【索隱】子玉請殺重耳、楚成王不許、言人出言、不可輕易之、【考證】中井積德曰、重耳之言、確當莫可易也、非不孫、崔適曰、易、乃變易之易、謂晉公子不爲此言、更當作何言也、 居楚

數月。而晉太子圉亡秦。秦怨之。聞重耳在楚、乃召之。成王曰。楚遠。更數國乃至晉。秦·晉接境。秦君賢。子其勉行。【考證】內外傳皆不載此語、蓋史公以意補、 厚送重耳。重耳至秦。繆公以宗女五人妻重耳。【考證】內外傳無宗字、 故子圉妻與往。重耳不欲受。司空季子曰。【集解】服虔曰、胥臣臼季也、 其國且伐。況其故妻乎。且受以結秦親而求入。子乃拘小禮忘大醜乎。遂受。【考證】楓山、三條本、伐作代、義長、敍懷嬴事、與左氏頗異、愚按、左氏幾得其實、中井積德曰、季子之言失倫、在子圉、國重於故妻、在重耳、伐國非不義、娶故妻斁倫、其且謂不欲受者、爲子圉邪、自爲邪、 繆公大歡、與重耳飲。趙衰歌黍苗詩。【集解】韋昭曰、詩云、芃芃黍苗、陰雨膏之、【正義】芃、音馮、【考證】黍苗、小雅篇名、晉語云、子餘使公子賦黍苗、 繆公曰。知子欲急反國矣。【考證】左國無此語、 趙衰與重耳下再拜曰。孤臣之仰君、如百穀之望時雨。【考證】以上本國語晉語、 是時晉惠公十四年秋。惠公以九月

卒。子圉立。【考證】僖廿三年左傳、晉語、九月作十月、 十一月、葬惠公。【考證】梁玉繩曰、此語不知何據、三傳無之、 十二月、晉國大夫欒·郤等、聞重耳在秦、皆陰來勸重耳·趙衰等反國。爲內應甚衆。於是秦繆公乃發兵、與重耳歸晉。晉聞秦兵來、亦發兵拒之。然皆陰知公子重耳入也。【考證】中井積德曰、知謂知其謀也、 唯惠公之故貴臣呂·郤之屬、不欲立重耳。【正義】呂甥、郤芮也、 重耳出亡凡十九歲而得入。時年六十二矣。晉人多附焉。【考證】方苞曰、文公少而得士紀年、其出也紀年、入而得位紀年、因以爲章法、晉人多附、與惠公之立國人不附相應、 文公元年春、秦送重耳至河。咎犯曰。臣從君周旋天下。過亦多矣。臣猶知之。況於君乎。請從此去矣。重耳曰。若反國、所不與子犯共者、河伯視之。【索隱】視、猶見也、【考證】陳樹華曰、古人相與言、雖卑幼亦字尊長、故甥不嫌呼舅之字、然左國述重耳此誓作舅氏也、至下文述文公之言曰、假說我毋失信、直呼舅名、古君臣

之間、似不然、蓋史公失檢處、 乃投璧河中、以與子犯盟。【考證】文公元年以下、據僖二十四年左傳、國語晉語、愚按、左國無與子犯盟四字、蓋與河神盟、非與子犯盟也、 是時介子推從在船中。乃笑曰。天實開公子。而子犯以爲己功、而要市於君。固足羞也。吾不忍與同位。乃自隱。【考證】據左傳、介推之怨、在祿弗及之後也、且自謂爲怨言、則其言之過、固當知之矣、未當在船中發是言也、愚按、要市亦非當時語、 渡河、秦兵圍令狐。【正義】令狐故城、在蒲州猗氏縣西四十五里、【考證】今山西蒲州府猗氏縣西、有令狐城、 晉軍于廬柳。【集解】韋昭曰、廬柳、晉地也、【考證】在猗氏縣西北、 二月辛丑、咎犯與秦·晉大夫盟于郇。【集解】杜預曰、解縣西北有郇城、【索隱】音荀、卽文王之子所封、又音環、【考證】郇城、在猗氏故城西北、 壬寅、重耳入于晉師。丙午、入于曲沃。丁未、朝于武宮。【集解】賈逵曰、文公之祖武公廟也、 卽位爲晉君。是爲文公。羣臣皆往。懷公圉奔高梁。戊申、使人殺懷公。懷公故大臣呂省·郤芮、本不附文公。文公立、恐誅。乃欲與其徒謀燒公宮

殺文公。文公不知。始嘗欲殺文公宦者履鞮知其謀、【考證】履鞮、晉語作勃鞮、左傳作寺人披、說既見上、 欲以告文公解前罪、求見文公。文公不見。使人讓曰。蒲城之事、女斬予祛。其後我從狄君獵。女爲惠公來求殺我。惠公與女期三日至。而女一日至。何速也。女其念之。宦者曰。臣刀鋸之餘、不敢以二心事君倍主。故得罪於君。君已反國。其毋蒲·翟乎。【考證】龜井昱曰、不無蒲狄之難、 且管仲射鉤、桓公以霸。今刑餘之人以事告。而君不見。禍又且及矣。【考證】龜井昱曰、其無蒲狄乎一語、刺文公之心、且以齊桓比方[illegible]、披是說客之雄也、 於是見之。遂以呂·郤等告文公。【考證】渡河以下、據僖二十四年左傳、又見國語晉語、愚按、等下當補謀字、晉語云、以呂郤之謀告公、 文公欲召呂·郤。呂·郤等黨多。文公恐初入國國人賣己。【考證】左國不揭此事、蓋史公以意補、 乃爲微行、會秦繆公於

王城。【索隱】杜預云、馮翊臨晉縣東、有故王城、今名武鄉城、國人莫知。三月己丑、呂・郤等果反、焚公宮。不得文公。文公之衛徒與戰。呂・郤等引兵欲奔。秦繆公誘呂・郤等殺之河上。晉國復、而文公得歸。夏、迎夫人於秦。秦所與文公妻者、卒爲夫人。秦送三千人爲衛、以備晉亂。【考證】乃爲徼行以下、僖二十四年左傳、國語晉語、愚按、文公之衛徒與戰、左國皆不言、亦史公以意補、梁玉繩曰、內外傳、文公迎夫人、卽在元年春三月、非夏也、文公修政、施惠百姓。賞從亡者及功臣、大者封邑、小者尊爵。【考證】國語晉語、未盡行賞。周襄王以弟帶難出居鄭地、來告急晉。晉初定。欲發兵、恐他亂起。是以賞從亡、未至隱者介子推。【考證】中井積德曰、是文削隱者二字方可、不然、下文曰欲隱曰俱隱、與此相碍、又曰、太史公記賞弗及之由、不知據何書、恐後人之臆度以護文公者、不可信、愚按、隱者、承上文自隱、但與下文相碍、如中井氏說、推亦不言祿。祿亦不及。推曰。獻公子九人。唯君在矣。惠・懷

無親。外內弃之。天未絕晉、必將有主。主晉祀者、非君而誰。天實開之。二三子以爲己力。不亦誣乎。竊人之財、猶曰是盜。【考證】左傳、是作之、況貪天之功以爲己力乎。下冒其罪、【考證】楓山、三條本、力作功、左傳、冒作義、上賞其姦、上下相蒙、難與處矣。【集解】服虔曰、蒙、欺也、其母曰。盍亦求之。以死誰懟。【考證】不求以死、將誰懟、推曰。尤而效之、罪有甚焉。【考證】王念孫曰、有讀爲又、愚按、左傳作又、且出怨言、不食其祿。母曰。亦使知之若何。對曰。言、身之文也。身欲隱。安用文之。文之是求顯也。其母曰。能如此乎。與女偕隱。至死不復見。【考證】介子推不言祿以下、僖二十四年左傳、介子推從者憐之、乃懸書宮門曰。龍欲上天、五蛇爲輔。【索隱】龍、喻重耳、五蛇、卽五臣、狐偃・趙衰・魏武子・司空季子及子推也、舊云、五臣有先軫・顚頡、今恐二人非其數、【正義】龍、文公也、五蛇、趙衰・狐偃・賈佗・先軫・魏武子也、按上文從士五人、其餘不名者數十人、然子推非五士數、從者傷子推隱而死、故作歌以

感文公、見世重五士耳、卽云五蛇爲輔、不究子推不在五名之中、後代賢者妄列五蛇之名、以子推爲數、徒虛語耳、諸後君子無疑焉、龍已升雲、四蛇各入其宇。一蛇獨怨、終不見處所。【考證】輔、宇、所韻、文公出見其書曰。此介子推也。吾方憂王室、未圖其功。使人召之則亡。【考證】中井積德曰、是隱語、後人僞撰耳、相傳重耳有五士、僞撰家以介推入其中、非也、蓋介推賤、而功亦少、故不祿也、唯其狷介自隱、僅傳名於後世耳、此文公之語亦係僞撰、愚按、介子推一節、史公概采諸左氏、龍欲上天歌詞、以他書補之、呂氏春秋介立篇、亦載此事、爲推自作歌、與身將隱、焉用文之意不合、此及說苑復恩篇、以爲從者憐之、乃縣書宮門、說尚可通、歌辭呂覽說苑及新序節士篇所載各異、僞撰之蹟不可掩、遂求所在、聞其入緜上山中。【集解】賈逵曰、緜上、晉地、杜預曰、西河介休縣南、有地名緜上、【考證】楓山、三條本、遂作逐、於是文公環緜上山中、而封之以爲介推田。【集解】徐廣曰、一作國、號曰介山、以記吾過。且旌善人。【集解】賈逵曰、旌、表也、【考證】介山下、當依左傳補曰字、梁玉繩曰、左傳僖二十四年、言推與母偕隱而死、晉侯求之不獲、以緜上爲之田、非入緜上山中、若隱在緜上山中、則求之卽得、何不獲之有、顧炎武曰、介子推事、見於左傳則曰、晉侯求之不得、以緜上爲之田、呂氏春秋則曰、負釜蓋簦、終身不見、二書爲得其實、史記之言稍異、亦不過使人召之則亡云々而已、立枯之

論、始自屈原、燔死之說、始自莊子、楚辭惜往日、介子忠而立枯兮、文公寤而追求、封介山而爲之禁兮、報大德之優游、思久故之親身兮、因縞素而哭之、莊子盜跖篇、介子推至忠也、自割其股以食文公、公後背之、子推怒而去、抱木而燔死、於是瑰奇之行彰、而龐靖之心沒矣、龜井昱曰、爲之置田、所以記誌己之過也、此與勾踐環會稽三百里爲范蠡地同、或云、以此田祿其子、案未孚、范蠡介推、未聞有後於晉越、從亡賤臣壺叔曰。【考證】梁玉繩曰、壺叔、呂子當賞篇、作陶狐、韓詩外傳三及說苑復恩、作陶叔狐、君三行賞、賞不及臣。敢請罪。文公報曰。夫導我以仁義、防我以德惠。此受上賞。輔我以行、卒以成立。此受次賞。矢石之難、汗馬之勞。此復受次賞。若以力事我、而無補吾缺者、此受次賞。【考證】王念孫曰、御覽引史、此下有復字、三賞之後、故且及子。晉人聞之皆說。【考證】從亡賤臣以下、據呂氏春秋當賞篇、故讀爲固、二年春、秦軍河上、【索隱】晉地也、將入王。趙衰曰。求霸莫如入王尊周。周・晉同姓。晉不先入王、後秦入之、毋以令于天下。方今尊王、晉之資也。【考證】楓山、三條本、秦下無入之二字、雜采僖二十五年

左傳國語晉語、趙衰當作狐偃、 三月甲辰、晉乃發兵至陽樊、[集解]服虔曰、陽樊、周地、陽、邑名也、樊仲山之所居、故曰陽樊、[考證]今河南懷寧府濟源縣西北、 圍溫、[考證]帶在溫、溫、今河南懷寧府溫縣、 入襄王于周。四月、殺王弟帶。周襄王賜晉河內陽樊之地。[考證]三月甲辰以下、僖廿五年左傳、梁玉繩曰、晉語、王賜以南陽之地、陽樊溫原州陘絺鉏欑茅凡八邑、此不具、左傳亦祇書其四、 四年、楚成王及諸侯圍宋。宋公孫固如晉告急。先軫曰。報施定霸、於今在矣。[集解]杜預曰、報宋贈馬之施、 狐偃曰。楚新得曹、而初婚於衛。若伐曹·衛、楚必救之。則宋免矣。於是晉作三軍。[集解]王肅曰、始復成國之禮、半周軍也、[考證]獻公置二軍、及文公啓南陽、疆域新廣、所以增一軍、 趙衰舉郤縠將中軍。[考證]中軍將、卽元帥、 郤臻佐之。使狐偃將上軍。狐毛佐之。命趙衰爲卿。[考證]左傳云、命趙衰爲卿、讓於欒枝先軫、使欒枝將下軍、先軫佐之、愚按、左氏所謂爲卿、將使將下軍也、趙衰不受、以讓於欒枝先軫、衰是時未爲卿也、梁玉繩曰、晉語、衰三命三辭、文公所謂三讓不失義也、此不言衰辭卿、疏矣、 欒枝將下軍。[集解]賈逵曰、欒枝、欒賓之孫、 先

軫佐之。荀林父御戎。魏犫爲右。往伐。[正義]犫、昌由反、又音受、[考證]以上僖二十七年左傳、 冬十二月、晉兵先下山東。而以原封趙衰。[集解]杜預曰、河內沁水縣西北、有原城、[考證]事見僖二十五年左傳、原、今河南濟源縣有原城、梁玉繩曰、原乃王所賜、事在文公二年、豈此時下兵山東而得之乎、趙衰爲原大夫、亦在二年、此敍于四年十二月、與年表書于元年、一前一後、其誤同也、 五年春、晉文公欲伐曹、假道於衛。衛人弗許。還自河南度。[正義]括地志曰、南津亦名濟津、又名棘津、在衛州汲縣南、文公度河伐曹、卽是也、[考證]左傳、河南作南河、龜井昱曰、行道迂回、故曰還、 侵曹伐衛。正月、取五鹿。二月、晉侯·齊侯盟于斂盂。[集解]杜預曰、衛地也、 衛侯請盟晉。晉人不許。衛侯欲與楚。國人不欲。故出其君以說晉。衛侯居襄牛。[集解]服虔曰、衛地也、 公子買守衛。[考證]公子上、當補魯使二字、梁玉繩曰、公子買上不言魯使、幾何不以買爲衛之公子乎、又不書魯殺買事、亦疏、 楚救衛。不卒。[集解]徐廣曰、一作勝、[考證]中井積德曰、卒當作克、愚按、左傳作克、 晉侯圍曹。三月丙午、晉師入曹。數之以其不用釐負羈言、而

用美女乘軒者三百人也。[考證]中井積德曰、言字當刪、用美女失解、當刪、左傳蓋言釐負羈賢而不用之、登用小人、有爲大夫乘軒車者三百人也、梁玉繩曰、曹世家論贊、不言美女、疑爲衍文、 令軍毋入僖負羈宗家、以報德。楚圍宋。宋復告急晉。文公欲救則攻楚。爲楚嘗有德不欲伐也。欲釋宋。宋又嘗有德於晉。患之。[索隱]晉若攻楚、則傷楚子送其入秦之德、又欲釋宋不救、乃虧宋公贈馬之惠、進退有難、是以患之、 先軫曰。執曹伯、分曹·衛地以與宋。楚急曹·衛。其勢宜釋宋。[索隱]楚初得曹、又新婚於衛、今晉執曹伯、而分曹衛之地與宋、則楚急曹衛、其勢宜釋宋、 於是文公從之。而楚成王乃引兵歸。楚將子玉曰。王遇晉至厚。今知楚急曹·衛、而故伐之。是輕王。[考證]子玉是言、左傳不載、蓋史公以意補、 王曰。晉侯亡在外十九年。困日久矣。果得反國。險阨盡知之、能用其民。天之所開、不可當。[考證]左傳、險阨、作險阻艱難、蓋言備嘗患難也、 子玉請曰。非敢必有功。願以閒執讒

慝之口也。[集解]服虔曰、子玉非敢求有大功、但欲執蔿賈讒慝之口、謂子玉過三百乘不能入也、杜預曰、執、猶塞也、[考證]左傳、請下有戰字、閒、讀爲閑、防也、楓山、三條本、無閒字、蔿賈之言、見左傳、 楚王怒、少與之兵。於是子玉使宛春告晉、請復衛侯而封曹。臣亦釋宋。[集解]賈逵曰、宛春、楚大夫、 咎犯曰。子玉無禮矣。君取一、臣取二。勿許。[集解]韋昭曰、君、文公也、臣、子玉也、一、謂釋宋圍、二、謂復曹衛、 先軫曰。定人之謂禮。楚一言定三國、[考證]左傳、言下有而字、此誤脫、三國、衛曹宋、 子一言而亡之。我則毋禮。不許楚、是弃宋也。不如私許曹·衛以誘之、執宛春以怒楚、[集解]韋昭曰、怒楚令必戰、 既戰而後圖之。[集解]杜預曰、須勝負決乃定計、[考證]中井積德曰、先軫唯欲戰、故設譎計如此、非善謀、 晉侯乃囚宛春於衛、且私許復曹·衛。曹·衛告絕於楚。楚得臣怒、擊晉師。[集解]得臣、卽子玉、 晉師退。軍吏曰。爲何退。文公曰。昔在楚約退三舍。可倍乎。[考證]中井積德曰、退三舍、有約、卽與楚王遇、宜履言、如子玉、何退之有、是特信義自衒之術、

也、不足稱、梁玉繩曰、此乃史公約內外傳文、然是子犯之言、誤以爲文公也、下文公曰、城濮之事、假說我毋失信、正指斯語、楚師欲去。得臣不肯。四月戊辰、宋公・【索隱】成公王臣、齊將・【索隱】國歸父、秦將【索隱】小子憖也、與晉侯次城濮。【集解】賈逵曰、衞地也、【考證】今山東曹州府濮州南、有臨濮故城、卽春秋城濮、己巳、與楚兵合戰。楚兵敗。得臣收餘兵去。甲午、晉師還至衡雍。【集解】杜預曰、衡雍、鄭地、今榮陽卷縣也、【考證】衡雍卽垣雍城、在河南懷慶府原武縣、作王宮于踐土。【集解】服虔曰、既敗楚師、襄王自往臨踐土、賜命晉侯、晉侯聞而爲之作宮、【索隱】杜預云、踐土、鄭地、然據此文、晉師還至衡雍、衡雍在河南也、故劉氏云、踐土在河南、下文、踐土在河北、今元城縣西有踐土驛、義或然也、【正義】括地志云、故王宮、在鄭州榮澤縣北、四十五里王宮城中、今城內東北有踐土臺、衡雍踐土相去二十餘里、【考證】今河南開封府榮澤縣西北、初鄭助楚。楚敗。懼使人請盟晉侯。晉侯與鄭伯盟。五月丁未、獻楚俘於周。【正義】俘、音孚、囚也、天子使王子虎命晉侯爲伯、【集解】賈逵曰、王子虎、周大夫、【考證】左傳云、王命尹氏及王子虎內史叔興父、命晉侯爲侯伯、注云、三官命之、寵晉也、梁玉繩曰、此止言王子虎、疏矣、

駟介百乘、徒兵千。【集解】服虔曰、駟介、駟馬被甲也、徒兵、步卒也、

賜大輅・彤弓矢百・玈弓矢千・【集解】賈逵曰、大輅、金輅、彤弓、赤、玈弓、黑也、諸侯賜弓矢、然後征伐、【正義】彤、徒冬反、玈、音盧、【考證】左傳、作賜大輅之服、戎路之服、彤弓一、彤矢百、玈弓矢千、梁玉繩曰、此大輅下失書戎路、又彤弓下缺一字、並缺彤字、蓋弓一、矢百、弓十、矢千也、秬鬯一卣・珪瓚・【集解】賈逵曰、秬、黑黍、鬯、香酒也、所以降神、卣、器名、諸侯賜珪瓚、然後爲鬯、【正義】孔安國曰、鬯、香草也、【考證】左傳無珪瓚二字、虎賁三百人。【集解】賈逵曰、天子卒曰虎賁、【考證】凌本百誤千、晉侯三辭、然后稽首受之。【集解】賈逵曰、稽首、首至地、【考證】四年以下、僖二十八年左傳、周作晉文侯命。王若曰。父義和。【集解】孔安國曰、同姓、故稱曰父、馬融曰、王順曰、父能以義和我諸侯、【索隱】按尚書文侯之命、是平王命晉文侯仇之語、今此文乃襄王命文公重耳之事、代數懸隔、勳策全乖、太史公雖復彌縫左氏、而系家頗亦時有疏謬、裴氏集解、亦引孔馬之注、而都不言時代乖角、何習迷而同醉也、然計平王至襄王爲七代、仇至重耳爲十一代、而十三侯、又平王元年至魯僖二十八年、當襄二十年、爲一百三十餘歲矣、學者頗合討論之、而劉伯莊以爲蓋天子命晉、同此一辭、尤非也、【正義】王、平王也、孔安國曰、文侯同姓、故稱曰父、義和字也、稱父者非一人、故以字別之、按王若曰父義和、至永其在位、是尚書命文公仇之文、而太史公採左傳作此世家、然平王至襄王六代、文侯仇至重耳十一公、縣隔一百三十餘年、極疏謬矣、及裴氏於孔馬注不考、年代亦依前失矣、左傳尚書各有文、蓋周襄王自命文公作侯伯、及賜弓矢、左傳文分明、而太史公引尚書平王命文侯之文、太史公誤、【考證】梁玉繩曰、案尚書文

侯之命、平王命晉文侯仇所作、乃以爲襄王命文公重耳矣、索隱已糾之、後儒俱以史爲誤、惟劉伯莊言天子命晉、同此一辭、可哂之甚、依樣畫葫蘆、後世或然、三代時亦有印板文字邪、左傳載命辭曰、王謂叔父、敬服王命、以綏四國、糾逖王慝、是重耳之策書也、豈忘檢左傳乎、新序善謀篇同史誤、史詮謂自此至永其在位、當在前文侯十年秦襄公始列爲諸侯之下、蓋脫簡也、然隔越太遠、文義亦不屬、黃式三曰、馬融從史記、以此爲襄王命文公之辭、義和以義和諸侯也、此今文家說、中井積德曰、若、如是也、義和、文侯仇之字、丕顯文・武、能愼明德、【集解】孔安國曰、文王武王、能詳愼顯用明德、【考證】今本書傳、作大明文王武王之道、集解蓋刪其文、中井積德曰、丕顯文武、丕顯之文武也、昭登於上、布聞在下。【集解】馬融曰、昭、明也、上、謂天、下、謂人、維時上帝、集厥命于文・武。【集解】孔安國曰、惟以是故集成其王命、德流子孫、【考證】中井積德曰、命、天命也、恤朕身、繼予一人、永其在位。【集解】孔安國曰、當憂念我身、則我一人長安王位、【考證】以上采周書文公之命、周書繼作績、楓山三條本、作綏、於是晉文公稱伯。癸亥、王子虎盟諸侯於王庭。【集解】服虔曰、王庭、踐土也、【索隱】服氏知王庭是踐土者、據二十八年五月、公會晉侯盟于踐土、又此上文四月甲午、作王宮于踐土、王庭、卽王宮也、【考證】癸亥以下、僖二十八年左傳、龜井昱曰、蓋天子在堂、而諸侯盟於庭也、虎同歃、明矣、晉焚楚軍。火數日不息。【考證】左傳云、晉師三日館穀、與此異、梁玉繩曰、焚軍之言、史本韓詩外傳七、說苑亦有、

蓋因左傳晉師三日館穀而妄爲之說、文公歎。左右曰。勝楚而君猶憂。何。文公曰。吾聞能戰勝安者唯聖人。是以懼。且子玉猶在。庸可喜乎。【考證】據僖二十八年、宜十二年左傳、吾聞以下十三字、史公以意補、子玉、左傳作得心、庸、猶何也、安也、子玉之敗而歸、楚成王怒其不用其言、貪與晉戰、讓責子玉。子玉自殺。晉文公曰。我擊其外。楚誅其內。內外相應。於是乃喜。六月、晉人復入衞侯。壬午、晉侯度河。【考證】以上僖二十八年左傳、文公言、史公以意補、張文虎曰、各本晉下脫侯字、毛本有、北歸國行賞。狐偃爲首。或曰。城濮之事、先軫之謀。文公曰。城濮之事、偃說我毋失信。先軫曰。軍事勝爲右。吾用之以勝。【考證】楓山三條本、事下勝上、有以字、然此一時之說。偃言萬世之功。柰何以一時之利。而加萬世功乎。是以先之。【考證】韓非子難一、呂氏春秋義賞篇、淮南子人間訓、及說苑權謀篇、亦載文公行賞事、而狐偃作雍季、先軫作舅犯、與此異、冬、

晉侯會諸侯於溫。【考證】冬晉侯以下、僖二十八年春秋經傳、欲率之朝周。力未能。恐其有畔者。乃使人言周襄王狩于河陽。【正義】賈逵云、河陽、晉之溫、踐土、鄭地、按王宮是、【考證】僖二十八年春秋云、冬、天王狩于河陽、史文襄字當刪、河陽、今河南懷寧府孟縣河陽故城是、中井積德曰、文公口中元無狩字、只是召王至河陽也、己狩是春秋書法之權衡矣、史記失點檢、壬申、遂率諸侯朝王於踐土。【索隱】按左氏傳、五月、盟于踐土、冬、會諸侯于溫、天王狩于河陽、壬申、公朝于王所、此文亦說冬朝于王、當合於河陽溫地、不合取五月踐土之文、【考證】僖二十八年春秋、踐土作王所、卽晉之溫、非鄭之踐土也、左氏可徵、史公混同、杜預曰、壬申十月十日也、無月、闕文、孔子讀史記、至文公曰。諸侯無召王。王狩河陽者、春秋諱之也。【考證】僖二十八年左傳云、晉侯召王、以諸侯見、且使王狩、仲尼曰、以臣召君、不可以訓、故書曰天王狩于河陽、言非其地也、丁丑、諸侯圍許。曹伯臣或說晉侯曰。齊桓公合諸侯而國異姓。今君爲會而滅同姓。曹、叔振鐸之後。晉、唐叔之後。合諸侯而滅兄弟。非禮。晉侯說、復曹伯。於是晉始作三行。【集解】服虔曰、辟天子六軍、故謂之三行、

【正義】行、胡郎反、【考證】左傳、行下有以禦狄三字、中井積德曰、是爲禦狄而作、固非卿帥三軍之比、矧三行無佐、蓋師徒不多、不必言辟六軍之名、竹添光鴻曰、蓋戎狄無車、難以車戰取勝、故爲徒兵以禦之、軍字從車、行字用行、其制顯異、荀林父將中行。先縠將右行。【索隱】左傳、屠擊將右行、與此異、先蔑將左行。【集解】杜預曰、三行無佐、疑大夫帥也、【索隱】據左傳荀林父竝是卿、而云大夫帥者非也、不置佐者、當避天子也、或新置三行、官未備耳、【正義】注三行無佐、疑大夫帥也、不置佐者、當避天子也、或初置三行、官未備耳、云大夫帥者、恐非也、【考證】梁玉繩曰、先縠卽彘季、晉景公時佐中軍、文公朝恐未得將右行、左傳作屠擊、是也、丁丑以下、僖二十八年左傳、中井積德曰、林父爲卿、是後來之事矣、城濮之役、林父御戎、卿豈容令御車哉、七年、晉文公・秦繆公共圍鄭。以其無禮於文公亡過時、及城濮時鄭助楚也。圍鄭。【考證】僖三十年左傳、欲得叔瞻。叔瞻聞之自殺。鄭持叔瞻告晉。晉曰。必得鄭君而甘心焉。【考證】李笠曰、鄭世家云、詹聞言於鄭君曰、詹死而赦鄭國、詹之願也、乃自殺、鄭人以詹尸與晉、此文告上脫一尸字、義遂不足、梁玉繩曰、案晉語、文公圍鄭曰、予我詹而師還、鄭以詹與晉、詹有辭、乃弗殺、禮而歸之、鄭以詹爲將軍、則瞻未嘗自殺、晉亦無欲得鄭君語也、此及鄭世家竝妄、愚按、呂氏春秋上德篇所記、略同晉語、鄭恐。乃閒令使謂秦繆公曰。【索隱】使、謂

燭之武、亡鄭厚晉、於晉得矣。而秦未爲利。君何不解鄭、得爲東道交。【索隱】交、猶好也、諸本及左傳皆作主、秦伯說、罷兵。晉亦罷兵。【考證】鄭恐以下、僖三十年左傳、九年冬、晉文公卒。【考證】僖卅二年春秋經傳、子襄公歡立。是歲鄭伯亦卒。鄭人或賣其國於秦。【正義】左傳云、秦晉伐鄭、燭之武說秦、秦師罷、令杞子逢孫楊孫三大夫戍鄭、杞子自鄭使告於秦曰、鄭人使我掌其北門之管、若潛師以來、國可得也、秦繆公發兵往襲鄭。【考證】是歲以下、僖三十二年左傳、十二月、秦兵過我郊。【正義】過、古臥反、【考證】左傳無此句、襄公元年春、秦師過周。無禮。王孫滿譏之。兵至滑。【考證】今河南河南府偃師縣、有緱氏故城、春秋滑國、鄭賈人弦高將市于周。遇之。以十二牛勞秦師。【考證】左傳云、弦高使遽告于鄭、秦師驚而還、滅滑而去。晉先軫曰。秦伯不用蹇叔、反其衆心。此可擊。【考證】蹇叔諫秦伯、詳于秦本紀、欒枝曰。未報先君施於秦。擊之不可。先軫曰。秦侮吾孤、伐吾同姓。

何德之報。【考證】鄭、滑、皆姬姓、遂擊之。襄公墨衰絰。【集解】賈逵曰、墨、變凶、杜預曰、以凶服從戎、故墨之、【考證】安井衡曰、古者軍敗、以喪禮自居、時襄公居喪素服、嫌於軍敗、故墨之、愚按、衰、七回反、四月、敗秦師于殽。【考證】河南河南府永寧縣、虜秦三將孟明視・西乞秫・白乙丙以歸。遂墨以葬文公。【集解】服虔曰、非禮也、杜預曰、記禮所由變也、【考證】左傳、有晉於是始墨五字、文公夫人、秦女。謂襄公曰。秦欲得其三將戮之。公許遣之。先軫聞之、謂襄公曰。患生矣。軫乃追秦將。【考證】梁玉繩曰、左傳、公使陽處父追之、非先軫也、秦將渡河、已在船中。頓首謝。卒不反。【考證】以上、僖卅三年左傳、後三年、秦果使孟明伐晉、報殽之敗、取晉汪以歸。【索隱】按左傳文二年、秦孟明視伐晉、報殽之役、無取晉汪之事、又其年冬、晉先且居等伐秦、取汪彭衙而還、則汪是秦邑、止可晉伐秦取之、豈得秦伐晉而取汪也、或者晉先取之、秦今伐晉而收汪、是汪從晉來、故云取晉汪而歸也、彭衙、在郃陽北、汪不知所在、【正義】左傳文公二年冬、先且居等伐秦取汪彭衙而還、括地志云、彭衙故城、同州白水縣東北六十里、今按汪與彭衙相近、在同州北二百五十里、當是秦使孟明視等報殽之役、取晉汪、至冬、晉使先且居伐秦、取汪及彭衙也、【考證】年表云、晉

襄公三、秦報我殽、敗于汪、秦穆公三十五、伐晉報殽、敗我于汪、梁玉繩曰、案文二年春秋云、晉侯及秦師戰于彭衙、秦師敗績、則敗于汪者、實敗于彭衙之誤也、秦紀言彭衙、是、而所以誤爲汪者、因是年冬晉伐秦取汪以報彭衙之役也、汪爲秦土、不得言秦取晉汪、

四年、秦繆公大興兵伐我、度河取王官、【正義】括地志云、王官故城、在同州澄城縣西北六十里、左傳文公三年、秦伐晉取王官、郎此、先言度河、史文顚倒耳、括地志云、又王官故城、在蒲州猗氏縣南二里、若渡河取、蓋此城也、【考證】王官城、在蒲州府虞鄉縣南、近王官谷、封殽尸而去。晉恐不敢出。遂城守。【考證】四年以下、文三年左傳、五年、晉伐秦、取新城。【集解】服虔曰、秦邑、新所作城也、【考證】杭世駿曰、新城上成一邧字、觀左傳及年表可知、新城、蓋秦新於邧邑所築、邧在今陝西同州府澄城縣境、報王官役也。【考證】文四年左傳、六年、趙衰成子・欒貞子・咎季子犯・霍伯皆卒。【集解】賈逵曰、欒貞子、欒枝也、霍伯、先且居也、【正義】咎季子犯、杜預曰、臼季、胥臣也、世本云、狐偃也、【考證】館本考證云、左傳、是年祗書四大夫卒、而子犯不書、則子犯不死于是年、明矣、年表亦同、子犯二字衍、洪頤煊曰、此臼季爲咎季、因譌子犯也、趙盾代趙衰執政。七年八月、襄公卒。太子夷皐少。晉人以難故、欲立長君。【集解】服虔曰、晉國數有患難、趙盾曰。立襄公弟雍。好善而

長。先君愛之。且近於秦。秦故好也。立善則固。事長則順。奉愛則孝。結舊好則安。賈季曰。【正義】賈季、韋昭云、賈季、晉大夫狐偃之子射姑也、食采於賈、字季、名陁、世本云、小狐射姑、不如其弟樂。辰嬴嬖於二君。【集解】服虔曰、辰嬴、懷嬴也、二君、懷公文公、【正義】樂即辰嬴子也、辰嬴、秦宗女、子圉妻、秦以妻重耳、立其子、民必安之。趙盾曰。辰嬴賤、班在九人下。【集解】服虔曰、班、次也、【考證】左傳、無下字、其子何震之有。【集解】賈逵曰、震、威也、且爲二君嬖。淫也。爲先君子、不能求大、而出在小國。僻也。【正義】樂、文公子也、母淫子僻、無威。【正義】僻、匹亦反、言樂僻隱在陳而遠、無援也、陳小而遠。無援。將何可乎。使士會如秦迎公子雍。【正義】士會字季、晉卿士蔿之孫、成伯缺之子季武子也、食采於隨、故曰隨會、又曰士會、又曰范文子、【考證】左傳、士會上有先蔑二字、此誤脫、賈季亦使人召公子樂於陳。【考證】中井積德曰、趙盾殺公子樂、賈季殺陽處父、趙盾又殺續鞫居、皆國之大事、而不書、何也、愚按、事詳于左傳、趙盾廢賈季。以其殺陽處父。【集解】案左傳、此時賈他爲太師、陽處父爲太傅、十

月、葬襄公。十一月、賈季奔翟。是歲秦繆公亦卒。【考證】趙盾代趙衰以下、文六年左傳、

靈公元年四月、秦康公曰。昔文公之入也、無衞。故有呂・郤之患。乃多與公子雍衞。太子母繆嬴、日夜抱太子以號泣於朝曰。先君何罪。其嗣亦何罪。舍適而外求君。將安置此。【集解】服虔曰、此太子、出朝則抱以適趙盾所、頓首曰。先君奉此子而屬之子曰。此子材、吾受其賜。不材、吾怨子。【集解】王肅曰、怨其教導不至也、今君卒、言猶在耳。【集解】杜預曰、在宣子之耳、而弃之若何。趙盾與諸大夫皆患繆嬴、且畏誅。【考證】左傳、誅作偪、乃背所迎而立太子夷皐。是爲靈公。發兵以距秦送公子雍者。趙盾爲將、往擊秦、敗之令狐。【考證】令狐故城、在山西蒲州府猗氏縣、今名令狐村、先蔑・隨會亡奔秦。【考證】隨會、卽士會、秋、齊・宋・衞・鄭・曹・許君皆

會趙盾、盟於扈。【集解】杜預曰、鄭地、滎陽卷縣西北有扈亭、【考證】左傳、衞下有陳、此譌脫、以靈公初立故也。【考證】靈公元年以下、文七年左傳、四年、伐秦取少梁。秦亦取晉之鄀。【集解】徐廣曰、年表云、北徵也、【索隱】徐云、年表曰徵、然按左傳、文十年春、晉人伐秦取少梁、夏、秦伯伐晉取北徵、北徵卽年表之徵、今云鄀者、字誤也、徵音懲、亦馮翊之縣名、六年、秦康公伐晉取羈馬。晉侯怒、使趙盾・趙穿・郤缺擊秦、大戰河曲。趙穿最有功。【考證】文十二年左傳、七年、晉六卿、患隨會之在秦常爲晉亂、乃詳令魏壽餘反晉降秦。秦使隨會之魏。因執會以歸晉。【考證】文十三年左傳、左傳云、晉人患秦之用士會、不可言在秦常爲亂、陳子龍曰、按左傳、壽餘履士會之足、則先有約也、不得謂執、詳、音佯、八年、周頃王崩。公卿爭權。故不赴。【索隱】按春秋魯文十四年、頃王崩、周公閱與王孫蘇爭政、故不赴、是也、【考證】索隱、春秋、當作左傳、中井積德曰、左傳所謂不赴、不赴于魯也、無干晉事、太史公失去取、晉使趙盾以車八百乘平周亂、而立匡王。【索隱】文十四年傳又云、晉趙盾以諸侯之師八百乘納捷菑于邾、不克乃還、而周公閱與王孫蘇訟于晉、趙宣子平王室而復之、則以車八

百乘、自是宣子納郲捷菑、不關王室之事、但文相連耳、多恐是誤也、【正義】八百乘、六萬人也、【考證】八年以下、文十四年左傳、程一枝曰、年表八百乘下、有納捷菑三字、與左傳合、世家缺也、是年、楚莊王初卽位。十二年、齊人弑其君懿公。【考證】齊人殺君、文十八年春秋經傳、十四年、靈公壯侈、【考證】宣元年左傳、厚斂以彫牆、【集解】賈逵曰、彫、畫也、【考證】中井積德曰、彫、雕同、刻也、從臺上彈人、觀其避丸也。宰夫胹熊蹯不熟。【集解】服虔曰、蹯、熊掌、其肉難熟、【正義】胹、音而、蹯、音樊、靈公怒殺宰夫、使婦人持其屍出弃之。過朝。趙盾・隨會前數諫。不聽。已又見死人手。二人前諫。隨會先諫。不聽。靈公患之、使鉏麑刺趙盾。【集解】賈逵曰、鉏麑、晉力士、【正義】鉏、音鋤、麑、音迷、盾閨門開、居處節。【考證】當據左傳國語、盾上補晨往二字、梁玉繩曰、門開處節、何以爲忠、故麑見盾開寢門、盛服將朝、坐而假寐、故歎其恭敬、此左傳也、又見盾閨門無人、且食魚飧、故稱其易而儉、此公羊傳也、史公牽合兩傳、割裂不明耳、鉏麑退歎曰。殺忠臣、弃君命、罪一也。遂觸樹而死。【集解】杜預曰、趙盾庭樹也、【考證】以上宣二年左傳、初盾常田首山。

【集解】徐廣曰、蒲阪縣有雷首山、見桑下有餓人。餓人、示眯明也。【索隱】鄒誕云、示眯爲祁彌也、卽左傳之提彌明也、提、音市移反、劉氏亦音祁、爲時移反、則祁提二字同音也、而此史記作示者、示卽周禮古本地神曰祇、皆作示字、鄒爲祁者、蓋由祇提音相近、字遂變爲祁也、眯、音米移反、以眯爲彌、亦音相近耳、又左氏、桑下餓人是靈輒也、其示眯明、是嗾獒者也、其人鬬而死、今合二人爲一人、非也、盾與之食。食其半。問其故。曰。宦三年、【集解】服虔曰、宦、宦學士也、【考證】集解士、宋本作事、毛本作仕、禮記雜記云、宦於大夫注、宦、家臣也、餓人所謂宦者、蓋亦爲人臣隸、失所而至此、未知母之存不。願遺母。盾義之、益與之飯肉。已而爲晉宰夫。趙盾弗復知也。【考證】以上宣二年左傳、但示眯明作靈輒、爲晉宰夫、作爲公介、說詳于上文索隱、九月、晉靈公飮趙盾酒、伏甲將攻盾。公宰示眯明知之。【考證】左傳、公宰示眯明作其右提彌明、楓山本、宰下有夫字、恐盾醉不能起、而進曰。君賜臣觴、三行可以罷。【索隱】行、如字、【正義】行酒三遍、左傳云、提彌明曰、臣侍君宴、過三爵非禮也、遂扶以下、欲以去趙盾、令先毋及難。盾既去。靈公伏士未會。先縱齧狗名敖。【集解】何休曰、犬四尺曰敖、【索隱】縱、足用反、又本作嗾、又

作蹴、同、素后反、明爲盾搏殺狗。盾曰。弃人用狗、雖猛何爲。然不知明之爲陰德也。【考證】左傳何爲下、有鬬且出、提彌明死之八字、無不知明之爲陰德也八字、已而靈公縱伏士出逐趙盾。示眯明反擊靈公之伏士。伏士不能進。而竟脫盾。盾問其故。曰。我桑下餓人。問其名。弗告。【集解】服虔曰、不望報、明亦因亡去。【考證】左傳以爲靈輒事、盾遂奔、未出晉境。乙丑、盾昆弟將軍趙穿、襲殺靈公於桃園、【集解】虞翻曰、園名也、【考證】梁玉繩曰、案昆弟二字非、左傳注、穿是趙夙庶孫、爲盾從父昆弟之子、而迎趙盾。趙盾素貴得民和。靈公少侈、民不附。故爲殺易。【索隱】以豉反、盾復位。晉太史董狐書曰。趙盾弑其君。以視於朝。盾曰。殺者趙穿。我無罪。【考證】葉適曰、董狐書趙盾弑君、以示於朝、義甚深、左氏載宣子自解之詞、止曰不然、蓋難言之、史記遽言弑者趙穿、我無罪、恐如此下筆、亦了古人事不得、太史曰。子爲正卿、而亡不出境。反不誅國亂。非子而誰。【考證】楓山、三條本、不下

有能字、孔子聞之曰。董狐、古之良史也。書法不隱。【集解】杜預曰、不隱盾之罪、宣子、良大夫也。爲法受惡。【集解】服虔曰、聞義則服、杜預曰、善其爲法受屈也、【正義】爲、于僞反、【考證】惡、惡名也、惜也、出疆乃免。【集解】杜預曰、越境則君臣之義絕、可以不討賊也、【考證】林堯叟曰、杜氏以爲越竟則君臣之義絕、可以不討賊、遂致議論紛紛、或疑以爲非孔子之言、愚按、此越竟乃免、當爲遂奔他國、則弑在出奔之後、可免弑君之名、非謂越竟而反、可不討賊、得免弑君之名也、上文亡不越竟、反不討賊、亦是兩事、不可與此相牽、吳裕垂曰、越境乃免、其言引而不發、蓋盾惟在他國而不反、或幸免耳、迺不惟反不討賊、而迎立黑臀、惟穿是使、盾之用穿、概可知矣、趙盾使趙穿迎襄公弟黑臀于周、而立之。【考證】九月以下、本宣二年左傳、小異、是爲成公。成公者文公少子、其母周女也。壬申、朝于武宮。【考證】壬申朝于武宮、宣二年左傳、成公元年、賜趙氏爲公族。【集解】服虔曰、公族大夫也、【考證】宣二年左傳云、驪姬之亂、詛無畜羣公子、自是晉無公族、及成公卽位、乃宦卿之嫡、而爲之田、以爲公族、趙盾請以括爲公族、公許之、杜預曰、括、趙盾異母弟、趙姬之中子屏季也、伐鄭。鄭倍晉故也。【考證】宣三年左傳、三年、鄭伯初立、附晉而弃楚。楚怒伐鄭。晉往救

之。【考證】宣五年春秋經傳。　六年，伐秦，虜秦將赤。【索隱】赤，卽斥，謂斥候之人也，按宣八年左傳，晉伐秦獲秦諜，殺諸絳市，蓋彼諜卽此赤也，皆成公六年，爲魯宣八年，正同，故知然也，【考證】沈家本曰，表云，獲秦諜殺之絳市，六日而蘇，與左傳合。　七年，成公與楚莊王爭彊，會諸侯于扈。陳畏楚不會。晉使中行桓子伐陳，因救鄭，與楚戰，敗楚師。【索隱】桓子，荀林父也，【考證】梁玉繩曰，宣九年春秋，秋九月，晉荀林父伐陳，晉侯卒，冬，楚子伐鄭，晉郤缺帥師救鄭，則伐陳者桓子，而救鄭者郤缺也，此與年表竝以救鄭爲桓子，誤一，攷左傳，陳不會晉于扈，故伐之，鄭爲楚伐，故救之，判然兩事，此與年表合伐陳救鄭爲一役，誤二，又傳稱鄭敗楚師于柳棼，晉未嘗伐楚，亦未嘗敗楚，此與年表皆言晉敗楚，與楚戰敗楚師，虛誕不實，誤三，　是年，成公卒。【考證】宣九年春秋經傳，　子景公據立。【考證】梁玉繩曰，景公之名，春秋作獳，　景公元年春，陳大夫夏徵舒弒其君靈公。【考證】宣十年春秋經傳，梁玉繩曰，陳君之弒，春秋在五月癸巳，則春當作夏，　二年，楚莊王伐陳，誅徵舒。【考證】宣十一年春秋經傳，　三年，楚莊王圍鄭。鄭告急晉。晉使荀林父將中軍，隨會將上軍，趙朔將下軍，郤克·欒書·先縠·韓厥·

鞏朔佐之。【考證】梁玉繩曰，左傳，韓厥爲司馬，不爲軍佐，而鞏朔是上軍大夫之一，亦非佐也，上中下三軍，每軍二大夫，何獨擧朔乎，　六月，至河，聞楚已服鄭，鄭伯肉袒，與盟而去，【考證】左傳，肉袒下有牽羊二字，肉袒，去裼露體，卽袒裼也，杜預曰，肉袒牽羊，示服爲臣僕也，愚按，去，楚王去也，　荀林父欲還。先縠曰，凡來救鄭，不至不可。將率離心。卒度河。楚已服鄭，欲飲馬于河爲名而去。楚與晉軍大戰。鄭新附楚。畏之，反助楚攻晉。晉軍敗。走河爭度。船中人指甚衆。【考證】左傳云，中軍下軍爭舟，舟中之指可掬也，安井衡曰，蓋先乘船者，恐多乘沈舟，以兵斷爭舟攀舷者之指，使之不得乘，故其指至可掬之多也，　楚虜我將智罃。歸。【正義】智罃，武伯荀罃，　而林父曰。臣爲督將，軍敗。當誅。請死。景公欲許之。隨會曰。【考證】左傳，隨會作士貞子，　昔文公之與楚戰城濮，成王歸殺子玉。而文公乃喜。今楚已敗我師，又誅其將。是助楚殺仇也。乃止。【考證】楚莊王圍鄭以下，宣十二年左傳，　四年，先縠以首計而

敗晉軍河上，恐誅，乃奔翟。與翟謀伐晉。晉覺。乃族縠。縠，先軫子也。【考證】梁玉繩曰，案宣十三年傳，縠召赤狄伐晉及淸，晉人討邲之敗與淸之師，殺縠滅其族，是縠未嘗奔狄也，又曰，杜注左傳，軫子爲先且居，且居子爲先克，而縠不言所出，此以爲軫之子，蓋從世本，則是且居弟矣，沈家本曰，先克之見殺，在魯文之九年，至是已二十三年矣，恐先軫子未必尙存，疑史文有誤也，　五年，伐鄭。爲助楚故也。【考證】宣十四年左傳，　是時楚莊王彊。以挫晉兵河上也。六年，楚伐宋。宋來告急晉。晉欲救之。伯宗謀曰。【集解】賈逵曰，伯宗，晉大夫，【正義】世本，伯宗，伯州犂祖，　楚，天方開之。不可當。乃使解揚紿爲救宋。【集解】服虔曰，解揚，晉大夫，【正義】紿，詐也，【考證】左傳云，使解揚如宋，使無降楚，曰，晉師悉起，將至，不言紿，　鄭人執與楚。楚厚賜使反其言，令宋急下。解揚紿許之。卒致晉君言。楚欲殺之。或諫。乃歸解揚。【考證】楚伐宋以下，宣十五年左傳，左傳，無或諫二字，歸當作釋，　七年，晉使隨會滅赤狄。【考證】宣十六年春秋經傳，愚按，宣十五年左傳，荀林父滅赤狄潞氏，今山西潞安府潞城東北有潞縣故城，卽潞子國，至此士會復滅赤狄甲氏及留吁鐸辰，甲氏，在今直隸廣

平府鷄澤縣境，留吁，今潞安府屯留縣屯留故城，卽留吁國，鐸辰，留吁之屬，亦在潞安府，　八年，使郤克於齊。齊頃公母從樓上觀而笑之。所以然者，郤克僂，而魯使蹇，衞使眇。故齊亦令人如之以導客。【考證】梁玉繩曰，案三傳與史所載各異，左氏曰，帷婦人使觀之，公羊云，踊于棓而窺客，穀梁云，處臺上而笑之，史又云，從樓上觀，一異也，穀梁云，季孫行父禿，晉郤克眇，衞孫良夫跛，曹公子手僂，公羊云，郤克臧孫許，或跛或眇，史又云，郤克僂，魯使蹇，衞使眇，二異也，公羊云，使跛者迓跛者，使眇者迓眇者，穀梁增二語云，使禿者御禿者，使僂者御僂者，卽史所云如之以導客耳，三傳之不同，或傳聞異詞，史從傳出，乃復乖迕若是，何邪，　郤克怒，歸至河上曰。不報齊者，河伯視之。至國請君欲伐齊。景公問知其故曰。子之怨，安足以煩國。弗聽。【考證】事見宣十七年左傳，　魏文子請老休，辟郤克。克執政。【考證】宣十七年左傳，魏文子作范武子，卽士會，此誤，　九年，楚莊王卒。晉伐齊。齊使太子彊爲質於晉。晉兵罷。【考證】宣十八年左傳，太子，當作公子，　十一年春，齊伐魯取隆。【索隱】劉氏云，隆，卽龍也，魯北有龍山，又此年當魯成二年，經書齊侯伐我北鄙，傳曰，圍龍，又鄒誕及別本作僤字，僤當作鄆，

文十二年、季孫行父帥師城諸及鄆、注曰、傎卽鄆也、字變耳、地理志云、在東莞縣東也、【考證】龍、今山東泰安府泰安縣西南有龍鄉城、卽魯龍邑、魯告急衞。衞與魯皆因郤克告急於晉。【考證】左傳云、衞孫良夫侵齊、敗於新築、如晉乞師、魯臧宣叔亦如晉乞師、皆主郤獻子、晉乃使郤克・欒書・韓厥以兵車八百乘與魯・衞共伐齊。夏、與頃公戰於鞍。傷困頃公。【考證】中井積德曰、據左傳、頃公無傷事、愚按、公右乘逢丑父傷肱、此誤合爲一、頃公乃與其右易位、下取飮以得脫去。齊師敗走。晉追北至齊。頃公獻寶器以求平。不聽。郤克曰。必得蕭桐姪子爲質。【索隱】左傳、作叔子、【考證】成二年左氏傳、作蕭同叔子、公穀二傳、竝作蕭同姪子、齊世家亦作桐叔子、何休公羊注、蕭同、國名、姪子者蕭同君姪娣之子、孫詒讓曰、蕭同卽蕭桐、依何說、自是國名、爲宋之附庸、古女字繫姓爲稱、則叔子蓋齊侯母字、子卽宋姓、叔其行第、公穀姪子、亦謂蕭同君之姪、或頃公有適母、而叔子爲姪娣、皆未可知、要子爲姓、固與左氏同也、齊使曰。蕭桐姪子、頃公母。頃公母猶晉君母。【考證】陳仁錫曰、頃公、當作寡君、柰何必得之。不義。請復戰。晉乃許與平而去。楚申公巫臣盜夏姬

以奔晉。晉以巫臣爲邢大夫。【集解】賈逵曰、邢、晉邑、【正義】昔殷時邢國也、周公旦子復封爲邢侯、都□、按申公巫臣亦爲此大夫也、【考證】十一年以下、成二年左傳、十二年冬、齊頃公如晉、欲上尊晉景公爲王。景公讓不敢。【考證】齊侯朝晉授玉耳、諸侯相朝、授玉、禮也、非尊爲王、史公誤、晉始作六卿。【集解】賈逵曰、初作六軍、僭王也、【考證】六卿、當作六軍、韓厥・鞏朔・趙穿・荀騅・趙括・趙旃皆爲卿。【索隱】騅、音隹、諡文子、【考證】左傳、趙穿作韓穿、此誤、智罃自楚歸。【考證】十二年以下、見成三年左傳、楓山本、歸下有晉字、十三年、魯成公朝晉。晉弗敬。魯怒、去倍晉。【考證】成四年左傳云、成公欲求成于楚而叛晉、季文子諫乃止、此誤、晉伐鄭取氾。【考證】成四年左傳、氾下有祭字、此與表同脫、氾、音紀、十四年、梁山崩。【集解】公羊傳曰、梁山、河上山、杜預曰、在馮翊夏陽縣北也、【正義】括地志云、梁山、原在同州韓城縣東南十九里、其山東西臨河、東南崩跡存焉、公羊傳云、梁山崩、雍河三日不流、穀梁傳云、成公五年、梁山崩、晉侯召伯尊、伯尊用輦者之言曰、君率群臣哭、斯流矣、如其言、河乃流也、問伯宗。伯宗以爲不足怪也。【集解】徐廣曰、年表云、伯宗隱其人、用其言、【正義】用輦者之言、不書其名曰隱、【考證】梁山崩、成五年左傳、又見公穀二傳、十六年、楚

將子反怨巫臣、滅其族。【考證】怨其取夏姬也、梁玉繩曰、不及子重、何也、巫臣怒、遺子反書曰。必令子罷於奔命。乃請使吳、令其子爲吳行人、教吳乘車用兵。吳・晉始通、約伐楚。【考證】成七年左傳、聞命奔赴、故謂之奔命、十七年、誅趙同・趙括族滅之。韓厥曰。趙衰・趙盾之功、豈可忘乎、柰何絕祀。乃復令趙庶子武爲趙後。復與之邑。【考證】成八年春秋經傳、徐孚遠曰、此與趙世家所載不同、馮班曰、韓厥言事後耳、立趙後、非在此年也、梁玉繩曰、案武乃宣子盾之孫、莊子朔之子、不得言庶、且但云庶子、是何人之庶乎、十九年夏、景公病。立其太子壽曼爲君。是爲厲公。後月餘、景公卒。【考證】成十年左傳、成十年春秋云、公會晉侯齊侯宋公衞侯曹伯伐鄭、杜注、晉侯、太子州蒲也、稱爵、見其生代父居位、失人子之禮、左傳云、晉侯有疾、五月晉立太子州蒲以爲君、而會諸侯伐鄭、史公云立其太子壽曼爲君者據此、愚按、景公立州蒲爲君、趙武王傳國於惠文王、自稱主君、此內禪之始、魯隱公初有此意而未果之、爲下臣所弒、景公之名、春秋經傳作州蒲、釋文云、本或作州滿、州滿卽壽曼、曼滿音相近、壽州字相通、厲公元年、初立欲和諸侯、與秦桓公夾河而盟。

歸而秦倍盟、與翟謀伐晉。【考證】成十一年十三年左傳、左傳云、秦晉爲成、將會于令狐、晉侯先至、秦伯不肯涉河、使史顆盟晉侯于河東、晉郤犨盟秦伯于河西、史所謂夾河而盟者卽此、三年、使呂相讓秦。【集解】賈逵曰、呂相、晉大夫、【正義】杜預曰、魏錡子也、因與諸侯伐秦至涇、敗秦於麻隧、虜其將成差。【考證】成十三年左傳、麻隧、在今陝西西安府涇陽縣北、五年、三郤讒伯宗殺之。【集解】賈逵曰、三郤、郤錡・郤犨・郤至也、伯宗以好直諫得此禍。國人以是不附厲公。【正義】左傳云、初伯宗每朝其妻必戒之曰、盜憎主人、民惡其上、子好直言、必及於難也、【考證】成十五年左傳、六年春、鄭倍晉與楚盟。晉怒。欒書曰。不可以當吾世而失諸侯。乃發兵。厲公自將。五月度河。聞楚兵來救、范文子請公欲還。郤至曰。發兵誅逆、見彊辟之、無以令諸侯。遂與戰。癸巳、射中楚共王目。【考證】梁玉繩曰、癸巳上缺六月二字、楚兵敗於鄢陵。【集解】徐廣曰、鄢、一作焉、服虔曰、鄢陵、鄭之東南地也、【索隱】鄢、音偃、又於連反、【考證】今河南開封府鄢陵縣、子反收餘兵、

揣循、欲復戰。晉患之。共王召子反。其侍者豎陽穀進酒。〔考證〕陽穀、內外傳人表及韓子十過、作穀陽、侍者、豎、宜刪其一、子反醉不能見。王怒讓子反。子反死。王遂引兵歸。〔考證〕成十六年左傳、晉由此威諸侯、欲以令天下求霸。厲公多外嬖姬。歸欲盡去羣大夫而立諸姬兄弟。寵姬兄曰胥童。〔考證〕梁玉繩曰、外嬖者卽胥童陽夷五之屬、非婦人也、不聞胥童有妹在公宮、豈因左傳厲公與婦人飲酒之言而誤歟、中井積德曰、外字疑衍、按左傳云、厲公侈、多外嬖、據此外字非衍、而姬字類衍、然此以諸姬兄弟爲文、則與左傳自不同、蓋後人不知、妄據左傳增外字耳、愚按、中說是、晉語云、厲公殺三郤、納其室以分婦人、可以知其多嬖姬也、嘗與郤至有怨。〔考證〕童、胥克之子、左傳宣八年、郤缺廢胥克、及欒書又怨郤至不用其計而遂敗楚、〔集解〕左傳曰、欒書欲待楚師退而擊之、郤至云、楚有六閒、不可失也、乃使人閒謝楚。〔考證〕左傳、無謝楚事、楚來詐厲公曰。〔考證〕左傳云、使楚公子茷告公、杜注、鄢陵戰、晉囚公子茷、以歸、鄢陵之戰、實至召楚。〔考證〕楓山、三條本、實下有郤字、與左傳合、欲作亂內子周立之。〔正義〕子周、晉悼公也、世本云、襄公生桓

伯捷、捷生悼公周也、正義所引世本與史異、〔考證〕會與國不具。是以事不成。厲公告欒書。欒書曰。其殆有矣。願公試使人之周微考之。〔集解〕虞翻曰、周、京師、〔正義〕按周、洛陽、時周王都洛、〔考證〕中井積德曰、人字疑衍、左傳云、嘗使諸周、愚按、左傳、考作察、果使郤至於周。〔考證〕果、疑當作公、欒書又使公子周見郤至。〔考證〕中井積德曰、周是襄公之曾孫、不得稱公子、左傳稱孫周者得之、郤至不知見賣也。厲公驗之、信然。遂怨郤至、欲殺之。八年、〔考證〕梁玉繩曰、此事、左傳在成公十七年、爲晉厲七年、史誤以爲八年耳、八年二字、書于後正月庚申上、厲公獵。與姬飲。郤至殺豕奉進。宦者奪之。〔索隱〕宦者、孟張也、郤至射殺宦者。公怒曰。季子欺予。〔集解〕杜預曰、公反以爲郤至奪豕也、〔考證〕竹添光鴻曰、欺、謾也、謂輕侮之、郤至射殺寺人於公側、故怒爲輕侮己也、將誅三郤。未發也。郤錡欲攻公。曰。我雖死、公亦病矣。〔考證〕竹添光鴻曰、怨君之甚、欲一洩己憤以自快、不遑顧事之必濟也、郤至曰。信不反君。智不害民。勇不作亂。失此三者、誰與我。我死耳。

十二月壬午、公令胥童以兵八百人襲攻殺三郤。胥童因以劫欒書·中行偃于朝。曰。不殺二子、患必及公。公曰。一旦殺三卿。寡人不忍益也。對曰。人將忍君。〔集解〕杜預曰、人、謂書偃、〔考證〕梁玉繩曰、攻三郤不止胥童一人、蓋擧其居首者、若不殺及公之言、乃長魚矯也、而以爲胥童語、非、公弗聽。謝欒書等以誅郤氏罪、大夫復位。二子頓首曰。幸甚。幸甚。公使胥童爲卿。閏月乙卯、厲公游匠驪氏。〔集解〕賈逵曰、匠驪氏、晉外嬖大夫、在翼者、〔考證〕梁玉繩曰、傳、閏月乙卯殺胥童、非囚厲公之日也、囚公、在乙卯前、中井積德曰、集解外字當刪、欒書·中行偃、以其黨襲捕厲公囚之、殺胥童。〔考證〕厲公多外嬖姬以下、文十七年左傳、多變姬、蓋采晉語、而使人迎公子周于周而立之。是爲悼公。〔集解〕徐廣曰、上周、一作糾、悼公元年正月庚申、欒書·中行偃弑厲公。葬之以一乘車。〔集解〕左傳曰、葬之于翼東門之外也、杜預曰、一乘車、言不以君禮葬也、諸侯葬車七乘、〔考證〕梁玉繩曰、是年厲公八年、明年乃悼公元年、當移上文八年二字于正

月上、移悼公元年四字于下文伐鄭上、厲公囚六日死。死十日庚午、智罃迎公子周來至絳、刑雞、與大夫盟而立之。是爲悼公。〔考證〕中井積德曰、是爲悼公、前後重複、張文虎曰、四字衍、辛巳、朝武宮。二月乙酉、卽位。〔考證〕正月壬午以下、成十八年左傳、悼公周者、其大父捷、晉襄公少子也。不得立。號爲桓叔。桓叔最愛。桓叔生惠伯談。談生悼公周。〔考證〕梁玉繩曰、案遷之父名談、如趙世家張孟談、季布傳趙談、皆改作同、爲父諱故也、又高祖功臣表、新陽侯呂談、王子表、庸侯劉談、竝作譚字、雖古字通寫、或史公亦因避諱改書兼用耳、乃晉世家兩書惠伯談、李斯傳兩書韓談、司馬相如傳滑稽傳竝有談字、何邪、孔平仲雜說、謂史記無談字、殊不然、周之立年十四矣。〔考證〕一句、成十八年左傳、悼公曰。大父·父皆不得立。而辟難於周、客死焉。寡人自以疏遠毋幾爲君。〔索隱〕幾、音冀、謂望也、今大夫不忘文·襄之意、而惠立桓叔之後。賴宗廟大夫之靈、得奉晉祀。豈敢不戰戰乎。大夫其亦佐寡人。〔考證〕宗廟

下大夫二字、疑衍、成十八年左傳、國語晉語、所載悼公之言、與此大異、蓋史公以意改修也、於是逐不臣者七人、修舊功、施德惠、收文公入時功臣後。【考證】成十八年左傳、於是以下、秋、伐鄭。鄭師敗。遂至陳。【考證】襄元年春秋經傳、梁玉繩曰、當移前悼公元年四字于上、而改秋爲夏、春秋、在襄元年夏五月、三年、晉會諸侯。【索隱】於鷄澤也、悼公問羣臣可用者。【考證】左傳云、祁奚請老、晉侯問嗣焉、祁傒舉解狐。解狐、傒之仇。【考證】左傳云、將立之而卒、復問、舉其子祁午。君子曰、祁傒可謂不黨矣。【考證】以上襄三年左傳、外舉不隱仇。內舉不隱子。【考證】襄二十年左傳、叔向曰、祁大夫、外舉不棄讎、內舉不失親、毛本、隱仇作避仇、方會諸侯、悼公弟楊干亂行。【集解】賈逵曰、行、陳也、魏絳戮其僕。【集解】賈逵曰、僕、御也、【考證】魏絳爲司馬、悼公怒。或諫公。公卒賢絳任之政、【考證】以上襄三年左傳、左傳云、使佐新軍、使和戎。戎大親附。【考證】襄四年左傳、梁玉繩曰、魏絳和戎、在四年、此牽連書于三年耳、十一年、悼公曰、自吾用魏絳、九合諸侯、和戎翟、魏

子之力也。【集解】服虔曰、九合、一謂會于戚、二會城棣救陳、三會于鄬、四會于邢丘、五同盟于戲、六會于相、七戍鄭虎牢、八同盟于亳城北、九會于蕭魚、【考證】九、猶九天九地之九、言其多也、義與齊桓九合同、晉語作七合、賜之樂。三讓乃受之。冬、秦取我櫟。【索隱】音歷、釋例云、在河北、地闕、【正義】音歷、括地志曰、河內陽翟縣、古櫟邑也、左傳云、襄十一年、秦庶長鮑帥師伐晉、以救鄭於輔氏、秦晉戰于櫟、晉師敗績、杜預云、從輔氏度河也、年表云、使庶長鮑伐晉救鄭、敗之櫟、按此二文、是陽翟也、【考證】悼公曰以下、襄十一年左傳、晉語云、晉公錫魏絳女樂一八、歌鍾一肆、左傳義同、年表、取作敗、與左傳合、十四年、晉使六卿率諸侯伐秦。【正義】六卿、韓、魏、趙、范、中行、知氏也、度涇大敗秦軍、至棫林而去。【考證】襄十四年左傳、杜預曰、棫林、秦地、梁玉繩曰、此遷延之役、不可言敗、十五年、悼公問治國於師曠。師曠曰、惟仁義爲本。【正義】師曠、晉樂太師野、【考證】梁玉繩曰、三傳國語、皆無此事、疑卽左氏晉侯問衛人出君一節、史改約之也、事在十四年、冬、悼公卒。【考證】襄十五年春秋經傳、子平公彪立。平公元年、伐齊。【考證】陳仁錫曰、伐齊、左傳在三年、愚按年表同左傳、齊靈公與戰靡下。齊師敗走。【集解】徐廣曰、靡、一作歷、【索隱】劉氏靡、音眉綺反、卽靡笄也、晏嬰曰、君亦毋勇。何不止戰。遂去。晉

追逐圍臨菑、盡燒屠其郭中、東至膠、南至沂。齊皆城守。晉乃引兵歸。【考證】伐齊以下、襄十八年左傳、左傳、膠作濰、六年、魯襄公朝晉。晉欒逞有罪、奔齊。【考證】襄二十一年左傳、欒盈初奔楚、後奔齊也、梁玉繩曰、欒懷子之名、年表及晉與田完世家、竝作逞、避惠帝諱改、齊世家、依春秋作盈、史公失檢耳、八年、齊莊公微遣欒逞於曲沃、以兵隨之。齊兵上太行。欒逞從曲沃中、反襲入絳。絳不戒。平公欲自殺。范獻子止公。【考證】梁玉繩曰、案無此事、內外傳但言范宣子奉公如固宮而已、以其徒擊逞。逞敗走曲沃。曲沃攻逞。逞死。遂滅欒氏宗。逞者欒書孫也。【集解】左傳、逞作盈、【考證】梁玉繩曰、案傳、盈襲絳不克、奔曲沃、晉人圍曲沃、克之殺盈、非曲沃攻之而死也、其入絳、與魏氏謀。齊莊公聞逞敗、乃還取晉之朝歌去。【考證】朝歌、初爲衞邑、後爲晉、以報臨菑之役也。【考證】事見襄二十三年左傳、梁玉繩曰、案傳、遣欒盈、與伐晉登大行、判然兩事、此誤幷爲一也、言莊公聞逞敗乃還、亦非、十年、齊崔杼弒其君莊公。晉因齊亂伐敗

齊於高唐去。報太行之役也。【考證】事見襄二十五年左傳、但不言敗齊於高唐、年表同誤、十四年、吳延陵季子來使。與趙文子・韓宣子・魏獻子語。曰、晉國之政、卒歸此三家矣。【考證】襄二十九年左傳、語字句絕、曰、與他人言也、十九年、齊使晏嬰如晉。與叔嚮語。叔嚮曰、晉、季世也。公厚賦爲臺池、而不恤政。政在私門。其可久乎。晏子然之。【考證】昭三年左傳、二十二年、伐燕。【考證】據昭六年左傳、齊侯請晉伐燕、非晉伐燕也、此與表同誤、沈家本曰、表、二十三年入燕君、二十六年、平公卒。【考證】昭十年春秋經傳、子昭公夷立。昭公六年卒。六卿彊、【索隱】韓、趙、魏、范、中行及智氏爲六卿、後韓、趙、魏爲三卿、而分晉政、故曰三晉、【考證】中井積德曰、三晉、三家滅晉各爲列國以後之稱、非卿之稱、索隱謬、公室卑。【考證】昭十六年左傳、六卿彊公室卑、據魯人子服昭伯語、子頃公去疾立。頃公六年、周景王崩、王子爭立。晉六卿平王室亂、立敬王。【考證】昭二十二年春秋經傳、九年、魯季氏逐其君昭公。昭公居

乾侯。【考證】昭二十五年春秋經傳、今直隸廣平府成安縣、有斥邱故城、春秋晉乾侯邑、據左傳、昭公是年居鄆、晉頃公十二年、乃居乾侯、史統言之也、 十一年、衞・宋使使請晉納魯君。季平子私賂范獻子。獻子受之。乃謂晉君曰。季氏無罪。不果入魯君。【考證】昭二十七年左傳、 十二年、晉之宗家祁傒孫・叔嚮子、相惡於君。【考證】祁傒孫、祁盈也、叔向子、楊食我也、二氏皆以公族爲大夫者、中井積德曰、據左傳、祁盈以執家臣故死、楊食我以黨祁盈故死、非相惡也、愚按、魏世家、無於君二字、 六卿欲弱公室。乃遂以法盡滅其族、而分其邑爲十縣、各令其子爲大夫。晉益弱、六卿皆大。【考證】以上本昭二十八年左傳、梁玉繩曰、二氏之滅、由于祁勝賂荀躒、非關六卿之故、十縣大夫、除趙朝韓固魏戊知徐吾四姓外、其六人者皆以賢擧、豈盡六卿之子姓族屬乎、史誤、 十四年、頃公卒。【考證】昭三十年春秋經傳、 子定公午立。定公十一年、魯陽虎奔晉。趙鞅簡子舍之。【考證】定九年左傳、 十二年、孔子相魯。【考證】孔子相魯、謬、說在孔子世家、 十五年、趙鞅使邯鄲大夫午。不信。欲殺午。【正義】趙鞅、定十一年、伐衞、衞懼、貢五百家、鞅置之邯鄲、今欲徙之晉陽、午許諾、歸告其父兄、父兄不許、倍言、是不信、【考證】余有丁曰、按左傳、趙鞅謂邯鄲午曰、歸吾衞貢五百家、吾舍諸晉陽、午許諾、歸告其父兄、父兄皆曰不可、趙孟怒、遂殺午、午、中行寅之甥、中行寅、范吉射之姻也、而相與睦、遂同攻趙孟、愚按、左傳、無大夫二字、邯鄲午趙勝子、別邑邯鄲、因以爲氏、邯鄲、今縣、屬直隸廣平府、 午與中行寅・范吉射親。攻趙鞅。【索隱】寅、荀偃之孫也、射、晉亦范獻子士鞅之子、【考證】梁玉繩曰、案左傳、攻鞅者、范中行也、事在七月、而午已于六月前爲鞅所殺、安得與攻鞅之役乎、 鞅走保晉陽。定公圍晉陽。【考證】今山西太原府、太原縣有晉陽故城、春秋晉邑、屬趙氏、 荀櫟・韓不信・【正義】世本云、不信、韓宣子孫簡子也、【考證】趙世家、不信作不佞、 魏侈・【正義】即魏襄子、左傳、作魏曼多、世本云、魏襄子多也、【考證】梁玉繩曰、魏襄子之名、春秋經傳作曼多、公羊作多、晉魏世家、作侈、趙世家、作哆、 與范・中行爲仇。乃移兵伐范・中行。范・中行反。晉君擊之、敗范・中行。范・中行走朝歌保之。韓・魏爲趙鞅謝。晉君乃赦趙鞅。復位。【考證】趙鞅使邯鄲大夫午以下、本定十三年左傳・ 二十二年、晉敗范・中行氏。二子奔齊。【考證】哀五年左傳、 三十年、定公與吳王夫差會黃池爭長。趙鞅時從。

卒長吳。【集解】徐廣曰、吳世家說黃池之盟云、趙鞅怒將戰、吳乃長晉定公、左氏傳云、乃先晉人、外傳云、吳公先歃、晉公次之、【正義】黃池、在汴州封丘縣南七里、去汴州四十三里、【考證】事見哀十三年春秋經傳、黃池、在今河南開封府封丘縣西南、王夫之有別說、說見吳太伯世家、中井積德曰、吳世家云、長晉、與此異、 三十一年、齊田常弑其君簡公、【考證】哀十四年春秋經傳、 而立簡公弟驁爲平公。三十三年、孔子卒。【考證】哀十六年左氏經傳、 三十七年、定公卒。子出公鑿立。【考證】六國表、鑿作錯、 出公十七年、【集解】徐廣曰、年表云、出公立十八年、或云二十年、 知伯與趙・韓・魏共分范・中行地以爲邑。出公怒告齊・魯、欲以伐四卿。【索隱】時趙魏韓共滅范氏及中行氏、而分其地、猶有智氏與三晉、故曰四卿也、 四卿恐、遂反攻出公。出公奔齊。道死。故知伯乃立昭公曾孫驕爲晉君。是爲哀公。【索隱】按趙系家云、驕是爲懿公、又年表云、出公十八年、次哀公忌二年、次懿公驕十七年、紀年又云、出公二十三年奔楚、乃立昭公之孫、是爲敬公、系本亦云、昭公生桓子雍、雍生忌、忌生懿公驕、然晉趙系家及年表、各各不同、何況紀年之說也、【正義】諸說並不同、疑年表爲長、【考證】梁玉繩曰、哀當作懿、說在下文、 哀公大父雍、晉昭公少子也。號爲戴子。【集解】徐廣曰、世本、作桓子雍、注云、戴子、 戴子生忌。忌善知伯。蚤死。故知伯欲盡并晉、未敢。乃立忌子驕爲君。【考證】梁玉繩曰、案繼出公而立者、晉世家、謂昭公曾孫哀公驕、趙世家、謂昭公曾孫懿公驕、竹書紀年、謂昭公孫敬公、無哀懿二公、六國表、又作哀公忌、其不同、一也、晉世家、謂哀公十八年、紀年、謂敬公二十二年、六國表、又作哀公二年懿公十七年、其不同、二也、且表以爲哀公忌、而晉世家、言忌早死、立忌子驕爲君、何牴牾若是乎、攷索隱正義引世本云、昭公生桓子雍、雍生忌、忌生懿公驕、與晉趙世家稱驕爲昭公曾孫合、則忌是哀公、驕是懿公、忌與驕乃父子、晉世家、誤以懿爲哀耳、紀年謂立昭公孫敬公、蓋懿又謚敬、特誤以曾孫爲孫也、余疑忌既早死、未嘗爲君、哀公之稱、當是其子追謚之、繼出公者必懿公驕、非哀公忌矣、至其立年之多少、紀年爲確、表與世家俱非、表宜衍晉哀公忌元年六字、而補書晉懿公驕元年于周定王十八年、方合、出公二十三年卒、當定王十七年、 當是時、晉國政皆決知伯。晉哀公不得有所制。知伯遂有范・中行地、最彊。哀公四年、趙襄子・韓康子・魏桓子共殺知伯、盡并其地。【索隱】如紀年之說、此乃出公二十二年事、【考證】三晉滅知伯、詳于國語晉語、國策趙魏韓策、 十八年、哀公卒。【考證】沈家本曰、表、十九年、梁玉繩曰、當作二十二年懿公卒、 子幽公柳立。幽公之時、晉畏、反朝韓・趙・魏之君、[索隱]畏、懼也、爲衰弱故反朝韓趙魏也、宋忠引此注系本、而畏字爲衰、[正義]宋忠引此世家注世本云、晉衰、疑今本誤也、獨有絳・曲沃、餘皆入三晉。十五年、魏文侯初立。[索隱]按紀年、魏文侯初立、在敬公十八年、[考證]沈家本曰、表十四年、梁玉繩曰、文侯立于晉幽公六年、當周威烈王二年、魏世家云、文侯元年秦靈公元年、是也、竹書謂立于晉敬公十八年、亦非、十八年、幽公淫婦人、夜竊出邑中。盜殺幽公。[索隱]紀年云、夫人秦嬴、賊公於高寢之上、[考證]幽公止十年、史誤作十八年、魏文侯以兵誅晉亂、立幽公子止。是爲烈公。[索隱]系本云、幽公生烈公止、又年表云、魏誅幽公、立其弟止、烈公十九年、周威烈王賜趙・韓・魏、皆命爲諸侯。[考證]陳仁錫曰、表在十七年、愚按、此誤、二十七年、烈公卒。子孝公頎立。[索隱]系本云、孝公傾、紀年以孝公爲桓公、故韓子有晉桓侯、孝公九年、魏武侯初立、襲邯鄲。不勝而去。[考證]陳仁錫曰、九年、史表作七年、愚按、此誤、十七年、孝公卒。[索隱]紀年云、桓公二十年、趙成侯韓共侯、遷桓公於屯留、已後更無晉事、[正義]世本云、生靖公俱也、[考證]陳仁錫曰、史表、孝公十五年卒、子靜公俱酒立。[索隱]系本云、靜公俱、是歲、齊威王元年也。[考證]表、在二年、靜公二年、魏武侯・韓哀侯・趙敬侯、滅晉後而三分其地。[索隱]按紀年、魏武侯以桓公十九年卒、韓哀侯・趙敬侯、竝以桓公十五年卒、又趙系家、烈侯十六年、與韓分晉、封晉君端氏、其後十年、肅侯遷晉君於屯留、不同也、[考證]依趙世家索隱、烈侯當作成侯、蓋是年晉雖分、而未絕封、大事記云、周安王二十六年所分者、絳與曲沃之地也、靜公遷爲家人。晉絕不祀。[考證]家人、庶人也、

太史公曰。晉文公古所謂明君也。亡居外十九年、至困約。及即位而行賞、尙忘介子推。況驕主乎。靈公既弑、其後成・景致嚴、至厲大刻。大夫懼誅禍作。悼公以後日衰、[考證]黃震曰、悼公十四歲得國、一旦轉危爲安、功業赫然、漢昭帝流亞也、太史公例言悼公以後日衰、語焉不詳、悼公稱屈九泉矣、六卿專權。故君道之御其臣下、固不易哉。[考證]論語子路篇、爲君難、爲臣不易、

[索隱]述贊、天命叔虞、卒封於唐、桐珪既削、河汾是荒、文侯雖嗣、曲沃日彊、未知本末、祚傾桓莊、獻公昏惑、太子罹殃、重耳致霸、朝周河陽、靈既喪德、厲亦無防、四卿侵侮、晉祚遽亡、

晉世家第九

史記三十九

史記會注考證卷四十

漢　太　史　令　司　馬　遷　撰

宋中郎外兵曹參軍裴　駰集解

唐國子博士弘文館學士司馬貞索隱

唐諸王侍讀率府長史張守節正義

日　本　出　雲　瀧　川　資　言　考　證

楚世家第十　　史記四十

【考證】史公自序云、重黎業之、吳回接之、殷之季世、粥子牒之、周用熊繹、熊渠是續、莊王之賢、乃復國陳、既赦鄭伯、班師華元、懷王客死、蘭咎屈原、好諛信讒、楚并於秦、嘉莊

王之義、作楚世家第十。愚按、此卷首采帝繫、鄭語、漸及左傳、楚語、中幅以後采楚策最多。顧棟高曰、案楚在春秋、吞并諸國凡四十有二、其西北至武關、在今陝西商州東少習山下、文十年傳、子西爲商公、卽商州之雒南縣也、與秦分界、其東南至昭關、在今江南和州含山縣北二十里、昭十七年、吳楚戰于長岸、卽和州南七十里之東梁山、與今太平府夾江相對、是也、與吳分界、其北至河南之汝寧府南陽府汝州、與周分界、其南不越洞庭湖、全有今湖北十府八州六十縣之地、惟隨州爲隨國、僅存、又全有河南之汝寧南陽二府、光州一州、又闌入汝州之郟縣魯山縣、河南府之嵩縣、開封府之尉氏縣、許州府之郾城縣、及禹州、與鄭接境、四川夔州府之奉節縣、與巴接境、江西之南昌府南康、九江饒州、與吳錯壤、又全有江南之廬州鳳陽潁州三府、及壽州和州之地、江寧府之六合、太平府之蕪湖、徐州府之碭山、則與吳日交兵處也、後廬壽之地、多入于吳、

楚之先祖、出自帝顓頊高陽。【考證】李笠曰、案祖字衍、秦本紀云、秦之先、帝顓頊之苗裔、越世家云、其先禹之苗裔、趙世家云、趙氏之先、與秦共祖、先卽先祖、此亦宜與諸處一例。高陽者黃帝之孫、昌意之子也。【考證】以上本帝繫篇。高陽生稱。【正義】尺證反、稱生卷章。卷章生重黎。【集解】徐廣曰、世本云、老童生重黎及吳回、譙周曰、老童卽卷章、【索隱】卷章名老童、故系本云、老童生重黎、重氏黎氏二官、代司天地、重爲木正、黎爲火正、案左氏傳、少昊氏之子曰重、顓頊氏之子曰黎、今以重黎爲一人、仍是顓頊之子孫者、劉氏云、少昊氏之後曰重、顓頊氏之後曰重黎、對彼重則單稱黎、若自言當家則稱重黎、故楚及司馬氏皆重黎之後、非關少昊之重、愚謂此解

爲當、【正義】帝繫云、顓頊娶于滕墳氏女、生老童、是爲楚先也、世本云、老童取根水氏之子、謂之嬌福、產重黎及吳回也、【考證】帝繫及山海大荒西經及人表竝云、顓頊生老童、據此則老童顓頊之子也、史云、高陽生稱、稱生卷章、集解引譙周云、老童卽卷章、據此則老童顓頊之孫也、所傳不同、陳仁錫曰、重黎本二人、重爲木正、黎爲火正、楚出黎後、世家合爲一人、誤、張照曰、劉氏謂對彼重則單稱黎、若自言當家則稱重黎、夫南正重司天、北正黎司地、重黎二人之名、猶夫周召爾、寧有對周而言則單稱召、自言當家則稱周召之理邪、

重黎爲帝嚳高辛居火正。【索隱】此重黎爲火正、彼少昊氏之後重、自爲木正、知此重黎卽彼之黎也、【正義】此重黎、火正也、小昊之後重、木正也、則知此重黎則非彼重也、甚有功、能光融天下。帝嚳命曰祝融。【集解】虞翻曰、祝、大、融、明也、韋昭曰、祝、始也、【考證】重黎爲帝嚳火正以下、采國語鄭語、共工氏作亂。帝嚳使重黎誅之、而不盡。帝乃以庚寅日誅重黎、而以其弟吳回爲重黎。後、復居火正、爲祝融。【考證】梁玉繩曰、嚳誅重黎、史公之妄記也、初命之、而繼誅之、嚳是聖君、黎是功臣、寧有此乎、吳回生陸終。陸終生子六人。坼剖而產焉。【集解】干寶曰、先儒學士多疑此事、譙允南通才達學、精核數理者也、作古史考、以爲作者妄記、廢而不論、余亦尤其生之異也、然按六子之世、子孫有國、升降六代、數千年間、迭至霸王、天將興之、必有尤物乎、若夫前志所傳、修己背坼而生

禹、簡狄胷剖而生契、歷代久遠、莫足相證、近魏黃初五年、汝南屈雍妻王氏生男兒、從右胳下水腹上出、而平和自若、數月創合、母子無恙、斯蓋近事之信也、以今況古、固知注記者之不妄也、天地云爲、陰陽變化、安可守之一端、槩以常理乎、詩云、不坼不副、無災無害、原詩人之旨、明古之婦人、嘗有坼副而產者矣、又有因產而遇災害者、故美其無害也、【索隱】系本云、陸終娶鬼方氏妹、曰女嬇、【正義】陸終娶鬼方氏之妹、謂之女嬇、產六子、孕而不毓、三年、啓其右脇、六人出焉、其長一曰昆吾。【集解】虞翻曰、昆吾、名樊、爲己姓、封昆吾、世本曰、昆吾者衞、是也、【索隱】長曰昆吾、系本云、其一曰樊、是爲昆吾、又曰、昆吾者衞、是、宋忠曰、昆吾、國名、己姓所出、左傳曰、衞侯夢見披髮登昆吾之觀、按今濮陽城中有昆吾臺、是、【正義】括地志云、濮陽縣、古昆吾國也、昆吾故城、在縣西三十里、臺在縣西百步、卽昆吾墟也、【考證】長字衍、帝繫無、張文虎曰、索隱本作長曰、左傳疏引作一曰、本有異文、後人妄合寫之、二曰參胡。【集解】世本曰、參胡者、韓是也、【索隱】系本云、二曰惠連、是爲參胡、參胡者、韓是、宋忠曰、參胡、國名、斟姓、無後、三曰彭祖。【集解】虞翻曰、名翦、爲彭姓、封於大彭、世本曰、彭祖者、彭城是也、【索隱】系本云、三曰籛鏗、是爲彭祖、彭祖者彭城是、虞翻云、名翦、爲彭姓、封於大彭、【正義】括地志云、彭城、古彭祖國也、外傳云、殷末滅彭祖國也、虞翻云、名翦、神仙傳云、彭祖諱鏗、帝顓頊之玄孫、至殷末年已七百六十七歲、而不衰老、遂往流沙之西、非壽終也、四曰會人。【集解】世本曰、會人者、鄭是也、【索隱】系本云、四曰求言、是爲鄶人、鄶人者、鄭是、宋忠曰、求言名也、妘姓所出、鄶國也、【正義】括地志云、故鄶城、在鄭州新鄭縣東北二十二里、毛詩譜云、昔高辛之土、祝融之墟、歷唐至周、重黎之後、妘姓處其地、是爲鄶國、爲鄭武公所滅也、

【考證】帝繫、會作鄶、五曰曹姓。【集解】世本曰、曹姓者、邾是也、【索隱】系本云、五曰安、是爲曹姓、曹姓、邾是、宋忠曰、安、名也、曹姓者、諸曹所出、【正義】括地志云、故邾國、在黃州黃岡縣東南百二十一里、史記云、邾子、曹姓也、六曰季連。羋姓。楚其後也。【索隱】系本云、六曰季連、是爲羋姓、季連者、楚是、宋忠曰、季連、名也、羋姓所出、楚之先、羋、音彌是反、羋、羊聲也、【考證】吳回生陸終以下、帝繫、昆吾氏。夏之時嘗爲侯伯。桀之時湯滅之。彭祖氏。殷之時嘗爲侯伯。殷之末世。滅彭祖氏。【考證】昆吾氏以下、國語鄭語、季連生附沮。【集解】孫檢曰、一作祖、【索隱】沮、音才敘反、【考證】帝繫、作付祖、附沮生穴熊。【考證】以上采帝繫、其後中微。或在中國。或在蠻夷。弗能紀其世。周文王之時。季連之苗裔曰鬻熊。【考證】漢書藝文志道家、鬻子二十二篇、名熊、爲周師、自文王以下問焉、周封爲楚祖、愚按列子天瑞、賈子新書修政語、亦引鬻熊言、與道家旨相似、今本鬻子十四篇、後人僞託、鬻熊子事文王。蚤卒。【考證】藝文類聚引史無子字、其子曰熊麗。熊麗生熊狂。熊狂生熊繹。熊繹當周成王之時。舉文武勤勞之後嗣。而封熊繹於

楚蠻。封以子男之田。姓羋氏。居丹陽。【集解】徐廣曰、在南郡枝江縣、【正義】潁容云、傳例云、楚居丹陽、今枝江縣故城是也、括地志云、歸州巴東縣東南四里歸故城、楚子熊繹之始國也、又熊繹墓、在歸州秭歸縣、輿地志云、秭歸縣東有丹陽城、周迴八里、熊繹始封也、【考證】今湖北宜昌府歸州有古丹陽城、楚始封此、曰西楚、後徙枝江、亦曰丹陽、是爲南楚、今荊州府枝江縣是、楚子熊繹、與魯公伯禽・衛康叔子牟・晉侯燮・齊太公子呂伋俱事成王。【考證】楚子熊繹以下、昭十二年左傳、熊繹生熊艾。熊艾生熊䵣。【索隱】一作黮、音土感反、䵣、音但、與亶同、字亦作亶、熊䵣生熊勝。熊勝以弟熊楊爲後。【索隱】鄒誕本、作熊鍚、一作煬、【考證】人表、艾作乂、勝作盤、楊作鍚、以盤爲乂子、以鍚爲盤子、熊楊生熊渠。熊渠生子三人。當周夷王之時。王室微。諸侯或不朝相伐。熊渠甚得江漢閒民和。乃興兵伐庸・【集解】杜預曰、庸、今上庸縣、【正義】括地志云、房州竹山縣本漢上庸縣、古之庸國、昔周武王伐紂、庸蠻在焉、【考證】今湖北鄖陽府竹山縣、古庸國、楊粵・【索隱】有本作楊雩、音吁、地名也、今音越、譙周亦作楊越、【考證】漢書南粵王傳、略定揚粵、顏師古曰、本揚州之分、故云揚粵、至于鄂。【正義】五各反、劉伯莊云、地名、在楚之西、後徙

楚、今東鄂州是也、括地志云、鄂州向城縣南二十里、西鄂故城、是楚西鄂、【考證】今湖北武昌府武昌縣、有鄂城、熊渠曰。我蠻夷也。不與中國之號謚。乃立其長子康爲句亶王。【集解】張瑩曰、今江陵也、【索隱】系本、康作庸、亶作祖、地理志云、江陵南郡之縣也、楚文王自丹陽徙都之、【考證】帝繫、康作無康、中子紅爲鄂王。【集解】九州記曰、鄂、今武昌、【索隱】有本作藝經二字、音摯紅、從下文熊摯紅讀也、古史考及鄒氏劉氏等、無音、摯經恐非也、【正義】括地志云、武昌縣、鄂王舊都、今鄂王神、即熊渠子之神也、少子執疵爲越章王。【索隱】系本、無執字、越作就、【考證】其長子以下、本帝繫、帝繫、執疵作疵、越章作戚章、皆在江上楚蠻之地。及周厲王之時。暴虐。熊渠畏其伐楚。亦去其王。後爲熊毋康。【集解】徐廣曰、即渠之長子、毋康蚤死。熊渠卒。子熊摯紅立。【索隱】如此史意、即上鄂王紅也、譙周以爲熊渠卒、子熊翔立、卒、長子摯有疾、少子熊延立、此云摯紅卒其弟殺而自立曰熊延、欲會此代系、則翔亦毋康之弟、元嗣熊渠者毋康、既蚤亡、摯紅立、而被延殺、故史考言摯有疾、而此言弒也、【正義】即上鄂王紅也、【考證】摯字當衍、熊紅即上鄂王也、正義近是、摯紅卒。其弟弒而代立。曰熊延。【正義】譙周言摯有疾、此言弒、未詳、宋均注樂緯云、熊渠嫡嗣曰熊摯、有惡疾、不得爲後、別居於夔、爲楚附庸、後王命曰夔子也、【考證】梁玉繩曰、既云摯紅

卒、則非弒矣、而云弒者、蓋弒其子、史有脫文耳、愚按、疑摯子熊摯立四字、僖二十六年左傳、夔子曰、我先王熊摯有疾、而自竄于夔、是以失楚、國語鄭語孔晁注、熊繹玄孫摯有疾、楚人廢之、立其弟延、摯自弃于夔、子孫有功、王命爲夔子、韋昭亦襲孔注、但改繹玄孫爲繹六世孫、孔韋必有所據、但史曰弒、左傳及孔韋鄭語注、曰竄曰廢、所傳異耳、熊延生熊勇。熊勇六年。而周人作亂。攻厲王。厲王出奔彘。熊勇十年卒。弟熊嚴爲後。熊嚴十年卒。有子四人。長子伯霜。中子仲雪。次子叔堪。【索隱】一作湛、【考證】鄭語、堪作熊、少子季徇。【索隱】旬俊反、【考證】鄭語、徇作紃、有子四人以下、國語鄭語、熊嚴卒。長子伯霜代立。是爲熊霜。熊霜元年。周宣王初立。熊霜六年卒。三弟爭立。仲雪死。叔堪亡避難於濮。【集解】杜預曰、建寧郡南有濮夷、【正義】按建寧、晉郡、在蜀南、與蠻相近、劉伯莊云、濮、在楚西南、孔安國云、庸濮、在漢之南、按成公元年、楚地千里、孔說是也、而少弟季徇立。【考證】叔堪亡以下、本鄭語、是爲熊徇。熊徇十六年。鄭桓公初封於鄭。二十二年。熊徇卒。子熊咢立。【索隱】噩、音鄂、亦作咢、【考證】表、作鄂、熊咢九年

卒。子熊儀立。是爲若敖。【考證】宣十二年左傳云、若敖蚡冒、篳路藍縷、以啓山林、若敖二十年、周幽王爲犬戎所弑。周東徙。而秦襄公始列爲諸侯。二十七年、若敖卒。子熊坎立。是爲霄敖。【索隱】坎、苦感反、一作菌、又作欽、霄敖六年卒。子熊眴立。【集解】徐廣曰、眴、音舜、【索隱】徐音舜、按玉篇、在口部、顧氏云、楚之先卽蚡冒也、劉音舜、其近代本、有字有從目者、徐音舜、非、是爲蚡冒。【索隱】古本蚡作羒、音憤、冒、音亡北反、或亡報反、【考證】梁玉繩曰、案韓子和氏篇、謂厲王薨、武王卽位、外儲說左上亦稱楚厲王、楚辭東方朔七諫云、遇厲武之不察、羌兩足以畢斮、是蚡冒諡厲王矣、史何以不書、蚡冒十三年、晉始亂。以曲沃之故。蚡冒十七年卒。蚡冒弟熊通、弑蚡冒子而代立。是爲楚武王。【考證】梁玉繩曰、武王之名、各本史記皆作熊通、而杜世族譜、左文十六、宣十二、昭廿二疏、及釋文引世家、竝是熊達、桓二年疏、不引世家、亦是熊達、蓋今本誤、武王十七年、晉之曲沃莊伯弑主國晉孝侯。【考證】桓二年左傳、十九年、鄭伯弟段作亂。【考證】隱元年春秋經傳、二十一年、鄭侵天子之田。【考證】隱三年左傳、二十三年、

衛弑其君桓公。【考證】隱四年左傳、事在武王二十二年、二十九年、魯弑其君隱公。【考證】隱十一年左傳、三十一年、宋太宰華督、弑其君殤公。【考證】桓二年春秋經傳、中井積德曰、華督、宜言華父督、三十五年、楚伐隨。【集解】賈逵曰、隨、姬姓也、杜預曰、隨國、今義陽隨縣、【正義】括地志云、隨州外城、古隨國地、世本云、楚武王墓、在豫州新息、隨、姬姓也、武王卒師中而兵罷、括地志云、上蔡縣東北五十里、是也、【考證】桓六年左傳、今湖北德安府隨州、卽故隨國、隨曰。我無罪。楚曰。我蠻夷也。今諸侯皆爲叛相侵、或相殺。我有敝甲、欲以觀中國之政、請王室尊吾號。隨人爲之周、請尊楚。王室不聽。還報楚。【考證】爲、去聲、之、往也、三十七年、楚熊通怒曰。吾先鬻熊、文王之師也。蚤終。成王擧我先公、乃以子男田令居楚。蠻夷皆率服。而王不加位。我自尊耳。乃自立爲武王。【考證】宜言自立爲王、武字、諡號、後來史家所加、管蔡世家、楚公子圍弑其王郟敖、而自立爲靈王、衞世家鄭世家皆云、楚公子棄疾弑靈王自立爲平王、司馬穰苴傳、至常曾孫和因自立爲齊威王、皆同一例、

與隨人盟而去。【考證】桓八年左傳云、夏、楚子合諸侯于沈鹿、隨不會、楚子伐隨、軍於漢淮之間、隨侯禦之、戰于速杞、隨師敗績、秋、隨及楚平、與此不同、於是始開濮地而有之。【考證】國語鄭語、五十一年、周召隨侯、數以立楚爲王。楚怒以隨背己伐隨。【考證】左傳無此事、武王卒師中、而兵罷。【集解】皇覽曰、楚武王冢、在汝南郡鮦陽縣葛陂鄉城東北、民謂之楚王岑、漢永平中、葛陵城北祝里社下、於土中得銅鼎、而銘曰楚武王、由是知楚武王之冢、民傳言秦項赤眉之時、欲發之、輒頽壞塡壓、不得發也、【正義】有本注葛陂鄉作葛陵鄉者、誤也、地理志云、新蔡縣西北六十里、有葛陂鄉、卽費長房投竹成龍之陂、因爲鄉名也、【考證】莊四年左傳、子文王熊貲立。始都郢。【正義】括地志云、紀南故城、在荊州江陵縣北五十里、杜預云、國都於郢、今南郡江陵縣北紀南城是也、括地志云、又至平王更城郢、在江陵縣東北六里、故郢城是也、【考證】梁玉繩曰、左桓二年疏謂、漢地理志從史記、文王徙郢、世本及杜譜云、武王徙郢、未知孰是、春秋地名攷略云、左昭二十三年、沈尹戌曰、若敖蚡冒至于武文、猶不城郢、則居郢幷不始武王、疑數世經營、至武文始定耳、愚按、郢、今湖北荊州府治、文王二年、伐申過鄧。【正義】括地志云、故申城、在鄧州南陽縣北二十里、晉太康地志云、周宣王舅所封、故鄧城在襄州安養縣北二十里、春秋之鄧國、莊十六年、楚文王滅之、【考證】申、今河南南陽府南陽縣申城、鄧、今湖北襄陽府襄陽縣鄧縣故城、鄧人曰。楚王易取。鄧

侯不許也。【集解】服虔云、鄧、曼姓、【考證】莊七年左傳、顧棟高曰、申爲南陽、天下之膂、光武所發迹處、是時齊桓未興、楚橫行南服、由丹陽遷郢、取荊州以立根基、武王旋取羅鄀、爲鄢郢之地、定襄陽以爲門戶、至滅申、遂北向以抗衡中夏、然其始要非一朝一夕之故也、平王東遷、卽切切焉戍申與甫許、豈獨內德申侯、爲之遣戍、亦防維固圉之計、有不獲已、逮桓王莊王、六七十年之久、楚之侵擾日甚、卒爲所滅、自後滅呂滅息滅鄧、南陽汝寧之地、悉爲楚有、如河決魚爛、不可底止、遂平步以窺周疆矣、故楚出師、則申息爲之先驅、守禦則申息爲之藩蔽、城濮之敗、而子玉羞見申息之老、楚莊初立、而申息之北門不啓、子重欲取申呂爲賞田、而巫臣謂晉鄭必至於漢、申之係於楚、豈細故哉、故論當日楚之形勢、東拒齊、則召陵之陘、爲咽喉之塞、西拒晉、則少習武關、通往來之道、南面扞吳、則鍾離居巢州來、屹爲重鎭、迨州來失、而入郢之禍始兆、楚之植基固而形勢便、使周曆猶緜延四百年、不遂併於楚者、桓文之力也、六年、伐蔡。【正義】豫州上蔡縣、在州北七十里、古蔡國也、縣外城、蔡國城也、【考證】今河南汝寧府新蔡縣、蔡故城、虜蔡哀侯以歸。【考證】莊十年春秋經傳、已而釋之。【考證】管蔡世家云、哀侯留九歲死於楚、與此異、楚彊、陵江漢閒小國。小國皆畏之。十一年、齊桓公始霸。【考證】莊十五年左傳、楚亦始大。十二年、伐鄧滅之。【考證】莊十六年左傳、十三年卒。子熊囏立。【集解】史記音隱云、囏、古艱字、【考證】杭世駿曰、按左傳、楚文王于魯莊十五年卽位、至十九年卒、在位共十五年、世家年表、

竝不同、是爲莊敖。【索隱】上音側狀反、【考證】張文虎曰、年表索隱引世家作莊敖、此注音側狀反、是小司馬所見本作莊、而讀爲壯、今本作杜、蓋後人所改、莊敖五年、欲殺其弟熊惲、【索隱】惲、音紆粉反、左傳作頵、紆貧反、【考證】梁玉繩曰、莊敖以魯莊二十二年立、二十二年見弒、五年當作二年、惲當作頵、熊字衍、惲奔隨。與隨襲弒莊敖代立。是爲成王。

成王惲元年、初卽位、布德施惠、結舊好於諸侯、使人獻天子。天子賜胙曰。鎭爾南方、夷越之亂、無侵中國。於是楚地千里。

十六年、齊桓公以兵侵楚至陘山。【正義】杜預云、陘、楚地、潁川召陵縣南有陘亭、括地志云、陘山在鄭州西南一百一十里、卽此山也、【考證】陘山、春秋經傳作陘、今河南許州府郾城縣南、楚成王使將軍屈完以兵禦之。【正義】屈、曲勿反、完、音桓、楚族也、【考證】左傳云、使屈完如師、蓋求盟也、與此異、與桓公盟。桓公數以周之賦不入王室。楚許之。乃去。【考證】齊桓公以下、僖四年左傳、十八年、成王以兵北伐許。【集解】地理志曰、潁川許昌縣、故許國也、【考證】今河南許州府治東、有故許城、許君肉袒謝。乃釋之。【考證】僖七

年左傳、肉袒、去上衣、露肢體、意謂歸骨就刑戮、所以表其服順也、左傳云、許男面縛銜璧、大夫衰絰、士輿櫬、史公以肉袒二字易之、二十二年、伐黃。【索隱】汝南弋陽縣、故黃國、【正義】括地志云、黃國故城、漢弋陽縣也、秦時黃都、嬴姓、在光州定城縣四十里也、【考證】今河南光州、春秋黃國、有古黃城、伐黃、左傳及年表、俱在二十三年、二十四年滅之、二十六年、滅英。【集解】徐廣曰、年表及他本、皆作英、一本作黃、【正義】英國、在淮南、蓋蓼國也、不知改名時也、【考證】梁玉繩曰、英卽英氏、其滅未知何時、然楚成王二十六年、當魯僖公十四年、而僖十六年春秋云、齊人徐人伐英氏、則此書滅英、誤、此乃是滅黃之誤、元屬二十四年事、錯書于二十六年耳、三十三年、宋襄公欲爲盟會召楚。楚王怒曰。召我。我將好往襲辱之。遂行至盂。【正義】音于、宋地也、【考證】好往、以和好往會也、遂執辱宋公。已而歸之。三十四年、鄭文公南朝楚。楚成王北伐宋、敗之泓。射傷宋襄公。襄公遂病創死。【考證】宋襄公以下、僖二十二、二十三年左傳、楚王怒曰十三字、史公以意補、三十五年、晉公子重耳過楚。成王以諸侯客禮饗。而厚送之於秦。【考證】僖二十三年左傳、三十九年、魯僖公來、請兵以伐齊。楚使申

侯將兵伐齊、取穀。【集解】杜預曰、濟北穀城縣、【正義】括地志云、穀在濟州東阿縣東二十六里、【考證】三十九年、當作三十八年、穀、山東泰安府東阿縣、置齊桓公子雍焉。齊桓公七子、皆奔楚。楚盡以爲上大夫。滅夔。夔不祀祝融・鬻熊故也。【集解】服虔曰、夔、楚熊渠之孫熊摯之後、夔在巫山之陽、秭歸鄉是也、【索隱】譙周作滅歸、歸卽夔之地名歸鄉也、【正義】左傳云、楚以其不祀祝融鬻熊、使鬭宜申帥師滅夔、以夔子歸、是也、【考證】僖二十六年左傳、夏、伐宋。【考證】梁玉繩曰、此上缺書三十九年、但春秋圍宋在冬、宋告急於晉。晉救宋。【考證】梁玉繩曰、晉救上缺書四十年、成王罷歸。將軍子玉請戰。成王曰。重耳亡居外久。卒得反國。天之所開、不可當。子玉固請。乃與之少師而去。晉果敗子玉於城濮。成王怒、誅子玉。【考證】僖二十八年左傳、城濮衞地、今山東曹州府濮州南、有臨濮故城、卽春秋城濮、四十六年、初成王將以商臣爲太子。語令尹子上。【考證】莊四年左傳、楚武王臣有令尹鬭祁莫敖屈重、令尹之名、始見於此、其職當國、長於諸尹、在莫敖上、蓋武王所創置、他國未聞、顧棟高曰、左傳桓六年、武王侵隨、其時鬭伯比當國主謀議、不著官稱、十一

年、有莫敖屈瑕、時則莫敖爲尊官、亦未有令尹之號、至莊四年、令尹與莫敖竝稱、嗣後莫敖之官、或設或不設、間與司馬竝列令尹之下、而令尹以次相授、至戰國猶仍其名、其官大都以公子、或嗣君爲之、他人莫得與也、顧炎武曰、春秋時列國官名、若晉之中行、宋之門尹、鄭之馬師、秦之不更庶長、皆他國所無、而楚尤多、有莫敖令尹司馬太宰少宰御士左史右領左尹右尹連尹鍼尹寢尹工尹卜尹芋尹藍尹沈尹莠尹囂尹陵尹郊尹樂尹宮廄尹監馬尹揚豚尹武城尹、其官名大抵異於他國、子上曰。君之齒未也。【集解】杜預曰、齒、年也、言尚少、而又多內寵。絀乃亂也。【考證】絀、左傳作黜、言君之春秋尚富、而內嬖多、將來必有易樹之事、則亂從之矣、楚國之舉、常在少者。【集解】賈逵曰、舉、立也、【考證】中井積德曰、舉、建置之意、龜井昱曰、舉、廢舉之舉、且商臣、蠭目而豺聲。忍人也。【集解】服虔曰、言忍爲不義、【考證】中井積德曰、忍、猶殘也、不可立也。王不聽。立之。後又欲立子職而絀太子商臣。【集解】賈逵曰、職、商臣庶弟也、商臣聞而未審也。告其傅潘崇曰。何以得其實。崇曰。饗王之寵姬江芊而勿敬也。【集解】姬、當作妹、【正義】芊、亡爾反、【考證】左傳、無王之寵姬四字、杜注、江芊、成王妹、嫁於江、商臣從之。江芊怒曰。宜乎、王之欲殺若而立職也。商

臣告潘崇曰。信矣。崇曰。能事之乎。集解服虔曰、若立職子能事之、曰。不能。能亡去乎。曰。不能。能行大事乎。集解服虔曰、謂弑君、曰。能。冬十月、商臣以宮衞兵圍成王。成王請食熊蹯而死。集解杜預曰、熊掌難熟、冀久將有外救之也、不聽。丁未、成王自絞殺。商臣代立。是爲穆王。穆王立。以其太子宮予潘崇、使爲太師、掌國事。考證初成王以下、文元年左傳、左傳、太子之宮、作爲太子之室、室、家貲也、穆王三年、滅江。集解杜預曰、江國、在汝南安陽縣、考證文四年春秋經傳、安陽故城、在今河南汝寧府正陽縣、四年、滅六·蓼。六·蓼皐陶之後。集解杜預曰、六國、今廬江六縣、蓼國、今安豐蓼縣、考證文五年左傳、秋、楚成大心滅六、冬、楚公子燮滅蓼、臧文仲聞六與蓼滅曰、皐陶庭堅、不祀忽諸、蓋六、皐陶之後、蓼、庭堅之後、庭堅八凱之一、與皐陶別人、史公合之爲一、誤、文十八年左傳杜注、庭堅卽皐陶字、亦襲史公謬、六、今安徽六安州、蓼、今河南光州固始縣、蓼城、八年、伐陳。考證文九年左傳、十二年卒。子莊王侶立。考證莊王立、文十四年左傳、春秋經及國語、侶作旅、穀梁作呂、莊王卽位。三年不出號令。考證梁玉繩曰、案文十六年左傳、莊王二年、嘗乘馹、會

師而滅庸矣、何言三年無令乎、日夜爲樂。令國中曰。有敢諫者死無赦。伍擧入諫。莊王左抱鄭姬、右抱越女、坐鍾鼓之閒。伍擧曰。願有進隱。集解隱、謂隱藏其意、考證隱、隱語也、又曰庾辭、漢藝文志、隱書十八篇、師古注、劉向別錄曰、隱書者、疑其言以相問、對者以慮思之、文心雕龍有諧隱篇、曰。有鳥在於阜。三年不蜚不鳴。是何鳥也。莊王曰。三年不蜚。蜚將沖天。三年不鳴。鳴將驚人。擧退矣。吾知之矣。考證天人韻、居數月、淫益甚。大夫蘇從乃入諫王曰。若不聞令乎。對曰。殺身以明君、臣之願也。於是乃罷淫樂、聽政。所誅者數百人、所進者數百人。任伍擧·蘇從以政。國人大說。考證王應麟曰、三年不飛不鳴、滑稽傳、謂淳于髡說楚威王、此一事而兩見、又曰、莊王時有嬖人伍參、其子伍擧在康王時、康王、莊王之孫、呂氏春秋重言覽云、荊莊王立三年、不聽而好隱、成公賈父入諫曰、願與君王隱、新序雜事篇云士慶、然則非伍擧也、愚按、韓非喩老篇伍擧作右司馬、且云、處半年、乃自聽政、所廢者十、所起者九、誅大臣五、擧處士六、而邦大治、擧兵誅齊、敗之徐州、勝晉於河雍、合諸侯於宋、遂覇於天下、

呂覽重言、明日朝、所進者五人、所退者十人、羣臣大說、荊國之衆相賀也、與此不同、是歲、滅庸。正義今房州竹山縣是也、考證文十六年左傳、庸、今湖北鄖陽府竹山縣東上庸故城、梁玉繩曰、事在二年、非三年也、六年、伐宋、獲五百乘。考證命鄭公子歸生伐宋、囚華元、獲樂呂、及甲車四百六十乘、左傳宣公二年、爲楚莊七年、八年、伐陸渾戎。集解服虔曰、陸渾戎、在洛西南、正義允姓之戎、徙居陸渾、考證陸渾故城、在河南河南府嵩縣、遂至洛、觀兵於周郊。集解服虔曰、觀兵、陳兵示周也、周定王使王孫滿勞楚王。集解服虔曰、以郊勞禮迎之也、楚王問鼎小大輕重。集解杜預曰、示欲偪周取天下、對曰。在德不在鼎。莊王曰。子無阻九鼎。楚國折鉤之喙、足以爲九鼎。正義喙、許衞反、凡戟有鉤、喙、鉤口之尖也、言楚國戟之鉤口尖有折者、足以爲鼎、言鼎之易得也、考證馬驌曰、問鼎亦窺之漸、故王孫滿阻之甚力耳、至折鉤之語、恐是太史公所增、龜井昱曰、陳大軍以耀威武、莊王之豪氣可想、史遷折鉤之言、必有所傳、岡白駒曰、無阻、猶勿恃也、中井積德曰、戈戟、鉤兵也、此鉤卽戈戟之大名也、喙者戈戟之末尖、如喙、足爲鼎、謂楚國之大、兵甲之多也、且鼎不足貴耳、王孫滿曰。嗚呼、君王其忘之乎。昔虞·夏之盛、遠方皆至、貢金九牧。集解服虔曰、使九州之牧貢金、鑄

鼎象物、集解賈逵曰、象所圖物、著之於鼎、百物而爲之備、使民知神姦。集解杜預曰、圖鬼神百物之形、使民逆備之也、桀有亂德。鼎遷於殷。載祀六百。集解賈逵曰、載、辭也、祀、年也、商曰祀、王肅曰、載祀者、猶言年也、考證載亦年也、爾雅釋天云、載、歲也、夏曰歲、商曰祀、周曰年、唐虞曰載、王說甚是、賈逵以爲辭、非、殷紂暴虐。鼎遷於周。德之休明、雖小必重。集解杜預曰、不可遷、其姦回昏亂、雖大必輕。集解杜預曰、言可移、昔成王定鼎于郟鄏。集解杜預曰、郟鄏、今河南也、河南縣西有郟鄏陌、武王遷之、成王定之、索隱按周書、郟、雒北山名、音甲、鄏、謂田厚鄏、故以名焉、卜世三十、卜年七百。天所命也。周德雖衰、天命未改。鼎之輕重、未可問也。楚王乃歸。考證宣三年左傳、莊王言、未知其所本、九年、相若敖氏。集解左傳曰、子越椒、人或讒之王。恐誅反攻王。王擊滅若敖氏之族。考證宣四年左傳、梁玉繩曰、左傳、越椒殺司馬蔿賈、因而攻王、非畏讒而反也、十三年、滅舒。集解杜預曰、廬江六縣東、有舒城也、考證年表、舒下有蓼字、宣八年左傳云、楚爲衆舒叛、故伐舒蓼、滅之、衆舒猶言羣舒、舒蓼卽羣舒之一、與穆四年所滅蓼自別、故此止曰舒、十

六年、伐陳、殺夏徵舒。徵舒弒其君。故誅之也。已破陳、卽縣之。羣臣皆賀。申叔時使齊來、不賀。王問。對曰。鄙語曰。牽牛徑人田。田主取其牛。徑者則不直矣。取之牛、不亦甚乎。且王以陳之亂、而率諸侯伐之。以義伐之、而貪其縣。亦何以復令於天下。莊王乃復國陳後。【考證】宣十一年左傳古鈔本、無後字。爲是。史公自敍云、乃復國陳。可證。 十七年春、楚莊王圍鄭。三月克之。入自皇門。【集解】賈逵曰、鄭城門。何休曰、郭門也。 鄭伯肉袒、牽羊以逆。【集解】賈逵曰、肉袒牽羊、示服爲臣隸也。【考證】肉袒受刑之義。牽羊示爲臣隸。 曰。孤不天、不能事君。君用懷怒以及敝邑。孤之罪也。敢不惟命是聽。【考證】杜預曰、不天、不爲天所佑。 賓之南海、【考證】賓、左傳作實。錢大昕曰、賓讀曰擯。 若以臣妾賜諸侯、亦惟命是聽。【考證】若猶或也。 若君不忘厲・宣・桓・武、【集解】杜預曰、周厲王・宣王、鄭之所自出也。鄭桓公・武公、始封

之賢君也。 不絕其社稷、使改事君。孤之願也。非所敢望也。敢布腹心。楚羣臣曰。王勿許。莊王曰。其君能下人。必能信用其民。【考證】竹添光鴻曰、猶云必能誠信以用其國之民矣。 庸可絕乎。莊王自手旗、左右麾軍引兵去。【考證】十二字以公羊傳補。 三十里而舍。遂許之平。【集解】杜預曰、退一舍而禮鄭。【考證】此退城下而盟也。宣十五年左傳云、宋華元曰、敝邑易子而食、析骸而爨。雖然城下之盟、有以國斃、不能從也。去我三十里、唯命是聽。 潘尫入盟、子良出質。【集解】潘尫、楚大夫。子良、鄭伯弟。 夏六月、晉救鄭、與楚戰。大敗晉師河上。遂至衡雍而歸。【考證】十七年春以下、宣十二年左傳。衡雍、河南懷慶府原武縣西北。 二十年、圍宋。以殺楚使也。【集解】左傳宣十四年、楚子使申舟聘于齊、曰、無假道于宋。華元曰、過我而不假道、鄙我也。鄙我、亡也。殺其使者必伐我。伐我亦亡也。亡一也。乃殺之。楚子聞之、投袂而起。九月圍宋、是也。【考證】楓山本、也上有故字。 圍宋五月。【考證】五月當作九月。說在宋世家。 城中食盡、易子而食、析骨而炊。宋華元出告以情。莊王曰。君子哉。遂罷兵去。【考證】宣十

五年左傳。梁玉繩曰、莊王曰君子哉、此史公隱括其事而爲言。猶宋世家云、誠哉言也。非莊王有是語。 二十三年、莊王卒。【考證】宣十八年春秋經傳。 子共王審立。【考證】晉語審作葴。 共王十六年、晉伐鄭。鄭告急。共王救鄭。與晉兵戰鄢陵。【考證】河南開封府鄢陵縣。 晉敗楚、射中共王目。共王召將軍子反。子反嗜酒。從者豎陽穀進酒。醉。王怒、射殺子反。遂罷兵歸。【考證】晉伐鄭以下、成十六年左傳。陽穀當作穀陽。子反自殺、非共王射殺也。中井積德曰、射字疑衍。 三十一年、共王卒。【考證】襄十三年春秋經傳。 子康王招立。康王立十五年卒。【考證】襄二十八年春秋經傳。 子員立。是爲郟敖。【索隱】員音雲。左傳作麇。 康王寵弟公子圍・【集解】徐廣曰、史記多作回。 子比・子皙・弃疾。【考證】中井積德曰、稱公子比・公子黑肱可也。稱子干・子皙可也。名與名連、字與字連。左傳可徵。史每稱子比子皙、失稱謂之正。 郟敖三年、以其季父康王弟公子圍爲令尹、主兵事。【考證】襄二十九年左傳。梁玉繩曰、圍爲令尹在元年。此與表誤在三年。 四年、圍使鄭、道聞王

疾而還。十二月己酉、圍入問王疾、絞而弒之。【集解】荀卿曰、以冠纓絞之。左傳曰、葬王于郟、謂之郟敖。【考證】楚人謂未成君而死者爲敖。此已立三年、非未成君者。其稱郟敖、以無諡號也。 遂殺其子莫及平夏。使使赴於鄭。伍舉問曰。誰爲後。【集解】服虔曰、問來赴者。【考證】中井積德曰、圍也使鄭、舉爲介。圍之還、舉遂聘。故是時在鄭矣。又曰、左傳曰、伍舉問應爲後之辭。舉更爲後之辭而已。非改其他。 對曰。寡大夫圍。伍舉更曰。共王之子圍爲長。【集解】杜預曰、伍舉更赴辭、使從禮告。終稱嗣、不以篡弒赴諸侯。【考證】竹添光鴻曰、稱寡大夫、便見臣不可以繼君。說共王之子年最長、便見弟可以繼兄。巧于彌縫。 子比奔晉。而圍立。是爲靈王。【考證】圍使鄭以下、昭元年左傳。 靈王三年六月、楚使使告晉、欲會諸侯。諸侯皆會楚于申。【考證】杜預曰、楚靈王始合諸侯也。梁玉繩曰、申楚地。表云合諸侯於宋地、誤。 伍舉曰。昔夏啓有鈞臺之饗。【集解】杜預曰、河南陽翟縣南有鈞臺陂。 商湯有景亳之命。周武王有盟津之誓。成王有岐陽之蒐。【集解】賈逵曰、岐山之陽。 康王有豐宮之朝。【集解】服虔曰、豐宮、成王廟所在也。杜預曰、豐在始平鄠縣東。

有靈臺、康王於是朝諸侯、穆王有塗山之會。齊桓有召陵之師。晉文有踐土之盟。君其何用。靈王曰。用桓公。【集解】杜預曰、用會召陵之禮也、時鄭子產在焉。於是晉・宋・魯・衞不往。【考證】梁玉繩曰、左傳、申之會不往者、魯衞曹邾四國也、史于表、改四國爲三、于世家、改曹邾爲晉宋、妄已、沈家本曰、晉宋疑曹邾之譌、靈王已盟有驕色。伍擧曰。桀爲有仍之會。有緡叛之。【集解】賈逵曰、仍、緡國名也、紂爲黎山之會。東夷叛之。【集解】服虔曰、黎、東夷國名也、子姓、幽王爲太室之盟。戎翟叛之。【集解】杜預曰、太室、中嶽也、君其愼終。七月、楚以諸侯兵伐吳、圍朱方。八月克之。【考證】襄二十八年左傳云、慶封奔吳、吳予之朱方、囚慶封、滅其族、以封徇曰。無效齊慶封弑其君而弱其孤。以盟諸大夫。【集解】杜預曰、齊崔杼弑其君、慶封其黨、故以弑君之罪責之也、封反曰。莫如楚共王庶子圍弑其君兄之子員而代之立。【集解】穀梁傳曰、軍人粲然皆笑、【考證】中井積德曰、莫、當作無、左傳可徵、上文可例、

於是靈王使弃疾殺之。【考證】以上昭四年左傳、中井積德曰、弃字疑衍、疾、速也、左傳作使速殺之、愚按、錢大昕說同、七年、就章華臺。【集解】杜預曰、南郡華容縣有臺、在城內、下令、內亡人實之。【考證】昭七年左傳、事在楚靈六年、八年、使公子弃疾將兵滅陳。【考證】昭八年春秋經傳、年在楚靈七年、十年、召蔡侯、醉而殺之、使弃疾定蔡。因爲陳蔡公。【考證】昭十一年左傳云、三月丙申、醉而執之、夏四月丁巳殺之、中井積德曰、陳蔡之陳、疑衍、據左傳爲陳公者、別有穿封戌焉、十一年、伐徐以恐吳。【集解】左傳曰、使蕩侯等圍徐、【考證】徐、吳與國、靈王次於乾谿以待之。【考證】乾谿、今安徽潁州府亳州東南、王曰。齊・晉・魯・衞、其封皆受寶器。我獨不。今吾使使周求鼎以爲分。其予我乎。【集解】服虔曰、有功德受分器、析父對曰。其予君王哉。【集解】賈逵曰、析父、楚大夫、【索隱】據左氏、此是右尹子革之詞、史蓋誤也、昔我先王熊繹、辟在荊山、蓽露藍蔞、【集解】徐廣曰、蓽、一作暴、駰案、服虔曰、蓽露、柴車、素木輅也、藍蔞、言衣敝壞、其蔞藍藍然也、【考證】左傳、作篳路藍縷、篳如篳門之篳、荊竹也、篳路、以荊竹編車也、藍、所以染青也、縷、絲也、以藍染絲織以爲衣、不用文采而

用青衣、儉之至也、以處草莽、跋涉山林、以事天子。【集解】服虔曰、草行曰跋、水行曰涉、【考證】楓山、三條本、山林作山川、唯是桃弧棘矢以共王事。【集解】服虔曰、桃弧棘矢、所以禦其災、言楚地山林無所出也、【考證】桃、非桃茢之桃、竹添光鴻曰、貢任其土所產、不嫌粗薄、亦見楚祖先立國之瑣微、共、供也、齊、王舅也。【集解】服虔曰、齊呂伋、成王之舅、晉及魯・衞、王母弟也。楚是以無分。而彼皆有。周今與四國服事君王。將惟命是從。豈敢愛鼎。靈王曰。昔我皇祖伯父昆吾、舊許是宅。【集解】服虔曰、陸終氏六子、長曰昆吾、少曰季連、季連、楚之祖、故謂昆吾爲伯父也、昆吾曾居許地、故曰舊許是宅、【考證】孔穎達曰、許既南遷、故曰舊許、今屬鄭、龜井昱曰、靈王欲取周鼎爲分器、既是大奇、又欲追虞夏以前舊宅、白手割取人之國、更大奇矣、今鄭人貪其田不我予。今我求之。其予我乎。對曰。周不愛鼎。鄭安敢愛田。靈王曰。昔諸侯遠我而畏晉。【考證】龜井昱曰、遠我、以我爲僻遠也、今吾大城陳・蔡・不羹。【集解】韋昭曰、二國、楚別都也、潁川定陵有東不羹、襄城有西不羹、【正義】括地志云、不羹故城、在許州襄城縣東三十里、地理志云、此乃西不羹者也、賦皆千乘。諸侯

畏我乎。對曰。畏哉。靈王喜曰。析父善言古事焉。【正義】左傳昭十二年、析父謂子革曰、吾子楚國之望也、今與王言如響、國其若之何、杜預曰、譏其順王心如響應聲也、【考證】按此對王言、是子革之辭、太史公云析父、誤也、析父時爲王僕、見子革對、故歎也、以上本昭十二年左傳、而誤以子革爲析父、又刪去析父規子革語、謂王喜析父善言古事、訛謬亦甚、十二年春、楚靈王樂乾谿不能去也。國人苦役。初靈王會兵於申、僇越大夫常壽過。【索隱】僇、辱也、【正義】姓常、名壽過、殺蔡大夫觀起。【索隱】觀音官、觀姓、起名、【索隱】從、音才松反、乃勸吳王伐楚。爲閒越大夫常壽過而作亂。【考證】爲字疑衍、左傳、閒作啓、啓、開也、導也、閒、疑開之訛、爲吳閒使、矯公子弃疾命召公子比於晉、至蔡、與吳・越兵欲襲蔡。【考證】梁玉繩曰、案左襄廿二、昭十三傳、觀起爲令尹子南之寵人、非爲蔡大夫也、康王車裂、非靈王殺于申之會也、起子從在蔡、事蔡朝吳、非亡在吳國也、先是薳許蔡蔓四族、開常壽過作亂、非觀起爲閒也、起召公子比、公子黑肱襲蔡、非使吳越召之也、非欲與吳越襲也、蓋其時吳未嘗伐楚、何勸之有、何閒之有、而襲蔡無吳越、亦何緣合其兵、豈因昭十三年傳下文、吳獲楚五帥、又滅州來、而誤說之歟、沈家本曰、按左傳、時越大夫常壽過作亂、非越兵、吳方與楚

相距於乾谿、其無吳更明、令公子比見弃疾、與盟於鄧。【集解】杜預曰、潁川邵陵縣西有鄧城、【正義】括地志云、故鄧城、在豫州郾城縣東三十五里、按在古召陵縣西十里也、遂入殺靈王太子祿、立子比爲王。公子子皙爲令尹、弃疾爲司馬。先除王宮。觀從從師于乾谿、令楚衆曰。國有王矣。先歸、復爵邑田室。後者遷之。楚衆皆潰、去靈王而歸。靈王聞太子祿之死也、自投車下、而曰。人之愛子、亦如是乎。【考證】龜井昱曰、自投於車下、顛墜而不自覺也、故曰亦如余乎、左傳哀二年、太子懼、自投於車下、子良曰、婦人也、定三年、滋怒、自投于牀、廢于鑪炭、爛情之所極、不覺自投身也、侍者曰。甚是。王曰。余殺人之子多矣。能無及此乎。右尹曰。【集解】左傳曰、右尹子革、請待於郊以聽國人。【集解】服虔曰、聽國人欲爲誰、【考證】中井積德曰、是要國人之助之意、王曰。衆怒不可犯。曰。且入大縣、而乞師於諸侯。王曰。皆叛矣。又曰。且奔諸侯、以聽大國之慮。王曰。大福不再。

祇取辱耳。於是王乘舟將欲入鄢。【集解】服虔曰、鄢、楚別都也、杜預曰、襄陽宜城縣、【正義】音偃、括地志云、故鄢城、在襄州安養縣北三里、在襄州北五里南、去荊州二百五十里、按王自夏口從漢水上入鄢也、左傳云、王沿夏將欲入鄢、是也、括地志云、鄢水源出襄州義清縣西界託仗山、水經云、蠻水卽鄢水、是也、右尹度王不用其計、懼俱死、亦去王亡。【考證】令公子比以下、昭十三年左傳、靈王於是獨傍偟山中。野人莫敢入王。王行遇其故鋗人。【集解】韋昭曰、今之中涓也、【考證】吳語、作涓人、涓、潔也、主潔清洒掃之事、褻近左右也、謂曰。爲我求食。我已不食三日矣。鋗人曰。新王下法。有敢饟王從王者、罪及三族。且又無所得食。王因枕其股而臥。鋗人又以土自代逃去。王覺而弗見。遂飢弗能起。【考證】以上本國語吳語、是時疑無三族之刑、芋尹申無宇之子申亥曰。吾父再犯王命。【集解】服虔曰、斷王旌、執人於章華之宮、【正義】芋尹種芋園之尹也、王弗誅。恩孰大焉。乃求王。遇王飢於釐澤。奉之以歸。【正義】釐澤、上力其反、左傳云、乃求之遇諸棘闈、以歸、杜預曰、棘、里名、闈、

門也、【考證】左傳、吳語、釐澤、作棘闈、夏五月癸丑、王死申亥家。【正義】左傳云、夏五月癸亥、王縊于芋尹申亥、是也、申亥以二女從死、并葬之。是時楚國雖已立比爲王、畏靈王復來、又不聞靈王死。故觀從謂初王比曰。不殺弃疾、雖得國猶受禍。【考證】中井積德曰、比、無謚、故以初王稱之、王曰。余不忍。從曰。人將忍王。王不聽。乃去。弃疾歸。【考證】中井積德曰、弃疾歸三字無所屬、疑衍文、國人每夜驚曰。靈王入矣。乙卯夜、弃疾使船人從江上走呼曰。靈王至矣。國人愈驚。【正義】江上、卽江邊也、【考證】陳仁錫曰、靈王入矣靈王至矣、二靈字當刪、愚按、左傳無、又使曼成然告初王比及令尹子皙曰。王至矣。國人將殺君司馬、將至矣。【集解】杜預曰、司馬、謂弃疾、【考證】左傳、人下無將字、此衍、言國人既殺君之司馬弃疾、將來殺君、君蚤自圖、無取辱焉。衆怒如水火。不可救也。初王及子皙遂自殺。丙辰、弃疾卽位爲王。改名熊居。是

爲平王。平王以詐弑兩王而自立。【正義】兩王、謂靈王及子比也、恐國人及諸侯叛之、乃施惠百姓、復陳・蔡之地、而立其後如故、歸鄭之侵地、【考證】左傳云、使枝如子躬聘于鄭、且致犨櫟之田、事畢弗致、存恤國中、修政教。吳以楚亂故、獲五率以歸。【集解】服虔曰、五率、薳侯、潘子、司馬督、囂尹午、陵尹喜、【正義】率所類反、五帥謂伐徐時薳侯等五大夫也、督作裻、音督、平王謂觀從、恣爾所欲。欲爲卜尹。王許之。【集解】賈逵曰、卜尹、卜師、大夫官、初共王有寵子五人。無適立。乃望祭羣神、請神決之、使主社稷。而陰與巴姬埋璧於室內、【集解】賈逵曰、共王妾、【正義】左傳云、埋璧於太室之庭、杜預曰、太室、祖廟也、【考證】左傳云、祈曰、請神擇於五人者、使主社稷、當璧而拜者、神所立也、召五公子、齋而入。康王跨之。【集解】服虔曰、兩足各跨璧一邊、杜預曰、過其上、【考證】龜井昱曰、服說爲長、足跨之、故傳位至子、手過之、故郟敖不終、若跨而過上、遠於肘加焉、靈王肘加之。【考證】龜井昱曰、說文、肘臂節也、蓋張肱而拜、其臂節張而及璧上、軼、子比・子皙皆遠之。平王幼、抱而入、再拜壓紐。

【考證】芋尹申無宇之子以下、昭十三年左傳、楓山、三條本、宋本、抱而入再拜、作抱其上而拜、左傳、厭上有皆字、龜井昱曰、厭紐、當璧也、紐、系也、小兒拜起傾仄無常、而再拜再厭、故曰皆、世家去皆字、抉龍眼耳、故康王以長立、至其子失之。圍爲靈王、及身而弒。子比爲王十餘日、子晳不得立、又俱誅。四子皆絕無後。唯獨弃疾後立爲平王、竟續楚祀、如其神符。【考證】以上、史公以意補、初子比自晉歸。韓宣子問叔向曰。子比其濟乎。對曰。不就。宣子曰。同惡相求、如市賈焉。【集解】服虔曰、謂國人共惡靈王者、如市賈之人求利也、【考證】傳遜曰、同惡相求、指當時同心造亂之人、薳居成然等、何爲不就。【考證】中井積德曰、濟就、宜連用其一也、此出兩字、言不相應、對曰。無與同好、誰與同惡。【集解】服虔曰、言無黨於內、當與誰共同好惡、取國有五難。有寵無人。一也。【集解】杜預曰、寵須賢人而固、【考證】寵、寵貴也、有人無主。二也。【集解】杜預曰、雖有賢人、當須內主爲應、有主無謀。三也。【集解】杜預曰、謀、策謀也、有謀而無民。四也。【集解】杜預曰、民、衆也、有民而無德。五也。

【集解】杜預曰、四者既備、當以德成之、子比在晉十三年矣。晉・楚之從、不聞通者。可謂無人矣。【集解】杜預曰、晉楚之士、從子比游、皆非達人、族盡親叛。可謂無主矣。【集解】杜預曰、無親族在楚、【考證】中井積德曰、族盡親叛、言相離叛、或死亡、無同心者也、無釁而動。可謂無謀矣。【集解】服虔曰、言靈王尚在、而妄動取國、故謂無謀、爲羇終世。可謂無民矣。【集解】杜預曰、終身羇客在於晉、是無民、亡無愛徵。可謂無德矣。【集解】杜預曰、楚人無愛念者、王虐而不忌。【集解】杜預曰、靈王暴虐、無所畏忌、將自亡、【考證】中井積德曰、以靈王之虐、而無所忌惡於子干、則其人不足畏也可知矣、非語靈王將亡、子比涉五難以弒君。誰能濟之。有楚國者其弃疾乎。君陳・蔡、方城外屬焉。【正義】方城山、在許州葉縣西十八里也、苛慝不作、【考證】龜井昱曰、煩亂邪慝之事不生也、盜賊伏隱、私欲不違、【集解】服虔曰、不以私欲違民心、民無怨心、先神命之、【正義】謂埋璧之時也、【考證】龜井道載曰、先神、祖先之神也、國民信之。芊姓有亂、必季實立、楚之常也。【考證】龜井昱曰、文元年左傳、楚子上曰、楚國之舉、恒在少者、楚之太祖季連、是陸終六子之季也、季紃

是立、出鄭語、武王、蚡冒弟、成王、堵敖弟、子比之官、則右尹也。【考證】龜井昱曰、比君陳蔡而威行方城外者、有間也、晉語、以子干爲上大夫、數其貴寵、則庶子也。以神所命、則又遠之。民無懷焉。將何以立。宣子曰。齊桓・晉文不亦是乎。【集解】服虔曰、皆庶子而出奔、對曰。齊桓、衞姬之子也。有寵於釐公。有鮑叔牙・賓須無・隰朋以爲輔、【考證】古鈔本、須作胥、左傳、作須、有莒・衞以爲外主、【集解】賈逵曰、齊桓出奔莒、自莒先入、衞人助之、有高・國以爲內主、【集解】服虔曰、國子、高子、皆齊之正卿、從善如流、【集解】服虔曰、言其疾、施惠不倦。【考證】左傳、倦作貳、有國不亦宜乎。昔我文公、狐季姬之子也。有寵於獻公。好學不倦。生十七年、有士五人。【考證】杜預曰、狐偃、趙衰、顚頡、魏武子、司空季子、有先大夫子餘・子犯、以爲腹心、【集解】賈逵曰、子餘、趙衰、【正義】子餘、趙衰、子犯、狐偃也、有魏犨・賈佗、以爲股肱。有齊・宋・秦・楚以爲外主。【集解】賈逵曰、齊以女妻之、宋贈之馬、楚享以九獻、秦送

內之、有欒・郤・狐・先以爲內主。【集解】賈逵曰、四姓、晉大夫、【正義】杜預云、謂欒枝、郤縠、狐突、先軫也、亡十九年、守志彌篤。惠・懷弃民。【集解】服虔曰、皆弃民不恤、民從而與之。【正義】以惠懷弃民、故民相從而歸心於文公、故文公有國、不亦宜乎。子比無施於民、無援於外。去晉、晉不送。歸楚、楚不迎。何以有國。子比果不終焉。卒立者棄疾。【正義】左傳云、獲神一也、有民二也、令德三也、寵貴四也、居常五也、有五利以去五難、誰能害之、杜預云、獲神、當璧拜也、有民、民信也、令德、無苛慝也、寵貴、妃子也、居常、弃疾季也、如叔向言也。【考證】初子比自晉歸以下、昭十三年左傳、平王二年、【考證】二年、當作六年、下文六年當刪、使費無忌如秦爲太子建取婦、【集解】服虔曰、費無忌、楚大夫、【索隱】左傳作無極、極忌聲相近、【正義】左傳云、楚子之在蔡也、郹陽之女奔之、生太子建、杜預云、郹、蔡邑也、郹、古覓反、婦好。來未至。無忌先歸、說平王曰。秦女好。可自娶、爲太子更求。平王聽之、卒自娶秦女、【考證】以上昭十九年左傳、生熊珍。【考證】錢大昕曰、春秋、珍作軫、伍子胥傳、亦作軫、更爲太子娶。是時伍奢

爲太子太傅。無忌爲少傅。無忌無寵於太子。常讒惡太子建。【考證】更爲太子以下、昭十九年左傳、左傳作奢爲師、無極爲少師、建時年十五矣。其母蔡女也。【考證】與左傳異、無寵於王。王稍益疏外建也。六年、使太子建居城父守邊。【集解】服虔曰、城父、楚北境邑、杜預曰、襄城城父縣、【正義】父音甫、括地志云、城父故城、在許州葉縣東北四十五里、即杜預云襄城城父縣也、又許州襄城縣東四十里、亦有父城故城一所、服虔云城父楚北境、乃是父城之名、非建所守、杜預云、言成父、又誤也、傳及鄭元水經注云、楚大城城父、使太子建居之、即十三州志云、太子建所居城父、謂今亳州城父縣也、按今亳州見有城父縣、是建所守者也、地理志云、潁川有父城縣、沛郡有城父縣、此二名別耳、【考證】使太子居城父、昭十九年左傳、左傳云、無極說楚王曰、太子通北方、王收南方、是得天下也、王說、從之、城父故城、在今河南汝州府寶豐縣、無忌又日夜讒太子建於王曰。自無忌入秦女、太子怨。亦不能無望於王。王少自備焉。【考證】望、怨也、且太子居城父擅兵、外交諸侯、且欲入矣。平王召其傳伍奢責之。伍奢知無忌讒、乃曰。王柰何以小臣疏骨肉。無忌曰。今

不制、後悔也。於是王遂囚伍奢、而召其二子、而告以免父死。【考證】古鈔本、子下無而字、中井積德曰、而召至父死十一字、當爲衍文、張文虎說同、乃令司馬奮揚召太子建、欲誅之。太子聞之、亡奔宋。【考證】沈家本曰、表在七年、無忌曰。伍奢有二子。不殺者爲楚國患。盍以免其父召之。必至。【考證】無忌又日夜讒太子以下、本昭二十年左傳、於是王使使謂奢。能致二子則生。不能將死。奢曰。尚至。胥不至。【正義】左傳云、伍尚爲棠君、括地志云、揚州六合縣、本春秋時棠邑、伍尚爲大夫也、王曰。何也。奢曰。尚之爲人廉死節、慈孝而仁。聞召而免父、必至、不顧其死。胥之爲人、智而好謀、勇而矜功。知來必死、必不來。然爲楚國憂者、必此子。【考證】於是王使使謂奢以下、史公以意補、左傳少異、於是王使人召之曰。來。吾免爾父。伍尚謂伍胥曰。聞父免而莫奔、不孝也。父戮莫報、無謀也。度能任

事、知也。子其行矣。我其歸死。伍尚遂歸。【考證】於是以下、昭二十年左傳、伍胥彎弓屬矢、出見使者曰。父有罪、何以召其子爲。將射。使者還走。【考證】左傳無此事、遂出奔吳。伍奢聞之曰。胥亡、楚國危哉。楚人遂殺伍奢及尚。【考證】遂出奔吳以下、昭二十年左傳、十年、楚太子建母在居巢開吳。【正義】廬州巢縣是也、【考證】梁玉繩曰、昭二十三年左傳、建母在郹、此與吳世家同誤、吳使公子光伐楚。遂敗陳・蔡、取太子建母而去。【考證】梁玉繩曰、左傳吳取建母在冬十月、敗陳蔡、乃雞父之役、在秋七月、史公誤合爲一、又吳敗頓胡沈蔡陳許、幷楚爲七、故公子光曰、七國同役、此與吳世家止言陳蔡、亦疏、楚恐城郢。【正義】在江陵縣東北六里、已解於前、按傳、城郢、在昭公二十三年、下重言城郢、杜預云、楚用子囊遺言、以築郢城矣、今畏吳復修以自固也、初吳之邊邑卑梁、與楚邊邑鍾離小童爭桑。【正義】卑梁邑近鍾離也、【考證】王念孫曰、太平御覽引此、卑梁下有女字、是也、吳世家云、楚邊邑卑梁氏之處女、與吳之邊邑之女爭桑、伍子胥傳亦云兩女子爭桑、梁玉繩曰、諸處皆言是女子、獨此改稱小童、恐非、兩家交怒相攻、滅卑梁人。卑梁大夫怒、發

邑兵攻鍾離。楚王聞之怒、發國兵滅卑梁。吳王聞之大怒、亦發兵、使公子光因建母家攻楚。遂滅鍾離・居巢。【考證】沈家本曰、表在十一年、與春秋合、楚乃恐而城郢。【索隱】去年已城郢、今又重言、據左氏、昭二十三年、城郢、二十四年、無重城郢之文、是史記誤也、【考證】張照曰、是申上文城郢之故、非此復城郢也、史原不誤、索隱正義兩家失之、梁玉繩曰、城郢在滅二邑前一年、非因滅邑而後城郢、亦非因建母家、是史之誤耳、其所以誤者、蓋以建母之在郹爲在巢、遂以十年吳入郹、爲十一年之滅二邑矣、左昭廿四傳、楚爲舟師以略吳疆、吳踵楚滅二邑、史言釁起爭桑、必兩事俱有也、十三年、平王卒。將軍子常曰。太子珍少。且其母乃前太子建所當娶也。【考證】張照曰、太子珍、左傳作太子壬、國語及越世家、又作軫、愚按、春秋及伍子胥傳、亦作軫、欲立令尹子西。子西、平王之庶弟也。有義。【考證】中井積德曰、是時子常爲令尹、而子西非令尹、蓋史之誤耳、下文令尹子常、是矣、凡令尹司馬之類、史記則稱將軍、是後世之語、非當時之稱、皆非、梁玉繩曰、杜預云、子西、平王之長庶、韋昭云、子西、平王之子、昭王之庶兄公子申、此以爲平王庶弟、下文又云昭王弟、舛矣、子西曰。國有常法。更立則亂。言之則致誅。乃立太子珍。是爲昭王。

【考證】平王卒以下、昭二十六年左傳、昭王元年、楚衆不說費無忌。以其讒亡太子建、殺伍奢子父與郤宛。【考證】張文虎曰、游、王、柯、淩本、父作倘、宛之宗姓伯氏子嚭、【考證】梁玉繩曰、郤宛與伯氏不同族、愚按、定四年左傳云、楚之殺郤宛也、伯氏之族出、伯州犂之孫嚭、爲吳大宰以謀楚、杜注、郤宛黨也、及子胥皆奔吳。吳兵數侵楚。楚人怨無忌甚。楚令尹子常誅無忌以說衆。衆乃喜。【正義】名瓦、左傳云、囊瓦伐吳、【考證】楚衆不說費無忌以下、本昭二十七年左傳、四年、吳三公子奔楚。【索隱】昭三十年、二公子奔楚、公子掩餘奔徐、公子燭庸奔鍾離、此言三公子、非也、【考證】古鈔本、三作二、愚按、年表亦作二、又按昭三十年云云索隱、各本作集解、今從索隱單本、又按據左傳、昭二十七年、掩餘奔徐、燭庸奔鍾吾、三十年、吳子使執之、二公子奔楚、楚子大封而定其徙、索隱不備、楚封之以扞吳。【考證】以上昭三十年左傳、五年、吳伐取楚之六·潛。【正義】故六城、在壽州安豐縣南百三十二里、偃姓、皐陶之後所封也、潛城、楚之潛邑、在霍山縣東二百步、【考證】昭三十一年左傳、七年、楚使子常伐吳。吳大敗楚於豫章。【正義】今洪州也、【考證】張照曰、左傳、魯定二年秋、楚伐吳于豫章、是年楚昭之八年也、十年冬、吳王闔

閭·伍子胥·伯嚭、與唐·蔡俱伐楚。楚大敗。吳兵遂入郢、辱平王之墓。以伍子胥故也。【考證】辱平王之墓、本于定五年穀梁傳、呂氏春秋首時篇、賈子新書耳痺篇、淮南子泰族訓、左氏不載、吳兵之來、楚使子常以兵迎之。夾漢水陣。吳伐敗子常。子常亡奔鄭。楚兵走。吳乘勝逐之。五戰及郢。己卯、昭王出奔。庚辰、吳人入郢。【集解】春秋云、十一月庚辰、【考證】梁玉繩曰、己卯上缺書十一月、昭王亡也、至雲夢。【正義】括地志云、雲夢澤、在安州安陸縣東南五十里、是、【考證】李笠曰、也、疑卽亡字之複衍、雲夢不知其王也。射傷王。【考證】梁玉繩曰、案傳、以戈擊王、王孫由于以背受之、中肩、非射傷王也、王走鄖。【正義】走、音奏、鄖、音云、括地志云、安州安陸縣城、本春秋時鄖國城也、鄖公之弟懷曰。平王殺吾父。【集解】服虔曰、父曼成然、【正義】成然立平王、貪求無厭、平王殺之、今我殺其子。不亦可乎。鄖公止之。然恐其弑昭王。乃與王出奔隨。【正義】括地志云、隨州城外、古隨國城、隨、姬姓也、又云、楚昭王城、在隨州縣北七里、左傳云、吳師入郢、王奔隨、隨人處之公宮之北、卽此城是也、吳王聞昭王往、

卽進擊隨。謂隨人曰。周之子孫封於江·漢之閒者、楚盡滅之。【考證】吳隨皆與周同姓、故云、欲殺昭王。王從臣子綦、乃深匿王、自以爲王。【考證】左傳國語、子綦作子期、左傳云、子期似王、杜注云、子期、昭王兄公子結也、謂隨人曰。以我予吳。隨人卜予吳。不吉。乃謝吳王曰。昭王亡不在隨。【考證】陳仁錫曰、昭王當作楚王、吳請入自索之。【考證】梁玉繩曰、左傳無此語、恐妄、隨不聽。吳亦罷去。昭王之出郢也、使申包胥請救於秦。【集解】服虔曰、楚大夫王孫包胥、【考證】申包胥、國策作棼冒勃蘇、棼冒卽蚡冒、勃蘇卽包胥、包胥蓋武王兄蚡冒之後、楚之公族、食邑於申、因以爲氏耳、秦以車五百乘救楚。【考證】左傳云、昭王在隨、申包胥如秦乞師、據此包胥自請也、楚亦收餘散兵、與秦擊吳。十一年六月、敗吳於稷。【集解】賈逵曰、楚地也、【考證】左傳云、秦子蒲使楚人先與吳人戰、而自稷會之、大敗夫槩王于沂、與此異、會吳王弟夫槩、見吳王兵傷敗、乃亡歸、自立爲王。闔閭聞之、引兵去楚、歸擊夫槩。夫槩敗奔楚。

楚封之堂谿。【正義】地理志云、堂谿故城、在豫州郾城縣西八十有五里也、【考證】堂谿城、在今汝寧府西平縣、號爲堂谿氏。楚昭王滅唐。【集解】杜預曰、義陽安昌縣東南上唐鄉、【正義】括地志云、上唐鄉故城、在隨州棗陽縣東南百五十里、古之唐國也、世本云、唐、姬姓之國、【考證】唐、今湖北德安府隨州東南八十里唐城鎭、九月、歸入郢。【考證】梁玉繩曰、左傳、九月作十月、愚按、十年冬以下、本定四年五年左傳、但辱平王墓、以呂覽穀梁傳補、十二年、吳復伐楚取番。【正義】片寒反、又音婆、括地志云、饒州鄱陽縣、春秋時爲楚東境、秦爲番縣、屬九江郡、今爲鄱陽縣也、【考證】定六年左傳云、吳大子終纍敗楚舟師、獲潘子臣小惟子及大夫七人、楚國大惕、懼亡、與此異、楚恐、去郢、北徙都鄀。【正義】音若、括地志云、楚昭王故城、在襄州樂鄉縣東北三十二里、在故都城東五里、卽楚國故昭王徙都鄀城也、【考證】定六年左傳云、遷郢於鄀、龜井昱曰、楚之郢、猶晉之絳也、成六年左傳、晉人謀去故絳、新絳未定、既稱故絳、此絳之名、通於所遷故也、今去郢北徙都鄀、又改鄀爲郢、鄀、今湖北襄陽府宜城縣東北九十里、有鄀縣故城、郢本在江陵、吳以舟師泝江而上、一水可達、襄陽稍西北、吳既難犯、又居國上流、其勢易以制吳、十六年、孔子相魯。【考證】孔子相魯、誤、說在孔子世家、二十年、楚滅頓、【集解】地理志曰、汝南南頓縣、故頓子國、【正義】括地志云、陳州南頓縣、故頓子國、應劭云、古頓子國、姬姓也、逼於陳、後南徙、故曰南頓也、滅胡。【集解】杜預曰、汝南縣西北胡城、【正義】括地志云、故胡城、在豫州郾城縣界、【考證】張照曰、春秋經、滅

頓、在魯定之十四年、滅胡在十五年、滅胡之年、于楚昭爲二十一年、年表同、此作二十年、竹添光鴻曰、楚之深仇者吳也、而吳強、楚不敢伐、以吳子入楚者蔡也、蔡猶足守國、亦未可伐、惟唐最弱、與吳入郢、卽滅之、而頓、而胡、嘗與召陵之會者、故前年滅頓、今年滅胡、

二十一年、吳王闔閭伐越。越王句踐射傷吳王。遂死。吳由此怨越。而不西伐楚。【考證】張照曰、左傳及吳世家、吳王伐越而死、在魯定之十四年、于楚昭爲二十年、梁玉繩曰、滅胡二十一年、錯簡也、當作二十一年滅胡而移于後文不西伐楚之下、又曰、定十四年左傳越大夫靈姑浮以戈擊闔閭、傷將指、死、非句踐射傷之也、

二十七年春、吳伐陳。楚昭王救之、軍城父。十月、昭王病於軍中。【考證】左傳、十月作七月、有赤雲如鳥、夾日而蜚。【集解】杜預曰、雲在楚上、惟楚見之、【考證】左傳有上有是歲也三字、昭王問周太史。太史曰。是害於楚王。然可移於將相。【考證】左傳、將相作令尹司馬、將相聞是言。乃請自以身禱於神。昭王曰。將相、孤之股肱也。今移禍、庸去是身乎。【考證】禱於神、以身代之也、岡白駒曰、庸、焉也、股肱之禍、卽身之禍也、愚按、左傳作除腹心之疾、而寘諸股肱何益、弗聽。卜而河爲祟。【考證】左傳、卜上有初昭王有

疾五字、而作曰、大夫請禱河。昭王曰。自吾先王受封、望不過江・漢。而河非所獲罪也。【集解】服虔曰、謂所受王命祀其國中山川爲望、【正義】按江、荊州南大江也、漢江也、二水楚境內也、河、黃河、非楚境也、止不許。孔子在陳、聞是言曰。楚昭王通大道矣。其不失國、宜哉。昭王病甚。乃召諸公子大夫曰。孤不佞、再辱楚國之師。今乃得以天壽終。孤之幸也。【考證】昭王病甚以下三十二字、史公以意補、讓其弟公子申爲王。不可。又讓次弟公子結。亦不可。乃又讓次弟公子閭。五讓、乃後許爲王。【考證】杜預曰、申、子西、結、子期、啓、子閭、皆昭王兄也、梁玉繩曰、史以爲弟誤、將戰。庚寅、昭王卒於軍中。子閭曰。王病甚。舍其子讓羣臣。臣所以許王、以廣王意也。【考證】文選司馬子長報任安書、欲以廣主上之意、呂向注、廣猶開也、今君王卒。臣豈敢忘君王之意乎。【考證】左傳、無此語、葢史公以意補、乃與子西・子綦謀、伏師閉塗、【集解】徐廣曰、

塗、一作壁、迎越女之子章立之。【集解】服虔曰、閉塗、不通外使也、越女、昭王之妾、【索隱】閉塗、卽攢塗也、故下云、惠王後卽罷兵歸葬、服虔說非、【正義】左傳云、謀潛師閉塗、按潛師密發往迎也、閉塗、防斷外寇也、爲昭王薨於軍、嗣子未定、恐有鄰國及諸公子之變、故伏師閉塗、迎越女之子章立爲惠王也、是爲惠王。然後罷兵歸葬昭王。【考證】吳伐陳以下、本哀六年左傳、凌稚隆曰、昭王舍其子而讓弟、與宋宣公之讓同、然公子閭受讓而仍立其子、其與穆公既立而後傳位於姪以致十世不寧者、相去遠矣、

惠王二年、子西召故平王太子建之子勝於吳、以爲巢大夫。號曰白公。【集解】徐廣曰、伍子胥傳曰、使勝守楚之邊邑鄢、駰案服虔曰、白、邑名、楚邑大夫皆稱公、杜預曰、汝陰褒信縣西南有白亭、【正義】巢、今廬州居巢縣也、括地志云、白亭、在豫州褒信東南三十二里、褒信、本漢鄢縣之地、後漢分鄢置褒信縣、在今褒信縣東七十七里、【考證】梁玉繩曰、白公之召、左傳追敍于哀十六年、莫知的在何時、此及表伍子胥傳、書于惠王二年、恐是意揣爾、白公好兵而下士、欲報仇。六年、白公請兵令尹子西伐鄭。【考證】梁玉繩曰、此事左傳在哀十六年、爲楚惠十年、葢追敍也、此與年表在惠六年、不知何見、初白公父建亡在鄭。鄭殺之。【考證】建以費無忌讒奔宋、又避華氏之亂于鄭、鄭人善之、建與晉謀襲鄭、鄭遂殺建、白公亡走吳。子西復召之。故

以此怨鄭、欲伐之。子西許而未爲發兵。【考證】子西召勝以下、本哀十六年左傳、八年、晉伐鄭。鄭告急楚。楚使子西救鄭。受賂而去。白公勝怒、乃遂與勇力死士石乞等、襲殺令尹子西・子綦於朝。【考證】梁玉繩曰、晉伐鄭、爲魯哀十五年、在惠王九年、此誤八年也、傳云、救鄭與之盟、不得言受賂而去、白公作亂、在惠王十年、此亦誤在八年、子胥傳同誤、因劫惠王、置之高府、欲弒之。【集解】賈逵曰、高府、府名也、杜預曰、楚別府、【考證】高府、楚府庫之名、如魯有長府、惠王從者屈固、負王亡走昭王夫人宮。【集解】服虔曰、昭王夫人、惠王母、越女也、【考證】負王者、左傳作圉公陽、白公自立爲王。月餘、會葉公來救楚。楚惠王之徒、與共攻白公殺之。惠王乃復位。【考證】晉伐鄭以下、本哀十六年左傳、白公未嘗爲王、葉公、子高沈諸梁也、是歲也、滅陳而縣之。【集解】徐廣曰、惠王之十年、【考證】事見于左傳哀十七年、卽楚惠十一年、徐說亦誤、十三年、吳王夫差彊、陵齊・晉、來伐楚。【考證】梁玉繩曰、左傳哀十九年、止有越侵楚、此以爲吳事、與年表竝誤、十六年、越滅吳。【正義】表云、越滅吳、在元

王四年、【考證】哀二十二年左傳、 四十二年、楚滅蔡。【正義】周定王二十二年、 四十四年、楚滅杞。【正義】周定王二十四年、 與秦平。【考證】徐孚遠曰、不言與秦惡、但言與秦平、記事亦疏、 是時越已滅吳、而不能正江淮北。楚東侵、廣地至泗上。【正義】正、長也、江淮北、謂廣陵縣徐泗等州是也、【考證】越世家亦云、以淮上地與楚、與魯泗東方百里、 五十七年、惠王卒。子簡王中立。【正義】中、音仲、 簡王元年、北伐滅莒。【正義】括地志云、密州莒縣故莒國也、言北伐者、莒在徐泗之北、【考證】莒、在今山東沂州府莒州、 八年、魏文侯·韓武子·趙桓子始列爲諸侯。【考證】中井積德曰、三晉列爲諸侯者、魏文侯、韓景侯、趙烈侯是也、武子桓子竝其先世、此史之誤耳、杭世駿曰、周本紀威烈王二十三年命韓趙魏爲諸侯、是年爲楚聲王五年、蓋後二十二年、沈家本曰、年表不誤、世家蓋史公未及刪正也、 二十四年、簡王卒。子聲王當立。【正義】謚法云、不生其國曰聲也、 聲王六年、盜殺聲王。子悼王熊疑立。【考證】年表、熊疑作類、 悼王二年、三晉來伐楚、至乘丘而還。【集解】徐廣曰、年表、三年歸榆關于鄭、【正義】年表云、三晉公子伐我至乘丘、誤也、已解在年表中、地理志云、乘丘故城在兗州瑕丘縣西北三十五里、是也、

【考證】年表、乘丘作桑丘、梁玉繩曰、桑丘、燕地、楚肅王元年、齊伐燕取桑丘、可證、楚安保之乎、世家爲是、通鑑亦從之、張文虎曰、年表、無公子二字、乘作桑、正義誤衍、錢泰吉曰、今本年表缺正義、 四年、楚伐周。【考證】年表、周作鄭、此誤、 鄭殺子陽。九年、伐韓取負黍。【考證】負黍、河南河南府登封縣、 十一年、三晉伐楚、敗我大梁·榆關。【索隱】此榆關、當在大梁之西也、【正義】年表云、悼王三年、歸榆關于鄭、按榆關、當鄭之南大梁之西也、榆關、在大梁之境、此時屬楚、故云敗我大梁榆關也、【考證】呂祖謙曰、大梁、魏地、不知楚追三晉之師至于是歟、或者楚伐魏、而韓趙救之、世家誤以爲三晉伐楚歟、 楚厚賂秦、與之平。【考證】梁玉繩曰、不言秦伐楚、但言楚賂秦、與上文書與秦平同爲疏也、 二十一年、悼王卒。子肅王臧立。肅王四年、蜀伐楚、取茲方。【索隱】地名、今闕、【正義】古今地名云、荊州松滋縣、古鳩茲地、卽楚茲方、是也、【考證】錢大昕曰、左傳、楚子重伐吳克鳩茲、杜預云、鳩茲、在丹陽蕪湖縣東、今皐夷也、與茲方異、 於是楚爲扞關以距之。【集解】李熊說公孫述曰、東守巴郡、距扞關之口、【索隱】按郡國志、巴郡魚復縣有扞關、【考證】扞關、在今湖北長陽縣西、 十年、魏取我魯陽。【集解】地理志云、南陽有魯陽縣、【正義】括地志云、汝州魯山、本漢魯陽縣也、古魯縣、以古魯山爲名也、【考證】魯陽、河南汝州魯山縣、 十一年、肅王卒。無子。立其弟熊良

夫。是爲宣王。宣王六年、周天子賀秦獻公。【考證】秦紀云、獻公二十一年、與晉戰於石門、斬首六萬、天子賀以黼黻、張文虎曰、游凌本公誤王、 秦始復彊。而三晉益大。魏惠王·齊威王尤彊。三十年、秦封衞鞅於商、南侵楚。是年、宣王卒。子威王熊商立。威王六年、周顯王致文武胙於秦惠王。【考證】秦紀、作天子致伯、 七年、齊孟嘗君父田嬰欺楚。【考證】張文虎曰、孟嘗君父三字、旁注混入、 楚威王伐齊、敗之於徐州。【集解】徐廣曰、時楚已滅越而伐齊也、齊說越令攻楚、故云齊欺楚、【考證】徐州、今山東滕縣薛城、 而令齊必逐田嬰。田嬰恐。張丑僞謂楚王曰、【正義】爲、音僞、言張丑爲田嬰故、僞設此辭、【考證】正義本、楓山、三條本、僞作爲、王念孫曰、僞讀爲爲、爲人謀而不忠之爲、 王所以戰勝於徐州者、田盼子不用也。【索隱】盼子、嬰之同族、【考證】齊世家、齊威王謂梁王曰、吾臣有盼子者、使守高唐、則趙人不敢東漁於河、 盼子者有功於國。而百姓爲之用。嬰子弗善、而用申紀。【考證】齊策秦策、申紀、作申縛、齊將名、 申紀者、大臣不附、

百姓不爲用。故王勝之也。【考證】楓山本附作與、 今王逐嬰子。嬰子逐、盼子必用矣。復搏其士卒以與王遇。【索隱】搏、音膊、亦有作附、讀戰國策、作整、【考證】王念孫曰、搏當作摶、摶與專同、張文虎曰、宋本及舊刻正作摶、 必不便於王矣。楚王因弗逐也。【考證】田嬰欺楚以下、采齊策、 十一年、威王卒。子懷王熊槐立。魏聞楚喪、伐楚取我陘山。【正義】括地志云、陘山、在鄭州新鄭縣西南三十里、【考證】梁玉繩曰、取、當作敗、六國表魏世家可證、陘山、在今河南新鄭縣南、 懷王元年、張儀始相秦。惠王四年、秦惠王初稱王。六年、楚使柱國昭陽將兵而攻魏、破之於襄陵。【索隱】縣名、在河東、【考證】破之於襄陵、國策不載、史公別有所本、襄陵、今山西平陽府襄陵縣、 得八邑。【索隱】古本、作八邑、今亦作八城、【考證】齊策、作八城、黃式三曰、孟子書惠王自言南辱于楚、卽是、 又移兵而攻齊。齊王患之。【集解】徐廣曰、懷王六年、昭陽移和而攻齊、軍門曰和、【考證】中井積德曰、集解不稱出處、何也、豈別本邪、 陳軫適爲秦使齊。齊王曰、爲之柰何。陳軫曰、王勿憂。請令罷之。卽往見昭

陽軍中曰、願聞楚國之法。破軍殺將者、何以貴之。昭陽曰、其官爲上柱國、封上爵執珪。【考證】齊策、作爵爲上執珪、上柱國、楚官名、高誘曰、楚爵功臣、賜以圭、謂之執圭、比附庸之君、陳軫曰、其有貴於此者乎。昭陽曰、令尹。陳軫曰、今君已爲令尹矣。此國冠之上。【索隱】冠、音官、令尹乃尹中最尊、故以國爲言、猶如卿子冠軍然、【正義】冠、音官、後同、楚國之官、令尹最高、昭陽已爲令尹矣、若人冠冕在首□之上、不可更加、【考證】中井積德曰、之上二字、疑衍、臣請得譬之。人有遺其舍人一卮酒者。舍人相謂曰、數人飲此、不足以偏。請遂畫地爲蛇、蛇先成者獨飲之。一人曰、吾蛇先成。舉酒而起曰、吾能爲之足。及其爲之足、而後成人奪之酒而飲之。曰、蛇固無足。今爲之足。是非蛇也。今君相楚而攻魏、破軍殺將、功莫大焉。冠之上不可以加矣。【考證】楓山本、加下有冠字、今又移兵而攻齊。攻齊勝之、官爵

不加於此。攻之不勝、身死爵奪、有毀於楚。此爲蛇爲足之說也。不若引兵而去、以德齊。此持滿之術也。昭陽曰、善。引兵而去。【考證】楚使杜國以下、采齊策、燕・韓君初稱王。秦使張儀與楚・齊・魏相會盟齧桑。【正義】徐廣曰、在梁與彭城之閒也、【考證】當在今河南歸德、及安徽潁州府蒙城縣閒、十一年、蘇秦約從山東六國、共攻秦。【考證】梁玉繩曰、是時蘇秦已死四年、約六國者李兌也、國策甚明、此誤、古史及西溪叢話已糾之、愚按、趙策云、李兌約五國以伐秦無功、留天下之兵於成皐、而陰講於秦、又云、五國伐秦、無功罷於成皐、趙欲講於秦、魏策云、五國伐秦、無功而還、皆此事、楚懷王爲從長、至函谷關。秦出兵擊六國。六國兵皆引而歸。齊獨後。【考證】梁玉繩曰、與秦戰者惟韓趙、韓趙破而四國不戰引歸、此非事實、十二年、齊湣王伐敗趙・魏軍。秦亦伐敗韓、與齊爭長。【考證】梁玉繩曰、敗韓趙也、此缺趙字、十六年、秦欲伐齊。而楚與齊從親。秦惠王患之、乃宣言張儀免相。使張儀南見楚王。謂楚王

曰、敝邑之王所甚說者、無先大王。雖儀之所甚願爲門闌之廝者、亦無先大王。【考證】闌、與欄同、門遮也、廝、走卒也、楓山三條本、先作過、敝邑之王所甚憎者、無先齊王。雖儀之所甚憎者、亦無先齊王。而大王和之。【索隱】和、謂楚與齊相和親、是以敝邑之王不得事王。而令儀亦不得爲門闌之廝也。王爲儀閉關而絕齊、今使使者從儀西取故秦所分、楚商・於之地方六百里。【集解】商於之地、在今順陽郡南鄉丹水二縣、有商城在於中、故謂之商於、【索隱】商於、在今愼陽、案地理志、丹水及商、屬弘農、今言順陽者、是魏晉始分置順陽郡、商城丹水俱隷之、【正義】荊州圖副云、鄧州內鄉縣七里、張儀所謂商於之地、【考證】商於、二邑名、商、今陝西商州故商城是、於、今河南內鄉縣故於城是、如是則齊弱矣。是北弱齊、西德於秦、私商・於以爲富。此一計而三利俱至也。懷王大悅、乃置相璽於張儀、【考證】策、無此句、古鈔本、置作致、日與置酒、宣言吾復得吾商・於之地。羣臣皆賀。

而陳軫獨弔。懷王曰、何故。陳軫對曰、秦之所爲重王者、以王之有齊也。今地未可得、而齊交先絕。是楚孤也。夫秦又何重孤國哉。必輕楚矣。【考證】楓山三條本、又作有、且先出地而後絕齊、則秦計不爲。先絕齊而後責地、則必見欺於張儀。見欺於張儀、則王必怨之。怨之、是西起秦患、北絕齊交。西起秦患、北絕齊交、則兩國之兵必至。【索隱】兩國、韓魏也、【考證】顧炎武曰、謂齊秦、臣故弔。楚王弗聽。因使一將軍西受封地。張儀至秦、佯醉墜車、稱病不出三月。地不可得。【考證】穆文熙曰、秦人商於之約、初意亦欲嘗試于楚、如以城易趙璧之故事、非謂遽能欺楚也、不意懷王遂墮術中、以成秦人之詐、陳軫之策、亦藺生之謀也、惜不用哉、楚王曰、儀以吾絕齊爲尚薄邪。乃使勇士宋遺北辱齊王。【考證】張照曰、戰國策、遺勇士從宋遺齊王書、折券絕交、又張儀傳使勇士至宋借宋之符、北罵齊王、則宋遺非人名也、疑當作乃使勇士從宋遺書、北辱齊王、落從字書字、說又

見張儀傳、齊王大怒、折楚符而合於秦。秦·齊交合。張儀乃起朝、謂楚將軍曰。子何不受地。從某至某、廣袤六里。【考證】東西曰廣、南北曰袤、楚將軍曰、臣之所以見命者六百里、不聞六里。卽以歸報懷王。懷王大怒、興師將伐秦。陳軫又曰。伐秦、非計也。不如因賂之一名都、與之伐齊。是我亡於秦、取償於齊也。【索隱】謂失商於之地。【考證】徐孚遠曰、亡、謂賂以名都也、若商於乃虛約也、不爲亡地、中井積德曰、亡下脫地、張儀傳、作出地於秦、愚按、策同史文、吾國尚可全。今王已絕於齊、而責欺於秦。是吾合秦·齊之交、而來天下之兵也。國必大傷矣。楚王不聽。遂絕和於秦、發兵西攻秦。秦亦發兵擊之。【考證】秦欲伐齊以下、采齊策、十七年春、與秦戰丹陽。【索隱】此丹陽、在漢中、【考證】胡三省曰、此丹陽謂丹水之陽也、班志、丹水出上洛冢嶺山、東至析入鈞水、地在武關之外、秦楚交戰、當在此、秦大敗我軍、斬甲士八萬、虜

我大將軍屈匄·裨將軍逢侯丑等七十餘人、遂取漢中之郡。【考證】胡三省曰、自沔陽至上庸、皆楚漢中地、沔陽、今陝西漢中府沔縣、上庸、今湖北鄖陽府竹山縣、楚懷王大怒、乃悉國兵、復襲秦、戰於藍田。【正義】藍田、在雍州東南八十里、從藍田關入藍田縣、【考證】今陝西西安府藍田縣、大敗楚軍。【考證】楚策、張儀說楚懷王曰、楚嘗與秦構難、戰於漢中、楚人不勝、通侯執圭死者七十餘人、遂失漢中、楚王大怒、興師襲秦、與秦戰於藍田、又却、卽此事、韓·魏聞楚之困、乃南襲楚至於鄧。楚聞乃引兵歸。【考證】遂取漢中之郡以下、本秦策、鄧、今河南南陽府鄧縣、十八年、秦使使約復與楚親、分漢中之半以和楚。【考證】梁玉繩曰、此與屈原傳同、而張儀傳、又依國策言秦欲以武關外易黔中地、未定所從、楚王曰。願得張儀。不願得地。張儀聞之、請之楚。秦王曰。楚且甘心於子。柰何。【考證】左傳、管召讎也、請受而甘心焉、杜注、甘心、言欲快心戮殺之、張儀曰。臣善其左右靳尚。靳尚又能得事於楚王幸姬鄭袖。袖所言無不從者。且儀以前使負楚以商·於之約。

今秦·楚大戰有惡。臣非面自謝楚不解。且大王在、楚不宜敢取儀。誠殺儀以便國、臣之願也。儀遂使楚。至。懷王不見。因而囚張儀欲殺之。儀私於靳尚。靳尚爲請懷王曰。拘張儀、秦王必怒。天下見楚無秦、必輕王矣。又謂夫人鄭袖曰。秦王甚愛張儀。而王欲殺之。今將以上庸之地六縣賂楚、以美人聘楚王、以宮中善歌者爲之媵。楚王重地。秦女必貴、而夫人必斥矣。夫人不若言而出之。鄭袖卒言張儀於王、而出之。儀出。懷王因善遇儀。【考證】因張儀欲殺之以下、采楚策、儀因說楚王以叛從約而與秦合親。約婚姻。【考證】采楚策、語詳于張儀傳、張儀已去。屈原使從齊來。【考證】屈原始見于此、先秦諸書、絕不見屈原事、但史記有之、黃式三曰、先是楚王聽張儀之欺、自恨不用屈原而至此、乃復用屈原、屈原因受命使齊、思合齊以報張儀之恥、屈原自齊反、張儀

既釋、諫王曰。何不誅張儀。懷王悔、使人追儀。弗及。是歲秦惠王卒。二十六年、齊湣王欲爲從長、【索隱】按下文、始言二十四年、又更有二十六年、則此錯、云二十六年、衍字也、當是二十年事、又徐廣推校二十年取武遂、二十三年歸武遂、則此必二十年二十一年事乎、【考證】二十六年、各本作二十年、今依索隱本、王念孫曰、正文本作二十年、二十六年、小司馬以爲當作二十年、今本依改、而又於注首加俗本或作二十六年、甚謬、梁玉繩曰、此事在懷王二十六年、秦復取韓武遂之時、舊本作二十六年、甚是、蓋書中有韓得武遂于秦語、必錯簡也、當移于後文三國引兵去句之下、而衍二十年三字、徐廣但疑非二十年事、不加裁決、索隱以作二十六者爲錯、殊昧情實、通鑑大事記作二十三年、古史作二十二年、竝非、惡楚之與秦合、乃使使遺楚王書曰。寡人患楚之不察於尊名也。【考證】岡白駒曰、爲下文王名成矣發、今秦惠王死、武王立、張儀走魏。【考證】梁玉繩曰、齊遺楚書、實在二十六年、當秦昭王時、儀死已久、不得言今秦惠王死、武王立、張儀走魏、蓋戰國之事、經辯士潤飾、多有差舛、不可爲據、史仍而不改耳、應作武王死、今王立、走魏作死魏、樗里疾·公孫衍用、而楚事秦。夫樗里疾善乎韓。而公孫衍善乎魏。【考證】樗里疾母、韓女、公孫衍魏人、楚必事秦、韓·魏恐必因二人

求合於秦、則燕・趙亦宜事秦。四國爭事秦、則楚爲郡縣矣。王何不與寡人并力、收韓・魏・燕・趙與爲從、而尊周室、以案兵息民、令於天下、莫敢不樂聽、則王名成矣。【考證】此時尚言尊周室、周室未全失爲共主、 王率諸侯竝伐、破秦必矣。王取武關・蜀・漢之地、【正義】武關、在商州東一百八十里商洛縣界、蜀、巴蜀漢中郡也。【考證】武關、秦之南關、卽春秋少習也、在今陝西商州東、 私吳・越之富、而擅江・海之利、韓・魏割上黨、【考證】上黨、山西潞安府、 西薄函谷、則楚之彊百萬也。且王欺於張儀、亡地漢中、兵銼藍田。天下莫不代王懷怒。今乃欲先事秦。願大王孰計之。楚王業已欲和於秦、見齊王書、猶豫不決。下其議羣臣。【考證】業已、二字一意、 羣臣或言和秦、或曰聽齊。昭睢曰。【索隱】睢、七余反、 王雖東取地於越、不足以刷恥。必且取地於秦、而後

足以刷恥於諸侯。王不如深善齊・韓以重樗里疾。如是、則王得韓・齊之重以求地矣。秦破韓宜陽、【索隱】弘農之縣、在澠池西南、【考證】宜陽故城、在今河南宜陽縣東、 而韓猶復事秦者、以先王墓在平陽、【索隱】非堯都也、 而秦之武遂去之七十里。【索隱】亦非河閒之縣、則韓之平陽、秦之武遂、竝當在宜陽左右、 以故尤畏秦。不然、秦攻三川、【正義】三川、洛州也、【考證】伊洛及河爲三川、秦置三川郡、漢改爲河南、今河南之河南府是也、 趙攻上黨、楚攻河外、韓必亡。楚之救韓、不能使韓不亡。然存韓者楚也。韓已得武遂於秦、以河・山爲塞。【正義】河、蒲州西黃河也、山、韓西境也、 所報德莫如楚厚。臣以爲其事王必疾。齊之所信於韓者、以韓公子眛爲齊相也。【正義】眛、莫葛反、後同、 韓已得武遂於秦、王甚善之、【正義】昭睢言韓以得武遂於秦、西界至河山、必德楚、是昭王之甚善楚、【考證】韓得武遂于秦、錯簡、當移于後文三國引兵去句之下、 使之以齊・韓重樗里疾、疾得齊・

韓之重、其主弗敢弃疾也。今又益之以楚之重。樗里子必言秦、復與楚之侵地矣。【正義】言齊韓尊重秦相、秦相樗里疾、疾得齊韓尊重秦王、而齊韓又與楚親、疾必不敢棄也、今又益楚之重、樗里疾、疾必言秦王歸楚侵地、【考證】正義依桃源抄補、多譌誤、 於是懷王許之。竟不合秦、而合齊以善韓。【集解】徐廣曰、懷王之二十二年、秦拔宜陽取武遂、二十三年、秦復歸韓武遂、然則已非二十年事矣、 二十四年、倍齊而合秦。秦昭王初立。乃厚賂於楚。楚往迎婦。【考證】六國表云、楚迎婦于秦、屈原傳云、秦昭王與楚婚、黃式三曰、楚迎婦于秦、秦迎婦于楚、蓋互爲婚姻也、凌稚隆曰、楚往迎婦、與前約婚姻相應、 二十五年、懷王入、與秦昭王盟約於黃棘。【考證】胡三省曰、班志南陽郡有棘陽縣、愚按、棘陽城、或謂之黃棘、今河南新野縣東北、 秦復與楚上庸。【考證】懷王十七年、秦敗楚師虜屈匄、取上庸、至此與之、上庸、漢中要地、 二十六年、齊・韓・魏、爲楚負其從親而合於秦、三國共伐楚。楚使太子入質於秦、而請救。秦乃遣客卿通、將兵救楚。三國引兵去。【考證】太子名橫、戰國之時、用他國之人爲卿、曰客卿、通、

其名、 二十七年、秦大夫有私與楚太子鬭。楚太子殺之而亡歸。二十八年、秦乃與齊・韓・魏共攻楚。殺楚將唐眛、取我重丘而去。【考證】眛當作眜、又作蔑、重丘、此及田完世家樂毅傳同、秦本紀作方城、荀子議兵篇云、兵殆乎垂沙、唐蔑死、呂覽處方篇、齊使章子與韓魏攻荊、荊使唐蔑將兵應之、夾泚而軍、章子夜襲之、斬蔑于是水之上、重丘、蓋在泚水之上、 二十九年、秦復攻楚。大破楚。楚軍死者二萬。殺我將軍景缺。【考證】年表云、秦敗我襄城、殺景缺、 懷王恐、乃使太子爲質於齊以求平。【考證】懷王恐以下、采楚策、 三十年、秦復伐楚取八城。秦昭王遺楚王書曰。始寡人與王約爲弟兄、盟于黃棘、太子爲質。至驩也。太子陵殺寡人之重臣、不謝而亡去。寡人誠不勝怒、使兵侵君王之邊。今聞君王乃令太子質於齊以求平。寡人與楚接境壤界。故爲婚姻。【正義】壻之父爲姻、婦之父爲婚、婦之父母壻之父母、相謂爲婚姻、兩壻相謂爲婭、【考證】張

儀傳云、秦與楚接境壤界、蓋當時語、中井積德曰、婚是婚娶之婚、外族爲姻、所從相親久矣。而今秦·楚不驩。則無以令諸侯。寡人願與君王會武關、面相約、結盟而去。寡人之願也。敢以聞下執事。【考證】以聞二字始見、猶言上聞、後世臣民上書天子時用之、儀禮特牲禮、饋食主人及賓兄弟羣執事、卽位門外、襄二十八年、鄭游吉聘楚曰、以歲之不易、聘於下執事、越語、寡君句踐之無所使、使其下臣種、不敢徹聲聞於天王、私下執事、左傳僖二十六年、展喜告齊孝公曰、寡君使下臣犒執事、張照曰、執事本謂從列與事之人、致書者謙不斥尊、若云陳達其左右者耳、楚懷王見秦王書患之。欲往、恐見欺。無往、恐秦怒。昭睢曰。王毋行、而發兵自守耳。秦虎狼不可信。有幷諸侯之心。【考證】梁玉繩曰、屈原傳、作原語、索隱謂二人同諫、故彼此隨錄之、懷王子子蘭勸王行。曰。柰何絕秦之驩心。於是往會秦昭王。昭王詐令一將軍伏兵武關、號爲秦王。楚王至。則閉武關、遂與西至咸陽。【索隱】右扶風渭城縣、故咸陽城也、在水北山南、故曰咸陽、咸、皆也、朝章臺如蕃臣、不與亢禮。

【考證】章臺、在渭南、蕃、讀爲藩、亢、抗同、亢禮、對等之禮、禮記、臣莫敢與君亢禮也、楚懷王大怒、悔不用昭子言。秦因留楚王、要以割巫·黔中之郡。【考證】巫郡、四川夔州府巫山縣、黔中、湖南常德以西及貴州境、楚王欲盟。秦欲先得地。楚王怒曰。秦詐我、而又彊要我以地。不復許秦。秦因留之。楚大臣患之。乃相與謀曰。吾王在秦不得還。要以割地。而太子爲質於齊。齊·秦合謀、則楚無國矣。乃欲立懷王子在國者。昭睢曰。王與太子俱困於諸侯。而今又倍王命而立其庶子。不宜。乃詐赴於齊。【考證】胡三省曰、詐言楚王薨、而請太子還王楚、齊湣王謂其相曰。不若留太子以求楚之淮北。【考證】齊策、齊湣王作蘇秦、其相作薛公、淮北作下東邑、高誘注、薛公、田嬰、下東邑、楚東邑、近齊也、愚按、是時蘇秦田嬰死已久、史公以意改、下東邑卽淮北、相曰。不可。郢中立王。是吾抱空質、而行不義於天下也。【考證】郢中、楚都、或曰。【考證】策、或作蘇秦、不

然。郢中立王、因與其新王市曰。予我下東國。吾爲王殺太子。【正義】楚之下國、最在東、故云下東國、卽楚淮北、【考證】胡三省曰、市、謂相要以利、如市道也、予讀曰與、不然、將與三國共立之。然則東國必可得矣。【考證】齊湣王以下、本齊策、胡三省曰、三國、謂齊韓魏、齊王卒用其相計、而歸楚太子。太子橫至、立爲王。是爲頃襄王。乃告于秦曰。賴社稷神靈、國有王矣。頃襄王橫元年、秦要懷王不可得地、楚立王以應秦。秦昭王怒發兵、出武關攻楚、大敗楚軍。斬首五萬。取析十五城而去。【集解】徐廣曰、年表云、取十六城、既取析、又幷取左右十五城也、駰按地理志、弘農有析縣、【正義】括地志云、鄧州內鄉縣城、本楚析邑、一名丑、漢置析縣、因析水爲名也、二年、楚懷王亡逃歸。秦覺之、遮楚道。【考證】胡三省曰、遮其歸楚之路也、懷王恐、乃從閒道走趙以求歸。趙主父在代。【索隱】主字亦或作王、【正義】父、音甫、武靈王也、其子惠王初立行王事。恐不敢入楚王。楚

王欲走魏。秦追至。遂與秦使復之秦。【考證】古鈔本、使作吏、懷王遂發病。頃襄王三年、懷王卒于秦。秦歸其喪于楚。楚人皆憐之、如悲親戚。諸侯由是不直秦。秦·楚絕六年、秦使白起伐韓於伊闕。大勝、斬首二十四萬。【正義】括地志云、伊闕山、在洛州南十九里也、【考證】伊闕、山名、在今河南洛陽縣西南境、秦乃遺楚王書曰。楚倍秦。秦且率諸侯伐楚、爭一旦之命。願王之飭士卒、得一樂戰。【考證】胡三省曰、樂、快意也、言一戰以快其意、楚頃襄王患之、乃謀復與秦平。七年、楚迎婦於秦。秦·楚復平。十一年、齊·秦各自稱爲帝月餘、復歸帝爲王。【考證】秦齊稱帝、本齊策、十四年、楚頃襄王與秦昭王好會于宛、結和親。【考證】宛、河南南陽府南陽縣、十五年、楚王與秦·三晉·燕共伐齊、取淮北。【考證】淮北、今江蘇海州及山東沂州地、十六年、與秦昭王好會於

鄢。其秋、復與秦王會穰。【考證】鄢、湖北襄陽府宜城縣、穰、河南陽府鄧州、 十八年、楚人有好以弱弓微繳加歸鴈之上者。【正義】弱、小也、微、細也、繳、弋射也、歸鴈、北向也、言小弓細弋、射北歸之鴈、其矢加於背上、【考證】歸鴈難射、所以爲名手、不必改歸作鵙、葉適曰、弱弓微繳加歸雁之上、虎肉臊而兵利身、人猶攻之、二事皆戰國策所無、其文無異、意劉向所序、比遷時已有遺落也、 頃襄王聞、召而問之。對曰、小臣之好射鶀鴈【索隱】鶀、音其、小鴈也、 羅鸗、【集解】徐廣曰、呂靜曰、鸗、野鳥也、音龍、【索隱】呂靜音聾、鄒亦音盧動反、劉音龍、鸗、小鳥、【考證】中井積德曰、羅疑亦鳥名、 小矢之發也。何足爲大王道也。且稱楚之大、因大王之賢。所弋非直此也。【考證】方苞曰、稱、去聲、衡量楚之強大也、愚按、直、特也、 昔者三王以弋道德、五霸以弋戰國。故秦・魏・燕・趙者、鶀鴈也。齊・魯・韓・衛者青首也。【索隱】亦小鳧有青首者、【考證】中井積德曰、青首是大鳧、非小鳧、然小於雁、 騶・費・郯・邳者羅鸗也。【索隱】騶費、鄒祕二音、【考證】錢大昕曰、孟子書有鄒穆公、費惠公、此文云泗上十二諸侯、則戰國之世、小諸侯存者尚多也、愚按、齊策顏斶曰、當今之世、南面稱寡者二十四、郯邳蓋亦在其中、 外其餘則不足

射者。見鳥六雙。【索隱】以喻下文秦趙等十二國、故云六雙、【正義】謂上秦魏燕趙齊魯韓衛鄒費郯邳者、合十二國也、【考證】索隱下文、當上文之譌、 以王何取。王何不以聖人爲弓、以勇士爲繳、時張而射之。此六雙者、可得而囊載也。其樂非特朝昔之樂也。【索隱】昔、猶夕也、 其獲非特鳧鴈之實也。【考證】實、讀若庭實之實、 王朝張弓而射魏之大梁之南、加其右臂而徑屬之於韓、則中國之路絕、而上蔡之郡壞矣。【考證】上蔡、河南汝寧府、 還射圉之東、解魏左肘、而外擊定陶、【索隱】還、音患、謂繞也、射、音石、解、音紀買反、【正義】圉、音語、城在汴州雍丘縣東、【考證】圉、今河南開封府杞縣南、定陶、今山東曹州府定陶縣、 則魏之東外弃、而大宋方與二郡者舉矣。【正義】言王朝張弓、射魏大梁汴州之南、即加大梁之右臂、連韓鄭、則河北中國之路、向東南斷絕、則韓上蔡之郡、自破壞矣、復遶射雍丘圉城之東、便解散魏左肘宋州、而外擊曹定陶、及魏東之外解弃、則宋方與兩郡竝舉、【考證】方與、山東濟寧州魚臺縣、 且魏斷二臂、顛越矣。膺擊郯國、大梁可得而有也。王綪繳

蘭臺、【集解】徐廣曰、綪、縈也、音爭、蘭一作簡、【正義】鄭玄云、綪、屈也、江沔之閒謂之縈、收繩索綪也、按繳絲繩繫弋射鳥也、若膺擊郯國大梁、已了、乃收弋繳於蘭臺、蘭臺、桓山之別名也、【考證】横田惟孝曰、膺、胸前也、蓋郯當大梁前、 飲馬西河、定魏大梁。此一發之樂也。若王之於弋、誠好而不厭、則出寶弓、碆新繳、【集解】徐廣曰、以石傅弋繳曰碆、碆、音波、【索隱】碆作磻、音播、傅、音附、 射噣鳥於東海、還蓋長城以爲防、【集解】徐廣曰、噣、一作獨、還、音宦、蓋、一作益、益縣、在樂安、蓋縣、在泰山、濟北盧縣有長城、東至海也、【索隱】噣、音晝、謂大鳥之有鉤喙者、以比齊也、還、音患、謂遶也、蓋者覆也、言射者環遶蓋覆、使無飛走之路、因以長城爲防也、徐以蓋爲益縣、非也、長城、當在濟南、【正義】太山郡記云、太山西北有長城、緣河、徑太山千餘里、至琅邪臺入海、齊記云、齊宣王乘山嶺之上築長城、東至海、西至濟州千餘里、以備楚、括地志云、長城西北起濟州平陰縣、緣河歷太山北岡上、經濟州淄川、即西南兗州博城縣、北東至密州琅邪臺入海、蓟代記云、齊有長城巨防、足以爲塞也、 朝射東莒、【正義】括地志云、密州莒縣、故莒子國、地理志云、周武王封少昊之後嬴姓於莒、始都計斤、春秋時徙居莒也、【考證】東莒、今山東沂州府莒州、 夕發浿丘、【集解】徐廣曰、在清河、【正義】括地志云、浿丘、丘名也、在青州臨淄縣西北二十五里也、【考證】浿丘、即貝丘、今山東青州博興縣南有貝中聚、 夜加即墨、顧據午道、【索隱】顧、反也、午道、當在齊西界、一從一橫爲午道、亦未詳其處、【正義】劉伯莊云、

齊西界、按蓋在博州之西境也、【考證】今山東萊州府平度州、有即墨故城、午道、趙東齊西交午道也、中井積德曰、午道、蓋直南北之道、仍是子午道之意、 則長城之東收、而太山之北舉矣。【正義】言從齊州長城、東至海、太山之北、黃河之南、盡舉收於楚、 西結境於趙、【正義】言得齊地、約結於趙爲境界、定從約也、【考證】中井積德曰、結境、猶接境也、 而北達於燕、【索隱】北、一作杜、杜者寬大之名、言齊晉既伏、收燕不難也、【正義】北達、言四通無所滯礙、言燕無山河之限也、 三國布翄、【集解】徐廣曰、音翄、一作屬、【索隱】亦作翄、同、式豉反、三國、齊趙燕也、【正義】翄亦作翅、音式豉反、三國共布翅、言和同也、楚趙燕和同、而收關左、從不待而可成、 則從不待約而可成也。北遊目於燕之遼東、而南登望於越之會稽、此再發之樂也。若夫泗上十二諸侯、左縈而右拂之、可一旦而盡也。【考證】張儀傳、張儀說楚王曰、舉宋而東指、則泗上十二諸侯盡王之有也、索隱云、邊近泗水之側、當戰國之時、有十二諸侯、宋魯邾莒之比也、横田惟孝曰、可一旦而盡、所謂不足射者、 今秦破韓以爲長憂、得列城而不敢守也。【考證】横田惟孝曰、秦雖破韓而不能有之、徒頓兵罷士、故曰爲長憂、 伐魏而無功、擊趙而顧病、【索隱】顧、猶反也、 則秦・魏之勇

力屈矣。楚之故地、漢中・析・酈、可得而復有也。王出寶弓、碆新繳、涉鄳塞、而待秦之倦也、【集解】徐廣曰、鄳或以爲冥、今江夏、一作黽、【正義】括地志云、故鄳城在鄭州河北縣東十里庾邑也、杜預云、河東太陽有鄍城、是也、徐言江夏亦誤也、【考證】析、酈皆在河南南陽府內鄉縣、山東・河內、可得而一也。【正義】謂華山之東、懷州河內之郡、勞民休衆、南面稱王矣。【考證】中井積德曰、稱王、宜言稱帝、楚僭王已久矣、故曰。秦爲大鳥、負海內而處、東面而立、左臂據趙之西南、右臂傅楚鄢郢、膺擊韓・魏、【索隱】謂韓魏當秦之前、故云膺擊、俗本作鷹、非、【正義】膺作鷹、如鷹鳥之擊也、【考證】膺、胸也、索隱可從、橫田惟孝曰、擊當作繫、垂頭中國。【索隱】垂頭、猶申頸也、言欲吞山東、處既形便、勢有地利。奮翼鼓翅、方三千里、則秦未可得獨招而夜射也。【考證】招、所謂鳥媒也、招以其類、招誘之、欲以激怒襄王。故對以此言。襄王因召與語。遂言曰。夫先王爲秦所欺、而客死於外。怨莫大焉。今以匹夫有怨、尙有

報萬乘。白公・子胥是也。【考證】白公勝殺令尹子西、劫惠王、伍子胥入郢、鞭平王墳、皆楚國事、所以取譬、今楚之地方五千里、帶甲百萬。猶足以踊躍中野也。而坐受困。臣竊爲大王弗取也。於是頃襄王遣使於諸侯、復爲從、欲以伐秦。【考證】方苞曰、此眞戰國之文、而不見楚策中、愚按、國策姚本鮑本吳本、皆不收此章、但張本有之、蓋依史記補入也、中井積德曰、徒鼓動楚王好戰之心耳、此非良士、又曰、射不必中、戰不必勝、力勞而無獲、何樂之有、況楚之衰弱、射而無獲必矣、秦聞之、發兵來伐楚。楚欲與齊・韓連和伐秦。因欲圖周。【考證】呂祖謙曰、是時齊止餘兩城、爲燕所圍、何暇與楚連和伐秦、蓋所載不能無少差也、周王赧使武公謂楚相昭子曰。【集解】徐廣曰、定王之曾孫、而西周惠公之子、三國以兵割周郊地以便輸、而南器以尊楚。【考證】言欲取周寶更南輸楚也、岡白駒曰、器、鼎之類、臣以爲不然。夫弒共主、臣世君、大國不親。【索隱】共主世君、俱是周自謂也、共主、言周爲天下共所宗主也、世君、言周室代代君於天下、【正義】天下共尊、今欲殺之、故言殺共主、周世君天下、故言世君也、以衆脅寡、小國不附。大國不親、小

國不附、不可以致名實。名實不得、不足以傷民。【考證】岡白駒曰、傷民、言起兵也、夫有圖周之聲、非所以爲號也。昭子曰。乃圖周則無之。雖然、周何故不可圖也。對曰。軍不五、不攻城。不十、不圍。【考證】孫子謀攻篇云、用兵之法、十則圍之、五則攻之、岡白駒曰、我軍五倍于彼軍而後可攻、十倍于彼軍而後可圍、夫一周爲二十晉、公之所知也。【正義】言周王之國、其地雖小、諸侯尊之、故敵二十晉也、【考證】晉卽魏、王念孫曰、三國分晉、魏得晉之故都、故魏人自稱晉國、孟子、梁惠王曰、晉國天下莫强焉、周霄曰、晉國亦仕國也、魏策云、魏武侯與諸大夫浮於西河、稱曰、河山之險、豈不亦信固哉、王鍾侍王曰、此晉國之所以强也、是晉卽魏也、韓嘗以二十萬之衆辱於晉之城下、銳士死、中士傷、而晉不拔。【考證】此以一攻一者、與軍不五不攻者異、公之無百韓以圖周、此天下之所知也。【考證】軍不五不攻、周既爲二十晉、非百韓以攻之則無功矣、而楚無其兵也、夫怨結於兩周、以塞騶・魯之心、【索隱】騶魯、有禮義之國、今楚欲結怨兩周而奪九鼎、是塞鄒魯之心、交絕於齊、【正義】楚本與齊韓和、伐秦因欲圖周、齊不與圖周、故齊交絕於楚、聲

失天下。其爲事危矣。【考證】岡白駒曰、聲、卽上文圖周之聲也、夫危兩周、以厚三川、【正義】三川、兩周之地、韓多有之、言厚韓也、方城之外、必爲韓弱矣。【正義】方城之外、許州葉縣東北也、言楚取兩周、則韓彊、必弱楚方城之外也、【考證】三川、屬韓、方城之外、楚北境、與韓相接、周策亦云、魏有南陽鄭地三川、而包二周、則楚方城之外危、何以知其然也。西周之地、絕長補短、不過百里、名爲天下共主。裂其地不足以肥國、得其衆不足以勁兵、雖無攻之、名爲弑君。【考證】中井積德曰、疑有錯誤、愚按、通鑑作雖然攻之者、然而好事之君、喜攻之臣、發號用兵、未嘗不以周爲終始。是何也。見祭器在焉。【考證】胡三省曰、謂三代相傳之祭器、如九鼎之類、是也、欲器之至、而忘弑君之亂。今韓以器之在楚、【考證】中井積德曰、句有錯誤、臣恐天下以器讎楚也。臣請譬之。夫虎肉臊、其兵利身、【索隱】謂虎以爪牙爲兵、而自利於防身也、【正義】虎有爪牙、以衛其身、若人身加兵、故其兵利身、【考證】黃式三曰、疑兵當作皮、謂肉不足食而皮足衣也、愚按、原文自通、不必改兵爲皮、肉臊、喻不足肥國勁

兵、兵利、喩名爲天下共主、人猶攻之也。若使澤中之麋、蒙虎之皮、人之攻之、必萬於虎矣。[索隱]攻易而利大也、[正義]野澤之麋、蒙衣虎皮、人之攻取、必萬倍於虎也、譬楚伐周收祭器、其猶麋蒙虎皮矣、[考證]必萬於虎矣、各本作必萬之於虎、今從索隱本、裂楚之地、足以肥國、詘楚之名、足以尊主。[考證]以喩麋肉可食、胡三省曰、詘讀曰黜、言黜其僭主之名也、今子將以欲誅殘天下之共主、居三代之傳器、[索隱]謂九鼎也、吞三翮六翼、[索隱]翮亦作鬲、同音歷、三翮六翼、亦謂九鼎也、空足曰翮、六翼卽六耳、翼近耳旁、事具小爾雅、[正義]翮誤、當作鬲、音歷、爾雅云、附耳外謂之釴、款足謂之鬲、曲足鼎也、翼近鼎耳也、三翮六翼、卽九鼎、[考證]張文虎曰、索隱引小爾雅、今小爾雅無此文、以高世主。非貪而何。周書曰、欲起無先。[考證]周書佚文、朱右曾曰、不爲物先之意、故器南則兵至矣。於是楚計輟不行。十九年、秦伐楚。楚軍敗。割上庸・漢北地予秦。[正義]謂割房金均三州及漢水之北與秦、[考證]胡三省曰、漢北、漢水以北、宛葉樊鄧隨唐之地、二十年、秦將白起拔我西陵。[集解]徐廣曰、屬江夏、[正義]括地志云、西陵故城、在黃州黃山西二里、[考證]今湖北宜昌府、楚西陵地、梁玉繩曰、此

缺拔鄢鄧、說見秦紀、二十一年、秦將白起遂拔我郢、燒先王墓夷陵。[集解]徐廣曰、年表云、拔郢、燒夷陵、[索隱]夷陵、陵名、後爲縣、屬南郡、[正義]括地志云、峽州夷陵縣、是也、在荊州西、應劭云、夷山在西北、[考證]夷陵、今湖北宜昌府東湖縣、楚襄王兵散、遂不復戰。東北保於陳城。[考證]胡三省曰、陳卽古陳國、班志、陳縣屬淮陽國、註云楚頃襄王自郢徙此、愚按、今河南淮陽縣、秦取郢爲南郡、二十二年、秦復拔我巫・黔中郡、[考證]復拔、秦紀作取、通鑑作定、秦於是初置黔中郡、二十三年、襄王乃收東地兵、[考證]胡三省曰、東地、蓋楚之東地、淮汝之地也、得十餘萬。復西取秦所拔我江旁十五邑以爲郡、距秦。二十七年、使三萬人助三晉伐燕。[考證]張照曰、戰國策、齊韓魏共攻燕、燕使太子請救于楚、楚王使景陽將而救之、此云助三晉伐燕、與楚策異、復與秦平、而入太子爲質於秦。楚使左徒侍太子於秦。[正義]左徒、官名、爾時黃歇爲左徒、侍太子於秦也、三十六年、頃襄王病。太子亡歸。秋、頃襄王卒。太子熊元代立。是爲考烈王、[索隱]系本、元作完、考烈王以

左徒爲令尹、封以吳。號春申君。考烈王元年、納州于秦以平。是時楚益弱。[索隱]徐廣曰、南郡有州陵縣、[考證]州、今湖北武昌江夏縣、六年、秦圍邯鄲。趙告急楚。楚遣將軍景陽救趙。[考證]張照曰、六國表云、春申君救趙、春申君傳云、秦圍邯鄲、邯鄲告急于楚、楚使春申君往救、此作景陽、與彼互異、梁玉繩曰、此蓋因前十五年齊韓魏共伐燕、燕請救于楚、楚王使景陽將而救之、見國策、史緣此致誤、七年、至新中。[索隱]按趙地無名新中者、中字誤、鉅鹿有新市、中、當爲市、[正義]新中、相州安陽縣也、七國時、魏寧新中邑、秦莊襄王拔之、更名安陽也、[考證]梁玉繩曰、寧新中、魏地也、當在六年、又脫寧字、秦兵去。[集解]徐廣曰、年表云、六年、春申君救趙、十年徙於鉅陽、十二年、秦昭王卒。楚王使春申君弔祠于秦。十六年、秦莊襄王卒。秦王趙政立。[考證]錢大昕曰、秦王政之立、五國世家皆書、而韓世家獨闕、此篇稱趙政、又與他世家異、二十二年、與諸侯共伐秦。不利而去。楚東徙都壽春。命曰郢。[正義]壽春、在南壽州壽春縣、是也、[考證]今安徽鳳陽府壽州、楚壽春邑、二十五年、考烈王卒。子幽王悍立。李園殺春申君。[考證]李園殺春申君、見楚策春申君傳、

幽王三年、秦・魏伐楚。秦相呂不韋卒。九年、秦滅韓。[考證]張照曰、韓世家正義曰、亡在秦始皇帝十七年、是年在楚幽之八年、十年、幽王卒。同母弟猶代立。是爲哀王。[考證]表、猶作郝、哀王立二月餘、哀王庶兄負芻之徒、襲殺哀王、而立負芻爲王。[考證]幽王卽李園女弟所生、幸於黃歇、黃歇進於考烈王者、非楚統也、列女傳以哀王爲考烈王遺腹子、以負芻爲考烈王弟、與史所言異、然亦楚裔也、是歲、秦虜趙王遷。王負芻元年、燕太子丹使荊軻刺秦王。二年、秦使將軍伐楚。大破楚軍、亡十餘城。[考證]年表作十城、三年、秦滅魏。四年、秦將王翦破我軍於蘄、[索隱]機祈二音、[正義]音機、又音圻、地理志云、沛郡蘄縣也、[考證]今安徽鳳陽府宿州南、而殺將軍項燕。[考證]張照曰、秦始皇本紀、作二十三年虜荊王、二十四年項燕自殺、五年、秦將王翦・蒙武遂破楚國、虜楚王負芻、滅楚名爲楚郡云。[集解]孫檢曰、秦虜楚王負芻、滅去楚名、以楚地爲三郡、[索隱]裴注頻引孫檢、不知其人本末、蓋齊人也、[考證]胡三省曰、秦三十六郡無楚郡、此蓋滅楚之時暫置耳、錢大昕曰、秦始皇父

名楚、故始皇本紀稱楚爲荊、滅楚之後、未嘗置楚郡也、孫氏謂滅去楚名蓋得其實、楚郡之楚、當是衍文、或者謂三十六郡之外有楚郡者妄也、愚按、王鳴盛梁玉繩亦以楚字爲衍、其說甚是、名字亦當衍、

太史公曰。楚靈王方會諸侯於申、誅齊慶封、作章華臺、求周九鼎之時、志小天下。及餓死于申亥之家、爲天下笑。【考證】左傳、曰縊、不曰餓、操行之不得、悲夫。勢之於人也、可不愼與。弃疾以亂立、嬖淫秦女、甚乎哉、幾再亡國。【索隱】幾音祈、

【索隱】述贊、鬻熊之嗣、周封於楚、僻在荊蠻、蓽路藍縷、及通而霸、僭號曰武、文既伐申、成亦赦許、子圍篡嫡、商臣殺父、天禍未悔、憑姦自怙、昭困奔亡、懷迫囚虜、頃襄考烈、祚衰南土、

楚世家第十　史記四十

史記會注考證卷四十一

漢　太　史　令　司　馬　遷　撰
宋中郎外兵曹參軍裴　駰集解
唐國子博士弘文館學士司馬　貞索隱
唐諸王侍讀率府長史張　守　節正義
日　本　出　雲　瀧　川　資　言　考　證

越王句踐世家第十一　史記四十一

【正義】句踐，越王名也。今越州也。周元王命爲伯也。【考證】史公自序云，少康之子，實賓南海，文身斷髮，黿鱓與處，既守封禺，奉禹之祀，句踐困彼，乃用種、蠡，嘉句踐夷蠻能修其德，滅彊吳，以尊周室，作越王句踐世家第十一。方苞曰，句踐先世無所考，子孫事亦甚略，實傳體也。范蠡謀吳霸越，具見句踐語中，其浮海以後事，又不別立傳，而史公惜其奇，故用合傳體，附載於後，非常法也。顧棟高曰，案越自少康初封，歷商至周初千有餘歲，武王因其舊而不改，延及春秋之季，又五六百年，至允常始與吳相戰伐，見于經傳，然封域極隘，國語與越絕書所載不同，其北向所至，曰禦兒，曰平原，皆在今嘉興一府之地，其西南至于姑蔑，則在今衢州府龍游縣，然昔人稱餘汗爲越地，淮南王安謂越人欲爲變，必先由餘汗界中，通典亦謂爲越之西界，國語所云姑蔑，蓋未盡矣，其地全有浙之紹興、寧波、金華、衢、溫、臺、處七府之地，其嘉、杭、湖三府，則與吳分界，由衢歷江西廣信府至饒之餘干縣，與楚分界，又曰，竊怪句踐以廣運百里之地，而能覆二千里之吳，其後世地兼吳越，而楚滅之如反掌之易，其故何也，曰，仍句踐自貽之也，當其滅吳，不能正江淮以北，使楚東侵，廣地至泗上，是爲盡江自守之計，棄地利以與人，其得延至五世，幸矣。

越王句踐，其先禹之苗裔。【正義】吳越春秋云，禹周行天下，還歸大越，登茅山以朝四方羣臣，封有功，爵有德，崩而葬焉，至少康，恐禹迹宗廟祭祀之絕，乃封其庶子於越，號曰無餘。賀循會稽記云，少康其少子號曰於越，越國之稱始此。越絕書云，無餘都會稽山南，故越城是也。　而夏后帝少康之庶子也。封於會稽，以奉守禹之祀。文身斷髮，披草萊而邑焉。【考證】梁玉繩曰，禹葬會稽之妄，說在夏紀，夏商稱帝之妄，說在殷紀，而少康封庶子一節，即緣禹葬于越僞撰，蓋六國時有此談，史公繆取入史，後之著書者，相因成實，史并謂閩越亦禹苗裔，豈不誕哉。墨子非攻下篇，越王繄虧出自有遽，始邦于越。漢地理志注，臣瓚曰，自交阯至會稽七八千里，百粤雜處，各有種姓，不得盡云少康之後。世本，越爲芈姓，與楚同祖，故鄭語稱芈姓夔越。韋昭吳語注，句踐，祝融之後，然則越非禹後明矣。越語，范蠡曰，吾先君周室之不成子也。韓詩外傳八曰，越亦周室之列封也，然則越非夏封明矣。　後二十餘世，至於允常。【正義】輿地志云，越侯傳國三十餘葉，歷殷至周敬王時，有越侯夫譚，子曰允常，拓土始大，稱王，春秋貶爲子，號爲於越。杜注云，於，語發聲也。【考證】錢大昕曰，少康至桀十一傳，殷湯至紂三十傳，周武王至敬王又二十五傳，而越之世止二十餘，理所必無也。中井積德曰，正義，春秋貶爲子，子其本爵，何貶之有。愚按，吳越春秋，允常作元常。　允常之時，與吳王闔廬戰，而相怨伐。【考證】王念孫曰，御覽引無伐字。　允常卒，子句踐立，是爲越王。元年，吳王闔廬聞允常死，乃興師伐越。越王句踐使死士挑戰，三行至吳陳，呼而自剄。吳師觀之，越因襲擊吳師，吳師敗於檇李。【集解】杜預曰，吳郡嘉興縣南有檇李城。【索隱】事在左傳魯定公十四年。【考證】左傳云，句踐患吳之整也，使死士再禽焉，不應，使罪人三行，屬劍於頸，而辭曰，二君有治，臣奸旗鼓，不敏於君之行前，不敢逃刑，敢歸死，遂自剄也。師屬之目，越子因而伐之，大敗之。蓋死士之往禽與罪人呼而自剄兩事也，史混并之。公羊傳，檇李

作醉李，今浙江嘉興府秀水縣有檇李故城。檇音醉。　射傷吳王闔廬。闔廬且死，告其子夫差曰，必毋忘越。【考證】興師伐越以下，定十四年左傳。　三年，句踐聞吳王夫差日夜勒兵，且以報越。越欲先吳未發，往伐之。范蠡諫曰，不可。臣聞兵者凶器也。戰者逆德也。【考證】越語，戰作勇。　爭者事之末也。陰謀逆德，好用凶器，試身於所末，上帝禁之，行者不利。越王曰，吾已決之矣。遂興師。吳王聞之，悉發精兵擊越，【考證】三年以下，國語越語。　敗之夫椒。【集解】杜預曰，夫椒，在吳郡吳縣，太湖中椒山是也。【索隱】夫音符。椒音焦，本又作湫，音酒小反。賈逵云，地名。杜預云，太湖中椒山也。按國語云，敗之五湖，則椒山爲得。事具哀公元年。【考證】夫椒，越語作五湖，此從左傳。夫椒，賈說得之，杜以爲太湖椒山，然湖中非戰所，夫椒與椒山不得一。錢大昕曰，湫椒聲相近，伍子胥傳作夫湫，楚大夫椒舉，漢書作湫舉。　越王乃以餘兵五千人，保棲於會稽。【集解】杜預曰，上會稽山也。【索隱】鄒誕云，保山曰棲，猶鳥棲於木以避害也。故六韜曰，軍處山之高者則曰棲。【考證】敗之夫椒以下，哀元年左傳。會稽，在今浙江紹興府會稽縣東南。　吳王追而圍之。

越王謂范蠡曰。【正義】會稽典錄云、范蠡字少伯、越之上將軍也、本是楚宛三戶人、佯狂倜儻負俗、文種爲宛令、遣吏謁奉、吏還曰、范蠡本國狂人、生有此病、種笑曰、吾聞士有賢俊之姿、必有佯狂之譏、內懷獨見之明、外有不知之毀、此固非二三子之所知也、駕車而往、蠡避之、後知種之必來謁、謂兄嫂曰、今日有客、願假衣冠、有頃種至、抵掌而談、旁人觀者聳聽之矣、以不聽子故至於此。爲之奈何。蠡對曰。持滿者與天。【集解】韋昭曰、與天、法天也、天道盈而不溢、【索隱】與天、天與也、言持滿不溢、與天同道、故天與之、【正義】言執持滿之德、維天能之、越絕云、天道盈而不溢、盛而不驕、【考證】國語、滿作盈、此避惠帝諱、定傾者與人。【集解】虞翻曰、人道尚謙卑以自牧、【索隱】人主有定傾之功、故人與之也、節事者以地。【集解】韋昭曰、時不至、不可彊生、事不究、不可彊成、【索隱】國語、以作與、此作以、亦與義也、言地能財成萬物、人主宜節用以法地、故地與之、韋昭等解恐非、【正義】定傾危之計、唯人能之、越絕云、地貴定傾、人貴節事、與此文反也、【考證】中井積德曰、以地之以、作與爲優、然地人相易而後爲全、越絕書却可徵、卑辭厚禮以遺之、不許、而身與之市。【集解】韋昭曰、市、利也、謂委管籥屬國家、以身隨之、【正義】卑作言辭、厚遺珍寶、不許、乎越王身往事之、如市賈貨易以利、此是定傾危之計、【考證】中井積德曰、市者從事之謂也、言出身從事以博利也、句踐曰。諾。乃令大夫種行成於吳。【索隱】大夫、官、種、名也、一曰、大夫姓、猶司馬司徒之比、蓋非也、成者、平也、求和於吳也、

【正義】吳越春秋云、大夫種、姓文、名種、字子禽、荊平王時、爲宛令、之三戶之里、范蠡從犬竇蹲而吠之、從吏恐文種慙、令人引衣而鄣之、文種曰、無鄣也、吾聞犬之所吠者人、今吾到此、有聖人之氣、行而求之、來至於此、且人身而犬吠者、謂我是人也、乃下車拜、蠡不爲禮、【考證】沈家本曰、正義引吳越春秋、今吳越春秋、未見是語、膝行頓首曰。君王亡臣句踐、使陪臣種敢告下執事。句踐請爲臣、妻爲妾。吳王將許之。【考證】越王謂范蠡曰以下、國語越語、子胥言於吳王曰。天以越賜吳。勿許也。【考證】以上哀元年左傳、種還以報句踐。句踐欲殺妻子、燔寶器、觸戰以死。種止句踐曰。夫吳太宰嚭貪。可誘以利。請閒行言之。【索隱】閒、音紀閑反、閒行、猶微行、於是句踐乃以美女寶器、令種閒獻吳太宰嚭。【索隱】國語云、越飾美女八人、使大夫種遺太宰嚭、嚭受、乃見大夫種於吳王。種頓首言曰。願大王赦句踐之罪、盡入其寶器。不幸不赦、句踐將盡殺其妻子、燔其寶器、悉五千人觸戰。必有當也。【索隱】言悉五千人觸戰、

或有能當吳兵者、故國語作耦、耦亦相當對之名、又下云、無乃傷君王之所愛乎、是有當則相傷也、【考證】張文虎曰、王、柯、凌本、脫悉字、中井積德曰、當、斬獲過當之當、言越五千人戰死、則吳兵亦數千死矣、是相當對也、作耦亦同、傷君王之所愛、亦即當對數中矣、嚭因說吳王曰。越以服爲臣。若將赦之、此國之利也。【考證】楓山、三條本、以作已、錢大昕曰、以與已同、愚按、將字疑因下文衍、吳王將許之。子胥進諫曰。今不滅越、後必悔之。句踐賢君。種・蠡良臣。若反國、將爲亂。吳王弗聽。卒赦越、罷兵而歸。句踐之困會稽也、【考證】楓山、三條本、困作圍、喟然嘆曰。吾終於此乎。種曰。湯繫夏臺、文王囚羑里、晉重耳犇翟、齊小白犇莒。其卒王霸。由是觀之、何遽不爲福乎。【考證】遽詎同、吳既赦越。越王句踐反國、乃苦身焦思、置膽於坐、坐臥卽仰膽。飲食亦嘗膽也。【考證】楓山、三條本、無飲食亦嘗膽也六字、曰。女忘會稽之恥邪。身自耕作、夫人自織、食不加肉、衣不重采、折節下

賢人、厚遇賓客、振貧弔死、與百姓同其勞。【集解】徐廣曰、弔、一作葬、【考證】楓山、三條本、振作賑、欲使范蠡治國政。蠡對曰。兵甲之事、種不如蠡。塡撫國家、親附百姓、蠡不如種。【索隱】塡、音鎭、【考證】各本塡作鎭、今從索隱本、於是舉國政屬大夫種。【考證】身自耕作以下、本國語越語、而使范蠡與大夫柘稽、【索隱】越大夫也、國語、作諸稽郢、【考證】錢大昕曰、柘、諸聲相近、行成爲質於吳。二歲而吳歸蠡。【考證】張照曰、國語、句踐與范蠡入宦於吳三年、而吳人遣之、越絕書亦作越王入宦於吳三年、吳王歸、愚按、韓子所記亦與越語越絕書同、句踐自會稽歸七年、拊循其士民、欲用以報吳。大夫逢同諫曰。【索隱】逢、姓、同、名、故楚有逢伯、【考證】逢、越絕、作馮、吳越春秋、作扶、凌本、欲上衍士民二字、國新流亡。今乃復殷給。繕飾備利、吳必懼。懼則難必至。且鷙鳥之擊也、必匿其形。【考證】六韜、鷙鳥將擊、卑飛斂翼、今夫吳兵加齊・晉、怨深於楚・越。【考證】加兵齊晉、結怨楚越、名高天下、實害周室。德少而

功多、必淫自矜。爲越計、莫若結齊親楚附晉、以厚吳。吳之志廣、必輕戰。是我連其權、三國伐之、越承其弊、可克也。【考證】使三國伐驕吳、是我連其權也、句踐曰。善。居二年、吳王將伐齊。子胥諫曰。未可。【考證】楓山、三條本、無未可二字、臣聞句踐食不重味、與百姓同苦樂。此人不死、必爲國患。吳有越、腹心之疾。齊與吳疥⿸疒徙也。【索隱】疥⿸疒徙、音介匙、【考證】凌稚隆曰、⿸疒徙、息淺切、與癬同、願王釋齊先越。吳王弗聽。遂伐齊、敗之艾陵、【索隱】在魯哀十一年、【考證】二年以下、本國語吳語哀十一年左傳、艾陵、今山東泰安府泰安縣博縣故城南、虜齊高・國。【索隱】國惠子、高昭子、【考證】張照曰、哀十一年左傳、戰于艾陵、展如敗高子、國子敗胥門巢、王卒助之、大敗齊師、獲國書公孫夏閭丘明陳書東郭書、革車八百乘、甲首三千以獻於公、是高子國子敗見虜也、後又云歸國子之元、想當時歿於陳耳、此兼言高子、與左傳異、以歸、讓子胥。【考證】以已通、子胥曰。王毋喜。王怒。子胥欲自殺。王聞而止之。【考證】吳語云、吳王還自伐齊、乃訊申胥、申胥曰、天之所棄、必驟近其小喜、而遠其大憂、今王

天祿亟至、是吳命之短也、員不忍見王之親爲越之禽也、員請先死、遂自殺、哀十一年左傳云、反役、吳王使賜子胥屬鏤以死、皆不言吳王止子胥自殺、越大夫種曰。臣觀吳王、政驕矣。請試嘗之貸粟、以卜其事。請貸。吳王欲與。子胥諫勿與。王遂與之。越乃私喜。子胥言曰。王不聽諫。後三年、吳其墟乎。太宰嚭聞之、乃數與子胥爭越議。因讒子胥曰。伍員貌忠而實忍人。其父兄不顧、安能顧王。【考證】岡白駒曰、楚誉以免父死召二子、伍尚歸、子胥奔、王前欲伐齊。員彊諫。已而有功。用是反怨王。王不備伍員、員必爲亂。與逢同共謀、讒之王。【考證】梁玉繩曰、按事詳越絕、然逢乃越臣、何以在吳、與伯嚭爲友而譖伍胥邪、越絕亦云、句踐殺太宰嚭逢同與其妻子、徐孚遠疑范蠡既歸而遺逢事吳、或當然也、王始不從。乃使子胥於齊。聞其託子於鮑氏。王乃大怒曰。伍員果欺寡人。役反。使人賜子胥屬鏤劍以自殺。【考證】使子胥以下、據哀十一年左傳、役反、各本作欲反、今依館本左傳、作反役、屬鏤解

見吳世家、子胥大笑曰。我令而父霸。【索隱】而、汝也、父、闔廬也、我又立若。【索隱】若、亦汝也、若初欲分吳國半予我。我不受已。今若反以讒誅我。嗟乎、嗟乎、一人固不能獨立。【考證】一人、謂夫差也、岡龍州爲子胥自謂、非是、報使者曰。必取吾眼、置吳東門。以觀越兵入也。【索隱】國語云、吳王慍曰、孤不使大夫得見、乃盛以鴟夷、投之于江也、【正義】越後滅吳、從闔閭城東南開示浦、以子胥夢示之、因爲名、是從東門滅吳也、【考證】曰必取吾眼以下、據國語吳語、於是吳任嚭政。居三年、句踐召范蠡曰。吳已殺子胥。導諛者衆。可乎。【考證】杭世駿曰、三年、當作二年、據左傳殺子胥後、至會黃池、首尾三年、下云明年春會黃池、合此二年、始足三年之數、王念孫曰、導諛即諂諛也、或作道諛、莊子天地篇、道諛之人是也、又云、謂己道人、謂己諛人、道人即諂人也、對曰。未可。【考證】句踐召范蠡以下、據吳語、至明年春、【考證】梁玉繩曰、案春秋、在夏、吳王北會諸侯於黃池。【索隱】在哀十三年、黃池在今河南封丘縣、【考證】吳國精兵從王、惟獨老弱與太子留守。【索隱】據左氏傳、太子名友、【考證】吳王北會以下、哀十三年左傳、句踐復問范蠡。蠡曰。

可矣。【考證】以上本越語、乃發習流二千人、【索隱】虞書云、流宥五刑、按流放之罪人、使之習戰、任爲卒伍、故有二千人、【正義】謂先慣習流利戰陣、死者二千人也、【考證】人字各本脫、今依索隱本補、顧炎武曰、習流、謂士卒之善泅者、別爲一軍、徐天祜曰、笠澤之戰、越以三軍潛涉、蓋以舟師勝、所謂習流、卽習水戰之兵、若曰罪人習戰、越一小國、流放者何至二千人哉、教士四萬人、【索隱】謂常所教練之兵也、故孔子曰、以不教民戰、是謂弃之、是也、君子六千人、【集解】韋昭曰、君子王所親近有志行者、猶吳所謂賢良、齊所謂士也、虞翻曰、言君養之如子、【索隱】君子、謂君所子養有恩惠者、又按左氏、楚沈尹戌帥都君子以濟師、杜預曰、都君子、謂都邑之士有復除者、國語、王以私卒君子六千人、諸御千人、【索隱】諸御、謂諸理事之官、在軍有職掌者、【考證】中井積德曰、教士賤、專爲戰鬪之士、若君子、則非士伍之賤、自有祿位者、諸御、謂御士也、掌侍從門御者、如周之虎賁、漢之郎官也、御士之類非一、故曰諸御也、伐吳。吳師敗。遂殺吳太子。吳告急於王。王方會諸侯於黃池。懼天下聞之、乃祕之。吳王已盟黃池、乃使人厚禮以請成越。越自度亦未能滅吳。乃與吳平。【考證】吳師敗以下、本哀十三年左傳、其後四年、越復伐吳、吳士民罷弊、輕銳盡死於齊・晉。而越大破吳。

因而留圍之。三年、吳師敗。越遂復棲吳王於姑蘇之山。吳王使公孫雄〔集解〕虞翻曰、吳大夫、〔正義〕夫差棲於姑蘇山、轉戰于西北、敗于遂、〔考證〕姑蘇、在今江蘇吳縣西北三十里、梁玉繩曰、王孫雄、國語今本、作王孫雄、宋本作雒、越絕吳越春秋、作王孫駱、音同而通用、墨子所染說苑雜言、竝作雒、呂氏春秋當染篇、作雄、而困學紀聞六、引呂是王孫雒、則雄字誤、韓子說疑、作頟、蓋雒之譌也、肉袒膝行而前、〔考證〕肉袒、去上衣、露肢體、意謂歸罪就刑戮、請成越王曰。孤臣夫差、敢布腹心。異日嘗得罪於會稽。夫差不敢逆命、得與君王成以歸。今君王舉玉趾而誅孤臣。孤臣惟命是聽。意者亦欲如會稽之赦孤臣之罪乎。〔考證〕楓山、三條本、亦下無欲字、愚按、欲字衍、赦上奪事字、句踐不忍、欲許之。范蠡曰。會稽之事、天以越賜吳。吳不取。今天以吳賜越。越其可逆天乎。且夫君王蚤朝晏罷。非爲吳邪。謀之二十二年、一旦而弃之。可乎。且夫天與弗取、反受其咎。伐柯者、其則

不遠。〔考證〕逸周書、天與弗取、反受其咎、當斷弗斷、反招其亂、取咎韻、其則不遠、詩豳風伐柯篇、柯、斧柄、君忘會稽之戹乎。句踐曰。吾欲聽子言。吾不忍其使者。范蠡乃鼓進兵曰。王已屬政於執事。〔集解〕虞翻曰、執事、蠡自謂也、〔考證〕國語、事下有之人二字、使者去。不者且得罪。〔集解〕虞翻曰、我爲子得罪、〔索隱〕虞翻注、蓋依國語之文、今望此文、謂使者宜速去、不、且得罪於越、義亦通、〔考證〕國語云、子往矣、無使執事之人得罪於子、顧炎武曰、且得罪、言欲兵之、吳使者泣而去。〔考證〕國語云、使者辭反、吳王使公孫雄以下、采國語越語、句踐憐之。乃使人謂吳王曰。吾置王甬東、君百家。〔集解〕杜預曰、甬東、會稽句章縣東海中州也、〔索隱〕國語云、與之夫婦三百、是也、吳王謝曰。吾老矣。不能事君王。遂自殺。乃蔽其面曰。〔正義〕今之面衣、是其遺象也、越絕云、吳王曰、聞命矣、以三寸帛幎吾兩目、使死者有知、吾慙見伍子胥、公孫聖、以爲無知、吾恥生者、越王則解綬以幎其目、遂伏劍而死、幎、音覔、顧野王云、大巾覆也、吾無面以見子胥也。〔考證〕以上采國語吳語、越王乃葬吳王、而誅太宰嚭。〔考證〕誅嚭、說在吳世家、句踐已平吳。乃以兵北渡淮、與齊·晉諸侯會於

徐州、〔考證〕徐州本薛地、今山東兗州府滕縣、沈家本曰、吳越春秋注引索隱曰、徐、音舒、徐州齊邑薛縣、是也、其字從人、左氏、作舒、致貢於周。周元王使人賜句踐胙、命爲伯。句踐已去、渡淮南、以淮上地與楚、〔集解〕楚世家曰、越滅吳而不能正江淮北、楚東侵廣地至泗上、歸吳所侵宋地於宋、與魯泗東方百里。當是時、越兵橫行於江淮東、諸侯畢賀。號稱霸王。〔索隱〕越、在蠻夷、少康之後、地遠國小、春秋之初、未通上國、國史既微、略無世系、故紀年稱爲於粵子、據此文、句踐平吳之後、周元王始命爲伯、後遂僭而稱王也、〔考證〕吳語云、越滅吳、上征上國、宋鄭魯衞陳蔡執玉之君、皆入朝、中井積德曰、命爲伯、恐誇張之言、非實然也、范蠡遂去。〔考證〕范蠡、去、國語吳語、自齊遺大夫種書曰。蜚鳥盡、良弓藏。狡兎死、走狗烹。〔集解〕徐廣曰、狡一作郊、〔考證〕藏、烹韻、韓非子內儲說、狡兎盡則良犬烹、敵國滅則謀臣亡、文子上德篇、狡兎得而獵犬烹、高鳥盡而良弓藏、三略、高鳥死、良弓藏、敵國滅、謀臣亡、淮南子說林訓、狡兎得而獵狗烹、高鳥盡而良弩藏、史記淮陰侯傳、蒯通曰、野獸已盡而獵狗烹、韓信曰、狡兎死、良狗烹、高鳥盡、良弓藏、敵國破、謀臣亡、語異意同、蓋當時有此語、陶朱引之、後人述之、越王爲人長頸鳥喙、可與共患難、不可與共樂。子何不去。種見

書、稱病不朝。人或讒種且作亂。越王乃賜種劍曰。子教寡人伐吳七術。〔正義〕越絕云、九術、一曰、尊天事鬼、二曰、重財幣以遺其君、三曰、貴糴粟槀、以空其邦、四曰、遺之好美、以熒其志、五曰、遺之巧匠、使起宮室高臺、以盡其財以疲其力、六曰、貴其諛臣、使之易伐、七曰、彊其諫臣、使之自殺、八曰、邦家富而備器利、九曰、堅甲利兵以承其弊、〔考證〕梁玉繩曰、越絕、吳越春秋、作九術、寡人用其三而敗吳。其四在子。子爲我從先王試之。〔考證〕岡白駒曰、試、用也、言當用之地下也、種遂自殺。句踐卒。〔索隱〕紀年云、晉出公十年十一月、於粵子句踐卒、是爲菼執、子王鼫與立。〔索隱〕鼫、音石、與、音餘、按紀年云、於粵子句踐卒、是菼執、次鹿郢立、六年卒、樂資云、越語、謂鹿郢爲鼫與也、〔考證〕鼫與、哀二十四年左傳、作適郢、吳越春秋、名與夷、越絕、作與夷、金履祥曰、鼫與必其號、猶句踐之號菼執、王鼫與卒。子王不壽立。王不壽卒。〔索隱〕紀年云、不壽立十年見殺、是爲盲姑、次朱句立、〔考證〕沈家本曰、越絕無不壽一代、子王翁立。王翁卒。〔索隱〕紀年、於粵子朱句三十四年、滅滕、三十五年、滅郯、三十七年、朱句卒、子王翳立。〔考證〕沈家本曰、越絕吳越春秋、竝無王翳一代、而稱翁子不揚、不揚字無彌、王翳卒。子王之侯立。〔索隱〕紀年云、翳三十三年、遷于吳、三十六年七月、太子諸咎弑其君翳、十月、粵殺諸咎粵滑、吳人立子錯枝爲君、明年、大夫寺區定粵

亂、立無余之、十二年、寺區弟忠弒其君莽安、次無顓立、無顓八年薨、是爲菼蠋卯、故莊子云、越人三弒其君、子搜患之、逃乎丹穴、不肯出、越人薰之以艾、乘以王輿、樂資云、號曰無顓、蓋無顓後乃次無彊也、則王之侯即無余之也、【考證】梁玉繩曰、莊子讓王篇、言越三世殺君、王子搜逃乎丹穴、不肯出、音義曰、搜、淮南子作翳、呂氏春秋貴生篇亦引此事、高誘注云、越王翳也、而審己篇、有越王授、注謂句踐五世孫、名號既異、代系多乖、莫可詳究、黃以周曰、之侯即子搜、古音近、相通用、王之侯卒。子王無彊立。【索隱】蓋無顓之弟也、音其良反、【考證】沈家本曰、吳越春秋、無王之侯一代、越絕則以爲無彊子、王無彊時、越興師、北伐齊、西伐楚、與中國爭彊。當楚威王之時、越北伐齊。齊威王使人說越王曰。【考證】梁玉繩曰、楚威不與齊威同時、當作齊宣王、攷古質疑、謬據此文以爲齊威王在位四十六年之證、殊不然也、越不伐楚、大不王、小不伯。圖越之所爲不伐楚者、爲不得晉也。【正義】晉、即韓魏也、爾時三晉滅其君、已三十餘年矣、【考證】岡白駒曰、爲、去聲、言未得志於二晉也、姚範曰、按越伐齊、而齊以得二晉爲言、疑越不得齊、則韓魏與齊合、而不敢交於越、故越欲得韓魏、必伐齊也、韓・魏固不攻楚。韓之攻楚、覆其軍、殺其將、則葉・陽翟危。【正義】葉、式涉反、今許州葉縣、陽翟、河南陽翟縣也、二邑此時屬韓、與楚犬牙交境、韓若伐楚、恐二邑爲楚所危、【考證】中井

積德曰、危者將喪也、魏亦覆其軍、殺其將、則陳・上蔡不安。【正義】陳、今陳州也、上蔡、今豫州上蔡縣也、二邑此時屬魏、與楚犬牙交境、魏若伐楚、恐二國爲楚所危也、故二晉之事越也、【正義】言韓魏與楚鄰、今令越合於二晉而伐楚、不至於覆軍殺將、馬汗之力不效。【集解】徐廣曰、效、猶見也、【考證】中井積德曰、二晉句與下文相連屬、言二晉與越交合、必不肯盡力致勞、似非可欲者、以詰越王、效、呈致也、所重於得晉者、何也。【正義】從不至已下、此是齊使者重難越王、越王曰。所求於晉者、不至頓刃接兵、而況于攻城圍邑乎。【正義】頓刃、築營壘也、接兵、戰也、越王言韓魏之事越、猶不至頓刃接兵、而況更有攻城圍邑、韓魏始服乎、言畏秦齊而故事越也、【考證】刃、鋒刃也、頓、鈍通、正義誤、中井積德曰、言越之求於晉、不須其致力致勞也、岡白駒曰、所求惟下文願云云是已、願魏以聚大梁之下、願齊之試兵南陽・莒地、【正義】此南陽、在齊之南界、莒之西、以聚常・郯之境、【索隱】常、邑名、蓋田文所封邑、郯、故郯國、二邑、皆齊之南地、【考證】中井積德曰、上下文、皆累言韓魏二晉、而此乃舍韓而說齊魏、何也、疑是譌文、則方城之外不南、【正義】方城山、在許州葉縣西南十八里、外、謂許州豫州等、言魏兵在大梁之下、楚方城之兵、不得南伐越也、淮・泗之閒不東。商・於・析・酈・

【索隱】四邑、竝屬南陽、楚之西南也、【正義】酈、音擲、括地志云、南洛縣、則古商國城也、荊州圖副云、鄧州內鄉縣東七里於村、即於中地也、括地志又云、鄧州內鄉縣楚邑也、故酈縣、在鄧州新城縣西北三十里、按商於析酈、在商鄧二州界縣邑也、宗・胡之地、【集解】徐廣曰、胡國、今之汝陰、【索隱】宗胡、邑名、胡姓之宗、因以名邑、杜預云、汝陰縣北有故胡城、是、【考證】各本、宗作宋、今從索隱本、中井積德曰、宗胡疑是兩地、夏路以左、不足以備秦。【集解】徐廣曰、蓋謂江夏之夏、【索隱】徐氏以爲江夏、非也、劉氏云、楚適諸夏、路出方城、人向北行、以西爲左、故云夏路以左、其意爲得也、【正義】括地志云、故長城在鄧州內鄉縣東七十五里、南入穰縣、北連翼望山、無土之處、累石爲固、楚襄王控霸南土、爭强中國、多築列城於北方、以適華夏、號爲方城、按此說劉氏爲得、云邑徒衆少、不足備秦嶢武二關之道也、【考證】岡白駒曰、楚之衆之不足備秦也、江南泗上、不足以待越矣。【正義】江南洪饒等州、春秋時爲楚東境也、泗上徐州、春秋時楚北境也、二境竝與越鄰、言不足當伐越、【考證】中井積德曰、正義伐字疑衍、則齊・秦・韓・魏、得志於楚也。【正義】齊國泗上界楚、秦出武關侵楚、韓葉陽翟鄰楚、魏南陳上蔡接楚、言四國欲伐楚、是得其志於楚也、是二晉不戰而分地、不耕而穫之。【正義】言齊秦攻楚、韓魏擧兵、未戰而以得地、是猶不耕而穫之、不此之爲、而頓刃於河山之閒、以爲齊・秦用。【正義】言韓魏頓刃於黃河華山之間、若此險固、猶爲齊秦使役也、所待者、如此

其失計。柰何其以此王也。【考證】此答越不伐楚、大不王之言、所待、越待於韓魏也、下文、王所待於晉、承此而言、如此其失計、猶言其失計如此、齊使者曰。幸也、越之不亡也。【考證】幸下也字、做哉字看、吾不貴其用智之如目見豪毛而不見其睫也。【考證】王念孫曰、不貴二字、當作患、韓子喩老篇、杜子諫楚莊王曰、臣患王之智如目也、能見百步之外、而不能自見其睫、語意正與此同、太平御覽引此、見上有自字、愚按、不貴二字、自通、不必改、十八字爲一句、今王知晉之失計、而不自知越之過。是目論也。【索隱】言越王知晉之失、不自覺越之過、猶人眼能見豪毛、而自不見其睫、故謂之目論也、【正義】論、郎頓反、齊使云、越王知晉之失計、不自知己分、越王之過、猶人眼見毫毛、而不見其睫、故云目論、王所待於晉者、非其馬汗之力也。【考證】宋本、游本、其作有、又非可與合軍連和也。將待之以分楚衆也。今楚衆已分。何待於晉。越王曰。柰何。曰。楚三大夫張九軍、北圍曲沃・於中、【集解】徐廣曰、一作北面曲沃、【正義】括地志云、曲沃故城、在陝縣西三十二里、於中、在鄧州內鄉縣東七里、爾時曲沃屬魏、於中屬秦、二地相近、故楚圍之、以至無假之關者、三千七百里。

〔集解〕徐廣曰、無、一作西、〔正義〕按無假之關、當在江南長沙之西北也、言從曲沃於中、西至漢中巴巫黔中千餘里、皆備秦晉也、〔考證〕中井積德曰、三千七百里、謂兵之分散也、景翠之軍、北聚魯・齊・南陽。分有大此者乎。〔正義〕魯、兗州也、齊、密州莒縣邑南至泗上也、南陽、鄧州也、時屬韓也、言楚又備此三國也、分散有大此者乎、且王之所求者、鬭晉・楚也。晉・楚不鬭、越兵不起。是知二五而不知十也。此時不攻楚、臣以是知越大不王、小不伯。復・讎・龐・長沙、楚之粟也。〔集解〕徐廣曰、龐、一作龍、〔索隱〕劉氏云、復者、發語之聲、非也、言發語聲者、文勢然也、則是脫況字耳、讎、當作犨、犨邑名、字訛耳、則犨、龐、長沙是三邑也、下云竟澤陵、當爲竟陵澤、言竟陵之山澤出材木、故楚有七澤、蓋其一也、合上文爲四邑也、〔正義〕復、扶富反、竟澤・陵、楚之材也。越窺兵通無假之關。〔集解〕徐廣曰、無、一作西、此四邑者、不上貢事於郢矣。〔正義〕言今越北欲鬭晉楚、南復讎龐長沙竟陵澤也、龐長沙出粟之地、竟陵澤出材木之地、此邑近長沙潭衡之境、越若窺兵西通無假之關、則四邑不得北上貢於楚之郢都矣、戰國時、永郴衡潭岳鄂江洪饒、竝是東南境、屬楚也、袁吉虔撫歙宣、竝越西境、屬越也、〔考證〕崔適曰、齊威王使人說越王、至此四邑者不上貢於郢矣、各本多遺脫、頗難索解、臣聞之、圖王不王、

其敝可以伯。然而不伯者、王道失也。〔正義〕言圖王不得王、其弊因猶可以伯、然而不伯者、其道猶在、唯失王道也、故願大王之轉攻楚也。於是越遂釋齊而伐楚。楚威王興兵而伐之、大敗越、殺王無彊、盡取故吳地、至浙江、北破齊於徐州。〔集解〕徐廣曰、周顯王之四十六年、〔索隱〕按紀年、粵子無顓薨後十年、楚伐徐州、無楚敗越殺無彊之語、是無彊爲無顓之後、紀年不得錄也、而越以此散。〔考證〕表在三十六年、通鑑繫之於周顯王三十五年、黃以周曰、司馬氏撰史記、不能詳越事、所作越世家、世次殘闕、事蹟疏略、自句踐滅吳、陶朱富家外、寥寥數語、以畢其事、而其所致詳者、謂王無彊聽齊威王言伐楚、爲楚威王所滅、在圍齊徐州前一事、後人作編年之史、修吳越之志、悉從其說、今參攷諸書、而知其有大謬不然者、年表、齊威王卒於周顯王二十六年、楚威王立於周顯王三十年、兩威王初不同時、徐州之圍、在周顯王三十六年、是時齊威王之墓木拱矣、且徧攷秦漢古書、楚圍徐州之年、竝無三大夫圍於中、景翠圍南陽事、（景翠於楚威王時未任用、至懷王、屢使將兵、見國策、）楚世家年表、書楚圍徐州、竝不書楚之敗越滅越、是司馬氏不能無疑也、楚之敗越殺王無彊、當在周赧王八年、爲楚之懷王之二十二年、時秦攻宜陽、兵罷於韓、與楚和親、（見國策秦紀甘茂傳、）而越適亂、楚遂乘而滅之、其明年、齊遺楚爲從、而楚臣昭雎有王雖東取地于越、不足以刷恥、秦破宜陽、韓猶事秦之語、皆就當日事情、規戒其君、（見楚世家、當依徐廣說在二十二年、世家亦誤、）則楚之得故吳地、在懷王二十三年前、當秦拔宜陽時可知矣、舊史知敗越在秦拔宜陽時、而楚圍

徐州之年、亦適有秦拔宜陽事、（見韓世家、）故牽連及之、而不察其違也、周赧王十年、齊使甘茂於楚、懷王新與秦合婚而驩、而秦聞甘茂在楚、欲相之、懷王問范蜎、蜎曰、王前用召滑於越、而內行章義之難、越國亂、故楚南塞厲門、而郡江東、今王已用之於越矣、而忘之於秦、臣以爲王鉅速忘矣、（見楚策、年表、甘茂傳、）云鉅速忘者、敗越尚在三年中也、而謂王無彊當楚威王圍徐州時、已爲楚滅、盡失故吳地、可乎哉、徐廣攷之不詳、乃謂楚圍徐州爲說越伐楚之故、攷之國策、孟嘗君傳、楚圍徐州、怒田嬰之王齊、魏實無與於說越事也、索隱每引紀年所載越事、以補世家之闕、訂世家之譌、而紀年於越無顓薨後、既不書繼立者之爲無彊、亦不書楚敗越殺無彊事、索隱因此無從考其世次、而但云蓋無顓後乃次無彊也、亦無辨其殺無彊之在何年、而但云紀年楚伐徐州、無楚敗越殺無彊語、今本紀年於無顓卒下而云次無彊立矣、於圍徐州下而云遂伐於越、殺無彊矣、此係後人竄改、非其舊也、至於世家言楚殺王無彊後、諸子濱於江南海上者、蓋謂自此避居浙江會稽、會稽本近海也、或者因此謂是時會稽已失、濱在台州臨海地、攷之楚世家、頃襄王十八年、楚人有以弱弓說王者、曰、王北遊目于燕之遼東、而南登於越之會稽、是越之會稽、至楚頃襄王時猶未失也、其失會稽、在秦幷楚之後、故秦紀云、定楚江南地、降越君、置會稽郡也、王無彊雖敗、而浙東爲越故土、仍未失、世家云、楚取故吳地至浙江、斯言本不誣也、諸族子爭立、或爲王、或爲君、濱於江南海上、〔正義〕今台州臨海縣是也、〔考證〕沈家本曰、按吳越春秋、彊卒子玉、玉卒子尊、尊卒子親、親失琅邪、爲楚所滅、越絕、楚威王滅無彊、無彊子之侯、竊自立爲君長、之侯子尊、尊子親、失衆、楚伐之、奔南山、所言各不同、黃以周曰、蓋謂自此避居浙江會稽、會稽本近海也、正義非、服朝於楚。後

七世、至閩君搖、佐諸侯平秦。漢高帝復以搖爲越王、以奉越後。東越・閩君、皆其後也。〔考證〕閩越傳亦云、無諸及搖、皆句踐後、范蠡〔集解〕太史公素王妙論曰、蠡本南陽人、列仙傳云、蠡徐人、〔正義〕吳越春秋云、蠡字少伯、乃楚宛三戶人也、越絕云、在越爲范蠡、在齊爲鴟夷子皮、在陶爲朱公、又云、居楚曰范伯、謂大夫種曰、三王則三皇之苗裔也、五伯乃五帝之末世也、天運歷紀、千歲一至、黃帝之元、執辰破巳、霸王之氣、見於地戶、伍子胥以是挾弓矢于吳王、於是要大夫種入吳、此時馮同相與共戒之、伍子胥在、自餘不能關其詞、蠡曰、吳越之邦、同風共俗、地戶之位、非吳則越、彼爲彼、我爲我、乃入越、越王常與言、盡日方去、七略云、素王妙論二卷、司馬遷撰也、〔考證〕正義七略以下十七字、依桃源鈔補、與困學紀聞所引合、錢大昕曰、術家以亥爲天門、巳爲地戶、建在亥、則破在巳、執在辰矣、巳爲楚分、而吳越在中國之東南、正當巳位、故云地戶之位、非吳則越、春秋時、能病楚者吳、能病吳者越、以其當地戶也、沈家本曰、正義引吳越春秋、今吳越春秋無此語、引越絕云、在陶爲朱、彼爲彼、我爲我、方去、今越絕無此語、事越王句踐、既苦身勠力、與句踐深謀二十餘年、竟滅吳、報會稽之恥。北渡兵於淮、以臨齊・晉、號令中國、以尊周室、句踐以霸。而范蠡稱上將軍、還反國。范蠡以爲大名之下、難以久居。且句踐

爲人、可與同患、難與處安。爲書辭句踐曰。[考證]越語云、反至五湖、范蠡辭於王曰、君王勉之、臣不復入越國矣、據此則范蠡與越王對語、非贈書、臣聞主憂臣勞、主辱臣死。昔者君王辱於會稽。所以不死、爲此事也。今既以雪恥。臣請從會稽之誅。句踐曰。孤將與子分國而有之。不然、將加誅于子。范蠡曰。君行令、臣行意。[考證]臣聞以下、采越語、越語令作制、乃裝其輕寶珠玉、自與其私徒屬乘舟浮海以行。終不反。於是句踐表會稽山、以爲范蠡奉邑。[集解]國語云、乃環會稽三百里、以爲范蠡之地、奉、音扶用反、[考證]梁玉繩曰、蠡己去越、何奉邑之有、國語云、以爲范蠡地、不言奉邑也、愚按、浮海以行以下、本越語、范蠡浮海出齊、變姓名自謂鴟夷子皮。[索隱]范蠡自謂也、蓋以吳王殺子胥、而盛以鴟夷、今蠡自以有罪故爲號也、韋昭曰、鴟夷、革囊也、或曰、生牛皮也、[正義]吳王誅子胥、盛鴟夷子皮、棄之江中、蠡既去越、比之子胥、自號鴟夷子皮、鴟夷用馬革爲之、形若榼也、韋昭曰、鴟夷、革囊也、韓子云、鴟夷子皮事田成子、去齊之燕、子皮從之、耕于海畔、苦身戮力、父子治產。居無幾

何、致產數十萬。[考證]柯、凌本、十作千、齊人聞其賢以爲相。范蠡喟然嘆曰。居家則致千金、居官則至卿相。此布衣之極也。久受尊名不祥。[考證]是與上文大名之下難以久居、語異意同、張良云、以三寸舌爲帝者師、封萬戶位列侯、此布衣之極、於良足矣、願弃人間事、欲從赤松子游耳、蓋自鴟夷子得來、凌稚隆曰、淮南子言簡公專任宰相、故使田常鴟夷子皮得成其難、史稱蠡自謂鴟夷子皮、爲齊相、然則蠡相齊之後、又爲田常謀、事成、乃去耳、乃歸相印、盡散其財、以分與知友鄉黨、而懷其重寶、閒行以去、止于陶。[集解]徐廣曰、今之濟陰定陶、[正義]括地志云、陶山在濟州平陰縣東三十五里、止此山之陽也、今山南五里、猶有朱公冢、[考證]陶、今山東定陶縣、以爲此天下之中、交易有無之路通。爲生、可以致富矣。[考證]爲生、治產也、於是自謂陶朱公。[考證]秦策、蔡澤曰、范蠡超然避世、長爲陶朱君、復約要、父子耕畜、廢居候時、轉物逐什一之利。[正義]畜、許六反、耕、耕田也、畜、養五牸也、廢、停也、居、貯也、停賤物、貴而賣之也、居無何、則致貲累巨萬。[集解]徐廣曰、萬萬也、天下稱陶朱公。朱公居陶生

少子。少子及壯、而朱公中男殺人、囚於楚。朱公曰。殺人而死、職也。[考證]王念孫曰、爾雅、職、常也、言殺人而死、固其常也、伍子胥傳曰、事成爲卿、不成而烹、固其職也、季布傳曰、季布爲項籍用、職耳、定元年左傳曰、爲宋役、亦其職也、義竝與此同、然吾聞千金之子、不死於市。[考證]子市韻、告其少子往視之。[考證]藝文類聚引、告作使、乃裝黃金千溢、置褐器中、載以一牛車。[考證]岡白駒曰、褐、毛布也、藏褐衣器、且遣其少子。朱公長男固請欲行。朱公不聽。長男曰。家有長子曰家督。[考證]岡白駒曰、長子有督家事之義、今弟有罪、大人不遣。乃遣少弟。是吾不肖。欲自殺。其母爲言曰。今遣少子、未必能生中子也。而先空亡長男。柰何。朱公不得已而遣長子。爲一封書遺故所善莊生。[索隱]據其時代、非莊周也、然驗其行事、非子休而誰能信任於楚王乎、[正義]年表云、周元王四年、越滅吳、范蠡遂去齊歸定陶、後遺莊生金、莊周與魏惠王周元王同時、從周元王四年至齊宣王年一百三十年、此莊生非莊子、[考證]索隱子休、斥莊周、周字子休、又見唐成玄英莊子序、中井積

德曰、正義下文周元王、當作齊宣王、百三十年當作百四十年、曰。至則進千金于莊生所、聽其所爲。愼無與爭事。長男既行。亦自私齎數百金至楚莊生。家負郭、披藜藋到門。居甚貧。[考證]中統、游、柯、凌本、藋作藿、岡白駒曰、周圍藜藿以給朝夕、愚按、狀其荒涼也、然長男發書進千金、如其父言。[考證]張文虎曰、然字涉下文而衍、莊生曰。可疾去矣。愼毋留。卽弟出、勿問所以然。長男既去、不過莊生、而私留、以其私齎獻遺楚國貴人用事者。[考證]岡白駒曰、長男見莊生貧、以爲有能者不當至此、故改圖救弟、此富商俗眼也、莊生雖居窮閻、然以廉直聞於國。自楚王以下、皆師尊之。及朱公進金、非有意受也。欲以成事後復歸之、以爲信耳。故金至、謂其婦曰。此朱公之金。有如病不宿誡、後復歸。勿動。[正義]宿、猶預也、言此朱公之金、有如病患、須固看守、而言不預誡、後復歸朱公、愼莫動也、[考證]一云、有如病、此金欲用之也、宿誡二字屬上句、言急死不能預告之也、而朱公

長男不知其意、以爲殊無短長也。【考證】言莊生無所損益於弟生死也、莊生閒時入見楚王、言某星宿某。此則害於楚。楚王素信莊生。曰。今爲柰何。莊生曰。獨以德爲可以除之。楚王曰。生休矣。寡人將行之。王乃使使者封三錢之府。【集解】國語曰、周景王時、將鑄大錢、賈逵說云、虞夏商周、金幣三等、或赤、或白、或黃、黃爲上幣、銅錢爲下幣、韋昭曰、錢者金幣之名、所以貿買物通財用也、單穆公云、古者有母權子、子權母而行、然則三品之來、古而然矣、駰謂楚之三錢、賈韋之說近之、楚貴人驚告朱公長男曰。王且赦。曰。何以也。【考證】楓山、三條本、以下有知、曰。每王且赦、常封三錢之府。昨暮王使、使封之。【集解】或曰、王且赦、常封三錢之府者、錢幣至重、慮人或逆知有赦、盜竊之、所以封錢府備盜竊也、漢靈帝時、河內張成能候風角、知將有赦、敎子殺人、捕得七日赦出、此其類也、【考證】行赦施惠、始見史文、朱公長男以爲赦、弟固當出也。重千金、虛弃莊生。無所爲也。【考證】猶言無益、乃復見莊生。莊生驚曰。若不去邪。長男曰。固未也。初爲事

弟。弟今議自赦。故辭生去。【考證】岡白駒曰、赦字上加一自字、以表莊生無預、莊生知其意欲復得其金、曰。若自入室取金。長男卽自入室取金持去、獨自歡幸。【考證】楓山、三條本、男下無卽字、自下無歡字、莊生羞爲兒子所賣、乃入見楚王曰。臣前言某星事。王言欲以修德報之。今臣出道路。皆言陶之富人朱公之子、殺人囚楚。其家多持金錢賂王左右。故王非能恤楚國而赦。乃以朱公子故也。楚王大怒曰。寡人雖不德耳、柰何以朱公之子故而施惠乎。【考證】楓山、三條本、耳作獨、令論殺朱公子。明日遂下赦令。朱公長男竟持其弟喪歸至。其母及邑人盡哀之。唯朱公獨笑曰。吾固知必殺其弟也。彼非不愛其弟。顧有所不能忍者也。【考證】楓山、三條本、也下、有何也二字、是少與我俱見苦爲生

難。故重弃財。【考證】御覽引、見苦二字倒、至如少弟者、生而見我富、乘堅驅良逐狡兎。【集解】徐廣曰、狡、一作郊、【考證】堅、堅車、良、良馬、豈知財所從來。故輕弃之、非所惜吝。【考證】凌本弃譌去、前日吾所爲欲遣少子、固爲其能弃財故也。而長者不能。故卒以殺其弟。事之理也。無足悲者。吾日夜固以望其喪之來也。【考證】楓山、三條本、夜作者、以作已、梁玉繩史記志疑引陳大令曰、赦中子殺人一節、必好事者爲之、非實也、徇兒女子之言、而致中男于死、爲不仁、以褊悻之莊生、而託以愛子、爲不智、豈具霸越沼吳之識、竟失算若是乎、莊生之不廉不直、無足爲友、更弗論已、前賢亦嘗論之、故范蠡三徙、成名於天下。非苟去而已、所止必成名。卒老死于陶。故世傳曰陶朱公。【集解】張華曰、陶朱公冢、在南郡華容縣西、樹碑云、是越之范蠡也、【正義】盛弘之荊州記云、荊州華容縣西有陶朱公冢、樹碑云、是越范蠡、范蠡本宛三戶人、與文種俱入越、吳亡後自適齊而終、陶朱公登仙、未聞葬此所由、括地志云、陶朱公冢也、又云、濟州平陰縣東三十里陶山南五里、有陶公冢、幷止於陶山之陽、按葬處有二、未詳其處、【考證】何良俊曰、范蠡列在貨殖傳、本傳只載貨殖事、若伯越諸謀畫與越事相聯者、則附見越世家中、其救中子殺人事亦附其后、此皆太史公作史法也、

太史公曰。禹之功大矣。漸九川、定九州、至于今、諸夏艾安。【集解】徐廣曰、漸者亦引進通導之意也、字或宜然、及苗裔句踐、苦身焦思、終滅彊吳、北觀兵中國、以尊周室、號稱霸王。【集解】徐廣曰、一作主、句踐可不謂賢哉。蓋有禹之遺烈焉。范蠡三遷、皆有榮名。名垂後世。臣主若此。欲毋顯得乎。

【索隱】述贊、越祖少康、至于允常、其子始霸、與吳爭彊、檇李之役、闔閭見傷、會稽之恥、句踐欲當、種誘以利、蠡悉其良、折節下士、致膽思嘗、卒復讎寇、遂殄大邦、後不量力、滅於無彊、

越王句踐世家第十一　史記四十一

史記會注考證卷四十二

漢　太　史　令　司　馬　遷　撰

宋中郎外兵曹參軍裴　駰集解

唐國子博士弘文館學士司馬貞索隱

唐諸王侍讀率府長史張守節正義

日　本　出　雲　瀧　川　資　言　考證

鄭世家第十二　史記四十二

正義毛詩譜云、鄭國者周宣王封其弟友於宗周畿內棫林之地、是爲鄭桓公、考證史公自序云、桓公之東、太史是庸、及侵周禾、王人是議、祭仲要盟、鄭久不昌、子產之仁、紹世稱賢、三晉侵伐、鄭納於韓、嘉厲公納惠王、作鄭世家第十二、愚按、此篇采國語左傳、顧棟高曰、鄭桓公當幽平之世、以詐取虢檜之地、其地當中國要害、四面皆强國、故雖鄭莊之奸雄、無能狡焉啓疆之計、終春秋二百四十年、僅再滅許、肆其吞噬而已、而虎牢入晉、犨櫟郟入楚、鄭之封疆、亦蝕于晉楚焉、其地有開封府之祥符蘭陽中牟陽武鄢陵洧川尉氏鄭州河陰汜水滎陽滎澤、凡一州十一縣、亦兼涉杞縣、與楚接界、陳留與陳接界、封邱與衞接界、許州府爲所奪許國之地、禹州爲櫟都、汝州之魯山郟縣本楚以餌鄭、旋復爲楚奪、又闌入衞輝府之延津縣、河南府之登封一縣、鞏縣偃師縣陳州府之扶溝縣、懷慶府之武涉縣、歸德府之睢州、其地俱在今河南一省、其闌入直隸大名府之長垣縣者、爲蔡仲邑、東明縣、有武父地、僅彈丸黑子而已、

鄭桓公友者、周厲王少子、而宣王庶弟也。集解徐廣曰、年表云、母弟、考證梁玉繩曰、庶弟誤、當依年表作母弟、漢地理志亦作母弟、鄭詩譜從之、是也、詩疏曰、世家年表同出馬遷、自相乖異、愚按左傳云、鄭有厲宣之親、以厲王之子而兼云宣王、桓公明是宣王母弟、此云庶弟、傳寫之誤、**宣王立二十二年、友初封于鄭。**索隱鄭、縣名、屬京兆、秦武公十一年、初縣杜、鄭、是也、又系本云、桓公居棫林、徙拾、宋忠云、棫林與拾、皆舊地名、是封桓公乃名爲鄭耳、至秦之縣鄭、蓋是鄭武公東徙新鄭之後、其舊鄭乃是故都、故秦始縣之、考證鄭、西周畿內邑、今陝西華州鄭縣故城是、後徙虢鄶之間、今河南鄭縣是、其餘民南保漢中、今漢中府南鄭縣是、錢大昕曰、棫林咸林、疑是一地、**封三十三歲、**

百姓皆便愛之。幽王以爲司徒。集解韋昭曰、幽王八年爲司徒、索隱韋昭據國語、以幽王八年爲司徒也、正義詩序曰、鄭桓公爲司徒、善於其職、國人宜之、故賦緇衣之詩、是也、左傳云、桓公友入爲司徒、及子武公、亦爲之、**和集周民。周民皆說。河雒之閒、人便思之。**正義河雒之間、黃河之南、洛水之北、考證鄭語云、桓公爲司徒、甚得周衆與東土之人、**爲司徒一歲、幽王以襃后故、王室治多邪。諸侯或畔之。於是桓公問太史伯曰。王室多故。予安逃死乎。**集解虞翻曰、周太史、考證鄭語、作史伯、**太史伯對曰。獨雒之東土、河濟之南可居。**考證鄭語、作濟洛河潁之間、**公曰。何以。對曰。地近虢鄶。**集解徐廣曰、虢、在成皋、鄶、在密縣、駰案虞翻曰、虢、姬姓、東虢也、鄶、妘姓、正義括地志云、洛州汜水縣、古東虢叔之國、東虢君也、又云、故鄶城、在鄭州新鄭縣東北三十二里、考證今河南開封府河陰縣虢亭、東虢故城、妘國居溱洧之間、今開封府密縣、有檜城、**虢鄶之君、貪而好利、百姓不附。**索隱鄭語云、虢叔恃勢、鄶仲恃險、皆有驕侈、又加之以貪冒、是也、虢叔、文王弟、鄶、鄶姓之國也、**今公爲司徒、民皆愛公。公誠請居之、虢鄶之君、見公方用事、輕**

分公地。公誠居之、虢鄶之民、皆公之民也。公曰。吾欲南之江上。何如。對曰。昔祝融爲高辛氏火正。其功大矣。而其於周、未有興者。楚其後也。周衰、楚必興。興、非鄭之利也。公曰。吾欲居西方。何如。索隱國語曰、公曰、謝西之九州何如、韋昭云、謝、申伯之國、謝西有九州、二千五百家爲州、其說蓋異此、**對曰。其民貪而好利。難久居。公曰。周衰、何國興者。對曰。齊秦晉楚乎。夫齊、姜姓、伯夷之後也。伯夷佐堯典禮。秦、嬴姓、伯翳之後也。伯翳佐舜懷柔百物。及楚之先、皆嘗有功於天下。而周武王克紂、後成王封叔虞于唐。**集解徐廣曰、晉世家曰、唐叔虞、姓姬氏、字子于、索隱唐者、古國堯之後、其君曰叔虞、何以知然者、據此系家下文云、唐人之季代曰唐叔虞、當武王邑姜方動、大叔夢天命而子曰虞、與之唐、及生有文在手、曰虞、遂以名之、及成王滅唐、而國太叔、故因以稱唐叔虞、杜預亦曰、取唐君之名、是也、**其地阻險、以此有德、與周衰竝。亦必興矣。**考證岡白駒曰、以此有

德子孫、與周季衰、德者竝、其勢必興矣、桓公曰。善。於是卒言王、東徙其民雒東。而虢・鄶果獻十邑。【集解】虞翻曰、十邑、謂虢鄶鄢蔽補丹依𩣿歷莘也、【索隱】國語云、太史伯曰、若克二邑、鄢蔽補丹依𩣿歷莘、君之土也、虞翻注、皆依國語為說、【正義】括地志云、故莘城、在鄭州管城縣南三十里、鄢、今許州鄢陵縣是、杜預曰、鄢、潁川鄢陵縣、即氾水縣也、餘邑皆相近、毛詩疏曰、鄭世家云、桓公言於王、東徙其民雒東、而虢鄶果獻十邑、如世家言、則桓公自取十邑、而詩譜云、死後武公取之者、司馬遷見國語史伯為公謀取十邑之文、不知桓公身未得、故傅會為此說耳、外傳云、皆子男之國、虢鄶為大、則八邑各為其國、則虢鄶之地、無由得獻之桓公也、明司馬遷之說謬耳、【考證】梁玉繩曰、案國語漢地理志鄭詩譜及孔疏、(見詩鄭風、左傳隱十一年、)而知史公之說非也、桓公封于宗周畿內咸林之地、京兆鄭縣、是所謂舊鄭也、因王室多故、感史伯之言、寄孥與賄于虢鄶等十邑、桓公死幽王之難、其子武公與平王東徙、卒定十邑之地、以為國、河南新鄭是也、然則桓公始謀、非身得也、武公始國、非桓公也、武滅虢鄶、非王徙之而獻邑也、十邑中八邑、各為其國、非虢鄶之地、無由獻之也、竟國之。【集解】韋昭曰、後武公竟取十邑地、而居之、今河南新鄭也、【考證】幽王以為司徒以下、本國語鄭語、梁玉繩曰、載史伯之對、與國語不同、豈史公刪易之歟、二歲、犬戎殺幽王於驪山下、并殺桓公。【考證】驪山、在陝西西安府臨潼縣東南、鄭人共立其子掘突。【正義】上求勿反、下戶骨反、是為武公。【索隱】譙周云、名突滑、皆非也、蓋古史失其名、太史公循舊失而妄記之耳、何以知其然

者、按下文其孫昭公名忽、厲公名突、豈有孫與祖同名乎、當是舊史雜記昭厲忽突之名、遂誤以掘突為武公之字耳、【考證】應劭曰、鄭武公與平王東遷、更稱新鄭、是也、梁玉繩曰、案年表、武公無名、乃今本之失、索隱本引表、作鄭武公滑突、注云、滑、一作掘、蓋指世家而言、杜世族譜及國語韋注、亦作滑突、譙周作突滑、必譌倒也、索隱殊非、祖孫同名、必有一誤、不得斷史失其名、以掘突為字、亦妄、武公十年、娶申侯女為夫人。曰武姜。【正義】括地志云、故申城、在鄧州南陽縣北三十里、左傳云、鄭武公取於申也、【考證】梁玉繩曰、案武公之取武姜及生子、未定何歲、而世家年表、謂十年取武姜、年表、十四年生莊公、十七年生大叔段、不知何據、生太子寤生。生之難。【考證】隱元年左傳云、莊公寤生、驚姜氏、故名曰寤生、遂惡之、寤讀為牾、牾、逆也、凡婦人產子、首先出者為順、足先出者為逆、莊公逆生、所以驚姜氏、史所謂生之難也、及生、夫人弗愛。後生少子叔段。段生易。夫人愛之。【集解】徐廣曰、年表云、十四年生寤生、十七年生太叔段、二十七年、武公疾。夫人請公欲立段為太子。公弗聽。是歲、武公卒。寤生立。是為莊公。莊公元年、封弟段於京。【集解】賈逵曰、京、鄭都邑、杜預曰、今滎陽京縣、【考證】故城、在今河南開封府滎陽縣東南、號太叔。祭仲曰。京、大於國。非所以封庶也。【考證】左傳云、祭仲曰、都城過百雉、國之害、今

京不度、非制也、君將不堪、注、祭仲、鄭大夫、愚按、國、猶言國都也、莊公曰。武姜欲之。我弗敢奪也。【考證】左傳、武姜作姜氏、梁玉繩曰、姜氏現存、而稱武姜、可乎、段至京、繕治甲兵、與其母武姜謀襲鄭。二十二年、段果襲鄭、武姜為內應。【考證】中井積德曰、據左傳、莊公先期發兵、伐京也、此蓋謬、多一戰、莊公發兵伐段。段走。伐京。京人畔段。段出走鄢。【正義】鄢、音烏古反、今新鄭縣南鄢頭有村、多萬家、舊作鄢、音偃、杜預云、鄢、今鄢陵也、【考證】今河南開封府鄢陵縣、春秋鄭鄢邑、據正義、唐時史記有作鄔者、以形似譌、鄢潰。段出奔共。【集解】賈逵曰、共、國名也、杜預曰、今汲郡共縣也、【正義】按今衛州共城縣、是也、【考證】古共國、今河南衛輝府輝縣治、於是莊公遷其母武姜於城潁。【集解】賈逵曰、鄭地、【正義】疑許州臨潁縣是也、誓言曰。不至黃泉、毋相見也。【集解】服虔曰、天玄地黃、泉在地中、故言黃泉、【考證】左傳、誓下無言字、居歲餘、已悔思母。潁谷之考叔、【集解】賈逵曰、潁谷、鄭地、【正義】括地志云、潁水源出洛州嵩高縣東南三十里陽乾山、今俗名潁山、泉源出山之東谷、其側有古人居處、俗名為潁墟、故老云、是潁考叔故居、即酈元注水經所謂潁谷也、有獻於公。【考證】中井積德曰、按左傳有獻之上、有聞之二字、乃為得狀、公賜食。考叔曰。

臣有母。請君食賜臣母。莊公曰。我甚思母。惡負盟。柰何。考叔曰。穿地至黃泉、則相見矣。於是遂從之見母。【考證】武公十年以下、本隱元年左傳、二十四年、宋繆公卒。公子馮奔鄭。【考證】穆公子馮、鄭侵周地取禾。【索隱】隱三年左傳、鄭武公莊公為平王卿士、王貳于虢、及王崩、周人將畀虢公政、夏四月、鄭祭足帥師取溫之麥、秋又取成周之禾、是、【考證】以上本隱三年左傳、二十五年、衛州吁弒其君桓公自立。與宋伐鄭。以馮故也。【考證】以上隱四年左傳、二十七年、始朝周桓王。桓王怒其取禾、弗禮也。【索隱】杜預曰、桓王即位、周鄭交惡、至是始朝、故言始也、左傳又曰、周桓公言於王曰、我周之東遷、晉鄭焉依、善鄭以勸來者、猶懼不蔇、況不禮焉、鄭不來矣、【考證】隱六年左傳、不言怒其取禾、二十九年、莊公怒周弗禮、與魯易祊・許田。【索隱】許田、近許之田、魯朝宿之邑、祊者鄭所受助祭太山之湯沐邑、鄭以天子不能巡守、故以祊易許田、各從其近、【考證】梁玉繩曰、易田取其便、非因怒王弗禮而易之也、是年鄭歸魯祊、尚未易許田、王孝廉云、莊公怒周弗禮、疑在下不朝周句上、而衍莊公字耳、愚按、據周本紀、史記原文若此、王說非是、三十三年、宋殺孔父。【考證】桓二年春秋經傳、

愚按、何不記弒殤公、據表在三十四年、與春秋合、 三十七年、莊公不朝周。周桓王率陳・蔡・虢・衞伐鄭。莊公與祭仲・【索隱】左傳稱祭仲足、蓋祭是邑、其人名仲、字仲足、故傳云、祭封人仲足是也、此繻葛之戰、在魯桓公五年、【考證】祭仲、名足、仲其字、 高渠彌、【索隱】一作彌、一作眯、竝名卑反、 發兵自救。【考證】中井積德曰、發兵者拒王師也、此自救者、據左傳鄭伯之語而言也、然當時言語之文飾、豈足據哉、 王師大敗。祝聸射中王臂。【索隱】左傳作祝聃、【考證】左傳、臂作肩、 祝聸請從之。鄭伯止之曰、犯長且難之。況敢陵天子乎。乃止。夜令祭仲問王疾。【考證】三十七年以下、桓五年左傳、 三十八年、北戎伐齊。齊使求救鄭。遣太子忽、將兵救齊。齊釐公欲妻之。忽謝曰、我小國、非齊敵也。【考證】桓六年左傳、左傳、敵作耦、義同、梁玉繩曰、左傳齊大非偶之言、追紀前事、非救齊時事、史微誤、 時祭仲與俱。勸使取之。曰、君多內寵。【集解】服虔曰、言庶子有寵者多、【考證】中井積德曰、內寵、謂婦人也、 太子無大援、將不立。三公子皆君也。【考證】桓十一年左傳、 所謂

三公子者、太子忽、其弟突、次弟子亹也。【索隱】此文則數太子忽及突子亹爲三、而杜預云、不數太子、以子突子亹子儀爲三、蓋得之、【考證】是史公釋蔡仲之言、 四十三年、鄭莊公卒。初祭仲甚有寵於莊公。莊公使爲卿。公使娶鄧女、生太子忽。【考證】公使娶鄧女、公使蔡仲往鄧迎鄧女也、 故祭仲立之。是爲昭公。莊公又娶宋雍氏女、生厲公突。【集解】賈逵曰、雍氏、黃帝之孫姞姓之後、爲宋大夫、 雍氏有寵於宋。【集解】服虔曰、爲宋正卿、故曰有寵、 宋莊公聞祭仲之立忽、乃使人誘召祭仲而執之。曰、不立突、將死。亦執突以求賂焉。祭仲許宋、與宋盟、以突歸立之。昭公忽聞祭仲以宋要立其弟突。九月辛亥、忽出奔衞。【考證】左傳、辛亥作丁亥、 己亥、突至鄭立。是爲厲公。【考證】四十三年以下、桓十一年左傳、 厲公四年、祭仲專國政。厲公患之、陰使其壻雍糾欲殺祭仲。【集解】賈逵曰、雍糾、鄭大夫、【考證】左傳、無欲

字、此疑衍、其壻二字亦贅、 糾妻、祭仲女也。知之、謂其母曰、父與夫孰親。母曰、父一而已。人盡夫也。【集解】杜預曰、婦人在室則天父、出則天夫、女以爲疑、故母以所生爲本解之、 女乃告祭仲。祭仲反殺雍糾、戮之於市。厲公無柰祭仲何。怒糾曰、謀及婦人。死固宜哉。夏、厲公出居邊邑櫟。【集解】宋忠曰、今潁川陽翟縣、【索隱】按櫟、音歷、卽鄭初得十邑之歷也、【考證】春秋云、夏五月、鄭伯突出奔蔡、秋九月入于櫟、梁玉繩曰、此誤合奔蔡入櫟爲一事、 祭仲迎昭公忽。六月乙亥、復入鄭卽位。秋、鄭厲公突、因櫟人殺其大夫單伯、【集解】杜預曰、鄭守櫟大夫也、【索隱】依左傳、作檀伯、檀伯鄭守櫟大夫、事在桓十五年、此文誤爲單伯者、蓋亦有所因也、按魯莊公十四年、厲公自櫟侵鄭事、與周單伯會齊師伐宋相連、故誤耳、【考證】洪頤煊曰、單亶、古字多通用、單伯卽檀伯也、與魯莊十四年單伯會齊師伐宋事無涉、 遂居之。諸侯聞厲公出奔、伐鄭。弗克而去。【考證】厲公四年以下、桓十五年左傳、 宋頗予厲公兵、自守於櫟。鄭以故亦不伐櫟。昭公二年、自昭公爲太子時、父莊公欲以

高渠彌爲卿。太子忽惡之。莊公弗聽。卒用渠彌爲卿。及昭公卽位、懼其殺己。冬十月辛卯、渠彌與昭公出獵、射殺昭公於野。祭仲與渠彌不敢入厲公。乃更立昭公弟子亹爲君。【考證】自昭公爲太子以下、本桓十七年左傳、但射殺之說、未知所本、 是爲子亹也。無謚號。子亹元年七月、齊襄公會諸侯於首止。【集解】服虔曰、首止、近鄭之地、杜預曰、首止、衞地、陳畱襄邑縣東南有首鄉、【考證】首止在今河南歸德府睢州治東南、 鄭子亹往會。高渠彌相從。祭仲稱疾不行。【考證】齊襄公以下、桓十八年左傳、左傳、相、去聲、 所以然者、子亹自齊襄公爲公子之時、嘗會鬭相仇。及會諸侯、祭仲請子亹無行。子亹曰、齊彊而厲公居櫟。卽不往、是率諸侯伐我內厲公。我不如往。往何遽必辱。且又何至是。【考證】陳仁錫曰、厲公當作子突、王念孫曰、是當且字之誤、卽、若也、言我若不往、則齊且率諸侯伐我而納厲公也、岡白駒曰、何至是、言何至于祭仲之所慮、愚按、遽渠、

通、何遽、猶言如何、卒行。於是祭仲恐齊并殺之。故稱疾。子亹至、不謝齊侯。齊侯怒、遂伏甲而殺子亹。高渠彌亡歸。【索隱】左氏云、轘高渠彌、歸與祭仲謀、召子亹弟公子嬰於陳而立之。是爲鄭子。【索隱】左傳以鄭子名子儀、此云嬰、蓋別有所見、是歲、齊襄公使彭生醉拉殺魯桓公。【考證】是歲以下、桓十八年左傳、拉、折也、言拉摧幹骨、鄭子八年、齊人管至父等作亂、弒其君襄公。【考證】莊八年左傳、十二年、宋人長萬弒其君湣公。【考證】莊十二年左傳、鄭祭仲死。【考證】梁玉繩曰、仲死于鄭子十二年、未知史何據、十四年、故鄭亡厲公突在櫟者、使人誘劫鄭大夫甫假、【索隱】左傳、作傅瑕、此本多假借、亦依字讀、【考證】各本、假作瑕、蓋後人依左傳改、今從索隱本、要以求入。假曰。舍我。我爲君殺鄭子而入君。【考證】舍、釋也、中井積德曰、據左傳、厲公侵鄭獲傅瑕也、則舍字有落著、厲公與盟、乃舍之。【考證】左傳、舍作赦、六月甲子、假殺鄭子及其二子、

而迎厲公突。突自櫟復入卽位。初內蛇與外蛇鬭於鄭南門中、內蛇死。居六年、厲公果復入。入而讓其伯父原曰。【索隱】左傳謂之原繁、【考證】左傳以伯父稱原繁、以其同姓大夫也、史公如爲厲公之父之兄者、誤、讓、責也、我亡國外居。【考證】古鈔本、外居作居外、伯父無意入我。亦甚矣。原曰。事君無二心。人臣之職也、原知罪矣。遂自殺。【考證】十四年以下、本莊十四年左傳、厲公於是謂甫假曰。子之事君有二心矣。遂誅之。假曰。重德不報。誠然哉。【考證】左傳、殺傅瑕在原繁自殺前、厲公突後元年、齊桓公始霸。【考證】莊十五年左傳、中井積德曰、昭公、厲公、竝不立後元年也、此史家之揣摩、不可從、五年、燕・衞與周惠王弟穨伐王。【索隱】惠王、莊王孫、僖王子、子穨、莊王之妾王姚所生、事在莊十九年、王出奔溫。立弟穨爲王。【考證】本莊十九年左傳、梁玉繩曰、穨、惠王叔父、惠王不奔溫、六年、惠王告急。鄭厲公發兵擊周王子穨。弗勝。於是與周惠王歸。王居于櫟。

【考證】莊二十年左傳、七年春、鄭厲公與虢叔襲殺王子穨、而入惠王于周。秋、厲公卒。【考證】莊二十一年左傳、張照曰、春秋夏五月辛酉、鄭伯突卒、秋字當作夏、子文公踕立。【索隱】音在接反、系本云、文公徙鄭、宋忠云、卽新鄭、【考證】文公之名、左穀春秋及高注呂子上德、韋注晉語、竝作捷、年表同、公羊作接、厲公初立四歲、亡居櫟。居櫟十七歲、復入、立七歲。與亡凡二十八年。【考證】梁玉繩曰、八當作七、文公十七年、齊桓公以兵破蔡、遂伐楚至召陵。【考證】僖四年春秋經傳、二十四年、文公之賤妾曰燕姞。【集解】賈逵曰、姞、南燕姓、夢天與之蘭。曰。余爲伯鯈。余爾祖也。【集解】賈逵曰、伯鯈、南燕祖、以是爲而子。【集解】賈逵曰、香草也、蘭有國香。【集解】王肅曰、以是蘭也爲汝子之名、以夢告文公。文公幸之、而予之草蘭爲符。遂生子。名曰蘭。【考證】宣三年左傳、梁玉繩曰、夢蘭之事、左傳在宣公之三年、乃追敍之、未定在何歲、此與年表、書鄭文二十四年、非也、三十六年、晉公子重耳過。文公弗禮。文公弟叔詹曰。

【考證】梁玉繩曰、詹爲文公弟、未聞、重耳賢、且又同姓。窮而過。君不可無禮。【考證】以上本僖二十三年左傳、文公曰。諸侯亡公子過者多矣。安能盡禮之。【考證】梁玉繩曰、此史公約國語文、而以曹共公之言爲鄭君、詹曰。君如弗禮、遂殺之。弗殺、使卽反國、爲鄭憂矣。文公弗聽。【考證】楓山、三條本、卽作得、詹曰以下、國語晉語、三十七年春、晉公子重耳反國立。是爲文公。【考證】僖二十四年左傳、秋、鄭入滑。【考證】左傳作鄭之入滑也、梁玉繩曰、秋字乃初之誤、追敍前四年事也、滑聽命。已而反與衞。【考證】左傳、與作卽、中井積德曰、滑屬衞、故曰與也、滑在今河南偃師縣南、於是鄭伐滑。【索隱】僖二十四年左傳、鄭公子士泄堵俞彌帥師伐滑、周襄王使伯犕請滑。【索隱】犕音服、左傳王使伯服游孫伯如鄭請滑、杜預云、二子、周大夫、知伯犕卽伯服也、【考證】梁玉繩曰、犕古服字、鄭文公怨惠王之亡在櫟、而文公父厲公入之、而惠王不賜厲公爵祿、【索隱】此言爵祿、與左氏說異、左傳云、鄭伯享王、王以后之鞶鑑與之、虢公請器、王予之爵、則爵、酒器、是太史公與丘明說別也、【考證】索隱所引莊二十一年左傳、僖二十四年左傳承之曰、鄭

伯、怨惠王之不與厲公爵、史公蓋誤解爵字、又怨襄王之與衞・滑、故不聽襄王請、而囚伯犕。王怒、與翟人伐鄭。弗克。【考證】沈家本曰、左傳云、取櫟、與此異、冬、翟攻伐襄王。襄王出奔鄭。鄭文公居王于氾。【考證】僖二十四年左傳、冬當作秋、氾在今河南許州襄城縣南、屬鄭、三十八年、晉文公入襄王成周。【考證】僖二十五年左傳、四十一年、助楚擊晉。【考證】僖二十八年左傳、自晉文公之過無禮、故背晉助楚。四十三年、晉文公與秦穆公共圍鄭。討其助楚攻晉者、及文公過時之無禮也。【考證】僖三十年左傳、梁玉繩曰、者字衍、初鄭文公有三夫人。寵子五人。皆以罪蚤死。【考證】梁玉繩曰、五子中、二人以罪見殺、一人早卒、一人爲楚酖死、其一子瑕見存、文公惡之、非五人俱有寵也、亦非皆以罪早死也、公怒、溉逐羣公子。【集解】徐廣曰、溉一作瑕、【索隱】音戲、左傳作瑕、【考證】方苞曰、溉當作概、中井積德曰、溉、既之煩文、沈家本曰、按五帝本紀溉執中、集解引徐廣曰、古既字作水旁、此溉字、亦應讀爲既、既者何、盡也、怒字句、既字屬下、逐羣公子讀、言盡逐羣公子也、愚按、中沈二說是、子蘭奔晉、從晉文公

圍鄭。【考證】圍、當依左傳作伐、僖三十年云、子蘭請無與圍鄭也、時蘭事晉文公甚謹。愛幸之。乃私於晉、以求入鄭爲太子。【考證】初鄭文公以下、本宣三年左傳、晉於是欲得叔詹爲僇。鄭文公恐不敢謂叔詹言。【考證】古鈔本、無言字、可從、詹聞、言於鄭君曰。臣謂君。君不聽臣。晉卒爲患。然晉所以圍鄭以詹。詹死而赦鄭國、詹之願也。乃自殺。鄭人以詹尸與晉。【考證】事見晉語及呂覽上德篇、但叔詹未嘗自殺、說在晉世家、晉文公曰。必欲一見鄭君辱之而去。鄭人患之。【考證】此事春秋內外傳不載、乃使人私於秦曰。破鄭益晉、非秦之利也。秦兵罷。【考證】乃使人以下、僖卅年左傳、晉文公欲入蘭爲太子。以告鄭。鄭大夫石癸曰。吾聞姞姓乃后稷之元妃。【集解】杜預曰、姞姓之女、爲后稷妃、其後當有興者。子蘭母、其後也。且夫人子盡已死。餘庶子無如蘭賢。今圍急。晉

以爲請。利孰大焉。遂許晉與盟、卒而立子蘭爲太子。晉兵乃罷去。【考證】以上、本宣三年左傳、楓山・三條本、卒作卒、梁玉繩曰、卒而、當作而卒、中井積德曰、而字疑衍、四十五年、文公卒。【考證】僖三十二年春秋、子蘭立。是爲繆公。繆公元年春、秦繆公使三將將兵、欲襲鄭。【考證】三將、孟明視・西乞術・白乙丙、至滑。逢鄭賈人弦高詐以十二牛勞軍。故秦兵不至而還。晉敗之於崤。【考證】穆公元年以下、僖三十三年左傳、詐、詐鄭侯命也、崤、今河南河南府永寧縣、錢錡曰、鄭之商人、與他國不同、昭十六年左傳、子產言、先君桓公與商人皆出自周、庸次比耦、以艾殺此地、世有盟誓、初疑商人何如此鄭重、或子產設辭以距韓宣、及參觀他事、始信其言不誣、如弦高犒秦師而卻之、成二年、荀罃在楚、鄭賈人將寘之褚中以出、皆非尋常貿遷者所能爲、卸請環一事、商人告君大夫、欲以一環折大國誅求之心、與子產之謀適合、可見鄭之商人、實有與朝廷休戚相關者、子產所言、竝非一時權託、而左傳之事、皆核實、亦可見矣、初往年【考證】張文虎曰、初下不當復云往年、因下文而衍、鄭文公之卒也、鄭司城繒賀、以鄭情賣之、秦兵故來。【考證】余有丁曰、按左傳、賣鄭者杞子、乃秦人之戍鄭者、梁玉繩曰、秦紀云、鄭人賣鄭于秦、此云鄭司城繒賀、史或別有據、亦說見秦記、三年、

鄭發兵從晉伐秦。敗秦兵於汪。【正義】汪、烏黃反、在同州北二百里、彭衙相近也、【考證】梁玉繩曰、敗秦彭衙、取秦汪邑、兩事也、此誤合爲二、愚按、事見文二年左傳、往年、【集解】徐廣曰、繆公之二年、楚太子商臣弒其父成王代立。【考證】文元年春秋經傳、二十一年、與宋華元伐鄭。【考證】梁玉繩曰、案宣二年傳、鄭公子歸生、受命于楚伐宋、宋華元樂呂禦之而獲、非宋伐鄭也、張文虎曰、此句有誤、華元殺羊食士。不與其御羊斟。怒以馳鄭。【考證】岡白駒曰、入于鄭師也、鄭囚華元。宋贖華元。元亦亡去。晉使趙穿以兵伐鄭。【考證】華元以下、宣二年左傳、三條本、重羊斟二字、梁玉繩曰、穿、當作盾、二十二年、鄭繆公卒。【考證】宣三年春秋經傳、子夷立。是爲靈公。靈公元年春、楚獻黿於靈公。子家・子公將朝靈公。【集解】賈逵曰、二子、鄭卿也、子公之食指動。【集解】服虔曰、第二指、謂子家曰。佗日指動、必食異物。及入見靈公、進黿羹。子公笑曰。果然。靈公問其笑故。具告靈公。靈公召之、獨弗予羹。

子公怒、染其指、[集解]左傳曰、染指於鼎、嘗之而出。公怒欲殺子公。子公與子家謀先、夏、弑靈公。鄭人欲立靈公弟去疾。去疾讓曰。必以賢、則去疾不肖。必以順、則公子堅長。堅者靈公庶弟、[集解]徐廣曰、年表云、靈公庶兄、[考證]洪頤煊曰、今本年表作庶弟、蓋後人所改、去疾之兄也。於是乃立子堅。是爲襄公。襄公立。將盡去繆氏。繆氏者、殺靈公子公之族家也。[考證]中井積德曰、繆氏是襄公之兄弟、皆繆公之子、故稱繆氏、非子公之族、左傳云、襄公將去穆氏而舍子良、子良不可、子良、去疾之字、亦穆氏也、以其讓己、故欲將不去之也、太史公謬解左氏、故致紛紛耳、去疾曰。必去繆氏、我將去之。乃止。皆以爲大夫。[考證]靈公元年以下、宣四年左傳、襄公元年、楚怒鄭受宋賂縱華元、伐鄭。[考證]楚伐鄭、宣五年春秋經傳、梁玉繩曰、楚之伐鄭、討其貳于晉也、中井積德曰、楚初與宋伐鄭也、鄭縱華元、有何可怒也、恐是史之謬誤、鄭背楚、與晉親。五年、楚復伐鄭。晉來救之。[考證]五年以下、宣九年春秋經傳、六年、子家卒。國人

復逐其族。以其弑靈公也。[考證]宣十一年左傳、七年、鄭與晉盟鄢陵。[考證]沈家本曰、官本考證云、左傳作辰陵、按辰陵乃鄭與楚盟、非晉也、宣十一年左傳云、鄭既受盟於辰陵、又徼事於晉、鄢陵之盟、其此事歟、八年、楚莊王以鄭與晉盟、來伐圍鄭。三月、鄭以城降楚。楚王入自皇門。[考證]何休曰、皇門、郭門也、鄭襄公肉袒掔羊以迎。[考證]掔、古牽字、楓山三條本、毛本作牽、曰。孤不能事邊邑。使君王懷怒以及弊邑。孤之罪也。[考證]公羊傳云、寡人無良邊垂之臣、以干天禍、敢不惟命是聽。君王遷之江南、及以賜諸侯、亦惟命是聽。若君王不忘厲・宣王桓・武公、[考證]杜預曰、周厲王宣王、鄭之所自出也、鄭桓公武公、始封之賢君也、哀不忍絕其社稷、錫不毛之地、[集解]何休曰、墝埆不生五穀曰不毛、謙不敢求肥饒、[考證]公羊傳云、君如矜此喪人、錫之不毛之地、使復得改事君王、孤之願也。然非所敢望也。敢布腹心、惟命是聽。莊王爲卻三十里而後舍。[考證]禮鄭、不爲城下之盟、楚羣

臣曰。自郢至此、士大夫亦久勞矣。今得國舍之。何如。[考證]公羊傳云、將軍子重諫曰、南郢之與楚相去數千里、諸大夫死者數人、厮役扈養死者數百人、今君勝鄭而不有、無乃失民臣之力乎、史公櫽括爲此十八字、莊王曰。所爲伐、伐不服也。今已服。尚何求乎。卒去。晉聞楚之伐鄭、發兵救鄭。其來持兩端。故遲。比至河、楚兵已去。晉將率或欲渡、或欲還。卒渡河。莊王聞、還擊晉。鄭反助楚、大破晉軍於河上。[考證]八年以下、宣十二年左傳公羊傳、十年、晉來伐鄭。以其反晉而親楚也。[考證]宣十四年春秋經傳、十一年、楚莊王伐宋。宋告急于晉。晉景公欲發兵救宋。伯宗諫晉君曰。天方開楚。未可伐也。乃求壯士、得霍人解揚字子虎。[考證]梁玉繩曰、左傳無求壯士之文、亦不言其里與字、史必別有據、故說苑奉使篇曰、解揚字子虎、霍人、後世言霍虎、愚按宣元年左傳云、晉趙盾救陳宋伐鄭、楚蔿賈救鄭、遇于北林、囚晉解揚、晉人乃還、杜注云、解揚晉大夫也、事先是役十三年、晉人非始用之、疑史公誤、誆楚、令宋毋降。

過鄭。鄭與楚親。乃執解揚而獻楚。楚王厚賜、與約、使反其言、令宋趣降。三要。乃許。於是楚登解揚樓車、[集解]服虔曰、樓車、所以窺望敵軍、兵法所謂雲梯也、杜預曰、樓車、車上望櫓也、[考證]中井積德曰、雲梯與樓車不同、令呼宋。遂負楚約、而致其晉君命曰。晉方悉國兵以救宋。宋雖急、愼毋降楚。晉兵今至矣。楚莊王大怒、將殺之。解揚曰。君能制命爲義。臣能承命爲信。受吾君命以出。有死無隕。[集解]服虔曰、隕、隊也、有死亦不隕隊晉君命也、[正義]莊王曰。若之許我、已而背之。其信安在。[考證]若、汝也、左傳作爾、解揚曰。所以許王、欲以成吾君命也。[考證]十一年以下、宣十五年左傳、將死、顧謂楚軍曰。爲人臣、無忘盡忠得死者。楚王諸弟皆諫。王赦之。於是赦解揚使歸。晉爵之爲上卿。[考證]左傳但云、楚子舍之以歸、中井積德曰、上卿似訛傳、梁玉繩曰、晉世家言莊王欲殺解揚、或諫乃歸之、此又載解揚將死語、及莊

王諸弟之諫、必別有據、說苑同左氏略之、十八年、襄公卒。【考證】成四年春秋、子悼公濆立。【索隱】劉音祕、鄭本一作沸、一作弗、左傳作費、音扶味反、【考證】表作費、悼公元年、鄦公惡鄭於楚。【集解】徐廣曰、鄦音許、許公、靈公也、【考證】左傳、鄦作許、凌稚隆曰、鄦卽許字、見考古圖、錢大昕曰、說文、鄦、太嶽之後、甫侯所封、讀若許、悼公使弟睔於楚自訟。訟不直。楚囚睔。【索隱】公遜反、於是鄭悼公來與晉平。遂親。睔私於楚子反。子反言、歸睔於鄭。【考證】三條本、言下有王字、梁玉繩曰、成五年左傳、悼公如楚、非使睔也、楚囚皇戌及子國、非囚睔也、言睔私于楚子反、子反言歸睔于鄭、亦妄、二年、楚伐鄭。晉兵來救。是歲悼公卒。【考證】二年以下、成六年春秋經傳、立其弟睔。是爲成公。成公三年、楚共王曰。鄭成公孤有德焉。【考證】楓山、三條本、孤上有於、陳仁錫曰、鄭成公當作鄭伯、胡克家曰、左傳云、楚人以重賂求鄭、與此異、使人來與盟。成公私與盟。秋、成公朝晉。晉曰。鄭私平於楚。執之、使欒書伐鄭。【考證】成公私與盟以下、成九年左傳、四年春、鄭患晉圍。公子如乃立成公庶

兄繻爲君。【索隱】繻、音須、鄒氏云、一作纁、音訓、【考證】楓山本、兄作弟、其四月、晉聞鄭立君、乃歸成公。鄭人聞成公歸、亦殺君繻迎成公。晉兵去。【考證】梁玉繩曰、案成十年左傳、三月、鄭子如因晉執成公、故立繻以示晉不急君也、四月、鄭人殺繻立成公太子髡頑、五月、晉伐鄭歸成公、此以晉圍在春、誤一、以因晉圍改君、誤二、以成公歸在四月、誤三、以繻因成公歸見殺、誤四、不敍立髡頑、誤五、又以繻爲成公庶兄、未知何據、十年、背晉盟、盟於楚。晉厲公怒、發兵伐鄭。楚共王救鄭。晉·楚戰鄢陵。【考證】鄢陵卽鄢、屬鄭、今河南開封府鄢陵縣、楚兵敗。晉射傷楚共王目。俱罷而去。【考證】十年以下、成十六年左傳、十三年、晉悼公伐鄭兵於洧上。【集解】服虔曰、洧、水名、【正義】括地志云、洧水、在鄭州新鄭縣北三里古新鄭城南、韓詩外傳云、鄭俗、二月桃花水出時、會於溱洧水上、以自祓除、按在古城南與溱水合、【考證】左傳云、晉韓厥荀偃帥諸侯之師伐鄭、入其郛、敗其徒兵、據此鄭兵二字連讀、或云兵上脫觀字、鄭城守。晉亦去。【考證】襄元年左傳、十四年、成公卒。【考證】襄二年春秋經傳、子惲立、是爲釐公。【索隱】惲、紆粉反、左傳作髡頑、【考證】中井積德曰、索隱左傳宜作春秋、釐公五年、鄭相子駟朝釐公。

釐公不禮。子駟怒、使廚人藥殺釐公。【集解】徐廣曰、年表云、子駟使賊夜弑僖公、【考證】左傳同、年表、古鈔本、殺作弑、赴諸侯曰。釐公暴病卒。【考證】左傳云、以瘧疾赴于諸侯、立釐公子嘉。嘉時年五歲。是爲簡公。【考證】五年以下、本襄七年左傳、簡公元年、諸公子謀欲誅相子駟。子駟覺之、反盡誅諸公子。【考證】襄八年左傳、二年、晉伐鄭。鄭與盟。晉去。冬、又與楚盟。子駟畏誅、故兩親晉·楚。【考證】襄九年左傳、陳仁錫曰、鄭介晉楚之間、南北之所必爭也、不南服楚、則北服晉、無寧歲焉、太史公敍鄭受盟者八、其國弱可知矣、三年、相子駟欲自立爲君。公子子孔使尉止殺相子駟、而代之。子孔又欲自立。子產曰。子駟爲不可誅之、今又效之。是亂無時息也。【考證】宋本、公子下不重子字、楓山、三條本、爲上有所、於是子孔從之、而相鄭簡公。【考證】史與襄十年左傳所記異、梁玉繩曰、案子駟子孔、何嘗欲自立爲君、子孔特知尉止等作亂而不言耳、亦何嘗使尉止殺子駟、誤讀左傳遽成乖越、與表言子孔作亂子產攻之同妄、四年、晉怒

鄭與楚盟、伐鄭。鄭與盟。楚共王救鄭、敗晉兵。簡公欲與晉平。楚又囚鄭使者。【考證】四年以下、本襄十一年左傳、梁玉繩曰、秦伐晉以救鄭、晉爲秦所敗、此誤也、十二年、簡公怒相子孔專國權、誅之、而以子產爲卿。【考證】襄十九年左傳、十九年、簡公如晉、請衞君還。【考證】岡白駒曰、齊晉殺衞殤公、復內獻公、而封子產以六邑。子產讓受其三邑。【集解】服虔曰、四井爲邑、以見在聚落而言、大小兼通、非四井之邑、【考證】襄二十六年左傳、中井積德曰、邑賞前年入陳之功也、二十二年、吳使延陵季子於鄭。見子產如舊交。謂子產曰。鄭之執政者侈。難將至。政將及子。子爲政、必以禮。不然、鄭將敗。子產厚遇季子。【考證】襄二十九年左傳、左傳云、季札與縞帶、子產獻紵衣、二十三年、諸公子爭寵相殺、又欲殺子產。公子或諫曰。子產仁人、鄭所以存者子產也。勿殺。乃止。【考證】襄三十年左傳、梁玉繩曰、公子指子皮、然非諫也、年表作子成、亦子皮之誤、二十五

年、鄭使子產於晉、問平公疾。平公曰。卜而曰實沈臺駘爲祟。【考證】依左傳、平公曰、當作平公使叔向問曰、卜而、當作卜人、史官莫知。敢問。對曰。高辛氏有二子。長曰閼伯。季曰實沈。【考證】高辛氏、帝嚳有天下之號、子孫亦因之、居曠林、不相能也。【集解】賈逵曰、曠、大也、【考證】岡白駒曰、兄弟不相善、日操干戈以相征伐。后帝弗臧、【集解】賈逵曰、后帝、堯也、臧、善地、【考證】襄九年左傳云、陶唐氏之火正閼伯居商丘、據此知后帝是堯也、遷閼伯于商丘、主辰。【集解】賈逵曰、商丘、在漳南、杜預曰、商丘、宋地、服虔曰、辰、大火、主、祀也、商人是因。故辰爲商星。【集解】服虔曰、商人、契之先、湯之始祖相土、封閼伯之故地、因其故國而代之、【考證】襄九年左傳云、陶唐氏之火正閼伯居商丘、祀大火、相土因之、故商主大火、遷實沈于大夏、主參。【集解】服虔曰、大夏、在汾澮之閒、主祀參星、杜預曰、大夏、今晉陽縣、【考證】參、水星、唐人是因、服事夏・商。【集解】賈逵曰、唐人、謂陶唐氏之胤劉累、事夏孔甲、封於大夏、因實沈之國、子孫服事夏商也、【正義】括地志云、故唐城、在絳州翼城縣西二十里、徐才宗國都城記云、唐國、帝堯之裔子所封、春秋云、夏孔甲時、有堯苗胄劉累者、以豢龍事孔甲、夏后嘉之、賜曰御龍氏、以更豕韋之後、龍一雌死、潛醢之以食夏后、既而使求之、懼而遷于魯縣、夏后蓋別封劉累之後于夏之墟、爲唐侯、

至周成王時、唐人作亂、成王滅之、而封太叔、遷唐人子孫于杜、謂之杜伯、范氏所云、在周爲唐杜氏也、地記云、唐氏在大夏之墟、屬河東安縣、今在絳城西北一百里、有唐城者、以爲唐舊國、然則叔虞之封卽此地也、【考證】顧炎武曰、有勝國、有因國、周禮媒氏、凡男女之陰訟、聽之于勝國之社、士師若祭勝國之社稷、則爲之尸、喪祝掌勝國邑之社稷之祝號、文十五年左傳、凡勝國曰滅之、是也、王制、天子諸侯、祭因國之在其地而無主後者、昭二十年左傳、晏子曰、昔爽鳩氏始居此地、季萴因之、有逢伯陵因之、蒲姑氏因之、而後大公因之、及此傳遷閼伯于商丘、主辰、商人是因、遷實沈于大夏、主參、唐人是因、是也、其季世曰唐叔虞。【集解】杜預曰、唐人之季世、其君曰叔虞、【考證】李光縉曰、此唐叔虞、乃後爲成王所滅者、非下文邑姜所生、當武王邑姜方娠大叔、夢帝謂己、【集解】賈逵曰、帝、天也、己、武王也、【考證】中井積德曰、己謂邑姜、余命而子曰虞。【集解】杜預曰、取唐君之名、乃與之唐、屬之參、【考證】參、參星也、卽實沈所祀者、而蕃育其子孫。及生、有文在其掌、曰虞。遂以命之。【考證】文、字也、言掌紋如虞字也、及成王滅唐、而國大叔焉。故參爲晉星。【集解】賈逵曰、晉主祀參、參爲晉星、由是觀之、則實沈、參神也。昔金天氏有裔子曰昧、爲玄冥師。【集解】服虔曰、金天、少皞也、玄冥、水官也、師、長也、昧爲水官之長、【考證】裔子、

季子、非遠孫、生允格・臺駘。【集解】服虔曰、允格、臺駘、兄弟也、臺駘能業其官、【集解】服虔曰、脩、昧之職、宣汾・洮、【集解】賈逵曰、宣、猶通也、汾洮、二水名、障大澤、【集解】服虔曰、陂障其水也、以處太原。【集解】服虔曰、太原、汾水名、杜預曰、太原、晉陽也、臺駘之所居者、【考證】左傳、太作大、大原、廣平之地、帝用嘉之、國之汾川。【集解】服虔曰、帝、顓頊也、沈・姒・蓐・黃、實守其祀。【集解】賈逵曰、四國、臺駘之後也、【考證】龜井昱曰、四者皆微國、非見經者、而晉滅之歟、今晉主汾川而滅之。【集解】賈逵曰、滅四國、由是觀之、則臺駘、汾・洮神也。然是二者、不害君身。【考證】左傳、然作抑、害作及、龜井昱曰、平公之疾、子產知其所由、故言其不及君身也、山川之神、則水旱之菑禜之。【集解】服虔曰、禜、爲營攢用幣也、若有水旱、則禜祭山川之神以祈福也、日月星辰之神、則雪霜風雨不時禜之。若君疾、飲食哀樂女色所生也。平公及叔嚮曰。善。博物君子也。厚爲之禮於子產。【考證】二十五年以下、昭元年左傳、左傳此篇之末尚有君子有四時、及內官不及同姓兩段、史公哀樂下加女色二字以概之、中井積德曰、之字、於子產三字、刪其一可也、是複文耳、二十

七年夏、鄭簡公朝晉。冬、畏楚靈王之彊、又朝楚。子產從。【考證】昭三年左傳、茅坤曰、子產執鄭國之政、而兩朝晉楚、亦可見小國介乎強國之間、事無可奈何者、二十八年、鄭君病。使子產會諸侯。【考證】梁玉繩曰、昭四年春秋、鄭伯會于申、無病使子產事、與楚靈王盟於申。誅齊慶封。【考證】昭四年春秋經傳、三十六年、簡公卒。子定公寧立。秋、定公朝晉昭公。【考證】昭十二年春秋經傳、梁玉繩曰、案左傳秋當作夏、定公元年、楚公子弃疾弑其君靈王、而自立爲平王。【考證】古鈔本、立下有是字、欲行德諸侯、歸靈王所侵鄭地于鄭。【考證】昭十三年左傳、梁玉繩曰、案左傳、楚欲致犨櫟之田、而仍未致、則不可言歸也、四年、晉昭公卒。其六卿彊、公室卑。【考證】昭十六年左傳、子產謂韓宣子曰。爲政必以德。毋忘所以立。【考證】梁玉繩曰、案左傳、子產無是言、岡白駒曰、立、謂不傾敗、六年、鄭火。公欲禳之。子產曰。不如修德。【考證】鄭火、昭十八年春秋經傳、梁玉繩曰、案左傳、此卽鄭人欲用裨竈禳火之事、非公欲禳之也、又表書于四年、乃裨竈請禳火之事、亦曰不如修德、皆史

公意測言之、非子產有是語、八年、楚太子建來奔。【考證】昭二十年左傳、二十年、太子建與晉謀襲鄭。鄭殺建。建子勝奔吳。【考證】梁玉繩曰、左傳附記殺建事于哀十六年、因其子白公之亂而追敍之也、不知何歲、表在十一年、世家在十年、皆妄爾、十一年、定公如晉。晉與鄭謀、誅周亂臣、入敬王于周。【索隱】王避弟子朝之亂、出居狄泉、在昭二十三年、至二十六年、晉鄭入之、經曰、天王入于成周、是也、【考證】梁玉繩曰、案昭廿四年左傳、定公如晉納王、則當在十二年、而入敬王在十四年、此誤、十三年、定公卒。【考證】昭二十四年春秋、陳仁錫曰、年表十三年作十六年、梁玉繩曰、此誤、子獻公蠆立。獻公十三年卒。【考證】獻公卒、定九年春秋、子聲公勝立。當是時、晉六卿彊、侵奪鄭。鄭遂弱。聲公五年、鄭相子產卒。【正義】括地志云、子產墓、在新鄭縣西南三十五里、酈元注水經云、子產墓、在潩水上、累石為方墳、墳東北向鄭城、杜預云、言不忘本也、【考證】張照曰、左傳魯昭二十年、鄭子產有疾、疾數月而卒、是年當鄭定公之八年、距聲公五年、蓋相隔二十七年矣、應從左傳、梁玉繩曰、子產自魯襄八年始見于傳、至昭二十年卒、其行事見者四十四年、歷鄭簡定二世云、鄭人皆哭泣、悲之如亡親戚。子產者、鄭成公少子也。【考證】錢大昕曰、子產者子國

之子、穆公之孫、而世家以為成公子、一誤也、子產卒于定公時、而世家云、聲公五年卒、二誤也、至循吏傳、稱鄭昭君之時、大宮子期言之君、以子產為相、則尤無稽之誤也、為人仁愛人、事君忠厚。孔子嘗過鄭、與子產如兄弟云。【考證】沈家本曰、攷左傳、子產卒於昭之二十年、計其卒時、年六十餘矣、昭之二十年、孔子方三十耳、孔子世家、載適鄭事於魯定公卒之後、其時子產早卒矣、此事甚為可疑、及聞子產死。孔子為泣曰。古之遺愛也。【集解】賈逵曰、愛、惠也、杜預曰、子產見愛、有古人遺風也、【考證】及聞子產死以下、昭二十一年左傳、龜井魯曰、遺愛、古人之仁愛、遺在子產也、龜井昱曰、與古之遺直一例、兄事子產。【考證】王若虛曰、既云如兄弟、何必復言兄事、張文虎曰、兄事子產四字、與上文複、蓋後人旁注誤混、宜刪、八年、晉范・中行氏反。晉告急於鄭。鄭救之。齊伐鄭、敗鄭軍於鐵。【集解】杜預曰、戚城南鐵丘、【正義】括地志云、鐵丘、在滑州衛南縣東南十五里、【考證】八年以下、哀二年左傳、岡白駒曰、鄭救范中行氏、十四年、宋景公滅曹。【考證】哀八年春秋經傳、二十年、齊田常弒其君簡公。【考證】哀十四年春秋經傳、而常相於齊。二十二年、楚惠王滅陳。【考證】楚滅陳、見哀十七年左傳、孔子卒。【考證】見哀十六年左傳、二十六年、晉知伯伐

鄭、取九邑。【考證】梁玉繩曰、知伯伐鄭、左傳在魯哀二十七年、即鄭聲公三十三年、此書于聲公二十六年、六國年表、書于周定王五年、皆誤、左傳無取九邑之文、恐妄、三十七年、聲公卒。子哀公易立。【集解】年表云、三十八年、哀公八年、鄭人弒哀公而立聲公弟丑。是為共公。共公三年、三晉滅知伯。【考證】晉上各本無三字、張文虎曰、三字錢泰吉引葉石君校增、梁玉繩曰、案事在二年、三十一年、共公卒。【考證】各本無一字、張文虎曰一字吳校增、梁玉繩曰、共公在位三十一年、子幽公已立。【考證】楓山本、已作巳、幽公元年、韓武子伐鄭、殺幽公。鄭人立幽公弟駘。是為繻公。【集解】年表云、鄭立幽公子駘、繻或作繚、【考證】梁玉繩曰、弟字誤、年表是子也、繻公十五年、韓景侯伐鄭取雍丘。鄭城京。【考證】雍丘、今河南開封杞縣、岡白駒曰、京、昔封大叔段地、十六年、鄭伐韓、敗韓兵於負黍。【集解】徐廣曰、在陽城、【正義】括地志云、負黍亭、在洛州陽城縣西南三十五里、故周邑也、【考證】今河南河南府登封縣、二十年、韓・趙・魏列為諸侯。二十三年、鄭圍韓之陽翟。【考證】今河南開封府禹州、二十五年、鄭君殺

其相子陽。【考證】淮南子氾論訓云、鄭子陽剛毅而好罰、其於罰也、執而無赦、舍人有折弓者、畏罪恐誅、則因猘狗之驚、以殺子陽、此剛猛之所致也、呂覽首時適威所記略同、列子說符篇云、民作難而殺子陽、而此曰鄭君殺子陽、楚世家曰楚伐鄭、鄭殺子陽、似繻公殺之以說于楚也、所傳不同、二十七年、子陽之黨、共弒繻公駘、而立幽公弟乙為君。是為鄭君。【集解】徐廣曰、一本云、立幽公弟乙陽為君、是為康公、六國年表云、立幽公子駘、又以鄭君陽為鄭康公乙、班固云、鄭康公乙、為韓所滅、【考證】中井積德曰、集解弟下乙字疑衍、鄭君乙立二年、鄭負黍反、復歸韓。【考證】黃式三曰、繻公十六年、鄭敗韓于負黍、蓋取其地與、十一年、韓伐鄭取陽城。【考證】今河南河南府登封縣、二十一年、韓哀侯滅鄭、并其國。【考證】顧棟高曰、鄭當幽王之世、王室未遷、遽興寄帑之謀、據取虢檜之地、首亂天朝之疆索、鄭誠周室之罪人矣、入春秋後、莊公以狙詐之資、倔強東諸侯間、是時楚僻處南服、而晉方內亂、莊公與齊魯共執牛耳、其子昭公厲公、俱梟雄絕人、使其兄弟輯睦、三世相繼、鄭之圖伯未可知也、乃三公子爭立、卒歸厲公、與虢弭定王室、庶幾桓文勤王之義、然自是而楚患興矣、齊晉迭伯、與楚爭鄭者二百餘年、是時鄭西有虎牢之險、北有延津之固、南據汝潁之地、恃其險阻、左支右吾、蓋滎陽城皋、自古戰爭地、南北有事、鄭先被兵、地勢然也、至子產之世、而虎牢已先屬晉、犨櫟郟已先屬楚、鄭之地險盡失、徒善其區區之辭命、以大義折服晉楚、雖以楚靈王之暴橫、莫敢凌侮、蓋亦人謀之

滅、匪關地勢矣、然自後三家分晉、而韓得成皋、卒以滅鄭、則鄭之虎牢、豈非得之以興、失之以亡者哉、

太史公曰。語有之。以權利合者、權利盡而交疏。 考證 權利、權勢利益也、主父偃傳云、貴仁義、賤權利、又云、故俗爲知巧權利、武安侯傳云、陂池田園宗族賓客、各爲權利、荀子勸學篇云、權利不能傾也、羣衆不能移也、襄二十三年左傳云、既有利權、又執民柄、義同、**甫瑕是也。甫瑕雖以劫殺鄭子、內厲公、厲公終背而殺之。此與晉之里克何異。** 考證 岡白駒曰、里克殺奚齊、使人迎夷吾、夷吾約曰、誠得入立、請封子以汾陽、及入不與里克邑、而奪之權、遂殺之、**守節如荀息、身死而不能存奚齊。** 考證 岡白駒曰、奚齊、驪姬所生、獻公遺屬荀息立之、荀息死于其難、**變所從來、亦多故矣。** 考證 岡白駒曰、以權利合、而死于權利、此其常也、以死守節、不能存其主、此其變也、然不可謂權利守節均同矣、蓋雖其正、亦因事故之如何爾、故云亦多故矣、言不可以一論也、

索隱 述贊、厲王之子、得封於鄭、代職司徒、緇衣在詠、虢鄶獻邑、祭祝專命、莊既犯王、厲亦奔命、居櫟克入、夢蘭毓慶、伯服生囚、叔瞻尸聘、釐簡之後、公室不競、負黍雖還、韓哀日盛、

鄭世家第十二

史記四十二

史記會注考證卷四十三

漢　太　史　令　司　馬　遷　撰

宋　中　郎　外　兵　曹　參　軍　裴　駰　集　解

唐　國　子　博　士　弘　文　館　學　士　司　馬　貞　索　隱

唐　諸　王　侍　讀　率　府　長　史　張　守　節　正　義

日　本　出　雲　瀧　川　資　言　考　證

趙世家第十三　　史記四十三

[考證]史公自序云、維驥騄耳、乃章造父、趙夙事獻、衰續厥緒、佐文尊王、卒爲晉輔、襄子困辱、乃禽智伯、主父生縛、餓死探爵、王遷辟淫、良將是斥、嘉鞅討周亂、作趙世家、第

十三、茅坤曰、趙世家、次趙衰所由始、及所由中絕、與簡子所由興、如晝而武靈王胡服以招騎、其所北郤林胡樓煩、幷中山以西、通雲中九泉、於以所由窺秦、可謂英武矣、惜哉不幸中殂、至于兩立公子分王其地、遂亡沙丘宮、悲夫、淩稚隆曰、約從以攻秦、及廉頗藺相如趙奢李牧幷平原君之事、各見本傳、故於世家不及、陳仁錫曰、楚趙田齊及諸世家、多戰國策所遺漏之文、可一見今之戰國策非完書、全祖望曰、問六國世家其紀事莫如趙之誣謬者、不特屠岸賈一事也、如宣孟之夢、簡子鈞天之夢、原過三神之令、主父大陵之夢、孝成王之夢、何其言之龐而怪與、謂非緯侯之先驅不可矣、答、是書當芟除者也、其中紀事之失、尚有昔人所未及糾正者、惠文王十五年卽燕昭王之二十八年也、以師與燕伐齊、大捷、燕人遂深入取臨淄、是時齊襄王保莒、田單保卽墨、而餘地皆入燕、乃曰惠文王十六年、秦復與趙數擊齊、齊人患之、蘇厲爲齊遺趙書、游說趙、乃不擊齊、夫當時之齊、區區二城耳、秦何所利而擊之、卽擊之、又何所畏而必與趙擊之、其謬一也、乃下又曰、是年廉頗攻齊昔陽取之、夫昔陽是鼓地、春秋末已屬晉、至是原屬趙、非齊地、且齊是時所有祇二城、安得有餘邑爲趙所取、其謬二也、乃下又曰、十七年樂毅將趙師攻魏伯陽、按樂毅留徇齊地、及二城不下、遂守之、竝未嘗歸燕、何從將趙師、而攻魏、其謬三也、乃下文云、十九年、趙奢將攻齊麥邱取之、是時齊亦尚止二城、麥邱屬燕、其謬四也、乃下又曰、二十年廉頗將攻齊、按是時樂毅尚在齊、次年田單始敗燕軍、復有七十餘城、當前一年、齊無可攻、其謬五也、蓋惠文王此五年中、無一事可信、不知史公何所據而志之、愚按、此篇左傳國策所不載甚多、史公別有所據、論贊云、吾聞馮王孫曰、趙王遷其母倡也、云云、豈他事亦有得之於馮者乎、

趙氏之先、與秦共祖。至中衍爲帝大戊御。[正義]中音仲、其後世蜚廉有子二人。而命其一子曰惡來。事紂、爲周所殺。其後爲秦。惡來弟曰季勝。其後爲趙。季勝生孟增。孟增幸於周成王。是爲宅皋狼。[集解]徐廣曰、或云、皋狼、地名、在西河、[索隱]按如此說、是名孟增、號宅皋狼、而徐廣云、或曰、皋狼地名、在西河、按地理志、皋狼是西河郡之縣名、蓋孟增幸於周成王、成王居之於皋狼、故云皋狼、[考證]宅皋狼、孟增號、以其居皋狼稱之也、下文皋狼上亦當有宅字、秦本紀與此同、皋狼生衡父。衡父生造父。造父幸於周繆王。造父取驥之乘匹、[索隱]言造父取八駿、品其色、齊其力、使馴調也、竝四曰乘、竝兩曰匹、[正義]乘、食證反、竝四曰乘、竝兩曰匹、取八駿品其力、使均馴、與桃林盜驪・驊騮・綠耳、獻之繆王。[正義]括地志云、桃林、在陜州桃林縣、西至潼關、皆爲桃林塞地、山海經云、夸父之山、北有林焉、名曰桃林、廣闊三百里、中多馬、造父於此得驊騮騄耳之乘、獻周穆王也、盜騧、騧、淺色、驪、黑色、驊、黃色、騮、□色、穆天子傳云、赤驥盜驪白義渠黃驊騮騄耳踰輪山子、此八駿也、[考證]梁玉繩曰、案樂書云、華山之騄耳、蓋武王歸馬華山、斯其遺種也、而此以爲桃林、山海中山經亦云、桃林中多馬、豈華山桃林壤地相接、得以通稱邪、華山乃陽華山、在陝西西安府額南縣東北、非太華

山也、自來注家皆誤指太華山言、閻氏辨之甚詳、見尙書疏卷六下、愚按、淩本綠耳作騄耳、繆王使造父御、西巡狩、見西王母、樂之忘歸。[索隱]穆天子傳曰、穆王與西王母觴於瑤池之上、作歌、是樂而忘歸也、譙周不信此事、而云、余常聞之、代俗以東西陰陽所出入、宗其神謂之王父母、或曰、地名、在西域、有何見乎、[正義]穆天子傳曰、穆王觴西王母于瑤池之上、西征至于崑崙之丘、見西王母、其年王母來見、賓于昭宮、括地志云、崑崙山在肅州酒泉縣南八十里、十六國春秋云、酒泉南山、崑崙之丘也、周穆王見西王母、樂而忘歸、卽謂此山、有石室王母臺、瑤璣鏤飾、煥若神宮也、[考證]大戴禮少間篇、西王母來獻其白琯、阮元補注云、爾雅云、觚竹北戶西王母日下、謂之四荒、然則西王母國名也、荀子曰、禹學乎西王國、梁玉繩曰、秦紀不稱見西王母、習學記言云、此方士語也、遷載之、蕪妄甚矣、余因攷西王母實乃西方國名、其名見爾雅釋地、大戴禮少閒篇云、舜時獻白琯、竹書紀年云、舜時西王母來朝、獻白環玉玦、賈子修政語上云、堯西見王母、卽穆天子傳敘王母事、與曹奴巨蒐諸人無異、竹書亦但言王西征見西王母、其年來朝賓于昭宮、而已、自山海經撰爲豹尾虎齒蓬髮戴勝之說、而世遂以爲神母、故相如傳大人賦謂西王母曜然白首、長生不死、淮南覽冥訓、謂西老折勝、楊雄甘泉賦、謂王母上壽、至漢武內傳、又有天姿絕世之語、嗣後神仙家遞相附會、詭設姓名、何足述哉、而徐偃王反。[正義]括地志云、大徐城、在泗州徐城縣北三十里、古之徐國也、博物志云、徐君宮人娠生卵、以爲不祥、弃於水濱、孤獨母有犬名鵠倉、銜所弃卵以歸、覆煖之、遂成小兒、生偃王、故宮人聞之、更收養之、及長、襲爲徐君後、鵠倉臨死生角而九尾、實黃龍也、鵠倉或名后倉也、繆王日馳千里馬、

攻徐偃王、大破之。【索隱】譙周曰、徐偃王與楚文王同時、去周穆王遠矣、且王者行有周衛、豈聞亂而獨長驅、日行千里乎、並言此事非實也、【正義】按穆王元年、去楚文王元年、三百一十餘年也、【考證】楓山三條本無馬字、驅馬破徐之誕、說見秦紀、乃賜造父以趙城。【正義】晉州趙城縣、卽造父邑也、【考證】今山西平陽府趙城縣西南、由此爲趙氏。自造父已下、六世至奄父。曰公仲。周宣王時、伐戎爲御。及千畝戰、奄父脫宣王。【正義】括地志云、千畝原、在晉州岳陽縣北九十里也、【考證】國語周語、宣王三十九年、戰於千畝、王師敗績於姜氏之戎、又見周本紀、楓山三條本御上有戎字、蓋以戎爲戎車也、非戎狄之戎、亦通、奄父生叔帶。叔帶之時、周幽王無道。去周如晉、事晉文侯。始建趙氏于晉國。自叔帶以下、趙宗益興。五世而生趙夙。【考證】王念孫曰、御覽引此、生作至、與上文一例、趙夙、晉獻公之十六年、伐霍·魏·耿。而趙夙爲將伐霍、【考證】晉上趙夙二字衍、下文倣之、閔元年左傳、晉侯作二軍、公將上軍、太子申生將下軍、趙夙御戎、畢萬爲右、以滅耿滅霍滅魏、據此則是役趙夙御戎、非將也、梁玉繩曰、爲將、乃爲御之譌、霍公求犇齊。【集解】徐廣曰、求一作來、【考證】梁玉繩曰、霍公名求、未知所據、水經注

六、作霍哀公奔齊、亦不知哀公何出、晉大旱。卜之曰。霍太山爲祟。使趙夙召霍君於齊、復之以奉霍太山之祀。晉復穰。晉獻公賜趙夙耿。【集解】杜預曰、耿、今河東皮氏縣耿鄉是、【考證】賜耿、閔元年左傳、耿、今山西絳州河津縣東南、夙生共孟。當魯閔公之元年也。【考證】崔適曰、夙生共孟四字、當在魯湣公元年句下、湣公元年、上承賜趙夙耿而言、以下乃言趙氏之世系、閔、世家年表作湣、共孟生趙衰。字子餘。【索隱】系本云、公明生共孟及趙夙、夙生成季衰、衰生宣孟盾、左傳云、衰、趙夙弟、而此系家云、共孟生衰、譙周亦以此爲誤耳、【考證】梁玉繩曰、案晉語、趙衰、夙之弟、故左傳文六年稱成季、韋昭曰、衰、公明之少子、杜注左傳、亦從晉語云、夙、趙衰兄、則夙與衰皆共孟子、公明共孟、音相近、其實一人也、此誤從世本、而索隱引世本謂公明生共孟及夙、夙生衰、尤誤、趙衰卜事晉獻公及諸公子。莫吉。卜事公子重耳。吉。卽事重耳。重耳以驪姬之亂亡奔翟。趙衰從。翟伐廧咎如、得二女。【考證】杜預曰、廧咎如、赤狄之別種、隗姓也、翟以其少女妻重耳、長女妻趙衰、而生盾。【考證】重耳以下、本僖二十三年左傳、初重耳在晉時、趙衰妻亦生趙同·趙

括·趙嬰齊。【考證】本僖二十四年左傳、余有丁曰、按盾爲宣孟、是衰在晉時未有子、至翟始生盾也、同括嬰齊三子、俱盾弟、是還晉後生者、趙衰從重耳出亡、凡十九年得反國。【考證】本僖二十八年昭十三年左傳、重耳爲晉文公。趙衰爲原大夫。居原任國政。【索隱】系本云、成季徙原、宋忠云、今鴈門原平縣也、【正義】括地志云、原平故城、漢原平縣也、在代州崞縣南三十五里、崞、音郭、按宋忠說非也、括地志云、故原城、在懷州濟原縣西北二里、左傳云、襄王以原賜晉文公、原不服、文公伐原、以示信、原降、以趙衰爲原大夫、卽此也、原、本周畿內邑也、【考證】以趙衰爲原大夫、僖廿五年左傳、原、在今河南濟源縣西北、文公所以反國及霸、多趙衰計策。語在晉事中。趙衰旣反晉。晉之妻固要迎翟妻、而以其子盾爲適嗣、晉妻三子、皆下事之。【考證】晉之妻以下、僖廿四年左傳、晉襄公之六年、而趙衰卒。【考證】文五年左傳、諡爲成季。【考證】是年晉欒貞子霍伯臼季亦皆卒、老成彫落、朝局一變、政遂歸趙氏矣、趙盾代成季任國政。【考證】文六年左傳、二年而晉襄公卒。太子夷皋年少。盾爲國多難、欲立襄公弟雍。雍時在秦。使使迎

之。太子母日夜啼泣、頓首謂趙盾曰。【集解】穆嬴也、先君何罪。釋其適子而更求君。趙盾患之、恐其宗與大夫襲誅之、【考證】宗、穆嬴之宗族也、迺遂立太子。是爲靈公。發兵距所迎襄公弟於秦者。【考證】以上文七年左傳、古鈔本、弟下有雍字、靈公旣立。趙盾益專國政。靈公立十四年、益驕。趙盾驟諫。靈公弗聽。及食熊蹯胹不熟、【正義】胹、煮熟也、熊掌難熟、如煮凡肉、熊掌猶不熟也、【考證】胹、音而、說文、爛也、殺宰人、持其尸出。趙盾見之。靈公由此懼、欲殺盾。盾素仁愛人。嘗所食桑下餓人、反扞救盾。盾以得亡。未出境、而趙穿弒靈公、而立襄公弟黑臀。是爲成公。趙盾復反任國政。君子譏盾爲正卿、亡不出境、反不討賊。【正義】君子、謂孔子也、【考證】左傳以爲太史董狐之言、故太史書曰。趙盾弒其君。【考證】十四年以下、宣二年左傳、晉景公時而趙盾

卒。謚爲宣孟。【索隱】景公、成公之子、名據、【考證】蘇轍曰、左傳宣公八年、亦晉成公八年、書晉郤克爲政、使趙朔佐下軍、則盾已死矣、非景公之時也、梁玉繩曰、案孟非謚也、當作宣子、朔謚莊子、此亦缺、愚按、楓山、三條本、謚作是、當依訂、子朔嗣。趙朔晉景公之三年、朔爲晉將下軍、救鄭、與楚莊王戰河上。【考證】趙朔以下、宣十二年左傳、梁玉繩曰、三年、毛本作二年、然是史公之誤、故徐廣正之曰、案年表救鄭及誅滅、皆景公三年、若依各本改作二年、則複下文、而徐說贅矣、沈家本曰、此三年、與春秋合、非誤也、或下文之三年、字本不作三、故徐廣爲是說、而注於其下、愚按、趙朔二字、疑衍文、朔娶晉成公姊爲夫人。【考證】孔穎達曰、趙衰妻是文公之女、若趙朔妻成公之姊、則亦文公之女、父之從母、不可以爲妻、且文公之卒、距此四十六年、莊姬此時尚少、不得爲成公姊、賈服先儒、皆以爲成公之女、梁玉繩曰、姊是女字之誤、或成公景公之誤耳、又大夫之妻、春秋時似未稱夫人、晉景公之三年、大夫屠岸賈欲誅趙氏。【集解】徐廣曰、按年表、救鄭及誅滅、皆景公三年、初趙盾在時、夢見叔帶持要而哭甚悲。【考證】岡白駒曰、要與腰通、已而笑、拊手且歌。盾卜之。兆絕而後好。【考證】岡白駒曰、兆、灼龜龜折也、愚按、絕、家絕也、好、榮也、趙史援占之曰。此夢甚惡。非君之身。乃君之子。

然亦君之咎。至孫、趙將世益衰。【考證】史上趙字、疑衍、趙氏不宜別有史官、楓山、三條本、乃作及、屠岸賈者、始有寵於靈公。及至於景公、而賈爲司寇。將作難。乃治靈公之賊、以致趙盾。徧告諸將曰。盾雖不知、猶爲賊首。以臣弒君、子孫在朝。何以懲辠。請誅之。韓厥曰。靈公遇賊、趙盾在外。吾先君以爲無罪。故不誅。今諸君將誅其後。是非先君之意。而今妄誅。妄誅謂之亂。臣有大事、而君不聞。是無君也。屠岸賈不聽。韓厥告趙朔趣亡。朔不肯曰。子必不絕趙祀、朔死不恨。韓厥許諾、稱疾不出。賈不請、而擅與諸將攻趙氏於下宮。【考證】是時晉卿尚彊、不宜聽命於一嬖人、說詳下文、殺趙朔・趙同・趙括・趙嬰齊、皆滅其族。【考證】據左傳、趙嬰齊先是出亡、不當同死、趙朔妻成公姊。有遺腹、走公宮匿。【考證】成八

年左傳云、晉趙莊姬爲趙嬰之亡、故譖之于晉侯曰、原屏將爲亂、欒郤爲徵、六月、晉討趙同趙括、趙武從姬氏畜于公宮、以其田與祁奚、據此、則殺同括者莊姬、非屠岸賈也、趙武既生、非趙朔遺腹子也、說詳下文、趙朔客曰公孫杵臼。杵臼謂朔友人程嬰曰。胡不死。程嬰曰。朔之婦有遺腹。若幸而男、吾奉之。即女也、吾徐死耳。居無何、而朔婦免身生男。屠岸賈聞之、索於宮中。夫人置兒絝中、【考證】新序節士篇、絝作袴、祝曰。趙宗滅乎、若號。即不滅、若無聲。【考證】若、汝也、及索兒、竟無聲。已脫。程嬰謂公孫杵臼曰。今一索不得。後必且復索之。柰何。公孫杵臼曰。立孤、與死孰難。程嬰曰。死易。立孤難耳。公孫杵臼曰。趙氏先君遇子厚。子彊爲其難者。吾爲其易者。請先死。乃二人謀取他人嬰兒負之、衣以文葆、匿山中。【集解】徐廣曰、小兒被曰葆、程嬰出、謬謂諸將軍曰。【考證】新序、將下無軍字、下文

亦無軍字、嬰不肖、不能立趙孤。誰能與我千金。吾告趙氏孤處。諸將皆喜許之。發師隨程嬰攻公孫杵臼。杵臼謬曰。小人哉程嬰。昔下宮之難不能死。與我謀匿趙氏孤兒。今又賣我。縱不能立、而忍賣之乎。抱兒呼曰。天乎。天乎。趙氏孤兒何罪。請活之、獨殺杵臼可也。諸將不許。遂殺杵臼與孤兒。【考證】楓山、三條本、遂下有幷字、與新序合、諸將以爲趙氏孤兒良已死。皆喜。然趙氏眞孤乃反在。程嬰卒與俱匿山中。居十五年、晉景公疾。卜之。大業之後不遂者爲崇。【考證】成十年左傳云、晉侯夢大厲被髮及地、搏膺而踊、曰、殺我孫不義、余得請於帝矣、壞大門及寢門而入、公懼入于室、又壞戶、杜預注、厲、鬼也、趙氏之先祖也、八年、晉侯殺趙同趙括、故怒也、與此異、梁玉繩曰、景公病崇而卒、在十九年、晉世家所書是也、此云居十五年、韓世家作十七年、竝誤、景公問韓厥。厥知趙孤在、【考證】古鈔本、厥上有韓字、乃曰。大業之後在晉絕祀者、

其趙氏乎。夫自中衍者、皆嬴姓也。中衍人面鳥噣、降佐殷帝大戊。【考證】上文云、趙氏之先、與秦共祖、至中衍爲帝大戊御、新序、中下衍行字、及周天子、皆有明德。下及幽·厲無道、而叔帶去周、適晉事先君文侯、至于成公。世有立功、未嘗絕祀。今吾君獨滅趙宗。【考證】古鈔本、今下有及字、與新序及說苑復恩篇合、國人哀之。故見龜策。唯君圖之。景公問。趙尚有後子孫乎。【考證】古鈔本、作趙後有子孫乎、韓厥具以實告。於是景公乃與韓厥謀、立趙孤兒、召而匿之宮中。諸將入問疾。景公因韓厥之衆以脅諸將、而見趙孤。趙孤名曰武。諸將不得已、乃曰。昔下宮之難、屠岸賈爲之、矯以君命、并命羣臣。非然、孰敢作難。【考證】非然猶言不然、微君之疾、羣臣固且請立趙後。今君有命。羣臣之願也。於是召趙武·程嬰、

偏拜諸將。【考證】楓山、三條本、重諸將二字、說苑、將下有軍將軍三字、遂反與程嬰·趙武攻屠岸賈、滅其族、復與趙武田邑如故。【集解】徐廣曰、推次晉復與趙武田邑、是景公之十七年也、而乃是春秋成公八年、經書晉殺其大夫趙同趙括、左傳於此說立趙武事者、注云、終說之耳、非此年也、及趙武冠爲成人、【考證】國語晉語、載趙文子冠、見欒中行范郤韓智諸大夫事、史欲終程嬰事、故不錄、程嬰乃辭諸大夫、謂趙武曰。昔下宮之難、皆能死。我非不能死。我思立趙氏之後。今趙武既立、爲成人、復故位。我將下報趙宣孟與公孫杵臼。【考證】中井積德曰、下報、宜舉趙朔、不當指宣孟、趙武啼泣頓首、固請曰。武願苦筋骨以報子至死。而子忍去我死乎。程嬰曰。不可。彼以我爲能成事。故先我死。【考證】楓山、三條本、故作皆、新序、故下有皆字、今我不報、是以我事爲不成。遂自殺。趙武服齊衰三年、爲之祭邑、春秋祀之、世世勿絕。【集解】新序曰、程嬰公孫杵臼、可謂信友厚士矣、嬰之自殺下報、亦過矣、

【正義】今河東趙氏祠先人、猶別舒一座祭二士矣、【考證】趙翼曰、春秋魯成八年、晉殺其大夫趙同趙括、左傳謂趙嬰通趙朔之妻莊姬、趙同趙括放諸齊、莊姬以嬰之亡故、譖同括於晉景公曰、將爲亂、公乃殺之、武趙武莊姬子也、從姬氏畜於公宮、以其田與祁奚、韓厥言於公曰、成季之勳、宣孟之忠、而無後、爲善者懼矣、乃立武而返其田焉、左傳敍趙氏之事如此而已、國語趙簡之之孫鄴無恤進曰、昔先主少罹於難、從姬氏畜於公宮、智伯諫智襄子亦曰、趙有孟姬之讒、又韓獻子曰、昔吾畜於趙氏、孟姬之讒、吾能違兵、是皆謂莊姬之譖殺同括、竝無所謂屠岸賈也、里克殺奚齊卓子時、曾令屠岸夷告重耳、欲立之、屠岸之姓、始見此、其後亦未有姓屠岸之人仕於晉者、卽史記晉世家亦云、景公十七年、誅趙同趙括族滅之、韓厥言趙衰趙盾之功、乃復令趙庶子武爲趙氏後、復與之邑、是亦尚與左傳國語相合、無所謂屠岸賈也、乃於趙世家忽云、屠岸賈爲景公司寇、將誅趙氏、先告韓厥、厥不肯、而陰使趙朔出奔、朔不肯、曰、子必不絕趙氏、賈果殺朔及同括嬰齊、朔之妻成公姊、有遺腹、走匿公宮、後免身、賈聞之、又索於宮中、朔妻置兒袴內、不啼、乃得免、朔之客程嬰公孫杵臼、恐賈復索、杵臼乃取他兒僞爲趙氏孤、匿山中、使嬰出率賈之兵入山殺之、併及杵臼、而嬰實匿趙氏眞孤、十五年、韓厥爲言於景公、立之爲趙氏後、卽武也、武與嬰乃殺賈、亦滅其族、而嬰亦自殺、以報杵臼於地下、按春秋經文及左國、俱但云晉殺趙同趙括、未嘗有趙朔也、其時朔已死、故其妻通於嬰、而同括逐嬰、史記謂朔與同括同日被殺、已屬互異、武從姬氏畜於公宮、則被難時已有武、竝非莊姬入宮後始生、而史記謂是遺腹子、又異、以理推之、晉景公竝未失國政、朔妻其姊也、公之姊既在宮生子、賈何人輒敢向宮中索之、如曹操之收伏后乎、況其時尚有欒武子知莊子范文子及韓獻子共主國事、區區一屠岸賈、位非正卿、官非世族、乃能逞威肆一至此乎、且史記之說武爲莊

姬所生、則武乃趙氏嫡子也、而晉世家又以爲庶子、晉世家亦謂景公十七年殺同括、仍復趙武邑、晉年表、於景十七年、亦言復趙武田邑、而趙世家亦謂十五年後、則其一手所著書、已自相矛盾、益可見屠岸賈之事出於無稽、而遷之採摭荒誕不足憑也、史記諸世家、多取左傳國語以爲文、獨此一事不用二書、而獨取異說、而不自知其牴牾、信乎好奇之過也、梁玉繩曰、案下宮之事、左成八年疏、史通申左篇、竝以史爲繆、後儒歷辨其誣、惟劉向取入說苑復恩新序節士、皇極經世依世家書之前編分載、賈殺趙朔、在周定王十年、趙姬譖殺原屛、在簡王三年、皆不足據也、匿孤報德、視死如歸、乃戰國俠士刺客所爲、春秋之世、無此風俗、則斯事固妄誕不可信、而所謂屠岸賈程嬰杵臼、恐亦無其人也、

趙氏復位十一年、而晉厲公殺其大夫三郤。【考證】殺三郤、成十七年春秋經傳、三郤、郤錡郤犨郤至、欒書畏及、乃遂弑其君厲公。更立襄公曾孫周。是爲悼公。【集解】徐廣曰、年表云、襄公孫也、【索隱】晉系家、襄公少子名周、【考證】成十八年左傳、古鈔本、及作反、無乃字、楓山、三條本、無及乃遂三字、張照曰、晉世家云、悼公周者、其大父捷、襄公少子也、與此同、與索隱不符、年表亦無曾字、與此異、晉由此大夫稍彊。趙武續趙宗二十七年、晉平公立。【考證】平公立、襄十八年左傳、平公十二年、而趙武爲正卿。【考證】梁玉繩曰、案左襄二十五年、趙文子爲政、是平公十年、此誤、楓山、三條本、公下有立、十三年、吳延陵季子使於晉。

曰。晉國之政、卒歸於趙武子·韓宣子·魏獻子之後矣。【考證】襄二十九年左傳、梁玉繩曰、季札之聘、在平公十四年、此誤作十三年、武子乃文子之誤、然三子見存、不應稱謚、史詮云、武子宣子獻子六字衍、趙武死。謚爲文子。文子生景叔。【索隱】系本云、景叔名成、【考證】梁玉繩曰、左傳曰趙成子、景叔之時、齊景公使晏嬰於晉。【集解】徐廣曰、平公之十九年、晏嬰與晉叔向語。嬰曰、齊之政後卒歸田氏。叔向亦曰、晉國之政、將歸六卿。六卿侈矣。而吾君不能恤也。【考證】齊景公以下、昭三年左傳、趙景叔卒。生趙鞅。是爲簡子。【考證】楓山、三條本、爲下有趙字、趙簡子在位。晉頃公之九年、簡子將合諸侯戍于周。【考證】簡子將合諸侯、昭二十五年左傳、楓山、三條本、合作令、與左傳合、其明年、入周敬王于周。辟弟子朝之故也。【考證】昭二十六年春秋經傳、古鈔本、辟作避、晉頃公之十二年、六卿以法誅公族祁氏·羊舌氏、分其邑爲十縣。六卿各令其族爲之大夫。

【考證】昭二十八年左傳、梁玉繩曰、十大夫不皆六卿之族、說在晉世家、晉公室由此益弱。後十三年、魯賊臣陽虎來奔。趙簡子受賂、厚遇之。【考證】定九年左傳云、陽虎自齊奔宋、遂奔晉、適趙氏、未嘗云趙氏受賂、古鈔本、受下無賂字、趙簡子疾。五日不知人。大夫皆懼。醫扁鵲視之。出。董安于問。【集解】韋昭曰、安于、簡子家臣、【考證】古鈔本、三條本、簡下有扁鵲二字、與扁鵲傳合、扁鵲曰、血脈治也。而何怪。在昔秦繆公嘗如此。七日而寤。寤之日、告公孫支與子輿曰、【索隱】二子、秦大夫、公孫支、子桑也、【考證】梁玉繩曰、索隱于扁鵲傳云、子輿未詳、余謂即子車氏也、子車三良、秦紀、作子輿、孟子字子輿、亦作子車、我之帝所甚樂。【考證】岡白駒曰、帝、天帝也、吾所以久者、適有學也。帝告我。晉國將大亂。五世不安。【正義】謂受帝敎命也、【考證】扁鵲傳、有下有所字、梁玉繩曰、五世當是三世、蓋晉獻公惠公懷公也、此與扁鵲傳同誤、其後將霸。未老而死。霸者之子且令。而國男女無別。【考證】令字句、言霸者之子、將代父令于諸侯也、梁玉繩曰、案下文亦言襄公縱淫、攷左傳、不見晉襄縱淫無別事、蓋與扁鵲傳同妄、公孫支書

而藏之。秦讖於是出矣。【考證】扁鵲傳、讖作策、矣作夫、秦穆夢游事、又見封禪書、顧炎武曰、趙世家、扁鵲言秦穆公寤而述上帝之言、公孫支書而藏之、秦讖於是出矣、秦本紀、燕人盧生、使入海邊以鬼神事、因奏錄圖書曰、亡秦者胡也、然則讖記之興、實始於秦人、而盛於西京之末也、獻公之亂、文公之霸、而襄公敗秦師於殽。而歸縱淫。此子之所聞。今主君之疾與之同。不出三日疾必閒。閒必有言也。【考證】閒、愈也、居二日半、簡子寤。語大夫曰、我之帝所、甚樂。與百神游於鈞天。廣樂九奏、萬舞、不類三代之樂。【正義】淮南子、中央曰鈞天、【考證】列子周穆王篇、淸都紫微、鈞天廣樂、帝之所居、愚按、廣樂、樂名、九奏既以數言、則萬舞、亦可以數言、與詩萬舞異、其聲動人心。有一熊欲來援我。【考證】扁鵲傳、無人字、古鈔本、無來字、與傳及藝文類聚合、帝命我射之。中熊。熊死。又有一羆來。我又射之。中羆。羆死。帝甚喜、賜我二笥。皆有副。吾見兒在帝側。帝屬我一翟犬曰、及而子之壯也、以賜之。【考證】而、汝也、帝告我、晉

國且世衰。七世而亡。【正義】謂晉定公出公哀公幽公烈公孝公靜公爲七世、靜公二年、爲三晉所滅、據此及年表、簡子疾、在定公十一年、嬴姓將大敗周人於范魁之西。【索隱】范魁、地名、不知所在、蓋趙地、【正義】嬴、趙姓也、周人、謂衛也、晉亡之後、趙成侯三年、伐衛、取都鄙七十三、是也、賈逵云、川阜曰魁也、【考證】梁玉繩曰、其事無攷、當屬妄言、正義以趙成公伐衛實之、謬矣、而亦不能有也。今余思虞舜之勳、適余將以其冑女孟姚、配而七世之孫。【索隱】即娃嬴、吳廣之女、姚姓、孟、字也、七代孫、武靈王也、【考證】扁鵲傳、無今余至之孫二十一字、梁玉繩曰、案簡子至武靈王十世、此譌七字、論衡紀妖篇、是十世也、董安于受言而書藏之、以扁鵲言告簡子。簡子賜扁鵲田四萬畝。【考證】趙簡子疾以下、又見扁鵲傳、他日簡子出。有人當道。辟之不去。從者怒、將刃之。當道者曰、吾欲有謁於主君。從者以聞。簡子召之。曰。譆、吾有所見子晰也。【索隱】簡子見當道者、乃寤曰、譆、是吾前夢所見、知其名曰子晰者、【考證】陳仁錫曰、晰、明也、見子晰、謂夢中明見子爾、索隱誤、顧炎武曰、晰者分明之意、愚按、徐孚遠錢大昕說同、當道者曰、屏左右。願有謁。簡子屏

人。當道者曰。主君之疾、臣在帝側。【考證】古鈔本、三條本、疾下有曰者二字、簡子曰。然。有之。子之見我、我何爲。【考證】崔適曰、各本重我字、衍也、當道者曰。帝令主君射熊與羆。皆死。簡子曰。是且何也。當道者曰。晉國且有大難。主君首之。帝令主君滅二卿。夫熊與羆、皆其祖也。【正義】范氏中行氏之祖也、簡子曰。帝賜我二笥。皆有副。何也。【正義】副、謂皆子姓也、當道者曰。主君之子、將克二國於翟。皆子姓也。【正義】謂代及智氏也、簡子曰。吾見兒在帝側。帝屬我一翟犬曰。及而子之長以賜之。夫兒何謂以賜翟犬。當道者曰。兒、主君之子也。翟犬者代之先也。主君之子、且必有代。及主君之後嗣、且有革政而胡服、【正義】今時服也、廢除裘裳也、【考證】張文虎曰、正義裘裳疑冠裳、幷二國於翟。【正義】武靈王略中山地、至寧葭、西略胡地至樓煩楡中、是也、簡子問其姓、而

延之以官。【正義】簡子問何姓、又延之以官也、當道者曰。臣野人。致帝命耳。遂不見。簡子書藏之府。異日姑布子卿見簡子。【集解】司馬彪曰、姑布姓、子卿字、【考證】荀子非相篇、古者有姑布子卿、今之世、梁有唐擧、相人之形狀顏色而知其吉凶妖祥、世俗稱之、古之人無有也、學者不道也、韓詩外傳卷九、載子卿相孔子事、簡子徧召諸子相之。子卿曰。無爲將軍者。簡子曰。趙氏其滅乎。子卿曰。吾嘗見一子於路。殆君之子也。簡子召子毋卹。毋卹至、則子卿起曰。此眞將軍矣。簡子曰。此其母賤、翟婢也。奚道貴哉。子卿曰。天所授、雖賤必貴。自是之後、簡子盡召諸子與語。毋卹最賢。簡子乃告諸子曰。吾藏寶符於常山上。先得者賞。諸子馳之常山上。求無所得。毋卹還曰。已得符矣。簡子曰。奏之。毋卹曰。從常山上臨代。代可取也。【正義】地道記云、恒山在上曲陽縣西北百四十里、北行四百五十里、得

恒山岋號飛狐口、北則代郡也、簡子於是知毋卹果賢、乃廢太子伯魯、而以毋卹爲太子。【考證】梁玉繩曰、簡子、大夫也、而稱其子爲太子、可乎、愚按、繹史八十七云、韓詩外傳、趙簡子大子名伯魯、小子名無恤、簡子自爲一書牘曰、節用聽、敬賢勿慢、使能勿賤、親自表之、與二子使誦之、三年、簡子坐清臺之上、問二書所在、伯魯亡其表、令誦、不能得、無恤出其書於袖、令誦、習焉、乃出伯魯而立無恤、是爲襄子、與史異、繹史注云、通鑑本此、今本無、後二年、晉定公之十四年、范·中行作亂。【考證】梁玉繩曰、案陽虎奔晉、在定十一年、則當作後三年、余有丁曰、范中行氏、因邯鄲午而作亂、其說見下、此先言之、誤、明年春、簡子謂邯鄲大夫午曰。歸我衞士五百家。吾將置之晉陽。【集解】服虔曰、往年趙鞅圍衞、衞人恐懼、故貢五百家、鞅置之邯鄲、又欲更徙於晉陽、【考證】士、淩本、作氏、左傳、作貢、邯鄲、故衞邑、後屬晉、戰國時趙肅侯都此、今直隸廣平府邯鄲縣西南有邯鄲故城、俗名趙王城、晉陽、簡子邑、今山西太原府陽曲縣、集解服說、依定十年左傳、午許諾。歸而其父兄不聽。倍言。【集解】服虔曰、午之諸父兄、及邯鄲中長老、【考證】中井積德曰、其字不可誣、注、邯鄲長老誤、趙鞅捕午、因之晉陽。乃告邯鄲人曰。我私有誅午也。諸君欲誰立。【集解】杜預曰、午、趙鞅同族、別封邯鄲、故使邯鄲人更立午宗親也、

【考證】左傳、作二三子唯所欲立、遂殺午。趙稷·涉賓、以邯鄲反。【集解】服虔曰、稷、午子、晉君使籍秦圍邯鄲。【集解】【索隱】左傳曰、籍秦、此時爲上軍司馬、據系本、晉大夫籍游之孫、籍談之子、荀寅·范吉射、【索隱】范氏、晉大夫隰叔之子、士蔿之後、蔿生成伯缺、缺生武子會、會生文叔燮、燮生宣叔匄、匄生獻子鞅、鞅生吉射、與午善。【集解】左傳曰、午、荀寅之甥、荀寅、范吉射之姻、不肯助秦、而謀作亂。董安于知之。十月、范·中行氏伐趙鞅。【索隱】系本云、晉大夫逝遨生桓伯林父、林父生宣伯庚宿、庚宿生獻伯偃、偃生穆伯吳、吳生寅、本姓荀、自荀偃將中軍、晉改中軍曰中行、因氏焉、元與智伯同祖逝遨、故智氏亦稱荀、【正義】按會食邑於范、因爲范氏、又中行寅本姓荀、自荀偃將中軍、爲中行、因號中行氏、元與智氏同承襲逝遨、姓荀氏、【考證】左傳、十月作七月、鞅奔晉陽。晉人圍之。范吉射·荀寅仇人魏襄等、謀逐荀寅、以梁嬰父代之。【集解】賈逵曰、梁嬰父、晉大夫也、【考證】魏襄下當依左傳補子字、襄子、魏舒孫曼多也、左傳云、韓簡子與中行文子相惡、魏襄子與范昭子相惡、中行文子卽荀寅、范昭子、卽范吉射、逐吉射、以范皐繹代之。【集解】服虔曰、范氏之側室子、【考證】左傳、皐繹作皐夷、荀櫟【集解】服虔曰、荀櫟、智文子、【索隱】系本云、逝遨生莊子首、首生武子罃、罃生莊子朔、朔生悼子盈、盈生文子櫟、櫟生宣子申、申生智伯瑤、【考證】各本及左

傳、櫟作躒、今從索隱正義本、言於晉侯曰。君命、大臣始亂者死。今三臣始亂。[集解]賈逵曰、范、中行、趙也、[考證]先始禍亂者、不問是非、當死、而獨逐鞅。用刑不均。請皆逐之。十一月、荀櫟・韓不佞・[索隱]韓簡子、[正義]韓簡子也、本作佞也、[考證]正義本、不佞作不信、與晉世家及左傳合、魏哆、[索隱]魏簡子、系本名取、[考證]魏哆即魏曼多也、沈家本曰、魏世家索隱、引世本作襄子多、此注誤、奉公命以伐范・中行氏。不克。范・中行氏反伐公。公擊之。范・中行敗走。丁未、二子奔朝歌。[索隱]范吉射、荀寅也、[考證]河南衛輝府淇城東北、韓・魏以趙氏爲請。[集解]服虔曰、以其罪輕於荀范也、[正義]按趙鞅被范中行伐、乃奔晉陽、以其罪輕、故韓魏爲請晉君、而得入絳、十二月辛未、趙鞅入絳、盟于公宮。[考證]明年春以下、定十三年左傳、絳、晉都、其明年、知伯文子謂趙鞅曰。范・中行雖信爲亂、安于發之。是安于與謀也。晉國有法。始亂者死。夫二子已伏罪、而安于獨在。[考證]知伯文子、荀櫟也、定十三年左傳云、范中行將作亂、董安于聞之告趙孟曰、先備諸、趙孟曰、晉國

有命、始禍者死、爲後可也、安于曰、與其害民、寧我獨死、請以我說、蓋安于私爲趙氏備、故文子誣以先發難也、趙策所謂城郭完、府庫倉廩實、垣皆以狄蒿楛楚牆之、室皆以鍊銅爲柱者、亦安知非當日所施設乎、趙鞅患之。安于曰。臣死、趙氏定、晉國寧、吾死晚矣。遂自殺。趙氏以告知伯、然後趙氏寧。[考證]以上定十四年左傳、傳又云、趙氏定、祀安于於廟、孔子聞趙簡子不請晉君而執邯鄲午保晉陽、故書春秋曰。趙鞅以晉陽畔。[考證]定十三年春秋云、秋、晉趙鞅入于晉陽以叛、趙簡子有臣、曰周舍。好直諫。周舍死。簡子每聽朝、常不悅。大夫請辠。簡子曰。大夫無罪。吾聞千羊之皮、不如一狐之腋。諸大夫朝、徒聞唯唯。不聞周舍之鄂鄂。是以憂也。[集解]韓詩外傳曰、周舍立於門下三日三夜、簡子使問之曰、子欲見寡人何事、對曰、願爲鄂鄂之臣、墨筆操牘、從君之過、而日有所記、月有所成、歲有所效也、[正義]鄂鄂、直也、簡子由此能附趙邑、而懷晉人。晉定公十八年、趙簡子圍范・中行于朝歌。[考證]圍朝歌、哀元年左傳、中行文子

奔邯鄲。[索隱]荀寅也、[考證]梁玉繩曰、案左哀三年、荀寅奔邯鄲、乃晉定二十年、明年、衛靈公卒。簡子與陽虎送衛太子蒯聵于衛。衛不內。居戚。[正義]括地志云、故戚城、在相州澶水縣東三十里、杜預云、戚、衛邑、在頓丘縣西有戚城、是也、[考證]哀二年左傳、晉定公二十一年、簡子拔邯鄲。中行文子奔柏人。[考證]哀四年左傳、今直隸順德府唐山縣西、有柏人故城、簡子又圍柏人。中行文子・范昭子遂奔齊。[索隱]范吉射也、[考證]哀五年左傳、沈家本曰、表在二十二年、與左傳合、趙竟有邯鄲・柏人。范・中行餘邑、入于晉。趙名晉卿、[考證]古鈔本、楓山、三條本、趙下有鞅字、名下有爲字、實專晉權。奉邑侔於諸侯。晉定公三十年、定公與吳王夫差爭長於黃池。趙簡子從晉定公。卒長吳。[考證]事見哀十三年左傳、長吳、依國語吳語、黃池、今河南開封府邱縣西南、說見吳世家、定公三十七年卒。而簡子除三年之喪、期而已。[考證]沈家本曰、按此文謂簡子於君死而不爲三年之喪、降爲期也、顧炎武曰、除三年之喪、期而已、此因哀二十年左傳趙孟降於喪食之文、而誤爲之解、本無此事、兪樾曰、此

簡子不成禮於其君、猶魯悼公之喪、孟敬子曰我則食食也、禮檀弓篇史公所載自有所本、下又云、趙襄子元年、越圍吳、襄子降喪食、使楚隆問吳王、則史公原未嘗誤解左傳也、是歲、越王句踐滅吳。[考證]梁玉繩曰、依左傳、是歲越圍吳、滅字必圍字之誤、否則下文書越圍吳、何以此先言滅吳邪、晉出公十一年、知伯伐鄭。趙簡子疾。使太子毋卹將而圍鄭。知伯醉、以酒灌擊毋卹。毋卹羣臣請死之。毋卹曰。君所以置毋卹、爲能忍詢。然亦慍知伯。知伯歸、因謂簡子使廢毋卹。簡子不聽。毋卹由此怨知伯。[考證]梁玉繩曰、是時簡子已久死、卿之子亦不得稱太子、襄子之怨知伯、左傳末篇所載甚明、曷嘗有謂簡子使廢襄子之事、此與六國表並誤、至灌酒一節、左傳末篇亦無其事、史公或別有據、故說苑亦載之也、愚按、淮南子道應訓、趙簡子以襄子爲後、董閼于曰、無卹賤、今以爲後、何也、簡子曰、是爲人也、能爲社稷忍羞、異日知伯與襄子飲、而批襄子之首、大夫請殺之、襄子曰、先君之立我也、曰能爲社稷忍羞、豈曰能刺人哉、處十月、知伯圍襄子於晉陽、襄子疏隊而擊之、大敗知伯、破其首以爲飲器、其事與史公所記粗同、淮南先於史記、又見於說苑建本、晉出公十七年、簡子卒。[集解]張華曰、趙簡子冢、在臨水界、二冢併、上氣成樓閣、[考證]梁玉繩曰、簡子卒于晉定三十六年、非出公十七年也、此與表同誤、所可怪者、後文云、趙襄子元年、越圍吳、襄子

降喪食、使楚隆問吳王、圍吳之事、在晉定三十七年、襄子初嗣爲晉卿、所言固不誤也、何以此書簡子卒于出公十七年、自相牴牾、正義亦疏舛、太子毋卹代立。是爲襄子。趙襄子元年、越圍吳。〔正義〕年表及趙世家云、左傳越滅吳、在簡子三十五年、已在襄子元年前十五年矣、何得更有越圍吳之事、從此以下、至問吳王、是三十年事、文脫誤在此耳、〔考證〕中井積德曰、世家年表不相合、而此注尤多錯誤、襄子降喪食、使楚隆問吳王。〔正義〕左傳云、哀公二十年、簡子死、襄子嗣立、以越圍吳、故降父之祭饌、而使楚隆慰問王、爲哀公十三年、簡子在黃池之役、與吳王質言曰、好惡同之、故減祭饌、及問吳王也、而趙世家及六國年表云、此年晉定公卒、簡子除三年之喪服、朞而已、按簡子死、及使吳、年月皆誤、與左傳文不同、〔考證〕越圍吳以下、哀二十年左傳、但事在晉定三十七年、襄子服簡子喪時、中井積德曰、喪之食已惡、今爲吳又降一等也、左傳可徵、襄子姊前爲代王夫人。簡子既葬、未除服。北登夏屋、〔集解〕徐廣曰、山在廣武、〔正義〕括地志云、夏屋山、一名賈屋山、今名賈母山、在代州鴈門縣東北三十五里、夏屋與句注山相接、蓋北方之險、亦天下之阻路、所以分別內外也、〔考證〕夏屋山、在今山西代州、請代王、使厨人操銅枓、〔正義〕音斗、其形方有柄、取斟水器、說文云、勺也、〔考證〕張儀傳枓作斗、酌酒器、古鈔本請上有誘字、以食代王及從者。行斟。〔考證〕方苞曰、及從者爲句、行斟爲句、行斟、謂羹汁、張儀傳所謂進熱啜者也、陰令宰人各以

枓擊殺代王及從官。〔集解〕徐廣曰、各、一作雒、〔正義〕各、音洛、〔考證〕張照曰、徐廣云、一作雒、則以雒爲宰人名也、蓋以枓擊殺代王者、猶寘劍魚中之類、代王既死、其從官之被殺、固不必問其用何器、寧有令庖人盡持枓以爲戰具之理耶、愚按、宣六年公羊傳云、熊蹯不熟、靈公怒以斗擊膳宰而殺之、與此事相類、中井積德曰、厨人宰人無別、從者從官正同、不知何故異其文、遂與兵平代地。其姊聞之、泣而呼天、摩笄自殺。代人憐之、所死地、名之爲摩笄之山。〔正義〕笄、今簪也、括地志云、摩笄山一名磨笄山、亦名爲山、在蔚州飛狐縣東北百五十里、魏土地記云、代郡東南二十五里、有馬頭山、趙襄子既殺代王、使人迎其婦、代王夫人曰、以弟慢夫、非仁也、以夫怨弟、非義也、磨笄自刺而死、使者遂亦自殺、〔考證〕承上文襄子常山臨代、以結夢占、摩磨也、呂覽長攻篇云、趙簡子病、召太子而告之曰、我死、已葬、服衰而上夏屋之山以望、太子敬諾、簡子死、已葬、襄子上於夏屋以望代俗、其樂甚美、於是襄子曰、先君必以此教之也、及歸、慮所以取代、代君好色、以其姊妻之、所以善代者萬故、謁於代君觴之、先令舞者置兵羽中數百人、先具大金斗、代君至、酒酣、反斗而擊之、一成腦塗、舞者操兵以鬪、盡殺其從者、其妻遙聞之、磨笄以自刺、故趙氏至今有刺笄之證與反斗之號、又見于國策燕策、及史張儀傳、與此小異、遂以代封伯魯子周、爲代成君。伯魯者、襄子兄、故太子。太子蚤死。故封其子。〔考證〕中井積德曰、伯魯初爲太子、廢而死也、此文欠分曉、襄子立四

年、知伯與趙·韓·魏盡分其范·中行故地。〔考證〕古鈔本、盡下有共字、分下無其字、梁玉繩曰、晉世家、事在晉出公十七年、此與六國表竝誤、其字衍、晉出公怒、告齊·魯、欲以伐四卿。四卿恐、遂共攻出公。出公奔齊。道死。〔考證〕梁玉繩曰、奔齊時、出公未死、知伯乃立昭公曾孫驕。是爲晉懿公。〔索隱〕或作哀公、其大父名雍、卽昭公少子、號戴子也、知伯益驕、請地韓·魏。韓·魏與之。請地趙。趙不與。〔考證〕知伯益驕以下、見韓非十過、國策趙策、以其圍鄭之辱。〔考證〕事見上、知伯怒、遂率韓·魏攻趙。趙襄子懼、乃奔保晉陽。〔考證〕韓非十過、國策趙策、原過從後、至於王澤。〔正義〕括地志云、王澤、在絳州正平縣南七里也、見三人。自帶以上可見。自帶以下不可見。與原過竹二節莫通曰。爲我以是遺趙毋卹。原過既至、以告襄子。襄子齊三日、親自剖竹。有朱書曰。趙毋卹。余霍泰山山陽侯天使也。〔集解〕徐廣曰、在河東永安縣、〔考證〕凌稚隆

曰、與前霍泰山爲崇遠應、愚按、語氣與始皇本紀相似、梁玉繩曰、論衡紀妖篇作余霍太山山陽侯天子、與此同、譌、當依風俗通卷一作余霍太山陽侯大吏、三月丙戌、余將使女反滅知氏。女亦立我百邑。余將賜女林胡之地。至于後世、且有伉王、赤黑、龍面而鳥噣、鬢麋髭頫、大膺大胷、〔考證〕各本、赤作亦、今從宋本毛本、風俗通、作赤、岡白駒曰、伉王、蓋謂武靈王也、噣、喙也、麋、與眉同、頫、頰鬚也、膺、亦胸也、脩下而馮、左衽界乘、〔集解〕徐廣曰、脩、或作隨、界一作介、〔正義〕馮、音憑、依也、左衽、胡服也、界、卽介也、乘馬被甲、〔考證〕風俗通六國篇、作脩下而馮上、左衽介乘、李笠曰、馮下、當依風俗通補上字、上句大膺大胷、對擧、下句左衽介乘亦對擧、此句亦當以脩下與馮上對也、上文龍面而鳥噣、與此句同一例、文選吳都賦、洲渚馮隆、劉注、馮隆、高貌、蓋謂伉王下體長而上體高耳、方苞曰、介、甲也、此指武靈王變服習騎射事、左衽、變服也、介乘、謂甲而乘馬習射、奄有河宗、〔正義〕穆天子傳云、河宗之子孫則栢絮、按蓋在龍門河之上流、嵐勝二州之地也、至于休溷諸貉、〔正義〕音陌、自河宗休溷諸貉、乃戎狄之地也、南伐晉別、〔正義〕趙南伐晉之別邑、謂韓魏之邑也、北滅黑姑。〔正義〕亦戎國、〔考證〕中井積德曰、是讖果有之邪、武靈王變服時、宜首擧是讖以神其事、而無一言及于此矣、可見造是讖者、更在後世也、襄子再拜、受三神之令。〔考證〕岡白駒曰、原過所見三人、故云三神、

三國攻晉陽歲餘。【考證】趙策、歲餘、作三年、引汾水灌其城。【考證】梁玉繩曰、國語但云、襄子走晉陽、圍而灌之、不言何水、韋注、依此以爲汾水、魏世家、依國策以爲晉水、尚書疏證六云、李宏憲疑莫能定、不知二水皆是也、蓋知伯決晉水以灌城、至今猶名知伯渠、然亦豈有舍近而且大之汾水、不引以并注者乎、盧學士云、晉水注于汾水、汾水之所經廣矣、此云汾水、雖不可謂誤、而晉水尤與晉陽爲切近、城不浸者三版。【正義】何休云、八尺曰版、【考證】胡三省曰、高二尺爲一版、三版六尺、城中懸釜而炊、易子而食。【考證】國語晉語云、沈竈產鼃、民無叛意、國策趙策云、城不沒者三板、臼竈生鼃、人馬相食、又云、城中巢居而處、懸釜而炊、財食將盡、士卒病羸、淮南人間訓云、城下緣木而處、縣釜而炊、皆不云易子而食、四字史公以意加之、羣臣皆有外心。禮益慢。唯高共不敢失禮。【集解】徐廣曰、共、一作赫、【考證】羣臣以下、韓非子難一、淮南人間訓、梁玉繩曰、徐廣共作赫、是也、韓子淮南子說苑及人表竝作赫、呂覽義賞篇作高赦、愚按、赫赦以形似譌、襄子懼、乃夜使相張孟同私於韓·魏。【索隱】按戰國策、作張孟談、談者史遷之父名、遷例改爲同、韓·魏與合謀、以三月丙戌、三國反滅知氏、共分其地。【考證】三晉滅知伯、詳于國策趙策、韓非子十過、淮南子人間訓、但三月丙戌、未詳史所本、於是襄子行賞。高共爲上。張孟同曰。晉陽

之難、唯共無功。襄子曰、方晉陽急、羣臣皆懈。惟共不敢失人臣禮。是以先之。【考證】襄子行賞以下、依韓非子難一、淮南子人間訓、張孟談作羣臣、於是趙北有代、南并知氏、彊於韓·魏。遂祠三神於百邑、使原過主霍泰山祠祀。【正義】括地志云、三神祠、今名原過祠、今在霍山側也、其後娶空同氏。【正義】括地志云、崆峒山、在肅州福祿縣東南六十里、古西戎地、又原州平高縣西百里、亦有崆峒山、卽黃帝問廣成子道處、俱是西戎地、未知孰是、【考證】楓山三條本、氏下有女字、生五子。襄子爲伯魯之不立也、不肯立子。且必欲傳位與伯魯子代成君。成君先死。乃取代成君子浣、立爲太子。【索隱】代成君、名周、伯魯之子、系本云、代成君子起、卽襄子之子、不云伯魯、非也、【考證】王維楨曰、趙襄子舍子不立、立其姪之子、以忿兄不立之故也、襄子立三十三年卒。浣立。是爲獻侯。【考證】梁玉繩曰、襄子五十一年卒、此與表作三十三年者、誤以十八年益簡子也、又獻侯是追尊、不當稱侯、獻侯少卽位、治中牟。【集解】地理志曰、河南中牟縣、趙獻侯自耿徙此、瓚曰、中牟、在春秋之時、是鄭之疆內也、及三卿分晉、則在魏之邦土也、趙界自漳水以北、不及此、春秋傳曰、

衞侯如晉過中牟、按中牟非衞適晉之次也、汲郡古文曰、齊師伐趙東鄙、圍中牟、此中牟不在趙之東也、按中牟、當漯水之北、【索隱】此趙中牟、在河北、非鄭之中牟、【正義】按五鹿、在魏州元城縣東十二里、鄴卽相州蕩陰縣西五十八里、有牟山、蓋中牟邑、在此山側也、【考證】中牟、今河南蕩陰縣、襄子弟桓子、逐獻侯自立於代。一年卒。【索隱】系本云、襄子子桓子、與此不同、國人曰。桓子立、非襄子意。乃共殺其子而復迎立獻侯。十年、中山武公初立。【集解】徐廣曰、西周桓公之子、桓公者、孝王弟、而定王子、【索隱】按中山、古鮮虞國、姬姓也、系本云、中山武公居顧、桓公徙靈壽、爲趙武靈王所滅、不言誰之子孫、徐廣云、西周桓公之子、亦無所據、蓋未能得其實耳、【考證】王應麟曰、中山、春秋時爲鮮虞、定四年傳、中山不服、中山之名、始見于此、魏文侯使樂羊取之、及武侯之世、趙世家書與中山戰于房子、是時蓋已復國、其後與諸國竝稱王、其勢又強矣、梁玉繩曰世家年表、皆書武公初立、乃至是始稱公、立號謚、其後爲趙武靈所滅、故附于趙也、十三年、城平邑。【集解】地理志曰、代郡有平邑縣、【考證】今直隸大名府南樂縣、十五年、獻侯卒。子烈侯籍立。烈侯元年、魏文侯伐中山、使太子擊守之。六年、魏·韓·趙皆相立爲諸侯。【考證】周本紀云、威烈王二十三年、九鼎震、命韓魏趙爲諸侯、晉世家、賜趙韓魏、皆命爲諸侯、而趙世家則云、魏韓趙皆命爲諸侯、韓魏楚鄭各世家、皆但云、列爲諸侯、

一云受天子命、一云相立、不同、蓋依國史所記也、崔述曰、三晉之列爲侯、據周本紀年表三晉世家、皆在威烈王之二十三年、而楚世家則在簡王八年、當周威烈王之二年、於韓爲武子、於趙爲桓子、則史記之年、亦不能保其必無誤矣、竊疑三晉之僭侯、非一年之事、趙最强、故僭最先、魏次强、故次僭、韓最弱、故僭最後耳、蓋不但威烈之命、爲莫須有之事、卽趙世家謂烈侯六年相立爲諸侯、亦恐係後人揣度之詞、未盡當時之事理也、愚按、說又見周本紀、追尊獻子爲獻侯。烈侯好音。謂相國公仲連曰。寡人有愛。可以貴之乎。公仲曰。富之可。貴之則否。烈侯曰。然。夫鄭歌者槍·石二人。【索隱】槍、七羊反、槍與石、二人名、吾賜之田人萬畝。公仲曰。諾。不與。居一月、烈侯從代來、問歌者田。公仲曰。求未有可者。有頃、烈侯復問。公仲終不與。乃稱疾不朝。番吾君自代來。【集解】徐廣曰、番、音盤、常山有番吾縣、【正義】括地志云、番吾故城、在恆州房山縣東二十里、番、蒲、古今音異耳、【考證】今直隸正定府平山縣、謂公仲曰。君實好善、而未知所持。今公仲相趙、於今四年。亦有進士乎。【考證】李笠曰、番君對言公仲、不當指斥其名、仲字衍、愚按、上今字亦衍、公仲曰。未

也。番吾君曰。牛畜·荀欣·徐越皆可。公仲乃進三人。及朝、烈侯復問、歌者田何如。公仲曰。方使擇其善者。牛畜侍烈侯以仁義、約以王道。烈侯逌然。【正義】逌、音由、古字與攸同、言牛畜以仁義約以王道、故止歌者田攸攸、氣行、貌寬緩也、【考證】岡白駒曰、逌然、顏色寬舒貌、蓋言能納而不拒也、 明日、荀欣侍、以選練擧賢、任官使能。明日、徐越侍、以節財儉用、察度功德、所與無不充。【考證】岡白駒曰、充、當也、 君說。烈侯使使謂相國曰。歌者之田且止。官牛畜爲師、荀欣爲中尉、徐越爲內史、【正義】漢書百官公卿表云、少府內史、周官、秦因之、掌治京師、【考證】中尉內史、趙官、不以秦漢官制說、 賜相國衣二襲。【集解】單複具爲一襲、【考證】梁玉繩曰、大事記、據番吾君謂公仲相趙四年之語、載此事周威烈王二十一年、趙烈侯四年、是也、此與表同誤在是歲、 九年、烈侯卒。弟武公立。【索隱】譙周云、系本及說趙語者、竝無其事、蓋別有所據、【考證】陳仁錫曰、公當作侯、 武公十三年卒。趙復立烈侯太子章。是爲敬侯。是歲、魏文侯卒。敬

侯元年、武公子朝作亂、不克。出奔魏。【考證】魏世家、朝作朔、黃式三曰、趙魏交兵、自此始、 趙始都邯鄲。二年、敗齊于靈丘。【集解】地理志曰、代郡有靈丘縣、【考證】靈丘、今山東東昌府高唐州、沈家本曰、表在九年、 三年、救魏于廩丘、大敗齊人。【考證】廩丘、今山東曹州府范縣東南、 四年、魏敗我兔臺。築剛平以侵衞。【正義】兔臺、剛平、竝在河北、 五年、齊·魏爲衞攻趙、取我剛平。六年、借兵於楚、伐魏取棘蒲。【正義】今趙州平棘縣、古棘蒲邑、【考證】今直隸趙縣、古棘蒲邑、 八年、拔魏黃城。【集解】杜預曰、陳留外黃縣東、有黃城、【正義】括地志云、故黃城、在魏州冠氏縣南十里、因黃溝爲名、按陳留外黃城、非隨所別也、【考證】四年以下、本國策齊策四蘇秦說齊閔王、黃城、在今山東冠縣南、 九年、伐齊。齊伐燕。趙救燕。【考證】梁玉繩曰、案此所書誤、幷有譌脫、趙敬侯七年、齊伐燕、取桑丘、三晉救燕、伐齊至桑丘、六國表及田完魏韓世家可證、若敬侯九年、雖有伐齊之事、乃因齊有喪、三晉共伐至靈丘、而與燕無涉也、田完世家正義兩引趙世家、一云伐齊至桑丘、一云伐齊至靈丘、而今本皆無之、故知傳寫脫誤耳、是當移書于八年以前、而補之曰、七年、齊伐燕、趙救燕、伐齊至桑丘、于九年補書曰、伐齊至靈丘、庶幾得之、 十年、與中山戰于房子。【正義】是趙州房子縣、【考證】直隸趙州臨城縣西北、

十一年、魏·韓·趙共滅晉、分其地。【考證】顧炎武曰、敬侯十一年、魏韓趙共滅晉、分其地、成侯十六年、與韓魏分晉、封晉君以端氏、此文重出、梁玉繩曰、是時但分其地、而未滅晉也、 伐中山、又戰於中人。【集解】徐廣曰、中山唐縣有中人亭、【正義】括地志云、中山故城、一名中人亭、在定州唐縣東北四十一里、春秋時鮮虞國之中人邑也、 十二年、敬侯卒。子成侯種立。成侯元年、公子勝與成侯爭立、爲亂。二年六月、雨雪。三年、太戊午爲相。【集解】徐廣曰、戊一作成、【考證】梁玉繩曰、人表作大成午、則戊乃成之譌、韓策、大成午從趙來、是也、愚按、韓非子、午作牛、亦字之譌也、 伐衞取鄉邑七十三。【考證】張文虎曰、表、鄉邑作都鄙、前范魁下正義引同、此疑誤、愚按、通鑑亦作都鄙、胡三省曰、周禮太宰、以八則治都鄙、注云、都之所居曰鄙、蓋周之制、四縣爲都、方四十里、一千六百井、積一萬四千四百夫、五都爲鄙、鄙五百家也、此時衞國褊小、若都鄙七十三、以成周之制率之、其地廣矣、盡衞之提封、未必能及此數也、更俟博考、 魏敗我藺。【正義】地理志云、屬西河郡也、【考證】今山西汾州府永寧州西、 四年、與秦戰高安。【正義】蓋在河東、 敗之。五年、伐齊于鄄。【正義】濮州鄄城縣是也、【考證】今山東曹州府濮州、 魏敗我懷。【考證】今河南懷慶府武陟縣、 攻鄭敗之、以與韓。韓與我長子。

【集解】地理志曰、上黨有長子縣、【考證】長子故城、在今山西潞安府長子縣西南、大事記解題云、鄭滅六年矣、安得復攻鄭、意者韓滅鄭之時、趙與有勞焉、至是韓始以地酬其功與、愚按、攻鄭敗之以與之、蓋追敍往事、長子故晉邑、是時屬韓、尤與趙近、 六年、中山築長城。伐魏敗涿澤。圍魏惠王。【正義】涿、音濁、徐廣云、長杜有濁澤、非也、括地志云、濁水源出蒲州解縣東北平地、爾時魏都安邑、韓趙伐魏、豈河南至長杜也、解縣濁水近於魏都、當是也、【考證】涿澤、凌本作涿澤、與表合、張文虎曰、魏一敗疑倒、梁玉繩曰、此及年表、俱書涿澤之戰於趙成侯六年、而魏世家在前一年、當以魏世家爲正、 七年、侵齊至長城。【正義】齊長城西頭、在濟州平陰縣、太山記云、太山西北有長城、緣河經太山、千餘里、瑯邪入海、括地志云、所侵處、在密州南三十里、【考證】六國表同、田齊世家、於齊威王烹阿大夫之後、書起兵擊趙、敗魏、魏請獻觀津、趙歸長城、與此異、 與韓攻周。八年、與韓分周以爲兩。【集解】徐廣曰、顯王二年、周紀無此、【正義】括地志云、史記周顯二年、西周惠公封少子班於鞏、爲東周、其子武公爲秦所滅、郭緣生述征記云、鞏縣、本周鞏伯邑、【考證】黃式三曰、周武王定鼎于郟鄏、卽河南、周公營之以爲都、是謂王城、復營洛陽之下都、以居殷民、是爲成周、以二者言之、王城西、而成周東也、平王東遷都王城、子朝之亂、敬王徙居成周、歷世因之、至考王乃以王城故地、封其弟桓公、以續周公之職、東之成周、王都之西之王城、桓公分治之、其權統之于王、桓公薨、其子威公代立、東西二都有隙、威公猶和解之、顯王二年、威公薨、韓魏乘之、帥師入寇、分周東西都、爲兩也、 九年、與齊戰阿下。【集解】徐廣曰、戰一作會

也、【正義】阿、東阿也、今濟州東阿縣也、【考證】呂祖謙曰、世家威王對即墨大夫烹阿大夫之後、諸侯莫敢致兵于齊二十餘年、雖未可盡信、然距阿下之會首尾纔五年耳、當從別本、十年、攻衛取甄。十一年、秦攻魏、趙救之石阿。【正義】蓋在石隰等州界也、【考證】石阿、當從秦本紀年表作石門、石門、山名、一名白徑嶺、在今山西解州東南、左右壁立、間不容軌、謂之石門、道通陝州、十二年、秦攻魏少梁。趙救之。【正義】少梁故城、在同州韓城縣南二十二里、古少梁國也、【考證】今陝西同州府韓城縣、十三年、秦獻公使庶長國伐魏少梁、虜其太子痤。【考證】楓山、三條本、國作圍、魏敗我澮、取皮牢。【集解】徐廣曰、魏年表曰、取趙皮牢、【正義】括地志云、澮水縣、在絳州翼城縣東南二十五里、按皮牢當在澮之側、【考證】澮出山西平陽府翼城、入汾、皮牢今河南彰德府武安縣西、少梁之役、秦虜魏太子、將公孫痤也、太子下有脫文、說在秦紀、成侯與韓昭侯遇上黨。【考證】昭侯當作懿侯、中井積德曰、遇者會儀之略者、上黨今山西潞安府、十四年、與韓攻秦。十五年、助魏攻齊。十六年、與韓魏分晉、封晉君以端氏。【集解】徐廣曰、在平陽、【正義】端氏、澤州縣也、【考證】梁玉繩曰、端氏之封、當在前敬侯十一年分晉之時、此誤書于成侯十六年也、下文肅侯元年、奪晉君端氏徙處屯留、亦是誤書、當在成侯五年、大事記亦以史爲誤、蓋三晉既分晉地、尙封晉孝公

以端氏一城、其後奪端氏而徙之屯留、猶得食屯留一城也、迨成侯十六年、鄭取屯留、于是晉孝公之子靜公、始夷于編戶、而爲家人矣、十七年、成侯與魏惠王遇葛孼。【集解】徐廣曰、在馬丘、年表曰、十八年、趙孟如齊、【正義】葛孼二城名、孼、魚桀反、【考證】梁玉繩曰、案表謂惠王十四年、與趙會鄗、魏世家同、爲成侯十八年、此書于十七年、誤、但一以爲葛孼、一以爲鄗、二處各異、蓋稱鄗者是、鄗本晉地、是時屬趙、故武靈王城鄗、魏表及世家俱言會鄗、可信、徐廣云、葛孼在馬丘、不知馬丘何地方、方輿紀要云、在曲周縣西、則與鄗遠、十九年、與齊宋會平陸。【正義】兗州縣也、平陸城、即古厥國、【考證】平陸、齊地、今山東兗州汶上縣、與燕會阿。【正義】括地志云、故葛城、一名依城、又名西阿城、在瀛州高陽縣西北五十里、以徐兗二水並過其西、又徂經其北曲曰阿、以齊有東阿、故曰西阿城、地理志云、瀛州屬河閒、趙分也、按燕會趙、即此地、【考證】張照曰、案水經、兗當作滱、張文虎曰、漢志無此文、阿、今山東兗州府陽穀縣、二十年、魏獻榮椽。因以爲檀臺。【集解】徐廣曰、襄國縣有檀臺、【索隱】劉氏云、榮椽、蓋地名、其中有一高處、可以爲臺、非也、按榮椽是良材可爲椽、斲飾有光榮、所以魏獻之、故趙因用之以爲檀臺、【正義】鄭玄云、榮、屋翼也、說文云、椽、榱也、屋梠之兩頭起者爲榮也、括地志云、檀臺、在洺州臨洺縣北二里、【考證】榮椽、正義是、二十一年、魏圍我邯鄲。二十二年、魏惠王拔我邯鄲。【考證】魏世家亦云、惠王十七年、圍趙邯鄲、十八年、拔邯鄲、二十年、歸邯鄲、與此同、田完世家、穰侯傳、年表亦並載無異、戰國策魏策亦云、惠

王伐趙、十萬之軍拔邯鄲、趙氏不割、而邯鄲復歸、邯鄲、趙國都也、國都既失、則其君託跡何所、呂氏春秋淫辭篇敍魏惠王事云、圍邯鄲三年、而弗能取、士卒罷路、國家空虛、蓋得其實矣、梁玉繩曰、其誤實自齊策來、孫臏傳言齊據大梁之衢、而魏去邯鄲、則此時邯鄲不降不拔明矣、齊亦敗魏於桂陵。【正義】括地志云、故桂城、在曹州乘縣東北二十一里、故老云、此即桂陵也、【考證】今山東曹州府荷澤縣東北、二十四年、魏歸我邯鄲、與魏盟漳水上。【考證】漳水、出山西潞安府長子縣、秦攻我藺。二十五年、成侯卒。公子緤與太子肅侯爭立。緤敗、亡奔韓。【索隱】系本云、肅侯名語、【考證】中井積德曰、宜曰太子語、肅侯元年、奪晉君端氏、徙處屯留。【正義】括地志云、屯留故城、在潞州長子縣東北三十里、本漢屯留縣城也、【考證】梁玉繩曰、事在成侯五年、說見上、二年、與魏惠王遇於陰晉。【正義】地理志云、華陰縣、魏之陰晉、秦惠文王更名寧秦、高帝更名華陰、今屬華州、【考證】今陝西同州府華陰縣、三年、公子范襲邯鄲。不勝而死。四年、朝天子。六年、攻齊拔高唐。【考證】今山東東昌府高唐州、七年、公子刻攻魏首垣。【正義】蓋在河北也、【考證】今直隸大名府長垣縣、十一年、秦孝公使商君伐魏、虜

其將公子卬。【考證】商君虜公子卬、呂氏春秋無義篇、梁玉繩曰、案事在十年、趙伐魏。十二年、秦孝公卒、商君死。十五年、起壽陵。【正義】徐廣云、在常山、【考證】顧炎武曰、古王者之葬、稱墓而已、左傳云、殽有二陵、其南陵夏后皐之墓也、書傳亦言桐宮湯墓、周官冢人、掌公墓之地、並言墓不言陵、及春秋以降、乃有稱丘者、趙武靈王墓謂之靈丘、而吳王闔閭之墓、亦名虎丘、蓋必其因山而高大者、故二三君之外無聞焉、史記趙世家、肅侯十五年起壽陵、秦本紀、惠文王葬公陵、悼武王葬壽陵、始有稱陵者、至漢則無帝不稱陵矣、愚按、壽陵、今生壙、古者帝王生時起之、後世臣民亦有倣之者、所謂壽藏壽冢、即是、後漢書趙岐自爲壽藏、圖季札子產晏嬰叔向四像居賓位、又自畫其像居主位、皆爲讚頌、勑其子曰、我死之日、墓中聚沙爲牀、布簟、白衣散髮、其上覆以單被、即日便下、下訖便掩坎、侯覽、豫作壽冢、石郭雙闕、高廡百尺、事又見趙氏陔餘叢考、魏惠王卒。【考證】惠王非卒于肅侯十五年也、說在魏世家、十六年、肅侯游大陵、【集解】徐廣曰、太原有大陵縣、亦曰陵、【正義】括地志云、大陵城、在幷州文水縣北十三里、漢大陵縣城、出於鹿門。【正義】幷州盂縣西有白鹿泓、源出白鹿山南渚、蓋鹿門在北山水之側也、大戊午扣馬曰。耕事方急、一日不作、百日不食。肅侯下車謝。【集解】呂忱曰、扣、牽馬、【考證】戊當作成、扣、抑留之義、十七年、圍魏黃。不克。【集解】地理志曰、山陽有黃縣、【正義】黃城、在魏州前拔之郤爲魏、今趙圍之矣、築

長城。【正義】劉伯莊云、蓋從雲中以北至代、按趙長城從蔚州北西至嵐州、北盡趙界、又疑此長城在漳水之北、趙南界、【考證】黃、今河南開封府杞縣、張照曰、趙南界無漳、中井積德曰、長城所以防北狄、不宜在南界、唐順之曰、蘇秦說趙肅侯、爲從首以擯秦、何以不書、十八年、齊·魏伐我。我決河水灌之。兵去。【考證】茅坤曰、兵家以水灌城、未聞決水灌軍也、豈卽韓信囊沙意乎、二十二年、張儀相秦。趙疵與秦戰、敗。秦殺疵河西、取我藺·離石。【考證】藺、今山西離石縣西、離石、今離石縣、梁玉繩曰、秦紀年表及此下文、皆言秦取藺在秦惠文更元之十二年、趙武靈王十三年、此時未取藺、蓋因藺與離石相近、竝屬西河、誤連及之耳、二十三年、韓舉與齊·魏戰、死于桑丘。【集解】徐廣曰、韓舉、韓將、地理志云、泰山有桑丘縣、【正義】括地志云、桑丘城、在易州遂城縣界、或云、在泰山、非也、此時齊伐燕桑丘、三晉皆來救之、不得在泰山有桑丘縣、此說甚誤也、【考證】徐廣以韓舉爲韓將、據韓世家六國年表、桑丘、今直隸保定府安肅縣、梁玉繩曰、韓舉趙將、而與韓將同姓名者、桑丘在漢中山國、本燕地、時屬于齊、一作乘丘者誤、至正義謂此時齊伐燕桑丘、三晉來救則事在敬侯七年、何得合韓舉之戰爲一役邪、二十四年、肅侯卒。秦·楚·燕·齊·魏出銳師各萬人、來會葬。【考證】會葬之盛、先是所未曾有、傳云、天子葬、同軌畢至、諸侯同盟至、而未聞出銳師各萬人也、豈恐趙有繼嗣之爭、如秦穆送衞士三千人於晉乎、子武靈

王立。【索隱】名雍、武靈王元年、【集解】徐廣曰、年表云、魏敗我趙護、陽文君趙豹相。【考證】黃式三曰、後有平陽君豹、是惠文王母弟、與此二人、梁襄王與太子嗣、韓宣王與太子倉、來朝信宮。【正義】在洺州臨洺縣也、【考證】梁玉繩曰、案襄王當作惠王、嗣乃是襄王、索隱引世本、襄王名嗣、可驗此文之誤、而尤足徵惠成王非三十六年卒也、武靈王少、未能聽政。博聞師三人、左右司過三人。及聽政、先問先王貴臣肥義、加其秩、國三老年八十、月致其禮。【考證】昭三年左傳、三老凍餒、服虔注、工老、商老、農老也、杜預注、上壽中壽下壽也、三年、城鄗。【考證】表在二年、鄗、今直隸趙州柏鄉縣、四年、與韓會于區鼠。【正義】蓋在河北、五年、娶韓女爲夫人。八年、韓擊秦、不勝而去。五國相王。趙獨否。【考證】梁玉繩曰、案此武靈八年也、稱王者燕秦楚齊趙魏韓及宋中山九國、楚僭王在春秋前、不在其列、其餘稱王、皆不在武靈八年、吾不知所謂五國者誰乎、大事記改書于顯王四十六年、武靈三年以爲韓燕中山皆稱王、趙獨稱君、胡氏大紀同、然則相王非五國也、趙不肎王、在三年、非八年也、而八年乃武靈稱王之時、故十一年書王召公子職、曰。無其實、敢處其名乎。令國人謂己

曰君。【考證】古鈔本、曰作爲、九年、與韓·魏共擊秦。秦敗我、斬首八萬級。【考證】梁玉繩曰、按六國擊秦、不止三晉、又事在八年、俱說見秦紀、齊敗我觀澤。【正義】括地志云、觀澤故城、在魏州頓丘縣東十八里也、十年、秦取我西都及中陽。【集解】徐廣曰、年表云、秦取中都西陽安邑、十一年、秦敗我將軍英、太原有中都縣、西河有中陽縣、【考證】秦紀、作伐取趙中都西陽、當以世家爲正、說見秦紀、齊破燕。燕相子之爲君、君反爲臣。【考證】事詳于國策孟子諸書、表在十二年、十一年、王召公子職於韓、立以爲燕王。【集解】徐廣曰、紀年亦云爾、【考證】王、趙武靈王也、趙稱王、蓋在此前、古鈔本、楓山三條本、公子上、有燕字、與表合、使樂池送之。【集解】按燕世家、子之死後、燕人共立太子平、是爲燕昭王、無趙送公子職爲燕王之事、當是趙聞燕亂、遙立職爲燕王、雖使樂池送之、竟不能就、【索隱】燕系家、無其事、蓋是疏也、今此云使樂池送之、必是憑舊史爲說、且紀年之書、其說又同、則裴駰之解、得其旨矣、【考證】太子職、子之死後卽位、二年卒、公子平卽位、燕昭王是也、說見燕世家、池、音他、十三年、秦拔我藺、虜將軍趙莊。【正義】本一作茈、音疋婢反、【考證】表同、樗里子傳、作壯豹、秦本紀、作趙將莊、楚·魏王來過邯鄲。十四年、趙何攻魏。十六年、秦惠王卒。【考證】表在十五年、王遊

大陵。他日王夢見處女。鼓琴而歌。詩曰。美人熒熒兮。顏若苕之榮。【集解】綦毋邃曰、陵苕之草、其華紫、【正義】苕、音條、毛詩疏云、苕、饒也、幽州謂之翹饒、蔓似勞豆而細、葉似蒺藜而青、其華細、綠色、可生食、味如小豆藿也、又本草經云、陵苕生下濕水中、七八月生華、紫草、可以染帛、煮沐頭髮卽黑也、【考證】楓山三條本、疊歌詩二字、正義其華細綠色、毛詩疏作其莖葉綠色、命乎命乎。曾無我嬴。【集解】綦毋邃曰、言有命祿、生遇其時、人莫知己貴盛盈滿也、【正義】按命、名也、嬴、娃嬴也、言世衆名其美好、曾無我好嬴也、重言名乎者、以談說樂也、【考證】列女傳云、命兮命兮、逢天時而生、曾莫我嬴嬴、熒榮嬴、韻、中井積德曰、命乎、歎無人知也、無我嬴、言美好無若娃嬴也、美好絕倫、而人不知焉、故歎婦命耳、異日王飲酒樂。數言所夢、想見其狀。【考證】舊本、北堂書鈔、太平御覽、異日作且日、且日、夢見美女之明日也、吳廣聞之、因夫人而內其女娃嬴。【集解】方言曰、娃、美也、吳有館娃之宮、孟姚也。【集解】徐廣曰、古史考云、內其女、曰娃、【索隱】孟姚、吳廣女也、廣、舜之後、故上文云、余思虞舜之勳、故命其胄女孟姚以配而七代之孫、是已、然舜後封虞、在河東大陽山西上虞城、是亦曰吳城、虞、吳音相近、故舜後亦姓吳、非獨太伯虞仲之裔、【考證】方苞曰、旣曰娃嬴、又曰孟姚者、廣因王夢中歌曰、曾無我嬴、故特名其女曰嬴、而實非嬴姓、故仍著其實曰孟姚也、中井積德曰、娃嬴、女之字也、愚按、中說是、娃、於佳反、孟姚甚有寵於王。是爲惠后。

十七年、王出九門、【集解】徐廣曰、在常山、【正義】本戰國時趙邑、戰國策云、本有宮室而居、趙武靈王改爲九門、【考證】張照曰、今國策無此文、爲野臺、以望齊・中山之境。【集解】徐廣曰、野、一作望、【正義】括地志云、野臺、一名義臺、在定州新樂縣西南六十三里、十八年、秦武王與孟說舉龍文赤鼎、絕臏而死。【集解】徐廣曰、絕臏、一作絕臏、音巳丁反、【考證】年表在十九年、此誤、趙王使代相趙固、迎公子稷於燕送歸、立爲秦王。是爲昭王。【考證】事又見秦紀、十九年春正月、大朝信宮。召肥義與議天下。五日而畢。王北略中山之地、至於房子、【正義】趙州縣也、遂之代、北至無窮、【考證】梁玉繩曰、無窮、疑無終、愚按趙策、武靈王曰、先君襄主與代交地、城境封之、名曰無窮之門、卽此、梁說非、西至河、登黃華之上。【正義】黃華、蓋西河側之山名也、【考證】中井積德曰、王北略以下廿六字、當在下文胡服之後、然彼有王北略數句、而文亦不同、此或衍文、召樓緩謀曰。我先王因世之變、以長南藩之地。【考證】中井積德曰、趙在北邊、宜言北藩也、屬阻障・滏之險立長城。【考證】古鈔、楓山、三條本、滏作釜、中井積德曰、阻字疑衍、岡白

駒曰、障、當作漳、滏漳、二水名、吳起所謂左孟門右漳滏是也、趙策云、趙前漳滏右常山、又取藺・郭狼。【考證】漢地理志、西河郡有藺皋狼、郭狼、疑是皋狼、敗林人於荏、而功未遂。【正義】林人、卽林胡也、今中山在我腹心。北有燕。【正義】地理志云、趙分晉、北有信都中山、又得涿郡之高陽鄭州鄉、東有清河河閒、又得渤海郡東平舒等七縣、在河以北、故言北有燕、東有胡。【正義】趙東有瀛州之東北營州之境、卽東胡烏丸之地、服虔云、東胡、烏丸之先、後爲鮮卑也、西有林胡・樓煩・秦・韓之邊。【正義】林胡樓煩、卽嵐勝之北也、嵐勝以南、石州離石藺等、七國時趙邊邑也、秦隔河也、晉洺潞澤等州、皆七國時韓地、爲竝趙西境也、【考證】中井積德曰、有字竝是有無之有、而無彊兵之救。是亡社稷。柰何。夫有高世之名、必有遺俗之累。【考證】語意與商君傳有高人之行者、固見非於世同、遺、猶離也、違也、吾欲胡服。樓緩曰。善。【考證】徐孚遠曰、此樓緩別一人、非武成王時樓緩也、羣臣皆不欲。於是肥義侍。王曰。簡・襄主之烈。【考證】國策、簡上有念字、愚按、史疑奪烈、功烈之烈、業也、計胡翟之利、爲人臣者、寵有孝弟長幼順明之節、通有補民益主之業。【正義】寵、貴寵也、通、達理也、凡爲人臣、有孝弟長幼順明之節制者、得貴寵也、有補民益主之

功業者、爲達理也、【考證】寵、當依策作窮、字似而誤、游本作窮、窮與通對、約也、通、達也、窮下通下、添則字看、中井積德曰、長幼二字疑衍、節、節行也、此兩者、臣之分也。今吾欲繼襄主之跡、開於胡翟之鄉。而卒世不見也。【正義】卒、子律反、盡也、言盡世閒不見補民益主之忠臣也、【考證】張文虎曰、於字疑衍、策無、中井積德曰、卒音如字、卒世不見、謂終身不可得見也、愚按、將說胡服騎射之利、先言繼跡開胡之難見、卒世、猶言沒世、爲敵弱。【正義】我爲胡服、敵人必困弱也、【考證】此句有譌脫、策作敵弱者、注云、敵謂胡翟、似可從、用力少而功多。可以毋盡百姓之勞、而序往古之勳。【正義】厚、重也、往古、謂趙簡子襄子也、【考證】古鈔本、楓山、三條本、序作厚、與正義合、可從、策作享、夫有高世之功者、負遺俗之累。【正義】負、嚚也、言古周公孔子嚚衣冠禮義之俗、今變爲胡服、是負嚚風俗之譴累也、【考證】中井積德曰、負、猶被也、遺、棄也、遺俗、猶違世也、累、猶瑕疵也、有獨智之慮者、任驁民之怨。【正義】言世有獨計智之思慮者、必任隱逸敖慢之民怨望也、【考證】中井積德曰、驁民、猶悍民、謂不順者、愚按、驁、謷嗷通、賈誼過秦論、天下嗷嗷、新主之資也、商君書更法篇、有高人之行者、固見負於世、有獨知之慮者、必見驁於民、史記商君傳亦云、有高人之行者、固見非於世、有獨知之慮者、必見敖於民、今吾將胡服騎射以教百姓。而世必議寡人。柰何。肥義

曰。臣聞疑事無功。疑行無名。【考證】商君書更法篇、臣聞之、疑行無成、疑事無功、史記商君傳云、衞鞅曰、疑行無名、疑事無功、王既定負遺俗之慮。【考證】策亦有負字、愚按負字、由上文衍、殆無顧天下之議矣。夫論至德者、不和於俗。成大功者、不謀於衆。【考證】商君書更法篇、郭偃之法曰、論至德者不和於俗、成大功者不謀於衆、史商君傳、亦有此語、昔者舜舞有苗、禹袒裸國、非以養欲而樂志也。【考證】鮑彪曰、舞有苗、謂舜不用兵而舞干羽、亦異于俗、禹之袒裸、亦非中國之禮也、中井積德曰、舜舞有苗、蓋別有所傳也、謂觀苗民之舞耳、不得據尙書作解、愚按、舞有苗、舜至有苗、與苗民俱舞也、策、禹袒裸國、作禹袒入裸國、後漢書東夷傳、自朱儒東南行船一年、至裸國、淮南子、禹之裸國、解衣而入、衣帶而出、由之也、務以論德而約功也。【考證】策約作要、要約通、愚者闇成事、智者覩未形。則王何疑焉。【考證】商君書更法篇、語曰、愚者闇於成事、知者見於未萌、又見於商君傳、古鈔本、楓山、三條本、則上有然字、王曰。吾不疑胡服也。吾恐天下笑我也。狂夫之樂、智者哀焉。愚者所笑、賢者察焉。【考證】商君書更法篇、愚者笑之、智者哀焉、狂夫之樂、賢者喪焉、世有順我者、胡

服之功、未可知也。雖驅世以笑我、胡地·中山、吾必有之。【正義】驅音區、驅盡也、驅世、謂盡一世以笑我也、【考證】徐孚遠曰、武靈王胡服、本以收胡地、而實欲圖秦、今此不及、正其深謀也、於是遂胡服矣。使王緤告公子成曰。【考證】策、王下有孫字、緤、音薛、寡人胡服將以朝也。亦欲叔服之。家聽於親、而國聽於君。古今之公行也。子不反親、臣不逆君、兄弟之通義也。【集解】徐廣曰、兄弟作元夷、元、始也、夷、平也、【考證】董份曰、兄弟字必誤、徐作元夷、亦未安、愚按、當依策作先王、今寡人作教易服。而叔不服。吾恐天下議之也。制國有常。利民爲本。從政有經。令行爲上。明德先論於賤、而行政先信於貴。【考證】楓山本、先論於賤、作生於論賤、三條本、論作諭、今胡服之意、非以養欲而樂志也。事有所止、而功有所出。【正義】鄭玄云、止、至也、爲人君止於仁、爲人臣止於敬、爲人子止於孝、爲人父止於慈、與國人交止於信、按出、猶成也、【考證】策、作事有所出、而功有所止、語順、止、猶終也成也、出、猶始也、中井積德曰、出、謂功自胡服也、事成功立、然后善也。

今寡人恐叔之逆從政之經、以輔叔之議。【考證】從政之經、承上文、輔、猶以友輔仁之輔、議、義通、且寡人聞之、事利國者行無邪。因貴戚者名不累。故願慕公叔之義、以成胡服之功。使緤謁之叔。【索隱】爲句、請服焉。【考證】關脩曰、曰叔、曰公叔、語有輕重耳、公子成再拜稽首曰。臣固聞王之胡服也。臣不佞。寢疾未能趨走以滋進也。【考證】不佞、猶言不敏、王命之。臣敢對、因竭其愚忠。曰。臣聞中國者、蓋聰明徇智之所居也。【集解】徐廣曰、五帝本紀云、幼而徇齊、【考證】徇、當從人、策、作叡、萬物財用之所聚也。賢聖之所教也。仁義之所施也。詩書禮樂之所用也。異敏技能之所試也。遠方之所觀赴也。蠻夷之所義行也。【考證】中井積德曰、義、儀同、則也、愚按、連用八也字、吳師道曰、似周官大司徒文、今王舍此、而襲遠方之服、變古之教、易古之道、逆人之心、而怫

學者、離中國。故臣願王圖之也。使者以報。王曰。吾固聞叔之疾也。我將自往請之。王遂往之公子成家、因自請之。【考證】古鈔本、楓山、三條本、自請作自謂、曰。夫服者所以便用也。禮者所以便事也。聖人觀鄉而順宜、因事而制禮。所以利其民而厚其國也。夫翦髮文身、錯臂左衽、【索隱】錯臂亦文身、謂以丹青錯畫其臂、孔衍作右臂左衽、謂右袒其臂也、【考證】以錯臂爲錯畫其臂、則與文身複、鮑彪云、以兩臂交錯而立、言無禮容、其說似長、衽、衿也、甌越之民也。【索隱】劉氏云、今珠崖儋耳、謂之甌人、是有甌越、【正義】按屬南越、故言甌越也、輿地志云、交阯、周時爲駱越、秦時曰西甌、文身斷髮避龍、則西甌駱又在番吾之西、南越及甌駱皆芈姓也、世本云、越芈姓也、與楚同祖、是也、黑齒雕題、【集解】劉逵曰、以草染齒、用白作黑、鄭玄曰、雕文、謂刻其肌以青丹涅之、【考證】中井積德曰、題、額也、卻冠秫絀、【集解】徐廣曰、戰國策、作秫縫、絀亦縫紩之別名也、秫者綦鍼也、古字多假借、故作秫絀耳、此蓋言其女功鍼縷之麤拙也、又一本作鮭冠黎緤也、【考證】策、卻冠作鯷冠、注、鯷、大鮎、以其皮爲冠也、中井積德曰、鯷、蓋琵琶魚、其皮大者堪爲冠、皮文似鱓、故策注謬作大鮎、鮎、謂鱓也、鮎鱓是河池物、難作南海產、秫絀、策作秫縫、蓋析草莖作絲、用縫衣也、秫絀卒不可通、恐訛文、大吳之國

也。故禮服莫同、其便一也。鄉異而用變。事異而禮易。是以聖人果可以利其國、不一其用。果可以便其事、不同其禮。【考證】策、果作苟、商君書更法篇、是以聖人苟可以彊國、不法其故、苟可以利民、不循其禮、史商君傳、亦有此語、儒者一師而俗異。中國同禮而教離。【考證】策、俗作禮、禮作俗、語順、況於山谷之便乎。故去就之變、智者不能一。遠近之服、賢聖不能同。窮鄉多異、曲學多辯。不知而不疑、異於己而不非者、公焉而衆求盡善也。【考證】衆、猶廣也、公焉八字、策作公於求善也、今叔之所言者、俗也。吾所言者、所以制俗也。吾國東有河·薄洛之水、【集解】徐廣曰、安平經縣西有漳水津、名薄洛津、【正義】按安平縣屬定州也、與齊·中山同之。【正義】爾時齊與中山相親、中山趙共薄洛水、故言與齊中山同之、須有舟楫之備、【考證】中井積德曰、齊之境、亦與是水接也、若齊與中山親、此不須論、無舟楫之用。自常山以至代·上黨、【集解】徐廣曰、一云自常山以下、代上黨以東、東有燕·東胡之境。

而西有樓煩·秦·韓之邊。【考證】胡三省曰、漢雁門郡樓煩縣、樓煩胡所居之地、愚按、今山西寧武府、　今無騎射之備。故寡人無舟楫之用、夾水居之民、將何以守河·薄洛之水。變服騎射、以備燕·三胡·秦·韓之邊。【索隱】林胡、樓煩、東胡是三胡也、【考證】董份曰、無舟揖、將何以守者、反言也、變服以備者、正言也、戰國先秦文字多如此、愚按、數句欠明鬯、若移故寡人三字於之水下、變服上添將字、則其義始明、　且昔者簡主不塞晉陽、以及上黨。【考證】鮑彪曰、不塞者志在遠略、徐孚遠曰、先時不塞此險、欲以幷戎胡、蓋爲攻計、非爲守計也、　而襄主幷戎取代、以攘諸胡。此愚智所明也。先時中山負齊之彊兵、侵暴吾地、係累吾民、引水圍鄗。【正義】係累、上音計、下力追反、【考證】楓山·三條本、侵上有便字、　微社稷之神靈、則鄗幾於不守也。【考證】鄗故城、在今直隸柏鄉縣北、　先王醜之。而怨未能報也。【考證】醜、愧同、獻侯以後列爲諸侯、故曰先王、　今騎射之備、近可以便上黨之形、【考證】形、形勢、　而遠可以報中山之怨。而叔順中國之俗、

以逆簡·襄之意、惡變服之名、以忘鄗事之醜。非寡人之所望也。公子成再拜稽首曰。臣愚不達於王之義、敢道世俗之聞。臣之辠也。今王將繼簡·襄之意、以順先王之志。臣敢不聽命乎。再拜稽首。乃賜胡服。明日服而朝。於是始出胡服令也。【考證】語氣與商君傳卒定變法之令同、　趙文·趙造·周袑·趙俊皆諫止王、毋胡服、如故法便。【集解】徐廣曰、戰國策、趙袑作紹、袑、音紹、【考證】國策、錄趙文趙造諫詞甚詳、史公從略、趙俊、策作趙燕、　王曰。先王不同俗。何古之法。帝王不相襲。何禮之循。虙戲·神農、教而不誅。黃帝·堯·舜、誅而不怒。【正義】虙戲、伏羲同音、　及至三王、隨時制法、因事制禮、法度制令、各順其宜、衣服器械、各便其用。【正義】內盛曰器、盂椀之屬、外盛曰械、刀鋸之屬也、　故禮也不必一道、而便國不必古。【考證】王念孫曰、禮也二句、當依趙策作理世不必一道、而便

國不必法古、理世、治世也、不必法古、卽承上文何古之法而言、商君傳亦云、治世不一道、便國不法古、　聖人之興也、不相襲而王。夏·殷之衰也、不易禮而滅。然則反古未可非、而循禮未足多也。【考證】商君書更法篇、公孫鞅曰、前世不同教、何古之法、帝王不相復、何禮之循、伏羲神農、教而不誅、黃帝堯舜、誅而不怒、及至文武、各當時而立法、因事而制禮、禮法以時而定、制令各順其宜、兵甲器備、各便其用、臣故曰、治世不一道、便國不必法古、湯武之王也、不循古而興、殷夏之滅也、不易禮而亡、然則反古者未必可非、循禮者未足多、是也、武靈王全襲商鞅言、　且服奇者志淫、則是鄒·魯無奇行也。【索隱】按鄒魯好長纓、是奇服、非其志皆淫僻也、而有孔門顏冄之屬、豈是無奇行哉、【正義】言鄒魯儒服長纓、非志好奇淫蕩也、而生孔子顏冋曾參閔損、皆奇行也、　俗辟者民易、則是吳·越無秀士也。【索隱】言方俗僻處山谷、而人皆改易不通大化、則是吳越無秀士、何得有延州來及大夫種之屬哉、【正義】言吳越僻處海隅、其民踈誕簡易也、而生巫咸巫賢太公呂尙吳季札言偃、皆秀士也、【考證】策載趙造云、服奇者志淫、俗辟者亂民、是以莅國者、不襲奇辟之服、中國不近蠻夷之行、故王擧此言以詰之也、史刪此四句、文欠明鬯、索隱正義皆誤解奇字、王念孫曰、服奇奇行兩奇字、皆讀爲奇衺之奇、此言服正者未必正、服奇者未必淫、若謂服奇者志必淫、則是鄒魯之士儒冠儒服、必無奇衺之行也、中國未必無秀民、蠻夷未必無俊民、若謂俗辟者民必易、則吳越風俗邪僻、必無秀異之士也、愚按、董份亦有此說、

且聖人利身謂之服。便事謂之禮。夫進退之節、衣服之制者、所以齊常民也。非所以論賢者也。故齊民與俗流、賢者與變俱。【考證】策、齊民作聖、賢下無者字、　故諺曰。以書御者、不盡馬之情。【考證】策、御上有爲字、　以古制今者、不達事之變。循法之功、不足以高世。法古之學、不足以制今。子不及也。【考證】於是肥義侍至此、采戰國策趙策、策、子不及也作子其勿反也、　遂胡服招騎射。【考證】顧炎武曰、詩云、古公亶父、來朝走馬、古者馬以駕車、不可言走、曰走者、單騎之稱、古公之國、鄰於戎翟、其習尙有相同者、然則騎射之法、不始於趙武靈王也、又曰、漢書高祖紀、乘傳詣洛陽、師古云、傳若今之驛、古者以車、謂之傳車、其後又單置馬、謂之驛騎、竊疑此法春秋時已有之、如楚子乘驛會師于臨品、祁奚乘驛而見范宣子、楚子以馹至於羅汭、子木使馹謁諸王、楚人謂游吉曰、吾將使驛奔問諸晉、國語、晉文公乘馹自下脫會秦伯于王城、呂氏春秋、齊君乘馹而自追晏子、皆事急或是單乘驛馬、愚按、騎則自古有之、胡服騎射、以武靈爲始、　二十年、王略中山地、至寧葭。【索隱】一作蔓葭、縣名、在中山、　西略胡地、至楡中。【正義】勝州北、河北岸也、【考證】楡中、在今陝西楡林縣東北、戰國時林胡所居、　林胡王獻馬。

歸。使樓緩之秦，仇液之韓，王賁之楚，富丁之魏，趙爵之齊。【考證】梁玉繩曰，策仇液作机郝，又作机赫，蓋一人而記別也。但策云主父令仇赫相宋，不言之韓，豈有誤邪。此王賁是趙人，非秦王翦之子王賁。代相趙固主胡，致其兵。二十一年，攻中山。趙袑為右軍，許鈞為左軍，公子章為中軍，王并將之。牛翦將車騎，趙希并將胡·代。趙與之陘，【集解】徐廣曰，一作陸，又作陘，或宜言趙與之陘。陘者山絕之名，常山有井陘，中山有苦陘，上黨有閼與。【正義】與音與。陘音荊。陘山也，在并州陘縣東南十八里。然趙希并將代趙之兵，與諸軍向井陘之側，共出定州上曲陽縣，合軍攻取丹丘、華陽、鴟上之關。【考證】趙希并將胡代句，趙與人名，之往也。張文虎曰，疑史文與作予，故正義發音。合軍曲陽。【集解】徐廣曰，上曲陽在常山，下曲陽在鉅鹿。【正義】括地志云，上曲陽故城在定州曲陽縣西五里。按合軍曲陽，即上曲陽也，以在常山郡也。【考證】上曲陽，今直隸定州府曲陽縣。攻取丹丘·【正義】蓋邢州丹丘縣也。【考證】今直隸定州府曲陽縣。華陽·【集解】徐廣曰，華一作爽。【正義】括地志云，北岳有五別名，一曰蘭臺府，二曰列女宮，三曰華陽臺，四曰紫臺，五曰太一宮。按北岳恆山在定州恆陽縣北百四十里。【考證】中井積德曰，華陽地名，非山名。鴟之塞。【集解】徐廣曰，鴟一作鴻。【正義】上昌之反，下先代反。徐廣曰鴟一作鴻，鴻上故關，今名汝城，在定州唐縣東北六十里，本晉鴻上關城也。又有鴻上水，源出唐縣北葛洪山。按北岳恆山與鴻上塞皆在定州，然一本作鳴字，誤也。【考證】中井積德曰，之疑當作上，正義可徵。王念孫曰，今保定府唐縣西北有鴻城社，正義所謂鴻城故關。

王軍取鄗·石邑·【集解】徐廣曰，在常山。【正義】括地志云，石邑故城在恆州鹿泉縣南三十五里，六國時舊邑。【考證】梁玉繩曰，鄗本趙邑，武靈王三年嘗城鄗矣，此何以言取鄗，豈前此嘗為中山所取邪。封龍·東垣。【正義】括地志云，封龍山一名飛龍山，在恆州鹿泉縣南四十五里，邑因山為名。【考證】石邑、封龍，直隸正定府獲鹿縣，東垣，正定府正定縣。中山獻四邑請和。王許之，罷兵。【考證】各本無請字，今依館本補。二十三年，攻中山。二十五年，惠后卒。【索隱】按謂武靈王之前后，太子章之母，惠文王之嫡母也。惠后卒後，吳娃始當正室，至孝成二年，稱惠文后卒，是也。而下文又云，孟姚卒後，何寵衰，欲并立，亦誤也。【考證】陳仁錫曰，惠后即吳娃孟姚，乃惠文王之生母也，故號曰惠后，以別於太子章之母爾。觀下文明言吳娃死，愛弛，其為惠后可知矣。若惠文后，乃惠文王夫人之稱，非母后也。索隱注合為一人，誤。愚按周氏卮林、錢氏考異、梁氏志疑說同。使周紹胡服傅王子何。【考證】趙策但言王子，不言名何。二十六年，復攻中山。攘地，北至燕·代，西至雲中·九原。【考證】雲中故城，在今歸化城西。元和志，趙雲中城，秦漢雲中郡也。九原故城，在今吳喇忒旗北。水經注，九原城南面長河，北背連山是也。二十七年五月戊申，大朝於東

宮，傳國，立王子何以為王。【考證】是時十二歲。王廟見禮畢，出臨朝。大夫悉為臣。肥義為相國，并傅王。是為惠文王。惠文王，惠后吳娃子也。武靈王自號為主父。【考證】顧炎武曰，左傳，齊景公有疾，立太子州蒲為君，會諸侯伐鄭。史記，趙武靈王傳國於子惠文王，自稱主父。此內禪之始。主父欲令子主治國，而身胡服將士大夫西北略胡地，而欲從雲中·九原直南襲秦。於是詐自為使者入秦。秦昭王不知，已而怪其狀甚偉，非人臣之度，使人逐之，而主父馳已脫關矣。審問之，乃主父也。秦人大驚。【考證】黃式三曰，韓非外儲說左上云，趙主父令工施鉤梯而緣潘吾，刻疏人迹其上，廣三尺，長五尺，而勒之曰，主父常遊于此。其好奇如此。主父所以入秦者，欲自略地形，因觀秦王之為人也。惠文王二年，主父行新地，遂出代西，遇樓煩王於西河，而致其兵。【集解】徐廣曰，元年，以公子勝為相，封平原。【考證】胡三省曰，西河即漢西河

郡之地。三年，滅中山，遷其王於膚施。【集解】徐廣曰，在上郡。【正義】今延州膚施縣也。【考證】中山君先是走齊，至是主父遷其君，定其地也。年表載此事于明年弑主父之後，非也。膚施，今陝西延安府膚施縣。梁玉繩曰，中山之滅，趙世家在惠文三年，田完年表及世家在湣王二十九年，為惠文四年，所書年數已不合矣。而謂共齊燕滅之，更不足據。夫中山前滅于魏文侯十七年，年表世家俱書之，不知何時復國，其間為魏相歷百餘年，而再見滅于趙。顧自趙武靈王十九年以後，攻城略地，無歲不用師于中山，何待惠文之世，始合齊燕以滅之邪。趙滅中山之歲，吳師道斷其在武靈王二十五年，自不可易，政與樂毅傳所云武靈王之時復滅中山者合也。或問，趙滅中山，既在武靈王二十五年，則史書于惠文三四年為誤，而趙世家于武靈王二十六年，尚言攻中山攘地，何歟。曰，史之誤，在妄牽入齊燕，在以三年為四年，而所書惠文三年滅中山，未可概指為誤。蓋以武靈二十五年滅者，以得其國為滅，言其實也，以惠文三年滅者，以得其君為滅，重在君也。至若武靈二十六年之攻攘，不過拓并餘地，申畫其疆界耳。吳師道云，攘地之時，中山已定，而未廢其君，四年始遷其君，如西周既滅，次年遷其君于罿狐之類，參存。起靈壽。【集解】徐廣曰，在常山。【考證】靈壽未詳，或云主父生壙，因靈丘得名。北地方從，代道大通。【考證】方苞曰，方，始也，從，屬也。先是襄子已取代，而隔於中山，道不通，故十九年主父北略地中山，至於房子，遂之代。今滅中山，起靈壽，則北地始屬於代，而道大通也。愚按，北地方從句，代道大通句，代道，往代之路也，方說未得。還歸，行賞，大赦，置酒酺五日。【考證】胡三省曰，說文云，酺，王德布，大飲酒也。顏師古云，酺之為言布也，王德

布於天下、而合聚飲食爲酺、師古所註漢法也、此言趙國內酺耳、赦者宥有罪也、封長子章爲代安陽君。【正義】括地志云、東安陽故城、在朔州定襄縣界、地志云、東安陽縣屬代郡、章素侈。心不服其弟所立。【考證】楓山、三條本、立作爲、主父又使田不禮相章也。李兌謂肥義曰、公子章彊壯而志驕、黨衆而欲大。殆有私乎。田不禮之爲人也、忍殺而驕。二人相得、必有謀陰賊起、一出身徼幸。【考證】楓山、三條本、謀上有陰字、通鑑、謀陰作陰謀、崔適曰、當作必有陰賊謀起、愚按、句必有譌脫、闕疑可也、夫小人有欲、輕慮淺謀、徒見其利、而不顧其害、同類相推、俱入禍門。以吾觀之、必不久矣。子任重而勢大。亂之所始、禍之所集也。子必先患。【考證】楓山、三條本、患作志、先患、言先遭患難也、仁者愛萬物、而智者備禍於未形。不仁不智、何以爲國。子奚不稱疾毋出、傳政於公子成。毋爲怨府。毋爲禍梯。【考證】梯、猶階也、以木爲之、以升高者也、禍梯、

猶言禍階也、愚按、昭十二年左傳云、吾不爲怨府、肥義曰、不可。昔者主父以王屬義也。曰、毋變而度。毋異而慮。堅守一心、以歿而世。【考證】而、汝也、管子牧民篇、毋異汝度、義再拜受命而籍之。【集解】籍、錄也、謂當時卽記錄、書之於籍、【考證】籍、冊也、今畏不禮之難、而忘吾籍。變孰大焉。進受嚴命、退而不全。負孰甚焉。變負之臣、不容於刑。【考證】中井積德曰、罪大而刑小、不足相容、蓋喩器盛物也、諺曰、死者復生、生者不愧。【正義】肥義報李兌云、必盡傳何爲王、不可懼章及田不禮、而生異心、使死者復更變生、幷見在生者、竝見傳王無變命、我不愧之若荀息也、【考證】死者復生、生者不愧、荀息答里克之言、見于晉世家、肥義趙人、蓋亦聞之也、中井積德曰、賜命之君、既死而復生、受命之臣無所愧、以其不違命也、是諺於獻公荀息爲切、以獻公死而難作也、於主父肥義有未切者、以主父未死難作也、當時受命之日、安逆知君之死生、難之遲速哉、唯以是誓於心耳、張文虎曰、正義盡下疑脫力、竝見二字衍、吾言已在前矣。吾欲全吾言。安得全吾身。【考證】國語晉語、荀息答里克曰、吾言既往矣、豈能欲行吾言、而又愛吾身乎、肥義所本、且夫貞臣也、難至而節見。忠臣也、累至而行明。子則有賜而

忠我矣。雖然、吾有語在前者也。終不敢失。李兌曰、諾。子勉之矣。吾見子已今年耳。【考證】胡三省曰、已、止也、言肥義命止于今年也、涕泣而出。李兌數見公子成、以備田不禮之事。異日肥義謂信期曰。【索隱】卽下文高信也、【正義】上音申也、公子與田不禮、甚可憂也。其於義也、聲善而實惡。【考證】聲、名也、外也、此爲人也、不子不臣。吾聞之也、姦臣在朝、國之殘也。讒臣在中、主之蠹也。此人貪而欲大、內得主而外爲暴、矯令爲慢、以擅一旦之命。不難爲也。【考證】難、猶憚也、禍且逮國。今吾憂之、夜而忘寐、飢而忘食。盜賊出入、不可不備。自今以來、若有召王者、必見吾面。【考證】楓山、三條本、來下有令字、若下無有字、我將先以身當之。無故而王乃入。信期曰、善哉、吾得聞此也。四年、朝羣臣。安陽君亦來

朝。主父令王聽朝、而自從旁觀窺羣臣宗室之禮。見其長子章傫然也。【正義】低垂貌、傫、失意也、孔子世家、傫然若喪家之狗、【考證】古鈔本無也字、反北面爲臣、詘於其弟、心憐之。【考證】古鈔本、楓山、三條本、心下有甚字、於是乃欲分趙而王章於代。計未決而輟。主父及王游沙丘、異宮。【正義】在邢州平鄉縣東北二十里也、【考證】沙丘臺、紂所築、在今直隸順德府平鄉縣東北、胡三省曰、異宮、異宮而處也、張文虎曰、是時主父與王及公子章竝在沙丘、而王別居、故章得以主父令召王、公子章卽以其徒與田不禮作亂。詐以主父令召王。肥義先入。殺之。【考證】古鈔本、楓山、三條本、先下有王字、入下有公子章三字、高信卽與王戰。【考證】胡三省曰、高信以王與公子章之徒戰也、崔適曰、王當作章、高信卽信期、事肥義者、肥義代王入、爲章所殺、高信當與章戰也、愚按、胡說自通、不必改字、公子成與李兌自國至。【考證】楓山、三條本、國下有而字、乃起四邑之兵入距難。【考證】國、國都、胡三省曰、自邯鄲至也、殺公子章及田不禮、滅其黨賊而定王室。【考證】王室、斥趙家、趙人言之則可、史氏言之則不可、公子

成爲相、號安平君。李兌爲司寇。公子章之敗、往走主父。主父開之。【索隱】開、謂開門而納之、俗本亦作閒字者非也、譙周及孔衍皆作閉之、閉、謂藏之也、【正義】謂不賣其反叛之罪、容其入宮藏也、【考證】王念孫曰、開之、當從正義本作閉之、列女傳孽嬖傳、亦作閉之、成・兌因圍主父宮。公子章死、公子成・李兌謀曰、以章故圍主父。卽解兵、吾屬夷矣。【考證】楓山、三條本、章下無故字、乃遂圍主父。令宮中人後出者夷。宮中人悉出。主父欲出不得、又不得食。探爵鷇而食之。【集解】綦毋邃曰、鷇、爵子也、【索隱】按曹大家云、鷇、雀子也、生受哺者謂之鷇、【正義】按鳥子受哺者謂之鷇、鳥啄食者謂之鶵也、三月餘、而餓死沙丘宮。【集解】應劭曰、武靈王葬代郡靈丘縣、【正義】括地志云、趙武靈王墓、在蔚州靈丘縣東三十里、應說是也、主父定死、乃發喪赴諸侯。是時王少、成・兌專政。畏誅故圍主父。主父初以長子章爲太子。後得吳娃愛之、爲不出者數歲。生子何。乃廢太子章而立何爲王。吳娃死愛弛、憐

故太子欲兩王之。猶豫未決。故亂起、以至父子俱死、爲天下笑。豈不痛乎。【集解】徐廣曰、或無此十四字、【考證】兪樾曰、屈原傳、敍事之中、間以議論、論者以爲變體、余讀趙世家云、以至父子俱死、爲天下笑、豈不痛哉、魏世家云、惠王之所以身不死、國不分者、二家謀不和也、若從一家之謀、魏必分矣、故曰、君終無適子、其國可破也、皆於敍事中入議論、與屈原傳同、古之文無成法也、愚按、此法不創於史公、戰國策亦有之、秦策、蘇秦將連橫章、當此之時、天下之大、萬民之衆、王侯之威、謀臣之權、皆欲決於蘇秦之策、不費斗糧、未煩一兵、未戰一士、未絕一弦、未折一矢、諸侯相親、賢於兄弟云云、齊策、齊助楚攻秦章、楚之土壤士民、非削弱、僅以救亡者、計失於陳軫、過聽於張儀、齊策、靖郭君善齊貌辯章、當是時、靖郭君可謂能自知人矣、能自知人、故人非之不爲沮、此齊貌辯之所以外生樂患趣難者也、趙策、知伯帥趙韓魏而伐范中行氏章、知伯身死國亡、地分爲天下笑、此貪欲無欲也、夫不聽知過、亦所以亡也、魏策、魏惠王死章、惠子非徒行其說也、又令太子未葬其先王、而又因說文王之義、以示天下、豈小功也哉、不獨國策有此法也、左氏國語引君子、引臧文仲、引孔子者、亦皆敍事中間以議論者、主父死、惠文王立立。【考證】中井積德曰、惠文王固已立矣、非主父死後立、主父之死、在惠文王四年、此八字當削、愚按、徐孚遠梁玉繩說同、五年、與燕鄚・易。【集解】徐廣曰、皆屬涿郡、鄚音莫、八年、城南行唐。【集解】徐廣曰、在常山、【正義】行、寒庚反、括地志云、行唐縣屬冀州、爲南行唐築城、【考證】今直隸正定府行唐縣北、九年、趙梁將、與齊

合軍攻韓、至魯關下【正義】劉伯莊云、蓋在南河魯陽關、按汝州魯山縣、古穀陽縣、及。十年、秦自置爲西帝。【考證】秦稱西帝、見齊策、梁玉繩曰、事在十一年、愚按、古鈔本、楓山、三條本、及作反、當屬上讀、十一年、董叔與魏氏伐宋、得河陽於魏。秦取梗陽。【集解】杜預曰、太原晉陽縣南有梗陽城也、【索隱】地理志云、太原榆次有梗陽鄉、與杜預所據小別也、【正義】括地志云、梗陽故城、在幷州清源縣南百二十步、分晉陽縣置、本漢榆次縣地、春秋晉大夫祁氏邑也、【考證】河陽、今河南懷寧府孟縣西、梁玉繩曰、表、梗陽作桂陽、非、蓋桂陽屬扶風、非趙地、十二年、趙梁將攻齊。十三年、韓徐爲將攻齊。公主死。【索隱】蓋吳娃女、惠文王之姊、【考證】中井積德曰、公主之死、無書者、此何特書也、愚按、依趙史之舊也、十四年、相國樂毅將趙・秦・韓・魏・燕攻齊、【索隱】按年表及韓魏等系家、五國攻齊、在明年、然此下文十五年重擊齊、是此文爲得、蓋此年同伐齊耳、取靈丘。【正義】蔚丘縣也、【考證】梁玉繩曰、案六國伐齊在明年、是年惟秦擊齊、無趙韓魏燕攻齊、及取靈丘之事、蓋誤、索隱謂此年伐齊、明年重擊齊、非也、愚按、樂毅傳、趙惠文王以相國印授樂毅、靈丘、今山東東昌府高唐州、與秦會中陽。【正義】括地志云、中陽故縣、在汾州偃城縣南十里、漢中陽縣也、【考證】中陽、今山西汾州府寧鄉縣、十五年、燕昭王來見。趙與韓・魏・秦共擊

齊。齊王敗走。燕獨深入取臨菑。【考證】戰國策燕策、臨淄、今山東青州府臨淄縣、十六年、秦復與趙數擊齊。齊人患之。蘇厲爲齊遺趙王書曰。【考證】趙策、蘇厲作蘇秦、鮑本、依史改秦作厲、臣聞古之賢君、其德行非布於海內也。教順非洽於民人也。【考證】張文虎曰、順讀爲訓、古通、祭祀時享、非數常於鬼神也。【考證】常、古鈔本、楓山本作嘗、策作當、無數字、愚按、常字疑衍、甘露降、時雨至、年穀豐孰、民不疾疫、衆人善之。然而賢主圖之。【考證】策、圖作惡、中井積德曰、圖者懼思之意、無德而得福、賢主所懼、以喩無功德而得秦之親厚、宜懼而圖焉、今足下之賢行功力、非數加於秦也。【考證】策、無賢行二字、鮑彪曰、功力、謂戰伐、怨毒積怒、非素深於齊也。【考證】策、作非曾深凌於韓也、秦、趙與國、以彊徵兵於韓。【考證】策、無此十字、秦誠愛趙乎、其實憎齊乎。物之甚者。【考證】物、事也、甚、猶大也、策、齊作韓、賢主察之。秦非愛趙而憎齊也。欲亡韓而吞二周。故

以齊餤天下。【考證】策、二齊字作韓、恐事之不合、故出兵以劫魏・趙。【考證】策、合作成、劫作佯示、恐天下畏已也。故出質以爲信。【考證】策、畏作疑、恐天下亟反也。故徵兵於韓以威之。【考證】策、作恐天下之發覺、故徵韓以貳之、聲以德與國、【集解】與國、趙也、秦趙今爲與國、秦徵兵於韓、帥之共趙伐齊、以威聲和趙、是以德與國也、【考證】中井積德曰、聲、謂聲聞也、非威、實而伐空韓。【考證】策、實而作而實、臣以秦計爲必出於此。夫物固有勢異而患同者。【考證】策、異同、易地、楚久伐而中山亡。【考證】鮑彪曰、此言楚受秦伐、趙無秦患、故破中山滅之、今齊久伐而韓必亡。破齊、王與六國分其利也。亡韓、秦獨擅之、收二周、西取祭器、秦獨私之。賦田計功、王之獲利、孰與秦多。【考證】今齊久伐以下四十七字、策無、說士之計曰。韓亡三川、【正義】河南之地兩川之閒、【考證】三川、謂伊洛河三川、秦置三川郡、魏亡晉國。【正義】河北之地、安邑河內、【考證】中井積德曰、蓋指全晉時舊都爲晉國也、王念孫曰、三國分晉、魏得晉之故都、故魏人自稱晉國、而韓趙則否、孟子、梁惠

王曰、晉國天下莫强焉、周霄曰、晉國亦仕國也、魏策、魏武侯與諸大夫浮於西河、稱曰、河山之險、豈不亦信固哉、王鍾曰、此晉國之所以强也、是晉卽魏也、市朝未變、而禍已及矣。【考證】市朝未變、言速也、策、作是韓未窮而禍及於趙、燕盡齊之北地、去沙丘・鉅鹿、斂三百里。【正義】沙丘、邢州也、鉅鹿、冀州也、齊北界貝州也、斂、減也、言破齊滅韓之後、燕之南界、秦之東界、相去減三百里、趙國在中閒也、【考證】中井積德曰、沙丘鉅鹿、皆趙地、三百里者、謂趙距燕之近也、無干秦事、又不論及滅韓、正義、文外生義、非也、下三百里乃始說燕與秦之路程、與此三百里不同、斂與儉通、愚按、鉅鹿、今直隸平鄕縣、韓之上黨、去邯鄲百里、燕・秦謀王之河山、閒三百里而通矣。秦之上郡、【正義】鄜延等州也、【考證】今陝西膚施縣等地、近挺關、至於榆中者千五百里。【考證】挺關、策作扞關、扞關、楚北境、與趙無干涉、秦以三郡攻王之上黨、【正義】秦上黨郡、今澤潞儀沁等四州之地、兼相州之半、韓總有之、至七國時、趙得儀沁二州之地、韓猶有潞州及澤州之半、半屬趙魏、沁州在羊腸坂之西、儀幷代三州、在句注山之南、秦以三郡攻趙之澤潞、則句注之南、趙無地、然秦始皇置上黨郡、此言之者、太史公郤引前書也、他皆倣此、【考證】中井積德曰、韓上黨降趙、在後二十年、是時趙未取上黨也、然上云韓之上黨、此云王之上黨、則韓趙分有之耳、但不得以始皇所置上黨郡作解、羊腸之西、【正義】太行山坂道名、南屬懷州、北屬澤州、【考證】在今

山西壺關縣東南、句注之南、【正義】句注山、在代州西北也、【考證】今山西代縣北、非王有已。【正義】音以爾反、踰句注、斬常山而守之、三百里而通於燕、【考證】上文秦字管到於通於燕句、燕盡齊之北地以下九十一字、策作今燕盡韓之河南、距沙丘、而至鉅鹿之界三百里、距於扞關、至於榆中千五百里、秦盡韓魏之上黨、則地與國都邦屬而壤挈者七百里、秦以三軍强弩坐羊唐之上、卽地去邯鄲二十里、且秦以三軍攻王之上黨而危其北、則句注之西有王之有也、今魯句注禁常山而守三百里、通燕之唐曲逆、與史頗異、以事理推之、史文爲長、代馬胡犬不東下、昆山之玉不出。【正義】言秦踰句注山、斬常山而守之西北、代馬胡犬、不東入趙、沙州崑山之玉、亦不出至趙矣、郭璞云、胡地野犬、似狐而小、此三寶者、亦非王有已。王久伐齊、從彊秦攻韓、【考證】中井積德曰、從、縱也、愚按、策作今從於彊秦國之伐齊、其禍必至於此。願王孰慮之。且齊之所以伐者、以事王也。【正義】以趙王爲事也、而秦必伐之也、【考證】中井積德曰、事王、謂與趙王親交也、後文齊之事王、同、天下屬行以謀王也。【正義】上音燭、下胡郎反、言秦欲令齊稱帝、與約五國共滅趙、三分趙地、【考證】方苞曰、屬行、相屬而起兵也、齊策、使犀首屬行而攻趙、燕・秦之約成、而兵出有日矣。【考證】中井積德曰、前日有此謀也、謀王、

謀滅趙也、五國三分王之地、【正義】謂秦齊韓魏燕三分趙之地也、齊倍五國之約、而殉王之患、【正義】齊王以身從趙王之患也、【考證】中井積德曰、以下述既往之事也、西兵以禁彊秦。秦廢帝請服、【正義】言秦齊相約、欲更重稱帝、故言廢帝也、【考證】秦稱西帝、在惠文王十一年、未幾亦稱王、反高平・根柔於魏、【集解】徐廣曰、紀年云、魏哀王四年、改陽曰河雍、向曰高平、根柔、一作棰柔、一作平柔、【正義】返、還也、括地志云、高平故城在懷州河陽縣西四十里、紀年云、魏哀王改向曰高平也、根柔未詳、兩邑魏地也、【考證】策作溫軹高平、反巠分・【集解】徐廣曰、一作王公、巠、音胡鼎反、【正義】巠、音邢、分字誤、當作山字耳、括地志云、句注山、一名西陘山、在代州鴈門縣西北四十里、先兪於趙。【集解】徐廣曰、爾雅曰、西兪、鴈門是、【正義】兪、音戍、郭注云、西隃、卽鴈門山也、按西先聲相近、蓋陘山西隃二山之地、竝在代州鴈門縣、皆趙地也、【考證】策作三公什清、錢大昕曰、常山郡元氏縣有三公山、齊之事王、宜爲上佼。【索隱】佼、猶行也、【正義】佼、音效、功勞也、【考證】策、佼作交、王念孫曰、佼與交同、上交、上等之交也、言齊之事王如此、當爲王之上交、而今反觸罪也、而今乃抵辠。【正義】謂共秦伐齊也、臣恐天下後事王者之不敢自必也。願王孰計之也。今王毋與天下攻齊、天下必以王爲義。齊抱社

稷而厚事王。天下必盡重王。義、王以天下善秦、考證古鈔本、楓山、三條本、義下王上有秦字、當依補、秦義與下文秦暴對言、秦暴、王以天下禁之。是一世之名寵制於王也。考證蘇厲爲齊遺趙王書以下、似本戰國策趙策、但策、蘇厲作蘇秦、齊作韓、地名亦多舛異、不獨文字有異同也、呂祖謙吳師道諸人皆疑之、梁玉繩曰、案惠文十六年、即齊襄保莒之歲、田單守即墨未下、餘地盡入燕、則當時之齊、僅存二城、秦何利而擊之、秦即欲擊、復何畏而必共趙擊之、其誤不辨自明也、中井積德曰、蘇厲之書、當在惠文十五年趙方伐齊之時、而此書不效也、史誤在次年、書中不言齊之傾覆、其證明甚、愚按中說近是、於是趙乃輟、謝秦不擊齊。王與燕王遇。廉頗將攻齊昔陽、取之。集解杜預曰、樂平沾縣、有昔陽城、正義括地志云、昔陽故城、一名陽城、在幷州樂平縣東、春秋釋地名云、昔陽、服國所都也、樂平城沾縣東昔陽城、服姓、白狄別種也、樂平縣城、漢沾縣城也、考證昔陽、表作淮北、凌本作昔陽、洪頤煊曰、當作晉陽、是陽晉之譌、廉頗列傳、趙惠文王十六年、廉頗爲趙將伐齊破之、取晉陽、索隱云、晉陽當作陽晉、愚按、此與頗傳在十六年、表在十五年、十七年、樂毅將趙師攻魏伯陽。正義括地志云、伯陽故城、一名邯會城、在相州鄴縣西五十五里、七國時魏邑、漢邯會城、考證中井積德曰、伯陽下疑脫取之二字、下文與魏伯陽、可參考、楓山、三條本、伯作柏、而秦怨趙不與己擊齊、伐趙

攻我兩城。考證梁玉繩曰、案樂毅是時方爲燕攻齊、何從將趙師而攻魏、蓋非毅將耳、秦拔趙兩城、乃爭城之常、非爲怨趙不與擊齊也、是時齊祇有二城、安得秦欲與趙攻齊事乎、說見上、十八年、拔我石城。集解地理志云、右北平有石城縣、正義括地志云、石城、在相州林慮縣西南九十里、疑相州石城是、考證梁玉繩曰、案此事年表亦書之、然疑有誤也、正義引右北平之石城縣及相州石城爲證、而在右北平者燕境、在相州者魏境、皆非趙地、胡注通鑑謂即西河之離石縣、然趙肅侯二十二年、秦已取之矣、何待是時始拔乎、愚按、呂氏春秋審應篇、公孫龍對趙惠王曰、今藺離石入秦、而王縞素出總、惠王即惠文王、此離石之地、趙復得而復失之也、胡注有據、王再之衞東陽、決河水伐魏氏。正義括地志云、東陽故城、在貝州歷亭縣界、按東陽先屬衞、今屬趙、河歷貝州南東北流、過河南岸即魏地也、故言王再之衞東陽伐魏氏也、大潦、漳水出。魏冄來相趙。考證梁玉繩曰、是歲爲惠文十八年、秦昭二十六年、冄復爲秦相、安得相趙之事哉、大事記謂相趙未幾復歸相秦、非也、十九年、秦敗我二城。考證梁玉繩曰、敗當作拔、趙與魏伯陽。趙奢將、攻齊麥丘取之。考證梁玉繩曰、案此在惠文十九年、是時齊亦尚止二城、麥丘屬燕、年表田完世家及奢傳、皆不書、未知何以言之、愚按、樂毅所下齊七十餘城、非悉置燕兵以守之也、趙人乘閒來攻、非必無之事、闕疑可也、二十年、廉頗將攻齊。王與秦昭王遇西河外。集解徐廣

曰、年表云、與秦會澠池、二十一年、趙徙漳水武平西。正義括地志云、武平亭、今名渭城、在瀛州文安縣北七十二里、按二十七年、又徙漳水武平南、考證今直隷順天府文安縣東、二十二年、大疫。置公子丹爲太子。正義幾、音祈、傳云、伐齊幾拔之、又戰國策云、秦敗閼與、及攻魏幾、按幾邑、或屬齊、或屬魏、當在相潞之閒也、考證幾、在今直隷大名縣、二十三年、樓昌將攻魏幾。不能取。十二月、廉頗將攻幾、取之。二十四年、廉頗將攻魏房子、拔之。集解徐廣曰、屬常山、考證直隷趙州高邑縣西南、因城而還。又攻安陽取之。考證安陽、今河南彰德府安陽縣西南、二十五年、燕周將攻昌城高唐取之。集解徐廣曰、昌城、屬齊郡、索隱燕周、趙人、爲趙將、正義括地志云、故昌城、在淄州淄川縣東北四十里也、考證高唐、今山東東昌府高唐縣、與魏共擊秦。秦將白起破我華陽、得一將軍。正義括地志云、故華陽城、在鄭州管城縣南四十里、司馬彪云、華陽亭、在今洛州密縣、是時魏韓趙聚兵於華陽西、攻秦、考證華陽、即華下、今河南新鄭縣東南、梁玉繩曰、此惠文二十六年事、此誤在二十五年、二十六年、取東胡歐代地。正義今營州也、索隱東胡叛趙、驅略代地人衆以叛、故取之也、考證古鈔本、楓山、三條本、歐作毆、

考證中井積德曰、歐代類地名、二十七年、徙漳水武平南。封趙豹平陽君。集解戰國策曰、趙豹平陽君、惠文王母弟、河水出、大潦。二十八年、藺相如伐齊至平邑。正義括地志云、平邑故城、在魏州昌樂縣東北四十里也、考證今直隷大名府南樂縣東北、罷城北九門大城。正義恆州九門縣城、燕將成安君公孫操弑其王。集解徐廣曰、年表云、是燕武成王元年、索隱按樂資云、其王即惠王、考證梁玉繩曰、事在惠文二十七年、此誤書于前一年、燕世家索隱引之將作相、二十九年、秦·韓相攻、而圍閼與。正義上、於連反、下音預、括地志云、閼與、聚落、今名烏蘇城、在潞州銅鞮縣西北二十里、又儀州順和縣城亦云韓閼與邑、二所未詳、又有閼與山、在洛州武安縣西五十里、蓋是也、考證閼與、今河南彰德府武安縣、趙使趙奢將擊秦。大破秦軍閼與下。賜號爲馬服君。正義因馬服山爲號也、虞喜志林云、馬、兵之首也、號曰馬服者、言能服馬也、括地志云、馬服山、邯鄲縣西北十里也、三十三年、惠文王卒、太子丹立。是爲孝成王。孝成王元年、集解徐廣曰、平原君相也、秦伐我拔三城。趙王新立、太后用事。秦急攻之。趙氏求救於

齊。齊曰：必以長安君為質，兵乃出。【索隱】孔衍云，惠文后之少子也，趙亦有長安，今其地闕。【正義】長安君者，以長安善，故名也。太后不肯。大臣彊諫。太后明謂左右曰：復言長安君為質者，老婦必唾其面。【考證】策復上有有字，楓山、三條本言下有令字，與策合。左師觸龍言願見太后。【考證】策龍言作讋，胡三省曰，春秋之時，宋國之官有左右師，上卿也，趙以觸龍為左師，宂散之官，以優老臣者也。太后盛氣而胥之。入，【集解】胥，猶須也，穀梁傳曰，胥其出也。【考證】策胥作揖，義異，胥之句，入句，入觸讋入也。徐趨而坐，自謝曰：老臣病足，曾不能疾走，不得見久矣。竊自恕，而恐太后體之有所苦也。【考證】楓山、三條本坐作至，劉伯莊曰，自恕，猶言自忖度也，中井積德曰，自推其衰，恐太后之衰也。故願望見太后。太后曰：老婦恃輦而行耳。【索隱】按東晳云，趙惠文王子何者，吳廣之甥，娃嬴之子也，如系家計之，則武靈王十六年，夢吳娃而納之，至二十七年王薨，及惠文王三十二年卒，孝成王元年，遣長安君質於齊，若娃年二十入王宮，至此亦年六十左側，亦可稱老，而東廣微言太后纔三十有奇者，謬也。【考證】中井積德曰，太后是孝成王之母，惠文王之后，故稱惠文后，凡婦人五十前後自謂老婦也，況寡婦乎，惠文王即位三十三年而卒，若年二十則五十三歲

矣，或有其餘也，是時后五十以上，亦未可知，注大謬，且年歷皆不合。曰：食得毋衰乎。曰：恃粥耳。曰：老臣閒者殊不欲食，乃彊步日三四里，少益嗜食，和於身也。太后曰：老婦不能。太后不和之色少解。左師公曰：老臣賤息舒祺最少不肖，而臣衰，竊憐愛之，願得補黑衣之缺，以衛王宮。昧死以聞。【考證】古鈔本、楓山、三條本願下有令字，與策合，息，子也，黑衣，皁衣也，衛士之服，昧冒同，禮記云，有司以聞曰，古之禮，慈母無服，戰國策云，不敢匿意隱情，以聞於左右，後二字連讀，為臣下上書套語。太后曰：敬諾。年幾何矣。對曰：十五歲矣。雖少，願及未填溝壑而託之。【考證】未填溝壑，猶言先死。太后曰：丈夫亦愛憐少子乎。對曰：甚於婦人。太后笑曰：婦人異甚。對曰：老臣竊以為媼之愛燕后，賢於長安君。【考證】媼字，策同，春秋後語改作后，失當時語氣，燕后，太后女，嫁於燕，賢，猶多也，勝也，詩，我從事獨賢，孟子，我獨賢勞，賢字與此同。太后曰：君過矣，不若長安君之甚。左師公曰：父母

愛子，則為之計深遠。媼之送燕后也，持其踵，為之泣，念其遠也，亦哀之矣。已行，非不思也，祭祀則祝之曰：必勿使反。豈非計長久，為子孫相繼為王也哉。【考證】勿使反，勿使失意於燕而返趙，久下為字，策作有。太后曰：然。左師公曰：今三世以前，至於趙主之子孫為侯者，其繼有在者乎。【考證】古鈔本、楓山、三條本於下有趙之為趙四字，與策合，策主作王，可從。曰：無有。曰：微獨趙，諸侯有在者乎。【考證】微，猶非也。曰：老婦不聞也。曰：【考證】策也下無曰字，太后之言未畢，左師急言。此其近者禍及其身，遠者及其子孫。豈人主之子侯則不善哉。位尊而無功，奉厚而無勞，而挾重器多也。【考證】重器，寶器也。今媼尊長安君之位，而封之以膏腴之地，多與之重器，而不及今令有功於國，一旦山陵崩，長安君何以自託於趙。【考證】山陵，喻尊高也，亦墳墓所在，山陵

崩，言死也，諱辭，秦策云，王之春秋高，一日山陵崩，太子用事，君危。老臣以媼為長安君之計短也，故以為愛之不若燕后。太后曰：諾。恣君之所使之。於是為長安君約車百乘，質於齊，齊兵乃出。子義聞之曰：人主之子，骨肉之親也，猶不能持無功之尊，無勞之奉，而守金玉之重也，而況於予乎。【索隱】子義，趙之賢人。【正義】持，猶執。【考證】趙王新立以下，趙策，策持作恃，予作人臣，愚按，此亦敘事中挿議論者，鮑彪曰，觸龍諒毅，從容納說，而取成功，與夫強諫於廷，怒罵于座，髮上衝冠，自待必死者，力少而功倍矣，許應元曰，程子釋易納約自牖曰，左師觸龍因其明而導之，故其聽也如響。齊安平君田單，【正義】括地志云，安平城，在青州臨淄縣東十九里，古紀之酅邑也。將趙師而攻燕中陽，拔之。【集解】徐廣曰，陽，一作人。【正義】燕無中陽，括地志云，中山故城，一名中人亭，在定州唐縣東北四十里，爾時屬燕國也。又攻韓注人，拔之。【正義】邑名也，括地志云，注城，在汝州梁縣西十五里，蓋是其地也。二年，惠文后卒。田單為相。四年，王夢衣偏裻之衣，【正義】杜預云，偏，左右異色，裻在中，左右異，故曰偏，按，裻，衣背縫也。乘飛龍上天，不至而

墜。見金玉之積如山。明日王召筮史敢占之。曰。夢衣偏裻之衣者、殘也。【考證】岡白駒曰、取不全之義、乘飛龍上天、不至而墜者、有氣而無實也。見金玉之積如山者、憂也。【考證】金玉之積、下文所謂無故之利、憂卽禍、後三日、韓氏上黨守馮亭使者至。曰。韓不能守上黨。入之於秦。其吏民皆安爲趙、不欲爲秦。有城市邑十七。願再拜入之趙。聽王所以賜吏民。【考證】十七、策作七十、下文同、聽、策作才、裁也、宋、中統、王、柯、毛本作財、今從古鈔本、楓山、三條本、淩本、上黨、今山西潞安府、王大喜、召平陽君豹告之曰。馮亭入城市邑十七。受之何如。對曰。聖人甚禍無故之利。王曰。人懷吾德。何謂無故乎。對曰。夫秦蠶食韓氏地、中絕不令相通。固自以爲坐而受上黨之地也。【考證】此時秦白起伐韓拔野王、上黨至韓之道不通也、固、策作故、古鈔本、楓山、三條本作因、韓氏所以不入於秦者、欲

嫁其禍於趙也。秦服其勞、而趙受其利。雖彊大不能得之於小弱。小弱顧能得之於彊大乎。豈可謂非無故之利哉。且夫秦以牛田之【集解】徐廣曰、一無此字、【正義】秦蠶食韓氏、國中斷不通、夫牛耕田種穀、至秋則收之、成熟之義也、言秦伐韓上黨、勝有日矣、若牛田之、必冀收穫矣、【考證】策無之字、水通糧、【正義】秦從渭水漕糧、東入河洛、軍擊韓上黨也、【考證】中井積德曰、秦用牛耕水田藝稻、稻須多水、自有注溉渠、而與漕道通、漕時開渠口、引田水于漕河、則多水便於漕、漕有間、又閉渠口、蓄水于田中、以竢後漕、無冬夏之分、以牛田之水爲一句、上黨在秦之東北、則不必由渭洛、穆文熙曰、牛田、秦地、蓋近上黨者、愚按、中說較長、楓山、三條本、糧上有食字、蠶食【考證】策無蠶食二字、此因上文衍、上乘倍戰者、【正義】乘、承證反、蠶食、桑葉漸進必盡也、司馬法云、百畝爲夫、夫三爲屋、屋三爲井、井十爲通、通十爲成、成出革車一乘七十二人也、上乘、天下第一也、倍戰、力攻也、韓國四戰之地、軍士慣習、倍於餘國、【考證】策、上乘倍戰者、作其死士、蓋史公以意改也、中井積德曰、上乘、謂良馬勁卒也、然不必引司馬法、裂上國之地。【正義】上國、秦地也、言韓上黨之地、以列爲秦國之地、其政已行、趙不可與秦作難、必莫受馮亭十七邑也、【考證】策作皆列之於上地、愚按、此言秦裂所取之國以爲功臣死士食邑也、其政行。不可與爲難。必勿受也。【考證】其字承上文秦字、策政行下有令嚴二字、王曰。今發

百萬之軍而攻、踰年歷歲、未得一城也。【考證】楓山、三條本、城作地、今以城市邑十七幣吾國。此大利也。【正義】馮亭、將十七邑入趙、若幣帛之見遺、此大利也、趙豹出。王召平原君與趙禹而告之。【考證】策、平原君作趙勝、王、柯本、原譌陵、對曰。發百萬之軍而攻。踰歲未得一城。今坐受城市邑十七。此大利、不可失也。王曰。善。乃令趙勝受地。【考證】趙勝、卽平原君、告馮亭曰。敝國使者臣勝、敝國君使勝致命、以萬戶都三封太守、【正義】爾時未合言太守、至漢景帝始加太守、此言太衍字也、【考證】策亦有太字、淩約言曰、戰國策中、太守凡五言之、決非衍、當時已有此稱矣、愚按、太守不始於漢、李笠訂補亦證之、千戶都三封縣令、皆世世爲侯。吏民皆益爵三級。吏民能相安、皆賜之六金。【考證】以級定爵、諸國未聞、但秦有之、趙亦倣之邪、馮亭垂涕不見使者。曰。吾不處三不義也。【考證】策、吾不、作是吾、爲主守地、不能死。固不義一矣。【考證】固字、楓山、三條本作國、策無、入之

秦、不聽主令。不義二矣。【考證】策、入上有主字、王念孫曰、脫去主字、文義不明、謂韓王入上黨於秦、而馮亭不聽也、賣主地而食之。不義三矣。趙遂發兵取上黨。【集解】漢書馮奉世傳曰、趙封馮亭爲華陵君、與趙將括距秦、戰死於長平、宗族由是分散、或在趙、在趙者爲官師將、官師將子爲代相、及秦滅六國、而馮亭之後馮無擇馮去疾馮劫、皆爲秦將相焉、漢興、馮唐卽代相之子也、上黨記云、馮亭冢、在壺關城西五里、【考證】趙策云、馮亭辭封入韓、史白起傳云、封馮亭爲華陽君、所傳亦不同、張文虎曰、漢傳師作帥、廉頗將軍、軍長平。【正義】括地志云、長平故城、在澤州高平縣西三十一里、卽白起敗括於長平處、【考證】梁玉繩曰、廉頗上失書六年二字、愚按、長平故城、在今山西澤州府高平縣西、七年、廉頗免、而趙括代將。秦人圍趙括。趙括以軍降。卒四十餘萬皆阬之。【正義】白起傳云、斬首虜四十五萬人、括地志云、頭顱山一名白起臺、在澤州高平縣西五里、上黨記云、秦阬趙兵收頭顱、築臺於壘中、因山爲臺、崔嵬桀起、今稱白起臺也、【考證】梁玉繩曰、七年、七月之誤、白起傳可證、中井積德曰、據傳括戰死也、非降、此恐舛、沈家本曰、疑以字、乃死字之譌、王悔不聽趙豹之計、故有長平之禍焉。王還不聽秦。【正義】還、猶仍也、【考證】崔適曰、王還不聽秦五字、不知所謂、當是衍文、秦圍邯鄲。【集解】徐廣曰、在九年、武垣令傅豹·王容·

蘇射、率燕衆反燕地。【集解】徐廣曰、河閒有武垣縣、本屬涿郡、【正義】括地志云、武垣故城、今瀛州城是也、武垣北、是屬趙、與燕接境、故云率燕衆反燕地也、【考證】武垣、今直隷河閒府河閒縣西南、射音赤、趙以靈丘封楚相春申君。【正義】括地志云、靈丘、蔚州理縣也、【考證】今山西大同府靈丘縣、八年、平原君如楚請救。還。楚來救。及魏公子無忌亦來救。【正義】魏公子傳云、趙王以鄗爲公子湯沐邑、年表云、九年公子無忌救邯鄲、圍在九年、其文錯誤、秦圍邯鄲乃解。【考證】中井積德曰、邯鄲二字疑衍、愚按、圍字當在鄲下、十年、燕攻昌壯。【集解】徐廣曰、一作社、【正義】壯字誤、當作城、括地志云、昌城故城、在冀州信都縣西北五里、此時屬趙、故攻之也、五月拔之。趙將樂乘・慶舍、攻秦信梁軍破之。【集解】徐廣曰、年表云、新中軍也、【索隱】信梁、秦將也、【正義】信梁、蓋王齕號也、秦本紀云、昭襄王五十年、王齕從唐、拔寧新中、寧新中更名安陽、今相州理縣也、年表云、韓魏楚救趙新中軍、秦兵罷、是也、【考證】梁玉繩曰、案集解正義、皆謂此卽前年秦拔寧新中事、非也、是歲爲趙孝成十年、秦昭五十一年、秦紀言將軍摎攻趙取二十餘縣、首虜九萬、疑卽此事、信梁卽摎號也、此言破秦、紀言取縣虜首者、秦諱言敗、虛功非實、史公于本紀依秦史書之而未改耳、愚按、古鈔本、楓山三條本、趙下有特字、太子死。【集解】徐廣曰、是年周赧王卒、或者太子、云天子乎、【索隱】趙之太子也、史失名、【考證】索隱爲是、而秦

攻西周拔之。徒父祺出。【索隱】趙大夫、名祺、【正義】趙見秦拔西周、故令徒父祺將兵出境也、十一年、城元氏、縣上原。【集解】地理志、常山有元氏縣、【正義】元氏、趙州縣也、【考證】元氏、今直隷正定府元氏縣西北、武陽君鄭安平死。收其地。【集解】徐廣曰、故秦將、降趙也、十二年、邯鄲廥燒、【集解】徐廣曰、廥、廄之名、音膾也、【索隱】廥、積芻藁之處、爲火所燒也、十四年、平原君趙勝死。【索隱】按年表、在十五年也、【考證】列傳亦在十五年、十五年、以尉文封相國廉頗爲信平君。【索隱】尉文、蓋地名、或曰、尉、官、文、名、謂以尉文所食之地、以封廉頗也、古文質略、文省耳、【正義】尉文、蓋蔚州地也、信平、廉頗號也、言篤信而平和也、【考證】錢大昕曰、漢書王子侯表、趙敬肅王子有尉文節侯丙、是尉文爲趙地審矣、燕王令丞相栗腹約驩、以五百金爲趙王酒。【考證】酒、當作壽、壽酒音近、策作壽酒、衍其一字、還歸報燕王曰、趙氏壯者皆死長平、其孤未壯。可伐也。【考證】氏、燕世家作王、燕策作氏、王召昌國君樂閒而問之。對曰、趙四戰之國也。【考證】策戰作達、其民習兵。伐之不可。王曰、吾以衆伐寡、二而伐一。可

乎。對曰、不可。王曰、吾卽以五而伐一。可乎。對曰、不可。燕王大怒。羣臣皆以爲可。燕卒起二軍車二千乘、【考證】策、作六十萬、燕世家與此同、栗腹將而攻鄗、【考證】今直隷趙州柏鄉縣北有鄗縣故城、卿秦將而攻代。【索隱】二人、皆燕將姓名、廉頗爲趙將、破殺栗腹、虜卿秦。樂閒【正義】三人、皆燕將姓也、【考證】燕王令丞相栗腹以下、本燕策、又見燕世家、徐孚遠曰、樂閒以諫燕王不聽歸趙、非被虜也、梁玉繩曰、樂閒下缺奔趙二字、燕策、作入趙、燕世家樂毅傳、作奔趙、可證、十六年、廉頗圍燕。以樂乘爲武襄君。【正義】襄、舉也、上也、言樂乘功最高也、十七年、假相大將武襄君攻燕、圍其國。十八年、延陵鈞率師從相國信平君、助魏攻燕。【集解】徐廣曰、代郡有延陵縣、【正義】鈞、名也、秦拔我楡次三十七城。【集解】徐廣曰、在太原、【考證】楡次、今山西太原府楡次縣、十九年、趙與燕易土。【索隱】易、音亦、謂與燕換易縣也、以龍兌・【正義】括地志云、北新城故城、在易州遂城縣西南二十里、按遂城縣西南二十五里有龍山、邢子勵趙記云、龍山有四麓、各有一穴、大如車輪、春風出東、秋風出西、夏風出南、冬風出北、不相奪倫、蓋謂龍兌也、兌、音奪、汾門・

【集解】徐廣曰、在北新城、【正義】括地志云、易州永樂縣有徐水、出廣昌嶺、三源奇發、同瀉一澗、流至北平縣東南、歷石門中、俗謂之龍門、水經其閒奔激、南出觸石成井、蓋汾字誤也、遂城及永樂安新城縣地也、【考證】張文虎曰、續漢志、涿郡北新城有汾水關、注引史記趙與汾門、水經易水注云、其水又東逕西故安城西、又東流南逕武隧縣、南新城縣北、又謂是水爲武隧津、津北謂之汾門、史記趙世家、孝成王十九年、與燕易土、以龍兌汾門與燕、卽是也、亦曰汾門之稱舊矣、張守節引括地志謂汾字爲誤、妄矣、又曰、正義安上疑脫固字、臨樂【集解】徐廣曰、方城有臨鄉、【正義】括地志云、臨鄉故城、在幽州固安南十七里也、與燕。燕以葛・武陽・【集解】徐廣曰、葛城、在高陽、【正義】括地志云、故葛城又名西河城、在瀛州高陽縣西北五十里、平舒【集解】徐廣曰、平舒、在代郡、【正義】括地志云、平舒故城、在蔚州靈丘縣北九十三里也、與趙。二十年、秦王政初立。秦拔我晉陽。【考證】梁玉繩曰、事在十九年、非二十年也、晉陽、今山西太原府大原縣、二十一年、孝成王卒。廉頗將攻繁陽取之。【集解】徐廣曰、在頓丘、【正義】括地志云、繁陽故城、在相州內黃縣東北二十七里、應劭云、繁水之北、故曰繁陽也、【考證】繁陽、魏地、今直隷大名府開州、使樂乘代之。【考證】中井積德曰、據廉頗傳、樂乘代廉頗、當在悼襄王之時、梁玉繩曰、案廉頗傳、孝成王卒、子偃立、是爲悼襄王、十二字、當在攻繁陽取之下、此錯簡也、廉頗攻樂乘。樂乘走。廉頗亡入魏。子偃立。是爲悼襄王。

悼襄王元年、大備【集解】徐廣曰、一作脩、【正義】謂行大備之禮也、魏。欲通平邑·中牟之道。不成。【正義】平邑、在魏州昌樂縣東北三十里、相州蕩陰縣西五十八里有牟山、按中牟山之側、時二邑皆屬魏、欲渡黃河作道相通、遂不成也、【考證】平邑、今直隸大名府南樂縣、中牟、河南開封府中牟縣、黃式三曰、大備魏爲句、趙欲以平邑通中牟、事不成而備之也、舊讀謬、事因不明、二年、李牧將攻燕、拔武遂·方城。【集解】徐廣曰、武遂屬安平、【正義】括地志云、易州遂城、戰國時武遂城也、方城故城、在幽州固安縣南十七里、時二邑屬燕、趙使李牧拔之也、【考證】武遂、今直隸深州武強縣、方城、順天府固安縣、秦召春平君、因而留之。【正義】春平未詳、【考證】策、作春平侯、凌稚隆曰、趙太子也、中井積德曰、據甚愛妬之、言行信等語、春平君必王之親臣矣、非太子、且太子未聞有君號者、泄鈞爲之謂文信侯曰。【正義】泄鈞、人姓名也、【考證】策、作世鈞、文信侯、秦相呂不韋、春平君者趙王甚愛之、而郎中妬之。故相與謀曰。春平君入秦、秦必留之。故相與謀而內之秦也。今君留之。是絕趙、而郎中之計中也。君不如遣春平君而留平都。【正義】興地理志云、平都縣在今新興郡、與陽周縣相近也、【考證】策、作平都侯、此似脫侯字、張文虎曰、正義興地理志、當有誤、館本作

括地志、春平君言行信於王。王必厚割趙而賂平都。【考證】古鈔本、楓山、三條本、行下無信字、與策合、文信侯曰。善。因遣之。【集解】徐廣曰、年表云、太子從質秦歸、【正義】按太子、即春平君也、【考證】秦召春平君以下、采戰國策趙策、城韓皋。【正義】韓皋未詳、三年、龐煖將攻燕、禽其將劇辛。四年、龐煖將趙·楚·魏·燕之銳師攻秦蕞。【集解】徐廣曰、在新豐、【考證】古鈔本、楓山、三條本、秦下有闔字、不拔。移攻齊、取饒安。【集解】徐廣曰、在渤海、又云、饒屬北海、安屬平原、【正義】饒安、滄州縣也、七國時屬齊、戰國時屬趙、【考證】今直隸天津府南皮縣東南、張文虎曰、正義云七國、云戰國、疑有誤、五年、傅抵將居平邑。【正義】傅抵、上音付、下音邸、趙將姓名、慶舍將東陽河外師守河梁。【正義】東陽、屬貝州、在河北岸也、河外、河南岸魏州地也、河梁、橋也、六年、封長安君以饒。【正義】即饒陽也、瀛州饒陽縣東二十里饒陽故城、漢縣也、明長安縣是號也、【考證】正義長安縣、當作長安君、魏與趙鄴。【考證】今河南彰德府臨漳縣、九年、趙攻燕、取貍·陽城。【正義】按燕無貍陽、疑貍字誤、當作漁陽、故城在檀州密雲縣南十八里、燕漁陽郡城也、按趙東界瀛州、則檀州在北、趙攻燕、取漁陽城也、【考證】梁玉繩曰、正義甚謬、燕策、燕取齊陽城及貍、蘇代爲齊將

與燕戰敗、則貍陽城、乃二地名、燕取之于齊、而今又爲趙所取也、兵未罷、秦攻鄴拔之。【集解】徐廣曰、今饒陽在河閒、又年表曰、拔閼與鄴九城、悼襄王卒。子幽繆王遷立。幽繆王遷元年、【集解】徐廣曰、又云潛王、世本云、孝成王丹生悼襄王偃、偃生今王遷、年表及史考、趙遷皆無謚、【索隱】徐廣云、王遷無謚、今惟此獨稱幽繆王者、蓋秦滅趙之後、人臣竊追謚之、太史公或別有所見而記之也、【考證】梁玉繩曰、國策作幽王、列女傳、作幽閔、與此不同、城柏人。二年、秦攻武城。【集解】徐廣曰、年表云、秦拔我平陽、【考證】柏人、今直隸順德府唐山縣、武城、山西朔西府平魯縣西北、扈輒率師救之。軍敗死焉。三年、秦攻赤麗·宜安。【正義】括地志云、宜安故城、在恆州稾城縣西南二十里也、【考證】宜陽故城、在今直隸眞定府稾城縣西南、李牧率師與戰肥下、卻之。【正義】括地志云、肥纍故城、在恆州稾城縣西七里、春秋時肥子國、白狄別種也、封牧爲武安君。四年、秦攻番吾。【正義】上音婆、又音盤、又作蒲、括地志云、蒲吾城在恆州房山縣東二十里也、李牧與之戰、卻之。五年、代地大動、自樂徐以西、北至平陰。【集解】徐廣曰、徐一作除、【正義】樂徐、在晉州平陰在汾也、臺屋牆垣、太半壞。地坼東西、百三十步。【正義】其坼溝見在、亦在晉汾

二州之界也、六年、大飢。民譌言曰。趙爲號、秦爲笑。以爲不信、視地之生毛。【正義】譌、音訛、【考證】風俗通六國篇、譌言作童謠、號笑毛、韻、毛本、飢作饑、地之生毛、言不生五穀、毛、草也、七年、秦人攻趙。趙大將李牧、將軍司馬尚、將擊之。李牧誅、司馬尚免。趙怱及齊將顏聚代之。趙怱軍破、顏聚亡去、以王遷降。【集解】淮南子云、趙王遷流於房陵、思故鄉、作爲山水之謳、聞之者、莫不流涕、【正義】括地志云、趙王遷墓、在房州房陵縣西九里也、【考證】策、怱作葱、李牧傳依之、聚作冣、梁玉繩曰、策及李牧傳言顏聚與王同虜、此云亡去、恐非、又王遷在位八年、此書于七年、誤、八年十月、邯鄲爲秦。

太史公曰。吾聞馮王孫曰。趙王遷、其母倡也。【集解】徐廣曰、列女傳曰、邯鄲之倡、【考證】馮唐傳云、武帝立、求賢良、舉馮唐、唐時年九十餘、不復爲官、乃以唐子遂爲郎、遂字王孫、亦奇士、與余善、又載馮唐言云、趙王遷立、其母倡也、用郭開讒、卒誅李牧、是以兵破士北、爲秦所禽滅、據此則馮王孫之言、又得之其父唐也、唐、趙人、嬖於悼襄王。悼襄王廢適子嘉而立遷。遷素無行信讒。故誅其良將李牧、用郭開。【考證】馮王孫之言至此、豈不

謬哉。秦既虜遷。趙之亡大夫共立嘉爲王。王代六歲。秦進兵破嘉、遂滅趙以爲郡。【考證】徐孚遠曰、嘉既王代、亦趙之餘也、不可不記、故附于贊語中、愚按、此與田單傳贊語相似、又附載之燕世家者、以見趙燕接境、唇齒相依也、

【索隱】述贊、趙氏之系、與秦同祖、周穆平徐、乃封造父、帶始事晉、夙初有土、岸賈矯誅、韓厥立武、寶符臨代、卒居伯魯、簡夢翟犬、靈歌處女、胡服雖強、建立非所、頗牧不用、王遷囚虜、

趙世家第十三

史記四十三

史記會注考證卷四十四

漢　太史令司馬遷　撰

宋中郎外兵曹參軍裴駰集解

唐國子博士弘文館學士司馬貞索隱

唐諸王侍讀率府長史張守節正義

日本出雲瀧川資言考證

魏世家第十四　史記四十四

【考證】史公自序云、畢萬爵魏、卜人知之、及絳戮干、戎翟和之、文侯慕義、子夏師之、惠王自矜、齊秦攻之、既疑信陵、諸侯罷之、卒亡大梁、王假廝之、嘉武佐晉文申霸道、作魏

世家第十四、愚按此篇多本左傳國策、又采孟子韓子呂覽、

魏之先、畢公高之後也。畢公高與周同姓。【索隱】左傳富辰說文王之子十六國、有畢原豐郇、言畢公是文王之子、此云與周同姓、似不用左氏之說、馬融亦云畢毛文王庶子、武王之伐紂、而高封於畢。【集解】杜預曰、畢、在長安縣西北、【正義】括地志云、畢原、在雍州萬年縣西南二十八里、【考證】今陝西咸陽畢原、畢公邑、於是爲畢姓。其後絕封、爲庶人、或在中國、或在夷狄。其苗裔曰畢萬。事晉獻公。獻公之十六年、趙夙爲御、畢萬爲右、以伐霍·耿·魏、滅之。以耿封趙夙、以魏封畢萬、爲大夫。【正義】魏城、在陝州芮城縣北五里、鄭玄詩譜云、魏、姬姓之國、武王伐紂而封焉、【考證】今山西解州芮城縣東北有河北故城、卽魏城也、卜偃曰、【索隱】晉掌卜大夫郭偃也、畢萬之後必大矣。萬、滿數也。魏、大名也。以是始賞、天開之矣。【考證】左傳、滿作盈、開作啓、史易之者、避漢諱、服虔曰、數從一至萬爲滿、魏、喻巍巍高大也、天子曰兆民、諸侯曰萬民。今命之大、以從滿數。

其必有衆。【正義】命、名也、【考證】左傳、滿作盈、中井積德曰、命、當從左傳作名、初畢萬卜事晉。遇屯之比。【考證】賈逵曰、震下坎上屯、坤下坎上比、屯初九變之比、辛廖占之曰、吉。屯固、比入。吉孰大焉。其必蕃昌。【正義】屯難、故須堅固、比親近、故云入、【考證】趙夙爲御以下、閔元年左傳、辛廖疑周人、雲雷結而不解、故屯有固義、地上有水、滲入之象、故比有入義、說詳于晉世家、畢萬封十一年、晉獻公卒。四子爭更立、晉亂。【考證】四子、公子奚齊、卓子、惠公夷吾、文公重耳、而畢萬之世彌大、從其國名爲魏氏。【考證】岡白駒曰、世、子孫也、生武子。【索隱】左傳、武子名犨、系本云、畢萬生芒季、芒季生武仲州、州與犨聲相近、字異耳、代亦不同、【考證】梁玉繩曰、此世家敍世次、多缺名及謚、疏也、魏武子以魏諸子事晉公子重耳。【考證】張文虎曰、吳校元板、武上無魏字、是、方苞曰、下云、令武子襲魏後、則此諸子、言非適也、晉獻公之二十一年、武子從重耳出亡。【考證】武子從重耳出亡、僖廿三年左傳、梁玉繩曰、事在晉獻二十二年、十九年反、重耳立爲晉文公。而令魏武子襲魏氏之後。封列爲大夫、治於魏。生悼子。魏悼子徙治霍。

【索隱】系本云、武仲生莊子絳、無悼子、又系本居篇曰、魏武子居魏、悼子徙霍、宋忠曰、霍、今河東彘縣也、則是有悼子、系本卿大夫代自脫耳、然魏今河北魏縣是也、【正義】晉州霍邑縣、漢彘縣也、後漢改曰永安、隋改曰霍邑、本春秋時霍伯國也、【考證】梁玉繩曰、索隱及禮樂記疏引世本、無悼子、一代、而索隱別引世本居篇、又有悼子、與史合、韋杜注竝以絳爲犨之子、襄三年傳疏云、計其年世、孫應是也、愚按、今山西平陽府霍州西有霍城、生魏絳。【索隱】謚昭子、系本云、莊子、文錯也、居篇又曰、昭子徙安邑、亦與此文同也、魏絳事晉悼公。悼公三年、會諸侯。悼公弟楊干亂行。魏絳僇辱楊干。【索隱】左傳曰、僇楊干之僕、【考證】魏絳爲中軍司馬、悼公怒曰、合諸侯以爲榮。今辱吾弟。將誅魏絳。或說悼公。悼公止。【考證】悼公三年以下、襄三年左傳國語晉語、卒任魏絳政。【考證】徐孚遠曰、魏絳初爲列大夫、後乃爲下卿、此云任之政、非也、使和戎翟。戎翟親附。【考證】襄四年左傳、悼公之十一年、曰、自吾用魏絳、八年之中、九合諸侯、戎翟和、子之力也。賜之樂。三讓然後受之。【考證】襄十一年左傳、國語晉語、九合作七合、說者云、魯襄五年、會于戚、七年、會于鄬、八年、會于邢丘、九年、同盟于戲、十年、會于柤、十一年、會于亳城北、又會于蕭魚也、愚按、九、如九天九地之九、言多也、亦可

得言九、七八亦可得言九、國語云、晉公錫魏絳女樂一八、歌鍾一肆、左傳同、徙治安邑。【正義】安邑、在絳州夏縣安邑故城是、【考證】今山西解州夏縣、魏絳卒。諡爲昭子。【集解】徐廣曰、世本曰莊子、【考證】梁玉繩曰、內外傳亦皆作莊子、則昭字誤、生魏嬴。嬴生魏獻子。【索隱】系本云、獻子名荼、荼、莊子之子、無魏嬴、【考證】梁玉繩曰、世本以獻子爲莊子之子、杜注左傳亦云、莊子絳、獻子之父、韋注周語云、獻子、魏絳之子舒也、獻子事晉昭公。昭公卒、而六卿彊、公室卑。【考證】韓趙魏范中行及智氏爲六卿、六卿彊公室卑、據昭十六年左傳魯人子服昭伯語、晉頃公之十二年、韓宣子老。【考證】梁玉繩曰、左傳宣子卒、非老也、魏獻子爲國政。晉宗室祁氏・羊舌氏相惡。【考證】中井積德曰、據左傳、羊舌氏以祁氏黨同滅也、非相惡、愚按晉世家、惡下有於君二字、六卿誅之、盡取其邑爲十縣。六卿各令其子爲之大夫。【考證】韓宣子老以下、本昭二十八年左傳、梁玉繩曰、十縣大夫、不皆六卿之子、說在晉世家、獻子與趙簡子、【索隱】趙鞅、中行文子、【索隱】荀寅、范獻子、【索隱】范吉射、竝爲晉卿。【考證】中井積德曰、六卿不數智韓氏者脫文耳、其後十四歲、而孔子相魯。【考證】中井積德曰、孔子相魯、史之謬、後四歲、【考證】梁玉繩曰、四當作三、趙簡子以晉陽之亂也、而與韓・魏共攻范・中行氏。【考證】定十三年左傳、而下添將字看、魏獻子生魏侈。【索隱】侈、他本亦作哆、蓋哆字誤、而代數錯也、按系本、獻子生簡子取、取生襄子多、而左傳云、魏曼多、是也、則侈是襄子、中閒少簡子一代、【正義】侈、音他、侈、尺氏反、【考證】沈家本曰、趙世家作哆、侈哆皆從多得聲、古通用、非誤、愚按正義有譌脫、魏侈與趙鞅共攻范・中行氏。【考證】岡白駒曰、上文所謂與韓魏共攻范中行氏者、魏侈之孫曰魏桓子。【索隱】系本云、襄子生桓子駒、【正義】世本云、獻子荼生懿子游及簡子取、取生襄子多、多生桓子駒、駒生文侯斯其、與此不同、古書誤也、【考證】據上文索隱、正義獻子棄當作獻子荼、傳寫之訛、與韓康子、【索隱】名虎、趙襄子、【索隱】名無恤、共伐滅知伯、分其地。【索隱】智伯、智瑤也、本姓荀、亦曰荀瑤、【正義】知音智、括地志云、故智城、在蒲州虞鄉縣西北四十里、古今地名云、解縣有智城、蓋謂此也、【考證】三晉滅知伯、詳于國語晉語、國策趙魏韓策、桓子之孫曰文侯都。【集解】徐廣曰、世本曰斯也、【索隱】系本云、桓子生文侯斯、其傳云、孺子瘨、是魏駒之子、與此系代亦不同也、【考證】文侯名斯、見六國表、都當作斯、或云、都字屬下、都魏、以魏爲都也、然下文云魏武侯元年、趙敬侯初立、與此同例、或說非是、魏文侯元年、秦靈公之元年

也。與韓武子・趙桓子・周威王同時。【索隱】系本、武子名啓章、康子子、【考證】陳仁錫曰、威下缺烈字、張文虎曰、威下省烈字、或如貞定王之省稱定王也、愚按、周威王三字、旁注混入、六年、城少梁。【考證】今陝西同州府韓城縣、十三年、使子擊圍繁龐、出其民。十六年、伐秦。築臨晉・元里。【考證】臨晉、今陝西同州府、元里、同州府澄城縣、十七年、伐中山、使子擊守之。趙倉唐傅之。【考證】中井積德曰、伐恐當作滅、中山、今直隷正定縣、春秋鮮虞地、子擊逢文侯之師田子方於朝歌。【考證】田子方名無擇、呂氏春秋當染篇、田子方學於子貢、朝歌在今河南淇縣東北、引車避下謁。田子方不爲禮。子擊因問曰。富貴者驕人乎。且貧賤者驕人乎。【考證】王引之曰、且、猶抑也、禮記曾子問、有變乎、且不乎、齊策、王以天下爲尊秦乎、且尊齊乎、史記魏世家、富貴者驕人乎、且貧賤者驕人乎、且字竝與抑同義、子方曰。亦貧賤者驕人耳。夫諸侯而驕人、則失其國。大夫而驕人、則失其家。貧賤者行不合、言不用、則去之楚・越、若脫躧然。柰何其同之哉。子擊不懌而去。【考證】事又見韓詩外傳九、說苑尊賢篇、外傳、不懌而去、作再拜而退、躧、草履也、西攻秦、至鄭而還。築雒陰・合陽。【正義】雒、漆沮水也、城在水南、郃陽、郃水之北、括地志云、郃陽故城、在同州河西縣南三里、雒陰、在同州西也、二十二年、魏・趙・韓列爲諸侯。二十四年、秦伐我至陽狐。【正義】括地志云、陽狐郭、在魏州元城縣東北三十里也、【考證】陽狐、今山西絳州垣曲縣、二十五年、子擊生子罃。【索隱】乙耕反、擊、武侯也、罃、惠王也、文侯受子夏經藝、客段干木。過其閭、未嘗不軾也。【正義】過、光臥反、文侯軾干木閭也、皇甫謐高士傳云、木、晉人也、守道不仕、魏文侯欲見、造其門、干木踰牆避之、文侯以客禮待之、出過其閭而軾、其僕曰、君何軾、曰、段干木賢者也、不趣勢利、懷君子之道、隱處窮巷、聲馳千里、吾安得勿軾、干木先乎德、寡人先乎勢、干木富乎義、寡人富乎財、勢不若德貴、財不若義高、又請爲相、不肯、後卑己固請見、與語、文侯立倦不敢息、淮南子云、段干木晉之大駔、而爲文侯師、呂氏春秋云、魏文侯見段干木、立倦而不敢息、及見翟璜、踞於堂而與之言、翟璜不悅、文侯曰、段干木官之則不肯、祿之則不受、今汝欲官則相至、欲祿則上卿至、既受吾賞、又責吾禮、無乃難乎、【考證】呂氏春秋察賢篇、魏文侯師卜子夏、友田子方、禮段干木、期賢篇、魏文侯過段干木之閭而軾之、當染篇、段干木學於子夏、胡三省曰、書、武王式商容閭、註云、式其閭巷、以禮賢、曲禮、國君撫式、士下之、註云、升車必正立、據式小俛、崇敬也、顏師古云、式、車前橫木、古者立乘、凡言式車者、謂俛首

撫式、以禮敬人、洪邁曰、子夏少於孔子四十四歲、孔子卒時子夏二十八矣、是時周敬王四十一年、後至威烈王二十三年、魏始爲侯、去孔子卒時七十五年、文侯爲大夫二十二年而爲侯、又十六年而卒、姑以始侯之歲計之、則子夏已百三歲矣、方爲諸侯師、梁玉繩曰、以有道之士享上壽、理之常、何足爲疑、且又安知文侯之師子夏、不在初卽位之時乎、子夏與文侯問答、載于禮經、受經爲師、見于書傳、卽諸子皆述之、豈盡不可爲典據哉、陳仁錫曰、文侯受子夏經藝、以下紀事、不係年月、史表在十八年、 秦嘗欲伐魏。或曰。魏君賢人是禮、國人稱仁、上下和合。未可圖也。【考證】客段干木以下、采呂氏春秋期賢篇淮南子修務篇、或諫、呂氏作司馬唐、淮南作司馬庾、 文侯由此得譽於諸侯。任西門豹守鄴。而河內稱治。【索隱】按大河在鄴東、故名鄴爲河內、古帝王之都多在河東河北、故呼河北爲河內、【正義】河南爲河外、又云、河從龍門南至華陰、東至衞州、卽東北入海、曲繞冀州、故言河內云也、【考證】國策魏策、鄴、今河南彰德府臨漳縣、 魏文侯謂李克曰。先生嘗教寡人曰。家貧則思良妻、國亂則思良相。今所置非成則璜。【集解】徐廣曰、文侯弟名成、 二子何如。李克對曰。臣聞之。卑不謀尊。疏不謀戚。【考證】說苑臣術篇、韓詩外傳三、戚作親、義同、 臣在闕門之外。不敢當命。

【考證】在闕門之外、說苑、作疎賤、外傳作外居、義同、 文侯曰。先生臨事勿讓。李克曰。君不察故也。居、視其所親。富、視其所與。達、視其所舉。窮、視其所不爲。貧、視其所不取。【考證】說苑、達作貴、愚按、呂氏春秋論人篇云、凡論人、通則觀其所禮、貴則觀其所進、富則觀其所養、聽則觀其所行、止則觀其所好、習則觀其所言、窮則觀其所不受、賤則觀其所不爲、蓋本李克語、 五者足以定之矣。何待克哉。【考證】呂氏春秋舉難篇云、魏文侯弟曰季成、友曰翟璜、文侯欲相之、而未能決、以問季充、季充對曰、君欲置相、則問樂騰與王孫苟端孰賢、文侯曰、善、以王孫苟端爲不肖、翟璜進之、以樂騰爲賢、季成進之、故相季成、與此異、 文侯曰。先生就舍。寡人之相定矣。李克趨而出、過翟璜之家。翟璜曰。今者聞君召先生而卜相。果誰爲之。李克曰。魏成子爲相矣。翟璜忿然作色曰。以耳目之所覩記、臣何負於魏成子。【考證】臣、臣僕之臣、謙辭、負、勝負之負、梁玉繩曰、說苑、翟璜自稱曰觸、豈有二名歟、 西河之守、臣之所進也。【考證】謂吳起、 君內以鄴爲憂。臣進西門豹。【考證】魏無趙患、 君

謀欲伐中山。臣進樂羊。中山已拔、無使守之。臣進先生。君之子無傅、臣進屈侯鮒。【考證】屈侯鮒、說苑、作屈侯附、外傳、作趙蒼、 臣何以負於魏成子。李克曰。且子之言克於子之君者、豈將比周以求大官哉。君問而置相。非成則璜。二子何如。克對曰。君不察故也。居、視其所親。富、視其所與。達、視其所舉。窮、視其所不爲。貧、視其所不取。五者足以定之矣。何待克哉。是以知魏成子之爲相也。且子安得與魏成子比乎。魏成子以食祿千鍾、什九在外、什一在內。【考證】六斛四斗爲一鍾、 是以東得卜子夏·田子方·段干木。此三人者、君皆師之。子之所進五人者、君皆臣之。子惡得與魏成子比也。翟璜逡巡再拜曰。璜、鄙人也。失對。願卒爲弟子。【考證】六國表

載卜相於二十年、 二十六年、虢山崩壅河。【集解】徐廣曰、在陝、駰案地理志曰、弘農陝縣、故虢國、北虢在大陽、東虢在滎陽、【正義】括地志云、虢山在陝州陝縣西二里、臨黃河、今臨河有岡阜、似是穨山之餘也、【考證】此西虢也、今河南陝州盧氏縣、北連陝州、故得壅河也、 三十二年、伐鄭。城酸棗。敗秦于注。【集解】司馬彪曰、河南梁縣有注城也、【正義】括地志云、注城在汝州梁縣西十五里、注或作鑄也、【考證】鄭、今河南開封府新鄭縣、酸棗、衞輝府延津縣、 三十五年、齊伐取我襄陵。【集解】徐廣曰、今在南平陽縣也、【考證】年表、襄陵訛作襄陽、襄陵故城、在今河南睢縣地、 三十六年、秦侵我陰晉。【集解】徐廣曰、今之華陰、【索隱】按年表、作齊侵陰晉、秦本紀云、惠王六年、魏納陰晉、更名曰寧秦、徐氏云、今之華陰也、【考證】陰晉、今陝西同州府華陰縣、沈家本曰、今表、作秦侵晉、蓋奪我陰二字、索隱所據本誤、 三十八年、伐秦。敗我武下、得其將識。【索隱】識、將名也、武下、魏地、【正義】括地志云、故武城、一名武平城、在華州鄭縣東十三里、【考證】黃式三曰、既獲秦將、又言敗我、疑有訛奪、 是歲文侯卒。【索隱】三十八年卒、紀年云、五十年卒、【考證】梁玉繩曰、索隱引紀年云、文侯五十年、今本紀年、作五十四年、下武侯卒、又引紀年云、二十六年卒、今本是十六年、索隱誤也、而紀年有錯簡、故其事間有可據、其年多不足憑、又呂覽下賢篇、言文侯南勝荊于連隄、東勝齊于長城、虜齊侯、獻諸天子、天子賞文侯以上卿、諸書皆無其事、 子擊立。是爲武侯。魏武

侯元年、趙敬侯初立。〔索隱〕按紀年、魏武侯之元年、當趙烈侯之十四年、不同也、又系本、敬侯名章、公子朔爲亂、不勝。奔魏。與魏襲邯鄲。魏敗而去。〔考證〕陳仁錫曰、年表趙世家、公子朔作公子朝、梁玉繩曰、朔、字譌、朔爲趙氏遠祖、何故名之、愚按、公子朝趙武公子、又按、此趙魏開釁之始、二年、城安邑·王垣。〔集解〕徐廣曰、垣縣有王屋山、也、〔索隱〕按紀年、十四年城洛陽及安邑王垣、徐廣云、垣縣有王屋山、故曰王垣、〔正義〕括地志云、故城漢垣縣、本魏王垣也、在絳州垣縣西北二十里也、七年、伐齊至桑丘。〔正義〕年表云、齊伐燕取桑丘、故魏救燕伐齊至桑丘也、括地志云、桑丘故城、俗名敬城、在易州遂城縣界也、〔考證〕桑丘、今山東兗州府滋陽縣、九年、翟敗我于澮。〔索隱〕古外反、于澮、於澮水之側、〔正義〕括地志云、澮高山、又云澮山、在絳州翼城縣東北二十五里、澮水出此山也、〔考證〕澮水、出山西翼城縣東烏嶺山、西流經曲沃縣、至新絳縣南、王澤入海、使吳起伐齊至靈丘。〔正義〕靈丘、蔚州縣也、時屬齊、故三晉伐之也、〔考證〕靈丘、今山東東昌府高唐縣、梁玉繩曰、起已于魏武侯六年死于楚矣、是時爲武侯九年、安得有起乎、大事記以世家爲誤、齊威王初立。〔索隱〕按紀年、齊幽公之十八年而威王立、十一年、與韓·趙三分晉地、滅其後。〔考證〕梁玉繩曰、是時分晉地而未滅也、十三年、秦獻公縣櫟陽。〔考證〕梁玉繩曰、秦獻公徙都櫟陽、不應以爲縣、縣字乃

徙之誤、年表同誤、十五年、敗趙北藺。〔正義〕在石州、趙之西北、屬趙、故云趙北藺也、〔考證〕北藺、山西汾州永寧州西、十六年、伐楚取魯陽。〔正義〕今汝州魯山縣也、〔考證〕今河南汝州魯山縣、武侯卒。〔索隱〕按紀年、武侯二十六年卒、子罃立。是爲惠王。惠王元年、初武侯卒也、子罃與公中緩爭爲太子。公孫頎自宋入趙、自趙入韓、〔索隱〕頎、音祈、〔正義〕中音仲、謂韓懿侯曰。〔索隱〕哀侯之子、〔考證〕梁玉繩曰、韓世家、不書伐魏濁澤事、則其時趙魏交兵、未嘗有韓矣、攷田完世家云、威王敗魏濁澤圍惠王、是必齊威王與趙合兵伐魏、而此以韓、凡言韓者皆齊之誤也、大事記、謂齊與濁澤事、蓋失檢耳、魏罃與公中緩爭爲太子。〔索隱〕按紀年、武侯元年、封公子緩、趙侯種韓懿侯伐我取蔡、而惠王伐趙圍濁陽、七年、公子緩如邯鄲以作難、是說此事矣、〔考證〕稱罃者、公中緩不以惠王爲君也、君亦聞之乎。今魏罃得王錯、挾上黨、固半國也。〔集解〕徐廣曰、汲冢紀年、惠王二年、魏大夫王錯出奔韓也、因而除之、破魏必矣。不可失也。〔集解〕徐廣曰、除一作倍、〔正義〕按除、除魏罃及王錯也、懿侯說。乃與趙成侯合軍并兵以伐魏。戰于濁澤。〔集解〕徐廣曰、長社有濁澤、

〔索隱〕系本云、成侯名種、〔考證〕濁澤、在今河南許州長葛縣、年表趙世家、作涿澤、其地近魏都、魏氏大敗、魏君圍。〔考證〕凌本、圍、作爲、非是、六國表、趙成侯六年、敗魏於涿澤、圍惠王、趙世家、圍魏惠王、可證、趙謂韓曰。除魏君、立公中緩、割地而退、我且利。韓曰。不可。殺魏君、人必曰暴。割地而退、人必曰貪。不如兩分之。〔考證〕是欲以半與惠王、以半封公中緩也、魏分爲兩、不彊於宋·衞、則我終無魏之患矣。趙不聽。韓不說、以其少卒夜去。惠王之所以身不死、國不分者、二家謀不和也。若從一家之謀、則魏必分矣。故曰。君終無適子、其國可破也。〔索隱〕此蓋古人之言及俗說、故云故曰、〔正義〕適者嫡、是故舊所言、故曰故曰也、〔考證〕是亦敍事中揷議論者、筆意與國策相似、但今本國策無此文、閔二年左傳引辛伯言云、嬖子配嫡、亂之本也、此言所本、二年、魏敗韓于馬陵、敗趙于懷。〔正義〕此馬陵、在魏州元城縣東南一里、〔考證〕張照曰、六國表、敗懷是元年事、敗馬陵是二年事、愚按、馬陵、今直隸大名府元城縣、懷、今河南懷慶府武陟縣、三年、齊敗我觀。〔集解〕徐廣曰、齊世家云、獻觀以和、齊、年表曰、伐魏取觀、今之觀

衞縣也、〔索隱〕田完系家云、敗魏於濁津、而圍惠王、惠王請獻觀以和解、〔正義〕觀音館、魏州觀城縣、古之觀國、國語注、觀國、夏啓子太康第五弟之所封也、夏衰滅之矣、五年、與韓會宅陽。〔正義〕括地志云、宅陽故城、一名北宅、在鄭州滎陽縣東南十七里也、〔考證〕宅陽故城、在今河南開封府滎澤縣東、城武堵。〔考證〕陳仁錫曰、築武堵城也、洪頤煊曰、年表、惠王五年、與韓會宅陽、城武都、堵卽都字之譌、韓世家作與魏惠王會宅陽、無城字、城者當屬武都爲句、愚按、錢大昕梁玉繩張文虎說同、都堵同聲、爲秦所敗。〔集解〕徐廣曰、秦年表曰、敗韓魏洛陰、六年、伐取宋儀臺。〔集解〕徐廣曰、一作義臺、〔索隱〕按年表、作義臺、然義臺見莊子、司馬彪亦曰、臺名、郭象云、義臺、靈臺、〔考證〕儀臺、地名、與莊子所言異、今本年表作儀臺、中井積德曰、臺名、遂爲地名耳、九年、伐敗韓于澮。與秦戰少梁。虜我將公孫痤。〔集解〕徐廣曰、年表云、虜我太子也、〔考證〕是役見虜者太子與公孫痤也、太子非申、公孫痤與公叔痤別人、公叔痤病死、非虜死也、說在秦紀、少梁、今陝西同州府韓城縣、取龐、〔正義〕龐、近少梁、秦獻公卒。子孝公立。十年、伐取趙皮牢。〔考證〕梁玉繩曰、取趙皮牢、與敗韓趙於澮、本屬一事、當在惠王九年、趙世家可證、此與年表在十年、誤也、愚按、魏策云、魏公叔痤爲魏將、而與韓趙戰澮北、禽樂祚、魏惠王說、郊迎以賞田百萬祿之、蓋此時事、皮牢、今河南彰德府武安縣西、彗星見。十二年、星晝墜有聲。十四年、與趙會鄗。

【考證】鄗、今直隸趙州柏鄉縣、十五年、魯・衞・宋・鄭君來朝。【索隱】按紀年、魯恭侯・宋桓侯・衞成侯・鄭釐侯來朝、皆在十四年、是也、鄭釐侯者、韓昭侯也、韓哀侯滅鄭而徙都之、改號曰鄭、【考證】梁玉繩曰、案秦策云、梁君伐楚勝齊、制韓趙之兵、驅十二諸侯、以朝天子于孟津、後子死、身布冠而拘于秦、齊策、蘇子說閔王、亦有魏王從十二諸侯朝天子之語、史皆缺略不載、又攷韓子說林言、魏惠公爲臼里之盟、將復立天子、彭喜謂鄭君勿聽、與韓策同、惟策誤次于釐王之時、而以臼里爲九重、彭喜爲房喜耳、復立天子、卽所謂率十二諸侯朝天子也、尤盛德事、何以不書、而反書諸侯之朝梁哉、十六年、與秦孝公會社平。【考證】秦紀年表、社平作杜平、此誤、杜平、今陝西同州府澄城縣、侵宋黃池。宋復取之。【考證】黃池、今河南封邱縣西南、十七年、與秦戰元里。秦取我少梁。【考證】年表云、秦與魏戰元里、斬首七千、取少梁、圍趙邯鄲。十八年、拔邯鄲。【考證】梁玉繩曰、案二十年、言歸邯鄲、一拔一歸、竝妄也、愚按、說在趙世家、邯鄲、趙都、趙請救于齊。齊使田忌・孫臏救趙。敗魏桂陵。【考證】桂陵、今山東曹州府鉅野縣、十九年、諸侯圍我襄陵。【考證】梁玉繩曰、國策圍襄陵者、止有一齊、卽據竹書、卽會齊者止宋衞二小國、不得統言諸侯也、襄陵之役、因趙爲魏所攻、求救于齊、故齊圍魏襄陵、在齊敗魏桂陵前數月、皆魏惠王十八年事、田完世家與國策合、紀年亦同在一年中、此與年表書敗桂陵于十八年、書圍襄陵于

十九年、誤矣、又攷魏文侯三十五年、齊取襄陵、中間不聞復歸于魏、何以策史記紀年俱言齊圍襄陵、至惠王改元十二年、又有楚敗魏襄陵之事、或者魏仍取於齊、史缺而不書歟、孫臏傳言據大梁之衢、不明言也、築長城、塞固陽。【正義】塞、先代反、括地志云、棡陽縣、漢舊縣也、在銀州銀城縣界、按魏築長城、自鄭濱洛、北達銀州、至勝州固陽縣爲塞也、固陽有連山、東至黃河、西南至夏會等州、棡音固、【考證】水經注引紀年、梁惠成王十二年、龍賈帥師築城于西邊、蓋魏築長城、在惠王十二年以前、至此而竣也、大役緩成、古多如此、秦本紀云、魏築長城、自鄭濱洛、以北有上郡、卽是、固陽、山西歸北城西北烏拉特旗界內、二十年、歸趙邯鄲、與盟漳水上。【正義】邯鄲、洛州縣也、漳、水名、漳水源出洛州武安縣三門山也、二十一年、與秦會彤。【考證】彤、今陝西同州府華州、趙成侯卒。【集解】徐廣曰、年表云、二十七年丹封名會、丹魏大臣也、二十八年、齊威王卒。中山君相魏。【索隱】按魏文侯滅中山、其弟守之、後尋復國、至是始令相魏、其中山後又爲趙所滅、【考證】中山君相魏、年表係之惠王二十九年、黃式三曰、魏滅中山守之、封其後以數邑、服于魏、至周安王末年、與趙戰、則中山必强矣、至是爲魏相、如靖郭君相齊之例、其國必益强矣、然猶臣于魏也、三十年、魏伐趙。【正義】孫臏傳云、魏與趙攻韓、韓告急齊、此文誤耳、魏伐趙、趙請救齊、齊使孫臏救趙、敗魏桂陵、乃在十八年也、【考證】梁玉繩曰、趙助魏伐韓事、年表世家皆不書、當是誤、允敗而歸矣、田完世家亦與此同誤、趙告急齊。齊宣王用孫子計、

救趙擊魏。魏遂大興師、使龐涓將。【考證】中井積德曰、據孫臏傳、齊敗魏師于馬陵者、魏之還師耳、非聞齊之救、擊而更發軍也、此恐謬、而令太子申爲上將軍。過外黃。【考證】外黃、宋地、在今河南開封府杞縣東北、外黃徐子謂太子曰。臣有百戰百勝之術。【集解】劉向別錄曰、徐子、外黃人也、外黃時屬宋、【正義】括地志云、故國城有南北二城、在汴州雍丘縣界、本屬外黃、卽太子申見徐子之地也、太子曰。可得聞乎。客曰。固願效之。【考證】效、呈也、曰。太子自將攻齊、大勝幷莒、則富不過有魏、貴不益爲王。【正義】莒、密州縣也、在齊東南、言從西破齊、幷至莒地、則齊土盡矣、【考證】莒、今山東沂州府莒縣、若戰不勝齊、則萬世無魏矣。此臣之百戰百勝之術也。【考證】高誘曰、益亦過也、不勝則太子滅、復何魏之有、故云、萬世無魏也、横田惟孝曰、還則無戰敗之患、而終能有魏、故曰百戰百勝之術也、太子曰。諾。請必從公之言而還矣。客曰。太子雖欲還不得矣。彼勸太子戰攻、欲啜汁者衆。【正義】啜、穿悅反、汁、之入反、冀功勳者衆也、【考證】策、勸作利、啜汁、作滿其意、中井積德曰、主人啖肉羹、從者自得啜汁、以喻使太子立功、而從者亦得班賞也、

太子雖欲還、恐不得矣。太子因欲還。其御曰。將出而還、與北同。【考證】北、音佩、敗北之北、却走也、太子果與齊人戰、敗於馬陵。【集解】徐廣曰、在元城、【索隱】徐廣曰、在元城、按紀年二十八年、與齊田盼戰于馬陵、又上二年、魏敗韓馬陵、十八年、趙又敗魏桂陵、桂陵與馬陵異處、【正義】虞喜志林云、馬陵在濮州鄄城縣東北六十里、有陵、澗谷深峻、可以置伏、按龐涓敗、卽此也、徐說馬陵在魏州元城縣東南一里、龐涓敗、非此地也、田完世家云、宣王二年、魏伐趙、趙與韓親、共擊魏、趙不利、戰於南梁、韓請救於齊、齊使田忌田嬰將、孫子爲師、救韓趙以擊魏、大破之馬陵、按南梁在汝州、又此傳云、太子爲上將軍、過外黃、又孫臏傳云、魏與趙攻韓、韓告急齊、齊使田忌將而往、直走大梁、魏將龐涓聞之、去韓而歸、齊軍已過而西矣、按孫子減竈退軍、三日行至馬陵、遂殺龐涓、虜魏太子申、大破魏軍、當如虞喜之說、從汴州外黃退至濮州東北六十里是也、然趙韓共擊魏、戰困於南梁、韓急請救於齊、齊師走大梁、敗魏馬陵、豈合更渡河北至魏州元城哉、徐說定非也、【考證】馬陵、今直隸大名府元城縣東南、令太子申爲上將軍以下、本魏策、齊虜魏太子申、殺將軍涓、軍遂大破。【考證】魏策云、齊大勝魏、殺太子申、覆十萬之師、三十一年、秦・趙・齊共伐我。【索隱】按紀年、二十九年五月、齊田盼伐我東鄙、九月、秦衞鞅伐我西鄙、十月、邯鄲伐我北鄙、王攻衞鞅、我師敗績、是也、然言二十九年、不同、秦將商君、詐我將軍公子卬、而襲奪其軍破之。秦用

商君、東地至河。而齊·趙數破我。安邑近秦、於是徙治大梁。【集解】徐廣曰、今浚儀。駰案、汲冢紀年曰、梁惠成王九年四月甲寅、徙都大梁也。【索隱】紀年以爲惠王九年、蓋誤也。【正義】陳留風俗傳云、魏之都也、畢萬十葉徙大梁。按今汴州浚儀也。【考證】梁玉繩曰、徐廣引紀年、徙大梁在九年、索隱謂紀年誤、然商君傳索隱謂二十九年徙亦誤、依史在三十一年、是。陳仁錫曰、魏與秦接境、自徙大梁之後、其地日以削、幷於秦。太史公敘襄王曰、予秦河西之地、盡入上郡於秦。敘昭王曰、予秦河東地方四百里、秦拔我城大小七十一。敘安釐王曰、秦拔我兩城、又拔我三城、秦拔我四城。敘景湣王曰、秦拔我二十城、蓋城盡而國繼以亡矣。愚按、大梁、今河南開封府。以公子赫爲太子。【考證】梁玉繩曰、案表在後一年、此上失書三十二年四字。赫疑卽襄王。三十三年、秦孝公卒。商君亡秦歸魏。魏怒不入。三十五年、與齊宣王會平阿南。【集解】地理志、沛郡有平阿縣也。【考證】今安徽鳳陽府懷遠縣。惠王數被於軍旅。卑禮厚幣、以招賢者。鄒衍·淳于髡·孟軻皆至梁。【考證】梁玉繩曰、孟子至梁不在惠王三十五年、說在下文。梁惠王曰。寡人不佞、兵三折於外、太子虜、上將死、國以空虛、以羞先君宗廟社稷。寡人甚醜之。

叟不遠千里、辱幸至弊邑之廷。將何以利吾國。【集解】劉熙曰、叟、長老之稱、依皓首之言。孟軻曰。君不可以言利若是。夫君欲利、則大夫欲利。大夫欲利、則庶人欲利。上下爭利、國則危矣。爲人君、仁義而已矣。何以利爲。【考證】梁惠王曰以下、采孟子。梁玉繩曰、案孟子初見惠王、王問利國、孟子答以仁義、他日因敗衂之故、又問以所以洒恥者、孟子勸以施仁政、史止載孟子仁義之對、而幷惠王之問爲一端、王滹南譏其文辭雜亂、良然。三十六年、復與齊王會甄。【考證】今山東曹州府濮州。是歲、惠王卒。【索隱】按紀年、惠成王三十六年、改元稱一年、未卒也。【考證】王應麟困學紀聞引朱子曰、惠襄哀之年、見於竹書、明甚、史記蓋失其實、邵子皇極之書、乃從史記、而不取紀年。顧炎武曰、史記魏世家、惠王三十六年卒、子襄王立、襄王元年、與諸侯會徐州相王也、追尊父惠王爲王、而孟子書其對惠王、無不稱之爲王者、則非追尊之辭明矣、司馬子長亦知其不通、而改之曰君、然孟子之書、出於當時、不容疑也。杜預左傳集解後序、言哀王於史記、襄王之子、惠王之孫也、惠王三十六年卒、而襄王立、立十六年卒、而哀王立、古書紀年篇、惠成王三十六年、改元、從一年始、至十六年、而惠成王卒、卽惠王也、疑史記誤惠成之世、以爲後王之年也、哀王二十三年乃卒、故特不稱謚、謂之今王、作書時未卒、故謂之今王、今按惠王卽位三十六年、稱王改元、秦本紀、秦惠文十四年、更爲元年、此稱王改元之證、又與魏王同時、又十六年卒、而子襄王立、卽紀年所謂今王、無哀王也、襄

哀字相近、史記分爲二人、誤耳、又曰、魏世家、襄王五年、予秦河西之地、七年、魏盡入上郡於秦、今按孟子書、惠王自言西喪地於秦七百里、乃悟史記所書襄王之年、卽惠王之後五年、後七年也、孟子證之而自明者也、又曰、據紀年、周愼靚王之二年、而魏惠王卒、其明年爲魏襄王之元年、又二年、燕王噲讓國於其相子之、又二年爲赧王之元年、齊人伐燕取之、又二年、燕人畔、與孟子之書、先梁後齊、其事皆合、然孟子在二國者、皆不久、若適梁乃惠王之末、而襄王立卽行、謂孟子以惠王之三十五年至梁者、誤以惠王之後元年爲襄王之元年故也。梁玉繩曰、從史記者、皇極經世、及閻氏若璩孟子生卒年月考、從竹書者、杜氏左傳後序、及集解、而通鑑因之、困學紀聞因之、日知錄因之、通鑑又不從杜之所稱之哀王、而從世本所稱之襄王、其說備載于攷異、蓋通鑑是也。子襄王立。【索隱】系本、襄王名嗣。【考證】四字當刪。梁玉繩曰、案襄王之名、年表·世家俱失書、索隱引世本、名嗣、而惠王三十一年、立公子赫爲太子、則又名赫、豈襄王有二名乎、又魏策有太子鳴、豈卽襄王乎、不然、何得有兩太子也。襄王元年、與諸侯會徐州相王也。【集解】徐廣曰、今薛縣。【考證】在今山東兗州府滕縣。追尊父惠王爲王。【集解】徐廣曰、二年伐趙。【考證】沈家本曰、孟子與惠王言、稱之爲王、國策魏惠王死篇、惠施稱爲先王、似惠王生時已稱王矣。梁玉繩曰、惠王三十六年後改元、十六年始卒、史以惠改元之年爲襄元年、誤矣、元年亦無諸侯相王事、祇魏改元稱王耳、惠生而爲王、何俟追尊。崔適曰、案此周顯王三十五年也、惟魏稱王之年、與秦本紀·六國表合、其餘五國、齊之王在顯王十六年、秦在四十四年、燕在四十六年、韓在四十七年、趙無考。五年、秦敗我龍賈軍四萬五

千于彫陰、【集解】徐廣曰、在上郡。【正義】括地志云、彫陰故縣、在鄜州洛交縣北三十里、彫陰故城是也。【考證】表在二年、秦紀在四年、彫陰在今陝西鄜州。圍我焦·曲沃。【正義】括地志云、故焦城、在陝縣東北百步、古虢城中東北隅、周同姓也。曲沃故城、在陝縣西南三十二里、按今有曲沃店也。【考證】表在五年、焦、河南陝州南、曲沃亦在陝州、非晉都曲沃。予秦河西之地。【正義】自華州北至同州、竝魏河北之地、盡入秦也。【考證】表紀在五年、河西卽西河之外、今陝西大荔·宜川等縣地。六年、與秦會應。【集解】徐廣曰、潁川父城有應鄉也。【正義】應、乙陵反。括地志云、故應城、故應鄉也、在汝州魯山縣東三十里。【考證】今河南汝州寶豐縣。秦取我汾陰·皮氏·焦。【正義】括地志云、汾陰故城、在蒲州汾陰縣北九里、皮氏故城、在絳州龍門縣西一百八十步也。【考證】梁玉繩曰、焦下脫曲沃二字、說在秦紀。汾陰、今山西蒲州府榮河縣、皮氏、蒲州府河津縣。魏伐楚、敗之陘山。【集解】徐廣曰、在密縣。【正義】括地志云、陘山、在鄭州新鄭縣西南三十里。【考證】陘山、在今河南開封府新鄭縣南、與華陽相近。七年、魏盡入上郡于秦。【正義】括地志云、上郡故城、在綏州上縣東南五十里、秦魏之上郡地也。按丹·鄜·延·綏等州、北至固陽、竝上郡地、魏築長城界秦、自華州鄭縣已北、濱洛至慶州洛源縣白於山、卽東北至勝州固陽縣、東至河西上郡之地、盡入於秦。【考證】上郡、今陝西延安府、此孟子所謂西喪地於秦七百里者。秦降我蒲陽。【正義】在隰州隰川縣蒲邑故城是也。【考證】梁玉繩曰、張儀傳、秦旣取蒲陽、而復歸之、故魏以上郡爲

謝也、乃魏世家及年表、皆不書歸蒲陽、世家又倒其文曰、魏盡入上郡于秦、秦降蒲陽、則所書之事不全、似秦既得上郡、又降蒲陽也、夫魏豈無故而獻地哉、蒲陽、今山西隰州、

八年、秦歸我焦·曲沃、考證 梁玉繩曰、此似失書歸皮氏、十二年、楚敗我襄陵。考證 此孟子所謂南辱於楚者、諸侯執政、與秦相張儀會齧桑。集解 徐廣曰、在梁與彭城之間、考證 當在今河南歸德府及安徽潁州府蒙城縣間、十三年、張儀相魏。魏有女子、化爲丈夫。秦取我曲沃·平周。正義 絳州桐鄉縣、晉曲沃邑、十三州志云、古平周縣、在汾州介休縣西五十里也、考證 平周、今山西汾州府介休縣、

十六年、襄王卒。子哀王立。集解 荀勗曰、和嶠云、紀年起自黃帝、終於魏之今王、今王者魏惠成王子、案太史公書惠成王、但言惠王、惠王子曰襄王、襄王子曰哀王、惠王三十六年卒、襄王立十六年卒、幷惠襄爲五十二年、今案古文、惠成王立三十六年、改元稱一年、改元後十七年卒、太史公書爲誤分惠成之世、以爲二王之年數也、世本惠王生襄王、而無哀王、然則今王者魏襄王也、索隱 按系本、襄王生昭王、無哀王、蓋脫一代耳、而紀年說惠成王三十六年、又稱後元一十七年卒、今此文分惠王之歷、以爲二王之年、又有哀王凡二十三年、紀事甚明、蓋無足疑、而孔衍敘魏語、亦有哀王、蓋紀年之作、失哀王之代、故分襄王之年爲惠王後元、卽以襄王之年包哀王之代耳、考證 襄王、當作惠王、哀王、當作襄王、說見上注、黃式三曰、韓宣惠王之子諡襄哀王、見留侯傳、魏惠成王子意亦諡襄哀、二君甍同年、亦同諡與、史

止稱襄者、正如惠成王之稱惠王、韓襄哀王之稱襄王也、史記分惠王之一世爲二世、因分襄王之一諡爲二諡矣、又曰、攷世本、襄哀王生昭王、呂覽審應篇高誘注亦云昭王、襄王之子、則史記爲襄哀昭三世誤矣、愚按、魏惠王好戰、遂敗其國、孟子盡心篇云、不仁哉、梁惠王也、以土地之故、糜爛其民而戰之、大敗、將復之、恐不能勝、故驅其所愛子弟以殉之、呂氏春秋淫辭篇云、惠子爲魏惠王爲法、以示諸民人、民人皆善之、獻之惠王、惠王善之、以示翟翦、翟翦曰、善也、不可行、不屈篇云、惠子之治魏爲本、其治不治、當惠王之時、五十戰而二十敗、所殺者不可勝數、大將愛子有禽者也、大術之愚、爲天下笑、圍邯鄲三年而弗能取、士民罷潞、國家空虛、天下之兵四至、衆庶誹謗、諸侯不譽、謝於翟翦而更聽其謀、社稷乃存、名寶散出、土地四削、魏國從此衰矣、又云、惠王布冠而拘于鄄、齊威王幾弗受、惠子易衣變冠、乘輿而走、幾不出乎魏境、愛類篇云、匡章謂惠子曰、公之學去尊、今又王齊王、何其倒也、惠子曰、今可以王齊王而壽黔首之命、免民之死、何爲不爲、其窮困之狀可想、好戰之禍、實至於此、魏惠好戰之事、又詳於吳裕垂史案卷五、

張儀復歸秦。考證 梁玉繩曰、據張儀傳、當在哀王二年、實襄二年也、此誤、哀王元年、五國共攻秦。不勝而去。正義 韓、魏、楚、趙、燕也、考證 梁玉繩曰、攻秦者六國也、說在秦紀、二年、齊敗我觀津。正義 括地志云、觀津城、在冀州棗陽縣東南二十五里、本趙邑、今屬魏也、考證 梁玉繩曰、此及六國表與張儀樂毅傳、竝作觀津、韓世家又作濁澤、皆誤、當依趙齊兩世家作觀澤、正義引括地志云、觀澤、在魏州頓丘縣東、觀津、在冀州棗陽縣東南、濁澤、在蒲州解縣東北、三地不同、韓世家正義引年表亦作觀澤、五年、秦使樗里子伐

取我曲沃。索隱 秦昭王弟疾、居樗里、因號焉、考證 梁玉繩曰、秦紀云、樗里疾攻魏焦、降之、然則是年所拔者焦也、曲沃已于前八年爲秦取之、此與年表樗里子傳皆誤、走犀首岸門。集解 徐廣曰、潁陰有岸亭、索隱 犀首、官名、卽公孫衍、徐廣云、潁陰有岸門亭、劉氏云、河東皮氏縣有岸頭亭也、正義 括地志云、岸門、在許州長社縣西北十八里、今名西武亭、考證 今河南許州長葛縣、六年、秦求立公子政爲太子。索隱 魏公子也、考證 梁玉繩曰、求字譌、當依表作來、與秦會臨晉。考證 臨晉、今陝西同州府、黃式三曰、張儀傳云、魏復事秦、卽此年事也、七年、攻齊。集解 徐廣曰、年表云、擊齊虜贅子於濮也、考證 張文虎曰、表贅子作聲子、與秦伐燕。八年、伐衛。索隱 紀年云、八年、翟章伐衛、考證 黃式三曰、謀伐衛者、蓋成陵君、非翟章、衛君患之。如耳見衛君曰。

請罷魏兵、免成陵君可乎。正義 如耳、魏大夫姓名也、考證 崔適曰、上文無成陵君謀伐燕事、亦不詳成陵君爲何人、脫也、不然、無此文法、衛君曰。先生果能、孤請世世以衛事先生。如耳見成陵君曰。昔者魏伐趙、斷羊腸、拔閼與、集解 徐廣曰、在上黨、正義 閼、於連反、與、音預、羊腸阪道、在太行山上、南口懷州、北口潞州、閼與故城、在潞州及儀州、若斷羊腸、拔閼與、北連恆州、則趙國東西斷而爲二也、考證 羊腸、趙險塞名、羊腸坂長三里、盤曲如羊腸、故名、在今山

西壺關縣東南、閼與、在今河南武安縣西南、非山西沁縣之閼與也、梁玉繩曰、史策、皆不載此事、無從考也、閼與之拔、蓋魏卽歸之、故其後秦昭王攻趙閼與、至始皇而拔之、約斬趙、趙分而爲二。所以不亡者、魏爲從主也。考證 趙之存亡、魏主之、今衛已迫亡、將西請事於秦。與其以秦醳衛、不如以魏醳衛。正義 醳、音釋、衛之德魏、必終無窮。成陵君曰。諾。如耳見魏王曰。臣有謁於衛。衛、故周室之別也。其稱小國、多寶器。今國迫於難、而寶器不出者、其心以爲攻衛醳衛、不以王爲主。故寶器雖出、必不入於王也。臣竊料之、先言醳衛者、必受衛者也。考證 岡白駒曰、受衛賂也、如耳出。成陵君入、以其言見魏王。魏王聽其說、罷其兵、免成陵君、終身不見。考證 岡白駒曰、疑受衛賂也、徐孚遠曰、衛君本意、欲釋圍耳、何恨乎成陵君而欲免之、蓋如耳害成陵君、故假衛事而譏之、九年、與秦王會臨晉。張儀·魏章皆歸于魏。索隱 章、爲

魏將、後又相秦、

魏相田需死。【正義】需、音須、楚害張儀・犀首・薛公。【索隱】田文也、【考證】梁玉繩曰、魏有田文、爲武侯相、見吳起傳、呂氏春秋執一篇所謂商文也、又有魏文子、相襄王、見魏策、與齊孟嘗爲三人、因名偶同于孟嘗、而孟嘗又有奔魏事、故國策誤以文子爲薛公、幷謂孟嘗奔魏爲相魏、史仍其誤耳、且薛公奔魏、當魏昭王十一二年間、國策載謀相事于哀王時、此叙在哀王九年、前薛公之奔魏者廿六七年、是時孟嘗方相齊、何以居魏乎、楚相昭魚【索隱】昭奚恤也、謂蘇代曰、田需死。吾恐張儀・犀首・薛公有一人相魏者也。代曰、然。相者欲誰而君便之。【考證】策、欲作以、昭魚曰、吾欲太子之自相也。【索隱】太子、卽襄王也、【考證】余有丁曰、太子、當是昭王、張照曰、索隱蓋傳寫之謬、代曰、請爲君北、必相之。【考證】岡白駒曰、北字句、北往魏、楓山、三條本、作北見梁王、必使相之、與策合、昭魚曰、柰何。對曰、君其爲梁王。代請說君。【考證】岡白駒曰、君試爲梁王、我且以君爲梁王而說之、昭魚曰、柰何。對曰、代也從楚來。昭魚甚憂曰、田需死。吾恐張儀・犀首・薛公有一人相魏者也。【考證】岡白駒曰、此告梁王辭、代曰、梁王、長主也。必

不相張儀。【考證】岡白駒曰、長主、猶云賢主、張儀相、必右秦而左魏。犀首相、必右韓而左魏。薛公相、必右齊而左魏。【考證】右、上也、梁王、長主也。必不便也。【考證】策、作必不使相也、王曰、然則寡人孰相。【考證】古鈔本、孰下有爲、中井積德曰、是昭魚爲梁王而言也、愚按、策無此八字、史公以意補、代曰、莫若太子之自相。太子之自相、【考證】策、不重此四字、是三人者皆以太子爲非常相也。皆將務以其國事魏。欲得丞相璽也。以魏之彊、而三萬乘之國輔之、魏必安矣。故曰、莫若太子之自相也。遂北見梁王、以此告之。太子果相魏。【考證】魏相田需死以下、本國策魏策、徐孚遠曰、前代未有用太子爲相者、後以太子錄尚書、及爲尚書令、蓋本此也、十年、張儀死。十一年、與秦武王會應。十二年、太子朝於秦。秦來伐我皮氏、未拔而解。【考證】年表及樗里甘茂傳、在十三年、十四年、秦來歸武王后。【考證】表、作秦武后來歸、秦紀、作悼武王后出居于魏、后、

秦武王后、昭王嫂也、十六年、秦拔我蒲阪・陽晉・封陵。【索隱】紀年、作晉陽封谷、【正義】陽晉、當作晉陽也、史文誤、括地志云、晉陽故城、今名晉城、在蒲州虞鄕縣西三十五里、表云、魏哀王十六年、秦拔我杜陽晉陽、卽此城也、封陵亦在蒲州、按陽晉故城、在曹州、解在蘇秦傳也、【考證】梁玉繩曰、年表紀年、皆作晉陽、是也、封陵、紀年作封谷、水經作風陵、十七年、與秦會臨晉。秦予我蒲阪。十八年、與秦伐楚。【集解】徐廣曰、二十年、與齊王會于韓、二十一年、與齊・韓共敗秦軍函谷。【集解】徐廣曰、河渭絕一日、二十三年、秦復予我河外及封陵爲和。【考證】梁玉繩曰、案事在二十一年、河外及三字衍、說見秦紀、哀王卒。【索隱】按汲冢紀年、終於哀王二十年、昭王三年喪畢、始稱元年耳、【考證】哀王、當作襄王、記紀年時、襄王未卒、故所記止其二十年、中井積德曰、雖三年之喪、終於二十二年也、則二十三年無所屬、索隱無稽、子昭王立。【索隱】系本、昭王名遬、昭王元年、秦拔我襄城。【考證】襄城、今河南許州襄城縣、二年、與秦戰。我不利。三年、佐韓攻秦。秦將白起敗我軍伊闕、二十四萬。【考證】伊闕、今河南河南府洛陽縣南、張照曰、秦紀云、左更白起攻韓魏於伊闕、斬首二十四萬、蓋合韓魏之兵、共斬首二十四萬耳、魏韓兩世家、各言二十四萬、蓋失實矣、六年、予

秦河東地方四百里。芒卯以詐重。【索隱】謂卯以智詐見重於魏、【考證】芒卯、韓非子淮南子、作孟卯、芒孟、聲近相通、齊人、魏將、徐孚遠曰、但言以詐重、不敍其事、當有闕文、疑國策所載、是也、淩稚隆曰、按魏策、芒卯詐以鄴事趙、令閉關絕秦、秦趙大惡、趙王恐魏承秦之怒、割五城以合于魏而支秦、七年、秦拔我城大小六十一。八年、秦昭王爲西帝、齊湣王爲東帝。月餘皆復稱王歸帝。九年、秦拔我新垣・曲陽之城。【正義】年表及括地志云、曲陽故城、在懷州濟源縣西十里、新垣、近曲陽、未詳端的所之處也、【考證】新垣、今山西絳州垣曲縣、曲陽、河南懷寧府濟源縣、張文虎曰、正義年表及三字、疑衍、十年、齊滅宋。宋王死我溫。【考證】今河南懷慶府溫縣、十二年、與秦・趙・韓・燕共伐齊、敗之濟西。湣王出亡。燕獨入臨菑。【考證】梁玉繩曰、六國伐齊、此失書楚、說在秦紀、濟西、今山東東平州東阿平陰長清等縣地、臨菑、齊都、今山東青州府臨淄縣、與秦王會西周。【正義】卽王城也、今河南郡城也、十三年、秦拔我安城。【正義】括地志云、安城故城、在豫州汝陵縣東南七十一里、【考證】今河南汝寧府、兵到大梁去。【集解】徐廣曰、十四年、大水、十八年、秦拔郢。楚王徙陳。【索隱】郢、楚都、

十九年、昭王卒。子安釐王立。【索隱】系本、安僖王名圉。安釐王元年、秦拔我兩城。二年、又拔我二城、軍大梁下。韓來救。予秦溫以和。三年、秦拔我四城、斬首四萬。四年、秦破我及韓・趙、殺十五萬人、走我將芒卯。【考證】梁玉繩曰、韓字衍、十五萬、連趙言之、亦非、說在秦紀。魏將段干子、請予秦南陽以和。【集解】徐廣曰、在脩武。【考證】魏策云、段干子名崇、南陽、今河南脩武縣。蘇代謂魏王曰。【考證】策、蘇代作孫臣。欲璽者段干子也。【考證】段干欲得秦封、故請魏割地。欲地者秦也。今王使欲地者制璽、使欲璽者制地。魏氏地不盡則不知已。且夫以地事秦、譬猶抱薪救火。薪不盡、火不滅。王曰。是則然也。雖然、事始已行。不可更矣。對曰。王獨不見夫博之所以貴梟者。便則食、不便則止矣。【正義】博頭有刻爲梟鳥形者、擲得梟者、合食其子、若不便、則爲餘行也。【考證】博局戲、以五木爲骰、有梟盧雉犢塞五者之采、梟爲最勝、得梟者合食其子、食、行棋也、欲食則食、不宜食則握、握、止也、中井積德曰、博之行骰子、當道者食、他采雖不便不得食、唯梟雖當道者、不便則不食、是梟之所以貴也、愚按、策、貴作用、史爲長、者下有邪字、策爲長。今王曰、事始已行不可更。是何王之用智、不如用梟也。【考證】欲璽者段干子以下本魏策、今王曰事始已行不可更、策作今君劫於羣臣而許秦、因曰不可革、年表云、與秦南陽以和、與策云魏王曰善、乃按其行者亦異。九年、秦拔我懷。十年、秦太子外質於魏。死。十一年、秦拔我郪丘。【集解】徐廣曰、郪丘、一作廩丘、又作邢丘、郪丘、今爲宋公縣。【索隱】郪、七絲反、又音妻。【正義】郪、七私反、又音妻、地理志云、汝南郡新郪縣、應劭曰、秦伐魏取郪丘、漢興爲新郪、章帝封殷後、更名宋也。【考證】郪丘、秦紀作邢丘、年表作廩丘、注徐廣云、一作邢丘、洪頤煊曰、以下文秦固有懷茅邢丘句證之、當作邢丘爲是。秦昭王謂左右曰。今時韓・魏與始孰彊。對曰。不如始彊。王曰。今時如耳・魏齊、與孟嘗・芒卯孰賢。【考證】如耳、魏大夫、見上、是時仕韓、魏齊、魏相、孟嘗、卽薛公田文、芒卯、魏將、見上。對曰。不如。王曰。以孟嘗・芒卯之賢、率彊韓・魏以攻秦。猶無柰寡人何也。今以無能之如耳・魏齊、而率弱韓・魏以伐秦、其無柰寡人何亦明矣。左右皆曰。甚然。中旗馮琴而對曰。【索隱】按戰國策、作推琴者、春秋後語、作伏琴、而韓子、作推瑟、說苑、作伏瑟、文各不同。【考證】中旗、策作中期、字通、中期、官名、韓非子云、中期之所官琴瑟也、可證、凌本、琴下無而字、今依宋本慶長本館本補。王之料天下過矣。當晉六卿之時、知氏最彊。滅范・中行、又率韓・魏之兵以圍趙襄子於晉陽、決晉水以灌。晉陽之城、不湛者三版。【正義】括地志云、晉水、源出并州晉陽縣西懸甕山、山海經云、懸甕之山、晉水出焉、東南流注汾水、昔趙襄子堡晉陽、智氏防山、以水灌之、不沒者三版、其瀆乘高、西注入晉陽城、以周溉灌、東南出城、注於汾陽也。【考證】策、湛作沈、同、高二尺爲版、趙世家、晉水作汾水、晉水爲長。知伯行水。魏桓子御、韓康子爲參乘。【考證】策作康子御、桓子驂乘。知伯曰。吾始不知水之可以亡人之國也。乃今知之。【考證】知伯之言止於此。汾水可以灌安邑、【正義】安邑、在絳州夏縣、本魏都、汾水、東北歷安邑西南入河也。絳水可以灌平陽。【正義】平陽、晉州、韓都也、括地志云、絳水一名白水、今名弗泉、源出絳山、飛泉奮涌、揚波北注、縣流積壑二十許丈、望之極爲奇觀矣、按引此灌平陽城也。【考證】水經六澮水注、梁書韋叡傳、汾水絳水互易、爲是、此與秦策同訛、說詳于李述來讀通鑑綱目條記、時韓氏居平陽、魏氏居安邑。魏桓子肘韓康子、韓康子履魏桓子。肘足接於車上、而知氏地分身死國亡、爲天下笑。今秦兵雖彊、不能過知氏。韓・魏雖弱、尚賢其在晉陽之下也。此方其用肘足之時也。願王之勿易也。於是秦王恐。【索隱】易、音以豉反。【考證】秦昭王以下、采秦策、於是秦王恐五字、史公以意補、易、輕易也、中井積德曰、此一條宜入秦本紀、不當在魏世家。齊・楚相約而攻魏。魏使人求救於秦。冠蓋相望也。【考證】冠、冠冕、蓋、車蓋、使者往來不絕、故曰冠蓋相望。而秦救不至。魏人有唐雎者。年九十餘矣。【索隱】雎、七餘反。【考證】雎、從且、新序、作唐且、從目者訛、梁玉繩曰、此時爲安釐王十一年、迨魏之亡、凡四十二年、而國策載魏亡後唐雎爲安陵君說秦始皇、豈雎壽至一百三十餘歲乎。謂魏王曰。老臣請西說秦王、令兵先臣出。魏王再拜、遂約車而遣之。【考證】約、東馬於車也、約車、具車也。唐雎到、入見秦王。秦王曰。丈人芒然乃遠至。【考證】丈人、長老之稱、孟子公孫丑篇、芒芒然、歸、趙岐注、罷倦之貌、此甚苦矣。夫魏之來求救數矣。寡人知魏之急已。【考證】策、已作矣、唐睢對曰。大王已知魏之急、而救不發者、臣竊以爲用策之臣無任矣。【考證】岡白駒曰、用策之臣、不事事也、夫魏、一萬乘之國也。然所以西面而事秦、稱東藩受冠帶、祠春秋者、以秦之彊足以爲與也。【索隱】與、謂許與、爲親而結和也、【正義】與、黨與也、【考證】蘇秦傳、秦說魏王云、王、天下之賢主也、今乃有意西面而事秦、稱東藩、築帝宮、受冠帶、祠春秋、索隱云、謂冠帶制度、皆受秦之法、春秋貢奉、以助秦祭祀、與字解、正義是、猶助也、今齊・楚之兵已合於魏郊矣。而秦救不發、亦將賴其未急也。使之大急、彼且割地而約從。王尙何救焉。必待其急而救之、是失一東藩之魏、而彊二敵之齊・楚、則王何利焉。於是秦昭王遽爲發兵救魏。魏氏復定。【考證】齊楚相約以下、采魏策、趙使人謂魏王曰、爲我殺范痤。吾請獻七十里

之地。魏王曰。諾。使吏捕之。圍而未殺。【考證】趙策云、虞卿謂趙王曰、人之情、寧朝人乎、寧朝於人也、趙王曰、人亦朝人耳、何故朝於人、虞卿曰、夫魏爲從主而違者范痤也、今王能以百里之地、若萬戶之都、請殺范痤於魏、魏王許諾、范痤死、則從事可移於趙、趙王曰、善、乃使人以百里之地請殺范痤於魏、情事可覩、但卿不應爲此謀、恐他人、痤因上屋騎危、謂使者曰。【集解】危、棟上也、【索隱】上音奇、危、棟上也、禮云、中屋履危、蓋昇屋以避兵、【考證】策作獻書魏王曰、無上屋騎危事、與其以死痤市、不如以生痤市。有如痤死趙不予王地、則王將柰何。故不若與先定割地、然後殺痤。魏王曰。善。痤因上書信陵君曰。痤、故魏之免相也。趙以地殺痤、而魏王聽之。有如彊秦亦將襲趙之欲、則君且柰何。【考證】策云、今能守魏者莫如君矣、王聽趙殺痤之後、強秦襲趙之欲、倍趙之割、則君將何以止之、此君之累也、語更詳、襲因也、欲、求也、言秦因趙所爲、欲割地使魏殺信陵君也、信陵君言於王而出之。【考證】趙使人謂魏王以下、本趙策、魏王以秦救之故、欲親秦而伐韓、以求故地。無忌謂魏王曰。【考證】策、無忌作朱己、王念孫

曰、荀子彊國篇注引此、無忌作朱忌、是也、忌・已古同聲、秦與戎翟同俗、有虎狼之心、貪戾好利無信、不識禮義德行。苟有利焉、不顧親戚兄弟、若禽獸耳。此天下之所識也。非有所施厚積德也。故太后、母也。而以憂死。【考證】秦昭襄王用范雎之說、廢太后、逐穰侯、出高陵涇陽於關外、太后以憂死、穰侯、舅也。功莫大焉。而竟逐之。【考證】穰侯、魏冉、太后弟、史穰侯傳贊云、穰侯、昭王親舅也、而秦所以東益地、弱諸侯、嘗稱帝於天下、天下皆西鄉稽首者、穰侯之功也、及其貴極富溢、一夫開說、身折勢奪、而以勞死、況於羇旅之臣乎、兩弟無罪、而再奪之國。【考證】兩弟高陵涇陽、事詳范雎傳、此於親戚若此。而況於仇讎之國乎。今王與秦共伐韓、而益近秦患。【考證】策、無患字、臣甚惑之。而王不識、則不明。羣臣莫以聞、則不忠。【考證】以聞二字又見于此、後世爲上書套語、今韓氏以一女子奉一弱主。【考證】呂祖謙曰、按韓世家、不載其事、必是韓王少、母后用事、吳師道曰、是時秦宣太后、趙惠文后、齊君王后、皆專政、韓亦然也、內有大亂、外交彊秦・魏之

兵。【考證】策、交作支、王以爲不亡乎。韓亡、秦有鄭地、與大梁鄴。【索隱】戰國策、鄴作鄰字、爲得、【考證】鄭卽韓、韓世家云、哀侯二年滅鄭、因徙都鄭、大梁卽魏、鄴當作鄰、王以爲安乎。王欲得故地、今負彊秦之親。【考證】策、親作禍、吳師道曰、據史、則負當從恃訓、從策、則負任在背、以爲喩也、史義長、王以爲利乎。秦非無事之國也。韓亡之後、必將更事。更事必就易與利。【考證】二更字、策作便、姚鼐曰、作更是、就易與利、必不伐楚與趙矣。是何也。夫越山踰河、絕韓上黨而攻彊趙、是復閼與之事。【索隱】復、音扶富反、謂前年秦韓相攻閼與、而趙奢破秦軍、【考證】復、重也、再也、秦必不爲也。若道河內、倍鄴・朝歌、絕漳・滏水、與趙兵決於邯鄲之郊。是知伯之禍也。【考證】策、是下有受字、秦又不敢。伐楚道涉谷、【索隱】道、猶行也、涉谷、是往楚之險路、從秦向楚有兩道、涉谷是西道、河內是東道、【考證】張文虎曰、各本涉下衍山字、依索隱本刪、愚按、索隱河內當作河外、行三千里、【正義】劉伯莊云、秦兵向楚有兩道、涉谷是西道、河外是東道、從襃斜入梁州、卽東南至申州、攻石城山險阸之塞也、而攻

冥阸之塞。【集解】孫檢曰、楚之險塞也、徐廣曰、或以爲今江夏鄳縣、【正義】冥、音盲、括地志云、石城山、在申州鍾山縣東南二十一里、魏攻冥阸、卽此、山上有故石城、水經注云、或言在鄳、指此山也、呂氏春秋云、九塞、此其一也、【考證】策、冥阸作危隘、所行甚遠、所攻甚難。【索隱】攻亦作致、戰國策、見作致軍、言致軍糧難也、【考證】今本策與史文同、遠下有而字、秦又不爲也。若道河外、倍大梁、右蔡左召陵、【集解】徐廣曰、一無左字、【正義】上蔡縣、在豫州北七十里、邵陵故城、亦在豫州郾城縣東四十五里、竝在陳州西南、至鄭州東向陳州、則背大梁也、從河外出函谷關、歷同州、從汴州南行、向陳州之西郊、則上蔡邵陵、正南面向東、皆身之右、定無左字也、【考證】策、蔡左作上蔡、梁玉繩曰、蔡左二字、當作上蔡、傳寫譌耳、與楚兵決於陳郊。秦又不敢。故曰、秦必不伐楚與趙矣。又不攻衞與齊矣。【正義】衞齊皆在韓趙魏之東、故秦不伐也、夫韓亡之後、兵出之日、非魏無攻已。秦固有懷·茅·【集解】徐廣曰、在脩武、軹縣有茅亭、【正義】茅、卯包反、懷州武陟縣西十一里、故懷城、本周邑、後屬晉、左傳云、周與鄭人蘇忿生十二邑、其一曰攢茅、括地志云、在懷州獲嘉縣東北二十五里也、獲嘉、古脩武也、【考證】今河南武涉縣西南、有懷縣故城、獲嘉縣東北、有故茅城、邢丘。【集解】徐廣曰、在平皋、【正義】括地志云、平皋故城、在懷州武德縣東南二十里、本邢丘邑也、以其在河之皋地也、【考證】河南沁陽縣

東南平皋故城、城【索隱】按戰國策云、邢丘安城、此少安字耳、【考證】楓山、三條本、有安字、蓋依策補也、安城故城、在今原武縣東南、垝津、【索隱】在河北、垝、音九毀反、【正義】垝、音詭、字誤、當作延、括地志云、延津、故俗字名臨津、故城、在衞州清淇縣西南二十六里、杜預云、汲郡城南有延津、是也、【考證】延津故城、今河南汲縣南、梁玉繩曰、城垝津、築城于垝津也、荀子强國注、引史同、謂垝津卽圍津、以曹參度圍津爲證、荀子傳寫誤作圍津、乃東郡白馬之韋津也、圍韋垝三字、古通借用之、愚按、梁說近是、以臨河內、河內共·汲必危。【集解】徐廣曰、汲縣、屬河內、【索隱】汲、亦作波、波及汲、皆縣名、俱屬河內、【考證】共、今河南輝縣、汲、今河南汲縣西南、有鄭地、【集解】徐廣曰、成皋、滎陽、俱屬鄭、【考證】策、有上有秦字、得垣雍、【集解】徐廣曰、垣雍城、在卷縣、卷縣屬魏也、卷縣又有長城、經陽武到密者也、【正義】雍、於用反、括地志云、故城、在鄭州原武縣西北七里、釋例地名、卷縣、理或垣城也、言韓亡之後、秦有鄭地、得垣雍城、從滎澤決溝、歷雍灌大梁城也、【考證】垣雍故城、在今河南原武縣西北、決滎澤水灌大梁、【考證】滎澤、卽石門渠、滎瀆受河之處、在今河南河陰縣西、後秦滅魏、果用此策、秦本紀始皇二十二年、王賁攻魏、引河溝灌大梁、大梁城壞、其王請降、盡取其地、大梁必亡。王之使者出、過而惡安陵氏於秦。【集解】徐廣曰、召陵有安陵鄉、征羌有安陵亭、【正義】括地志云、鄢陵縣西北十五里、李奇云、六國時爲安陵也、言魏王使者出向秦云、共伐韓以成過失、而更惡安陵氏於秦、今伐之、重非也、【考證】顧炎武曰、蓋魏王之使過安陵、有所不快、而毀之於秦也、方苞曰、言

過計而惡安陵氏於秦也、愚按、安陵魏之附庸、魏策引安陵君言云、先君成侯受詔襄王、是魏襄時所封、魏滅猶存、故城、在今河南安陵縣西北、非楚之安陵、秦之欲誅之久矣。秦葉陽·昆陽、與舞陽鄰。【正義】括地志云、葉陽、今許州葉縣也、昆陽故城、在許州葉縣北二十五里、舞陽故城、在葉縣東十里、此時葉陽昆陽屬秦、舞陽屬魏也、【考證】楓山、三條本、誅作許、與策合、張文虎曰、舞陽、依宋本毛本、與國策及正義合、各本誤武陽、葉陽、今河南葉縣、昆陽故城、在今葉縣北、舞陽故城、在今舞陽縣西、聽使者之惡之、隨安陵氏而亡之。【索隱】聽使、上平聲、下去聲、【正義】隨、猶聽也、無忌說言使者惡安陵氏、亦聽秦亡安陵氏、然繞舞陽之北、以東臨許、許必危矣、秦有許地、魏國可無害、【考證】黃式三曰、隨墮、古通用、繞舞陽之北、以東臨許、南國必危。【正義】南國、今許州許昌縣南西四十里許昌故城是也、此時屬韓、在魏之南、故言南國、括地志云、周時爲許國、武王伐紂所封、地理志云、潁川許縣、古許國、姜姓、四岳之後、文叔所封、二十四君、爲楚所滅、三卿背晉、其地屬韓、【考證】許、今河南許昌縣東有許昌故城、中井積德曰、南國、謂南地諸國也、不必拘地名、國無害已。【考證】梁玉繩曰、此句文義不順、策、作魏國豈得安哉、則已字疑當作乎、夫憎韓不愛安陵氏、可也。夫不患秦之不愛南國、非也。【考證】策、安上愛作受、史文爲長、魏今欲伐韓、故曰憎、不愛安陵氏、上文所謂惡安陵氏於秦也、崔適曰、也下夫字似衍、異日者秦在河西晉

國。去梁千里。【集解】徐廣曰、魏國之界千里、又云、河南梁縣有注城、【正義】河西、同州也、晉國都絳州、魏都安邑、皆在河東、去大梁有千里也、【考證】秦在河西晉國、句、言秦前日所有、止晉河西之地、而未及河東也、左傳僖十五年云、秦始征河東置官司焉、蓋晉惠所割跨河西東也、僖十七年左傳云、晉太子圉爲質於秦、秦歸河東而妻之、是河東之地、秦歸之於晉也、秦疆與魏都甚遠、故曰去梁千里、或云、此晉國二字、及下文河西晉晉字、皆衍、有河山以闌之、有周·韓以閒之。從林鄉軍以至于今、【集解】徐廣曰、林鄉、在宛縣、【索隱】劉氏云、林、地名、蓋春秋時鄭地之棐林、在大梁之西北、徐廣云、在宛陵也、【正義】括地志云、宛陵故城、在鄭州新鄭縣東北三十八里、本鄭舊縣也、按劉徐二說、是其地也、【考證】魏策、無鄉字、蘇秦傳、兵困於林中、林鄉、林中、語有詳略耳、其地蓋同、凌稚隆曰、言自秦伐林鄉以來至于今也、秦七攻魏、五入囿中、【集解】徐廣曰、一作城也、【索隱】囿、卽圃田、圃田、鄭藪、屬魏、徐廣云、一作城、而戰國策作國中、【正義】括地志云、圃田澤、在鄭州管城縣東三里、周禮云、豫州藪曰圃田也、【考證】策、七作十、圃田、在今河南中牟縣西北、邊城盡拔、文臺墮、【索隱】文臺、臺名、列士傳曰、隱陵君施酒文臺也、【正義】墮、許規反、括地志云、文臺、在曹州冤句縣西北六十五里也、【考證】文臺、在今山東荷澤縣西北、墮、壞也、垂都焚、【集解】徐廣曰、一云魏山都焚、句陽有垂亭、【索隱】垂、地名、有廟曰都、竝魏邑名、林木伐、麋鹿盡、而國繼以圍。又長驅梁北、東至陶·衞之郊、【正義】陶、曹

州定陶也、衞即宋州楚丘縣、衞文公都之、秦兵歷取其郊也、【考證】陶、今山東定陶縣、楚丘故城、今河南滑縣東、中井積德曰、長驅梁北、此記軍所至也、非攻取、北至平監。【集解】徐廣曰、平縣屬河南、平、或作乎字、史記齊闞止作監字、闞在東平須昌縣、【考證】方輿紀要曰、平、平陸也、平陸城、在山東汶上縣北、監、即闞、今汶上縣西南南旺湖中有闞亭、郭希汾曰、秦攻齊取剛壽、今山東壽張縣、汶上更在壽張之東、恐非魏地、所亡於秦者、山南・山北・【正義】山、華山也、華山之東南、七國時鄭州屬韓、汝州屬魏、華山之北同華銀綏並魏地也、【考證】中井積德曰、山者河東之山、大行王屋一帶也、即上文所謂河山之山、不當遠指華山、河外・河內、【正義】河外、謂華州以東至虢陝、河內、謂蒲州以東至懷衞也、【考證】中井積德曰、河外、汎指河之南、河內、汎指河之北、不當作區域、大縣數十、【集解】徐廣曰、一作百、名都數百。【集解】徐廣曰、一作十、【考證】中井積德曰、策亦作大縣數百名都數十、宜從、蓋縣亦都也、然不可稱名都、如鄭安邑之類、所謂名都、秦乃在河西晉、去梁千里、而禍若是矣。又況於使秦無韓有鄭地、無河山而闌之、無周・韓而閒之、去大梁百里、禍必由此矣。【考證】無、讀爲亡、策、由作百、百、百倍也、策義爲長、凌稚隆曰、異日以下、追論韓未亡、而魏且困於秦兵、如此、異日者從之不成也、【索隱】從、音足松反、【考證】凌稚隆曰、以下、說韓亡則魏受秦之禍必烈、楚・魏疑、而

韓不可得也。【正義】不可得合從也、【考證】策、得下有而約二字、今韓受兵三年、秦橈之以講。【索隱】橈、音尼孝反、謂韓被秦之兵、橈擾已經三年、云欲講說與韓和、【正義】橈、曲也、講、猶和也、誘諸侯伐韓、無不從者也、【考證】中井積德曰、講、謂攻三年秦屈撓之以和議、識亡不聽、【索隱】識、猶知也、故戰國策云、韓知亡猶不聽也、投質於趙、請爲天下鴈行頓刃。【考證】質、質子之質、以地爲質也、鴈行、言以次進、頓、刄、謂折壞兵刄以戰也、頓、鈍通、楚・趙必集兵、皆識秦之欲無窮也、非盡亡天下之國、而臣海內必不休矣。【考證】皆識以下二十三字、一氣讀、古鈔本、內下有之士二字、楓山、三條本、有士一字、策作之民、是故臣願以從事王。【索隱】從、音足松反、從事、言合從事王也、戰國策亦然、【考證】策、事下有乎字、事、猶說也、王速受楚・趙之約、趙挾韓之質、【索隱】言韓以質子入趙、則趙挾韓質而親韓也、【考證】策、挾上趙字作而爲是、挾韓之質、以上黨爲質也、事見下文、以存韓而求故地、韓必效之。【索隱】效、猶致也、謂致故地於趙也、【正義】無忌令魏王速受楚趙之從、趙楚挾持韓之質以存韓、而魏以求地、韓必效之、勝於與秦伐韓、又與秦鄰之禍殃也、此士民不勞而故地得。其功多於與秦共伐韓、而又與彊秦鄰之

禍也。【考證】策、又作無、是也、王念孫曰、此言魏與秦伐韓以求故地、韓亡則魏與秦鄰、而受其禍、今作魏存韓而求故地、則故地不勞而得、且韓存則魏無與秦鄰之禍、故曰、其功多於與秦共伐韓、而又無與彊秦鄰之禍也、夫存韓安魏而利天下、此亦王之天時已。【考證】策、天時作大時、是也、大時、言時會之大也、王念孫曰、大時、言存韓安魏而利天下、王之時莫大於此也、秦策曰、今攻齊、此君之大時也、是其證、通韓上黨於共甯、【集解】徐廣曰、朝歌有甯鄉、【正義】共、衞州共城縣、甯、懷州脩武縣、本殷之甯邑、韓詩外傳云、武王伐紂、勒兵於甯、故曰脩武、今魏開通共甯之道、使韓上黨得直路而行也、【考證】策、共甯作共莫、恐非、呂祖謙曰、是時秦欲取韓上黨、故蠶食其地、使與魏國中絕、故勸魏假道、使韓與上黨往來、豈專爲韓而已哉、韓不失上黨、則三晉之勢猶完也、共甯、在今河南修武縣東、使道安成、出入賦之、【正義】括地志云、故安城、在鄭州原武縣東南二十里、時屬魏也、【考證】策、使道安城、作使道已通、因而關之、入下有者字、賦、征商賈也、是魏重質韓以其上黨也。【考證】岡白駒曰、是使韓以上黨質於我也、今有其賦足以富國、【考證】策、今作共、韓必德魏愛魏重魏畏魏。韓必不敢反魏。是韓則魏之縣也。魏得韓以爲縣、衞・大梁・河外必安矣。【考證】鮑彪曰、衞時已附梁、今不存韓、二周・安陵必

危、楚・趙大破、衞・齊甚畏、天下西鄉而馳秦、入朝而爲臣不久矣。【考證】魏王以秦救之故以下、采魏策、二十年、秦圍邯鄲。信陵君無忌、矯奪將軍晉鄙兵以救趙。【正義】括地志云、魏德故城、一名晉鄙城、在衞縣西北五十里、即公子無忌矯奪晉鄙兵、故名魏德城也、趙得全。無忌因留趙。【考證】雜采趙策魏策、二十六年、秦昭王卒。三十年、無忌歸魏、率五國兵攻秦、敗之河外、走蒙驁。【考證】河外、凌本譌作河內、中井積德曰、河內魏地、非攻秦之戰地、魏太子增質於秦。秦怒欲囚魏太子增。或爲增謂秦王曰。【索隱】按戰國策、作蘇秦爲公子增謂秦王、公孫喜【索隱】戰國策作公孫衍、【考證】魏將公孫喜爲秦所虜、此時久無其人、固謂魏相曰。【考證】陳仁錫曰、一本固作因、愚按固字爲長、請以魏疾擊秦。秦王怒必囚增。魏王又怒擊秦。秦必傷。今王囚增。是喜之計中也。故不若貴增而合魏、以疑之於齊・韓。秦乃止增。【考證】今本戰國策無此文、中井積德曰、止下增字疑衍、又曰、按信陵君

傳、秦聞公子在趙、日夜出兵伐魏、魏王患之、使使往請公子、此不可少者、 三十一年、秦王政初立。三十四年、安釐王卒、太子增立。是爲景湣王。【索隱】系本云、安釐王生景湣王午、 信陵君無忌卒。景湣王元年、秦拔我二十城、以爲秦東郡。二年、秦拔我朝歌。衞徙野王。【集解】徐廣曰、衞從濮陽徙野王、 三年、秦拔我汲。五年、秦拔我垣・蒲陽・衍。【集解】徐廣曰、十二年、獻城秦、【正義】括地志云、故垣地、本魏王垣也、在絳州垣縣西北二十里、蒲邑故城在隰州隰川縣南四十五里、在蒲水之北、故曰蒲陽、衍、地名、在鄭州、【考證】梁玉繩曰、垣衍二字美文、說在始皇紀、 十五年、景湣王卒。子王假立。王假元年、燕太子丹使荊軻刺秦王。秦王覺之。【集解】徐廣曰、二年、新鄭反、 【考證】燕太子丹以下、采燕策、 三年、秦灌大梁虜王假。【集解】列女傳曰、秦殺假、【考證】凌稚隆曰、卒如无忌之言、愚按、高祖紀、魏人周市曰、豐、故梁徙也、集解引文穎云、梁惠王孫假爲秦所滅、轉東徙於豐、故曰豐梁徙、據此則魏滅、餘衆徙於豐也、 遂滅魏以爲郡縣。【考證】梁玉繩曰、案國策、魏尚有安陵君、魏滅後猶存、蓋魏所封同姓之國、似當附載、古史補之矣、又陳涉封魏咎、項羽封魏豹、雖別有傳、皆應附書一二語、

太史公曰。吾適故大梁之墟。墟中人曰。秦之破梁、引河溝而灌大梁。三月城壞。王請降。遂滅魏。說者皆曰。魏以不用信陵君。故國削弱至於亡。余以爲不然。天方令秦平海內。其業未成。魏雖得阿衡之佐、曷益乎。【索隱】按譙周曰、以予所聞、所謂天之亡者、有賢而不用也、如用之、何有亡哉、使紂用三仁、周不能王、況秦虎狼乎、【考證】古鈔本、阿衡之佐、作阿衡之徒、與索隱本及史通雜說所引合、當依訂、岡白駒曰、其業未成、秦一統之業未成也、愚按、史公常謂天使秦繼周以開漢業、此論亦然、劉知幾曰、論成敗者、當以人事爲主、必推命而言、其理悖矣、

【索隱述贊】畢公之苗、因國爲姓、大名始賞、盈數自正、胤裔繁昌、系載忠正、楊干就戮、智氏奔命、文始建侯、武實彊盛、大梁東徙、長安北偵、卯既無功、卬亦外聘、王假削弱、虜於秦政、

魏世家第十四　　史記四十四

史記會注考證卷四十五

漢　太　史　令　司　馬　遷　撰

宋　中　郎　外　兵　曹　參　軍　裴　駰　集　解

唐　國　子　博　士　弘　文　館　學　士　司　馬　貞　索　隱

唐　諸　王　侍　讀　率　府　長　史　張　守　節　正　義

日　本　出　雲　瀧　川　資　言　考　證

韓世家第十五　史記四十五

[考證]史公自序云、韓厥陰德、趙武攸興、紹絕立廢、晉人宗之、昭侯顯列、申子庸之、疑非不信、秦人襲之、嘉厥輔晉匡天子之賦、作韓世家第十五、

韓之先、與周同姓、[索隱]按左氏傳云、邘晉應韓、武之穆、是武王之子、故詩稱韓侯出祖、是有韓而先滅、今據此文云、其後裔事晉、封于韓原、曰韓武子、則武子本是韓侯之後、晉又封之於韓原、卽今之馮翊韓城是也、然按系本及左傳舊說、皆謂韓萬是曲沃桓叔之子、卽是晉之支庶、又國語叔向謂韓宣子能修武子之德、起再拜謝、曰、自桓叔已下、嘉吾子之賜、亦言桓叔是韓之祖也、今以韓侯之後別有桓叔、非關曲沃之桓叔、如此則與太史公之意亦有違、[考證]中井積德曰、太史公只謂韓之先與周同姓也、不謂周之韓侯之後、亦不謂韓萬是武子之祖也、注牽合失考、又曰、注蓋以國語韓起是韓萬之後、遂有桓叔之說耳、此與太史公之說不同、 姓姬氏、其後苗裔事晉、得封於韓原。[正義]括地志云、韓原、在同州韓城縣西南八里、又韓城、在縣南十八里、故古韓國也、古今地名云、韓武子食采於韓原故城也、 曰韓武子。[考證]梁玉繩曰、案韓之先與晉同祖、皆武王之後、此所云武子者、韓萬也、杜注桓三年傳、依世本云、韓萬、莊伯弟、晉語、韓宣子謝叔向曰、桓叔以下、嘉吾子之賜、韋注云、桓叔生子萬、受韓以爲大夫、索隱唐表同、則韓乃桓叔之後、非韓侯之後、又云、敘韓之世、多不書名、疏、 武子後三世有韓厥。[索隱]系本云、萬生賕伯、賕伯生定伯簡、簡生輿、輿生獻子厥、[正義]世本云、桓叔生子萬、萬生勝伯、勝伯生定伯簡、簡生輿、輿生獻子厥、竝居韓、按桓叔、晉文侯弟成師也、晉昭公封之曲沃、號曰桓叔、[考證]宣十二年左傳疏引世本云、桓叔生子萬、萬生求伯、求伯生子輿、子輿生獻子厥、愚按、索隱正義左傳疏所引世本有異同、索隱賕伯、正義作勝伯、左傳疏作求伯、又缺定伯簡一代、梁玉繩曰、案左宣十二年注云、韓厥萬玄孫、與索隱引世本

合、 從封姓爲韓氏。[考證]中井積德曰、史公明言從封姓爲韓氏、何假於韓侯韓萬、可知封韓之前、別自有姓氏矣、但無所考耳、 韓厥晉景公之三年、[考證]志疑引王孝廉云、韓厥字疑衍、 晉司寇屠岸賈將作亂、誅靈公之賊趙盾。趙盾已死矣。欲誅其子趙朔。韓厥止賈。賈不聽。厥告趙朔令亡。朔曰。子必能不絕趙祀、死不恨矣。韓厥許之。及賈誅趙氏、厥稱疾不出。程嬰・公孫杵臼之藏趙孤趙武也、厥知之。[考證]屠岸賈作亂、滅趙氏、事多訛謬、說在趙世家、 景公十一年、厥與郤克將兵八百乘伐齊、敗齊頃公于鞍、獲逢丑父。[正義]鞍、音安、括地志云、故鞍城、今俗名馬鞍城、在濟州平陰縣十里、[考證]厥與郤克敗齊、成二年左傳、梁玉繩曰、按事在晉景十年、今山東歷城縣藥山南有鞍山、舊傳晉敗齊于鞍、卽是、正義縣下脫東、 於是晉作六卿。而韓厥在一卿之位。[考證]成三年左傳、 號爲獻子。[考證]中井積德曰、獻子是謚、以爲生號者謬、 晉景公十七年、病卜。大業之不遂者爲祟。[考證]梁玉繩曰、病在十

八年、 韓厥稱趙成季之功、今後無祀、以感景公。[考證]古鈔本、楓山、三條本、後下有絕字、 景公問曰。尚有世乎。厥於是言趙武、而復與故趙氏田邑、續趙氏祀。[考證]韓厥存趙後、見成八年左傳、與史所記異、說在趙世家、 晉悼公之十年、韓獻子老。[考證]襄七年左傳、梁玉繩曰、十乃七之譌、 獻子卒。子宣子代。宣子徙居州。[索隱]宣子、名起、州、今在河內是也、[正義]括地志云、懷州武德縣、本周司寇蘇忿生之州邑也、[考證]左傳昭三年云、鄭簡公如晉、公孫段相晉平公、賜以州田、昭七年云、段死、鄭子產致州田於韓宣子、宣子受之、以告晉侯、晉侯以與宣子、宣子以易原縣於樂大心、蓋原縣宣子所有、獻諸晉侯以與樂大心、而自居州也、州今河南河內縣東南、 晉平公十四年、吳季札使晉。曰。晉國之政、卒歸於韓・魏・趙矣、[考證]襄二十九年左傳、 晉頃公十二年、韓宣子與趙・魏共分祁氏・羊舌氏十縣。[考證]事見昭二十八年左傳、但三卿不共分十縣、說在晉世家、 晉定公十五年、宣子與趙簡子侵伐范・中行氏。[考證]事見定十四年左傳、梁玉繩曰、案晉定十六年、與趙簡子伐范中行者、韓簡子、不信也、是時宣子已卒十九年矣、左傳及晉趙世家可證、此誤十六年爲十五年、

課簡子爲宣子、宣子卒。子貞子代立。【正義】世本云、宣子起生平子須也、貞子徙居平陽。【索隱】系本、作平子名須、宣子子也、又云、景子居平陽、平陽、在山西、宋忠曰、今河東平陽縣、【正義】平陽、晉州城是、【考證】梁玉繩曰、貞子卽左昭二年韓須、愚按、索隱景子當作平子、平陽、山西臨汾縣、貞子卒、子簡子代。【集解】徐廣曰、史記多無簡子莊子、而云貞子生康子、班氏亦同、【索隱】徐廣云、史記多無簡子莊子、而云貞子生康子、班氏亦同、按系本、有簡子名不信莊子名庚、趙系家亦有簡子名不侫、【考證】梁玉繩曰、韓簡子不信、見于春秋經傳及晉趙世家、惟莊子無考、簡子卒、子莊子代。莊子卒、子康子代。【索隱】名虎、康子與趙襄子・魏桓子共敗知伯、分其地。地益大、大於諸侯。康子卒、子武子代。【索隱】名啓章、【考證】中井積德曰、韓氏有兩武子、可怪、武子二年、伐鄭、殺其君幽公。十六年、武子卒、子景侯立。【索隱】紀年及系本、皆作景子名處、景侯虔元年、伐鄭取雍丘。【考證】雍丘、河南開封府杞縣、梁玉繩曰、呂覽任數注、謂武子都宜陽、景侯徙陽翟、史似失書、二年、鄭敗我負黍。【考證】負黍、河南河南府登封縣、六年、與趙・魏俱得列爲諸侯。九年、鄭圍我陽翟。【考證】陽翟、

河南開封府禹州、景侯卒。子列侯取立。【索隱】系本、作武侯、列侯三年、聶政殺韓相俠累。【集解】徐廣曰、六年救魯也、【索隱】戰國策、作殺韓傀、高誘曰、韓傀、俠侯累也、【考證】韓策云、韓有東孟之會、韓王及相皆在焉、聶政直入上階刺韓傀、韓傀走而抱哀侯、聶政刺之、兼中哀侯、據此、則聶政殺韓相、在哀侯時、遂併弑哀侯也、刺客傳所記同、世家以爲列侯時、疑誤、九年、秦伐我宜陽、取六邑。【考證】宜陽故城、在河南宜陽縣東、十三年、列侯卒。子文侯立。【索隱】按紀年、無文侯、系本無列侯、是歲、魏文侯卒。文侯二年、伐鄭取陽城。伐宋到彭城、執宋君。【考證】陽城、河南開封府登城縣、彭城、江蘇徐州府、宋君、休公、七年、伐齊至桑丘。【考證】桑丘、山東兗州府滋陽縣、鄭反晉。【考證】言鄭不服晉而來伐也、表云、鄭敗晉、敗、疑叛之譌、九年、伐齊至靈丘。【正義】靈丘、蔚州縣也、此時屬燕也、【考證】靈邱、山東東昌府高唐州、十年文侯卒。子哀侯立。哀侯元年、與趙・魏分晉國。二年、滅鄭。因徙都鄭。【索隱】按紀年、魏武侯二十一年、韓滅鄭、哀侯入于鄭、二十二年、晉桓公邑哀侯于鄭、是韓既徙都、因改號曰鄭、故戰國策、謂韓惠王曰鄭惠王、猶魏徙大梁稱梁王然也、【考證】鄭、河南新鄭縣、今河南開封縣以西至成皐故關、皆鄭分也、六年、

韓嚴弑其君哀侯。而子懿侯立。【索隱】按年表、懿侯作莊侯、又紀年云、晉桓公邑哀侯于鄭、韓山堅賊其君哀侯、而立韓若山、若山卽懿侯也、則韓嚴爲韓山堅也、而戰國策又有韓仲子名遂、又恐是韓嚴也、【考證】梁玉繩曰、韓山堅、一言爲嚴、二言山堅也、或云、是名字之異、愚按、據韓策聶政刺韓傀、遂併弑哀侯也、說既見上文、懿侯二年、魏敗我馬陵。【正義】在魏州元城縣東南一里、【考證】馬陵、直隸大名府元城縣、五年、與魏惠王會宅陽。【正義】在鄭州也、【考證】宅陽、河南開封府滎澤縣、九年、魏敗我澮。【集解】徐廣曰、大雨三月也、【正義】澮、古外反、在陵州澮水之上也、【考證】澮、出山西平陽府翼城縣入汾、十二年、懿侯卒。子昭侯立。【考證】梁玉繩曰、紀年、有釐侯、無昭公、魏世家索隱及魏策吳注云、釐侯卽昭公、釐兩字諡、故莊子讓王篇、呂子任數審爲處方、竝稱昭釐侯、各處皆單擧之爾、愚按、韓策亦有作昭釐侯者、昭侯元年、秦敗我西山。【考證】西山、河南宜陽魯山一帶皆是、二年、宋取我黃池。【集解】徐廣曰、在平丘、【考證】河南封丘縣東南、魏取朱。【考證】朱、韓地、表云、魏取我朱、六年、伐東周、【正義】河南鞏縣、取陵觀・邢丘。【正義】陵觀、音館、未詳、【考證】梁玉繩曰、陵觀、無攷、邢丘、年表作廩丘、廩丘齊地、時屬于趙、邢丘魏地、後入于秦、俱非東周之地、韓安得取之、東周止有鞏耳、疑所書誤、八年、申不害相韓。脩術行

道、國內以治、諸侯不來侵伐。【正義】不害、河南人、作申子三卷、在法家也、【考證】韓策云、魏之圍邯鄲也、申不害始合於韓王、韓子定法篇云、問者曰、申不害公孫鞅、此二家之言孰急、應之曰、是不可程也、申不害言術、而公孫鞅爲法、術者因任而授官、循名而責實、操殺生之柄、課羣臣之能者也、此人主之所執也、法者憲令著於官府、刑罰必於民心、賞存乎愼法、而罰加乎姦令者也、此臣之所師也、十年、韓姬弑其君悼公。【索隱】紀年、姬亦作玘、竝音羊之反、姬是韓大夫、而王邵亦云、不知悼公何君也、【考證】梁玉繩曰、年表均有此語、徐氏測義以爲史誤、蓋韓昭時申子爲相、寧有一國二君之理、韓無諡悼者、則悼公之非韓君明甚、索隱疑悼公爲鄭嗣君、而鄭滅於韓已三十年、尙何嗣君哉、若以韓姬卽李斯傳之韓玘、玘爲韓安之相、自昭侯十年至王安滅、幾一百二十年、玘未嘗弑安、不可以安當悼公也、史詮及經史問答、亦謂此句是誤文、宜芟之、余謂韓姬乃一韓大夫、非韓玘也、悼公非韓君也、攷三晉遷晉靜公于屯留之後、鄭取屯留、鄭卽韓、韓靜公遷爲家人、又歷十一年、爲昭公十年、疑悼公卽靜公、至是被弑也、各國之君、有二諡者甚多、靜公在位二年而遷、故又諡悼、愚按、梁說亦無確證、姑書備考、十一年、昭侯如秦。二十二年、申不害死。二十四年、秦來拔我宜陽。【考證】宜陽故城、在今河南宜陽縣東、秦拔宜陽、年表同、秦紀不載、梁玉繩曰、甘茂拔宜陽、在秦武王四年、此時安得先拔之、疑拔乃攻字之誤、愚按、韓策及史蘇秦傳竝載蘇秦說韓王言云、大王事秦、秦必求宜陽成皐、此時宜陽未爲秦有也、下文秦拔宜陽、亦當作攻、二十五年、旱。作高門。屈宜臼

曰。【集解】許愼曰、屈宜臼楚大夫、在魏也、 昭侯不出此門。何也。不時。吾所謂時者、非時日也。人固有利不利時。昭侯嘗利矣、不作高門。往年秦拔宜陽、今年旱。昭侯不以此時卹民之急、而顧益奢。此謂時絀擧贏。【集解】徐廣曰、時衰耗而作奢侈、【考證】陳仁錫曰、昭侯俱當作君侯、愚按、年表亦譌作昭侯、岡白駒曰、時絀擧贏、蓋古語、 二十六年、高門成。昭侯卒。【索隱】按紀年、鄭昭侯武薨、次威侯立、威侯七年、與邯鄲圍襄陵、五月、梁惠王會威侯于巫沙、十月、鄭宣王朝梁、不見威侯之卒、下敗韓擧、在威侯八年、而此系家卽以爲宣惠王之年、又上有殺悼公、悼公又不知是誰之諡、則韓微小國、史失代系、故此文及系本不同、蓋亦不可復考、 果不出此門。子宣惠王立。【考證】梁玉繩曰、紀年人表、稱宣王、韓非子說林、外儲說右、難一、凡四見、皆作韓宣王也、愚按、宣惠之稱宣、猶昭釐之稱昭、

宣惠王五年、張儀相秦。八年、魏敗我將韓擧。【索隱】韓擧則是韓將不疑、而紀年云、韓擧趙將、蓋擧先爲趙將、後入韓、又紀年云、其敗當韓威王八年、是不同也、【考證】趙世家肅侯二十三年云、韓擧與齊魏戰、死于桑丘、事在前二年、梁玉繩曰、趙之韓擧、已先二年死矣、疑是別一韓將、而趙將適與同姓名爾、 十一年、君號爲王。【考證】梁玉繩曰、表在十年、與世家書于懷王六年

合、此誤、 與趙會區鼠。十四年、秦伐敗我鄢。【集解】徐廣曰、潁川鄢陵縣、音於乾反、【正義】今許州鄢陵縣西北十五里、有鄢陵故城、是也、【考證】鄢、河南開封府鄢陵縣、 十六年、秦敗我脩魚、【索隱】地名、 虜得韓將鯁・申差於濁澤。【集解】徐廣曰、一云鯁申差、長社有濁澤、【索隱】鯁申差二將、鯁音瘦、亦作鯁、【正義】按濁澤者、蓋誤、當作觀澤、年表云、秦惠文王更元八年、與韓戰、斬首八萬、韓宣惠王十六年、秦敗我脩魚、得將軍申差、魏哀王二年、齊敗我觀澤、趙武靈王九年、與韓魏擊秦、齊湣王七年、敗魏趙觀澤、濁澤定誤矣、徐廣又云、濁澤在長社、不曉錯誤之甚、括地志云、觀澤在魏州頓丘縣東十八里、【考證】脩魚、疑與濁澤相近、濁澤卽河南許州長葛縣、韓地、無由至頓丘東也、正義非、

韓氏急。公仲謂韓王曰。【索隱】韓相國、名侈、【考證】韓非子十過篇、作公仲朋、鮑本國策同、沈濤曰、戰國策公仲名朋、不名侈、又田敬仲完世家、魏王謂韓馮曰、集解引徐廣曰、韓之公仲侈也、則公仲卽韓馮、馮朋聲相近、古字率相通、韓策云、韓相公仲使韓侈之秦、明韓侈別是一人、 與國非可恃也。【考證】與國、謂山東、 今秦之欲伐楚久矣。王不如因張儀爲和於秦、賂以一名都、具甲與之南伐楚。此以一易二之計也。【索隱】一、謂名都也、二、謂使不伐韓、而又與之伐楚也、【正義】一、謂賂秦一名都、二、謂使秦不伐韓、而又與之伐楚、 韓王曰善。乃警公

仲之行、【索隱】警、戒也、戰國策、作儆、 將西購於秦。【索隱】戰國策、作講、講亦謀議、與購求意通、【正義】以金帛和交曰購也、【考證】中井積德曰、購媾講通、和也、注謬、 楚王聞之大恐、召陳軫告之。陳軫曰。秦之欲伐楚久矣。今又得韓之名都一而具甲、秦・韓幷兵而伐楚。此秦所禱祀而求也。今已得之矣。楚國必伐矣。王聽臣、爲之警四境之內、起師言救韓、命戰車滿道路、發信臣、多其車、重其幣、使信王之救已也。縱韓不能聽我、韓必德王也。【索隱】言韓王信楚之救、雖不能聽、待楚救至、折入於秦、猶德於楚也、 必不爲鴈行以來。【索隱】言韓以楚必救己、已雖隨秦來戰、猶德於王、故不爲鴈行而來、言不同心旅進也、【考證】柯維騏曰、行者行列也、魏世家云、投質于趙、請爲天下鴈行頓刄、蘇秦傳云、使弱燕爲鴈行、而强秦敝其後、義與此同、皆戰國策文也、中井積德曰、不爲鴈行以來、言雖講於秦、亦以德楚、不必偕來伐楚也、索隱雖隨秦來戰句舛、 是秦・韓不和也。兵雖至、楚不大病也。【考證】中井積德曰、言縱令不如前言、有偕來伐、二國不和、竟無大害也、 爲能聽我、絕和於秦、秦必大怒、

以厚怨韓。【考證】爲上添韓字看、岡白駒曰、言韓能聽於楚以絕秦也、 韓之南交楚、必輕秦。輕秦、其應秦必不敬。是因秦・韓之兵、而免楚國之患也。【考證】李笠曰、韓策、因作困、謂困頓秦韓之兵、是也、愚按、作因自通、不必改字、 楚王曰善。乃警四境之內、興師、言救韓、命戰車滿道路、發信臣、多其車、重其幣、謂韓王曰。不穀國雖小、已悉發之矣。願大國遂肆志於秦。不穀將以楚殉韓。【索隱】殉、從死也、言以死助韓、【正義】徇、行示也、言爲前鋒、【考證】索隱本作殉、正義本作徇、中井積德曰、以國殉國、只是同存亡之意、未可以死生解、愚按、作殉義長、 韓王聞之大說、乃止公仲之行。【索隱】止不令西之秦、 公仲曰。不可。夫以實伐我者秦也。【考證】韓策、韓非十過、伐作告、非是、 以虛名救我者楚也。王恃楚之虛名、而輕絕彊秦之敵、王必爲天下大笑。且楚・韓非兄弟之國也。又非素約而謀伐秦也。已有伐形、因發兵救韓。【考證】言秦有欲伐楚之形、楚

因發兵言救韓、此必陳軫之謀也。且王已使人報於秦矣。今不行、是欺秦也。夫輕欺彊秦而信楚之謀臣。恐王必悔之。韓王不聽。遂絕於秦。秦因大怒、益甲伐韓。大戰。楚救不至韓。十九年、大破我岸門。集解徐廣曰、潁陰有岸亭。正義括地志云、岸門在許州長社縣西北十八里、今名西武亭矣。考證韓氏急以下、采魏策、但策無十九年三字、史公蓋別有所據、韓非子十過篇、亦錄此、以爲秦拔韓宜陽時事、張文虎曰、十九年上韓字疑衍、岸門河南許州長葛縣、太子倉質於秦以和。考證黃式三曰、據秦紀、韓太子質秦在前年石章之役、與此異、二十一年、集解徐廣曰、周王赧之三年也、與秦共攻楚。集解徐廣曰、圍景痤也、敗楚將屈丐、斬首八萬於丹陽。索隱故楚都、在今均州、正義左傳例云、楚居丹陽、今枝江縣故城是也、考證陳仁錫曰、古本丐作匄、丹陽、河南南陽府內鄉縣、是歲、宣惠王卒。太子倉立。是爲襄王。集解徐廣曰、一云周赧王六年、韓襄哀王三年、張儀死、赧王九年、襄哀王六年、秦昭王立、考證梁玉繩曰、留侯世家、亦作襄哀王、襄王四年、與秦武王會臨晉。考證臨晉、陝西同州府、其秋、秦使甘茂攻我宜

陽。五年、秦拔我宜陽。斬首六萬。正義括地志云、故韓城、一名宜陽城、在洛州福昌縣東十四里、韓宜陽城也、秦武王卒。六年、秦復與我武遂。考證秦紀云、武王四年、甘茂拔宜陽、城武遂、今山西臨汾縣西有武遂城、九年、秦復取我武遂。十年、太子嬰朝秦而歸。集解徐廣曰、與秦會臨晉、因至咸陽而還、十一年、秦伐我取穰。正義穰、人羊反、鄧州縣也、郭仲產南雍州記云、楚之別邑、秦初侵楚、封公子悝爲穰侯、後屬韓、秦昭王取之也、考證穰、河南南陽府鄧縣東南、與秦伐楚、敗楚將唐昧。十二年、太子嬰死。公子咎、公子蟣蝨爭爲太子。考證策、蟣蝨作幾瑟、時蟣蝨質於楚。蘇代謂韓咎曰。考證梁玉繩曰、案蘇代策作冷向、是也、古史亦以史爲誤、但韓、咎卽公子咎、與蟣蝨爭爲太子者、而此篇實謀納蟣蝨、義不可通、吳注云、咎豈有納幾瑟之理、當是謂公仲之辭也、徐氏測議云、公子咎與韓咎是二人、故蘇氏說韓咎奉蟣蝨也、亦是一解、愚按、此韓咎非太子咎、徐說是、蟣蝨亡在楚、非質于楚也、下文及策可證、蟣蝨亡在楚。楚王欲內之甚。今楚兵十餘萬在方城之外。索隱方城、楚之北境之外、北境之北也、正義括地志云、方城山在許州葉縣西南十八里、左傳云、楚大夫屈完對齊侯曰、楚國方城以爲城、杜注云、方城山在南陽

葉縣南、考證方城、山名、亦曰長城山、亦曰萬城山、在河南葉縣、方城之外、方城以北也、公何不令楚王築萬室之都雍氏之旁。集解徐廣曰、在陽翟、正義括地志云、故雍氏城、在洛州陽翟縣二十五里、故老云、黃帝臣雍父作杵臼也、考證雍氏、韓地、故城在今河南扶溝縣西南、韓必起兵以救之。公必將矣。公因以韓・楚之兵奉蟣蝨而內之。其聽公必矣。必以楚・韓封公也。考證策、聽作德、封作奉、義長、韓咎從其計。考證謂韓咎曰以下、采韓策、楚圍雍氏。集解徐廣曰、秦本紀、惠王後元十三年、周赧王三年、楚懷王十七年、齊湣王十二年、皆云楚圍雍氏、紀年於此亦說楚景翠圍雍氏、韓宣王卒、秦助韓共敗楚屈丐、又云、齊宋圍煑棗、皆與史記年表及田完世家符同、然則此卷所云襄王十二年、韓咎從其計以上、是楚後圍雍氏、赧王之十五年事也、又說楚圍雍氏以下、是楚前圍雍氏、赧王之三年事、韓求救於秦。秦未爲發。使公孫眛入韓。公仲曰。子以秦爲且救韓乎。考證楓山本、入下有朝字、對曰。秦王之言曰。請道南鄭・藍田、出兵於楚以待公。殆不合矣。索隱殆不合於南鄭、正義南鄭、梁州縣、藍田雍州縣、秦王言或出雍州、西南至鄭、或出雍州、東南歷藍田出嶢關、俱繞楚北境、以待韓使、而東救雍氏、如此遲緩近不合於楚

矣、考證策云、請道於南鄭藍田以入攻楚、出兵於三川、以待公、殆不合軍於南鄭矣、索隱依策解史、吳師道曰、史無軍於南鄭四字、爲是、愚按、南鄭、古鄭地、今河南新鄭縣西北有古鄭城、藍田故城、在今陝西藍田縣西、蓋一軍由商洛、一軍由漢中、以攻楚也、中井積德曰、不合、不與言相符也、策不必據、公仲曰。子以爲果乎。對曰。秦王必祖張儀之故智。集解徐廣曰、祖者、宗之習之謂也、故智、猶前時謀計也、考證中井積德曰、祖猶祖述也、楚威王攻梁也、張儀謂秦王曰。與楚攻魏。魏折而入於楚。韓固其與國也。是秦孤也。考證秦孤、王、柯、淩本倒、王念孫曰、宋本、遊本及韓策、作秦孤、下文是齊孤也、楚世家曰、是齊孤也、文義竝與此同、愚按、楓山、三條本、亦作秦孤、不如出兵以到之。索隱到、欺也、猶俗云張到、然戰國策作勁、勁强也、考證梁玉繩曰、到、顚倒意、謂惑之也、到古倒字、王念孫曰、到、當依韓策作勁、勁强也、出兵以勁之者、陽爲助魏、而實以虛聲勁之也、魏恃秦而勁、必與楚戰、楚魏相搏、秦因取西河之外以歸、故韓策曰、魏氏勁、威王怒、楚與魏大戰、秦取西河之外以歸也、秦策記此事曰、楚攻魏、張儀謂秦王曰、不如與魏以勁之、則作勁者是也、下文公待秦而到、亦當依韓策作公恃秦而勁、謂韓恃秦而勁、必與楚戰、勝則秦與韓乘楚施三川而歸、不勝則秦塞三川而守之、韓不能救也、愚按、諸說皆缺明晳、竝書存疑、魏・楚大戰、秦取西河之外以歸。考證以上引張儀故事、見于秦策、西河之外、卽河西、今陝西大荔宜川等縣地、今其狀

陽言與韓、其實陰善楚。公待秦而到、【考證】策作公恃秦而勁、必輕與楚戰。楚陰得秦之不用也、【考證】得、猶知也、必易與公相支也。【索隱】言楚陰知秦不爲公用、亦必易爲公相支拒也、公戰而勝楚、遂與公乘楚、施三川而歸。【正義】施、猶設也、三川、周天子都也、言韓戰勝楚、則秦與韓駕御於楚、卽於天子之都張設救韓之功、行霸王之迹、加威諸侯、乃歸咸陽、是也、【考證】中井積德曰、施、言揚威也、愚按、田完世家、請與韓地、而王以施三川、蔡澤傳、利施三川、以實宜陽、竝義同、策作易、王念孫據爲移易之義、未得、三川、謂伊洛河三川、秦置三川郡、漢爲河南郡、今河南洛陽縣等地、公戰不勝楚、楚塞三川守之、【正義】楚乃塞南河四關守之、韓不能救三川、【考證】王念孫曰、下楚字疑衍、此謂秦塞三川而守之、非謂楚也、韓策、無下楚字、公不能救也。竊爲公患之。司馬庚三反於郢。【集解】徐廣曰、一作唐、【考證】策、作康、蓋秦人、郢、楚都、甘茂與昭魚遇於商於。【集解】徐廣曰、昭魚、楚相國、【索隱】戰國策謂之昭獻、【考證】甘茂、下蔡人、仕秦、商於、秦二邑名、策、作遇於境、其言收璽。【索隱】劉氏云、詐言昭魚來秦、欲得秦官之印璽、收卽取之義也、【正義】其言語云、昭魚遇於商於、擬相秦收其相璽、而實類其終契謀伐韓也、【考證】鮑彪曰、璽、軍符、收之者、言欲止楚之攻韓、實類有約也。【考證】鮑彪曰、

疑秦楚約攻韓、公仲恐曰。然則柰何。曰。公必先韓而後秦、先身而後張儀。【正義】先以身存韓之計、而後知張儀爲秦到魏之計、不如急以國合於齊楚、【考證】吳師道曰、先韓者、急圖其國、後秦者、不望其救、先身者、善己之謀、後儀者、不墮人之詐、中井積德曰、主韓而舍秦、主己而舍張儀之計也、公不如亟以國合於齊·楚。齊·楚必委國於公。公之所惡者張儀也。【正義】惡、烏故反、公孫昧言公仲所惡者、張儀到魏之計、雖以國合於齊楚、其實猶不輕其實猶不無秦也。【考證】策、無欺無秦也、【考證】策、惡作外、吳師道曰、不墮儀之故智、爲外於儀耳、中井積德曰、所惡在張儀之計也、作失、中井積德曰、言其實非敢疎秦也、於是楚解雍氏圍。【集解】徐廣曰、甘茂傳云、楚懷王以兵圍韓雍氏、韓使公仲告急於秦、秦昭王新立、不肯救、甘茂爲韓言之、乃下師於殽以救韓也、又云、周赧王十五年、韓襄王十二年、秦擊楚、斬首二萬、敗楚襄城、殺景缺、周本紀、赧王八年之後云、楚圍雍氏、此當韓襄王十二年、魏哀王十九年、紀年於此亦說楚入雍氏楚人敗、然爾時張儀已死十年矣、【正義】自此已上十二年、竝是楚後圍雍氏、赧王之十五年一段事也、前注徐廣云、楚圍雍氏以下、是楚前圍雍氏、赧王三年事、徐說非也、徐見下文云先身而後張儀、及公之所惡者張儀也、言張儀尚存、楚又兩度圍雍氏、故生此前後之見、甚誤也、然是公孫昧郤逃張儀時事、說韓相公仲耳、【考證】楚圍雍氏以下、采韓策、沈家本曰、此一段乃錯簡也、上文書公子咎公子蟣蝨爭爲太子、蘇代謂韓咎云云、下文蘇代又謂云云、其文勢相接、不

應中間插入楚圍雍氏之事、其爲錯簡甚明、第不知當何屬耳、蘇代又謂秦太后弟芊戎曰。【集解】徐廣曰、號新城君、【索隱】芊、姓、戎、名、秦宣太后弟、號新城君、【考證】又字承上文太子嬰死章、策不記說者名、秦太后弟芊戎作新城君、公叔·伯嬰、恐秦·楚之內蟣蝨也。【索隱】按戰國策、公叔伯嬰與蟣蝨及公子咎、竝是襄王子、然伯嬰卽太子嬰、嬰前死、故咎與蟣蝨又爭立、此取戰國策、說伯嬰未立之先、亦與蟣蝨爭立、故事重而文倒也、【考證】中井積德曰、改伯嬰爲公子咎、則前後文相應、訛文耳、下文倣此、公何不爲韓求質子於楚。【索隱】令韓求楚、更以別人爲質、以替蟣蝨也、【正義】爲、于僞反、後同、【考證】張文虎曰、索隱本有子字、與下爲秦求質子、句法一例、國策亦有、各本竝脫、中井積德曰、求者自秦求其歸於韓、索隱本閒却本文爲字、又別人替質、本文不言及、楚王聽入質子於韓、【索隱】質子、蟣蝨也、【正義】質子、蟣蝨、蘇代令芊戎爲韓求蟣蝨入於韓、楚不聽、公叔伯嬰、知秦楚不以蟣蝨爲事、必以韓合於秦楚、楚王聽入質子於韓、當云楚王不聽入質子於韓、承前脫不字耳、次下云知秦楚不以蟣蝨爲事、重明脫不字、【考證】楓山三條本、聽上有不字、不補亦通、中井積德曰、入質子、與前文內蟣蝨、意不同、入者只是放還矣、內者以兵護送、必立爲太子也、愚按、放還蟣瑟、任韓人之所爲也、則公叔·伯嬰知秦·楚之不以蟣蝨爲事、【考證】知秦楚無意於立蟣蝨也、必以韓合於秦·楚。秦·楚挾韓以窘魏、魏氏不敢合於

齊。是齊孤也。公又爲秦求質子於楚。【索隱】令芊戎敎秦、於楚索韓所送質子、令入之於秦也、【考證】中井積德曰、爲秦、當作爲韓、策作令秦、亦通、楚不聽、怨結於韓。韓挾齊·魏以圍楚、楚必重公。【正義】言韓合齊魏以圍楚、楚必尊重芊戎、以求秦救矣、公挾秦·楚之重以積德於韓、公叔·伯嬰必以國待公。【考證】謂秦太后弟芊戎以下、采韓策、策、待作事、崔適曰、此多脫文、無從校訂、於是蟣蝨竟不得歸韓。【正義】自此已前蘇代數計皆不成、故韓竟立咎爲太子也、韓立咎爲太子。齊·魏王來。【正義】蘇代爲韓立計、故得齊魏王來、【考證】梁玉繩曰、齊魏上缺十三年、表可證、十四年、與齊·魏王共擊秦、至函谷而軍焉。十六年、秦與我河外及武遂。【考證】梁玉繩曰、按事在十四年、河外及三字衍、說見秦紀、襄王卒。太子咎立。是爲釐王。釐王三年、使公孫喜率周·魏攻秦。秦敗我二十四萬。虜喜伊闕。【考證】秦紀、二十四萬上、有斬首二字、伊闕、在今河南洛陽縣西南境、五年、秦拔我宛。【正義】宛、於元反、宛、鄧州縣也、時屬韓也、【考證】宛、當依秦紀作垣、此與年表同誤、宛、楚地、六

年、與秦武遂地二百里。【正義】此武遂及上武遂、皆宜陽近地、 十年、秦敗我師于夏山。【正義】夏山未詳、 十二年、與秦昭王會西周、而佐秦攻齊。齊敗、湣王出亡。【考證】梁玉繩曰、案六國攻齊、此失書燕楚趙魏、 十四年、與秦會兩周閒。【考證】柯、凌本兩譌作西、 二十一年、使暴鳶救魏。爲秦所敗、鳶走開封。【正義】鳶音捐、韓將姓名、 二十三年、趙・魏攻我華陽。【正義】司馬彪云、華陽、山名、在密縣、鄭州管城縣南四十里、【考證】華陽、在今河南新鄭縣東南、 韓告急於秦。秦不救。韓相國謂陳筮曰。【集解】徐廣曰、一作筌、【索隱】徐廣云、一作莖、戰國策、作田茶、【考證】今本策、作田苓、 事急。願公雖病、爲一宿之行。陳筮見穰侯。穰侯曰。事急乎。故使公來。陳筮曰。未急也。穰侯怒曰。是可以爲公之主使乎。【正義】爲如字、言使甚多、獨筮爲主也、【考證】岡白駒曰、故猶特也、 夫冠蓋相望、告敝邑甚急。公來言未急。何也。【考證】冠蓋相望、言韓使至秦之多、 陳筮曰。彼韓急、則將變而

佗從。以未急故復來耳。穰侯曰。公無見王。請今發兵救韓。八日而至、敗趙・魏於華陽之下。【考證】趙魏攻我華陽以下、采韓策、王、柯、凌本、今譌令、 是歲、釐王卒。子桓惠王立。桓惠王元年、伐燕。九年、秦拔我陘。城汾旁。【正義】陘、音刑、秦拔陘城於汾水之旁、陘故城、在絳州曲沃縣西北二十里汾水之旁也、【考證】陘故城、在今山西曲沃縣東、中井積德曰、汾旁二字衍、蓋注文誤入正文、愚按、年表亦有此文、秦拔我陘、句、城汾旁、句、 十年、秦擊我於太行。【正義】太行、山、在懷州河內縣北二十五里也、 我上黨郡守、以上黨郡降趙。【考證】上黨降趙、本于趙策、梁玉繩曰、事在十一年、 十四年、秦拔趙上黨。【正義】韓上黨也、從太行山西北澤潞等州是也、【考證】今山西長治縣等、 殺馬服子卒四十餘萬於長平。【考證】楓山、三條本、子作士、馬服、謂趙括、括父爲趙將、封馬服君、長平故城、在今山西高平縣西、梁玉繩曰、事在十三年、 十七年、秦拔我陽城・負黍。【集解】徐廣曰、負黍、在陽城、【正義】古今地名云、負黍在洛州陽城西三十七里也、 二十二年、秦昭王卒。二十四年、秦拔我城皐・滎陽。【考證】城皐、即成皐、 二十六年、秦悉拔

我上黨。二十九年、秦拔我十三城。三十四年、桓惠王卒。子王安立。【考證】梁玉繩曰、案魏世家、安釐王十二年、信陵君曰、今韓氏以一女子奉一弱主、內有大亂、大事記云、韓世家不載其事、必是韓王少、母后用事、余攷魏安釐王十二、當桓惠八年、是時秦宣太后趙惠文后齊君王后、皆臨朝用事、韓亦當然也、古史云、信陵君說魏王曰、韓氏以一女子奉弱主、李斯上書言趙高必爲亂曰、如韓玘之爲韓安相、此二事、皆二人所親見、而至漢太史公不得其事矣、大抵戰國事、韓最疏略、 王安五年、秦攻韓。韓急、使韓非使秦。秦留非、因殺之。【考證】秦殺韓非、見秦策、梁玉繩曰、韓非使秦、紀表在六年、 九年、秦虜王安、盡入其地、爲潁川郡。韓遂亡。【正義】亡在秦始皇帝十七年、【考證】梁玉繩曰、案楚立韓諸公子韓成爲王、漢立韓襄王孽孫韓信爲王、皆當附及、

太史公曰。韓厥之感晉景公、紹趙之孤子武、以成程嬰・公孫杵臼之義。【考證】梁玉繩曰、趙孤之事非實、說在趙世家、 此天下之陰德也。韓氏之功於晉、未覩其大者也。然與趙・魏終爲諸侯十餘世。宜乎哉。

【索隱】述贊、韓氏之先、實宗周武、事微國小、春秋無語、後裔事晉、韓原是處、趙孤克立、智伯可取、既徙平陽、又侵負黍、景趙俱侯、惠文僭主、秦敗脩魚、魏會區鼠、韓非雖使、不禁狼虎、

韓世家第十五　史記四十五

史記會注考證卷四十六

漢　太　史　令　司　馬　遷　撰

宋中郎外兵曹參軍裴　駰集解

唐國子博士弘文館學士司馬　貞索隱

唐諸王侍讀率府長史張　守節正義

日　本　出　雲　瀧　川　資　言　考證

田敬仲完世家第十六　史記四十六

【考證】史公自序云、完子避難、適齊爲援、陰施五世、齊人歌之、成子得政、田和爲侯、王建動心、乃遷于共、喜威宣能撥濁世而獨宗周、作田敬仲完世家第十六、何焯曰、以田

完制名、所以別于太公之齊也、

陳完者、陳厲公他之子也。【索隱】他、音徒何反、此系家以他爲厲公、而左傳、厲公名躍、陳系家又有利公躍、利卽厲也、是厲公名躍、蓋他是厲公之兄、立未踰年、無謚、今此云厲公他、非也、他、一名五父、故經云、蔡人殺陳他、傳又云、蔡人殺五父、是也、【正義】佗、同何反、譙周云、春秋傳謂他卽五父、世家與傳違、案左傳云、厲公名躍、而佗立未踰年、無謚、又桓六年經云、蔡人殺他、又莊二十二年傳云、陳厲公、蔡出也、故蔡人殺五父而立之、則他與五父俱爲蔡所殺、其名雖異、其實則同、他與五父是一人、明矣、而史記以他爲厲公、以躍爲利公、恐太史公誤、又恐當有所別見、班固又以厲公爲桓公弟、重誤矣、【考證】中井積德曰、佗立、明年死、五父其字也、非別名、愚按、說詳陳世家、完生。周太史過陳。陳厲公使卜完。卦得觀之否。是爲觀國之光、利用賓于王。【正義】杜預曰、此周易觀卦六四爻辭也、四爲諸侯、變而之乾、有國朝王之象、易之爲書、六爻皆有變象、又有互體、聖人隨其義而論之、易正義云、居觀在近、而得其位、明習國之禮儀、故宜利賓于王庭、爲王賓也、否卦義曰、否、閉之也、非是人道交通之時、不利君子爲正也、上下不交、而天下無國也、言利賓于王庭、値無國之世、故刺君子爲不正、必代君有國、【考證】坤下巽上爲觀、坤下乾上爲否、之、適也、變而有所之也、中井積德曰、否下脫曰字、是周史之言、左傳可徵、愚按、風俗通六國篇、亦有曰字、光王、韻、此其代陳有國乎。不在此、而在異國乎。

【正義】六四爻變、內卦爲本國、外卦爲異國、六四在外、故爲異國也、非此其身也、在其子孫。【正義】內卦爲身、外卦爲子孫、六四爻變、故知在子孫也、若在異國、必姜姓。【正義】六四爻是辛未爻、觀上體巽、未爲羊、巽爲女、以女乘羊、故爲姜、姜、齊姓、必知在齊也、姜姓、四嶽之後。【正義】杜預云、姜姓之先、爲堯四嶽也、物莫能兩大。陳衰、此其昌乎。【正義】陳湣公、周敬王四十一年爲楚惠王所滅、齊簡公、周敬王三十九年被田常所殺、【考證】完生以下、采莊二十二年左傳、說既詳于陳世家、厲公者、陳文公少子也。其母蔡女。文公卒。厲公兄鮑立。是爲桓公。桓公與他異母。及桓公病、蔡人爲他殺桓公鮑及太子免、【考證】中井積德曰、據左傳及陳世家、桓公病卒、非弑也、凡此敍事與陳世家異、而立他爲厲公。厲公既立、娶蔡女。蔡女滛於蔡人、數歸。厲公亦數如蔡。桓公之少子林、怨厲公殺其父與兄、乃令蔡人誘厲公而殺之。林自立。是爲莊公。故陳完不得立、爲陳大夫。厲公之殺、以淫出國。故春秋曰。蔡

人殺陳他。罪之也。【考證】蔡人殺陳他、桓六年春秋、左氏無傳、公羊傳云、蔡人殺陳佗、陳佗者何、陳君也、陳君則曷爲謂之陳佗、絕也、曷爲絕之、賤之也、其賤奈何、外淫也、惡乎淫、淫于蔡、蔡人殺之、史公約公羊四十七字爲罪之也三字、梁玉繩曰、佗是文公子五父、厲公躍是桓公子、厲公、蔡出也、桓公疾、佗殺其太子免而代之、蔡人殺佗立厲公、厲公卒、弟莊公林立、史所說俱誤、詳陳世家中、莊公卒。【考證】莊元年春秋、立弟杵臼。是爲宣公。宣公十一年、殺其太子禦寇。【考證】楓山、三條本、十一年作廿一年、梁玉繩曰、案春秋、事在陳宣公二十一年、此缺二字、禦寇與完相愛。恐禍及己、完故奔齊。齊桓公欲使爲卿。辭曰。羈旅之臣、幸得免負擔。君之惠也。不敢當高位。【考證】羈讀爲羇、羇、寄旅客、背曰負、肩曰擔、負擔、喩勞役、桓公使爲工正。【正義】工、巧之長、若將作大匠、齊懿仲欲妻完。【考證】梁玉繩曰、案懿氏乃陳大夫、非齊也、左傳追敍其事、故加初字、此誤爲齊耳、卜之。占曰。【考證】藝文類聚引史、占作吉、是、左傳作其妻占之、曰吉、是謂鳳皇于蜚、和鳴鏘鏘。【考證】喩夫婦和睦也、有嬀之後、將育于姜。【考證】嬀、陳姓、姜、齊姓、五世其昌、竝于正卿。【考證】謂桓子無宇、八世之後、莫之

與京。【正義】賈逵曰、京、大也、杜預曰、敬仲八代孫陳常也、田完世家云、八代孫、田常之子盤也、而杜以常爲八代者、以桓子無宇生武子開與釐子乞皆相繼事齊、故以常爲八代、【考證】鏘姜卿京韻、卒妻完。完之奔齊、齊桓公立十四年矣。【考證】完生以下、莊二十二年左傳、又見陳世家、完卒。謚爲敬仲。【考證】敬其謚、仲其字、仲生穉孟夷。【索隱】系本作夷孟思、蓋穉是名、孟夷字也、敬仲之如齊、以陳字爲田氏。【集解】徐廣曰、應劭云、始食采地於田、由是改姓田氏、【索隱】據如此云、敬仲奔齊、以陳田二字聲相近、遂以爲田氏、應劭云、始食采於田、則田是地名、未詳其處、【正義】案敬仲既奔齊、不欲稱本國故號、故改陳字爲田氏、【考證】顧炎武曰、以陳氏爲田氏、蓋太史公之誤、春秋傳、未有稱田者、至戰國時始爲田耳、兪樾曰、古田陳同聲、然春秋時自稱田、恐史公據後以改前、非其實也、然陳之變爲田必有說、十二諸侯年表齊平公驁元年云、齊自是稱田氏、按平公時政雖在大夫、而變君之姓以從臣、恐無其事、或者陳氏於是年始稱田氏、而史公誤爲此說耳、考世家、平公卽位、田常相之、割齊安平以東爲田氏封邑、是乃田氏有齊之始、變陳爲田、當在此時也、愚按、崔述考古續說二卷、梁玉繩史記志疑卷八、亦有考、田穉孟夷生湣孟莊。【集解】徐廣曰、一作芷、【索隱】系本作閩孟克、芷昌改反、田湣孟莊生文子須無。田文子事齊莊公。晉之大夫欒逞作亂於晉、來奔齊。齊莊公厚客

之。晏嬰與田文子諫。莊公弗聽。【索隱】逞、音盈、史記多作逞字、【考證】欒盈來奔、見襄二十二年左傳、梁玉繩曰、文子未嘗諫納欒盈、文子卒。生桓子無宇。【考證】張文虎曰、卒字疑衍、下無宇卒同、田桓子無宇有力。事齊莊公甚有寵。無宇卒。生武子開與釐子乞。【正義】釐、音僖、田釐子乞事齊景公爲大夫。其收賦稅於民、以小斗受之。其粟予民、以大斗。行陰德於民、而景公弗禁。【考證】小斗受之、大斗予之、本昭三年左傳晏嬰語、王念孫曰、太平御覽引此粟作廩、廩與稟同聲通用、說文、稟、賜穀也、稟予、猶給予也、謂以小斗收之、以大斗給之也、梁玉繩曰、案左氏、襄廿八年無宇始見傳、乃齊景三年、其父文子尚在、則無宇未事莊公也、武子名開、左傳不見、史公當別有據、又小斗大斗之言、卽景公九年晏子與叔向語、所謂家量公量者、政桓子時事、此以爲僖子、非、由此田氏得齊衆心、宗族益彊、民思田氏。晏子數諫景公。景公弗聽。已而使於晉、與叔向私語曰、齊國之政、其卒歸於田氏矣。【考證】使於晉以下、本昭三年左傳晏嬰語、叔向、晉大夫羊舌肸、晏嬰卒後、范·中行氏反晉。晉攻之

急。范·中行請粟於齊。田乞欲爲亂、樹黨於諸侯。乃說景公曰、范·中行數有德於齊。齊不可不救。齊使田乞救之、而輸之粟。【考證】左傳定二年云、范中行入于朝歌以叛、哀二年云、齊輸范氏粟、梁玉繩曰、案齊輸粟范氏、不及中行、亦非因田乞樹黨之故、說在齊世家、景公太子死。後有寵姬曰芮子。【集解】徐廣曰、一作粥子、【考證】梁玉繩曰、茶母姒姓、作芮子非、徐廣作粥子亦非、說在齊世家、生子茶。【索隱】音舒、又如字、景公病。命其相國惠子與高昭子、以子茶爲太子。【索隱】惠子、名夏、昭子、名張、景公卒。兩相高·國立茶。是爲晏孺子。【考證】張文虎曰、高國二字、疑後人旁注誤混、而田乞不說、欲立景公他子陽生。陽生素與乞歡。晏孺子之立也、陽生奔魯。【考證】景公太子死以下、本哀五年左傳、又見齊世家、田乞僞事高昭子·國惠子者、【考證】事、猶黨也、每朝代參乘。【考證】左傳齊世家、代作必、言曰、始諸大夫不欲立孺子。孺子既立、君相之。大夫皆自危、謀作

亂。又紿大夫曰、高昭子可畏也。及未發先之。【考證】昭、當作國、左傳作二子、諸大夫從之。田乞·鮑牧與大夫、以兵入公室、攻高昭子。【考證】中井積德曰、攻高昭子四字、疑衍、昭子聞之、與國惠子救公。公師敗。田乞之衆追國惠子。惠子奔莒。遂返殺高昭子。晏孺子奔魯。【考證】田乞僞事以下、本哀六年左傳、又見齊世家、遂返殺三字疑衍、晏孺子、左傳齊世家作晏圉、此誤、圉、晏嬰之子、田乞使人之魯迎陽生。陽生至齊、匿田乞家。請諸大夫曰、常之母、有魚菽之祭。幸而來會飲。【考證】何休曰、齊俗婦人首祭事、言魚豆者、示薄陋無所有也、會飲田氏。田乞盛陽生橐中、【索隱】橐、音託、橐中、謂皮橐之中、置坐中央、發橐出陽生曰、此乃齊君矣。大夫皆伏謁、將盟立之。【考證】以上哀六年公羊傳、又見齊世家、田乞誣曰、吾與鮑牧謀共立陽生也。【考證】古鈔本、鮑牧作鮑叔、鮑牧怒曰、大夫忘景公之命乎。諸大夫欲

不救、則韓且折而入於魏。不若救之。田臣思曰。[索隱]戰國策、作田期思、紀年、謂之徐州子期、蓋卽田忌也、[考證]錢大昕曰、臣、當作臣、音怡、與期音相近、梁玉繩曰、今竹書作田期、過矣、君之謀也。秦·魏攻韓、楚·趙必救之。是天以燕予齊也。桓公曰。善。乃陰告韓使者而遣之。韓自以爲得齊之救、因與秦·魏戰。楚·趙聞之果起兵而救之。齊因起兵襲燕國、取桑丘。[正義]括地志云、桑丘故城、俗名敬城、在易州遂城縣、爾時齊伐燕桑丘、魏趙來救之、魏趙世家竝云、伐齊至桑丘、皆是易州、[考證]國策齊策、邯鄲之難章云、邯鄲之難、趙求救於齊、田侯召大臣而謀曰、救趙孰與勿救、鄒子曰、不如勿救、段干綸曰、弗救、則我不利、云云、南梁之難章云、韓氏請救於齊、田侯召大臣而謀曰、早救之、孰與晚救之便、張丐對曰、晚救之、韓且折而入於魏、不如早救之、田臣思曰、不可、云云、又韓齊爲與國章云、韓齊爲與國、張儀以秦魏伐韓、齊王曰、韓、吾與國也、秦伐之、吾將救之、田臣思曰、王之謀過矣、不如聽之、子噲與子之國、百姓不戴、諸侯弗與、秦伐韓、楚趙必救之、是天以燕賜我也、王曰、善、乃許韓使者而遣之、韓自以得交於齊、遂與秦戰、楚趙果遽起兵而救韓、齊因起兵攻燕、三十日而擧燕國、愚按、前策、攻魏襄陵也、齊威王時事、中策破魏於馬陵也、後策擧燕國也、竝宣王時事、而史公合三策爲一、改張丐爲段干朋、改擧燕爲取燕桑丘、徐氏測義梁氏志疑辯其謬、說見上文、六年、救衞。桓公

卒。[索隱]案紀年、梁惠王十二年、當齊桓公十八年、後威王始見、則桓公十九年而卒、與此不同、子威王因齊立。[考證]威王之名、此與年表魯仲連傳、竝作因齊、國策、作嬰齊、莊子則陽篇有田侯牟、釋文、司馬云、齊威王也、名牟、桓公子、案史記、威王名因、不名牟、所傳各異、愚按、釋文引史記、奪一齊字、是歲、故齊康公卒、絕無後、奉邑皆入田氏。齊威王元年、三晉因齊喪、來伐我靈丘。[正義]靈丘、河東蔚州縣、案靈丘此時屬齊、三晉因喪伐之、韓魏趙世家云、伐齊至靈丘、皆是蔚州、[考證]靈丘、山東東昌府高唐州、三年、三晉滅晉後、而分其地。[考證]梁玉繩曰、案是時分其地、而未滅也、六年、魯伐我入陽關。[集解]徐廣曰、在鉅平、[正義]括地志云、魯陽關故城、在兗州博城縣南二十九里、西臨汶水也、[考證]陽關、山東泰安府、晉伐我至博陵。[正義]在濟州西界也、[考證]年表、博陵作鱄陵、梁玉繩曰、當依世家、愚按、晉卽魏、通鑑正作魏、博陵、山東東昌府博平縣、七年、衞伐我取薛陵。[考證]張文虎曰、齊威王七年、衞聲公元年也、趙伐衞、取都鄙七十三、救亡不暇、豈能伐齊、此年各國亦無伐齊事、薛陵地亦無攷、殆誤也、愚按、下文威王責阿大夫、亦有衞取薛陵語、則未必烏有之事、胡三省曰、薛陵、春秋薛國之墟也、班志、薛縣屬魯國、而衞國在漢東郡陳留界、薛陵屬齊、而近於衞、故爲所取、通鑑地理今釋云、薛陵、山東兗州陽穀縣、九年、趙伐我取甄。[正義]音絹、卽濮州甄城縣也、[考證]趙世家、

甄作鄄、鄄、山東曹州府濮州、威王初卽位以來、不治。[考證]張文虎曰、不治二字、涉下而衍、委政卿大夫。九年之閒、諸侯竝伐、國人不治。於是威王召卽墨大夫而語之曰。[考證]羣書治要引無而字、通鑑亦無、自子之居卽墨也、[正義]萊州膠水縣南六十里、卽墨故城是也、[考證]卽墨、山東東萊府卽墨縣、毀言日至。然吾使人視卽墨、田野闢、民人給、官無留事、東方以寧。是子不事吾左右以求譽也。封之萬家。召阿大夫語曰。[考證]羣書治要藝文類聚及通鑑、語下有之字、阿、卽東阿縣、山東兗州府陽穀縣、自子之守阿、譽言日聞。然使使視阿、田野不闢、民貧苦。昔日趙攻甄、子弗能救。衞取薛陵、子弗知。是子以幣厚吾左右以求譽也。是日、烹阿大夫、及左右嘗譽者、皆幷烹之。[考證]列女傳六云、佞臣周破胡專權擅勢、妄造毀譽、淮南氾論訓云、齊威王設大鼎於庭中、而數無鹽令曰、子之譽日聞吾耳、察子之事、田野蕪、倉廩虛、囹圄實、子以姦事我者也、乃烹之、齊以此三十二歲道路不拾遺、所傳小異、愚按、烹人、自古有之、

如公羊傳莊四年齊哀公亨乎周、左傳襄二十六年、宋人烹伊戾、哀十六年、楚人烹石乞、史記田齊世家、齊威王烹阿大夫、是也、至秦遂爲常刑、漢書刑法志云、秦大辟有鑊亨之刑、楚漢之際、餘習仍存、齊王田廣烹酈食其、項王亦烹韓生、又有烹太公之語、遂起兵西擊趙·衞、敗魏於濁澤、而圍惠王。惠王請獻觀以和解。[正義]觀、音館、魏州觀城縣古觀國、夏啓子太康弟之所封也、夏相滅之、漢爲縣、[考證]梁玉繩曰、案擊趙衞事無攷、敗魏濁澤、與伐魏取觀、是兩事、不得幷爲一端、且是齊伐而取之、非魏因敗濁澤而獻觀以和也、愚按、濁澤、山西解州西二十里、趙人歸我長城。於是齊國震懼、人人不敢飾非、務盡其誠、齊國大治。諸侯聞之、莫敢致兵於齊二十餘年。騶忌子以鼓琴見威王。威王說而舍之右室。[正義]右室、上室、須臾王鼓琴。騶忌子推戶入曰。善哉鼓琴。王勃然不說、去琴按劍曰。夫子見容未察。何以知其善也。騶忌子曰。夫大弦濁以春溫者君也。小弦廉折以清者相也。[集解]琴操曰、大弦者君也、寬和而溫、小弦者臣也、清廉而不亂、[索隱]大弦濁以溫者君也、案春秋後語、溫字作春、春氣溫、

義亦相通也、蔡邕曰、凡弦以緩急爲清濁、琴緊、其弦則清、縵、其弦則濁、【考證】濁下疑脫重字、沈濤曰、如索隱說、則史文本作大絃濁以溫、春秋後語作濁以春、今史記溫上衍春字、蓋涉注而誤、愚按、錢大昕梁玉繩亦有此說、張文虎曰、御覽五百七十七引無春字、與索隱本同、又四百六十引有春字、無溫字、攫之深、【集解】徐廣曰、以爪持弦也、攫、音己足反、醳之愉者、政令也。【集解】徐廣曰、愉、一作舒、【索隱】醳、音釋、與下文舍字竝同、愉、音舒也、【考證】中井積德曰、據下文、醳上脫而字、鈞諧以鳴、大小相益、回邪而不相害者、四時也。【考證】邪、音斜、回邪、猶曲折也、吾是以知其善也。王曰、善、語音。騶忌子曰、何獨語音。夫治國家而弭人民、皆在其中。【考證】弭、安也、王又勃然不說曰、若夫語五音之紀、信未有如夫子者也。【考證】中井積德曰、若夫二字衍、若夫治國家而弭人民、又何爲乎絲桐之閒。騶忌子曰、夫大弦濁以春溫者君也。小弦廉折以清者相也。攫之深、而舍之愉者政令也。鈞諧以鳴、大小相益、回邪而不相害者、四時也。夫

復而不亂者、所以治昌也。連而徑者、所以存亡也。故曰、琴音調而天下治。夫治國家而弭人民者、無若乎五音者。王曰、善。騶忌子見三月、而受相印。淳于髡見之曰、善說哉。髡有愚志。願陳諸前。騶忌子曰、謹受教。淳于髡曰、得全全昌。失全全亡。【索隱】案、得全、謂人臣事君之禮、全具無失、故云得全也、全昌者、謂若無失則身名獲昌、故云全昌也、【考證】昌亡韻、騶忌子曰、謹受令、請謹毋離前。【索隱】謂佩服此言、常無離心目之前、【考證】楓山三條本、令作命、言常在王前無所失也、淳于髡曰、豨膏棘軸、所以爲滑也。然而不能運方穿。【索隱】豨膏、豬脂也、棘軸、以棘木爲車軸、至滑而堅也、然而穿孔若方、則不能運轉、言逆理反經也、故下忌曰、請謹事左右、言每事須順從、【考證】中井積德曰、棘、棗屬、非荊棘之棘、棘木亦所以爲滑、以木理密而滑澤也、不主其堅也、愚按、棗棘同、騶忌子曰、謹受令、請謹事左右。【考證】中井積德曰、左右、謂齊君左右之人也、謹事左右、豫順適其意、欲臨事無阻礙也、弓膠昔幹、所以爲合也。【集解】徐廣曰、幹、一作乾、【索隱】音孤捍反、昔、久舊也、幹、弓幹也、徐廣又

曰、一作乾、考工記作枏幹、則枏昔、音相近、言作弓之法、以膠被昔幹、而納諸檠中、則是以勢令合耳、然而不能傳合疏罅。【索隱】傳、音附、罅、音五嫁反、以言膠幹可以勢暫合、而久亦不能常傳合於疏罅隙縫、以言人臣自宜彌縫、得所、豈待拘以禮制法式哉、故下云、請自附於萬民、是也、【考證】中井積德曰、久乾之幹、被之以膠、可以傳合、然削幹平易、則可以膠矣、若削之不平、有疏罅、雖有膠不能合之、以喩立身正直、可以與民親附、若法制禮際、不足恃也、權勢恩德、不足怙也、騶忌子曰、謹受令、請謹自附於萬民。淳于髡曰、狐裘雖敝、不可補以黃狗之皮。騶忌子曰、謹受令、請謹擇君子、毋雜小人其閒。淳于髡曰、大車不較、不能載其常任。琴瑟不較、不能成其五音。【索隱】較者校量也、言有常制、若大車不較、則車不能載常任、琴不能成五音也、【考證】中井積德曰、較、比也、是調勻之義、兩輪一大一小、不可謂較、騶忌子曰、謹受令、請謹脩法律而督姦吏。淳于髡說畢、趨出至門、而面其僕曰、是人者吾語之微言五。【考證】微言、微密之言、列子說符篇云、人可與微言乎、其應我若響之應聲。是人必封不久矣。【集解】新序曰、齊稷下先生喜議政事、騶忌既爲齊相、稷

下先生淳于髡之屬七十二人、皆輕騶忌、以爲設以微辭、騶忌必不能及、乃相與俱往見騶忌、淳于髡之徒禮倨、騶忌之禮卑、淳于髡等稱辭、騶忌知之如應響、淳于髡等辭詘而去、騶忌之禮倨、淳于髡之禮卑、故所以尚干將莫邪者、貴其立斷也、所以尚騏驥者、爲其立至也、必且歷日曠久、則系氂能挈石、駑馬亦能致遠、是以聰明捷敏、人之美材也、【考證】新序雜事第二、載髡與鄒忌問答語、與史不同、且以爲宣王時事、居朞年、封以下邳、號曰成侯。【考證】號曰、成侯、齊威以天子自擬、威王二十三年、與趙王會平陸。【考證】趙威侯、二十四年、與魏王會田於郊。魏王問曰、王亦有寶乎。威王曰、無有。【索隱】案韓嬰詩外傳、以爲齊宣王、其說異也、梁王曰、若寡人國小也、【考證】梁玉繩曰、後漢書李膺傳注、引史作寡人之國雖小、尙有徑寸之珠、照車前後各十二乘者十枚。柰何以萬乘之國而無寶乎。【考證】古者天子方畿千里、出車萬乘、故萬乘、天子之稱也、及周季諸侯兼并僭越、擁萬乘者亦有之、孟子云、以萬乘之國伐萬乘之國、指燕與齊也、當今之時、萬乘之國行仁政、指齊也、不受於萬乘之君、指當時大國也、韓非孤憤云、法術之難行也、不獨萬乘、千乘亦然、愛臣云、萬乘之國無備、必有千乘之家在其側、以徙其威而傾其國、亦然、梁惠亦以萬乘稱齊威、當時之語如此、威王曰、寡人之所以爲寶與王異。吾

臣有檀子者。使守南城。【索隱】檀子、齊臣、檀、姓、子、美稱、大夫皆稱子、盼子、田盼也、黔夫及種首皆臣名、事悉具戰國策也、【考證】胡三省曰、城在齊之南境、故曰南城、則楚人不敢爲寇東取。泗上十二諸侯皆來朝。【索隱】鄒莒宋魯之比、【考證】張儀傳及秦策齊策云、魏惠王從十二諸侯朝天子、齊策又云、衛鞅見魏王曰、大王所從十二諸侯、非宋衛也、則鄒魯陳蔡、蓋十二諸侯在齊魏間、望風附勢耳、吾臣有盼子者。使守高唐。【考證】盼子、卽田盼、閻若璩曰、人名下係以子字者、當時有此稱、田嬰爲嬰子、田文爲文子、魏冉爲冉子、匡章爲章子、田盼稱盼子亦是、愚按、高唐、山東東昌府高唐州、則趙人不敢東漁於河。吾吏有黔夫者。使守徐州。則燕人祭北門、趙人祭西門、徙而從者七千餘家。【集解】賈逵曰、齊之北門、西門也、言燕趙之人、畏見侵伐、故祭以求福、【考證】後漢李膺傳注引七千作七十、顧炎武曰、徐州、與楚魏二國境、而威王曰、燕人祭北門、趙人祭西門者、蓋與梁惠王言、不欲斥魏、更以燕趙誇之耳、吳熙載曰、徐州、今直隸保定府安肅縣有徐城、與下言燕趙合、胡三省注言薛縣、非也、吾臣有種首者。使備盜賊。則道不拾遺。【考證】種首、名也、史失其姓、依說苑臣術篇、姓田、愚按、通鑑遺下補此四臣者四字、李膺傳注引有以此爲寶四字、將以照千里。豈特十二乘哉。梁惠王慙、不

懌而去。【考證】梁玉繩曰、案論寶一節、見韓詩外傳十、惟韓誤威王爲宣王耳、又攷說苑臣術言、成侯謂威王曰、忌擧田居子爲西河、而秦梁弱、擧田解子爲南城、而楚人抱羅綺而朝、擧黔涿子爲冥州、而燕人給牲、趙人給盛、擧田種首子爲卽墨、而于齊足究、與此異、愚按、孟子盡心篇云、諸侯之寶三、土地人民政事、寶珠玉者、殃必及身、殆爲梁惠言之也、二十六年、魏惠王圍邯鄲。趙求救於齊。齊威王召大臣而謀曰。救趙、孰與勿救。騶忌子曰。不如勿救。段干朋曰。不救則不義。且不利。【考證】策、段干朋作段干綸、無不義且三字、威王曰。何也。對曰。夫魏氏并邯鄲。其於齊何利哉。且夫救趙而軍其郊。【考證】我師不戰、但屯軍其境耳、是趙不伐而魏全也。【考證】不伐、不爲魏所伐也、策、伐作拔、魏全、兩國不戰故、故不如南攻襄陵以弊魏。【正義】襄陵故城、在兗州鄒縣也、【考證】襄陵、魏邑、山西平陽府襄陵縣治、邯鄲拔、而乘魏之弊。【考證】古鈔本、楓山本、乘作承、與策合、威王從其計。【考證】魏惠王圍邯鄲以下、本齊策、其後成侯騶忌與田忌不善。【考證】歸有光曰、其後二字疑有誤、中井積德曰、疑衍、公孫閱【索隱】戰國策、作公孫閎、【考證】今本策、作公

孫閈、謂成侯忌曰。公何不謀伐魏。田忌必將。戰勝有功、則公之謀中也。戰不勝、非前死則後北。而命在公矣。於是成侯言威王、【考證】以上本齊策、使田忌南攻襄陵。十月、邯鄲拔。【考證】梁玉繩曰、拔者非邯鄲也、十月、策作七月、此誤、齊因起兵擊魏、大敗之桂陵。【索隱】在威王二十六年、【正義】在曹州乘氏縣東北二十一里、【考證】以上本齊策、桂陵、今山東荷澤縣東北、於是齊最彊於諸侯。自稱爲王、以令天下。【考證】黃式三曰、後顯王三十四年、齊宣魏惠會徐州相王、則齊威王稱王十年而薨、齊宣初卽位之時、尚未襲先世稱王也、三十三年、殺其大夫牟辛。【集解】徐廣曰、一作夫人、【索隱】牟辛、大夫姓字也、徐廣曰、一作夫人、案年表亦作夫人、王劭案紀年云、齊桓公十一年、殺其君母、宣王八年、殺王后、然則夫人之字、或如紀年之說、三十五年、公孫閱又謂成侯忌曰。公何不令人操十金卜於市。曰。我田忌之人也。吾三戰而三勝、聲威天下。欲爲大事。亦吉乎、不吉乎。卜者出。因令人捕爲之卜者、驗

其辭於王之所。【考證】公孫閱以下、本齊策、田忌聞之、因率其徒、襲攻臨淄、求成侯。【考證】張文虎曰、因下各本衍遂字、索隱本無、臨淄、山東青州府臨淄縣、不勝而犇。【索隱】案戰國策、田忌前敗魏於馬陵、因被構不得入齊、非是居齊歷十年乃出奔也、是時齊都臨淄、且孟嘗列傳云、田忌襲齊之邊邑、其言爲得、卽與系家不同也、【考證】梁玉繩曰、案田忌出奔、在宣王二年戰馬陵之後、不在威王三十五年、無論威王賢明、成侯讒構、所不能行、而忌之戰功可見者、桂陵馬陵二役、若威王王時已出奔、則安得馬陵之勝乎、此與孟嘗君傳同誤、然其誤亦由國策也、策于威王時載鄒忌田忌不相說一章、有田忌遂走之語、史公謬以爲據、因撰出襲攻臨淄事、索隱謂齊都臨淄、當依孟嘗傳作襲齊邊邑、而不知忌未嘗襲齊耳、國策戰馬陵後、有田忌爲齊將一章、言孫臏勸忌無解兵入齊、可正齊君而走成侯、忌不聽、以是觀之、忌亦賢矣、奈何反以襲齊誣之邪、三十六年、威王卒。子宣王辟彊立。宣王元年、秦用商鞅。周致伯於秦孝公。【考證】梁玉繩曰、案致伯、在宣王卽位前一年、紀表可據、此誤也、二年、魏伐趙。趙與韓親。共擊魏。趙不利、戰於南梁。【索隱】晉太康地記曰、戰國謂梁爲南梁者、別之於大梁少梁也、【正義】括地志云、故梁在汝州西南二百步、晉太康地記云、戰國時謂南梁者、別之於大梁少梁也、古蠻子邑也、【考證】梁玉繩曰、案此文之誤、說在魏世家、當云魏伐韓、趙與魏親、共擊韓、趙不利、敗于南梁、韓氏請救于齊、愚按、南梁故城、河南臨汝縣西南、

宣王召田忌復故位。【考證】梁玉繩曰、忌無召復位之事、此與孟嘗傳同誤、蓋因錯認忌出奔在威王時、而其後馬陵之功、自不能沒、遂又撰出復位一節也、吳注策云、忌既襲齊、豈得再復、成侯猶在、豈宜竝列、四語有以矛刺盾之妙、韓氏請救於齊。宣王召大臣而謀曰。蚤救、孰與晚救。騶忌子曰。不如勿救。田忌曰。弗救、則韓且折而入於魏。不如蚤救之。【索隱】案紀年、威王十四年、田盼伐梁、戰馬陵、戰國策、南梁之難、有張田對曰、蚤救之、此云鄒忌者、王劭云、此時鄒忌死已四年、又齊威時未稱王、故戰國策謂之田侯、今此以田侯爲宣王、又橫稱鄒忌、皆謬矣、【考證】梁玉繩曰、國策無騶忌勿救之說、田忌作張丐、弗救作晚救、索隱謂是時騶忌已死、又謂宣王乃威王之誤、竝謬甚、馬陵之役、自在宣王二年、孫子曰。【索隱】孫臏也、【考證】策、孫子作田臣思、夫韓・魏之兵未弊、而救之、是吾代韓受魏之兵、顧反聽命於韓也。【考證】顧反、二字一義、與蕭相國世家顧反居臣等上義同、反也、屈原傳云、使於齊、顧反、諫懷王、趙策云、公子魏牟過趙、趙王迎之、顧反至坐前、皆謂還反、與此義異、且魏有破國之志。韓見亡、必東面而愬於齊矣。【考證】策、國作韓、見下有且字、吾因深結韓之親、而晚承魏之弊、則可重利而

得尊名也。【考證】策、深作陰、則可重利而得尊名也、作則國可重、利可得、名可尊矣、宣王曰。善。乃陰告韓之使者而遣之。韓因恃齊、五戰不勝、而東委國於齊。齊因起兵、【考證】韓請救以下、本齊策、使田忌・田嬰將、孫子爲帥、【集解】徐廣曰、嬰、一作盼、【考證】梁玉繩曰、作盼、非、帥乃師之誤、表傳可據、陳仁錫曰、師在軍中爲軍師也、救韓・趙以擊魏。大敗之馬陵。【索隱】在宣王二年、【考證】梁玉繩曰、趙字衍、殺其將龐涓、虜魏太子申。【考證】大敗之馬陵以下、本齊策、又見孫臏傳、馬陵、直隸大名府元城縣、其後三晉之王、皆因田嬰朝齊王於博望、盟而去。【集解】徐廣曰、表曰、三年、與趙會博望伐魏、【正義】括地志云、博望故城、在鄭州向城縣東南四十五里、【考證】齊策云、齊破魏馬陵、魏破韓弱、韓魏之君因田嬰北面而朝田侯、史公本于此、但策言韓魏、不言三晉、沈家本曰、今表無博望二字、集解衍、七年、與魏王會平阿南。【正義】沛郡平阿縣也、明年、復會甄。魏惠王卒。【索隱】明年梁惠王卒、案紀年、梁惠王乃是齊湣王爲東帝、秦昭王爲西帝時、此時梁惠王改元稱一年、未卒也、而系家以其後即爲魏襄王之年、又以此文當齊宣王時、實所不能詳考、明年、與魏襄王會徐州。諸侯相王也。

【考證】沈家本曰、上文威王二十六年云、自稱爲王、則何待此時相王乎、愚按、宣王此時初稱王也、梁玉繩曰、是時魏惠王未卒、徐州之會非爲相王也、愚按、說在魏世家、十年、楚圍我徐州。十一年、與魏伐趙。趙決河水灌齊・魏。兵罷。十八年、秦惠王稱王。宣王喜文學游說之士、自如騶衍・淳于髡・【正義】贅壻、齊之稷下先生也、田駢【正義】白眠反、藝文志云、田駢齊人、遊稷下、號天口駢、作田子二十五篇也、接予・【正義】齊人、藝文志云、接子二篇、在道家流、【考證】孟荀列傳、作接子、予蓋其名、慎到・【正義】趙人、戰國時處士、藝文志、作慎子四十二篇也、環淵之徒、【正義】楚人、孟子傳云、環淵著書上下篇也、【考證】王若虛曰、荀卿傳亦云、自如孟子至于吁子、自如二字連用不得、王念孫曰、自如者統下之詞、孟荀傳云、自如淳于髡以下、匈奴傳云、自如左右賢王以下、至當戶、皆自如二字連文、愚按、王說得之、七十六人、皆賜列第爲上大夫、不治而議論。【考證】黃式三曰、不治而議論、客卿之例如此、孟子所謂無官守無言責也、是以齊稷下學士復盛。且數百千人。【集解】劉向別錄曰、齊有稷門、城門也、談說之士、期會於稷下也、【索隱】劉向別錄曰、齊有稷門、齊城門也、談說之士、期會於其下、齊地記曰、齊城西門側、系水左右、有講室趾、往往存焉、蓋因側系水出、故曰稷門、古側稷音相近耳、又虞喜曰、齊有稷山、立館其下、以待游士、亦異說也、春秋傳曰、莒子

如齊、盟于稷門、【考證】徐孚遠曰、言學士復盛、則先時已有之、至宣王而復修也、中井積德曰、前不錄稷下、而此記復盛、蓋前文有闕耳、又曰、稷山之下地稱稷下、稷下有城門、亦名稷門、有學士之館、故稱稷下學士耳、索隱非也、愚按、事又見孟荀列傳、鹽鐵論論儒篇亦云、齊宣王褒儒尊學、孟子淳于髡之徒、受上大夫之祿、不任職而論國事、蓋齊稷下先生千有餘人、十九年、宣王卒。子湣王地立。【索隱】系本、名遂、【考證】張文虎曰、籀文地作墜、字形近遂、梁玉繩曰、史記書齊威王在位三十六年、以周顯王二十六年卒、宣王在位十九年、以顯王四十五年卒、湣王在位四十年、以赧王三十一年卒、通鑑上增威王十年、下減湣王十年、而移後宣王十年、大事記不增威王之年、但減湣王之後以益宣王、謂宣王在位二十九年、三說各異、當依大事記爲是、蓋史載諸國年數、多參錯不同、安知齊年之不誤、但不必增威王爲四十六年耳、淳于髡傳言威王行三十六年、則固無四十六年也、而孟子至齊、當慎靚王三十年以後、必是宣王二十五六年間、凡燕王讓國、齊人取燕等事、俱在宣王之世、與孟子書合、無可疑者、故通鑑・大事記書湣王元年于周赧王二年、甚確、年表世家孟嘗君傳、以宣爲十九年、湣爲四十年、竝非、又曰、黃氏日鈔載蔣曉之說、以齊兩次伐燕、分繫宣湣、强以求合于孟子、史記、殊非情事、中井積德曰、齊伐燕取之、大事也、而世家不記、何也、湣王元年、秦使張儀與諸侯執政會于齧桑。【考證】齧桑、當在河南歸德府及安徽潁州府蒙城縣間、三年、封田嬰於薛。【考證】梁玉繩曰、嬰之封薛、此與年表孟嘗傳、在湣王三年、國策亦在閔王時、實則宣王二十二年、索隱引紀年梁惠後十三年四月封嬰、較史先一歲、未知孰是、而國策吳注謂嬰封薛、在威

王之世、當梁惠前十三年、疑紀年誤書、殊不然、國策于宣王前十餘年時尚稱嬰子、安得言威王封之、而所云受薛于先王者、乃宣王也、 四年、迎婦于秦。七年、與宋攻魏、敗之觀澤。【考證】言與宋、非也、說在宋世家、 十二年、攻魏。楚圍雍氏。【集解】徐廣曰、在陽翟、屬韓、【考證】梁玉繩曰、案此事不在湣王十二年、說見秦紀、雍氏故城、在今河南扶溝縣西南、 秦敗屈丐。【考證】屈丐、楚大夫、 蘇代謂田軫曰、臣願有謁於公。其爲事甚完、使楚利公。成爲福、不成亦爲福。【考證】岡白駒曰、田軫一稱陳軫、于時有寵于楚王、愚按、陳軫與張儀相惡、 今者臣立於門。客有言曰。魏王謂韓馮・張儀曰。【集解】徐廣曰、韓馮韓之公仲侈也、 煑棗將拔。【集解】徐廣曰、在濟陰宛朐、【考證】煑棗、魏地、故城在今山東荷澤縣西、 齊兵又進。子來救寡人則可矣。不救寡人、寡人弗能拔。【索隱】能、猶勝也、言不勝其拔、故聽齊拔之耳、【考證】岡白駒曰、能、耐通、愚按、不能拔、猶言不忍爲齊所拔也、門客之言、止于此、以下蘇代之言、 此特轉辭也。【考證】岡白駒曰、轉、出彼入此也、若不聽則將適他、 秦・韓之兵毋東旬餘、則魏氏轉韓從秦。【考證】毋東、不東救魏也、岡白駒曰、魏氏轉、句、魏背秦入于齊楚、韓從秦、

韓從秦之所爲也、其事見于下、中井積德曰、從字疑衍、言魏將變韓秦之約、秦亦放逐張儀、俱事齊楚也、下文云魏氏轉秦韓爭事齊楚、可參攷、愚按、如岡說、則下文爭字不可解、中說亦不透、 秦逐張儀、【索隱】逐、隨也、 交臂而事齊・楚。【考證】交臂與交手同、謂拱手也、國策、交臂而事秦、 此公之事成也。田軫曰。柰何使無東、對曰。韓・馮之救魏之辭、必不謂韓王曰馮以爲魏、必曰、馮將以秦・韓之兵東卻齊・宋、馮因摶三國之兵、【集解】徐廣曰、音專、專猶幷合、制領之謂也、【索隱】摶、音團、團謂握領也、徐作專、亦通、【考證】楓山三條本、郤作劫、摶字从專、徐說是、三國、秦韓魏、 乘屈丐之獘、南割於楚、故地必盡得之矣。【正義】屈丐、楚將、爲秦所敗、今更欲乘之、【考證】岡白駒曰、使楚割地、非獨解雍氏圍也、愚按、以上韓馮謂韓王辭、 張儀救魏之辭、必不謂秦王曰儀以爲魏、必曰、儀且以秦・韓之兵、東距齊・宋、儀將摶三國之兵、乘屈丐之獘、南割於楚、名存亡國、實伐三川而歸。【索隱】韓也、 此王業也。【考證】張文虎曰、凌、游本、伐譌代、岡白駒曰、名存亡國、救魏將亡、自伐其功曰伐、謂得志於韓也、下文施三川、是也、施三川、見于韓世家、

【考證】岡白駒曰、以上張儀謂秦王辭、 公令楚王與韓氏地、使秦制和、【索隱】公、謂陳軫、 謂秦王曰、請與韓地、而王以施三川、【正義】施、張設也、言秦王於天子都張設迫脅也、【考證】中井積德曰、施、謂威加之、施三川、與上文伐三川意全同、此何必論天子都、 韓氏之兵不用、而得地於楚。【考證】是蘇代使陳軫言之於秦王也、 韓馮之東兵之辭、且謂秦何。【考證】陳軫問也、楓山、三條本、秦作奈、愚按、依下文、秦字衍、 曰。【考證】蘇代答也、 秦兵不用而得三川、伐楚・韓以窘魏。魏氏不敢東、是孤齊也。張儀之東兵之辭、且謂何。【考證】陳軫問也、 曰。【考證】蘇代答也、 秦・韓欲地而兵有案、聲威發於魏、魏氏之欲不失齊・楚者有資矣。魏氏轉秦・韓、爭事齊・楚、楚王欲而無與地。【集解】徐廣曰、楚王欲得魏來事己、而不欲與韓地也、 公令秦・韓之兵不用而得地、有一大德也。【正義】蘇代謂陳軫、今秦韓之兵、不戰伐而得地、陳軫於秦韓、豈不有大恩德、【考證】公、陳軫也、中井積德曰、大德以上、論成爲福、秦韓之王以下、論不成亦爲福、 秦・韓之王、劫於韓馮

張儀、而東兵以徇服魏。公常執左券以責於秦・韓。【索隱】券、要也、左、不正也、言我以右執其左而責之、【考證】中井積德曰、以賣買假貸者持券取償爲喩也、券、書板而剖之、故有左右、 此其善於公、而惡張子多資矣。【正義】左券下、右券上也、蘇代說陳軫以上券、令秦韓不用兵得地、而以券責秦韓、郤韓馮張儀、以徇服魏、故秦韓善陳軫而惡張儀、多取矣、資、藉也、又材質也、【考證】中井積德曰、資、猶本錢也、愚按、此一章情事不明、文字亦多錯誤、不能強解、中井積德姚範諸人既言之、闕疑可也、 十三年、秦惠王卒。二十三年、與秦擊敗楚於重丘。【集解】徐廣曰、表曰、與秦擊楚、使公子將、大有功、 二十四年、秦使涇陽君質於齊。【考證】孟嘗君傳云、秦昭王先使涇陽君爲質於齊、以求見孟嘗君、涇陽君、昭王母弟公子悝、 二十五年、歸涇陽君于秦。孟嘗君薛文入秦、卽相秦。文亡去。二十六年、【集解】徐廣曰、孟嘗君爲相、 齊與韓・魏共攻秦。至函谷軍焉。【考證】本周策、 二十八年、秦與韓河外以和、兵罷。【考證】梁玉繩曰、案不言與魏、何也、蓋脫之、又此事在二十六年、說見秦紀、 二十九年、趙殺其主父。齊佐趙滅中山。【集解】徐廣曰、三十年、田甲劫王、相薛文走、

【考證】梁玉繩曰、殺主父、在前一年、滅中山、不在是歲、亦非齊佐趙滅之、此與表同誤、三十六年、王爲東帝。秦昭王爲西帝。蘇代自燕來入齊、見於章華東門。【集解】左思齊都賦注曰、齊小城北門也、而此言東門、不知爲是一門非邪、【正義】括地志云、齊城章華之東、有閭門武鹿門也、【考證】齊策、蘇代作蘇秦、注云、是時秦已死、當從史記作蘇代、中井積德曰、齊有章華之宮、宮有東西門、何容紛紜、愚按、策吳注引括地志、作齊城東有閭門武鹿章華之門、齊王曰。嘻、善、子來。【考證】古鈔本、善下有哉字、策作嘻子之來也、秦使魏冄致帝。子以爲何如。對曰。王之問臣也卒。而患之所從來微。【考證】卒、與猝同、來、策一本作生、一本作往、今未著、故言微、願王受之、而勿備稱也。【考證】策、備作庸、注云、庸、用也、秦稱之、天下安之、王乃稱之。無後也。【考證】胡三省曰、猶言未晚也、且讓爭帝名、無傷也。【考證】讓爭、猶言辭受也、策作先後之事、秦稱之、天下惡之、王因勿稱、以收天下。此大資也。【考證】岡白駒曰、資、貲也、以此買天下之心、故曰大資、且天下立兩帝。王以天下爲尊齊乎、尊秦乎。王曰。尊秦。曰。釋帝。天下愛

齊乎、愛秦乎。王曰。愛齊而憎秦。曰。兩帝立、約伐趙。孰與伐桀宋之利。【集解】宋世家云、宋王偃、諸侯皆曰桀宋也、王曰。伐桀宋、利。對曰。夫約鈞、然與秦爲帝、而天下獨尊秦而輕齊。【考證】策、姚本無鈞然二字、張照曰、戰國策補注云、言齊秦俱相約如此、疑鈞字卽約字之訛、而又重出、去鈞然二字、文義自明、釋帝、則天下愛齊而憎秦。伐趙不如伐桀宋之利。故願王明釋帝以收天下、倍約賓秦、無爭重。【考證】倍、背同、賓、擯同、擯斥也、棄也、而王以其閒擧宋。夫有宋、衞之陽地危。【集解】陽地、濮陽之地、【正義】案衞此時河南獨有濮陽也、【考證】陽地、策作陽城、中井積德曰、陽地、猶言南國也、有濟西、趙之阿東國危。【正義】阿、東阿也、爾時屬趙、故云東國危、【考證】策、阿東國危、作河東國危、可從、正義謬、愚按、阿河、形似而訛、國字涉下文而衍、河東、趙河之東、今臨清以西、趙之邊邑也、文主擧宋言、淮北濟西陶平陸、皆故宋地、濟西、今山東荷澤鄆城壽張等縣地、有淮北、楚之東國危。【正義】淮北、徐泗也、東國、謂下相僮取慮也、有陶・平陸、梁門不開。【正義】陶、定陶、今曹州也、平陸、兗州縣也、縣在大梁東界、【考證】策、陶作陰、補注云、陰卽陶、定陶在今山東荷澤縣、平

陸故城、在今山東汶上縣北、釋帝、而貸之以伐桀宋之事。【考證】中井積德曰、貸、代也、策作貳、貳、猶代也、愚按、策無桀字、國重而名尊、燕・楚所以形服。【考證】形、勢也、畏勢而服、天下莫敢不聽。此湯・武之擧也。敬秦以爲名。【考證】策注、非實敬之、而後使天下憎之。此所謂以卑爲尊者也。【考證】策、爲作易、禮記曲禮上、夫禮者自卑而尊人、願王孰慮之。【考證】蘇代自燕來以下、采齊策、於是齊去帝復爲王。秦亦去帝位。三十八年、伐宋。【考證】策、作韓人攻宋、恐非、秦昭王怒曰。吾愛宋、與愛新城・陽晉同。【正義】括地志云、新城故城、在宋州宋城縣界、陽晉故城、在曹州乘氏縣西北三十七里、【考證】新城蓋韓地、今河南洛陽縣有新城故城、陽晉衞地、故城在今山東曹縣北、韓聶與吾友也。【考證】中井積德曰、韓聶是時爲齊謀臣也、愚按、策作韓珉、而攻吾所愛、何也。蘇代爲齊謂秦王曰。【考證】策、蘇代作蘇秦、齊作韓、恐非、韓聶之攻宋、所以爲王也。齊彊、輔之以宋、楚・魏必恐。恐必西事秦。是王不煩一兵、不傷一士、無事

而割安邑也。【正義】年表云、秦昭王二十一年、魏納安邑及河內、【考證】安邑故城、在今山西安邑縣西、魏都、近秦、此韓聶之所禱於王也。秦王曰。吾患齊之難知、一從一衡。【考證】或從或衡、反覆不定、其說何也。對曰。天下國令齊可知乎。【考證】策、國作固、乎作矣、義長、齊以攻宋、【考證】古鈔本、以作已、與策合、其知事秦、以萬乘之國自輔。【考證】萬乘、秦也、不西事秦、則宋治不安。【索隱】戰國策、作宋地不安、中國白頭游敖之士、皆積智、欲離齊・秦之交。【考證】敖、讀爲遨、伏式結軼西馳者、未有一人言善齊者也。【索隱】軼、音姪、軼者車轍也、言車轍往還如結也、戰國策作結靷、【考證】軼、作靷者是、靷、駕牛馬之具、在胸曰靷、所以引之前行也、西馳、來於秦者、伏式結軼東馳者、未有一人言善秦者也。【考證】東馳、往於齊者、何則皆不欲齊・秦之合也。【考證】此皆晉楚之所使、何晉・楚之智、而齊・秦之愚也。晉・楚合、必議秦・秦。【考證】策、議作伺、齊・秦合、必圖晉・楚。請以此決事。秦

王曰、諾。【考證】伐宋以下、本韓策、於是齊遂伐宋。宋王出亡、死於溫。【正義】懷州有溫城、【考證】溫、魏地、河南懷寧府溫縣、齊南割楚之淮北、西侵三晉、欲以并周室、爲天子、泗上諸侯、鄒・魯之君皆稱臣。諸侯恐懼。三十九年、秦來伐、拔我列城九。四十年、燕・秦・楚・三晉合謀、各出銳師以伐、敗我濟西。【集解】徐廣曰、案其餘諸傳、無楚伐齊事、年表云、楚取淮北、【考證】伐齊之役、楚與焉、說見秦紀、王解而卻。【考證】岡白駒曰、齊王解拒備而卻、燕將樂毅遂入臨淄、盡取齊之寶藏器。【考證】燕秦楚三晉以下、采燕策、取齊之寶藏器、樂毅所謂珠玉財寶車甲珍器、盡收入燕、大呂陳於元英、故鼎反於曆室、齊器設於寧臺者、湣王出亡之衞。衞君辟宮舍之、稱臣而共具。湣王不遜。衞人侵之。湣王去走鄒・魯、有驕色。鄒・魯君弗內。【考證】去走鄒魯以下、本趙策、又見魯仲連傳、遂走莒。楚使淖齒將兵救齊。【索隱】淖、音女教反、【考證】陳子龍曰、觀淖齒救齊、則楚不同五國也、愚按、淖齒楚將、護湣王者、史誤、因相齊湣王。淖

齒遂殺湣王。【考證】以上本齊策趙策、而與燕共分齊之侵地鹵器。【正義】鹵掠齊寶器也、【考證】岡白駒曰、樂毅所侵之地、所取之寶器也、故稱齊之侵地鹵器、梁玉繩曰、案國策有王孫賈誅淖齒一章、此不宜略、湣王之遇殺、其子法章變名姓爲莒太史敫家庸。【集解】徐廣曰、敫、音躍、一音皎、【考證】庸、傭通、策云、溉園、太史敫女奇法章狀貌、以爲非恆人。【考證】梁玉繩曰、恆字何以不避、愚按、策作常、憐而常竊衣食之。【考證】胡三省曰、竊、私也、私爲之而不使人知、而與私通焉。淖齒既以去莒。【考證】以已通、莒中人及齊亡臣相聚、求湣王子欲立之。法章懼其誅己也。久之乃敢自言我湣王子也。於是莒人共立法章。是爲襄王。以保莒城、而布告齊國中。王已立在莒矣。襄王既立。立太史氏女爲王后。是爲君王后。生子建。太史敫曰、女不取媒、因自嫁。非吾種也。汙吾世。終身不覩君王后。君王后賢。不以不

覩故失人子之禮。【考證】湣王之遇殺以下、采齊策、襄王在莒五年。田單以卽墨攻破燕軍。【考證】以上本齊策、迎襄王於莒入臨菑。齊故地盡復屬齊。齊封田單爲安平君。十四年、秦擊我剛・壽。【考證】剛壽、二邑名、剛、山東寧陽府故剛城、壽、壽張縣、十九年、襄王卒。子建立。王建立六年、秦攻趙。齊・楚救之。【考證】梁玉繩曰、案事在五年、非六年、但楚世家無救趙事、秦計曰、齊・楚救趙。親、則退兵。不親、遂攻之。【考證】策注、親、其交親也、岡白駒曰、親、救兵在近也、愚按、後說較長、趙無食。請粟於齊。齊不聽。周子曰、不如聽之以退秦兵。【索隱】蓋齊之謀臣、史失名也、戰國策以周子爲蘇秦、而楚字皆作燕、然此時蘇秦死已久矣、【考證】鮑彪曰、周子、周最也、不聽、則秦兵不卻。是秦之計中、而齊・楚之計過也。且趙之於齊・楚、扞蔽也。【正義】此時秦伐趙上黨欲克、無意伐齊楚、故言趙之於齊楚爲扞蔽也、【考證】鮑彪曰、趙居二國西北、秦攻二國、必先徑趙、趙存則二國得以有蔽障、中井積德曰、扞蔽、以地形常勢而言、非一時之說、是時楚東徙、自秦經韓趙而後達于齊楚也、猶齒之

有脣也。脣亡則齒寒。【考證】僖十年左傳、宮之奇曰、諺所謂輔車相依、脣亡則齒寒者、其虞虢之謂也、趙策、張孟談曰、臣聞脣亡則齒寒、今日亡趙、明日患及齊・楚。且救趙之務、宜若奉漏甕沃焦釜也。【考證】岡白駒曰、奉、捧通、此喩救之急、愚按、沃、溉也、夫救趙、高義也。卻秦兵、顯名也。義救亡國、威卻彊秦之兵。不務爲此、而務愛粟。爲國計者過矣。齊王弗聽。【考證】秦攻趙以下、本齊策、秦破趙於長平四十餘萬、遂圍邯鄲。十六年、秦滅周。【考證】梁玉繩曰、滅東周也、失東字、君王后卒。二十三年、秦置東郡。【考證】表云、蒙驁取魏二十城、初置東郡、二十八年、王入朝秦。秦王政置酒咸陽。三十五年、秦滅韓。三十七年、秦滅趙。三十八年、燕使荊軻刺秦王。秦王覺殺軻。明年、秦破燕。燕王亡走遼東。明年、秦滅魏。秦兵次於歷下。四十二年、秦滅楚。明年、虜代王嘉、滅燕王喜。四

十四年、秦兵擊齊。齊王聽相后勝計、不戰以兵降秦。秦虜王建、遷之共。[集解]地理志、河內有共縣。[正義]今衞州共城縣也、[考證]今河南輝縣、 遂滅齊爲郡、[考證]梁玉繩曰、楚漢王三齊者、王建之弟假、其孼孫安、宗族田儋、儋子市及從弟榮、榮子廣、及弟橫、又有族人田都、雖別有傳、亦當附及數語、 天下壹幷於秦。秦王政立、號爲皇帝。始君王后賢。事秦謹、與諸侯信。齊亦東邊海上。秦日夜攻三晉・燕・楚。五國各自救於秦。以故王建立四十餘年、不受兵。君王后死。后勝相齊。多受秦閒金、多使賓客入秦。秦又多予金客。皆爲反閒、勸王去從朝秦、不脩攻戰之備。[考證]君王后賢以下、采齊策、李斯傳云、秦王拜李斯爲長史、聽其計、陰遣謀士、齎持金玉以游說諸侯、諸侯名士可下以財者、厚遺結之、不肯者、利劍刺之、離其君臣之計、秦王乃使其良將隨其後、王建亦陷其術也、反間者、有敵閒來窺我、我先知之、或厚賂誘之、反爲我用、孫子用間篇云、用間有五、有鄉間、有內閒、有反間、有死間、有生間、又云、反間者因其敵間而用之、 不助五國攻秦。秦以故得滅五國。五國已亡、秦

兵卒入臨淄。民莫敢格者。[考證]格、牴牾也、 王建遂降、遷於共。故齊人怨王建不蚤與諸侯合從攻秦、聽姦臣賓客、以亡其國。歌之曰。松耶柏耶。住建共者客耶。[集解]徐廣曰、戰國策云、秦處建於共松柏閒也、[索隱]耶音邪、謂是建客邪、客說建住言、遂乃失策、令建遷共、共、今在河內也、[考證]歌之曰以下、采齊策、策云、松柏之間、餓而死、柏、客韻、 疾建用客之不詳也。[索隱]謂不詳審用客、不知其善否也、[考證]亦敍事中插議論、詳、善也、張照曰、詳佯祥三字通、此詳字作祥字解、愚按、淮南子泰族訓云、齊王建有三過人之巧、而身虜於秦者、不知賢也、凌稚隆曰、六國獨齊後亡、故于齊總論興亡大勢、有感慨、

太史公曰。蓋孔子晚而喜易。[考證]論語述而篇、子曰、加我數年、五十以學易、可以無大過矣、 易之爲術、幽明遠矣。非通人達才、孰能注意焉。[考證]葉適曰、陳完之占、前代此類甚多、孔子以爲不足以訓、故獨贊易以黜之、凡左氏所載、皆孔子所黜也、而遷乃謂孔子晚而喜易、易幽明遠矣、非通人達材、孰能注意、反以陳完之占爲孔氏所蘊心者、是遷未嘗知有孔氏之易、 故周太史之卦田敬仲完、占至十世之後。及完奔齊、懿仲卜

之亦云。[考證]梁玉繩曰、案卜不在奔齊時、懿仲亦非齊大夫、說見前、 田乞及常、所以比犯二君、[索隱]比、如字、又頻律反、二君、卽悼公・簡公也、僖子廢晏孺子、鮑牧以乞故殺悼公、而成子又殺簡公、故云、田氏比犯二君也、[正義]乞殺悼公、田常殺簡公也、[考證]中井積德曰、本文明云二君、是晏孺子與簡公也、若悼公、田氏不主之也、注謬、 專齊國之政。非必事勢之漸然也。蓋若遵厭兆祥云。[正義]厭、一井反、田僖子廢晏孺子、田成子殺二君、非是事勢之漸使如此、疑似遵奉厭禳之兆吉祥矣、[考證]梁玉繩曰、史公此論持周太史陳懿仲卜敬仲事、然非史氏所宜言也、王若虛云、亂臣賊子、皆得以天命自解、而無所懲艾、良然、中井積德曰、太史公信妄誕、而議論失正、使人作亂弑君、以遵厭兆祥、豈聖人喜易之意哉、

[索隱]述贊、田完避難、奔于大姜、始辭羈旅、終然鳳皇、物莫兩盛、代五其昌、二君比犯、三晉爭强、和始擅命、威遂稱王、祭急燕趙、弟列康莊、秦假東帝、莒立法章、王建失國、松柏蒼蒼、

田敬仲完世家第十六　史記四十六

史記會注考證卷四十七

漢　太史令　司馬遷　撰
宋　中郎外兵曹參軍　裴駰　集解
唐　國子博士弘文館學士　司馬貞　索隱
唐　諸王侍讀率府長史　張守節　正義
日本　出雲　瀧川資言　考證

孔子世家第十七　史記四十七

【索隱】孔子非有諸侯之位、而亦稱系家者、以是聖人爲教化之主、又代有賢哲、故稱系家焉、【正義】孔子無侯伯之位、而稱世家者、太史公以孔子布衣傳十餘世、學者宗

之、自天子王侯、中國言六藝者、宗於夫子、可謂至聖、故爲世家、【考證】史公自序云、周室既衰、諸侯恣行、仲尼悼禮廢樂崩、追修經術、以達王道、匡亂世反之於正、見其文辭、爲天下制儀法、垂六藝之統紀於後世、作孔子世家第十七、陳仁錫曰、孔子世家以年爲敍、曰年十七、曰年三十、曰年三十五、曰年四十二、曰年五十、曰年五十六、曰年六十三、曰年七十三、是提綴法也、又以不用二字爲關鍵、曰弗能用、曰莫能己用、曰不用孔子、曰既不得用于衞、曰魯終不能用孔子、皆歎夫子道之不行也、中井積德曰、孔子世家虛談尤多、蓋周末至漢初、諸子百家附麗作說者甚多、而太史公捃輯成篇、不有辯眞僞也、若家語最晚出、乃又取於世家而作也、非世家取於家語也、注家輒引家語相證、皆非、趙翼曰、孔子無公侯之位、而史記獨列於世家、尊孔子也、凡列國世家與孔子毫無相涉者、亦皆書孔子是歲孔子相魯、孔子卒、以其繫天下之輕重也、廖登廷曰、史列孔子世家、是之者、司馬貞張守節也、非之者、王介甫李潏水也、竊謂索隱正義之說未盡善、而王李二家則全非、王氏之說曰、仲尼之才、帝王可也、何特公侯、仲尼之道、世天下可也、何特世家、推其意、蓋必諸侯而又得世家之道者、乃稱世家、信斯說也、秦項諸侯也、何以歸之本紀、韓彭黥魏、諸侯也、何以置之列傳、陳平之陰謀、陳涉之發難、五宗三王之背逆、皆非保世之道、又何以皆入世家、與況世家之例、創於太史公、其位置自當不至矛盾、又李氏謂史欲尊聖人、而反小之、其稱孔子處亦陋、謂史爲陋、然左國所載亦止如此、至謂以諸侯尊孔子、夫孔子之德、不僅公侯、無人不知、豈博雅如史公者、乃至是哉、史公不自云世家之爲諸侯、後人不知其意之所在、因而誤會之、且從而詆誹之、嗚呼、何其妄也、今欲明孔子所以列於世家、必先知史公所以謂世家之意、竊意史公創爲本紀世家列傳三例、其分處在勢年二字、攬勢之大者、謂之本紀、閱年之久者、

謂之世家、勢不及本紀之大、年不及世家之久者、謂之列傳、本紀多屬天子、然非如黃屋左纛、非天子不得用、故昭襄項羽非天子、而稱本紀、孝惠雖爲天子、政非己出、不立本紀、而以屬之呂后、但論勢也、世家多屬諸侯、然非如分封錫土、非諸侯不得用、故蕭曹張陳食數邑、而爲世家、韓彭黥陳控地數千里、不能歷久、退之列傳、但論年也、自漢書以本紀專屬天子、幷世家而存列傳、讀書者循末忘本、反據班氏以攻史公、謂昭襄項羽呂后不宜曰本紀、孔子陳涉不宜曰世家、以後世之史較之、雖合、然郢書燕說、無乃爲史公笑乎、孟子曰、仲子齊之世家、今人稱能世其業者、謂之世家、皆因世保有其家者稱之、索隱必云記諸侯之本世、夫諸侯言國、大夫言家、既曰世家、則不專指諸侯、必以世家屬諸侯、則孟子所云齊之世家、抑以陳仲子爲諸侯耶、史公時孔安國爲博士、史公從問尙書、而師之、孔子去史公數百年、代有偉人、如世家所記、至安國修先人之業、爲西京大儒、漢廷華冑、皆不之及、史公遠溯聖人之光輝、近瞻老師之絕學、蓋以紀實、安有所謂假諸侯以尊孔子者哉、史公非不尊孔子、特不假此虛名以炫燿、使如俗說、則當列孔子於本紀、與所謂素王之說、如合一轍矣、然史公豈爲之哉、或曰、管晏蔡范趙李之輩、其子孫在漢、未嘗無顯者、其不得爲世家也、何故、曰、世家之敍孔子也、由孔子伯魚、下及卬驩十五世、詳敍其名字年貌、而其中最顯者、如子思作中庸、子愼爲魏相、鮒爲陳王涉博士、子襄爲孝惠博士、遷長沙太守、安國爲今皇帝博士、至臨淮太守、其人皆有學業功勳、不墜其緒、故其詳可得聞、他則或一二世、或四五世而止、或已絕而復興、或此詳而彼略、或名字之失考、或年貌官階之無徵、惟孔子歷數百年、餘而賢嗣克守其緒、此史記中絕無僅有之事、故史公表而出之、管晏趙李輩無有、烏得以相例哉、

孔子生魯昌平鄉陬邑。【集解】徐廣曰、陬、音騶、孔安國曰、陬、孔子父叔梁紇所治邑、【索隱】陬是邑名、昌平鄉號、孔子居魯之鄹邑昌平鄉之闕里也、【正義】括地志云、故鄹城在兗州泗水縣東南六十里、昌平山在泗水縣南六十里、孔子生昌平鄉、蓋鄉取山爲名、故闕里在泗水縣南五十里、輿地志云、鄹城西界闕里有尼丘山、按今尼丘山在兗州鄒城、闕里即此也、括地志云、兗州曲阜縣魯城西南三里有闕里、中有孔子宅、宅中有廟、伍緝之述征記云、闕里背洙面泗、即此也、按夫子生在鄹、長徙曲阜、仍號闕里、【考證】襄十年左傳云、郰人紇、字从取、論語八佾篇云、鄹人之子、字从聚、而其从邑則一也、說文、郰、魯下邑、孔子之鄉、亦不从阜、下文亦作郰、杜預注左傳云、郰邑、魯縣東南莝城是也、閻若璩曰、家語顏繇字季路、少孔子六歲、孔子始教於闕里、而受學焉、朱子引入集註、作孔子始教而受學焉、削去闕里字、面孔子時無闕里之名、闕里首僅見漢書梅福傳、東漢後方盛稱之、蓋緣魯恭王徙魯、於孔子所居之里造宮室、有雙闕焉、人因名孔子居曰闕里、又曰、北史宋板引王肅注本七十二弟子解、闕里作閭里、乃家語乃是閭字、非闕字、猶能知孔子時斷無闕里之名、又曰、鄒城之闕里、以曲阜之闕里名其地、非眞闕里也、眞闕里則伍緝之所云、背洙面泗、愚按、郰、今山東曲阜縣東南郰城、

其先宋人也。曰孔防叔。【索隱】家語、孔子、宋微子之後、宋襄公生弗父何、以讓弟厲公、弗父何生宋父周、周生世子勝、勝生正考父、考父生孔父嘉、五世親盡、別爲公族、姓孔氏、孔父生子木金父、金父生睪夷、睪夷生防叔、畏華氏之逼而奔魯、故孔氏爲魯人也、【考證】家語本姓解、左傳昭七年疏引家語、襄公作泯公、泯公卽閔公、當以爲正、弗父何、宋閔公子、厲公兄、非襄公子也、今本家語誤、

防叔生伯夏。伯夏生叔

梁紇。正義括地志云、叔梁紇廟、亦名尼丘山祠、在兗州泗水縣五十里尼丘山東趾、地理志云、魯縣有尼丘山、有叔梁紇廟、考證左傳襄十年云、晉荀偃士匄請伐偪陽而封宋向戌焉、四月丙寅、圍之、弗克、孟氏之臣秦堇父如役、偪陽人啓門、諸侯之士門焉、縣門啓、郰人紇、抉之以出門者、襄十七年云、秋、高厚圍臧紇于防、師自陽關逆臧孫、至于旅松、郰叔紇臧疇臧賈帥甲三百、宵犯齊師、送之而復、崔述曰、郰、魯邑、叔、其字、紇、其名、猶曰衞叔封申叔時也、史記作叔梁紇、左傳近古、又曰、防叔生伯夏、伯夏生叔梁紇、史文或有所本、而不見他經傳、未敢決其必然、又曰、郰叔以前見於春秋傳者、僅弗父何、正考父、孔父嘉三世、不見於史記世家、僅防夏二世、此外家語本姓解所記、皆不見於傳記、史記之言、余猶不敢盡信、況史記之所不言者乎、且孔父爲華督所殺、其子避禍奔魯、可也、防叔其曾孫也、其世當宋襄成間、於時華氏稍衰、初無構亂之事、防叔安得避華氏之禍而奔魯乎、家語一書、本後人所僞撰、其文皆采之於他書、而增損改易以飾之、如相魯篇、采之於春秋傳史記、辨物篇、采之於春秋傳國語、哀公問政儒行兩篇、采之於戴記、曲禮、子貢子夏公西赤問等篇、采之於戴記春秋傳、以至莊列說苑讖緯之書、無不采、未有一篇無所本者、然取所采之書、與家語比而觀之、則其所增損改易者、文必冗弱、辭必淺陋、遠不如其本書、甚或失其本來之旨、其爲勦襲顯而可按、而世不察、以爲孔氏遺書、亦已惑矣、漢書藝文志云、孔子家語二十七卷、師古曰、非今所有家語、則是孔氏先世之書已亡、而此書出於後人所撰、顯然可見、且家語在漢已顯於世、列於七略、以康成之博學、豈容不見、而待肅之據之以駁己耶、此必毀鄭氏之學者、僞撰此書、以爲己證、其序文淺語夸、亦未必果出於肅、就令果出於肅、肅之學識、亦不足爲定論也、

紇與顏氏女野合而生孔子。索隱家語云、

梁紇娶魯之施氏、生九女、其妾生孟皮、孟皮病足、乃求婚於顏氏、徵在從父命爲婚、其文甚明、今此云野合者、蓋謂梁紇老而徵在少、非當壯室初笄之禮、故云野合、謂不合禮儀、故論語云、野哉由也、又先進於禮樂野人也、皆言野者、是不合禮耳、正義男八月生齒、八歲毀齒、二八十六陽道通、八八六十四陽道絕、女七月生齒、七歲毀齒、二七十四陰道通、七七四十九陰道絕、婚姻過此者、皆爲野合、故家語云、梁紇娶魯施氏女、生九女、乃求婚於顏氏、顏氏有三女、小女徵在、據此婚過六十四矣、考證崔述曰、孔子之母名、見於戴記檀弓篇、其稱爲顏氏女、則本於此、然他經傳、初未有言者也、家語本姓解云、叔梁紇娶施氏、無男、其妾生孟皮、病足、乃求婚於顏氏、顏父問三女、二女莫對、徵在進曰、從父所制、遂以妻之、所載顏父之言淺陋鄙俗、徧覽春秋傳中、亦未有因長一疑婚、與女商壻者、其事其言、皆非當日之所宜有、其爲贗撰無疑、梁玉繩曰、古婚禮頗重、一禮未備、卽謂之奔、謂之野合、故自行媒納采納徵問名卜吉請期、而後告廟、顏氏從父命爲婚、豈有六禮不備者、檀弓疏及索隱正義、以婚姻過期爲野合、亦無所據、蓋因紇偕顏禱于尼山而爲之說耳、崔適曰、案此文疑本作紇與顏氏女禱於尼邱、野合而生孔子、於尼邱埽地爲祭天之壇、而禱之、猶詩所謂以弗無子也、遂感而生孔子、猶詩所謂履帝武敏歆也、故曰野合、高祖本紀、其先劉媼嘗息大澤之陂、夢與神遇、是時雷電晦冥、太公往視、則見蛟龍於其上、已而有身、遂產高祖、卽詩齊魯韓春秋公羊學家所謂聖人皆感天而生、此所謂野合而生也、三代世表、張夫子問於褚先生曰、詩言契后稷皆無父而生、今諸傳記咸言有父、得毋與詩謬乎、褚先生曰、詩言契生於卵、后稷人跡者、欲見其有天命精誠之意耳、鬼神不能自成、須人而生、奈何無父而生乎、卽此所謂紇與顏氏女禱於尼邱、野合而生孔子也、太史公以受命帝王尊孔子、故云爾、索隱謂梁紇老而徵在少、非當壯室初笄之禮、故

曰野合、此說謬甚、老夫得其女妻、未聞謂之野合也、中井積德曰、史尊孔子、欲神其事、乃以非禮誣其父母、惑之甚者、愚按、野合、中說得之、崔說可參、孔子字曰仲尼、有兄、論語云、以其兄之子妻南容、又有姊、禮記檀弓篇云、我則有姊之喪故也、**禱於尼丘得孔子。魯襄公二十二年而孔子生。**索隱公羊傳、襄公二十一年十有一月庚子、孔子生、今以爲二十二年、蓋以周正十一月屬明年、故誤也、後序孔子卒云七十二歲、每少一歲也、考證左氏春秋不書孔子之生、公穀俱書于襄公二十一年、然公羊書十有一月、孔子生于是年之末、穀梁書庚子孔子生于十月之後、微有不同、而史獨稱二十二年生、從公穀者賈逵服虔、索隱外記黃氏日抄及宋濂孔子生卒歲月辨崔述洙泗考信錄之類也、從史記者杜注左傳拾遺記博物志古史大紀路史朱子論語序說通鑑前編通鑑輯覽黃宗羲南雷文約梁玉繩史記志疑崔適史記探源之類也、俞樾曰、春秋公羊傳、襄公二十有一年十有一月庚子孔子生、穀梁傳襄公二十有一年十月庚子孔子生、是兩傳年日俱同、惟一有一月之差、然陸德明公羊音義曰、庚子孔子生傳上、有十月庚辰、此亦十月、一本作十一月庚子、是陸子所據本無十有一月四字、與穀梁同、楊士勳穀梁疏曰、仲尼以此年生、故傳因而錄之、史記世家云、襄公二十二年孔子生、馬遷之言、與經傳不同者非一、故與此年傳異耳、楊子但言史記與穀梁異年、而不言公羊與穀梁異月、則所見公羊傳亦必無十有一月四字也、唐石經誤衍此四字、而各本從之、遂致兩傳有一月之差、是不可以不辯也、至生年爲襄二十一年、則兩傳皆同、襄三十一年左傳正義引二十一年賈逵注、經云、此年仲尼生、哀十六年夏四月己丑卒、七十三年、又引昭二十四年服虔載賈逵語云、是歲孟僖子卒、屬其子使事仲尼、仲尼時年三十五、計自襄二十一至昭二十

四、正三十五歲、是孔子以襄二十一年生、賈服舊說皆同、自襄二十一至哀十六、共七十四年、而賈逵云年七十三者、猶絳縣老人生於文十一年、至襄三十年、亦是七十四年、而傳稱七十三年也、杜預不達此義、乃從史記作襄二十二年生、朱子論語序說亦云、襄二十二年十有一月庚子生、胥失之矣、今定孔子于襄二十一年十月庚子生、是月庚辰朔、則庚子二十一日也、周十月、夏八月、爲今八月二十一日、愚按、魯襄公二十一年、卽周靈王二十年、値日本紀元一百九年、**生而首上圩頂。故因名曰丘云。**索隱圩音烏、頂音鼎、圩頂言頂上窳也、故孔子頂如反宇、反宇者、若屋宇之反、中低而四傍高也、正義括地志云、女陵山、在曲阜縣南二十八里、干寶三日紀云、徵在生孔子空桑之地、今名空竇、在魯南山之空竇中、無水、當祭時灑掃以告、輒有清泉自石門出、足以周用、祭訖泉枯、今俗名女陵山、考證梁玉繩曰、反宇二字、見白虎通聖人篇、姓名篇亦云、孔子首類尼丘山、蓋中低而四旁高、如屋宇之反、中井積德曰、圩是汙下之義、非取宇義、崔述曰、此說因孔子之名字而附會者、不足信、且既謂之因於禱、又謂之因於首、司馬氏已自無定見矣、愚按、曰云、未必之辭、史公未必信之、姑記所傳耳、**字仲尼。姓孔氏。丘生而叔梁紇死。**索隱家語云、生三歲而梁紇死、考證家語本姓解、**葬於防山。**正義括地志云、防山、在兗州曲阜縣東二十五里、禮記云、孔子母合葬於防也、**防山、在魯東。由是孔子疑其父墓處。母諱之也。**索隱謂孔子少孤、不的知父墳處、非謂不知其塋地、徵在笄年適於梁紇、無幾而老死、是少寡、蓋以爲嫌、不從送葬、故不知墳處、遂不告耳、非諱之也、

【正義】梁紇葬時徵在既少、不能敎□其的處、【考證】由是以下、史公欲爲下文地、以意補之、檀弓不載、**孔子爲兒嬉戲、常陳俎豆、設禮容。**【正義】俎豆、以木爲之、受四升、高尺二寸、大夫以上赤雲氣、諸侯加象飾足、天子玉飾也、【考證】論語衞靈公篇、俎豆之事、則嘗聞之矣、鄭環孔子世家考云、亞聖尙待三遷之敎、反之也、至聖則性之矣、聖母豫市禮器以供嬉戲、其陰合太任胎敎之道者與、**孔子母死、乃殯五父之衢。**【正義】括地志云、五父衢、在兗州曲阜縣西南二里魯城內衢道也、**蓋其愼也。**【集解】徐廣曰、魯縣有闕里、孔子所居也、又有五父之衢也、【索隱】謂孔子不知父墓、乃且殯其母於五父之衢、是其謹愼也、【正義】愼、謂以紼引棺就殯所也、【考證】檀弓作、人之見之者、皆以爲葬也、其愼也蓋殯也、愼、索隱得之、三代世表序、疑則傳疑、蓋其愼也、**郰人輓父之母、誨孔子父墓、然後往合葬於防焉。**【正義】郰人、上音鄒、【考證】孔子母死以下、采檀弓、輓、執喪車紼也、檀弓、輓作曼、音近義通、梁玉繩志疑云、案孔叢子陳士義篇、以殯衢爲虛造謗言、博物志謂蔣濟何晏夏侯太初王肅皆云、無此事、注記者謬、元陳澔雲莊禮記集說曰、顏氏之死、夫子成立久矣、豈有終母之世、不尋求父葬之地、至母殯而猶不知父墓乎、殯于衢路、必無室廬而死于道路者、不得已之爲耳、聖人禮法之宗主、而忍爲之乎、邵氏泰衢檀弓疑問曰、五父之衢、非殯棺之地、倘無郰母之誨、將終殯之衢已乎、惟明胡震亨以檀弓史記爲然、其讀書雜錄辨之云、古者墓而不墳、防、實山墓、葬山者、因山營兆、易湮、不能定知其窆、亦事理所有、迨母死、葬不可久稽、不得已于五父之衢擇地以殯、若謂他日得父葬所、

可啓之而同葬、終不得葬所、則此殯亦可不必再爲之葬、有人子無限苦衷焉、五父之衢、當亦傍衢之地、非眞衢路也、毛氏經問三、亦以史爲可據、辨顏氏送葬以後、全然不至墓所、故不能告墓處、胡毛兩家之辨、余不敢信、志疑所論如此、梁氏後著瞥記訂之云、周禮冢人墓大夫、掌墓地、自王公至於士庶、辨其尊卑度數、而葬以族、地之形勢及丘壟昭穆處、皆豫爲圖藏之、後須葬者、依圖以夾其造營始祖之墓、孔子曾祖防叔爲防大夫、卒而葬此、孔氏兆域、當始營于防叔、則所謂防墓者、先祖之墓也、所謂不知其墓者、昭穆之處也、所謂合葬於防者、以孫從祖也、蓋孔子三歲失父、淺殯於五父之衢、迨母歿而訪求墓位、乃得葬親仝處爾、史記誤以合葬爲母祔父墓、後儒竝據以爲說、故義有難通、余著志疑、尙仍舊解、愚按、少孤一節、諸解紛紛、今錄梁氏二說、以備考云、**孔子要經。**【索隱】家語、孔子之母喪、既練而見、不非之也、今此謂孔子實要經與饗、爲陽虎所絀、亦近誣矣、一作要經、要經、猶帶經也、故劉氏云嗜學之意、是也、**季氏饗士。孔子與往。**【正義】與、音預、季氏爲饌、飲魯文學之士、孔子與迎而往、陽虎以孔子少、故折之也、**陽虎絀曰。季氏饗士。非敢饗子也。孔子由是退。**【考證】崔述曰、禮、居喪者三年不飲酒食肉、小功緦麻、飲酒食肉、不與人樂之、酒肉且不可飲食、況敢受大夫之享乎、輕喪尙不與人樂之、況重喪乎、孔子如是、不幾貽笑於陽虎耶、家語亦覺其謬、又改其文以曲解、謂陽虎弔孔子、告以享士之事、而孔子曰、某雖衰経、亦欲與往、以示不非陽虎之意、則其謬更甚焉、何則虎弔而言享士、卽失禮、其小焉者耳、衰経而往、失禮大矣、以此答之、不亦顯乎、且虎果失禮、不非之、足矣、曷爲而更甚之、是諂也、不往而僞告以欲往、是欺也、聖人必不如是、梁玉繩曰、昭公

二十七年、陽虎始見于傳、而是時孔子年十七、當昭公七年、豈虎已用事于季氏乎、可疑、鄭環曰、蓋因論語陽貨欲見孔子章、隨問隨答、而附會之、不知彼則據理直答、此則建理曲附、方苞曰、季氏饗士卒欲用之、古者既葬、金革之事弗避、孔子所居、在季氏分地、故要経而往、庶人召之役、則往役之義也、故陽虎曰、季氏饗士、非敢饗子、而正義謂饗文學之士、誤矣、愚按、崔梁鄭三說得之、方氏從而爲之辭、**孔子年十七、魯大夫孟釐子病且死。**【索隱】昭公七年左傳云、孟僖子病不能相禮、乃講學之、及其將死、召大夫云云、按謂病者、不能禮爲病、非疾困之謂也、至二十四年僖子卒、賈逵云、仲尼時年三十五矣、是此文誤也、【考證】崔適曰、病下當脫不能相禮四字、孔子年十七者、孟釐子病不能相禮之年也、在昭公七年、且死、卽左傳所謂及其將死、在二十四年、太史公本不謂一年之事、猶之懿子學禮、亦與釐子卒、非一年事、沈家本曰、賈逵以爲三十五者、據公羊之說、**誡其嗣懿子曰。孔丘、聖人之後。**【集解】服虔曰、聖人謂商湯、【考證】陸粲曰、僖子所謂聖人、乃正考父、非湯也、傅遜曰、以聖人爲殷湯、則宋皆其後也、何云滅于宋乎、中井積德曰、古人稱聖字不甚重、勿以孔孟以後語疑之、**滅於宋、**【集解】杜預曰、孔子六世祖孔父嘉、爲宋華督所殺、其子奔魯也、**其祖弗父何、始有宋而嗣讓厲公。**【集解】杜預曰、弗父何、孔父嘉之高祖、宋愍公之長子、厲公之兄也、何嫡嗣當立、以讓厲公也、【考證】張文虎曰、左傳作以有宋而授厲公、史蓋以讓字代授字、聲誤爲嗣、而後人或又兩存之也、始字疑卽以字之誤、李笠曰、宋本無讓字、是也、**及正考父、佐戴·武·宣公、**【集解】服虔曰、

正考父、弗父何之曾孫、【考證】杜預曰、三人皆宋君也、**三命茲益恭。**【考證】一命爲士、再命爲大夫、三命爲卿、茲滋通、**故鼎銘云。**【考證】杜預曰、三命、上卿也、考父廟之鼎、**一命而僂、再命而傴、三命而俯。**【集解】服虔曰、僂傴俯、皆恭敬之貌也、【考證】杜預曰、俯恭於傴、傴恭於僂、**循牆而走、**【集解】杜預曰、言不敢安行、【考證】不中於路也、**亦莫敢余侮。**【集解】杜預曰、其恭如是、人亦不敢侮慢、【考證】李笠曰、家語觀周篇、作亦莫余敢侮、此敢余二字、疑誤倒、詩莫我敢承、句法同、**饘於是、粥於是、以餬余口。**【集解】杜預曰、於是鼎中爲饘粥、饘粥、餬屬、言至儉也、【考證】檀弓疏、厚曰饘、希曰粥、中井積德曰、餬口、猶言濡吻也、愚按、莊子列禦寇篇云、正考父一命而傴、再命而僂、三命而俯、循牆而走、孰敢不軌、僂傴二字倒、以韻推之、莊子似勝、傴俯侮、僂走口、隔句押韻、下文彼婦之歌、亦以口走爲韻、或云、走、叶子與切、口、叶康杜切、每句押韻、**其恭如是。吾聞聖人之後、雖不當世、必有達者。**【集解】王肅曰、謂若弗父何殷湯之後、而不繼世爲宋君也、杜預曰、聖人之後有明德、而不當大位、謂正考父、【考證】左傳、作臧孫紇有言曰、聖人有明德者、若不當世、其後必有達人、史易文、義不同、而曰達者、曰達人、皆斥孔子則一也、國語晉語云、正考父校商之十二篇周大師、以那爲首、據此則孔子修詩書、未必不得於正考父、**今孔丘年少好禮。其達者歟。吾卽沒、若必師之。**【考證】左傳、卽作若、**及釐**

子卒、懿子與魯人南宮敬叔往學禮焉。【索隱】左傳及系本、敬叔與懿子皆孟僖子之子、不應更言魯人、亦太史公之疏耳、【考證】魯大夫孟釐子以下、本昭七年左傳、是歲、季武子卒。平子代立。【考證】昭七年春秋經傳、孔子貧且賤。【考證】論語子罕篇、孔子曰、吾少也賤、故多能鄙事、及長嘗爲季氏史。料量平。【索隱】有本作委吏、按趙岐曰、委吏、主委積、倉庫之吏、【考證】張文虎曰、史、宋本、王本作史、它本竝作吏、孟子疏引作委氏吏、崔述曰、委季、吏史四字相似、故誤、後人又妄加氏字耳、孔子豈爲季氏家臣者哉、愚按、當從孟子作委吏、嘗爲司職吏。而畜蕃息。【考證】孔子貧且賤以下、本孟子萬章下篇、季氏史作委吏、司職吏作乘田、朱熹曰、職讀爲樴、義與杙同、蓋繫養犧牲之所、由是爲司空。【考證】崔適曰、五字、下文自中都宰爲司空之重文、已而去魯、斥乎齊、逐乎宋·衞、困於陳·蔡之閒。於是反魯。【考證】崔適曰、已而去魯、至於是反魯二十一字、及下文魯復善待、由是反魯八字、皆定公十四年、去魯後至反魯之總結、重衍於此也、孔子長九尺有六寸。人皆謂之長人而異之。【考證】荀子非相篇云、帝堯長、帝舜短、文王長、周公短、仲弓長、子弓短、魯復善待。由是反魯。【考證】八字衍文、說見上文、魯南宮敬叔言魯君曰。請

與孔子適周。【索隱】莊子云、孔子年五十一南見老耼、蓋系家亦依此爲說、而不究其旨、遂俱誤也、何者孔子適周、豈訪禮之時、卽在十七耶、且孔子見老耼云、甚矣道之難行也、此非十七之人語也、乃既仕之後言耳、【考證】史載孔子適周見老耼于十七歲後三十歲前、邊韶老子碑及水經渭水注、皆說孔子年十七、問禮老子、俱承史也、是歲魯昭公七年、南宮敬叔未生、於是閻若璩尙書疏證四書釋地、依皇王大紀、定爲魯昭二十四年、孔子三十四時事、是歲二月、孟僖子卒、虞祭卒哭、敬叔未能出門從師、且齡甫十四、恐未見于君、未能至周、說詳于崔氏洙泗考信錄、鄭氏孔子世家考、梁氏志疑、索隱依莊子天運篇、爲魯定九年孔子五十一時事、是歲孔子爲中都宰、何暇南見老耼、說詳于崔氏探源、愚按、孔子問禮、有無且不可知、又何定其年前後、闕疑可也、魯君與之一乘車兩馬一豎子。俱適周、問禮。蓋見老子云。【考證】曰蓋曰云、未決之辭、孔子見老子、史公又載之於老子傳、而自疑其有無、故用蓋字云字、封禪書曰、獲一角獸、蓋麟云、同一語法、辭去、而老子送之曰。吾聞富貴者送人以財。仁人者送人以言。【索隱】莊周、財作軒、【考證】荀子大略篇云、曾子行、晏子從於郊曰、嬰聞之、君子贈人以言、庶人贈人以財、嬰貧無財、請假於君子、贈君以言、晏子春秋內篇雜上、亦載此事、但財作軒、與老子言全同、吾不能富貴。竊仁人之號。【集解】王肅曰、謙言竊仁者之名、送子以言。曰。聰明深察而近於死者、好議人者也。

【考證】張文虎曰、御覽引、人下有之非二字、愚按、家語觀周篇、議上有譏字、博辯廣大危其身者、發人之惡者也。【考證】大、家語一本作達、一本作遠、爲人子者、毋以有己。【集解】王肅曰、身、父母之有、【索隱】家語、作無以有己爲人子者、爲人臣者、毋以有己。【索隱】家語、作無以惡己爲人臣者、王肅云、言聽則仕、不用則去、保身全行、臣之節也、【考證】毋以有己、言致身於君父也、孔子自周反于魯。弟子稍益進焉。是時也、晉平公淫、六卿擅權、東伐諸侯、楚靈王兵彊、陵轢中國、齊大而近於魯。魯小弱。附於楚、則晉怒。附於晉、則楚來伐。不備於齊、齊師侵魯。【考證】陳仁錫曰、無故陡入此數句、何也、梁玉繩曰、案所說以爲魯昭二十年、孔子年三十之時、而晉乃頃公、去平公已二世、楚乃平王、靈王已死七年、皆誤也、又曰、案左傳自襄廿七年會宋弭兵以後、晉楚之從、交相見、無怒伐魯之事、亦未嘗侵魯、此所言皆非實、中井積德曰、晉楚齊之難、無落著、蓋錯簡、魯昭公之二十年、而孔子蓋年三十矣。齊景公與晏嬰來適魯。【考證】齊世家云、景公二十六年、獵魯郊、因入魯、與晏嬰俱問魯禮、魯世家云、昭公二十年、齊景公與晏子狩竟、因入魯問禮、或此時事、梁玉繩曰、左傳無之、未知何出、疑六國時人僞造、史公妄取入

史、而所以爲此說者、因是年齊侯田于沛也、景公問孔子曰。昔秦穆公國小處辟。其霸何也。對曰。秦國雖小、其志大、處雖辟、行中正、身擧五羖、爵之大夫。【正義】百里奚也、【考證】家語賢君篇、作其政中、其擧也果、其謀也和、法無私而令不愉、孟子萬章篇云、或曰、百里奚自鬻於秦養牲者、五羊之皮、食牛以要秦穆公、起纍紲之中、【索隱】家語無此一句、孟子以爲不然之言也、【考證】論語公冶長篇、雖在縲紲之中、注、縲、黑索也、紲、攣也、古者獄中以黑索拘攣罪人、百里奚食牛、未嘗在獄、與語三日、授之以政。以此取之、雖王可也。其霸小矣。【考證】王霸之辯、孔子未言、言之自孟子始、梁氏以爲六國人僞造、大是、景公說。孔子年三十五、而季平子與郈昭伯、以鬬雞故、得罪魯昭公。【正義】郈、音后、括地志云、鬬雞臺二所、相去十五步、在兗州曲阜縣東南三里魯城中、左傳昭二十五年、季氏與郈昭伯鬬雞、季氏介雞翼、郈氏爲金距之處、【考證】梁玉繩曰、案左傳、昭伯怨平子、故勸昭公伐季子、昭伯何嘗得罪昭公、此誤說、中井積德曰、故字下疑脫相惡等字、不然、以字當在與上、昭公率師擊平子。平子與孟氏·叔孫氏三家共攻昭公。昭公師敗、奔於齊。齊處昭公乾侯。【正義】相州成安縣東南

三十里斥丘故城、本春秋時乾侯之邑、【考證】季平子以下、采昭二十五年左傳、余有丁曰、按乾侯晉地、晉人以居公者、齊處公于鄆、非乾侯也、其後頃之魯亂。【考證】方苞曰、次舉魯國禍亂、傷魯不能用孔子也、李笠曰、案其後下、用頃之二字、駢累不可爲訓、家語古本篇、久之有頃乃蘇、與此同也、平準書、初先是、鄭世家、初往年、竝視此、孔子適齊、爲高昭子家臣、欲以通乎景公。【考證】崔述曰、按春秋傳、高昭子名張、唁魯昭公、稱爲主君、阿景公意、輔孺子荼、卒爲陳氏所逐、其不肖如是、孟子曰、觀遠臣以其所主、況於爲之臣乎、百里奚賢人耳、或謂其食牛要秦穆公、孟子猶辭而闢之、況聖人而爲小人之家臣以干時君乎、子禽問於子貢曰、夫子至於是邦也、必聞其政、求之與、抑與之與、子貢曰、夫子溫良恭儉讓以得之、若孔子果爲家臣以通乎時君、則是非但求之、且卑身以求之、子貢之言、一何謬與、且此篇前云、景公與晏嬰來適魯、問孔子云云、景公說、果如所言、孔子已早通乎景公晏子矣、亦何待於爲高氏之家臣乎、其自相刺謬也如此、此必無之事、愚按、梁玉繩亦有此說、與齊太師語樂、聞韶音、學之。三月不知肉味。【集解】周氏曰、孔子在齊、聞習韶樂之盛美、故忘於肉味也、【索隱】按論語、子語魯太師樂、非齊太師也、又子在齊聞韶、三月不知肉味、無學之文、今此合論語齊魯兩文而爲此言、恐失事實、【考證】子語魯大師樂、論語八佾篇、子在齊聞韶三月、不知肉味、曰、不圖爲樂之至於斯也、論語述而篇、史添學之二字、蓋得其實、范寗曰、韶乃大虞盡善之樂、齊諸侯、何得有之乎、曰、陳舜之後也、樂在陳、敬仲竊以奔齊、故得僭之也、齊人稱之。景公問政孔子。孔子

曰、君君。臣臣。父父。子子。【集解】孔安國曰、當此之時、陳恆制齊、君不君、臣不臣、故以此對也、景公曰、善哉。信如君不君、臣不臣、父不父、子不子、雖有粟、吾豈得而食諸。【集解】孔安國曰、言將危也、陳氏果滅齊、【考證】景公問政以下、論語顏淵篇、他日又復問政於孔子。孔子曰。政在節財。【考證】本韓非子難三、愚按、韓非子無封尼谿事、尚書大傳說苑政理、節財作節用、家語辯政同、景公說、將欲以尼谿田封孔子。【索隱】此說出晏子及墨子、其文微異、【考證】尼谿、墨子同、晏子春秋、作爾稽、孫星衍曰、尼爾、稽谿、聲皆相近、孫詒讓曰、尼谿地無考、呂氏春秋高義篇、又作景公致廩丘以爲養、晏嬰進曰。夫儒者滑稽、而不可軌法。【考證】墨子晏子、無此句、楚辭卜居篇、突梯滑稽、王逸云、滑稽、轉從俗也、史樗里子傳云、滑稽多智、索隱、滑、亂也、稽、同也、謂辨捷之人、言是若非、言非若是、謂能亂同異也、正義、顏師古云、滑稽、轉利之謂也、滑、亂也、稽、礙也、言其變亂無留也、愚按、史滑稽傳、滑稽多辯、孟荀列傳、猾稽亂俗、漢書東方朔傳贊、其滑稽之雄乎、猾滑通、倨傲自順。不可以爲下。【考證】倨傲、墨子、作浩居、晏子、作浩裾、爲下、墨子晏子作敎下、崇喪遂哀、【考證】墨子、作宗喪循哀、晏子作久喪道哀、史義最長、崇、厚也、王念孫曰、遂哀、謂哀而不止也、三年問曰、三年之喪、二十五月而畢、若駟之過隙、然而遂之、則是無窮也、破產厚葬。

【考證】墨子、無此句、晏子、作厚葬破民貧國、韓非子顯學篇、儒者破家而葬、賃子而償、服喪三年、大毀扶杖、不可以爲俗。游說乞貸。不可以爲國。【考證】墨子晏子、無此句、禮記疏、凡乞貸假借、謂就人乞貸假借者、自大賢之息、周室既衰、禮樂缺有閒。【索隱】息者生也、言上古大賢生則有禮樂、至周室微、而始缺有閒也、【正義】大賢、文王周公等也、【考證】墨子、無此十四字、晏子、作自大賢之滅、周室之卑也、威儀加多、而民行滋薄、聲樂繁充、而世德滋衰、朱錦綬曰、息、如中庸其人亡則其政息之息、猶言大賢之沒耳、與下二句貫、索隱誤、今孔子盛容飾、繁登降之禮、趨詳之節、【考證】墨子、作孔丘盛容脩飾以蠱世、弦歌鼓舞以聚徒、繁登降之禮以示儀、務趨翔之節以觀衆、晏子略同、墨子詳、翔、音同義通、累世不能殫其學、當年不能究其禮。【考證】墨子、作累壽不能盡其學、當年不能行其禮、晏子、累世作兼壽、學作敎、當年、猶言當世、荀子勸學篇、沒世窮年、不免爲陋儒、君欲用之以移齊俗、非所以先細民也。【考證】墨子、作今君封之以利齊俗、非所以導國先衆、晏子、作今欲封之以移齊國之俗、非所以道衆存民也、文異義同、後景公敬見孔子、不問其禮。【考證】墨子、作於是厚其禮、留其封、敬見而不問其道、晏子文同墨子、而奪封字、景公說以下、采墨子非儒晏子春秋外篇、崔述曰、凡譖人者、雖非其實、要必取其近似之迹、附會之以取信於世主、今晏子之所言、事事皆與孔子相反、天下有

如是之譖人者乎、不但所言皆與孔子平生之事相反、即與晏子平生之言見於左傳孟子者、亦無一不相反、且春秋之世、固無有所謂滑稽倨傲游說乞貸者、亦無有以是譏人者、自戰國淳于髡慎到莊周顏斶張儀蘇秦之徒竝起、然後有以滑稽倨傲游說乞貸著者、破產厚葬之譏、亦自墨氏敎行之後始有之、然則此言出戰國時人之口明甚、而其文之淺陋、亦似戰國秦漢、絕不類左傳孟子所述者、異日景公止孔子曰。奉子以季氏、吾不能。【索隱】劉氏、奉音扶用反、非也、今奉音如字、謂奉待孔子如魯季氏之職、故下文云、以季孟之閒待之也、【正義】爾雅、止、待也、【考證】止、如字、以季孟之閒待之。【集解】孔安國曰、魯三卿、季氏爲上卿、最貴、孟氏爲下卿、不用事、言待之以二者之閒也、齊大夫欲害孔子。孔子聞之。【考證】論語無齊大夫以下十二字、中井積德曰、欲害、恐失實、蓋不便之耳、欲字或衍、景公曰。吾老矣。弗能用也。孔子遂行。【考證】以上本論語微子篇、伊藤維楨曰、此時孔子年三十六、名位未顯、想無景公以季孟待之之理、恐他日之事、崔述曰、景公是時年僅四五十歲、其後復在位二十餘年、歲會諸侯、賞戰士、與晉爭伯、亦不當云老不能用也、反乎魯。【考證】崔述曰、世家孔子止一至齊、在魯昭公二十五年、闕里志年譜、則三至齊、三十一歲、景公遣使來聘、孔子適齊、居齊者凡三歲、及三十六歲、又在齊聞韶而反乎魯、明年復自齊歸於魯、說與世家大異、余按年譜從世家、以孔子爲襄二十二年生、則其所謂三十一歲者、謂昭公之二十一年也、昭公二十四年、孟僖子始知孔子、其言曰、將有達者、將在孔某、將之爲言、有待也、是孔子此時名猶未甚著、望猶未

甚隆也、僖子本國之大夫、景公則異國之君也、僖子苟能禮者從之、景公則未嘗有好禮名也、景公安能先僖子而知孔子而聘之哉、二十五年、昭公孫齊、二十一年、魯無事也、孔子不應無故而去、又不應將亂而忽歸、以時考之、固不符矣、孔子既在齊三年矣、而不聞詔、又三年之後、乃以聞詔之故特往、以理度之、亦不似也、且去齊已三年矣、而又往而又遽來、逾年而又遽往又遽來、孔子何求於齊、而僕僕若是乎、然則孔子至齊、世家之說近是、孔子年四十二、魯昭公卒於乾侯。考證本昭三十二年春秋、孔子是時年四十三、史爲襄二十二年孔子生、故記其齡常差一年、下倣之、定公立。定公立五年夏、季平子卒。考證定五年春秋經傳、桓子嗣立。季桓子、穿井、得土缶。中若羊。集解韋昭曰、羊、生羊也、故謂之怪也、索隱家語云、桓子穿井於費、得物如土缶、其中有羊焉、是也、考證魯語、作獲如土缶、其中有羊焉、李笠曰、若字、疑當作有、問仲尼。云得狗。集解韋昭曰、獲羊而言狗者、以孔子博物測之、考證吳曾祺曰、不識羊、故言狗、非試孔子也、仲尼曰。以丘所聞、羊也。丘聞之、木石之怪、夔罔閬。集解韋昭曰、木石、謂山也、或云、夔、一足、越人謂之山繅也、或言獨足、魍魎、山精、好學人聲而迷惑人也、索隱夔、音逵、閬、音兩、家語、作魍魎、繅音騷、然山繅獨一足、是山神名、故謂之夔、夔一足獸、狀如人也、考證國語、罔閬作蝄蜽、中井積德曰、木石如字、注錯誤、水之怪、龍罔象。集解韋昭曰、龍、神獸也、非常見、故曰怪、或云、罔象食人、一名

沐腫、索隱沐腫、音木踵、土之怪、墳羊。集解唐固曰、墳羊、雌雄未成者也、考證季桓子穿井以下、采國語魯語、崔述曰、按論語曰、子不語怪力亂神、果有此事、答以不知可也、乃獲一土怪、而幷木石水之怪而告之、是孔子好語怪也、且土果有羊怪、則當不止一見、苟以前未有此事、則古人何由識之、既數有之、又何以此後二千餘年、更不復有穿井而得羊者、是可笑也、吳伐越、墮會稽。集解王肅曰、墮、毀也、索隱隳會稽、會稽、山名、越之所都、隳毀也、吳伐越、在魯哀元年、得骨節專車。集解韋昭曰、骨一節、其長專車、專、擅也、正義按橫骨屋兩廂、考證謂滿一車也、吳使使問仲尼。考證國語、作吳子使來好聘、且問仲尼、愚按、孔子以定十二年去魯、哀十六年歸、哀元年吳墮會稽、時孔子方在陳、鄭以讚曰、此當在下文吳敗越會稽下、誤置此、骨何者最大。仲尼曰。禹致羣神於會稽山。集解韋昭曰、羣神、謂主山川之君、爲羣神之主、故謂之神也、防風氏後至。禹殺而戮之。集解韋昭曰、防風氏違命後至、故禹殺之、陳尸爲戮、其節專車。此爲大矣。考證楓山、三條本、節上有骨字、與魯語說苑合、吳客曰。誰爲神。仲尼曰。山川之神、足以綱紀天下、其守爲神。集解王肅曰、守山川之祀者爲神、謂諸侯也、韋昭曰、足以綱紀天下、謂名山大川、能興雲致雨、以利天下也、考證國語、足上神字作靈、史誤、社稷爲公侯。集解王肅曰、

但守社稷、無山川之祀者、直爲公侯而已、考證國語、社稷下、有之主二字、韋昭曰、封國立社稷而令守之、是謂公侯也、皆屬於王者。客曰。防風何守。仲尼曰。汪罔氏之君、守封禺之山。集解韋昭曰、封、封山、禺、禺山、在吳郡永安縣、騆案、皆太康元年、改永安爲武康縣、今屬吳興郡、考證國語、汪罔作汪芒、禺作隅、韋昭曰、汪芒、長狄之國名也、愚按、封禺、二山名、在今浙江武康縣、爲釐姓。索隱釐、音僖、家語云、姓漆、蓋誤、系本無漆姓、考證梁玉繩曰、魯語、作漆姓、說苑家語、杜注文十一傳同、黃丕烈曰、漆當作淶、在虞・夏・商爲汪罔。於周爲長翟。今謂之大人。集解王肅曰、周之初、及當孔子之時、其名異也、客曰。人長幾何。仲尼曰。僬僥氏三尺。短之至也。集解韋昭曰、僬僥、西南蠻之別名也、正義按括地志、在大秦國北也、長者不過十之。數之極也。集解王肅曰、十之、謂三丈也、數極於此也、考證吳伐越以下、采國語魯語、事亦涉神怪、孔子所不語、於是吳客曰。善哉、聖人。考證國語、無此九字、桓子嬖臣曰仲梁懷。與陽虎有隙。陽虎欲逐懷。考證陽虎、季氏家臣、仲梁、複姓、公山不狃止之。集解孔安國曰、不狃、爲季氏宰、索隱狃、音女九反、鄒氏云、一作蹂、論語、作弗擾、其秋、懷益驕。陽虎執懷。桓子怒。

陽虎因囚桓子、與盟而醳之。正義醳、音釋、考證桓子嬖臣以下、本定五年左傳、據傳、陽虎欲逐仲梁懷、而囚季桓子也、陽虎由此益輕季氏。季氏亦僭於公室、陪臣執國政。考證論語季氏篇、陪臣執國命、三世希不失矣、是以魯自大夫以下、皆僭離於正道。故孔子不仕、退而脩詩書禮樂。弟子彌衆、至自遠方、莫不受業焉。考證此論語所謂學而時習之也、有朋自遠方來也、人不知而不慍也、定公八年、公山不狃不得意於季氏、因陽虎爲亂、欲廢三桓之適、更立其庶孽陽虎素所善者。正義適、音嫡、遂執季桓子。考證梁玉繩曰、按左傳、陽虎將殺季子于蒲圃、非執之也、囚季子、在定五年、前此矣、桓子詐之得脫。考證公山不狃以下、本定八年左傳、定公九年、陽虎不勝。奔于齊。考證定九年左傳、是時孔子年五十。公山不狃以費畔季氏。使人召孔子。考證公山不狃以下、論語陽貨篇、論語、不狃作弗擾、孔子循道彌久、溫溫無所試、莫能己用。考證古鈔本、

楓山、三條本、循作脩、愚按、溫讀爲蘊、曰。蓋周文・武起豐鎬而王。今費雖小、儻庶幾乎。【索隱】檢家語及孔氏之書、竝無此言、故桓譚亦以爲誣也、【考證】是時周室雖衰、天命未改、孔子不宜有此言、刪之可也、欲往。子路不說、止孔子。孔子曰。夫召我者、豈徒哉。如用我、其爲東周乎。【集解】何晏曰、興周道於東方、故曰東周也、【考證】欲往以下、論語陽貨篇、論語如用我、作如有用我者、愚按、韓昌黎論語筆解云、能復修西周之政、志在周公典禮、程伊川張南軒亦主此說、而朱子集註則從何氏集解、韓說較是、或云、爲若夫子爲衞君乎之爲、猶助也、亦通、黃式三曰、弗擾召孔子者、時孔子未仕、故得相召、依左傳、事當在定公八年、史記以爲在九年、或失之也、朱子集注言弗擾與陽虎共執季桓子、事在定公五年、若左傳定公十二年載弗擾襲魯事、在孔子仕魯之日、非此初畔而召之時、崔東壁洙泗考信錄、合兩事爲一、遂疑聖經之僞、盲人耳、子路言末之也已、何必公山氏之之也、決非仕魯時之言、又曰、公山弗擾前止陽虎之逐仲梁懷、後斥叔孫輒之勸吳伐魯、事見左傳、則非決不能改過之人、朱子集註引程子說云、聖人以天下無不可爲之事、亦無不可改過之人、故欲往、是也、且弗擾之畔季氏、以張公室爲名、其召夫子也、必以爲三桓歸政己、亦歸邑、以此來召、其詞爲順、當時陽虎作亂、三桓之子孫微、弗擾之叛、亦在虎走失援之時、夫子望其各有悔過之機、而欲往往而謀、果行一歸政、一歸邑、去大都耦國之强、挽政逮大夫之失、綱紀已肅、盛治可次第舉矣、夫子仕魯、以墮都出甲爲先、亦此道耳、惜乎此事在三桓固不易行、而弗擾亦究未能行、故卒不往也、然亦卒不行。其後、

定公以孔子爲中都宰。一年四方皆則之。【索隱】家語、作西方、王肅云、魯國近東、故西方諸侯、皆取法則焉、【考證】四方、中都四方也、禮記檀弓上篇、有子曰、夫子制於中都、四寸之棺、五寸之椁、崔述曰、春秋經傳、魯有中城、而皆不言有所謂中都者、由中都宰爲司空、由司空爲大司寇。【考證】定元年左傳、葬昭公於墓道南、孔子之爲司寇也、溝而合之、孟子告子篇、孔子爲魯司寇、不用、從而祭、燔肉不至、不稅冕而行、禮記檀弓上篇、有子曰、昔者夫子失魯司寇、將之荊、蓋先之以子夏、又申之以冉有、荀子宥坐篇、孔子爲魯司寇、有父子訟者、孔子拘之、三月不別、呂氏春秋遇合篇、孔子僅至於魯司寇、皆曰司寇、不曰大司寇、其爲司空、先秦之書、未見記之者、梁玉繩曰、此及下文、兩稱大司寇、公羊定十四年疏云、魯無司寇之卿、是以大夫亦名大、恐不然、攷檀弓王制疏引崔靈恩云、諸侯三卿、司徒兼大冢宰、司馬兼宗伯、司空兼司寇、諸侯不立冢宰宗伯司寇之官、三卿之下、則五小卿、爲五大夫、司徒下立二人小宰小司徒、司空下立二人小司寇小司空、司馬下立一人爲小司馬、但春秋之世、侯國多不遵三卿之制、卽魯三家之外、有東門氏臧氏子叔氏、宜成時同在卿列、則亦儼然六卿矣、臧宣叔武仲、皆以世卿而爲司寇、此豈猶是小司寇之職乎、昭定以後、臧氏替、而以孔子居之、亦事理所有、史云大司寇者、別于小司寇之下大夫也、若司空卿、則孟孫世居之、孔子必是爲小司空、韓詩外傳八、有孔子爲司寇命辭、續經書孔子卒、亦爲卿之證、毛氏經問、謂夫子由小卿司空進大司寇、良是、前賢或謂孔子爲小司寇非卿、或謂孔子爲司空司寇皆卿、竝非、參存、定公十年春、及齊平。【索隱】及、與也、平、成也、謂與齊和好、故云平、【考證】春及齊平、

定十年春秋經傳、夏、齊大夫黎鉏言於公曰。魯用孔丘、其勢危齊。乃使使告魯爲好會、會於夾谷。【集解】徐廣曰、司馬彪云、今在祝其縣也、【考證】夾谷、公羊穀梁作頰谷、此從左傳、今山東萊蕪縣有夾谷峪、魯定公且以乘車好往。孔子攝相事。【考證】定十年左傳云、夏、公會齊侯于祝其、實夾谷、孔丘相、崔述曰、傳所謂相者、謂相禮也、非相國也、相國者治一國之政、相禮者但襄一時之禮、與國政無涉也、此蓋史記誤以相爲相國之相、又因傳有犂彌欲以兵劫魯侯之事、而遂以會時之策、爲在國之謀、而不知其謬也、曰、齊何故而與魯爲會也、曰、經傳之文甚明、學者自不察耳、蓋自昭公以前、諸侯莫不事晉、自召陵會後、而晉漸以失諸侯、故定公之七年、齊侯鄭伯盟于鹹、齊侯衞侯盟于沙、獨魯事晉如故、不與諸侯之會、而又爲晉討鄭之討衞、故齊使國夏再伐魯、而亦兩侵齊、直至陽虎奔後、而魯始與齊平、會于夾谷、明年又與鄭平、故左傳云、始叛晉也、然則魯自因叛晉而與齊會、豈齊懼魯之用孔子而與魯會哉、曰。臣聞有文事者、必有武備。有武事者、必有文備。【考證】事備韻、穀梁傳、敍頰谷之會、論之云、因是以見雖有文事、必有武備、孔子於頰谷之會見之矣、非孔子以此語說定公也、古者諸侯出疆、必具官以從。請具左右司馬。定公曰。諾。具左右司馬、【考證】崔述曰、春秋諸侯之會、皆以兵車、唯齊桓公有衣裳之會、故孔子曰、桓公九合諸侯、不以兵車、蓋難之

也、況此時齊魯新和、猜嫌未釋、定公必無以乘車往之理、以傳考之、魯亦未嘗有左右司馬之官、蓋史記因見穀梁傳中雖有文事必有武備之語、而誤以傳者論孔子之言、爲孔子之所自言、又因其有命司馬止之之文、遂附會而增具左右司馬之事、而不知其非也、會齊侯夾谷。爲壇位、土階三等、以會遇之禮相見。揖讓而登、獻酬之禮畢。【集解】王肅曰、會遇之禮、禮之簡略也、【考證】穀梁傳云、頰谷之會、孔子相焉、兩君就壇、兩相相揖、齊有司趨而進曰。請奏四方之樂。景公曰。諾。於是旍旄羽袚、矛戟劍撥、鼓噪而至。【索隱】家語、作萊人以兵鼓噪劫定公、袚、音弗、謂舞者所執、故周禮樂有袚舞、撥、音伐、謂大楯也、【考證】左傳云、犁彌言於齊侯曰、孔丘知禮而無勇、若使萊人以兵劫魯侯、必得志焉、齊侯從之、孔丘以公退曰、士兵之、兩君合好、而裔夷之俘、以兵亂之、非齊君所以命諸侯也、齊侯聞之遽避之、穀梁傳云、齊人鼓譟而起、欲以執魯君、史公誇張失實、孔子趨而進、歷階而登、不盡一等。【索隱】謂歷階級也、故王肅云、歷階、登階不聚足、【考證】登階之法、每級聚足、此會、土階不過三等、以事急、故不聚足而歷階、不盡一等、舉袂而言曰。吾兩君爲好會。夷狄之樂、何爲於此。請命有司。【考證】孔子之言至此、穀梁無舉袂二字、蓋史公所增、王維楨曰、舉袂見事急之狀、有司卻之、不去。則左右

視晏子與景公。【考證】則、猶言於是、左右視、孔子視也、鄭環曰、晏子爲景公上擯、愚按、晏子與會、三傳不錄、景公心怍、麾而去之。【考證】穀梁云、孔子歷階而上、不盡一階、而視歸乎齊侯、曰、兩君合好、夷狄之民、何爲來爲、命司馬止之、齊侯逡巡而謝曰、寡人之過也、退而屬其二三大夫曰、夫人率其君、與之行古人之道、二三子獨率我而入夷狄之俗、何爲、愚按、史公本左穀二傳、而鋪張失實、有頃、齊有司趨而進曰。請奏宮中之樂。景公曰。諾。優倡侏儒、爲戲而前。【考證】優倡如後世之雜戲、侏儒短人、孔子趨而進、歷階而登、不盡一等。曰。匹夫而熒惑諸侯者、罪當誅。請命有司。【索隱】謂經營而惑亂也、家語、作營侮、【考證】中井積德曰、熒、迷也、無經營之義、愚按、莊子人間世篇、而目將熒之、注、使人眼眩、齊物論篇、是黃帝之所聽熒也、釋文、熒、疑惑也、有司加法焉。手足異處。【考證】穀梁云、罷會、齊人使優施舞於魯君之幕下、孔子曰、笑君者罪當死、使司馬行法焉、首足異門而出、愚按、據此則倡優侏儒爲戲而前、在會罷之後、史公易以有頃二字、不當、左氏亦不載、其事有無、未可知、手足異處、腰斬之刑、與穀梁首足異門、亦異、景公懼而動、知義不若、歸而大恐、告其羣臣曰。魯以君子之道輔其君。而子獨以夷狄之道教寡

人、使得罪於魯君。爲之柰何。【考證】據穀梁傳、景公此言在初以兵劫魯侯之時、文見上注、有司進對曰。君子有過則謝以質。小人有過則謝以文。君若悼之、則謝以質。【考證】三傳無此事、張文虎曰、各本質作實、今從舊刻、質文相對、於是齊侯乃歸所侵魯之鄆·汶陽·龜陰之田、以謝過。【集解】服虔曰、三田、汶陽田也、龜、山名、陰之田、得其田、不得其山也、杜預曰、太山博縣北有龜山、【索隱】左傳、鄆讙及龜陰之田、則三田皆在汶陽也、【正義】鄆、今鄆州鄆城縣、在兗州龔丘縣東北五十四里、故謝城在龔丘縣東七十里、齊歸侵魯龜陰之田以謝魯、魯築城於此、以旌孔子之功、因名謝城、【考證】於是以下、本定十年春秋經傳、梁玉繩曰、案春秋、齊歸鄆讙龜陰田、杜服以爲三邑、何休以爲四邑、此以汶陽易讙、誤、疑鄆字誤倒在汶陽上、又脫讙字、三田皆汶陽田也、故孔子使茲無還對齊曰、而不反我汶陽之田、吾以共命者、亦如之、攷汶陽是魯地、僖元年以賜季友者也、不知何時爲齊所取、成公時曾暫還魯、旋奪于齊、其後遂屬焉、故閔子辭宰、以汶上爲言耳、但定七年、齊歸鄆矣、何煩此時復歸、豈陽虎之亂、又屬於齊乎、崔述曰、鄆讙龜陰、乃九年陽虎以之奔齊者、皆在汶水之陽、故傳前云反我汶陽之田、後云來歸鄆讙龜陰之田、定公十三年夏、孔子言於定公曰。臣無藏甲。大夫毋百雉之城。【集解】王肅曰、高丈長丈曰堵、三堵曰雉、【考證】十三年、當作十二年、字之誤也、定十二年、公羊傳云、孔子行乎季孫、三

月不違、曰、家不藏甲、邑無百雉之城、於是帥師墮郈、帥師墮費、左氏穀梁經傳、亦繫之於定十二年、家不藏甲、邑無百里之城、亦孔子言之於季孫、非言於定公、梁玉繩曰、攷左傳、侯犯以郈叛、公山不狃以弗叛、郈費之墮、叔季自墮之、郈費不叛、則二氏欲資爲保障、郎欲墮之、其將能乎、觀圍成弗克、可見已、乃左傳述此事、一若墮郈及費、皆出孔子仲由之謀、左氏作之、公羊附之、史公信之、而三言成實、豈情也哉、宋章如愚山堂攷索、有三家墮都辨、以爲其謀非出孔子、滹南集五經辨惑云、三山林少穎近代名儒也、其于兵萊人墮三都等、皆排之而不取、可謂卓識、愚按、孔子欲墮三都、其意在强公室、季叔陽從孔子言墮郈費、而實欲除侯犯公山不狃之害、但成未嘗爲叛人之所據、此孟氏之所以不肯墮之、梁氏之說、余未敢以爲然、使仲由爲季氏宰、將墮三都。【集解】服虔曰、三都、三家之邑也、於是叔孫氏先墮郈。【集解】杜預曰、東平無鹽縣東南郈鄉亭、【正義】括地志云、郈亭、在鄆州宿城縣東三十二里、【考證】今山東東平縣有郈城、叔孫氏邑、季氏將墮費。【考證】季氏邑、今山東費縣、有故城、在縣西北、公山不狃·叔孫輒、率費人襲魯。【考證】杜預曰、不狃、費宰也、輒、不得志於叔孫氏也、公與三子入于季氏之宮、登武子之臺。【集解】服虔曰、三子、季孫孟孫叔孫也、【考證】古鈔本、楓山本、公上有定字、武子、季孫宿、舊志云、武子臺、在魯東門內、費人攻之。弗克。入及公側。【集解】服虔曰、人有入及公之臺側、【考證】左傳文同、兪樾曰、入當作矢、襄二十三年左傳、矢及君屋、與此文同例、孔子命申

句須·樂頎下伐之。【集解】服虔曰、申句須樂頎、魯大夫、【考證】下、下臺也、費人北。國人追之。敗諸姑蔑。【集解】杜預曰、魯國卞縣南有姑蔑城、【正義】括地志云、姑蔑故城、在兗州泗水縣東四十五里、按泗水縣本漢卞縣地、二子奔齊。遂墮費。【考證】杜預曰、二子、不狃、叔孫輒也、將墮成。【集解】杜預曰、泰山鉅平縣東南有成城也、【正義】括地志云、故郕城、在兗州泗水縣西北五十里、【考證】沈家本曰、其時叔孫以郈犯故、季孫以陽虎故、皆畏其家臣强盛、故郈費之墮、二子不爲異同、成宰公斂處父、忠於孟氏、不肯墮成、故孟孫亦陽不知、而陰縱之、則成之不墮者、其事勢與叔季異也、公斂處父【集解】服虔曰、成宰也、【正義】斂、力豔切、處、昌汝反、父、音甫、杜預曰、處父、孟氏家臣公斂陽也、謂孟孫曰。墮成、齊人必至于北門。【考證】杜預曰、成在魯北境故也、且成、孟氏之保鄣。無成、是無孟氏也。我將弗墮。十二月、公圍成。弗克。【考證】使仲由爲季氏宰以下、采定十二年左傳、梁玉繩曰、圍成、事在定公十二年冬、孔子去魯後、此與魯世家誤書于十三年、孔子去之前、定公十四年、孔子年五十六。【考證】余有丁曰、年表記定公十二年、孔子去魯、而世家以爲十四年、孔子去魯、前後矛盾、蓋定公十二年、孔子年五十四、由司寇攝行相事、于是墮郈墮費、三月魯大治、齊人懼、餽女樂以阻之、孔子遂行、正值魯十月有事于郊之日、其圍成弗克、在冬十二月、此時孔子已去魯矣、史記必誤、愚按、孔子去魯、魯世家

亦繫之於定十二年、由大司寇行攝相事。【考證】崔適曰、行攝、當依魯世家訂爲攝行、攝、周語也、列子周公攝天子之政、是也、行、漢語也、漢書、御史大夫張湯行丞相事、是也、攝行者以漢語釋周語、豈當躋行於攝上乎、梁玉繩曰、攝相者、乃儐相會盟之事、蓋孔子自相夾谷、後遂以司寇而攝行人之職、乃史公以當國爲相、故于秦紀及吳齊晉楚魏世家伍子胥傳、直書孔子相魯、豈不誤哉、魯之相、季氏尸之、孔子安得攝乎、然其誤非始史公、晏子春秋外篇孔子聖相、荀子宥坐云、孔子爲魯攝相、宋薛據孔子集語、引尹文子云、孔子爲魯相、史妄仍之、愚按史以相爲當國、固非、梁氏以爲行人、亦非、有喜色。門人曰、聞君子禍至不懼、福至不喜。孔子曰、有是言也、不曰樂其以貴下人乎。【考證】孔子不當有此言、先秦諸書亦無所記、於是誅魯大夫亂政者少正卯、【考證】本荀子宥坐篇、尹文子大道下篇、王若虛曰、孔子誅少正卯事、誰所傳乎、其始見于荀卿之書、而呂氏春秋說苑家語史記皆載之、作王制者、亦依倣其意、著爲必殺之令、刑者不得已而後用、若乃誣其疑似、發其隱伏、而曰吾以懲奸防亂、是申商曹馬陰賊殘忍之術也、少正卯魯之聞人、自子貢不知其罪、就如孔子之說、何遽至于當死、乃一朝無故而尸諸朝、天下其能無議、而孔子之心安乎、卯兼五惡、借曰可除、而曰有一于人、皆所不免、則世之被戮者不勝其衆矣、愚按陸瑞家誅少正卯辯、閻若璩四書釋地又續、崔述洙泗考信錄、梁玉繩史記志疑、亦極辨其無、以文長不載、與聞國政。【考證】愚按孔子攝行相事、蓋無其事、而與聞國政、則有之矣、三月、粥羔

豚者弗飾賈。【考證】粥羔豚以下、采荀子儒效篇、洪頤煊曰、荀子儒效篇、仲尼將爲司寇、魯之鬻牛馬者不豫賈、循吏傳、子產爲相、市不豫賈、淮南子覽冥訓、黃帝治天下、市不豫賈、豫賈即飾賈也、愚按賈價同、飾價、不增價也、男女行者別於塗。塗不拾遺。【考證】采呂氏春秋樂成篇、四方之客至乎邑者、不求有司、【集解】王肅曰、有司常供其職、客求而有在也、皆予之以歸。【索隱】家語、作皆如歸、【考證】以上添使字看、齊人聞而懼曰、孔子爲政必霸。霸則吾地近焉。我之爲先并矣。盍致地焉。犂鉏曰、【考證】韓非子內儲說下、犂鉏作黎且、請先嘗沮之。沮之而不可則致地、庸遲乎。【考證】嘗、試也、庸、豈也、於是選齊國中女子好者八十人、皆衣文衣而舞康樂、【索隱】家語作容璣、王肅云、舞曲名也、【考證】韓非子、作女樂六、文馬三十駟、遺魯君、陳女樂文馬於魯城南高門外。季桓子微服往觀再三。將受。乃語魯君爲周道游。【索隱】謂請魯君爲周徧道路游行、因出觀齊之女樂、往觀終日、怠於政事。【考證】崔述曰、此蓋因論語之言而附會爲之

者、其謀與秦穆公閒由余之智略同、皆似秦漢以後詐僞人之所爲、不類春秋時事、三傳所紀、春秋時絕無此等事、獨史記數數言之、不足信也、且考世家所載、定公十年、黎鉏已有魯用孔子其勢危齊之語、既有沮之之方、彼時何不用之、乃爲會於夾谷、是年、齊歸汶陽之田、已致地矣、僅三四年、何以又謀致地、是年會畢之時、景公方責黎鉏、謂不以君子之道教己、以獲罪於魯君、今日又何以又聽黎鉏之謀乎、詳世家之文、先後矛盾、首尾背馳、乃必無之事、蓋皆戰國策士之所僞撰、子路曰、夫子可以行矣。孔子曰、魯今且郊。如致膰乎大夫、則吾猶可以止。【集解】王肅曰、膰、祭肉、【考證】此蓋因孟子之言而附會之、桓子卒受齊女樂、三日不聽政。【考證】采論語微子篇、郊又不致膰俎於大夫。孔子遂行。【考證】采孟子告子篇、孔子去魯、在定公十二年秋冬之間、宿乎屯。【集解】屯、在魯之南也、【索隱】地名、而師已送曰、夫子則非罪。【考證】太宰純曰、蓋樂師名已也、孔子曰、吾歌、可夫。【考證】家語子路初見篇、夫作乎、歌曰、彼婦之口、可以出走。彼婦之謁、可以死敗。【集解】王肅曰、言婦人之口、請謁足以憂使人死敗、故可以出走也、【考證】李笠曰、謁敗、不叶、謁字義亦缺妥、說苑說叢、作婦人之口、可以出走、婦人之喙、可以死敗、喙與口互文、古韻又同部、家語王注無憂字、蓋優哉游哉、維以

卒歲。【集解】王肅曰、言仕不遇也、故且優游以終歲、【考證】家語無蓋字、維作聊、中井積德曰、虛談、女樂群婢、未必讒閉、未必請謁、是歌特不相應、師已反。桓子曰、孔子亦何言。師已以實告。桓子喟然歎曰、夫子罪我。以羣婢故也夫。孔子遂適衛。【考證】崔述曰、孟子謂孔子不悅於魯衛、是去魯後卽適衛也、史記世家年表、皆言自魯適衛、與孟子合、主於子路妻兄顏濁鄒家。【索隱】孟子曰、孔子於衛主顏讎由、彌子之妻、與子路之妻兄弟也、今此云濁鄒是子路之妻兄、所說不同、【考證】崔述曰、孟子作顏讎由、世家疑誤、其謂子路妻兄云者、蓋因彌子爲子路僚壻而誤也、鄭環曰、鄒卽讎由之轉音、愚按孟子萬章篇、衛靈公問孔子、居魯得祿幾何。對曰、奉粟六萬。衛人亦致粟六萬。【索隱】若六萬石似太多、當是六萬斗、亦與漢之秩祿不同、【正義】六萬、小斗、計當今二千石也、周之斗升斤兩、皆用小也、【考證】崔述曰、春秋傳、秦鍼楚比之屬、皆以班爵各受應得之祿、世家所云、頗似戰國養士之風、殊缺雅馴、居頃之、或譖孔子於衛靈公。靈公使公孫余假一出一入。【索隱】謂以兵仗出入、以脅夫子也、孔子恐獲罪焉。居十月、去衛。將適陳、過匡。【正義】故匡城、在滑州匡城縣西南十里、【考證】梁玉繩曰、論語畏匡句下、梁皇侃義疏本孔安國在陳

絕糧注以爲宋地名、蓋據莊子秋水篇孔子游匡、宋人圍之也、但宋雖有地名承匡、而此時未至宋、況莊子釋文引司馬云、宋當作衞、固與史合、然陽虎與衞又風馬牛不及、焉能暴匡、毛氏奇齡四書賸言云、春秋傳、公侵鄭取匡、在定公六年、季氏雖在軍、不得專制、凡過衞不假道、反穿城而蹦其地、其令皆出自陽虎、是虎實帥師、當侵鄭時、匡本鄭鄙邑、必欲爲晉伐取以釋憾、而匡城適缺、虎與顏剋就其穿垣而入之、虎之暴匡以是也、至夫子過匡、適顏剋爲僕、匡遂以爲虎而圍之、毛氏此解明白可據、攷春秋僖十五年次于匡、杜注、衞地、在陳留長垣縣西南、左傳文元年、衞侵鄭及匡、杜注、在潁川新汲縣東北、二縣相近、疑是匡一地而分屬、何以徵之、文八年傳、晉侯使解揚歸匡戚之田于衞、杜注、匡本衞邑、中屬鄭、晉令鄭還衞、則定六年取鄭匡、安知非復屬于鄭乎、所謂疆場之邑、一彼一此、何常之有、**顏刻爲僕。**［考證］包咸曰、陽虎曾暴于匡、夫子弟子顏剋、時又與虎俱行、後剋爲夫子御、至于匡、匡人相與共識剋、又夫子容貌與虎相似、故以兵圍之、愚按、弟子列傳有顏高、字子驕、蓋同人、**以其策指之曰。昔吾入此、由彼缺也。**［集解］謂昔所被攻缺破之處也、［正義］琴操云、孔子到匡郭外、顏刻舉策指匡穿垣曰、往與陽貨正從此入、匡人聞其言、告君曰、往者陽貨今復來、乃率衆圍孔子數日、乃和琴而歌、音曲甚哀、有暴風擊軍士僵仆、於是匡人有知孔子聖人、自解也、**匡人聞之、以爲魯之陽虎。陽虎嘗暴匡人。匡人於是遂止孔子。**［集解］匡、宋邑也、家語云、匡人簡子、以甲士圍夫子、**孔子狀類陽虎。拘焉五日。**［考證］莊子秋水篇云、孔子遊於匡、宋人圍之數匝、而弦

歌不輟、子路入見曰、何夫子之娛也、孔子曰、來、吾語女、我諱窮久矣、而不免、命也、求通久矣、而不得、時也、(中略)由處矣、吾命有所制矣、無幾何、將甲者進辭曰、以爲陽虎也、故圍之、今非也、請辭而退、史文本於此、而附以顏剋事、論語但云子畏於匡耳、**顏淵後。**［集解］孔安國曰、言與孔子相失、故在後也、**子曰。吾以汝爲死矣。顏淵曰。子在、回何敢死。**［集解］包氏曰、言夫子在、己無所致死也、［考證］論語先進篇、集解致死、楓山本作敢死、與論語集解合、**匡人拘孔子益急。弟子懼。孔子曰。文王既沒、文不在茲乎。**［集解］孔安國曰、茲、此也、言文王雖已沒、其文見在此、此、自謂其身也、［考證］中井積德曰、文、猶言道也、是承文王文字而言、中庸、文王之所以爲文也、語意正同、**天之將喪斯文也、後死者不得與于斯文也。**［集解］孔安國曰、文王既沒、故孔子自謂後死也、言天將喪此文者、本不當使我知之、今使我知之、未欲喪之也、**天之未喪斯文也、匡人其如予何。**［集解］馬融曰、如予何、猶言奈我何也、天未喪此文、則我當傳之、匡人欲奈我何、言不能違天以害己、［考證］孔子曰以下、論語子罕篇、陳澧曰、天之未喪斯文、夫子以爲己任、蓋謂刪述六經、垂教萬世、此卽所謂夫子之文章也、至於今二千餘年、人人皆得五經而讀之、卽人人皆得聞夫子之文章、至萬世無窮極也、**孔子使從者爲甯武子臣於衞、然後得去。**［索隱］家語、子路彈劍而歌、孔子和之、曲三終、匡人解圍而去、今此取論語文王既沒之文、及從者臣甯武子、然後得去、蓋夫子再厄匡人、或設辭以解圍、或彈劍而釋難、今此合論語家語之文、以爲一事、故彼此文交互耳、［考證］據左傳、甯武子在時、孔子未生、孔子畏匡時、則甯氏族滅已久、此必無之事、說詳于胡氏讀史管見、毛氏四書索解、崔氏洙泗考信錄、**去卽過蒲。**［集解］徐廣曰、長垣縣有匡城蒲鄉、［正義］括地志云、故蒲城在滑州匡城縣北十五里、匡城本漢長垣縣、**月餘反乎衞。主蘧伯玉家。**［考證］崔述曰、孔子欲適陳、則適陳耳、匡在衞南、過匡可也、蒲在衞西、過蒲何爲、卒不適陳、月餘而反乎衞、又何爲乎、孫林父將爲亂、先謁之蘧伯玉、伯玉從近關出、時魯襄公十四年也、伯玉在下位、而名已爲其鄉所重如此、當不下四十歲、下至魯定公之末、六十有五年、伯玉至是當百餘歲矣、而自魯襄公二十九年以後、伯玉卽不復見於傳、又不容晚節竟無一事可述、而可述者俱少年事、然則孔子適衞之時、伯玉之亡、固已久矣、孔子安得有主伯玉事乎、且衞之大夫、莫有賢於伯玉者、果存耶、孔子何以不主伯玉而主讎由、既主讎由矣、在外月餘而返、忽易所主、何也、蓋論語有伯玉使人於孔子之語、故史記妄意孔子嘗主伯玉、又因其與孟子不合、故爲去衞復返之說、以兩全之、而不知其謬也、余謂伯玉使人、必在昭公之初、孔子年少之時、其平生或嘗一見、或兩相慕、俱未可知、不必強爲之說、

靈公夫人有南子者。使人謂孔子曰。四方之君子、不辱欲與寡君爲兄弟者、必見寡小君。寡小君願見。［考證］論語季氏篇、邦君之妻、稱諸異邦曰寡小君、**孔子辭謝。不得已見之。**

夫人在絺帷中。孔子入門、北面稽首。夫人自帷中再拜。環珮玉聲璆然。［正義］璆、音虯、［考證］岡白駒曰、聞佩玉聲、乃知夫人帷中再拜、故孔子稽首、稽首文在上、而玉聲句在下者、尊卑之辭也、愚按、藝文類聚引典略、絺作錦、玉作之、**孔子曰。吾鄉爲弗見。**［考證］岡白駒曰、上文所謂辭謝也、**見之禮答焉。**［索隱］上見如字、下見音賢徧反、去聲、言我不爲相見之禮、現而答之、見如字、岡白駒曰、不得已而見之、不可不禮答、愚按、論語但云、子見南子、［考證］**子路不說。孔子矢之曰。予所不者、天厭之。天厭之。**［集解］欒肇曰、見南子者、時不獲已、猶文王之拘羑里也、天厭之者、言我之否屈、乃天命所厭也、蔡謨曰、矢、陳也、夫子爲子路陳天命也、［考證］子路不說以下、論語雍也篇、論語不作否、皇侃義疏亦引蔡謨云、矢、陳也、尚書敍曰、皐陽矢厥謨也、春秋經曰、公矢魚于棠、皆是也、夫子爲子路矢陳天命、非誓也、又引王弼云、否泰有命、我之所屈不用於世者、乃天命厭之、言非人事所免也、二說得之、厭、棄也、言夫子告所以見南子曰、予所以否塞不如意者、天厭棄我命、重言之者、痛歎之甚、**居衞月餘。靈公與夫人同車、宦者雍渠參乘出、使孔子爲次乘。招搖市過之。**［集解］徐廣曰、招搖、翺翔也、［索隱］家語、作遊過市、［考證］孟子但云癰疽、不云宦者、衞策云、衞靈公近癰疽彌子瑕二人者、專君之勢以蔽左右、俞樾曰、說苑作雍睢、史記作雍渠、韓非子作雍鉏、雍、饔人之

宦、疽、名也、孫奕曰、聖人方以季桓子受女樂而去魯、適衛而又爲靈公南子驂乘、不知子長何所本而云然、**孔子曰、吾未見好德如好色者也。**【集解】何晏曰、疾時薄於德厚於色、故發此言也、李充曰、使好德如好色、則弃邪而反正矣、【考證】孔子曰、論語子罕篇、但未審是言爲何而發、**於是醜之、**【考證】岡白駒曰、醜、惡之也、**去衛過曹。是歲魯定公卒。孔子去曹適宋。**【集解】徐廣曰、年表、定公十三年、孔子至衛、十四年、至陳、哀公三年、孔子過宋、**與弟子習禮大樹下。宋司馬桓魋欲殺孔子、拔其樹。**【考證】莊子天運篇、師金曰、今而夫子亦取先王已陳芻狗、取弟子遊居寢臥其下、故伐樹於宋、削迹於衛、窮於商周、是非其夢邪、圍於陳蔡之間、七日不火食、死生相與鄰、是非其眯邪、此史公桓魋拔樹之說所本、**孔子去。弟子曰、可以速矣。孔子曰、天生德於予、桓魋其如予何。**【集解】包氏曰、天生德者、謂授以聖性、德合天地、吉無不利、故曰其如予何、【考證】孔子曰、論語述而篇、朱熹曰、天既賦我以如是之德、則桓魋其奈我何、言必不能違天害己、愚按、孟子萬章篇云、孔子不悅於魯衛、遭宋桓司馬將要而殺之、微服而過宋、是時孔子當阨、主司城貞子爲陳侯周臣、方是時之事、崔述曰、孟子云過宋、則是孔子自衛至陳、經宋之境、亦未必至於宋之國也、曰將要而殺之、曰微服而過宋、則是桓魋知孔子將過宋境、使人要之於路、微服而行、則不知其爲孔子、故獲免也、其如予何之言、當在此時、史記世家乃云與弟子習禮大樹下、魋不

欲殺孔子、拔其樹、孔子去、弟子曰、可以速矣、孔子曰、云云、若果孔子尙在樹下、魋拔其樹、孔子何以能免、至此乃去、不亦晚乎、兵刄交集、猶曰其如予何、不亦迂乎、**孔子適鄭、與弟子相失。孔子獨立郭東門。鄭人或謂子貢曰、**【索隱】家語、姑布子卿謂子貢曰、**東門有人。其顙似堯、**【索隱】家語云、河目而隆顙、其顙似堯、**其項類皋陶、其肩類子產。然自要以下不及禹三寸。纍纍若喪家之狗。**【集解】王肅曰、喪家之狗、主人哀荒、不見飮食、故纍然而不得意、孔子生於亂世、道不得行、故纍然不得志之貌也、韓詩外傳曰、喪家之狗、旣斂而椁、有席而祭、顧望無人也、【考證】或云、喪失也、非是、禮記喪容纍纍、項、頭後受枕之處、要、腰通、梁玉繩曰、韓詩外傳九、說此事頗詳別、未知何本、白虎通壽命、論衡骨相、皆仍史、**子貢以實告孔子。孔子欣然笑曰、形狀末也。**【考證】古鈔本、楓山、三條本、末作未、義長、梁玉繩曰、白虎通論衡家語、末作未、**而謂似喪家之狗、然哉、然哉。**【考證】張文虎曰、而下、舊刻有謂字、各本脫、崔述曰、鄭在宋西、陳在宋南、自宋適陳、必不由鄭、子產鄭相、其卒不久、鄭人或猶有及見者、堯禹皋陶、千七百餘年矣、鄭人何由知其形體之詳、而分寸乃歷歷不爽矣乎、此乃齊東野人之語、**孔子遂至陳、主於司城貞子家。**【考證】孔子遂至以下、孟子萬章篇、**歲餘、吳王夫差伐陳、取**

三邑而去。【考證】梁玉繩曰、吳無取三邑事、哀元年傳、及年表可證、**趙鞅伐朝歌。楚圍蔡。蔡遷于吳。**【考證】朝歌、衛地、梁玉繩曰、蔡下缺請字、**吳敗越王句踐會稽。**【考證】郘以讃曰、前骨節事、當在此下、不然、入此吳敗越、無謂矣、且吳未嘗再墮會稽也、**有隼集于陳廷而死。楛矢貫之、石砮。矢長尺有咫。**【集解】韋昭曰、隼、鷙鳥、今之鶚也、楛、木名、砮、鏃也、以石爲之、八寸曰咫、楛矢貫之墜而死、【正義】隼、音筍、毛詩義疏、鷂、齊人謂之擊征、或謂之題肩、或曰省鷹、春化爲布穀、此屬數種皆爲隼、【考證】中井積德曰、隼、鷹之小者、愚按、楛、木名、似荊而赤、莖似蓍、中矢幹、**陳湣公使使問仲尼。**【索隱】家語國語、皆作陳惠公、非也、按惠公以魯昭元年立、定四年卒、又按系家湣公十六年、孔子適陳、十三年亦在陳、則此湣公爲是、【考證】張文虎曰、孔子適陳、年表世家皆湣公六年、索隱十字衍、**仲尼曰、隼來遠矣。此肅愼之矢也。**【正義】肅愼國記云、肅愼其地在夫餘國東北、河六十日行、其弓四尺強、勁弩射四百步、今之靺鞨國方有此矢、【考證】肅愼東北夷之國、後音轉爲女眞、在今寧古塔、正義河上有脫文、**昔武王克商、通道九夷百蠻。**【集解】王肅曰、九夷東方夷有九種也、百蠻、夷狄之百種、【考證】曰九、曰百、言其多也、不當細討之、**使各以其方賄來貢、**【集解】王肅曰、各以其方面所有之財賄而來貢、**使無忘職業。於是肅愼**

貢楛矢石砮。長尺有咫。先王欲昭其令德、以肅愼矢分大姬。【集解】韋昭曰、大姬、武王元女也、**配虞胡公、而封諸陳。分同姓以珍玉、展親。**【集解】韋昭曰、展、重也、玉、謂若夏后氏之璜、【考證】展、厚也、**分異姓以遠方職、使無忘服。**【集解】王肅曰、使無忘服從於王也、【考證】國語、職下有貢字、方苞曰、職、職貢也、服、所服事也、書曰、續乃舊服、**故分陳以肅愼矢。**【考證】韋昭曰、陳、嬀姓、**試求之故府、果得之。**【集解】韋昭曰、故府、舊府也、【考證】有隼以下、采國語魯語、**孔子居陳三歲。**【考證】梁玉繩曰、時爲定十五年、哀元二兩年、無晉楚伐陳事、即三歲前後、亦未嘗伐陳、此妄也、沈家本曰、晉**會晉・楚爭彊、更伐陳。**楚、疑當云吳楚、**及吳侵陳、陳常被寇。孔子曰、歸與歸與、吾黨之小子。狂簡進取、不忘其初。**【考證】孔子曰、孟子盡心篇、狂簡、志大才疎也、安井衡曰、初、謂孔子在魯時、言不改初吾在魯時之志行、梁玉繩曰、後文亦載歸乎云云、此出孟子、後見論語、其實皆一時之言、但辭少異耳、朱子序說滹南辨惑、俱從索隱、以爲史記之失、四書釋地續云、孔子在陳凡二次、世家竝載有歸與之辭、哀公三年載者得之、蓋興起于魯之召冉求、于情事爲得、四書賸言云、大抵夫子之歎、在第二次適陳之際、**於是孔子去陳。過蒲。**

會公叔氏以蒲畔。蒲人止孔子。【考證】蒲、衞邑、弟子有公良孺者。以私車五乘從孔子。【考證】仲尼弟子列傳、公良孺字子正、鄭玄曰、陳人、其爲人長、賢有勇力。【考證】長字句、長、長大也、謂曰。吾昔從夫子、遇難於匡。今又遇難於此。命也已。吾與夫子再罹難。寧鬭而死。鬭甚疾。蒲人懼。【索隱】家語云、我甯鬭死、挺劒而合衆、將與之戰、蒲人懼、是也、【考證】家語困誓篇、謂孔子曰。苟毋適衞、吾出子。與之盟、出孔子東門。孔子遂適衞。子貢曰。盟可負邪。孔子曰。要盟也神不聽。【考證】要盟、謂以强力脅之爲盟誓也、左傳、要盟無質、神弗臨也、公羊傳、要盟可犯、衞靈公聞孔子來、喜郊迎。【考證】郊迎、迎於郊外、以示敬也、問曰。蒲可伐乎。對曰。可。靈公曰。吾大夫以爲不可。今蒲、衞之所以待晉·楚也。【正義】衞在濮州、蒲在滑州、在衞西也、韓魏及楚、從西向東伐、先在蒲、後及衞、以衞伐之、無乃不可乎。孔子曰。其男子有死之志。【集解】王肅曰、公叔氏欲以蒲

適他國、而男子欲死之、不樂適他、婦人有保西河之志。【集解】王肅曰、婦人恐懼、欲保西河、無戰意也、【索隱】此西河、在衞地、非魏之西河也、【考證】中井積德曰、保西河、亦不從公叔也、非恐懼無戰意之謂、吾所伐者、不過四五人。【集解】王肅曰、本與公叔同畔者、靈公曰。善。然不伐蒲。【考證】崔述曰、按春秋經傳、無公叔氏以蒲畔之事、定十四年經云、衞公叔戍來奔、傳云、衞侯逐公叔戍與其黨、故趙陽奔宋、戍來奔、而世家以孔子去衞爲定公卒之歲、又居陳三歲而後過蒲、則公叔氏之亡也久矣、蒲既畔衞、孔子何難紆道避之、乃輕入險地、以自取禍、況蒲在衞西、陳在衞南、自陳來、不由蒲也、孔子過蒲、何爲焉、要盟神固不聽、然既許之甫出而即背之、亦聖人之所爲邪、蒲、衞之屬邑耳、靈公好戰、屢伐晉、而獨不敢伐一蒲、孔子不對靈公之問陳、而於靈公之不伐蒲、獨力勸其伐、不亦先後矛盾矣乎、此乃戰國人之所僞撰、必非孔子之事、靈公老怠於政、不用孔子。孔子喟然歎曰。苟有用我者、朞月而已。三年有成。【集解】孔安國曰、言誠有用我於政事者、朞年而可以行其政敎、必三年乃有成也、【考證】苟有用我者、采論語子路篇、但論語不言其爲誰而發、已下、有可也二字、朞月、匝一年月也、猶言朞年也、孔子行。佛肸爲中牟宰。【集解】孔安國曰、晉大夫趙簡子之邑宰、【索隱】此河北之中牟、蓋在漢陽西、趙簡子攻范·中行、伐中牟。【考證】黃式三曰、舊說以佛肸爲趙氏宰、翟晴江據史記以爲范中行家邑宰、翟說確、左

傳、哀公五年、趙鞅伐衞、范氏之故也、遂圍中牟、是趙氏討中牟之助范氏也、淮南子道應訓、趙簡子未葬、中牟入齊、已葬五日、襄子起兵攻圍之、是中牟非趙氏邑、終不服趙氏、畔晉入齊也、翟氏謂佛肸於晉爲畔、於范中行猶爲義、且范中行滅、則三分晉地之勢成、三分晉地之勢成、則大夫自爲諸侯之禍起、聖人神、能知幾、故欲往以救之、式三謂弗擾畔季子、佛肸畔趙氏、皆以張公室爲名、夫子之往、皆欲平其亂而安公室耳、考之左傳、趙氏與范氏中行氏爲難、宋齊魯衞鄭、皆助范中行、周亦直范氏、佛肸拒趙而助范中行、以中牟求援於鄭國、此翟氏所謂佛肸於范中行猶爲義也、佛肸畔。使人召孔子。孔子欲往。子路曰。由聞諸夫子。其身親爲不善者、君子不入也。【集解】孔安國曰、不入其國、今佛肸親以中牟畔。子欲往。如之何。孔子曰。有是言也。不曰堅乎。磨而不磷。不曰白乎。涅而不淄。【集解】孔安國曰、磷、薄也、涅、可以染皁者也、言至堅者、磨之而不薄、至白者、染之於涅中而不黑、君子雖在濁亂、不能汙也、我豈匏瓜也哉。焉能繫而不食。【集解】何晏曰、言匏瓜得繫一處者、不食故也、吾自食物、當東西南北、不得如不食之物、繫滯一處、【考證】佛肸畔以下、采論語陽貨篇、黃式三曰、何意以繫而不食連讀爲一義、苦瓜不材、長繫在樹、而無所用、聖人明己之不然也、上言不磷不淄、言不善之不浼己也、此言己之善適用也、孔子擊磬。有荷蕢而過門者。曰。

有心哉。擊磬乎。【集解】何晏曰、蕢、草器也、有心、謂契契然也、【考證】論語、上擊磬下、有於衞二字、朱熹曰、此荷蕢者亦隱士也、聖人之心、未嘗忘天下、此人聞其磬聲而知之、則亦非常人矣、硜硜乎。莫己知也夫。而已矣。【集解】何晏曰、此硜硜信己而已、言亦無益也、【考證】采論語憲問篇、論語作既而曰、鄙哉硜硜乎、莫己知也、斯己而已矣、深則厲、淺則揭、硜硜、堅确不遷意、亦狀磬聲也、兪樾曰、荷蕢者之意、以爲人既莫己知、則但當爲己、不必更爲人、故曰、莫己知也、斯己而已矣、孔子學鼓琴師襄子。【索隱】家語、師襄子曰、吾雖以擊磬爲官、然能於琴、蓋師襄子魯人、論語謂之擊磬襄是也、【考證】事見韓詩外傳五、家語辨樂、文略同、淮南子主術訓云、孔子學鼓琴於師襄、高誘注、師襄魯樂太師、十日不進。【考證】岡白駒曰、自不進業、師襄子曰。可以益矣。【考證】岡白駒曰、可進學其餘、孔子曰。丘已習其曲矣。未得其數也。【考證】岡白駒曰、節奏之數、有間曰。已習其數。可以益矣。孔子曰。丘未得其志也。【考證】岡白駒曰、志之所在、有間曰。已習其志。可以益矣。孔子曰。丘未得其爲人也。【考證】岡白駒曰、以其音知其所爲之人、下文以爲文王、是也、有間曰。【考證】張文虎曰、曰字、涉上而衍、家語無、有所穆然深思焉。有所怡然高望而遠志

焉。【考證】有所上、添孔子二字、看家語有、曰、丘得其爲人、黯然而黑、【集解】王肅曰、黯、黑貌、幾然而長、【集解】徐廣曰、詩云、頎而長兮、【索隱】幾、與注頎竝音祈、家語、無此四字、【考證】孟子告子篇、文王十尺、荀子非相篇、文王長、眼如望羊、【集解】王肅曰、望羊、望羊視也、【索隱】王肅云、望羊、望羊視也、【考證】家語辨樂解、作曠如望羊、王肅注云、曠、用志曠遠、愚按、望羊、遠視也、莊子秋水篇、河伯望洋向若而歎、望、茫同、羊、洋通、如王四國。【考證】陳仁錫云、如上湖本缺心字、張文虎曰、凌本無心字、引一本云、王上有心字、疑非、家語作奄有四方、非文王、其誰能爲此也。【考證】詞氣與季札論樂相似、摸擬之迹不可蔽、斷非孔子言、師襄子辟席再拜曰、師蓋云文王操也。【考證】崔述曰、師襄、先儒以爲魯人、近是、孔子不當學之於衞也、聖人固無常師、然學琴當在少年時、在齊聞韶、聖人之於樂已深矣、及是又二十年、襄之琴、恐不足爲孔子師也、此其事之有無、蓋不可知、且其所云眼如望羊、心如王四國之語、皆不雅馴、與論語所記孔子之言大不類、蓋皆後人所託、孔子既不得用於衞。將西見趙簡子。至於河、而聞竇鳴犢・舜華之死也、【集解】徐廣曰、或作鳴鐸竇犨、又作竇犨鳴犢舜華也、【索隱】家語云、聞趙簡子殺竇犨鳴犢及舜華、國語云、鳴鐸竇犨、則竇犨字鳴犢、聲轉字異、或作鳴鐸、慶華、當作舜華、諸說皆同、【考證】王引之曰、當作聞鳴犢竇犨之死、蓋鳴犢一人也、竇犨又一人也、漢書人表以鳴犢竇犨二人竝列、孔叢子記問篇、夫

子及河、聞鳴犢與竇犨之見殺也、迴輿而旋、皆本於史記、而不及舜華、愚按、索隱引家語困誓篇、臨河而歎曰、美哉水、洋洋乎。丘之不濟此、命也夫。子貢趨而進曰、敢問、何謂也。孔子曰、竇鳴犢・舜華晉國之賢大夫也。趙簡子未得志之時、須此兩人而后從政。【考證】說苑權謀篇、子貢作子路、陳仁錫曰、趙簡子當作趙孟、及其已得志、殺之、乃從政。丘聞之也、刳胎殺夭、則麒麟不至郊。竭澤涸漁、則蛟龍不合陰陽。【索隱】有角曰蛟龍、龍能興雲致雨、調和陰陽之氣、【考證】家語困誓篇、不合陰陽、作不處其淵、說苑權謀篇、竭澤而漁、作乾澤而漁、呂氏春秋應同篇云、覆巢毀卵、則鳳凰不至、刳獸食胎、則麒麟不來、乾澤涸漁、則龜龍不往、物之從同、不可爲記、齊策、趙人諒毅謂秦昭王曰、臣聞之、有覆巢毀卵、而鳳凰不翔、刳胎焚夭、而麒麟不至、中井積德曰、索隱宜言有角曰龍、無角曰蛟、蓋脫文、覆巢毀卵、則鳳皇不翔。何則君子諱傷其類也。夫鳥獸之於不義也、尚知辟之。而況乎丘哉。乃還息乎陬鄉、作爲陬操以哀之。【集解】王肅曰、陬操、琴曲名也、【索隱】此陬鄉、非魯之陬邑、家語云、作槃操也、而反

乎衞、入主蘧伯玉家。【考證】中井積德曰、入當作又、崔述曰、按春秋經傳、定八年、趙鞅使涉佗盟衞侯、捘其手及腕、十三年、入於晉陽以叛、哀三年、殺周萇宏、弱王室、侮諸侯而叛其君、春秋之大夫、罪未有大於鞅者也、其他黨奸醜亂之事、史不絕書、不知孔子何取於鞅而欲見之、至竇鳴犢舜華之死、抑末矣、鞅之善惡、亦不在於此二人之死生也、何爲臨河而遽返邪、晉大夫之見於傳者多矣、微但大夫也、即趙氏之家臣董安于尹鐸郵無恤之倫、皆得以其才見于傳、兩人果賢大夫、傳記何爲悉遺之乎、且鞅、衞之仇讎也、孔子雖未受職于衞、然曰際可之仕、則亦有賓主之義焉、無故去之、而往見其讎、于義亦有未安者、往而不遂、復返乎衞、不知何以對靈公、靈公亦安能待之如舊邪、此必戰國時人之所僞託、非孔子之事、他日靈公問兵陳。【集解】孔安國曰、軍陳行列之法、孔子曰、俎豆之事、則嘗聞之。軍旅之事、未之學也。【集解】鄭玄曰、萬二千人爲軍、五百人爲旅、軍旅末事、本未立、不可教以末也、【考證】靈公問兵陳以下、采論語衞靈公篇、俎豆、禮器、帆足萬里曰、軍旅、大事、夫子何曾不學、使衞果用夫子、亦必有措置、衞侯已不能用夫子、徒以陳爲問、是以吳起孫臏待之也、夫子之所以不答、素有去志、以是事行、故論語曰、明日遂行、崔述曰、此事與春秋傳答孔文子語相類、而彼尤詳備、蓋本一事而傳聞異辭、明日、與孔子語。見蜚鴈仰視之。色不在孔子。孔子遂行。【索隱】此魯哀二年也、復如陳。夏、衞靈公卒。立孫輒。是爲衞出公。六月、趙鞅內

太子蒯聵于戚。【考證】夏衞靈公卒以下、本哀二年春秋、戚、衞地、陽虎使太子絻、八人衰絰、僞自衞迎者、哭而入。遂居焉。【正義】絻、音問、【考證】哀二年左傳、絻又作免、遭喪之服、始死則有免、成服則衰絰、免以布爲卷幘、以納四垂髮、而露其髻、冬、蔡遷于州來。【考證】哀二年春秋、是歲、魯哀公三年。而孔子年六十矣。【考證】梁玉繩曰、蔡遷州來之歲、孔子年五十九、哀公二年也、此誤、是歲當作明歲、齊助衞圍戚。以衞太子蒯聵在故也。【考證】哀三年春秋經傳、夏、魯桓・釐廟燔。南宮敬叔救火。孔子在陳聞之曰、災必於桓・釐廟乎。【集解】服虔曰、桓釐當毀、而魯事非禮之廟、故孔子聞有火災、知其必桓僖也、已而果然。【考證】哀三年左傳、秋、季桓子病。輦而見魯城、喟然歎曰、昔此國幾興矣。以吾獲罪於孔子故不興也。顧謂其嗣康子曰、我即死、若必相魯。相魯、必召仲尼。後數日桓子卒、康子代立。【考證】哀三年春秋、秋七月丙子、季孫斯卒、左傳、季孫有疾、命正常曰、南孺子之子男也、則以告而立之、季孫卒、康子即位、南氏生男、正常載以如朝、告

曰、云云、遂奔衛、梁玉繩曰、案哀三年傳、季桓子命正常語、則相魯之言、非其實也、豈桓子逆知南氏生男、必不得立乎、 已葬。欲召仲尼。公之魚曰。昔吾先君用之不終。終爲諸侯笑。今又用之不能終、是再爲諸侯笑。康子曰。則誰召而可。曰。必召冉求。於是使使召冉求。冉求將行。孔子曰。魯人召求。非小用之。將大用之也。〔考證〕崔述曰、論語爲衛君章、冉有子貢問答之詞、皆似在衛之時、若冉有果從孔子反衛、則必無自陳歸魯之事矣、子曰、從我於陳蔡者、皆不及門也、記者因記弟子姓名、凡十人、而冉有與焉、似冉有始終相從於陳蔡間者、然則冉有歸魯、當在反衛之後、不當在桓子甫卒之時也、 是日、孔子曰。歸乎歸乎。〔索隱〕此系家再有歸與之辭者、前辭出孟子、此辭見論語、蓋止是一稱歸與、二書各記之、今前後再引、亦失之也、 吾黨之小子。狂簡斐然成章。吾不知所以裁之。〔集解〕孔安國曰、簡、大也、孔子在陳、思歸欲去、曰、吾黨之小子、狂者進取於大道、妄穿鑿以成章、不知所以裁制、當歸以裁耳、〔考證〕孔子曰、采論語公冶長篇、楓山、三條本、章下無吾字、與論語合、裁、裁制也、中井積德曰、裁字由章字而生、是以錦文綵段爲喩也、夫子蓋欲歸而裁之以就人才也、崔述曰、孔子思歸之歎、當在將反衛之際、不當在未適蔡之前、 子贛知孔子思歸、送冉求、因

誡曰。卽用、以孔子爲招云。〔考證〕云、疑詞、 冉求既去。明年、孔子自陳遷于蔡。蔡昭公將如吳。吳召之也。前昭公欺其臣遷州來。後將往。大夫懼復遷。公孫翩射殺昭公。〔集解〕徐廣曰、哀公四年也、〔考證〕蔡昭公將如吳以下、哀四年左傳、杜預曰、公孫翩、蔡大夫、 楚侵蔡。秋、齊景公卒。〔集解〕徐廣曰、哀公五年也、 明年、〔考證〕梁玉繩曰、明年、當書于秋字之上、蓋哀公五年事、誤在四年也、又攷春秋及史、是時無楚侵蔡事、 孔子自蔡如葉。〔考證〕金履祥曰、史記于在衛之事、葉蔡之事、皆重出而不考、崔述曰、世家、孔子於靈公時、凡四去衛而再適陳、其二皆未出境而反、其初適陳也、以定公卒之歲、乃定公十五年、適宋遭桓司馬之難、至陳、主於司城貞子、蓋本之孟子、其再適陳也、以靈公卒之春、乃魯哀公二年、而誤以爲三年、因靈公問陳而遂行、蓋本之於論語、余按論語孟子所記、乃一時事、論語記其去衛之故、而孟子敍其道路所經、與在陳所主、非再去也、世家誤分爲二、遂謂孔子至陳三歲而反乎衛、由衛而再適陳、以實之、不思定公卒之歲、距靈公之卒、僅二年、而孔子居陳三歲、并曹宋鄭蒲之滯、及在衛臨河之日計之、當不下四五年、如此則靈公之卒、固已久矣、尙安得問陳事乎、其謬一也、論語曰、子在陳曰、歸與歸與、吾黨之小子狂簡、斐然成章、不知所以裁之、孟子云、孔子在陳、曰、盍歸乎來、吾黨之小子、狂簡斐然不忘其初、此兩章亦一時之語、而所傳異詞、世家亦分以爲二、遂謂孔子兩發嘆、一屬之初至陳、一屬之再至陳、夫既

思狂簡而反衛矣、而又至陳、奚爲者、至陳而又思歸、以裁狂簡、何行止之無常乎、其謬二也、過匡之役、以恐獲罪而去、未出境也、無故而反、臨河之役、無故而去、亦未出境也、聞竇鳴犢舜華之死、不得已而復反、孔子之反就、若是之苟然而已乎、孟子曰、古之君子、言將行其言也、則就之、言弗行也、則去之、其次、迎之致敬以有禮、則就之、禮貌衰、則去之、去果是、則不當不召而自反、如可反也、則毋寧始之不去之爲愈乎、而何爲僕僕於道途、而不憚其煩也、其謬三也、且世家以定十四年適衛、而年表之已於是年至陳、世家以定十五年、遭宋桓魋之難、而年表乃在哀之三年、世家以哀六年再反衛、而年表乃在十年、世家自陳反衛、自衛復至陳之事、年表皆無之、卽其所以自爲說、已自改之、而學者反皆遵之、謂孔子三至衛而三至陳、甚不可解也、今取孟子過宋之文、論語問陳之事、合而爲一、在陳之嘆、論語孟子所記、亦取而合之、則事理曉然明白、孔子并無由衛而再適陳、由陳而再返衛之事矣、至其去衛之年、雖無可考、然衛靈以哀二年夏卒、則孔子之去、非定之末、卽哀之初、世家所謂魯定公卒之歲去衛者近是、由是過宋至陳而主貞子、正與孟子合、但無自陳反衛而再適陳之事耳、 葉公問政。孔子曰。政在來遠附邇。〔考證〕論語子路篇、作近者說遠者來、韓非子難三、家語辨政、作悅近而來遠、尙書大傳、作附近而來遠、文殊義同、 他日葉公問孔子於子路。子路不對。〔集解〕孔安國曰、葉公、名諸梁、楚大夫、食采於葉、僭稱公、不對、未知所以對也、〔考證〕楚人稱令曰公、 孔子聞之曰。由、爾何不對曰。其爲人也、學道不倦、誨人不厭、發憤忘食、樂以忘

憂、不知老之將至云爾。〔考證〕本論語述而篇、學道不倦、誨人不厭、史公以意補、述而篇又云、子曰、默而識之、學而不厭、誨人不倦、何有於我哉、又曰、子曰、若聖與仁、則吾豈敢、抑爲之不厭、誨人不倦、愚按、古鈔本、楓山、三條本、曰上無對字、與論語合、 去葉、反于蔡。長沮・桀溺耦而耕。〔集解〕鄭玄曰、耜廣五寸、二耜爲耦、津、濟渡處也、〔正義〕括地志云、黃城山、俗名菜山、在許州葉縣西南二十五里、聖賢冢墓記云、黃城山、卽長沮桀溺所耕處、下有東流、則子路問津處也、〔考證〕論語、無以爲隱者四字、張文虎曰、正義許州、當作汝州、 孔子以爲隱者、使子路問津焉。長沮曰。彼執輿者爲誰。子路曰。爲孔丘。曰。是魯孔丘與。曰。然。曰。是知津矣。〔集解〕馬融曰、言數周流、自知津處、 桀溺謂子路曰。子爲誰。曰。爲仲由。曰。子、孔丘之徒與。曰。然。桀溺曰。悠悠者天下皆是也。而誰以易之。〔集解〕孔安國曰、悠悠者、周流之貌也、言當今天下治亂同、空舍此適彼、故曰、誰以易之、〔考證〕論語、悠悠作滔滔、朱熹曰、流而不反之意、 且與其從辟人之士、豈若從辟世之士哉。〔集解〕何晏曰、士有辟人之法、有辟世之法、長沮桀溺謂孔子爲士、從辟人之法者也、己之爲士、則從辟世之法也、〔考證〕岡白駒曰、人、指人君、此人不合、辟此之彼、卽謂孔子、 耰而

不輟。【集解】鄭玄曰、耰、覆種也、輟、止也、覆種不止、不以津告也、【正義】按耰、塊椎也、耕、卽椎碎之覆種子也、子路以告孔子。孔子憮然。【集解】何晏曰、爲其不達己意而非己、曰、鳥獸不可與同羣。【集解】孔安國曰、隱於山林、是同羣、【考證】楓山、三條本、集解是下、有與鳥獸三字、與論語集解合、天下有道、丘不與易也。【集解】何晏曰、凡天下有道者、丘皆不與易也、己大而人小故也、【考證】長沮桀溺以下、論語微子篇、朱熹曰、天下若已平治、則我無用變易之、正爲天下無道、故欲以道易之耳、他日子路行遇荷蓧丈人。【集解】包氏曰、丈人、老者、蓧、草器名也、曰、子見夫子乎。丈人曰、四體不勤、五穀不分。孰爲夫子。【集解】包氏曰、丈人曰、不勤勞四體、分植五穀、誰爲夫子而索也、【考證】朱熹曰、五穀不分、猶言不辨菽麥、植其杖而芸。【集解】孔安國曰、植、倚也、除草曰芸、【考證】皇侃曰、杖以爲力、以一手芸草、子路以告。孔子曰、隱者也。復往則亡。【集解】孔安國曰、子路反至其家、丈人出行不在、【考證】論語微子篇、孔子遷于蔡三歲、吳伐陳。楚救陳。【集解】徐廣曰、哀公四年也、【考證】梁玉繩曰、集解譌以哀公六年爲四年、軍于城父。【考證】吳伐陳以下、哀六年左傳、聞孔子在陳蔡之閒、楚使人聘孔子。孔

子將往拜禮。陳蔡大夫謀曰、孔子賢者。所刺譏皆中諸侯之疾。今者久留陳蔡之閒。諸大夫所設行、皆非仲尼之意。今楚、大國也。來聘孔子。孔子用於楚、則陳蔡用事大夫危矣。於是乃相與發徒役、圍孔子於野、不得行。【考證】論語衛靈公篇云、在陳絕糧、從者病、莫能興、孟子盡心篇云、君子之戹於陳蔡之間、無上下之交也、荀子宥坐篇云、孔子南適楚、戹於陳蔡之間、七日不火食、藜羹不糝、弟子皆有飢色、墨子非儒篇、呂氏春秋愼人篇、亦止言窮於陳蔡之間耳、莊子山木讓王篇、獨有圍於陳蔡之語、而未言其由、孔安國曰、孔子去衛如曹、曹不容、又之宋、遭匡人之難、又之陳、會吳伐陳、陳亂、故乏食也、朱熹曰、據論語、絕糧、當去衛如陳之時、皆與史異、全祖望曰、當時楚與陳睦、而蔡全屬吳、遷于州來、與陳遠矣、且陳事楚、蔡事吳、則讎國矣、安得二國之大夫合謀乎、且哀公六年、吳志在滅陳、楚昭至誓死以救之、陳之仗楚何如、感楚何如、而敢圍其所用之人乎、乃知陳蔡兵圍之說、蓋史記之妄、楚昭之聘、亦爲虛語、愚按崔述洙泗考信錄三、論之尤詳、絕糧。從者病莫能興。【集解】孔安國曰、興、起也、【考證】絕糧以下、論語衛靈公篇、孔子講誦弦歌不衰。【考證】莊子山木讓王篇、子路慍見曰、君子亦有窮乎。孔子曰、君子固窮。小

人窮斯濫矣。【集解】何晏曰、濫、溢也、君子固亦有窮時、但不如小人窮則濫溢爲非、【考證】論語衛靈公篇、物茂卿曰、非怒孔子、拂鬱之至、發此言、子貢色作。孔子曰、賜、爾以予爲多學而識之者與。曰、然。【集解】孔安國曰、然、謂多學而識之、非與。【集解】孔安國曰、問今不然耶、孔子曰、非也。予一以貫之。【集解】何晏曰、善有元、事有會、天下殊塗而同歸、百慮而一致、知其元、則衆善擧也、故不待多學、以一知之、【考證】孔子曰以下、論語衛靈公篇中井積德曰、然者、然夫子之言也、非與者、承問而反問也、安井衡曰、一者忠恕也、所學之事、皆以忠恕貫之、故要而易識、非殊塗異端之事、一一識之、而精究其義也、崔述曰、多識一貫之文、與絕糧固窮之義不相蒙、自當別爲一章、今朱子集註分之、是也、世家連而及之、非是、孔子知弟子有慍心、乃召子路而問曰、詩云、匪兕匪虎、率彼曠野。【集解】王肅曰、率、循也、言非兕虎而循曠野也、【考證】詩、小雅何草不黃篇、吾道非邪。吾何爲於此。子路曰、意者吾未仁邪。人之不我信也。【集解】王肅曰、言人不信、吾豈以未仁故乎、意者吾未知邪。人之不我行也。【集解】王肅曰、言人不使通行而困窮者、豈以吾未智乎、孔子曰、有是乎。由、譬使仁者而必信、安有伯夷叔齊。

【正義】言仁者必使四方信之、安有伯夷叔齊餓死乎、使知者而必行、安有王子比干。【正義】言智者必使處事通行、安有王子比干不見剖心哉、【考證】荀子宥坐篇云、孔子曰、由不識、吾語汝、汝以知者爲必用邪、王子比干不見剖心乎、汝以忠者爲必用邪、關龍逢不見刑乎、汝以諫者爲必用邪、伍子胥不磔姑蘇東門乎、上下之文、亦與史不同、韓詩外傳七、說苑雜言、亦意同文異、家語尼蔡專據史文、增以荀子詩傳說苑、子路出。子貢入見。孔子曰、賜、詩云、匪兕匪虎、率彼曠野。吾道非邪。吾何爲於此。子貢曰、夫子之道至大也。故天下莫能容夫子。夫子蓋少貶焉。【考證】蓋、盍通、少貶、孟子所謂以道殉人者、子貢雖汙、當不有此言也、孔子曰、賜、良農能稼、而不能爲穡。【集解】王肅曰、種之爲稼、斂之爲穡、言良農能善種之、未必能斂穫之、【考證】水旱天也、良工能巧、而不能爲順。【集解】王肅曰、言良工能巧而已、不能每順人之意、【考證】岡白駒曰、人心如面、不能順每人意、以規矩有定也、君子能脩其道、綱而紀之、統而理之、而不能爲容。【考證】容、承上文莫能容、今爾不脩爾道、而求爲容、賜、而志不遠矣。【考證】而、汝也、子貢出。顏回入見。孔

子曰、回、詩云、匪兕匪虎、率彼曠野。吾道非邪。吾何爲於此。顏回曰、夫子之道至大。故天下莫能容。雖然夫子推而行之。不容何病。不容然後見君子。夫道之不脩也、是吾醜也。考證 醜、愧也、夫道既已大脩而不用。是有國者之醜也。不容何病。不容、然後見君子。孔子欣然而笑曰、有是哉、顏氏之子。使爾多財、吾爲爾宰。集解 王肅曰、宰、主財者也、爲汝主財、言志之同也、考證 中井積德曰、宰、家老也、孫志祖曰、此二句似非夫子之言、論語述而篇、子曰、德之不脩、學之不講、聞義不能徙、不善不能改、是吾憂也、於是使子貢至楚。楚昭王興師迎孔子、然後得免。昭王將以書社地七百里封孔子。集解 服虔曰、書、籍也、索隱 古者二十五家爲里、里則各立社、則書社者、書其社之人名於籍、蓋以七百里書社之人封孔子也、故下冉求云、雖累千社、而夫子不利、是也、考證 愚按、大戴禮千乘篇、千乘之國、受命於天子、通其四疆、教其書社、哀十五年左傳、齊與衞地、自濟以西、禚媚杏以南、書社五百、晏子春秋、昔者先君桓公以書社五百封管仲、荀子仲尼篇、與之書社三百、而富人莫之敢

距、楊倞注云、書社、謂以社之戶口書於版圖、周禮、二十五家爲社、呂氏春秋、武王勝殷、諸大夫賞以書社、衞公子啓方以書社四十下衞、越王請以故吳之地、陰江之浦、書社三百、以封墨子、蓋書社、書名於里社之籍也、猶曰居民也、書社十、卽十戶、書社百、卽百戶、昭二十五年左傳、齊侯唁公曰、自莒疆以西、請致千社、杜預注、二十五家爲社、千社二萬五千家、晏子春秋、景公予魯君地、山陰數百社、景公祿晏子、以平陰與棠邑反市者十一社、戰國策、秦王使公子他謂趙王曰、大國不義、以告敝邑、而賜以二社之地、蓋二十五家爲里、里有社、一社二十五家、百社卽二千五百家、千社卽二萬五千家、與書社大小懸隔、古人往往混之、又按、古書但云書社幾十幾百、而無云書社地幾十幾百里者、史文地字里字當刪、崔述曰、史記誤以書社爲地名、因加里於七百之下耳、楚令尹子西曰、王之使使諸侯、有如子貢者乎。曰、無有。王之輔相、有如顏回者乎。曰、無有。王之將率、有如子路者乎。曰、無有。王之官尹、有如宰予者乎。曰、無有。且楚之祖封於周、號爲子男五十里。今孔丘述三五之法、考證 三五、三皇五帝也、張文虎曰、宋本三五、各本誤三王、梁玉繩曰、文選班固東都賦、事勤乎三五、劉琨勸進表、三五以降、王融曲水序、邁三五而不追、袁宏三國名臣序贊、三五迭隆、及李康運命論、仲尼見忌于子西、李善注竝引史作三五之法、則今本譌也、愚按、古鈔本、楓山本、亦作三五、明周召之業。王若用

之、則楚安得世世堂堂方數千里乎。夫文王在豐、武王在鎬。百里之君、卒王天下。今孔丘得據土壤、賢弟子爲佐、非楚之福也。昭王乃止。考證 全祖望曰、是時楚昭在陳、何必使子貢如楚、而楚果迎孔子、信宿可至、孔子何以終不得見楚昭、而其所新迎之兵、中道而聞子西之沮、又竟棄孔子而去、皆情理之必無者、崔述曰、孔子得百里之地而君之、可以有天下、孟子推之則然、其門人或有知之者、外人不能也、彼子西者、烏足以知之、季康子問由求賜可使從政也與、當是時三子已有所建白矣、猶不敢信如此、況於陳蔡之時、子貢尚未出使於諸侯、顏淵宰予、皆無所表見、子路亦未嘗爲將帥、彼子西者、烏足以知之、是時昭王方在城父、以拒吳師、竟卒於軍、亦非議封孔子時也、且書傳皆無見楚昭王之事、楚世家及年表、亦皆無之、則此必後人之所附會、無疑也、其秋、楚昭王卒于城父。考證 其秋以下、哀六年春秋經傳、楚狂接輿歌而過孔子。集解 孔安國曰、接輿、楚人也、佯狂而來歌、欲以感切孔子也、曰、鳳兮鳳兮。何德之衰。集解 孔安國曰、比孔子於鳳鳥、鳳鳥待聖君乃見、非孔子周行求合、故曰衰也、往者不可諫兮。集解 孔安國曰、已往所行、不可復諫止也、來者猶可追也。集解 孔安國曰、自今已來、可追自止、避亂隱居、考證 論語、邢本朱本、諫下無兮、追下無也、已而已而。今之從政者

殆而。集解 孔安國曰、言已而者、言世亂已甚、不可復治也、再言之者、傷之深也、考證 衰追殆韻、莊子人閒世、亦載此歌、文字頗異、孔子下、欲與之言。集解 包氏曰、下、下車也、趨而去、弗得與之言。考證 以上、論語微子篇、於是孔子自楚反乎衞。是歲也、孔子年六十三、而魯哀公六年也。其明年、吳與魯會繒。徵百牢。索隱 此哀七年時也、百牢、牢具一百也、周禮、上公九牢、侯伯七牢、子男五牢、今吳徵百牢、夷不識禮故也、子貢對以周禮、而後吳亡是徵也、正義 括地志云、故鄫城、在沂州丞縣、地理志云、繒縣、屬東海郡也、太宰嚭召季康子。康子使子貢往、然後得已。考證 哀七年左傳、左傳無然後得已四字、說見魯世家、孔子曰、魯衞之政、兄弟也。集解 包氏曰、周公康叔、旣爲兄弟、康叔睦於周公、其國之政、亦如兄弟也、考證 論語子路篇、朱熹曰、是時衰亂、政亦相似、故孔子歎之、是時衞君輒父不得立在外。諸侯數以爲讓。考證 衞世子蒯聵、恥其母南子之淫亂、欲殺之、不果而出奔、靈公欲立公子郢、郢辭、公卒、夫人立之、又辭、乃立蒯聵之子輒、以拒蒯聵、岡白駒曰、讓、詰責也、而孔子弟子多仕於衞。衞君欲得孔子爲政。子路曰、衞君待子而爲政。子將

奚先。【集解】包氏曰、問往將何所先行、孔子曰、必也正名乎。【集解】馬融曰、安百事之名也、子路曰、有是哉、子之迂也。【考證】物茂卿曰、蓋時人有以孔子爲迂者、子路始以爲不然、今聞孔子之言、而謂有如時人之言者也、何其正也。【集解】包氏曰、迂、猶遠也、言孔子之言遠於事也、孔子曰、野哉由也。【集解】孔安國曰、野、不達也、夫名不正、則言不順。言不順、則事不成。事不成、則禮樂不興。禮樂不興、則刑罰不中。【集解】孔安國曰、禮以安上、樂以移風、二者不行、則有淫刑濫罰也、刑罰不中、則民無所錯手足矣。夫君子爲之必可名。言之必可行。【集解】王肅曰、所名之事、必可得明言、所言之事、必可得遵行者、君子於其言、無所苟而已矣。【考證】子路曰以下、論語子路篇、黃式三曰、王道不外彝倫、而家人莫重於父子、治國者、不正一家父子之名、而欲正一國之父子、無諸己而求諸人、言之則一己多忌諱之私、而事亦阻窒而不成矣、禮樂刑罰、事之大也、禮莫大於父子之序、樂莫大於父子之和、而刑罰莫大於不孝、三者失、而事之不成甚矣、是以治世之要務、在彝倫攸敘、其明年、冉有爲季氏將師、與齊戰於郎、克之。【集解】徐廣曰、此哀公十一年也、去吳會繒已四年矣、年表哀公十年、孔

子自衛至陳也、【索隱】徐說去會四年、是也、按左傳及此文、孔子是時在衛歸魯、不見有在陳之文、在陳、當哀公之初、蓋年表誤爾、【正義】括地志云、郎亭、在徐州滕縣西五十三里、【考證】梁玉繩曰、其明年三字誤、當作後四年、故徐廣曰、此哀公十一年也、去吳會繒已四年矣、崔適曰、哀十一年左傳戰于郎、作戰于郊、未知孰是、愚按、左傳是、郊、近郊也、季康子曰、子之於軍旅、學之乎、性之乎。冉有曰、學之於孔子。季康子曰、孔子何如人哉。對曰、用之有名、播之百姓、質諸鬼神而無憾。求之至於此道、雖累千社、夫子不利也。【索隱】二十五家爲社、千社、卽二萬五千家、【考證】中井積德曰、此道句、上下疑有脫文、張文虎曰、索隱單本無、書社前已有注、康子曰、我欲召之、可乎。對曰、欲召之、則毋以小人固之、則可矣。【考證】毋以小人固之、文義不通、岡白駒曰、固、鄙陋也、勿以小人視之、參存、崔述曰、冉有之言、淺陋不足以稱聖人、必後人所僞託無疑、中井積德曰、虛談、而衛孔文子【集解】服虔曰、文子、衛卿也、將攻太叔。【集解】左傳曰、太叔、名疾、問策於仲尼。仲尼辭不知。退而命載而行。【考證】左傳云、仲尼曰、胡簋之事、則嘗學之矣、甲兵之事、未之聞也、退命駕而行、崔述曰、胡簋四句、與論語問陳章俎豆數語相類、其事亦相類、未必兩事相

符如此、而又皆適在衛、蓋本一事、而傳聞者異也、曰、鳥能擇木。木豈能擇鳥乎。【集解】服虔曰、鳥喩己、木以喩所之之國、文子固止。【考證】衛孔文子以下、哀十一年左傳、會季康子逐公華・公賓・公林、以幣迎孔子。孔子歸魯。【考證】哀十一年左傳作魯人以幣召之、乃歸、左傳疏引史、逐作使、疑此誤、孔子之去魯、凡十四歲、而反乎魯。【索隱】前文孔子以定公十四年去魯、計至此十三年、魯系家云、定公十二年孔子去魯、則首尾計十五年矣、【考證】索隱後說、是、魯哀公問政。對曰、政在選臣。【考證】中庸、哀公問政、子曰、文武之政、布在方策、其人存則其政擧、其人亡則其政息、故爲政在人、史公蓋以政在選臣四字易之、論語顏淵篇亦云、樊遲問知、子曰、知人、季康子問政。曰、擧直錯諸枉、則枉者直。【集解】包氏曰、錯、置也、擧正直之人用之、廢置邪枉之人、【索隱】論語季康子問政、子曰、政者正也、又哀公問曰、何爲則人服、子曰、擧直錯諸枉則人服、今此初論康子問政、未合以孔子荅哀公使人服、蓋太史公撮略論語爲文、而失事實、【考證】本論語爲政篇、顏淵篇、爲政篇對哀公問政、顏淵篇荅樊遲問知、詞意相似、文字不同、汪繩祖曰、史公蓋以對哀公之言、爲告康子、而謬以告樊遲之語爲答問政、故索隱譏史公撮論語爲文、而失事實也、康子患盜。孔子曰、苟子之不欲、雖賞之不竊。【集解】孔安國曰、欲、情慾也、言民化於上、不從其所令、從

其所好也、【考證】論語顏淵篇、朱熹曰、欲、貪欲也、然魯終不能用孔子。孔子亦不求仕。孔子之時、周室微。而禮樂廢、詩書缺。追迹三代之禮、序書傳、上紀唐・虞之際、下至秦繆、編次其事。【考證】書始於堯典、終於秦誓、凡百篇、皆有序、史三代世表序云、孔子因史文、次春秋、紀元年、正時月日、蓋其詳哉、至於序尚書、則略無年月、或頗有、然多闕、不可錄、故疑則傳疑、蓋其愼也、漢書藝文志云、書之所起遠矣、至孔子纂焉、上斷於堯、下訖於秦、凡百篇、而作序言其作意、劉歆移太常博士書云、孔子序書、書疏云、書序、鄭馬王竝云、孔子所作、愚按、尚書百篇、自古有之、而雜亂顚倒、譌脫頗多、孔子釐正次序、以復舊第、非刪定編纂也、百篇之序、漢魏諸儒、竝云、出自孔氏、無異言、余謂周史官編書者所記、恐非夫子之筆、曰、夏禮吾能言之。杞不足徵也。殷禮吾能言之。宋不足徵也。足則吾能徵之矣。【集解】包氏曰、徵、成也、杞宋二國、夏殷之後也、夏殷之禮、吾能說之、杞宋之君、不足以成也、【考證】夏禮以下、論語八佾篇、論語宋不足徵下、有文獻不足故也六字、朱熹曰、徵、證也、文、典籍也、獻、賢也、言二代之禮、我能言之、而二國不足取以爲證、文獻不足故也、文獻若足、則我能取之以證吾言矣、觀殷・夏所損益曰、後雖百世可知也。【集解】何晏曰、物類相召、勢數相生、其變有常、故可預知者也、【考證】楓山三條本集解何晏作馬融、與論語集解合、以一

文一質。【考證】本論語爲政篇、以一文一質五字、史公以意補、周監二代、郁郁乎文哉。吾從周。【集解】孔安國曰、監、視也、言周文章備於二代、當從之也、【考證】論語八佾篇、故書傳·禮記、自孔氏。【考證】追迹三代之禮以下、敘書傳禮記自孔氏、孔子語魯大師。樂其可知也。【考證】古鈔也作已、始作翕如、【集解】何晏曰、太師、樂官名也、五音始奏、翕如盛也、【考證】朱熹曰、翕、合也、皦如。【集解】何晏曰、言其音節明、縱之純如、【集解】何晏曰、言五音既發、放縱盡其聲、純和諧也、【考證】論語三如字下有也字、縱作從、繹如也。以成。【集解】何晏曰、縱之以純如、皦如、繹如、言樂始於翕如、而成於三者也、【考證】論語八佾篇、朱熹曰、繹、相續不絕也、成、樂之一終也、吾自衛反魯、然後樂正、雅頌各得其所。【集解】鄭玄曰、反魯、魯哀公十一年冬、是時道衰樂廢、孔子來還乃正之、故雅頌各得其所、【考證】論語子罕篇、中井積德曰、吾上宜有曰字、古者詩三千餘篇。及至孔子、去其重、【正義】去、丘呂反、重、逐龍反、取可施於禮義、上采契·后稷、中述殷·周之盛、至幽·厲之缺、始於衽席。【考證】孔子刪詩之說、始見於此、是之者、歐陽修·王應麟·鄭樵·顧炎武·王崧諸人、非之者、孔穎達·朱熹·葉適·朱彝尊·王士禎·趙翼·崔述諸人、歐陽修云、馬遷謂古詩三千餘篇、孔子刪存三百、鄭

學之徒、以遷爲謬、予考之、遷說然也、今書傳所載逸詩、何可數也、以詩譜推之、有更十君而取一篇者、有二十餘君而取一篇者、由是言之、何啻三千、又刪詩云者、非止全篇刪去、或篇刪其章、或章刪其句、或句刪其字、如唐棣之華、偏其反而、豈不爾思、室是遠而、此小雅常棣之詩、夫子謂其以室爲遠、害於兄弟之義、故篇刪其章也、衣錦尚絅、文之著也、此鄘風君子偕老之詩、夫子謂其盡飾之過、其流而不返、故章刪其句也、誰能秉國成、不自爲政、卒勞百姓、此小雅南山之詩、夫子以能字爲意之害、故句刪其字也、王崧云、史記之書、謬誤固多、皆有因而然、從無鑿空妄說者、考漢書食貨志、孟春之月、行人振木鐸徇於路、以采詩獻之、太師比其音律、以聞於天子、云云、史記所謂古詩三千餘篇者、蓋太師所采之數、迨比其音律、聞於天子、不過三百篇、何以知之、采詩非徒存其辭、乃用以爲樂章也、音律之不協者棄之、卽協者尚多、而此三百篇、於用已足、其餘但存之、太史以備所用之或闕、詩三百、誦詩三百、皆孔子之言、前此未有綜計其數者、蓋古詩不止三百五篇、東遷以後、禮壞樂崩、詩或有句而不成篇者、無與於紘歌之用、孔子自衛反魯而正樂、釐訂汰黜、定爲此數、以教門人、於是所授受不絕、設無孔子、則此三百五篇、亦胥歸泯滅矣、故詩所傳之逸詩、有太師比音律時所棄者、有孔子正樂時所刪者、所采既多、其原作流傳誦習、後人得以引之、是則古詩三千餘篇、去其重、取其可施於禮義、乃太史所爲、司馬遷傳聞孔子正樂時、於詩嘗有所刪除、而遂以歸之孔子、此其屬辭之未密、或文字有所脫誤耳、然謂孔子皆紘歌以求合韶武雅頌之音、可知非獨取其辭意已、竊以爲詩必兼辭聲義三端而始全、先有意而後能爲辭、有意則義在其中、徒有辭而不能叶之於聲、則是記序議論之文、而非樂章矣、太師及孔子所錄、則三端皆全者也、此是史記者也、孔穎達云、詩書傳所引之詩、見在者多、亡逸者少、孔子所錄、不容十分去九、馬遷言三千餘篇、未可信、

凡三百十一篇、史記漢書云三百五篇、闕其亡者、以見在爲數也、又云、季札歌詩、風有十五國、其名皆與詩同、惟次第異、則仲尼以前、篇目先具、其所刪除、蓋亦無多、朱彝尊云、詩者掌之王朝、頌之侯服、小學大學之所諷誦、冬夏之所教、故盟會聘問燕享、列國之大夫賦詩見志、不盡操其土風、使孔子以一人之見、取而刪之、王朝列國之臣、其孰信而從之者、詩至於三千篇、則輶軒之所采定、不止於十三國矣、而季札觀樂於魯、所歌風詩、無出十三國之外者、又子所雅言、一則曰詩三百、再則曰誦詩三百、未必定爲刪後之言、況多至三千、樂師矇瞍安能偏其諷誦、竊疑當日掌之王朝、頌之侯服者、亦止於三百餘篇而已至、歐陽子謂刪詩云者、非止全篇刪去、或篇刪其章、章刪其句、或句刪其字、此又不然、詩云、唐棣之華、偏其反而、豈不爾思、室是遠而、惟其詩孔子未嘗刪、故爲弟子雅言之也、詩曰、衣錦尚絅、惡其文之著也、惟其詩孔子亦未嘗刪、故子思擧而述之也、詩云、誰能秉國成、今本無能字、猶夫殷鑒不遠、在于夏后之世、今本無于字、非孔子去之也、流傳既久偶脫去耳、昔子夏親受詩於孔子矣、其稱詩、巧笑倩兮、美目盼兮、素以絢兮、惟其句孔子亦未嘗刪、故子夏所受之詩、存其辭以相質、而孔子亟許其可與言詩、初未有以素絢之語有害於義而斥之也、由是觀之、非孔子刪之可信已、然則詩何以逸也、曰、一則秦火後竹帛無存、而口誦者偶遺忘、一則作者章句長短不齊、而後之爲章句者、必比而齊之、於句之重出者去之、故也、一則樂師矇瞍止記其音節而亡其辭、竇公之於樂、惟記周官大司樂一篇、而其餘不知、制氏則僅記其鏗鏘鼓舞、而不能言其義、此樂章之所闕獨多也、崔述云、孔子所刪者何詩也哉、鄭衛之風、淫靡之作、孔子未嘗刪也、絲麻菅蒯之句、不遜於縞衣茹藘之章、卽棣華室遠之言、亦何異於東門不卽之意、此何爲而存之、彼何爲而刪之哉、況以論孟左傳戴記諸書考之、所引之詩、逸者不及十一、則是穎達之言、左券

甚明、而宋儒顧非之、甚可怪也、由此論之、孔子原無刪詩之事、國語云、正考父校商之名頌十二篇於周大師、以那爲首、鄭司農云、自考父至孔子、又逸其七、是正考父以前、頌之逸者已多、至孔子又二百餘年、而又逸其七、故世愈近、則詩愈多、世愈遠、則詩愈少、孔子所得止有此數、或此外雖有而缺略不全、則遂取是而釐正次第之、以敎門人、非刪之也、此非史記者也、愚按、後說可從、故曰。關雎之亂、以爲風始。【正義】亂、理也、詩小序云、關雎、后妃之德也、風之始也、所以風天下而正夫婦也、毛萇云、關關、和聲、雎鳩、王雎也、鳥摯而有別、后妃悅樂君子之德、無不和諧、又不淫色、愼固幽深、若雎鳩之有別、然後可以風化天下、夫婦有別則父子親、父子親、則君臣敬、君臣敬、則朝廷正、朝廷正、則王化成也、按王雎、金口鶚也、【考證】本論語泰伯篇、師摯之始、關雎之亂、洋洋乎盈耳哉、姚範曰、正義據毛義解之、非也、太史公正同魯詩也、故曰、幽厲之缺、始於衽席、而十二諸侯年表云、周道缺、詩人本之衽席、關雎作、皆非毛義、康成論語解、卽張守節所本、中井積德曰、之亂二字、當刪、愚按、史公關雎之解、與毛義異、如姚氏所說、之亂二字、不與下文相例、中說可從、鹿鳴爲小雅始、【正義】小序云、鹿鳴、宴羣臣嘉賓也、既飲食之、又實幣帛筐篚、以將其厚意、然後忠臣嘉賓得盡其心矣、毛萇云、鹿得苹、呦呦鳴而相呼、懇誠發乎中、以興嘉樂賓客、當有懇誠相招呼以成禮也、文王爲大雅始、【正義】小序云、文王、文王受命作周、鄭玄云、文王初爲西伯、有功於民、其德著見於天、故天命之以爲王、使君天下、清廟爲頌始。【正義】小序云、清廟、祀文王也、周公既成雒邑、朝諸侯、率以祀文王焉、毛萇云、清廟者、祭有清明之德者之宮也、謂祭文王、天德清明、文王象焉、故祭之而歌此詩也、三百五

篇。孔子皆弦歌之、以求合韶・武・雅・頌之音。禮樂自此可得而述。以備王道成六藝。【考證】以上敘詩樂自孔氏、十二諸侯年表序云、王道備、人事浹、六藝、六經也、**孔子晚而喜易。**【考證】田完世家論贊、亦有此語、**序**【正義】序、易序卦也、夫子作十翼、謂上彖、下彖、上象、下象、上繫、下繫、文言、序卦、說卦、雜卦也、易正義曰、文王既繇六十四卦、分爲上下篇、先後之次、其理不易、孔子就上下二經、各序其相次之義、**彖**【正義】吐亂反、上彖、卦下辭、下彖、卦爻下辭、易正義曰、夫子所作、統論一卦之義、或說其卦德、或說其卦義、或說其卦名、莊氏云、彖斷也、言斷定一卦之義也、【考證】正義下象爻卦句、疑有錯誤、**繫**【正義】如字、又音系、易正義云、繫辭者、聖人繫屬此辭於爻卦之下、分爲上下篇者、以簡編重大、是以分之、又言繫辭者、取綱系之義也、**象**【正義】上象卦辭、下象爻辭、易正義云、萬物之體、自然各有形象、聖人設卦以寫萬物之象、今夫子釋此卦之象也、【考證】張文虎曰、案此總擧大小象傳也、正義疑當作上象卦爻辭、下象卦爻辭、二句各脫一字、**說卦**【正義】易正義云、說卦者、陳說八卦德業變化法象所爲也、**文言**【正義】易正義云、夫子贊明易道、申說義理、釋乾坤二卦經文之言、故稱文言、又雜卦者、六十四卦以爲義於序卦之外、別言聖人之興因時而作、隨其事宜、不必相因襲、當有損益、又云、雜揉衆卦、錯綜其義、或以同相類、或以異相明、按史不出雜卦、故附之、【考證】序、次第也、如上文序、書傳之序、彖、彖傳、繫、繫辭傳、象、大小象傳、繫象二字恐倒、崔述曰、世家云、孔子晚而喜易、序彖繫象說卦文言、由是班固以來諸儒之說易者、皆謂傳爲孔子所作、至唐宋咸承

其說、余按春秋、孔子之所自作、其文謹嚴簡質、與堯典禹貢相上下、論語後人所記、則其文稍降矣、若易傳果孔子所作、則當在春秋論語之間、而今反繁而文、大類左傳戴記、出其論語下遠甚、何耶、繫辭文言之文、或冠以子曰、或不冠以子曰、若易傳果皆孔子所作、不應自冠以子曰字、卽云後人所加、亦不應或加或不加也、孟子之於春秋也、嘗屢言之、而無一言及孔子傳易之事、由是觀之、易傳必非孔子所作、而亦未必一人所爲、蓋皆孔子之後、通於易者爲之、故其言繁而文、其冠以子曰字者、蓋相傳以爲孔子之說、而不必皆當日之言、其不冠以子曰字者、則其所自爲說也、又曰、春秋襄九年傳、穆姜答史之言、與今文言篇首略同、而詞小異、以文勢論、則於彼處爲宜、是作傳者采之魯史、而失其義耳、非孔子所爲也、論語云、曾子曰、君子思不出其位、今象傳亦載此文、果傳文在前、與記者固當見之、曾子雖嘗述之、不得遂以爲曾子所自言、是作傳者往往旁采古人之名言以足成之、但取有合卦義、不必皆自己出、既采曾子之語、必曾子以後之人之所爲、非孔子所作也、愚按歐陽脩易童子問、始疑易傳非孔子之作、云或是經師之所記、崔氏亦申其說、竊謂易傳精義微言極多、屢引子曰、其不曰子曰者、亦有本於孔子意而敷演之者、其爲孔門遺書審矣、左傳昭公十二年、仲尼曰、古也有志、克己復禮、仁也、僖公三十三年、臼季曰、出門如賓、承事如祭、而論語以爲孔子語、論語引孔子云、生事之以禮、死葬之以禮、祭之以禮、而孟子以爲曾子語、古書如此之類甚多、以象傳文與論語曾子言合、以易傳爲曾子以後之作、未可直信、秦策蔡澤云、語曰、日中則移、月滿則虧、物盛則衰、天地之常數也、進退盈縮、與時變化、聖人之常道也、宋玉小言賦、一陰一陽、道之所貴、小往大來、剝復之類也、是故尊卑相配而天地位、三光竝照則小大備、荀子大略篇、易之咸、見夫婦、夫婦之道、不可不正也、君臣父子之本也、禮記樂記、天尊地卑、君臣定矣、動之以四時、煖之

以日月、而百化興焉、韓非子外儲說、春秋之記、臣殺君、子殺父者、以十數矣、皆非一日之積也、有漸而至矣、新語道基、先聖乃仰觀天文、俯察地理、圖畫乾坤、以定人道、天下人民、野居穴處、未有家屋、則與禽獸同域、於是黃帝乃伐木構材、築作宮室、上棟下宇、以避風雨、辨惑篇、易曰、二人同心、其義斷金、愼微篇、河出圖、洛出書、淮南子繆稱訓、易曰、剝之不可終盡也、故受之以復、易傳之流行既久矣、尤不可爲經師之所記也、**讀易、韋編三絕。**【考證】古者用韋編簡、故曰韋編三絕、言披閱之勤也、**曰。假我數年、若是、我於易則彬彬矣。**【正義】彬、音斌、斌、文也、孔子言假借我三數年間、我於易則文質備矣、【考證】論語述而篇云、子曰、加我數年、五十以學易、可以無大過矣、史公小變其文、皇侃曰、當孔子爾時年已四十五六、故云加我數年五十而學易也、中井積德曰、假我數年語、蓋在年未五十時也、非晚年之言、太史公謬、愚按、以上敘序易、**孔子以詩書禮樂教。**【考證】論語述而篇、子所雅言、詩書、執禮、亦雅言也、泰伯篇、興於詩、立於禮、成於樂、**弟子蓋三千焉。身通六藝者七十有二人。**【考證】仲尼弟子列傳云、受業身通者七十有七人、與此異、呂氏春秋遇合篇、孔子周流海內、如齊至衛、所見八十餘君、委質爲弟子者三千人、達徒七十人、孟子公孫丑篇韓非子五蠹篇淮南泰族及要略訓、俱言七十、蓋擧大數也、**如顏濁鄒之徒、頗受業者甚衆。**【正義】濁、音卓、鄒、音聚、顏濁鄒非七十二人數也、【考證】顏濁鄒、孔子始游衞時所主、見上文、**孔子以四教、文行忠信。**【集解】何晏

曰、四者、有形質可擧以教、【考證】論語述而篇、李充曰、其典籍辭義謂之文、孝弟恭睦謂之行、爲人臣則忠、與朋友交則信、愚按、忠、忠恕之忠、**絕四。毋意、**【集解】何晏曰、以道爲度、故不在意也、【考證】黃式三曰、釋文、意、於力反、是陸氏申何以億度訓意也、**毋必、**【集解】何晏曰、用之則行、舍之則藏、故無專必、【考證】朱熹曰、必、期必也、黃式三曰、必者、決斷之也、事猶未定而存必然之見也、**毋固、**【集解】何晏曰、無可無不可、故無固行也、【考證】朱熹曰、固、執滯也、**毋我。**【集解】何晏曰、述古而不自作、處羣萃而不自異、唯道是從、故不有其身、【考證】論語子罕篇、朱熹曰、我、私己也、伊藤維楨曰、毋我者、善與人同、舍己從人也、**所愼齊戰疾、**【集解】何晏曰、此三者、人所不能愼、而夫子愼也、【考證】論語述而篇、齊不愼、不誠於神、朱熹曰、戰則衆之死生、國之存亡繫焉、疾又吾身之所以死生存亡者、皆不可以不謹也、**子罕言利與命與仁。**【集解】何晏曰、罕者、希也、利者、義之和也、命者、天之命也、仁者、行之盛也、寡能及之、故希言之、【考證】論語子罕篇、朱熹論語集註引程子云、計利則害義、命之理微、仁之道大、皆夫子所罕言也、愚按、孟荀列傳云、利誠亂之始也、夫子罕言利者、常妨其原也、外戚世家序、孔子罕稱命、蓋難言之也、義與程朱同、物徂徠焦里堂竝云、子罕言利絕句、與命與仁、蓋孔子言利則必與命俱、與仁俱、近時安井息軒亦依其說、不若古說之穩、或問、論語一書、言仁者五十八章、一百有五字、可謂罕言乎、愚云、仁者至德要道、而夫子罕言之、門人每聞輒記、與他事異、**不憤不啓。**【集解】鄭玄曰、孔子與人言、必待其人心憤憤、口悱悱、乃後啓發爲說之、如此**擧一隅不以三隅反、則弗復也。**

則識思之深也、說則舉一端以語之、其人不思其類、則不重敎也、[考證]論語述而篇、朱熹曰、憤者、心求通而未得之意、梁玉繩曰、不悱不發一句、何以刪之、啓字何以不避諱、其於鄉黨、恂恂似不能言者。[集解]王肅曰、恂恂、溫恭貌也、[索隱]有本作逡、逡音七旬反、[考證]朱熹曰、鄉黨、父兄宗族之所在、故孔子居之、其容貌辭氣如此、其於宗廟朝廷、辯辯言。唯謹爾。[集解]鄭玄曰、唯辯而謹敬也、[索隱]論語、作便便、[考證]朱熹曰、宗廟、禮法之所在、朝廷、政事之所出、言不可以不明辯、故必詳問而極言之、但謹而不放爾、朝、與上大夫言、誾誾如也。[集解]孔安國曰、中正之貌也、與下大夫言、侃侃如也。[集解]孔安國曰、和樂貌、[考證]說文云、誾誾、和悅而諍也、侃侃、剛直也、與孔注異、閔子侍側、誾誾如也、恐不可訓和悅而諍、侃或讀爲衎、有和樂之義、漢書袁安傳、隸釋漢碑唐扶頌、引經侃作衎、孔注侃和樂貌、明此假侃爲衎也、入公門、鞠躬如也。[考證]孔安國曰、斂身也、阮元曰、躬又作窮、儀禮聘禮記、執圭入門、鞠窮焉如恐失之、釋文作窮、云、劉音弓、本又作躬、羣經音辨云、鞠躬、容謹也、鄭康成說禮、孔子之執圭、鞠窮如也、是鄭陸所據本作窮、蓋鞠躬本雙聲字、史漢中凡三見、皆訓謹敬貌、蓋鞠躬同見母、猶踧踖同精母、皆雙聲字也、黃式三曰、凡言如者皆形狀之辭、躩如勃如、單字形狀之也、踧踖如、鞠窮如、重字形狀之也、愚按、鞠若鞠爲茂草之鞠、窮也、趨進、翼如也。[集解]孔安國曰、言端好也、[考證]俞樾曰、翼如、猶勃如躩如之類、皆以一字形容之、非必取象於鳥也、爾雅釋詁云、翼、敬也、釋訓云、翼翼、恭也、翼如之翼亦此義耳、

君召使儐、[集解]鄭玄曰、有賓客使迎之也、色勃如也。[集解]孔安國曰、必變色、[考證]朱熹曰、敬君命故也、君命召、不俟駕行矣。[集解]鄭玄曰、急趨君命也、行出而車駕隨之、魚餒肉敗、割不正、不食。[集解]孔安國曰、魚敗曰餒也、[考證]佐藤坦曰、割正、則肉鮮可知矣、割不正者、恐或敗損、故不食、席不正、不坐。[考證]以上采論語鄉黨篇、食於有喪者之側、未嘗飽也。是日哭、則不歌。[考證]論語述而篇、朱熹曰、臨喪哀、不能甘也、又曰、哭、謂弔哭、一日之內餘哀未忘、自不能歌也、見齊衰瞽者、雖童子必變。[集解]包氏曰、瞽、盲、[考證]論語子罕篇、作子見齊衰者與瞽者、見之雖少必作、過之必趨、古鈔本、楓山、三條本、衰下有者字、與論語合、三人行、必得我師。[集解]何晏曰、言我三人行、本無賢愚、擇善而從之、不善而改之、無常師、[考證]論語述而篇、邢疏、朱注本、得作有、日本諸舊本、及開成石經、群書治要、三上有我字、愚按、史記原本蓋亦有我字、後人據邢朱本刪去、論語下文、有擇其善者而從之、其不善而改之十三字、楓山、三條本、集解改之下、有故字、與論語集解合、德之不脩、學之不講、聞義不能徙、不善不能改、是吾憂也。[集解]孔安國曰、夫子常以此四者爲憂也、[考證]論語述而篇、梁玉繩曰、此段總書行事、前後皆記者之辭、而三人行二章、是孔子之言、無端插入、與上文敘憤悱章同、王若虛云、史氏所記、孔子所言、豈可混

而不別、使人歌、善則使復之、然后和之。[集解]何晏曰、樂其善、故使重歌、而自和也、[考證]論語述而篇、子不語怪力亂神。[集解]王肅曰、怪、怪異也、力、謂若奡盪舟、烏獲舉千鈞之屬也、亂、謂臣弑君、子弑父也、神、謂鬼神之事、或無益於敎化、或所不忍言也、李充曰、力不由理、斯怪力也、神不由正、斯亂神也、怪力亂神、有與於邪、無益於敎、故不言也、[考證]論語述而篇、朱熹集註引謝氏曰、聖人語常而不語怪、語德而不語力、語治而不語亂、語人而不語神、子貢曰。夫子之文章、可得聞也。[集解]何晏曰、章、明、文、彩、形質著見、可以耳目循也、[考證]楓山、三條本、集解見可下、有得字、夫子言天道與性命、弗可得聞也已。[集解]何晏曰、性者、人之所受以生也、天道者、元亨日新之道、深微故不可得而聞之、[考證]論語公冶長篇、顏淵喟然歎曰。仰之彌高、鑽之彌堅。[集解]何晏曰、言不可窮盡、瞻之在前、忽焉在後。[集解]何晏曰、言忽怳不可爲形象、夫子循循然善誘人、[集解]何晏曰、循循、次序貌也、誘、進也、言夫子正以此道進勸人、學有次序也、博我以文約我以禮。欲罷不能、既竭我才。如有所立卓爾。雖欲從之、蔑由也已。[集解]孔安國曰、言夫子既以文章開博我、又以禮節節約我、使我欲罷不能、已竭吾才矣、其有所立、則卓然不可及、言已雖蒙夫子之

善誘、猶不能及夫子所立也、[考證]論語子罕篇、論語、蔑作末、安井衡曰、夫子善誘不倦、既竭吾才、則非復前日不知方向之比、於是如見夫子有所立處、而卓然高絕之狀、因欲從之、而終無由就之也、達巷黨人童子曰。大哉孔子。博學而無所成名。[集解]鄭玄曰、達巷者、黨名、五百家爲黨、此黨之人、美孔子博學道藝、不成一名而已、[考證]論語、無童子二字、中井積德曰、此疑衍、子聞之曰。我何執、執御乎。執射乎。我執御矣。[集解]鄭玄曰、聞人美之、承以謙也、吾執御者、欲明六藝之卑、牢曰。子云、不試故藝。[集解]鄭玄曰、牢者、弟子子牢也、試、用也、言孔子自云、我不見用、故多伎藝也、[考證]以上論語子罕篇、邢昺曰、家語弟子篇云、琴牢、衛人也、字子開、一字子張、愚按、牢必其名、但家語王肅僞撰不足據、論語、云下有吾字、楓山、三條本、集解故多下有能字、魯哀公十四年春、狩大野。[集解]服虔曰、大野、藪名、魯田圃之常處、蓋今鉅野是也、[正義]括地志云、獲麟堆在鄆州鉅野縣東十二里、春秋哀十四年經云、西狩獲麟、國都城記云、鉅野故城東十里、澤中有土臺、廣輪四五十步、俗云獲麟堆、去魯城可三百餘里、叔孫氏車子鉏商獲獸。[集解]服虔曰、車子、微者也、鉏商、名也、[索隱]春秋傳及家語竝云、車子鉏商、而服虔以子爲姓、非也、今以車子爲主車、車士、微者之人也、人微故略其姓、則子非姓也、[正義]鉏、音鋤、服虔云、車、車士、微者也、子、姓、鉏商、名、按、姓鉏、名商、車子、御車之人也、[考證]張文虎曰、子、宋、中統游本作士、愚按、左傳亦作子、杜預以車子連讀、云車子、微者、鉏商名也、子、如招招舟子之

子、古婦人稱姓、男子稱氏族、未有男子而稱姓者、服子說疑非、以爲不祥。仲尼視之曰。麟也。取之。【集解】服虔曰、麟非時所常見、故怪之以爲不祥也、仲尼名之曰麟、然後魯人乃取之也、明麟爲仲尼至也、【考證】哀十四年春秋經傳、曰。河不出圖。雒不出書。吾已矣夫。【集解】孔安國曰、聖人受命、則河出圖、今無此瑞、吾已矣夫者、傷不得見也、河圖、八卦是也、【考證】夫子蓋嘆無聖王也、論語子罕篇、鳳鳥不至、河不出圖、易繫辭、河出圖、洛出書、聖人則之、史公合二事爲一、書顧命、載天球河圖在東序、河圖天球對擧、則與此河圖同異未可知、顏淵死。孔子曰。天喪予。【集解】何休曰、予、我也、天生顏淵、爲夫子輔佐、死者、是天將亡夫子之證者也、【考證】論語先進篇、顏淵死、子曰、噫、天喪予、天喪予、楓山、三條本、集解、證作徵、及西狩見麟。曰。吾道窮矣。【集解】何休曰、麟者太平之獸、聖人之類也、時得而死、此天亦告夫子將歿之證、故云爾、【考證】顏淵死以下、采哀十四年公羊傳、春秋繁露隨本消息篇、楓山三條本、集解、獸作符、喟然歎曰。莫知我夫。子貢曰。何爲莫知子。【集解】何晏曰、子貢怪夫子言何爲莫知己、故問之、子曰。不怨天。不尤人。【集解】馬融曰、孔子不用於世、而不怨天、不知己、亦不尤人、下學而上達。【集解】孔安國曰、下學人事、上達天命、【考證】達、與君子上達小人下達之達同、下學而上達、猶言自卑登高、自邇行遠、知我者其天乎。【集解】何晏曰、聖人與天地合其德、故曰唯天知己、【考證】論語憲問篇、

論語不言此語何爲而發、史公牽合、不降其志、不辱其身、伯夷·叔齊乎。【集解】鄭玄曰、言其直己之心、不入庸君之朝、謂柳下惠·少連。降志辱身矣。【考證】少連未詳、論語此下有言中倫、行中慮六字、謂虞仲·夷逸。隱居放言。【集解】包氏曰、放、置也、置不復言世務也、【考證】放言、任意而言、後漢書陳寔傳論、放言爲高、李注云、放肆其言、不拘節制也、行中清、廢中權。【集解】馬融曰、清、純絜也、遭世亂、自廢棄以免患、合於權也、【考證】論語、行作身、此、義長、我則異於是。無可無不可。【集解】馬融曰、亦不必進、亦不必退、唯義所在、【考證】論語微子篇、中井積德曰、卽是無適無莫之意、子曰。弗乎。弗乎。【考證】中井積德曰、弗弗同、猶否也、愚按、四字屬下、君子病沒世而名不稱焉。【考證】論語衞靈公篇、吾道不行矣。【考證】論語公冶長篇、子曰、道不行、乘桴浮于海、中庸、子曰、道其不行矣哉、吾何以自見於後世哉。【考證】中井積德曰、冀自見於後世而著作焉、是司馬遷以下伎倆、非孔子事、此文臆度失當、崔述曰、其言似急於求名者、殊失聖人之意、乃因史記作春秋。上至隱公、下訖哀公十四年、十二公。【正義】夫子脩春秋、據魯十二公年月、而視周及諸侯行事也、【考證】姜皐曰、左昭二年傳、見易象與魯春秋、公羊成十年傳、春秋內其國而外諸夏、禮坊記、故魯春

秋、記晉喪、又魯春秋、猶去夫人之姓、是皆以春秋屬之魯矣、然晉語、羊舌肸習於春秋、楚語、申叔時論傳太子之法云、敎之以春秋、晉楚當以乘與檮杌名、而亦曰春秋、墨子明鬼篇、又有周之春秋、燕之春秋、宋之春秋、齊之春秋、豈列國之史、皆曰春秋乎、或曰、春秋者史記大共之名、故釋名云、春秋、書人事、卒歲而究備、春秋、言溫涼中象政和也、亦不專指一國、惟孔疏云、晉楚皆私立別號、魯則守其本名、愚按、孔子以前、列國之史皆曰春秋、自孔子作春秋、列國之史旋廢、而春秋之名、亦專屬孔子、據魯親周故殷、運之三代。【索隱】言夫子修春秋、以魯爲主、故云據魯、親周、蓋孔子之時、周雖微、而親周王者、以見天下之有宗主也、【正義】殷、中也、又中運夏殷周之事也、【考證】春秋繁露三代改制質文篇云、春秋應天作新王之事、絀夏親周故宋、陳仁錫曰、據魯者、以魯爲據也、親周者、以周爲親也、故殷者、以殷爲故也、言春秋之作、兼魯周殷三代之法、而運之也、錢大昕曰、正義訓殷爲中、非也、春秋宣十六年、成周宣榭火、公羊傳、外災不書、此何以書、新周也、何休云、孔子以春秋當新王、上黜杞、下新周而故宋、故繫宣榭於成周、使若國文、黜而新之、從爲王者後、記災也、又莊二十七年杞伯來朝、何休云、杞夏後、不稱公者、春秋黜杞新周而故宋、以春秋當新王也、漢儒說春秋者、孔子制春秋之義、以俟後聖王者、存二代之後、周監于夏殷、繼周者當黜杞而存周、以備三統、故曰據魯親周故殷運之三代、據魯、謂以春秋當新王也、親周、故殷、謂新周故宋也、當以殷字絕句、姚範曰、故殷、卽故宋之說、蓋太史公春秋、多本之董生、故同公羊家義也、阮元曰、董子、史記親周皆新周之誤、愚按、諸說略是、據魯、據魯史也、親當作新、新周、從今周也、故殷、不法前殷也、與論語周監於二代、吾從周、中庸、生乎今之世、反古之道、裁及其身、荀子、舍後王而道上古、譬之猶舍己之君、事人之君也、同義、運、猶通也、運之三代、

考諸三王而不謬也、太史公自序亦云、春秋采善貶惡、推三代之德、褒周室、非獨刺譏而已也、或問既曰故殷、又曰運之三代、何也、曰、前以禮言、後以道言、約其文辭而指博。故吳·楚之君自稱王。而春秋貶之曰子。【考證】中井積德曰、吳楚稱子、稱其本爵也、非貶、踐土之會、實召周天子。而春秋諱之曰。天王狩於河陽。【考證】僖二十八年春秋、天王狩于河陽、左傳云、是會也、晉侯召王、以諸侯見、且使王狩、仲尼曰、以臣召君、不可以訓、故書曰天王狩于河陽、言非其地也、且明德也、推此類、以繩當世貶損之義。後有王者、擧而開之、春秋之義行、則天下亂臣賊子懼焉。【考證】古鈔本、楓山、三條本、開作關、孟子滕文公篇、昔者禹抑洪水而天下平、周公兼夷狄、驅猛獸、而百姓寧、孔子成春秋、而亂臣賊子懼、大槻清崇曰、孟子既以孔子作春秋之功、配禹之抑洪水、周公之兼夷狄、而明云亂臣賊子懼、則共功之在於當時者章章矣、愚按、史公失孟子之義、孔子在位、聽訟文辭、有可與人共者、弗獨有也。【考證】春秋繁露五行相生篇、孔子爲魯司寇、斷獄屯屯、與衆共之、不敢自專、至於爲春秋、筆則筆、削則削。子夏之徒、不能贊一辭。【考證】論語先進篇、文學、子游子夏、弟子受春秋。孔子曰。後

世知丘者以春秋。而罪丘者亦以春秋。集解劉熙曰、知者、行堯舜之道者也、罪者、在王公之位見貶絕者、考證徐孚遠曰、前既總敘刪述之事、此專言作春秋者、以孔子所自作、故推而尊之、又以自寓也、李廷機曰、知丘罪丘、應自見于後世句、愚按、孟子滕文篇云、世衰道微、邪說暴行有作、臣弑其君者有之、子弑其父者有之、孔子懼、作春秋、春秋天子之事也、是故孔子曰、知我者其惟春秋乎、罪我者其惟春秋乎、其所謂天子之事者、當時列國僭亂、名分混淆、而史體乖舛、夫子因而脩之、其名秩則一裁以武成班爵之舊、其行事、則一律以周公制禮之初、故曰春秋天子之事、猶曰天子之法、其所謂知我者其惟春秋乎、罪我者其惟春秋乎者、春秋王法備、人事浹、明道正義之書、我若有功罪、亦爲春秋之所律耳、語氣正與論語憲問篇知我者其天乎同、及史公加以後世二字、且改其文、後人遂以爲夫子行南面之權、甚矣其誣聖人也、崔述云、孔子以東周之世、禮樂征伐、自諸侯出、故修春秋以尊王室、故曰、自諸侯出、十世希不失矣、自大夫出、五世希不失矣、陪臣執國命、三世希不失矣、蓋位愈卑、則愈不可僭、況以布衣而專黜陟之大權乎、唐哥舒翰討安祿山、或勸之還兵以誅楊國忠、曰、如此乃翰反、非祿山也、若孔子先已僭天子之權、彼亂臣賊子復何懼焉、此說得之、 明歲、子路死於衞。孔子病。子貢請見。孔子方負杖逍遙於門。曰。賜、汝來何其晚也。孔子因歎、歌曰。太山壞乎。集解鄭玄曰、太山、衆山所仰、 梁柱摧乎。哲人萎乎。集解王肅曰、萎、頓也、考證禮記、三乎字上有其字、柱作木、壞摧萎、韻、

因以涕下。考證禮記、無此四字、 謂子貢曰。天下無道久矣。莫能宗予。集解王肅曰、傷道之不行也、 夏人殯於東階。周人於西階。考證古鈔本、周人下有殯字、 殷人兩柱閒。昨暮予夢坐奠兩柱之間。予始殷人也。考證中井積德曰、生不得當楹間尊位、故知死耳、柱、檀弓作楹、此避惠帝諱、 後七日卒。集解鄭玄曰、明聖人知命也、正義括地志云、漢封夫子十二代孫忠爲褒成侯、生光、爲丞相、封侯、平帝封孔霸孫莽二千戶、爲褒成侯、後漢封十七代孫志爲褒成侯、魏封二十二代孫羨爲崇聖侯、晉封二十三代孫震爲奉聖亭侯、後魏封二十七代孫爲崇聖大夫、孝文帝又封三十一代孫珍爲崇聖侯、高齊改封珍爲恭聖侯、周武帝改封鄒國公、隋文帝仍舊封鄒國公、煬帝改爲紹聖侯、皇唐給復二千戶、封孔子裔孫孔德倫爲褒聖侯也、考證孔子病以下、采禮記檀弓篇、崔述曰、論語所記孔子之言多矣、大抵皆謙遜之辭、而無自聖之意、皆明民義之所當爲、而不言禍福之將至、獨此歌以泰山梁木哲人自謂、而決其死於夢兆、殊與孔子平日之言不類、恐出於後人傳聞附會之言、 孔子年七十三、以魯哀公十六年四月己丑卒。索隱若孔子以魯襄二十一年生、至哀十六年爲七十三、若襄二十二年生、則孔子年七十二、經傳生年不定、致使孔子壽數不明、考證魯哀公十六年以下、采左傳、杜預注左傳云、四月十八日乙丑、無己丑、己丑、五月十二日、日月必有誤、愚按、此杜氏自據其所推定長曆、周魯置閏不同、杜注未足爲據、說

詳于崔氏洙泗考信錄、四月己丑、卽夏正二月十一日、孔子以魯襄二十一年庚子生、則年當七十有四、 哀公誄之曰。旻天不弔、不憖遺一老。集解王肅曰、弔、善也、憖、且也、一老、謂孔子也、考證弔、音的、恤也、憖、且也、心不欲而自彊之義、 俾屏余一人以在位。煢煢余在疚。集解王肅曰、疚、病也、 嗚呼哀哉、尼父。毋自律。集解王肅曰、父、丈夫之顯稱也、律、法也、言毋以自爲法也、考證左傳、毋作無、下有所字、尼父、猶稱呂尚爲尚父、稱管仲爲仲父、尊之之辭、王觀國曰、詩節南山、不弔昊天、十月之交、不憖遺一老、俾守我王、閔予小子、嬛嬛在疚、哀公蓋集詩辭而爲誄辭耳、愚按、檀弓作天不遺耆老、莫相予位、嗚呼哀哉、尼父、漢書五行志、旻作昊、無以在以下十七字、 子貢曰。君其不沒於魯乎。夫子之言曰。禮失則昏。名失則愆。失禮爲昏。失所爲愆。索隱左傳及家語皆云、失志爲昏、失禮爲愆、與此不同也、考證漢書五行志、作失志爲昏失所謂愆、 生不能用、死而誄之、非禮也。稱余一人、非名也。集解服虔曰、天子自謂一人、非諸侯所當名也、考證以上哀十六年左傳、 孔子葬魯城北泗上。集解皇覽曰、孔子冢、去城一里、冢塋百畝、冢南北廣十步、東西十三步、高一丈二尺、冢前以瓴甓爲祠壇、方六尺、與地平、本無祠堂、冢塋中樹以百數、皆異種、魯人世世無能名其樹者、民傳言孔子弟子異國人、各持其方樹來種之、其

樹柞枌雒離安貴五味毚檀之樹、孔子塋中、不生荊棘及刺人草、索隱雒離、各離二音、又音落藜、藜、是草名也、安貴、香名、出西域、五味、藥草也、毚、音讒、毚檀、檀樹之別種、考證孫嘉淦南游記云、出泰安城、不見水與山也、行五十里、見大河廣闊、乃汶水也、又五十里、見崇山巍峩、乃徂徠也、徂徠之西曰梁父、對峙如門、從門南出、平疇沃衍、泗水西流、孔林在泗水南、洙水在孔林南、曲阜在洙水南、沂水在曲阜南、孔林方十餘里、其樹蔽天、其草蔽地、至聖墓、有紅墻環立、墻中草樹愈密、修幹叢薄、側不容人、而景色開明、初無幽陰之氣、至聖墓產蓍草、碑曰大成至聖文宣王墓、西偏小屋三間、顏曰子貢廬墓處、東南有泗水侯墓、正南有沂國公墓、墻東南有枯木、石欄護之、子貢手植楷也、旁有楷亭、其北有駐蹕亭、人君謁墓更衣之所、門外有洙水橋、橋南高阜一帶、闢其東南爲門、門距曲阜城、可二里、道傍植柏、行列甚整、蔽日參天、皆數千年物也、愚按、南游記成于康熙六十年、 弟子皆服三年。考證禮記檀弓篇、孔子之喪、門人疑所服、子貢曰、昔者夫子之喪顏淵、若喪子而無服、喪子路亦然、請喪夫子若喪父而無服、 三年心喪畢、相訣而去。索隱訣、音決、訣者別也、考證古鈔、楓、三本、心作之、 則哭各復盡哀、或復留。唯子貢廬於冢上凡六年。然後去。索隱按家語、無上字、且禮云、適墓不登隴、豈合廬於冢上乎、蓋上者亦是邊側之義、考證弟子皆服以下、孟子滕文公篇、 弟子及魯人、往從冢而家者、百有餘室。因命曰孔里。魯世世相傳、以歲時奉祠孔子冢。而諸儒

亦講禮鄉飲大射於孔子冢。孔子冢大一頃。故所居堂弟子內、後世因廟、藏孔子衣冠琴車書。【索隱】謂孔子所居之堂、其弟子之中、孔子沒後、後代因廟、藏夫子平生衣冠琴書於壽堂中、【考證】閻若璩曰、諸儒講禮鄉飲大射于孔子家、誤寫作冢、此家字、與贊曰以時習禮其家合、愚按、鄉飲大射、豈可於冢上行之乎、閻說得之、內弟子所居之室也、漢書鼂錯傳、家有一堂二內、注、張晏云、二內、二房也、索隱非是、孫嘉淦南遊記云、入曲阜之北門、路東有復聖廟、廟前有陋巷、巷南折而西、則孔廟之東華門也、廟制如內廷宮殿、而柱以石、爲之蛟龍盤旋、乃內廷所無、至聖與諸賢皆塑像、石刻至聖像有三、車服禮器、藏於衍聖公家、殿南有亭、顏曰杏壇、古杏數株、時值三月、杏花正開、壇南有先師手植檜、高三丈餘而無枝、文皆左紐、子貢之楷、雖不腐而色枯、此則生氣勃發焉、大門內外豐碑無數、南有高樓、曰奎文閣、閣南門下、漢魏之碑十餘、皆額尖而有圓孔、門外有水、上作五橋、橋南有門、門外有柵、自殿庭至柵內、蒼松古柏、虬龍蟠屈、不可名狀、至于漢二百餘年不絕。高皇帝過魯、以太牢祠焉。【考證】漢書高紀云、十二年十一月、行自淮南還、過魯、以太牢祠孔子、諸侯卿相至、常先謁、然後從政。【考證】陳宏謨曰、漢高祖十二年、過魯以太牢祀孔子、此漢以來祀孔子之始也、平帝元始初、追謚孔子曰褒成宣尼公、後漢章帝元和二年二月、東巡狩、因幸魯、祀孔子及七十二弟子於闕里、祀孔子弟子始此、前祀孔子、皆於闕里、魏正始中、始令太常釋奠、以太牢祀孔子於辟雍、以顏淵配、至詔太子

釋奠、則始於晉、有司薦享、則始於元魏、朔日行禮、則始於北齊、唐高祖武德二年、詔國子學立周公孔子廟各一所、四時致祭、蓋自魏釋奠孔子於辟雍、至元魏始有廟、然不知其何時立也、至是始詔國子學立廟、貞觀四年、詔州縣皆立孔子廟、從房玄齡議、停周公、以孔子爲先聖、顏子爲先師、又詔皇太子釋奠、皇太子爲初獻、國子祭酒爲亞獻、博士爲終獻、縣學、令爲初獻、丞爲亞獻、無博士、以主簿爲終獻、後世遣官釋奠、實始於此、至開元中、追謚孔子爲文宣王、贈顏子爲兗國公、冉閔等九人爲侯、曾參等爲伯、此又孔子封王、弟子封公侯之始也、宋眞宗咸平中、復追謚孔子爲玄聖文宣王、初追謚爲帝、或言宣父周之陪臣、周祇稱王、不當加帝號、故第增美曰玄聖、蓋以春秋演孔圖、孔子母感黑帝而生、故曰玄、莊子曰、恬澹玄聖素王之道、遂取以爲稱、秦以避聖祖諱、改玄聖爲至聖、然孔子之道、非一言一義之可盡、謚之有無、不足輕重、況加以非聖之言、既加之矣、又以犯其祖諱而改之哉、元成宗太德十二年、制加孔子號曰大成、明洪武十五年、始詔天下儒學通祀孔子、猶存王號、迨世宗嘉靖九年、釐正祀典、始爲木主、題曰至聖先師孔子神位、乃至不易之定論也、孔子生鯉、字伯魚。【索隱】按家語、孔子年十九、娶於宋之亓官氏之女、一歲而生伯魚、伯魚之生、魯昭公使人遺之鯉魚、夫子榮君之賜、因以名其子也、伯魚年五十、先孔子死。【集解】皇覽曰、伯魚冢在孔子冢東、與孔子竝、大小相望也、【考證】伯魚先孔子卒、見於論語先進篇、但曰年五十者、未審其所據、伯魚生伋、字子思。年六十二。【考證】中井積德曰、孔子卒至魯穆元年、正得七十一歲、伯魚先孔子死、而子思生在其前、又爲穆公師友、不必其元年、則歲殆八十矣、此云六十二、大謬、愚按、昔人以六十二爲八十二之誤、

亦無確證、嘗困於宋。子思作中庸。【集解】皇覽曰、子思冢在孔子冢南、大小相望、【正義】中庸一卷、在禮記中、又作子思子八卷、爲魯穆公師、子思生白、字子上。年四十七。子上生求、字子家。年四十五。【考證】家語後序、子家名傲、後名永、漢書及闕里志、竝不言名傲、子家生箕、字子京。年四十六。子京生穿、字子高。年五十一。【考證】史記桃源鈔云、正義本、子京作子眞、梁玉繩曰、漢書孔光傳、孔京作子眞、後序作子直、名檣、子高生子愼。年五十七。【考證】梁玉繩曰、後序、子高年五十七、此所書孔氏之年、愼鮒襄忠四人、三代皆五十七歲、幷子高則四世同壽、可疑也、嘗爲魏相。【考證】梁玉繩曰、孔光傳作順、後序、子高生武、字子順、名微、後名斌、闕里文獻攷云、名謙、或作武、後名斌、孔叢陳士義篇、子順爲相、注、孔武後名斌、唐世系表、穿生斌、一名胤、子愼曾孫名武、則武必斌之譌文、但何以一人而有四名、疑莫能定、故史缺不書也、愼順、古通、又世系表謂斌相魏、封文信君、明程敏政聖裔考曰、聖裔之受封始此、子愼生鮒。年五十七。爲陳王涉博士。死於陳下。【考證】梁玉繩曰、孔光傳是鮒、而儒林傳作甲、師古曰、名鮒、字甲、後序、子魚名鮒、後名甲、孔叢獨治篇、子魚名鮒甲、陳人或謂之子鮒、或稱孔甲、史失書其字、又曰、史漢儒林傳、及鹽鐵毀學篇云、鮒與涉俱死、而此及孔光傳、言死陳下、孔叢答問篇云、博士凡仕六旬、老于陳、有將沒戒弟子語、則非不良死矣、未知孰是、鮒弟子

襄。年五十七。嘗爲孝惠皇帝博士。【考證】梁玉繩曰、史失書名、後序、子襄名騰、子魚之弟、唐世系表、闕里志、竝名騰也、即藏書壁中者、陸氏釋文、隋志、史通古今正史篇、作孔惠、俱非、毛氏古文寃詞云、此必以子襄之子名忠、忠與惠字形相近而致誤者、遷爲長沙太守。【考證】錢大昕曰、惠帝時長沙爲王國、不得有太守、漢書云太傅、是也、楓山、三條本云、正義、守作傅、長九尺六寸。子襄生忠。年五十七。【考證】梁玉繩曰、後序、子襄生季中、名員、唐表、忠字子貞、攷夫子兄之子名忠、不應子襄之子同名、當作中爲是、書序疏引史作中也、季字衍、而員乃譌文、又史失書字子貞、忠生武。武生延年及安國。【考證】梁玉繩曰、孔光傳、忠生武及安國、武生延年、後序、季中生武及子國、唐表、忠二子武安國、武生延年、則史以安國爲武子、誤也、闕里考云、武字子威、安國爲今皇帝博士、至臨淮太守。蚤卒。【考證】閻若璩曰、嘗疑安國獻書、遭巫蠱之難、計其年必高、與馬遷所云蚤卒者不合、信史記蚤卒、則漢書之獻書、必非安國、信漢書獻書、則史記之安國、必非蚤卒、然馬遷親從安國遊者也、計其生年當不誤也、竊意天漢後安國死已久、或其家子孫獻之、非必其身、而苦無明證、越數歲、讀荀悅漢紀云、魯恭王壞孔子宅、得古文尚書、多十六篇、武帝時孔安國家獻之、會巫蠱事、未列於學官、於安國下增一家字、足補漢書之漏、而孔傳所謂作傳畢、會國有巫蠱、出於安國口中、其僞不待辨矣、安國生卬。卬生驩。【考證】愚按、此蓋天漢以後事、後人補記、徐孚遠曰、歷序後系、與王侯同、此所謂世家也、

太史公曰。詩有之。高山仰止。景行行止。【考證】詩小雅車舝篇、景、大也、行、路也、景行、猶言周道也、雖不能至、然心鄉往之。【考證】鄉、嚮同、余讀孔氏書、想見其爲人。適魯、觀仲尼廟堂車服禮器、諸生以時習禮其家。【考證】其家、孔子之家、余祗廻畱之、不能去云。【索隱】祗、敬也、言祗敬遲回、不能去之、有本亦作低回、義亦通、【考證】張文虎曰、索隱本作祗、廻淩本作祗回、各本作低回、愚按低回、猶徘徊也、天下君王、至于賢人、衆矣。當時則榮、沒則已焉。孔子布衣、傳十餘世、學者宗之、自天子王侯、中國言六藝者、折中於夫子。【索隱】離騷云、明五帝以折中、王叔師云、折中、正也、宋均云、折、斷也、中、當也、按言欲折斷其物而用之、與度相中當、故以言其折中也、【考證】中井積德曰、六藝之言不同者、皆以夫子爲度、而折定其中也、可謂至聖矣。【考證】陳仁錫曰、史遷可謂知尊聖人之道者矣、班氏謂其先黃老而後六經、非也、觀其作史記、於孔子則立世家、於老氏但立傳、至論孔子則曰、可謂至聖、論老氏但曰隱君子、非知足以知聖人而能若是乎、或謂遷非知孔子之至者、必述其道德精微、而後謂之至、噫道德精微、雖夫子亦自難言也、而欲責遷言之歟、愈言而愈遠矣、齊藤正謙曰、首泛言夫子之德可仰止、次言適魯觀其廟堂、留不能去、次言其

布衣傳十餘世、勝天下君王、終言其道爲天子王侯所折中、仰止之意、一節進一節、首曰孔氏、其詞泛、次曰仲尼、其詞親、次曰孔子、其言謹、次曰夫子、其言更謹、尊敬之言、一節進一節、

【索隱】述贊、孔子之胄、出于商國、弗父能讓、正考銘勒、防叔來奔、鄒人倚足、尼丘誕聖、闕里生德、七十升堂、四方取則、卯誅兩觀、攝相夾谷、歎鳳遽衰、泣麟何促、九流仰鏡、萬古欽躅、

孔子世家第十七　史記四十七

史記會注考證卷四十八

漢　太史令司馬遷撰
宋　中郎外兵曹參軍裴駰集解
唐　國子博士弘文館學士司馬貞索隱
唐　諸王侍讀率府長史張守節正義
日本　出雲瀧川資言考證

陳涉世家第十八　史記四十八

【索隱】按勝立數月而死、無後、亦稱系家者、以其所遣王侯將相竟滅秦、以其首事也、然時因擾攘、起自匹夫、假託妖祥、一朝稱楚、歷歲不永、勳業蔑如、繼之齊魯、曾何等級、

可降爲列傳也、【正義】勝立數月而死、無後、爲世家者、以唱始起兵滅秦、雖不終亭、亦世家之道也、【考證】史公自序云、桀紂失其道而湯武作、周失其道而春秋作、秦失其道而陳涉發迹、諸侯作難、風起雲蒸、卒亡秦族、天下之端、自涉發難、作陳涉世家第十八、馮班曰、陳涉起自謫戍而敗、可與張耳陳餘並爲傳、不當爲世家者也、然亡秦之侯王將相、多涉所置、自項梁未起、以天下之命制于一人之手、升爲世家、太史公之旨也、

陳勝者、陽城人也。【索隱】韋昭云、屬潁川、地理志云、屬汝南、不同者、按郡縣之名、隨代分割、蓋陽城舊屬汝南、史遷云、今爲汝陰、後又分隸潁川、韋昭據以爲說、故其不同、他皆放此、【正義】即河南陽城縣也、【考證】錢大昕曰、汝南潁川皆有陽城縣、汝南之陽城、爲侯國、宣帝時始置、此當是潁川之陽城、潁川陽城、今河南府登封縣東南、索隱史遷疑有誤、字涉。吳廣者、陽夏人也、字叔。【索隱】夏、音賈、韋昭云、淮陽縣、後屬陳、【正義】括地志云、陳州太康縣、本漢陽夏縣也、【考證】河南陳州府太康縣、陳涉少時、嘗與人傭耕。【索隱】廣雅云、傭、役也、按謂役力而受雇直也、【考證】顏師古曰、與人、與人俱也、張文虎曰、宋本、毛本、傭作庸、與字類合、下同、愚按、古鈔本亦作庸、輟耕之壟上、悵恨久之。【考證】顏師古曰、壟上、謂田中之高處、楓山本、恨作悵、曰。苟富貴、無相忘。傭者笑而應曰。若爲傭耕、何富貴也。陳涉太息曰。嗟乎、燕雀安知鴻鵠之志

哉。【索隱】尸子云、鴻鵠之鷇、羽翼未合、而有四海之心、是也、按鴻鵠是一鳥、若鳳皇然、非謂鴻鴈與黃鵠也、鵠音戶酷反、【考證】顏師古曰、鴻、大鳥也、水居、鵠、黃鵠也、一舉千里、王懋曰、太史公作陳涉世家、未言其他、首曰、涉爲人傭耕、輟耕而嘆曰、苟富貴無相忘、及作項籍本紀、又曰、秦始皇東游會稽、梁與籍觀、籍曰、彼可取而代也、匹夫而敢爲此語、蓋以見天亡秦之兆、果不可遏、然後知高祖之起、所以應天順人者也、愚按、呂氏春秋長利篇、使燕雀爲鴻鵠鳳皇慮、則必不得矣、二世元年七月、發閭左。【索隱】閭左、謂居閭里之左也、秦時復除者居閭左、今力役凡在閭左者盡發之也、又云、凡居以富強爲右、貧弱爲左、秦役戍多、富者役盡、兼取貧弱者也、【考證】漢書食貨志、發閭左之戍、注、應劭曰、秦時以適發之、名適戍、先發吏有過、及贅壻賈人、後以嘗有市籍者發、又以大父母父母嘗有市籍者、戍者曹輩盡、復入閭取其左者發之、未及取右而秦亡、顏師古曰、閭、里門也、言居閭門之左者、一切發之、此閭左之釋、應說最得之、愚按、應說本鼂錯守邊備塞疏、鼂錯漢初人、其言可依、索隱前說非、後說、富者役盡以下十字、當削、適戍漁陽九百人、【索隱】適、音直革反、又音磔、故漢書有七科適戍者、屯兵而守也、地理志、漁陽、縣名、在漁陽郡也、【正義】括地志云、漁陽故城、在檀州密雲縣南十八里、在漁水之陽也、【考證】今直隸順天府密州縣西南、屯大澤鄉。【集解】徐廣曰、在沛郡蘄縣、【正義】屯、猶營也、【考證】大澤鄉、今安徽鳳陽府宿州南、鄉名、陳勝・吳廣皆次當行、爲屯長。會天大雨、道不通。度已失期。失期、法皆斬。【考證】古鈔本、楓山、三條本、皆下有當字、與漢書合、陳勝・

吳廣乃謀曰。今亡亦死。舉大計亦死。等死。死國可乎。【索隱】謂欲經營圖國、假使不成而敗、猶愈爲戍卒而死也、【正義】爲反亂取國、不得而死、猶勝戍卒而死、【考證】何孟春曰、古人文字、彼此有絕似者、左傳、楚昭王曰、再敗楚師、不如死、弃命逃歸、亦不如死、死一也、其死仇乎、此世家亦連用四死字、陳勝曰。天下苦秦久矣。吾聞二世、少子也。【索隱】姚氏按隱士遺章邯書云、李斯爲二世廢十七兄而立今王、則二世是始皇第十八子也、不當立。當立者乃公子扶蘇。扶蘇以數諫故、上使外將兵。今或聞無罪、二世殺之。百姓多聞其賢、未知其死也。【索隱】如淳云、扶蘇自殺、故人不知其死、或以爲不知何坐而死、故天下冤二世殺之、其意亦得、今宜依文而解、直是扶蘇爲二世所殺、而百姓未知、故欲詐自稱之也、項燕爲楚將、數有功、愛士卒。楚人憐之。或以爲死。或以爲亡。今誠以吾衆詐自稱公子扶蘇・項燕、爲天下唱、宜多應者。【索隱】漢書作倡、倡、謂先也、說文云、倡、首也、【考證】項燕、見楚世家、顏師古曰、唱、謂首號令也、中井積德曰、歌者先發聲爲唱、倡同、吳廣以爲然。乃行卜。【索隱】行者、先也、一云、行、往也、【考證】索隱後說是、卜者知其

指意曰。足下事皆成有功。然足下卜之鬼乎。【集解】蘇林曰、狐鳴祠中、則是也、瓚曰、假託鬼神以威衆也、故勝廣曰、此教我威衆也、【索隱】裴注引蘇林臣瓚、義亦當矣、而李奇又云、卜者戒曰、所卜事雖成、當死爲鬼、惡指斥言之、而勝失其旨、反依鬼神起怪、蓋亦得本旨也、【正義】故稱公子扶蘇楚將項燕、爲天下倡、宜多應者、卜之、是卜之鬼也、【考證】顏師古曰、卜者云、事成有功、然須假託鬼神、乃可暴起耳、故勝廣曉此意、則爲魚書狐鳴以威衆耳、朱錦綬曰、上文云、卜者知其指意曰、足下事皆成有功、可見卜者與勝廣不謀而合、其爲此言、正欲使勝廣假託鬼神、若謂卜之吾固見事成有功、然曷不卜之鬼乎、下文陳勝吳廣喜念鬼、蓋勝廣聞此、卽欲如其言以行也、陳勝·吳廣喜念鬼。【索隱】念者、思也、謂思念欲假鬼神事耳、【正義】言常思扶蘇項燕曰、卜者以此教我先威衆也、【考證】正義非、曰。此教我先威衆耳。乃丹書帛曰。陳勝王。置人所罾魚腹中。【集解】漢書音義曰、罾、音曾、文穎曰、罾、魚網也、【考證】楓山三條本、王上有當字、卒買魚烹食、得魚腹中書、固以怪之矣。【考證】漢書以作已、以已通、又閒令吳廣之次近所旁叢祠中、【集解】張晏曰、戍人所止處也、叢、鬼所憑焉、【索隱】服虔云、閒、音中閒之閒、鄭氏云、閒、謂竊令人行也、孔文祥又云、竊伺閒隙、不欲令衆知之也、次、師所次舍處也、墨子云、建國必擇木之修茂者以爲叢位、高誘注戰國策云、叢祠、神祠叢樹也、【考證】王念孫曰、索隱本及漢書陳涉傳、無近字、此誤衍、

次、所謂戍卒止次之所也、其旁有叢祠、故曰次所旁祠、沈欽韓曰、古者二十五家爲閭、閭各立社、卽擇其木之茂者爲位、故名樹爲社、又爲叢也、六韜、社叢勿伐、墨子、建國營都、必擇木之修茂者以爲叢位、秦策、恆思有神叢、此叢爲社之證、夜篝火、【集解】徐廣曰、或作帶也、篝者籠也、音溝、【索隱】篝、音溝、漢書作構、郭璞云、篝、籠、是也、【考證】姚範曰、篝疑同構、卽舉火叢祠、豈必籠邪、龜策傳、篝火燭地、亦同、狐鳴呼曰。大楚興。陳勝王。【考證】六字音讀、則似狐鳴、與王韻、卒皆夜驚恐。旦日卒中往往語、皆指目陳勝。【考證】顏師古曰、指而私目視之、愚按、漢書陳勝作勝廣、非是、吳廣素愛人。士卒多爲用者。將尉醉。【索隱】將尉、官也、漢舊儀、大縣二人、其尉將屯九百人、故云將尉也、【正義】尉爲將領戍人也、【考證】顏師古曰、將尉者其官本尉耳、時領戍人、故爲將尉、愚按、將尉猶言長尉、諸尉之長也、下文并殺兩尉可參、廣故數言欲亡、忿恚尉、令辱之、以激怒其衆。【考證】古鈔本、楓山三條本、無恚字、與漢書合、尉果笞廣。尉劍挺。【集解】徐廣曰、挺、猶脫也、【索隱】徐廣云、挺、奪也、按奪卽脫也、說文云、挺、拔也、案謂尉拔劍、而廣因奪之、故得殺尉、【正義】梁丘賀傳云、前旋頭劍挺、是也、【考證】顏師古曰、尉劍自拔出、廣由奪取之、廣起奪而殺尉。陳勝佐之、并殺兩尉。召令徒屬曰。公等遇雨。皆已失期。失期當

斬。藉弟令毋斬、而戍死者固十六七。【集解】服虔曰、藉、假也、弟、次弟也、應劭曰、藉、吏士名藉也、言今失期當斬、就使藉弟幸得不斬、戍死者固十六七、此激怒其衆也、蘇林曰、弟、且也、【索隱】蘇林云、藉第、假借且令失期不斬、則戍死者固十七八、然弟、一音次第之第、又小顏云、弟、但也、劉氏云、藉、音子夜反、應劭讀如字、云、藉吏士之名藉也、各以意言、蘇說爲近之也、且壯士不死卽已。死卽舉大名耳。【索隱】大名、謂大名稱也、【考證】王先謙曰、大名卽謂侯王之屬、項籍傳、衆欲立陳嬰爲王、嬰母言暴得大名、不祥、是其證、王侯將相、寧有種乎。徒屬皆曰。敬受命。【考證】陳勝初志止於欲爲王侯將相、與項羽曰、彼可取而代也、漢高曰、大丈夫當如此、詞氣自異、乃詐稱公子扶蘇·項燕。從民欲也。【考證】漢書、欲作望、袒右、稱大楚。【考證】顏師古曰、袒右者、脫右肩之衣、當時取異於凡衆也、愚按、與項羽紀蒼頭特起相似、與呂后紀田單傳右袒自別、爲壇而盟、祭以尉首。陳勝自立爲將軍、吳廣爲都尉。攻大澤鄉、收而攻蘄。【索隱】音機、又音祈、縣名、屬沛郡、【考證】漢書、鄉下有拔之二字、收下有兵字、楓山本亦有兵字、蘄、今安徽宿州南蘄縣故城、大澤鄉、在宿縣西南、蘄下。【索隱】下、降也、謂以兵臨而卽降也、乃令符離人葛嬰將兵徇蘄以東。【索隱】韋昭云、符離、屬沛郡、李奇云、徇、略

也、音辭峻反、【考證】符離、今鳳陽府宿州治、攻銍·酇·苦·柘·譙、皆下之。【集解】徐廣曰、苦、柘、屬陳、餘皆在沛也、【考證】顏師古曰、五縣名也、銍、音竹乙反、酇、音才多反、行收兵、比至陳、車六七百乘、騎千餘、卒數萬人。【索隱】地理志、陳縣、屬淮陽、【考證】陳、今安徽淮寧縣治、攻陳。【正義】今陳州城也、本楚襄王築、古陳國城也、陳守令皆不在。【索隱】張晏云、郡守及令、皆不在、非也、按地理志云、秦三十六郡、竝無陳郡、則陳止是縣、言守令、則守非官也、與下守丞同也、則皆字是衍字、【考證】顏師古曰、守、郡守也、令、縣令也、中井積德曰、陳守令、謂陳縣令及當郡之守也、下文李由爲三川守、守滎陽、可以見矣、王先謙曰、陳是秦楚郡治、故有守有令、獨守丞與戰譙門中。【索隱】蓋謂陳縣之城門、一名麗譙、故曰譙門中、非上譙縣之門也、譙縣守、前已下故也、【考證】顏師古曰、守丞、郡丞之居守者、劉奉世曰、門名譙、陳與譙鄰、譙門、去譙路者也、弗勝、守丞死。乃入據陳。數日。號令召三老豪傑、與皆來會計事。【考證】李笠曰、漢傳無令字、是、高祖紀正義云、百官表云、十里一亭、亭有長、十亭一鄉、鄉有三老、三老、掌教化、皆秦制也、三老豪傑皆曰。將軍身被堅執銳、【考證】顏師古曰、堅、堅甲、銳、利兵也、伐無道、誅暴秦、復立楚國之社稷。功宜爲王。陳涉乃立爲王。號爲張楚。【索隱】按李

奇云、欲張大楚國、故稱張楚也、【考證】張楚、國號、取張大之義、張耳陳餘列傳、陳王今已張大楚王陳、當此時、諸郡縣苦秦吏者、皆刑其長吏、殺之以應陳涉。乃以吳叔爲假王、監諸將、【考證】叔、吳廣字、漢書作廣、下同、以西擊滎陽。【考證】滎陽、河南滎澤縣西南、令陳人武臣・張耳・陳餘徇趙地、令汝陰人鄧宗徇九江郡。當此時、楚兵數千人、爲聚者不可勝數。葛嬰至東城。【索隱】地理志、屬九江、【正義】括地志云、東城故城、在濠州定遠縣東南五十里也、【考證】今安徽定遠縣東南、立襄彊爲楚王。嬰後聞陳王已立、因殺襄彊、還報至陳。陳王誅殺葛嬰。陳王令魏人周市北徇魏地。【考證】顏師古曰、即梁地、非河東之魏也、吳廣圍滎陽。李由爲三川守、守滎陽。【索隱】三川、今洛陽也、地有伊洛河、故曰三川、秦曰三川、漢曰河南郡、李由、李斯子也、吳叔弗能下。陳王徵國之豪傑與計。【考證】古鈔本、楓山、三條本、國下有中字、以上蔡人房君蔡賜爲上柱國。【集解】漢書音義曰、房君、官號也、姓蔡、名賜、瓚

曰、房邑君也、【索隱】房、邑也、爵之於房、號曰房君、蔡賜、其姓名、晉灼按張耳傳、言相國房君者蓋誤耳、涉始號楚、因楚有柱國之官、故以官蔡賜、蓋其時草創亦未置相國之官也、【正義】豫州吳房縣、本房子國、是所封也、【考證】顏師古曰、房君、封邑之名、非官號也、周文、陳之賢人也。【集解】文穎曰、即周章、嘗爲項燕軍視日、事春申君。【集解】如淳曰、視日時吉凶擧動之占也、司馬季主爲日者、【考證】春申君楚相黃歇、自言習兵。陳王與之將軍印、西擊秦。行收兵至關。車千乘、卒數十萬。至戲軍焉。【正義】即京東戲亭也、【考證】擊下秦字、依楓山、三條本增、漢書亦有、漢書、數十萬作十萬、王先和曰、漢書張耳陳餘劉向傳竝云、周文將卒百萬、史記淮南王安傳云、周章之兵百二十萬、蓋是當時號稱之數、不如陳涉傳爲得其實、愚按、今陝西臨潼縣東北有戲亭、戲水所逕、戲水出驪山、入渭、秦令少府章邯免酈山徒人、奴產子生、【集解】服虔曰、家人之產奴也、【索隱】按漢書無生字、小顏云、猶今言家產奴也、悉發以擊楚大軍、盡敗之。【考證】漢書、作擊楚軍、大敗之、中井積德曰、大字疑衍、周文敗走出關、止次曹陽【索隱】晉灼云、亭名也、在弘農東十二里、小顏云、曹水之陽也、其水出陝縣西南峴頭山、北流入河、魏武帝謂之好陽也、【正義】括地志云、曹陽故亭、亦名好陽亭、在陝州桃林縣東南十四里、崔浩云、曹陽阬名、自南出北通於河、按魏武帝改曰好陽也、【考證】曹陽、今陝州

曹陽、二三月。【考證】漢書、二三月作二月餘、中井積德曰、二三月當屬上文、下文十餘日亦然、葉德輝曰、史記月表、二世元年九月、周文兵至戲敗走、二年十月、周文死、漢書陳勝傳二月餘、與表合、史記作二三月、亦約計之、秦以十月爲歲首、九月至十一月、凡三月也、章邯追敗之、復走次澠池十餘日。【正義】澠池、河南府縣是也、【考證】今河南澠池縣治、澠、音沔、章邯擊大破之。周文自剄。【集解】徐廣曰、十一月也、【索隱】越系家、句踐使罪人三行屬劍於頸、曰、不敢逃刑、乃自剄、郭璞注三蒼、以爲剄、刺也、軍遂不戰。武臣到邯鄲、自立爲趙王。【考證】邯鄲、今縣、屬直隸永年縣、陳餘爲大將軍、張耳・召騷爲左右丞相。【考證】顏師古曰、召讀曰邵、陳王怒、捕繫武臣等家室欲誅之。【考證】楓山、三條本、王下有勝字、柱國曰。秦未亡、而誅趙王將相家屬、此生一秦也。不如因而立之。【考證】柱國、即房君蔡賜、張耳傳、作相國房君、顏師古曰、言爲讎敵與秦無異、陳王乃遣使者賀趙、而徙繫武臣等家屬宮中、而封耳子張敖爲成都君、【正義】成都、蜀郡縣、涉遙封之、【考證】王先謙曰、後漢南陽郡有成都縣、當是敖封邑、趣趙兵、【索隱】上音促、促、謂催促也、

亟入關。【索隱】亟、音棘、亟、急也、趙王將相相與謀曰。王王趙、非楚意也。楚已誅秦、必加兵於趙。計莫如毋西兵、使使北徇燕地以自廣也。【考證】顏師古曰、毋西兵、勿令兵西出也、趙南據大河、北有燕・代、楚雖勝秦、不敢制趙。若楚不勝秦、必重趙。趙乘秦之弊、可以得志於天下。【考證】古鈔本、乘秦下有楚字、與漢書合、李笠曰、漢傳若下無楚字、乘下有楚字、是也、若不勝、即根上楚雖勝、而無庸更出楚字甚明、又上既以楚勝與重趙成對、故重趙則兼乘秦楚之弊矣、若但云乘秦弊、則楚字無着矣、趙王以爲然、因不西兵、而遣故上谷卒史韓廣、將兵北徇燕地。【考證】張晏曰、卒史、曹史也、燕故貴人豪傑、【考證】王先慎曰、故貴人、謂昔六國時燕貴人而今失勢者、謂韓廣曰、楚已立王。趙又已立王。燕雖小、亦萬乘之國也。願將軍立爲燕王。韓廣曰、廣母在趙。不可。燕人曰。趙方西憂秦、南憂楚。其力不能禁我。且以楚之彊、不敢害趙王將

相之家。趙獨安敢害將軍之家。韓廣以爲然、乃自立爲燕王。居數月、趙奉燕王母及家屬、歸之燕。當此之時、諸將之徇地者、不可勝數。周市北徇地至狄。【集解】徐廣曰、今之臨濟、【考證】狄、山東青州高苑縣、狄人田儋、殺狄令、自立爲齊王、以齊反擊周市。【考證】中井積德曰、反、畔也、狄初服降、故云、愚按漢書無以齊二字、反、顧也、中說非是、市軍散。還至魏地、欲立魏後故甯陵君咎爲魏王。【集解】應劭曰、魏之諸公子、名咎、欲立六國後以樹黨、【索隱】晉灼云、今在梁國也、按今梁國有寧陵縣、是也、字轉異耳、【正義】括地志云、宋州寧陵縣城、古甯陵城也、時咎在陳王所。不得之魏。魏地已定、欲相與立周市爲魏王。周市不肯。使者五反。陳王乃立甯陵君咎爲魏王、遣之國。周市卒爲相。將軍田臧等相與謀曰。【考證】中井積德曰、將軍田臧以下、別是一事、凌稚隆曰、接前周文自剄、軍遂不戰、周章軍已破矣。【考證】服虔曰、周章乃周文、秦兵旦暮至、我圍滎陽、城弗

能下、秦軍至、必大敗。不如少遣兵、足以守滎陽、悉精兵迎秦軍。【索隱】按遣、謂留餘也、【考證】各本、遣作遺、今依索隱本、漢書亦作遣、足字上添使字看、今假王驕、不知兵權。不可與計。非誅之、事恐敗。因相與矯王令、以誅吳叔、【考證】古鈔本、楓山、三條本、令作命、漢書、吳叔作吳廣、獻其首於陳王。【考證】吳廣事終于此、陳王使使賜田臧楚令尹印、使爲上將。【考證】王鏊曰、陳涉兵無紀律若此、田臧乃使諸將李歸等守滎陽城、自以精兵西迎秦軍於敖倉、與戰。田臧死、軍破。章邯進兵、擊李歸等滎陽下、破之。李歸等死。陽城人鄧說、【索隱】地理志、陽城縣屬潁川、說、音悅、凡人名皆音悅、將兵居郯。【索隱】音談、小顏云、東海之縣名、非也、按章邯軍、此時未至東海、此郯別是地名、或恐郯當作郟、郟是郟鄏之地、或見下有東海郯、故誤、【正義】屬海州、疑郯當作郟、音紀洽反、郟即春秋時郟地、楚郟敖葬之、今汝州郟城縣、是鄧悅是陽城人、陽城、河南府縣、與郟城縣相近、又走陳、蓋郟字誤作郯耳、【考證】陽城、今河南登封縣東南、郟、今汝州郟縣治、章邯別將擊破之。鄧說軍散走陳。銍人

伍徐【集解】徐廣曰、一作逢、【索隱】地理志、銍、縣名、屬沛、漢書作伍逢、將兵居許。【正義】括地志云、許州許昌縣、本漢許縣、地理志云、許縣故國、姜姓、四岳之後、太叔所封、二十四君、爲楚所滅、漢以爲縣、魏文帝即位、改許曰許昌也、【考證】許、今河南許州治、章邯擊破之。伍徐軍皆散走陳。陳王誅鄧說。陳王初立時、陵人秦嘉、【集解】地理志、泗水國有陵縣也、【考證】陵、漢書作淩、項羽本紀集解、引陳涉世家、作廣陵、銍人董緤、符離人朱雞石、取慮人鄭布、徐人丁疾等皆特起、將兵圍東海守慶於郯。【索隱】地理志、取慮、縣名、屬臨淮、音秋閭二音、取又音子臾反、【正義】東海、今海州、【考證】郯、今山東郯城縣西南、陳王聞、乃使武平君畔爲將軍、監郯下軍。【集解】張晏曰、畔、名也、秦嘉不受命。嘉自立爲大司馬、惡屬武平君、告軍吏曰。武平君年少、不知兵事。勿聽。因矯以王命、殺武平君畔。章邯已破伍徐、擊陳。柱國房君死。章邯又進兵、擊陳西張賀軍。陳王出監戰。軍破。張賀死。臘月、【集解】張晏曰、秦之臘月、夏之

九月、瓚曰、建丑之月也、【索隱】臣瓚云、建丑之月也、顏游秦云、按史記表、二世二年十月誅葛嬰、十一月、周文死、十二月、陳涉死、是也、宗懍荊楚記云、臘節在十二月、故因是謂之臘月也、【考證】中井積德曰、臘、祭名、用建丑之月爲之、故月稱臘月、陳王之汝陰、還至下城父。【索隱】按舊以陳王從汝陰還至城父縣、因降之、故云還至下城父、又顧氏按郡國志、山桑縣有下城父聚、在城父縣東、下讀如字、其說爲得之、【考證】汝陰、今河南汝寧府新蔡縣、下城父、今安徽潁州府蒙城縣、其御莊賈殺以降秦。陳勝葬碭。諡曰隱王。【正義】碭、音唐、今宋州碭山縣是、【考證】碭、今河南歸德府、陳王故涓人將軍呂臣、【集解】應劭曰、涓人如謁者、將軍姓呂、名臣也、晉灼曰、呂氏春秋、荊柱國莊伯、令謁者駕、令涓人取冠、【索隱】涓、音公玄反、服虔云、給涓、通也、如今謁者、【考證】顏師古曰、涓、潔也、涓人、主潔除之人、沈欽韓曰、吳語、楚靈王呼涓人疇、呂覽、淫辭篇、荊柱國莊伯、使涓人取冠、楚有此官舊矣、爲蒼頭軍、【索隱】韋昭云、軍皆著青帽、【考證】服虔曰、若赤眉之號以相別也、起新陽、【集解】徐廣曰、在汝南也、【正義】括地志云、新陽故城、在豫州眞陽縣西南四十二里、漢新陽縣城、應劭云、在新水之陽也、【考證】今安徽太和縣西北、攻陳下之、殺莊賈、復以陳爲楚。【索隱】爲、如字讀、謂又以陳地爲楚國、【考證】凌稚隆曰、陳勝事終于此、初陳王至陳、令銍人宋留將兵定南陽、入武關。【考證】南陽、今河南南陽府、武關、今陝西商縣東、凌稚隆曰、陳

王至陳以下、乃追敍陳王所以敗之理、蛩已徇南陽。聞陳王死、南陽復爲秦。［考證］顏師古曰、爲、于僞反、王先謙曰、爲、如字、上文以陳爲楚、宋蛩不能入武關。乃東至新蔡、遇秦軍。［考證］新蔡、今河南汝寧府新蔡縣、宋蛩以軍降秦。秦傳蛩至咸陽、車裂蛩以徇。秦嘉等聞陳王軍破、出走。乃立景駒爲楚王、［集解］徐廣曰、正月、嘉爲上將軍、引兵之方與、［正義］房預二音、方與、兗州縣也、［考證］今山東濟寧府魚臺縣北、欲擊秦軍定陶下、［正義］今曹州也、［考證］今山東定陶縣西北、漢書作濟陰、使公孫慶使齊王、欲與并力俱進。齊王曰。聞陳王戰敗、不知其死生。楚安得不請而立王。公孫慶曰。齊不請楚而立王。楚何故請齊而立王。且楚首事。當令於天下。田儋誅殺公孫慶。［考證］漢書無誅字、秦左右校復攻陳、下之。［索隱］按卽左右校尉軍也、呂將軍走。收兵復聚。［考證］漢書、收作徼、如淳注、徼、要也、愚按、史義長、鄱盜當陽君

黥布之兵相收、［集解］鄱、音婆、英布居江中爲羣盜、陳勝之起、布歸番君吳芮、故謂之鄱盜也、［考證］漢書、鄱上有與字、收作遇、方苞曰、相收者、彼此合爲一也、鄱盜當陽君云者、勢不相下、故特起此文也、復擊秦左右校、破之青波、［集解］漢書音義曰、地名也、［考證］漢書、復作攻、沈欽韓曰、青波卽青陂也、一統志、青陂在汝寧府新蔡縣西南接息縣界、復以陳爲楚。會項梁立懷王孫心爲楚王。陳勝王凡六月。已爲王、王陳。其故人嘗與傭耕者聞之、［考證］凌稚隆曰、應前傭耕、之陳扣宮門曰。吾欲見涉。宮門令欲縛之。自辯數。［集解］晉灼曰、數、音朋友數斯疏矣、［索隱］一音疏主反、謂自辯說、數與涉有故舊事驗也、又音朔、數謂自辯往數與涉有故、此數猶朋友數之數也、乃置。不肯爲通。陳王出。遮道而呼涉。陳王聞之、乃召見、載與俱歸。入宮見殿屋帷帳。客曰。夥頤、涉之爲王。［索隱］服虔云、楚人謂多爲夥、按又言頤者、助聲之辭也、謂涉爲王、宮殿帷帳庶物夥多、驚而偉之、故稱夥頤也、沈沈者。［集解］應劭曰、沈沈、宮室深邃貌、沈、音長含反、［索隱］應劭以爲沈沈宮室深邃貌、故音長含反、而劉伯莊以沈沈猶談談、謂故人呼爲沈沈者、猶俗云談談漢是、［考證］沈與耽覃、聲近義同、大也、深也、張衡西京賦、大厦耽耽、左思魏都

賦、耽耽帝宇、楚人謂多爲夥。［考證］周壽昌曰、方言、凡物盛多謂之寇、齊宋之郊、楚魏之際曰夥、非獨楚語然矣、故天下傳之、夥涉爲王。由陳涉始。［考證］王先謙曰、漢世相傳鄙語、俞正燮曰、夥頤者、驚大之辭、二字合音、漢書、止作夥、史亦止云、楚人謂多爲夥、又連涉爲夥涉、知頤字是合上音矣、楚人謂多爲夥者、多卽驚大也、天下傳之、夥涉爲王由陳涉始者、言其時天下相王者多、時人輕之、謂王爲夥涉、蓋虔辭相喩也、夥頤合音若咫、今俗語猶然、應劭、夥、音禍、乃長言之、客出入愈益發舒、言陳王故情。或說陳王曰。客愚無知、顓妄言輕威。陳王斬之。諸陳王故人、皆自引去。由是無親陳王者。［索隱］顧氏引孔叢子云、陳勝爲王、妻之父兄往焉、勝以衆賓待之、妻父怒云、怙强而傲長者、不能久焉、不辭而去、是其事類也、陳王以朱房爲中正、［考證］漢書、作朱防、胡武爲司過、主司羣臣。諸將徇地、至令之不是者、繫而罪之、以苛察爲忠。其所不善者、弗下吏、輒自治之。陳王信用之。［索隱］謂朱房胡武等、以素所不善者、卽自驗問、不往下吏、［正義］言諸將不如令、及己所不善者、不下吏、朱房胡武輒自治之、以苛察爲忠正、陳王乃任之、諸將以其故不親附。此其所

以敗也。陳勝雖已死、其所置遣侯王將相、竟亡秦。由涉首事也。［考證］敍事中揷議論、陳仁錫曰、陳涉蓋首事亡秦者、太史公特作世家、敍其自立爲楚王、兼及當時起兵者、末總結之曰、其所置遣侯王將相竟亡秦、由涉首事也、二句括盡之矣、高祖時、爲陳涉置守冢三十家碭。至今血食。［考證］高祖紀云、予守冢十家、與此異、祭必薦毛血、故曰血食、莊六年左傳、抑社稷實不血食、而君焉取餘、吳仁傑曰、史通云、陳涉世家、稱其子孫至今血食、漢書涉傳、乃具載遷文、卽如是、豈陳氏苗裔、祚流東京乎、余案高帝詔楚隱王亡後、其與守冢十家、則勝固已亡後矣、世家初不著子孫兩字、不知劉知幾何以言之、句踐表會稽山以爲范蠡奉邑、事正類此、蓋使尸而祝之耳、

褚先生曰。［集解］徐廣曰、一作太史公、駰案班固奏事云、太史遷取賈誼過秦上下篇、以爲秦始皇本紀陳涉世家下贊文、然則言褚先生者、非也、［索隱］徐廣與裴駰據所見別本、及班彪奏事、皆云、合作太史公、今據此是褚先生述史記、加此贊首地形險阻數句、然後始稱賈生之言、因卽改太史公之目、而自題己位號也、已下義並見始皇本紀、［考證］據班固奏事、褚先生當作太史公、徐廣所引一本是、蓋史記各篇、必有論贊、此篇不可獨缺也、地形險阻數句、亦史公之言、說又詳于始皇本紀、地形險阻、所以爲固也。兵革刑法、所以爲治也。猶未足恃也。夫先王以仁義爲本、而以固塞文法爲枝葉。豈不然哉。吾聞

賈生之稱曰。秦孝公據殽·函之固、【集解】韋昭曰、殽謂二殽、函、函谷關也、擁雍州之地、君臣固守、以窺周室、有席卷天下、包擧宇內、囊括四海之意、幷吞八荒之心。當是時也、商君佐之、內立法度、務耕織、修守戰之備、外連衡而鬬諸侯。於是、秦人拱手而取西河之外。孝公既沒、惠文王·武王·昭王、蒙故業因遺策、南取漢中、西擧巴·蜀、東割膏腴之地、收要害之郡。【考證】賈誼新書、收上有北字、諸侯恐懼、會盟而謀弱秦、不愛珍器重寶肥饒之地、以致天下之士、合從締交、相與爲一。當此之時、齊有孟嘗、趙有平原、楚有春申、魏有信陵。此四君者、皆明知而忠信、寬厚而愛人、尊賢而重士、約從連衡、兼韓·魏·燕·趙·宋·衞·中山之衆。【考證】新書、始皇紀、漢書、竝連衡作離衡、此誤、燕下脫楚

齊二字、於是六國之士、有甯越·徐尙·蘇秦·杜赫之屬、爲之謀、齊明·周最、【正義】音聚、陳軫·邵滑、【正義】邵作昭、樓緩·翟景·蘇厲·樂毅之徒、通其意、吳起·孫臏·帶他·兒良·王廖·田忌·廉頗·趙奢之倫、制其兵、嘗以什倍之地、百萬之師、仰關而攻秦。【索隱】仰、字亦作卬、竝音仰、謂秦地形高、故竝仰向關門而攻秦、有作叩字、非也、秦人開關而延敵。九國之師、【索隱】九國者、謂六國之外、更有宋衞中山、遁逃而不敢進。秦無亡矢遺鏃之費、而天下固已困矣。於是從散約敗、【考證】始皇紀、新書、文選、敗作解、爭割地而賂秦。秦有餘力而制其弊、追亡逐北、伏尸百萬、流血漂櫓、【索隱】說文云、櫓、大楯也、【考證】始皇紀、漢書、作鹵、因利乘便、宰割天下、分裂山河、彊國請服、弱國入朝。施及孝文王·莊襄王、享國之日淺、國家無事。【考證】新書、始皇紀、無之字、及至始皇、奮六

世之餘烈、振長策而御宇內、呑二周而亡諸侯、履至尊而制六合、執敲朴以鞭笞天下、威振四海。【索隱】臣瓚云、短曰敲、長曰朴、南取百越之地、以爲桂林·象郡。百越之君、俛首係頸、委命下吏。乃使蒙恬北築長城而守藩籬、卻匈奴七百餘里。胡人不敢南下而牧馬。士亦不敢貫弓而報怨。【索隱】貫、音烏還反、又如字、貫、謂上弦也、【考證】新書、始皇紀、漢書、文選、貫作彎、於是廢先王之道、燔百家之言、以愚黔首、墮名城、殺豪俊、收天下之兵、聚之咸陽、銷鋒鍉、【集解】徐廣曰、一作鏑、【正義】鍉、音的、注鏑同音、鑄以爲金人十二、【索隱】各重千石、坐高二丈、號曰翁仲、【考證】始皇紀、銷鋒鍉鑄、作銷鋒鑄鐻、以弱天下之民、【考證】始皇紀、天下作黔首、然後踐華爲城、因河爲池、據億丈之城、臨不測之谿、以爲固。良將勁弩、守要害之處、信臣精卒、陳利兵而誰何。

【索隱】音呵、亦何字、猶今巡更問何誰、天下已定、始皇之心、自以爲關中之固、金城千里、子孫帝王萬世之業也。始皇既沒、餘威振於殊俗。然而陳涉、甕牖繩樞之子、甿隷之人、而遷徙之徒也。【集解】徐廣曰、田民曰甿、音亡更反、材能不及中人。非有仲尼·墨翟之賢、陶朱·猗頓之富也。躡足行伍之閒、俛仰仟佰之中、【索隱】仟佰、謂千人百人之長也、音千百、漢書作阡陌、如淳云、時皆僻屈在阡陌之中、陌、音貊、率罷散之卒、將數百之衆、轉而攻秦、斬木爲兵、揭竿爲旗、天下雲會響應、贏糧而景從。山東豪俊遂竝起、而亡秦族矣。且天下非小弱也。雍州之地、殽函之固、自若也。陳涉之位、非尊於齊·楚·燕·趙·韓·魏·宋·衞·中山之君也。且鉏櫌棘矜、【索隱】鉏櫌、謂鉏木也、論語曰、櫌而不輟、是也、棘、戟也、矜、戟柄也、音勤、【考證】且作鉏、非銛於句戟長鎩也。適戍之衆、非儔

於九國之師也。【考證】儔作抗、深謀遠慮、行軍用兵之道、非及鄉時之士也。【索隱】鄉音香亮反、鄉時猶往時也、蓋謂孟嘗信陵蘇秦陳軫之比也、然而成敗異變、功業相反也。嘗試使山東之國、與陳涉度長絜大、比權量力、則不可同年而語矣。【索隱】絜音下結反、謂如結束知其大小也、然而秦以區區之地、致萬乘之權、抑八州而朝同列、百有餘年矣。【索隱】謂秦彊而抑八州使朝己也、漢書作招八州、亦通也、然後以六合爲家、殽·函爲宮、一夫作難、而七廟墮、身死人手、爲天下笑者、何也。仁義不施、而攻守之勢異也。【索隱】施式豉反、言秦虎狼之國、其仁義不施及於天下、故亡也、【考證】解注具于始皇本紀、

【索隱】述贊、天下匈匈、海內乏主、掎鹿爭捷、瞻烏爰處、陳勝首事、厥號張楚、鬼怪是憑、鴻鵠自許、葛嬰東下、周文西拒、始親朱房、又任胡武、夥頤見殺、腹心不與、莊賈何人、反噬城父、

陳涉世家第十八

史記四十八

史記會注考證卷四十九

漢　太史令司馬遷　撰

宋　中郎外兵曹參軍裴駰　集解

唐　國子博士弘文館學士司馬貞　索隱

唐　諸王侍讀率府長史張守節　正義

日本　出雲瀧川資言　考證

外戚世家第十九　史記四十九

[索隱]外戚、紀后妃也、后族亦代有封爵故也、漢書則編之列傳之中、王隱則謂之爲紀、而在列傳之首、[考證]史公自序曰、成皐之臺、薄氏始基、詘意適代、厥崇諸竇、栗姬

偩貴、王氏乃遂、陳后太驕、卒尊子夫、嘉夫德若斯、作外戚世家、第十九、徐孚遠曰、紀后妃而號曰外戚、非也、後代史書、皇后自作紀、而外戚別作傳、乃爲得之、査愼行曰、史記外戚世家、漢書改入列傳、又詳紀後宮爵位稱號、可補司馬之缺、

自古受命帝王、及繼體守文之君、[索隱]按繼體、謂非創業之主、而是嫡子繼先帝之正體而立者也、守文、猶守法也、謂非受命創制之君、但守先帝法度爲之主耳、[正義]繼體、謂嫡子繼先祖者也、守文、謂守先祖法令也、[考證]顏師古曰、繼體、謂嗣位也、中井積德曰、承父祖之統者、皆繼體矣、不必論嫡庶、非獨內德茂也。蓋亦有外戚之助焉。[索隱]按謂非獨君德於內茂盛、而亦有賢后妃外戚之親、以助敎化、[正義]內德、謂皇后也、外戚、謂皇后親戚也、[考證]內德二字、緊承君字、則索隱爲是、夏之興也以塗山。[索隱]韋昭云、塗山、國名、禹所娶、在今九江、應劭云、九江當塗、有禹墟、大戴云、禹娶塗山氏之女、謂之僑、僑產啓、而桀之放也以末喜。[索隱]國語、桀伐有施、有施人以妹喜女焉、韋昭云、有施氏女、姓喜、殷之興也以有娀、[索隱]韋昭云、契母簡狄、有娀國女、音嵩、紂之殺也嬖妲己。[索隱]國語、殷辛伐有蘇、有蘇氏以妲己女焉、按有蘇、國也、己姓也、妲、字也、包愷云、妲、音丁達反、[考證]漢書、紂上有而字、與上下文一例、周之興也以姜原[索隱]系本云、帝嚳上妃有邰氏之女曰姜原、鄭玄箋詩云、姜姓、嫄名、履

大人跡而生后稷、及大任、[索隱]按大任、文王之母、故詩云、摯仲氏任、毛詩云、摯國任姓之中女也、而幽王之禽也、淫於褒姒。[索隱]國語曰、幽王伐有褒、褒人以褒姒女焉、按褒是國名、姒是其姓、卽龍漦之子、褒人育而以女於幽王也、然此文自夏之興至褒姒、皆是史蘇之詞、見國語及列女傳、故易基乾坤、[考證]易卦以乾坤始、繫辭云、乾道成男、坤道成女、乾知大始、坤作成物、詩始關雎、[考證]詩大序、關雎、后妃之德也、風之始也、所以風天下而正夫婦也、愚按史公說詩、此與毛義同、與十二諸侯表序孔子世家所述異、書美釐降、[考證]顏師古曰、釐、理也、尚書堯典稱舜之美云、釐降二女于嬀汭、言堯欲觀舜治迹、以己之二女妻之、舜能以治降下二女、以成其德、春秋譏不親迎。[索隱]按公羊、紀裂繻來逆女、何以書、譏也、譏不親迎也、[考證]隱二年公羊傳、夫婦之際、人道之大倫也。禮之用、唯婚姻爲兢兢。[考證]顏師古曰、兢兢、戒愼也、楓山、三條本、夫婦上有陰陽二字、夫樂調而四時和。陰陽之變、萬物之統也。可不愼與。[索隱]以言若樂聲調、能令四時和、而陰陽變、則能生萬物、是陰陽卽夫婦也、夫婦道和、而能化生萬物、萬物人爲之本、故云萬物之統、人能弘道、無如命何。[考證]顏師古曰、論語載孔子曰、人能弘道、非道弘人、又稱子路曰、道之將興、命也、道之將廢、命也、公伯寮其如命何、故引之、愚按顏說、路字衍、甚哉妃匹之愛。[索隱]妃、音

配、又如字、君不能得之於臣、父不能得之於子。況卑下乎。[索隱]以言夫婦親愛之情、雖君父之尊、而不奪臣子所好愛、使移其本意、是不能得也、故曰、匹夫不可奪志也、[正義]言臣子有親愛之情、君父雖尊、猶不能奪、況乎卑下而能止制乎、[考證]沈欽韓曰、秦策、父之於子也、令有必行者、必行者曰、去貴妻賣愛妾、此令必行者也、因曰敢毋思也、此令必不行者也、後書郅惲引此語、愚按、言君父不能使臣子愛己如其妃匹、諸說未得、既驩合矣。或不能成子姓。[索隱]按鄭玄注禮記云、姓者生也、子姓、謂衆孫也、按卽趙飛燕等是也、[正義]言無子孫、[考證]中井積德曰、子姓、謂子與孫也、姓、生也、謂子之所生、禮文爲然、但此汎用、似單稱子也、仍是姓生之意矣、能成子姓矣。或不能要其終。[索隱]按謂有始不能要其終也、以言雖有子姓、而意不能有要終、如栗姬衞后等是也、豈非命也哉。孔子罕稱命。蓋難言之也。[考證]論語子罕篇、子罕言利與命與仁、史公以稱字易言字、論語罕言字、管到利命仁三字、說既見孔子世家、馮班曰、先本六藝、言妃匹之際、係天下之興亡、此正言也、而漢之諸后、或不由德、特言命以志感慨、文有煙波、又曰、妙在蓋難言之一句、不然、與上文不相顧矣、非通幽明之變、惡能識乎性命哉。[索隱]上音烏、惡猶於何也、[考證]論語公冶長篇、子貢云、夫子之言性與天道、不可得而聞也、易繫辭傳云、仰以觀於天文、俯以察於地理、是故知幽明之故、太史公曰。秦以前尚略矣。其

詳靡得而記焉。漢興、呂娥姁爲高祖正后、男爲太子。【集解】徐廣曰、姁、音況羽反、呂后姊字長姁也、【索隱】呂后字、音況羽反、按漢書呂后名雉、 及晚節色衰愛弛、【正義】下式支反、謂闕展也、言姬嬪多也、 而戚夫人有寵。【索隱】漢書云、得定陶戚姬、 其子如意幾代太子者數矣。及高祖崩、呂后夷戚氏、誅趙王。【考證】各本、呂后作呂氏、今從宋、中統、游、毛本、 而高祖後宮唯獨無寵疏遠者得無恙。【索隱】爾雅云、恙、憂也、一說、古者野居露宿、恙、噬人蟲也、故人相恤云、得無恙乎、 呂后長女、爲宣平侯張敖妻。敖女爲孝惠皇后。【索隱】按皇甫謐云、名嫣、 呂太后以重親故、欲其生子萬方。終無子。【考證】周壽昌曰、張后爲帝姊之女、以配帝、故云重親、 詐取後宮人子爲子。【考證】說詳呂后紀、 及孝惠帝崩、天下初定未久、繼嗣不明。於是貴外家、王諸呂、以爲輔。而以呂祿女爲少帝后、【考證】何焯曰、前所立者、自呂后時已幽死、此云少帝、卽恆山王、 欲連固根本牢甚。然無益也。【考證】亦命

也、 高后崩、合葬長陵。【集解】關中記曰、高祖陵在西、呂后陵在東、漢帝后同塋、則爲合葬、不合陵也、諸陵皆如此、 祿・產等懼誅、謀作亂。大臣征之。天誘其統、卒滅呂氏。【集解】徐廣曰、統一作夷、【考證】梁玉繩曰、作夷、是也、史公用左氏語、愚按、天使不失高祖之統也、作統爲是、 唯獨置孝惠皇后居北宮、【索隱】按宮在未央北、故曰北宮、【正義】括地志云、北宮、在雍州長安縣西北十三里、與桂宮相近、在長安故城中、【考證】杳愼行曰、漢書改爲廢處北宮、按文帝繼統、未嘗有以叔廢嫂之事、似當從史記、愚按、漢書外戚傳云、孝惠張皇后、孝文後元年薨、葬安陵、不起墳、 迎立代王。是爲孝文帝、奉漢宗廟。此豈非天邪。非天命孰能當之。【考證】承上文豈非命也哉、馮班曰、已作呂后本紀、此只略敍、與漢書不同意、 薄太后父吳人、姓薄氏。秦時與故魏王宗家女魏媼通、生薄姬。【索隱】媼、音烏老反、然媼是婦人之老者通號、故趙太后自稱媼、及王媼劉媼之屬是也、【考證】周壽昌曰、媼亦當時女通稱、衞青傳、父鄭季與主家僮衞媼通、是媼尚爲僮也、史良娣傳、良娣母爲王媼、末年皆稱曰王媼、知媼與嫗別、愚按、媼是不少女之稱、魏媼衞媼、蓋自後追言之也、中井積德曰、趙世家、左師觸龍稱太后爲媼、太后未嘗自稱焉、索隱謬、 而薄父死山陰。因葬焉。【索隱】顧氏按冢墓記、薄父冢在會稽縣西北檝山上、今猶有兆域、檝、音莊洽

反、【正義】括地志云、檝山、在越州會稽縣西北三里、一名稷山、檝、音莊洽反、【考證】楓山、三條本、薄下有姬字、與漢書外戚傳合、 及諸侯畔秦、魏豹立爲魏王。而魏媼內其女於魏宮。媼之許負所相。相薄姬云。當生天子。【考證】許負、郭解外祖父、相周亞夫、見絳侯世家、 是時項羽方與漢王相距滎陽。天下未有所定。豹初與漢擊楚。及聞許負言、心獨喜。因背漢而畔中立、更與楚連和。【考證】顏師古曰、自謂當得天下、愚按、漢書外戚傳無畔字、此疑衍、 漢使曹參等擊、虜魏王豹、以其國爲郡。而薄姬輸織室。豹已死。漢王入織室、見薄姬有色、詔內後宮。歲餘不得幸。始姬少時、與管夫人・趙子兒相愛。約曰。先貴無相忘。【考證】與陳勝曰苟富貴無相忘詞氣相似、下文平陽公主語衞皇后亦云、卽貴無相忘、 已而管夫人・趙子兒先幸漢王。漢王坐河南宮成皐臺。【索隱】按是河南宮之成皐臺、漢書作成皐靈臺、西征記云、武牢城內有高祖殿、西南有武庫、【正義】括地志云、洛州氾水縣、古東虢州、故鄭之制邑、漢

之成皐縣也、 此兩美人相與笑薄姬初時約。漢王聞之問其故。兩人具以實告漢王。漢王心慘然憐薄姬。【考證】漢書、慘作悽、 是日召而幸之。薄姬曰。昨暮夜妾夢蒼龍據吾腹。高帝曰。此貴徵也。吾爲女遂成之。一幸生男。是爲代王。其後薄姬希見高祖。高祖崩。諸御幸姬戚夫人之屬、呂太后怒、皆幽之、不得出宮。而薄姬以希見故得出、從子之代、爲代王太后。太后弟薄昭、從如代。代王立十七年、高后崩。大臣議立後。疾外家呂氏彊、皆稱薄氏仁善。【考證】漢書、彊下有暴字、 故迎代王、立爲孝文皇帝。而太后改號曰皇太后。弟薄昭封爲軹侯。【索隱】按地理志、軹縣在河內、恐地遠非其封也、按長安東有軹道亭、或當是所封也、【考證】洪亮吉曰、按外戚世家、竇廣國封章武侯、彭祖封南皮侯、皆屬勃海、田勝封周陽侯、屬上郡、較河內更遠、何獨疑軹遠非封地乎、又昭以帝舅之尊、不當僅封一亭、索隱恐誤、漢書

【索隱】恩澤侯表、孝惠子亦封軹侯、豈亦軹道亭乎、索隱誤可知、王先謙曰、昭後有罪自殺、見漢書文紀、薄太后母亦前死、葬櫟陽北。於是乃追尊薄父爲靈文侯、【考證】楓山三條本、父上有姬字、漢書作太后父、會稽郡置園邑三百家、長丞已下、吏奉守冢、寢廟上食、祠如法。【考證】漢書、吏作使、梁玉繩曰、此脫其旁耳、而櫟陽北亦置靈文侯夫人園、如靈文侯園儀。薄太后以爲母家魏王後、早失父母、【考證】古鈔本、楓山三條本、無母字、與漢書合、其奉薄太后、諸魏有力者。【考證】古鈔本、楓山三條本、無者字、與漢書合、於是召復魏氏。【考證】顏師古曰、優復之也、復、音方目反、及尊、賞賜各以親疏受之。【考證】及尊二字、漢書無、梁玉繩曰、此衍、薄氏侯者凡一人。薄太后後文帝二年、以孝景帝前二年崩。葬南陵。【索隱】按廟記云、在霸陵南十里、故謂南陵、按今在長安東滻水東東原上、名曰少陵、在霸陵西南、故曰東望吾子、西望吾夫、是也、【正義】括地志云、南陵故縣在雍州萬年縣東南二十四里、漢南陵縣、本薄太后陵邑、陵在東北、去縣六里、以呂后會葬長陵、故特自起陵。

【考證】楓山三條本、以作由、會、古鈔本、楓三本、漢書作合、依文例、此誤、近孝文皇帝霸陵。【集解】徐廣曰、霸陵縣有軹道亭、【考證】中井積德曰、軹道亭、何注於此、愚按、當移上文封爲軹侯之下、竇太后、趙之清河觀津人也。【索隱】按皇甫謐云、名猗房、【正義】在冀州棗强縣東北二十五里、呂太后時、竇姬以良家子入宮侍太后。太后出宮人以賜諸王。各五人。竇姬與在行中。竇姬家在清河。欲如趙近家。請其主遣宦者吏、【正義】謂宦者爲吏、主發遣宮人也、【考證】顏師古曰、如、往也、必置我籍趙之伍中。【考證】籍、名簿也、宦者忘之、誤置其籍代伍中。籍奏。詔可。當行、竇姬涕泣、怨其宦者、不欲往。相彊。乃肯行至代。代王獨幸竇姬、生女嫖。【索隱】音疋消反、後生兩男。而代王王后生四男。【考證】漢書外戚傳同、景紀、作三男、先代王未入立爲帝、而王后卒。及代王立爲帝、【考證】張文虎曰、中統、游、王、柯本、及作後、淩引一本亦作後、漢書作及、而王后所生四男、更病死。

【考證】顏師古曰、更、互也、孝文帝立數月、公卿請立太子。而竇姬長男最長。立爲太子。立竇姬爲皇后。女嫖爲長公主。【考證】中井積德曰、此宜稱館陶公主、愚按、漢書作館陶長公主、顏師古注、年最長、故謂長公主、徐孚遠曰、此太史公所謂命也、其明年、立少子武爲代王。已而又徙梁。是爲梁孝王。【考證】中井積德曰、少子者是竇后之季子、非據文帝言之、竇皇后親蚤卒。葬觀津。【索隱】按摯虞注決錄云、竇太后父、少遭秦亂、隱身漁釣、墜泉而死、景帝立太后、遣使者填父所墜淵、起大墳於觀津城南、人閉號曰竇氏青山也、於是薄太后乃詔有司、追尊竇后父爲安成侯、母曰安成夫人、令清河置園邑二百家、長丞奉守、比靈文園法。竇皇后兄竇長君。【索隱】按決錄云、建、字長君、弟曰竇廣國。字少君。【正義】括地志云、竇少君墓、在冀州武邑縣東南二十七里、少君年四五歲時、家貧爲人所略賣。其家不知其處。傳十餘家至宜陽。爲其主入山作炭。【考證】古鈔本、三條本、主下有人字、與漢書合、寒臥岸

下百餘人。【考證】王念孫曰、寒當從漢書作暮、御覽引史記亦作暮、張熷曰、臥岸下、論衡吉驗篇作臥炭下、李笠曰、說文山部、巖、岸也、此云入山作炭、當非水涯、當謂臥巖下、岸崩、盡壓殺臥者。少君獨得脫不死。自卜數日。當爲侯。【考證】周壽昌曰、劉敞云、日、當作曰、案劉說是也、竇廣國之至長安、得見竇后、當在文帝初、而廣國之封章武侯、實在景帝朝、安所謂數日也、漢書元后傳、使卜數者相政君、顏注、數、計也、若言今之祿命書也、愚按、古鈔本、楓山三條本、日作曰、從其家之長安。【索隱】謂從逐其宜陽之主人家、而皆往長安也、【考證】中井積德曰、只從其主家之人詣長安耳、不必移居、聞竇皇后新立、家在觀津、姓竇氏、廣國去時、雖小、識其縣名及姓。又常與其姊採桑墮。【考證】常、讀爲嘗、楓山本、小作少、古鈔本、楓山、三條本、墮下有樹字、用爲符信。上書自陳。竇皇后言之於文帝。召見問之。具言其故。果是。又復問他何以爲驗。對曰。姊去我西時、與我決於傳舍中。【索隱】決者別也、傳、音轉、傳舍、謂郵亭傳置之舍、蓋竇后初入宮時、別其弟於傳舍之中也、丐沐沐我、【索隱】丐、音蓋、丐者乞也、沐、米潘也、謂后乞潘爲弟沐、【考證】禮記王制、湯沐之邑、注、浴用湯、沐用潘、潘、淅米汁也、張文虎曰、索隱以米潘訓沐、疑上沐字乃

沃之譌、說文、沃、淅簡也、 請食飯我、乃去。於是竇后持之而泣。泣涕交橫下。侍御左右皆伏地泣、助皇后悲哀。乃厚賜田宅金錢、封公昆弟、家於長安。【索隱】按公、亦祖也、謂皇后同祖之昆弟、如竇嬰、卽皇后之兄子之比、亦得家於長安、故劉氏云、公昆弟、謂廣國等、【考證】中井積德曰、封公昆弟難通、長安少君未得封、而從兄弟先得封、無此理也、劉註亦强解、班史刪此句、是也、蓋衍文云、愚按、楓山三條本、封作令、方苞以封公二字爲衍文、方說近是、 絳侯・灌將軍等曰。吾屬不死、命乃且縣此兩人。【考證】絳侯周勃、將軍灌嬰、顏師古曰、恐其後擅權、則將相大臣、當被害、 兩人所出微。不可不爲擇師傅賓客。又復效呂氏大事也。【考證】陳仁錫曰、八字爲一句、分二句誤、 於是乃選長者士之有節行者與居。【考證】漢書刪士字、 竇長君少君、由此爲退讓君子、不敢以尊貴驕人。竇皇后病失明、文帝幸邯鄲愼夫人・尹姬。皆毋子。孝文帝崩、孝景帝立。乃封廣國爲章武侯。【索隱】地理志、縣名、屬勃海、【正義】括地志云、滄州魯城縣、 長君前

死。封其子彭祖爲南皮侯。【索隱】地理志、縣名、屬勃海、【正義】括地志云、故南皮城、在滄州南皮縣北四里、漢南皮縣也、 吳・楚反時、竇太后從昆弟子竇嬰、任俠自喜。將兵、以軍功爲魏其侯。【索隱】地理志、縣名、屬琅邪、【考證】漢書、將兵作爲大將軍、魏其侯竇嬰自有傳、 竇氏凡三人爲侯。竇太后好黃帝・老子言。帝及太子諸竇、不得不讀黃帝・老子、尊其術。【考證】漢書、讀下無黃帝二字、愚按、列子引黃帝書、莊子亦屢引黃帝言、漢書藝文志、道家、黃帝四經四篇、黃帝銘六篇、黃帝君臣十篇、注云、起六國時、與老子相似也、雜黃帝五十八篇、注云、六國時賢者所作、蓋漢代尚有其書、今不傳、而其非黃帝自著則無疑也、 竇太后後孝景帝六歲、建元六年崩。【索隱】是當武帝建元六年、此文是也、而漢書作元光、誤、 合葬霸陵。遺詔盡以東宮金錢財物、賜長公主嫖。【正義】東宮、太后宮、【考證】王先謙曰、長公主事、詳東方朔傳、 王太后、【索隱】按皇甫謐云、名娡、音志、 槐里人。【索隱】按地理志、右扶風槐里、本名廢丘、【正義】括地志云、犬丘故城、一名槐里、亦曰廢丘、城在雍州始平縣東南十里也、 母曰臧兒。臧兒者、故燕王臧荼孫也。臧兒嫁爲槐里王仲妻。

生男曰信與兩女。【索隱】卽后及兒姁也、【考證】漢書無曰字、 而仲死。臧兒更嫁長陵田氏、生男蚡・勝。臧兒長女、嫁爲金王孫婦。生一女矣。而臧兒卜筮之曰。兩女皆當貴。因欲奇兩女乃奪金氏。【索隱】奇者、異之也、漢書作倚、倚者依也、【正義】奇、作倚、倚、於綺反、倚依也、問卜筮、兩女當貴、乃依恃之、故奪金氏之女、【考證】奇、漢書作倚、非也、高祖紀呂媼怒呂公曰、公始常欲奇此女與貴人、漢書外戚傳、霍顯謂淳于衍曰、將軍素愛小女成君、欲奇貴之、字法語意正同、奇、顯異也、說詳高祖紀、 金氏怒、不肯予決。【考證】漢書外戚傳、予作與、可從、不肯句、與訣句、訣、別也、 乃內之太子宮。太子幸愛之、生三女一男。男方在身時、王美人夢日入其懷。以告太子。太子曰。此貴徵也。未生、而孝文帝崩。孝景帝卽位。王夫人生男。【索隱】卽武帝也、漢武故事云、帝以乙酉年七月七日生於猗蘭殿、 先是臧兒又入其少女兒姁。【索隱】況羽反、 兒姁生四男。【索隱】謂廣川王越、膠東王寄、清河王乘、常山王舜也、 景帝爲太子時、薄太后以薄氏女爲妃。及景

帝立、立妃曰薄皇后。皇后毋子、毋寵。薄太后崩、廢薄皇后。景帝長男榮、其母栗姬。栗姬、齊人也。立榮爲太子。長公主嫖有女、欲予爲妃。【考證】予、予太子也、 栗姬妒。而景帝諸美人、皆因長公主見景帝。得貴幸皆過栗姬。【索隱】過、音戈、謂踰之、 栗姬日怨怒、謝長公主。不許。長公主欲予王夫人。【考證】張文虎曰、疑夫人下脫男字、 王夫人許之。長公主怒、而日讒栗姬短於景帝曰。栗姬與諸貴夫人幸姬會、常使侍者祝唾其背、挾邪媚道。景帝以故望之。【索隱】望、猶責望、謂恨之也、【正義】望、猶恨也、 景帝嘗體不安、心不樂。屬諸子爲王者於栗姬曰。百歲後、善視之。栗姬怒、不肯應。言不遜。景帝恚、心嗛之、而未發也。【索隱】嗛、音銜、銜謂恨也、 長公主日譽王夫人男之美。景帝亦賢之。又有曩

者所夢日符。【考證】顏師古曰、符猶瑞應、愚按、漢書、有作耳、史文爲長、計未有所定。王夫人知帝望栗姬、因怒未解、陰使人趣大臣、立栗姬爲皇后。【考證】顏師古曰、趣、音促、李慈銘曰、大臣、當作大行、大行奏事畢。【索隱】大行、禮官、行、音衡、曰。子以母貴。母以子貴。【索隱】此皆公羊傳文、【考證】隱元年公羊傳、周壽昌曰、時朝廷用公羊決事、故大行引之、今太子母無號、宜立爲皇后。景帝怒曰。是而所宜言邪。【考證】而、汝也、漢書作乃、義同、遂案誅大行、而廢太子爲臨江王。栗姬愈恚恨、不得見。以憂死。卒立王夫人爲皇后。其男爲太子。封皇后兄信爲蓋侯。【索隱】地理志、蓋縣、屬太山、景帝崩。太子襲號爲皇帝。【正義】卽武帝、尊皇太后母臧兒爲平原君、【正義】德州縣也、封田蚡爲武安侯、【索隱】地理志、縣名、屬魏郡、【正義】括地志云、武安故城、在洺州武安縣西南七里、六國時趙邑、漢武安縣城也、勝爲周陽侯。【索隱】地理志、縣名、屬上郡、【正義】括地志云、周陽故城、在絳州聞喜縣東二十九里也、景帝十三

男。一男爲帝、十二男皆爲王。【考證】梁玉繩曰、十三男、當作十四男、十二男、當作十三男、而兒姁早卒。其四子皆爲王。【考證】兒姁四子爲王、詳于上注、王太后長女、號曰平陽公主。【正義】括地志云、平陽故城、卽晉州城西面、今平陽故城東面也、城記云、堯築也、次爲南宮公主。【正義】南宮、冀州縣也、次爲林慮公主。【索隱】縣名、屬河內、本名隆慮、避殤帝諱改名林慮、音廬、【正義】林慮、相州縣也、【考證】梁玉繩曰、高祖功臣表及惠景侯表、皆作隆慮、而此獨作林慮、蓋後人妄改、愚按、漢外戚傳、亦作隆慮、蓋侯信好酒。田蚡・勝貪、巧於文辭。王仲蚤死。葬槐里。追尊爲共侯。置園邑二百家。及平原君卒、從田氏葬長陵。置園比共侯園。而王太后後孝景帝十六歲、以元朔四年崩。合葬陽陵。【正義】括地志云、陽陵、在雍州咸陽縣東四十里、【考證】四年、漢書作三年、與武紀合、此誤、王太后家、凡三人爲侯。衞皇后字子夫。生微矣。蓋其家號曰衞氏。【正義】衞靑傳云、父鄭季、爲吏給事平陽侯家、與侯妾衞媼通、生靑、故冒衞氏、出平陽侯邑。【集解】徐廣曰、平陽侯曹

壽、尙平陽公主、子夫爲平陽主謳者。【考證】古鈔本、楓山、三條本、陽下有公字、下同、武帝初卽位。【考證】陳仁錫曰、武帝、當作今上、錢大昕曰、史公書稱孝武、曰今上、曰今天子、曰天子、無稱謚者、而此篇及賈生・李將軍・萬石君・主父偃・衞將軍驃騎・汲鄭・酷吏列傳、皆有武帝卽位之文、此後人追改、酷吏傳敍寧成陽由、皆稱武帝、其下敍趙禹、則云今上時、蓋追改又有不盡耳、數歲無子。平陽主求諸良家子女十餘人、飾置家。武帝祓霸上還、【集解】徐廣曰、三月上巳、臨水祓除、謂之禊、呂后本紀亦云、三月祓還過軹道、蓋與游字相似、故或定之也、【索隱】蘇林音廢、今亦音拂、謂祓禊之游水自潔、故曰祓除、【考證】張文虎曰、據集解、徐所見史本、祓字譌游、因過平陽主。主見所侍美人。上弗說。既飮。謳者進。上望見獨說衞子夫。是日武帝起更衣。子夫侍尙衣。軒中得幸。【正義】尙、主也、於主衣車中得幸也、【考證】中井積德曰、侍尙衣、是執更脫衣裳之役、又曰、軒、小屋、是近廁、卽更脫衣裳之處、何焯曰、案長廊有窗而周迴者曰軒、此軒中蓋屋也、豈有帝方宴飮時、上車更衣者乎、上還坐、驩甚。賜平陽主金千斤。主因奏子夫、奉送入宮。子夫上車。平陽主拊其背曰。行矣。彊飯勉之。卽貴無相忘。【考證】顏師

古曰、行矣、猶今言好去、愚按、僖廿三年左傳姜氏謂晉公子曰、行也、懷與安實敗名、自古有此語也、入宮歲餘。竟不復幸。武帝擇宮人不中用者、斥出歸之。衞子夫得見、涕泣請出。上憐之、復幸。遂有身。尊寵日隆。召其兄衞長君・弟靑爲侍中。而子夫後大幸有寵。凡生三女【索隱】按謂諸邑、石邑、及衞長公主、後封當利公主是、一男。男名據。【索隱】卽戾太子也、初上爲太子時、娶長公主女爲妃。立爲帝、妃立爲皇后。姓陳氏。【索隱】漢武故事云、后名阿嬌、卽長公主嫖女也、曾祖父嬰、堂邑侯、傳至父午、尙長公主、生后、【考證】淩稚隆曰、按漢武帝故事云、初武帝爲太子時、長公主以女配帝、時帝尙少、長公主指女問帝曰、得阿嬌好否、帝曰、若得阿嬌、當以金屋貯之、主大喜、乃配帝、是曰陳皇后、阿嬌、后字也、無子。上之得爲嗣、大長公主有力焉。【集解】徐廣曰、卽景帝姊嫖也、以故陳皇后驕貴。聞衞子夫大幸、恚、幾死者數矣。上愈怒。陳皇后挾婦人媚道。其事頗覺。【考證】沈欽韓曰、周官內宰、禁其奇袤、鄭云、若今媚道、賈氏云、鄭擧漢法證經、列女傳、夏姬美好無匹、內挾伎術、蓋老而復壯者三、此類也、愚按、漢外戚

傳、使有司賜皇后策曰、皇后失序、惑於巫祝、所謂惑於巫祝、卽媚道也、周官賈疏非也、於是廢陳皇后、【索隱】按漢書云、女子楚服等、坐爲皇后咒詛、大逆無道、相連誅者三百人、乃廢后居長門宮、故司馬相如賦云、陳皇后別在長門宮、愁悶悲思、奉黃金百斤爲相如取酒、乃爲作頌以奏、皇后復親幸、作頌信有之也、復親幸之、恐非實也、【考證】張照曰、陳后復幸之說不虛、但不復其位耳、觀下文求子云云、非復幸於帝、亦何求之有、崔適曰、陳皇后求子句上、當有初字、不謂廢後也、愚按、張說是、而立衛子夫爲皇后。陳皇后母大長公主、景帝姊也。數讓武帝姊平陽公主曰、帝非我不得立。已而弃捐吾女。壹何不自喜而倍本乎。【考證】自喜、猶言自好、謂自愛重也、孟子萬章篇、鄉黨自好者不爲、韓非子顯學篇、世主禮之以爲自好之士、史魏其武安侯傳、韓御史謂丞相曰、君何不自喜、平陽公主曰、用無子故廢耳。陳皇后求子、與醫錢凡九千萬。然竟無子。衛子夫已立爲皇后。先是衛長君死。乃以衛青爲將軍。擊胡有功。封爲長平侯。【索隱】地理志、縣名、屬汝南、青三子在襁褓中。皆封爲列侯。及衛皇后所謂姊衛少兒。少兒

生子霍去病。以軍功封冠軍侯。【索隱】子夫姊少兒之子去病封也、地理志、冠軍屬河陽、【考證】張文虎曰、宋本、中統、游、毛本、封作爲、號驃騎將軍。青號大將軍。立衛皇后子據爲太子。衛氏枝屬以軍功起家、五人爲侯。及衛后色衰、趙之王夫人幸。【索隱】生齊王閎、有子、爲齊王。王夫人蚤卒。而中山李夫人有寵。【索隱】生昌邑哀王髆、有男一人、爲昌邑王。【正義】名賀、【考證】張照曰、昌邑哀王髆、李夫人子也、賀乃髆子、入立而復廢者、正義誤、梁玉繩曰、李夫人之子髆以天漢四年六月封昌邑王、漢表傳並書之、其封在李夫人卒後、非史所及載、則此句似後人增入者、李夫人蚤卒。【索隱】李延年之女弟、漢書云、帝悼之、李少翁致其形、帝爲作賦、此史記以爲王夫人最寵、武帝悼惜、新論亦同、史記爲王夫人、其兄李延年、以音幸、號協律。【考證】梁玉繩曰、協律下脫都尉二字、續律曆志云、武帝正樂、置協律之官、愚按、以其爲協律都尉、號曰協律、史文自通、協律者故倡也。兄弟皆坐姦族。【考證】漢外戚佞幸二傳云、延年坐其弟季亂後宮、族、是時其長兄廣利爲貳師將軍。伐大宛、不及誅。還而上既夷李氏。後憐其家、

乃封爲海西侯。【正義】漢武帝、令李廣利征大宛、國近西海、故號海西侯也、【考證】余有丁曰、按匈奴大宛傳、廣利封時、李氏未誅、後以將軍伐匈奴、聞其家用巫蠱族、乃降匈奴、此文誤、陳仁錫曰、兄弟皆坐奸族、至後憐其家二十字、皆褚生增入者、梁玉繩曰、廣利以伐大宛功侯、非武帝憐李氏而封之、至余有丁謂廣利封時、李氏未誅、以此文爲非、史詮遂謂此文乃褚生所增、皆謬、以後之族廣利妻子、與族延年兄弟、併爲一時一事耳、他姬子二人、爲燕王・廣陵王。【索隱】漢書云、李姬生廣陵王胥、燕王旦也、其母無寵。以憂死。及李夫人卒、則有尹婕妤之屬。更有寵。然皆以倡見。【考證】淩稚隆曰、更有寵者、相繼有寵也、非王侯有土之士女、不可以配人主也。【考證】楓山、三條本、士女作世、徐孚遠曰、此非刺夫人婕妤、乃刺后妃也、託言耳、崔適曰、此篇獨無贊語、脫也、愚按、篇首有敍論、故無贊語、史例爲然、崔說誤、

褚先生曰。【正義】疑此元成之閒褚少孫續之也、臣爲郎時、問習漢家故事者鍾離生。曰。王太后在民閒時所生子女者、【集解】徐廣曰、名俗、【正義】按後封修成君者、【考證】張文虎曰、御覽引子作一、正與上史文生一女矣相應、父爲金王孫。王孫已死。景帝崩後、

武帝已立、王太后獨在。【考證】古鈔本、獨作猶、而韓王孫名嫣。素得幸武帝。承閒白言。太后有女在長陵也。武帝曰。何不蚤言。乃使使往先視之。在其家。武帝乃自往迎取之。蹕道先驅、旄騎出橫城門。【集解】如淳曰、橫、音光、三輔黃圖云、北面西頭門、【正義】括地志云、渭橋、本名橫橋、架渭水上、在雍州咸陽縣東南二十二里、按此橋對門也、乘輿馳至長陵。當小市西入里。里門閉。暴開門、乘輿直入此里。通至金氏門外止。使武騎圍其宅。【考證】楓山、三條本、止作上、屬下、爲其亡走、身自往取。不得也。卽使左右羣臣入呼求之。家人驚恐。女亡匿內中牀下。扶持出門、令拜謁。【考證】內、室也、古鈔本、持作將、與漢書合、武帝下車泣曰。嚄、大姊何藏之深也。【索隱】烏百反、蓋驚怪之辭耳、【正義】嚄嘖、失聲驚愕貌也、詔副車載之。迴車馳還、而直入長樂宮。行詔門著引

籍。【正義】武帝道上詔令通名狀於門、使引入至太后所、【考證】中井積德曰、門、謂長樂宮門也、著引籍、記姓字于門籍也、使是後出入不阻耳、通到謁太后。太后曰、帝倦矣。何從來。帝曰、今者至長陵得臣姊。與俱來。顧曰、謁太后。太后曰、女某邪。曰、是也。太后爲下泣。女亦伏地泣。武帝奉酒前爲壽。奉錢千萬、奴婢三百人、公田百頃、甲第、以賜姊。太后謝曰、爲帝費焉。於是召平陽主・南宮主・林慮主三人、俱來謁見姊。因號曰脩成君。有子男一人、女一人。男號爲脩成子仲、【索隱】金氏劈修成君之子也、而名仲者、又與大外祖王氏同字、恐非也、【考證】中井積德曰、不見子仲之姓氏、實爲缺事、又曰、王仲亦字也、子仲亦字也、伯仲之相諱、未聞也、詿謬周壽昌曰、脩成子仲、後爲長安令義縱所捕案者、見酷吏傳、女爲諸侯王王后。【集解】徐廣曰、嫁爲淮南王安太子妃也、【考證】中井積德曰、王太子爲妃矣、未嘗稱王后、班史作女嫁諸侯、得之矣、此二子非劉氏。以故太后憐之。脩成子仲驕恣、陵折吏

民。皆患苦之。【考證】以上敘脩成君事、衞子夫立爲皇后。后弟衞青、字仲卿。以大將軍封爲長平侯。四子、長子伉爲侯世子。侯世子常侍中貴幸。其三弟皆封爲侯。各千三百戶。一曰陰安侯。【索隱】名不疑、地理志、縣名、屬魏郡、【正義】括地志云、陰安故城、在魏州頓丘縣北六十里也、二曰發干侯。【索隱】名登、地理志、縣名、屬東郡、【正義】括地志云、發干故城、在博州堂邑縣西南二十三里、三曰宜春侯。【索隱】名伉、地理志、宜春、縣名、屬汝南、【正義】括地志云、宜春故城、在豫州汝陽縣西六十七里、【考證】中井積德曰、按衞將軍本傳、青三子、長子伉、宜春侯、次不疑、陰安侯、季子登、發干侯、少孫誤爲伉有三弟、又以宜春爲季弟、皆誤、貴震天下。天下歌之曰。生男無喜。生女無怒。獨不見衞子夫霸天下。【考證】怒下韻、是時平陽主寡居。當用列侯尚主。主與左右議長安中列侯可爲夫者。皆言大將軍可。主笑曰。此出吾家。常使令騎從我出入耳。柰何用爲夫乎。左右侍

御者曰。今大將軍姊爲皇后。三子爲侯。富貴振動天下。主何以易之乎。【考證】易、輕易也、於是主乃許之。言之皇后、令白之武帝。乃詔衞將軍尚平陽公主焉。【考證】漢書采此入衞傳、趙翼曰、史遷是時目擊其事、而不入將軍傳、蓋其時青正貴盛、不敢直書以取怨也、褚先生曰。丈夫龍變。傳曰。蛇化爲龍。不變其文。家化爲國。不變其姓。丈夫當時富貴。百惡滅除。光耀榮華。貧賤之時。何足累之哉。【考證】以上敘衞后及衞將軍事、武帝時、幸夫人尹婕妤。【索隱】韋昭云、婕、承、好、助也、一云、美好也、聲類云、幸也、字亦從女、漢舊儀云、皇后爲婕妤下輿、禮比丞相、邢夫人號娙娥。【索隱】服虔云、娙音近妍、徐廣音五耕反、鄒誕生音莖、字林音五經反、說文云、娙、長也、好也、許愼云、秦晉之閒、謂好爲娙、又方言曰、美貌謂之娥、漢舊儀云、娙娥秩比將軍御史大夫、衆人謂之娙何。娙何秩比中二千石。【索隱】按崔浩云、中、猶滿也、漢制九卿已上、秩一歲滿二千斛、又漢官儀云、中二千石、俸月百八十斛、容華秩比二千石。

【索隱】按二千石、是郡守之秩、漢官儀云、其俸月百二十斛、又有眞二千石者、如淳云、諸侯王相在郡守上、秩眞二千石、漢律、眞二千石、俸月二萬、按是二萬斗也、則二萬斗亦是二千石也、崔浩云、列卿已上、秩石皆正二千石、按此則是眞二千石也、其云中二千石、亦不滿二千、蓋千八九百耳、此崔氏之說、今兼引而解之、【考證】顏師古曰、中二千石、實得二千石也、中之言滿也、月得百八十斛、一歲凡得二千一百六十石、言二千者擧成數耳、眞二千石、月得百五十斛、一歲凡得千八百石耳、二千石、月得百二十斛、一歲凡得一千四百四十石耳、中井積德曰、索隱引漢律二萬、蓋謂二萬錢也、是百六十石之價直云、卽二萬斗、是二千石矣、月二千石則一歲二萬四千石矣、豈有是理哉、婕妤秩比列侯。常從婕妤遷爲皇后。尹夫人與邢夫人同時竝幸。有詔不得相見。尹夫人自請武帝、願望見邢夫人。帝許之。卽令他夫人飾、從御者數十人、爲邢夫人來前。【考證】御覽引從作徒、尹夫人前見之曰。【考證】古鈔本、無前字、與類聚所引合、此衍、此非邢夫人身也。帝曰。何以言之。對曰。視其身貌形狀、不足以當人主矣。【考證】古鈔本、楓山、三條本、身作體、與類聚初學記御覽所引合、王念孫曰、古書無以身貌連文者、於是帝乃詔使

邢夫人衣故衣、獨身來前。尹夫人望見之曰、此眞是也。於是乃低頭俛而泣、自痛其不如也。【正義】俛音俯、【考證】古鈔本、痛作病、 褚先生曰、浴不必江海。要之去垢。馬不必騏驥。要之善走。士不必賢世。要之知道。女不必貴種。要之貞好。【考證】中井積德曰、世疑當作聖、愚按、垢走道好韻、 傳曰、女無美惡、入室見妒。士無賢不肖、入朝見嫉。【考證】鄒陽獄中書、女無美惡、居宮見妬、士無賢不肖、入朝見嫉、史倉公傳贊、嫉作疑、 美女者、惡女之仇。豈不然哉。【考證】以上叙尹邢二夫人事、

鉤弋夫人、【索隱】按夫人姓趙、河閒人、漢書云、武帝過河閒、望氣者言此有奇女、天子乃使使召之、女兩手皆拳、上自披之、手卽時伸、由是幸、號曰拳夫人、後居鉤弋宮、號曰鉤弋夫人、列仙傳云、發手得一玉鉤、故號焉、漢武故事云、宮在直城門南、廟記云、宮有千門萬戶、不可記名也、【正義】括地志云、鉤弋宮在長安城中、門名堯母門也、【考證】沈家本曰、索隱引漢書、今漢書無號曰鉤弋夫人句、 姓趙氏。【索隱】漢書昭帝卽位、追尊太后父趙父爲順成侯、 河

閒人也。得幸武帝。生子一人。昭帝是也。【考證】類聚引作卽昭帝也、 武帝年七十、乃生昭帝。昭帝立時年五歲耳。【集解】徐廣曰、武帝崩、年正七十、昭帝年八歲耳、【索隱】按徐廣依漢書、以武帝年七十崩、崩時昭帝年八歲、此褚先生之記、漢書云、元始三年昭帝生、誤也、按元始當爲太始、【正義】漢書曰、後元二年上疾病、遂立昭帝爲太子、年八歲、明日武帝崩、太子卽皇帝位、五歲者褚先生誤矣、

衛太子廢、後未復立太子、而燕王旦上書願歸國入宿衛。武帝怒、立斬其使者於北闕。上居甘泉宮、召畫工圖畫周公負成王也。【考證】中井積德曰、此圖、卽所以賜博陸、 於是左右羣臣、知武帝意欲立少子也。後數日、帝譴責鉤弋夫人。夫人脫簪珥叩頭。帝曰、引持去。送掖庭獄。夫人還顧。帝曰、趣行。女不得活。夫人死雲陽宮。【索隱】按三輔故事云、葬甘泉宮南、後昭帝起雲陵、邑三千戶、漢武故事云、既殯、香聞十里、上疑非常人、發棺視之、無尸、衣履存焉、【正義】括地志云、雲陽宮、秦之甘泉宮、在雍州雲陽縣西北八十里、秦始皇作甘泉宮、去長安三百

里、黃帝以來祭圜丘處也、【考證】中井積德曰、雲陽宮卽甘泉宮矣、此上下出兩名、似別宮、是文之疎處、愚按、漢書外戚傳云、鉤弋子年五六歲、壯大多知、上常言類我、又感其生與衆異、甚奇愛之、心欲立焉、以其年穉母少、恐女主顓恣亂國家、猶與久之、鉤弋倢伃從幸甘泉、有過見譴、以憂死、與是記異、 時暴風揚塵、百姓感傷。使者夜持棺往葬之。【正義】括地志云、雲陽陵、漢鉤弋夫人陵也、在雲陽縣西北五十八里、孝武帝鉤弋趙倢伃、昭帝之母、齊人、姓趙、少好清靜、六年臥病、右手捲、飲食少、望氣者云、東北有貴人、推而得之、召到、姿色甚佳、武帝持其手、伸之得玉鉤、後生昭帝、武帝末年、殺夫人、殯之、而尸香一日、昭帝更葬之、棺但存絲履也、宮記云、武帝思之、爲起通靈臺於甘泉、常有一青鳥、集臺上往來、至宣帝時乃止、 封識其處。

其後帝閒居、問左右曰、人言云何。左右對曰、人言且立其子。何去其母乎。【考證】古鈔本、何下有爲字、 帝曰、然。是非兒曹愚人所知也。往古國家所以亂也、由主少母壯也。女主獨居、驕蹇淫亂自恣、莫能禁也。女不聞呂后邪。故諸爲武帝生子者、無男女、其母無不譴死。【考證】沈家本曰、此言失實、武帝時以譴死者、獨鉤弋耳、陳后衞后、皆以巫蠱死、非因生子譴死也、王夫

人李夫人、皆有子而蚤卒、何嘗譴死耶、中井積德曰、生男而死、尚有謂也、生女、何爲殺之、恐是傳聞妄誕、愚按、以上叙鉤弋夫人事、 豈可謂非賢聖哉。昭然遠見、爲後世計慮。固非淺聞愚儒之所及也。謚爲武、豈虛哉。【考證】楓山、三條本、所下有能字、黃震曰、按爲武帝生子者、其母無不譴死、褚先生贊其爲聖賢、雖曰有感之言、亦豈人情也哉、王若虛曰、母子天倫也、立其子、必殺其母、是母乃子之賊、而子乃母之累、生子皆譴死、後宮誰敢擧子者、非惟不仁、抑亦不智、末流至元魏、以此爲定制、椒庭憂恐、皆祈祝不願生冢嫡、有輒相勸、爲自安計、讀之令人慘然、武帝此擧可爲法哉、而帝自以爲明、史臣又從而贊譽之、何其怪也、張裕釗曰、褚先生所次修成君、衞皇后、尹邢、鉤弋夫人事、詞甚工、褚少孫宜不及是、其楊惲馮商諸人之所爲、而少孫取之者歟、愚按、少孫既曰問漢家故事者鍾離生、則其非楊馮之筆明矣、

【索隱】述贊、禮貴夫婦、易敘乾坤、配陽成化、比月居尊、河洲降淑、天曜垂軒、德著任姒、慶流娀嫄、逮我炎曆、斯道克存、呂權大寶、竇喜玄言、自茲已降、立嬖以恩、內無常主、後嗣不繁、

外戚世家第十九

史記四十九

史記會注考證卷五十

漢　太　史　令　司　馬　遷　撰
宋　中　郎　外　兵　曹　參　軍　裴　駰　集　解
唐　國　子　博　士　弘　文　館　學　士　司　馬　貞　索　隱
唐　諸　王　侍　讀　率　府　長　史　張　守　節　正　義
日　本　出　雲　瀧　川　資　言　考　證

楚元王世家第二十　史記五十

考證 史公自序云、漢既譎謀、禽信於陳、越荊剽輕、乃封弟交爲楚王、爰都彭城、以彊淮泗、爲漢宗藩、戊溺於邪、禮復紹之、嘉游輔祖、作楚元王世家第二十、

楚元王劉交者、高祖之同母少弟也。集解 徐廣曰、一作父、索隱 按漢書、作同父、言同父者、以明異母也、正義 年表云、都彭城、考證 作同母是、同母弟、猶曰母弟、父母共同也、朝錯對景帝語、高祖庶弟元王、見吳王傳、疑是後人依漢書改、崔適曰、同母者別於異母同父之稱、如魯隱之於桓公、齊桓之於子糾、異母也、同父者別於異父同母之稱、如武帝之於脩成君、田蚡之於王信、異父也、異父同母須言、同父異母不須言也、同父同母須言同母、同父異母、不須言同父也、漢高無異父兄弟、何須別言同父、帝與元王同母、則伯與仲其前母所生歟、字游。高祖兄弟四人。長兄伯。伯蚤卒。始高祖微時、嘗辟事、時時與賓客過巨嫂食。集解 徐廣曰、漢書云、丘嫂也、索隱 漢書作丘、應劭云、丘、姓也、孟康云、丘、空也、兄亾、空有嫂也、今此作巨、巨、大也、謂長嫂也、劉氏云、巨一作丘、考證 漢書作丘嫂、當是巨嫂之誤、嫂厭叔。叔與客來。嫂詳爲羹盡、櫟釜。索隱 櫟、音歷、謂以杓歷釜、旁使爲聲、漢書作轑、音勞、考證 楓山、三條本、釜下有邊字、錢大昕曰、櫟轑聲近、賓客以故去。已而視釜中、尚有羹。高祖由此怨其嫂。及高祖爲帝、封昆弟。而伯子獨不得封。太上皇以爲言。高祖曰。某非忘封之也。爲其母不長者耳。考證 錢大昕曰、稱某、史家避諱、於

是乃封其子信爲羹頡侯。集解 徐廣曰、羹頡侯、以高祖七年封、封十三年、高后元年、有罪削爵一級、爲關內侯、索隱 羹頡、爵號耳、非縣邑名、以其櫟釜故也、正義 括地志云、羹頡山、在嬀州懷戎縣東南十五里、按高祖取其山名爲侯號者、怨故也、考證 顏師古曰、頡、音戛、言其母戛羹釜也、中井積德曰、地名羹頡、故取爲號、以寓櫟釜之意耳、敖英曰、史稱高帝豁達大度、顧以嫂氏戛羹之怨、而懷憾終身、不得已而以封姪、以侯猶以戛羹名封其子、大度寧不有疵乎、而王次兄仲於代。集解 徐廣曰、次兄者、喜字仲、以六年立爲代王、其年罷、卒、諡頃王、有子曰濞、考證 漢書高祖紀云、六年正月、立兄宜信侯喜爲代王、七年十二月、匈奴攻代、代王喜弃國自歸雒陽、赦爲合信侯、史高祖紀、功臣表、諸侯王表、與此集解皆誤、說在高祖紀、凌稚隆曰、按太史公爲元王爲世家、言而首敘伯仲二兄、以伯蚤卒、仲王代亦卒、不及特爲立傳、故附見於此耳、高祖六年、已禽楚王韓信於陳。乃以弟交爲楚王、都彭城。卽位二十三年卒。索隱 漢書云、楚王王薛郡、東海、彭城、三十六縣也、考證 彭城、今江蘇銅山縣治、梁玉繩曰、案漢傳、元王好書多藝、與魯穆生白生申公俱受詩浮丘伯、世有元王詩、諸子多賢、天子尊寵、元王子比皇子、當與河間獻王竝號賢藩、而史公概不之及、僅敘在位年數、不亦疏乎、又高帝初封交爲文信君、此亦失書、子夷王郢立。索隱 漢書名郢客、夷王四年卒。子王戊立。王戊立二十年、冬、坐爲薄太后服私姦、削東

海郡。索隱 漢書云、私姦服舍中、姚察云、姦於服舍、非必宮中、又按集注、服虔云、私姦中人、蓋以罪重故至削郡也、考證 薄太后崩、在二十年夏四月、此云冬、蓋削郡之時也、漢傳云、削東海薛郡、與此異、錢大昕曰、漢初諸侯王國、大率兼數郡之地、郡之屬王國者、郡名似元未嘗廢、齊悼惠王獻城陽郡、以爲魯元公主湯沐邑、呂后割齊之濟南郡、封呂台、琅邪郡、封劉澤、吳王濞封五郡四十餘城、景帝削吳之豫章會稽郡、削楚之東海郡、趙之河南郡、皆郡之屬於國者也、趙相周昌奏常山二十五城、亡其二十城、請誅守尉、則諸侯王國之郡、亦有守也、春、戊與吳王合謀反。考證 梁玉繩曰、春上缺年、或曰明年、或曰二十一年、其相張尚・太傅趙夷吾、諫不聽。戊則殺尚・夷吾、考證 徐孚遠曰、則殺、疑賊殺、李笠曰、則古與卽字通用、漢傳作遂、遂殺、猶卽殺也、愚按李說是、起兵與吳、西攻梁、破棘壁、正義 括地志云、大棘故城、在宋州寧陵縣西七十里、卽梁棘壁、考證 今河南柘城縣西北、至昌邑南、正義 括地志云、有梁丘故城、在曹州成武縣東北三十二里也、考證 昌邑、山東濟寧州金鄉縣、與漢將周亞夫戰。漢絕吳・楚糧道。士卒飢。吳王走。楚王戊自殺。軍遂降漢。漢已平吳・楚。孝景帝欲以德侯子續吳、集解 徐廣曰、德侯名廣、吳王濞之弟也、其父曰仲、考證 中井積德曰、吳王濞傳云、以吳王弟子德侯爲宗正、注、名通、其父名廣、以元王子

禮續楚。竇太后曰。吳王、老人也。宜爲宗室順善。今乃首率七國紛亂天下。柰何續其後。不許吳。許立楚後。是時禮爲漢宗正。乃拜禮爲楚王、奉元王宗廟。是爲楚文王。文王立三年卒。子安王道立。安王二十二年卒。子襄王注立。[考證]注、各本誤經、毛本作注、與年表及漢書表傳合、襄王立十四年卒。子王純代立。王純立。地節二年中、人上書告楚王謀反。王自殺。國除入漢、爲彭城郡。[集解]徐廣曰、純立十七年卒、諡節王、子延壽立、十九年死、[索隱]按太史公唯記王純爲國人告反國除、蓋延壽後更封、至十九年、又謀反誅死、故不同也、[正義]漢書云、王純嗣十六年、子延壽嗣、與趙何齊謀反、延壽自殺、立三十二年、國除、與此不同、地節是宣帝年號、去天漢四年二十九年、仍隔昭帝世、言到地節二年以下者、蓋褚先生誤也、[考證]古鈔本、楓山三條本、無王純立三字、下有到字、梁玉繩曰、王純立以下廿七字、後人妄續、當削之、而其所續又與漢書異、漢書言純子延壽嗣位、以謀反爲後母父趙長年所告自殺、此言純爲中人告反、謬矣、楓山、三條本、正義、誤也、作說也、趙王劉遂者、[正義]年表云、都邯鄲、其父高祖中子、名友。

[考證]梁玉繩曰、高祖八男、友行居六、諡曰幽。幽王以憂死。故爲幽。[考證]楓山本、幽下有王字、幽王憂死、詳見呂后紀、高后王呂祿於趙。一歲而高后崩。大臣誅諸呂呂祿等。乃立幽王子遂爲趙王。[考證]遂乃文帝所立、說在呂后紀、孝文帝卽位二年、立遂弟辟彊、[索隱]音壁强、二音、又音闢疆、取趙之河閒郡爲河閒王、[正義]河閒、今瀛州也、以爲文王。[考證]中井積德曰、以當作是、班史可徵、立十三年卒。子哀王福立。一年卒。無子。絕後。國除入于漢。遂既王趙二十六年、孝景帝時、坐鼂錯以適削趙王常山之郡。[考證]中井積德曰、班史無坐字王字之字、此竝衍、愚按、適讀爲讁、漢書作過、吳・楚反。趙王遂與合謀起兵。其相建德・[索隱]建德其相名、史先失姓也、內史王悍諫不聽。遂燒殺建德・王悍、發兵屯其西界、欲待吳與俱西、北使匈奴、與連和攻漢。[考證]楓山、三條本、屯作往、漢書、吳下有楚字、漢使曲周侯酈寄

擊之。趙王遂還、城守邯鄲、相距七月。[考證]梁玉繩曰、案史漢景紀、絳侯・梁孝王世家、周勃・文三王傳、七國以正月反、三月滅、此及高五王傳、作七月、誤、酈商・吳濞傳、作十月、更誤、趙雖後下、不能相距如是之久也、吳・楚敗於梁、不能西。匈奴聞之、亦止、不肯入漢邊。欒布自破齊還、[考證]梁玉繩曰、惠景閒侯者表、兪侯欒布、以將軍吳楚反時、擊齊有功、將相表云、欒布爲大將軍擊齊、酈商傳、欒布自平齊來、吳王濞傳、天子遣布擊齊、又濞傳魏其傳云、監齊趙兵、漢書表傳同、齊未嘗偕七國反、何爲擊之、布所擊破者、乃膠西等圍齊四國之兵、救齊則有之、豈其破齊哉、悼惠王世家、書之甚明、蓋此齊字、猶吳濞傳末所云連齊趙、敍傳所云尼齊趙、孝王世家及韓長孺傳首所云吳楚齊趙七國反、漢書五行志亦稱四齊、蓋統膠西膠東菑川濟南而言、四國皆自齊分也、乃并兵引水灌趙城。趙城壞。趙王自殺。邯鄲遂降。[正義]邯鄲、洺州縣也、趙幽王絕後。

太史公曰。國之將興、必有禎祥。[考證]禮記中庸篇、國家將興、必有禎祥、國家將亡、必有妖孼、君子用而小人退。國之將亡、賢人隱、亂臣貴。[考證]亡字下、當添必有妖孼四字、看中井積德曰、隱下疑脫而字、使楚王戊毋刑申公、遵其言、[索隱]漢書申公名培、王戊胥靡之、[考證]漢書楚元王傳、戊

與吳通謀、申公白生諫不聽、胥靡之、趙任防與先生、[集解]趙堯傳曰、趙人防與公也、[索隱]此及漢書、雖不見趙不用防與公、蓋當時猶知事迹、或別有所見、故太史公明引以結其贊、[考證]陳子龍曰、此補傳所未有、劉子玄所云、事無重出者也、崔適曰、案贊語有引有論、引出傳外、如樂毅贊、始齊之蒯通及主父偃、讀樂毅之報燕王書、未嘗不廢書而泣也、是也、論據傳文、如商君贊、刑公子虔、欺魏將卬、不師趙良之言、是也、此數語豈似引乎、論也、論則必據傳文、申公防與先生之事、必世家所已言、故贊及之、今脫去爾、豈有篡殺之謀、爲天下僇哉。賢人乎。賢人乎。非質有其內、惡能用之哉。[考證]岡白駒曰、非身有德、不能知賢人、賢人亦不就、甚矣、安危在出令。存亡在所任。誠哉是言也。[考證]中井積德曰、甚矣二字、疑衍、不然、此下有脫文也、愚按、主父偃傳引周書云、安危在出令、存亡在所用、周書王佩解、存亡在所用、離合在出命、

[索隱]述贊、漢封同姓、楚有令名、既滅韓信、王於彭城、穆生置醴、韋孟作程、王戊弃德、與吳連兵、太后命禮、爲楚罪輕、文襄繼立、世挺才英、如何趙遂、代殞厥聲、與亾之兆、所任宜明、

楚元王世家第二十　　史記五十

史記會注考證卷五十一

漢　太史令司馬遷撰

宋中郎外兵曹參軍裴駰集解

唐國子博士弘文館學士司馬貞索隱

唐諸王侍讀率府長史張守節正義

日本　出雲瀧川資言考證

荊燕世家第二十一　史記五十一

[考證]史公自序云、維祖師旅、劉賈是與、爲布所襲、喪其荊吳、營陵激呂、乃王琅邪、怵午信齊、往而不歸、遂西入關、遭立孝文、獲復王燕、天下未集、賈澤以族、爲漢藩輔、作荊燕世家第二十一、

荊王劉賈者、諸劉、不知其何屬、[正義]年表云、都吳也、[考證]張文虎曰、舊刻本賈下有者字、與下文燕王劉澤者書法一例、各本者字在下句諸劉下、誤也、索隱本無、愚按、古鈔本、楓山三條本同舊刻本、初起時、[集解]漢書、賈、高帝從父兄、[索隱]按注引漢書、賈、高祖從父兄、則班固或別有所見也、[考證]梁玉繩曰、漢書賈傳及楚元王傳、爲高帝從父兄、諸侯王表、作從父弟、漢王元年、還定三秦。劉賈爲將軍定塞地。[索隱]賈將兵之塞地、塞、卽桃林之塞、[考證]塞王司馬欣、從東擊項籍。漢四年、漢王之敗成皐、北渡河、得張耳·韓信軍、軍脩武、深溝高壘、使劉賈將二萬人、騎數百、渡白馬津、入楚地。[正義]括地志云、黎陽、一名白馬津、在滑州白馬縣北三十里、按賈從此津南過入楚地也、[考證]今河南滑縣東、燒其積聚、以破其業、無以給項王軍食。已而楚兵擊劉賈。賈輒壁、不肯與戰、而與彭越相保。[考證]王念孫曰、壁不肯戰、謂築壘而守之、不肯與戰也、吳王濞傳、條侯壁不肯戰、是其證、漢書改辟作避、非、顏師古曰、相保、謂依恃以自安固、漢五年、漢王追項籍至固陵。[集解]徐廣曰、在陽夏、[正義]括地志云、固陵、陵名、在陳州宛丘縣西北四十二里、[考證]固陵、今河南淮陽縣西北、使劉賈南渡淮圍壽春。[正義]今壽州壽春縣是也、[考證]今安徽壽縣、還至。使人閒招楚大司馬周殷。[考證]閒、閒行閒出之、閒、私也、使人私招之也、周殷反楚、佐劉賈、擧九江、迎武王黥布兵、皆會垓下、共擊項籍。漢王因使劉賈將九江兵、與太尉盧綰、西南擊臨江王共尉。[索隱]共敖之子、共尉已死。以臨江爲南郡。[正義]今荊州也、漢六年春、會諸侯於陳。[正義]今陳州也、廢楚王信囚之、分其地爲二國。當是時也、高祖子幼、昆弟少、又不賢。欲王同姓以鎭天下。乃詔曰。將軍劉賈有功。及擇子弟可以爲王者。羣臣皆曰。立劉賈爲荊王、王淮東五十二城。[索隱]按表云、劉賈都吳、又漢書以東陽郡封賈、東陽卽臨淮、故云淮東也、[正義]括地志云、西北四十里、蓋此縣是也、[考證]漢書高紀、作東陽郡鄣郡吳郡五十三縣、吳王濞傳云、王三郡五

十三城、卽賈舊封也、史記二字當作三、張文虎曰、正義與正文不相涉、而與齊悼惠王世家末十字同、疑卽彼文錯簡複出、高祖弟交爲楚王、王淮西三十六城。[正義]淮以西徐泗濠等州也、[考證]漢書高紀云、以碭郡薛郡郯郡三十六縣立弟文信君交爲楚王、因立子肥爲齊王。[考證]卽齊悼惠王、始王昆弟劉氏也。高祖十一年秋、淮南王黥布反、東擊荊。荊王賈與戰不勝、走富陵、爲布軍所殺。[索隱]地理志、縣名、屬臨淮、[正義]括地志云、富陵故城、在楚州盱眙縣東北六十里、[考證]今安徽盱眙縣東北、高祖自擊破布。十二年、立沛侯劉濞爲吳王。王故荊地。[考證]吳王濞別有傳、燕王劉澤者、諸劉遠屬也。[集解]漢書曰、澤、高祖從祖昆弟、[索隱]按注引漢書云、高祖從祖昆弟、又楚漢春秋、田子春說張卿云、劉澤宗家也、按言宗家、似疏遠矣、然則班固言從祖昆弟、當別有所見矣、高帝三年、澤爲郞中。高帝十一年、澤以將軍擊陳豨、得王黃。爲營陵侯。[索隱]地理志、縣名、在北海、[正義]括地志云、營陵故城、在青州北海縣南三十里、[考證]周壽昌曰、漢書荊燕吳傳、作擊陳豨將王黃、此作得、樊噲傳、作虜大將王黃、陳豨傳、作王黃以賞購得之、情事各異、徐鴻鈞曰、作得、以功成後言、作擊、以爲將之始言、

樊噲傳又云、虜大將王黃、當是虜由噲、而功歸於澤、噲爲澤妻父、宜有此擧、其情事尙無異、至陳豨傳又有以賞購王黃之說、則是高祖以賞購之、而卒爲澤所得耳、高后時、齊人田生游乏資。【集解】晉灼曰、楚漢春秋、田子春。以畫干營陵侯澤。【集解】服虔曰、以計畫干之也、文穎曰、以工畫得寵也、【索隱】畫、一音衛畫之畫、又音圖畫之畫、兩家義竝通也、【考證】畫、音獲、澤大說之、用金二百斤爲田生壽。田生已得金、卽歸齊。二年、澤使人謂田生曰、弗與矣。【集解】孟康曰、與、黨與、言不復與我爲與也、文穎曰、不得與汝相知、【考證】中井積德曰、弗與矣、咎其不我助之詞、田生如長安不見澤。而假大宅、令其子求事呂后所幸大謁者張子卿。【集解】徐廣曰、名澤、駰案如淳曰、閹人也、【正義】張子卿、漢書作澤卿、音釋、高后紀周勃傳作釋、子卿、字也、居數月、田生子請張卿臨、親脩具。【考證】顏師古曰、親、父也、具、供具也、周壽昌曰、顏謂田生令子請之、故云然、然觀下張卿往見田生屛人與語、是仍以田生爲主、親脩具者、不假手廝僕、若魏其迎田蚡、夫妻治具是也、張卿許往。田生盛帷帳共具、譬如列侯。【考證】楓山、三條本、無盛字、共讀爲供、張卿驚。酒酣、乃屛人說張卿曰、臣觀諸侯王邸第

百餘、皆高祖一切功臣。【索隱】按此一切、猶一例、同時也、非如他一切訓權時也、今呂氏雅故本推轂高帝就天下。功至大。又親戚太后之重。【集解】如淳曰、呂公知高祖相貴、以女妻之、推轂使爲長者、瓚曰、謂諸呂共推轂高祖、征伐成帝業、雅、正意也、【索隱】按雅訓素也、謂呂氏素心奉推高祖、取天下、若人推轂欲前進塗然也、此略同臣瓚之意也、推、音昌誰反、【考證】王先謙曰、雅、常也、故、舊也、猶言平昔、指諸呂平昔本助成帝業、非謂呂公、太后春秋長、諸呂弱。【考證】顏師古曰、春秋長、言年老、太后欲立呂產爲呂王王代。【考證】據呂后紀、此高后七年、呂祿王趙之時也、趙王友幽死、梁王恢代之、亦自殺、高后初意、蓋欲徙代王恆王趙、徙梁王呂產王代、而使呂祿王梁也、代王不從、乃以呂祿爲趙王、不果徙呂產、則下文呂產當作呂祿、呂王當作趙王、或云、史公誤以呂產呂祿二王事合爲一、漢書亦襲史文、太后又重發之。恐大臣不聽。【集解】文穎曰、欲發之恐大臣不聽、鄧展曰、重難發事、【考證】中井積德曰、重發、謂難於出口也、自以其私情躕躇之意、與恐不聽別項、今卿最幸、大臣所敬。何不風大臣以聞太后。太后必喜。諸呂已王、萬戶侯亦卿之有。【正義】高后紀云、封張卿爲建陵侯、太后心欲之、而卿爲內臣、不急發、恐禍及身矣。

張卿大然之。乃風大臣語太后。【正義】語、魚呂反、以卑言尊之意也、太后朝、因問大臣。大臣請立呂產爲呂王。【考證】據呂后紀、呂產爲呂王、在高后六年、是時爲梁王、說見上文、太后賜張卿千斤金。【考證】李笠曰、漢書荊燕吳傳、無斤字、當據改、漢制以黃金一斤爲一金、張卿以其半與田生。田生弗受。因說之曰、呂產王也、諸大臣未大服。今營陵侯澤諸劉、爲大將軍。【考證】漢書、劉下有長字、獨此尙觖望。【索隱】觖、音決、又音企、今卿言太后、列十餘縣王之。【考證】楓山、三條本、列作裂、與漢書合、彼得王、喜去。諸呂王益固矣。張卿入言。太后然之。乃以營陵侯劉澤爲琅邪王。【考證】呂后紀云、太后女弟呂須有女、爲營陵侯劉澤妻、澤爲大將軍、太后王諸呂、恐卽崩後劉將軍爲害、迺以劉澤爲琅邪王、以慰其心、與此篇所記情事不同、漢書入言下、補又太后女弟呂須女亦爲營陵侯妻十四字、琅邪王乃與田生之國。田生勸澤、急行毋留。出關。太后果使人追止之。已出、卽還。及太后崩、琅邪王澤乃

曰、帝少、諸呂用事、劉氏孤弱。乃引兵與齊王合謀西、【集解】漢書音義曰、澤至齊、爲齊王所劫、不得去、乃說王求詣京師、齊具車送之、不爲本與齊合謀也、【索隱】按漢書齊王傳云、使祝午劫琅邪王至齊、因畱琅邪王不得反國、澤乃說求入關、齊乃送之、與此文不同者、劉氏以爲燕齊兩史、各言其主立功之迹、太史公聞疑傳疑、遂各記之、則所謂實錄、【考證】齊王傳、蓋得其實、中井積德曰、按傳說不同者亦多、何必討國人、欲誅諸呂。至梁。聞漢遣灌將軍屯滎陽、澤還兵備西界。遂跳驅至長安。【集解】漢書音義曰、跳驅、馳至長安也、【索隱】跳、他彫反、脫獨去也、又音條、謂疾去也、【考證】楓三本、屯下有兵字、代王亦從代至。【考證】諸將迎代王也、非代王自至、諸將相與琅邪王共立代王爲天子。天子乃徙澤爲燕王、乃復以琅邪予齊、復故地。【集解】李奇曰、本齊地、分以王澤、今復與齊也、澤王燕二年、薨。諡爲敬王。傳子嘉。爲康王。【考證】康王在位二十六年薨、至孫定國、與父康王姬姦、生子男一人、奪弟妻爲姬、與子女三人姦。定國有所欲誅殺臣肥如令郢人。【集解】如淳曰、定國自欲

有所殺餘臣、肥如令郢人以告之、【索隱】按如淳意以肥如亦臣名、令郢人以告定國也、小顏以爲定國欲有所誅殺餘臣、而肥如令郢人乃告定國也、然按地理志肥如在遼西也、【考證】中井積德曰、所欲誅殺之臣、其名曰郢人、時爲肥如令也、愚按四史發伏說同、如顏二說皆非、顧炎武曰、地理志肥如自屬遼西郡、不屬燕、武帝紀、元朔元年秋、匈奴入遼西殺太守、諸侯王表、言武帝下推恩之令、而藩國自析、長沙燕代、雖有舊名、皆亡南北邊矣、然則肥如之屬於燕、必在元朔以前、未析邊郡之時也、郢人等告定國。定國使謁者以他法劾捕、格殺郢人以滅口。至元朔元年、郢人昆弟復上書、具言定國陰事。【考證】王先謙曰、主父偃亦發定國陰事、見偃傳、以此發覺。【考證】古鈔本、無發字、詔下公卿。皆議曰。定國禽獸行。亂人倫逆天。當誅。【考證】楓三本、天下有道字、與漢書合、上許之。定國自殺。國除爲郡。【考證】年表、定國景帝前六年立、立二十四年、武帝元朔元年自殺、漢傳作四十二年、誤、

太史公曰。荊王王也、由漢初定、天下未集。故劉賈雖屬疏、【考證】漢書作疏屬、然以策爲王、塡江淮之閒。【考證】塡、鎭同、以上論劉賈、劉澤之王、權

激呂氏。【索隱】按謂田子春欲王劉澤、先使張卿說封呂產、乃恐以大臣觖望、澤卒得王、故爲權激諸呂也、【考證】權、權數、權謀之權、言澤以劉氏權王呂氏、以激成其禍、未必無罪、然劉澤卒南面稱孤者三世。事發相重。【集解】晉灼曰、澤以金與田生、以事張卿、張卿言之呂后、而劉澤得王、故曰、事發相重、或曰、事起於相重也、【索隱】按謂先發呂氏令重、我亦得其功、是事發相重也、【正義】謂事發動皆得尊位、故云相重、【考證】顏師古曰、重、猶累也、言澤得王、本田生行說、若其事發覺則相隨入罪、事相累誤、陳仁錫曰、事發相重、謂諸呂變作、而澤能擧兵入討、又與群臣共立代王、是與內朝相倚重也、中井積德曰、王諸呂、則呂重矣、呂后又王劉澤、則劉重矣、是之謂相重也、愚按事發相重、猶言情事複雜也、諸解未得、以上論劉澤、豈不爲偉乎。【索隱】偉者盛也、蓋盛其能激發也、【考證】一句結二人、古鈔本、無爲字、漢書亦無、偉作危、中井積德曰、偉者超常之義、不當訓盛、王念孫曰、漢書危讀爲詭、詭者奇異之稱、猶言豈不偉哉耳、

【索隱】述贊、劉賈初從、首定三秦、既渡白馬、遂圍壽春、始迎黥布、絕閒周殷、賞功胙土、與楚爲鄰、營陵始爵、勳由擊陳、田生遊說、受賜千斤、權激諸呂、事發榮身、徙封傳嗣、亾於郢人、

荊燕世家第二十一　　史記五十一

史記會注考證卷五十二

漢　太　史　令　司　馬　遷　撰
宋　中　郎　外　兵　曹　參　軍　裴　駰　集　解
唐　國　子　博　士　弘　文　館　學　士　司　馬　貞　索　隱
唐　諸　王　侍　讀　率　府　長　史　張　守　節　正　義
日　本　出　雲　瀧　川　資　言　考　證

齊悼惠王世家第二十二　　史記五十二

[考證]史公自序云、天下已平、親戚既寡、悼惠先壯、實鎭東土、哀王擅興、發怒諸呂、駟鈞暴戾、京師弗許、厲之內淫、禍成主父、嘉肥股肱、作齊悼惠王世家第二十二、茅坤曰、

漢書本此篇全文、其敍七王處、廢興有次第、而生色少、崔適曰、此篇凡言立章爲城陽王者再、立興居爲濟北王、及以反誅者、皆再言、膠西等五王爲悼惠王子、及誅者、亦皆再、言徙濟北王志爲菑川王者四、不如漢書之簡當、史記豈應繁冗乃爾、

齊悼惠王劉肥者、高祖長庶男也。[正義]年表云、都臨淄、　其母外婦也。曰曹氏。高祖六年、立肥爲齊王、食七十城。[考證]漢書高紀云、以膠東膠西臨淄濟北博陽城陽郡七十三縣封子肥爲齊王、此言七十城者、擧大數耳、　諸民能齊言者、皆予齊王。[索隱]謂其語音及名物異於楚魏、一云、此時人多流亾、故使齊言者皆還齊王、[正義]諸齊民言語、與楚魏燕趙異者、隨地割屬齊也、[考證]索隱後說本於孟康、可從、　齊王、孝惠帝兄也。孝惠帝二年、齊王入朝。惠帝與齊王燕飲、亢禮如家人。[索隱]謂齊王是兄、不爲君臣禮、而乃亢敵如家人兄弟之禮、故太后怒、[正義]不尊惠帝、如家人兄弟禮、[考證]中井積德曰、亢禮非齊王爲之、乃從惠帝爲之耳、齊王不辭、故怒之也、呂紀可參考、　呂太后怒、且誅齊王。[考證]欲以鴆酒殺之、事詳呂后紀、　齊王懼不得脫、乃用其內史勳計、獻城陽郡、以爲魯元公主湯沐邑。[正義]括地志

云、濮州雷澤縣、本漢城陽縣、按後爲郡也、[考證]史呂紀漢高五王傳、勳作士、必是其名、而未知孰是、錢大昕曰、此城陽國、非雷澤之成陽、辯見景帝紀、　呂太后喜。乃得辭就國。悼惠王卽位十三年、以惠帝六年卒。子襄立。是爲哀王。哀王元年、孝惠帝崩。呂太后稱制。天下事皆決於高后。[考證]梁玉繩曰、篇中曰呂太后、曰高后、曰太后、錯雜似兩人、皆當作太后、　二年、高后立其兄子酈侯呂台爲呂王。割齊之濟南郡爲呂王奉邑。[集解]徐廣曰、酈、一作鄜、[索隱]酈鄜二字竝音孚、鄜縣名、在馮翊、酈縣在南陽、台、音胎、呂后兄子也、[正義]按酈、音呈益反、括地志云、故鄜城、在鄜州新城縣西北四十里、蓋此縣是也、括地志云、濟南故城在淄州長山縣西北二十五里、　哀王三年、其弟章入宿衞於漢。呂太后封爲朱虛侯。[索隱]地理志、縣名、屬琅邪、　以呂祿女妻之。[考證]凌稚隆曰、伏後呂祿女知其謀案、　後四年、封章弟興居爲東牟侯。皆宿衞長安中。[索隱]地理志、東牟、縣名、屬東萊、[考證]凌稚隆曰、先爲後東牟侯爲內應眼目、　哀王八年、高后割齊琅邪郡、[正義]今沂州也、　立營陵侯劉澤爲

琅邪王。其明年、[考證]張熠曰、齊哀王八年、乃高后七年也、漢書、劉澤爲琅邪王、及趙王幽死、竝在高后七年、本紀傳年表竝同、此言明年、誤也、梁玉繩曰、漢傳改是歲、　趙王友入朝、幽死于邸。三趙王皆廢。[考證]隱王如意以鴆死、幽王友以幽死、共王恢以憤死、　高后立諸呂爲三王。[集解]徐廣曰、燕趙梁、[考證]呂通王燕、呂祿王趙、呂產王梁、　擅權用事。朱虛侯年二十、有氣力。忿劉氏不得職。嘗入侍高后燕飲。高后令朱虛侯劉章爲酒吏。章自請曰。臣將種也。請得以軍法行酒。高后曰。可。酒酣、章進飲歌舞。[考證]漢書無飲字、　已而曰。請爲太后言耕田歌。[考證]漢書無歌字、　高后兒子畜之。[考證]沈欽韓曰、蓋以小兒視之、非愛之也、　笑曰。顧而父知田耳。若生而爲王子。安知田乎。[索隱]顧、猶念也、而、及若、皆訓汝、[考證]漢書高五王傳、而作乃、義同、劉攽曰、乃父、直謂王肥耳、齊召南曰、悼惠王本高帝微時庶子、故曰知田、下文云、若生而爲王子、安知田乎、義尤明白、劉說是、　章曰。臣知之。太后曰。試爲我言田。章曰。深耕穊種、立苗欲疏。非

其種者、鉏而去之。【考證】顏師古曰、穊、稠也、穊種者、言多生子孫也、疏立者、四散置之、令爲藩輔也、穊音冀、非其種者、鉏而去之者、斥諸呂也、愚按、疏去韻、呂后默然。頃之、諸呂有一人醉亡酒、【考證】顏師古曰、避酒而逃去、章追、拔劍斬之。而還報曰、有亡酒一人、臣謹行法斬之。【考證】古鈔本、楓三本、御覽引、行下有軍字、與漢書合、太后左右皆大驚。業已許其軍法、無以罪也。因罷。自是之後、諸呂憚朱虛侯、雖大臣皆依朱虛侯。劉氏爲益彊。【考證】漢書、無益字、其明年、高后崩。趙王呂祿爲上將軍、呂王產爲相國、皆居長安中、聚兵以威大臣、欲爲亂。朱虛侯章以呂祿女爲婦。知其謀。【考證】凌稚隆曰、應前、乃使人陰出告其兄齊王、欲令發兵西、朱虛侯・東牟侯爲內應、【考證】顏師古曰、西詣京師、凌稚隆曰、應前、以誅諸呂、因立齊王爲帝。齊王既聞此計、乃與其舅父駟鈞・郎中令祝午・中尉

魏勃、陰謀發兵。【索隱】按、舅、謂舅父、猶姨稱姨母、齊相召平聞之、乃發卒衞王宮。【索隱】按、廣陵人召平、與東陵侯召平、及此召平、皆似別人也、功臣表、平子奴、以父功封黎侯也、【考證】顏師古曰、召讀曰邵、魏勃紿召平曰、王欲發兵、非有漢虎符驗也。【考證】胡三省曰、史記文帝紀、三年九月、初與郡國守相爲銅虎符、既有初字、則前乎文帝之時、當未有銅虎符也、召平魏勃事、在三年之前、何緣有虎符、愚按、信陵君傳、得虎符奪晉鄙軍、以虎符爲兵符、不初於文帝三年、胡說甚拘、且魏勃但云虎符、不云銅虎符、而相君圍王。固善。勃請爲君將兵衞衞王。【考證】顏師古曰、謂將兵及衞守之具、以禁衞王、令不得發也、愚按、疑衍一衞字、召平信之。乃使魏勃將兵圍王宮。勃既將兵、使圍相府。召平曰、嗟乎、道家之言、當斷不斷、反受其亂。【考證】斷亂韻、沈欽韓曰、春申君傳贊引之、後漢書儒林傳引作黃石公三略、乃是也。遂自殺。於是齊王以駟鈞爲相、魏勃爲將軍、祝午爲內史、悉發國中兵、使祝午東詐琅邪王曰、呂氏作亂。齊王發兵、欲西誅之。齊王自以兒子年少、

不習兵革之事。願舉國委大王。大王自高帝將也。【考證】顏師古曰、言自高帝時已爲將也、習戰事。齊王不敢離兵。【索隱】按服虔云、不敢離其兵而到琅邪也、使臣請大王。幸之臨菑、見齊王計事、并將齊兵以西、平關中之亂。琅邪王信之、以爲然、西馳見齊王。【考證】古鈔本、西作廼、與漢書合、陳仁錫曰、西當作廼、楓三本作便、齊王與魏勃等、因留琅邪王、而使祝午盡發琅邪國、而并將其兵。琅邪王劉澤、既見欺、不得反國。乃說齊王曰、齊悼惠王、高皇帝長子。【考證】荊燕世家云、呂太后崩、琅邪王劉澤曰、帝少、諸呂用事、劉氏孤弱、乃引兵與齊王合謀西、與此異、推本言之、而大王高皇帝適長孫也。當立。今諸大臣狐疑、未有所定。而澤於劉氏最爲長年。大臣固待澤決計。今大王留臣無爲也。不如使我入關計事。齊王以爲然、乃益具車送琅邪王。琅邪王既

行。齊遂舉兵、西攻呂國之濟南。【考證】徐孚遠曰、齊王發兵、先取琅邪、後攻濟南、蓋收復全齊、以爲根本、恐呂氏未卽滅、爲兩持計也、於是齊哀王遺諸侯王書曰、高帝平定天下、王諸子弟、悼惠王於齊。【考證】梁玉繩曰、於、王誤、呂后紀可證、愚按、楓三本於上重王字、悼惠王薨。惠帝使留侯張良立臣爲齊王。惠帝崩、高后用事。春秋高、聽諸呂擅廢高帝所立、【考證】梁玉繩曰、擅廢高帝所立、呂后本紀及漢書高五王傳作擅廢帝更立、此誤、又殺三趙王、【正義】隱王如意、幽王友、梁王恢、徙王趙、竝高祖子也、滅梁・燕・趙、【正義】梁王恢、燕王建、梁王恢、徙趙、分滅無後也、以王諸呂。分齊國爲四。【索隱】謂濟南、琅邪、城陽、并齊爲四也、【正義】琅邪郡封劉澤、濟南郡以爲呂王奉邑、城陽爲魯元公主湯沐邑也、忠臣進諫、上惑亂不聽。今高后崩、皇帝春秋富、【索隱】按小顏云、言年幼也、比之於財、方未匱竭、故謂之富也、未能治天下。固恃大臣諸將。【考證】梁玉繩曰、案呂后紀、五王傳、諸將諸侯之誤、今諸呂又擅自尊官、聚兵嚴威、劫列侯忠臣、矯制以令天下、宗廟

所以危。【考證】楓、三本、擅下有權字、漢書無所字、今寡人率兵入誅不當爲王者。【考證】凌稚隆曰、此書詞嚴義正、與高祖約諸侯王擊楚之殺義帝者同例、漢聞齊發兵而西、相國呂產乃遣大將軍灌嬰、東擊之。灌嬰至滎陽。乃謀曰。諸呂將兵居關中、欲危劉氏而自立。我今破齊還報、是益呂氏資也。乃留兵屯滎陽、使使喩齊王及諸侯、與連和、以待呂氏之變、而共誅之。齊王聞之、乃西取其故濟南郡、亦屯兵於齊西界、以待約。呂祿·呂產欲作亂關中。朱虛侯與太尉勃·丞相平等誅之。朱虛侯首先斬呂產。【考證】楓、三本、侯下與上、有章字、於是太尉勃等乃得盡誅諸呂。而琅邪王亦從齊至長安。大臣議欲立齊王。而琅邪王及大臣曰。齊王母家駟鈞惡戾、虎而冠者也。【集解】張晏曰、言鈞惡戾、如虎而著冠、方以呂

氏故幾亂天下。今又立齊王、是欲復爲呂氏也。代王母家薄氏、君子長者。且代王又親高帝子、於今見在。且最爲長。以子則順。以善人則大臣安。於是大臣乃謀迎立代王、而遣朱虛侯以誅呂氏事告齊王、令罷兵。灌嬰在滎陽、聞魏勃本教齊王反、【考證】中井積德曰、平定呂氏之亂、齊王有大功、其舉兵、奉高帝之約東矣、非反也、徐孚遠曰、齊王英武、代王寬仁、此大臣所以有彼我也、既誅呂氏、罷齊兵、使使召責問魏勃。勃曰。失火之家、豈暇先言大人而後救火乎。【索隱】此蓋舊俗之言、謂救火之急、不暇先啟家長也、亦猶國家有難、不暇待詔命也、【考證】漢書、大人作丈人、因退立、股戰而栗、恐不能言者。【考證】顏師古曰、股、腳也、戰者、懼之甚也、岡白駒曰、栗字句、栗與慄通、竦縮也、愚按、古鈔本、楓、三本、恐上有爲字、可從、終無他語。灌將軍熟視、笑曰。人謂魏勃勇。妄庸人耳。何能爲乎。【索隱】按妄庸、謂凡妄庸劣之人也、【考證】魏勃故爲怯懦狀以免禍耳、中井積德曰、魏勃亦宜言非劉氏而王者、天下共擊之、是高皇

帝之約、臣勸齊王、謹奉高皇帝之約也、非敎反矣、然勃之免死以怯也、卽直對不屈、或速罪也、乃罷魏勃。【索隱】罷、謂不罪而放遣之、魏勃父以善鼓琴見秦皇帝。及魏勃少時、欲求見齊相曹參。家貧無以自通。乃常獨早夜埽齊相舍人門外。相舍人怪之、以爲物而伺之。得勃。【索隱】姚氏云、物、怪物、【考證】留侯世家贊、學者多言無鬼神、然言有物、物字義同、勃曰。願見相君無因。故爲子埽、欲以求見。於是舍人見勃。曹參因以爲舍人。一爲參御言事。參以爲賢、言之齊悼惠王。悼惠王召見、則拜爲內史。始悼惠王得自置二千石。及悼惠王卒、而哀王立。勃用事、重於齊相。王既罷兵歸、【考證】漢書、齊相作相齊、齊字屬下讀、此誤倒、而代王來立。是爲孝文帝。孝文帝元年、盡以高后時所割齊之城陽·琅邪·濟南郡復與齊、而徙琅邪王王燕、益封朱虛侯·東牟侯各

二千戶。是歲、齊哀王卒。太子側立。是爲文王。【考證】年表、漢書、側作則、此誤、齊文王元年、漢以齊之城陽郡、立朱虛侯爲城陽王。以齊濟北郡立東牟侯爲濟北王。【正義】今濟州、濟北王所都、二年、濟北王反。漢誅殺之、地入于漢。後二年、孝文帝盡封齊悼惠王子罷軍等七人、皆爲列侯。【正義】罷、音不、【考證】張文虎曰、罷無不音、疑有脫誤、愚按、史記桃源鈔引正義云、罷、音擺、擺、補買反、則與顏師古曰音皮彼反異、梁玉繩曰、後二年誤、五王傳作明年、是也、錢大昕曰、孝文帝盡封齊悼惠王子罷軍等七人、皆爲列侯、漢書高五王傳同、按漢書王子侯表、管共侯罷軍、氏邱共侯寧國、營平侯信都、楊丘侯安、楊虛侯將閭、扐侯辟光、安都侯志、平昌侯卬、武成侯買、白石侯雄渠、皆悼惠王子、以文帝四年五月甲寅同日封、此云七人、蓋十人之譌、梁玉繩曰、此與惠景侯表作九人、同誤、齊文王立十四年卒。無子。國除、地入于漢。後一歲、孝文帝以所封悼惠王子、分齊爲王。齊孝王將閭以悼惠王子楊虛侯爲齊王。【考證】楓、三本、爲下、無齊字、漢興年表倉公傳、楊作陽、故齊別郡盡以王悼惠王子。子

志爲濟北王。子辟光爲濟南王。子賢爲菑川王。子卬爲膠西王。子雄渠爲膠東王。與城陽·齊凡七王。【索隱】謂將閭爲齊王、志爲濟北王、卬膠西王、辟光濟南王、賢菑川王、章城陽王、雄渠膠東王、 齊孝王十一年、吳王濞·楚王戊反。興兵西告諸侯曰。將誅漢賊臣鼂錯以安宗廟。膠西·膠東·菑川·濟南、皆擅發兵應吳·楚、欲與齊。【考證】顏師古曰、與之同反、 齊孝王狐疑、城守不聽。三國兵共圍齊。【集解】張晏曰、膠西、菑川、濟南也、【考證】劉奉世曰、吳王濞傳、前云、膠西膠東菑川濟南共圍臨菑、後云、膠西膠東菑川三國各引兵歸、則此三國、無濟南王也、然初言四國共圍齊、又言三國、疑必有誤、 齊王使路中大夫告於天子。【集解】張晏曰、姓路、爲中大夫、【索隱】按路姓、爲中大夫官、史失其名、故言姓及官、顧氏按路氏譜、中大夫名卬也、卬五剛反、 天子復令路中大夫還告齊王。善堅守。吾兵今破吳·楚矣。路中大夫至。三國兵圍臨菑數重。無從入。三國將劫與路中大夫盟曰。若反言漢已

破矣。齊趣下三國。不、且見屠。【考證】顏師古曰、若、汝也、反、謂反易其辭也、趣讀曰促、 路中大夫既許之。至城下望見齊王曰。漢已發兵百萬、使太尉周亞夫擊破吳·楚。方引兵救齊。齊必堅守無下。三國將誅路中大夫。齊初圍急。陰與三國通謀。約未定。會聞路中大夫從漢來喜。及其大臣、乃復勸王毋下三國。【考證】茅坤曰、與鄭世家解揚之事同、 居無何、漢將欒布·平陽侯等兵至齊、擊破三國兵、解齊圍。【索隱】按表、平陽侯、是簡侯曹奇也、 已而復聞齊初與三國有謀、將欲移兵伐齊。齊孝王懼、乃飮藥自殺。景帝聞之、以爲齊首善、以迫劫有謀。非其罪也。【考證】顏師古曰、首善、言其初首無逆亂之心、 乃立孝王太子壽爲齊王。是爲懿王、續齊後。而膠西·膠東·濟南·菑川王咸誅滅。地入于漢。徙濟北王王菑川。

齊懿王立二十二年卒。子次景立。【考證】年表漢書、次景作次昌、此誤、 是爲厲王。齊厲王、其母曰紀太后。太后取其弟紀氏女爲厲王后。王不愛紀氏女。太后欲其家重寵、【索隱】重、直龍反、謂欲世寵貴於王宮也、 令其長女紀翁主入王宮、【索隱】按如淳云、諸王女云翁主、稱其母姓、故謂之紀翁主、【考證】漢稱諸王女爲翁主、顏師古曰、天子不自主婚、故謂之公主、諸侯自主婚、故其女號翁主、翁者父也、又稱王主、王自主婚、故曰王主、 正其後宮、毋令得近王、欲令愛紀氏女。王因與其姊翁主姦。齊有宦者徐甲、入事漢皇太后、【索隱】謂王太后、武帝母也、 皇太后有愛女、曰脩成君。脩成君非劉氏。【集解】張晏曰、王太后前嫁金氏所生、【考證】王太后嫁金氏、見外戚世家、 太后憐之。脩成君有女名娥。太后欲嫁之於諸侯。宦者甲乃請使齊、必令王上書請娥。皇太后喜、使甲之齊。是時齊人主父偃、知甲之使齊以取后事、亦因謂甲、卽

事成、幸言偃女。願得充王後宮。甲既至齊、風以此事。紀太后大怒曰。王有后。後宮具備。且甲、齊貧人、急乃爲宦者入事漢、無補益。乃欲亂吾王家。【集解】徐廣曰、急、一作及、【考證】急、當作及、涉下文乃字重衍、漢書無補字、 且主父偃何爲者。乃欲以女充後宮。徐甲大窮、還報皇太后曰。王已願尚娥。【考證】顏師古曰、尚、配也、 然有一害。恐如燕王。燕王者、與其子昆弟姦、新坐以死、亡國。故以燕感太后。太后曰。無復言嫁女齊事。事浸潯、不得聞於天子。【正義】浸潯二音、一音尋、又音淫、浸潯、猶漸潤澤也、【考證】漢書無不得二字、中井積德曰、此疑衍、 主父偃由此亦與齊有郤。主父偃方幸於天子用事。因言齊臨菑十萬戶、市租千金、【索隱】市租、謂所賣之物出稅、日得千金、言齊人衆而且富也、【正義】謂臨菑之市、所賣之物、日出稅、利千金、言齊人之殷富也、千金、萬貫也、 人衆殷富、巨於長安。此非天子親弟愛子不得

王此。今齊王於親屬益疏。乃從容言呂太后時齊欲反、吳·楚時孝王幾爲亂。今聞齊王與其姊亂。於是天子乃拜主父偃爲齊相、且正其事。主父偃既至齊、乃急治王後宮宦者爲王通於姊翁主所者、令其辭證皆引王。王年少、懼大罪爲吏所執誅、乃飲藥自殺。絕無後。是時趙王懼主父偃一出廢齊、恐其漸疏骨肉、乃上書言偃受金及輕重之短。【索隱】謂偃挾齊不娶女之恨、因言齊之短、爲輕重之辭、謂言臨菑富及吳楚孝王時事、是也、【正義】言舉輕重大小之事故訴之、【考證】顏師古曰、輕重、謂用心不平、中井積德曰、輕重之事、謂其他事、不斥齊事、索隱非、愚按、輕重顏說是、天子亦既囚偃。【考證】漢書、既作因、公孫弘言齊王以憂死、毋後。國入漢。非誅偃、無以塞天下之望。【考證】顏師古曰、塞、滿也、遂誅偃。齊厲王立五年死。毋後。國入于漢。齊悼惠王後、尚有二國。城陽及

菑川。菑川地比齊。【考證】顏師古曰、比、近也、天子憐齊、爲悼惠王冢園在郡、割臨菑東、環悼惠王冢園邑、盡以予菑川、以奉悼惠王祭祀。【考證】茅坤曰、以前齊始末已完、復分註七王興廢次第、

城陽景王章、齊悼惠王子。【正義】年表云、都莒也、以朱虛侯與大臣共誅諸呂、而章身首先斬相國呂王產於未央宮。孝文帝既立、益封章二千戶、賜金千斤。孝文二年、以齊之城陽郡、立章爲城陽王。立二年卒。子喜立。是爲共王。共王八年、徙王淮南。【索隱】按當孝文帝之十二年也、【正義】年表云、都陳也、四年、復還王城陽。凡三十三年卒。子建延立。【考證】梁玉繩曰、年表及漢書表傳、建延作延、張文虎曰、建、卽延字之譌衍、是爲頃王。頃王二十八年卒。【考證】梁玉繩曰、八字乃六字之譌、子義立。是爲敬王。敬王九年卒。子武立。是爲惠王。惠王十一年卒。【考證】漢書傳表、亦作十一年、史表作七年、誤、

惠王十一年、卽漢武天漢三年、在大初後、梁玉繩曰、是爲惠王以下四十八字、後人所續、當刪之、且所說孝王景之年、與漢書不合、子順立。是爲荒王。荒王四十六年卒。子恢立。【集解】徐廣曰、甘露二年、是爲戴王。戴王八年卒。子景立。至建始三年、十五歲卒。【正義】建始、成帝年號、從建始四年、上至天漢四年、六十七矣、蓋褚先生次之、【考證】漢書云、孝王景嗣、二十四年薨、愚按、以上敍城陽王事、

濟北王興居、齊悼惠王子。【正義】都濟州也、以東牟侯助大臣誅諸呂。功少。及文帝從代來、興居曰。請與太僕嬰入清宮廢少帝。【考證】太僕夏侯嬰、共與大臣尊立孝文帝。孝文帝二年、以齊之濟北郡、立興居爲濟北王。與城陽王俱立。立二年反。始大臣誅呂氏時、朱虛侯功尤大。許盡以趙地王朱虛侯、盡以梁地王東牟侯。及孝文帝立、聞朱虛·東牟之初欲立齊王、故絀其功。及二年、王諸子。乃割齊二郡以王章·與

居。章·興居自以失職奪功。章死、而興居聞匈奴大入漢、漢多發兵、使丞相灌嬰擊之、文帝親幸太原。以爲天子自擊胡。遂發兵反於濟北。天子聞之、罷丞相及行兵、皆歸長安、使棘蒲侯柴將軍、【集解】張晏曰、柴武、【考證】史文紀、作陳武、漢文紀、作柴武、史漢兩表、皆作陳武、蓋棘蒲侯有二姓也、擊破虜濟北王。王自殺。地入于漢爲郡。後十二年、【考證】梁玉繩曰、二乃三之譌、文帝十六年、復以齊悼惠王子安都侯志爲濟北王。【索隱】地理志、安都闕、【正義】安都故城、在瀛州高陽縣西南三十九里、十一年、吳·楚反時、志堅守、不與諸侯合謀。吳·楚已平。徙志王菑川。【考證】以上敍濟北王、

濟南王辟光、齊悼惠王子。以勒侯孝文十六年爲濟南王。【索隱】勒、漢書作朸、竝音力、地理志、縣名、屬平原也、【正義】辟、音壁、都濟南郡、十一年、與吳·楚反。漢擊破殺辟光、以濟南爲郡。地入于漢。【考證】以上敍濟南王、

菑川王賢、齊悼惠王子。【正義】年表云、淄川王都劇、故城在青州壽光縣西三十一里、 以武城侯文帝十六年爲菑川王。【索隱】地理志、武城、縣名、屬平原、【正義】貝州縣、【考證】惠景間侯者表索隱云、武城、漢志闕、與此異、洪頤煊曰、漢書地理志武城有二、一屬左馮翊、一屬定襄郡、皆非此所封之武城、此當東武城、地理志屬清河郡、愚按、沈濤亦有此說、 十一年、與吳・楚反。漢擊破殺賢。天子因徙濟北王志王菑川。志亦齊悼惠王子。以安都侯王濟北。菑川王反毋後。乃徙濟北王王菑川。【考證】張文虎曰、志事前已詳、此但書自濟北徙菑川前後年數可矣、複衍、 凡立三十五年卒。謚爲懿王。子建代立。是爲靖王。二十年卒。子遺代立。是爲頃王。三十六年卒。【考證】漢傳、作三十五年、 子終古立。是爲思王。二十八年卒。子尚立。是爲孝王。【考證】漢傳、作考王、 五年卒。子橫立。至建始三年十一歲卒。【正義】亦褚少孫次之、【考證】漢傳云、子孝王橫嗣、三十一年薨、以上敘菑川王事、陳仁錫曰、是爲頃王至十一歲卒四十四字、亦褚生所續者、愚按、頃王三十六年、卽昭帝元年、史公或不及知

其諡、 膠西王卬、齊悼惠王子。【正義】卬、五郎反、年表云、都高苑、括地志云、高苑故城、在淄州長山縣北四里、 以昌平侯文帝十六年爲膠西王。【正義】括地志云、昌平故城、在幽州東南六十里也、【考證】梁玉繩曰、當作平昌、此作昌平、誤、史漢侯表列傳世家及水經注廿六、可證、正義誤以上谷昌平言之、 十一年、與吳・楚反。漢擊破殺卬。地入于漢爲膠西郡。【考證】以上敘膠西王事、 膠東王雄渠、齊悼惠王子。以白石侯【索隱】地理志、縣名、屬金城、【正義】白石古城、在德州安德縣北二十里、【正義】年表云、都卽墨、按卽墨故城、在萊州膠東縣南六十里、【考證】錢大昕曰、此白石當是齊地、正義近之、 文帝十六年爲膠東王。十一年與吳・楚反。漢擊破殺雄渠。地入于漢爲膠東郡。【考證】以上敘膠東王事、

太史公曰。諸侯大國無過齊悼惠王。以海內初定、子弟少、激秦之無尺土封、【考證】顏師古曰、激、感發也、 故大封同姓、以塡萬民之心。及後分裂。固其理也。

【索隱】述贊、漢矯秦制、樹屏自彊、表海大國、悉封齊王、呂后肆怒、乃獻城陽、哀王嗣立、共力不昰、朱虛仕漢、功大策長、東牟受賞、稱亂貽殃、膠東濟北、雄渠辟光、齊雖七國、忠孝者昌、

齊悼惠王世家第二十二　史記五十二

史記會注考證卷五十三

漢　太史令司馬遷撰

宋　中郎外兵曹參軍裴駰集解

唐　國子博士弘文館學士司馬貞索隱

唐　諸王侍讀率府長史張守節正義

日本　出雲瀧川資言考證

蕭相國世家第二十三　史記五十三

【索隱】蕭相國、曹相國、留侯、絳侯、五宗、三王、右六篇、請各爲一篇、【考證】史公自序云、楚人圍我滎陽、相守三年、蕭何塡山西、推計踵兵、給糧食不絕、使百姓愛漢、不樂爲楚、

作蕭相國世家第二十三、愚按索隱意謂諸世家有可合爲一篇者、六世家宜各爲一篇、淩本改請各作可合、誤、

蕭相國何者、沛豐人也。【索隱】按春秋緯、蕭何感昴精而生、典獄制律、以文無害【集解】漢書音義曰、文無害、有文無所枉害也、律有無害都吏、如今言公平吏、一曰、無害者、如言無比、陳留閒語也、【索隱】按裴注已列數家、今更引二說、應劭云、雖爲文吏而不刻害也、韋昭云、爲有文理無傷害也、【考證】文無害、或云、無所枉害、或云、無比、或云、猶言公平、或云、害、勝也、無能勝害之者、或云、害、傷也、無人能傷害之者、或云、通律文而又無所枉害、愚按、諸說皆不當、文無害、言能通曉法令、無所凝滯也、周亞夫稱趙禹云、極知禹無害、然文深、不可以居大府、言禹通曉法令、而用文深刻也、續漢志云、郡國秋冬遣無害吏、案訊諸囚、平其辠法、言遣吏通曉法令者、以訊諸囚也、論衡程材篇云、巧習無害、文高德少、射短篇云、儒生能說一經、自謂通大道、以驕文吏、文吏曉簿書、自謂文無害、以戲儒生、無害之義皆同、中井積德曰、文無害、是通套稱呼、如後世科目、爲沛主吏掾。【索隱】漢書云、何爲主吏、主吏、功曹也、又云、何爲沛掾、是何爲功曹掾也、高祖爲布衣時、何數以吏事護高祖。【索隱】說文云、護、救視也、【考證】中井積德曰、護、是回護之護、謂護助也、高祖爲亭長、常左右之。【考證】漢書、左右作佑、高祖以吏繇咸陽。吏皆送奉錢三。何獨以五。【集解】李奇曰、或三百、或五百也、【索隱】奉、音扶用反、謂資俸之、如字讀、謂奉送之也、錢三百、謂他人三百、何獨五百也、劉氏云、時

錢有重者、一當百、故有送錢三者、【考證】顏師古曰、出錢以資行、秦御史監郡者、與從事。常辨之。【集解】張晏曰、何與共事修辨明、何素有方略也、蘇林曰、辟何與從事也、秦時無刺史、以御史監郡、【索隱】按何與御史從事、常辨明、言稱職也、故張晏曰、何與共事修辨明、何素有方略、是也、【考證】劉攽曰、言秦制、御史監郡者、凡有事、皆與從事共辨之、錢大昭曰、辨、治也、何爲泗水卒史、卽從事也、何乃給泗水卒史事。【集解】徐廣曰、沛縣有泗水亭、又秦以沛爲泗水郡、駰按文穎曰、何爲泗水郡卒史、【索隱】如淳按律、郡卒史書佐各十人也、卒、祖忽反、【考證】何焯曰、以乃字觀之、則何因事辨、乃得由縣主吏掾給郡卒史也、顏師古曰、泗水郡、沛所屬也、周壽昌曰、秦時沛屬泗水郡、漢乃屬沛郡也、沈家本曰、給、供也、事字句絕、第一。【索隱】按謂課最、居第一也、秦御史欲入言徵何。何固請得毋行。【考證】顏師古曰、御史以何明辨、欲因入奏事之次、言於朝廷、徵何用之、何心不願、以情固請、而御史止、故得不行也、沈欽韓曰、漢制、刺史歲一奏事京師、秦法當然、何常爲丞督事。【索隱】謂高祖起沛、令何爲丞、常監督庶事也、沛公至咸陽。諸將皆爭走金帛財物之府分之。【索隱】走、音奏、奏者趨向之、何獨先入收秦丞相御史律令圖書藏之。沛公爲漢王。以何爲丞相。項王與諸侯屠燒

咸陽而去。漢王所以具知天下阸塞、戶口多少彊弱之處、民所疾苦者、以何具得秦圖書也。【考證】敘事中挿議論、漢書蕭何傳云、項羽負約、封沛公於巴蜀、爲漢王、漢王怒欲攻羽、周勃灌嬰樊噲皆勸之、蕭何力言其不可、乃之國、何進言韓信。漢王以信爲大將軍。語在淮陰侯事中。漢王引兵東定三秦。何以丞相留收巴·蜀、塡撫諭告、使給軍食。漢二年、漢王與諸侯擊楚。何守關中、侍太子。【考證】楓、三本、何上有令字、治櫟陽、爲法令約束、立宗廟社稷宮室縣邑、輒奏上、可許以從事、【考證】顏師古曰、可其所奏、許其所請、依以行事、卽不及奏上、輒以便宜施行、上來以聞。【集解】應劭曰、上來、還、乃以所爲聞之、關中事、【考證】中井積德曰、關中事三字、疑衍、班史無之、愚按、下文誤入、計戶口、轉漕給軍。【索隱】轉、劉氏音張戀反、漕、水運也、漢王數失軍遁去。何常興關中卒、輒補缺。上以此專屬任何關中事。漢三年、漢王

與項羽相距京・索之閒。上數使使勞苦丞相。鮑生謂丞相曰。考證 沈欽韓曰、書中轅生王生之類甚多、皆謂先生也、師古以爲諸生、妄也、王暴衣露蓋、數使使勞苦君者、

有疑君心也。爲君計、莫若遣君子孫昆弟能勝兵者、悉詣軍所。上必益信君。考證 勝、任也、堪也、如勝衣勝冠之勝、於是何從其計。漢王大說。

漢五年、旣殺項羽定天下、論功行封。羣臣爭功、歲餘功不決。考證 漢書、餘下無功字、齊召南曰、案功臣表、六年十二月甲申、封曹參靳歙夏侯嬰王吸傅寬召歐薛歐陳濞陳嬰陳平、凡十侯、至正月丙午、封張良劉纏蕭何周勃樊噲酈商灌嬰周昌武虎董渫孔聚陳賀陳豨、共十二侯、其餘功臣未封者尚多、卽羣臣爭功歲餘不決者也、高祖以蕭何功最盛、封爲酇侯。集解 文穎曰、音贊、瓚曰、今南鄉酇縣也、孫檢曰、有二縣、音字多亂、其屬沛郡者、音嵯、屬南陽者、音讚、按茂陵書、蕭何國在南陽、宜呼讚、今多呼嵯、嵯舊字作酇、今皆作酇、所由亂也、索隱 鄒氏云、屬沛郡音嵯、屬南陽音贊、又臣瓚按茂陵書、蕭何國在南陽、則字當音贊、今多呼爲嵯也、注瓚曰、今南鄉酇縣、顧氏云、南鄉、郡名也、太康地理志云、魏武帝建安中、分南陽立南鄉郡、晉武帝又曰順陽郡也、所食邑多。功臣皆曰、臣等身被堅執

銳、多者百餘戰、少者數十合、攻城略地、大小各有差。今蕭何未嘗有汗馬之勞、徒持文墨議論不戰。顧反居臣等上。何也。考證 顧反二字一意、反也、與田完世家、顧反聽命於韓同例、漢書蕭何傳刪反字、高帝曰、諸君知獵乎。曰、知之。知獵狗乎。曰、知之。高帝曰、夫獵追殺獸兔者狗也。而發蹤指示獸處者人也。考證 顏師古曰、發縱、謂解紲而放之也、何焯曰、漢書、發蹤作發縱、洪景伯隸釋引漢碑、多以縱爲蹤、今諸君徒能得走獸耳。功狗也。考證 漢書、得走獸作走得獸、愚按、走字屬獸、不屬人、史文爲長、至如蕭何、發蹤指示。功人也。且諸君獨以身隨我。多者兩三人。今蕭何擧宗數十人、皆隨我。功不可忘也。考證 凌稚隆曰、應前鮑生語、羣臣皆莫敢言。列侯畢已受封。及奏位次、考證 齊召南曰、十八侯位次、定於此時、皆曰、平陽侯曹參、身被七十創、攻城略地、功最多。宜第一。上已橈功臣、

多封蕭何。集解 應劭曰、橈、屈也、索隱 音女敎反、至位次、未有以復難之。然心欲何第一。關內侯鄂君 索隱 按功臣表、鄂君卽鄂千秋、封安平侯、進曰。羣臣議皆誤。夫曹參雖有野戰略地之功、此特一時之事。夫上與楚相距五歲、常失軍亡衆、逃身遁者數矣。考證 漢書、逃作跳、與凌稚隆所引一本合、顏師古曰、跳身謂輕身走出也、然蕭何常從關中遣軍補其處。非上所詔令召、而數萬衆會上之乏絕者數矣。夫漢與楚相守滎陽數年。軍無見糧。蕭何轉漕關中、給食不乏。陛下雖數亡山東、蕭何常全關中以待陛下。此萬世之功也。今雖亡曹參等百數、何缺於漢。漢得之、不必待以全。柰何欲以一旦之功、而加萬世之功哉。蕭何第一、曹參次之。考證 楓、三本、第上、次上、竝有當字、高祖曰、善。於是乃令蕭何賜帶

劍履上殿、入朝不趨。考證 楓、三本、賜下有第一二字、御覽引史作乃令蕭何第一、王念孫曰、此處若不言蕭何第一、則上文全無收束矣、蕭何第一爲一事、賜帶劍履云云、又爲一事、朱錦綬曰、案賈子、古者天子二十而冠帶劍、諸侯三十而冠帶劍、大夫四十而冠帶劍、可見有事帶劍、古禮之常、臣上君殿、其事尤大、當必以帶劍爲禮矣、禮曲禮、屨不上堂、而少儀則云、凡祭於室中、堂上無跣、亦以見事長可坐、祭先不可坐、坐則恐屨污席、故脫之、不坐、卽不脫屨、見君之禮、立而不坐、恐必不以不履爲敬也、自秦法羣臣侍殿上者、不得持尺寸之兵、適與古制相反、漢沿其法、故特賜蕭何以寵之、其實劍履上殿、秦漢以前、不以爲異、請約擧經傳以證之、左氏襄二十六年傳、子朱怒曰、班爵同、何以黜朱於朝、撫劍從之、公羊宣六年傳、趙盾起、將進劍、祁彌明自下呼之曰、盾食飽則出、何故拔劍於君所、使非帶劍見君、子朱將何撫、趙盾將何所進乎、詩車攻、赤芾金舃、會同有繹、大典也、而有金舃、韓侯朝王、有韓奕之詩、其詩有云、玄袞赤舃、使著屨不可見君、詩人必不以赤舃金舃美之矣、至左氏哀十七年傳、渾良夫不釋劍而食、衞太子數之、哀二十五年傳、褚師聲子、韤而登席、衞侯怒之、則以時當燕飲、理應釋劍跣登、如韓詩說、不脫屨而卽席、跣而上登、謂之燕之意、後世誤會此禮、朝祭二者、必解劍脫舃、然後上殿、遂若劍履上殿之禮、自何始、若朱虛侯拔劍斬諸呂、鄛崇曳革履之類、皆不當朝祭大事、不在此例、上曰。吾聞進賢受上賞。考證 漢書武帝元朔元年紀、詔曰、進賢受上賞、蔽賢蒙顯戮、古之道也、武帝蓋述高祖之旨、蕭何功雖高、得鄂君乃益明。於是因鄂君故所食關內侯邑、封爲安平侯。集解 徐廣

曰、以謁者從定諸侯有功、秩擧蕭何功、故因侯二千戶、封九年卒、至玄孫但、坐與淮南王安通、弃市、國除、[正義]括地志云、澤州安平縣、本漢安平縣、是日悉封何父子兄弟十餘人、皆有食邑。[考證]漢書、父子作父母、梁玉繩曰、漢書是、乃益封何二千戶。以帝嘗繇咸陽時、何送我獨贏奉錢二也。[索隱]謂人皆三、何獨五、所以爲贏二也、音盈、[考證]贏、餘也、陳子龍曰、前以功封、此又推舊恩也、愚按、一飯之食、睚眦之怨、記而不忘、高祖蓋非木强忽細故者、漢十一年、陳豨反。高祖自將至邯鄲。未罷。淮陰侯謀反關中。呂后用蕭何計、誅淮陰侯。語在淮陰事中。上已聞淮陰侯誅、使使拜丞相何爲相國、益封五千戶、令卒五百人·一都尉爲相國衞。[考證]齊召南曰、案丞相紫綬、相國則綠綬矣、漢初相國惟蕭何及曹參二人、自參薨後、卽稱丞相、又曰、何爲丞相、在十一年、淮陰既誅之後、漢公卿表列於九年、誤也、諸君皆賀。召平獨弔。召平者故秦東陵侯、秦破爲布衣。貧。種瓜於長安城東。瓜美。故世俗謂之東陵瓜。從召平以爲名也。[考證]顏師古

曰、召讀爲邵、愚按、楓、三本、以下有來字、藝文類聚引史、瓜下有五色甚三字、召平謂相國曰。禍自此始矣。上暴露於外、而君守於中。非被矢石之事。[考證]漢書、事作難、而益君封置衞者、以今者淮陰侯新反於中、疑君心矣。[考證]漢書、疑上有有字、此當據補、上文云、數使使勞苦者、有疑君心也、夫置衞衞君、非以寵君也。[考證]顏師古曰、恐其爲變、故守衞之、願君讓封勿受、悉以家私財佐軍、則上心說。[考證]心、疑必訛、漢書、刪則上心說四字、相國從其計。高帝乃大喜。漢十二年秋、黥布反。上自將擊之。數使使問相國何爲。[考證]顏師古曰、問其居守何所營爲、相國爲上在軍、乃拊循勉力百姓、[考證]漢書、相國作曰、無乃字力字、蓋史記以爲實事、漢書爲對使者語、其義異、悉以所有佐軍、如陳豨時。客有說相國曰。君滅族不久矣。夫君位爲相國、功第一、可復加哉。然君初入關中、得百姓心十餘年矣。皆附。君常復孳

孳得民和。[考證]常、讀爲尙、漢書作尙、上所爲數問君者、畏君傾動關中。今君胡不多貰田地、賤貰貸以自汙。上心乃安。[正義]貰、音世、又食夜反、賖也、貸、天得反、於是相國從其計。上乃大說。上罷布軍歸。民道遮行、上書言相國賤彊買民田宅數千萬。[考證]漢書、萬作人、義異、上至、相國謁。上笑曰。夫相國乃利民。[索隱]謂相國取人田宅以爲利、故云乃利人也、所以令相國自謝之、[考證]利民、謂奪民所有以自利、索隱、民作人、避唐諱、民所上書、皆以與相國曰。君自謝民。相國因爲民請曰長安地狹。上林中多空地弃。願令民得入田。[正義]言上林苑中空地虛棄、不如令民得入田之、[考證]李笠曰、地棄疑誤倒、文選李陵答蘇子卿書注、引史記正作上林中多空棄地、毋收稾、爲禽獸食。[索隱]苗子還種田人、稾入官、[正義]其稾艸留苑中、爲禽獸食之、[考證]使民收粟耳、稾則留苑中、正義是、上大怒曰。相國多受賈人財物、乃爲請吾苑。乃下相國廷尉械繫之。[考證]李笠曰、乃下相國、與上乃爲字複、文選注引作遂、

董份曰、既以田宅自汙、上喜矣、而復爲民請田、是失本計也、上益懼其得民、故係之、非以利賈人之金也、愚按、相國之意、欲以使帝施德、下文所謂有善歸主者、非以欲自賣恩也、董說未得、凌稚隆曰、太史公下大悅大怒字、而高祖之忌心洞見矣、數日、王衞尉侍。[集解]如淳曰、百官公卿表、衞尉、王氏、無名字、[考證]顏師古曰、史失之也、侍、謂侍天子也、前問曰。相國何大罪。陛下繫之暴也。上曰。吾聞李斯相秦皇帝。有善歸主、有惡自與。今相國多受賈豎金、而爲民請吾苑、以自媚於民。故繫治之。王衞尉曰。夫職事苟有便於民而請之、眞宰相事。陛下柰何乃疑相國受賈人錢乎。且陛下距楚數歲、陳豨·黥布反、陛下自將而往。當是時、相國守關中。搖足則關以西非陛下有也。相國不以此時爲利、今乃利賈人之金乎。且秦以不聞其過亡天下。李斯之分過、[索隱]按上文李斯歸惡而自予、是分過、又何足法哉。陛下何疑宰相之淺也。[集解]韋昭曰、

用意淺、高帝不懌。【考證】帝不欲何布德於民、故繫治之、而衛尉之言正、不能不勉從、故不懌、是日、使使持節赦出相國。相國年老、素恭謹。入徒跣謝。【考證】洪頤煊曰、案凡謝罪皆免冠、黃霸傳、尙書令受丞相對、霸免冠謝罪、霍光傳、光入免冠頓首謝、朱雲傳、左將軍辛慶忌免冠解印綬、叩頭殿下、其尤重者始徒跣、匡衡傳、免冠徒跣待罪、申屠嘉傳、通至丞相、免冠徒跣謝、皆是、高帝曰。相國休矣。相國爲民請苑。吾不許、我不過爲桀·紂主。而相國爲賢相。吾故繫相國、欲令百姓聞吾過也。何素不與曹參相能。及何病、孝惠自臨視相國病。【考證】漢書、病作疾、因問曰。君卽百歲後、誰可代君者。對曰。知臣莫如主。【考證】通俗編卷四云、管子大匡篇、鮑叔曰、先人有云、知子莫若父、知臣莫若君、左傳僖七年、子文曰、古人有言、知臣莫若君、晉語、祁奚曰、人有言、擇臣莫若君、擇子莫若父、戰國策、趙武靈王謂周紹曰、選子莫若父、論臣莫若君、蓋自古有此語、孝惠曰。曹參何如。何頓首曰。帝得之矣。臣死不恨矣。何置田宅、必居窮處、爲家不治垣屋。曰。後世賢、師吾儉。不賢、毋

爲勢家所奪。孝惠二年、相國何卒。【集解】東觀漢記云、蕭何墓、在長陵東司馬門道北百步、【正義】括地志云、蕭何墓、在雍州咸陽縣東北三十七里、諡爲文終侯。【集解】徐廣曰、功臣表、蕭何以客初起從也、後嗣以罪失侯者四世絕。天子輒復求何後、封續酇侯。功臣莫得比焉。【考證】漢傳云、何子祿薨、亡後、高后封何夫人同爲酇侯、小子延爲筑陽侯、孝文罷同、封延爲酇侯、延薨、子遺嗣、薨亡後、復以遺弟則嗣、有罪免、景帝後封則弟嘉爲武陽侯、薨、子勝有罪免、武帝元狩中、復下詔御史、以酇戶二千四百封何曾孫慶爲酇侯、布告天下、令明知朕報蕭相國德也、卽此事、

太史公曰。蕭相國何、於秦時爲刀筆吏。錄錄未有奇節。【索隱】錄音祿、【考證】顏師古曰、刀、所以削書也、古者用簡牒、故吏皆以刀筆自隨也、錄錄、猶鹿鹿、言在凡庶之中也、愚按、老子不欲錄錄如玉、珞珞如石、晏子諫篇、錄錄彊食、史記平原君傳、公等錄錄、所謂因人成事者也、後漢書禰衡傳、大兒孔文擧、小兒楊德祖、餘子碌碌不足數、其義皆同、及漢興、依日月之末光、【考證】顏師古曰、易文言云、聖人作而萬物覩、又曰、見龍在田、天下文明、贊言何值漢初興、故以日月爲喩耳、何謹守管籥。【考證】楓、三本、何作信、顏師古曰、高祖出征、何常居守、故言守管籥、因民之疾奉法、【考證】古鈔本、楓本、班馬異同本、奉作秦、與漢書合、順流與之

更始。淮陰·黥布等皆以誅滅。【考證】古鈔本、以作已、通、淮陰侯傳論贊云、假令韓信學道謙讓、不伐己功、不矜其能、則庶幾哉於漢家勳、可以比周、召太公之徒、後世血食矣、而何之勳爛焉、位冠羣臣、聲施後世、與閎夭·散宜生等爭烈矣。【索隱】述贊、蕭何爲吏、文而無害、及佐興王、擧宗從沛、關中旣守、轉輸是賴、漢軍屢疲、秦兵必會、約法可久、收圖可大、指獸發蹤、其功實最、政稱畫一、居乃非泰、繼絕寵勤、式旌礪帶、

蕭相國世家第二十三　史記五十三

史記會注考證卷五十四

漢　太　史　令　司　馬　遷　撰
宋中郎外兵曹參軍裴　駰集解
唐國子博士弘文館學士司馬貞索隱
唐諸王侍讀率府長史張守節正義
日本　出　雲　瀧川資言考證

曹相國世家第二十四　史記五十四

考證史公自序云、與信定魏、破趙拔齊、遂弱楚人、續何相國、不變不革、黎庶攸寧、嘉參不伐功矜能、作曹相國世家第二十四、趙翼曰、曹參世家敍功處、絕有似有司所造

功冊、自後樊噲酈商夏侯嬰灌嬰傳寬靳歙周緤等傳、紀功俱用此法、竝細敘斬級若干、生擒若干、降若干人、又分書身自擒斬若干、所將卒擒斬若干、又總敘攻得郡若干、縣若干、擒斬大將若干、裨將若干、二千石以下若干、纖悉不遺、別成一格、蓋本分封時所據功冊、而遷料簡存之者也、錢大昕曰、蕭何曹參皆以相國終、故目錄皆云相國、與陳丞相平張丞相蒼一例也、而篇首一云蕭相國何、一云平陽侯曹參、參不稱相國而稱侯、又與絳侯周勃同、然勃雖丞相、以列侯終、不可以例參也、平津侯亦以丞相終、而目錄不稱丞相、與蕭曹諸人異矣、其篇目則云、丞相公孫弘、若以蕭相國書法例之、不當繫姓于官之下、此皆史公義例、

平陽侯曹參者、沛人也。集解張華曰、曹參字敬伯、索隱地理志、平陽縣屬河東、又按春秋緯及博物志、竝云、參字敬伯、正義晉州城、卽平陽故城也、按沛、今徐州縣也、秦時爲沛獄掾。而蕭何爲主吏。居縣爲豪吏矣。考證顏師古曰、言參及蕭何、竝爲吏之豪長也、高祖爲沛公而初起也、參以中涓從。集解漢書音義曰、中涓、如中謁者、索隱涓、音古玄反、考證顏師古曰、涓、潔也、言其在內、主知潔清洒掃之事、蓋親近左右也、將擊胡陵、方與、索隱地理志、二縣皆屬山陽郡、正義胡陵、縣名、在方與之南、方、音房、與、音預、兗州縣也、攻秦監公軍、大破之。集解漢書音義曰、監、御史監郡者、公、名、秦一郡置守尉監三人、索隱按注、公者、監之名、然本紀泗水監名平、則平是名、公爲相尊之稱也、考證齊召南曰、夏侯嬰傳從攻胡陵、嬰與蕭何降泗水

監平、卽此監公也、東下薛。擊泗水守軍薛郭西、復攻胡陵取之。徙守方與。方與反爲魏。擊之。正義曹參擊方與、豐反爲魏。攻之。索隱時雍齒守豐、爲魏反沛公、賜爵七大夫。擊秦司馬𡰯軍碭東破之、正義音夷、考證漢書作司馬欣、誤、取碭・狐父・集解徐廣曰、伍被曰、吳濞敗於狐父、索隱地理志、碭、屬梁國、狐父、地名、在梁碭之閒、徐氏引伍被云、吳濞敗於狐父、是吳與梁相拒而敗處、正義括地志云、狐父亭、在宋州碭山縣東南三十里、祁善置。集解文穎曰、善置、置名也、晉灼曰、祁、音抵、孫檢曰、漢謂驛曰置、善、名也、索隱按司馬彪郡國志、穀熟有祁亭、劉氏音遲、又如字、善置、置名、漢謂驛爲置、正義括地志云、故祁城、在宋州下邑縣東北四十九里、漢祁城縣也、言取碭狐父及祁縣之善置、考證凡地名與高紀合者、不復出、又攻下邑以西至虞。索隱地理志、下邑、虞、皆屬梁國、正義宋州下邑縣、在州東百一十里、漢下邑城、今碭山縣是、虞城縣在州北五十里、古虞國、商均所封、擊章邯車騎、攻爰戚集解徐廣曰、宣帝時、有爰戚侯、索隱蘇林云、縣名、屬山陽、按功臣表、爰戚侯趙成、正義音寂、劉音七歷反、今在兗州南、近亢父縣、考證漢書爰戚作轅戚、今山東嘉祥縣西南、及亢父、索隱地理志、縣名、屬東平、正義括地志、亢父故城、在兗州任城縣南五十一里、先登。遷爲五大夫、北救阿、索隱按阿卽東阿也、時章邯圍田榮於東阿也、正義今濟

州東阿也、考證漢書、阿上有東字、擊章邯軍陷陳、追至濮陽、攻定陶、取臨濟。正義淄州高苑縣西北二里、有狄故城、安帝改曰臨濟、考證洪頤煊曰、臨濟與定陶相近、不得在高苑縣西北、水經濟水注、平丘縣有臨濟亭、田儋死處也、當卽此、南救雍丘、擊李由軍破之、殺李由、虜秦候一人。秦將章邯破殺項梁也、沛公與項羽引而東。考證古鈔本、楓、三本、引下有兵字、與漢書合、楚懷王以沛公爲碭郡長、將碭郡兵。於是乃封參爲執帛、集解張晏曰、孤卿也、或曰、楚官名、考證中井積德曰、執帛、爵名、封字主在建成、沈欽韓曰、禮、孤執皮帛、楚僭王號、故次於執珪、高祖初起、官爵皆從楚制、號曰建成君。索隱地理志、建成縣屬沛郡、考證兪樾曰、楚漢之際、受封者虛建名號、而不必有其地、如曹參之爲建成君、灌嬰之爲昌文君、樊噲之爲賢成君、傅寬之爲共德君、皆師古之所謂楚漢之際、權設寵榮、或得邑地、或受空爵、是也、遷爲戚公、屬碭郡。索隱謂遷參爲戚令、正義卽爰戚縣也、是時屬沛郡、其後從攻東郡尉軍、破之成武南、索隱地理志、成武縣、屬山陽、擊王離軍成陽南、索隱地理志、縣名、在濟陰、成、地名、周武王封弟季載於成、其後代遷於成之陽、故曰成陽、正義成陽故城、濮州雷澤縣、是、史記云、武王封弟季載於成、其後遷於成之陽、故曰成陽也、考證

沈家本曰、管蔡世家、言封叔武於成、非季載也、索隱正義皆誤、復攻之杠里、大破之。【正義】杠、音工、地名、追北西至開封、【正義】敗軍曰北、擊趙賁軍破之、【索隱】賁音奔、圍趙賁開封城中。西擊秦將楊熊軍於曲遇破之、【集解】徐廣曰、在中牟、【索隱】曲、丘禺反、遇、牛凶反、【正義】曲、丘羽反、遇、牛恭反、司馬彪郡國志云、中牟有曲遇聚、按中牟、鄭州縣也、虜秦司馬及御史各一人。遷爲執珪。【集解】張晏曰、侯伯執珪以朝、位比之、如淳曰、呂氏春秋得伍員者、位執珪、古爵名、【考證】執珪又見楚策、從攻陽武、【正義】括地志云、陽武故城、在鄭州陽武縣東北十八里、漢陽武縣城也、【考證】今河南陽武縣東南、下轘轅・緱氏、【索隱】地理志、陽武緱氏二縣、屬河南、轘轅、道名、在緱氏南、【正義】緱氏、洛州縣也、括地志云、轘轅故關、在洛州緱氏縣東南四十里、十三州志云、轘轅道、凡十二曲、是險道、【考證】緱氏、今河南偃師縣南、王先謙曰、續志、緱氏縣有轘轅關、絕河津、【正義】津、濟渡處、括地志云、平陰故津、在洛州洛陽縣東北五十里、還擊趙賁軍尸北破之。【集解】徐廣曰、尸、在偃師、孟康曰、尸鄉北、【正義】破趙賁軍於尸鄉之北也、括地志云、尸鄉亭、在洛州偃師縣、在洛州東南也、從南攻犨、與南陽守齮、戰陽城郭東、【集解】應劭曰、今赭陽、【索隱】徐廣云、陽城、在南陽、應劭云、今赭陽、赭陽是南陽之縣、【考證】漢書注、應劭曰、

城陽今堵陽、與集解異、陷陳、【正義】陷南陽守於陽城郭東也、取宛、虜齮、盡定南陽郡。從西攻武關・嶢關取之。【正義】括地志云、故武關、在商州商洛縣東九十里、藍田關、在雍州藍田縣東南九十里、卽秦嶢關也、前攻秦軍藍田南、【正義】雍州藍田縣、在州東南八十里、因藍田山爲名、又夜擊其北。【正義】其北、藍田縣北也、秦軍大破。【考證】漢書、無秦字、破下有之字、義異、遂至咸陽滅秦。項羽至、以沛公爲漢王。漢王封參爲建成侯。從至漢中。【正義】梁州、本漢中郡、遷爲將軍。從還定三秦、初攻下辯・故道・【索隱】地理志、二縣名、皆屬武都、辯、音皮莧反、【正義】括地志云、成州同谷縣、本漢下辯道、又云、鳳州兩當縣、本漢故道縣、在州西五十里、【考證】漢書、無初字、下辯作下辨、下辨道、在今陝西成縣西三十里、故道、今鳳縣西北、雍・斄、【索隱】地理志、二縣名、屬右扶風、斄、音胎、【正義】斄、作邰、音胎、括地志云、故雍縣南七里、故斄城、一名武功縣、西南二十二里、古邰國也、【考證】雍、今長安縣治、斄、今武功縣西南、擊章平軍於好畤南破之。【正義】括地志云、好畤城、在雍州好畤縣東南十三里、【考證】今乾州東好畤村、圍好畤、取壤鄉。【集解】文穎曰、地名、擊三秦軍壤東及高櫟、破之。【索隱】櫟、音歷、按文穎云、壤鄉

高櫟、皆地名也、然盡在右扶風、今其地闕也、【正義】音歷、皆村邑名、壤鄉、今在雍州武功縣東南二十餘里、高壤坊是、高櫟、近壤鄉也、【考證】唐武功縣、今武功縣西南、復圍章平。章平出好畤走。因擊趙賁內史保軍破之。東取咸陽。更名曰新城。【索隱】按漢書高帝元年、咸陽名新城、武帝改名曰渭城、參將兵守景陵二十日。【集解】漢書音義曰、縣名也、【考證】景陵、無考、三秦使章平等攻參。參出擊、大破之。賜食邑於寧秦。【集解】蘇林曰、今華陰、【考證】桃源抄云、正義本、寧秦作寧泰、楓三本、亦作寧泰、參以將軍引兵圍章邯於廢丘。【正義】周曰犬丘、秦更名廢丘、漢更名槐里、今故城、在雍州始平縣東南十里、以中尉從漢王、出臨晉關、【正義】卽蒲津關也、在臨晉縣、故言臨晉關、今在同州也、至河內、下脩武、【正義】今懷州獲嘉縣、古脩武也、渡圍津。【集解】徐廣曰、東郡白馬有圍津、【索隱】顧氏按水經注、白馬津有韋鄉韋津城、圍與韋同、古今字變爾、【正義】括地志云、黎陽津、一名白馬津、在滑州白馬縣北三十里、帝王世紀云、白馬縣南有韋城、故豕韋國也、續漢書郡國志云、白馬縣有韋城、東擊龍且・項他定陶、破之。【考證】灌嬰傳亦云、擊項羽將龍且魏相項他軍定陶南、東取碭・蕭・彭城、【正義】碭、音唐、宋州碭山縣是也、蕭彭城、徐州二縣、【考證】王

先謙曰、此漢二年彭城之役、擊項籍軍。漢軍大敗走。參以中尉圍取雍丘。王武反於黃、【集解】徐廣曰、內黃縣有黃澤、【正義】故黃縣、在曹州黃城縣東二十四里、左傳注云、陳留外黃縣東有黃城、是也、【考證】漢傳、作外黃、梁玉繩曰、攷史漢樊噲傳云、破王武于外黃、漢灌嬰傳云、王武反、擊破之、攻下外黃、則此缺外字、乃陳留之縣也、愚按、今河南杞縣東六十里、程處反於燕。【集解】徐廣曰、東郡燕縣、駰案漢書音義曰、皆漢將、【考證】今延津縣東三十五里、往擊盡破之。柱天侯反於衍氏。【索隱】天柱侯、不知其誰封、衍氏、魏邑、地理志云、天柱在廬江灊縣、【考證】錢大昕曰、小司馬本、柱天侯作天柱侯、故引廬江灊縣之天柱實之、館本考證引屈林云、柱天侯亦猶建成侯奉春君之類、不必指其食邑、沈欽韓曰、一統志、衍氏、在今開封府鄭州北三十里、又進破取衍氏、擊羽嬰於昆陽、追至葉。【考證】顏師古曰、葉、南陽縣也、音式涉反、王先謙曰、羽嬰、人姓名、葉、在今葉縣南三十里、還攻武彊、【集解】瓚曰、武彊城、在陽武、【正義】括地志云、武彊故城、在鄭州管城縣東北三十一里、因至滎陽。【考證】王先謙曰、高帝時在滎陽、參自漢中爲將軍中尉、從擊諸侯及項羽。【索隱】從、才用反、敗還至滎陽。凡二歲。高祖三年、【考證】梁玉繩曰、三當作二、漢傳及水經注、可證、拜爲假左丞相、【考證】周壽昌

曰、此猶後世之虛衡也、元年蕭何已眞拜丞相、入屯兵關中月餘。魏王豹反。以假左丞相、別與韓信東攻魏將軍孫遬軍東張、大破之。[集解]徐廣曰、張者、地名、功臣表、有張侯毛澤之、駰按蘇林曰、屬河東、[索隱]遬、音速、[正義]括地志云、張陽故城、一名東張城、在蒲州虞鄉縣西北四十里、[考證]王先謙曰、唐之虞鄉、卽今虞鄉縣治也、一統志、今平陽府浮山縣西南三十里、有東張鎭、因攻安邑、得魏將王襄。擊魏王於曲陽、[索隱]括地志云、上曲陽、定州恆陽縣、是下曲陽、在定州鼓城縣西五里、[考證]余有丁曰、此必魏自有曲陽、定州之曲陽、時屬趙、梁玉繩曰、張余兩解竝非、曲陽乃陽曲之誤、太原陽曲縣也、追至武垣、[集解]徐廣曰、河東有垣縣、[正義]括地志云、武垣縣、今瀛州城是、地理志云、武垣縣、屬涿郡也、[考證]梁玉繩曰、武垣、正義以爲涿郡之縣、漢傳作東垣、則爲眞定、恐皆誤、徐廣謂河東垣縣是已、武字東字衍、陽曲抵垣、不甚遠、生得魏王豹、取平陽、[正義]晉州城是、得魏王母妻子、盡定魏地。凡五十二城。賜食邑平陽。因從韓信、擊趙相國夏說軍於鄔東、大破之、斬夏說。[集解]徐廣曰、鄔縣在太原、音烏古反、[索隱]地理志、鄔、太原縣名、音烏古反、[考證]陳餘傳、餘爲代王、留爲傳趙王、而使夏說以相國守代、淮陰侯傳、破代兵禽夏說、注李奇云、夏說、代相也、趙相國、當作代相

國、韓信與故常山王張耳、引兵下井陘、擊成安君、[考證]陳餘、而令參還圍趙別將戚將軍於鄔城中。戚將軍出走。追斬之。[考證]漢傳、戚將軍作戚公、乃引兵詣敖倉漢王之所。[考證]敖倉、在滎陽西北、韓信已破趙爲相國、東擊齊。參以右丞相屬韓信、攻破齊歷下軍、遂取臨菑、還定濟北郡、[考證]梁玉繩曰、案顏師古云、時未有濟北郡、史追書之、攷漢書、高紀六年、稱東陽郡鄣郡吳郡郯郡膠東膠西臨淄濟北博陽城陽郡、楚元王傳、稱東海彭城郡、史漢高祖功臣表及灌嬰傳、亦稱吳郡、黥布傳、稱廬江衡山豫章郡、皆秦郡所無者、豈俱追書乎、楚漢之間、諸王各自立郡、漢初仍其故名呼之耳、錢氏漢書攷異云、膠東濟北、項羽所立國名、與齊號爲三齊、臨淄卽齊都、博陽卽濟北王都、曹參傳濟北郡、蓋田榮倂三齊之後、以濟北爲郡、師古以爲史追書之、非也、攻著・漯陰・平原・鬲・盧。[索隱]地理志、著縣、屬濟南、盧縣、屬泰山、漯陰・平原・鬲三縣、屬平原、漯、音吐荅反、[正義]括地志云、平原故城、在德州平原縣東南十里、故鬲城、在德州安德縣西北十五里、盧縣、今濟州理縣是也、[考證]著、今濟陽縣西南、漯陰、今臨邑縣西十里、平原、今平原縣南二十里、鬲、今德州北、盧、今長清縣西三十里、竝屬山東、已而從韓信、擊龍且軍於上假密、大破之。[集解]文穎曰、

或以爲高密、[索隱]漢書亦作假密、按下定齊七十縣、則上假密非高密、亦是齊地、今闕、[正義]上假密、卽高密也、地理志云、高密、爲膠西國、下密、在膠東國、括地志云、濰水、今俗謂百尺水、在密州高密縣、卽韓信夾濰水戰處、韓信傳云、田廣走高密、信東追廣至高密西、楚使龍且救齊、夾濰水陳、信盛沙壅水上流、引軍半渡、佯不勝走、龍且追信渡水、信決壅囊、水大至、龍且軍大半不得渡、信卽急擊殺龍且、龍且水東軍散走、明殺龍且、在高密縣濰水西也、[考證]王先謙曰、假密卽高密、高假雙聲、有下密縣、故此稱上假密、斬龍且、虜其將軍周蘭。[考證]漢傳、將軍作亞將、張照曰、按灌嬰傳云、從韓信攻龍且於高密、身生得亞將周蘭、是時參嬰竝隸於信、故敘功略同、而其實擒蘭者嬰也、嬰傳、於降彭城之後又云、攻苦譙、復得亞將周蘭、蓋前此逸出、嬰終得之、定齊凡得七十餘縣、得故齊王田廣相田光、其守相許章、及故齊膠東將軍田既。[考證]顏師古曰、守相、爲相居守者、梁玉繩曰、田儋灌嬰傳、皆言嬰得光、韓信爲齊王、引兵詣陳、與漢王共破項羽。而參留平齊未服者。項籍已死、天下定、漢王爲皇帝。韓信徙爲楚王、齊爲郡。參歸漢相印。[考證]月表亦云、徙齊王韓信王楚、齊屬漢、爲四郡、而漢書曹傳、刪齊爲郡三字、胡三省云、韓信兼王齊、蓋漢初諸侯王國、亦領郡也、漢書表傳無齊爲漢郡之文、然觀田肯賀高祖、秦齊竝言、可觀信兼領齊郡、使信卽以齊還漢、則高帝必早

立齊王、不待信禽之後矣、愚按、胡說非是、說詳高紀、高帝以長子肥爲齊王。而以參爲齊相國。[考證]徐孚遠曰、平陽侯、與淮陰共定齊地、假其威名以鎭定、故終高帝世、爲齊相不徙、以高祖六年、賜爵列侯、與諸侯剖符、世世勿絕、食邑平陽萬六百三十戶。[考證]史漢表云、萬六百戶、號曰平陽侯。除前所食邑。以齊相國擊陳豨將張春軍、破之。黥布反。參以齊相國從悼惠王、將兵車騎十二萬人、與高祖會擊黥布軍、大破之、南至蘄、還定竹邑・相・蕭・留。[索隱]地理志、蘄、竹邑、相、蕭四縣、屬沛、韋昭云、留、今屬彭城、則漢初亦屬沛也、[正義]括地志云、徐州符離縣城、漢竹邑城也、李奇云、今竹邑也、故相城、在符離縣西北九十里、輿地志云、宋共公自睢陽徙相子城、又還睢陽、蕭、徐州縣、古蕭叔國城也、故留城、在徐州沛縣東南五十里、張良所封、[考證]楓三本、定下有蘄字、竹邑、今宿州北二十里、相、今宿州西北、蕭、今蕭縣西北、留、今沛縣東南、參功、凡下二國、縣一百二十二、得王二人、相三人、將軍六人、大莫敖、郡守、司馬、候、御史各一人。[集解]漢書音義曰、大莫敖、楚之卿號、[考證]張晏曰、時近六國、故有令

尹莫敖之官、王先謙曰、候、卽前云虜秦候一人也、梁玉繩曰、曹參周勃兩世家、及樊酈灌靳傳、倶總言戰功而通計之、其數多不合、何也、　孝惠帝元年、除諸侯相國法、更以參爲齊丞相。參之相齊、齊七十城。【考證】凌約言曰、特著齊七十城、以見所以酬參者自不爲薄、愚按、以見國大任重、凌說未得、錢大昕曰、吳王濞傳、悼惠王王齊七十二城、高五王傳亦云、食七十餘城、此云七十者、擧大數也、天下初定、悼惠王富於春秋。參盡召長老諸生、問所以安集百姓。如齊故俗諸儒以百數。【考證】漢書、如作而、無俗字、王念孫曰、如而通、齊故諸儒連讀、俗字後人所加、言參問所以安集百姓、而齊之故儒以百數、言人人殊也、　言人人殊。參未知所定。聞膠西有蓋公、善治黃・老言、使人厚幣請之。【考證】張晏曰、黃老、黃帝老子之書、　既見蓋公。蓋公爲言治道貴淸靜、而民自定。【考證】老子下篇云、淸靜爲天下正、又云、我好靜而民自正、　推此類具言之。參於是避正堂、舍蓋公焉。【考證】周壽昌曰、正堂、齊丞相治事之堂、顏師古曰、舍、止也、　其治要用黃・老術、故相齊九年、齊國安集、大稱賢相。惠帝二年、蕭

何卒。參聞之、告舍人趣治行。吾將入相。【考證】顏師古曰、舍人、猶家人也、趣讀曰促、謂速也、治行、謂脩治行裝也、　居無何、使者果召參。參去屬其後相曰、以齊獄市爲寄。愼勿擾也。後相曰、治無大於此者乎。參曰、不然。夫獄市者、所以幷容也。今君擾之、姦人安所容也。吾是以先之。【集解】漢書音義曰、夫獄市兼受善惡、若窮極姦人無所容竄、姦人無所容竄、久且爲亂、秦人極刑而天下畔、孝武峻法而獄繁、此其效也、老子曰、我無爲而民自化、我好靜而民自正、參欲以道化其本、不欲擾其末、【考證】梁玉繩曰、梁溪漫志云、孟子莊嶽之間、注、齊街里名、左傳襄公二十八年、反陳于嶽、注、里名、獄字合從嶽音、蓋謂嶽市乃齊闤闠之地、姦人所容、故當勿擾之、此說頗新而非也、嶽獄二字、未見通用、猗覺寮雜記云、獄市、二事、獄如敎唆詞訟資給盜賊、市如用私斗秤欺謾變易之類、皆姦人圖利之所、若窮治盡、則事必枝蔓、此等無所容、必爲亂、非省事之術也、　參始微時、與蕭何善。及爲將相有卻。【考證】顏師古曰、參自以爲戰功多、而封賞常在何後、故怨何也、劉奉世曰、此特師古意料之爾、　至何且死、所推賢唯參。參代何爲漢相國。擧事無所變更。一遵蕭何約束。【考證】漢書、一作壹、　擇郡國吏

木詘於文辭、重厚長者、卽召除爲丞相史。【正義】詘、訥同、求物反、謂辭寡也、又音群勿反、擊木之聲無餘響也、言擇吏老文辭、重厚長者、若擊木、質樸無餘音也、【考證】古鈔本、詘作訥、與漢書合、胡三省曰、漢制丞相官屬、長史之下、有掾史令史等、正義依桃源鈔補、文有譌脫、　吏之言文刻深、欲務聲名者、輒斥去之。日夜飮醇酒。卿大夫已下吏及賓客、見參不事事、【集解】如淳曰、不事丞相之事、【考證】中井積德曰、不事事、卽下文不治事矣、　來者皆欲有言。至者參輒飮以醇酒。閒之欲有所言、復飮之、醉而後去。終莫得開說。以爲常。【集解】如淳曰、閒、謂有所啓白、【考證】古鈔本、楓、三本、有下無所字、與漢書合、開作闢、　相舍後園近吏舍。吏舍日飮歌呼。從吏惡之、無如之何。【考證】顏師古曰、從吏、吏之常從相者也、愚按、漢書、惡作患、　乃請參游園中、聞吏醉歌呼。從吏幸相國召按之。乃反取酒張坐飮、亦歌呼與相應和。【考證】顏師古曰、張坐飮、張設坐席而飮也、坐、音才臥反、　參見人之有細過、專掩匿覆蓋之。府中無事。

參子窋爲中大夫。【集解】窋、音張律反、　惠帝怪相國不治事、以爲豈少朕與。【索隱】按少者不足之詞、故胡亥亦云、丞相豈少我哉、蓋帝以丞相豈不是嫌少於我哉、小顏以爲我年少、非也、【正義】少、式妙反、與、音歟、言以朕年少不閑國事、故日飮不治事也、【考證】王念孫曰、小司馬說是也、晏子春秋外篇亦云、夫子何少寡人之甚也、　乃謂窋曰、若歸、試私從容問而父曰、高帝新弃羣臣。帝富於春秋。君爲相、日飮無所請事。何以憂天下乎。然無言吾告若也。【索隱】謂惠帝語窋、無得言我告汝、令諫汝父、當自云是己意也、　窋既洗沐歸、閒侍、自從其所諫參。【考證】閒、閒居之閒、顏師古曰、自從其所、猶言自出其意也、　參怒而笞窋二百。曰、趣入侍。天下事非若所當言也。至朝時、惠帝讓參曰、與窋胡治乎。【集解】如淳曰、猶言用窋爲治、【索隱】按胡、何也、言語參、何爲治窋也、【正義】胡、何也、言何謂治窋二百、【考證】中井積德曰、言何事治督於窋乎、陳景雲曰、漢人以笞掠爲治、治卽笞耳、　乃者我使諫君也。參免冠謝曰、陛下自察聖武孰與高帝。上曰、朕乃安敢望先帝乎。曰、

陛下觀臣能、孰與蕭何賢。上曰。君似不及也。參曰。陛下言之、是也。且高帝與蕭何定天下、法令既明。考證楓、三本、明下、有具字、今陛下垂拱、參等守職、遵而勿失、不亦可乎。惠帝曰。善。君休矣。參爲漢相國、出入三年卒。謚懿侯。子窋代侯。考證漢書、無出入二字、梁玉繩曰、三年乃四年之誤、參自惠帝二年爲相國、至五年卒也、百姓歌之曰。蕭何爲法、顜若畫一。集解徐廣曰、顜音古項反、一音較、索隱顜、漢書作講、故文穎云、講、一作較、按訓直、又訓明、言法明直若畫一也、顜、音講、亦作顜、小顏云、講、和也、畫一、言其法整齊也、正義鄭玄云、較、猶見也、爾雅曰、較、直也、廣雅曰、較、明也、言蕭何作法和明、輔佐平直、載其清淨治天下、使百姓歸心、猶畫一也、考證顜、索隱本作顜、正義本作較、漢書作講、注引文穎云、講或作較、通鑑作較、梁玉繩曰、顜當作斠、說文云、平斗斛也、與月令角斗甬之角同、愚按、洪頤煊大昭說同、據正義本及徐廣一說、及通鑑作較、義亦通、較、直也、明也、曹參代之、守而勿失。載其清淨、民以寧一。正義清淨、無爲也、寧一、齊物也、晉武帝議省州郡吏以趣農、荀勗議以爲省吏不如省官、省官不如省事、省事不如清心、故蕭曹相漢、載其清淨、故畫一之歌、此清心之本、漢文垂拱無爲、幾致刑措、此省事也、漢光武幷合吏員、此省官也、魏正始中幷合郡

縣以減吏員、此省吏也、必欲求之根本、宜以省事爲先、課官分職、量能致任、則思不出位、官無異業也、考證藝文類聚引淨作靜、與漢書合、顏師古曰、載、猶乘也、王念孫曰、載、行也、謂其清靜之治也、顏說失之、梁玉繩曰、上言畫一、則此不得謂寧一、漢傳作壹、荀紀作謐、愚按、一失壹韻、平陽侯窋、高后時爲御史大夫。孝文帝立、免爲侯。考證名臣百官兩表、皆于高后八年書御史大夫張蒼、則文帝未立、窋已免官明矣、攷窋以高后四年爲御史大夫、八年免、史漢呂后紀八年九月、稱窋行御史大夫事、後九月、代邸羣臣上議、即曰御史大夫張蒼、不列窋名、是窋之免官、必在八月以後、特大臣誅諸呂之際、變起倉卒、窋尚守故官、蒼之繼窋、當亦在九月、其涖官在後九月耳、此以窋免于文帝立後、立二十九年卒。謚爲靜侯。子奇代侯。立七年卒。謚爲簡侯。子時代侯。考證侯名多異、說在功臣表、時尚平陽公主。考證中井積德曰、時是平陽侯、而尚陽信公主也、故公主亦稱平陽耳、他處尚可、但是文不當稱平陽公主、生子襄。時病癘歸國。立二十三年卒。謚夷侯。子襄代侯。襄尚衞長公主。生子宗。立十六年卒。謚爲共侯。子宗代侯。征和二年中、宗坐太子死、國除。考證征和二年以下十二字、後人妄增、當刪、

太史公曰。曹相國參、攻城野戰之功、所以能多若此者、以與淮陰侯俱。考證徐孚遠曰、此言深惜淮陰侯、使人愴然、及信已滅、而列侯成功、唯獨參擅其名。參爲漢相國清靜、極言合道。考證古鈔本、楓、三本、無言字、然百姓離秦之酷、後參與休息無爲。故天下俱稱其美矣。索隱述贊、曹參初起、爲沛豪吏、始從中涓、先圍善置、執珪執帛、攻城略地、衍氏既誅、昆湯失位、北禽夏說、東討田溉、剖符定封、功無與二、市獄勿擾、清淨不事、尚主平陽、代享其利、

曹相國世家第二十四

史記五十四

史記會注考證卷五十五

漢　太史令　司馬遷　撰

宋　中郎外兵曹參軍　裴駰　集解

唐　國子博士弘文館學士　司馬貞　索隱

唐　諸王侍讀率府長史　張守節　正義

日本　出雲　瀧川資言　考證

留侯世家第二十五　史記五十五

考證 史公自序云、運籌帷幄之中、制勝於無形、子房計謀其事、無知名、無勇功、圖難於易、爲大於細、作留侯世家、第二十五、黃震曰、利啗秦將、旋破嶢關、漢以是先入關、勸還霸上、固要項伯、漢以是脫鴻門、燒絕棧道、激羽攻齊、漢以是還定三秦、敗于彭城、則勸連布越、將立六國、則借箸銷印、韓信自王、則躡足就封、此漢所以卒取天下、勸封雍齒、銷變未形、勸都關中、乖安後世、勸迎四皓、卒定太子、又所以維持漢室于天下既得之後、凡良一謀一畫、無不繫漢得失安危、良又三傑之冠也哉、袁枚曰、史遷好奇、于留侯傳曰滄海君、曰力士、曰黃石公、曰赤松子、曰四皓、皆不著姓名、成其虛誕飄忽之文而已、林伯桐曰、漢高一生最喜狎侮、又多猜忌、老成如酇侯、英雄如淮陰侯、皆不免於疑忌、他如黥布之勇、酈食其之辯、其始皆不免於狎侮、唯遇留侯、則自始至終、無敢失禮、亦無有疑心、豈徒以其謀略哉、觀留侯自稱、一則曰、爲韓報仇强秦、再則曰、願棄人間事、欲從赤松子游、其進退綽綽有餘於功名爵祿之外者矣、攷其生平、居得爲之地、而無田宅之好、無聲色之嗜、至其經營天下、則如行所無事者、誰能及之哉、太史公稱曰、無知名、無勇功、圖難於易、爲大於細、斯觀其深矣、安得不令漢高心折也乎、

留侯張良者、索隱 韋昭云、留今屬彭城、按良求封留、以始見高祖於留故也、漢書云、字子房、按王符潛夫論、竝以良爲韓之公族、姬姓也、秦索賊急、乃改姓名、而韓先有張去疾及張譴、恐非良之先代、正義 括地志云、故留城在徐州沛縣東南三十五里、今城內有張良廟也、按張氏譜云、良張仲三十代孫、仲見毛詩、張老十七代孫、老見春秋及禮記、王符潛夫論竝云、良當爲韓公族、姬姓也、秦逐賊急、乃改姓名、其言謬矣、考證 梁玉繩曰、下有子房之稱、何以此不書良之字、班史補之矣、其先韓人也。索隱 良既歷代相韓、故知其先韓人、顧氏按後漢書云、張良出於城父、城父縣屬潁川也、正義 括地志云、城父在汝州郟城縣東三十里、韓里也、大父開地、相韓昭侯・宣惠王・襄哀王。集解 應劭曰、大父、祖父、開地、名、父平、相釐王・悼惠王。索隱 韓系家及系本、竝作桓惠王、正義 大父開地、相昭侯宣惠王襄王、父平、相釐王悼惠王、故言五世相韓也、悼惠王二十三年、平卒。卒二十歲、秦滅韓。良年少未宦事韓。韓破、良家僮三百人。弟死不葬。悉以家財求客、刺秦王、爲韓報仇。以大父父五世相韓故。索隱 謂大父及父相韓五王、故云五代、良嘗學禮淮陽。正義 今陳州也、東見倉海君、集解 如淳曰、秦郡縣無倉海、或曰、東夷君長、索隱 姚察以武帝時東夷穢君降、爲倉海郡、或因以名、蓋得其近也、正義 漢書武帝紀云、元年、東夷穢君南閭等降、爲倉海郡、今貊穢國、得之、太史公修史時、已降爲郡、自書之、括地志云、穢貊在高麗南、新羅北、東至大海西、考證 顏師古曰、倉海君、蓋當時賢者之號也、良既見之、因而求得力士、得力士。爲鐵椎重百二十斤。秦皇帝東游、良與客狙、集解 服虔曰、狙、伺候也、應劭曰、狙、七預反、伺也、徐廣曰、伺候也、音千恕反、索隱 按應劭云、狙、伺也、一曰、狙、伏伺也、音七豫反、謂狙之伺物、必伏而候之、故今云狙候是也、擊秦皇帝博浪沙中。索隱 服虔云、地在陽武南、按今浚儀西北四十里、有博浪城、正義 晉地理記云、鄭陽武縣、有博浪沙、按今當官道也、考證 今河南陽武縣南、誤中副車。索隱 按漢官儀、天子屬車三十六乘、屬車即副車、而奉車郎御而從後、秦皇帝大怒、大索天下、求賊甚急。爲張良故也。考證 始皇紀云、二十九年、始皇東游、至陽武博狼沙中、爲盜所驚、乃令天下大索十日、劉辰翁曰、從倉海君得力士、已怪、百二十斤椎、擧于曠野之中、而正中副車、雖架砲不能也、大索甚急、良非獨自免、并隱力士、此大怪事、不可意測、不可語辭、良乃更名姓、亡匿下邳。考證 下邳、東海縣、今江蘇邳州東三里、

良嘗閒從容、索隱 嘗、訓經也、閒、閑字也、從容、閒暇也、從容、謂從任其容止不矜莊也、步游下邳索隱 邳、被眉反、按地理志、下邳縣屬東海、又云、邳在薛、後徙此、有上邳、故此曰下邳也、圯上。集解 徐廣曰、圯、橋也、東楚謂之圯、音怡、索隱 李奇云、下邳人謂橋爲圯、音怡、文穎曰、沂水上橋也、應劭云、沂水之上也、姚察見史記本有作土旁者、乃引今會稽東湖大橋名爲靈圯、圯亦音夷、理或然也、考證 索隱云、姚察見史記作土旁者、據此則小司馬本作氾、漢書注引應劭云、氾水之上也、不作沂水之上、據此則應劭本亦作氾、沈欽韓曰、淮南道應訓、公孫龍至於河上、而航在一氾、注、氾、水厓也、此氾上者、亦謂下邳之水邊也、朱錦綬曰、說文、氾、窮瀆也、窮瀆無水、故良可下取、不必作土旁爲橋、愚按、橋下必當有水、未聞留侯善游、沈朱二解得之、有一老父、衣褐至良所、直墮其履圯下。索隱 崔浩云、直、猶故也、亦恐不然、直、言正也、謂至良所、正墮其履也、正義 顏師古云、褐、制若裘、今道士所服者、

是也、考證直、特也、王念孫曰、謂特墮其履、而使取之也、顧謂良曰、孺子下取履。良愕然。欲毆之。集解徐廣曰、一云、良怒欲罵之、索隱毆、音烏后反、考證古鈔本、楓、三本無然字、漢書毆作歐、擊也、爲其老、彊忍、下取履。父曰、履我。良業爲取履。因長跪履之。索隱業、猶本先也、謂良心先已爲取履、故遂跪而履之、考證漢書刪父曰履我、良業爲取履九字、凌約言曰、彊忍下取履、正模寫妙處、漢書削之、可以觀班馬優劣、中井積德曰、業爲取履句、謂至此不得不履之、有廢前功之意、愚按、業、既已也、父以足受、笑而去。考證中井積德曰、履之、足受、可想見結係之頃、良殊大驚、隨目之。父去里所、復還、集解徐廣曰、一曰、爲其老彊忍下取履、因進之、父以足受、笑而去、良殊大驚、父去里所復還、曰、孺子可教矣。後五日平明、與我會此。良因怪之、跪曰、諾。五日平明良往。父已先在。怒曰、與老人期、後何也。去。曰、後五日早會。五日雞鳴良往。父又先在。復怒曰、後何也。去。曰、後五日復早來。五日、良夜未半往。考證漢書無未字、有頃、父亦來。喜曰、當如是。出一編書

集解徐廣曰、編、一作篇、正義編、必連反、以韋編連簡而書之也、曰、讀此則爲王者師矣。後十年興。考證凌稚隆曰、伏後十年遇沛公、十三年、孺子見我。濟北穀城山下黃石、卽我矣。正義括地志云、穀城山、一名黃山、在濟州東阿縣、東、濟州、故濟北郡、孔文祥云、黃石公鬚眉皆白、狀杖丹黎、履赤舄、考證張照曰、正義狀字疑衍、遂去無他言。不復見。旦日視其書、乃太公兵法也。正義七錄云、太公兵法一帙三卷、太公姜子牙、周文王師、封齊侯也、考證中井積德曰、黃石公誰見而誰傳之、皆出於留侯之口也、卽後來辟穀之術也、後人好評論之、皆受留侯之誑也、又曰、太公兵法、乃留侯之祕權、非實說、良因異之、常習誦讀之。居下邳爲任俠。項伯常殺人、從良匿。考證伯下常、慶長本作嘗、與漢書合、凌稚隆曰、爲後解鴻門之難眼目、後十年、陳涉等起兵。良亦聚少年百餘人。景駒自立爲楚假王在留。良欲往從之、道遇沛公。考證凌稚隆曰、爲後封留眼目、沛公將數千人、略地下邳西。遂屬焉。沛公拜良爲廐將。集解漢書音義曰、官名、沈欽韓曰、猶楚宮廐尹之職、考證良數以太公兵法說沛公。沛

公善之、常用其策。良爲他人言、皆不省。良曰、沛公殆天授。索隱殆、訓近也、考證淮陰侯傳、韓信對高祖曰、陛下所謂天授、非人力也、陸賈傳、陸賈謂尉他曰、漢王起巴蜀、鞭笞天下、劫略諸侯、遂誅項羽滅之、五年之間、海內平定、此非人力、天之所建也、三人所言、略同、故遂從之。不去見景駒。及沛公之薛見項梁、項梁立楚懷王。良乃說項梁曰、君已立楚後。而韓諸公子橫陽君成賢。可立爲王、益樹黨。項梁使良求韓成、立以爲韓王。以良爲韓申徒。集解徐廣曰、卽司徒耳、但語音訛轉、故字亦隨改、考證中徒、漢書作司徒、周壽昌曰、楚漢春秋作信都、信卽申、都徒音近而轉耳、勸項梁立韓後、與他日說漢高銷六國印相反、葢時異則事殊、不獨爲韓也、與韓王將千餘人、西略韓地、得數城。秦輒復取之。往來游兵潁川。沛公之從雒陽南出轘轅、良引兵從沛公、下韓十餘城、擊破楊熊軍。沛公乃令韓王成留守陽翟。與良俱南攻下宛。西入武關。沛公欲以兵二萬人擊

秦嶢下軍。集解徐廣曰、嶢、音堯、考證長安志、藍田關、在藍縣東南九十八里、卽秦嶢關也、嶢山、在縣南二十里、良說曰、秦兵尙彊。未可輕。臣聞其將屠者子。賈豎易動以利。願沛公且留壁、使人先行、爲五萬人具食、集解徐廣曰、五、一作百、益爲張旗幟諸山上、爲疑兵、索隱旗幟音其試二音、令酈食其持重寶啗秦將。秦將果畔、欲連和俱西襲咸陽。沛公欲聽之。良曰、此獨其將欲叛耳。恐士卒不從。不從必危。不如因其解擊之。索隱謂卒將離心而懈怠、正義解、佳怪反、怠慢也、考證中井積德曰、解、但謂守備懈怠也、沛公乃引兵擊秦軍大破之、遂北至藍田再戰。考證漢書、遂作逐、此傳寫之誤、秦兵竟敗。遂至咸陽。秦王子嬰降沛公。沛公入秦宮。宮室帷帳、狗馬重寶、婦女以千數。意欲留居之。樊噲諫沛公、出舍。沛公不聽。集解徐廣曰、一本噲諫曰、沛公欲有天下邪、將欲爲富家翁邪、沛公曰、吾欲有天下、噲曰、今臣從入秦宮、所

觀宮室帷帳珠玉重寶鐘鼓之飾、奇物不可勝極、入其後宮、美人婦女以千數、此皆秦所以亾天下也、願沛公急還霸上、無留宮中、沛公不聽、【考證】張文虎曰、據徐廣所引一本、樊噲此諫甚切、今本過略、不知何人所刪、漢書亦沒其語、非史法也、宜著之噲傳、愚按、通鑑揭之正文、胡三省曰、樊噲起于狗屠、識見如此、余謂噲之功、當以諫留秦宮爲上、鴻門譙讓項羽次之、良曰。夫秦爲無道。故沛公得至此。夫爲天下除殘賊。宜縞素爲資。【集解】晉灼曰、資、籍也、欲沛公反秦奢泰、服儉素以爲籍也、【考證】胡三省曰、縞素、有喪之服、謂弔民也、中井積德曰、資、是商賈之本錢、旅中路費錢亦謂之資、愚按、韓非五蠹篇、長袖善舞、多錢善賈、此言多資之易爲工也、賈誼過秦論、鄰國之謷謷、霸王之資也、資字義與此同、今始入秦、卽安其樂。此所謂助桀爲虐。【考證】史田單傳、王蠋曰、國既亡、吾不能亡、今又劫之以兵、爲君將、是助桀爲虐也、蓋古有此語、留侯引之、楓三本、虐作桀、藝文類聚引史、虐下有也字、且忠言逆耳利於行。毒藥苦口利於病。【索隱】按此語見孔子家語、【考證】家語六本篇、又見說苑正諫篇、藝文類聚初學記引史、毒作良、與家語說苑合、行病韻、沈欽韓曰、呂覽至忠篇、至忠逆于目、倒于心、非賢主其孰能聽之、願沛公聽樊噲言。沛公乃還軍霸上。項羽至鴻門下、欲擊沛公。項伯乃夜馳入沛公軍、私見張良、欲與俱去。良曰。

臣爲韓王送沛公。【考證】下文云、漢王之國、良送至襃中、遣良歸韓、則爲韓王送沛公者、非良權辭、今事有急、亡去不義。乃具以語沛公。沛公大驚曰。爲將柰何。【考證】漢書、將作之、良曰。沛公誠欲倍項羽邪。沛公曰。鯫生教我、距關無內諸侯。秦地可盡王。故聽之。【集解】徐廣曰、呂靜曰、鯫、魚也、音此垢反、【索隱】呂靜云、鯫、魚也、謂小魚也、音此垢反、臣瓚按、楚漢春秋、鯫生、本姓解、【正義】鯫、小魚也、比雜小人也、【考證】漢書注引臣瓚云、楚漢春秋、鯫姓、與索隱異、釋草云、菆、小葉、此云鯫、小魚、是菆鯫皆有小義、正義解爲小人、得之、良曰。沛公自度、能卻項羽乎。沛公默然。良久曰。固不能也。今爲柰何。【考證】良久二字、見沛公沈思之狀、而漢書刪之、良乃固要項伯。項伯見沛公。沛公與飮爲壽、結賓婚。【考證】漢書無賓字、中井積德曰、賓蓋結爲友之義、與婚別項、令項伯具言沛公不敢倍項羽。所以距關者、備他盜也。及見項羽後解。語在項羽事中。漢元年正月、沛公爲漢王。王巴·蜀。【正義】巴、通璧蓬開集合萬忠渠渝等十一州、本巴國地也、蜀、益彭劍綿

閬果遂梓眉邛雅資嘉普戎巂姚利等十九州、本蜀侯之國也、漢王賜良金百溢、珠二斗。良具以獻項伯。漢王亦因令良厚遺項伯、使請漢中地。【集解】如淳曰、本但與巴蜀、故請漢中地、項王乃許之。遂得漢中地。漢王之國。良送至襃中。【正義】括地志云、襃谷、在梁州襃城縣北五十里南中山、昔秦欲伐蜀、路無由入、乃刻石爲牛五頭、置金於後、僞言此牛能屎金、以遺蜀、蜀侯貪、信之、乃令五丁共引牛、塹山堙谷、致之成都、秦遂尋道伐之、因號曰石牛道、蜀賦以石門在漢中之西、襃中之北、是、又云、斜水、源出襃城縣西北衙嶺山、與襃水同源而流派、漢書溝洫志云、襃水通沔、斜水通渭、皆以行船、【考證】漢書張良傳同、高紀、作張良辭歸韓、漢王送至襃中、遣良歸韓。良因說漢王曰。王何不燒絕所過棧道、示天下無還心、以固項王意。【正義】棧道、閣道也、乃使良還。行燒絕棧道。【考證】顏師古曰、且行且燒、所過之處、皆燒之也、良至韓。韓王成以良從漢王故、項王不遣成之國。從與俱東。【考證】楓山本、遣下無成字、良說項王曰。漢王燒絕棧道、無還心矣。乃以齊王田榮反、書告項王。【考證】中井積德曰、據項羽本

紀、張良自韓遺項羽書云云、與此同、非面說、又項羽本紀及班史、遺是書在漢王定三秦之後、曰、漢王失職、欲得關中、如約卽止、不敢東、此蓋謬、項王以此無西憂漢心。而發兵北擊齊。項王竟不肯遣韓王。乃以爲侯、又殺之彭城。良亡、閒行歸漢王。漢王亦已還定三秦矣。復以良爲成信侯。從東擊楚至彭城。漢敗而還至下邑。【考證】顏師古曰、梁國之縣也、今屬宋州、愚按、今河南夏邑縣、漢王下馬踞鞍而問曰。吾欲捐關以東等弃之。誰可與共功者。【考證】中井積德曰、古者鞍可解下、乃以代楊床也、良進曰。九江王黥布、楚梟將、與項王有郄。彭越與齊王田榮反梁地。此兩人可急使。而漢王之將、獨韓信可屬大事當一面。卽欲捐之、捐之此三人、則楚可破也。漢王乃遣隨何說九江王布、而使人連彭越。及魏王豹反、使韓信將兵擊之。因舉燕·代·齊·趙。然卒破楚

者、此三人力也。【考證】中井積德曰、損關以東於三人、是下固陵時事、決不當在六國議之前、項羽紀可證、楊愼曰、卒破楚者、此三人力也、此敍事繳語法、後云、竟不易太子、四人力也、與此句法同、 張良多病。未嘗特將也。常爲畫策臣、時時從漢王。漢三年、項羽急圍漢王滎陽。漢王恐憂、與酈食其謀橈楚權。【正義】橈、女教反、【考證】顏師古曰、橈、弱也、其字從木、 食其曰。昔湯伐桀、封其後於杞。【考證】夏本紀云、湯封夏之後、至於周封於杞也、與此異、 武王伐紂、封其後於宋。今秦失德弃義、侵伐諸侯社稷、滅六國之後、使無立錐之地。陛下誠能復立六國後世、畢已受印、【考證】新序善謀篇、作畢授印已、 此其君臣百姓、必皆戴陛下之德、莫不鄉風慕義、願爲臣妾。德義已行、陛下南鄉稱霸、楚必斂衽而朝。【考證】梁玉繩曰、天子稱陛下、自秦始也、然是時漢王未卽天子位、而酈食其張良凡稱陛下者十五、非也、周壽昌曰、陛下之稱、史臣追書之、顏師古曰、衽、衣襟也、王念孫曰、衽、謂袂也、廣雅、袂衽、袖也、衽、袂也、此云斂衽而朝、貨殖傳、海岱之閒、斂袂而往朝焉、是衽卽袂也、管子弟子職篇、攝衽盥漱、又

曰、振衽埽席、趙策、攝衽抱几、列女母儀傳、文伯引衽攘捲而親饋之、皆謂袂也、 漢王曰。善。趣刻印。先生因行佩之矣。【考證】顏師古曰、趣、讀曰促、佩、謂授與六國使帶也、 食其未行。張良從外來謁。漢王方食。曰。子房前。客有爲我計橈楚權者。具以酈生語告。曰。於子房何如。【考證】張文虎曰、各本曰字錯在子房下、王念孫雜志云、當從宋本作曰於子房何如、若記事則當稱張良、愚按、漢高呼諸臣常稱其名、獨於張良則否、蓋以賓待之也、 良曰。誰爲陛下畫此計者。陛下事去矣。漢王曰。何哉。張良對曰。臣請藉前箸爲大王籌之。【集解】張晏曰、求借所食之箸、用指畫也、或曰、前世湯武箸明之事、以籌度今時之不若也、【考證】前箸、張說是、 曰。昔者湯伐桀、而封其後於杞者、度能制桀之死命也。【考證】張文虎曰、凌本、能譌其、 今陛下能制項籍之死命乎。曰。未能也。其不可一也。【考證】漢書刪曰未能也四字、下同、或據漢書、以爲子房自問自答、愚按、上文云、張良曰、沛公自度能却項羽乎、沛公默然良久、曰、固不能也、語法全同、則此亦子房問、漢王答也、 武王伐紂、封其後於宋者、度能得紂之

頭也。今陛下能得項籍之頭乎。曰。未能也。其不可二也。【考證】中井積德曰、此以封杞宋爲桀紂未滅時事、故有制命之說、宜從文而觀其條貫、 武王入殷、表商容之閭、【索隱】按崔浩云、表者、標榜其里門也、商容、紂時賢人也、韓詩外傳曰、商容執羽籥馮於馬徒、欲以化紂、而不能、遂去、伏於大行山、武王欲以爲三公、固辭不受、餘解在商紀、 釋箕子之拘、【集解】徐廣曰、釋、一作式、拘、一作囚、【考證】中井積德曰、班史、作式箕子門、於後文爲相應、王念孫曰、新序善謀篇、亦作式箕子之門、愚按、集解囚當作門、 封比干之墓。今陛下能封聖人之墓、表賢者之閭、式智者之門乎。曰。未能也。其不可三也。發鉅橋之粟、散鹿臺之錢、以賜貧窮。今陛下能散府庫以賜貧窮乎。曰。未能也。其不可四矣。殷事已畢、偃革爲軒、【集解】如淳曰、革者、革車也、軒者、赤黻乘軒也、偃武備而治禮樂也、【索隱】蘇林云、革者、兵車也、軒者、朱軒皮軒也、謂廢兵車而用乘車也、說文云、軒、曲周屛車、 倒置干戈、覆以虎皮、以示天下不復用兵。【考證】置、楓山本作甘、漢書新序、作載、 今陛下能偃武行文、不復用兵乎。曰。未能也。

其不可五矣。休馬華山之陽、示以無所爲。今陛下能休馬無所用乎。曰。未能也。其不可六矣。放牛桃林之陰、以示不復輸積。【索隱】按晉灼云、在弘農閿鄉南谷中、應劭十三州記、弘農有桃丘聚、古桃林也、山海經云、夸父之山、北有桃林、廣三百里也、【考證】古鈔本、楓山本、陰作墟、漢書作野、張照曰、索隱應劭下疑有脫文、十三州記闞駰所作、愚按、示以以示、宜一例、 今陛下能放牛不復輸積乎。曰。未能也。其不可七矣。且天下游士、離其親戚、弃墳墓、去故舊、從陛下游者、徒欲日夜望咫尺之地。今復六國、立韓・魏・燕・趙・齊・楚之後、天下游士、各歸事其主、從其親戚、反其故舊墳墓、陛下與誰取天下乎。其不可八矣。且夫楚唯無彊。六國立者復橈而從之、【集解】漢書音義曰、唯當使楚無彊、彊則六國弱從之、【索隱】按荀悅漢紀、說此事云、獨可使楚無彊、若彊則六國屈橈而從之、又韋昭云、今無彊楚者、言六國立、必復屈橈從楚、是二說意同也、【考證】漢書新序、與誰作誰與、楚唯無彊、倒語、猶言唯無彊於楚、與孟子晉國天下無强焉同一字法、韋解得之、李笠曰、從、猶

赴、言天下唯楚最強、若立六國者、是復令其折撓而赴楚也、陛下焉得而臣之。誠用客之謀、陛下事
去矣。考證王若虛曰、張良八難、古今以爲美談、竊疑此論甚疎、夫桀紂已滅、然後湯武封其後、而良云度能制桀之死命、得紂之頭、豈封于未滅之前邪、且湯武所以封之者、重絶人之世耳、非以計其利害也、奈何其以項籍之命爲比哉、酈生所以說帝者、特欲係衆人之心、庶幾畔楚而附漢耳、非使封諸項氏也、奈何其以湯武之事勢相較哉、湯武雖殊時、事理何異、制死命與得其頭、亦何以分列爲兩節、表商容之閭、釋箕子之拘、封比干之墓、此本三事、而幷之者、以其一體也、至于倒置干戈、歸馬放牛、獨非一體乎、而復析之爲三、何哉、班氏頗見其非、乃幷湯武爲一、而但云、度能制其死命、豈以死命字不屬桀紂、而屬其後歟、然終與項籍事不類也、旣以湯武爲一事、故又分楚唯無彊以下爲第八節、蓋二書已自參差矣、八難之目、安知無誤邪、漢王輟食吐哺、罵曰。豎儒幾敗而公事。索隱高祖罵酈生爲豎儒、謂此儒生豎子耳、幾、音祈、幾者殆近也、而公、高祖自謂也、漢書作乃公、乃亦汝也、考證楓三本、而公作乃公、與漢書新序合、顏師古曰、輟止也、哺食在口中者也、令趣銷印。考證顏師古曰、趣讀曰促、漢四年、韓信破齊而欲自立爲
齊王。漢王怒。張良說漢王。漢王使良授齊王信印。語在淮陰
事中。其秋漢王追楚至陽夏南。戰不利而壁固陵。諸侯期不

至。考證梁玉繩曰、事在五年十月、良說漢王。漢王用其計。諸侯皆至。語在項
籍事中。漢六年正月、封功臣。考證梁玉繩曰、侯表及漢書高紀、封功臣在十二月、良未嘗有
戰鬭功。高帝曰。運籌策帷帳中、決勝千里外、子房功也。考證張文虎曰、中統、游、毛本、帳作幄、愚按、漢書亦作幄、自擇齊三萬戶。良曰。始臣起下邳、與上會留。
此天以臣授陛下。陛下用臣計、幸而時中。臣願封留足矣。不
敢當三萬戶。考證楓山本、時作得、乃封張良爲留侯、與蕭何等俱封。六
年、上已封大功臣二十餘人。考證楓、三本、六上有漢字、年下有春字、陳仁錫曰、六年二字重出、漢書削之、其
餘日夜爭功不決。未得行封。上在雒陽南宮。從復道望見諸
將往往相與坐沙中語。集解如淳曰、復、音複、上下有道、故謂之復道、韋昭曰、閣道、考證往往、非一處也、貨殖傳、往往山出棊置、義與此同、上曰。此何語。留侯曰。陛下不知乎。此謀反耳。上曰。天下

屬安定。何故反乎。考證顏師古曰、屬、近也、言近始安、留侯曰。陛下起布衣、以此
屬取天下。考證楓山本、以爲與、今陛下爲天子、而所封、皆蕭·曹故人所
親愛。而所誅者、皆生平所仇怨。今軍吏計功、以天下不足徧
封。此屬畏陛下不能盡封、恐又見疑平生過失及誅、集解徐廣曰、多作生平、考證漢書削平生二字、故即相聚謀反耳。考證劉知幾曰、羣小聚謀、侯問方對、若高祖不問、竟欲無言邪、且諸將圖亂、密言臺上、猶懼覺知、羣議沙中、何無避忌、然則複道之望、坐沙而語、是敷演妄益耳、李維楨曰、沙中之人、怏怏不平、見于詞色、未必謀反、但留侯爲弭亂計、故權辭以對耳、茅坤曰、沙中偶語、未必謀反也、謀反乃族滅事、豈野而謀者、子房特假此恐喝高帝、及急封雍齒、則羣疑定矣、上乃憂曰。爲之奈何。留侯
曰。上平生所憎、羣臣所共知、誰最甚者。上曰。雍齒與我故。數
嘗窘辱我。集解漢書音義曰、未起時有故怨、正義服虔曰、未起之時、與我有故怨、師古曰、齒常以勇力困辱高祖、考證漢書、作與我有故怨、王念孫曰、有故、即有故怨、漢書怨字衍、楓山本、嘗作常、我欲殺之。爲其功多、故不忍。留侯曰。今急

先封雍齒、以示羣臣。羣臣見雍齒封、則人人自堅矣。於是上
乃置酒、封雍齒爲什方侯。索隱地理志、縣名、屬廣漢、什、音十、正義括地志云、雍齒城、在益州什邡縣南四十步、漢什邡縣、漢初、封雍齒爲侯國、考證錢大昕曰、漢功臣表、作汁防、而急趣丞相·御史、定功行封。羣臣罷
酒、皆喜曰。雍齒尚爲侯。我屬無患矣。考證王世貞曰、按功臣表、曹參至陳平九人、皆以十二月甲申封、張良至陳豨十三人、以正月丙午封、周竈以丁未封、丁復以戊申封、呂青以壬子封、雍齒始與郭蒙以戊午封、而諸將陳武等以三月丙申庚子等日繼封、然則曹參諸公、遠者先三十四日、劉敬說高帝曰。都關中。考證古鈔本、楓山本、無曰字、張文虎曰、曰字疑衍、漢書無、上疑
之。左右大臣皆山東人。多勸上都雒陽。雒陽東有成皐。西有
殽黽。考證顏師古曰、殽山也、黽池也、倍河向伊·雒。其固亦足恃。留侯曰。雒陽雖
有此固、其中小不過數百里。田地薄、四面受敵。此非用武之
國也。夫關中左殽·函、正義殽、二殽山也、在洛州永寧縣西北二十八里、函谷關、在陝州桃林縣西南十二里、右隴·

蜀、【正義】隴山、南連蜀之岷山、故云右隴蜀也、沃野千里。南有巴·蜀之饒。北有胡·苑之利。【索隱】崔浩云、苑、馬牧、外接胡地、馬生於胡、故云胡苑之利、【正義】博物志云、北有胡苑之塞、按上郡北地之北與胡接、可以牧養禽獸、又多致胡馬、故謂胡苑之利也、【考證】新序善謀篇、苑作宛、宛、大宛也、中統游本亦作宛、阻三面而守、獨以一面東制諸侯。諸侯安定、河·渭漕輓天下西給京師、諸侯有變、順流而下、足以委輸。此所謂金城千里、天府之國也。【索隱】按此言謂者、皆是依憑古語、言秦有四塞之國、如金城也、故淮南子云、雖有金城、非粟不守、又蘇秦說秦惠王云、秦地勢形便、所謂天府、是所憑也、【正義】金、剛堅固也、關中四塞之限、若金城、劉敬說是也。於是高帝卽日駕西都關中。【索隱】按周禮、二曰詢國遷、乃爲大事、高祖卽日西遷者、蓋謂其日卽定計耳、非卽日遂行也、【考證】中井積德曰、索隱周禮云云、守株、梁玉繩曰、高紀名臣表劉敬傳、皆以都關中在五年、此在六年、誤、第是日之入都關中、乃居櫟陽宮、至七年、始徙居長安、蓋櫟陽長安俱關中也、漢書高紀改入都關中爲都長安、誤甚、不但長安宮闕未興、而其時盧綰尚爲長安侯、建都云乎哉、留侯從入關。留侯性多病。卽道引不食穀。【集解】漢書音義曰、服辟穀之藥、而靜居行氣、杜門不出歲餘。上欲廢

太子、立戚夫人子趙王如意。大臣多諫爭、未能得堅決者也。呂后恐、不知所爲。人或謂呂后曰。留侯善畫計筴、上信用之。呂后乃使建成侯呂澤劫留侯曰。【考證】通鑑考異云、澤當是釋之、陳仁錫曰、建成侯名釋之、周呂侯名澤、傳文以釋之爲澤、誤、梁玉繩曰、下呂澤同誤、君常爲上謀臣。今上欲易太子。君安得高枕而臥乎。留侯曰。始上數在困急之中。幸用臣筴。今天下安定、以愛欲易太子。骨肉之閒、雖臣等百餘人何益。呂澤彊要曰。爲我畫計。留侯曰。此難以口舌爭也。顧上有不能致者、天下有四人。【索隱】四人、四皓也、謂東園公綺里季夏黃公甪里先生、按陳留志云、園公、姓庾、字宣明、居園中、因以爲號、夏黃公、姓崔、名廣、字少通、齊人、隱居夏里修道、故號曰夏黃公、甪里先生、河內軹人、太伯之後、姓周、名術、字元道、京師號曰霸上先生、一曰甪里先生、又孔安國祕記作祿里、此皆王劭據崔氏周氏系譜及陶元亮四八目而爲此說、【正義】皇甫謐高士傳、四皓、一曰東園公、二曰綺里季、三曰甪里先生、四曰夏黃公、皆河內軹人、漢書外傳云、園公陳留圉縣、是其先則爲園公、陳留風俗傳云、園庾字宣明、公羊春秋稜言東園家單父、爲秦博士、遭秦亂避地於南山、惠帝爲太子、卽拜園公爲司徒、遜位太子、封廣襄邑南鄉侯、陳留志云、庾始常居園中、因謂之園公、周樹洞曆云、用里先生名術、字元道、太伯之後、京師號霸上先生、周氏世譜云、甪里先生、河內軹人、太伯之後、姓周氏、名術、字元道、京師號霸上先生、□□俗云、是吳人、今太湖中洞庭山西有□祿里村、是漢書外傳云、秦聘之、逃匿南山、歌曰、商洛深谷、咸□□夷、暐暐紫芝、可以療飢、駟馬高蓋、其憂甚大、富貴而畏人、其如貧賤而樂肆志、夏黃公或爲大里黃公、會稽典錄云、書佐朱育對濮陽府君云、大里黃公墓在鄮縣、輿地志云、鄮有大里、夏黃公所居也、今觀縣有黃公廟、崔氏譜云、夏里黃公、姓崔、名廣、字少通、齊人、隱居夏里修道、故曰夏里黃公、甪音祿、【考證】張文虎曰、中統游本、用作角、今從索隱單本淩本、下同、中井積德曰、索隱脫綺里一人、獨何也、愚按、正義依桃源抄補、文多譌脫、張照曰、按漢書王貢傳序曰、漢興有園公綺里季夏黃公甪里先生、顏師古注云、四皓蓋隱居之人、匿跡遠害、不自標顯、祕其氏族、故史傳無得而詳、至于後代、皇甫謐之徒、及諸地理書說、競爲四人施安姓氏、自相錯互、語又不經、班氏不載於書、諸家皆臆說、今竝棄略、一無取焉、照謂師古之見卓矣、四人者年老矣。皆以爲上慢侮人、故逃匿山中、義不爲漢臣。【考證】楓三本、義作議、然上高此四人。今公誠能無愛金玉璧帛、令太子爲書、卑辭安車、因使辯士固請、宜來。來以爲客、時時從入朝、令上見之、則必異而問之。

問之、上知此四人賢、則一助也。於是呂后令呂澤使人奉太子書、卑辭厚禮、迎此四人。四人至、客建成侯所。【考證】建成侯、見上、漢十一年、黥布反。上病。欲使太子將往擊之。四人相謂曰。凡來者、將以存太子。太子將兵、事危矣。乃說建成侯曰。太子將兵、有功、則位不益太子。無功還、則從此受禍矣。且太子所與俱諸將、皆嘗與上定天下梟將也。今使太子將之、此無異使羊將狼也。皆不肯爲盡力。其無功必矣。臣聞、母愛者子抱。【索隱】此語出韓子、【考證】沈欽韓曰、韓非備內篇語曰、其母好者其子抱、然則其爲之反也、其母惡者其子釋、愚按、好抱同聲、此改作愛、義同聲異、今戚夫人日夜侍御、趙王如意常抱居前。上曰。終不使不肖子居愛子之上。【考證】古鈔本、楓三本、無曰字、與漢書新序合、王念孫曰、不使不肖子居愛子上、是四皓述高帝之語如此、故下文曰明其代太子位必矣、若無曰字、則爲四皓語矣、是

四皓以太子爲不肖、豈其然乎、宜有曰字、明乎其代太子位必矣。君何不急請呂后、承閒爲上泣言。黥布、天下猛將也。善用兵。今諸將皆陛下故等夷。【集解】徐廣曰、夷、猶儕也、【索隱】如淳云、等夷、言等輩、乃令太子將此屬、無異使羊將狼、莫肯爲用。且使布聞之、則鼓行而西耳。【集解】晉灼曰、鼓行而西、言無所畏也、上雖病、彊載輜車、臥而護之、諸將不敢不盡力。【正義】輜車、衣車也、護、謂監諸將也、上雖苦、爲妻子自彊。於是、呂澤立夜見呂后。【考證】李笠曰、此與陳丞相世家平受詔、立復至宮語同、漢傳夜上無立字、呂后承閒爲上泣涕而言、如四人意。上曰。吾惟豎子固不足遣。而公自行耳。【考證】楓三本、曰下有善字、漢書而公作乃公、於是上自將兵而東。羣臣居守、皆送至灞上。留侯病。自彊起至曲郵、見上曰。【集解】司馬彪曰、長安縣東、有曲郵聚、【索隱】郵、音尤、按司馬彪漢書郡國志、長安有曲郵聚、今在新豐西、俗謂之郵頭、漢書舊儀云、五里一郵、郵人居閒、相去二里半、按郵乃今之候也、

【考證】沈欽韓曰、御覽三百九十四、楚漢春秋曰、淮南王布反、上自擊之、張良居守、上體不安、臥輜車中、留侯走、東追上、簪墮被髮及輜車、排戶曰、下、卽弃天下、欲以王葬乎、以布衣葬乎、上罵曰、若翁、天子也、何故以王及布衣葬乎、良曰、淮南反于東、淮陰害于西、恐陛下倚溝壑而終也、按淮陰誅在十一月春正月、此文誤也、信如陸賈言、則其敍事顚倒紛雜、宜爲偶狗之弃也、臣宜從。病甚。楚人剽疾。願上無與楚人爭鋒。因說上曰。令太子爲將軍、監關中兵。【考證】漢書高紀云、以三萬人軍霸上、徐孚遠曰、太子監關中兵、一以固根本、亦以安太子、解不擊黥布之事也、上曰。子房雖病、彊臥而傅太子。是時叔孫通爲太傅。留侯行少傅事。【考證】行、行守之行、位高職卑也、漢十二年、上從擊破布軍歸、疾益甚。愈欲易太子。留侯諫。不聽。因疾不視事。叔孫太傅稱說引古今、以死爭太子。【考證】古鈔本、楓、三本、無今字、與漢書新序合、上詳許之。【考證】詳、佯通、漢書作陽、猶欲易之。及燕置酒。太子侍。四人從太子。【考證】古鈔本、楓、三本、人下有者字、與漢書新序合、可從、年皆八十有餘、鬚眉皓白、衣冠甚偉。上怪之、問曰。

彼何爲者。四人前對、各言名姓。【考證】陳仁錫曰、宋本、名姓作姓名、愚按漢書新序、作其姓名、曰。東園公、用里先生、綺里季、夏黃公。上乃大驚曰。吾求公數歲。公辟逃我。今公何自從吾兒游乎。四人皆曰。陛下輕士善罵。臣等義不受辱。故恐而亡匿。竊聞太子爲人、仁孝恭敬愛士、天下莫不延頸欲爲太子死者。故臣等來耳。【考證】延頸、遙望也、上曰。煩公。幸卒調護太子。【集解】如淳曰、調護、猶營護也、四人爲壽已畢、起去。上目送之。召戚夫人指示四人者曰。我欲易之。彼四人輔之。羽翼已成、難動矣。呂后眞而主矣。戚夫人泣。上曰。爲我楚舞。吾爲若楚歌。歌曰。鴻鵠高飛、一擧千里。羽翮已就、橫絕四海。橫絕四海、當可柰何。雖有矰繳、尙安所施。【集解】韋昭曰、繳、弋射也、其矢曰矰、【索隱】馬融注周禮云、矰者、繳繫短

矢謂之矰、一說云、矰一弦可以仰高射、故云矰也、【正義】韋昭云、繳、弋射、繳箭繩也、用繩繫也、射者引繳收之、言一擧千里、非矰繳所及、太子羽翼已成、難改也、【考證】里、海、施、韻、歌數闋。【索隱】音曲穴反、謂曲終也、說文曰、闋、事也、戚夫人噓唏流涕。上起去罷酒。竟不易太子者、留侯本招此四人之力也。【考證】通鑑考異云、高祖剛猛伉厲、非畏搢紳譏議者也、但以大臣皆不肯從、恐身後趙王獨立、故不爲耳、若決意欲廢太子立如意、不顧義理、以留侯之久故親信、猶云非口舌所爭、豈山林四叟片言遽能柅其事哉、借使四叟實能柅其事、不過汚高祖數寸之刄耳、何至悲歌云羽翮已成、繒繳安施乎、若四叟實能制高祖、使不敢廢太子、是留侯爲子立黨以制其父也、留侯豈爲此哉、此特辨士欲夸四叟之事故云然、司馬遷好奇、愛而采之、今不取、王守仁曰、果于隱者必不出、謂隱而出焉、必其非隱者也、世家謂留侯招四皓爲太子輔、余疑非眞四皓也、乃子房爲之也、夫四人遁世已久、形容狀貌、人皆不識之矣、故子房劫計之時、陰與籌度、取他人之眉鬢皓白者、偉其衣冠、以誣高帝、此又不可知也、留侯從上擊代、出奇計馬邑下。【集解】徐廣曰、一云出奇計下馬邑、【考證】漢書作下馬邑、及立蕭何相國、【集解】漢書音義曰、何時未爲相國、良勸高祖立之、【考證】何下添爲字看、所與上從容言天下事甚衆。非天下所以存亡。故不著。【考證】顏師古曰、著、謂書之於史、留侯乃稱曰。家世相韓。及韓滅、

不愛萬金之資、爲韓報讎彊秦、天下振動。今以三寸舌、【索隱】春秋緯云、舌在口、長三寸、象斗玉衡、爲帝者師、封萬戶、位列侯。此布衣之極、於良足矣。願弃人閒事、欲從赤松子游耳。【索隱】列仙傳、神農時雨師也、能入火自燒、崑崙山上隨風雨上下也、乃學辟穀道引輕身。【集解】徐廣曰、一云乃學道引欲輕擧也、【考證】顏師古曰、赤松子、仙人號也、索隱自燒上、楓、三本有不字、【索隱】辟、賓亦反、【考證】楓山本、道作導、漢書作乃學道輕擧、道引卽導引、道家養生之術、謂呼吸俯仰、屈伸手足、使氣血充足、身體輕擧也、莊子刻意篇、道引之士、養形之人、會高帝崩。呂后德留侯。乃彊食之曰。人生一世閒、如白駒過隙。何至自苦如此乎。【正義】莊子曰、野馬者塵埃也、按遠望空中、埃塵隨風、飄疾如野群奔、白馬亦塵埃也、日入壁隙、埃塵內過、日光不盈、瞬息其色乃白、故云白駒過隙、【考證】白駒、白馬也、隙、閒隙也、語又見魏豹傳、正義非、沈欽韓曰、莊子知北游篇、人生天地之閒、若白駒之過郤、留侯不得已彊聽而食。後八年卒。謚爲文成侯。【考證】梁玉繩曰、漢傳、八作六、攷表、良以高帝六年封、卒于呂后二年、在位十六年、則當是九年、史漢俱誤、子不疑代侯。【集解】徐廣曰、文成侯立、十六年卒、子不疑代立、十年、坐與門大夫吉謀殺故

楚內史、當死、贖爲城旦、國除、子房始所見下邳圯上老父與太公書者、後十三年、從高帝過濟北。【考證】張文虎曰、宋本、毛本、帝作祖、果見穀城山下黃石、取而葆祠之。【集解】徐廣曰、史記、珍寶字、皆作葆、留侯死。并葬黃石冢。【正義】括地志云、漢張良墓、在徐州沛縣東六十五里、與留城相近也、【考證】王念孫曰、黃石下冢字、此涉下文上冢而誤衍也、漢書、作并葬黃石、類聚御覽引史記、皆無冢字、每上冢伏臘祠黃石。留侯不疑、孝文帝五年、坐不敬國除。【考證】梁玉繩曰、史漢表、坐殺楚內史、非不敬也、此與漢傳誤、

太史公曰。學者多言無鬼神。然言有物。【索隱】按物、謂精怪及藥物也、【考證】齊悼惠王世家、舍人怪之、以爲物而伺之、姚察曰、物、怪物也、索隱及藥物三字當刪、何焯曰、昌黎原鬼、因此生意、至如留侯所見老父予書、亦可怪矣。【索隱】按詩緯云、風后黃帝師、又化爲老子、以書授張良、亦異說、高祖離困者數矣。【考證】漢書離困作數離困阸、注、師古曰、離、遭也、而留侯常有功力焉。豈可謂非天乎。【考證】張良評高祖曰、沛

公殆天授、又謂高祖曰、始臣起下邳、與上會留、此天以臣授陛下、太史公亦云、高祖離困者數矣、而留侯常有功力焉、可謂非天乎、前後照應、上曰。夫運籌筴帷帳之中、決勝千里外、吾不如子房。余以爲其人計魁梧奇偉。【集解】應劭曰、魁梧、丘虛壯大之意、【索隱】蘇林云、梧、音忤、蕭該云、今讀爲吾、非也、小顏云、言其可驚悟、【正義】蘇顏之說、蓋非也、至見其圖、狀貌如婦人好女。蓋孔子曰。以貌取人、失之子羽。【索隱】子羽、澹臺滅明字也、仲尼弟子傳云、狀貌甚惡、又韓子云、子羽有君子之容、而行不稱其貌、與史記文相反、【考證】韓子顯學篇、史公引之、證以貌失人耳、留侯亦云。【考證】留侯上、添余於二字看、

【索隱】述贊、留侯倜儻、志懷憤惋、五代相韓、一朝歸漢、進履宜假、運籌神算、橫陽既立、申徒作扞、灞上扶危、固陵靜亂、人稱三傑、辯推八難、赤松願游、白駒難絆、嗟彼雄略、曾非魁岸、

留侯世家第二十五　史記五十五

史記會注考證卷五十六

漢　太　史　令　司　馬　遷　撰

宋　中　郎　外　兵　曹　參　軍　裴　駰　集　解

唐　國　子　博　士　弘　文　館　學　士　司　馬　貞　索　隱

唐　諸　王　侍　讀　率　府　長　史　張　守　節　正　義

日　本　出　雲　瀧　川　資　言　考　證

陳丞相世家第二十六　史記五十六

考證 史公自序云、六奇既用、諸侯賓從於漢、呂氏之事、平為本謀、終安宗廟定社稷、作陳丞相世家第二十六、愚按與陳平同相者王陵審食其二人事蹟、少可傳者、故附記陳平語中、

陳丞相平者、陽武戶牖鄉人也。集解 徐廣曰、陽武屬魏地、戶牖今為東昏縣、屬陳留、索隱 徐廣云、陽武屬魏、而地理志屬河南郡、蓋後陽武分屬梁國耳、徐又云、戶牖今為東昏縣、屬陳留、與漢書地理志同、按是秦時戶牖鄉屬陽武、至漢以戶牖為東昏縣、隸陳留郡也、正義 陳留風俗傳云、東昏縣、衛地、故陽武之戶牖鄉也、括地志云、東昏故城、在汴州陳留縣東北九十里、考證 方輿紀要、東昏城、在開封府蘭陽縣東北二十里、故戶牖鄉、少時家貧。好讀書。考證 論贊云、少時本好黃帝老子之術、有田三十畝。獨與兄伯居。伯常耕田、縱平使游學。平為人長美色。考證 王念孫曰、當從漢書作長大美色、御覽引史記亦有大字、人或謂陳平曰。貧何食而肥若是。其嫂嫉平之不視家生產、曰。亦食糠覈耳。集解 徐廣曰、覈音核、駰案孟康曰、麥糠中不破者也、晉灼曰、覈音紇、京師謂麤屑為紇頭、考證 楓三本、或上無人字、平下無曰字、嫉作疾、中井積德曰、覈不必麥糠中米屑為覈、有叔如此。不如無有。伯聞之、逐其婦而棄之。考證 許應元曰、太史下其嫂嫉平數句、蓋先為其無盜嫂事地也、及平長、可娶妻。富人莫肯與者。貧者平亦恥之。久之、戶牖富人有張負。索隱 按負是婦人老宿之稱、猶武負之類也、然此張負既稱富人、或恐是丈夫爾、考證 崔適曰、古聲負婦相同、故借負為婦也、絳侯世家許負、應劭云、老嫗也、高祖紀武負、漢書注、如淳曰、俗謂老大母為阿負、師古曰、劉向列女傳云、魏曲沃負者、魏大夫如耳之母也、此則古語謂老母為負耳、案以上諸負字、固屬老母、然必以為專謂老母、尚不知負之為婦爾、張負女孫、五嫁而夫輒死。人莫敢娶。平欲得之。邑中有喪、平貧侍喪、以先往後罷為助。張負既見之喪所。獨視偉平。平亦以故後去。負隨平至其家。家乃負郭窮巷、索隱 高誘注戰國策云、負、背、郭、居也、以獘席為門。然門外多有長者車轍。索隱 一作軌、按言長者所乘安車、與載運之車軌轍或別、考證 周壽昌曰、長者、貴人也、後漢書馬援傳、但謂長者家兒、又子石當屏居自守、而反游京師長者、注、長者、謂豪俠、魏志文帝詔、三世長者知被服、五世長者知飲食、與此長者同、張負歸謂其子仲曰。吾欲以女孫予陳平。張仲曰。平貧不事事。考證 顏師古曰、不事產業之事、一縣中盡笑其所為。獨柰何予女乎。負曰。人固有好美

如陳平、而長貧賤者乎。卒與女。為平貧、乃假貸幣以聘、予酒肉之資以內婦。負誡其孫曰。毋以貧故事人不謹。事兄伯如事父、事嫂如母。集解 兄伯已逐其婦、此嫂疑後娶也、考證 楓三本、其下孫上有女字、父上無事字、許應元曰、兄已逐婦、而負言事嫂、亦槩言禮當如是耳、平既娶張氏女、齎用益饒、游道日廣。里中社、平為宰。索隱 其里名庫上里、知者據蔡邕陳留東昏庫上里社碑云、惟斯庫里、古陽武之戶牖鄉、陳平由此社宰遂相高祖也、考證 禮祭法鄭注、百家以上、則共立一社、今時里社也、蔡邕庫上里社碑、見御覽五百三十二、分肉食甚均。父老曰。善、陳孺子之為宰。考證 食音嗣、藝文類聚白氏六帖引史記、無食、父老上有里字、與漢書合、李笠曰、食字疑衍、下云、亦如是肉矣、贊云、方其割肉俎上之時、可以證也、平曰。嗟乎、使平得宰天下、亦如是肉矣。陳涉起而王陳、使周市略定魏地、立魏咎為魏王、與秦軍相攻於臨濟。陳平固已前謝其兄伯、集解 漢書音義曰、謝語其兄、往事魏、考證 漢書、無固字、謝、辭也、從少年往、事魏王咎於臨濟。魏王以

爲太僕。考證太僕、掌輿馬事、說魏王不聽。人或讒之。陳平亡去。久之項羽略地至河上。陳平往歸之。從入破秦。賜平爵卿。集解張晏曰、禮秩如卿、不治事、 項羽之東王彭城也、漢王還定三秦而東。殷王反楚。項羽乃以平爲信武君、將魏王咎客在楚者、以往擊、降殷王而還。項王使項悍拜平爲都尉、賜金二十溢。居無何、漢王攻下殷王。考證王念孫曰、御覽引此無王字、漢書亦無王字、涉上文殷王而誤衍也、攻下殷者、謂攻下殷國、 項王怒、將誅定殷者將吏。陳平懼誅、乃封其金與印、使使歸項王、而平身間行、杖劍亡。渡河。船人見其美丈夫獨行、疑其亡將、要中當有金玉寶器。目之欲殺平。考證古鈔本、楓、三本、要作腰、與類聚所引合、漢書、中作下、 平恐、乃解衣、裸而佐刺船。船人知其無有、乃止。考證徐中行曰、平之侍喪里中、以早至晚去爲助、非助也、欲以動張負而娶

其孫也、間行歸漢、裸而佐刺船、非佐刺船也、欲舟人之知其无金也、彼其平居細事、猶能鈞奇、若是、況居帷帳之中、受腹心之寄、當危機交急之時者哉、 平遂至修武降漢。集解徐廣曰、漢二年、 因魏無知求見漢王。索隱漢書、張敞與朱邑書云、陳平須魏倩而後進、孟康云、卽無知也、考證伏後非魏無知、臣安得進案、 漢王召入。是時萬石君奮爲漢王中涓。集解徐廣曰、亦曰涓人、 受平謁、入見平。平等七人俱進、賜食。王曰、罷就舍矣。考證漢書、七人作十人、 平曰、臣爲事來。所言不可以過今日。考證陳平嚮見漢王於鴻門、徐孚遠曰、平之來也、必持楚陰事以爲資、故曰不可以過今日、亦欲于一見自託也、 於是漢王與語而說之。問曰、子之居楚何官。曰、爲都尉。是日、乃拜平爲都尉、使爲參乘典護軍。諸將盡讙。索隱讙、譁也、音懽、又音喧、漢書作皆怨、考證今本漢書、作盡讙、荀悅漢紀、作皆怒、 曰、大王一日得楚之亡卒、未知其高下、而卽與同載、反使監護軍長者。考證王念孫曰、長者、諸將自謂、猶言使之監護我等也、監護下不當有軍字、漢書漢紀、皆無軍字、王先謙曰、鄙食其謂高帝、不宜倨見長者、是其例、 漢王聞

之、愈益幸平。遂與東伐項王至彭城。爲楚所敗、引而還。考證古鈔本、楓山本、引下有軍字、漢書有師字、 收散兵至滎陽、以平爲亞將、屬於韓王信、軍廣武。絳侯・灌嬰等、咸讒陳平曰、考證絳侯、周勃也、漢書、絳侯灌嬰作絳灌、顏師古曰、舊說絳、絳侯周勃也、灌、灌嬰也、而楚漢春秋、高祖之臣、別有絳灌、疑昧之文、不可據也、 平雖美丈夫、如冠玉耳。其中未必有也。集解漢書音義曰、飾冠以玉、光好外見、中非所有、考證中井積德曰、冠之飾在外、而其中空虛、故以爲喩、 臣聞平居家時、盜其嫂、事魏不容、考證古鈔本、楓山本、魏下有王咎二字、漢書有王字、 亡歸楚。歸楚不中、又亡歸漢。今日大王尊官之、令護軍。臣聞平受諸將金。金多者得善處、金少者得惡處。平反覆亂臣也。願王察之。漢王疑之、召讓魏無知。無知曰、臣所言者能也。陛下所問者行也。今有尾生・孝己之行、而無益於勝負之數。集解如淳曰、孝己、高宗之子、有孝行、考證顏師古曰、尾生、古之信士、一說

卽微生高、沈欽韓曰、語本蘇秦謂燕王、 陛下何暇用之乎。楚・漢相距。考證漢書、楚上有今字、與上文複、蓋衍、 臣進奇謀之士。顧其計誠足以利國家不耳。且盜嫂受金、又何足疑乎。考證楓山本、何作安、漢書無且字、 漢王召讓平曰、先生事魏不中遂、事楚而去。考證古鈔本、楓、三本、無中字、與漢書合、遂字屬上讀、愚按、中遂衍其一字、 今又從吾游。信者固多心乎。平曰、臣事魏王。魏王不能用臣說。故去事項王。項王不能信人。其所任愛、非諸項卽妻之昆弟。考證周壽昌曰、諸項伯莊外、惟聲它悍冠見各傳、桃侯劉襄爲項氏親、降漢封侯、見表、 雖有奇士不能用。平乃去楚。聞漢王之能用人、故歸大王。臣躶身來、不受金無以爲資。誠臣計畫有可采者、顧大王用之。考證王念孫曰、顧當依漢書作願、 使無可用者、金具在、請封輸官、得請骸骨。考證漢書、金上補大王所賜四字、中井積德曰、時平已聞無知之語、故漢王不詰金事、而平直以金事爲對、又曰、金具在、所受於諸將

之金、班史謬上增大王所賜四字、大失之、 漢王乃謝、厚賜拜爲護軍中尉、盡護諸將。諸將乃不敢復言。其後楚急攻、絕漢甬道。〔考證〕漢二年、築甬道屬之河、以取敖倉粟、應劭曰、甬道、築垣墻如街巷、 圍漢王於滎陽城。久之、漢王患之、請割滎陽以西以和。項王不聽。漢王謂陳平曰。天下紛紛、何時定乎。陳平曰。項王爲人恭敬愛人。士之廉節好禮者、多歸之。至於行功爵邑重之。〔考證〕楓三本、曰下項上、有然字、御覽引史記、行下有賞字、漢書、功下有賞字、顏師古曰、重之、言愛惜之、 士亦以此不附。今大王慢而少禮。士廉節者不來。然大王能饒人以爵邑。士之頑鈍嗜利無恥者、亦多歸漢。〔集解〕如淳曰、頑鈍、猶無廉隅、 誠各去其兩短、襲其兩長、天下指麾則定矣。〔考證〕襲、重也、漢書作集、 然大王恣侮人、不能得廉節之士。〔考證〕張文虎曰、中統游本及凌引一本、恣作資、愚按、漢書亦作資、顏師古曰、資謂天性也、楓三本、不能上有故字、 顧楚

有可亂者。彼項王骨鯁之臣亞父・鍾離眛・龍且・周殷之屬、不過數人耳。〔考證〕眛字、漢書從目、顏師古曰、眛莫葛反、其字從本末之末、 大王誠能出捐數萬斤金、行反閒、閒其君臣、以疑其心。〔考證〕沈欽韓曰、孫子用間篇、反閒者因其敵間而用之、按范雎行千金閒廉頗、頓弱資萬金殺李牧、 項王爲人、意忌信讒、必內相誅。〔考證〕王先謙曰、意、疑也、 漢因舉兵而攻之、破楚必矣。漢王以爲然、乃出黃金四萬斤與陳平、恣所爲、不問其出入。陳平既多以金縱反閒於楚軍。宣言諸將鍾離眛等、爲項王將、功多矣。然而終不得裂地而王。欲與漢爲一、以滅項氏而分王其地。項羽果意不信鍾離眛等。〔考證〕意、疑也、 項王既疑之。使使至漢。漢王爲太牢具舉進。〔考證〕顏師古曰、舉鼎俎而來、 見楚使卽詳驚曰。吾以爲亞父使。乃項王使。復持去、更以惡

草具進楚使。〔集解〕漢書音義曰、草、粗也、〔索隱〕戰國策云、食馮煖以草具、如淳云、蘘草麁惡之具也、〔考證〕洪頤煊曰、草具、謂菜食、與太牢之禮異矣、通鑑輯覽云、陳平此計、乃欺三尺童、未可保其必信者、史乃以爲奇、而世傳之、可發一笑、 楚使歸、具以報項王。項王果大疑亞父。亞父欲急攻下滎陽城。項王不信、不肯聽。亞父聞項王疑之、乃怒曰。天下事大定矣。君王自爲之。願請骸骨歸。歸未至彭城。疽發背而死。〔考證〕顏師古曰、疽、癰瘡也、音千余反、 陳平乃夜出女子二千人滎陽城東門。楚因擊之。陳平乃與漢王從城西門夜出去。〔考證〕夜字與上文複、漢書刪、 遂入關、收散兵復東。其明年、淮陰侯破齊、自立爲齊王、使使言之漢王。漢王大怒而罵。陳平躡漢王。〔集解〕漢書音義曰、躡、謂躡漢王足、 漢王亦悟、乃厚遇齊使、使張子房卒立信爲齊王、封平以戶牖鄉、用其奇計策、卒滅楚。常以護軍中尉從、定

燕王臧荼。漢六年、人有上書告楚王韓信反。高帝問諸將。諸將曰。亟發兵阬豎子耳。〔考證〕顏師古曰、亟、急也、 高帝默然。問陳平。平固辭謝曰。諸將云何。上具告之。陳平曰。人之上書言信反。有知之者乎。曰。未有。曰。信知之乎。曰。不知。陳平曰。陛下精兵孰與楚。〔考證〕古鈔本、楓三本、精兵作兵精、與漢書合、 上曰。不能過。平曰。陛下將用兵、有能過韓信者乎。上曰。莫及也。平曰。今兵不如楚精、而將不能及。而舉兵攻之、是趣之戰也。竊爲陛下危之。〔考證〕顏師古曰、趣讀曰促、 上曰。爲之柰何。平曰。古者天子巡狩會諸侯。南方有雲夢。陛下第出僞游雲夢、〔索隱〕蘇林云、弟、且也、小顏云、但也、〔考證〕沈欽韓曰、一統志、安陸以南、華容以北、枝江以東、皆古之雲夢澤、後世悉爲邑居聚落、 會諸侯於陳。陳、楚之西界。〔正義〕陳、今陳州也、韓信都彭城、號楚王、故陳州爲楚西界也、 信聞天子以好

出游、其勢必無事而郊迎謁。謁而陛下因禽之、此特一力士之事耳。高帝以爲然。乃發使告諸侯會陳。吾將南游雲夢。上因隨以行。【考證】劉辰翁曰、隨以行、謂卽日行、使其不測、行未至陳、楚王信果郊迎道中。【考證】漢書、行下奪未字、高帝豫具武士、見信至、卽執縛之、載後車。信呼曰。天下已定。我固當亨。高帝顧謂信曰。若毋聲。而反明矣。【考證】呼聲、號也、若、而、皆汝也、武士反接之。【集解】漢書音義曰、反縛兩手、遂會諸侯于陳、盡定楚地。還至雒陽、赦信以爲淮陰侯。【集解】中井積德曰、反逆者、三族之罪也、豈可赦哉、赦信、以見其無罪也、而與功臣剖符定封。於是與平剖符、世世勿絕、爲戶牖侯。平辭曰。此非臣之功也。上曰。吾用先生謀計、戰勝剋敵。非功而何。平曰。非魏無知、臣安得進。上曰。若子可謂不背本矣。【考證】初稱先生、敬之也、

後稱子、親之也、凌稚隆曰、君而先生其臣者見此、乃復賞魏無知。其明年、以護軍中尉、從攻反者韓王信於代。卒至平城、爲匈奴所圍。七日不得食。高帝用陳平奇計、使單于閼氏。【集解】蘇林曰、閼氏、音焉支、如漢皇后、圍以得開。高帝既出。其計祕、世莫得聞。【集解】桓譚新論、或云、陳平爲高帝解平城之圍、則言其事祕、世莫得而聞也、此以工妙踔善、故藏隱不傳焉、子能權知斯事否、吾應之曰、此策乃反薄陋拙惡、故隱而不泄、高帝見圍七日、而陳平往說閼氏、閼氏言於單于而出之、以是知其所用說之事矣、彼陳平必言漢有好麗美女、爲道其容貌天下無有、今困急、已馳使歸迎取、欲進與單于、單于見此人、必大好愛之、愛之則閼氏日以遠疏、不如及其未到、令漢得脫去、去亦不持女來矣、閼氏婦女、有妒媢之性、必憎惡而事去之、此說簡而要、及得其用、則欲使神怪、故隱匿不世泄也、劉子駿聞吾言、乃立稱善焉、按漢書音義應劭說此事、大旨與桓論略同、不知是應全取桓論、或別有所聞乎、今觀桓論、似本無說、高帝南過曲逆、【集解】地理志、縣屬中山也、【索隱】章帝醜其名、改云蒲陰也、【考證】曲逆、在今直隸完縣東南、曲、區句反、逆、音過、上其城、望見其屋室甚大。曰。壯哉縣。吾行天下、獨見洛陽與是耳。顧問御史曰。曲逆戶口幾何。【考證】沈欽韓曰、百官表、御史掌圖籍秘書、故

戶口之數職知之、每有封爵、與丞相同被詔、亦因此、對曰。始秦時三萬餘戶。閒者兵數起、多亡匿。今見五千戶。【考證】楓、三本、千下有餘字、劉辰翁曰、只曲逆戶數、見劉項之消亡、存者六之一、可畏哉、於是乃詔御史、更以陳平爲曲逆侯、盡食之、除前所食戶牖。【考證】錢大昕曰、漢時封縣侯、戶數多少不同、如蕭何始封酇、食八千戶、後又益封二千戶、元狩中、以酇戶二千四百封其曾孫慶、宣帝時以酇戶二千封其玄孫建世、封號雖同、而租入迥別、蓋一縣之戶、不止此數、除侯所食外、其餘歸之有司也、高祖功臣盡食一縣者、惟平一人、其後常以護軍中尉、從攻陳豨及黥布。【考證】漢書、攻下有臧荼二字、陳平初仕漢以都尉爲護軍中尉、至是仍居其職、陳仁錫曰、始終不越都尉、益封不遷其職、所以能盡其用、凡六出奇計、輒益邑。凡六益封。奇計或頗祕、世莫能聞也。【考證】古鈔本、楓山本、能作得、與漢書合、錢大昭曰、間疏楚君臣、一奇計也、夜出女子二千人滎陽東門、二奇計也、躡漢王立信爲齊王、三奇計也、僞游雲夢縛信、四奇計也、解平城圍、五奇計也、其六當在從擊臧荼陳豨黥布時、史傳無文、愚按、或以進草具楚使、爲奇計之一、而其事旣括間疏楚君臣中、則錢氏刪之爲是、躡足封齊、未可謂奇計、闕疑可也、高帝從破布軍還、病創。徐行至長安。燕王盧綰反。上使樊噲以相

國將兵攻之。既行。人有短惡噲者。【考證】楓、三本、噲上有樊字、高帝怒曰。噲見吾病、乃冀我死也。用陳平謀而召絳侯周勃、受詔牀下曰。陳平亟馳傳載勃、代噲將。平至軍中、卽斬噲頭。二人既受詔。馳傳未至軍。行計之曰。【考證】顏師古曰、行計、謂於道中行且計也、樊噲、帝之故人也。功多。且又乃呂后弟呂須之夫。有親且貴。【考證】弟、女弟、帝以忿怒故欲斬之。則恐後悔。寧囚而致上。上自誅之。未至軍、爲壇以節召樊噲。噲受詔。卽反接載檻車、傳詣長安、而令絳侯勃代將、將兵定燕反縣。平行聞高帝崩、【考證】顏師古曰、未至京師、於道中聞高祖崩、平恐呂太后及呂須讒怒、乃馳傳先去。【考證】楓山本、無怒字、逢使者。詔平與灌嬰屯於滎陽。平受詔、立復馳至宮、哭甚哀。因奏事喪前。呂太

后哀之曰。君勞。出休矣。平畏讒之就、因固請得宿衞中。太后乃以爲郎中令。曰。傅教孝惠。[集解]如淳曰、傅相之傅也、[考證]胡三省曰、郎中令秦官、掌宮殿掖門戶、武帝太初元年、更名光祿勳、李笠曰、曰字疑衍、陳仁錫曰、孝惠當作皇帝、是後呂顉讒乃不得行。樊噲至、則赦復爵邑。[考證]高祖欲斬樊噲、恐其黨於呂氏也、而赦死復爵、豈老蘇所謂遺患者邪、但既奪其兵權、則噲不能有爲、平勃講之精矣、孝惠帝六年、相國曹參卒。以安國侯王陵爲右丞相、[集解]徐廣曰、王陵以客從起豐、以廐將別守豐、上東、因從戰不利、奉孝惠魯元出睢水中、封爲雍侯、高帝八年、定食安國、二十一年卒、謚武侯、至玄孫、坐酎金國除、[考證]張文虎曰、表、八年作六年、漢書同、集解誤、林伯桐曰、王陵不肯立諸呂爲王、則有守、一見張蒼知爲美士、而救其死、則有識、與雍齒善、不因高祖怒雍齒而改其交、則有信、三者皆難能而可貴、宜乎高祖微時以兄事之、及呂后問可相者、而以爲王陵可代曹參也、陳平爲左丞相。王陵者故沛人。始爲縣豪。高祖微時、兄事陵。陵少文任氣、好直言。及高祖起沛、入至咸陽。陵亦自聚黨數千人、居南陽、不肯從沛公。及漢王之還攻項籍、

陵乃以兵屬漢。項羽取陵母置軍中。陵使至、則東鄉坐陵母、欲以招陵。[考證]胡三省曰、古以東鄉之位爲尊、沛公見羽於鴻門、羽東鄉坐、韓信東鄉坐李左車而師事之、是也、鄉讀曰嚮、陵母既私送使者、泣曰。爲老妾語陵。謹事漢王。漢王長者也。無以老妾故持二心。妾以死送使者。遂伏劒而死。項王怒烹陵母。陵卒從漢王定天下。以善雍齒。雍齒高帝之仇、而陵本無意從高帝。以故晚封爲安國侯。[考證]漢書、爲王陵別立傳、史記附記陳丞相世家、齊召南曰、陵之初從、傳與表判然不同、據此傳、則在漢王還定三秦、率五諸侯伐楚之後、故下文云、陵本無從漢之意也、但張蒼傳、言陵解張蒼之厄、乃在沛公初定南陽未入武關以前、何邪、洪頤煊曰、史漢兩表所載侯狀俱同、唯張蒼安國武侯王陵兩表絕異、疑此別是一王陵、而史公誤合之、全祖望曰、王陵是自聚黨定南陽者、未嘗從起豐、未嘗從至霸上、未嘗爲漢守豐、史表功狀之言皆謬、但陵自定南陽、歸漢甚早、而不從入關者、蓋高祖留以爲外援、本傳以爲不肯屬漢、則又非也、陵不屬漢、何以能免張蒼於死、而次年高祖乃用其兵以迎太公、非陵屬漢之明文乎、且陵母之賢、一死以堅陵之從漢矣、則謂陵不肯屬漢、高祖恨之、其封獨晚、非也、蓋漢初功臣位次、第一曰從起豐沛、二曰從入關、三曰從定三秦、而陵之功皆在三者之後、又無秘策如陳平

等、則其晚宜矣、梁玉繩曰、攷張蒼傳、陵救張蒼、在沛公初定南陽、未入武關之前、而陵之封侯同在六年、又位居十八人中、安得謂陵不肯從漢及攻羽時始從、以故晚封邪、愚按、全梁二說是也、安國侯既爲右丞相。二歲、孝惠帝崩。高后欲立諸呂爲王。問王陵。王陵曰。不可。問陳平。陳平曰。可。呂太后怒。乃佯遷陵爲帝太傅。實不用陵。陵怒、謝疾免、杜門竟不朝請。七年而卒。陵之免丞相、呂太后乃徙平爲右丞相、以辟陽侯審食其爲左丞相。左丞相不治、常給事於中。[集解]孟康曰、不立治處、使止宮中也、[正義]秦漢以前、右爲上、左爲下、晉宋以來、左爲上也、[考證]中井積德曰、官上右、古法也、故貶秩謂左遷、若後世官上左、是北胡之俗而入夏也、李奇曰、不治、不治丞相職事也、食其亦沛人。[考證]漢初爲相者、陳平以外皆沛人、漢王之敗彭城西、楚取太上皇呂后爲質。食其以舍人侍呂后。其後從破項籍爲侯。幸於呂太后。及爲相居中、百官皆因決事。[考證]劉辰翁曰、因王陵相乃傳陵、又傳審食其、皆傳體當然、漢書析之、徒使首尾不全

耳、呂顉常以前陳平爲高帝謀執樊噲、數讒曰。陳平爲相、非治事、日飲醇酒、戲婦女。陳平聞日益甚。呂太后聞之、私獨喜。[考證]王先謙曰、平不以能加於辟陽之上、又無治迹、故后喜之、面質呂顉於陳平曰。[正義]質、對也、鄙語曰。兒婦人口、不可用。顧君與我何如耳。無畏呂顉之讒也。[正義]顧、念思也、[考證]口、用韻、呂太后立諸呂爲王。陳平僞聽之。及呂太后崩、平與太尉勃合謀、卒誅諸呂立孝文皇帝。陳平本謀也。審食其免相。[集解]徐廣曰、審食其初以舍人起、侍呂后孝惠帝於沛、又從在楚、封二十五年、文帝三年死、子平代、代二十二年、景帝三年、坐謀反國除、一本云、食其免後三歲、爲淮南王所殺、文帝令其子平嗣侯、菑川王反、辟陽近菑川、平降之、國除、孝文帝立。以爲太尉勃親以兵誅呂氏、功多。陳平欲讓勃尊位。乃謝病。[考證]張文虎曰、王、柯、凌本、謝病作病謝、愚按、漢書作謝病、孝文帝初立、怪平病問之。[考證]周壽昌曰、怪其無故以病謝、平曰。高祖時、勃

功不如臣平。及誅諸呂、臣功亦不如勃。願以右丞相讓勃。【考證】古鈔本、楓山本、高祖作皇帝、與漢書合、於是孝文帝乃以絳侯勃爲右丞相。位次第一。平徙爲左丞相。位次第二。賜平金千斤、益封三千戶。【考證】梁玉繩曰、史漢孝文紀、千斤作二千斤、居頃之、孝文皇帝既益明習國家事。朝而問右丞相勃曰。天下一歲決獄幾何。勃謝曰。不知。問天下一歲錢穀出入幾何。勃又謝不知。汗出沾背。愧不能對。【考證】楓山本、謝下無曰字、他日文帝登虎圈、問上林尉以諸禽獸簿、此帝試人慣用手段、於是上亦問左丞相平。平曰。有主者。【考證】漢書、曰下有各字、上曰。主者謂誰。【考證】古鈔本、楓、三本、謂作爲、與漢書合、平曰。陛下卽問決獄、責廷尉。問錢穀、責治粟內史。上曰。苟各有主者。而君所主者何事也。平謝曰。主臣。【集解】張晏曰、若今人謝曰惶恐也、馬融龍虎賦曰、勇怯見之、莫不主臣、孟康曰、主臣、主羣臣

也、若今言人主也、韋昭曰、言主臣道不敢欺也、【索隱】蘇林與孟康同、既古人所未了、故竝存兩解、【正義】下文云、使卿大夫各得任其職、是主羣臣也、佗說皆非、【考證】主臣、見馮唐傳、下又以陛下承之、語氣與此同、張照曰、按如孟韋之說、于馮唐傳之主臣更通、不去、應從張晏作皇恐解、索隱於此依違其說、不若馮唐傳注之詳確也、中井積德曰、主臣、猶單言臣也、惶恐之時先發此一語、乃當時之習俗、無干文義、文穎云、恐惶之辭也、陛下不知其駑下、使待罪宰相。宰相者、上佐天子、理陰陽、順四時、下育萬物之宜、【考證】漢書、育作遂、外鎭撫四夷諸侯、內親附百姓、使卿大夫各得任其職焉。【考證】周官三公之職、以論道經邦、燮理陰陽爲務、漢初猶守此說、觀陳平對文帝、丙吉問牛喘、可以見焉、董仲舒治公羊春秋、推陰陽、京房據易說災變、劉向傳穀梁春秋、以洪範、自是陰陽五行災異之說寖興、以爲天象人事關係甚密、元成之間、薛宣爲丞相、徐防爲太尉、張禹錄尙書事、前後以災異饑饉寇賊策免、熒惑守心、丞相翟方進引責自殺、春霜夏寒、月青無光、丞相于定國自劾歸侯印、至後漢其風猶存、明帝時、日食、三公免冠自劾、事詳于趙翼二十二史箚記二卷、孝文帝乃稱善。右丞相大慙、出而讓陳平曰。君獨不素教我對。陳平笑曰。君居其位、不知其任邪。且陛下卽問長安中盜賊數。【集解】漢書音義曰、頭數

也、【考證】劉攽曰、盜賊數亦自有主者、謂不當問細故也、君欲彊對邪。於是絳侯自知其能不如平遠矣。居頃之、絳侯謝病請免相。【考證】楓山本、相上有丞字、陳平專爲一丞相。【考證】漢書無一字、孝文帝二年、丞相陳平卒。諡爲獻侯。子共侯買代侯。二年卒。子簡侯恢代侯。【考證】梁玉繩曰、史漢表、恢作悝、二十三年卒。子何代侯。二十三年、何坐略人妻、弃市、國除。【考證】張文虎曰、二十三年、宋本三十一年、毛本二十一年、他本作三十三年、竝誤、今依梁氏志疑改、與表合、始陳平曰。我多陰謀。是道家之所禁。吾世卽廢、亦已矣。終不能復起。以吾多陰禍也。然其後曾孫陳掌、以衞氏親貴戚、願得續封陳氏。然終不得。【集解】徐廣曰、陳掌者、衞青之子壻、【考證】漢書、親貴戚作親戚貴、衞將軍傳云、青姊少兒與掌通、

太史公曰。陳丞相平少時、本好黃帝・老子之術。方其割肉俎

上之時、其意固已遠矣。傾側擾攘楚・魏之閒、卒歸高帝、常出奇計、救紛糾之難、振國家之患。及呂后時、事多故矣。然平竟自脫、定宗廟以榮名終、稱賢相。豈不善始善終哉。非知謀、孰能當此者乎。【考證】王鏊曰、知謀二字、斷盡陳平一生、趙恒曰、太史公論傾側擾攘、卒歸高帝、其智也、紛糾之難、常出奇計、亦智也、時事多故、不惟自脫、卒定宗廟以榮名終、可謂大智矣、摠東之曰、非智謀而能若是乎、論留侯籌策功力、則歸之天、論平功名、則歸之智謀、智謀者人也、正譎之間耳、讀陳平一傳、可見人無所不至也、

【索隱】述贊、曲逆窮巷、門多長者、宰肉先均、佐喪後罷、魏楚更用、腹心難假、弃印封金、刺船露裸、閒行歸漢、委質麾下、滎陽計全、平城圍解、推陵讓勃、裒多益寡、應變合權、克定宗社、

陳丞相世家第二十六　　史記五十六

史記會注考證卷五十七

漢　太　史　令　司　馬　遷　撰

宋中郎外兵曹參軍裴　駰集解

唐國子博士弘文館學士司馬貞索隱

唐諸王侍讀率府長史張守節正義

日　本　出　雲　瀧　川　資　言　考證

絳侯周勃世家第二十七　　史記五十七

考證 古鈔本、絳侯下無周勃二字、與史公自序合、崔適曰、依留侯下不言張良、二字當删、史公自序曰、諸呂爲從、謀弱京師、而勃反經合於權、吳楚之兵、亞夫駐於昌邑、以

尼齊趙、而出委以梁、作絳侯世家第二十七、楊愼曰、敘戰功處、與曹參世家樊酈等列傳同一凡例、韓文公曹成王碑、敘戰功處本此、淩稚隆曰、篇中曰破、曰下、曰取、曰襲取、曰定、曰得、曰滅、曰降、曰屠、曰斬、皆以紀其功也、曰先登、曰却敵、曰殿、曰最、曰爲多、皆以論其功也、查愼行曰、太史公敘周勃、與曹樊同例、功雖多不過一戰將耳、至其子亞夫、用兵處、極力摹寫、節制之師、歷歷有如目擊、漢書只添亞父東擊吳楚時趙涉遮說一節、其於前後敘次、詳略改竄、移易一句不得、亞夫之坐謀反、因子買葬器、獄吏執欲反一地下四字、游戲定爰書、此何異岳武穆莫須有三字耶、景帝之刻薄寡恩、隱然言外、史筆至此、出神入化矣、

絳侯周勃者、沛人也。其先卷人。集解 徐廣曰、卷縣在滎陽、索隱 韋昭云、屬河南、地理志亦然、然則後置滎陽郡、而卷隸焉、音丘玄反、字林、音丘權反、正義 括地志云、故卷城在鄭州原武縣西北七里、釋例地名云、卷縣所理垣雍城也、考證 沈欽韓曰、一統志、卷縣故城在懷慶府原武縣西北、愚按、屬河南、徙沛。勃以織薄曲爲生。集解 蘇林曰、薄、一名曲、月令曰、具曲植、索隱 謂勃本以織蠶薄爲生業也、韋昭云、北方謂薄爲曲、許愼注淮南云、曲、葦薄也、郭璞注方言云、植、懸曲柱也、音直吏反、考證 中井積德曰、平爲薄、圈爲曲、常爲人吹簫給喪事。集解 如淳曰、以樂喪家、若俳優、瓚曰、吹簫以樂喪賓、若樂人也、索隱 左傳、歌虞殯、猶今挽歌類也、歌者或有簫管、正義 今之挽歌、以鈴爲節、所以樂亡者神魂、考證 沈欽韓曰、注云、吹簫以樂賓、秦雖俗敗、何至當喪爲樂、吹簫者、挽歌所用也、材官引彊。集解 漢書音義曰、能引彊弓官、如今挽彊司馬也、

索隱 晉灼云、申屠嘉爲材官蹶張、考證 中井積德曰、材官、武卒之號、引强蹶張等、乃其科派、蓋郡國設材官騎士、平時無所用、有事而後發之、常給口食、而不役、如救火卒然、故必別有生業也、高祖之爲沛公初起、勃以中涓從攻胡陵、下方與。方與反。與戰、卻適攻豐、考證 漢書適作敵、擊秦軍碭東、還軍留及蕭。復攻碭破之、下下邑。先登。賜爵五大夫。攻蒙・虞取之。索隱 蒙虞、二縣名、地理志屬梁國、考證 漢書作蘭虞、非是、擊章邯車騎。殿。集解 服虔曰、略得殿兵也、如淳曰、殿、不進也、瓚曰、在軍後曰殿、孫檢曰、一說、上功曰最、下功曰殿、戰功曰多、周勃事中有此三品、與諸將俱計功、則曰殿最、獨捷則曰多、多義見周禮、故此云擊章邯車騎殿、又云先至城下爲多、又云攻槐里好畤最、是也、索隱 孫檢說是、考證 周壽昌曰、殿、爲高帝殿後也、擊章邯車騎、句、殿、一字句、定魏地。攻爰戚・東緡。集解 徐廣曰、屬山陽、索隱 小顏音昏、非也、地理志、山陽有東緡縣、音旻、然則戶牖之爲東緡、音昏、是屬陳留者音昏、屬山陽者音旻也、正義 緡眉貧反、括地志云、東緡故城、漢縣也、在兗州金鄉縣界、以往至栗。取之。正義 括地志云、屬沛郡也、攻齧桑。先登。索隱 徐氏云、在梁彭城、考證 東緡、今山東金鄉縣東北、栗今河南夏邑縣、沈欽韓曰、紀要、齧亭在徐州沛縣西南、愚按、沛縣屬江蘇、擊秦軍阿下破之、索隱 謂東阿之下也、追至

濮陽、下甄城。攻都關・定陶、索隱 都關、地理志、縣名、屬山陽、考證 甄城、今濮州東、都關、濮州東南、皆屬山東、襲取宛朐、正義 冤劬二音、今曹州縣、在州西四十七里、考證 今山東荷澤縣東南、得單父令。正義 單父、善甫二音、宋州縣也、考證 今山東單縣南一里、夜襲取臨濟、攻張、集解 漢書音義曰、攻壽張、索隱 地理志、東郡壽良縣、光武改曰壽張、考證 漢書作壽張、以前至卷破之。擊李由軍雍丘下、攻開封、先至城下、爲多。集解 文穎曰、勃士卒至者多、如淳曰、周禮戰功曰多、後章邯破殺項梁。沛公與項羽引兵東如碭。自初起沛、還至碭、一歲二月。索隱 謂初起沛、及還至碭、得一歲、又更二月也、楚懷王封沛公號安武侯、爲碭郡長。考證 安武侯、古鈔本作武安侯、與凌所引一本合、漢書亦作武安侯、陳仁錫曰、今本作安武侯、誤、沛公拜勃爲虎賁令。集解 徐廣曰、一云句盾令、索隱 漢書云、襄賁令、賁音肥、縣名、屬東海、徐廣又云、句盾令、所見本各別也、考證 沈欽韓曰、史記是也、高祖方用勃爲將、安得遠縣棄之、以令從沛公、定魏地、攻東郡尉於城武破之。考證 漢書、城武作成武、擊王離軍破之。攻長社。先登。攻

潁陽・緱氏。【正義】緱、音勾、洛州縣、【考證】長社、潁陽、竝潁川縣、長社在今許州長葛縣西、潁陽、今許州西南、愚按、竝屬河南、絕河津、【正義】即古平陰津、在洛州洛陽縣東北五十里、擊趙賁軍尸北。【索隱】賁、音肥、人姓名也、尸、卽尸鄉、今偃師也、北、謂尸鄉之北、【考證】沈欽韓曰、方輿紀要、尸鄉、在河南府偃師縣西三十里、亦曰尸氏、南攻南陽守齮、破武關・嶢關、破秦軍於藍田、至咸陽滅秦。項羽至、以沛公爲漢王。漢王賜勃爵爲威武侯。【索隱】或是封號、未必縣名也、從入漢中、拜爲將軍。還定三秦至秦。賜食邑懷德、【正義】括地志云、懷德故城、在同州朝邑縣西南四十三里、攻槐里・好畤。【索隱】地理志、二縣屬右扶風、最。【集解】如淳曰、於將率之中功爲最、【考證】先入者爲最、擊趙賁・內史保於咸陽。最。北攻漆、【索隱】地理志、漆縣、在右扶風、【正義】今幽州新平縣、古漆縣也、【考證】王先謙曰、今邠州治、擊章平・姚卬軍、【索隱】卬、音五郎反、平下將、西定汧、【正義】口肩反、今隴州汧源縣、本漢汧縣地也、【考證】今陝西隴縣南、還下郿・頻陽。【索隱】地理志、郿屬右扶風、頻陽屬左馮翊也、【正義】郿、音眉、括地志云、郿縣故城、在岐州郿縣東北十五里、頻陽故城、在宜州土門縣南三里、今土門縣、併入同官縣、屬雍州宜州廢也、【考證】郿、今郿縣、

頻陽、今富平縣東北、竝屬陝西、圍章邯廢丘、【索隱】地理志、槐里、周曰犬丘、懿王都之、秦更名廢丘、高祖三年、更名槐里、而此云槐里者、據後而書之、又云、廢丘者以章邯本都廢丘而亡、亦據舊書之、破西丞、【集解】徐廣曰、天水有西縣、【正義】括地志云、西縣故城、在秦州上邽縣西南九十里、本漢西縣地、破西縣丞、擊盜巴軍破之。【集解】如淳曰、章邯將、【考證】漢書、盜巴作益已、漢書評林云、二字筆畫相似、未辨孰是、攻上邽、【正義】音圭、秦州縣也、東守嶢關。轉擊項籍、攻曲逆。最。【考證】錢大昕曰、漢書、曲逆作曲遇、逆字譌、梁玉繩曰、曲遇在中牟、故下文云、還守敖倉、若曲逆屬中山、不相值也、還守敖倉、追項籍。籍已死。因東定楚地泗川・東海郡。【考證】凌引一本、泗川作泗水、與漢書合、凡得二十二縣。還守雒陽・櫟陽。賜與潁陽侯共食鍾離。【索隱】地理志、縣名、屬九江、古鍾離子國、【正義】括地志云、潁陰故城、在陳州南頓縣西北、鍾離故城、在濠州鍾離縣東北五里、【考證】正義本、凌引一本、潁陽作潁陰、與漢書合、此誤、梁玉繩曰、潁陰侯、謂灌嬰也、以將軍從高帝、擊反者燕王臧荼、破之易下。【索隱】荼、如字讀、易、水名、因以爲縣、在涿郡、謂破荼軍於易水之下、言近水也、【正義】括地志云、易縣故城、在幽州歸義縣東南十五里、燕桓侯所徙都臨易、是也、【考證】中井積德曰、易縣名、故曰下也、即用水名、當曰上、所將卒、當馳道

爲多。【索隱】小顏以當高祖所行之道、或以馳道爲秦之馳道、故賈山傳云、秦爲馳道、東窮燕齊也、【考證】劉敞曰、馳道、猶言乘輿耳、言將卒在馳道有功也、戰功曰多、陳子龍曰、當馳道、大氐當正軍也、沈欽韓曰、謂敵人馳車衝突之道、當之者爲多也、愚按顏劉義長、賜爵列侯、剖符世世勿絕、食絳八千一百八十戶。號絳侯。【正義】括地志云、絳邑城、漢絳縣、在絳州曲沃縣南二里、或以爲秦之舊馳道也、【考證】漢書、一百作二百、正義或以爲秦舊馳道也、上文注誤入下文、以將軍從高帝、擊反韓王信於代、降下霍人。【索隱】蕭該云、左傳、以偪陽子歸納諸霍人、杜預云、晉邑也、字或作靃、【正義】霍、音瑣、又音蘇寡反、顏師古云、音山寡反、按霍字當作葰、地理志云、葰人縣、屬太原郡、括地志云、葰人故城、在代州繁畤縣界、漢葰人縣也、按樊噲列傳、作靃人、其音亦同、【考證】葰人、在今山西繁畤縣、以前至武泉、擊胡騎破之武泉北。【集解】徐廣曰、屬雲中、【正義】括地志云、武泉故城、在朔州北二百二十里、【考證】今山西右玉縣西北、轉攻韓信軍銅鞮破之。【正義】括地志云、銅鞮故城、在潞州銅鞮縣東十五里、州西六十五里、在幷州東南也、【考證】故城、在今山西沁縣、還降太原六城。【正義】幷州縣、從銅鞮還、幷降六城也、擊韓信胡騎晉陽下破之。下晉陽。後擊韓信軍於硰石破之。【集解】應劭曰、硰、音沙、或曰、地名、【索隱】晉灼音赤座反、

【正義】按在樓煩縣西北、【考證】王先謙曰、後當作復、下文復擊綰軍沮陽、即其證、沈欽韓曰、明志、太原府靜樂縣西北有廢樓煩縣、此唐所置爲監牧地也、方輿紀要、硰石城、在靜樂縣東北、靜樂今屬析州、追北八十里、還攻樓煩三城、【正義】樓煩、地理志云、在鴈門郡、括地志云、在幷州崞縣界、因擊胡騎平城下。【正義】地理志云、在鴈門郡、括地志云、朔州定襄、本漢平城縣、所將卒當馳道爲多。勃遷爲太尉。【考證】中井積德曰、下文云、孝惠六年、置太尉官、以勃爲太尉、然此勃既爲太尉何也、豈此未定官名而有太尉、至惠帝六年、更始置歟、擊陳豨、屠馬邑。所將卒斬豨將軍乘馬絺。【集解】徐廣曰、姓乘馬、【索隱】絺、名也、乘、音始證反、擊韓信・陳豨・趙利軍於樓煩破之。得豨將宋最・鴈門守圂、【索隱】圂、守之名、音胡困反、因轉攻得雲中守遬・【索隱】音速、【正義】括地志云、雲中故城、在勝州榆林縣東北四十里、秦雲中郡、丞相箕肆・將勳、【集解】徐廣曰、箕、一作萁、勳、一作專、一作轉、【索隱】劉氏肆音如字、包愷音以四反、漢書、勳亦作博、字竝誤耳、【考證】楓、三本、將下有軍字、漢書、肆作肄、故包愷云、音以四反、將勳作將軍博、李笠曰、軍字當補、定鴈門郡十七縣、雲中郡十二縣。因復擊豨靈丘破之、【索隱】靈丘、地理志、縣名、屬代郡、【正義】括地志云、靈丘

故城、在蔚州靈丘縣東十里、漢縣也、【考證】沈家本曰、按漢志、雁門郡、縣十四、雲中郡、縣十一、定襄郡、縣十二、蓋漢析雁門雲中置定襄也、斬豨。得豨丞相程縱・將軍陳武・都尉高肆、定代郡九縣。【考證】漢書、無得豨二字、非是、高肆作高肆、方東樹曰、酈商傳云、得代丞相程縱、愚按、高紀云、斬陳豨當城、蓋追至當城斬之也、燕王盧綰反。勃以相國代樊噲、將擊下薊。【考證】錢大昭曰、時高帝怒噲、使陳平即軍中斬噲、故勃代之、周壽昌曰、勃爲丞相在孝文初、此是虛稱、洪邁曰、漢初諸將所領官、多爲丞相、如韓信初拜大將軍、後爲左丞相擊魏、又拜相國擊齊、周勃以將軍遷太尉、後以相國代樊噲擊燕、樊噲以將軍攻韓王信、遷爲左丞相、以相國擊燕、酈商爲將軍、以右丞相擊陳豨、以丞相擊黥布、尹恢以右丞相備守淮陽、陳涓以丞相定齊地、然百官公卿表皆不載、蓋蕭何已居相位、諸人者未嘗在朝廷、特使假其名以爲重耳、後世使相之官、本諸此也、得綰大將抵・丞相偃・守陘・【集解】張晏曰、盧綰郡守、陘其名、太尉弱・御史大夫施。屠渾都。【集解】徐廣曰、在上谷、【索隱】施、名也、屠、滅之也、地理志、渾都縣、屬上谷、一云、御史大夫、姓施、屠、名渾都、【正義】括地志云、幽州昌平縣、本漢渾都縣、【考證】梁玉繩曰、案高紀、言勃與噲偕將兵擊盧綰、一先一後、同有破綰之功、故竝舉之、其實勃代噲將者也、而有二誤、時勃爲太尉、噲爲相國、陳丞相世家樊噲傳可據、此誤以相國爲勃矣、噲傳云、破綰丞相抵薊南、此誤以抵爲綰將、當是得綰丞相抵大將偃耳、愚按、周勃代噲將、又代其相國耳、梁氏前說非是、渾都、今直隸昌平州西、破

綰軍上蘭。【正義】括地志云、嬀州懷戎縣東北、有馬蘭谿水、恐是也、【考證】沈欽韓曰、明志、薊州遵化縣北有馬蘭峪、復擊破綰軍沮陽、【集解】徐廣曰、在上谷、駰案、服虔曰、沮、音阻、【索隱】按地理志、沮陽縣、屬上谷、【正義】括地志云、上谷郡故城、在嬀州懷戎縣東北百二十里、燕上谷、秦因不改、漢爲沮陽縣、【考證】沈欽韓曰、一統志、沮陽故城、在宣化府懷來縣南、追至長城、【正義】即馬邑長城、亦名燕長城、在嬀州北、今是、【考證】沈濤曰、長城、蓋謂燕之長城、漢書匈奴傳、燕築長城、自造陽至襄城、師古云、造陽、地名、在上谷、今宣化郡北、古長城遺址、正義乃謂馬邑長城、馬邑在朔方、綰爲燕王、封燕胡地境、固不得至朔方也、定上谷十二縣、右北平十六縣、遼西遼東二十九縣、漁陽二十二縣、最從高帝、得相國一人、丞相二人、將軍二千石各三人、別破軍二、下城三、定郡五、縣七十九、得丞相大將各一人。【索隱】最、都凡也、謂總舉其從高祖攻戰克獲之數也、【正義】最者功多也、【考證】漢書無遼西二字、恐非、凌本、十二縣、譌十一縣、最索隱義長、沈家本曰、按漢志、上谷縣十五、右北平縣十六、遼西縣十四、遼東縣十八、漁陽十二、惟右北平同、餘異、殆漢時有所增益歟、勃爲人木彊敦厚。高帝以爲可屬大事。【考證】事詳于高紀、顏師古曰、木、謂質樸、屬、委也、愚按、論語子路篇、剛毅木訥、勃不好文學。

每召諸生說士、東鄉坐而責之。【集解】如淳曰、勃自東鄉坐、責諸生說士、不以賓主之禮、【考證】中井積德曰、東鄉、以客禮待之也、是使諸生東鄉、而己西鄉對之耳、韓信解廣武君縛、東鄉坐、西鄉對、與此正同、趣爲我語。其椎少文如此。【集解】瓚曰、令直言、勿稱經書也、韋昭曰、椎、不橈曲、直至如椎、【索隱】大顏云、俗謂愚爲鈍椎、音直追反、今按椎如字讀之、謂勃召說士、東向而坐責之云、趣爲我語、其質樸之性、以斯推之、其少文皆如此、【正義】責諸生說書急爲語、椎、若椎木無餘響、直其事、少文辭、【考證】中井積德曰、趣語、失談論之理耳、無干經書、又曰、椎、朴直無文采蘊藉也、愚按、椎、椎樸、椎魯之椎、鈍也、索隱讀爲推、非是、又按高紀、高帝評周勃云、重厚少文、勃既定燕而歸。高祖已崩矣。以列侯事孝惠帝。孝惠帝六年、置太尉官。【集解】徐廣曰、功臣表及將相表、皆高后四年始置太尉、【正義】下云、以勃爲太尉、十歲高后崩、按孝惠六年、高后八年崩、是十年耳、而功臣表及將相表云、高后四年置太尉官、未詳、【考證】張文虎曰、正義六年下、疑脫至字、以勃爲太尉。十歲高后崩。【考證】漢書、歲作年、呂祿以趙王爲漢上將軍、呂產以呂王爲漢相國、秉漢權、欲危劉氏。【考證】陳仁錫曰、太史公疊用三漢字、以別于呂、班氏去後二漢字、非也、勃爲太尉、不得入軍門。陳平爲丞相、不得任事。於

是勃與平謀、卒誅諸呂而立孝文皇帝。其語在呂后・孝文事中。文帝既立、以勃爲右丞相、賜金五千斤、食邑萬戶。居月餘、人或說勃曰、君既誅諸呂、立代王、威震天下、而君受厚賞、處尊位以寵。久之卽禍及身矣。勃懼、亦自危。乃謝請歸相印。上許之。【考證】居月餘、漢書作居十餘月、梁玉繩曰、案文紀百官表、勃爲右丞相、在孝文元年十月、其免相在八月、則首尾凡十一月、安得言月餘哉、漢傳是、徐孚遠曰、此與陳平傳所載不同、蓋勃既自以勿如平、又有人說之、解相印也、歲餘丞相平卒。【考證】梁玉繩曰、勃以元年八月免相、平以二年十月薨、中間止隔一月、安得言歲餘哉、當是月餘之誤、上復以勃爲丞相。十餘月、上曰、前日吾詔列侯就國。或未能行。丞相吾所重。其率先之。乃免相就國。歲餘、每河東守尉行縣至絳、絳侯勃自畏恐誅、常被甲、令家人持兵以見之。【考證】徐孚遠曰、文帝寬仁、絳侯就國、恐怖如此、蓋懲高帝時事耶、愚按、以此等事推之、文帝未必寬仁之人、其後人

有上書告勃欲反。集解徐廣曰、文帝四年時、下廷尉。廷尉下其事長安、逮捕勃治之。勃恐、不知置辭。考證顏師古曰、置、立也、辭、對獄之辭、吏稍侵辱之。勃以千金與獄吏。獄吏乃書牘背示之。集解李奇曰、吏所執簿、韋昭曰、牘、版、索隱簿、卽牘也、故魏志秦宓以簿擊頰、則亦簡牘之類也、曰。以公主爲證。公主者孝文帝女也。勃太子勝之尚之。集解韋昭曰、尚、奉也、不敢言娶、考證顏師古曰、尚、配也、凌稚隆曰、侯之子亦稱太子、故獄吏教引爲證。勃之益封受賜、盡以予薄昭。考證予所賜之金也、劉辰翁曰、封不可予、及繫急、薄昭爲言薄太后。太后亦以爲無反事。文帝朝。太后以冒絮提文帝。集解徐廣曰、提、音弟、駰案、應劭曰、陌、額、絮也、如淳曰、太后恚怒、遭得左右物提之也、晉灼曰、巴蜀異物志、謂頭上巾爲冒絮、索隱服虔云、綸絮也、提、音弟、又音啼、非也、蕭該音底、提者擲也、蕭音爲得、恚者嗔也、遭者逢也、謂太后嗔、乃逢冒絮、因以提帝、陌、音驀、貊之貊、方言云、幧巾、南楚之閒云陌額也、考證顏師古曰、冒、覆也、老人所以覆其頭、曰。絳侯綰皇帝璽、將兵於北軍、不以此時反。今居一小縣、顧

欲反邪。集解應劭曰、言勃誅諸呂、廢少帝、手貫璽、時尚不反、況今更有異乎、考證顏師古曰、綰、謂引結其組、文帝既見絳侯獄辭、乃謝曰。吏事方驗而出之。考證漢書無事字、王念孫曰、不當有事字、於是使使持節赦絳侯、復爵邑。絳侯既出曰。吾嘗將百萬軍。然安知獄吏之貴乎。絳侯復就國。孝文帝十一年卒。謚爲武侯。子勝之代侯。六歲尚公主、不相中。集解如淳曰、猶言不相合當、考證中井積德曰、不中、謂不和、坐殺人、國除。絕一歲、文帝乃擇絳侯勃子賢者河內守亞夫封爲條侯、集解徐廣曰、表皆作脩字、駰案、服虔曰、脩、音條、索隱地理志、條縣屬渤海郡、正義括地志云、故蓨城、俗名南條城、在德州蓨縣南十二里、漢縣、續絳侯後。條侯亞夫自未侯爲河內守時、許負相之。索隱應劭云、負、河內溫人、老嫗也、姚氏按楚漢春秋、高祖封負爲鳴雌亭侯、是知婦人亦有封邑、正義負、名也、非婦也、考證游俠傳云、郭解、善相人者許負外孫也、外戚世家云、魏媼之許負所相薄姬、其人男子、非婦也、漢書、改作國絕一年、弟亞夫復侯、亞夫爲河內守時、許負相之、蓋避重複也、曰。君後三歲而侯。侯八歲爲

將相、持國秉貴重矣。索隱秉、音柄、考證梁玉繩曰、野客叢書依蔡澤傳、疑秉下脫政字、恐非、秉卽柄也、於人臣無兩。其後九歲而君餓死。亞夫笑曰。臣之兄已代父侯矣。有如卒、子當代。亞夫何說侯乎。然既已貴、如負言、又何說餓死。指示我。許負指其口曰。有從理入口。此餓死法也。索隱從、音子容反、從理、橫理、考證顏師古曰、從、豎也、沈欽韓曰、冊府元龜八百三十五、梁褚蘿爲水軍都督、面甚尖危、有從理入口、時有庾夐、狀貌豐美、頤頰開張、人皆謂夐必爲方伯、無餒乏之慮、及魏討江陵、卒致飢死、蘿竟保衣食而終、此或別有故也、麻衣神異賦云、法令入口、鄧通餓死、野人家、騰蛇鎖脣、梁武飢亡臺城上、注、法令者口邊紋也、騰蛇卽法令紋也、梁武帝亦有此、卽此所謂從理入口也、居三歲、其兄絳侯勝之有罪。孝文帝擇絳侯子賢者。皆推亞夫。乃封亞夫爲條侯、續絳侯後。文帝之後六年、考證漢書無之字、宋、中統、游、毛本、年作歲、匈奴大入邊。乃以宗正劉禮爲將軍、軍霸上、正義廟記云、霸陵、卽霸上、按霸陵城、在雍州萬年縣東北二十五里、考證梁玉繩曰、禮是時未爲宗正、祝兹侯徐厲爲將

軍、軍棘門、正義孟康云、秦時宮也、括地志云、棘門、在渭北十餘里、秦王門名也、考證祝兹侯徐厲、當作松兹侯徐悍、說在文紀、以河內守亞夫爲將軍、軍細柳、正義括地志云、細柳倉、在雍州咸陽縣西南二十里也、以備胡。上自勞軍至霸上及棘門軍。直馳入。將以下、騎送迎。已而之細柳軍。軍士吏被甲、銳兵刃、彀弓弩持滿。索隱彀者張也、天子先驅至、不得入。先驅曰。天子且至。軍門都尉曰。將軍令曰。軍中聞將軍令。不聞天子之詔。索隱六韜云、軍中之事、不聞君命、考證類聚御覽引史、中下有但字、六韜、立將篇、沈欽韓曰、白虎通曰、大夫將兵、但聞將軍令、不聞君命也、居無何、上至。又不得入。於是上乃使使持節詔將軍、吾欲入勞軍。亞夫乃傳言開壁門。正義壁、音壁、壁門士吏謂從屬車騎曰。將軍約軍中不得驅馳。於是天子乃按轡徐行至營。考證古鈔本、營上有中字、與漢書合、將軍亞夫持兵揖曰。介冑之士、不拜。

請以軍禮見。【集解】應劭曰、禮、介者不拜、【索隱】應劭云、左傳、晉郤克三肅使者而退、杜預注、肅若今揖、鄭衆注周禮肅拜云、但俯下手、今時揖是、天子爲動、改容式車。【索隱】軾者、車前橫木、若上有敬、則俯身而憑之、使人稱謝。皇帝敬勞將軍。成禮而去。既出軍門。羣臣皆驚。文帝曰。嗟乎、此眞將軍矣。曩者霸上・棘門軍、若兒戲耳。其將固可襲而虜也。至於亞夫、可得而犯邪。稱善者久之。月餘、三軍皆罷。乃拜亞夫爲中尉。【正義】漢書百官表云、中尉、秦官、掌徼巡京師、武帝太初元年、更名執金吾、應劭云、吾者禦也、掌執金吾以禦非常、顏師古云、金吾、鳥名、主辟不祥、天子出行、職主先導、以備非常、故執此鳥之象、因以名官也、孝文且崩時、誡太子曰。卽有緩急、周亞夫眞可任將兵。文帝崩。拜亞夫爲車騎將軍。孝景三年、吳・楚反。亞夫以中尉爲太尉。【正義】漢書百官表云、太尉、秦官、掌武、元狩四年、置大將軍大司馬、卽今十二衛大將軍、及兵部尚書也、東擊吳・楚。因自請上曰。楚兵剽輕。難與爭鋒。【索隱】漢書、亞夫至淮陽、問鄧都尉、爲畫

此計、亞夫從之、今此云自請者、蓋此亦聞疑而傳疑、漢史得其實也、剽、音疋妙反、輕、讀從去聲、【考證】張照曰、按鄧都尉畫計、見吳王濞傳、馬遷固已兩存其說矣、況從人之畫、究須自請、索隱之說贅、王先謙曰、楚兵、總謂吳楚之兵、願以梁委之、絕其糧道、乃可制。【索隱】謂以梁委之於吳、使吳兵不得過也、亦有作餧音、亦通、上許之。太尉既會兵滎陽。【考證】今河南開封府滎陽縣、吳方攻梁。梁急請救。太尉引兵東北走昌邑、【考證】山東濟甯府金鄉縣、深壁而守。梁日使使請太尉。【考證】楓、三本、梁下有王字、太尉守便宜、不肯往。梁上書言景帝。景帝使使詔救梁。太尉不奉詔、堅壁不出。【考證】孫子九變篇云、將受命於君、合軍聚衆、途有所不由、軍有所不擊、城有所不攻、地有所不爭、君命有所不受、而使輕騎兵弓高侯等、絕吳・楚兵後食道。【索隱】韓頹當也、【正義】弓高、滄州縣也、【考證】韓王信子、自匈奴來降者、吳兵乏糧、飢、數欲挑戰。【考證】古鈔本、三條本、吳下有楚字、與漢書合、漢書無欲字、終不出。夜軍中驚、內相攻擊擾亂、至於太尉帳下。太尉終臥不起。【考證】漢書、終作堅、頃之復定。後吳

奔壁東南陬、【集解】如淳曰、陬、隅也、【索隱】音子侯反、太尉使備西北。已而其精兵果奔西北。不得入。【考證】劉奉世曰、兩陳相向、吳奔東南陬、則西北在陳後、何由奔之、蓋亞夫令備西南陬、傳者欲見能料敵反其所攻、不知遂失實也、愚按東南西北、皆就漢營而言、陳丞相世家、夜出女子滎陽東門、楚因擊之、漢王從城西門出去、可參、劉說誤、吳兵既餓。乃引而去。太尉出精兵追擊、大破之。吳王濞弃其軍、而與壯士數千人亡走、保於江南丹徒。【索隱】地理志、縣屬會稽、【正義】括地志云、丹徒故城、在潤州丹徒縣東南十八里、漢丹徒縣也、晉太康地志云、吳王濞反走丹徒、越人殺之於此城南、徐州記云、秦使赭衣鑿其地、因謂之丹徒、鑿處、今在故縣西北六里丹徒峴東南、連互盤紆屈曲、有象龍形、故秦鑿絕頂闕、百餘步、又夾阬龍首以毀其形、阬之所在、卽今龍月二湖、悉成田也、【考證】丹徒、江蘇鎭江府丹徒縣、漢兵因乘勝、遂盡虜之、降其兵、購吳王千金。月餘、越人斬吳王頭以告。【正義】越人、卽丹徒人、越滅吳、丹徒地屬楚、秦滅楚、後置三十六郡、丹徒縣屬會稽郡、故以丹徒爲越人也、【考證】陳仁錫曰、越人、卽東甌王、正義注謬、中井積德曰、正義宜言越滅吳、丹徒地屬越、楚滅越、丹徒又屬楚、蓋脫文、凡相攻守三月、而吳・楚破平。於是諸將乃以太尉計謀爲

是。由此梁孝王與太尉有郤。歸復置太尉官。五歲、遷爲丞相。景帝甚重之。景帝廢栗太子。丞相固爭之。不得。景帝由此疏之。而梁孝王每朝常與太后言條侯之短。竇太后曰。皇后兄王信可侯也。景帝讓曰。始南皮章武侯、先帝不侯。及臣卽位乃侯之。信未得封也。【集解】瓚曰、南皮竇彭祖、太后兄子、章武侯、太后弟廣國、【考證】太后兄卽長君、漢書注作弟、非是、竇太后曰。人主各以時行耳。【索隱】謂人主各當其時而行事、不必一一相法也、【正義】人主作人生、【考證】楓、三本、人主作人生、正義人主上疑脫漢書二字、自竇長君在時、竟不得侯。死後乃封其子彭祖顧得侯。【索隱】許愼注淮南子云、顧、反也、【考證】李笠曰、封字衍、漢傳無、吾甚恨之。【考證】王念孫曰、恨、悔也、商君傳、寡人恨不用公孫痤也、范雎傳、使臣卒然塡溝壑、君雖恨於臣、無可奈何、鼂錯傳曰、公言善、吾亦恨之、李將軍傳曰、將軍自念豈嘗有所恨乎、竝與此同、帝趣侯信也。景帝曰。請得與丞相議之。丞相議之。【考證】漢書、削丞相議之四字、崔適曰、丞相議之四字衍、

言、必是衍文、愚按、請與丞相議之記言之文、丞相議之記事之文、崔說誤、亞夫曰。高皇帝約、非劉氏不得王。非有功不得侯。不如約、天下共擊之。今信雖皇后兄、無功。侯之、非約也。【考證】董份曰、无功、侯之、非約、六字三句、景帝默然而止。其後匈奴王徐盧等五人降。【考證】梁玉繩曰、五人乃七人之誤、此人姓唯徐、名盧、似脫唯字、景帝欲侯之以勸後。丞相亞夫曰。彼背其主降陛下。陛下侯之、則何以責人臣不守節者乎。景帝曰。丞相議不可用。乃悉封徐盧等爲列侯。【索隱】功臣表、唯徐盧封容城侯、【考證】王維楨曰、不封王信、不封降奴、見條侯抗直不回、而景帝發怒所由也、亞夫因謝病。景帝中三年、以病免相。頃之景帝居禁中、召條侯賜食。獨置大胾、【集解】韋昭曰、胾、大臠也、音側吏反、【索隱】臠、音李轉反、謂肉臠也、【考證】沈欽韓曰、曲禮注、殽、骨體也、胾、切肉也、則胾正是切肉、無切肉者、蓋大臠也、荀子非相篇注、胾、臠也、無切肉。又不置櫡。條侯心不平。顧謂尚席、取櫡。【集解】應劭曰、尚席、主席者、【索隱】顧氏按、輿

服雜事云、六尚、尚席、掌武帳帷幔也、櫡、音筯、漢書作箸、箸者食所用也、留侯云、借前箸以籌之、禮曰、羹之有菜者用梜、梜亦箸之類、故鄭玄云、今人謂箸爲梜、是也、【考證】中井積德曰、尚席、蓋總掌筵席供帳之事者、景帝視而笑曰。此不足君所乎。【集解】孟康曰、設胾無筯者、此非不足滿於君所乎、嫌恨之、如淳曰、非故不足君之食具也、偶失之、【索隱】言不設箸者、此蓋非我意、於君有不足乎、故如淳云、非故不足君之食具、偶失之耳、蓋當然也、所以帝視而笑也、若本不爲足、當別有辭、未必爲之笑也、孟康皆灼、雖探古人之情、亦未必能得其實、顧氏亦同孟氏之說、又引魏武賜荀彧虛器、各記異說也、【正義】景帝視而笑曰、君於所食具不足乎、佯驚愕也、如淳云、非故不足君之食具、偶失之、【考證】張文虎曰、毛本作此非不足君所乎、凌引一本同、漢傳有非字、中井積德曰、言箸偶不足乎、謂非故意不置箸也、余有丁曰、按置胾不置箸、是景帝作意如此、以覘亞夫、乃亞夫怒形于色、故曰怏怏非少主臣、此亞父不善處危機也、條侯免冠謝。上起。【考證】漢書作免冠謝、上曰起、此上字下、蓋脫曰字、條侯因趨出。景帝以目送之曰。此怏怏者、非少主臣也。【考證】沈欽韓曰、御覽八十八引漢武故事曰、時太子在側、亞夫失意有怒色、太子視之不輟、亞夫于是起、帝曰、爾何故視此耶、對曰、此人面長、必能作賊、帝笑曰、此怏怏非少主臣也、中井積德曰、當據怏怏二字、想見條侯不平之顏色、居無何、條侯子爲父買工官尚方甲楯【集解】徐廣曰、一作西、【索隱】工官、卽尚方之工、所作物屬尚方、故云工官尚方、【正義】尚方、中工官名也、顏師古曰、上方、作禁器物色、

五百被、可以葬者。【集解】徐廣曰、音披、駰案如淳曰、工官、官名也、張晏曰、被、具也、五百具甲楯、取庸苦之、不予錢。【正義】庸、謂庸作也、苦、謂役使劇、而更不與價直也、庸知其盜買縣官器、【索隱】縣官、謂天子也、所以謂國家爲縣官者、夏官、王畿內縣卽國都也、王者官天下、故曰縣官也、【考證】中井積德曰、縣官、猶言公家也、本郡縣人之言、指各處縣治而言、遂轉爲指國家之言、是後世官府文字之類、難據文義作解、張文虎曰、索隱夏官二字疑衍、怒而上變告子。【考證】漢書、怒作怨、事連汙條侯。【索隱】汙、音烏故反、書既聞上、上下吏。吏簿責條侯。【集解】如淳曰、簿問、責其情、【考證】顏師古曰、簿責者、書之於簿、一一責問之也、中井積德曰、吏持簿而責問焉、所對輒上簿也、條侯不對。景帝罵之曰。吾不用也。【集解】孟康曰、不用汝對、欲殺之也、如淳曰、恐獄吏畏其復用事、不敢折辱、【索隱】孟康如淳已備兩解、大顏以孟說爲得、而姚察又別一解云、帝責此吏不得亞夫直辭、以爲不足任用、故召亞夫別詣廷尉使責問、【考證】中井積德曰、下吏簿責、不直付廷尉、是帝猶有優意、而欲有所宥赦也、然而亞夫恚不對、帝乃怒其不承當優意也、曰吾不復用汝矣、是棄之之辭也、召詣廷尉。【正義】景帝見條侯不對簿、因責罵之曰、吾不任用汝也、故召詣廷尉、使重推劾耳、餘說皆非也、廷尉責曰。君侯欲反邪。亞夫曰。臣所買器、乃葬器也。何謂反邪。吏曰。

君侯縱不反地上、卽欲反地下耳。吏侵之益急。初吏捕條侯。條侯欲自殺。夫人止之。以故不得死。遂入廷尉。因不食五日。嘔血而死。國除。絕一歲。景帝乃更封絳侯勃他子堅爲平曲侯、續絳侯後。十九年卒。謚爲共侯。子建德代侯。十三年、爲太子太傅。坐酎金不善、元鼎五年、有罪國除。【集解】徐廣曰、諸列侯坐酎金失侯者、皆在元鼎五年、但此辭句如有顛倒、【索隱】既云坐酎金不善、復云元鼎五年有罪國除、似重有罪、故云顛倒、而漢書云、爲太子太傅、坐酎金免官、後有罪國除、其文又錯也、按表、坐免官、至元鼎五年、坐酎金又失侯、所以二史記之各有不同也、【正義】坐酎金不善、皆在元鼎五年、金既不善、□有罪國除、史記□□以語顛倒、所以先儒致疑、班固見此文不善及有罪、將爲兩犯、修漢書卽云、坐酎金免官有罪國除、乃班氏大過、致令諸儒紛說也、【考證】顧炎武曰、當云元鼎五年坐酎金不善國除、衍有罪二字、梁玉繩曰、當云爲太子太傅、有罪免、十三年元鼎五年、坐酎金不善國除、應增免字、沈家本曰、按太子太傅漢傳同、而百官公卿表、元鼎五年平曲侯周建德爲太常、則非太子太傅也、條侯果餓死。死後景帝乃封王信爲蓋侯。【考證】洪頤煊曰、漢書周亞父傳同、恩澤侯表、蓋侯王信、景帝中五年五

月甲戌封、在亞父未死前二年、徐孚遠曰、條侯傳後著侯王信一語、所以明其得罪之由也、

太史公曰。絳侯周勃、始爲布衣時、鄙樸人也。才能不過凡庸。及從高祖定天下、在將相位。諸呂欲作亂。勃匡國家難、復之乎正。雖伊尹·周公、何以加哉。亞夫之用兵、持威重執堅刃。穰苴曷有加焉。足已而不學、【索隱】亞夫自以己之智謀足、而虛己不學古人、所以不體權變、而動有違忤、【考證】刄讀爲忍、張文虎曰、索隱不字、疑當在而下、守節不遜。【索隱】守節謂爭栗太子、不封王信徐盧等、不遜、謂顧尙席取箸、不對制獄、是也、【考證】中井積德曰、不遜、在守節中、非別項、沈家本曰、遜、順也、言不能遜順以自全也、故繼之曰、終以窮困、悲夫、傷之至、非責之也、終以窮困。悲夫。【索隱】述贊、絳侯佐漢、質厚敦篤、始擊碭東、亦圍尸北、所攻必取、所討咸克、陳豨伏誅、臧荼破國、事居送往、推功伏德、列侯還第、太尉下獄、繼相條侯、紹封平曲、惜哉賢將、父子代辱、

絳侯周勃世家第二十七　　史記五十七

史記會注考證卷五十八

漢　太　史　令　司　馬　遷　撰

宋中郎外兵曹參軍裴　駰集解

唐國子博士弘文館學士司馬貞索隱

唐諸王侍讀率府長史張守節正義

日　本　出　雲　瀧　川　資　言　考　證

梁孝王世家第二十八　史記五十八

考證史公自序云、七國叛逆、蕃屏京師、唯梁爲扞、偵愛矜功、幾獲于禍、嘉其能距吳楚、作梁孝王世家第二十八、柯維騏曰、按太史公自序、於梁王云、七國叛逆、惟梁爲扞、

於五宗云、五宗既王、親屬洽和、他如楚元王云、爲漢宗藩、荊燕云、爲漢藩輔、齊悼惠王云、實鎭東土、此諸王、有功於漢、不論親疎、不論享國修短、俱得名世家、乃若吳王淮南衡山之屬、既無藩輔之功、而其子孫又首倡叛逆、或犯姦惡、自取滅亡、故降爲列傳、不得與諸王比也、蕭曹平勃張良列之世家、而彭韓黥樊諸人只列爲傳、意亦如此、乃若陳涉、亦名世家、天下亡秦、由涉首事、其功足多也、

梁孝王武者、孝文皇帝子也。而與孝景帝同母。母、竇太后也。

孝文帝凡四男。長子曰太子。是爲孝景帝。次子武。次子參。次子勝。正義漢書、勝作揖、又云、諸姬生代孝王參、梁懷王揖、言諸姬者、衆妾卑賤、史不書姓、故云諸姬也、考證齊召南曰、懷王名、世家及史表作勝、孝文本紀作揖、漢書賈誼傳作勝、紀及本傳作揖、李奇云、懷王有兩名、理或然也、孝文帝卽位二年、以武爲代王。集解徐廣曰、都中都、正義括地志云、中都故城在汾州平遙縣西十二里、以參爲太原王、集解徐廣曰、都晉陽、正義括地志云、幷州太原地名大明城、卽古晉陽城、智伯與韓魏攻趙襄子於晉陽、卽此城是也、考證中井積德曰、正義宜言太原幷州地名也、蓋錯文、以勝爲梁王。集解徐廣曰、都睢陽、索隱漢書梁王名揖、蓋是矣、按景帝子中山靖王名勝、是史記誤耳、正義括地志云、宋州宋城縣、在州南二里外城中、本漢之睢陽縣也、漢文帝封子

武於大梁、以其卑溼、徙睢陽、故改曰梁也、考證睢陽、今河南商邱縣南、二歲、徙代王爲淮陽王。集解徐廣曰、都陳、正義卽古陳國城也、以代盡與太原王、號曰代王。考證古鈔本、以上有而字、參立十七年、孝文後二年卒。諡爲孝王。子登嗣立。是爲代共王。立二十九年、考證古鈔本、立上有共王二字、元光二年卒。子義立。是爲代王。考證中井積德曰、是字疑衍、十九年、漢廣關、以常山爲限、而徙代王王清河。集解徐廣曰、都清陽、正義括地志云、清陽故城、在貝州清陽縣西北八里也、考證漢書文三王傳、限作阻、注、顏師古云、依山以爲關、武帝紀、元鼎三年冬、徙函谷關於新安、以故關爲弘農縣、清河王徙、以元鼎三年也。初武爲淮陽王。十年而梁王勝卒。諡爲梁懷王。懷王最少子、愛幸異於他子。其明年、徙淮陽王武爲梁王。梁王之初王梁、孝文帝之十二年也。梁王自初王通歷已十一年矣。索隱謂自文帝二年初封代、後徙淮陽、又徙梁、通數文帝二年至十二年徙梁、爲十一年也、梁王

十四年、入朝。十七年、十八年、比年入朝、留。考證顏師古曰、比、頻也、留、謂留在京師、其明年、乃之國。二十一年、入朝。二十二年、孝文帝崩。二十四年、入朝。二十五年、復入朝。是時上未置太子也。上與梁王燕飲。嘗從容言曰。千秋萬歲後、傳於王。王辭謝。雖知非至言、然心內喜。太后亦然。考證事又見魏其侯傳、至言、誠直之言、其春、吳・楚・齊・趙七國反。吳・楚先擊梁棘壁。集解文穎曰、地名、索隱按左傳、宣公二年、宋華元戰于大棘、杜預云、在襄邑東南、蓋卽棘壁是也、正義括地志云、大棘故城、在宋州寧陵縣西南七十里、考證楓三本、其下春上、有言字、屬上讀、殺數萬人。梁孝王城守睢陽。而使韓安國・張羽等爲大將軍以距吳・楚。吳・楚以梁爲限、不敢過而西。與太尉亞夫等相距三月。吳・楚破、而梁所破殺虜略、與漢中分。集解漢書音義曰、梁所虜吳楚之捷、略與漢等、考證略字屬上句、取也、中分、相若也、莊子德充符、王駘兀者也、從之遊者、與夫子中分魯、

漢書刪破字、略字屬下讀、周壽昌曰、梁孝王時人材頗多、汲黯傳中、傅伯、應劭注、梁人爲孝王將、素杭直、儒林傳、丁寬爲梁孝王將軍距吳楚、皆在此役者也、明年、漢立太子。其後梁最親有功。又爲大國、居天下膏腴地。地北界泰山、西至高陽、四十餘城。皆多大縣。〔集解〕徐廣曰、高陽、在陳留圉縣、駰案司馬彪曰、圉有高陽亭也、〔索隱〕圉縣、屬陳留、高陽、鄉名也、注引司馬彪者、出續漢書郡國志也、〔考證〕漢書刪皆字、孝王、竇太后少子也。愛之。賞賜不可勝道。〔考證〕楓、三本、孝上有梁字、於是孝王築東苑。〔索隱〕築、謂建也、白虎通云、苑所以東者何、蓋以東方生物故也、方三百餘里。〔索隱〕蓋言其奢、非實辭、或者梁國封域之方、〔正義〕括地志云、兎園、在宋州宋城縣東南十里、葛洪西京雜記云、梁孝王苑中、有落猨巖栖龍岫鴈池鶴洲鳧島、諸宮觀相連、奇果佳樹瑰禽異獸、靡不畢備、俗人言梁孝王竹園也、〔考證〕今本西京雜記云、梁孝王好營宮室苑囿之樂、作曜華之宮、築兎園、園中有百靈山、山有膚寸石落猿巖棲龍岫、又有雁池、池間有鶴洲鳧渚、其諸宮觀相連、延亙數十里、奇果異樹瑰禽怪獸畢備、王日與宮人賓客弋釣其中、正義及下文索隱所引約之也、中井積德曰、東苑、以築東方而名耳、梁玉繩曰、御覽百五十九引史曰、梁孝王築東苑三百里、是曰兎園、今本無兎園句、廣睢陽城七十里。〔索隱〕蘇林云、廣其徑也、太康地理記云、城方十三里、梁孝王築之、鼓倡節杵、而後下和之者稱睢陽曲、今踵以爲故所以樂

家有睢陽曲、蓋采其遺音也、〔考證〕廣、廣大城市也、索隱地理記、當作地記、大治宮室、爲複道、自宮連屬於平臺三十餘里。〔集解〕徐廣曰、睢陽有平臺里、駰案如淳曰、在梁東北、離宮所在也、晉灼曰、或說在城中東北角、〔索隱〕如淳云、在梁東北、離宮所在者、按今城東二十里臨新河、有故臺址、不甚高、俗云平臺、又一名脩竹苑、西京雜記云、有落猿巖鳧洲鴈渚、連亙七十餘里、是也、〔考證〕御覽引史、爲上有又字、於作諸、沈欽韓曰、任昉述異記、梁孝王平臺、至今存、有蒹葭洲鳧藻洲梳洗潭、元和志、平臺、在宋州虞城縣西四十里、得賜天子旌旗。出從千乘萬騎。〔索隱〕漢官儀曰、天子法駕三十六乘、大駕八十一乘、皆備千乘萬騎而出也、東西馳獵、擬於天子。出言蹕、入言警。〔索隱〕漢舊儀云、皇帝輦動稱警、出殿則傳蹕、止人清道、言出入者、互文耳、入亦有蹕、招延四方豪桀。自山以東游說之士、莫不畢至。齊人羊勝·公孫詭·鄒陽之屬。公孫詭多奇邪計。〔索隱〕周禮有奇衺之人、鄭玄云、奇衺、譎怪非常也、奇、音紀宜反、邪、音斜也、初見。王賜千金。官至中尉。梁號之曰公孫將軍。梁多作兵器弩弓矛數十萬。而府庫金錢且百巨萬。〔索隱〕如淳云、巨亦大、與大百萬同也、韋昭云、大百萬、今萬萬、珠玉寶器、多於

京師。二十九年十月、梁孝王入朝。景帝使使持節、乘輿駟馬、迎梁王於關下。〔集解〕鄧展曰、但將駟馬往、瓚曰、稱乘輿駟馬、則車馬皆往、言不駕六馬耳、天子副車駕駟馬、〔正義〕乘者載也、輿者車也、天子當乘輿以行天下、不敢指斥天子、故曰乘輿、〔考證〕沈欽韓曰、續輿服志、乘輿所御駕六、餘皆四、故石慶爲上御、擧策言六馬、按此蓋禮之佐車、秦漢爲副車、張文虎曰、淩本、關譌闕、既朝。上疏因留。以太后親故。王入則侍景帝同輦、出則同車游獵、射禽獸上林中。梁之侍中郎謁者、著籍引出入天子殿門。〔正義〕著、竹略反、籍、謂名簿也、若今通引出入門也、〔考證〕王先謙曰、百官表、諸侯有謁車郎、與漢宦官無異。〔考證〕張文虎曰、疑衍宦字、十一月、上廢栗太子。竇太后心欲以孝王爲後嗣。大臣及袁盎等、有所關說於景帝。〔索隱〕袁盎云、漢家法周道立子、是有所關涉之說於帝也、一云、關者隔也、引事而關隔其說、不得行也、〔考證〕佞幸傳序、公卿皆因關說、索隱云、關、通也、公卿因之而通其詞說、劉氏云、有所言說、皆關由之、中井積德曰、關、與關白之關同、不徑白太后、乃說於帝以通于太后也、竇太后議格。〔集解〕如淳曰、攱閣不得下、〔索隱〕張晏云、格、止也、服虔云、格、謂格閣不行、蘇林音閣、周成雜字、攱閣也、通俗

文云、高置立攱棚、云攱閣、字林音紀、又音詭也、〔考證〕議、諸本作義、今從淩所引一本、漢書作議、中井積德曰、格、謂沮拒也、亦遂不復言以梁王爲嗣事。〔考證〕漢書、作孝王不敢復言太后以嗣事、與史義異、由此以事祕世莫知。〔考證〕漢書、無由此二字、乃辭歸國。其夏四月、上立膠東王爲太子。梁王怨袁盎及議臣、乃與羊勝·公孫詭之屬、〔考證〕漢書、屬下有謀字、此疑脫、陰使人刺殺袁盎及他議臣十餘人。逐其賊未得也。於是天子意梁王。〔索隱〕謂意疑梁刺之、〔考證〕李笠曰、下云、逐賊、果梁使之、此逐字、卽涉下文誤衍、漢書無王字、逐賊、果梁使之。乃遣使冠蓋相望於道、〔考證〕使者往來不絕也、覆按梁、捕公孫詭·羊勝。公孫詭·羊勝匿王後宮。使者責二千石急。梁相軒丘豹及內史韓安國進諫王。〔正義〕姓軒丘、名豹也、王乃令勝·詭皆自殺出之。〔考證〕事詳于韓長孺傳、上由此怨望於梁王。梁王恐、乃使韓安國因長公主謝罪太后、然

後得釋。【考證】歸有光曰、按安國傳、因長公主謝太后、事在前、非爲勝詭事、疑世家誤也、王先謙曰、此與漢書鄒陽傳合、互證安國傳、梁兩次皆安國因長公主入言得釋、上怒稍解。因上書請朝。既至關。茅蘭說王使乘布車、【集解】漢書音義曰、茅蘭、孝王臣、張晏曰、布車、降服自比喪人、【正義】以布衣車也、【考證】顧炎武曰、乘布車、謂微服而行、使人不知耳、無降服自比喪人之意、沈欽韓曰、太后尚存、而謂王自比喪人、決非當日情事、顧說是、王先謙曰、史表、三十一年來朝、從兩騎入、匿於長公主園。漢使使迎王。王已入關、車騎盡居外、不知王處。太后泣曰。帝殺吾子。景帝憂恐。於是梁王伏斧質於闕下謝罪。然後太后·景帝大喜相泣。復如故。悉召王從官入關。然景帝益疏王、不同車輦矣。三十五年冬、復朝、上疏欲留。上弗許。【考證】王先謙曰、三十五年、景帝中六年、楓三本、朝上有入字、陳文燭曰、曰比年入朝留、曰既朝上疏因留、曰冬復朝上疏欲留、見皆出自梁王意、有窺伺神器之心、淩稚隆曰、此篇關鍵在未置太子、立太子、廢太子、又立太子四句上、歸國、意忽忽不樂。北獵良山。【索隱】漢書作梁山、述征記云、良山際清水、今壽張縣南有良山、服虔云、是此山也、

【正義】括地志云、梁山在鄆州壽張縣南三十五里、卽獵處也、有獻牛足出背上。孝王惡之。【索隱】張晏云、足當處下、所以輔身也、今出背上、象孝王背朝以干上也、北者陰也、又在梁山、明爲梁也、牛者丑之畜、衝在六月、北方數六、故六月六日薨也、【考證】中井積德曰、牛異失常、故惡之耳、注占解妄甚、所謂六日者病中之日數耳、非謂月之第六日也、愚按、以十二支配十二神、漢初未有其事、趙氏陔餘叢考論之詳矣、六月中、病熱。六日卒。諡曰孝王。【索隱】述征記、碭有梁孝王之冢、【考證】史漢兩紀、梁孝王以景帝中六年四月薨、孝王慈孝、每聞太后病、口不能食、居不安寢、常欲留長安侍太后。【考證】楓山本、寢作席、太后亦愛之。及聞梁王薨、竇太后哭極哀不食。曰。帝果殺吾子。景帝哀懼、不知所爲、【考證】陳懿典曰、前曰帝殺吾子、此曰帝果殺吾子、見太后溺愛不明、前曰景帝憂恐、此曰景帝哀懼、見景帝之孝友、描寫一時情狀如畫、而於是字、然後字、及字、乃字、不輕放下、與長公主計之、乃分梁爲五國、盡立孝王男五人爲王。【索隱】長子買梁共王、子明濟川王、子彭離濟東王、子定山陽王、子不識濟陰王、女五人皆食湯沐邑。於是奏之太后。太后乃說、爲帝加壹飡。梁孝

王長子買爲梁王。是爲共王。子明爲濟川王。子彭離爲濟東王。子定爲山陽王。子不識爲濟陰王。【考證】張文虎曰、子明爲濟川王、子彭離爲濟東王、子定爲山陽王、子不識爲濟陰王四句、疑非史文、乃後人妄增、小司馬所據本無、故於後分梁爲五國下注之、史於濟川等四王皆提梁孝王子、若此處已見、則後文屋下架屋矣、凡史中似此者可類推、孝王未死時、財以巨萬計、不可勝數。及死藏府餘黃金尚四十餘萬斤。他財物稱是。梁共王三年、景帝崩。共王立七年卒。子襄立。是爲平王。【考證】梁玉繩曰、王襄卒于天漢四年、史不得稱諡、必褚生妄易也、依上文是爲代王之例、當作是爲梁王、梁平王襄。【索隱】漢書作讓、【考證】今漢書亦作襄、十四年、母曰陳太后。共王母曰李太后。李太后、親平王之大母也。【考證】顏師古曰、太母、祖母也、恭王卽李太后所生、故云親祖母也、而平王之后姓任、曰任王后。任王后甚有寵於平王襄。初孝王在時、有罍樽、直千金。【集解】鄭德曰、上蓋刻爲雲雷象、【索隱】應劭曰、詩云、酌彼金罍、罍者畫雲雷之象、以金

飾之、【考證】沈欽韓曰、按司尊彝六尊皆有罍、則形模各如尊、而其刻鏤皆爲雷文也、博古圖有犧首罍象壺、皆雷文、此漢寶古器之始、孝王誡後世、善保罍樽、無得以與人。任王后聞而欲得罍樽。平王大母李太后曰。先王有命、無得以罍樽與人。他物雖百巨萬猶自恣也。【考證】王先謙曰、猶與由同、任王后絕欲得之。【考證】絕、猶甚也、極也、平王襄直使人開府、取罍樽賜任王后。李太后大怒。漢使者來。欲自言。平王襄及任王后遮止閉門。李太后與爭門、措指。【集解】晉灼曰、許愼云、措、置字、借以爲笮、【索隱】措、音迮、側格反、漢書王陵傳、迫迮前隊、皆作此字、說文云、迫、笮也、謂爲門扉所笮、【考證】措讀爲笮、笮、壓迫也、門扉猝閉、而指未出、爲所迫壓、遂不得見漢使者。李太后亦私與食官長及郎中尹霸等士通亂。【正義】張先生舊本、有士字、先生疑是衍字、又不敢除、故以朱大點其字中心、今按食官長及郎中尹霸等、是士人、太后與通亂、其義亦通也、【考證】張文虎曰、舊刻官、與漢書合、各本作宮、愚按、古鈔本亦作官、沈家本曰、士字衍、正義曲爲之說、非也、漢書無、而王與任王后、以此使人風止李太

后。【考證】顏師古曰、風、讀曰諷、諷止者、止其自言也、 李太后內有淫行、亦已。後病薨。病時任后未嘗請病。【考證】張文虎曰、毛本、任下有皇字、疑王之譌、各本無張晏曰、請、問也、 薨又不持喪。元朔中、睢陽人類犴反者、【索隱】韋昭云、犴、音岸、按類犴反、人姓名也、反字或作友、【考證】漢書、人下脫類字、 人有辱其父。而與淮陽太守客出同車。【考證】淮陽郡與梁接壤、漢書作睢陽、誤、睢陽梁都、無太守、 太守客出下車。類犴反殺其仇於車上而去。淮陽太守怒、以讓梁二千石。二千石以下、求反甚急。執反親戚。反知國陰事。乃上變事、具告知王與大母爭樽狀。時丞相以下見知之。【考證】告下知字、漢書無、此衍、時上添且曰二字、看見知、律文、漢書刪丞字、張文虎曰、中統、游、淩本見作具、 欲以傷梁長吏。其書聞天子。【考證】漢書、刪其字天子字、 天子下吏驗問。有之。公卿請廢襄爲庶人。天子曰。李太后有淫行。而梁王襄無良師傅。故陷不義。乃削梁

八城、梟任王后首于市。梁餘尚有十城。【考證】錢大昕曰、漢書云、削梁王五縣、梁餘尚有八城、未知誰是、 襄立三十九年卒。謚爲平王。【考證】張文虎曰、中統、游本、九作餘、愚按、漢書三十九年作四十年、王先謙曰、表同漢書、襄卒於天漢四年、史記誤、梁玉繩曰、襄立以下十九字、褚生妄增、 子無傷立爲梁王也。濟川王明者梁孝王子。以桓邑侯孝景中六年爲濟川王。【索隱】地理志、桓邑闕、 七歲、坐射殺其中尉。【考證】梁玉繩曰、中尉、疑中傅之誤、史漢興年表、漢表、皆作中傅、後書清河孝王慶傳、中傅名凡二見、注云、官名、猶少傅也、應劭漢書武紀注、以中傅爲宦者、未知何據、果如劭說、王雖殘暴、不過殺一宦豎、何故廢遷乎、漢書武紀云、殺太傅中傅、徐廣注史諸侯王表、坐射殺中傅、云一作太傅、史似有缺、師傅之尊、選自帝廷、而王擅殺之、其罪宜誅、廢遷房陵、猶從末減也、 漢有司請誅。天子弗忍誅、廢明爲庶人、遷房陵。地入于漢爲郡。【考證】錢大昕曰、漢志、無濟川郡、亦不言濟川郡所在、予嘗讀水經注、引應劭說、濟川今陳留濟陽縣是也、乃知陳留卽濟川故地、志稱、陳留郡武帝元狩元年置、不言故屬梁國者、史之闕也、濟川國除、在武帝建元三年、其時當爲濟川郡、至元狩初、移至陳留、乃改爲陳留郡爾、 濟東王彭離者、梁孝王子。以孝景中六年爲濟東王。

二十九年、彭離驕悍、無人君禮。昏暮私與其奴亡命少年數十人行剽、殺人取財物以爲好。【集解】如淳曰、以是爲好喜之事、 所殺發覺者百餘人。國皆知之、莫敢夜行。所殺者子上書言。漢有司請誅。上不忍、廢以爲庶人、遷上庸。地入于漢、爲大河郡。【考證】沈家本曰、漢表無大河郡、豈後廢耶、 山陽哀王定者、梁孝王子。以孝景中六年爲山陽王。九年卒。無子。國除。地入于漢、爲山陽郡。濟陰哀王不識者、梁孝王子。以孝景中六年爲濟陰王。一歲卒。無子。國除。地入于漢爲濟陰郡。

太史公曰。梁孝王雖以親愛之故、王膏腴之地、然會漢家隆盛、百姓殷富、故能植其財貨、廣宮室、車服擬於天子。然亦僭

矣。【考證】植、殖通、

褚先生曰。臣爲郎時、聞之於宮殿中老郎吏好事者稱道之也。竊以爲令梁孝王怨望、欲爲不善者、事從中生。【考證】張文虎曰、游、王、柯、凌本令譌今、 今太后、女主也。以愛少子故、欲令梁王爲太子。大臣不時正言其不可狀、【考證】洞本、時作持、愚按當作特、 阿意治小、私說意以受賞賜。非忠臣也。【考證】二意字、其一有誤、 齊如魏其侯竇嬰之正言也、【索隱】竇嬰、袁盎皆言、如周家立子、不合立弟、【正義】齊、等也、【考證】此句屬下讀、李笠曰、齊如、猶云一如也、 何以有後禍。景帝與王燕見、侍太后飲。景帝曰。千秋萬歲之後傳王。太后喜說。竇嬰在前。據地言曰。漢法之約、傳子適孫。今帝何以得傳弟、擅亂高帝約乎。於是景帝默然無聲。太后意不

說。故成王與小弱弟立樹下、取一桐葉以與之曰。吾用封汝。周公聞之、進見曰。天王封弟甚善。成王曰。吾直與戲耳。周公曰。人主無過擧。不當有戲言。言之必行之。於是乃封小弟以應縣。【索隱】此說與晉系家不同、事與封叔虞同、彼云封唐、此云封應、應亦成王之弟、或別有所見、故不同、【正義】括地志云、故應城、故應鄉也、在汝州魯山縣東四十里、呂氏春秋云、成王戲削桐葉爲圭、以封叔虞、非應侯也、又汲冢古文云、殷時已有應國、非成王所造也、　是後成王沒齒不敢有戲言。言必行之。孝經曰。非法不言。非道不行。此聖人之法言也。今主上不宜出好言於梁王。梁王上有太后之重。驕蹇日久。數聞景帝好言千秋萬世之後傳王、而實不行。又諸侯王朝見天子、漢法、凡當四見耳。始到、入小見。到正月朔旦、奉皮薦璧玉、賀正月、法見。【考證】薦、藉也、　後三

日、爲王置酒、賜金錢財物。後二日、復入小見辭去。凡留長安不過二十日。小見者、燕見於禁門內、飲於省中。非士人所得入也。【考證】凌稚隆曰、漢諸侯王朝見期法具此、　今梁王西朝、因留、且半歲。入與人主同輦、出與同車、示風以大言、而實不與。令出怨言、謀畔逆。乃隨而憂之。不亦遠乎。非大賢人不知退讓。今漢之儀法、朝見賀正月者、常一王與四侯俱朝見。十餘歲一至。【考證】凌稚隆曰、漢諸侯王朝見期法具此、　今梁王常比年入朝見、久留。鄙語曰。驕子不孝。非惡言也。故諸侯王當爲置良師傅相忠言之士、如汲黯・韓長孺等、敢直言極諫。安得有患害。蓋聞梁王西入朝、謁竇太后。燕見、與景帝俱侍坐於太后前。語言私說。

【考證】楓山本、私作和、　太后謂帝曰。吾聞殷道親親。周道尊尊。其義一也。【索隱】殷人尚質、親親、謂親其弟而授之、周人尚文、尊尊、謂尊祖之正體、故立其子、尊其祖也、【考證】楊愼曰、殷道親親二句、出尙書緯、　安車大駕、用梁孝王爲寄。【考證】太后之言、至此、中井積德曰、安車、大駕、疑當作大車、晏駕、愚按安車、太后自言、大駕猶言大行、孝字衍、言吾百歲之後、以梁王託帝也、　景帝跪席擧身曰。諾。罷酒出。帝召袁盎諸大臣通經術者曰。太后言如是。何謂也。皆對曰。太后意欲立梁王爲帝太子。帝問其狀。袁盎等曰。殷道親親者立弟。周道尊尊者立子。殷道質。質者法天、親其所親。故立弟。周道文。文者法地、尊者敬也。敬其本始。故立長子。周道太子死、立適孫。殷道、太子死、立其弟。帝曰。於公何如。皆對曰。方今漢家法周。周道不得立弟。當立子。故春秋所以非宋宣公。

宋宣公死。不立子而與弟。弟受國死。復反之與兄之子。弟之子爭之。以爲我當代父後。即刺殺兄子。以故國亂、禍不絕。故春秋曰。君子大居正。宋之禍、宣公爲之。【正義】大、謂崇大、【考證】隱公三年公羊傳、　臣請見太后白之。袁盎等入見太后。太后言欲立梁王。梁王即終、欲誰立。【考證】李笠曰、見太后下、脫曰字、太后言至欲誰立、皆盎等言也、故即承太后曰、吾復立帝子、今脫曰字、賓主不斷、文不成義矣、　太后曰。吾復立帝子。袁盎等以宋宣公不立正生禍、禍亂後五世不絕、小不忍害大義狀報太后。太后乃解說。【正義】解、閑買反、說、音悅、　即使梁王歸就國。而梁王聞其義出於袁盎諸大臣所、怨望。【考證】楓三本、毛本、凌引一本、義作議、　使人來殺袁盎。袁盎顧之曰。我所謂袁將軍者也。公得毋誤乎。刺者曰。是矣。刺

之置其劍。劍著身。視其劍、新治。問長安中削厲工。考證岡白駒曰、削、劍室也、厲、磨石、謂作劍室及磨礪劍者、工曰。梁郞某子、來治此劍。索隱謂梁國之郞、是孝王官屬、某子、史失其姓名也、以此知而發覺之、發使者捕逐之。獨梁王所欲殺大臣十餘人。文吏窮本之、謀反端頗見。太后不食。日夜泣不止。景帝甚憂之。問公卿大臣。大臣以爲遣經術吏往治之、乃可解。於是遣田叔·呂季主往治之。此二人皆通經術知大禮。來還至霸昌廐。正義括地志云、漢霸昌廐、在雍州萬年縣東北三十八里、取火悉燒梁之反辭。但空手來對景帝。景帝曰。何如。對曰。言梁王不知也。考證言字恐衍、造爲之者、獨其幸臣羊勝·公孫詭之屬爲之耳。謹以伏誅死。梁王無恙也。景帝喜說曰。急趨謁太后。太

后聞之、立起坐飡、氣平復。考證楓、三本、飡下有食字、氣下有力字、故曰。不通經術、知古今之大禮、不可以爲三公及左右近臣。少見之人、如從管中闚天也。考證梁玉繩曰、桐葉封應、與晉世家異、燒梁反辭、與田叔傳不合、恐皆非事實、惟所言漢諸侯王朝見朞法、可補漢史之缺、

索隱述贊文帝少子、徙封於梁、太后鍾愛、廣築睢陽、旌旂警蹕、勢擬天王、功扞吳楚、計醜孫羊、竇嬰正議、袁盎劫傷、漢窮梁獄、冠蓋相望、禍成驕子、致此猖狂、雖分五國、卒亦不昌、

梁孝王世家第二十八　史記五十八

史記會注考證卷五十九

漢　太　史　令　司　馬　遷　撰
宋　中　郎　外　兵　曹　參　軍　裴　駰　集　解
唐　國　子　博　士　弘　文　館　學　士　司　馬　貞　索　隱
唐　諸　王　侍　讀　率　府　長　史　張　守　節　正　義
日　本　出　雲　瀧　川　資　言　考　證

五宗世家第二十九　史記五十九

[索隱]景帝子十四人、一武帝、餘十三人爲王、漢書謂之景十三王、此名五宗者、十三人爲王、其母五人、同母者爲宗也、[考證]史公自序云、五宗既王、親屬洽和、諸侯大小

爲藩、爰得其宜、僭擬之事稍衰貶矣、作五宗世家、第二十九、王鳴盛曰、五宗世家凡十三人、皆景帝子、以其母五人所生、號爲五宗、殊屬無理、漢書改爲景十三王傳、是也、方苞曰、明其異於古之宗法、黃震曰、景帝十三王、惟河間最賢、其學甚正、雖當時士大夫、亦鮮及之、餘率驕恣自滅、大率漢之封建、非特城邑過制、亦失雖有周親不如仁人之意、故適足以禍之、

孝景皇帝子凡十三人爲王。而母五人。同母者爲宗親。栗姬子曰榮・德・閼于。[索隱]閼、音遏、漢書、無于字、[考證]梁玉繩曰、史漢紀表傳俱云、臨江哀王閼、無于字、乃此兩書臨江之名皆作閼于、蓋誤也、程姬子曰餘・非・端。賈夫人子曰彭祖・勝。唐姬子曰發。王夫人兒姁子曰越・寄・乘・舜。[索隱]姁、況羽反、兒姁、夫人名也、王皇后之妹也、

河閒獻王德、[索隱]漢書云、大行令奏諡法曰、聰明睿智曰獻、以孝景帝前二年、用皇子爲河閒王。好儒學。被服造次、必於儒者。山東諸儒多從之游。二十六年卒。[集解]漢名臣奏、杜業奏曰、河閒獻王經術通明、積德累行、天下雄俊衆儒皆歸之、孝武帝時、獻王朝、被服造次、必於仁義、問以五策、獻王輒對無窮、孝武帝艴然難之、謂獻王曰、湯以七十里、文王百里、王

其勉之、王知其意、歸即縱酒聽樂、因以終、[索隱]注問以五策、按漢書詔策問三十餘事、被服造次、按小顏云、被服、言常居處其中也、造次、謂所向所行皆法於儒者、[考證]楓山本、之作而、中井積德曰、此被服、只謂其衣服耳、不當據班史作解、造次、當用論語解、何焯曰、漢書云、獻王薨、中尉常麗以聞、曰、王身端行治、溫仁恭儉、篤敬愛下、明知深察、惠于鰥寡、大行令奏諡法曰、聰明睿知曰獻、宜諡曰獻王、襃崇若此、知杜業語爲無稽、齊召南曰、漢代賢王、河閒稱首、史五宗世家太簡略、漢書補作、愚按、漢書景十三王傳云、河閒獻王修學好古、實事求是、從民得善書、必爲好寫與之、留其眞、加金帛賜以招之、繇是四方道術之人、不遠千里、或有先祖舊書、多奉以奏獻王者、故得書多與漢朝等、是時淮南王安亦好書、所招致、率多浮辯、獻王所得書、皆古文先秦舊書、周官尚書禮禮記孟子老子之屬、皆經傳說記、七十子之徒所論、其學舉六藝、立毛氏詩左氏春秋博士、修禮樂、被服儒術、造次必於儒者、山東諸儒者從而游、武帝時、獻王來朝、獻雅樂、對三雍宮、及詔策所問三十餘事、其對推道術而言、得事之中、文約指明、戴震河閒獻王傳經考云、漢初六藝所散而復集、文帝時、詩始萌芽、獨有魯詩、景帝時有齊詩韓詩、而毛公爲詩故訓傳三十卷、鄭康成六藝論云、獻王號之曰毛詩、漢書儒林傳贊、武帝立五經博士、書歐陽禮后易楊春秋公羊、僅臚四經者、魯齊韓三家之詩已立文景閒矣、趙岐孟子題辭曰、文帝欲廣文學之路、論語孝經孟子爾雅、皆置博士、此事史家闕略不載、又曰、後罷傳記博士、獨立五經、蓋言罷於武帝也、宣帝更立大小夏侯尚書大小戴禮施孟梁丘易穀梁春秋、元帝立京氏易、平帝立左氏春秋毛詩逸禮古文尚書、而周官經劉歆末年知周公致太平之迹具於斯、始有傳者、凡羣經傳記之先後表見於漢大致可考如此、今三家詩亡、而毛詩獨存、昔儒論治春秋、可無公羊穀梁、不可無左氏、當景帝武帝之間、六藝初出、羣言未定、獻王

乃立毛氏詩左氏春秋博士、識固卓卓、景十三王傳稱獻王所得書、皆古文先秦舊書、周官、尚書、禮、禮記、孟子、老子之屬、皆經傳說記、七十子之徒所論、陸德明經典釋文序錄云、景帝時、河南獻王好古、得古禮獻之、或曰、河間獻王開獻書之路、時有李氏、上周官五篇、失事官一篇、乃購千金不得、取考工記補之、陸氏引或曰者、無明據也、然本傳列獻王所得書、首周官、漢經師未聞以教授、馬融周官傳謂入於祕府、五家之儒莫得見是也、其得自獻王、無疑、鄭康成六藝論云、河間獻王古文禮五十六篇、其十七篇與高堂生所傳同、而字多異、記百三十一篇、斯即本傳所列禮禮記、謂古文禮與記矣、周禮六篇、鄭亦繫之獻王、又爲陸氏得一證、大小戴傳儀禮、又各傳禮記、往往別有采獲、出百三十一篇者、殆居多、司馬貞以今文孝經爲獻王所得顏芝本、是書本傳不列、雖顏芝河間人、不必至獻王始得也、獻王自著書、藝文志有對上下三雍宮三篇、又與毛生等共采周官及諸子言樂事者作樂記、成帝時、王禹獻二十四記者、漢志題曰王禹記、以別樂記二十三篇也、史稱獻王學舉六藝、王入朝獻雅樂、及對詔策所問三十餘事、悉不傳、凡獻王所得書、或亡或存、其可知者如此、子共王不害立。四年卒。子剛王基代立。[考證]沈家本曰、基、表作堪、漢傳堪、表基、按此形近而譌、莫爲能定也、十二年卒。子頃王授代立。[索隱]漢書云、授諡頃、音傾也、[考證]楓山本、十二年作十三年、頃王授薨於天漢三年、頃王二字、後人所加、索隱所見本未誤、

臨江哀王閼于、[考證]于字衍、以孝景帝前二年、用皇子爲臨江王。三年卒。無後。國除爲郡。

臨江閔

王榮、以孝景前四年爲皇太子。四歲廢。【考證】王鏊曰、榮最長者、而傳居二王後、以其從太子廢、後乃爲王耳、中井積德曰、榮王臨江、在前臨江王卒後、故不得不居後、用故太子爲臨江王。四年、坐侵廟壖垣爲宮。【索隱】服虔云、宮外之餘地、顧野王云、牆外行馬內田、音人椽反、又音輭、又音奴亂反、壖垣、牆外之短垣也、【考證】四年、當作三年、漢書作三歲、蘇輿曰、案此郡國諸侯所立之太宗廟、愚按、壖垣又見鼂錯傳、上徵榮。榮行。祖於江陵北門。【索隱】按祖者行神、行而祭之、故曰祖也、風俗通云、共工氏之子曰修、好遠遊、故祀爲祖神、又崔浩云、黃帝之子累祖、好遠遊、而死於道、因以爲行神、亦不知其何據、蓋見其謂之祖、因以爲累祖、非也、據帝系及本紀、皆言累祖黃帝妃、無爲行神之由也、又聘禮云、出祖、釋軷、祭脯酒而已、按今祭禮、以軷壤土爲壇於道、則用黃羝、或用狗、以其血釁左輪也、【正義】荊州圖副云、漢臨江閔王榮、始都江陵城、坐侵廟壖地爲宮、被徵出城北門、而車軸折、父老共流涕曰、吾王不反矣、既而爲郅都所訊、懼而縊死、自此後北門存而不啓、蓋爲榮不以道終也、既已上車、軸折車廢。江陵父老流涕竊言曰。吾王不反矣。榮至、詣中尉府簿。【考證】楓山本、無曰字、漢書、簿上有對字、此脫、中尉郅都責訊王。【考證】郅都、見酷吏傳、王恐自殺。【考證】景紀云、死中尉府中、葬藍田。燕數萬、銜土置冢上。百

姓憐之。榮最長。【正義】顏師古云、榮實最長、而傳居二王後者、以其從太子廢、後乃爲王也、死無後。國除。地入于漢爲南郡。右三國本王、皆栗皆之子也。【考證】三條本、右作此、下竝同、魯共王餘、以孝景前二年、用皇子爲淮陽王。【考證】楓山本、孝景下有帝字、下同、二年、吳·楚反。破後、以孝景前三年徙爲魯王。好治宮室苑囿狗馬。【考證】沈欽韓曰、西京雜記、魯共王好鬬雞鴨及鵝鴈、養孔雀鵁鶄、俸穀一年費二千石、又曰、王延壽有靈光殿賦、愚按、漢書景十三王傳云、恭王初好治宮室、壞孔子舊宅、以廣其宮、聞鐘磬琴瑟之聲、遂不敢復壞、於其壁中、得古文經傳、藝文志云、得古文尚書及禮記論語孝經、凡數十篇、皆古字、季年好音、不喜辭辯。爲人吃。二十六年卒。子光代爲王。初好音輿馬。晚節嗇。惟恐不足於財。【正義】晚節、猶言末年時、嗇貪悋也、江都易王非、【索隱】按謚法、好更故舊曰易也、以孝景前二年用皇子爲汝南王。吳·楚反時、非年十五、有材力。【考證】古鈔本、楓山本、力作氣、與漢書合、上書願擊吳。景帝賜非將軍印擊吳。

吳已破。二歲徙爲江都王、治吳故國。【考證】故國、故都也、漢書吳故二字倒、顏師古曰、治、謂都之、劉濞所居也、以軍功賜天子旌旗。元光五年、匈奴大入漢爲賊。【考證】漢書、元光五年作元光中、王先謙曰、匈奴入邊、在二年六年、非上書、願擊匈奴。上不許。非好氣力、治宮觀、招四方豪桀、驕奢甚。【考證】漢書董仲舒傳云、天子以仲舒爲江都相、事易王、易王帝兄、素驕好勇、仲舒以禮義匡正、王敬重焉、西京雜記云、江都王勁捷、能超七尺屛風、立二十六年卒。子建立爲王。七年自殺。淮南·衡山謀反時、建頗聞其謀。自以爲國近淮南。恐一日發、爲所幷。卽陰作兵器、而時佩其父所賜將軍印、載天子旗以出。易王死、未葬。建有所說易王寵美人淖姬。【集解】蘇林曰、淖、音泥淖、【索隱】鄭氏音卓、蘇林音泥淖之淖、女教反、淖姓也、齊有淖齒、是、又漢書云、建召易王所愛淖姬等十人、與姦服舍中、【正義】淖、女孝反、夜使人迎、與姦服舍中。【考證】顏師古曰、服舍、倚廬堊室之次也、及淮南事發、治黨與。頗及江都王建。建恐、因

使人多持金錢、事絕其獄。而又信巫祝、使人禱祠妄言。建又盡與其姊弟姦。【索隱】漢書云、建女弟徵臣、爲蓋侯子婦、以易王喪來歸、建復與姦也、【考證】梁玉繩曰、姊弟乃女弟之誤、盡字衍、事既聞。漢公卿請捕治建。天子不忍、使大臣卽訊王。王服所犯、遂自殺。國除、地入于漢、爲廣陵郡。【考證】建罪狀詳漢書景十三王傳、查愼行曰、史記譏江都王淫亂、不過四五行而止、漢書前後幾及千言、於淫穢之跡、備極形容、似不如司馬之略、膠西于王端、【索隱】按廣周書謚法云、能優其德曰于、【考證】顏師古曰、于、迂通、遠也、遠乖道德、故以爲謚、以孝景前三年、吳楚七國反。破後、端用皇子爲膠西王。【考證】中井積德曰、以字疑衍、端爲人賊戾。又陰痿。【正義】委危反、不能御婦人、一近婦人、病之數月。而有愛幸少年爲郎。爲郎者。【考證】中井積德曰、兩爲郎、疑衍其一、頃之與後宮亂。端禽滅之、及殺其子母。數犯上法。漢公卿數請誅端。天子爲兄弟之故不忍。而端所爲滋甚。有司再請削

其國、去太半。【考證】張晏曰、三分之二爲太半、一爲少半、 端心慍、遂爲無訾省。【集解】蘇林曰、爲無所訾錄、無所省錄、【正義】顏師古云、訾、財也、省、視也、言不能視錄貲財、【考證】沈欽韓曰、齊語、訾相其質、注、訾、量也、又呂覽知度篇、訾功丈而知人數矣、注、訾、相也、相功力丈尺、而知人數多少、又韓非亡徵篇、發心悁忿、而不訾前後者可亡也、禮記少儀、不訾重器、注、訾、思也、竝是此訾省義、蘇林解得之、愚按、葢膠西王閼國悁心慍、遂置國事於不問耳、 府庫壞漏、盡腐財物、以巨萬計、終不得收徙。令吏毋得收租賦。端皆去衞、【索隱】謂不置宿衞人、 封其宮門、從一門出游。【考證】漢書、游作入、 數變名姓、爲布衣之他郡國。【考證】顏師古曰、之、往也、 相二千石往者、奉漢法以治。【考證】漢書、往作至、 端輒求其罪告之。無罪者詐藥殺之。所以設詐究變、【索隱】究者窮也、故郭璞云、究、謂窮盡也、 彊足以距諫、智足以飾非。【考證】殷本紀、帝紂知足以距諫、言足以飾非、距、拒通、 相二千石從王治、則漢繩以法。故膠西小國、而所殺傷二千石甚衆。【考證】王先謙曰、端事又見漢書董仲舒傳、 立四十七年卒。竟無男

代後。國除、地入于漢、爲膠西郡。 右三國本王。皆程姬之子也。 趙王彭祖、以孝景前二年、用皇子爲廣川王。趙王遂反破後、彭祖王廣川。四年、徙爲趙王。十五年、孝景帝崩。【考證】漢書、無彭祖王廣川以下十八字、此複文、崔適曰、五宗十三王、卒於孝景崩後者十一王、各本於此下云、十五年孝景帝崩、中山王下云、十四年孝景帝崩、孤懸不倫、漢書尙無之、當由學者錄此篇時、偶記於旁、後人誤入正文爾、 彭祖爲人、巧佞卑諂足恭、而心刻深、【索隱】謂刻害深無仁恩也、【考證】論語公冶長篇、巧言令色足恭、顏師古曰、足恭、便辟也、 好法律、持詭辯以中人。【索隱】謂詭詐之辯以中傷於人、 彭祖多內寵姬及子孫。相二千石欲奉漢法以治、則害於王家。是以每相二千石至、彭祖衣皁布衣自行迎、除二千石舍、【索隱】謂彭祖自爲二千石埽除其舍以迎之也、 多設疑事、以作動之。【考證】作動、使困惑聳動也、漢書改作詐動、義異、 得二千石失言中忌諱、輒書之。二千石欲治者、則以此迫劫。不

聽乃上書告、及汙以姦利事。彭祖立五十餘年、相二千石、無能滿二歲、輒以罪去、大者死、小者刑。【考證】據酷吏傳、陷御史大夫張湯於死者彭祖也、豈惟國中相二千石、 以故二千石莫敢治。而趙王擅權、使使卽縣爲賈人權會。【集解】韋昭曰、平會兩家買賣之賈也、權者、禁他家、獨王家得爲之、【索隱】權、音角、獨言權、謂酤權也、會、音儈、古外反、謂爲賈人專權買賣之賈、儈以取利、若今之和市矣、韋昭則訓權爲平、其注解爲得、【考證】王先謙曰、會、會計也、總計賈人財物而征權之、故曰權會、韋注、賈讀曰價、 入多於國經租稅。【索隱】經者常也、謂王家入、多於國家常納之租稅也、【考證】中井積德曰、王國租稅有常經、今乃權會所入之利、多於其常經租稅之入也、 以是趙王家多金錢。然所賜姬諸子亦盡之矣。彭祖取故江都易王寵姬王建所盜與姦淖姬者爲姬、甚愛之。彭祖不好治宮室禨祥。【集解】服虔曰、求福也、【索隱】按埤蒼云、禨、祆祥也、列子云、荊人鬼、越人禨、謂楚信鬼神、而越信禨祥也、 好爲吏事。上書願督國中盜賊。常夜從走卒行徼邯鄲中。【索隱】行徼、上下孟反、下工弔反、徼是郊外之路、謂巡徼而伺

察境界、【考證】顏師古曰、徼、謂巡察也、 諸使過客、以彭祖險陂、莫敢留邯鄲。【正義】顏師古曰、陂、謂傾側也、三蒼解詁云、險陂、諂佞也、【考證】顏師古曰、使、謂京師使人也、過客、行客從趙過者也、 其太子丹、與其女及同產姊姦、與其客江充有卻。充告丹。丹以故廢。趙更立太子。 中山靖王勝、以孝景前三年用皇子爲中山王。十四年、孝景帝崩。【考證】十四年以下、旁記誤入正文、 勝爲人樂酒好內。【正義】樂、五敎反、 有子枝屬百二十餘人。【考證】查愼行曰、云枝屬、則子孫內外、羣在其數、愚按、倂孫數之、故曰枝屬、漢書刪枝屬二字、 常與兄趙王相非曰。兄爲王、專代吏治事。王者當日聽音樂聲色。【考證】凌稚隆曰、漢書中山靖王聞樂對、甚可誦、又曰、漢書音樂下有御字、梁氏志疑引汪繩祖云、聞樂對、詞意悲壯、小司馬稱爲漢之英藩、則非徒樂酒好內也、葢以漢法嚴吏深刻、託以自晦、有信陵陳丞相之智識、史略之何歟、查愼行曰、中山靖王傳、漢書全載聞樂對、所以感動武帝、卒從主父偃謀、令諸侯以私恩自裂土分其子弟、與賈生鼂錯二傳相照應、此事不行於文景、而行於武帝、是大有關係文字、通篇視史記獨詳、 趙王亦非之曰。中山王徒日淫、不佐天子拊循百

姓、何以稱爲藩臣。【考證】楓山本、無非之二字、 立四十二年卒。【索隱】按漢書、建元三年、濟川中山王等來朝、聞樂而泣、天子問其故、王對以大臣內讒、肺腑日疏、其言甚雄壯、詞切而理文、天子加親親之好、可謂漢之英藩矣、 子哀王昌立。一年卒。子昆侈代爲中山王。【索隱】漢書昆侈謚康王、子頃王輔嗣、至孫國除也、【考證】楓山本、代作嗣、 右二國本王、皆賈夫人之子也。

長沙定王發、發之母唐姬。故程姬侍者。景帝召程姬。程姬有所辟不願進。【索隱】姚氏按釋名云、天子諸侯、羣妾以次進御、有月事者止不御、更不口說、故以丹注面、自的的爲識、令女史見之、王察神女賦、以爲脫袿裳、免簪笄、施玄的、結羽釵、的卽釋名所云也、說文云、姅、女汚也、漢律云、見姅變不得侍祠、姅、音半、【考證】中井積德曰、漢時不循古禮、故以詐避之耳、 而飾侍者唐兒使夜進。上醉不知。以爲程姬而幸之。遂有身。已乃覺非程姬也。及生子因命曰發。【考證】命曰發、取諸發寤之義、上文云、已乃覺非程姬、覺卽發也、 以孝景前二年、用皇子爲長沙王、以其母微無寵。故王卑溼貧國。【集解】應劭曰、景帝後二年、諸王來朝、有詔更前稱壽歌舞、定王但張袖小舉手、左

右笑其拙、上怪問之、對曰、臣國小地狹、不足廻旋、帝以武陵零陵桂陽屬焉、【考證】全祖望曰、武陵桂陽、竝未嘗屬長沙、而零陵至武帝始置郡、安得如應劭所言、王先謙曰、史表、景帝後二年、不書定王來朝、疑應氏誤記、 立二十七年卒。子康王庸立。二十八年卒。【考證】康王、漢書作戴王、梁玉繩曰、二王年數、史漢不同、 子鮒鮈立爲長沙王。【集解】服虔曰、鮈、音拘、 右一國本王、唐姬之子也。

廣川惠王越、以孝景中二年、用皇子爲廣川王。十二年卒。【考證】漢傳、十二年作十三年、誤、 子齊立爲王。【索隱】漢書齊謚繆王、謚法、傷人蔽賢曰繆、 齊有幸臣桑距。【考證】漢傳作乘距、 已而有罪欲誅距。距亡。王因禽其宗族。距怨王。乃上書告王齊與同產姦。【考證】顏師古曰、謂其姊妹也、 自是之後、王齊數上書告言漢公卿及幸臣所忠等。【索隱】按漢書、又告中尉蔡彭祖、子去嗣、坐暴虐勃亂國除也、【正義】所忠、姓名、【考證】杳愼行曰、截然而止、辭氣未足、當合漢書後段看、愚按、漢書景十三王傳云、所忠等、下有又告中尉蔡彭祖、捕子明、罵曰、吾盡汝種矣、有司劾齊誣罔大不敬、請繫治、齊恐上書、願與廣川勇士奮擊匈奴、上許之、未發病薨、有司請除國、奏可、語、又按所忠又見平準書司馬相如傳、 膠

東康王寄、以孝景中二年用皇子爲膠東王。二十八年卒。【考證】崔適曰、下云、及吏治淮南之獄辭出之事、在元朔六年、卽康王二十六年也、 淮南王謀反時、寄微聞其事、私作樓車鏃矢戰守備、候淮南之起。【集解】應劭曰、樓車、所以窺看敵國營壘之虛實也、【索隱】左傳云、登樓車以窺宋人、謂看敵國營壘之虛實也、李巡注爾雅金鏃、以金爲箭鏑鏃、字林音子木反、【考證】王念孫曰、鏃當作鍭、爾雅說矢云、金鏃翦羽謂之鍭、矢必有鏃、無用更言鏃、鏃鍭、字形相近而誤、 及吏治淮南之事、辭出之。【集解】如淳曰、窮治其辭、出此事、【考證】辭語連及其事也、 寄於上最親。【集解】徐廣曰、其母武帝母妹、【正義】寄母王夫人、卽王皇后之妹、於上爲從母、故寄於諸兄弟最爲親愛也、 意傷之、發病而死。不敢置後。於是上問寄有長子者名賢。母無寵。少子名慶、母愛幸。寄常欲立之。爲不次、因有過、遂無言。【考證】古鈔本、楓山本、問作聞、與漢傳合、 上憐之、乃以賢爲膠東王、奉康王嗣。【考證】古鈔本、楓山本、嗣作祀、與漢書合、 而封慶於故衡山地、爲六安王。膠東王賢立、十四

年卒。謚爲哀王。子慶爲王。【集解】徐廣曰、他本亦作慶字、惟一本作建、不宜得與叔父同名、相承之誤、【考證】梁玉繩曰、當依年表及漢書作通平、徐廣云、一作建、亦非、 六安王慶、以元狩二年、用膠東康王子爲六安王。【考證】楓山本、二年作三年、 清河哀王乘、以孝景中三年、用皇子爲清河王。十二年卒。無後國除。地入于漢、爲清河郡。 常山憲王舜、以孝景中五年、用皇子爲常山王。舜最親。景帝少子、驕怠多淫、數犯禁。上常寬釋之。立三十二年卒。太子勃代立爲王。 初憲王舜有所不愛姬、生長男梲。【集解】蘇林曰、音奪、【索隱】鄒氏一音之悅反、蘇林音奪、許愼說解、字林云、他活反、字從木也、【考證】索隱說解二字有譌奪、 梲以母無寵故、亦不得幸於王。王后脩生太子勃。王內多。【考證】王先謙曰、內、謂姬妾、 所幸姬生子平・子商。王后希得幸。【考證】各本、王上重王字、楓、三本、毛本無、與漢書合、今從之、 及憲王病甚、諸幸姬常侍病。故王

后亦以妒媢、【索隱】媢、音亾報反、鄒氏本作媚、郭璞注三蒼云、媢、丈夫妒也、又云、妒女爲媢、　不常侍病、輒歸舍。醫進藥、太子勃不自嘗藥。又不宿留侍病。及王薨、王后太子乃至。憲王雅不以長子棁爲人數。【考證】顏師古曰、雅、素也、愚按、人、子也、　及薨、又不分與財物。郎或說太子王后、令諸子與長子棁共分財物。太子王后不聽。【考證】楓山本、令作命、　太子代立、又不收恤棁。棁怨王后太子。漢使者視憲王喪。棁自言憲王病時、王后太子不侍。及薨六日出舍。【集解】如淳曰、服舍也、　太子勃私姦、飲酒博戲擊筑、與女子載馳環城過市、入牢視囚。天子遣大行騫、【索隱】按謂是張騫、　驗王后、及問王勃、請逮勃所與姦諸證左。王又匿之。吏求捕勃太急。使人致擊笞掠、擅出漢所疑囚者。【考證】漢書改驗王后至諸證左十六字、作驗問逮諸證者、四下無者字、凌稚隆曰、難解、方苞曰、吏求捕諸證左於勃、甚急、使人擊掠勃左右、勃恐語泄、遂擅出漢所疑囚、使遁匿也、漢所疑囚、卽與姦諸證左、愚按、古鈔本、楓山本、急下有勃字、人下有急字、當依正、勃使人急致擊笞掠漢吏、又擅出漢所疑囚也、其餘方說得之、　有司請誅憲王后脩、及王勃。上以脩素無行、使棁陷之罪。【考證】岡白駒曰、之字、指王后、　勃無良師傅、不忍誅。有司請廢王后脩、徙王勃、以家屬處房陵。上許之。勃王數月、遷于房陵。國絕月餘、天子爲最親、乃詔有司曰。常山憲王蚤夭、后妾不和、適孽誣爭、【考證】顏師古曰、適、音嫡、孽、庶也、　陷于不義以滅國。朕甚閔焉。其封憲王子平三萬戶爲眞定王、封子商三萬戶爲泗水王。【正義】泗水、海州、

眞定王平、元鼎四年用常山憲王子爲眞定王。【考證】中井積德曰、據文例、元鼎上脫以字、

泗水思王商、以元鼎四年、用常山憲王子爲泗水王。十一年卒。【考證】張文虎曰、各本、常山下衍王字、毛本無、梁玉繩曰、十一年、衍一字、愚按、漢書無、　子哀王安世立。

十一年卒。無子。【考證】梁玉繩曰、十一年、衍十字、愚按漢書無、史表亦誤、　於是上憐泗水王絕、乃立安世弟賀爲泗水王。

右四國本王、皆王夫人兒姁子也。其後漢益封其支子爲六安王泗水王二國。凡兒姁子孫於今爲六王。

太史公曰。高祖時諸侯皆賦。【集解】徐廣曰、國所出有、皆入于王也、　得自除內史以下、漢獨爲置丞相。黃金印。諸侯自除御史廷尉正博士、擬於天子。自吳・楚反後。五宗王世、漢爲置二千石、去丞相曰相。銀印。諸侯獨得食租稅、奪之權。其後諸侯貧者、或乘牛車也。

【索隱】述贊、景十三子、五宗親睦、栗姬既廢、臨江折軸、閼于早薨、河閒儒服、餘好宮苑、端事馳逐、江都有才、中山禔福、長沙地小、膠東造鏃、仁賢者代、悖亂者族、兒姁四王、分封爲六、

五宗世家第二十九

史記五十九

史記會注考證卷六十

漢　太　史　令　司　馬　遷　撰

宋中郎外兵曹參軍裴　駰集解

唐國子博士弘文館學士司馬貞索隱

唐諸王侍讀率府長史張守節正義

日　本　出　雲　瀧　川　資　言　考　證

三王世家第三十　　史記六十

【考證】史公自序云、三子之王、文辭可觀、作三王世家第三十、楊愼曰、具載疏奏制冊、天子恭讓、群臣守義、文詞爛然可觀、又以見漢廷奏覆頒下施行之式、王鳴盛曰、三王

世家、武帝之子、所載、直取請封三王之疏及三封策錄之、與他王叙述迥異、則遷特漫爾鈔錄、猶待潤色、未成之筆也、據漢書、武五子傳、武帝六男、衞皇后生戾太子、趙婕妤生昭帝、王夫人生齊懷王閎、李姬生燕刺王旦、廣陵厲王胥、李夫人生昌邑哀王髆、遷但取閎旦胥、不及戾太子及髆者、閎旦胥之封、在元狩六年、遷書訖太初、則三王自應入世家、髆封於天漢四年、旣有所不及書、而戾太子之敗、在征和二年、遷固目擊其事、前則因其爲太子、不當入世家、後則旣敗、不復補書、且有所諱也、論贊亦云、封立三王、天子恭讓、羣臣文辭、爛然甚可觀也、是以附之世家、其言與自序合、則三王世家、幾乎爲史公手錄、而褚少孫附記云、傳中稱三王世家文辭可觀、求其世家、終不能得、竊從長老好故事者、取其封策書、編列其事而傳之、令後世得觀賢主之指意、亦似少孫補之、愚按柯維騏云、太史公書原缺三王世家、獨其贊語尚存、故褚先生取廷臣之議及封策書補之、柯說近是、

大司馬臣去病昧死再拜、上疏皇帝陛下。【索隱】霍去病也、【考證】凌稚隆曰、大司馬、三公也、故爲首議、陛下過聽、使臣去病待罪行閒。宜專邊塞之思慮、暴骸中野。無以報。【考證】岡白駒曰、如此不足以報君恩、楓山本、無作死、乃敢惟他議、以干用事者。誠見陛下憂勞天下、哀憐百姓、以自忘、【考證】岡白駒曰、自忘己之躬、虧膳

貶樂、損郞員。皇子賴天、能勝衣趨拜。【考證】賴天、猶云賴父庇也、勝衣、謂兒童稍長、體足任衣服也、至今無號位師傅官。陛下恭讓不恤。【考證】岡白駒曰、憂勞天下、不恤私愛、羣臣私望、不敢越職而言。臣竊不勝犬馬心、昧死願陛下詔有司、因盛夏吉時、定皇子位。【索隱】按明堂月令云、季夏月、可以封諸侯立大官、是也、唯陛下幸察。臣去病昧死再拜、以聞皇帝陛下。【考證】疏文止于此、三月乙亥、御史臣光、守尙書令、奏未央宮。【考證】徐孚遠曰、三公爲奏草、尙書令受奏草、卽後世尙書省也、制曰。下御史。六年三月戊申朔乙亥、御史臣光、守尙書令丞非、【索隱】按奏狀、有尙書令官位、而史闕其名耳、丞非者、或尙書左右丞、非、其名也、【考證】錢大昕曰、索隱說非也、光以御史守尙書令、非別有尙書令而失其名也、下文云、太子少傅臣安行宗正事、云太僕臣賀行御史大夫事、皆與此一例、愚按、果如錢說、丞非二字不可解、疑丞上奪臣字、非、尙書丞名、此時尙書令闕、故丞代理其事也、上文守尙書下、亦當有丞臣非三字、唐制、位卑官高曰守、官卑位高曰行、蓋本於漢制、下御史書到。言。【考證】到字句、言、書中所云也、下文所記卽是、丞相臣青

翟。【索隱】莊青翟也、御史大夫臣湯、【索隱】張湯、太常臣充、【索隱】蓋趙充也、【考證】梁玉繩曰、元狩六年俞侯欒賁爲太常、而曰太常臣充、索隱云趙充、未知所出、大行令臣息、【索隱】李息、太子少傅臣安、【索隱】任安也、行宗正事、昧死上言。大司馬去病上疏曰。陛下過聽、使臣去病待罪行閒。宜專邊塞之思慮、暴骸中野。無以報。乃敢惟他議、以干用事者。誠見陛下憂勞天下、哀憐百姓、以自忘、虧膳貶樂、損郞員。皇子賴天、能勝衣趨拜。至今無號位師傅官。陛下恭讓不卹。羣臣私望、不敢越職而言。臣竊不勝犬馬心、昧死願陛下詔有司、因盛夏吉時、定皇子位。唯願陛下幸察。【考證】中井積德曰、唯下願字疑衍、制曰。下御史。臣謹與中二千石二千石臣賀等議。【正義】公孫賀、【考證】陳仁錫曰、古本議下有曰字、古者裂地立國、竝建諸侯、以

承天子。所以尊宗廟重社稷也。今臣去病上疏、不忘其職。因以宣恩。乃道天子卑讓自貶以勞天下、慮皇子未有號位。臣青翟·臣湯等、宜奉義遵職。愚憧而不逮事。【正義】憧、劉伯莊音傷容反、顧野王音昌容反、憧音不定、【考證】憧、與惷同、騃昏也、張文虎曰、游本義作議、與凌引一本同、方今盛夏吉時。臣青翟·臣湯等昧死、請立皇子臣閎·【集解】徐廣曰、一作闕、臣旦·臣胥爲諸侯王。昧死請所立國名。制曰。蓋聞周封八百、姬姓竝列。或子男附庸。禮、支子不祭。【考證】楓、三本、無竝列二字、禮記曲禮、支子不祭、祭必告於宗子、云竝建諸侯、所以重社稷。朕無聞焉。且天非爲君生民也。【索隱】左傳曰、天生蒸民、立君以司牧之、是言生人爲立君長司牧之耳、非天爲君而生人也、朕之不德、海內未洽。乃以未教成者、彊君連城。卽股肱何勸。【集解】徐廣曰、一作敦、一作最、一作觀也、【索隱】謂皇子等竝未習敎義也、皇子未習敎義、而彊使爲諸侯王、以君連城之人、則大臣何有所勸、【考證】其事既非是、大

臣何以勸之於朕乎、其更議以列侯家之。【考證】言封皇子以列侯、不宜爲諸侯王也、三月丙子、奏未央宮。【考證】岡白駒曰、此月日上疏發句之文、疏末月日、乃記奏之之月日也、丞相臣青翟·御史大夫臣湯昧死言。臣謹與列侯臣嬰齊、中二千石、二千石臣賀、諫大夫博士臣安等議。【考證】梁玉繩曰、以褚所補者與武五子傳校之、字句之間多有同異、凌稚隆曰、列侯臣嬰齊以下增入、曰。伏聞周封八百、姬姓竝列、奉承天子。康叔以祖考顯、【考證】康叔、武王母弟、而伯禽以周公立。咸爲建國諸侯、【考證】岡白駒曰、爲、去聲、言咸爲建國爲諸侯、以相傅爲輔、【考證】相、相國、傅、師傅、霍去病初疏云、皇子至今無號位師傅官、百官奉憲、各遵其職、而國統備矣。竊以爲竝建諸侯、所以重社稷者。四海諸侯、各以其職奉貢祭。【考證】岡白駒曰、以其職奉貢、續其封奉祭、支子不得奉祭宗祖、禮也。【考證】楓山本、祖作廟、封建、使守藩國、帝王所以扶德施化。陛下奉承天統、明

開聖緖、尊賢顯功、興滅繼絕、續蕭文終之後于酇、【索隱】蕭何謚文終也、按蕭何初封沛之酇、音贊、後其子續封南陽之酇、音嵯、褒厲羣臣平津侯等、【索隱】公孫弘封平津侯、平津、高成之鄉名、【正義】公孫弘所封平津鄉、在滄州鹽山南四十二里也、【考證】岡白駒曰、褒之以勸厲也、昭六親之序、明天施之屬、【考證】天施、天恩之所施、凌稚隆曰、一本施作地、使諸侯王封君得推私恩、分子弟戶邑、錫號尊建百有餘國。【索隱】謂武帝廣推恩之詔、分王諸侯王子弟、故有百餘國、而家皇子爲列侯、則尊卑相踰、列位失序。【索隱】謂諸侯王子已爲列侯、而今又家皇子爲列侯、是尊卑相踰越矣、【考證】余有丁曰、諸侯王稱國、列侯稱家、故曰、家皇子爲列侯也、沈家本曰、按下云、今諸侯支子封至諸侯王、而家皇子爲列侯、所謂尊卑相踰也、不可以垂統於萬世。臣請立臣閎·【索隱】齊王也、王夫人子、臣旦·【索隱】燕王也、漢書云、李姬子、臣胥、【索隱】廣陵王也、爲諸侯王。三月丙子、奏未央宮。【考證】疏文止於爲諸侯王、三月以下記事之文、楓山本、無此八字、制曰。康叔親屬有十、而獨尊者褒有德也。【考證】武王同母兄弟十人、康叔封、次居第九、

衛康叔世家云、康叔爲周司寇、賜衛寶祭器、以章有德、周公祭天命郊。故魯有白牡騂剛之牲。【集解】公羊傳曰、魯祭周公、牲用白牡、魯公用騂剛、何休曰、白牡、殷牲也、騂剛、赤脊、周牲也、羣公不毛。【集解】何休曰、不毛、不純色也、【考證】宣十三年公羊傳、剛作犅、何休云、周公死有王禮、謙不敢與文武同也、魯公以諸侯不嫌、故從周制、以脊爲差、不純色、所以降于尊祖、賢不肖差也。高山仰之、景行嚮之。【考證】詩小雅車舝篇、仰之作仰止、嚮之作行止、朕甚慕焉。所以抑未成。家以列侯可。【考證】制止于此、四月戊寅、奏未央宮。丞相臣青翟、御史大夫臣湯、昧死言。臣青翟等與列侯吏二千石、諫大夫博士臣慶等議、【考證】據上文云、諫大夫博士臣安、慶蓋代居其職、昧死奏、請立皇子爲諸侯王。制曰。康叔親屬有十、而獨尊者褒有德也。周公祭天命郊。故魯有白牡騂剛之牲。羣公不毛。賢不肖差也。高山仰之、景行嚮之。朕甚慕焉。所以抑未成。家以列侯可。【考證】茅坤曰、復申建議與制所云、亦卽今覆

奏體、臣靑翟、臣湯、博士臣將行等、【考證】將行代博士安、伏聞康叔親屬有十。武王繼體、周公輔成王。其八人皆以祖考之尊、建爲大國。【考證】八人名、見管叔世家、康叔之年幼。周公在三公之位。而伯禽據國於魯。蓋爵命之時、未至成人。康叔後扞祿父之難、伯禽殄淮夷之亂。【考證】董份曰、言康叔伯禽幼未成人、見三王當封、言康叔伯禽後有勳伐、見封之得宜、昔五帝異制。周爵五等。春秋三等。【集解】鄭玄曰、春秋變周之文、從殷之質、合伯子男以爲一、則殷爵三等者、公侯伯也、【考證】中井積德曰、春秋三等、未詳所據、然以其說、宜公侯爲一等、伯爲一等、子男爲一等也、建國之差、周制本如斯、非春秋之時改之、亦非殷質之謂、春秋三等、蓋漢儒之妄也、春秋豈有變制之事哉、殷爵三等、亦無所考、而有箕子微子、則子爵明有之、愚按、隱五年公羊傳云、諸侯者何、天子三公稱公、王者之後稱公、其餘大國稱侯、小國稱伯子男、春秋三等、蓋用公羊說、中說未得、皆因時而序尊卑。高皇帝撥亂世反諸正、【索隱】【考證】春秋公羊傳文、哀十四年公羊傳、昭至德、定海內、封建諸侯、爵位二等。【索隱】謂王與列侯、皇子或在繦緥

而立爲諸侯王、奉承天子。爲萬世法則、不可易。陛下躬親仁義、體行聖德、表裏文武、顯慈孝之行、廣賢能之路、內襃有德、外討彊暴、極臨北海、【正義】【考證】匈奴傳云、霍去病伐匈奴、北臨翰海、王念孫曰、極、遠也、言遠臨北海也、西湊月氏、【正義】湊、音臻、氏、音支、至月氏、月氏、西戎國名、在葱嶺之西也、【考證】王念孫曰、湊、當作溱、故正義訓爲至、愚按、古鈔本、楓山本、作溱、匈奴西域、舉國奉師。輿械之費、不賦於民。虛御府之藏、以賞元戎。【集解】詩云、元戎十乘、以先啓行、韓嬰章句曰、元戎、大戎、謂兵車也、車有大戎十乘、謂車縵輪、馬被甲、衡扼之上、盡有劒戟、名曰陷軍之車、所以冒突先啓敵家之行伍也、毛傳曰、夏后氏曰鉤車、先正也、殷曰寅車、先疾也、周曰元戎、先良也、【正義】輿、車也、械、戈矛弓矢之屬、開禁倉以賑貧窮、減戍卒之半。百蠻之君、靡不鄉風承流稱意。遠方殊俗、重譯而朝、澤及方外。故珍獸至、嘉穀興、天應甚彰。今諸侯支子、封至諸侯王。【索隱】【考證】謂立膠東王子慶爲六安王、常山王子平爲眞定王、子商爲泗水王、是也、洪亮吉曰、其定泗川之封、在元鼎三年、上距去病等上表封三王時、尙有四

年、安得反引、索隱誤、中井積德曰、諸侯支子、指推恩之令也、非謂六安等、而家皇子爲列侯。【索隱】時諸王稱國、列侯稱家也、故云家皇子、爲尊卑失序、【考證】張文虎曰、王、柯、凌本脫正文七字及注二十字、臣靑翟・臣湯等竊伏孰計之、皆以爲尊卑失序、使天下失望。不可。臣請立臣閎・臣旦・臣胥爲諸侯王。【考證】疏文止于此、四月癸未、奏未央宮。留中不下。丞相臣靑翟・太僕臣賀、行御史大夫事、【考證】洪亮吉曰、案此時張湯尙爲御史大夫、而云賀行其事、湯豈以病在告耶、太常臣充・太子少傅臣安行宗正事、【考證】張文虎曰、凌本少譌太、昧死言、臣靑翟等前奏、大司馬臣去病上疏言、皇子未有號位、臣謹與御史大夫臣湯・中二千石・二千石・諫大夫博士臣慶等、昧死請立皇子臣閎等爲諸侯王。陛下讓文武、躬自切、及皇子未教。【考證】方苞曰、讓文武、以制詞周封八百、及康叔親屬有十諸語而言也、躬自切、以制詞朕之不德而言也、及皇子未教、以制詞以未教成者、彊君連城而言也、羣臣

之議、儒者稱其術、或誖其心。【考證】方苞曰、儒者稱其術、卽李斯所謂令下各以其學議之也、或悖其心、卽李斯所謂入則心非也、蓋帝恐群臣封諸子之議、儒者或稱其術以議之、或口不言而心非之、必當日口語及此、而未筆於制詞、故畧舉以覆也、陛下固辭弗許。家皇子爲列侯。臣靑翟等竊與列侯臣壽成等二十七人議。【集解】徐廣曰、蕭何之玄孫酇侯壽成、後爲太常也、【考證】凌稚隆曰、此增臣壽成二十七人、皆曰。以爲尊卑失序。高皇帝建天下、爲漢太祖。王子孫、廣支輔、先帝法則弗改。所以宣至尊也。臣請令史官擇吉日、具禮儀上、御史奏輿地圖。【索隱】謂地爲輿者、天地有覆載之德、故謂天爲蓋、謂地爲輿、故地圖稱輿地圖、疑自古有此名、非始漢也、【考證】淮南子原道訓、以天爲蓋、以地爲輿、以地爲輿則無不載也、他皆如前故事。【考證】疏文止于此、制曰。可。四月丙申奏未央宮。太僕臣賀、行御史大夫事昧死言、太常臣充言、卜入四月二十八日乙巳、可立諸侯王。臣昧死奏輿地圖。請所立國名。禮儀別

奏。臣昧死請。考證疏文止于此、制曰。立皇子閎爲齊王、旦爲燕王、胥爲廣陵王。四月丁酉、奏未央宮。六年集解徐廣曰、一云元狩、四月戊寅朔癸卯、御史大夫湯下丞相。丞相下中二千石。二千石下郡太守諸侯相。丞書從事、考證古鈔本、丞作承、屬下讀、下當用者如律令。維六年四月乙巳、皇帝使御史大夫湯、廟立子閎爲齊王、考證漢武五子傳、六年上有元狩二字、顏師古曰、於廟授策也、曰。於戲、小子閎。索隱此封齊王策文也、又按武帝集、此三王策、皆武帝手製、於戲、音嗚呼、戲、或音羲、受茲青社。集解張晏曰、王者以五色土爲太社、封四方諸侯、各以其方色土與之、苴以白茅、歸以立社、索隱蔡邕獨斷云、皇子封爲王、受天子太社之土、若封東方諸侯、則割青土、藉以白茅、授之以立社、謂之茅土、齊在東方、故云青社、考證王觀國曰、詩大雅抑、於乎小子、未知臧否、於乎小子、告爾舊止、冊文乃用詩辭也、乎戲、通文、朕承祖考、考證漢書、祖考作天序、維稽古、考證維作惟、稽、考也、建爾國家、封于東土、世爲漢藩輔。於戲念哉。恭朕之詔。惟命不于常。

考證周書康誥、惟命不于常、顏師古曰、言皇天無親、惟德是輔、善則得之、惡則失之、人之好德、克明顯光。考證顏師古曰、言人若好德、則能明顯有光輝、愚按、明、明之也、顯光、顯光之德、顏說恐非、義之不圖、俾君子怠。索隱謂若不圖於義、則君子懈怠、無歸附心、考證言君子不圖義、則其心懈怠、悉爾心、允執其中、天祿永終。考證論語堯曰篇、咨爾舜、天之曆數、在爾躬、允執其中、四海困窮、天祿永終、集解引包咸云、允、信也、永、長也、言爲政信執其中、則能窮極四海、天祿所以長終也、集註云、四海之人困窮、則君祿亦永絕矣、包以永終爲嘉語、朱以爲惡詞、安井衡曰、書召誥云、天既遐終大國殷之命、遐終卽永終、朱子訓永絕、是也、愚按、此策采書語、則亦永絕之義、天祿上添不然二字看、承上文惟命不于常而言、古文簡勁、厥有𠎝不臧、乃凶于而國、害于爾躬。考證漢書、𠎝作愆、臧、善也、而、汝也、漢書、國下有而字、於戲、保國艾民、可不敬與。王其戒之。集解徐廣曰、立八年無後、絕、考證漢書、艾作乂、顏師古曰、乂、治也、與讀曰歟、

右齊王策

維六年四月乙巳、皇帝使御史大夫湯、廟立子旦爲燕王。曰。於戲、小子旦。受茲玄社。朕承祖考、維稽古、索隱褚先生解云、維者度也、稽者當也、言當順古道也、魏高貴鄉公云、稽、同也、古、天也、謂堯能同天、考證維、惟同、稽、考也、凌稚隆曰、索隱

須在上齊王策稽古下、建爾國家、封于北土。世爲漢藩輔。於戲、葷粥氏、虐老獸心、索隱按匈奴傳曰、其國貴壯賤老、壯者食肥美、老者食其餘、是虐老也、正義葷粥氏、唐虞匈奴號、侵犯寇盜、加以姦巧邊萌。索隱邊甿、韋昭云、甿、民也、三蒼云、邊人云甿、於戲、朕命將率、徂征厥罪。萬夫長、千夫長。三十有二君皆來、集解張晏曰、時所獲三十二帥也、考證楓、三本、無君皆來三字、漢書、君作帥、無皆來二字、齊召南曰、事見霍去病傳、上嘉去病之功曰、渾邪王及厥衆萌咸奔、於率降異國之王三十二、降旗奔師。集解如淳曰、假其旗鼓而來降、索隱漢書、君作帥、期作旗、而服虔云、以三十二軍中之將下旗去之也、如淳云、卽昆邪王假旗鼓降時也、若如此意、則三十二君、非軍將、蓋戎狄酋帥、時有三十二君來降也、考證張文虎曰、降旗、索隱本作降期、注云、漢書作旗、是古本史文作期也、今史本皆作旗、案論語巫馬期、史記弟子傳作旗、蓋同聲通假、葷粥徙域。集解張晏曰、匈奴徙東也、考證劉奉世曰、匈奴徙漢北、北州以綏。集解臣瓚曰、綏、安也、悉爾心、毋作怨、毋俷德。集解徐廣曰、俷一作菲、索隱無菲德、蘇林云、菲、廢也、本亦作俷、俷、敗也、孔文祥云、菲、薄也、漢書作棐、正義俷、音符味反、毋乃廢備。索隱褚先生解云、言無乏武備、常備匈奴也、考證漢書乃廢作廢乃、乃、汝也、非教士、不得從徵。集解張晏曰、士不素習、不應

召、索隱韋昭云、士非素教習、不得從軍徵發、故孔子曰、不教人戰、是謂弃之、是也、褚先生解云、非習禮義、不得在其側也、考證沈欽韓曰、管子小匡篇、君有此教士三萬人、以橫行于天下、王先謙曰、承上毋廢備言、於戲、保國艾民、可不敬與。王其戒之。集解徐廣曰、立三十年自殺、國除、考證沈家本曰、漢書立三十八年而誅、國除、集解奪八字、

右燕王策

維六年四月乙巳、皇帝使御史大夫湯、廟立子胥爲廣陵王。曰。於戲、小子胥。受茲赤社。朕承祖考、維稽古、建爾國家、封于南土。世爲漢藩輔。古人有言曰。大江之南、正義謂京口南至荊州以南也、五湖之閒、索隱按五湖者、具區、洮滆、彭蠡、青草、洞庭、是也、或曰、太湖五百里、故曰五湖也、正義胥游、莫貢、蔆爲五湖、並太湖東岸、今連太湖、蓋後五湖當是、其人輕心、楊州保疆。集解徐廣曰、一作壃、駰案李奇曰、保、恃也、考證漢書、楊作揚、中井積德曰、保疆、謂所保之封疆也、與下文意相屬、三代要服、不及以政。考證顏師古曰、要服、次荒服之內者也、愚按書禹貢云、五百里甸服、五百里侯服、五百里綏服、五百里要服、不及以政、言上古政教未及、漢書、政作正、注云、正、政也、於戲、悉爾心、戰戰兢兢、考證漢書、戰戰作祇祇、乃惠乃順、毋侗

好軼、毋邇宵人。【集解】應劭曰、無好逸游之事、邇近小人、張晏曰、侗、音同、【索隱】侗、音同、褚先生解云、無好軼樂馳騁弋獵、邇、近也、宵人、小人也、鄒氏宵、音謏、謏亦小人也、或作佞人、【考證】侗、無知識也、軼、各本作佚、漢書作逸、維法維則。書云、臣不作威、不作福。靡有後羞。【考證】顏師古曰、周書洪範云、臣無有作威作福也、於戲、保國艾民、可不敬與。王其戒之。【集解】徐廣曰、立六十四年、自殺、右廣陵王策

太史公曰。古人有言曰。愛之欲其富、親之欲其貴。【考證】孟子萬章篇、親之、欲其貴也、愛之、欲其富也、故王者疆土建國、封立子弟、所以褒親親、序骨肉、尊先祖、貴支體、廣同姓於天下也。【考證】親親、親也、重言之者、非一人也、漢書五行志、逆親親、厥妖白黑烏鬪於國、後漢書光武十王傳、不忍親親之恩、中庸、尊其位、重其祿、同其好惡、所以勸親親也、貴支體、不敢毀傷也、是以形勢彊而王室安。自古至今、所由來久矣。非有異也。故弗論箸也。燕·齊之事、無足采者。【考證】二王皆幼無事可傳者、然封立三王、天子恭讓、羣臣守義。文

辭爛然、甚可觀也。是以附之世家。【考證】史公自序亦云、三子之王、文辭可觀、

褚先生曰。臣幸得以文學爲侍郎。好覽觀太史公之列傳。傳中稱三王世家、文辭可觀。【考證】列傳、蓋言史公自序、張文虎曰、各本、傳上有列字、宋本、毛本無、求其世家、終不能得。竊從長老好故事者、取其封策書、編列其事而傳之、令後世得觀賢主之指意。蓋聞孝武帝之時、同日而俱拜三子爲王、封一子於齊、一子於廣陵、一子於燕。【考證】楓、三本、一子上竝有封字、各因子才力智能、及土地之剛柔、人民之輕重、爲作策以申戒之、謂王世爲漢藩輔、保國治民、可不敬與、王其戒之。夫賢主所作、固非淺聞者所能知。非博聞彊記君子者、所不能究竟其意。【考證】古鈔本、楓、三本、不上無所字、至其次序

分絕、文字之上下、簡之參差長短、皆有意。人莫之能知。謹論次其眞草詔書、編于左方、【考證】顧炎武曰、褚先生親見簡策、而孝武時詔、卽已用草書也、愚按、草、草稿也、古鈔本、楓、三本、無草字、令覽者自通其意而解說之。王夫人者、趙人也。與衞夫人竝幸武帝。而生子閎。閎且立爲王。時其母病。【考證】張文虎曰、中統、游本、且上無閎字、武帝自臨、問之曰。子當爲王。欲安所置之。王夫人曰。陛下在。妾又何等可言者。帝曰。雖然、意所欲、欲於何所王之。王夫人曰。願置之雒陽。武帝曰。雒陽有武庫敖倉。天下衝阸、漢國之大都也。先帝以來、無子王於雒陽者。去雒陽、餘盡可。王夫人不應。武帝曰。關東之國、無大於齊者。齊東負海、而城郭大。古時獨臨菑中十萬戶。天下膏腴地、

莫盛於齊者矣。王夫人以手擊頭、謝曰。幸甚。王夫人死、而帝痛之。使使者拜之曰。皇帝謹使使太中大夫明、奉璧一賜夫人、爲齊王太后。【考證】古鈔本、楓、山本、無一使字、子閎王齊。年少無有子。立不幸早死、國絕爲郡。天下稱齊不宜王云。所謂受此土者、【考證】齊王策云、受茲青社、此云受此土者、褚生以意改文、諸侯王始封者、必受土於天子之社、歸立之以爲國社、以歲時祠之。春秋大傳曰。天子之國有泰社。東方靑、南方赤、西方白、北方黑、上方黃。故將封於東方者取靑土、封於南方者取赤土、封於西方者取白土、封於北方者取黑土、封於上方者取黃土、各取其色物、裹以白茅、封以爲社。此始受封於天子者也。此之爲主土。

主土者、立社而奉之也。【考證】春秋大傳未詳、夏本紀、徐州貢維土五色、集解鄭玄云、土五色者、所以爲太社之封、正義韓詩外傳云、天子社、廣五丈、東方青、南方赤、西方白、北方黑、上冒以黃土、將封諸侯、各取方土、苴以白茅、以爲社也、皮錫瑞曰、釋名釋地云、徐州貢土五色、有青黃赤白也、郊祀志、元始五年、令徐州牧歲貢五色土各一斗、朕承祖考。【考證】亦策命文、祖者先也。考者父也。維稽古。【考證】亦策命文、維者、度也、念也。稽者、當也。當順古之道也。齊地多變詐、不習於禮義。故戒之曰。恭朕之詔、唯命不可爲常。人之好德、能明顯光。不圖於義、使君子怠慢。悉若心、信執其中。天祿長終。有過不善、乃凶于而國、而害于若身。【考證】以意微改策命文、齊王之國、左右維持以禮義。不幸中年早夭。然全身無過、如其策意。傳曰。青采出於藍、而質青於藍者、教使然也。【考證】荀子勸學篇、青取之於藍、而青於藍、遠哉賢主、昭然獨見。誡齊王以

慎內、誡燕王以無作怨無俷德。【索隱】本亦作肥、案上策云、作菲德、下云勿使王背德也、則肥當音扶味反、亦音匪、誡廣陵王以慎外、無作威與福。夫廣陵在吳·越之地。其民精而輕。故誡之曰。江湖之閒、其人輕心。楊州葆疆、三代之時、迫要使從中國俗服。不大及以政教、以意御之而已。【考證】古鈔本、楓三本、意作德、無侗好佚、無邇宵人。維法是則、無長好佚樂馳騁弋獵淫康、而近小人、常念法度、則無羞辱矣。【考證】楓山本、無下無長字、羞上有復字、以意敷演策命文、三江五湖、有魚鹽之利、銅山之富。天下所仰。故誡之曰。臣不作福者、勿使行財幣、厚賞賜、以立聲譽、爲四方所歸也。又曰。臣不作威者、勿使因輕以倍義也。【考證】並擧策文釋其義、會孝武帝崩、孝昭帝初立。先朝廣陵王胥、厚賞

賜金錢財幣直三千餘萬、益地百里、邑萬戶。【考證】漢書武五子傳云、昭帝初立、益封胥萬三千戶、元鳳中入朝、復益萬戶、賜錢二千萬、黃金二千斤、安車駟馬寶劍、會昭帝崩、宣帝初立。緣恩行義、以本始元年中、裂漢地、盡以封廣陵王胥四子。一子爲朝陽侯、【正義】括地志云、朝陽故城、在鄧州穰縣南八十里、應劭云、在朝水之陽也、【考證】名聖、錢大昕曰、漢書王子侯表、朝陽荒侯聖下注濟南字、而地理志濟南郡朝陽縣本是侯國、則此朝陽非南陽之朝陽也、一子爲平曲侯、【正義】地理志云、平曲縣屬東海郡、又云、在瀛州文安縣北七十里、【考證】名曾、一子爲南利侯、【正義】括地志云、南利故城、在豫州上蔡縣東八十五里、【考證】名昌、最愛少子弘、立以爲高密王。【正義】括地志云、高密故城、在密州高密縣西南四十里、其後胥果作威福、【考證】威福、承冊命文、通楚王使者。楚王宣言曰。我先元王、高帝少弟也。封三十二城。今地邑益少。我欲與廣陵王共發兵、立廣陵王爲上。【考證】立、各本作云、錢泰吉曰、云字之譌、與古鈔本、楓山本合、今從改、劉氏百衲宋本、毛本作云、云立

三字、我復王楚三十二城、如元王時。事發覺。公卿有司請行罰誅。天子以骨肉之故、不忍致法於胥。下詔書無治廣陵王、獨誅首惡楚王。傳曰。蓬生麻中、不扶自直。【索隱】已下並見荀卿子、【考證】張照曰、蓬生麻中二語、見荀子勸學篇、下文今本荀子所無、愚按荀子自作而、大戴禮曾子制言篇、蓬生麻中、不扶自直、白沙在泥、與之皆黑、尙書洪範孔疏、引荀子、有下二句、白沙在泥中、與之皆黑者、土地教化使之然也。其後胥復祝詛謀反、自殺國除。【考證】事在宣帝五鳳四年、詳于武五子傳、燕土墝埆、北迫匈奴。其人民勇而少慮。故誡之曰。葷粥氏無有孝行、而禽獸心。以竊盜侵犯邊民。朕詔將軍往征其罪。萬夫長、千夫長、三十有二君皆來、降旗奔師。葷粥徙域遠處、北州以安矣。悉若心、無作怨者、勿使從俗以怨望也。無俷德者、勿使

上背德也。【考證】張文虎曰、上乃王字誤、前文倜德下索隱引此作王背德、宋本作比、蓋北字之譌、北卽背字、愚按凌本、毛本、作背、古鈔本、楓山本、作比、無廢備者、無乏武備、常備匈奴也。非教士不得從徵者、言非習禮義不得在於側也。【考證】竝舉策文釋之、會武帝年老長、而太子不幸薨。而旦使來上書、請身入宿衛於長安。孝武見其書擊地、怒曰。生子當置之齊·魯禮義之鄉。乃置之燕·趙。果有爭心。不讓之端見矣。於是使使卽斬其使者於闕下。【考證】漢書武五子傳云、上怒、下其使獄、會武帝崩、【考證】劉氏百衲宋本、武帝上有孝字、昭帝初立。旦果作怨而望大臣。自以長子當立。與齊王子劉澤等謀爲叛逆。出言曰。我安得弟在者。【索隱】案昭帝鉤弋夫人所生、武帝崩時、年纔七八歲耳、胥且早封在外、實合有疑、然武帝春秋高、惑於內寵、誅太子而立童孺、能不使胥且疑怨、亦由權臣輔政、貪立幼主之利、遂得鉤弋子當陽、斯實父德不弘、遂令子道不順、然犬各吠非其主、大中宗正人臣之職、又亦當如此、【正義】弟、謂昭帝、言非武帝子也、

今立者、乃大將軍子也。欲發兵、事發覺、當誅。昭帝緣恩寬忍、抑案不揚。公卿使大臣、【考證】古鈔本、楓、三本、無使字、中井積德曰、使字疑衍、請遣宗正、與太中大夫公戶滿意御史二人、偕往使燕風喻之。【索隱】宗正、官名、必以宗室有德者爲之、不知時何人、公戶姓、滿意名、爲太中大夫、是使二人、又有侍御史二人、皆往使治燕王也、【正義】公戶、姓、滿意、名、【考證】董份曰、按宗正主屬籍、故辨正王以宗系之事、御史主執法、故案訊王發兵之罪、滿意通儒術、故曉發以理、使王自知其罪、到燕各異日、更見責王。宗正者、主宗室諸劉屬籍。先見王、爲列陳道昭帝實武帝子狀。侍御史乃復見王、責之以正法。問王欲發兵。【考證】古鈔本、楓三本、問作聞、罪名明白、當坐之。漢家有正法。王犯纖介小罪過。卽行法直斷耳。安能寬王。【考證】古鈔本、介下無小字、驚動以文法。王意益下、心恐。公戶滿意習於經術。最後見王、稱

引古今通義、國家大禮。文章爾雅。【索隱】爾、近也、雅、正也、其書於正字義訓爲近、故云爾雅、相承云周公作、以敎成王、又云、子夏作之以解詩書也、【考證】中井積德曰、禮當作體、爾雅、猶言溫藉閑正也、是套語、非稱書名、愚按、文章、猶言美而文也、謂王曰。古者天子、必內有異姓大夫。所以正骨肉也。外有同姓大夫。所以正異族也。【索隱】按內云有異姓大夫以正骨肉、蓋錯也、內合言同姓、宗正是也、外合言異姓、太中大夫是也、周公輔成王、誅其兩弟。故治。【正義】管叔蔡叔、與武庚作亂、周公誅管叔放蔡叔、天下太平、武帝在時、尚能寬王。今昭帝始立、【考證】陳仁錫曰、昭帝、當作皇帝、年幼富於春秋、未臨政。委任大臣。古者誅罰不阿親戚。故天下治。方今大臣輔政、奉法直行、無敢所阿。恐不能寬王。王可自謹。無自令身死國滅、爲天下笑。於是燕王旦乃恐懼服罪、叩頭謝過。大臣欲和合骨肉、難傷之以法。其後旦復與左將軍上

官桀等謀反。宣言曰。我次太子。太子不在、我當立。大臣共抑我云云。大將軍光輔政。與公卿大臣議曰。燕王旦不改過悔正、行惡不變。【考證】楓山本、改作反、於是脩法直斷、行罰誅。旦自殺國除。如其策指。有司請誅旦妻子。孝昭以骨肉之親、不忍致法。寬赦旦妻子、免爲庶人。【考證】凌稚隆曰、此與漢書大異、傳曰。蘭根與白芷、漸之滫中、君子不近、庶人不服者、所以漸然也。【集解】徐廣曰、滫者、淅米汁也、音先糾反、【索隱】白芷、香草也、音止、又音昌改反、漸、音子潛反、漸、漬也、滫、讀如禮滫瀡之滫、謂洗也、音思酒反、【正義】言雖香草、以米汁漬之、無復香氣、君子不欲附近、庶人不服者、爲漸漬然也、以旦謀叛、君子庶人皆不附近、【考證】荀子勸學篇云、蘭槐之根、是爲芷、其漸之滫、君子不近、庶人不服、其質非不美也、所漸者然也、楊倞注、滫、溺也、朝川鼎曰、禮記內則篇、滫瀡、鄭玄注云、秦人溲曰滫、釋文云、滫、思酒反、溲也、淮南子人間訓高誘注云、滫、臭汁也、楊注蓋本于此、中井積德曰、以滫喩燕趙惡俗也、宣帝初立、推恩宣德、以本始元年中、盡復封燕王

旦兩子、一子安爲定侯。**集解**漢表、在鉅鹿郡、立燕故太子建爲廣陽王。**正義**括地志云、廣陽故城、今在幽州良鄉縣東北三十七里、**考證**陳仁錫曰、燕王兩子、今本缺一子爲新昌侯六字、張文虎曰、正義廣陽、各本誤廣陵、今從館本、以奉燕王祭祀。

索隱述贊、三王封系、舊史爛然、褚氏後補、冊書存焉、去病建議、青翟上言、天子沖挹、志在急賢、太常具禮、請立齊燕、閎國負海、旦社惟玄、胥人不遒、葷粥遠邊、明哉監戒、式防厥愆、

三王世家第三十　史記六十

史記會注考證卷六十一

漢　太　史　令　司　馬　遷　撰

宋中郞外兵曹參軍裴　駰集解

唐國子博士弘文館學士司馬貞索隱

唐諸王侍讀率府長史張守節正義

日　本　出　雲　瀧　川　資　言　考　證

伯夷列傳第一　史記六十一

【索隱】列傳者謂敍列人臣事跡令可傳於後世故曰列傳【正義】其人行跡可序列故云列傳老子莊子開元二十三年奉敕升爲列傳首處夷齊上然漢武帝之時佛教

未興道教已設道則禁惡咸致正理制禦邪人未有佛教可導故列老莊於申韓之上今既佛道齊妙興法乖流理當居列傳之首也【考證】史公自序云末世爭利維彼奔義讓國餓死天下稱之作伯夷列傳第一趙翼曰史記列傳敍事古人所無古人著書凡發明義理記載故事皆謂之傳孟子曰於傳有之謂古書也左公穀作春秋傳所以傳春秋之旨也伏生弟子作尚書大傳孔安國作尚書傳所以傳尚書之義也韓非子亦分經傳故孔穎達云大率秦漢之際解書者多分爲傳又漢世稱論語孝經竝謂之傳漢武謂東方朔云傳曰時然後言人不厭其言東平王與其太師策書云傳曰陳力就列不能者止成帝賜翟方進書云傳曰高而不危所以長守貴也是漢時所謂傳凡古書及說經皆名之非專以敍一人之事也其專以之敍事而人各一傳則自史遷始而班史以後皆因之又曰史遷於傳之中分公卿將相爲列傳其儒林循吏酷吏刺客游俠佞幸滑稽日者龜策貨殖等又別立名目以類相從俞樾曰平原君傳徐廣注引魏公子傳云趙惠文王弟然則傳之名亦有所本矣中井積德曰傳不一而足次第成列故謂之列傳耳

趙翼曰史記列傳次序蓋成一篇卽編入一篇不待撰成全書重爲排比故李廣傳後忽列匈奴傳下又列衛青霍去病傳朝臣與外夷相次已屬不倫然此猶曰諸臣事與匈奴相涉也公孫弘傳後忽列南越東越朝鮮西南夷等傳下又列司馬相如傳相如之下又列淮南衡山王傳循吏後忽列汲黯鄭當時傳儒林酷吏後又忽入大宛傳其次第皆無意義可知其隨得隨編也村尾元融曰太史公欲求節義最高者爲列傳首以激叔世澆漓之風併明己述作之旨而由光之倫已非經藝所說則疑無其人未如

伯夷經聖人表章事實確然此傳之所以作也自序云末世爭利維彼奔義讓國餓死天下稱之作伯夷列傳第一卽其義也愚按本紀世家各有次序列傳亦豈隨得隨編者乎哉必當有次序李廣衛青霍去病皆事涉匈奴趙氏既知之矣西南夷傳前有公孫弘後有司馬相如一欲罷之一欲開之事亦相涉循吏傳後敍汲黯鄭當時者以二人亦循吏也趙說未得至其以伯夷爲傳首則村說悉之矣張文虎曰王柯本題老子伯夷列傳第一別行注云正義本老子莊子伯夷居列傳之首正義曰老子莊子開元二十三年奉敕升爲列傳首處夷齊上然漢武帝之時佛教未興道教已設道則禁惡咸致正理制禦邪人未有佛教可導故列老莊於申韓之上今既佛道齊妙興法乖流理居列傳之首也今依正義本凌本亦有此注而無末五字蓋正義止老子以下至首也七十九字之首尾皆合刻者語王柯本皆依正義次序以老子居列傳首凌本雖亦用宋人合刻本而不依其次故刪去末五字其餘各本無正義悉依史公舊次索隱本成書在正義前未奉開元勑改更無論矣又曰正義乖流二字於文義不諧乖疑乘字之譌又曰王柯凌本又一條云監本老子與伯夷同傳第一莊子與韓非同傳第三蓋亦合刻者所記愚按列傳次序諸本不同集解本索隱本伯夷第一管晏第二老莊申韓第三與史公自序合是舊第也至正義本以老子置伯夷前同爲一卷第一管晏爲第二申韓爲第三監本又老子伯夷同傳第一莊子韓非同傳第三今從集解索隱以復史公舊第云

梁玉繩曰伯夷傳所載俱非也孟子謂夷齊至周在文王爲西伯之年安得言歸于文　王卒後其不可信一已書序謂武王伐紂嗣位已十一年卽周紀亦有九年祭畢之語畢乃文王墓地安得言父死不葬其不可信二已禮大傳謂武王克商然後追王三世安得言徂征之始便號文王其不可信三已東伐之時伯夷歸周已

久且與太公同處岐豐未有不知其事者何以不沮於帷帳定計之初而徒諫於干戈既出之日其不可信四已曰左右欲兵之曰太公扶去之武王之師不應無紀律若是萬或緩不及救則彼殺比干此殺夷齊不異若以暴易暴乎其不可信五已正義數首陽有五前賢定夷齊所隱爲蒲坂之首陽空山無食采薇其常爾獨不思山亦周之山薇亦周之薇而但恥食周之粟于義爲不全其不可信六已論語稱餓于首陽之下未嘗稱餓死孔子餓陳蔡靈輒餓翳桑詎必皆至于死且安知不于逃國之時餓首陽耶其不可信七已卽云恥食周粟亦止于不食糈祿非絕粒也戰國燕策蘇秦曰伯夷不肯爲武王之臣不受封侯漢書王貢兩龔鮑傳序曰武王遷九鼎于洛邑伯夷叔齊薄之不食其祿豈果不食而死歟其不可信八已卽云不食餓死而歌非二子作也詩遭秦火軼詩甚多烏識采薇爲二子絕命之辭況歌言西山奈何以首陽當之設唐風之采苓爲軼詩則詩中明著首陽將指爲夷齊所作歟夫同一燕燕詩小序以爲莊姜送妾列女傳以爲定姜送婦同一黍離韓詩以爲尹吉甫子伯奇弟伯封作齊魯詩以爲衛宣公子壽閔其兄伋而作白虎通諫諍篇以相鼠爲妻諫夫之詩列女傳以芣苢蔡人作行露申女作柏舟齊女作大車息夫人作趙岐孟子注以鴟鴞爲刺邠君以小弁爲伯奇之詩列子仲尼篇以立我蒸民莫匪爾極不識不知順帝之則爲堯時童謠呂氏春秋愼人篇以北山普天之下四語爲舜所作之詩求不入篇以鄭風子惠思我四語爲子產所作之詩文選李少卿與蘇武詩注引琴操以鄒虞爲邵國之女所作水經注五以新臺爲齊姜所賦困學紀聞三謂近世以關雎爲畢公作又引袁孝政釋劉子以青蠅爲刺魏武公宋張載正蒙樂器篇以唐棣爲文王之詩岐頭別見莫辨所由則史公偶得一詩而漫屬之夷齊毋乃類是其不可信九已孔子稱夷齊無怨而詩歎命衰

怨似不免、且其意雖不滿于殷、而易暴之言甚戇、必不以加武王、其不可信十已、先儒多有議及者、詞義繁蕪、不能盡錄、余故總攬而爲此辨、愚按、疑伯夷傳者、蓋始於宋王安石、葉適、明王直有伯夷十辯、王褘有考定伯夷傳、梁氏綜攬而爲此辯、其說最備、我邦中井履軒、亦有攷定伯夷傳、

夫學者載籍極博、猶考信於六蓺。詩書雖缺、【索隱】按孔子系家、稱古詩三千餘篇、孔子刪三百五篇爲詩、今亡五篇、又書緯稱孔子求得黃帝玄孫帝魁之書、迄秦穆公、凡三千三百三十篇、乃刪以一百篇爲尚書、十八篇爲中候、今百篇之內見亡四十二篇、是詩書又有缺亡者也、【正義】六蓺、書筭射御禮樂、【考證】六蓺、謂六經、與周禮六蓺自別、滑稽傳曰、孔子曰、六蓺於治一也、禮以節人、樂以發和、書以道事、詩以達意、易以神化、春秋以道義、此也、詩書、主書而言、書百篇、今止存今文二十八篇、方苞曰、許由卞隨務光、雖見於諸子、而六經不載、孔子又無稱焉、是以不敢傳疑也、然虞·夏之文可知也。【索隱】按尚書有堯典舜典大禹謨、備言虞夏禪讓之事、故云、虞夏之文可知也、【正義】伯夷叔齊讓位、大統重器、天下爲難、學者博見典籍、詩書雖缺、尚書載堯禪舜、及諸子、言堯讓許由、禹讓卞隨務光、引此者、蓋美伯夷叔齊之讓、唯學者能知、【考證】中井積德曰、太史公之時、舜典未判、而無今大禹謨、堯將遜位、讓於虞舜。【考證】書堯典序云、昔在帝堯、聰明文思、光宅天下、將遜于位、讓于虞舜、舜·禹之閒。岳牧咸薦。乃試之於位。典職數十年、功用既興、然後授政。【正義】舜禹皆

典職事二十餘年、然後踐帝位、示天下重器、王者大統、傳天下若斯之難也。【索隱】言天下者是王者之重器、故莊子云、天下大器、是也、則大器亦重器也、【考證】老子、天下神器、莊子所本、中井積德曰、用、庸通、索隱王者之三字失當、而說者曰。堯讓天下於許由。許由不受。恥之逃隱。【正義】皇甫謐高士傳云、許由字武仲、堯聞致天下而讓焉、乃退而遁於中嶽、潁水之陽、箕山之下隱、堯又召爲九州長、由不欲聞之、洗耳於潁水濱、時有巢父牽犢欲飲之、見由洗耳、問其故、對曰、堯欲召我爲九州長、惡聞其聲、是故洗耳、巢父曰、子若處高岸深谷、人道不通、誰能見子、子故浮游、欲聞求其名譽、汚吾犢口、牽犢上流飲之、許由歿、葬此山、亦名許由山、在洛州陽城縣南十三里、【考證】莊子讓王篇云、堯以天下讓許由、許由不受、又云、許由娛於潁陽、又見於逍遙遊篇、陳廷曰、堯讓天下於許由、由非山林逸士也、左傳云、許、太岳之後、太岳意由耳、古者申呂許甫、皆四岳之後、堯典云、咨四岳、朕在位七十載、汝能庸命、遜朕位、許由之舉、或即此也、若飲牛棄瓢之說、或由不敢當其讓、遂逃避于野、如益避啓于箕山之類、後人不知、謂此堯以天下讓一山野之人、甚可駭也、愚按、堯讓許由、莊周言之、而經無所見、其事有無、未可知、史公既疑之、陳氏之說、亦無確證、姑記資于博聞、及夏之時、有卞隨·務光者。此何以稱焉。【索隱】按說者、謂諸子雜記也、然堯讓於許由、及夏時有卞隨務光等、殷湯讓之天下、竝不受而逃、事具莊周讓王篇、【正義】經史唯稱伯夷叔齊、不及許由卞隨務光者、不少概見、何以哉、故言何以稱焉、爲不稱說之也、莊子云、湯將伐桀、因卞隨而謀、卞隨曰、非吾事

也、湯又因務光而謀、務光曰、非吾事也、湯遂與伊尹伐桀克之、以讓卞隨、卞隨曰、君之伐桀也、謀乎我、必以我爲賊、勝桀而讓我、必以我爲貪也、吾生乎亂世、無道之人、再來漫我、以其辱行、吾不忍數聞、乃自投水而死、又讓務光、務光曰、廢上非義也、殺民非仁也、人犯其難、我享其利、非廉也、吾聞之、曰非其義者、不受其祿、無道之世、不踐其土、況尊我乎、吾不忍久見也、乃負石自沈於盧水、列仙傳云、務光夏時人、長七尺、好琴、服蒲非根、【考證】中井積德曰、何以稱、言何故經所不載、而見稱於說者之口哉、太史公曰。余登箕山。其上蓋有許由冢云。【索隱】蓋楊惲東方朔見其文稱余、而加太史公曰也、【考證】錢大昕曰、子長書每篇稱太史公、皆自稱其官、非他人所加、亦非尊其父也、賈生馮唐傳文、亦有稱余而不加太史公者、愚按、曰蓋、曰云、疑之也、箕山、在今河南登封縣東南、張文虎曰、太史公曰、蔡本、中統、舊刻、游、王、柯本、竝提行、謬、今依凌本、毛本、孔子序列古之仁聖賢人、如吳太伯·伯夷之倫詳矣。【考證】論語泰伯篇云、子曰、泰伯其可謂至德也已矣、三以天下讓、民無得而稱焉、余以所聞由·光義至高。【索隱】謂堯讓天下於許由、由遂逃箕山、洗耳於潁水、卞隨自投於桐水、務光負石自沈於盧水、是義至高、【考證】莊子、桐水作椆水、音義云、一作洞水、【索隱】謂太史公聞莊周所說許由務光等、【考證】上文言卞隨、故索隱加等字以該之、其文辭不少概見、何哉。【索隱】按概是梗概、謂略也、蓋以由光義至高、而詩書之文辭遂不少梗概載見、何以如此哉、是太史公疑說者之言或非實也、【正義】概、古代反、孔子曰。伯

夷·叔齊、不念舊惡。怨是用希。【考證】論語公治長篇、皇侃曰、念、猶識錄也、舊惡、故憾也、人若錄於故憾、則怨恨更多、唯伯夷豁然、此忘懷、所以與人怨少也、求仁得仁。又何怨乎。【考證】論語述而篇、孔安國曰、以讓爲仁、豈有怨乎、余悲伯夷之意。睹軼詩可異焉。【索隱】謂悲其兄弟相讓、又義不食周粟而餓死、睹、音覩、軼、音逸、謂見逸詩之文、卽下采薇之詩是也、不編入三百篇、故云逸詩也、可異焉者、按論語云、求仁得仁、又何怨乎、今其詩云、我安適歸矣、于嗟徂兮、命之衰矣、是怨詞也、故云可異焉、【考證】方苞曰、言孔子謂夷齊無怨、覩逸詩之意、似亦不能無怨也、其傳曰。伯夷·叔齊、孤竹君之二子也。【索隱】按其傳、蓋韓詩外傳及呂氏春秋也、其傳云、孤竹君是殷湯三月丙寅日所封、相傳至夷齊之父、名初、字子朝、伯夷名允、字公信、叔齊名致、字公達、解者云、夷、齊、謚也、伯仲又其長少之字、按地理志、孤竹城、在遼西令支縣、應劭云、伯夷之國也、其君姓墨胎氏、【正義】本前注、丙寅作殷湯正月三日丙寅、括地志云、孤竹古城、在盧龍縣南十二里、殷時諸侯孤竹國也、【考證】莊子盜跖篇云、伯夷叔齊、辭孤竹之君、而餓死於首陽之上、燕策、蘇秦曰、廉如伯夷、不取素餐、汙武王之義而不臣、辭孤竹之君、餓而死於首陽之山、史公以夷齊爲孤竹君二子、蓋本於此、中井積德曰、論語稱逸民、似非國君之子、孤竹尤可疑、及兄弟之讓、孔孟所不稱焉、張文虎曰、正義本前注十四字、是合刻者之言、下當有脫文、父欲立叔齊。及父卒、叔齊讓伯夷。伯夷曰。父命也。遂逃去。叔齊亦不

肯立而逃之。國人立其中子。於是伯夷・叔齊聞西伯昌善養老。盍往歸焉。【索隱】劉氏云、盍者疑辭、盍謂其年老歸就西伯也、【考證】孟子離婁篇云、伯夷辟紂居北海之濱、聞文王作、興曰盍歸乎來、吾聞西伯善養老者、盍字在孟子、何不之義、史則宜讀爲盍、楓山本・三條本・敦煌本、皆作蓋、索隱亦讀爲蓋、及至西伯卒。武王載木主、號爲文王、東伐紂。伯夷・叔齊、叩馬而諫曰。父死不葬、爰及干戈。可謂孝乎。以臣弑君。可謂仁乎。左右欲兵之。太公曰。此義人也。扶而去之。武王已平殷亂、天下宗周。而伯夷・叔齊恥之、義不食周粟。隱於首陽山、【集解】馬融曰、首陽山、在河東蒲阪華山之北、河曲之中、【正義】曹大家注幽通賦云、夷齊餓於首陽山、在隴西首、又戴延之西征記云、洛陽東北首陽山、有夷齊祠、今在偃師縣西北、又孟子云、夷齊避紂居北海之濱、首陽山、說文云、首陽山、在遼西、史傳及諸書、夷齊餓於首陽、凡五所、各有案據、先後不詳、莊子云、伯夷叔齊、西至岐陽、見周武王伐殷曰、吾聞古之士、遭治世不避其任、遇亂世不爲苟存、今天下闇、周德衰、其竝乎周、以塗吾身也、不若避之以絜吾行、二子北至于首陽之山、遂飢餓而死、又下詩登彼西山、是今清源縣首陽山、在岐陽西北、明卽夷齊餓死處也、【考證】正義引莊子讓王篇、呂氏春秋誠廉篇所記

更詳、云、昔周之將興也、有士二人、處於孤竹、曰伯夷叔齊、二人相謂曰、吾聞西方有偏伯焉、似將有道者、今吾奚爲處乎此哉、二子西行如周、至於岐陽、則文王已歿矣、武王卽位、觀周德、則王使叔旦就膠鬲於次四內、而與之盟曰、加富三等、就官一列、爲三書同辭、血之以牲、埋一於四內、皆以一歸、又使保召公就微子於共頭之下、而與之盟曰、世爲長侯、守殷常祀、相奉桑林、宜私孟諸、爲三書同辭、血之以牲、埋一於共頭之下、皆以一歸、伯夷叔齊聞之、相視而笑曰、譆、異乎哉、此非吾所謂道也、昔者神農氏之有天下也、時祀盡敬、而不祈福也、其於人也、忠信盡治而無求焉、樂正與爲正、樂治與爲治、不以人之壞自成也、不以人之庳自高也、今周見殷之僻亂也、而遽爲之正與治、上謀而行貨、阻丘而保威也、割牲而盟、以爲信、因四內與共頭、以明行、揚夢以說衆、殺伐以要利、以此紹殷、是以亂易暴也、吾聞古之士、遭乎治世、不避其任、遭乎亂世、不爲苟在、今天下闇、周德衰矣、與其竝乎周以漫吾身也、不若避之以潔吾行、二子北行、至首陽之下而餓焉、愚按、呂氏記夷齊事頗詳、而不言扣馬而諫、不言采薇而食、但其曰神農氏、曰以亂易暴、曰周德衰者、與歌詞相出入、村尾元融曰、義不食周之粟、謂不仕周而食其祿也、非謂不食周地所生之粟也、方孝孺云、恥食其粟、獨食其薇也、庸非周土之毛乎、謬甚、采薇而食之。【索隱】薇、蕨也、爾雅云、蕨、鼈也、【正義】陸機毛詩草木疏云、薇、山菜也、莖葉皆似小豆、蔓生、其味亦如小豆藿、可作羹、亦可生食也、及餓且死、作歌。其辭曰。登彼西山兮、【索隱】按西山、卽首陽山也、采其薇矣。以暴易暴兮、不知其非矣。【索隱】謂以武王之暴臣、易殷紂之暴主、而不自知其非矣、神農・虞・夏、忽焉沒

兮。我安適歸矣。【索隱】言羲農虞夏、敦樸禪讓之道、超忽久矣、終沒矣、今逢此君臣爭奪、故我安適歸矣、【考證】中井積德曰、忽焉、謂沒之速也、愚按、忽、如奄忽之忽、于嗟徂兮、命之衰矣。【索隱】于嗟、嗟歎之辭也、徂者往也、死也、言己今日餓死、亦是運命衰薄、不遇大道之時、至幽憂而餓死、【考證】微非、歸衰、韻、中井積德曰、唐風、采苓采苓、首陽之巔、唯此可據、蓋晉國有首山、而首山之南有小山、名首陽山也、采薇之詩、僞撰明矣、不足辨、遂餓死於首陽山。【考證】中井積德曰、論語唯稱餓于首陽之下、而不言以死、死字、肇于諸子、由此觀之、怨邪非邪。【索隱】太史公言己觀此詩之情、夷齊之行、似是有所怨邪、又疑其云非是怨邪、【正義】太史公視夷齊作詩而餓死、是怨時邪、非怨時邪、怨則兄弟相讓、隱於深山、豈合於世務、非怨邪、乃干世主、作詩而餓死、疑之甚也、【考證】羅大經曰、夫子稱其不怨、而采薇之詩、猶若未免怨、何也、或曰。天道無親、常與善人。若伯夷・叔齊、可謂善人者、非邪。【索隱】又敘論云、若夷齊之行如此、可謂善人者邪、又非善人者邪、亦疑也、【正義】太史公言伯夷之行、是善人邪、善人天道常與、豈有餓死之責、非善人、則有交讓廉潔之行、天下絕倫、惑之甚、【考證】天道無親、常與善人、老子七十九章、人親、韻、索隱本作可謂善人者邪、抑非也、王念孫曰、若伯夷叔齊、可謂善人者邪、抑非也、淮南王傳云、公以爲吳興兵、是邪、非也、貨殖傳云、所謂素封者邪、非也、老子云、侯王自謂孤寡不穀、此其以賤爲本邪、非乎、語意竝相似、積仁絜行如此而餓死。且七十子之

徒、仲尼獨薦顏淵爲好學。【考證】論語雍也篇、然回也屢空、【考證】論語先進篇、糟糠不厭、而卒蚤夭。【索隱】厭者飫也、不厭、謂不飽也、糟糠、貧者之所餐也、故曰糟糠之妻、是也、然顏子簞食瓢飲、亦未見糟糠之文也、【考證】中井積德曰、糟糠不厭、是形容貧乏之語、索隱泥甚、天之報施善人、其何如哉。【正義】太史公歎天之報施顏回非也、盜蹠日殺不辜、【索隱】蹠及注作跖、竝音之石反、按盜蹠、柳下惠之弟、亦見莊子、爲篇名、【正義】按蹠者黃帝時大盜之名、以柳下惠弟爲天下大盜、故世放古號之盜蹠、【考證】中井積德曰、以盜跖爲柳下惠之弟、莊子寓言、不足據、肝人之肉、【索隱】劉氏云、謂取人肉爲生肝、非也、按莊子云、跖方休卒太山之陽、膾人肝而餔之、【考證】李笠曰、儀禮士昏禮、贊以肝从、注、肝、肝炙也、肝爲肴羞之常、故有生炙之殊、跖暴行野性、故劉氏知其取人肉爲生肝食、不作肝炙食也、中井積德曰、肝人之肉、句、不可曉、蓋字訛也、愚按、肝疑當作膾、李說鑿、暴戾恣睢、【索隱】暴戾、謂兇暴而惡戾也、鄒誕生恣、音資、睢音千餘反、劉氏恣音如字、睢音休季反、恣睢、謂恣行爲睢惡之貌也、【正義】睢、仰白目怒貌也、言盜蹠兇暴惡戾、恣性怒白目也、【考證】莊子大宗師篇、遙蕩恣睢、釋文云、睢、郭李云、許維反、徐許鼻反、李王皆云、恣睢、自得貌、荀子非十二子篇、縱情性、安恣睢、楊倞注、睢許季反、錢大昕曰、唯睢二字、形聲皆別、從劉音、字當從目、從鄒音、字當從且、小司馬兼存二音、而不辯正、何也、李斯傳、有天下而不恣睢、索隱止有呼季反一音、聚黨數千人、橫行天下。竟以壽

終。【集解】皇覽曰、盜跖冢在河東大陽、臨河曲、直弘農華陰縣潼鄉、按盜跖卽柳下惠弟也、【索隱】直音如字、直者當也、或音値、非也、潼音同、按潼、水名、因爲鄉、今之潼津關、是亦爲縣也、【正義】太史公歎盜跖以壽終也、括地志云、盜跖冢在陜州河北縣西二十里、河北縣、本漢大陽縣也、又今齊州平陵縣有盜跖冢、未詳也、**是遵何德哉。**【索隱】言盜蹠無道、橫行天下、竟以壽終、是其人遵行何德而致此哉、【考證】中井積德曰、遵何德、言以何等之善受此福也、謂其無有也、**此其尤大彰明較著者也。**【索隱】按較、明也、言伯夷有德而餓死、盜蹠暴戾而壽終、是賢不遇而惡道長、尤大著明之證也、【考證】中井積德曰、賢人不遇、而凶人多福、而夷顏與盜跖其尤彰著者、**若至近世、操行不軌、專犯忌諱、而終身逸樂富厚、累世不絕。**【索隱】謂若魯桓・楚靈・晉獻・齊襄之比皆是、【考證】漢書、臣誠恐觸忌諱、死罪、忌諱、謂人所避忌者也、操行以下十九字、暗斥當時恃寵擅權者、其曰近世、不曰今世者、史公亦有所忌諱也、**或擇地而蹈之、**【索隱】謂不仕暗君、不飮盜泉、褁足高山之頂、竄跡滄海之濱、是也、【正義】謂北郭駱鮑焦等、是也、【考證】不妄動也、**時然後出言、**【索隱】按論語、夫子時然後言、**行不由徑、**【索隱】按論語、澹臺滅明之行也、**非公正不發憤。而遇禍災者、不可勝數也。**【索隱】謂人臣之節、非公正之事、不感激發憤、或出忠言、或致身命、而卒遇禍災者、不可勝數、謂龍逢比干屈平伍胥之屬、是也、【考證】中井積德曰、公正云云、設稱賢士之行耳、

注、人臣之節失察、愚按、數句史公暗自道也、非公正不發憤六字、尤見精神、中說未得、董份曰、太史公寓言、爲李陵遭刑之意、**余甚惑焉。儻所謂天道是邪非邪。**【索隱】太史公惑於不軌而逸樂、公正而遇災害、爲天道之非、而又是邪、深惑之也、蓋天道玄遠、聽聽暫遺、或窮通數會、不由行事、所以行善未必福、行惡未必禍、故先達皆猶昧之也、【正義】儻、音他蕩反、儻、未定之詞也、爲天道不敢的言是非、故云儻也、【考證】天道二字、正承上文、是邪非邪四字、史公述其惑也、言天道果是、常與善人、若古語所稱邪、抑又不然邪、終未可知也、**子曰。道不同、不相爲謀。**【考證】論語衞靈公篇、**亦各從其志也。**【正義】太史公引孔子之言、證前事也、言天道人道不同、一任其運遇、亦各從其志意也、【考證】中井積德曰、道不同、謂善者與不善者、暗承上文操行不軌、與擇地而蹈、**故曰。富貴如可求、雖執鞭之士、吾亦爲之。**【集解】鄭玄曰、富貴不可求而得之、當脩德以得之、若於道可求而得之者、雖執鞭賤職、我亦爲之、**如不可求、從吾所好。**【集解】孔安國曰、所好者、古人之道、【考證】論語述而篇、中井積德曰、引孔子言、是別發端緖、而不拘於天道之是非也、凌稚隆曰、此正是各從其志、**歲寒、然後知松柏之後凋。**【集解】何晏曰、大寒之歲、衆木皆死、然後松柏少凋傷、平歲衆木亦有不死者、故須歲寒然後別之、喩凡人處治世、亦能自脩整、與君子同、在濁世、然後知君子之正不苟容也、【考證】論語子罕篇、**擧世混濁、淸士乃見。**【索隱】老子曰、國家昏亂、始有

忠臣、是擧代混濁、則士之淸絜者乃彰見、故上文歲寒然後知松柏之後凋、先爲此言張本也、【正義】言天下泯亂、淸絜之士不撓、不苟合於盜跖也、【考證】索隱是、荀子大略篇云、歲不寒無以知松栢、事不難無以知君子、**豈以其重若彼、其輕若此哉。**【索隱】按、謂伯夷讓德之重若彼、而采薇餓死之輕若此、又一解云、操行不軌、富厚累代、是其重若彼、公正發憤而遇禍災、是其輕若此也、【正義】重、謂盜跖等也、輕、謂夷齊由光等也、【考證】顧炎武曰、其重若彼、謂俗人之重富貴也、其輕若此、謂淸士之輕富貴也、方苞曰、疊孔子老子之言、而繼以此語、言自聖賢論之、豈以若彼之富貴逸樂爲重、若此之困窮禍災爲輕乎、蓋君子之所謂重輕、與俗異、故曰、道不同、不相爲謀、恩田仲任曰、重、謂令名、輕、謂富貴、愚按、諸說各異、而顧說爲長、此正承上文道不同句、而未說及名字、**君子疾沒世而名不稱焉。**【索隱】自此已下、雖論伯夷得夫子而名彰、顏回附驥尾而行著、蓋亦欲微見己之著撰不已、亦是疾沒世而名不稱焉、故引賈子貪夫徇財、烈士徇名、是也、又引同明相照、同類相求、雲從龍風從虎者、言物各以類相求、故太史公言己亦是操行廉直而不用於代、卒陷非罪、與伯夷相類、故寄此而發論也、【正義】君子疾沒世後懼名湮滅而不稱、若夷齊顏回、絜行立名、後代稱述、亦太史公欲漸見己立名著述之美也、【考證】論語衞靈公篇、史公報任安書云、僕雖怯耎欲苟活、亦頗識去就之分矣、所以隱忍苟活、函糞土之中而不辭者、恨私心有所不盡、鄙沒世而文采不表於後也、史公之意可知、**賈子曰。**【索隱】賈子、賈誼也、誼作鵩鳥賦云然、故太史公引之而稱賈子也、**貪夫徇財、**【正義】徇、才迅反、徇求也、瓚云、以身從物曰徇、**烈士徇名、夸者**

死權、【索隱】言貪權勢以矜夸者、至死不休、故云死權也、【考證】中井積德曰、死權、亦謂徇權也、言夸權勢以致死、而弗悔焉、**衆庶馮生。**【索隱】馮者恃也、音凭、言衆庶之情、蓋恃矜其生也、鄒誕本作每生、每者冒也、卽貪冒之義、【正義】太史公引賈子譬作史記、若貪夫徇財、夸者死權、衆庶馮生、乃成其史記、【考證】錢大昕曰、每冒聲相近、貪生之義、較馮爲長、村尾元融曰、上文引孔子語、言君子所欲者、不在報施、此引賈子語、亦同其意、四句內主意在烈士一句、名字與名不稱之名、前後呼應、索隱正義皆缺、明、**同明相照、**【索隱】已下竝易繫辭文也、【考證】易傳作同聲相應、**同類相求、**【正義】天欲雨而柱礎潤、謂同德者相應、【考證】易傳作同氣相求、愚按、二句言道同則相與謀也、**雲從龍、風從虎、**【集解】王肅曰、龍擧而景雲屬、虎嘯而谷風興、張璠曰、猶言龍從雲、虎從風也、**聖人作而萬物覩。**【集解】馬融曰、作、起也、【索隱】按、又引此句者、謂聖人起而居位、則萬物之情皆得覩見、故己今日又得著書、言世情之輕重也、【正義】此有識也、聖人有養生之德、萬物有長育之情、故相感應也、此以上至同明相照、是周易乾象辭也、太史公引此等相感者、欲見述作之意、令萬物有覩也、孔子歿後五百歲而已當之、故作史記、使萬物見覩之也、太史公序傳云、先人有言、自周公卒五百歲而有孔子、孔子卒後至於今五百歲、有能紹名世、正易傳、繼春秋、本詩書禮樂之際、意在斯乎、小子何敢讓焉、作述六經云、易著天地陰陽四時五行、故長於變、禮經紀人倫、故長於行、書記先王之事、故長於政、詩記山川谿谷禽獸草木牝牡雌雄、故長於風、樂樂所以立、故長於和、春秋辨是非、故長於治人、是故禮以節人、樂以發和、書以道事、詩以達意、易以道化、春秋以道義、撥亂世反之正、莫近

於春秋、按述作而萬物睹見、考證萬物覩、此取爲著顯之義、以起下文夷顏得夫子、而名行彰顯、中井積德曰、索隱正義穢雜可厭、引序傳尤妄、齋藤謙曰、太史公每用古語、少改面目、以爲己語、如伯夷傳、用文言同聲相應、改作同明相照、同氣作同類、下省水流濕火就燥二句、直接聖人作而萬物句、陶鎔點化爲己語、與李王生吞活剝不同、

伯夷・叔齊雖賢、得夫子而名益彰、正義伯夷叔齊、雖有賢行、得夫子稱揚、而名益彰著、萬物雖有生養之性、得太史公作述、而世事益睹見、考證正義萬物以下二十字、當刪、

顏淵雖篤學、附驥尾而行益顯。索隱按蒼蠅附驥尾而致千里、以譬顏回因孔子而名彰也、考證顧炎武曰、本是附夫子耳、避上文雷同、改作驥尾、使後人爲之、豈不爲人譏笑、村尾元融曰、此言天道之報施、果不違錯、以結上文之意、伯夷叔齊因聖人褒稱之言、而聲名顯乎千載之下、則與夫生前富厚逸樂、沒後寥寥無聞者、不可同日而語、天道是非之惑、於是乎釋然矣、

巖穴之士、趣舍有時。若此類名堙滅而不稱。悲夫。正義趣、音趨、舍、音捨、趣、向也、捨、廢也、言隱處之士、時有附驥尾而名曉達、若堙滅不稱、數者亦可悲痛、考證趣舍有時、出處不同也、董份曰、太史公言伯夷叔齊、不能无怨、惟得孔子言之、故益顯、若由光義至高、而不少概見、故後世無聞焉、是以砥行立名者、必附青雲之士也、此一篇大意、若不如此、則首尾似不相貫、而引由光事、少味矣、

閭巷之人、欲砥行立名者、非附青雲之士、惡能施于後世哉。正義砥、音旨、礪行脩德、在鄉閭者、若不託貴大之士、何得封侯爵賞、而名留後代也、考證村尾元融曰、閭巷之人謂賢而在下位者、不必隱處之人、與巖穴之士較有差別、楊愼曰、青雲之士、謂聖賢立言傳世者、孔子是也、附青雲則伯夷顏回是也、後世謂登仕路爲青雲謬矣、村尾元融曰、青雲有三義、此云青雲之士、以德言、范雎傳、致於青雲之上者、以位言、晉書阮咸傳、仲容青雲器、以志言、皆取義高超絕遠耳、從文解之可也、張守節楊用修就一偏而言、誤矣、

索隱述贊、天道平分、與善徒云、賢而餓死、盜且聚羣、吉凶倚伏、報施糾紛、子罕言命、得自前聞、嗟彼素士、不附青雲、

伯夷列傳第一　史記六十一

史記會注考證卷六十二

漢　太　史　令　司　馬　遷　撰

宋　中　郎　外　兵　曹　參　軍　裴　駰　集　解

唐國子博士弘文館學士司馬貞索隱

唐諸王侍讀率府長史張守節正義

日　本　出　雲　瀧　川　資　言　考　證

管晏列傳第二　　史記六十二

【考證】史公自序云、晏子儉矣、夷吾則奢、齊桓以霸、景公以治、作管晏列傳第六十二、陳仁錫曰、管仲晏嬰皆齊名臣、故共傳、

管仲夷吾者、潁上人也。【索隱】潁、水名、地理志、潁水出陽城、漢有潁陽、臨潁二縣、今亦有潁上縣、【正義】韋昭云、夷吾、姬姓之後、管嚴之子敬仲也、【考證】沈濤曰、國語、昔管敬仲有言、注云、敬仲、夷吾之字也、又云、齊桓親舉管敬子、注云、敬子、管子之謚、二注不同、案管夷吾字仲、故桓公稱爲仲父、後人因其謚敬、遂稱之爲管敬仲、非字敬仲、而謚敬子也、韋注字字、恐是謚字之誤、又晏子春秋內篇、作管文仲、亦當敬仲傳寫之誤、注中遂以爲字敬而謚文、非也、愚按、不曰管夷吾、而曰管仲夷吾者、舉其通稱也、下晏平仲嬰與此同例、凡傳中或稱某子、或稱某生、或名、或字、皆從當時所呼而書之、不必一律、張文虎曰、今國語注、無管嚴之子四字、少時常與鮑叔牙游。鮑叔知其賢。管仲貧困、常欺鮑叔。鮑叔終善遇之、不以爲言。【索隱】呂氏春秋、管仲與鮑叔同賈南陽、及分財利、而管仲嘗欺鮑叔多自取、鮑叔知其有母而貧、不以爲貪也、【考證】常與之常、楓山、三條本、作嘗、已而鮑叔事齊公子小白、管仲事公子糾。及小白立爲桓公、公子糾死、管仲囚焉。鮑叔遂進管仲。【正義】齊世家云、鮑叔牙曰、君將治齊、則高傒與叔牙足矣、君且欲霸王、非管夷吾不可、夷吾所居國國重、不可失也、於是桓公從之、韋昭云、鮑叔、齊大夫、姒姓之後、鮑敬叔之子叔牙也、【考證】鮑叔事齊公子小白以下、采莊八年九年左傳、左傳事作奉、中井積德曰、二人各事公子者、非常委質爲臣之比、蓋有奇貨之意、左氏記述似得實、愚按、楓山本、三條本、桓上有齊字、管仲既

用、任政於齊。【正義】管子云、相齊以九惠之教、一曰老、二曰慈、三曰孤、四曰疾、五曰獨、六曰病、七曰通、八曰賑、九曰絕也、齊桓公以霸。九合諸侯、一匡天下、管仲之謀也。【考證】論語憲問篇、桓公九合諸侯、不以兵車、管仲之力也、又云、管仲相桓公、霸諸侯、一匡天下、管仲曰。吾始困時、嘗與鮑叔賈。【正義】音古、【考證】楓山、三條本、賈下有南陽二字、分財利、多自與。鮑叔不以我爲貪。知我貧也。吾嘗爲鮑叔謀事而更窮困。鮑叔不以我爲愚。知時有利不利也。吾嘗三仕三見逐於君。鮑叔不以我爲不肖。知我不遭時也。吾嘗三戰三走。鮑叔不以我爲怯。知我有老母也。公子糾敗、召忽死之。吾幽囚受辱。鮑叔不以我爲無恥。知我不羞小節、而恥功名不顯于天下也。【考證】一句、史公自道、生我者父母、知我者鮑子也。鮑叔既進管仲、以身下之。【考證】管仲曰以下、采列子力命篇、楓山、三條本以作已、子孫世

祿於齊、有封邑者十餘世。常爲名大夫。【索隱】按系本云、莊仲山產敬仲夷吾、夷吾產武子鳴、鳴產桓子啓方、啓方產成子孺、孺產莊子盧、盧產悼子其夷、其夷產襄子武、武產景子耐涉、耐涉產微、凡十代、系譜同、【考證】洪亮吉曰、叔牙曾孫牽、國之孫牧、皆見左傳、叔牙之後、蓋不絕於牧、故曰十餘世也、索隱以管仲之後當之、恐誤、又曰、仲尼弟子列傳云、田常作亂於齊、憚高國鮑晏、則鮑牧後尚有人、天下不多管仲之賢、而多鮑叔能知人也。管仲既任政相齊。【正義】國語云、齊桓公使鮑叔爲相、辭曰、臣之不若夷吾者五、寬和惠民、不若也、治國家不失其柄、不若也、忠惠可結於百姓、不若也、制禮義可法於四方、不若也、執枹鼓立於軍門、使百姓皆加勇、不若也、以區區之齊在海濱、【正義】齊國、東濱海也、通貨積財、富國彊兵、與俗同好惡。【考證】楓山、三條本、無積字、故其稱曰。【索隱】是夷吾著書、所稱管子者、其書有此言、故略舉其要、倉廩實而知禮節、衣食足而知榮辱。上服度則六親固。【正義】上之服御、物有制度、則六親堅固也、六親謂外祖父母一、父母二、姊妹三、妻兄弟之子四、從母之子五、女之子六也、王弼云、父母兄弟妻子也、【考證】二而字、管子作則、注、服、行也、上行禮度、則六親各得其所、愚按、實節、足辱、度固、韻、六親、王說是、呂氏春秋、六戚、父母兄弟妻子、四維不張、國乃滅亡。【集解】管子曰、四維、一曰禮、二曰義、三曰廉、四曰恥、【考證】張亡、韻、

下令如流水之原。令順民心。【考證】以上管子牧民篇文、令、政令也、原、楓山、三條本作源、言行令如有源之水也、故論卑而易行。【正義】言爲政令卑下鮮少、而百姓易作行也、【考證】卑近平易、非高遠難行者、俗之所欲、因而予之、俗之所否、因而去之。其爲政也善因禍而爲福、轉敗而爲功。貴輕重、【索隱】輕重、謂錢也、今管子有輕重篇、愼權衡。【正義】輕重、謂恥辱也、權衡、謂得失也、有恥辱甚貴重之、有得失甚戒愼之、【考證】中井積德曰、輕重、謂錢之貴賤、徐孚遠曰、權衡、鈞石之類、蓋與民取平之義、愚按、貴輕重愼權衡、言斟酌商量得其道也、不獨錢穀、凌稚隆曰、下三事、卽因禍爲福、轉敗爲功、所謂輕重權衡也、太史公連下實字因字而字、而管仲相桓之霸業俱見矣、桓公實怒少姬、南襲蔡。【索隱】按、謂怒蕩舟之姬、歸而未絕、蔡人嫁之、管仲因而伐楚、責包茅不入貢於周室。【考證】楓山、三條本、包作菁、桓公實北征山戎。而管仲因而令燕修召公之政。於柯之會、【正義】今齊州東阿也、桓公欲背曹沫之約。【索隱】沫、音昧、亦音末、左傳作曹劌、【正義】沫、莫葛反、管仲因而信之。【正義】以劫許之、歸魯侵地、【考證】蘇轍曰、此三說皆非也、桓公二十九年會諸侯于陽穀、爲鄭謀楚、是歲有蕩舟之事、故明年伐楚、因

侵蔡、蔡在楚北、故春秋先書侵蔡、其實本爲伐楚動也、山戎病燕、故桓公爲燕伐之、非不義也、亦何待令燕脩召公之政而後可哉、曹沫事出戰國雜說、公羊不推本末而信之、太史公又以爲然、皆不可信、諸侯由是歸齊。故曰。知與之爲取、政之寶也。【索隱】老子曰、將欲取之、必固與之、是知此爲政之所寶也、【考證】故曰、管子牧民篇文、孟子所謂假仁者、老子蓋本於此、與孔孟之道自有徑庭、此王霸之別、管仲富擬於公室、有三歸反坫。齊人不以爲侈。【正義】三歸、三姓女也、婦人謂嫁曰歸、【考證】論語八佾篇云、管氏有三歸、又云、邦君爲兩君之好有反坫、管子亦有反坫、朱子集註云、三歸、臺名、事見說苑、兪樾曰、韓非子外儲說云、管仲相齊、曰、臣貴矣、然而臣貧、桓公曰、使子有三歸之家、三歸之家、管仲自朝而歸、其家有三處也、家有三處、則鐘鼓帷帳、不移而具、足見其奢、且美女之充下陳者、亦必三處如一、而娶三姓之說、或從此出也、愚按、三歸之家、必有樓臺池沼、此說苑臺名之說、所以由起、坫在兩楹之間、獻酬飮畢、則反爵於其上、楓山、三條本、無反坫二字、管仲卒、【正義】括地志云、管仲冢在青州臨淄縣南二十一里牛山之阿、說苑云、齊桓公使管仲治國、管仲對曰、賤不能臨貴、桓公以爲上卿、而國不治、曰、何故、管仲對曰、貧不能使富、桓公賜之齊市租、而國不治、桓公曰、何故、對曰、疏不能制近、桓公立以爲仲父、齊國大安、而遂霸天下、孔子曰、管仲之賢而不得此三權者、亦不能使其君南面而稱伯、齊國遵其政、常彊於諸侯。後百餘年而有晏子焉。【考證】孫效曾曰、齊世家管仲卒于齊桓公四十一年、爲魯僖公十五年、而晏子于

魯襄十七年、始嗣其父桓子爲大夫、見左傳、乃齊靈公二十六年也、則管晏相去九十年、史公謂後百餘年者誤矣、晏平仲嬰者、萊之夷維人也。【集解】劉向別錄曰、萊者今東萊地也、【索隱】名嬰、平諡、仲字、父桓子、名弱也、【正義】晏氏齊記云、齊城三百里有夷安、卽晏平仲之邑、漢爲夷安縣、屬高密國、應劭云、故萊夷維邑、事齊靈公・莊公・景公、【索隱】按世家及系本、靈公名環、莊公名光、景公名杵臼也、以節儉力行重於齊。既相齊。食不重肉、妾不衣帛。【考證】禮記禮器云、管仲鏤簋朱紘、山節藻梲、君子以爲濫矣、晏平仲祀其先人、豚肩不揜豆、澣衣濯冠以朝、君子以爲隘矣、檀弓云、晏子一狐裘三十年、晏子春秋、仲尼曰、靈公汙、晏子事之以整齊、莊公壯、晏子事之以宣武、景公奢、晏子事之以恭儉、馮班曰、以一心事三君、晏子之節也、此一句大有關係、其在朝、君語及之、卽危言。【正義】謂己謙讓、非云功能、語不及之、卽危行。【正義】行、下孟反、謂君不知己、增脩業行、畏責及也、國有道卽順命、無道卽衡命。【正義】衡、秤也、謂國無道、則制秤量之、可行卽行、【考證】羣書治要引、三卽字作則、不及下、無之字、論語憲問篇云、邦有道危言危行、邦無道、危行言孫、朱子集註云、危、高峻也、洪慶善曰、危、非矯激也、直道而行、中井積德曰、曰危言、則危行在其中、曰危行、則言之不危可知、是自文法、李笠曰、衡、古通橫、橫訓逆、故衡命、卽逆命也、與順命對、愚按衡命、正義是、罔白駒曰、權而不失其正、如不死莊公之難、亦不附崔慶、是也、以此三世顯名於諸侯。

越石父賢、在縲紲中。【正義】縲、音力追反、縲、黑索也、紲、繫也、晏子春秋云、晏子之晉、至中牟、覩獘冠反裘、負薪息於途側、晏子問曰、何者、對曰、我石父也、苟免飢凍、爲人臣僕、晏子解左驂贖之、載與俱歸、按與此文小異也、【考證】梁玉繩曰、晏子春秋雜篇、載此事、謂石父爲中牟之僕、不言在縲紲、故正義云、與此文小異、愚按、呂氏春秋云、晏子之晉、見反裘負芻、息於塗者、以爲君子也、使人問焉、曰、曷爲而至此、對曰、齊人累之、名爲越石父、所謂累之者、言以負累作僕、義與晏子春秋同、史公解累爲縲紲、非也、晏子出、遭之塗、解左驂贖之。【考證】僖三十三年左傳、釋左驂以公命贈孟明、左驂、駕車之馬在左旁者、載歸。弗謝、入閨。【考證】呂氏春秋、作載而與歸、至舍、弗辭而入、久之越石父請絕。晏子戄然。攝衣冠謝曰。嬰雖不仁、免子於尼。何子求絕之速也。【正義】戄、牀縛反、【考證】張文虎曰、戄無此音、疑作渠縛反、石父曰。不然。吾聞君子詘於不知己、而信於知己者。【索隱】信讀曰申、古周禮皆然也、申於知己、謂以彼知我而我志獲申、方吾在縲紲中、彼不知我也。夫子既已感寤而贖我。【考證】三條本、百衲宋本、凌本、已作以、是知己。知己而無禮、固不如在縲紲之中。晏子於是延入爲上客。【考證】越石父以下、

采呂氏春秋觀世篇、晏子爲齊相。出。其御之妻、從門閒而闚其夫。其夫爲相御、擁大蓋、策駟馬、意氣揚揚、甚自得也。【考證】中井積德曰、大蓋、車蓋也、擁、居車蓋側也、既而歸。其妻請去。夫問其故。妻曰。晏子長不滿六尺。身相齊國、名顯諸侯。【考證】列女傳、六尺作七尺、今者妾觀其出、志念深矣。常有以自下者。今子長八尺、乃爲人僕御。然子之意自以爲足。妾是以求去也。其後夫自抑損。晏子怪而問之。御以實對。晏子薦以爲大夫。【集解】皇覽曰、晏子冢、在臨菑城南菑水南、桓公冢西北、【正義】注皇覽云、晏子冢在臨淄城南菑水南桓公冢西北、括地志云、齊桓公墓、在青州臨淄縣東南二十三里鼎足上、又云、齊晏嬰冢、在齊子城北門外、晏子云、吾生近市、死豈易吾志、乃葬故宅、後人名曰清節里、按恐皇覽誤、乃管仲冢也、【考證】中井積德曰、薦爲大夫一句、必不實說、愚按、集解正義、諸本有錯誤、今依張氏札記移正、

太史公曰。吾讀管氏牧民、山高、乘馬、輕重、九府、【集解】劉向別錄曰、九府書民閒無有、山高、一名形勢、【索隱】皆管氏所著書篇名也、按九府、蓋錢之府藏、其書論鑄錢之輕重、故云輕重九府、餘如別錄之說、【正義】七略云、管子十八篇、在法家、【考證】管子八十六篇、今本亡其十篇、而其目猶存、及晏子春秋。【索隱】按嬰所著書、名晏子春秋、今其書有七篇、故下云、其書世多有也、【正義】七略云、晏子春秋七篇、在儒家、詳哉其言之也。【考證】陳仁錫曰、有此一句、方見傳內當略、既見其著書、欲觀其行事。故次其傳。至其書世多有之。是以不論。論其軼事。【正義】軼、音逸、管仲世所謂賢臣。然孔子小之。豈以爲周道衰微、桓公既賢、而不勉之至王、乃稱霸哉。【正義】言管仲世所謂賢臣、孔子所以小之者、蓋以爲周道衰、桓公賢主、管仲何不勸勉輔弼、至於帝王、乃自稱霸主哉、故孔子小之云、蓋爲前疑夫子小管仲爲此、【考證】論語八佾篇、子曰、管仲之器小哉、中井積德曰、是論未得孔子之旨、孔子只以其易盈爲小器也、兪正燮曰、太史公謂管仲不能勉齊致王、蓋本孟子、按周之僖惠、未比殷紂、齊桓之德、不及文王、文王久始得之、奈何欲以齊桓奪周祚、管仲反坫塞門、三歸、官事不攝、自謂功成、身泰意侈、卽是器小、自古未聞以不能謀反叛逆訕詆人者、故知器小是侈泰也、語曰。將順其美、匡救其惡。故上下能相親也。豈管仲之謂乎。【正義】言管仲相齊、順百姓之美、匡救國家之惡、令君臣百姓相親者、是管之能也、【考證】語曰、孝經文、將、讀爲奬、中井積德曰、其美其惡、皆以君上而言、

方晏子伏莊公尸、哭之成禮、然後去、【索隱】按左傳崔杼弒莊公、晏嬰入、枕莊公尸股而哭之、成禮而出、崔杼欲殺之是也、【考證】左傳襄二十五年、豈所謂見義不爲無勇者邪。【考證】論語爲政篇、見義不爲、無勇也、中井積德曰、蓋以哭成禮爲勇也、至其諫說犯君之顏、此所謂進思盡忠、退思補過者哉。【考證】進思二句、亦孝經文、豈所謂見義不爲無勇者、此所謂進思盡忠、退思補過者、蓋史公自道也、參諸其答任安書、可以見焉、假令晏子而在、余雖爲之執鞭、所忻慕焉。【索隱】太史公之羨慕仰企平仲之行、假令晏生在世、己雖與之爲僕隸、爲之執鞭、亦所忻慕、其好賢樂善如此、賢哉良史、可以示人臣之炯戒也、【考證】岡白駒曰、執鞭、自本傳中僕御來、舒雅曰、執蓋之婦、羞其夫爲晏子御、太史公乃願爲執鞭、何哉、蓋太史以李陵故被刑、漢法腐刑許贖、而生平交游故舊、無如能晏子解左驂贖石父者、自傷不遇斯人、而過激仰羨之詞耳、曾謂太史公不若彼婦哉、

【索隱】述贊、夷吾成霸、平仲稱賢、粟乃實廩、豆不掩肩、轉禍爲福、危言獲全、孔賴左衽、史忻執鞭、成禮而去、人望存焉、

管晏列傳第二　史記六十二

史記會注考證卷六十三

漢　太　史　令　司　馬　遷　撰

宋中郎外兵曹參軍裴　駰集解

唐國子博士弘文館學士司馬貞索隱

唐諸王侍讀率府長史張守節正義

日　本　出　雲　瀧　川　資　言　考證

老子韓非列傳第三　　史記六十三

【考證】史公自序云、李耳無爲自化、清淨自正、韓非揣事情、循勢理、作老子韓非列傳第三、張文虎曰、凌本題老莊申韓傳、非也、今依索隱、北宋、毛本、與史公自序合、王、柯本

題申不害韓非列傳、別行、注云、開元二十三年、勅昇老子莊子爲列傳首、故申韓爲此卷、案昇老子已見正義、此亦合刻者所記、方苞曰、老子列傳、始詳其國邑鄉里姓氏名字諡爵職守、及其子孫雲仍封爵時代居國、蓋以世傳老子爲神僊幻怪之流、故詳誌以見其不然也、愚按、莊子傳云、其要本歸于老子之言、申子傳云、本於黃老而主刑名、韓非傳云、喜刑名法術之學、而其歸本於黃老、史公合傳之意可知、梁玉繩曰、昔人以老韓同傳爲不倫、史通編次篇、深訾之、小司馬補史亦云、不宜同傳、宜令韓非居商君傳末、然申韓本于黃老、史公之論、自不可易、竝非強合、況韓子有解老喩老二篇、其解老篇、創爲訓注體、實五千文釋詁之祖、安知史公之意、不又在斯乎、前賢妄規之也、歸有光曰、太史公列傳、或數人合傳、皆聯書不斷、今合讀之、尤見其奇、近時刻本、每人界斷、必小司馬之陋也、愚按、合傳、每人界斷、固非史公舊帙、但不知其出何人手、震川以咎小司馬、寃矣、

老子者、【正義】朱韜玉札及神仙傳云、老子楚國苦縣瀨鄉曲仁里人、姓李、名耳、字伯陽、一名重耳、外字聃、身長八尺八寸、黃色美眉、長耳大目、廣額疏齒、方口厚脣、額有三五達理、日角月懸、鼻有雙柱、耳有三門、足蹈二五、手把十文、周時人、李母八十一年而生、又玄妙內篇云、李母懷胎八十一載、逍遙李樹下、迺割左腋而生、又云、玄妙玉女夢流星入口而有娠、七十二年而生老子、又上元經云、李母晝夜見五色珠、大如彈丸、自天下、因吞之、卽有娠、張君相云、老子者是號、非名、老考也、子孳也、考教衆理、達成聖孳、乃孳生萬物、善化濟物無遺也、【考證】正義荒唐不經、可刪、**楚苦縣厲鄉曲仁里人也。**【集解】地理志曰、苦縣屬陳國、【索隱】按地理志、苦縣屬陳國者誤也、苦縣本屬陳、春秋時楚滅陳、而苦又屬楚、故云楚苦縣、至高帝十一年、立淮陽國、陳縣苦縣皆屬焉、裴氏所引不明、見苦縣在陳縣下、因云苦屬陳、今檢地理志、苦實屬淮陽郡、苦音怙、【正義】按年表云、淮陽國、景帝三年廢、至天漢脩史之時、楚節王純都彭城、相近、疑苦此時屬楚國、故太史公書之、括地志云、苦縣在亳州谷陽縣界、有老子宅及廟、廟中有九井、尚存、在今亳州眞源縣也、厲音賴、晉太康地記云、苦縣城東有瀨鄉祠、老子所生地也、【考證】淮南修務訓云、南榮疇南見老聃、高誘注、老聃、老子、字伯陽、楚苦縣賴鄉曲里人、今陳國東瀨鄉有祠存、據在魯南、故曰南見老子、榮疇蓋魯人、愚按、厲賴瀨音通、**名耳。字聃。**【索隱】按許愼云、聃、耳曼也、故名耳字聃、有本字伯陽、非正也、然老子號伯陽父、此傳不稱也、【正義】聃、耳漫無輪也、神仙傳云、外字曰聃、按字號也、疑老子耳漫無輪、故世號曰聃、【考證】呂氏春秋不二、重言兩篇、聃作耽、**姓李氏。**【索隱】按葛玄曰、李氏女所生、因母姓也、又云、生而指李樹、因以爲姓、【考證】索隱本、各本作字伯陽、諡曰聃、姓李氏、各本在曲仁里人也下、後漢書桓帝紀章懷注、引史記曰、老子者楚苦縣厲鄉曲仁里人也、名耳、字聃、姓李氏、史記原本蓋如此、陸德明音義、註老子兩處、亦引史記曰、字聃、引河上公曰、字伯陽、不謂史記之語、老子匹夫耳、固無諡也、字伯陽、諡曰聃數字、蓋後人所增益、姚鼐老子章義序、王念孫讀書志、辯之太詳、今依改、**周守藏室之史也。**【索隱】按藏室史、周藏書室之史也、又張蒼傳、老子爲柱下史、蓋卽藏室之柱下、因以爲官名、【正義】藏、在浪反、【考證】汪中曰、本傳云、老子楚苦縣曲仁里人也、又云、周守藏之史也、按周室既東、辛有入晉、司馬適晉、史角在魯、王官之族、或流播于四方、列國之產、惟晉悼嘗仕于周、其他固無聞焉、況楚之于周、聲教中阻、又非魯

鄭之比、且古之典籍舊聞、惟在瞽史、其人竝世官宿業、羇旅無所置其身、本傳又云、老子隱君子也、身爲王官、不可謂隱、莊子天道篇載孔子西藏書于周室、尤誤、後人寓言十九、周己自揭之矣、愚按、隱君子三字、就其遯世而言、汪說泥、錢大昕曰、張蒼傳但云、秦時爲御史、主柱下方書、未嘗及老子、一本作張湯傳、尤誤、**孔子適周、將問禮於老子。**【索隱】大戴記亦云然、【考證】汪中曰、孔子世家云、南宮敬叔與孔子俱適周、蓋見老子云、老子傳云、孔子適周、將問禮于老子、按老子言行、今見于曾子問者凡四、是孔子之所從學者可知也、夫助葬而遇日食、然且以見星爲嫌、止柩以聽變、其謹于禮也如是、至其書則曰、禮者忠信之薄、而亂之首也、下殤之葬、稱引周召史佚、其尊信前哲也如是、而其書則曰、聖人不死、大盜不止、彼此乖違甚矣、愚按、聖人不死、大盜不止、莊子胠篋篇語、汪氏誤引老子、則曰、絕聖棄智、民利百倍、又按孔子問禮於老子、其事有無未可知、說旣具于孔子世家、**老子曰、子所言者、其人與骨皆已朽矣。獨其言在耳。**【考證】與莊子天道篇聖人已死矣、君之所讀者古人之糟魄已夫、文異意同、**且君子得其時則駕、不得其時、則蓬累而行。**【索隱】劉氏云、蓬累、猶扶持也、累、音六水反、說者云、頭戴物、兩手扶之而行、謂之蓬累也、按蓬者蓋也、累者隨也、以言若得明君、則駕車服冕、不遭時、則自覆蓋相攜隨而去耳、【正義】蓬、沙磧上轉蓬也、累、轉行貌也、言君子得明主、則駕車而事、不遭時、則若蓬轉流移而行、可止則止也、蓬、其狀若皤蒿、細葉、蔓生於沙漠中、風吹則根斷、隨風轉移也、皤蒿、江東呼爲斜蒿云、【考證】余有丁曰、蓬累、謂積累蓬篛、若今之笠然、洪頤煊曰、蓬、蓬髮、累讀爲傫、

垂貌、中井積德曰、蓬累字義不可曉、諸說皆牽强、唯轉蓬爲近之、而累字艱難、愚按、二字他書未見、闕疑可也、吾聞之、良賈深藏若虛。君子盛德、容貌若愚。索隱 良賈、謂善貨賣之人、賈、音古、深藏、謂隱其寶貨、不令人見、故云若虛、而君子之人、身有盛德、其容貌謙退、有若愚魯之人然、嵇康高士傳亦載此語、文則小異、云、良賈深藏、外形若虛、君子盛德、容貌若不足也、考證 虛愚、韻、大戴禮曾子制言上篇、良賈深藏如虛、君子有盛德、容貌如無、蓋古有此語、去子之驕氣與多欲、態色與淫志。正義 姿態之容色、與淫欲之志、皆無益於夫子、須去除也、考證 岡白駒曰、態色、威儀容色也、淫、過甚也、汪中曰、本傳老子語孔子、去子之驕氣與多欲、態色與淫志、而莊子外物篇則曰、老萊子謂孔子、去汝躬矜與汝容知、孔叢子抗志篇、以爲老萊子語子思、張文虎曰、正義夫字疑衍、是皆無益於子之身。吾所以告子、若是而已。孔子去、謂弟子曰。鳥吾知其能飛。魚吾知其能游。獸吾知其能走。走者可以爲罔。游者可以爲綸。飛者可以爲矰。至於龍吾不能知。其乘風雲而上天。吾今日見老子、其猶龍邪。考證 莊子天運篇云、孔子見老聃歸、三日不談、弟子問曰、夫子見老聃、亦將何規哉、孔子曰、吾乃今於是乎見龍、龍合而成體、散而成章、乘乎雲氣、而養乎陰陽、予口張而不能

嗋、予又何規老聃哉、太平御覽六百十七引莊子曰、云云、孔子曰、吾與汝處魯之時、人用意如飛鴻者、吾走狗逐之、用意如井魚者、吾爲鉤繳以投之、吾今見龍云云、余口張不能嗋、舌出不能縮、又何規哉、史公葢本於此、梁玉繩曰、老子之言、非至言也、安得遽歎其猶龍哉、此本莊子天運篇、然莊子多寓言、而據爲實錄可乎、老子脩道德、其學以自隱無名爲務。居周久之、見周之衰、迺遂去至關。索隱 李允函谷關銘云、尹喜要老子、留作二篇、而崔浩以尹喜又爲散關令、是也、正義 抱朴子云、老子西遊、遇關令尹喜於散關、爲喜著道德經一卷、謂之老子、或以爲函谷關、括地志云、散關、在岐州陳倉縣東南五十二里、函谷關、在陜州桃林縣西南十二里、强、其兩反、爲、于僞反、關令尹喜曰。子將隱矣。彊爲我著書。於是老子迺著書上下篇、言道德之意、五千餘言而去。莫知其所終。集解 列仙傳曰、關令尹喜者、周大夫也、善內學星宿、服精華、隱德行仁、時人莫知、老子西遊、喜先見其氣、知眞人當過、候物色而迹之、果得老子、老子亦知其奇、爲著書、與老子俱之流沙之西、服巨勝實、莫知其所終、亦著書九篇、名關尹子、索隱 列仙傳是劉向所記、物色而迹之、謂視其氣物有異色而尋迹之、又按列仙傳、老子西遊關、令尹喜望見有紫氣浮關、而老子果乘青牛而過也、考證 方苞曰、老子本以周衰隱身遠去、莫知所終、故世人遂以爲神仙者流、柯維騏曰、按莊子列子所載關尹子之論、其旨微妙、似道德篇、班固藝文志、道家有關尹子九篇、說者曰、卽關令尹喜也、梁玉繩曰、莊子養生主曰、老聃死、秦失弔之、則

老子非長生神變、莫知其所終者、自有此言、而道家遂有化胡成佛之說、釋道宣廣弘明集辨惑篇序云、李叟生于厲鄕、死于槐里、莊生可爲實錄、秦失誠非妄論、或曰。老萊子亦楚人也。著書十五篇、言道家之用。與孔子同時云。正義 太史公疑老子或是老萊子、故書之、列仙傳云、老萊子楚人、當時世亂、逃世耕於蒙山之陽、莞葭爲牆、蓬蒿爲室、杖木爲牀、蓍艾爲席、菹芰爲食、墾山播種五穀、楚王至門迎之、遂去至於江南而止、曰、鳥獸之解毛、可績而衣、其遺粒足食也、考證 梁玉繩曰、老萊子與老聃判然二人、弟子傳序分別言之、而此忽疑爲一人、路史因附會其詞云、老子邑于苦之賴、賴乃萊也、故又曰老萊子、何其誕哉、漢藝文志、老萊子十六篇、葢老子百有六十餘歲。或言二百餘歲。以其脩道而養壽也。索隱 此前古好事者、據外傳以老子生年至孔子時、故百六十歲、或言二百餘歲者、卽以周至太史儋爲老子、故二百餘歲也、正義 葢、或、皆疑辭也、世不的知、故言葢及或也、玉清云、老子以周平王時見衰、於是去、孔子世家云、孔子問禮於老子、在周景王時、孔子葢年三十也、去平王十二王、此傳云、儋卽老子也、秦獻公與烈王同時、去平王二十一王、說者不一、不可知也、故葛仙公序云、老子體于自然、生乎大始之先、起乎無因、經歷天地、終始不可稱載、考證 方苞曰、前言老萊子與孔子同時、後言太史儋後孔子百二十九年、而中間入老子年數、葢謂老子隱去、其年壽所極、世人亦莫知其眞、故與老萊子太史儋相混也、自孔子死之後百二十九年、集解 徐廣曰、實百一十九年、考證 梁玉繩曰、孔子卒于敬王四十一年、至

烈王二年、乃百有六年、此誤、徐廣說有譌脫、而史記周太史儋見秦獻公曰。始秦與周合。合五百歲而離。離七十歲而霸王者出焉。索隱 按周秦二本紀竝云、始周與秦國合而別、別五百載又合、合七十歲而霸王者出、然與此傳離合正反、尋其意義亦竝不相違也、考證 此語史記四見、張文虎曰、各本作始秦與周合而離、離五百歲而復合、合七十歲而霸王者出焉、毛本七十下有餘字、王氏雜志云、此後人依周秦本紀改、索隱云、紀與此傳正反、若此、則何反之有、今依雜志所引宋本改、索隱本出始秦與周合、五百歲而離、則較宋本同少一合字、愚按、劉氏百衲宋本與各本同、與雜志所引宋本異、史記桃源抄云、博士家本、作合五百歲而離、離十七歲而霸王者出焉、亦與諸本異、或曰。儋卽老子。或曰。非也。世莫知其然否。老子隱君子也。考證 方苞曰、老萊子與老子同時同國、而著書言道家之用、周太史儋與老子同官、同嫌名、而號前知、故其傳與老子相混、而太史公正言老子爲隱君子、所以破衆說之荒怪、且見儋與老萊子別爲二人也、老子之子名宗。宗爲魏將封於段干。集解 此云封於段干、段干應是魏邑名也、而魏世家有段干木段干子、田完世家有段干朋、疑此三人是姓段干也、本葢因邑爲姓、左傳所謂邑亦如之、是也、風俗通氏姓注云、姓段、名干木、恐或失之矣、天下自別有段姓、何必段干木邪、考證 魏列諸侯、在周威烈王二十三年、孔子沒後七十六年、使老子與孔子同年、五十生宗、宗是時百歲左右矣、梁玉繩曰、唐表以宗爲聃之後、較史爲實、姚範曰、

戰國策華下之戰、魏不勝秦、明年將使段干崇割地而講、崇疑卽宗也、計崇之年、似不爲老子之子、宗子注。【索隱】音鑄、【正義】之樹反、注子宮。宮玄孫假。【索隱】音古雅反、【正義】作瑕、音霞、【考證】梁玉繩曰、神仙傳引史、宮作言、假作瑕、假仕於漢孝文帝。而假之子解爲膠西王卬太傅、因家于齊焉。世之學老子者、則絀儒學。【索隱】按絀音黜、黜退而後之也、【考證】中井積德曰、絀、詆斥之也、儒學亦絀老子。道不同不相爲謀。豈謂是邪。【考證】道不同不相爲謀、論語衞靈公篇、李耳無爲自化、清靜自正。【索隱】此太史公因其行事、於當篇之末結以此言、亦是贊也、按老子曰、我無爲而民自化、我好靜而民自正、此是昔人所評老聃之德、故太史公於此引以記之、【正義】此都結老子之教也、言無所造爲而自化、清淨不擾、而民自歸正也、【考證】萬承蒼曰、此二句是敘傳中語、誤入于此、愚按上文皆稱老子、而此獨言李耳、亦可以證其爲竄入、

莊子者、蒙人也。【集解】地理志、蒙縣屬梁國、【索隱】地理志、蒙縣屬梁國、劉向別錄云、宋之蒙人也、【正義】郭緣生述征記云、蒙縣、莊周之本邑也、名周。周嘗爲蒙漆園吏。【正義】括地志云、漆園故城、在曹州冤句縣北十七里、此云莊周爲漆園吏、卽此、按其城古屬蒙縣、【考證】梁玉繩曰、釋文作梁漆園吏、蓋以蒙屬梁國、據後爲說也、而潛丘劄記與石企齋書曰、漆園有云在曹縣、在曹州者、二曹皆春秋之曹國、宋景公滅曹、于魯哀公

八年、地故爲宋有、莊周亦宋之官、竊以史記蒙漆園吏、蒙當作宋、注以漆園本屬蒙邑、不知一在歸德、一在兗州、相距頗遠也、中井積德曰、蒙有漆園、周爲之吏、督漆事也、愚按、漆園非地名、中說可從、蒙、今河南省歸德小蒙城、與梁惠王・齊宣王同時。【考證】莊子與惠施交游、施爲梁惠王相、及于襄王世、與齊宣王同時、其學無所不闚。然其要本歸於老子之言。故其著書十餘萬言、大抵率寓言也。【索隱】大抵、猶言大略也、其書十餘萬言、率皆立主客、使之相對語、故云偶言、又音寓、寓、寄也、故別錄云、作人姓名、使相與語、是寄辭於其人、故莊子有寓言篇、【正義】率、音律、寓、音遇、率、猶類也、寓、寄也、【考證】三條本、寓作偶、中井積德曰、寓言、空言無實、假人而述、如寓人之寓、無相與之義、張文虎曰、依索隱、則所據本史文、寓作偶、今單本亦作寓、蓋後人改之、作漁父・盜跖・胠篋、【索隱】胠篋、猶言開篋也、胠、音袪、亦音去、篋、音去劫反、【正義】胠、音丘魚反、篋、音苦頰反、胠、開也、篋、箱類也、此莊子三篇名、皆誣毀自古聖君賢臣、孔子之徒、營求名譽、咸以喪身、非抱素任眞之道也、以詆訿孔子之徒、【索隱】詆、訐也、詆、音邸、訿、音紫、謂詆訐毀訾孔子也、以明老子之術。畏累虛、亢桑子之屬、皆空語無事實。【索隱】按莊子、畏累虛篇名也、卽老聃弟子畏累、鄒氏畏、音於鬼反、累、音壘、劉氏畏、音烏罪反、累、路罪反、郭象云、今東萊也、亢、音庚、亢桑子、王劭本作庚桑、司馬彪云、庚桑楚人姓名也、【正義】莊子云、庚桑楚者、老子弟子、北居畏累之山、成玄英云、山在魯、亦云

在深州、此篇寄庚桑楚、以明至人之德、衞生之經、若槁木無情、死灰無心、禍福不至、惡有人災、言莊于雜篇庚桑楚已下、皆空設言語、無有實事也、【考證】莊子庚桑楚篇云、老聃之役有庚桑楚者、偏得老聃之道、以居畏壘之山、錢大昕曰、亢桑卽庚楚、亢、音剛、與庚聲相近、愚按、畏壘、山名、虛讀爲墟、索隱爲莊子篇名、誤、然善屬書離辭、指事類情、【正義】屬、音燭、離辭、猶分析其辭句也、【考證】離、附離之離、正義誤、村尾元融曰、離義與屬同、共謂連屬文辭、是一事、只以一字曰書、以一句曰辭耳、用剽剝儒墨。【正義】剽、疋妙反、剽、猶攻擊也、雖當世宿學、不能自解免也。其言洸洋自恣以適己。【索隱】洸洋、音汪羊二音、又音晃養、亦有本作瀁字、【正義】洋、音翔、己、音紀、故自王公大人不能器之。楚威王聞莊周賢、【正義】威王當周顯王三十年、使使厚幣迎之、許以爲相。莊周笑謂楚使者曰。千金、重利、卿相、尊位也。子獨不見郊祭之犧牛乎。養食之數歲、衣以文繡、以入大廟。【考證】中井積德曰、衣以文繡、是謂養食之時、非入廟之日也、故莊子云、衣以文繡、食以芻菽、及其牽入太廟云云、當是之時、雖欲爲孤豚、豈可得乎。【索隱】孤者小也、特也、願爲小豚、不可得也、【正義】不羣也、豚、小豬、臨宰時、願爲孤小豚、不可得也、【考證】中井積德曰、肥大

之軀、豐供久矣、今乃欲變爲小豚、以免於宰割、不可得也、以喻尊官寵祿之人、欲下爲匹夫以免死、而不可得也、孤豚乃有小義、未可訓孤作小耳、愚按、莊子列禦寇篇、孤豚作孤犢、義長、子亟去。【索隱】音棘、亟、猶急也、無汚我。【索隱】汚、音烏故反、我寧游戲汚瀆之中自快、【索隱】汚瀆、音烏讀二音、汚瀆、潢汚之小渠瀆也、無爲有國者所羈、終身不仕、以快吾志焉。【正義】莊子云、莊子釣於濮水之上、楚王使大夫往、曰、願以境內累、莊子持竿不顧曰、吾聞楚有神龜、死二千歲矣、巾笥藏之廟堂之上、此龜寧死爲留骨而貴乎、寧生曳尾泥中乎、大夫曰、寧曳尾塗中、莊子曰、往矣、吾將曳尾於塗中、與此傳不同也、【考證】正義所引莊子秋水篇文、列御寇篇又云、或聘於莊子、莊子應其使曰、子見夫犧牛乎、衣以文繡、食以芻菽、及其牽而入於太廟、雖欲爲孤犢、其可得乎、史公蓋合二事爲一、又按魯仲連傳云、魯連逃隱於海上曰、吾與富貴而詘於人、寧貧賤而輕世肆志焉、仲連蓋學蒙叟詞氣、

申不害者、京人也。【索隱】申子名不害、按別錄云、京、今河南京縣是也、【正義】括地志云、京縣故城、在鄭州滎陽縣東南二十里、鄭之京邑也、【考證】京、今河南滎陽縣東南、故鄭之賤臣。學術以干韓昭侯。【索隱】按術、則刑名之法術也、【考證】戰國策韓策云、魏之圍邯鄲也、申不害始合於韓王、依年表、周顯王元年、韓滅鄭、十六年、魏圍趙邯鄲、十八年、申不害相韓、三十二年、申不害卒、申子出處可概見也、昭侯用爲相。內脩政教、外應諸侯、十五年。終申子之身、國治

兵彊、無侵韓者。[索隱] 王劭按紀年云、韓昭侯之世、兵寇屢交、異乎此言矣、[考證] 梁玉繩曰、申子相韓、起周顯王十八年、至三十二年、此十五年中、紀年書交兵者三、顯王廿四年、魏敗韓馬陵、廿六年、魏敗鄭梁赫、三十一年、秦伐鄭、敗秦酸水、鄭卽韓也、然馬陵之役、當顯王卽位前一年、在申子爲相前十八年、紀年誤書、則安知梁赫酸水二役、其年不誤、不得妄據以駁史公、

申子之學、本於黃老、而主刑名。著書二篇、號曰申子。[集解] 劉向別錄曰、今民間所有上下二篇、中書六篇、皆合二篇、已備、過太史公所記、[索隱] 今人間有上下二篇、又有中書六篇、其篇中之言皆合上下二篇、是書已備、過於太史公所記也、[正義] 阮孝緒七略云、申子三卷也、[考證] 老子書中無黃帝文字、至列子莊子、好稱黃帝、於是遂有黃老之稱、王鳴盛曰、刑非刑罰之刑、與形同、古字通用、刑名、猶言名實、故其論云、申子卑卑、施之於名實、商君列傳、少好刑名之學、義同、陳氏瑚云、申韓之學、其法在審合形名、故曰不知其名、復修其形、形名參同、用其所生、又曰、君操其名、臣效其形、形名參同、上下和調、蓋循名責實之謂也、愚按、申子三卷、今佚、羣書治要引申子大體篇云、明君如身、臣如手、君若號、臣如響、君設其本、臣操其末、君治其要、臣行其詳、君操其柄、臣事其常、爲人臣者操契以責其名、名者天地之綱、聖人之符、張天地之綱、用聖人之符、則萬物之情無所逃之矣、故善爲主者、倚於愚、立於不盈、設於不敢、藏於無事、竄端匿疏、示天下無爲、是以近者親之、遠者懷之、示人有餘者人奪之、示人不足者人與之、剛者折、危者覆、動者搖、靜者安、名者自正也、事自定也、是以有道者自名而正之、隨事而定之也、申子名實之學、本於老可知也、中井積德曰、黃老之無爲與申韓之刑名、若相反者、然使黃老家爲政、則不能不出于刑名、其

理自有在也、精于讀書者、必能知之、

韓非者、韓之諸公子也。[正義] 阮孝緒七略云、韓子二十卷、韓世家云、王安五年、非使秦、九年虜王安、韓遂亡、

喜刑名法術之學、[集解] 新序曰、申子之書、言人主當執術無刑、因循以督責臣下、其責深刻、故號曰術、商鞅所爲書、號曰法、皆曰刑名、故號曰刑名法術之書、[索隱] 著書三十餘篇、號曰韓子、[考證] 韓子主道篇云、有言者自爲名、有事者自爲形、形名參同、君乃無事焉、又云、羣臣陳其言、君以其言授其事、事以責其功、功當其事、事當其言則賞、功不當其事、事不當其言、則誅、明君之道、臣不得陳言而不當、此刑名說也、定法篇云、申不害公孫鞅、此二家之言、孰急於國、應之曰、是不可程也、申不害言術、而公孫鞅爲法、術者、因任而授官、循名而責實、操殺生之柄、課羣臣之能者也、法者、憲令著於官府、刑罰必於民心、賞存乎愼法、而罰加乎奸令者也、此法術之辯也、漢書藝文志云、韓子五十五篇、與今本合、

而其歸本於黃老。[索隱] 按劉氏云、黃老之法、不尚繁華、清簡無爲、君臣自正、韓非之論詆駁浮淫、法制無私、而名實相稱、故曰歸於黃老、斯未爲得其本旨、今按韓子書有解老喩老二篇、是大抵亦崇黃老之學耳、[考證] 韓子他篇、亦屢引老子、

非爲人口吃、不能道說。而善著書。[正義] 吃音訖、

與李斯俱事荀卿。斯自以爲不如非。[正義] 孫卿子二十二卷、名況、趙人、楚蘭陵令、避漢宣帝諱、改姓孫也、[考證] 楓山三條本、說下無而字、謝墉曰、漢不避嫌名、時人荀淑荀爽、俱用本字、左傳荀息至荀瑤、亦不改字、何獨于荀卿反改之邪、蓋荀孫二字、同音語、遂移易、如荊軻謂之荊卿、又謂之慶卿、又如張良爲韓信

都、信都司徒也、

非見韓之削弱、數以書諫韓王。韓王不能用。[索隱] 韓王安也、

於是韓非疾治國不務脩明其法制、執勢以御其臣下、富國彊兵、而以求人任賢、[考證] 楓山三條本、制作術、無執勢二字、北宋舊刻本、勢作契、誤、

反舉浮淫之蠹、而加之於功實之上、[考證] 浮淫之徒、斥儒俠、韓子有五蠹篇、岡白駒曰、蠹、木中蟲也、浮淫之敗國、譬之蠹之蝕木、

以爲儒者用文亂法、而俠者以武犯禁。寬則寵名譽之人、急則用介胄之士。[正義] 介、甲也、胄、兜鍪也、[考證] 楓山三條本、寵作用、名譽之人、斥儒俠、

今者所養非所用、所用非所養。[索隱] 言非疾時君以祿養其臣者、乃皆安祿養交之臣、非勇悍忠鯁、及折衝禦侮之人也、[索隱] 又言人主今臨事任用、竝非常所祿養之士、故難可盡其死力也、[考證] 儒者用文亂法六句、五蠹篇文、又見顯學篇、

悲廉直不容於邪枉之臣、[索隱] 又悲姦邪諂諛之臣、不容廉直之士、[考證] 事見孤憤篇、

觀往者得失之變。[正義] 韓非見王安不用忠良、今國削弱、故觀往古有國之君則得失之變異、而作韓子二十卷、[考證] 正義則字衍、

故作孤憤、五蠹、內外儲、說林、說難十

餘萬言。[索隱] 此皆非所著書篇名也、孤憤、憤孤直不容於時也、五蠹、蠹政之事有五也、內外儲、按韓子有內儲外儲篇、內儲言明君執術以制臣下、制之在己、故曰內也、外儲言明君觀聽臣下之言行、以斷其賞罰、賞罰在彼、故曰外也、儲畜二事、所謂明君也、說林者、廣說諸事、其多若林、故曰說林也、今韓子有說林上下二篇、說難者、說前人行事與己不同而詰難之、故其書有說難篇、[正義] 內外儲□□□□、孤憤、臣主暗昧、賢良好孤直、不得意、故曰孤憤、五蠹、韓子曰、商賈作苦窳惡濫器害五民、故曰五蠹、說林、謂取衆妙之士諫爭、其多若林、故云說林、說難、說難當人之心、故曰說難、已上皆韓子篇名也、[考證] 五蠹、索隱是、論學者、言談者、帶劍者、近御者、商工之民、爲邦之蠹、故以名篇、中井積德曰、說林、多聚說辭也、說難、言說之難爲也、下文可徵焉、得別解、愚按、韓子有難篇、難詰前人行、索隱與說難混同、

然韓非知說之難、爲說難書甚具。終死於秦、不能自脫。[正義] 凡說諫之道難、故作說難書甚具、詞理微妙、意旨極高、太史公所以盡書一篇、篇中與韓微異耳、[考證] 楓山三條本、書上有之字、此史公自恨觸君怒也、

說難曰。[索隱] 說、音稅、難、音奴干反、言游說之道爲難、故曰說難、其書詞甚高、故特載之、然此篇亦與韓子微異、煩省小大不同、劉伯莊亦申其意、粗釋其微文幽旨、故有劉說也、[考證] 荀子非相篇云、凡說之難、以至高遇至卑、以至治接至亂、未可直至也、遠舉則病繆、近世則病傭、善者於是間也、亦必遠舉而不繆、近世而不傭、與時遷徙、與世偃仰、云云、與韓子說難語氣甚似、而意則不同、蓋蘭陵門中、夙有此題目、韓子亦討究多年、遂著此篇、

凡說之難、非吾知之有以說之難也。[正義] 凡說難

識情理、不當人主之心、恐犯逆鱗、說之難知、故言非吾知之有以說之乃爲難、【考證】知音智、下文云、申其辯知、又云非知之難也、處知則難矣、知字義皆同、正義識上難字、疑當作雖、**又非吾辯之能明吾意之難也。**【正義】能分明吾意以說之、亦又未爲難也、尚非甚難、【考證】辯口辯之辯、能上各本有難字、楓山、三條本、及韓子、皆無、蓋衍字也、今刪、**又非吾敢橫失能盡之難也。**【索隱】按韓子、橫失作橫佚、劉氏云、吾之所言無橫無失、陳辭發策、能盡說情、此雖是難、尚非難也、【正義】橫、擴孟反、又非吾敢有橫失詞理、能盡說己之情、此雖是難、尚非極難、【考證】中井積德曰、橫失、猶縱橫也、言吾橫發縱逸、其辭以自盡、非不難、而猶未爲難也、**凡說之難、在知所說之心、可以吾說當之。**【索隱】劉氏云、開說之難、正在於此也、按所說之心者、謂人君之心也、言以人臣疏末、射尊重之意、貴賤隔絕、旨趣難知、自非高識、莫近幾會、故曰說之難也、乃須審明人主之意、必以我說合其情、故云吾說當之也、【正義】前者三說、並未爲難、凡說之難者、正在於此、言深辨知前人意、可以吾說當之、闇與前人心會、說則行、乃是難矣、【考證】中井積德曰、此無貴賤故難之意、**所說出於爲名高者也。**【索隱】按謂所說之主、中心本出欲立高名者也、故劉氏云、稽古羲黃、祖述堯舜是也、【正義】前人好五帝三皇名高之道、乃以厚利說之、則卑賤之、必見棄遠矣、【考證】中井積德曰、名高、仁義之類、**而說之以厚利、則見下節而遇卑賤、必弃遠矣。**【索隱】謂人主欲立高名、說臣乃陳厚利、是其見下節也、既不

會高情、故遇卑賤、必被遠弃矣、【考證】厚利、富國彊兵之類、見、猶被也、管下六字、下文同、太田方曰、遇卑賤、與下文遠事情一例文、荀子以至卑遇至高同例、字下節應名字、卑賤應高字、**所說出於厚利者也。而說之以名高、則見無心而遠事情、必不收矣。**【索隱】亦謂所說之君、出意本規厚利、而說臣乃陳名高之節、則於是說者無心、遠於我之事情、必不見收用也、故劉氏云、若秦孝公志於彊國、而商鞅說以帝王、故怒而不用、【正義】前人好崇利攻伐彊國、而陳三皇五帝高遠事情、必不收用矣、若商鞅說秦孝公以帝道者、公欲彊國、不收其說也、【考證】孟荀列傳、迂遠而闊於事情、收、收用其身也、**所說實爲厚利、而顯爲名高者也。**【索隱】按韓子、實字作隱、按顯者陽也、謂其君實爲厚利、而詐作欲爲名高之節也、【正義】前人必欲厚利、詐慕名高、則陽收其說、實疏遠之、【考證】韓子、實作陰、**而說之以名高、則陽收其身、而實疏之。若說之以厚利、則陰用其言、而顯弃其身。此之不可不知也。**【索隱】謂若下文云鄭武公陰欲伐胡、而關其思極論深計、雖知說當、終遭顯戮、是也、【正義】前人好利厚、詐慕名高、說之以厚利、則陰用說者之言、而顯不收其身、說士不可不察、【考證】楓山、三條本、說上無若字、此之作此難、韓子作此說之難、**夫事以密成、語以泄敗。**【考證】事、語、互文、荀子解蔽篇云、周而成、泄而敗、明君無之有也、宣而成、隱而敗、闇君無之有也、與此相反、**未必其**

身泄之也、而語及其所匿之事。如是者身危。【正義】事多相類、語言或說其相類之事、前人覺悟、便成漏泄、故身危也、【考證】太田方曰、雖己慎言、而似若知陰事者、則人主疑是人儻泄陰事者矣、**貴人有過端、而說者明言善議以推其惡、者則身危。**【正義】人主有過失之端緒、而引美善之議、以推人主之惡、則身危、【考證】韓子善議作禮義、推作挑、互通、者則作如此者、依上文、史文當作如是者、梁玉繩曰、此條當在後文貴人得計一條上、以類從也、傳寫錯耳、愚按、梁氏蓋依韓子訂正、**周澤未渥也、而語極知、說行而有功則德亡、**【索隱】按謂人臣事上、其道未合、至周之恩、未霑渥於下、而輒吐誠極言、其說有功則其德亦亡、亡、無也、韓子作則見忘、然見忘、勝於德亡也、【正義】渥、霑濡也、人臣事君、未滿周至之恩澤、而說事當理、事行有功、君不以爲恩德、故德亡、【考證】韓子德亡作見忘、義長、太田方曰、周、周親之周、密也、澤、恩澤也、**說不行而有敗、則見疑。如是者身危。**【索隱】又若說不行而有敗、則見疑、如是者身危、是恩意未深、輒評時政、不爲所信、更致嫌疑、若下文所云鄰父以牆壞有盜、卻爲見疑、即其類也、【正義】說事不行、或行有敗壞、則必致危殆、若此者身危也、【考證】此連上文、行不行對言、中井積德曰、有敗則疑、疑其忿說不行、而爲陰壞漏泄也、**夫貴人得計、而欲自以爲功。說者與知焉、則身危。**【正義】與、音預、人主先得其計己功、說者知前發其蹤跡、

身必危亡、【考證】楓山、三條本、無夫字、與韓子合、韓子、則作如此者、中井積德曰、與知、猶參預也、貴人得良策、欲獨爲己功者、誇獨知之明也、然而說者謂己參預其策、是分其功也、故見憎、正義、己上疑脫爲字、**彼顯有所出事、迺自以爲也故。說者與知焉、則身危。**【索隱】謂人主明有所出事、乃自以爲功、而說者與知、是則以爲閒、故身危也、【正義】人主明所出事、乃以有所營爲、說者預知其計、而說者身亡危、【考證】楓山、三條本、爲上有有字、也故、當依韓子作他故也、它壞字、言人君陽有所託說、而陰欲爲他事、恐人之知其謀、說者當若無所聞知也、方苞曰、如晉欲伐陸渾之戎、而假於祭雒也、梁玉繩曰、此條當在前文語及其所匿之事一條下、**彊之以其所必不爲、**【索隱】劉氏云、若項羽必欲衣錦東歸、而說者彊述關中、違旨忤情、自招誅滅也、【正義】彊、其兩反、人主必不欲有爲、而說者彊合爲之、【考證】李笠曰、不下、當據韓子補能字、與下句不能已相對、**止之以其所不能已者、身危。**【索隱】劉氏云、若漢景帝決廢栗太子、而周亞夫強欲止之、竟不從其言、後遂下獄、是也、【正義】人主已營爲、而說者彊止之者、身危、【考證】楓山、三條本、者下有則字、中井積德曰、強以必不爲、若勸秦皇漢武以節儉休息、勸唐太宗以泰伯季札之讓、是也、止以不能已、若勸唐高宗勿立武后、勸玄宗勿近楊妃也、註援引失竅、**故曰。與之論大人、則以爲閒己、**【正義】閒、音紀莧反、說彼大人之短、以爲竊己之事情、乃爲刺譏閒也、【考證】大人言明君賢主、與細人相對言、與論明君賢主事、則以爲揚他美譏己短也、正義未得、**與之論細人、則以**

爲粥權。【索隱】按韓非子、粥權作賣重、謂薦彼細微之人、言堪大用、則疑其挾詐而賣我之權也、【正義】粥、音育、劉伯莊云、論則疑其挾詐賣己之權、【考證】中井積德曰、鬻權、謂使人持輕重之權也、愚按、細人、愚不肖之人、言與論愚不肖之人、則以爲毀人短賣己長也、鬻權、韓子作賣重、義長、諸說未得、論其所愛、則以爲借資。【正義】說人主愛行、人主以爲借己之資籍也、【考證】中井積德曰、借資謂借之爲資、以自媚於主也、論其所憎、則以爲嘗己。【正義】論說人主所憎惡、人主則以爲嘗試於己也、徑省其辭、則不知而屈之。【索隱】按謂人主意在文華、而說者但徑捷省略其辭、則以說者爲無知、而見屈辱也、【正義】省、山景反、【考證】屈、韓子作拙、汎濫博文、則多而久之。【索隱】按謂人主志在簡要、而說者務於浮辭汎濫、博涉文華、則君上嫌其多迂誕、文而無當者也、【正義】汎濫、浮辭也、博文、廣言句也、言浮說廣陳必多詞理、時乃永久、人主疲倦、【考證】楓山、三條本、久作文、韓子、汎濫博文、作米鹽博辯、久作交、太田方曰、史記天官書云、其占驗凌雜米鹽、後漢書黃霸傳云、米鹽靡密、初若煩碎、是當時有米鹽之語、而史漢因之、後人讀韓子傳者、不知米鹽何義也、而妄改作之、愚按天官書正義云、米鹽、細碎也、中井積德曰、省則屈之、博則以爲太久、皆所以說之難、下文可相證、愚按、久之、韓子作交之、交、雜也、索隱本、楓、三本、作文、文、浮辭也、二者皆通、順事陳意、則曰怯懦而不盡。【正義】懦、音乃亂反、說者陳言順人主之意、則或怯懦而不盡事情也、【考證】中井積德曰、不發大策卓論、大概因循其事、而粗陳之意見、則謂爲怯懦也、愚按、韓子順作略、義長、注

云、略言其事、粗言其意、則謂己怯懦而有所畏懼、不敢具言、慮事廣肆、則曰草野而倨侮。【正義】草野、猶鄙陋也、廣陳言詞多有鄙陋、乃成倨傲侮慢、【考證】中井積德曰、大策卓論、思慮廣大、無所顧忌、則謂爲草野倨侮也、此說之難、不可不知也。【正義】此前諸段、咸是談說之難、不可不知、在知飾所說之所敬、而滅其所醜、所說之主也、言在談說之處、咸須知人主之所敬而文飾之、聞醜惡之事而滅絕之、然後乃當人主之心、【考證】楓山、三條本、無說之難三字、愚按、以上論談說之難、凡說之務、在知飾所說之所敬、而滅其所醜。【索隱】按所說、謂所說之主也、飾其所敬者、說士當知人主之所敬、而時以言辭文飾之、【考證】韓子、敬作矜、義長、而滅其所醜。【索隱】醜、謂人主若有所避諱而醜之、遊說者當滅其事端而不言也、【考證】醜、愧通、韓子作恥、彼自知其計、則毋以其失窮之。【正義】前人自知其失誤、說士無以失誤窮極之、乃爲訕上也、【考證】岡白駒曰、知、音智、朱錦綬曰、自知其計、與下文自勇其斷、自多其力、句法一例、則知、當仁知之知、彼指君言、中井積德曰、豫推其計之有所失也、是在事前、不在事後、自勇其斷、則毋以其敵怒之。【索隱】按謂人主自勇其斷、說士無以己意而攻閉之、是以卑下之謀自敵於上、以致譴怒也、【正義】斷、音端亂反、劉伯莊云、貴人斷甲爲是、說者以乙破之、乙之理雖同、怒以下敵上也、【考證】韓子、敵作謫、敵、謫通、太田方曰、謫、咎也、責也、自多其力、則毋以其難概之。【索隱】按概、猶格也、劉氏云、秦昭王決欲攻趙、

白起苦說其難、遂己之心、拒格君上、故致杜郵之僇也、【正義】概、古代反、【考證】太田方曰、呂氏春秋謹聽篇云、聽者自多不得、注、自多、自賢也、概、平斗斛木、管子樞言篇云、釜鼓滿、則人概之、規異事與同計、譽異人與同行者、則以飾之無傷也、【正義】劉伯莊云、貴人與甲同計、與乙同行者、說士陳言、無傷甲乙也、【考證】韓子、計下有者字、與下文譽異人與同行者、句法一例、則上有有與同汚者五字、以下有大字、之作其、與下文有與同失者、則明飾其無失也、句法一例、史文有譌脫、當依正、規、規畫之規、古鈔本之作其、與韓子合、中井積德曰、規事譽人、屬說者、人雖異與人主同其行者、隨而稱譽之、有與同失者、則明飾其無失也。【索隱】按上文、言人主規事譽人、與某人同計同行、今說者之詞、不得傷於同計同行之人、仍可文飾其類也、又若人主與同失者、而說者則可以明飾其無失也、【正義】人主與甲同失、說者文飾甲之無失、【考證】中井積德曰、與同失者、別是一項、不必同計同行者、大忠無所拂悟、【索隱】拂、音佛、言大忠之人、志在匡君於善、君初不從、則且退止、待君之說而又幾諫、卽不拂悟於君也、【正義】佛悟、當爲咈忤、古字假借耳、咈、違也、忤、逆也、【考證】忠、當依韓子作意、王念孫曰、意與言正相對、必二者皆當於君心、然後可以申其辯智也、愚按、拂悟、各本作拂辭、韓子作拂忤、今從楓山、三條本、張文虎曰、各本悟字、與下句辭字互誤、索隱本亦然、而注意可尋、正義亦明白可證、今依盧氏札記及王氏雜志移正、愚按、悟、啎通、辭言無所擊排、【索隱】謂大忠說諫之辭、本欲歸於安人興化、而無別有所擊射排擯、按韓子、作擊摩也、【考證】各本辭譌悟、今從三條本、說見上文、迺

後申其辯知焉。此所以親近不疑、【正義】言大忠之事、擬安民興化、事在匡弼君、初亦不擊排、乃後周澤霑濡、君臣道合、乃敢辯智說焉、此所以親近而不見疑、是知盡之難、【考證】韓子、迺作然、申作騁、知盡之難也。【集解】徐廣曰、知一作得、難一作辭、【索隱】謂人臣盡知事上之道難也、按徐廣曰、知一作得、難一作辭、今按韓子、作得盡之辭也、【正義】言說士知談說之難也、爲能盡此談說之道、得當人主之心、君臣相合、乃是知盡之難也、【考證】知盡之難也、當依韓子作而得盡辭也、索隱誤引、得曠日彌久、【索隱】謂君臣道合、曠日已久、是誠著於君也、【考證】韓子、得作夫、義長、而周澤既渥、【索隱】謂君之渥澤周浹於臣、魚水相須、鹽梅相和也、【考證】周澤二字、承上文、深計而不疑、交爭而不罪、迺明計利害以致其功、直指是非以飾其身。以此相持、此說之成也。【正義】夫知盡之難、則君臣道合、故得曠日彌久、而周澤既渥、深計而君不疑、與君交爭而不罪、而得明計國之利害、以致其功、直指是非、任爵祿於身、以此君臣相執持、此說之成也、伊尹爲庖、【正義】殷本紀云、乃爲有莘氏媵臣、負鼎俎、以滋味說湯致王道、是也、百里奚爲虜、【正義】晉世家云、襲滅虞公、及大夫百里以媵秦穆姬也、【考證】楓山、三條本、正義滅下有虜字、虜、奴也、謂食牛以干穆公、皆所由干其上也。【考證】定四年公羊傳、以干闔閭、注、見不以禮曰干、故此二子者皆

聖人也。【考證】韓子無故字、猶不能無役身而涉世、如此其汙也。【正義】汙、音烏故反、庖虜是汙、則非能仕之所設也。【索隱】按韓子作非能士之所恥也、【考證】韓子、則上有今以吾言爲宰虜、而可以聽用而振世十五字、當依補、仕士通、設當從韓子作恥、愚按、以上論辯談之法、又按、孟子萬章篇云、吾未聞枉己而正人者也、況辱己以正天下乎、聖人之行不同也、或遠或近、或去或不去、歸潔其身而已矣、吾聞伊尹以堯舜之道要湯、未聞以割烹也、又云、百里奚相秦而顯其君於天下、可傳於後世、不賢而能之乎、自鬻以成其君、鄉黨自好者不爲、而謂賢者爲之乎、孟子之言、與韓子全相反、此孟韓之異、義利之別、講書者不可不察也、宋有富人。天雨牆壞。其子曰。不築且有盜。其鄰人之父亦云。暮而果大亡其財。其家甚知其子、而疑鄰人之父。【正義】其子鄰父、說皆當矣、而切見疑、非處知則難乎、【考證】楓山、三條本、雨下有而字、財下有物字、家下無甚字、愚按孟韓莊列諸書、言愚妄事、多取例於宋人、宋多愚人也、閻百詩四書釋地論之詳矣、昔者鄭武公欲伐胡。【正義】世本云、胡、歸姓也、括地志云、胡城、在豫州郾城縣界、【考證】太田方曰、鄭武公、周宣王之庶兄桓公友之子、迺以其子妻之。因問羣臣曰。吾欲用兵。誰可伐者。關其思曰。胡可伐。迺戮關其思曰。胡、兄

弟之國也。子言伐之、何也。【考證】太田方曰、張儀傳云、秦楚娶婦嫁女、長爲兄弟之國、是雖非同姓、娶嫁相謂曰兄弟之國也、竹書紀年、周平王八年、鄭殺其大夫關其思、胡君聞之、以鄭爲親己、而不備鄭。鄭人襲胡取之。此二說者、其知皆當矣。【正義】當、當浪反、然而甚者爲戮、薄者見疑。非知之難也。處知則難矣。【考證】廉頗藺相如傳贊云、知死必勇、處死者難、蓋學此句法、史公受刑之後、特有感於處知則難四字、昔者彌子瑕見愛於衞君。衞國之法、竊駕君車者罪至刖。【考證】韓子無至字、既而彌子之母病。人聞往夜告之。彌子矯駕君車而出。【考證】韓子、聞作閒、叔孫通傳、閒往來、索隱、閒往、謂非時也、呂氏春秋注、擅稱君命曰矯、君聞之而賢之曰。孝哉。爲母之故、而犯刖罪。【考證】韓子、聞下無之字、與君游果園。彌子食桃而甘。不盡而奉君。君曰。愛我哉。忘其口而念我。及彌子色衰而愛弛、得罪於君。君曰。是嘗矯駕吾車、又嘗食我以其餘

桃。【考證】楓山、三條本、是下有故字、故彌子之行、未變於初也。前見賢而後獲罪者、愛憎之至變也。故有愛於主、則知當而加親。見憎於主、則罪當而加疏。故諫說之士、不可不察愛憎之主而後說之矣。夫龍之爲蟲也、可擾狎而騎也。【正義】龍、蟲類也、故言龍之爲蟲、【考證】大戴禮易本命篇、有鱗之蟲三百六十、而蛟龍爲之長、韓子、蟲作虫、誤、太田方曰、喻人主之寬裕、若可狎近也、然其喉下有逆鱗徑尺。人有嬰之、則必殺人。人主亦有逆鱗。【考證】嬰、猶觸也、燕策、鞫武謂燕太子丹曰、奈何以見陵之怨、欲批其逆鱗哉、逆鱗、當時常語、不始於韓子、說之者、能無嬰人主之逆鱗、則幾矣。【索隱】按幾、庶幾也、謂庶幾於善諫說也、【正義】說者能不犯人主逆鱗則庶幾矣、【考證】楓山、三條本、說下無之字、與韓子合、以上復申辯談之所以難結轍、人或傳其書至秦。秦王見孤憤五蠹之書曰。嗟乎、寡人得見此人與之游、死不恨矣。【考證】楓山、三條本、見下孤上有其字、司馬相如傳、上讀子虛賦而善之曰、朕獨不得與此人同時哉、楊得意曰、臣邑人司馬相如自言爲此賦、慕悅之情相似、李斯

曰。此韓非之所著書也。秦因急攻韓。【考證】韓世家云、韓王安五年、秦攻韓、韓急、使韓非使秦、秦留非、因殺之、依表、秦始皇十三年、韓王始不用非。及急、迺遣非使秦。【考證】急字、受上文急則用介胄之士、秦王悅之、未信用。李斯・姚賈害之、毀之曰。韓非、韓之諸公子也。今王欲并諸侯、非終爲韓、不爲秦。此人之情也。今王不用、久畱而歸之。此自遺患也。不如以過法誅之。秦王以爲然、下吏治非。李斯使人遺非藥、使自殺。韓非欲自陳。不得見。秦王後悔之、使人赦之、非已死矣。【集解】戰國策曰、秦王封姚賈千戶、以爲上卿、韓非短之曰、賈、梁監門子、盜於梁、臣於趙而逐、取世監門子、梁大盜、趙逐臣、與同社稷之計、非所以勵羣臣也、王召賈問之、賈荅云云、迺誅韓非也、【考證】楓山、三條本、悔下無之字、索隱引秦策、愚按、韓子有存韓篇、言韓之未可舉、編者附記云、秦王以韓客所上書下李斯、李斯以爲不可曰、韓雖臣、未嘗不爲秦病、今若有卒報之事、韓不可信也、非之來也、未必以其能存韓也、爲重於韓也、辯說屬辭、飾非詐謀、以釣利於秦、秦遂遣斯使韓也云云、與秦策所記亦異、史公蓋別有所本、申子・韓子、皆著書傳於後世。

學者多有。余獨悲韓子爲說難、而不能自脫耳。考證史公重言不能自脫、所以爲非悲者、則所以自悲也、言外無限痛恨、

太史公曰。老子所貴道、虛無因應、變化於無爲。故著書辭、稱微妙難識。考證楓山、三條本、道下有德字、史公自序、引六家指要云、道家無爲、又曰、其實易行、其辭難知、其術以虛無爲本、以因循爲用、與此同旨、莊子散道德放論。要亦歸之自然。申子卑卑、施之於名實。集解自勉勵之意也、索隱劉氏云、卑卑、自勉勵之意也、考證方苞曰、散、推衍也、推衍老子所論道德之意而放言也、中井積德曰、卑卑、卑近之意、愚按、六家指要又敘道家云、虛者道之常也、因者君之綱也、羣臣竝至、使各自明也、其實中其聲者謂之端、實不中其聲者謂之窾、其意全與申韓合、亦可以觀形名之說、本於道家、韓子引繩墨、切事情、明是非。其極慘礉少恩。皆原於道德之意。集解礉、胡革反、用法慘急、而鞠礉深刻、索隱慘、七感反、礉、胡革反、按謂用法慘急而鞠礉深刻也、考證史公商鞅贊亦云、商君少恩、而老子深遠矣。

索隱述贊、伯陽立教、清淨無爲、道尊東魯、迹竄西垂、莊蒙栩栩、申害卑卑、刑名有術、說難極知、悲彼周防、終亡李斯、

老子韓非列傳第三

史記六十三

史記會注考證卷六十四

漢　太　史　令　司　馬　遷　撰

宋中郎外兵曹參軍裴　駰集解

唐國子博士弘文館學士司馬貞索隱

唐諸王侍讀率府長史張守節正義

日　本　出　雲　瀧川資言考證

司馬穰苴列傳第四

史記六十四

[考證]史公自序云、自古王者而有司馬法、穰苴能申明之、作司馬穰苴列傳第四、愚按戰國策齊策、齊負郭之民有狐咺者、正議、閔王斮之檀衢、百姓不附、齊孫室子陳擧

直言、殺之東閭、宗族離心、司馬穰苴爲政者也、殺之、大臣不親、故燕擧兵、使昌國君將而擊之、與史所書異、梁玉繩曰、戰國策稱湣王殺穰苴、蘇軾志林據以爲信、大事記古史、習學記言、齊策吳注竝從之、葢穰苴之事、不見于春秋、況景公之時、心欲爭晉霸而不能、力欲拒吳侮而不足、穰苴文武之略何在、且晉伐阿甄、燕侵河上、其地皆景公時所無、左傳亦不載、固可疑也、然吳起傳、李克曰、起用兵司馬穰苴不能過、晏子春秋雜上、說苑正諫云、景公飲酒、移于穰苴之家、似又非湣王時人、疑以傳疑、未敢遽定、崔適曰、燕晉伐齊事、不惟左氏無之、卽年表世家亦無之、誠爲可疑、且穰苴斬君之寵臣、與孫武殺王之愛姬、如此矯激之風、春秋時所未有、葢亦寓言、非事實也、

司馬穰苴者、田完之苗裔也。[索隱]按穰苴名、田氏之族、爲大司馬、故曰司馬穰苴、[正義]穰、音若羊反、苴、音子徐反、田穰苴爲司馬官、主兵、齊景公時、晉伐阿·甄、而燕侵河上。齊師敗績。[索隱]按阿、甄、皆齊邑、晉太康地記曰、阿卽東阿也、地理志云、甄城縣、屬濟陰也、[正義]河上、黃河南岸地、卽滄德二州北界、景公患之。晏嬰乃薦田穰苴曰。穰苴雖田氏庶孽、然其人文能附衆、武能威敵。願君試之。景公召穰苴與語兵事、大說之、以爲將軍。[索隱]謂命之爲將、以將軍也、將、音卽匠反、遂以將軍爲官名、故尸子曰、十萬之師、無將軍則亂、六國時有其官、[考證]顧炎武曰、春秋傳、公作二軍、公將上軍、太子申生將下軍、是已有將軍之文、而未

以爲名也、至昭公二十八年、閻沒女寬對魏獻子曰、豈將軍食之而有不足、正義曰、此以魏子將中軍、故謂之將軍、及六國以來、遂以將軍爲官名、葢其元起於此、公羊傳、將軍子重諫曰、穀梁傳、使狐夜姑爲將軍、孟子、魯欲使愼子爲將軍、墨子、晉有六將軍、而智伯莫爲强焉、莊子盜跖篇、今將軍兼此二者、國語、鄭人以詹伯爲將軍、又曰、吳王夫差黃池之會、十行一嬖大夫、十旌一將軍、禮記檀弓、衞將軍文子之喪、史記司馬穰苴傳、景公以爲將軍、封禪書、杜主者周之右將軍、越世家、范蠡稱上將軍、魏世家、令太子申爲上將軍、戰國策、梁王虛上位、以故相爲大將軍、漢書百官表曰、前後左右將軍、皆周末官、通典曰、自戰國置大將軍、楚懷王與秦戰、秦敗楚虜其大將軍屈丐、至漢定以爲官名、愚按、老子亦云、偏將軍處左、上將軍處右、則將軍之稱所由來久矣、

將兵扞燕·晉之師。穰苴曰。臣素卑賤。君擢之閭伍之中、加之大夫之上、士卒未附、百姓不信、人微權輕。願得君之寵臣、國之所尊、以監軍乃可。[考證]楓山、三條本、國下有中字、藝文類聚之字作中、於是景公許之、使莊賈往。穰苴既辭、與莊賈約曰。旦日、日中會於軍門。[索隱]按旦日、謂明日、日中時期會於軍門也、穰苴先馳至軍、立表下漏待賈。[索隱]按立表、謂立木爲表以視日景、下漏、謂下漏水以知刻數也、[考證]楓山、三條本、軍下有門字、賈素驕貴。以爲將已

之軍、而已爲監。不甚急。[正義]己、音紀、監、甲暫反、[考證]岡白駒曰、己、賈自謂也、親戚左右送之。留飲。日中而賈不至。穰苴則仆表決漏、[索隱]仆、音赴、按仆者臥其表也、決漏、謂決去壺中漏水、以賈失期過日中故也、入行軍勒兵、申明約束。約束既定。夕時莊賈乃至。穰苴曰。何後期爲。賈謝曰。不佞。大夫親戚送之。故留。[考證]中井積德曰、不佞、謝辭也、猶言不敏也、非自稱之辭、穰苴曰。將受命之日、則忘其家。臨軍約束、則忘其親。援枹鼓之急、則忘其身。[索隱]援枹、上音袁、下音孚、[正義]援作操、枹音孚、謂鼓挺也、今敵國深侵、邦內騷動、[考證]群書治要、無國字、古鈔本、邦作封、邦字宜諱、士卒暴露於境、君寢不安席、食不甘味。百姓之命、皆懸於君。何謂相送乎。[考證]岡白駒曰、有何說而相送乎、召軍正問曰。軍法期而後至者云何。[考證]三條本、無至字、對曰。當斬。莊賈懼、使人馳報景公請救。既往、未及反。於是遂斬莊賈

以徇三軍。三軍之士、皆振慄。久之、景公遣使者持節赦賈。馳入軍中。穰苴曰、將在軍、君令有所不受。【集解】魏武帝曰、苟便於事、不拘君命、【考證】孫子九變篇云、凡用兵之法、將受命於君、君命有所不受、史記孫武傳亦云、將在軍、君命有所不受、絳侯世家云、周亞夫以將軍軍細柳、天子前驅至、不得入、軍門都尉曰、軍中聞將軍令、不聞天子詔、其義皆本於穰苴、問軍正曰、軍中不馳。今使者馳。云何。正曰、當斬。【考證】楓山、三條本、作今使者馳三軍、何至、對曰、當斬、張文虎引北宋本云、馳三軍、法何、正曰、當斬、使者大懼。穰苴曰、君之使、不可殺之。乃斬其僕、車之左駙、馬之左驂、以徇三軍。【索隱】按謂斬其使者之僕及車之左駙、駙、當作軵、竝音附、謂車循外立木承重較之材、又斬其馬之左驂、以御者在左故也、【正義】駙、音附、劉伯莊云、駙者箱外之立木、承重校者、徇、行示也、遣使者還報、然後行。士卒次舍、井竈飲食、問疾醫藥、身自拊循之、悉取將軍之資糧享士卒、身與士卒平分糧食、最比其羸弱者。【正義】比、音卑必耳反、【考證】張文虎曰、正義卑必二字、當衍其一、三日而後勒兵。病者皆求行、

爭奮出爲之赴戰。【考證】楓山、三條本、皆求作介、待爲上有皆、晉師聞之、爲罷去。燕師聞之、度水而解。【正義】度黃河水、北去而解、【考證】羣書治要、度下有易字、於是追擊之、遂取所亡封內故境、而引兵歸。未至國、釋兵旅、解約束、誓盟而後入邑。景公與諸大夫郊迎、勞師成禮、然後反歸寢。【考證】楓山、三條本、無歸字、中井積德曰、此稱歸寢、以見先是憂於寇兵、夜不入寢也、亦所以禮於將卒暴露者、既見穰苴、尊爲大司馬。【考證】梁玉繩曰、此語不可信、齊亦恐無大司馬之官、楓山、三條本、尊下有立字、治要、尊作立、愚按、尊字與下文複、治要爲是、田氏日以益尊於齊。已而大夫鮑氏・高・國之屬害之、譖於景公。【考證】慶長本標注云、鮑氏名牧、高昭氏名張、國惠子名夏、爲齊相、景公退穰苴。苴發疾而死。【考證】中井積德曰、兩苴字間、疑脫穰字、田乞・田豹之徒、由此怨高・國等。【索隱】田乞、田僖子也、豹亦僖子之族、其後及田常殺簡公、盡滅高子・國子之族。至常曾孫和、因自立爲齊威王。【索隱】按此文誤也、當云

田和自立、至其孫因齊、號爲齊威王、故系家云、田和自立、號太公、其孫因齊號爲威王、用兵行威、大放穰苴之法。【正義】放、方往反、而諸侯朝齊。齊威王使大夫追論古者司馬兵法、而附穰苴於其中。因號曰司馬穰苴兵法。【考證】漢書藝文志禮類、軍禮司馬法百五十五篇、隋書經籍志子類、司馬兵法三卷、王應麟曰、周官縣師、將有軍旅會同田役之戒、則受灋於司馬、以作其衆庶、小司馬掌事、如大司馬之灋、司兵授兵、從司馬之灋以頒之、此古者司馬灋、卽周之政典也、黃以周曰、今所行司馬法三卷、凡五篇、多言行兵之法、號曰司馬兵法、與古軍禮不無出入、然漢武帝報胡建引國容不入軍、軍容不入國、劉向上疏引軍賞不踰月、何武上疏引天下雖安、忘戰必危、毛詩傳引夏鉤車、先正、殷寅車、先疾、周元戎、先良、左傳賈注引逐奔不過百步、從遯不過三舍、周官鄭注引弓矢圍、殳矛守、戈戟助、凡五兵、長以衞短、短以救長、其語皆見今五篇中、儒家不談古兵法則已、欲談古兵法、舍此何所從事、惜其文多脫佚、字多傳譌、沈欽韓曰、博物志云、司馬法周公所作、是其始耳、史記齊威王使大夫追論古者司馬兵法、而附穰苴於其中、因號司馬兵法、隋志云、亦河間獻王所上、今存五篇、前仁本、天子之義、應爲古義、後三篇與孫吳之旨不殊矣、文選注引司馬兵法、火攻有五、又云、善守者、藏於九地之下、善攻者動於九天之上、竝孫子語、則其出於戰國可知也、今傳注所引者、中庸注、素讀如攻城攻其所傃、正義云、司馬法文、鄉師注、司馬法曰、夏后氏謂輦曰余車、殷曰胡奴車、周曰輜輦、輦一斧、一斤、一鑿、一梩、一鋤、周輦加二板二築、又曰、夏后氏二十人而輦、殷十八人而輦、周十五人而輦、鼓人注、司馬法曰、昬

鼓四通、爲大鼜、夜半三通、爲晨戒、旦明五通、爲發昫、大司馬注、司馬法曰、鼓聲不過閶、鼙聲不過闒、鐸聲不過琅、又司馬法曰、上卜下謀、是謂參之、疏、又云、十人之長執鉦、百人之帥執鐸、千人之帥執鼙、萬人之主執大鼓、司勳注、司馬法曰、上多下虜、左傳成七年注、司馬法、百人爲卒、二十五人爲兩、車九乘爲小偏、十五乘爲大偏、襄二十三年疏、服虔引司馬法謀帥篇曰、大前驅啓乘車、大晨倅車屬焉、昭元年疏、服虔引司馬法云、五十乘爲兩、百二十乘爲伍、八十一乘爲專、二十九乘爲參、二十五乘爲偏、文選張孟陽魏都賦注、司馬法曰、師多則讙、又云、明君不寶咫尺之玉、而愛寸陰之旬、說文耳部、司馬法曰、小罪聅、中罪刖、大罪剄、又通典兵一、司馬穰苴曰、五人爲伍、十伍爲隊、一軍凡二百五十隊、餘奇爲握奇、故一軍以三千七百五十人爲奇兵、隊七十有五、以爲中壘、守地六千尺、積尺得四里、以中壘四面乘之、一面得地三百步、壘內有地三頃餘、百八十步、正門爲握奇、大將軍居之、六纛五麾、金鼓府藏、輜積皆中壘、外餘八千七百五十人、隊百七十五、分爲八陣、六陣各有千九十四人、六陳各減一人、以爲一陣之部署、舉一軍、則千軍可知、愚按、今本司馬法五篇、仁本第一、天子之義第二、定爵第三、嚴位第四、用衆第五、而沈氏所引皆無其文、則不獨非先秦原本、又非隋唐舊帙也、姚姬傳云、世所有論兵書、誠爲周人作者、惟孫武子耳、不必武自著、若其餘、皆僞而已、其說得之、

太史公曰、余讀司馬兵法、閎廓深遠、雖三代征伐、未能竟其義。如其文也、亦少褒矣。【索隱】按謂司馬法說行兵、揖讓有三代之法、而齊區區小國、又當戰國之時、故云、亦少褒矣、【考證】楓

山三條本、司馬下有穰苴二字、楊愼曰、少褒矣、言溢美也、趙恆曰、言過其實也、若夫穰苴區區爲小國行師。何暇及司馬兵法之揖讓乎。考證 楓山三條本、讓作遜、趙恆曰、三代且然、況穰苴爲區區小國行師、何暇及其揖讓乎、世既多司馬兵法。以故不論。著穰苴之列傳焉。考證 楓山三條本、無兵字、

索隱述贊、燕侵河上、齊師敗績、嬰薦穰苴、武能威敵、斬賈以徇、三軍驚惕、我卒既彊、彼寇退壁、法行司馬、實賴宗戚、

司馬穰苴列傳第四　史記六十四

史記會注考證卷六十五

漢　太　史　令　司　馬　遷　撰

宋　中　郎　外　兵　曹　參　軍　裴　駰　集　解

唐　國　子　博　士　弘　文　館　學　士　司　馬　貞　索　隱

唐　諸　王　侍　讀　率　府　長　史　張　守　節　正　義

日　本　出　雲　瀧　川　資　言　考　證

孫子吳起列傳第五　史記六十五

【考證】史公自序云、非信廉仁勇、不能傳兵論劍、與道同符、內可以治身、外可以應變、君子比德焉、作孫子吳起列傳第五、

孫子武者、齊人也。【正義】魏武帝云、孫子者齊人、事於吳王闔閭、爲吳將、作兵法十三篇、【考證】羣書治要、無字、以兵法見於吳王闔廬。闔廬曰。子之十三篇、吾盡觀之矣。可以小試勒兵乎。【正義】七錄云、孫子兵法三卷、案十三篇爲上卷、又有中下二卷、【考證】漢書藝文志云、吳孫子兵法八十二篇、圖九卷、沈欽韓曰、隋志、孫子兵法二卷、吳孫子八變陣圖二卷、孫子兵法雜占四卷、新唐志、吳孫子三十二壘經一卷、按周官車僕注、孫子八陳、有苹車之陳、此卽八變陳圖也、御覽三百二十八、孫子占曰、三軍將行、其旌旗從容以向前、是爲天送、必亟擊之、得其大將、三軍將行、其旌旗蟄然若雨、是爲天霈、其帥失、三軍將行、旍旗亂於上、東西南北無所主方、其軍不還、三軍將陳、雨甚、是爲浴師、勿用陣戰、三軍將戰、有雲其上而赤、勿用陳、先陳戰者、莫復其迹、三軍方行、大風飄起於軍前右周絕軍、其將亡、右周中其師、得糧、此卽雜占也、御覽三百五十七、吳孫子三十二壘經靈輔曰、務軍移旗、以順其意、銜枚而陳、分師而伏、後至先生、以戰則克、此三十二壘經也、按通典兵類有吳王問孫武答、其文亦與六韜答問相似、竝在十三篇之外、杜牧序云、武書十數萬言、魏武削其繁剩、筆其精切、凡十三篇、成爲一編、按史武傳、闔廬曰、子之十三篇、吾盡觀之矣、則十三篇其初見時所進、杜牧乃謂曹操所定、非也、對曰。可。闔廬曰。可試以婦人乎。曰可。於是許之、出宮中美女得百八十人。【考證】楓山、三條本、女作人、愚按、宮中不得出入、故曰許、孫子分爲二隊、以王之寵姬二

人各爲隊長、【索隱】上音徒對反、下音竹兩反、皆令持戟。令之曰。汝知而心與左右手背乎。婦人曰。知之。孫子曰。前、則視心。左、視左手。右、視右手。後、卽視背。【考證】治要、左下右下有則字、卽作則、婦人曰。諾。約束既布、乃設鈇鉞、卽三令五申之。於是鼓之右。【考證】治要、鉞下無卽字、中井積德曰、鼓使之右也、其左右前後、蓋以鼓節知之也、其法乃在約束中、婦人大笑。孫子曰。約束不明、申令不熟、將之罪也。復三令五申、而鼓之左。【考證】治要、作三令而五申、鼓之左、婦人復大笑。孫子曰。約束不明、申令不熟、將之罪也。既已明、而不如法者、吏士之罪也。乃欲斬左右隊長。吳王從臺上觀、見且斬愛姬、大駭、趣使使下令曰。寡人已知將軍能用兵矣。寡人非此二姬、食不甘味。願勿斬也。【索隱】趣、音促、謂急也、下使、音色吏反、孫子曰。臣既已受命爲將。將在軍、

君命有所不受。【考證】孫子九變篇云、將受命於君、君命有所不受、義詳于司馬穰苴傳、遂斬隊長二人以徇、【正義】徇、行示也、用其次爲隊長。於是復鼓之。婦人左右前後跪起、皆中規矩繩墨、無敢出聲。【考證】治要、聲下有者字、於是孫子使使報王曰。兵既整齊。王可試下觀之。唯王所欲用之。雖赴水火猶可也。【考證】楓山本、三條本、王下無可字、吳王曰。將軍罷休就舍。寡人不願下觀。孫子曰。王徒好其言、不能用其實。於是闔廬知孫子能用兵、卒以爲將、西破彊楚入郢、北威齊·晉、顯名諸侯。孫子與有力焉。【考證】治要、兵下有也字、楓山本、三條本、無彊字、孫子作孫武、姚鼐曰、左氏序闔閭事、無孫武、太史公爲列傳、言武以十三篇見於闔閭、余觀之、吳客有孫武者、而十三篇非所著、戰國言兵者爲之、託於武焉爾、春秋大國用兵不過數百乘、未有興師十萬者也、況在闔閭乎、田齊三晉既位、君侯臣乃稱君曰主、主在春秋、大夫稱也、是書所言皆戰國事耳、其用兵法、乃秦人以虜使民法也、梁玉繩曰、吳世家、伍胥傳、竝有將軍孫武語、然孫子之事、與穰苴嫓美、而皆不見于左傳、何耶、通考引葉氏辨、孫子乃春秋末處士所爲、言得用于事、

【考證】吳者、其徒夸大之說也、又胡應麟九流緒論曰、武灼灼吳楚間、丘明不應盡沒其實、蓋戰國策士、以武聖于譚兵、恥以空言令天下、爲說文之耳、齋藤謙曰、據吳世家孫武之從伐楚、距專諸殺王僚僅四年、其著孫子、不知與諸之死孰先、要之同時人耳、而九地篇云、殺之無所往、諸劌之勇也、曹劌魯莊公時人、相距殆二百年、以同時親見之人、配二百年前耳聞之人、何其不倫也、可疑、又曰、戰國策稱孫臏爲孫子、史記列傳亦然、蓋皆從當時之稱呼也、列傳又敘孫臏破魏事云、臏以此名顯天下、世傳其兵法、安知其非十三篇乎、蓋武與臏本一人、武其名、而臏其別字、後世所謂綽號也、世以其被刖、號爲孫臏、猶接輿稱狂、英布稱黥耳、太史公不察、分爲祖孫、誤矣、

孫武既死、【集解】越絕書曰、吳縣巫門外大冢、孫武冢也、去縣十里、【索隱】按越絕書云、是子貢所著、恐非也、其書多記吳越亡後土地、或後人所錄、【正義】七錄云、越絕十六卷、或云伍子胥撰、【考證】越絕書、漢袁康撰、其友吳平同定、原本二十五篇、今佚五篇、

後百餘歲有孫臏。【考證】梁玉繩曰、武死不知何時、若以吳入郢、至齊敗魏馬陵計之、則百六十六年矣、蕭山來氏集之樵書云、腓刑曰臏、則是斬龐涓之孫子無名、不過指其刑黥兩足而名之、傳其事、不傳其名、何哉、臏生阿鄄之閒。臏亦孫武之後世子孫也。【考證】楓山、三條本無子孫二字、孫臏嘗與龐涓俱學兵法。【索隱】臏、頻忍反、龐、皮江反、涓、古玄反、龐涓既事魏、得爲惠王將軍。而自以爲能不及孫臏。乃陰使召孫臏。【考證】楓山、三條本、使下有人字、臏至。龐涓

恐其賢於己疾之、則以法刑斷其兩足而黥之、欲隱勿見。【考證】韓非子難言篇、孫子臏腳於魏、楓山、三條本、隱下有而字、愚按、與李斯韓非事相似、齊使者如梁。【正義】今汴州、孫臏以刑徒陰見說齊使。齊使以爲奇、竊載與之齊。齊將田忌善而客待之。【考證】楓山、三條本、無而字、愚按、與魏齊范雎事相似、忌數與齊諸公子馳逐重射。【考證】董份曰、重射、謂以重相射、卽下千金是也、愚按、顧亭林說同、索隱以爲好射、測義以爲再射、皆非、孫子見其馬足不甚相遠、馬有上中下輩。【考證】林伯桐曰、此倒句也、謂其馬有上中下之等、然馬足皆差不多、楓山、三條本、遠下無馬字、於是孫子謂田忌曰。君弟重射。【索隱】弟、但也、重射、謂好射也、【考證】重射見上、臣能令君勝。田忌信然之。與王及諸公子逐射千金。【正義】射、音石、隨逐而射賭千金、【考證】李笠曰、逐、謂競爭也、逐千金、卽爭射千金、及臨質、【索隱】按質、猶對也、將欲對射之時也、一云質謂堋、非也、【考證】中井積德曰、質、後說似長、射場設堋、故呼爲質、射場、馬場一也、愚按、荀子勸學篇、質的張而弓矢至、注、質、射侯也、孫子曰。今以君之下駟與彼上駟、取君上駟

與彼中駟、取君中駟與彼下駟。既馳三輩畢。而田忌一不勝、而再勝。卒得王千金。於是忌進孫子於威王。威王問兵法、遂以爲師。【考證】楓山、三條本、無遂字、其後魏伐趙。趙急。請救於齊。齊威王欲將孫臏。臏辭謝曰。刑餘之人、不可。於是乃以田忌爲將、而孫子爲師、居輜車中、坐爲計謀。【考證】楓山、三條本、無坐字、王念孫曰、文選注、引此、坐作主、田忌欲引兵之趙。孫子曰、夫解雜亂紛糾者不控捲。【索隱】雜亂紛糾、按謂事之雜亂紛糾擊挈也、不控捲、按謂解雜亂紛糾者、當善以手解之、不可控捲而擊之、捲卽拳也、劉氏云、控、綜、捲、縮、非也、【考證】中井積德曰、雜亂紛糾、以亂絲喩之也、控、引也、捲、拳同、擊也、言治亂絲、宜用爪頭鍼末、徐徐解之、不宜手引拳擊也、則益亂耳、談允厚曰、控拳者、奮臂欲速之意、救鬬者不搏撠。【索隱】博戟二音、按謂救鬬者、當善搗解之、無以手助、相搏撠、則其怒益熾矣、按撠以手戟刺人、【考證】余有丁曰、撠義當爲擊、非矛戟也、中井積德曰、撠字、從手從戟、蓋手刺擊物如戟也、五行志、物如蒼狗撠高后腋、愚按、鬬、私鬬也、批亢擣虛、【索隱】批、音白結反、亢、音苦浪反、按批者、相排批也、音白滅反、亢者、敵人相亢拒也、擣者、擊也、衝也、虛者、空也、

按謂前人相亢、必須批之、彼兵若虛、則衝擣之、欲令擊梁之虛也、此當是古語、故孫子以言之也、【考證】張文虎曰、御覽引此文、有注云、亢、音剛、又音坑、人喉也、疑是集解文、中井積德曰、亢、吭也、批亢、擊其要處也、擊亢衝虛、竝喩走大梁之便、談允厚曰、批之爲言撇也、謂撇而避亢滿之處、擣其虛空無備之所、愚按、若解亢爲咽喉、則不與虛字對、談說爲長、形格勢禁、則自爲解耳。【索隱】謂若批其相亢、擊擣彼虛、則是事形相格、而其勢自禁止、則彼自爲解兵也、【考證】中井積德曰、自爲解之爲、平聲、村尾元融曰、以上四句、孫子引舊語、汎言道理、要未說出梁趙、下文今梁趙云云、可見、今梁趙相攻、輕兵銳卒、必竭於外、老弱罷於內。君不若引兵疾走大梁、據其街路、衝其方虛。彼必釋趙而自救。是我一舉解趙之圍、而收獘於魏也。【索隱】謂齊今引兵據大梁之衝、是衝其方虛之時、梁必釋趙而自救、是一舉釋趙而獘魏、【考證】錢大昕曰、案魏世家、此事在魏惠王十八年、而魏之徙都大梁、乃在惠王卅一年、則其時大梁未爲魏都也、下文齊使田忌將而往直走大梁、疑與此同、通鑑於此二條皆改爲魏都、不云大梁、中井積德曰、按世家、先是魏已拔邯鄲而還、後數年而歸邯鄲於趙也、愚按魏久圍邯鄲、未必拔之、說在趙魏世家、田忌從之。魏果去邯鄲、與齊戰於桂陵、大破梁軍。【考證】中井積德曰、桂陵馬陵之役、元是一事、而傳錄者異也、太史公併錄之、愚按、孟子盡心篇云、梁惠王以土地之故、糜爛其民而戰之、大敗、將

復之、恐不能勝、故驅其所愛子弟以殉之、所謂驅其所愛子弟以殉之者、指馬陵事、則桂陵之敗、未必爲無其事、梁惠王篇亦云、東敗於齊、長子死焉、後十三
歲、【索隱】王劭紀年云、梁惠王十七年、齊田忌敗梁于桂陵、至二十七年十二月、齊田肦敗梁於馬陵、計相去無十三歲、【考證】各本十三作十五、今從索隱本、桂陵役齊威二十六年、魏惠十八年、馬陵役、齊宣二年、魏惠三十年、相去正十三年、梁玉繩曰、小司馬引紀年謂無十三歲、非也、魏與趙攻韓。韓告
急於齊。齊使田忌將而往。直走大梁。魏將龐涓聞之、去韓而
歸齊。軍既已過而西矣。【考證】徐孚遠曰、已過而西者、謂龐涓歸救、欲邀齊師之未至、而今已過、故涓視利疾趨也、閻若璩曰、此句不可解、曾案與圖思之、恍悟相承、傳寫之譌、元本應是齊軍既已退而東者、誘敵之計、通鑑亦知過而西之不可通也、削此句、錢大昕曰、閻氏因上文已云直抵大梁、而馬陵在大梁東、故臆造此說、然非也、齊揚言走大梁、非眞抵大梁、及龐涓棄韓而歸齊、軍始入魏地、齊在魏東、過而西者、過齊境而西也、齊軍初至、未知虛實、故爲減竈之計以誤之、若已抵大梁而退、則入魏地不止三日、毋庸施此計矣、孫子謂田忌曰。彼三晉之兵、素悍勇而
輕齊。齊號爲怯。善戰者因其勢而利導之。兵法、百里而趣利
者、蹶上將。五十里而趣利者、軍半至。【集解】魏武帝曰、蹶、猶挫也、【索隱】蹶、音巨月反、劉氏云、蹶、猶

斃也、【考證】孫子軍爭篇、使齊軍入魏地爲十萬竈、明日爲五萬竈、又明日
爲三萬竈。【考證】張文虎曰、中統、舊刻、游、毛本、三作二、御覽引或作三、或作二、洪邁曰、孫臏勝龐涓之事、兵家以爲奇謀、予獨有疑焉、云齊軍入魏地爲十萬竈、又明日爲五萬竈、又明日爲二萬竈、方師行逐利、每夕而興此役、不知以幾何人給之、又必人人各一竈乎、龐涓行三日、大喜曰、齊士卒亡者過半、則是所過之處、必使人枚數矣、是豈救急赴敵之師乎、又云、度其行、暮當至馬陵、乃斫大樹、白而書之曰、龐涓死乎此樹之下、遂伏萬弩、期日暮見火擧而俱發、夫軍行遲速、非他人所料、安能必以其暮至、不差晷刻乎、古人坐於車中、既云暮矣、安知樹間之有白書、且必擧火讀之乎、齊弩尙能俱發、而涓讀八字未畢、皆深不可信、殆好事者爲之、而不精攷耳、愚按爲十萬竈、爲五萬竈、猶言爲竈爨十萬人食、爨五萬人食、唐制十人爲火、言其共一竈也、洪氏解爲人人各爲一竈、太拘、但其事則未可悉信、龐涓行三日。大喜
曰。我固知齊軍怯。入吾地三日、士卒亡者過半矣。【考證】楓山、三條本、軍作
卒、乃弃其步軍、與其輕銳、倍日幷行逐之。【考證】楓山、三條本、軍作兵、孫子
度其行、暮當至馬陵。【考證】類聚、御覽引史記、度作量、馬陵、在今直隸大名縣東南、馬陵道狹、而旁
多阻隘。可伏兵。【考證】御覽、隘作險、乃斫大樹、白而書之曰。龐涓死于此

樹之下。於是令齊軍善射者、萬弩夾道而伏。期曰。暮見火擧
而俱發。龐涓果夜至斫木下、見白書。乃鑽火燭之。【考證】類聚、鑽作擧、
讀其書、未畢、齊軍萬弩俱發。魏軍大亂相失。龐涓自知智窮
兵敗、乃自剄曰。遂成豎子之名。【索隱】豎子、謂孫臏、【考證】御覽、剄作刎、中井積德曰、涓之語蓋言吾今自殺者、欲因此遂成就臏之名聲耳、是臨死之夸言矣、左傳、齊侯曰、是好勇、去之以爲之名、語意與此相肖、齊因乘勝、盡破其軍、虜
魏太子申以歸。孫臏以此名顯天下。世傳其兵法。【考證】漢書藝文志云、齊孫子兵法八十九篇、圖四卷、通典一百四十九、兵二、孫臏曰、周騎有十利、一曰、迎敵始至、二曰、乘敵虛背、三曰、追散亂擊、四曰、迎敵擊後、使敵奔走、五曰、遮其糧食、絕其軍道、六曰、敗其津關、發其橋梁、七曰、掩其不備卒、擊其未整旅、八曰、攻其懈怠、出其不意、九曰、燒其積聚、虛其市里、十曰、掠其田野、係纍其子弟、此十者騎戰利也、夫騎者能離能合能散能集、百里爲期、千里而赴、出入無閒、故名離合之兵也、御覽二百八十二、戰國策、齊孫臏謂王曰、凡伐國之道、攻心爲上、務先伏其心、今秦之所恃爲心者燕趙也、當收燕趙之權、今說燕趙之君、弗言空辭、必將以實利以得其心、所謂攻其心者也、此孫臏兵法存乎今者、吳起者、衞人也。好用兵。嘗學

於曾子、事魯君。【考證】呂覽當染篇、曾子學於孔子、吳起學於曾子、黃式三曰、通鑑曾子作曾參、本於呂覽、據劉向別錄、起受春秋左傳于曾申、禮檀弓、魯穆公母卒、使人問于曾子、對曰、申也聞諸申之父、是曾申亦稱曾子、齊人攻魯。魯欲將吳起。吳起取
齊女爲妻。而魯疑之。吳起於是欲就名、遂殺其妻以明不與
齊也。【考證】韓非子外儲說右上云、吳起、衞左氏中人也、使其妻織組、而幅狹於度、吳子使更之、其妻曰、諾、及成復度之、果不中度、吳子大怒、其妻對曰、吾始經之、而不可更也、吳子出之、其妻請其兄而索入、其兄曰、吳子爲法者也、其爲法也、且欲以與萬乘致功、必先踐之妻妾、然後行之、子毋幾索入矣、其妻之弟、又重於衞君、乃以衞君之重請於吳子、吳子不聽、遂去衞而入荊也、所傳不同、魯卒以爲將。將而攻齊、大破之。魯人或惡
吳起曰。起之爲人、猜忍人也。其少時家累千金。游仕不遂。遂
破其家。鄉黨笑之。吳起殺其謗己者三十餘人、而東出衞郭
門。【考證】楓山、三條本、東下疊東字、與其母訣、齧臂而盟曰。起不爲卿相、不復入
衞。遂事曾子。居頃之其母死。起終不歸。曾子薄之、而與起絕。

起乃之魯學兵法、以事魯君。魯君疑之。考證 何焯曰、二魯字衍、 起殺妻以求將。夫魯小國而有戰勝之名、則諸侯圖魯矣。且魯·衛、兄弟之國也。而君用起、則是弃衛。考證 凌稚隆曰、魯人言至此、論語子路篇、魯衛之政兄弟也、集解、魯周公之封、衛康叔之封、周公康叔爲兄弟、 魯君疑之謝吳起。吳起於是聞魏文侯賢、欲事之。考證 楓山、三條本、之作魏、 文侯問李克曰、吳起何如人哉。李克曰、起貪而好色。索隱 按王劭云、此李克言吳起貪、下文云、魏文侯知起廉盡能得士心、又公叔之僕稱、起爲人節廉、豈前貪而後廉、何言之相反也、今按李克言起貪者、起本家累千金、破產求仕、非實貪也、蓋言貪者、是貪榮名耳、故母死不赴、殺妻將魯、是也、或者起未委質於魏、猶有貪迹、及其見用、則盡廉能、亦何異乎陳平之爲人也、 然用兵、司馬穰苴不能過也。考證 楓山、三條本、用上有其字、徐孚遠曰、或言穰苴齊湣王時人、今觀此言、則爲景公時人審矣、沈欽韓曰、漢志、吳起四十八篇、隋志、吳起兵法一卷、賈詡注、按今存者圖國料敵治兵論將變化勵士六篇而已、文選注兩引俱作三十八篇、 於是魏文侯以爲將、擊秦拔五城。起之爲將、與士卒最下者同衣食、臥不

設席、行不騎乘。考證 中井積德曰、起之時、中國未有跨馬者、恐文士之疎脫、愚按說詳于趙武靈王條下、 親裹贏糧、與士卒分勞苦。考證 羣書治要引史、無贏字、楓山、三條本、及藝文類聚、無裹字、愚按贏當作嬴、卽裹字、二字當衍其一、楓山、三條本、無卒字、治要、類聚、無苦字、 卒有病疽者、起爲吮之。索隱 吮、鄒氏音弋軟反、又才軟反、 卒母聞而哭之。人曰、子、卒也。而將軍自吮其疽。何哭爲。考證 楓山本、三條本、子上有母字、將下無軍字、 母曰、非然也。往年吳公吮其父。其父戰不旋踵、遂死於敵。吳公今又吮子。妾不知其死所矣。是以哭之。考證 卒有病疽者以下、本韓非子外儲篇、楓山、三條本、群書治要、其子、作此子、所作處、 文侯以吳起善用兵、廉平盡能得士心、考證 楓山、三條本、無平字、 乃以爲西河守、以拒秦·韓·魏。文侯既卒。起事其子武侯。武侯浮西河而下中流。顧而謂吳起曰、美哉乎、山河之固。此魏國之寶也。考證 群書治要、哉下無乎字、 起對曰、在德不在險。昔三苗氏、左

洞庭右彭蠡。德義不修、禹滅之。考證 沈家本曰、國策左右二字、與此互易、 夏桀之居、左河·濟、右泰·華、伊闕在其南、羊腸在其北。集解 瓚曰、今河南城爲直之、皇甫謐曰、壺關有羊腸阪、在太原晉陽西北九十里、考證 中井積德曰、策與此左右皆相反、不必考論、羊腸、蓋指大行山也、 修政不仁。湯放之。殷紂之國、左孟門、右太行、常山在其北、大河經其南。索隱 劉氏按、紂都朝歌、今孟山在其西、今言左、則東邊別有孟門也、考證 中井積德曰、索隱不疑洞庭河濟之左、而特疑于孟門之左、何也、又曰、桀與紂、其居不甚相遠、而起之立論、强別敘之、故有不較著痛快者、 修政不德。武王殺之。由此觀之、在德不在險。若君不修德、舟中之人、盡爲敵國也。集解 楊子法言曰、美哉言乎、使起之用兵每若斯、則太公何以加諸、考證 楓山本、三條本、治要、舟作船、敵上無爲字、索隱引法言寡見篇、 武侯曰、善。卽封吳起爲西河守。甚有聲名。考證 武侯浮西河以下、本魏策、中井積德曰、起初爲西河守、至此再任也、且此稱封、是以西河爲封邑也、與前稍不同、梁玉繩曰、守不可言封、且起已守西河、卽封二字衍、愚按梁說爲長、此句屬下、愚又按、左傳昭公四年、司馬侯對晉侯曰、四嶽、三塗、陽城、大室、荊山、中南、九州之險也、是不一姓、冀之北土、馬之所生、無興國焉、恃險與馬、不可以爲固也、自古以然、是以

先王務脩德音、以享神人、不聞務險與馬也、吳起之對、蓋本於此、經典釋文云、左丘明作春秋傳以授曾申、申傳衛人吳起、或然、 魏置相、相田文。索隱 按呂氏春秋作商文、 吳起不悅。謂田文曰、請與子論功。可乎。田文曰、可。起曰、將三軍、使士卒樂死、敵國不敢謀、子孰與起。文曰、不如子。起曰、治百官、親萬民、實府庫、子孰與起。文曰、不如子。起曰、守西河、而秦兵不敢東鄉、韓·趙賓從。子孰與起。文曰、不如子。起曰、此三者、子皆出吾下。考證 此三者子、各本作此子三者、今從楓山本、王念孫曰、此子三者、漢書朱浮傳注、引此作此三者子、通鑑周紀、呂氏春秋執一篇亦同、 而位加吾上、何也。文曰、主少國疑、大臣未附、百姓不信。方是之時、屬之於子乎。屬之於我乎。起默然良久曰、屬之子矣。文曰、此乃吾所以居子之上也。吳起乃自知弗如田文。考證 魏置相以下、采呂氏春秋執一篇、但田文作商文、 田文既死、公叔爲相。索隱 韓之公族、

尙魏公主而害吳起。公叔之僕曰。起易去也。公叔曰。奈何。其僕曰。吳起爲人節廉而自喜名也。【考證】楓山、三條本、無名字、王念孫曰、御覽引此無名字、可從、自喜、猶自好也、孟嘗君傳贊、好客自喜、田叔傳、爲人刻廉自喜、鄭當時以任俠自喜、皆其證、君因先與武侯言曰。夫吳起賢人也。而侯之國小、又與彊秦壤界。臣竊恐起之無留心也。【考證】楓山、三條本、壤作接、壤界二字連讀一意、猶言接也、梁玉繩曰、此及下三稱武侯誤、史詮謂俱當作魏侯、武侯卽曰。奈何。君因謂武侯曰。試延以公主。【考證】岡白駒曰、延以公主、謂將妻公主、愚按初學記、周天子嫁女於諸侯、至尊不自主婚、必使諸侯同姓者主之、故謂之公主、魏此時未稱王、不可有公主稱、蓋後人追記之辭也、起有留心、則必受之。無留心、則必辭矣。以此卜之。【考證】以上、僕使公叔謂武侯、君因召吳起而與歸、卽令公主怒而輕君。【考證】公叔尙公主、吳起見公主之賤君也、則必辭。【考證】凌稚隆曰、僕言至此、岡白駒曰、必辭、必辭尙公主也、於是吳起見公主之賤魏相、果辭魏武侯。

武侯疑之而弗信也。【考證】呂氏春秋先見篇云、吳起治西河之外、王錯譖之於魏武侯、武侯使人召之、吳起至於岸門、止車而望西河、泣數行而下、其僕謂吳起曰、竊觀公之意、視釋天下若釋躧、今去西河而泣、何也、吳起抿泣而應之曰、子不識、君知我、而使我畢能西河、可以王、今君聽讒人之議、而不知我、西河之爲秦取不久矣、又見觀表篇、依此、則譖吳起者王錯、非公叔、張照曰、按戰國策、公叔疑爲魏公叔痤、非韓公族也、公叔痤爲魏將而與韓趙戰澮北、禽樂祚、賞田百萬祿之、反走再拜而辭、以讓吳起之後、則非害吳起者也、此與國策參差不同、吳起懼得罪、遂去。卽之楚。楚悼王素聞起賢。至則相楚。明法審令、捐不急之官、廢公族疏遠者、以撫養戰鬭之士。【考證】韓非子和氏篇、吳起敎楚悼王以楚國之俗曰、大臣太重、封君太衆、不如使封君之子孫、三世而收爵祿、絕滅百吏之祿秩、損不急之枝官、以奉選練之士、悼王行之、期年而薨矣、吳起枝解於楚、卽此事、要在彊兵破馳說之言從橫者。【考證】秦策、蔡澤述吳起事曰、破橫散從、使馳說之士、無所開其口、愚按吳起相楚、先蘇秦說趙五十年、秦孝未出、商鞅未用、何有言從橫者、於是南平百越、北幷陳·蔡、郤三晉、西伐秦。諸侯患楚之彊。【考證】明法審令以下、采韓非子和氏篇、戰國策秦策、梁玉繩曰、陳滅于楚惠王十一年、蔡滅于惠王四十二年、何待悼王始幷之、此與蔡澤傳同妄、而實誤仍秦策也、故楚之貴戚、

盡欲害吳起。【考證】故、猶舊也、毛本、無欲字、及悼王死、宗室大臣作亂而攻吳起。吳起走之王尸而伏之。擊起之徒、因射刺吳起、幷中悼王。【索隱】楚系家、悼王名疑也、悼王旣葬、太子立。【索隱】肅王臧也、乃使令尹盡誅射吳起、而幷中王尸者。坐射起而夷宗死者、七十餘家。【考證】故楚之貴戚以下、本呂氏春秋貴卒篇、

太史公曰。世俗所稱師旅、皆道孫子十三篇。吳起兵法、世多有。故弗論。論其行事所施設者。語曰。能行之者、未必能言。能言之者、未必能行。孫子籌策龐涓明矣。然不能蚤救患於被刑。吳起說武侯以形勢不如德。然行之於楚、以刻暴少恩亡其軀。悲夫。

【索隱】述贊、孫子兵法、一十三篇、美人既斬、良將得焉、其孫臏腳、籌策龐涓、吳起相魏、西河稱賢、慘礉事楚、死後留權、

孫子吳起列傳第五　　史記六十五

史記會注考證卷六十六

漢　太　史　令　司　馬　遷　撰

宋　中　郎　外　兵　曹　參　軍　裴　駰　集　解

唐　國　子　博　士　弘　文　館　學　士　司　馬　貞　索　隱

唐　諸　王　侍　讀　率　府　長　史　張　守　節　正　義

日　本　出　雲　瀧　川　資　言　考　證

伍子胥列傳第六　　史記六十六

[考證]史公自序云、維建遇讒、爰及子奢、尙既匡父、伍員奔吳、作伍子胥列傳第六、凌稚隆曰、此傳事蹟、悉出左傳、而文法少異、王世貞曰、伍員俠客之雄也、重在伸志、范蠡

謀客之雄也、重在全身、員勇勝智、蠡智勝勇、

伍子胥者、楚人也。名員。員父曰伍奢、員兄曰伍尙。其先曰伍舉。以直諫事楚莊王有顯。故其後世有名於楚。[索隱]按舉直諫、見左氏楚系家、[考證]楓山、三條本、顯下有名字、余有丁曰、按左傳、伍舉當康王靈王時、其父伍參乃事莊王、奢其孫也、張照曰、按舉直諫、見楚世家、左氏無之、左氏載直諫者伍參也、愚按、伍舉當作伍參、史之錯文、說已在楚世家、楚平王有太子、名曰建。使伍奢爲太傅、費無忌爲少傅。[索隱]按左傳、作費無極、[考證]呂覽、淮南子、作無忌、極忌聲之緩急、左傳作奢爲師、無極爲少師、無忌不忠於太子建。平王使無忌爲太子取婦於秦。秦女好。無忌馳歸報平王曰、秦女絕美。王可自取。而更爲太子取婦。平王遂自取秦女、而絕愛幸之、[考證]楚平王以下、采昭十九年左傳、呂氏春秋愼行篇、楓三本、報下無平字、生子軫。更爲太子取婦。無忌既以秦女自媚於平王、因去太子而事平王。恐

一旦平王卒、而太子立殺己、[考證]三條本、己下有也字、凌稚隆曰、揣摩無忌心中事、乃因讒太子建。建母蔡女也。無寵於平王。平王稍益疏建、使建守城父備邊兵。[集解]地理志、穎川有城父縣、[索隱]本陳邑、楚伐陳而有之、地理志、穎川有城父縣、頃之無忌又日夜言太子短於王曰、太子以秦女之故、不能無怨望。願王少自備也。自太子居城父、將兵、外交諸侯、且欲入爲亂矣。[考證]自太子之自、楓山本、三條本、作且、中井積德曰、且欲、猶將欲也、平王乃召其太傅伍奢考問之。伍奢知無忌讒太子於平王、因曰、王獨柰何以讒賊小臣、疏骨肉之親乎。無忌曰、王今不制、其事成矣。王且見禽。於是平王怒囚伍奢、而使城父司馬奮揚往殺太子。[索隱]奮揚、城父司馬之姓名也、行未至。奮揚使人先告太子。太子急去。不然將誅。太子建亡奔宋。[考證]使建

守城父以下、采昭十九年二十年左傳、呂氏春秋愼行篇、淮南子人間訓、無忌言於平王曰、伍奢有二子、皆賢。不誅、且爲楚憂。可以其父質而召之。不然、且爲楚患。王使使謂伍奢曰、能致汝二子則生。不能則死。伍奢曰、尙爲人仁。呼必來。員爲人剛戾忍詢。能成大事。[集解]詢、音火候反、[索隱]鄒氏云、一作詬、詬、罵也、音逅、劉氏音火候反、[考證]詢、辱也、彼見來之并禽、其勢必不來。王不聽。使人召二子曰。來、吾生汝父。不來、今殺奢也。伍尙欲往。員曰、楚之召我兄弟、非欲以生我父也。恐有脫者後生患。故以父爲質、詐召二子。二子到、則父子俱死。何益父之死。往而令讎不得報耳。不如奔他國借力、以雪父之恥。俱滅無爲也。[考證]雪、胥刷、伍尙曰、我知往終不能全父命。然恨父召我以求生、而不往。後不能雪恥、

終爲天下笑耳。謂員可去矣。汝能報殺父之讎。我將歸死。尚既就執。考證 楓山本、三條本、謂員可去矣、作員去矣、義長、使者捕伍胥。伍胥貫弓執矢嚮使者。使者不敢進。集解 貫、烏遐反、索隱 劉氏音貫、爲彎、又音古患反、貫、謂滿張弓、 伍胥遂亡。聞太子建之在宋、往從之。奢聞子胥之亡也、曰。楚國君臣且苦兵矣。伍尚至楚。楚幷殺奢與尚也。考證 奢聞子胥之亡以下、昭公二十年左傳、 伍胥既至宋。宋有華氏之亂。索隱 春秋昭二十年、宋華亥向寧華定與君爭而出奔、是也、 乃與太子建俱奔於鄭。鄭人甚善之。太子建又適晉。晉頃公曰。太子既善鄭。鄭信太子。太子能爲我內應、而我攻其外、滅鄭必矣。滅鄭而封太子。考證 楓山、三條本、矣下、滅上、有我字、 太子乃還鄭、事未會。會自私欲殺其從者。從者知其謀、乃告之於鄭。鄭定公與子產誅殺太子建。考證 哀公

十六年左傳、述太子建自城父奔宋適鄭入晉復鄭事、而未嘗言子胥與之俱、梁玉繩曰、案子胥亡楚至吳而已、乃此言其歷宋鄭晉而與太子俱、不知何據、又曰、鄭殺建、不知何時、而子產卒于定之八年、即建奔鄭之歲、恐未是子產誅之、 建有子名勝。伍胥懼、乃與勝俱奔吳。到昭關。索隱 其關在江西、乃吳楚之境也、 昭關欲執之。考證 關下疑脫吏字、 伍胥遂與勝獨身步走、幾不得脫。追者在後。至江。江上有一漁父乘船。知伍胥之急、乃渡伍胥。伍胥既渡、解其劍曰。此劍直百金。以與父。父曰。楚國之法、得伍胥者、賜粟五萬石、爵執珪。豈徒百金劍邪。不受。考證 呂覽異寶篇、以爲子胥去楚時事、且不言與勝俱、 伍胥未至吳而疾。止中道乞食。集解 張勃曰、子胥乞食處、在丹陽溧陽縣、索隱 按張勃晉人、吳鴻臚嚴之子也、作吳錄、裴氏注引之、是也、溧、音栗、水名也、考證 戰國策秦策、伍子胥橐載而出昭關、夜行而晝伏、至於蔆水、無以餌其口、坐行蒲服、乞食吳市、卒興吳國、亦言其去楚時事、 至於吳。吳王僚方用事、公子光爲將。考證 用事、猶曰好事也、 伍胥乃因公子光以求見吳王。久之楚平

王以其邊邑鍾離與吳邊邑卑梁氏俱蠶、兩女子爭桑相攻。乃大怒、至於兩國舉兵相伐。吳使公子光伐楚。拔其鍾離·居巢而歸。索隱 二邑、楚縣也、按鍾離縣、在六安、古鍾離子之國、系本謂之終犂、嬴姓之國、居巢亦國也、桀奔南巢、其國蓋遠、尚書序、巢伯來朝、蓋因居之於淮南楚地也、考證 恩田仲任曰、楚世家、十二諸侯年表、與此同、吳世家云、楚邊邑卑梁氏之處女、與邊邑之女爭桑、蓋吳世家誤、 伍子胥說吳王僚曰。楚可破也。願復遣公子光。公子光謂吳王曰。彼伍胥父兄爲戮於楚。而勸王伐楚者、欲以自報其讎耳。伐楚未可破也。伍胥知公子光有內志、欲殺王而自立、未可說以外事。乃進專諸於公子光、索隱 左傳謂之專設諸、 退而與太子建之子勝耕於野。考證 伍子胥說吳王以下、采昭二十年左傳、但左傳不言勝事、 五年而楚平王卒。考證 村尾元融云、據世家、平王立十三年而卒、距居巢之役三年矣、此云五年、恐誤、 初平王所奪太子建秦女、生子軫。及平王卒、軫

竟立爲後。是爲昭王。考證 楚平王卒以下、昭二十六年左傳、 吳王僚因楚喪、使二公子將兵往襲楚。楚發兵絕吳兵之後、不得歸。吳國內空。而公子光乃令專諸襲刺吳王僚、而自立。是爲吳王闔廬。考證 以上昭二十七年左傳、二公子、公子掩餘、公子燭庸、杜預云、皆王僚母弟、 闔廬既立得志。乃召伍員以爲行人、而與謀國事。楚誅其大臣郤宛·伯州犂。伯州犂之孫伯嚭、亡奔吳。集解 徐廣曰、伯州犂者、晉伯宗之子也、伯州犂之子曰郤宛、郤宛之子曰伯嚭、宛亦姓伯、又別氏郤、楚世家云、殺郤宛、宛之宗姓伯氏、子曰嚭、吳世家云、楚誅伯州犂、其孫伯嚭奔吳也、索隱 按州犂、伯宗子也、郤宛、州犂子、伯嚭、郤宛子、嚭、音喜、伯氏別姓郤、考證 梁玉繩曰、伯州犂三字衍、郤宛見殺、在魯昭公二十七年、州犂爲楚靈王所殺、遠在昭元年也、吳越春秋、闔閭內傳、謂郤宛即州犂、蓋緣此致誤、而楚世家稱郤宛之宗姓伯氏子嚭、徐廣本潛夫論志氏姓、謂伯州犂之子郤宛、郤宛之子伯嚭、宛亦姓伯、又別氏郤、恐不足據、定四年傳云、楚殺郤宛、伯氏之族出、伯州犂之孫嚭爲吳太宰、伯氏乃郤宛之黨、非同族也、 吳亦以嚭爲大夫。考證 闔廬既立以下、定四年左傳、 前王僚所遣二公子將兵伐楚者、道絕不得歸。

【索隱】公子燭庸及蓋餘也【考證】索隱蓋餘當作掩餘、後聞闔廬弒王僚自立、遂以其兵降楚。楚封之於舒。【考證】昭三十年左傳云、二公子走楚、楚子使居養、梁玉繩曰、降楚、封舒、皆非、說在吳世家、闔廬立三年、乃興師、與伍胥·伯嚭伐楚、拔舒、遂禽故吳反二將軍、因欲至郢。將軍孫武曰。民勞未可。且待之。乃歸。【考證】春秋內外傳、皆不言孫武、說在武本傳、四年、吳伐楚、取六與灊。【集解】六、古國、皋陶之後所封、灊縣有天柱山、【索隱】六、古國也、皋陶之後所封、灊縣有天柱山、【考證】北宋本灊、各本作潛、愚按昭三十一年左傳、作潛、五年、伐越敗之。六年、楚昭王使公子囊瓦將兵伐吳。【集解】案左傳、楚公子貞、字子囊、其孫名瓦、字子常、此言公子、又兼稱囊瓦、誤也、【索隱】按左氏、楚公子貞、字子囊、其孫名瓦、字子常、此言公子、又兼稱囊瓦、蓋誤、【考證】陳仁錫曰、公子、當作公孫、子囊之孫名瓦、稱囊瓦者、孫以祖父字爲氏、中井積德曰、囊瓦是公子之孫、公子二字當削、吳使伍員迎擊、大破楚軍於豫章、【集解】豫章、在江南、【索隱】按杜預云、昔豫章在江北、蓋分後徙之於江南也、取楚之居巢。【考證】定二年左傳、言吳師、不言伍員、居巢作巢、九年、吳王闔廬謂子胥·孫武曰。始子言郢

未可入。今果何如。二子對曰。楚將囊瓦貪、而唐·蔡皆怨之。王必欲大伐之、必先得唐·蔡乃可。闔廬聽之、悉興師、與唐·蔡伐楚、與楚夾漢水而陳。吳王之弟夫概、【索隱】古賚反、將兵請從。王不聽。遂以其屬五千人擊楚將子常。子常敗走奔鄭。【集解】子常、公孫瓦、【索隱】公孫瓦也、【考證】擊子常者夫概、其字承夫概、子常即囊瓦、於是吳乘勝而前、五戰遂至郢。【集解】郢、楚都、【索隱】郢、楚都也、音以正反、又一音以井反、己卯、楚昭王出奔。【考證】己卯上、奪十一月三字、顧炎武曰、自春秋以下紀載之文、必以日繫月、以月繫年、此史家之常法也、史記伍子胥傳、己卯楚昭王出奔、庚辰吳王入郢、則不月而日、刺客傳、四月丙子、光伏甲士於窟室中、則不年而月、史家之變例也、蓋二事已見於吳楚二世家、故其文從省、愚按是史之缺文、顧氏順爲之辭、庚辰、吳王入郢。昭王出亡入雲夢。盜擊王。王走鄖。【集解】音云、國名、【索隱】奏雲二音、走、向也、鄖、國名、鄖公弟懷曰。平王殺我父。我殺其子、不亦可乎。【考證】鄖公、蔓成然之子鬭辛、左傳昭二十四年、楚平王殺成然、鄖公恐其弟殺王、

與王奔隨。【正義】今有楚昭王故城、昭王奔隨之處、宮之北城即是、吳兵圍隨。謂隨人曰。周之子孫在漢川者、楚盡滅之。【考證】吳、隨、皆與周同姓、隨人欲殺王。王子綦匿王。已自爲王以當之。【考證】左傳、子綦作子期、杜注、子期、昭王兄公子結也、隨人卜與王於吳。不吉。乃謝吳不與王。始伍員與申包胥爲交。【考證】左傳、始作初、員之亡也、謂包胥曰。我必覆楚。包胥曰。我必存之。【考證】悉興師以下、采定四年左傳、及吳兵入郢、伍子胥求昭王、既不得。乃掘楚平王墓、出其尸、鞭之三百、然後已。【考證】中井積德曰、平王死經十有餘年、縱令掘之、朽骨而已、非有可鞭之尸、呂氏春秋首時篇云、伍子胥親射王宮、鞭荊王之墳三百、是稍近人情、似得實、愚按楚世家云、吳兵入郢、辱平王之墓、以伍子胥故也、年表、伍子胥鞭平王墓、季布傳亦云、伍子胥鞭平王之墓、淮南子泰族訓、闔閭伐楚入郢、鞭荊平王之墓、舍昭王之宮、賈子新書耳痺篇、撻平王之墓、此與吳世家言鞭尸、蓋誤、梁玉繩曰、此事左氏公羊所不載、其見于穀梁定四年傳者、但言撻平王之墓、撻墓與鞭尸迥異、申包胥亡於山中。【考證】三條本、亡下有在字、使人謂子胥曰。子之報讎、其

以甚乎。【考證】以、已通、以甚、連讀一意、吾聞之、人衆者勝天。天定亦能破人。【正義】申包胥言、聞人衆者雖一時凶暴勝天、及天降其凶、亦破於彊暴之人、【考證】詩小雅正月篇、視天夢夢、既克有定、靡人弗勝、包胥所本、今子故平王之臣、親北面而事之。今至於僇死人。此豈其無天道之極乎。伍子胥曰。爲我謝申包胥曰。吾日莫途遠。吾故倒行而逆施之。【索隱】按倒、音丁老反、施、音如字、子胥言志在復讎、常恐且死不遂本心、今幸而報、豈論理乎、譬如人行、前途尚遠、而日勢已莫、其在顚倒疾行、逆理施事、何得責吾順理乎、【考證】岡白駒曰、無、蔑視也、又曰、按伍員意謂立白公勝爲楚後、而身相之、則恩怨皆可報、吾非不知出於此也、今求昭王既不得、則事之成否未可知、常恐且死不遂本志、故喩以日暮塗遠云爾、愚按漢書主父偃傳、偃曰、吾日暮、故倒行逆施之、蓋述子胥語、於是申包胥走秦告急、求救於秦。秦不許。包胥立於秦廷、晝夜哭。七日七夜、不絕其聲。秦哀公憐之曰。楚雖無道、有臣若是。可無存乎。乃遣車五百乘、救楚擊吳。【考證】申包胥走秦以下、定四年五年左傳、六月、敗吳兵於稷。【集解】稷丘、地名、在郊外、【索隱】按

左傳作稷丘、杜預云、稷丘、地名、在郊外、【考證】梁玉繩曰、六月上、缺書十年二字、愚按定五年左傳云、秦子蒲子虎、帥車五百乘以救楚、使楚人先與吳人戰、自稷會之、大敗夫槩王於沂、與史異、會吳王久留楚求昭王、而闔廬弟夫槩乃亡歸、自立為王。闔廬聞之、乃釋楚而歸、擊其弟夫槩。夫槩敗走、遂奔楚。楚昭王見吳有內亂、乃復入郢、封夫槩於堂谿、為堂谿氏。【集解】徐廣曰、在慎縣、駰案地理志、汝南有吳房縣、應劭曰、夫槩奔楚封於堂谿、本房子國、以封吳、故曰吳房、然則不得在慎縣也、【正義】案今豫州吳房縣、在州西北九十里、楚復與吳戰、敗吳。吳王乃歸。【考證】會吳王久留以下、采定五年左傳、後二歲、闔廬使太子夫差將兵伐楚、取番。【集解】音普寒反、又音婆、【索隱】音普寒反、又音婆、蓋鄱陽也、【考證】二歲、當作一歲、夫差當終纍、終纍蓋夫差兄、番、左傳作繁揚、楚懼吳復大來、乃去郢徙於鄀。【集解】楚地、音若、【索隱】音若、鄀、楚地、今闕、【考證】闔廬使太子以下、定六年左傳、左傳云、遷郢於鄀、蓋徙都於鄀、仍稱郢也、當是時、吳以伍子胥·孫武之謀、西破彊楚、北威齊·晉、南服越人。【考證】茅坤曰、伍子胥之入吳也、以報父仇、一番事業已了、特著一總案、其後四

年、孔子相魯。【考證】梁玉繩曰、相魯、誤也、說在孔子世家、趙翼曰、列傳與孔子毫無相涉者、亦書孔子相魯、以其係天下之輕重也、後四年、伐越。越王句踐迎擊、敗吳於姑蘇、傷闔廬指。【正義】姑蘇、當作檇李、乃文誤也、左傳云、戰檇李、傷將指、卒於陘、是也、解在吳世家、【考證】四年、各本作五年、今從楓山本、三條本、錢泰吉曰、吳世家無此條正義、下文夫湫條同、軍卻。闔廬病創將死。【集解】創、楚良反、【索隱】音瘡、謂太子夫差曰、爾忘句踐殺爾父乎。夫差對曰、不敢忘。是夕闔廬死。【考證】伐越以下、本定十四年左傳、夫差既立為王、以伯嚭為太宰、習戰射。二年後伐越、敗越於夫湫。【集解】音椒、【索隱】音椒、又如字、【正義】太湖中椒山也、解在吳世家、【考證】梁玉繩曰、案吳越兩世家、作夫椒、此作夫湫、蓋古通用、索隱云、湫音椒、是也、左傳襄廿六、椒鳴、楚語作湫鳴、昭四年椒舉、楚語作湫舉、昭三年子服椒、昭十三作子服湫、竝音椒、越王句踐乃以餘兵五千人、棲於會稽之上、【正義】土地名、在越州會稽縣東南十二里、【考證】中井積德曰、會稽之上、謂會稽山之上也、左傳作保於會稽、越世家、作保棲於會稽、鄒誕生云、保山曰棲、猶鳥棲於木以避害也、愚按、今浙江紹興府會稽縣東南、使大夫種厚幣遺吳太宰嚭以請和、求

委國為臣妾。【索隱】劉氏云、大夫姓、種名、非也、按今吳南有文種埭、則種、姓文、為大夫官也、【正義】高誘云、大夫種、姓文氏、字子禽、楚之郢人、吳王將許之。伍子胥諫曰、越王為人能辛苦。今王不滅、後必悔之。【考證】能、音耐、吳王不聽。用太宰嚭計、與越平。【考證】二年後伐越以下、本哀元年左傳、國語越語吳語、其後五年、而吳王聞齊景公死、而大臣爭寵、新君弱、乃興師北伐齊。【考證】梁玉繩曰、此傳敘吳伐齊事之誤、說在吳世家、伍子胥諫曰、句踐食不重味、弔死問疾、且欲有所用之也。此人不死、必為吳患。今吳之有越、猶人之有腹心疾也。而王不先越而乃務齊。不亦謬乎。吳王不聽伐齊、大敗齊師於艾陵。【正義】括地志云、艾山、在兗州博城縣南百六十里、本齊博邑、【考證】興師北伐齊以下、采哀十一年左傳、是役去夫湫之役、十年、何以言其後五年也、此傳與吳世家顛倒錯亂甚多、遂威鄒·魯之君以歸。益疏子胥之謀。【正義】鄒君、居兗州鄒縣、魯、曲阜縣、【考證】威、淩本、殿本作滅、今從百衲宋本、毛本、張照曰、此與左傳及魯世

家俱不符、且與下文召魯衞之君會之橐皐句相刺謬、疑文有誤、盧文弨曰、遂滅鄒、句、魯其君以歸、句、鄒即邾也、魯其君、虜鄒君也、魯與虜古通用、後人不知、以鄒魯為二國、而其字不可通、乃改為之字、謬甚、錢大昕曰、魯、當作虜、音之譌也、左氏傳、邾子無道、吳子使太宰子餘討之、囚諸樓臺、愚按、盧錢氏所據之本作滅字、故有此說、但吳子囚邾子、左傳在哀八年、與艾陵役無交涉、作威為是、其後四年、吳王將北伐齊。越王句踐用子貢之謀、乃率其衆以助吳。【考證】左傳、吳敗齊艾陵、及子胥諫王、屬子、賜死事、繫于哀十一年、其後無伐齊事、國語吳語、亦以艾陵役為夫差十二年事、正與左傳合、史公分為兩事、繫之其後五年、其後四年、何也、子貢無說越事、說在仲尼弟子列傳、而重寶以獻遺太宰嚭。太宰嚭既數受越賂、其愛信越殊甚。日夜為言於吳王。吳王信用嚭之計。伍子胥諫曰、夫越、腹心之病。今信其浮辭詐偽、而貪齊。破齊、譬猶石田。無所用之。且盤庚之誥曰、有顛越不恭、劓殄滅之、俾無遺育。無使易種于茲邑。【考證】書盤庚中篇、杜預曰、顛越不恭、謂縱橫不承命者也、劓、割也、殄、絕也、育、長也、俾、使也、易種、轉生種類、愚按、易、延也、此商之所以興。願王釋齊而先

越。若不然、後將悔之無及。而吳王不聽、使子胥於齊。子胥臨行謂其子曰。吾數諫王。王不用。吾今見吳之亡矣。汝與吳俱亡、無益也。乃屬其子於齊鮑牧、而還報吳。[考證]鮑牧見殺已四年、左傳但云鮑氏、中井積德曰、子胥屬子、不特失計、乃違人臣之禮、是自速譖也、穆文熙曰、子胥屬子、蓋誓以死諫、且不欲絕先人之後也、或謂屬鏤之劍、乃所自招、不知其心矣、吳太宰嚭既與子胥有隙。因讒曰。子胥爲人、剛暴少恩、猜賊。其怨望、恐爲深禍也。前日王欲伐齊。子胥以爲不可。王卒伐之而有大功。子胥恥其計謀不用、乃反怨望。而今王又復伐齊。子胥專愎彊諫、沮毀用事、[集解]沮、自呂反、[索隱]愎、皮逼反、[考證]楓山本三條本、今上無而字、徒幸吳之敗、以自勝其計謀耳。今王自行、悉國中武力以伐齊。而子胥諫不用。因輟謝詳病不行。[考證]詳、各本作佯、今從北宋中統舊刻游本、王不可不備。此

起禍不難。且嚭使人微伺之、其使於齊也、乃屬其子於齊之鮑氏。夫爲人臣、內不得意、外倚諸侯、自以爲先王之謀臣。今不見用。常鞅鞅怨望。願王早圖之。吳王曰。微子之言、吾亦疑之。乃使使賜伍子胥屬鏤之劍曰。子以此死。[集解]鏤、音錄于反、[考證]屬、讀爲钃、刺也、書禹貢孔傳、鏤、鋼鐵也、亦取其利也、伍子胥仰天歎曰。嗟乎、讒臣嚭爲亂矣。王乃反誅我。我令若父霸。自若未立時、諸公子爭立。我以死爭之於先王、幾不得立。[正義]幾音祈、若既得立、欲分吳國予我。我顧不敢望也。然今若聽諛臣言、以殺長者。乃告其舍人曰。必樹吾墓上以梓。令可以爲器。[正義]器、謂棺也、以吳必亡也、左傳云、樹吾墓檟、檟可材也、吳其亡乎、[考證]伍子胥諫以下、本哀十一年左傳、太宰嚭之讒、子胥之歎、史公以意敷衍、而抉吾眼縣吳東門之上。[索隱]抉、烏穴反、抉亦決也、[正義]東門、鯆門、謂䱐門也、

今名葑門、鯆、音普姑反、䱐、音覆浮反、越軍開示浦、子胥濤湯羅城、開此門、有鯆䱐隨濤入、故以名門、顧野王云、鯆魚一名江豚、欲風則涌之也、[考證]楓山三條本、縣作著、王念孫曰、匡謬正俗、藝文類聚、初學記、太平御覽、引史記縣作著、著猶置也、今本作縣者、後人依吳語改之也、以觀越寇之入滅吳也。乃自剄死。吳王聞之大怒、乃取子胥尸、盛以鴟夷革、[集解]應劭曰、取馬革爲鴟夷、鴟夷、榼形、[正義]盛、音成、榼、古曷反、[考證]吳語云、王慍曰、孤不使大夫得有見也、乃使取申胥之尸、盛以鴟鵺、而投之江、無革字、此革字疑衍、浮之江中。[集解]徐廣曰、魯哀公十一年、[正義]案年表云、吳王夫差十一年也、[考證]而抉吾眼以下、采國語吳語、吳人憐之、爲立祠於江上。[正義]吳地記曰、越軍於蘇州東南三十里三江口、又向下三里、臨江北岸立壇、殺白馬祭子胥、杯動酒盡、後因立廟於此江上、今其側有浦、名上壇浦、至晉、會稽太守麋豹、移廟吳郭東門內道南、今廟見在、因命曰胥山。[集解]張晏曰、胥山在太湖邊、去江不遠百里、故云江上、[正義]吳地記云、胥山、太湖邊胥湖東岸山、西臨胥湖、山有古葬胥二王廟、按其廟不干子胥事、太史誤矣、張注又非、[考證]中井積德曰、立祠于江上、直是岸側也、其處自有山、名胥山、不與湖上胥山相涉、吳王既誅伍子胥、遂伐齊。[考證]春秋內外傳、呂覽知化篇、無此事、齊鮑氏殺其君悼公、而立陽生。吳王欲討其賊。不勝而去。[考證]梁玉繩曰、齊鮑氏殺其君以下、疑

當在前、並疏子胥之謀句上、庶于左傳情事相協、此及吳世家、敘伐齊事、多倒亂失實、而悼公卽陽生、此又誤說、當是殺其君悼公而立壬也、至弒悼公非出鮑氏、已辨在齊世家中、其後二年、[考證]梁玉繩曰、二年當作一年、戰艾陵之明年也、吳王召魯衞之君、會之槖皋。[索隱]音拓皋二音、杜預云、地名、在淮南逡遒縣東南、[正義]槖皋故縣、在廬州巢縣西北五十六里、[考證]哀十二年春秋經傳、其明年、因北大會諸侯於黃池、以令周室。[正義]黃池、在汴州封丘縣南七里、越王句踐襲殺吳太子、破吳兵。[索隱]左傳、太子名友、吳王聞之乃歸。使使厚幣與越平。[考證]哀十三年左傳、令周室、采國語吳語、後九年、越王句踐遂滅吳、殺王夫差。[考證]哀二十二年左傳、夫差蓋自殺也、而誅太宰嚭、以不忠於其君、而外受重賂、與己比周也。[正義]已比、紀鼻二音、[考證]依左傳、太宰嚭吳亡後二年猶在、史公因滅吳牽連書之、伍子胥初所與俱亡故楚太子建之子勝者、在於吳。吳王夫差之時、楚惠王欲召勝歸楚。葉公[正義]葉、式涉反、杜預云、子高沈諸梁、諫曰。勝好勇、而陰求死士。殆有私乎。惠

王不聽。遂召勝、使居楚之邊邑鄢。集解徐廣曰、潁川鄢陵是、正義鄢、音偃、括地志云、故鄢城、在豫州鄢城縣南五里、與褎信白亭相近、號爲白公。集解徐廣曰、汝南褎信縣有白亭、正義括地志云、白亭、在豫州褎信縣南四十二里、又有白公故城、又許州扶溝縣北四十五里、北又有白亭也、考證梁玉繩曰、召勝者子西、不聽諫者亦子西、而以爲惠王、誤矣、愚按、左傳但云使處吳竟、不云鄢、白公歸楚三年、而吳誅子胥。考證白公歸楚之年、春秋內外傳不記、他書亦無徵、白公勝既歸楚。怨鄭之殺其父、乃陰養死士、求報鄭。歸楚五年、請伐鄭。楚令尹子西許之。兵未發、而晉伐鄭。考證梁玉繩曰、晉伐鄭、在魯哀公十五年、周敬王四十年、卽依史記、乃白公歸楚八年、非五年也、鄭請救於楚。楚使子西往救。與盟而還。白公勝怒曰。非鄭之仇、乃子西也。考證岡白駒曰、言我讎非鄭、乃子西也、左傳云、勝怒曰、鄭人在此、讎不遠矣、勝自礪劒。人問曰。何以爲。索隱左傳、作子期之子平見之曰、王孫何自礪也、勝曰。欲以殺子西。子西聞之笑曰。勝如卵耳。何能爲也。考證岡白駒曰、此喩小弱不濟事也、按左傳、子西曰、勝如卵、余翼而長之、喩撫育之、如鳥孚卵而至生

翼也、此與左傳義殊、愚按王若虛滹南集辨惑已有此說、其後四歲、考證梁玉繩曰、四當作一、晉伐鄭之明年、白公作亂也、白公勝與石乞襲殺楚令尹子西・司馬子綦於朝。索隱左傳、作子期也、石乞曰。不殺王不可。乃劫之王如高府。索隱杜預云、楚之別府也、考證王念孫曰、劫下本無之字、左傳曰、白公以王如高府、楚世家曰、因劫惠王、置之高府、此曰乃劫王如高府、其義一也、劫下不當有之字、石乞從者屈固、集解徐廣曰、一作惠王從者屈固、楚世家亦云、王從者、索隱按徐廣曰、一作惠王從者屈固、蓋此本爲得、而左傳云、石乞尹門圉公陽、穴宮、負王以如昭夫人之宮、則公陽是楚之大夫、王之從者也、考證梁玉繩曰、哀十六傳、負王者乃圉公陽、世家言惠王從者屈固、此傳以爲石乞從者屈固、蓋屈乃遷之譌、遷固卽箴尹固、見哀十八傳、然遷固圉公陽、是兩人、史誤也、必因左傳圉公陽穴宮負王與石乞尹門連文、而又有葉公遇箴尹固事、遂致斯舛耳、中井積德曰、公陽是圉之名、賤者非大夫、負楚惠王、亡走昭夫人之宮。索隱昭王夫人、卽惠王母、越女也、葉公聞白公爲亂、率其國人攻白公。白公之徒敗。亡走山中自殺。正義左傳云、白公奔而縊、而虜石乞。而問白公尸處。不言。將亨石乞。曰。事成爲卿。不成而亨。固其職也。考證乞下而字疑、

衍、鼎亨、韻、職、常也、漢書主父偃傳、偃曰、丈夫生不五鼎食、死則五鼎亨耳、蓋本此語、終不肯告其尸處。遂亨石乞。而求惠王復立之。考證故楚太子建之子勝以下、采哀十六年左傳、凌約言曰、白公爲父執仇、石乞爲主盡忠、其於子胥、皆類例也、太史公附此一段、正以例見子胥之長耳、

太史公曰。怨毒之於人、甚矣哉。考證奢尙無罪而楚殺之、所謂怨毒也、王者尙不能行之於臣下。況同列乎。向令伍子胥從奢俱死、何異螻蟻。考證楓山本、三條本、無向字、弃小義雪大恥、名垂於後世。考證王維楨曰、太史公蓋以自見也、悲夫。方子胥窘於江上、索隱窘、音求殞反、道乞食。志豈嘗須臾忘郢邪。故隱忍就功名。非烈丈夫、孰能致此哉。白公如不自立爲君者、其功謀亦不可勝道者哉。

索隱述贊、讒人罔極、交亂四國、嗟彼伍氏、被茲凶慝、員獨忍詬、志復冤毒、霸吳起師、代楚逐北、鞭尸雪恥、抉眼弃德、

伍子胥列傳第六

史記六十六

史記會注考證卷六十七

漢　太　史　令　司　馬　遷　撰

宋　中　郎　外　兵　曹　參　軍　裴　駰　集　解

唐　國　子　博　士　弘　文　館　學　士　司　馬　貞　索　隱

唐　諸　王　侍　讀　率　府　長　史　張　守　節　正　義

日　本　出　雲　瀧　川　資　言　考　證

仲尼弟子列傳第七　史記六十七

[考證]史公自序云、孔子述文、弟子興業、咸爲師傅、崇仁厲義、作仲尼弟子列傳第七、

孔子曰、受業身通者、七十有七人。皆異能之士也。[索隱]孔子家語、亦有七十七人、唯文翁孔廟圖、作七十二人、[考證]孔子蓋無此語、曰字、宜改爲弟子、鄭環曰、宋大觀四年議禮局言、史記弟子傳曰、受業身通六藝者七十有七人、據此、今本脫六藝二字、梁玉繩曰、案弟子之數、有作七十人者、孟子云、七十子、呂氏春秋遇合篇、達徒七十人、淮南子泰族及要略訓、俱言七十、漢書藝文志序、楚元王傳所稱七十子喪而大義乖、是已、有作七十二人者、孔子世家、文翁禮殿圖、後書蔡邕傳、鴻都畫像、水經注八、漢魯峻冢壁象、魏書李平傳、學堂圖、皆七十二人、顏氏家訓誡兵篇所稱仲尼門徒升堂者七十二、是已、有作七十七人者、此傳及漢地理志是已、孔子家語七十二弟子解、實七十七人、今本脫顏何、止七十六、其數無定、難以臆斷、愚按、經義考承師篇、史記志疑卷二十八、論孔門弟子不著錄者甚詳、

德行、顏淵・閔子騫・冄伯牛・仲弓。政事、冄有・季路。言語、宰我・子貢。[索隱]論語、一曰德行、二曰言語、三曰政事、四曰文學、今此文、政事在言語上、是其記有異也、文學、子游・子夏。[考證]德行以下、論語先進篇、朱氏集註云、弟子因孔子之言、記此十人、而并目其所長、孔子教人、各因其材、於此可見、程子曰、四科乃從夫子於陳蔡者爾、門人之賢者固不止此、曾子傳道而不與焉、故知十哲世俗論也、愚按、十人不悉從陳蔡、毛西河論語稽求篇論之詳矣、

師也辟。[集解]馬融曰、子張才過人、失於邪辟文過、[正義]音癖、[考證]辟、偏僻也、參也魯。[集解]孔安國曰、魯、鈍也、曾子遲鈍、柴也愚。[集解]何晏曰、愚直之愚、

由也喭。[集解]鄭玄曰、子路之行、失於吸喭、[索隱]論語先言柴、次參、次師、次由、今此傳序之、亦與論語不同、不得輒言其誤也、[正義]吸音畔、又音岸、[考證]論語先進篇、王弼曰、喭、剛猛也、回也屢空。賜不受命而貨殖焉。億則屢中。[集解]何晏曰、言回庶幾於聖道、雖數空匱、而樂在其中、賜不受教命、唯財貨是殖、億度是非、蓋美回、所以勵賜也、一曰、屢、猶每也、空、猶虛中也、以聖人之善道、教數子之庶幾、猶不至於知道者、各內有此害也、其於庶幾每能虛中者、唯回懷道深遠、不虛心、不能知道、子貢無數子之病、然亦不知道者、雖不窮理、而幸中、雖非天命、而偶富、亦所以不虛心也、[正義]意音億、[考證]論語先進篇、朱熹曰、億、意度也、言子貢不如顏子之安貧樂道、然其才識之明、亦能料事而多中也、正義本、億作意、

孔子之所嚴事、於周則老子、於衛蘧伯玉、[集解]大戴禮云、外寬而內直、自娛於隱括之中、直己而不直人、汲汲於仁、以善自終、蓋蘧伯玉之行、[索隱]按大戴禮又云、外寬而內直、自娛於隱括之中、直己而不直人、汲汲于仁、以善存亡、蓋蘧伯玉之行也、[考證]集解索隱所引大戴禮衛將軍文子篇、今本娛作設、汲汲于仁、以善存亡、作以善存亡汲汲、於齊晏平仲、[集解]大戴禮云、君擇臣而使之、臣擇君而事之、有道順命、無道衡命、蓋晏平仲之行也、[索隱]大戴記曰、君擇臣而使之、臣擇君而事之、有道順命、無道衡命、蓋晏平仲之行也、於楚老萊子、[索隱]大戴記又云、德恭而行信、終日言不在悔尤之內、貧而樂也、蓋老萊子之行也、於鄭子產、於魯孟公綽、[考證]昭二十年左傳、子產卒、仲尼聞之出涕曰、古之遺

愛也、孔子時年三十、論語亦屢稱子產、而未聞其嚴事之、梁氏志疑引張孝廉云、以公綽爲孔子所嚴事、恐未然、數稱臧文仲・柳下惠・[集解]大戴禮云、孝恭慈仁、允德圖義、約貨去怨、蓋柳下惠之行、[索隱]大戴記又云、孝恭慈仁、允德圖義、約貨亾怨、蓋柳下惠之行也、[考證]梁玉繩曰、孔子屢貶文仲、何嘗稱之、不當與柳下惠竝擧、銅鞮伯華・[索隱]地理志、縣名、屬上黨、[正義]鞮、丁奚反、按銅鞮、潞州縣、介山子。然孔子皆後之、不竝世。[集解]大戴禮曰、孔子云、國家有道、其言足以興、國家無道、其默足以容、蓋銅鞮伯華之所行、觀於四方、不忘其親、苟思其親、不盡其樂、蓋介山子然之行也、說苑曰、孔子歎曰、銅鞮伯華無死、天下有定矣、晉太康地記云、銅鞮、晉大夫羊舌赤之邑、世號赤曰銅鞮伯華、[索隱]按自臧文仲已下、孔子皆後之、不竝代、其所嚴事自老子及公綽已上、皆孔子同時人也、按戴德撰禮號曰大戴禮、合八十五篇、其四十七篇亾、見今存者有三十八篇、今裴氏所引在衛將軍篇、孔子稱祁奚對晉平公之辭、唯擧銅鞮介山二人行耳、家語又云、不克不忌、不念舊怨、蓋伯夷叔齊之行、思天而敬人、服義而行信、蓋趙文子之行、事君不愛其死、謀身不遺其友、蓋隨武子之行、[考證]大戴禮、介山子然、作介山子推、注、晉大夫介之推也、離騷曰、封介山而爲之禁兮、報大德之優游、愚按、論語不載老子・老萊子・羊舌赤・介之推事、張文虎曰、案據索隱、是集解於蘧伯玉以下諸人竝未引大戴記、故索隱引以補之、而不及銅鞮介山二條者、以裴氏已引也、今各本於蘧伯玉晏平仲柳下惠三人、徑依大戴記引補、則索隱之文複、故刪去索隱、而各條文失注大戴禮三字、乃老萊子下又獨存索隱、此皆坊刻以意去取、無從論其是非也、傳本已久、不能刪削、今仍其舊、而依單本補入索隱、以質讀者、又曰、家語

又云以下五十三字、單本所無、與史文無涉、蓋亦後人妄竄、顏回者、魯人也。字子淵。少孔子三十歲。【正義】少、戌妙反、【考證】古人名字相因、淵、回水也、故顏回字子淵、騫、損也、故閔損字子騫、貢、贛同、賜也、故端木賜字子貢、王引之兪樾胡元玉洪恩波諸人論之甚詳、史不書回死之年、索隱及文選辨命論注引家語、竝作三十二、則今家語作三十一、誤也、但回少孔子三十歲、回死之時、孔子年六十二、當魯哀五年、而哀六年、方有陳蔡之厄、回何以死乎、又孔子二十生伯魚、三十一回生、伯魚五十而卒、則顏子亦當四十、而論語言伯魚先顏淵死、伯魚五十、孔子年六十九、是回先伯魚死矣、閻氏四書釋地曰、回少孔子三十歲、三十下脫七字、蓋生于魯昭公二十八年丁亥、卒于哀公十二年戊午、方合三十二歲之數、是年伯魚亦卒、在前、此本薛應旂甲子會紀、顧爲明確、列子力命篇、壽四八、可證、時孔子六十九歲、有棺無槨之言、政指見在事也、黃式三曰、公羊傳於獲麟後連識顏子子路之死、則顏子之死、與獲麟及子路死之時不遠、伯魚先顏子死、於時正符、又曰、或謂史傳少孔子三十歲上脫八字、家語雖僞書、然史記言髮白之年在二十九、則卒年在三十二、時孔子年七十、於數猶符、按閻氏以顏卒爲孔子六十九歲時、黃氏爲七十歲時、皆無確證、竊謂閻說近是、楓山三條本歲上有七字、顏淵問仁。孔子曰。克己復禮、天下歸仁焉。【集解】馬融曰、克己、約身也、孔安國曰、復、反也、身能反禮則爲仁矣、【考證】論語顏淵篇、中井積德曰、歸如字、服也、天下歸仁、極言其效也、孟子、其身正而天下歸之、孔子曰。賢哉回也。【集解】衛瓘曰、非大賢樂道、不能若此、故以稱之、【索隱】衛瓘字伯玉、晉太保、亦注論語、故裴引之、【考證】論語皇疏、多

引衛瓘、而不錄此解、邢疏亦無、但由集解而傳、一簞食、一瓢飮、【集解】孔安國曰、簞、笥也、在陋巷、人不堪其憂。回也不改其樂。【集解】孔安國曰、顏回樂道、雖簞食在陋巷、不改其所樂也、【考證】論語雍也篇、回也如愚。【集解】孔安國曰、於孔子之言、默而識之、如愚也、退而省其私、亦足以發。回也不愚。【集解】孔安國曰、察其退還、與二三子說釋道義、發明大體、知其不愚、【考證】論語爲政篇、用之則行。捨之則藏。唯我與爾有是夫。【集解】孔安國曰、言可行則行、可止則止、唯我與顏回同也、欒肇曰、用己而後行、不假隱以自高、不屈道以要名、時人無知其實者、唯我與爾有是行、【正義】肇字永初、高平人、晉尚書郎、作論語疑釋十卷、論語駮二卷、【考證】論語述而篇、用之則行二句、古語、行藏韻、欒肇是解、賴集解而存、皇邢疏不載、回年二十九、髮盡白。蚤死。【索隱】按家語亦云、年二十九而髮白、三十二而死、王肅云、此久遠之書、年數錯誤、未可詳也、校其年、則顏回死時、孔子年六十一、然則伯魚年五十、先孔子卒時、孔子且七十也、今此爲顏回先伯魚死、而論語曰、顏回死、顏路請子之車、孔子曰、鯉也死、有棺而無槨、或爲設事之辭、按顏回死在伯魚之前、故以論語爲設詞、【考證】顏淵死後於伯魚、論語可證、梁玉繩曰、王肅以論語爲設事之詞、甚謬、朱子云、以人情言之、不應如此、王肅本許愼、朱子本康成、見曲禮疏、孔子哭之慟。【考證】孔子哭之慟、論語先進篇、鄭玄曰、慟、變動容貌、曰。自吾有回、門人益親。【集解】王肅

曰、顏回爲孔子胥附之友、能使門人日親孔子、【考證】尚書大傳云、文王胥附奔輳先後禦侮、謂之四鄰、以免牖里之害、懿子曰、夫子亦有四鄰乎、孔子曰、文王得四臣、丘亦得四友焉、自吾得回也、門人加親、是非胥附邪、自吾得賜也、遠方之士日至、是非奔輳邪、自吾得師也、前有光、後有輝、是非先後邪、自吾得由也、惡言不至于耳、是非禦侮邪、魯哀公問、弟子孰爲好學。孔子對曰。有顏回者。好學、不遷怒、不貳過。不幸短命死矣。今也則亡。【集解】何晏曰、凡人任情、喜怒違理、顏回任道、怒不過分、遷者移也、怒當其理、不移易也、不貳過者、有不善、未嘗復行、【考證】魯哀公以下、論語雍也篇、朱熹曰、遷、移也、怒於甲者、不移於乙、聖門志、復聖墓、在曲阜縣城東二十里、防山之陽、鄭環曰、東漢諸帝、雖竝祀七十二弟子、未嘗獨尊顏子也、顏子配享孔子、當自魏齊三王正始七年始、唐明皇開元八年、稱亞聖、坐於十哲之上、二十七年、贈兗公、宋度宗咸淳三年、以顏子曾子子思孟子竝配先聖、四配之名、自此始、元文宗至順元年、贈兗國復聖公、閔損字子騫。少孔子十五歲。【集解】鄭玄曰、孔子弟子目錄云、魯人、【索隱】家語亦云、魯人、少孔子十五歲、孔子曰。孝哉閔子騫。人不間於其父母昆弟之言。【集解】陳羣曰、言子騫上事父母、下順兄弟、動靜盡善、故人不得有非閒之言、【考證】論語先進篇、孝哉閔子騫、與賢哉回也語氣正同、中井積德曰、論語中無名閔子騫者、豈以字行乎、胡安國曰、父母兄弟、稱其孝友、人皆信之、無異詞者、蓋其孝友之實、有以積於中而著於外、故夫子歎而美之、不仕大

夫、不食汙君之祿。【索隱】論語、季氏使閔子騫爲費宰、子騫曰、善爲我辭焉、是不仕大夫、不食汙君之祿也、如有復我者、【集解】孔安國曰、復我者、重來召我、必在汶上矣。【集解】孔安國曰、去之汶水上、欲北如齊、【考證】如有復我以下、論語雍也篇、愚按、此閔子辭費宰、一時拒使者之言、如上當有曰字、鄭環曰、唐開元八年、詔閔子等十哲、悉令從祀、二十七年、贈費侯、明嘉靖九年、稱先賢閔子、按自嘉靖九年議禮、盡罷唐宋贈爵、惟四配稱復聖宗聖述聖亞聖、閔子而下、皆稱先賢某子、冄耕字伯牛。【集解】鄭玄曰、魯人、【索隱】按家語云、魯人、孔子以爲有德行。【考證】論語先進篇、伯牛有惡疾。【考證】論語無惡字、淮南子精神訓、子夏失明、冄伯牛爲厲、孔子往問之、自牖執其手【集解】包氏曰、牛有惡疾、不欲見人、孔子從牖執其手、曰。命也夫。斯人也而有斯疾。命也夫。【集解】包氏曰、再言之者、痛之甚也、【考證】論語雍也篇、冄雍字仲弓。【集解】鄭玄曰、魯人、【索隱】家語云、伯牛之宗族、少孔子二十九歲、仲弓問政。孔子曰。出門如見大賓。使民如承大祭。【集解】孔安國曰、莫尚乎敬、【考證】論語、政作仁、集解楓三本、曰下有仁之道三字、在邦無怨。在家無怨。【集解】包氏曰、在邦、爲諸侯、在家、爲卿大夫、【考證】仲弓問以下、論語顏淵篇、皇侃曰、在邦、謂仕諸侯、在家、謂仕卿大夫、程一枝曰、避諱、邦當作國、孔子以仲

弓爲有德行、【考證】論語先進篇、曰。雍也可使南面。【集解】包氏曰、可使南面、言任諸侯之治、【考證】論語雍也篇、朱熹曰、言仲弓寬洪簡重、有人君之度也、仲弓父賤人。孔子曰。犂牛之子、騂且角。雖欲勿用、山川其舍諸。【集解】何晏曰、犂、襍文、騂、赤色也、角者、角周正、中犧牲、雖欲以其所生犂而不用、山川寧肯舍之乎、言父雖不善、不害於子之美、【考證】孔子曰以下、論語雍也篇、犂牛、耕牛也、冉求字子有。【集解】鄭玄曰、魯人、少孔子二十九歲。爲季氏宰。【考證】爲季氏宰、孟子離婁篇、季康子問孔子曰。冉求仁乎。曰。千室之邑、百乘之家、【集解】孔安國曰、千室、卿大夫之邑、卿大夫稱家、諸侯千乘、大夫故曰百乘、求也可使治其賦。仁則吾不知也。【集解】孔安國曰、賦、兵賦也、仁道至大、不可全名也、復問、子路仁乎。孔子對曰。如求。【考證】翟灝曰、問由求者、孟武伯也、而由求兩傳皆誤作季康子、又孔子答、仲由可使治千乘之賦、冉求可爲宰、事各不同、仲由傳、依論語載之、而此乃曰求可使治賦、曰如求、何也、愚按、據論語公冶長篇、翟說是、求問曰。聞斯行諸。【集解】包氏曰、賑窮救乏之事也、【考證】聞、聞義也、不獨賑窮救乏、子曰。行之。子路問。聞斯行諸。子曰。有父

兄在、如之何其聞斯行之。【集解】孔安國曰、當白父兄、不可自專、子華怪之、敢問問同而荅異。【考證】程一枝曰、宋本無問同而荅異五字、孔子曰。求也退。故進之。由也兼人。故退之。【集解】鄭玄曰、言冉有性謙退、子路務在勝尚人、各因其人之失而正之、【考證】論語先進篇、仲由字子路。卞人也。【集解】徐廣曰、尸子曰、子路卞之野人、【索隱】家語、一字季路、亦云是卞人也、【考證】洪邁曰、三代之時、天下書同文、故春秋左氏所載人名字、不以何國、大抵皆同、鄭公子歸生、魯公孫歸父、蔡公孫歸生、楚仲歸、齊析歸父、皆字子家、楚成嘉、鄭公子嘉、皆字子孔、鄭公孫段、印段、宋諸師段、皆字子石、鄭公子喜、宋樂喜、皆字子罕、楚公子黑肱、鄭公孫黑、孔子弟子狄黑、皆字子晳、魯公子翬、鄭公孫揮、皆字子羽、邾子克、楚鬬克、周王子克、宋司馬之臣克、皆字曰儀、晉籍偃、荀偃、鄭公子偃、吳言偃、皆字曰游、晉羊舌赤、魯公西赤、皆字曰華、楚公子側、魯孟之側、皆字曰反、魯冉耕、司馬耕、皆字曰牛、顏無繇、仲由、皆字曰路、少孔子九歲。子路性鄙、好勇力、志伉直、冠雄雞、佩豭豚、陵暴孔子。【集解】冠以雄雞、佩以豭豚、二物皆勇、子路好勇、故冠帶之、【考證】洪頤煊曰、莊子盜跖篇、使子路去其危冠、解其長劍、而受教於子、佩豭豚、謂取豭豚之皮以爲劍飾、孔子設禮、稍誘子路。子路後儒服委質、因門人請爲弟子。【索隱】按服虔注左氏云、古者始仕、必先書其

名於策、委死之質於君、然後爲臣、示必死節於其君也、【考證】質、讀爲贄、音之利反、集解誤、沈家本曰、臣委質於君、弟委質于師、其義一也、子路問政。孔子曰。先之勞之。【集解】孔安國曰、先導之以德、使民信之、然後勞之、易曰、悅以使民、民忘其勞、【考證】論語集註引蘇氏曰、凡民之行、以身先之、則不令而行、凡民之事、以身勞之、則雖勤不怨、愚按、勞之、勞者勞之也、孟子、放勳曰、勞之來之、請益。曰。無倦。【集解】孔安國曰、子路嫌其少、故請益、曰、無倦者、行此二事無倦則可、【考證】子路問政以下、論語子路篇、子路問。君子尚勇乎。孔子曰。義之爲上。君子好勇而無義則亂。【集解】李充曰、既稱君子、不職爲亂階也、若君親失道、國家昏亂、其於赴患致命而不知正顧義者、則亦陷乎爲亂、而受不義之責也、【索隱】按充字弘度、晉中書侍郎、亦作論語解、小人好勇而無義則盜。【考證】論語陽貨篇、子路有聞、未之能行、唯恐有聞。【集解】孔安國曰、前所聞未及行、故恐復有聞、不得竝行、【考證】論語子路篇、孔子曰。片言可以折獄者、其由也與。【集解】孔安國曰、片、猶偏也、聽訟、必須兩辭以定是非、偏信一言折獄者、唯子路可也、【考證】論語顏淵篇、朱熹曰、片言、半言、折、斷也、子路忠信明決、故言出而人信服之、不待其辭之畢也、由也好勇過我。無所取材。【集解】欒肇曰、適用曰材、好勇過我用、故云、無所取、【索隱】按肇字永初、晉尚書郎、作論語義也、【考證】論語公冶長篇、朱氏

集註引程子云、夫子美其勇、而譏其不能裁度事理以適於義也、若由也、不得其死然。【集解】孔安國曰、不得以壽終也、【考證】論語先進篇、然猶焉、衣敝緼袍、與衣狐貉者立而不恥者、其由也與。【集解】孔安國曰、緼、枲著也、【考證】論語子罕篇、由也升堂矣。未入於室也。【集解】馬融曰、升我堂矣、未入於室耳、【考證】論語先進篇、季康子問。仲由仁乎。孔子曰。千乘之國、可使治其賦。不知其仁。【考證】論語公冶長篇、季康子作孟武伯、子路喜從游。遇長沮桀溺·荷蓧丈人。【考證】論語微子篇、從游、從孔子遊也、子路爲季氏宰。【考證】定十二年左傳、禮記禮運、季孫問曰。子路可謂大臣與。孔子曰。可謂具臣矣。【集解】孔安國曰、言備臣數而已、【考證】論語先進篇、季孫作季子然、注云、子然、季氏子弟、子路爲蒲大夫、辭孔子。【索隱】蒲、衞邑、子路爲之宰也、孔子曰。蒲多壯士。又難治。然吾語汝。恭以敬、可以執勇。【集解】言恭謹謙敬、勇猛不能害、故曰執也、【考證】釋名釋姿容、執、攝也、使畏攝己也、說苑政理篇襲此文、改執作攝、攝、收也、寬以正、可以比衆。【集解】音鼻、言寬大淸正、衆必歸近之、【考證】

比、親也、說苑、比作容、恭正以靜、可以報上。【考證】恭正行政、士民安靜、此邑宰所以報上也、說苑、報作親、史義長、初衞靈公有寵姬曰南子。【考證】梁玉繩曰、南子是夫人、非寵姬也、且稱妾爲姬、亦非當時語、靈公太子蕢聵得過南子、懼誅出奔。【考證】初衞靈公以下、本定十四年左傳、左傳及衞世家、蕢作蒯、此疑誤、出奔出奔宋也、及靈公卒、而夫人欲立公子郢。郢不肯曰。亡人太子之子輒在。於是衞立輒爲君。【考證】哀二年左傳、是爲出公。出公立十二年、其父蕢聵居外、不得入。子路爲衞大夫孔悝之邑宰。【索隱】按服虔云、爲孔悝之邑宰、蕢聵乃與孔悝作亂、謀入孔悝家、遂與其徒襲攻出公。出公奔魯。而蕢聵入立。是爲莊公。方孔悝作亂、【索隱】按左傳、蒯聵入孔悝家、悝母伯姬劫悝於廁、強與之盟、而立蒯聵、非悝本心自作亂也、子路在外。聞之而馳往。遇子羔出衞城門。謂子路曰。出公去矣。而門已閉。子可還矣。毋空受其禍。【考證】陳仁

錫曰、出公、當作衞君、子路曰。食其食者、不避其難。【考證】其字皆指孔悝、子路仕孔悝、悝見殺、義可以死矣、子羔卒去。有使者入城。城門開。子路隨而入。【考證】翟灝曰、左傳云、有使者出、乃入、此言使者入、不合、且門乃孔悝家之門、非城門也、造蕢聵。蕢聵與孔悝登臺。【考證】劫孔悝登臺也、子路曰。君焉用孔悝。請得而殺之。【考證】徐孚遠曰、此語與左傳異、陳子龍曰、子路救悝而來、豈應出此語、固知左氏爲當矣、岡白駒曰、衞世家與左傳同、左傳云、太子焉用孔悝、雖殺之、必或繼之、又云、若燔臺半、必舍孔悝、是子路志在救孔悝也、愚按、言殺之者權詞、燔臺陽示殺之、而陰救之也、史文不㕘、蕢聵弗聽。於是子路欲燔臺。【考證】子路意謂、蒯聵無勇、若燔及半、以孔悝授我耳、事詳衞世家、蕢聵懼乃下。石乞·壺黶攻子路。【考證】錢大昕曰、左氏、壺黶作盂黶、壺盂、聲相近、愚按、衞世家與左傳同、擊斷子路之纓。子路曰。君子死而冠不免。遂結纓而死。孔子聞衞亂曰。嗟乎、由死矣。已而果死。【考證】初衞靈公以下、本哀十五年左傳、故孔子曰。自吾得由、惡言不聞於耳。【集解】王肅曰、子路爲孔子侍衞、故侮慢之人、不敢有惡言、是以惡言不聞於孔子耳、【考證】尚書大傳、沈家本曰、按今

家語注、作子路夫子禦侮之友、疑侍衞乃禦侮之譌、而下又奪之友二字、是時子貢爲魯使於齊。【索隱】按左傳、子貢爲魯使齊、在哀十五年、蓋此文誤也、【考證】陳仁錫曰、是時子貢爲魯使於齊九字、當刪、張文虎曰、此於上下文皆不相涉、索隱本出此九字於子貢傳好廢舉與時轉貨貲條後、疑今本錯簡、宰予字子我。利口辯辭。【集解】鄭玄曰、魯人、【索隱】家語亦云、魯人、【考證】論語先進篇、言語宰予、既受業。問、三年之喪、不已久乎。【考證】已、太也、論語作期已久矣、陸德明云、論語一本、期作其、君子三年不爲禮、禮必壞。三年不爲樂、樂必崩。舊穀既沒、新穀既升、鑽燧改火、期可已矣。【集解】馬融曰、周書月令、有更火之文、春取榆柳之火、夏取棗杏之火、季夏取桑柘之火、秋取柞楢之火、冬取槐檀之火、一年之中、鑽火各異木、故曰改火、【考證】伊藤維楨曰、本文明是一年一改火、而非四時各變化、則不可專據周禮以解也、子曰。於汝安乎。曰。安。汝安則爲之。君子居喪、食旨不甘、聞樂不樂。故弗爲也。【集解】孔安國曰、旨、美也、責其無仁於親、故言汝安則爲之、宰我出。子曰。予之不仁也。子生三年、然後免於父母之懷。【集解】馬融曰、生未三歲、爲父母所懷抱也、夫三年之喪、天下之通

義也。【集解】孔安國曰、自天子達於庶人、【考證】問三年之喪以下、論語陽貨篇、宰予晝寢。【考證】晝寢、有四義、皇侃云、寢、眠也、宰予惰學而晝眠也、朱子從之、是一義、梁武帝改晝爲畫、以爲繪畫寢室、韓昌黎筆解從之、是又一義、劉原父以寢爲內寢、卽曲禮所謂晝居於內、是一義、翟晴江論語考異、讀晝若今女晝之晝、讀寢若兵寢刑措之寢、以爲休息、是又一義、皇說最穩、子曰。朽木不可雕也。【集解】包氏曰、朽、腐也、雕、雕琢刻畫、糞土之牆不可圬也。【集解】王肅曰、圬、墁也、二者喻雖施功猶不成也、【考證】論語公冶長篇、宰我問五帝之德。子曰。予非其人也。【集解】王肅曰、言不足以明五帝之德也、【考證】大戴記五帝德篇、宰我爲臨菑大夫。【索隱】按謂仕齊、齊都臨淄、故云爲臨淄大夫也、與田常作亂。以夷其族。孔子恥之。【索隱】按左氏傳、無宰我與田常作亂之文、然有闞止字子我、而因爭寵、遂爲陳恆所殺、恐字與宰予相涉、因誤云然、【考證】陳仁錫曰、宰予爲臨菑、至孔子恥之二十字、亦當削、趙翼曰、史記云、宰予與田常作亂、以夷其族、孔子恥之、則宰予嘗助逆者、及閱呂氏春秋、與左傳相印證、乃知非宰予事、而傳聞之誤、謬也、呂氏愼勢篇云、齊簡公有臣曰諸御鞅、謂公曰、陳常與宰予、甚相憎、若相攻則危上矣、願君去其一人也、簡公弗聽、未幾陳常果攻宰予、卽簡公于廟、簡公嘆曰、吾不用鞅之言、至於此、亦見淮南人間訓、而左傳哀十四年、宰予作闞止、所載同一事也、而一以爲闞止、一以爲宰予、則以闞止字子我、宰予亦字子我、故呂氏遂誤以此事屬之宰予、而史記不知其詳、又以爲宰予與田常作亂而夷族、

又曰、史記李斯上書二世、言田常爲簡公臣、布惠施德、陰取齊國、殺宰予于庭、東坡志林引之、以證弟子傳宰予與田常作亂之誤、謂李斯乃荀卿弟子、去孔子不遠、所引宜得其實、此亦但明宰予之非黨於田常、而不知宰予本無被殺之事也、

端木賜、衛人、字子貢。【索隱】家語作木、【考證】索隱本端木賜作端沐賜、趙翼曰、史記子貢已列孔子弟子傳矣、而貨殖傳又列之、淳于髡已列孟子荀卿傳矣、而滑稽傳又列之、此文之失檢者、愚按弟子傳孟荀傳以人爲主、貨殖傳滑稽傳以事爲主、所主各異、何嫌重出、梁玉繩曰、經史及諸子中多作子贛、左傳稱衛賜、錢大昕曰、古人名字必相應、說文贛賜也、貢獻功也、則端木之字、當爲子贛、少孔子三十一歲。子貢利口巧辭、孔子常黜其辯。【考證】論語先進篇、言語子貢、問曰、汝與回也孰愈。【集解】孔安國曰、愈猶勝也、對曰、賜也何敢望回。回也聞一以知十。賜也聞一以知二。【考證】論語公冶長篇、此未必受業以前之語、子貢既已受業、問曰、賜何人也。孔子曰、汝器也。【集解】孔安國曰、言汝器用之人、曰、何器也。曰、瑚璉也。【集解】包氏曰、瑚璉、黍稷器、夏曰瑚、殷曰璉、周曰簠簋、宗廟之貴器、【考證】問曰以下、論語公冶長篇、陳子禽問子貢曰、仲尼焉學。子貢曰、文・武之道、未墜於地。在人、賢者識其

大者、不賢者識其小者。莫不有文・武之道。夫子焉不學。【集解】孔安國曰、文武之道、未墜落於地、賢與不賢、各有所識、夫子無所不從學、而亦何常師之有。【集解】孔安國曰、無所不從學、故無常師、【考證】論語子張篇、陳子禽作衛公孫朝、又問曰、孔子適是國、必聞其政。求之與、抑與之與。【集解】鄭玄曰、怪孔子所至之邦、必與聞國政、求而得之邪、抑人君自願與之爲治者、子貢曰、夫子溫良恭儉讓以得之。夫子之求之也、其諸異乎人之求之也。【集解】鄭玄曰、言夫子行此五德而得之、與人求之異、明人君自與之、【考證】論語學而篇、亦作子禽問、子禽名亢、安井衡曰、子貢言求之者、承陳亢之問也、子貢問曰、富而無驕、貧而無諂、何如。孔子曰、可也。【集解】孔安國曰、未足多也、不如貧而樂道、富而好禮。【集解】鄭玄曰、樂、謂志於道、不以貧爲憂苦也、【考證】論語學而篇、邢疏朱註、樂下無道字、蓋依鄭本、日本諸舊本與史合、楓・三本、禮下有者也二字、田常欲作亂於齊、憚高・國・鮑・晏、故移其兵、欲以伐魯。【考證】蘇轍曰、齊之伐魯、本于悼公之怒季姬、而非陳恆、吳之伐齊、本怒悼公之反覆、而非子貢、吳齊之戰、陳乞猶在、而恆未任事、所記皆非、蓋戰國說客、設爲子貢之辭、以自託于孔氏、而太史公信

之耳、孔子聞之、謂門弟子曰、夫魯、墳墓所處、父母之國。國危如此。二三子何爲莫出。子路請出。孔子止之。子張・子石請行。【索隱】公孫龍也、【考證】子石少孔子五十三歲、當伐魯之年、僅十三四歲耳、而曰請行、豈甘羅外黃舍兒之比乎、孔子弗許。子貢請行。孔子許之。遂行至齊、說田常曰、君之伐魯、過矣。夫魯難伐之國、其城薄以卑、其地狹以泄、【索隱】按越絕書、其泄字作淺、【考證】中井積德曰、地恐當作池、下文亦然、王念孫曰、越絕書吳越春秋、並地作池、泄作淺、下文廣以深、正與狹以淺相對、其君愚而不仁、大臣僞而無用、其士民又惡甲兵之事。此不可與戰。君不如伐吳。夫吳城高以厚、地廣以深、甲堅以新、士選以飽、重器精兵、盡在其中。又使明大夫守之。此易伐也。田常忿然作色曰、子之所難、人之所易、子之所易、人之所難。而以教常、何也。子貢曰、臣聞之、憂在內

者攻彊、憂在外者攻弱。今君憂在內。吾聞君三封而三不成者、大臣有不聽者也。今君破魯以廣齊、戰勝以驕主、破國以尊臣、【集解】王肅曰、鮑晏等帥師、若破國則臣尊矣、而君之功不與焉、則交日疏於主。是君上驕主心、下恣羣臣。求以成大事、難矣。夫上驕則恣、【考證】張文虎曰、上疑當作主、涉上文而譌、臣驕則爭。是君上與主有郤、下與大臣交爭也。如此則君之立於齊危矣。故曰、不如伐吳。伐吳不勝、民人外死、大臣內空。是君上無彊臣之敵、下無民人之過、孤主制齊者唯君也。田常曰、善。雖然吾兵業已加魯矣。去而之吳、大臣疑我。柰何。子貢曰、君按兵無伐。臣請往使吳王、令之救魯而伐齊。君因以兵迎之。田常許之。【考證】韓非子五蠹篇云、齊將攻魯、魯使子貢說之、齊人曰、子言非不辯也、吾

所欲者土地也、非斯言斯謂也、遂擧兵伐魯、去門十里以爲界、其言與此傳相反、而亦未必實事、使子貢南見吳王。說曰。臣聞之、王者不絕世。霸者無彊敵。千鈞之重、加銖兩而移。今以萬乘之齊、而私千乘之魯、與吳爭彊。考證萬乘、古天子之稱、及戰國之世、諸侯强大、有千里擁萬乘者亦有之、故孟子萬乘之國行仁政、指齊、以萬乘之國伐萬乘之國、指齊燕、但春秋之時、諸侯稱千乘、論語齊景公有馬千駟、亦千乘之義、子貢不宜有是稱、竊爲王危之。且夫救魯、顯名也。伐齊、大利也。以撫泗上諸侯、誅暴齊以服彊晉。利莫大焉。名存亡魯、實困彊齊。智者不疑也。吳王曰。善。雖然吾嘗與越戰、棲之會稽。越王苦身養士、有報我心。考證吳王驕傲、不宜有此言、子待我伐越而聽子。子貢曰。越之勁不過魯。考證岡白駒曰、魯稱爲弱國、今越勁不過魯、則不足畏、吳之彊不過齊。考證岡白駒曰、吳雖彊不及齊、則齊當急慮、王置齊而伐越、則齊已平魯矣。且王方以存亡繼絕爲名。夫伐小越而

畏彊齊、非勇也。夫勇者不避難、仁者不窮約、考證謂魯也、智者不失時、王者不絕世、以立其義。今存越示諸侯以仁、救魯伐齊、威加晉國、諸侯必相率而朝吳。霸業成矣。且王必惡越、索隱惡猶畏惡也、臣請東見越王、令出兵以從。此實空越、名從諸侯以伐也。吳王大說、乃使子貢之越。越王除道郊迎、身御至舍、而問曰。此蠻夷之國、大夫何以儼然辱而臨之。子貢曰。今者吾說吳王以救魯伐齊。其志欲之、而畏越。曰。待我伐越乃可。如此破越必矣。考證楓、三本、無乃可如此四字、且夫無報人之志、而令人疑之、拙也。有報人之意、使人知之、殆也。考證凌稚隆曰、家語越絕書吳越春秋竝載此語、蘇代說燕王噲語與此同、見戰國策、中井積德曰、意下疑脫而字、愚按家語國策皆有而字、事未發、而先聞、危也。三者擧事之大患。

句踐頓首再拜曰。孤嘗不料力、乃與吳戰、困於會稽、痛入於骨髓。日夜焦脣乾舌、徒欲與吳王接踵而死。孤之願也。遂問子貢。子貢曰。吳王爲人猛暴、羣臣不堪。國家敝於數戰、士卒弗忍、百姓怨上、大臣內變、子胥以諫死、索隱王劭按家語越絕、竝無此五字、是時子胥未死、考證梁玉繩曰、子胥死于戰艾陵後、是時尚未賜屬鏤、太宰嚭用事、順君之過、以安其私。是殘國之治也。考證楓、三本、國下有家字、今王誠發士卒佐之、以徼其志、集解徼、結堯反、王肅曰、激射其志、考證李笠曰、家語屈節解、作以邀其志、王肅注云、邀激其志、重寶以說其心、卑辭以尊其禮、其伐齊必也。彼戰不勝、王之福矣。戰勝必以兵臨晉。臣請北見晉君、令共攻之。弱吳必矣。其銳兵盡於齊、重甲困於晉、而王制其敝、此滅吳必矣。越王大說許諾。送子貢金百鎰、劍

一、良矛二。子貢不受。遂行報吳王曰。臣敬以大王之言告越王。越王大恐曰。孤不幸少失先人、內不自量、抵罪於吳、軍敗身辱、棲于會稽、國爲虛莽。集解虛、音墟、莽、莫朗反、索隱有本作棘、恐誤也、考證抵、當也、賴大王之賜、使得奉俎豆而修祭祀。死不敢忘。何謀之敢慮。後五日、越使大夫種頓首言於吳王曰。東海役臣孤句踐使者臣種、敢修下吏、問於左右。今竊聞大王將興大義、誅彊救弱、困暴齊而撫周室。請悉起境內士卒三千人、孤請自被堅執銳、以先受矢石。因越賤臣種、奉先人藏器甲二十領、鈇屈盧之矛、索隱鈇、音膚、斧也、劉氏云、一本無此字、屈盧、矛名、考證鈇字上、當有鈇名以與屈盧步光相對、不則鈇字衍文、步光之劍、以賀軍吏。吳王大說、以告子貢曰。越王欲身從寡人伐齊。可乎。子貢

曰。不可。夫空人之國、悉人之衆、又從其君、不義。君受其幣、許其師、而辭其君。吳王許諾、乃謝越王。於是吳王乃遂發九郡兵伐齊。【考證】方苞曰、春秋時郡小于縣、定二年傳、上大夫受縣、下大夫受郡、是也、此曰發九郡兵、則爲後人所設之詞明矣、愚按家語編者、知其不可通、改作國內之兵、 子貢因去之晉、謂晉君曰。臣聞之、慮不先定、不可以應卒。【索隱】按卒、謂急卒也、言計慮不先定、不可以應卒有非常之事、 兵不先辨、不可以勝敵。今夫齊與吳將戰。彼戰而不勝、越亂之必矣。與齊戰而勝、必以其兵臨晉。晉君大恐曰。爲之奈何。子貢曰。修兵休卒以待之。晉君許諾。子貢去而之魯。吳王果與齊人戰於艾陵、【索隱】按左傳在哀十一年、 大破齊師、獲七將軍之兵而不歸。【考證】梁玉繩曰、左傳、吳獲國書五人、何云獲七將軍、 果以兵臨晉、與晉人相遇黃池之上。【索隱】左傳、黃池之會、在哀十三年、越入吳、吳與越平也、【考證】張文虎曰、索隱本無之

上二字、梁玉繩曰、黃池之會、距戰艾陵二年、何言吳王不歸、以兵臨晉、【考證】中井積德曰、據左傳、黃池之會、無戰鬭、此恐訛傳、且越入吳、在吳晉爭彊之前、 吳・晉爭彊。晉人擊之、大敗吳師。越王聞之、涉江襲吳、去城七里而軍。吳王聞之、去晉而歸、與越戰於五湖。三戰不勝、城門不守。越遂圍王宮、殺夫差而戮其相。【索隱】按左傳、越滅吳在哀二十二年、則事竝懸隔數年、蓋此文欲終說其事、故其辭相連、【考證】梁玉繩曰、會黃池、歸與越平、在哀十三年、越滅吳、在哀廿二年、何云會黃池、歸與越戰不勝見殺、 破吳三年、東向而霸。【考證】梁玉繩曰、越滅吳稱霸、在孔子卒後七年、何云子貢之出、孔子使之、 故子貢一出、存魯亂齊、破吳彊晉、而霸越。【考證】張文虎曰、據下五國各有變、索隱舊本無此十五字、 子貢一使、使勢相破、十年之中、五國各有變。【索隱】按左傳、謂魯齊晉吳越也、故云、子貢一出、存魯亂齊、破吳彊晉而覇越、【考證】梁玉繩曰、自哀八年齊伐魯、至廿二年吳滅越、首尾十五歲、何云十年、傾人之邦以存宗國、何以爲孔子、縱橫捭闔、不顧義理、何以爲子貢、卽其所言了無一實、而津津言之、子胥傳亦有句踐用子貢之謀、率衆助吳等語、豈不誕哉、崔述曰、論語列子貢於言語之科、孟子書中、亦稱子貢善爲說辭、不過其才長於專對、若春秋傳中辭盟於吳之類耳、非若戰國縱橫之流巧言亂德、

以傾覆人國家者比也、烏有佐陳恆以簒齊、欺夫差使亡國者哉、此蓋游說之士、因子貢以之善於辭令而託之、非聖賢所爲、王安石曰、予讀史所載子貢事、乃與夫儀秦軫代無以異也、孔子曰、己所不欲、勿施于人、已以墳墓之國、而欲全之、則齊吳之人、豈無是心哉、奈何使之亂也、子貢之行、雖不能盡當于義、然孔子賢弟子也、固不宜至于此、矧曰孔子使之也、太史公曰、學者多稱七十子之徒、譽者或過其實、毀者或損其眞、子貢雖好辯、詎至于此耶、亦所謂毀損其眞者哉、沈家本曰、索隱引左傳、今左傳無此事、 子貢好廢舉、與時轉貨貲。【集解】廢舉、謂停貯也、與時謂逐時也、夫物賤則買而停貯、値貴卽逐時轉易貨賣取資利也、【索隱】按家語、貨作化、王肅云、廢舉、謂買賤賣貴也、轉化、謂隨時轉貨以殖其資也、劉氏云、廢、謂物貴而賣之、舉、謂物賤而收貯之、轉貨、謂轉貴收賤也、【考證】此依論語不受命而貨殖之言附會耳、說詳于貨殖傳、洪頤煊曰、貨殖傳云、廢著鬻財於曹魯之間、集解徐廣曰、著、猶居也、此廢舉當作廢居、越世家、陶朱公廢居候時轉物逐什一之利、平準書廢居居邑、集解徐廣曰、廢居者、貯畜之名也、中井積德曰、廢、居也、舉、發也、轉、通也、愚按中說較長、不必改廢舉爲廢居、 喜揚人之美、不能匿人之過。常相魯・衞。家累千金。卒終于齊。【考證】中井積德曰、相魯衞、恐訛傳、 言偃吳人。【索隱】家語云、魯人、按偃仕魯爲武城宰耳、今吳郡有言偃冢、蓋吳郡人爲是也、 字子游。少孔子四十五歲。子游既已受業、爲武城宰。【正義】括地志云、在兗州、卽南城也、輿地志云、南武城縣、魯武城邑、子游爲宰者也、在泰山郡、【考證】南武城、今嘉

祥縣、 孔子過、聞弦歌之聲。孔子莞爾而笑【集解】何晏曰、莞爾、小笑貌、 曰。割雞焉用牛刀。【集解】孔安國曰、言治小何須用大道、【考證】當時蓋有此俚言、蘇秦云、寧爲雞口、無爲牛後、亦雞牛對言、皆取譬家畜、 子游曰。昔者偃聞諸夫子。曰。君子學道則愛人、小人學道則易使。【集解】孔安國曰、道、謂禮樂也、樂以和人、人和則易使、 孔子曰。二三子。【集解】孔安國曰、從行者、 偃之言是也。前言戲之耳。【集解】孔安國曰、戲以治小而用大、【考證】爲武城宰以下、論語陽貨篇、 孔子以爲子游習於文學。【考證】論語先進篇、 卜商字子夏。【集解】家語云、衞人、鄭玄曰、溫國卜商、【索隱】按家語云、衞人、鄭玄云、溫國人、不同者、溫國今河內溫縣、元屬衞故、 少孔子四十四歲。【考證】楓三本、四十作三十、 子夏問。巧笑倩兮。美目盼兮。素以爲絢兮。何謂也。【集解】馬融曰、倩、笑貌、盼、動目貌、絢、文貌、此上二句、在衞風碩人之二章、其下一句、逸詩、【考證】盼字從分、盼、目黑白分也、從兮誤、 子曰。繪事後素。【集解】鄭玄曰、繪、畫文也、凡畫繪、先布衆色、然後以素分布其閒、以成其文、喩美女雖有倩盼美質、亦須禮以成也、 曰。禮後乎。【集解】何晏曰、孔言繪事後素、子夏聞而解、知以素喩禮、故曰禮後乎、 孔子曰。商

始可與言詩已矣。【集解】包氏曰、能發明我意、可與言詩矣。【考證】子夏問以下、論語八佾篇。　子貢問、師與商孰賢。子曰、師也過、商也不及。【集解】孔安國曰、言俱不得中、　然則師愈與。曰、過猶不及。【考證】論語先進篇、愈、猶勝也、子謂子夏曰、汝爲君子儒、無爲小人儒。【集解】何晏曰、君子之儒、將以明道、小人爲儒、則矜其名、【考證】論語雍也篇、楓三本無曰汝二字、　孔子既沒、子夏居西河教授。【索隱】在河東郡之西界、蓋近龍門、劉氏云、今同州河西縣、有子夏石室學堂也、【正義】西河郡、今汾州也、爾雅云、兩河閒曰冀州、禮記云、自東河至於西河、河東故號龍門河爲西河、漢因爲西河郡、汾州也、子夏所教處、括地志云、謁泉山、一名隱泉山、在汾州隰城縣北四十里、注水經云、其山崖壁五、崖半有一石室、去地五十丈、頂上平地十許頃、隨國集記云、此爲子夏石室、退老西河居此、有卜商神祠、今見在、【考證】本禮記檀弓篇、梁玉繩曰、後書徐防傳注引史云、子夏居西河教弟子三百人、與今本異、　爲魏文侯師。【索隱】按子夏文學、著於四科、序詩傳易、又孔子以春秋屬商、又傳禮、著在禮志、而此史竝不論、空記論語小事、亦其疏也、【正義】文侯都安邑、孔子卒後、子夏教於西河之上、文侯師事之、咨問國政焉、【考證】洪邁云、子夏少孔子四十四歲、孔子卒時、子夏年二十八矣、是時周敬王四十一年、歷元王定王考王至威烈王二十三年、魏始侯、去孔子卒時七十五年、文侯爲大夫二十二年而爲侯、又十六年而卒、姑以始侯之歲計之、則子夏已百三歲矣、方爲諸侯師、豈其然乎、愚按此不必以爲侯之後

言之、其曰文侯者、追記之言耳、又按二十八當作三十、百三歲當作百五歲、洪邁又云、孔子弟子唯子夏獨有書、雖傳記雜言未可盡信、然要與他人不同矣、於易則有傳、於詩則有序、而毛詩之學、一云子夏授高行子、四傳而至小毛公、一云子夏傳曾申、五傳而至大毛公、於禮則有儀禮喪服一篇、馬融王肅諸儒爲之訓說、於春秋所云不能贊一辭、蓋亦嘗從事於斯矣、公羊高實受之於子夏、穀梁赤者風俗通亦云、子夏門人、於論語則鄭康成以爲仲弓子夏等所撰定也、後漢徐防上疏曰、詩書禮樂定自孔子、發明章句、始於子夏、斯其證矣、愚按子夏有功於聖學、洪說略盡之矣、唯至其曰弟子唯子夏有書、則不然、史曾參傳云、孔子以爲通孝道、故授之業、作孝經、漢藝文志云、孝經者孔子爲曾子陳孝道也、又云、曾子十八篇、名參、孔子弟子、漆雕子十三篇、孔子弟子漆雕啓撰、宓子十六篇、名不齊、字子賤、孔子弟子、其餘尚多、不獨子夏也、　其子死、哭之失明。【考證】本禮記檀弓、淮南子精神訓、　顓孫師陳人。字子張。【索隱】鄭玄目錄、陽城人、陽城縣名、屬陳郡、【考證】姚範曰、左傳襄二十八年、顓孫自齊來奔、子張疑其後也、　少孔子四十八歲。子張問干祿。【集解】鄭玄曰、干、求也、祿、祿位也、【考證】論語、問作學、中井積德曰、詩旱麓篇、豈弟君子、干祿豈弟、假樂篇、干祿百福、子孫千億、子張蓋因詩發焉、以作干祿之工夫也、兪樾曰、子張學干祿、猶南容三復白圭、曰學、曰三復、皆於學詩研求其義、非學求祿位之法也、愚按梁氏志疑引趙佑詩細、亦有此說、　孔子曰、多聞闕疑、慎言其餘、則寡尤。【集解】包氏曰、尤、過也、疑則闕之、其餘不疑、猶慎言之則少過、　多見闕殆、慎行其餘、則寡

悔。【集解】包氏曰、殆、危也、所見危者、闕而不行、則少悔、　言寡尤、行寡悔、祿在其中矣。【集解】鄭玄曰、言行如此、雖不得祿、得祿之道、【考證】子張問干祿以下、論語爲政篇、　他日從在陳蔡閒困。【考證】張文虎曰、北宋凌本困譌因、　問行。孔子曰、言忠信、行篤敬、雖蠻貊之國行也。言不忠信、行不篤敬、雖州里行乎哉。【集解】鄭玄曰、二千五百家爲州、五家爲鄰、五鄰爲里、行乎哉、言不可行、　立、則見其參於前也、在輿、則見其倚於衡、夫然後行。【集解】包氏曰、衡、軛也、言思念忠信、立則常想見參然在前、在輿則若倚於車軛、　子張書諸紳。【集解】孔安國曰、紳、大帶也、【考證】問行以下、論語衞靈公篇、此問不必於陳蔡、　子張問、士何如斯可謂之達矣。孔子曰、何哉爾所謂達者。【考證】此倒裝法、孟子梁惠王篇、何哉君所爲輕身先於匹夫者、何哉君所謂踰者、同一句法、　子張對曰、在國必聞、在家必聞。【集解】鄭玄曰、言士之所在、皆能有名譽、【考證】伊藤維楨曰、達者、內有其實、名譽自達也、聞者、務飾乎外、以到名聞也、楓三本無對字、　孔子曰、是聞也、非達也。夫達者質直而好義、察言而觀色、慮以下人。【集解】馬融曰、常有謙退

之志、察言語、觀顏色、知其所欲、其念慮常欲下於人、　在國及家必達。【集解】馬融曰、謙尊而光、卑而不可踰、　夫聞也者、色取仁而行違、居之不疑。【集解】馬融曰、此言佞人也、佞人假仁者之色、行之則違、安居其僞而不自疑、　在國及家必聞。【集解】馬融曰、佞人黨多、【考證】論語顏淵篇、　曾參南武城人。【索隱】按武城屬魯、當時魯更有北武城、故言南也、【正義】括地志云、南武城、在兗州、子游爲宰者、地理志云、定襄有武城、淸河有武城、故此云南武城也、【考證】方密之曰、曾參當讀如參乘之參、王引之曰、參讀爲驂、名參字子輿、者、駕馬所以引車也、洪恩波曰、說文、森讀如曾參之參、參讀森音、其誤久矣、孫志祖曰、日知錄以仲尼弟子列傳、曾參南武城人、澹臺滅明武城人、爲同一武城、子羽傳次曾子、省文但曰武城、殊不然、大戴禮衞將軍文子篇注云、曾參魯南武城人、澹臺滅明魯東武城人、其爲兩判然、東武城亦單稱武城、左傳論語孟子所言皆是、在今費縣、若曾子本邑之南武城、自在今嘉祥縣、於曲阜爲西南、與費縣之在曲阜東北者不同、故加南以別之、　字子輿。少孔子四十六歲。孔子以爲能通孝道、【正義】韓詩外傳云、曾子曰、吾嘗仕爲吏、祿不過鍾釜、尚猶欣欣而喜者、非以爲多也、樂道養親也、親沒之後、吾嘗南游於越、得尊官、堂高九仞、榱題三尺、轂百乘、然猶北向而泣者、非爲賤也、悲不見吾親也、　故授之業、作孝經。死於魯。【考證】漢藝文志云、孝經者孔子爲曾子陳孝道也、夫孝天之經、地之義、民之行也、擧大者言、故曰孝經、愚按呂覽察微篇引孝經云、高而不危、所以長守貴也、滿而不溢、所以長守富也、富貴

不離其身、然後能保其社稷、而和其民人、孝行篇云、愛其親、不敢惡人、敬其親、不敢慢人、愛敬盡於親、光耀加於百姓、究於四海、此天子之孝也、其文與今本孝經略同、呂覽成於秦始皇八年、則孝經之行既久矣、陸賈新語愼察篇、孔子曰、有至德要道以順天下、禮記喪服四制、資於事父以事君、而敬同、資於事父以事母、而愛同、曲禮凡爲人子之禮、在醜夷不爭、經解孔子曰、安上治民、莫善於禮、鄉飲酒義、君子之所謂孝者、非家至而日見之也、問喪、故曰辟踊哭泣、哀以送之、如是之類、蓋皆采之孝經、姚際恒古今僞書考疑之、以爲是書來歷出于漢儒、不惟非孔子作、幷非周秦之言也、其說甚妄、又按漢志云、曾子十八篇、今大戴記存其十篇、小戴記祭義、亦曾子大孝篇文、中井積德曰、曾子傳獨不引論語、且略、何哉、**澹臺滅明**〔集解〕包氏曰、澹臺姓、滅明名、〔正義〕括地志云、延津在滑州靈昌縣東七里、注水經云、黃河水至此、爲之延津、昔澹臺子羽齎千金之璧渡河、陽侯波起、兩蛟夾舟、子羽曰、吾可以義求、不可以威劫、操劍斬蛟、蛟死、乃投璧於河、三投而輒躍出、乃毀璧而去、亦無怪意、卽此津也、**武城人。**〔正義〕括地志云、亦在兗州、**字子羽。少孔子二十九歲。狀貌甚惡。欲事孔子。孔子以爲材薄。**〔考證〕說見下文、**既已受業。退而修行。行不由徑。非公事不見卿大夫。**〔集解〕包氏曰、言其公且方、〔考證〕中井積德曰、滅明爲孔子弟子、不可信也、縱令爲弟子、其不由徑、不見卿大夫、在未見孔子之前、論語雍也篇可徵、此文失前後、**南游至江。**〔索隱〕按今吳國東南有澹臺湖、卽其遺迹所在、**從弟子三百人、設**

取予去就、〔考證〕岡白駒曰、唯義之從、**名施乎諸侯。孔子聞之曰。吾以言取人、失之宰予。以貌取人失之子羽。**〔索隱〕按家語、子羽有君子之容、而行不勝其貌、而上文云、滅明狀貌甚惡、則以子羽形陋也、今此孔子云、以貌取人、失之子羽、與家語正相反、〔正義〕按澹子羽墓、在兗州鄒城縣、〔考證〕大戴記五帝德云、吾欲以顏色取人、於滅明邪改之、吾欲以言取人、於予邪改之、吾欲以容取之、於師邪改之、未明言滅明容貌美惡、韓子則云、澹臺子羽、有君子之容、仲尼幾而取之、梁玉繩曰、孔子斯言大戴禮五帝德韓子顯學皆有之、史公取入留侯世家論及此傳、王肅取入家語子路初見及弟子解、中井積德曰、家語取之韓非子也、竝不當信據、而狀貌甚惡之說、亦未見其可信、則此傳宜除去孔子言取貌取數言、倂刪貌惡句方可、**宓不齊字子賤。**〔集解〕孔安國曰、魯人、〔正義〕顏氏家訓云、兗州永昌郡城、舊單父縣地也、東門有子賤碑、漢世所立、乃云濟南伏生、卽子賤之後、是虙之與伏、古來通字、誤爲宓、較可明矣、虙字從虍、音呼、宓從宀、音緜、下俱爲必、世傳寫誤也、〔考證〕虙伏宓密古通用、顏說泥、說詳于梁氏志疑、**少孔子三十歲。**〔索隱〕家語云、魯人、字子賤、少孔子四十九歲、此云三十、不同、〔考證〕張文虎曰、各本三十歲作四十九歲、蓋後人依家語改、今據索隱本、**孔子謂子賤。君子哉。魯無君子、斯焉取斯。**〔集解〕包氏曰、如魯無君子、子賤安得此行而學、〔考證〕論語公冶長篇、漢藝文志儒家、有宓子十五篇、**子賤爲單父宰、**〔正義〕宋州縣也、說苑云、宓子賤理單父、彈琴身不

下堂、單父理、巫馬期以星出、以星入、而單父亦理、巫馬期問其故、宓子賤曰、我之謂任人、子之謂任力、任力者勞、任人者逸、〔考證〕正義引說苑政理篇、又見呂覽察賢篇、韓詩外傳二、**反命於孔子曰。此國有賢不齊者五人、**〔索隱〕按家語云、不齊所父事者三人、所兄事者五人、所友者十一人、不同也、〔考證〕索隱引家語辯政篇、又見說苑政理、韓詩外傳八、**教不齊所以治者。孔子曰。惜哉、不齊所治者小。所治者大、則庶幾矣。原憲字子思。**〔集解〕鄭玄曰、魯人、〔索隱〕鄭玄云、魯人、家語云、宋人、少孔子三十六歲、〔考證〕梁玉繩曰、檀弓稱仲憲、論語稱原思、**子思問恥。孔子曰。國有道穀。**〔集解〕孔安國曰、穀、祿也、邦有道當食祿、**國無道穀、恥也。**〔集解〕孔安國曰、君無道、而在其朝食其祿、是恥辱也、〔考證〕論語憲問篇、**子思曰。克伐怨欲不行焉、可以爲仁乎。**〔集解〕馬融曰、克、好勝人也、伐、自伐其功、怨、忌也、欲、貪欲也、〔考證〕論語、乎作矣、與顓孫師傳何如斯可謂之達矣、矣字同、史公彼仍舊文、此改易、何也、**孔子曰。可以爲難矣。仁則吾弗知也。**〔集解〕包氏曰、四者行之難者、未足以爲仁、〔考證〕論語憲問篇、**孔子卒。原憲遂亡在草澤中。**〔索隱〕家語云、隱居衞、**子貢相衞。而結駟連騎、排藜藿入窮閻、**〔考證〕王念

孫曰、藿、當作藋、藋、徒弔反、今灰藋也、藜藋皆生於不治之地、其高過人、必排之而後得進、故言排、越世家、莊生家負郭、披藜藋到門、彼言披、此言排、其義一也、若藿爲豆、豆之高不及三尺、斯不可以排矣、**過謝原憲。憲攝敝衣冠見子貢。子貢恥之曰。夫子豈病乎。原憲曰。吾聞之。無財者謂之貧。學道而不能行者謂之病。若憲貧也。非病也。子貢慙、不懌而去。終身恥其言之過也。**〔考證〕本莊子讓王篇、列子楊朱篇云、原憲窶於魯、子貢殖於衞、又見韓詩外傳一、新序雜事、**公冶長齊人。字子長。**〔索隱〕家語云、魯人、名萇、字子長、范甯云、字子芝、〔考證〕梁玉繩曰、釋文引家語、長字子張、又引范甯云、名芝、字子長、今本家語同史記、**孔子曰。長可妻也。雖在累紲之中、非其罪也。**〔集解〕孔安國曰、累、黑索也、紲、攣也、所以拘罪人、〔考證〕楓三本、累作縲、與論語合、**以其子妻之。**〔集解〕張華曰、公冶長墓、在城陽姑幕城東南五里所、墓極高、〔考證〕論語公冶長篇、**南宮括字子容。**〔集解〕孔安國曰、容、魯人、〔索隱〕家語、作南宮縚、按其人是孟僖子之子、仲孫閱也、蓋居南宮因姓焉、〔考證〕梁玉繩曰、論語作适、又稱南容、檀弓作南宮縚、家語作南宮韜、南容有二名、括與适、縚與韜、字之通也、自世本誤以南宮縚爲仲孫說、于是孔安國注論語、康成注禮記、陸德明釋文、小司馬索隱、朱子集註、竝因其誤、朱氏經義考、載明夏洪基孔

門弟子傳略、辨南宮括縚字子容、是一人、孟僖子之子仲孫說閱南宮敬叔是一人、確鑿可從、愚按、論語之南容、與春秋傳敬叔、自是別人、崔述洙泗考信餘錄二卷、論之甚詳、**問孔子曰、羿善射、奡盪舟。**【集解】孔安國曰、羿、有窮之君、篡夏后位、其徒寒浞殺之、因其室而生奡、奡多力、能陸地行舟、爲夏后少康所殺、【正義】羿音詣、盪、大浪反、【考證】佐藤坦曰、盪舟、蓋謂捉舟首左右搖盪也、**俱不得其死然。**【考證】楓三本、引集解云、孔安國曰、此二子者皆不得以壽終也、**禹稷躬稼而有天下。孔子弗荅。**【集解】馬融曰、禹盡力於溝洫、稷播百穀、故曰躬稼也、禹及其身、稷及後世、皆爲王、括意欲以禹稷比孔子、孔子謙、故不荅、【考證】中井積德曰、禹稷一體人物、然躬稼切於稷身上、有天下切於禹身上、是互帶說也、非以稷之後有天下云然、**容出。孔子曰、君子哉若人。上德哉若人。**【集解】孔安國曰、賤不義而貴有德、故曰君子、【考證】問孔子以下、論語憲問篇、論語上作尚、**國有道、不廢。**【集解】孔安國曰、不廢、言見任用、**國無道、免於刑戮。**【考證】論語公冶長篇、**三復白珪之玷。**【集解】孔安國曰、詩云、白珪之玷、尚可磨也、斯言之玷、不可爲也、南容讀詩至此、三反之、是其心敬愼於言、【考證】論語先進篇、**以其兄之子妻之。**【考證】論語公冶長篇、先進篇、**公晳哀字季次。**【集解】孔子家語云、齊人、【索隱】家語作公晳克、**孔子曰、天下無行、多爲家臣仕於都。唯季**

次未嘗仕。【索隱】家語云、未嘗屈節爲人臣、故字特賞歎之、亦見游俠傳也、**曾蒧**【集解】音點、【索隱】音點、又音其炎反、**字晳。**【集解】孔安國曰、晳、曾參父、【索隱】家語云、曾點字子晳、曾參之父、**侍孔子。孔子曰、言爾志。蒧曰、春服既成、冠者五六人、童子六七人、浴乎沂、風乎舞雩、詠而歸。**【集解】徐廣曰、一作饋、駰案、包氏曰、暮春者、季春三月也、春服既成、衣單袷之時、我欲得冠者五六人、童子六七人、浴於沂水之上、風涼於舞雩之下、歌詠先王之道、歸於夫子之門、**孔子喟爾歎曰、吾與蒧也。**【集解】周氏曰、善蒧之獨知時也、【考證】侍孔子以下、論語先進篇、此時侍坐者子路冉有公西華與曾點也、各言其志、彼是對比、方見點也之可與、史刪其上文、何也、黃東發曰、夫子以行道救世爲心、而時不我與、方與二三子相講明於寂寞之濱、而忽聞曾點浴沂之言、若有獨契其浮海居夷之志、曲肱水飲之樂、故不覺喟然而嘆、蓋其意之所感者深矣、**顏無繇字路。路者顏回父。**【集解】繇、音遙、【索隱】家語云、顏由字路、回之父也、孔子始敎於闕里、而受學焉、少孔子六歲、故此傳云、父子異時事孔子、故易稱顏氏之子者、是父子俱學孔門也、【正義】繇、音由、【考證】李笠曰、案、音由、是也、家語正作由、古人名字相應、由字路、猶仲由字路也、張文虎曰、索隱本、無路者顏三字、**父子嘗各異時事孔子。顏回死。顏路貧。請孔子車以葬。**【集解】孔安國曰、賣以作椁、【考證】顏路之請固悖矣、然使路爲此請、亦

可以見孔子愛弟子之厚也、**孔子曰、材不材、亦各言其子也。鯉也死、有棺而無槨。吾不徒行以爲之槨。以吾從大夫之後、不可以徒行。**【集解】孔安國曰、鯉、孔子子伯魚、孔子時爲大夫、言從大夫之後不可徒行、謙辭也、【考證】顏回死以下、論語先進篇、**商瞿**【正義】具俱反、**魯人。字子木。少孔子二十九歲。**【索隱】家語云、瞿年三十八、無子、母欲更娶室、孔子曰、瞿過四十、當有五丈夫子、果然、瞿謂梁鱣、勿娶、吾恐子或晚生、非妻之過也、**孔子傳易於瞿。瞿傳楚人馯臂子弘。**【集解】徐廣曰、音寒、【索隱】馯、徐廣音韓、鄒誕生音汗、按儒林傳荀卿子及漢書、皆云、馯臂字子弓、今此獨作弘、蓋誤耳、應劭云、子弓、是子夏門人、【正義】馯、音汗、顏師古云、馯、姓也、漢書及荀卿子、皆云字子弓、此作弘、蓋誤也、應劭云、子弓、子夏門人、【考證】張文虎曰、弘當作厷、厷卽肱字、名臂、故字子厷、諸書作弓者、同音假借、**弘傳江東人矯子庸疵。**【集解】矯、音橋、疵、自移反、【索隱】儒林傳及系本、皆作蟜、疵、音自移反、疵字或作疵、蟜是姓、疵名也、字子肩、然蟜姓魯莊公族也、禮記蟜固見季武子、蓋魯人、史儒林傳皆云、魯人、獨此云江東人、蓋亦誤耳、儒林傳云、馯臂江東人、楚人也、【正義】漢書作橋疵、云魯人、顏師古云、橋疵字子庸、【考證】李笠曰、漢書儒林傳云、商受易孔子、以授魯橋庇子庸、子庸授江東馯臂子弓、師承世次、與史相反、**疵傳燕人周子家豎。**【索隱】周豎字子家、有本作林、【正義】豎、音時與反、周豎字子家、

漢書作周醜也、**豎傳淳于人光子乘羽。**【索隱】淳于、縣名、在北海、光羽、字子乘、【正義】光乘、字羽、括地志云、淳于國、在密州安丘縣東三十里、古之州國、周武王封淳于國、【考證】恩田仲任曰、以上文律之、光姓、子乘字、羽其名也、李笠曰、左傳襄十年正義云、古人名字竝言者、皆先字而後名、**羽傳齊人田子莊何。**【索隱】田何字子莊、【正義】儒林傳云、田何字子莊、**何傳東武人王子中同。**【集解】徐廣曰、東武、屬琅邪、【索隱】王同字子中、【正義】括地志云、東武縣、今密州諸城縣是也、漢書作王同字子仲、**同傳菑川人楊何。**【索隱】自商瞿傳易、至楊何凡八代、相傳、儒林傳、何字叔元、【正義】漢書云、字叔元、按商瞿至楊何凡八代、【考證】事又見儒林傳、梁玉繩曰、漢儒林傳、瞿受易孔子、以授魯橋庇子庸、子庸授江東馯臂子弓、子弓授燕周醜子家、子家授東武孫虞子乘、子乘授齊田何子莊、不但里居姓名不同、傳授亦互異、陸氏釋文、孔氏周易正義、竝從漢書爲說、**何元朔中以治易爲漢中大夫。**【考證】梁玉繩曰、史漢儒林傳、皆作元光、此朔字誤、**高柴字子羔。少孔子三十歲。子羔長不盈五尺。**【集解】鄭玄曰、衞人、【索隱】鄭玄云、衞人、家語齊人、高氏之別族、長不盈六尺、狀貌甚惡、此傳作五尺、誤也、【正義】家語云、齊人、【考證】檀弓上疏、引史作子臯、哀十七年左傳稱季羔、檀弓兩稱子臯、一稱季子臯、羔臯古通用、論語釋文引家語作子高、蓋以羔高音同通用而譌、字與氏不應同也、今本家語作子羔、盈字失避諱、**受業孔子。孔子以爲愚。**【考證】論語

先進篇云、柴也愚、子路使子羔爲費郈宰。【正義】括地志云、鄆州宿縣二十三里郈亭、【考證】論語及楓、三本、無郈字、此衍、沈濤曰、史記費字衍文、蓋古本論語、作郈宰、不作費宰、論衡藝增篇、正作郈宰、可見漢以前本皆如是也、正義但釋郈不釋費、可見所據本無此字、參存、孔子曰。賊夫人之子。【集解】包氏曰、子羔學未孰習、而使爲政、所以賊害人、子路曰。有民人焉。有社稷焉。何必讀書然後爲學。【集解】孔安國曰、言治人事神、於是而習、亦學也、孔子曰。是故惡夫佞者。【集解】孔安國曰、疾其以口給應、遂己非而不知窮也、【考證】論語先進篇、

漆彫開字子開。【集解】鄭玄曰、魯人也、【索隱】鄭玄云、魯人、家語云、蔡人、字子若、少孔子十一歲、又云、習尚書、不樂仕、孔子曰、可以仕矣、對曰、吾斯之未能信、王肅云、未得用斯書之意、故曰未能信也、【正義】家語云、蔡人、字子若、少孔子十一歲、習尚書、不樂仕、【考證】漆雕氏之名字、多有不同、漢藝文志及人表作名啓、家語作字子若、白水碑作字子脩、藝文志考證云、名啓、字子開、史避景帝諱也、然則子若、子脩皆誤耳、孔子使開仕。對曰。吾斯之未能信。【集解】孔安國曰、仕進之道、未能信者、未能究習、孔子說。【集解】鄭玄曰、善其志道深、【考證】孔子使以下、論語公冶長篇、漢藝文志儒家、漆雕子十二篇、注、孔子弟子漆雕啓後、韓非子顯學篇、漆雕之議、不色撓、不目逃、行曲則違於臧獲、行直則怒於諸侯、蓋啓之後有傳其學者也、

公伯繚字子周。【集解】馬融曰、魯人、【索隱】馬融云、

魯人、家語無公伯繚、而有申繚子周、而譙周云、疑公伯繚是讒愬之人、孔子不責而云、其如命何、非弟子之流也、今亦列比在七十二賢之數、蓋太史公誤、且繚亦作遼也、【正義】家語、有申繚子周、古史考云、疑公伯繚是讒愬之人、孔子不責、而云命、非弟子之流也、【考證】論語、僚作寮、公伯寮、非孔子弟子、明嘉靖中罷其配食、周愬子路於季孫。子服景伯以告孔子曰。夫子固有惑志。【集解】孔安國曰、季孫信譖恚子路也、【考證】子服、氏、景、諡、伯、字、魯大夫、夫子、指季孫、繚也、吾力猶能肆諸市朝。【集解】鄭玄曰、吾勢猶能辨子路之無罪於季孫、使人誅繚而肆之也、有罪既刑、陳其尸曰肆、孔子曰。道之將行、命也。道之將廢、命也。公伯繚其如命何。【考證】周愬以下、論語憲問篇、

司馬耕字子牛。【集解】孔安國曰、宋人、【索隱】家語云、宋人、字子牛、孔安國亦云、宋人、弟安子曰司馬犂也、牛是桓魋之弟、以魋爲宋司馬、故牛遂以司馬爲氏也、【正義】孔安國曰、牛、宋人、弟子司馬犂也、家語云、宋桓魋之弟也、魋爲宋司馬、故牛以司馬爲氏、【考證】索隱安曰二字、衍、牛多言而躁。問仁於孔子。孔子曰。仁者其言也訒。【集解】孔安國曰、訒、難也、曰。其言也訒、斯可謂之仁乎。子曰。爲之難。言之得無訒乎。【集解】孔安國曰、行仁難、言仁亦不得不訒也、問君子。子曰。君子不憂

不懼。【集解】孔安國曰、牛兄桓魋將爲亂、牛自宋來學、常憂懼、故孔子解之也、曰。不憂不懼、斯可謂之君子乎。子曰。內省不疚、夫何憂何懼。【集解】包氏曰、疚、病、自省無罪惡、無可憂懼、【考證】問仁於孔子以下、論語顏淵篇、

樊須字子遲。【集解】鄭玄曰、齊人、【索隱】家語云、魯人也、【正義】家語云、魯人、少孔子三十六歲。樊遲請學稼。孔子曰。吾不如老農。請學圃。曰。吾不如老圃。【集解】馬融曰、樹五穀曰稼、樹菜蔬曰圃、樊遲出。孔子曰。小人哉樊須也。上好禮、則民莫敢不敬。上好義、則民莫敢不服。上好信、則民莫敢不用情。【集解】孔安國曰、情、實也、言民化上、各以實應、夫如是、則四方之民、襁負其子而至矣。焉用稼。【集解】包氏曰、禮義與信、足以成德、何用學稼以教民乎、負子之器曰襁、【考證】樊遲請學稼以下、論語子路篇、朱熹曰、襁、織縷爲之、以約小兒於背者、安井衡曰、樊遲蓋憂民貧力乏、田圃多荒、欲學農圃以教之、觀孔子所答、其意自見矣、樊遲問仁。子曰。愛人。問智。曰。知人。【考證】論語顏淵篇、智作知、

有若少孔子四十三歲。【集解】鄭玄曰、魯人、【索隱】家語云、魯人、字子有、少孔子三十三歲、今此

傳云四十二歲、不知傳誤、又所見不同也、【正義】家語云、魯人、字有、少孔子三十三歲、不同、【考證】檀弓上疏引史作四十三歲、張文虎曰、各本脫四字、今依北宋本、毛本、索隱注作四十二、未知孰誤、愚按楓、三本、亦作四十三歲、有若曰。禮之用和爲貴。先王之道斯爲美。小大由之、有所不行。知和而和、不以禮節之、亦不可行也。【集解】馬融曰、人知禮貴和、而每事從和、不以禮爲節、亦不可以行也、【考證】俞樾曰、用以、古通、斯字專指禮而言、蓋謂先王之道、禮爲最美、小大由之、而有所不行者、不和故也、但言有所不行、而不言其不行之故、則禮之用和爲貴、已見上文、故省、信近於義、言可復也。【集解】何晏曰、復、猶覆也、義不必信、信非義也、以其言可反覆、故曰近義、恭近於禮、遠恥辱也。【集解】何晏曰、恭不合禮、非禮也、以其能遠恥辱、故曰近禮、因不失其親、亦可宗也。【集解】孔安國曰、因、親也、言所親不失其親、亦可宗敬、【考證】有若曰以下、論語學而篇、孔子既沒。弟子思慕。有若狀似孔子。弟子相與共立爲師。師之如夫子時也。【考證】本孟子滕文公篇、他日弟子進問曰。昔夫子當行、使弟子持雨具。已而果雨。弟子問曰。夫子何以知之。夫子曰。詩不云

乎。月離于畢、俾滂沱矣。【集解】毛傳曰、畢、噣也、月離陰星則雨、【考證】詩小雅漸漸之石篇、楓、三本俾作雨、昨暮月不宿畢乎。他日月宿畢、竟不雨。商瞿年長無子。其母爲取室。【正義】家語云、瞿年三十八無子、母欲更娶室、孔子曰、瞿年過四十、當有五丈夫子、果然、中備云、魯人商瞿使向齊國、瞿年四十、今後使行遠路、畏慮恐絕無子、夫子正月與瞿母筮、告曰、後有五丈夫子、子貢曰、何以知、子曰、卦遇大畜、艮之二世、九二、甲寅木爲世、六五、景子水爲應、世生外象生象來爻生互內象艮別子應有五子、一子短命、顏回云、何以知之、內象是本子、一艮變爲二醜三陽爻五、於是五子、一子短命、何以知短命、他以故也、【考證】中井積德曰、正義中備云、皆當削、張文虎曰、正義世生外象以下、譌脫、考異雖以意推衍、未必盡合、其云子水爲世、寅木爲應、則世應互誤矣、孔子使之齊。瞿母請之。孔子曰。無憂。瞿年四十後、當有五丈夫子。【集解】五男也、【索隱】謂五男也、已而果然。敢問夫子何以知此。有若默然無以應。弟子起曰。有子避之。此非子之座也。【考證】蘇轍曰、月宿畢而雨不應、商瞿四十而生五子、此卜祝之事、鄙儒所以謂孔子聖人者、戰國雜說類此多矣、宋祁曰、此鄒魯間野人語耳、觀孟子書、嘗謀之、後弗克舉、安有撤座之論、洪邁曰、此兩事殆近於星曆卜祝之學、何足以爲聖人、而謂孔子言之乎、有若不能知、何所加損、而弟子遽以是斥退之乎、孟子稱、子夏子游

子張、以有若似聖人、欲以所事孔子事之、曾子不可、但言江漢秋陽不可尚而已、未嘗深詆也、論語記諸善言、以有子之言爲第二章、在曾子之前、使有避坐之事、弟子肯如此哉、檀弓載有子聞曾子喪欲速貧、死欲速朽兩語、以爲非君子之言、又以爲夫子有爲言之、子游曰、甚哉有子之言似夫子也、則其爲門人弟子所敬久矣、太史公之書、於是爲失矣、梁玉繩曰、賢如有若、必不僭居師座、弟子亦必不因不答所問、卽令避座、公西赤字子華。【集解】鄭玄曰、魯人、少孔子四十二歲。子華使於齊。冄有爲其母請粟。孔子曰。與之釜。【集解】馬融曰、六斗四升曰釜、請益。曰。與之庾。【集解】包氏曰、十六斗曰庾、冄子與之粟五秉。【集解】馬融曰、十六斛曰秉、五秉合八十斛、孔子曰。赤之適齊也、乘肥馬、衣輕裘。吾聞君子周急不繼富。【集解】鄭玄曰、非冄有與之太多、【考證】子華使以下、論語雍也篇、巫馬施字子旗。【集解】鄭玄曰、魯人、【索隱】鄭玄云、魯人、家語云、陳人、字子期、【正義】音其、【考證】論語作巫馬期、少孔子三十歲。陳司敗【集解】孔安國曰、司敗、官名、陳大夫也、【考證】司敗卽司寇、問孔子曰。魯昭公知禮乎。孔子曰。知禮。退而揖巫馬旗曰。吾聞君子不黨。君子亦黨乎。魯君娶吳女爲夫

人。命之爲孟子。孟子姓姬。諱稱同姓。故謂之孟子。魯君而知禮、孰不知禮。【集解】孔安國曰、相助匿非曰黨、禮、同姓不婚、而君娶之、當稱吳姬、諱曰孟子、施以告孔子。孔子曰。丘也幸。苟有過、人必知之。臣不可言君親之惡。爲諱者禮也。【集解】孔安國曰、以司敗之言告也、諱國惡、禮也、聖人之道弘、故受之爲過也、【考證】陳司敗至人必知之、論語述而篇、李笠曰、臣不可言君親之惡二語、不續、疑是旁注瀾入、梁鱣字叔魚。【集解】鱣一作鱓、孔子家語曰、齊人、【索隱】家語云、齊人、字叔魚也、少孔子二十九歲。顏幸字子柳。【集解】鄭玄曰、魯人、【索隱】家語云、顏幸字柳、按禮記有顏柳、或此人、【考證】索隱引禮記檀弓篇、梁玉繩曰、宋本家語、宋史禮樂志、幸作辛、少孔子四十六歲。【索隱】家語云、少三十六歲、與鄭玄同、【考證】今本家語與史同、冄孺字子魯。【集解】一作曾、【索隱】家語字子魯、魯人、作冄孺、少孔子五十歲。曹卹字子循。少孔子五十歲。【索隱】家語同、伯虔字子析。少孔子五十歲。【索隱】家語作伯處、字子晳、皆轉寫字誤、未知適從、【正義】家語云、子哲、公孫龍字子石。【集解】鄭玄曰、楚人、【索隱】家語或作寵、又云、礱、七十子圖非礱也、按字子石、則礱或非謬、鄭玄云、楚人、

家語衞人、然莊子所云堅白之談、則其人也、【正義】家語云、衞人、孟子云、趙人、莊子云、堅白之談也、【考證】梁玉繩曰、索隱正義、以趙人談堅白者當之、則誤甚、趙公孫龍在平原君門、與子思玄孫孔穿同時、安得以爲孔子弟子、中井積德曰、孟子不載龍、正義蓋援孟荀列傳、而有誤文也、少孔子五十三歲。自子石已右三十五人。顯有年名。及受業聞見于書傳。【考證】楓、三本、顯作頗、聞作問難、義長、其四十有二人、無年、及不見書傳者、紀于左。【索隱】按家語、此例唯有三十七人、其公良孺、秦商、顏亥、叔仲會四人、家語有事迹、史記闕、然自公伯繚、秦冄、鄡單三人、家語不載、而別有琴牢、陳亢、縣亶、當此三人數、皆互有也、如文翁圖所記、又有林放、蘧伯玉、申棖、申堂、俱是後人以所見增益、於今殆不可考、【考證】楓、三本、左下有方字、【考證】梁玉繩曰、三十五人中、無年者十二人、不見書傳者五人、而四十二人中、有年、及見書傳者、若顏驕、公良儒、秦商、申棖、叔仲會五人、史公疏也、冄季字子產。【集解】鄭玄曰、魯人、【索隱】家語、冄季字產、【正義】家語云、冄季字子產、【考證】今本家語與史同、王鳴盛曰、裴駰注引鄭玄注、如冉季字子產、鄭玄曰、魯人、秦祖字子南、鄭玄曰、秦人之類、旣非論語注、鄭又不注史記、家語王肅私定、鄭亦不見、竟不知此鄭何書之注、太史公曰、弟子籍出孔氏古文、然則亦是孔安國所得魯共王壞宅壁中取出書也、蓋康成曾注之壁中書、如逸書逸禮、康成皆不注、而弟子籍則有注、公祖句茲字子之。【索隱】句、音鉤、【正義】句、音鉤、【考證】家語、無句字、秦祖字子南。【集解】鄭玄曰、秦人、

【索隱】家語、字子南、【考證】梁玉繩曰、索隱本無子字、

漆雕哆字子斂。【集解】哆、音赤者反、鄭玄曰、魯人、【索隱】哆、赤者反、家語、字子斂、

顏高字子驕。【索隱】家語、名產、孔子在衞、南子招夫子爲次過市時、產爲御也、【正義】孔子在衞、南子招夫子爲次乘過市、顏高爲御、【考證】梁玉繩曰、顏子之名字、索隱引家語、名產、通典、字子精、孔子世家、漢書人表及今家語竝作顏刻、包咸論語注及莊子釋文竝作剋、論語釋文又云、或作亥、蓋剋刻古通、亥即刻字脫其半、名產字子精、或顏名字有二、亦未可知、而此所書名高似誤、左傳定八年陽州之役、有顏高弓六鈞、傳王厚齋遂謂陽州之顏高即弟子顏驕、此說殊謬、家語謂少孔子五十歲、是生于定九年、其非定八年斃陽州之顏高明甚、又史正義云、孔子在衞、南子招夫子爲次乘、顏高爲御、蓋本于家語、而改刻爲高耳、然家語少五十歲之言、亦不可信、孔子過匡在定十四年、倘少五十、其時纔六齡、安能爲師御車乎、又攷孔子世家、顏刻爲御、在過匡時、若爲南子次乘、則未嘗及刻、王肅妄以刻之爲御過匡、撮合于在衞爲次乘之僕、張守節誤據之、

漆雕徒父。【索隱】家語、字固也、【考證】今本家語、名從、字子文、

壤駟赤字子徒。【集解】鄭玄曰、秦人、【索隱】家語字子徒者、【考證】廣韻、壤駟、複姓、今本家語、壤作穰、

商澤。【集解】家語曰、字子季、【索隱】家語、字季、【考證】今本家語、字子秀、

石作蜀字子明。【索隱】家語同、【考證】廣韻、石作、複姓、

任不齊字選。【集解】鄭玄曰、楚人、【索隱】家語、字子選也、

公良孺字子正。【集解】鄭玄曰、陳人、賢而有勇、【索隱】家語、作良儒、陳人、字子正、賢而有勇、孔子周遊、常以家車五乘從孔子遊、家語、在三十五人之中、

亦見系家、在三十五人不見、蓋傳之數亦誤也、鄭誕本、作公襄儒、【正義】孔子周游、常以家車五乘從孔子、孔子世家亦云、語在三十五人中、今在四十二人數、恐太史公誤也、【考證】今本家語、與史同、

后處字子里。【集解】鄭玄曰、齊人、【索隱】家語同也、【考證】今本家語、作石處、字里之、

秦冄字開。【正義】家語無此人、王肅家語此等惟三十七人、其公良孺、秦商、顏亥、仲叔會四人、家語有事迹、而史記闕、公伯寮、秦冄、鄡單、家語不載、而別有琴牢、陳亢、縣亶三人、

公夏首字乘。【集解】鄭玄曰、魯人、【索隱】家語同也、【考證】楓本、首作守、今家語作公夏守、字子乘、

奚容箴字子晳。【索隱】家語同也、【正義】衞人、【考證】今本家語、作奚箴、字子楷、

公肩定字子中。【集解】鄭玄曰、魯人、或曰晉人、【索隱】家語同也、【考證】今家語、作公肩定、字子仲、張文虎曰、毛本肩、他本作堅、愚按楓三本、作公肩定、字子仲、與索隱合、

顏祖字襄。【索隱】家語無此人也、【正義】魯人、【考證】今家語、有顏相字子襄、蓋同人、索隱誤、

鄡單字子家。【集解】鄡、苦堯反、單、音善、徐廣曰、一云鄡單、鉅鹿有鄡縣、大原有鄡縣、【索隱】鄡、音苦堯反、單、音善、則單名、徐廣云、一作鄡單、鉅鹿有鄡縣、太原有鄡縣、家語無此人也、【考證】梁玉繩曰、疑是晉人、家語所謂縣亶字子象者、懸爲縣之譌、即鄡字、單亶古通、而家乃象之譌、魯峻壁作子象也、愚按盧文弨說同、詳于龍城札記、

句井疆。【集解】鄭玄曰、衞人、【正義】句作鉤、

罕父黑字子索。【集解】家語曰、罕父黑字索、【索隱】家語、作罕父黑字索、【考證】梁玉繩曰、今家語作宰父黑、字子索、罕乃宰之譌、廣韻、父字注作宰父、

秦商字子

丕。【集解】鄭玄曰、楚人、【索隱】家語魯人、字丕慈、少孔子四歲、其父堇與孔子父紇俱以力聞也、【正義】家語云、魯人、字丕兹、【考證】襄十一年左傳云、孟獻子以秦堇父爲右、生秦丕茲、事仲尼、丕茲即商、

申黨字周。【索隱】家語、有申繚字周、論語有申棖、鄭玄云、申棖魯人、弟子也、蓋申堂是棖不疑、以棖堂聲相近、上又有公伯繚、亦字周、家語則無伯繚、是史記述伯繚一人者也、【正義】魯人、【考證】申黨、論語所謂申根、根黨堂聲相通、

顏之僕字叔。【集解】鄭玄曰、魯人、【索隱】家語竝同、【考證】今家語、字子叔、

榮旂字子祈。【索隱】家語、榮祈字子顏也、【考證】今家語、作榮祈、字子祺、楓本、祈作旗、

縣成字子祺。【集解】鄭玄曰、魯人、【索隱】家語、作子謀也、【正義】縣、音玄、【考證】今家語、作子橫、

左人郢字行。【集解】鄭玄曰、魯人、【索隱】家語同也、【考證】梁玉繩曰、今家語、作左郢、字子行、誤也、廣韻注、通志、言左人複姓、出魯郡、故鄭云魯人、

燕伋字思。【索隱】家語同也、【考證】今家語云、字子思、

鄭國字子徒。【索隱】家語、薛邦、字徒、史記作國、而家語稱邦者、蓋避漢祖諱而改、鄭與薛字誤也、【正義】家語云、薛邦字徒、史記作國者、避高祖諱、薛字與鄭字誤耳、

秦非字子之。【集解】鄭玄曰、魯人、

施之常字子恆。【考證】梁玉繩曰、恆字何以不諱、

顏噲字子聲。【集解】鄭玄曰、魯人、

步叔乘字子車。【集解】鄭玄曰、齊人、【考證】梁玉繩曰、廣韻注、作少叔氏、

原亢籍。【集解】家語曰、名亢、字籍、【索隱】家語、名亢、字籍、【正義】亢作宂、仁勇反、【考證】梁玉繩曰、當云字籍、史脫之、

樂欬字

子聲。【索隱】家語同也、【正義】魯人、【考證】今家語、欬作欣、

廉絜字庸。【集解】鄭玄曰、衞人、【索隱】家語同也、【考證】梁玉繩曰、索隱本、作子庸、今家語作子曹、譌也、

叔仲會字子期。【集解】鄭玄曰、晉人、【索隱】鄭玄云、晉人、家語魯人、少孔子五十四歲、與孔璇年相比、二孺子俱執筆、迭侍於夫子、孟武伯見而訪之、是也、【正義】魯人、少孔子五十四歲、與孔璇年相比、二孺子俱執筆、迭侍於夫子、孟武伯見而訪之、是也、【考證】楓三本、作仲叔會、與上文秦冄正義所引合、今家語五十四歲作五十歲、

顏何字冄。【集解】鄭玄曰、魯人、【索隱】家語字稱、【考證】今本家語、無顏何、蓋闕文、

狄黑字晳。【索隱】家語同、【考證】今本家語、作字晳之、

邦巽字子斂。【集解】鄭玄曰、魯人、【索隱】家語、巽作選、字子斂、文翁圖作國選、蓋亦避漢諱改之、劉氏作邽巽、音圭、所見各異、【考證】楓三本、作邦選、梁玉繩曰、邦及國、爲邽之譌、蓋後人傳寫以邽與邦字相近、而易邽爲邦、又或取邦與國義相當、而轉邦爲國、未可知、

孔忠。【集解】家語曰、忠字子蔑、孔子兄之子、【索隱】家語云、忠字子蔑、孔子兄之子也、【考證】楓三本、作孔思、今本家語作孔弗、

公西輿如字子上。【索隱】家語同、【考證】今本家語、作公西與、

公西箴字子上。【集解】鄭玄曰、魯人、【索隱】公西箴字子上、家語作子尚也、【考證】今本家語作蒧、史記桃源鈔云、正義本作箴、又云、冄季以下四十二人、正義本位次不同、冄季第一、公祖句茲第二、公西輿如第三、秦商第四、公西箴第五、后處第六、顏高第七、原亢第八、左人郢第九、秦祖第十、商澤第十一、公堅定第十二、漆雕徒父第十三、榮旂第十四、句井疆第十五、秦非第十六、燕伋第十七、施之常第十八、叔仲會第十九、公良

孺第二十、步叔乘第二十一、公夏首第二十二、石作蜀第二十三、邽巽第二十四、申黨第二十五、樂欬第二十六、顏之僕第二十七、漆雕哆第二十八、縣成第二十九、顏祖第三十、顏何第三十一、奚容蒧第三十二、廉絜第三十三、壤駟赤第三十四、鄭國第三十五、罕父黑第三十六、孔忠第三十七、鄡單第三十八、狄黑第三十九、任不齊第四十、顏噲第四十一、秦冉第四十二、

太史公曰。學者多稱七十子之徒。譽者或過其實。毀者或損其眞。鈞之未覩厥容貌則論言。【考證】未覩容貌、猶言未見眞相也、則、猶而也、弟子籍出孔氏古文。近是。【考證】王鳴盛曰、弟子籍出孔氏古文、所云少孔子若干歲云云、的確可信、余以弟子名姓文字、悉取論語弟子問、幷次爲篇。疑者闕焉。

【索隱】述贊、敎興闕里、道在陬鄉、異能就列、秀士升堂、依仁遊藝、合志同方、將師宮尹、俎豆琳瑯、惜哉不霸、空臣素王、

仲尼弟子列傳第七　史記六十七

史記會注考證卷六十八

漢　太　史　令　司　馬　遷　撰
宋　中　郎　外　兵　曹　參　軍　裴　駰　集　解
唐　國　子　博　士　弘　文　館　學　士　司　馬　貞　索　隱
唐　諸　王　侍　讀　率　府　長　史　張　守　節　正　義
日　本　出　雲　瀧　川　資　言　考　證

商君列傳第八　史記六十八

【考證】史公自序云、鞅去衞適秦、能明其術、彊霸孝公、後世遵其法、作商君列傳、第八、凌稚隆曰、太史公首言鞅好刑名之學、則鞅所以說君、而君說者刑名也、故通篇以法字爲骨、曰鞅欲變法、曰卒定變法之令、曰於是太子犯法、曰將法太子、而終之曰嗟乎爲法之敝、一至此、血脉何等串貫、

商君者、衞之諸庶孼子也。【正義】秦封於商、故號商君、【考證】各本、孼下有公字、今從楓山三條本、王念孫曰、文選注引史記無公字、按後人所加、愚按呂不韋傳、子楚、秦諸庶孼孫、名鞅、姓公孫氏。其祖本姬姓也。【考證】楓山、三條本、無本字、鞅少好刑名之學、事魏相公叔痤、【索隱】公叔、氏、痤、名也、痤、音在戈反、【考證】刑名、解在韓非傳、痤各本作座、今從殿本、魏策及呂覽長見篇亦作痤、座痤古通用、爲中庶子。【索隱】官名也、魏已置之、非自秦也、周禮夏官、謂之諸子、禮記文王世子、謂之庶子、掌公族也、【考證】梁玉繩曰、魏策及呂覽、中庶子作御庶子、中井積德曰、魏相之家、非公族、中庶子、舍人之稍貴者、岡白駒曰、自戰國以來、大夫之家有中庶子、有舍人、公叔痤知其賢、未及進。會痤病。魏惠王親往問病。【索隱】卽魏侯之子、名罃、後徙大梁而稱梁也、【考證】楓山、三條本、無親字、曰。公叔病。有如不可諱、將柰社稷何。公叔曰。痤之中庶子公孫鞅、【索隱】戰國策云、衞庶子也、【考證】家臣、故曰痤之中庶子、與藺相如傳、臣舍人藺相如語意正同、年雖少有奇才。願王擧國而聽之。王嘿然。王且去。痤屏人

言曰。王卽不聽用鞅、必殺之、無令出境。王許諾而去。【考證】公叔痤知其賢以下、本魏策、呂覽長見篇、公叔痤召鞅謝曰。今者王問可以爲相者。【考證】三條本、今下無者字、我言若。王色不許我。我方先君後臣。因謂王。卽弗用鞅、當殺之。王許我。汝可疾去矣。且見禽。鞅曰。彼王不能用君之言任臣、又安能用君之言殺臣乎。卒不去。惠王既去、而謂左右曰。公叔病甚。悲乎、欲令寡人以國聽公孫鞅也。豈不悖哉。【索隱】疾重而悖亂也、【正義】悖、音背、【考證】惠王既去以下、本魏策、呂覽長見篇、公叔既死。公孫鞅聞秦孝公下令國中求賢者、將修繆公之業、東復侵地、迺遂西入秦、因孝公寵臣景監以求見孝公。【索隱】景姓、楚之族也、監、音去聲、平聲竝通、【正義】監、甲暫反、閹人也、楚族、孝公既見衞鞅、語事良久。孝公時時睡弗聽。【考證】楓、三本、不重時字、聽作應、御覽亦作應、

罷而孝公怒景監曰。子之客妄人耳。安足用邪。【考證】此及下文罷而下、御覽有去字、景監以讓衞鞅。衞鞅曰。吾說公以帝道。其志不開悟矣。後五日、復求見鞅。【考證】岡白駒曰、鞅說已不可用矣、而使孝公求復見、此其說有機也、鞅復見孝公、益愈。然而未中旨。【考證】岡白駒曰、反覆前日之論、故云益愈、蓋自帝道漸入王道也、罷而孝公復讓景監。景監亦讓鞅。鞅曰。吾說公以王道、而未入也。請復見鞅。【考證】鞅言至此、鞅復見孝公。孝公善之、而未用也。罷而去。孝公謂景監曰。汝客善。可與語矣。【考證】御覽、善作蓋、鞅曰。吾說公以霸道。其意欲用之矣。誠復見我。我知之矣。【考證】楓、三本、欲下無用字、王若虛曰、皇降而帝、帝降而王、名號之異耳、堯舜揖讓、湯武征誅、世變之殊耳、若夫其道則未嘗不一、而商鞅乃謂、初以帝道、再以王道、魏徵亦云、行帝道而帝、行王道而王、鄭厚又云、王道備而帝德銷、皆淺陋之見也、愚按帝之與王、號異聖一、韓昌黎已言之矣、孟子云、以德行仁者王、以力假仁者霸、王之與霸、截然有別、不可不知、衞鞅復見孝公。公與語不自

知滕之前於席也。語數日不厭。景監曰。子何以中吾君。吾君之驩甚也。鞅曰。吾說君以帝王之道比三代。【索隱】說、音稅、下同、比三、比者頻也、謂頻三見孝公、言帝王之道也、比、音必耳反、【正義】比、必寐反、說者以五帝三王之事比至孝公、以三代帝王之道方興、孝公曰、太久遠、吾不能、【考證】楓三本、帝王之道比三代、作五帝三王比三、司馬貞所見之本亦同、故出比三二字、解比為頻、愚按今本得之、比猶竝也、與下文比德於殷周之比同、 而君曰。久遠、吾不能待。且賢君者各及其身顯名天下。安能邑邑待數十百年以成帝王乎。故吾以彊國之術說君。君大說之耳。然亦難以比德於殷・周矣。【索隱】說、音悅、【考證】邑邑與悒悒通、心不安也、 孝公既用衛鞅、鞅欲變法。恐天下議己。【考證】王念孫曰、欲上鞅字、因上文而衍、此言孝公欲從鞅之言而變法、恐天下議己、非謂鞅恐天下議己也、故鞅有疑事無功之諫、商子更法篇、孝公曰、今吾欲變法以治、更禮以教百姓、恐天下議我也、公孫鞅曰、疑行無成、疑事無功、云云、是其明證矣、新序善謀篇同、 衛鞅曰。疑行無名、疑事無功。【考證】名功韻、 且夫有高人之行者、固見非於世。

【索隱】商君書、非作負、【考證】商君書、無名作無成、見非與史文同、與司馬貞所見之本異、 有獨知之慮者、必見敖於民。【索隱】商君書、作必見訾於人也、【正義】敖、五到反、【考證】今本商君書、與史文同、新序善謀篇作謷、敖謷通、毀也、 愚者闇於成事、知者見於未萌。民不可與慮始、而可與樂成。論至德者、不和於俗。成大功者、不謀於衆。【考證】商君書、新序、愚者上有語曰二字、論至德者上有郭偃之法曰四字、 是以聖人苟可以彊國、不法其故。【索隱】言救弊為政之術、所為苟可以彊國、則不必要須法於故事也、【正義】言聖人救弊之政、苟有可以彊國、不法故國之舊也、 苟可以利民、不循其禮。孝公曰。善。甘龍曰。不然。【索隱】孝公之臣、甘姓、龍名也、甘氏、出春秋時甘昭公王子帶後、【考證】秦惠王將伐蜀、司馬錯張儀、爭論王前、始皇將郡縣海內、王綰李斯、各上其議、蓋軍國大事、付之廷議、秦家法為然、 聖人不易民而教。知者不變法而治。因民而教、不勞而成功。緣法而治者、吏習而民安之。【考證】商君書更法、新序善謀、教下不上有者字、 衛鞅曰。龍之所言、世俗之言也。常人安於故俗、學者溺於所聞。以

此兩者居官守法可也。非所與論於法之外也。三代不同禮而王。五伯不同法而霸。智者作法、愚者制焉。賢者更禮、不肖者拘焉。【索隱】言賢智之人作法更禮、而愚不肖者、不明變通而輒拘制、不使之行、斯亦信然矣、 杜摯曰。利不百不變法。功不十不易器。【正義】言利倍百、乃可變舊也、功倍十、乃可新器也、【考證】李笠曰、漢書韓安國傳、安國曰、利不十者不易業、功不百者不變常、用此語而少變、 法古無過、循禮無邪。【考證】楓三本、過下邪下、有者字、 衛鞅曰。治世不一道。便國不法古。故湯・武不循古而王。【索隱】商君書、作脩古、 夏・殷不易禮而亡。【索隱】指殷紂夏桀也、 反古者不可非、而循禮者不足多。孝公曰。善。【考證】孝公欲變法以下、采商君書更法篇、新序善謀上、略同、 以衛鞅為左庶長、【正義】長、展兩反、【考證】梁玉繩曰、秦紀以鞅為左庶長、在變法前、則是孝公三年矣、恐非、愚按左庶長秦第十二爵、 卒定變法之令。令民為什伍、【索隱】劉氏云、五家為保、十保相連、【正義】或為十保、或為五保、【考證】中井積德曰、五家為伍、十家為什、什猶保也、伍猶鄰也、鄰與保有親疎、則連坐

亦必有輕重、註四家九家、宜竝揭、不當特舉什而沒伍也、 而相牧司連坐。【索隱】牧司、謂相糾發也、一家有罪、而九家連舉發、若不糾舉、則十家連坐、恐變令不行、故設重禁、【考證】牧、各本作收、今從索隱本、王引之曰、收當牧字之誤也、方言曰、監牧、察也、鄭注周官禁殺戮曰、司猶察也、凡相禁察、謂之牧司、周官禁暴氏曰、凡奚隸聚而出入者、則司牧之、戮其犯禁者、酷吏傳曰、置伯格長以牧司姦盜賊、皆其證也、索隱本作牧、中井積德曰、收司連坐、亦變令中之一條矣、非為令不行而為之、索隱謬、愚按周官司徒為比閭族黨、使民相保相受、孟子說滕文公云、鄉田同井、出入相友、守望相助、疾病相扶持、鄰里相保之法、自古有之、但彼以親睦為主、此以司察為先、 不告姦者、腰斬。告姦者、與斬敵首同賞。【索隱】案謂告姦一人、則得爵一級、故云與斬敵首同賞也、【正義】謂告奸之人、賜爵一級、 匿姦者、與降敵同罰。【索隱】案律、降敵者、誅其身、沒其家、今匿姦者、言當與之同罰也、【正義】謂隱匿奸人、人身被刑、家口沒官、【考證】中井積德曰、降敵之罰、秦國自有此例、不得援漢律作解、 民有二男以上不分異者、倍其賦。【正義】民有二男不別為活者、一人出兩課、【考證】賈誼治安策云、商君行政、其民富子壯則出分、家貧子壯則出贅、卽此事、 有軍功者、各以率受上爵。【集解】率、音律、 為私鬭者、各以輕重被刑。大小僇力、本業耕織、致粟帛多者復其身。事末利及怠而貧者、舉以

爲收孥。【索隱】末、謂工商也、蓋農桑爲本、故上云本業耕織也、怠者懈也、周禮謂之疲民、以言懈怠不事事之人而貧者、則糾擧而收錄其妻子、沒爲官奴婢、蓋其法特重於古也、【考證】中井積德曰、以爲收孥者、指末利怠貧者當身而言、以爲奴役也、非指其妻子、愚按孥讀爲奴、宗室非有軍功、論不得爲屬籍。【索隱】謂宗室若無軍功、則不得入屬籍、謂除其籍、則無功不及爵秩也、【正義】屬籍、謂屬公族宗正籍書也、宗室無事功者、皆須論言不得入公族籍書也、明尊卑爵秩等級、各以差次。【考證】以差次、與以家次對言、差、猶等也、次、次第也、名田宅臣妾衣服、以家次。【索隱】謂各隨其家爵秩之班次、亦不使僭侈踰等也、【考證】通典注、名田、占田也、各立限、不使過制、如漢時王侯公主、皆得名田、吏民名田、毋過三十頃、是也、有功者顯榮、無功者雖富無所芬華。令既具未布。恐民之不信己、乃立三丈之木於國都市南門、募民。有能徙置北門者予十金。民怪之、莫敢徙。【考證】楓、三本、徙下有者字、復曰。能徙者予五十金。有一人徙之。輒予五十金、以明不欺。卒下令。【考證】韓非子內儲篇云、吳起之爲西河守、倚一車轅於北門之外、而令之曰、有能徙此南門之外者、賜之上田上宅、人莫之徙也、及有徙之者、旋賜之如初、俄又有

置一石赤菽東門之外、而令之曰、有能徙此於西門之外者、賜之如初、人爭徙之、乃下令、事又見呂覽愼小篇、商鞅初遊魏、豈襲吳起故智乎、抑一事兩傳、亦未可知也、令行於民朞年。秦民之國都言初令之不便者以千數。【索隱】謂鞅新變之法令爲初令、【正義】初令、謂鞅之新法、【考證】初字、疑因下文衍、索隱正義本、既多初字、據秦紀、鞅以孝公元年入秦、三年說變法、於是太子犯法。衞鞅曰。法之不行、自上犯之。【考證】楓、三本、自作因、鞅言止于此、將法太子。太子君嗣也。不可施刑。刑其傅公子虔、黥其師公孫賈。【考證】後劓公子虔、則此時不知施何刑、明日秦人皆趨令。【索隱】趨、音七踰反、趨者、向也附也、行之十年、秦民大說、道不拾遺、山無盜賊、家給人足、民勇於公戰、怯於私鬪。鄕邑大治。【考證】中井積德曰、據秦紀、十年、當作七年、是變法七歲、當孝公卽位之十年、而以鞅爲大良造也、秦民初言令不便者、有來言令便者。衞鞅曰。此皆亂化之民也。盡遷之於邊城。其後民莫敢議令。於是以鞅爲大良造。【索隱】卽大上造也、秦之第十六爵名也、今云良造者、或

後變其名耳、將兵圍魏安邑降之。【考證】顧炎武曰、下文魏遂去安邑、徙都大梁、乃是自安邑徙都之事耳、安邑、魏都、其王在焉、豈得圍而便降、秦本紀、昭王二十一年、魏獻安邑、若已降、於五十年之後、何煩再獻乎、梁玉繩曰、安邑、當作固陽、說在秦紀、居三年、作爲築冀闕宮庭於咸陽。【索隱】冀闕、卽魏闕也、冀、記也、出列教令、當記於此門闕、【正義】爲宮殿朝廷也、【考證】桃源鈔云、正義本庭作廷、董份曰、既云爲、又云築、恐有衍字、梁玉繩引王孝廉曰、疑是築冀闕作爲宮庭於咸陽、愚按作爲、謂造作營爲也、原文自通、冀、魏、通、大也、高也、莊子讓王篇、公子牟謂瞻子曰、身在江海之上、心居乎魏闕之下、秦自雍徙都之。而令民父子兄弟同室內息者爲禁。【考證】不晉倍其賦、而集小都鄕邑聚爲縣、置令丞。凡三十一縣。爲田開阡陌封疆、【正義】南北曰阡、東西曰陌、按謂驛塍也、疆、音彊、封、聚土也、疆、界也、謂界上封記也、【考證】開阡陌、許民墾田也、井田之制、至此全壞、蔡澤傳、商君決裂阡陌、卽此事、說在秦紀、而賦稅平。平斗桶權衡丈尺。【集解】鄭玄曰、桶、音勇、今之斛也、【索隱】音統、量器名、【考證】恩田仲任曰、桶、徒總切、說文、桶、木方器、受六斗、古通作甬、愚按同律度量衡、是民政之始、商君亦有見乎此、行之四年、公子虔復犯約。劓之。居五年、秦人富彊、天子致胙於孝公、諸

侯畢賀。【正義】胙、音左故反、【考證】紀表、致胙作致伯、其明年、齊敗魏兵於馬陵、虜其太子申、殺將軍龐涓。【考證】張文虎曰、中統、游本、將軍上有其字、其明年、衞鞅說孝公曰。秦之與魏、譬若人之有腹心疾。非魏幷秦、秦卽幷魏。何者魏居嶺阨之西、都安邑、【索隱】蓋卽安邑之東、山領險阨之地、卽今蒲州之中條已東、連汾晉之嶮嶝也、【考證】三條本、嶺作領、與秦界河、而獨擅山東之利。利則西侵秦、病則東收地。今以君之賢聖、國賴以盛。而魏往年大破於齊、諸侯畔之。可因此時伐魏。魏不支秦、必東徙。東徙、秦據河山之固、東鄕以制諸侯。此帝王之業也。孝公以爲然、使衞鞅將而伐魏。魏使公子卬將而擊之。【正義】卬、五郎反、軍既相距。衞鞅遺魏將公子卬書曰。吾始與公子驩。今俱爲兩國將。不忍相攻。可與公子面相見盟、

樂飲而罷兵、以安秦·魏。魏公子卬以爲然、會盟已飲。【考證】胡三省曰、盟已而飲也、而衛鞅伏甲士而襲虜魏公子卬、因攻其軍、盡破之以歸秦。【考證】使衛鞅將而伐魏以下、採呂覽無義篇、魏惠王兵數破於齊·秦、國內空、日以削、恐乃使使割河西之地獻於秦以和。【考證】秦紀、惠文王八年、魏納河西地、則事在商鞅死後、史將言其功、故併及後事、而魏遂去安邑徙都大梁。【索隱】紀年曰、梁惠王二十九年、秦衛鞅伐梁西鄙、則徙大梁在惠王之二十九年也、【正義】從蒲州安邑、徙汴州浚儀也、梁惠王曰、寡人恨不用公叔痤之言也。【考證】凌稚隆曰、應前卽不用鞅卒殺之、衛鞅既破魏還。秦封之於商十五邑、號爲商君。【集解】徐廣曰、弘農商縣也、【索隱】於商、二縣名、在弘農、紀年云、秦封商鞅、在惠王三十年、與此文合、【正義】於商、在鄧州內鄉縣東七里、古於邑也、商洛縣、在商州東八十九里、本商邑、周之商國、案十五邑、近此三邑、【考證】秦策云、衛鞅入秦、孝公以爲相、封之於商、號曰商君、張文虎曰、正義、三邑疑當作二邑、商君相秦十年、【索隱】戰國策云、孝公行商君法十八年而死、與此文不同者、案此直云相秦十年耳、而戰國策乃云、行商君法十八年、蓋連其未作相之年耳、【考證】梁玉繩曰、

鞅以孝公元年入秦、三年變法、五年爲左庶長、十年爲大良造、廿二年封商君、廿四年孝公卒鞅死、則十年以何者爲始、索隱引秦策作十八年、亦不合、疑當作二十年、自爲左庶長數之也、中井積德曰、自爲大良造至死、得十五年、相秦十年、擧大數者邪、抑大良造之後、商君之前、別有相國之命、而記錄漏脫邪、宗室貴戚、多怨望者。趙良見商君。商君曰、鞅之得見也、從孟蘭皋。【索隱】孟蘭皋、人姓名也、言鞅前因蘭皋得與趙良相見也、今鞅請得交、可乎。【考證】楓、三本、交上有侍、趙良曰、僕弗敢願也。孔丘有言曰、推賢而戴者進、聚不肖而王者退。【考證】崔適曰、王字不可解、疑誤、愚按、斷章取義、崔說拘、兪樾曰、趙良本秦人、而能稱述闕里緒言、蔡澤亦云、不義而富且貴、於我如浮雲、國有道則仕、無道則隱、知戰國之世、已家有孔氏之書矣、僕不肖、故不敢受命。僕聞之曰、非其位而居之曰貪位、非其名而有之曰貪名。僕聽君之義、則恐僕貪位貪名也。故不敢聞命。【考證】楓、三本、義上有德字、商君曰、子不說吾治秦與。【索隱】說、音悅、與、音予、趙良曰、反聽之謂聰、內視之謂明、自勝之謂彊。【索隱】謂守謙敬之人、是爲自勝、若是者乃爲

强、若爭名得勝、此非强之道、【考證】聽明彊、韻、楓、三本、反聽作外聽、內視、自省也、自勝、克己也、韓非子外儲篇引申子曰、獨視者謂明、獨聽者謂聰、能獨斷者、可以爲天下主、語似而意反、虞舜有言曰、自卑也尚矣。【考證】尚、尊也、君不若道虞舜之道。【考證】若道之道、由也、無爲問僕矣。商君曰、始秦戎翟之教、父子無別、同室而居。今我更制其教、而爲其男女之別、大築冀闕、營如魯·衛矣。子觀我治秦也、孰與五羖大夫賢。【考證】百里奚、自賣以五羖羊之皮、爲人養牛、秦穆公擧以爲相、秦人謂之五羖大夫、趙良曰、千羊之皮、不如一狐之掖。千人之諾諾、不如一士之諤諤。武王諤諤以昌、殷紂墨墨以亡。【正義】以殷紂比商君、【考證】掖、讀爲腋、墨、讀爲嘿、諤諤、謇直也、掖諤昌亡、韻、趙世家、趙簡子曰、吾聞千羊之皮、不如一狐之腋、諸大夫朝、徒聞唯唯、不聞周舍之諤諤、說苑正諫篇、孔子曰、武王諤諤而昌、紂嘿嘿而亡、蓋古有此語、趙良稱之也、君若不非武王乎、則僕請終日正言、而無誅可乎。商君曰、語有之矣、貌言、華也。至言、實也。苦言、藥也。甘言、疾

也。【考證】貌言、飾辭也、實疾、韻、夫子果肯終日正言、鞅之藥也。鞅將事子、子又何辭焉。趙良曰、夫五羖大夫、荊之鄙人也。【正義】百里奚、南陽宛人、屬楚、故云荊、【考證】梁玉繩曰、百里奚虞人、非荊人、正義謂宛人、亦非、聞秦繆公之賢、而願望見、行而無資、自粥於秦客、被褐食牛。期年、繆公知之、擧之牛口之下、而加之百姓之上。秦國莫敢望焉。【考證】岡白駒曰、人莫怨望者、相秦六七年、【考證】梁玉繩曰、奚之爲相、未知的在秦穆何年、然以伐鄭楚三置晉君言之、則首尾已二十年、何云六七年也、愚按、困學紀聞亦疑之、而東伐鄭、三置晉國之君、【索隱】謂立晉惠公懷公文公也、一救荊國之禍、【索隱】案六國年表、穆公二十八年、會晉救楚朝周、是也、【考證】救荊國之禍、未詳、梁玉繩曰、救、謂救晉、錢大昕曰、秦穆公之時、楚未有禍、秦亦無救楚事、趙良所謂救荊禍者、卽指城濮之役也、謂宋有荊禍而秦救之、非謂荊有禍也、愚按此說亦未得、發教封內、而巴人致貢。施德諸侯、而八戎來服。由余聞之、款關請見。【集解】韋昭曰、款、叩也、【考證】陳仁錫引史珥曰、由余聞之一語、已隱隱自薦、不說盡、下又宕開、文心極巧、五羖大夫之

相秦也、勞不坐乘。暑不張蓋。【考證】胡三省曰、古者車立乘、惟安車卽坐乘耳、蓋所以覆車上也、行於國中、不從車乘、不操干戈。功名藏於府庫、德行施於後世。五羖大夫死、秦國男女流涕、【正義】音體、童子不歌謠、舂者不相杵。【集解】鄭玄曰、相、謂送杵聲以聲音自勸也、【正義】相、謂送杵以音聲、曲禮、不舂不相、此五羖大夫之德也。【考證】田汝成曰、歷誦五羖大夫之德、俱本虞舜有言自卑意、今君之見秦王也、因嬖人景監以爲主。非所以爲名也。【考證】孟子觀近臣以其所爲主、觀遠臣以其所主、注、主、舍於其家、以之爲主人也、相秦、不以百姓爲事、而大築冀闕。非所以爲功也。刑黥太子之師傅、殘傷民以駿刑。是積怨畜禍也。【正義】駿、刑、上音峻、教之化民也、深於命。【索隱】劉氏云、教、謂商鞅之令也、命、謂秦君之命也、言人畏鞅甚於秦君、【正義】言鞅受孝公命行之、更添加命、民之效上也、捷於令。【索隱】上、謂鞅之處分、令、謂秦君之令、【正義】言民放效君上之命、須捷急遁之、畏商鞅也、【考證】二句、蓋古語、命令、韻、命令二字、異文同意、中井積德曰、教者躬行率先之謂也、謂以躬之教、深於號

令、而下民效上人之所爲、亦捷於號令也、謂君上之行己、爲政之本也、注大謬、今君又左建外易。非所以爲教也。【索隱】左建、謂以左道建立威權也、外易、謂在外革易君命也、【考證】中井積德曰、外字與左字相似、左建、其所建之事、陪道理也、外易、其所變之法、違道理也、君又南面而稱寡人、【考證】封於商、日繩秦之貴公子。詩曰。相鼠有體。人而無禮。人而無禮、何不遄死。【考證】詩鄘風相鼠篇、以詩觀之、非所以爲壽也。公子虔杜門不出、已八年矣。【考證】恥失鼻也、君又殺祝懽而黥公孫賈。【考證】祝懽、蓋亦太子師傅、詩曰。得人者興、失人者崩。【考證】逸詩、興崩、韻、或云、詩當作書、此數事者、非所以得人也。君之出也、後車十數、從車載甲、多力而駢脅者爲驂乘、【考證】駢脅、肋骨相比、如一骨也、晉文公駢脅、見左傳、此言肌肉豐滿、不復見肋骨之條痕也、中井積德曰、駢脅者、多力之相、故以爲言、非實擇駢脅人也、持矛而操闟戟者、旁車而趨。【集解】闟、所及反、徐廣曰、戟、一作竂、屈盧之勁矛、干將之雄戟、【索隱】闟亦作鈒、同、所及反、鄒誕音吐蓋反、竂、音遼、屈、音九勿反、按屈盧干將、竝古良匠造矛戟者名、【正義】顧野王云、鋋也、方

言云、矛、吳揚江淮南楚五湖之閒謂之鋋、其柄謂之矜、釋名云、戟、格也、旁有格、【考證】中井積德曰、集解竂、撩同、取持也、鈒、小矛也、梁玉繩曰、文選吳都賦注、引史亦作竂屈盧之勁矛、干將之雄戟、此一物不具、君固不出。【考證】唐順之曰、出盛車從、明與五羖大夫行于國中相反、書曰。恃德者昌。恃力者亡。【索隱】此是周書之言、孔子所刪之餘、【正義】周書、晉五經博士孔晁序錄、有九卷、【考證】昌亡、韻、今本周書無此文、君之危若朝露。尚將欲延年益壽乎。則何不歸十五都、【索隱】衛鞅所封商於二縣、以爲國、其中凡有十五都、故趙良勸令歸之、【正義】公孫鞅封商於十五邑、故云十五都、【考證】正義是、灌園於鄙、勸秦王顯巖穴之士、養老存孤、敬父兄、序有功、尊有德、可以少安。【考證】楓、三本、灌園於鄙、作灌非於園、秦王非當時語、孝公未嘗稱王、君尚將貪商於之富、寵秦國之教、畜百姓之怨、【考證】胡三省曰、言以專秦國之政爲寵也、秦王一旦捐賓客而不立朝、秦國之所以收君者、豈其微哉。【索隱】謂鞅於秦無仁恩、故秦國之所以將收錄鞅者、其效甚明、故云豈其微哉、【考證】中井積德曰、收、捕也、愚按、微、少也、輕也、言秦國收君、必不以輕罪也、死在目前、亾可翹足而待。商君弗從。

後五月、而秦孝公卒、太子立。公子虔之徒、告商君欲反。【考證】秦策、孝公疾且不起、欲傳商君、辭不受、孝公已死、惠王代後蒞政、有頃、商君告歸、人說惠王曰、大臣太重國危、今秦婦人嬰兒、皆言商君之法、莫言大王之法、是商君反爲主、大王更爲臣也、且夫商君固大王仇讎也、願大王圖之、商君歸還、惠王車裂之、當時情事、蓋如此、足以補史文、發吏捕商君。商君亾、至關下、欲舍客舍。客舍人不知其是商君也。【考證】各本、人上無舍字、今依楓、三本補、曰。商君之法、舍人無驗者坐之。【考證】驗、印信傳引之類、商君喟然歎曰。嗟乎、爲法之敝一至此哉。【考證】中井積德曰、敝者以己之困而言、非不知法如此也、去之魏。魏人怨其欺公子卬而破魏師、弗受。【考證】呂覽無義篇云、秦惠王疑公孫鞅欲加罪、鞅以其私屬與母歸魏、襄疵不受、曰、以君之反公子卬也、史公蓋本於此、呂覽注、襄疵、魏人、商君欲之他國。魏人曰。商君、秦之賊。秦彊而賊入魏。弗歸不可。遂內秦。【考證】楓、三本、無商君秦之賊五字、遂下有送字、歸、送還也、商君既復入秦、走商邑、【索隱】走、音奏、走、向也、與其徒屬發邑兵、北出擊鄭。【集解】徐廣曰、京兆鄭縣

也、【索隱】地理志、京兆有鄭縣、秦本紀云、初縣杜鄭、按其地是鄭桓公友之所封、【考證】楓三本、邑上有商字、秦發兵攻商君、殺之於鄭黽池。【集解】徐廣曰、黽或作彭、【索隱】鄭黽池者、時黽池屬鄭故也、而徐廣云、黽或作彭者、按鹽鐵論云、商君困於彭池故也、黽音亡忍反、【正義】黽池、去鄭三百里、蓋秦兵至鄭破商邑兵、而商君東走至黽、乃擒殺之、【考證】中井積德曰、鄭國存時黽池屬鄭國、故稱鄭黽池、以別於他黽池耳、秦惠王車裂商君以徇曰。莫如商鞅反者。【考證】莫下、添或字看、襄二十三年左傳、將盟臧氏、季孫召外史掌惡臣、而問盟首、對曰、盟東門氏也、曰、毋或如東門遂不聽公命殺適立庶、盟叔孫氏也、曰、毋或如叔孫僑欲廢國常蕩覆公室、季孫曰、臧孫之罪、皆不及此、孟椒曰、盍以犯門斬關、季孫用之、乃盟曰、無或如臧孫紇干國之紀、犯門斬關、誓盟之辭、皆有或字、無者字、遂滅商君之家。

太史公曰。商君其天資刻薄人也。【索隱】謂天資其人爲刻薄之行、刻謂用刑深刻、薄謂弃仁義不悃誠也、【考證】其字疑因下文衍、天資、猶言天性、中井積德曰、刻薄無恩情也、言殘忍不仁、出於天質也、跡其欲干孝公以帝王術、挾持浮說、非其質矣。【索隱】說、音如字、浮說卽虛說也、謂鞅得用、刑政深刻、又欺魏將、是其天資自有狙詐、則初爲孝公論帝王之術、是浮說耳、非本性也、【考證】古鈔本、三條本、質作實、中井積德曰、鞅之帝王是驅孝公入功利之序引、非實知之而欲實行之也、故曰浮說非實也、岡白駒曰、非其質、原非其意所欲爲、且所因由嬖臣。及得用、刑公子虔、欺魏將卬、不師趙良之言。亦足發明商君之少恩矣。余嘗讀商君開塞耕戰書、與其人行事相類。【索隱】按商君書、開、謂刑嚴峻則政化開、塞、謂布恩賞則政化塞、其意本於嚴刑少恩、又爲田開阡陌、及言斬敵首賜爵、是耕戰書也、【正義】商君書、有農戰篇、有開塞篇、五卷三十六篇、開、謂峻法嚴刑、政化開行也、塞、謂布恩、則政化杜塞也、耕、謂開阡陌封疆、則農爲耕也、戰、謂斬敵首、等級賜爵、則士卒勇於公戰也、【考證】漢志云、商君書二十九篇、隋志云、商君書五卷、新唐志作商子、正義曰三十六篇者、不知何本、今本二十六篇、佚其二篇、第三爲農戰、史公所謂耕戰、或斥此篇、開塞亦篇名、第七、晁公武曰、司馬貞蓋未見鞅書、妄爲之說耳、今考其書、開塞篇、謂道塞久矣、今欲啓之、必刑九而賞一、刑用於將過、則大邪不生、賞施於告姦、則細過不失、大邪不生、細過不失、則國治矣、由此觀之、鞅之術無他、特恃告訐而止耳、故其治不告姦者與降敵同罰、告姦者與殺敵同賞、此秦俗所以日壞、至於父子相夷、而鞅不能自脫也、沈欽韓曰、商君書第十三來民篇云、今三晉不勝秦四世矣、自魏襄王以來、野戰不勝、城必拔、又云、周軍之勝、華軍之勝、秦斬首而東之、又弱民篇、秦師至鄢郢、舉若振槁、唐蔑死於垂沙、莊蹻發於內、楚則皆在秦昭王時、非商君本書也、卒受惡名於秦。有以也夫。【集解】新序論曰、秦孝公保崤函之固、以廣雍州之地、東幷河西、北收上郡、國富兵彊、長雄諸侯、周室歸籍、四方來賀、爲戰國霸君、秦遂以彊、六世而幷諸侯、亦皆商君之謀也、夫商君極身無二慮、盡公不顧私、

使民內急耕織之業以富國、外重戰伐之賞以勸戎士、法令必行、內不阿貴寵、外不偏疏遠、是以令行而禁止、法出而姦息、故雖書云無偏無黨、詩云周道如砥、其直如矢、司馬法之勸戎士、周后稷之勸農業、無以易此、此所以幷諸侯也、故孫卿曰、四世有勝、非幸也、數也、然無信、諸侯畏而不親、夫霸君若齊桓晉文者、桓不倍柯之盟、文不負原之期、而諸侯畏其彊而親信之、存亡繼絕、四方歸之、此管仲舅犯之謀也、今商君倍公子卬之舊恩、弃交魏之明信、詐取三軍之衆、故諸侯畏其彊而不親信也、藉使孝公遇齊桓晉文、得諸侯之統、將合諸侯之君、驅天下之兵以伐秦、秦則亡矣、天下無桓文之君、故秦得以兼諸侯、衞鞅始自以爲知霸王之德、原其事不論也、昔周召施善政、及其死也、後世思之、蔽芾甘棠之詩、是也、嘗舍於樹下、後世思其德不忍伐其樹、況害其身乎、管仲奪伯氏邑三百戶、無怨言、今衞鞅內刻刀鋸之刑、外深鈇鉞之誅、步過六尺者有罰、弃灰於道者被刑、一日臨渭而論囚七百餘人、渭水盡赤、號哭之聲、動於天地、畜怨積讎、比於丘山、所逃莫之隱、所歸莫之容、身死車裂、滅族無姓、其去霸王之佐亦遠矣、然惠王殺之亦非也、可輔而用也、使衞鞅施寬平之法、加之以恩、申之以信、庶幾霸者之佐哉、【索隱】新序、是劉歆所撰、其中論商君、故裴氏引之、藉音胙、字合作胙、誤爲藉耳、按本紀周歸文武胙於孝公者、是也、說苑云、秦法弃灰於道者刑、是其事也、【考證】索隱劉歆、當作劉向、

【索隱】述贊、衞鞅入秦、景監是因、王道不用、霸術見親、政必改革、禮豈因循、既欺魏將、亦怨秦人、如何作法、逆旅不賓、

商君列傳第八

史記六十八

史記會注考證卷六十九

漢　太　史　令　司　馬　遷　撰
宋中郎外兵曹參軍裴　駰集解
唐國子博士弘文館學士司馬貞索隱
唐諸王侍讀率府長史張守節正義
日　本　出　雲　瀧　川　資　言　考證

蘇秦列傳第九　史記六十九

[考證]史公自序云、天下患衡秦毋饜、而蘇子能存諸侯、約從以抑貪彊、作蘇秦列傳第九、愚按、此傳全採戰國策、又按近時妄人有疑蘇秦有無者、云策史所虛設、而荀子

呂氏春秋諸書、已有其名、則其人其事亦必有也、

蘇秦者、東周雒陽人也。[索隱]蘇秦字季子、蓋蘇忿生之後、己姓也、譙周云、秦兄弟五人、秦最少、兄代、代弟厲及辟、鵠、竝為游說之士、此下云秦弟代代弟厲也、[正義]戰國策云、蘇秦雒陽乘軒里人也、藝文志云、蘇子三十一篇、在縱橫流、敬王以子朝之亂、從王城東遷雒陽故城、乃號東周、以王城為西周、東事師於齊、而習之於鬼谷先生。[集解]徐廣曰、潁川陽城有鬼谷、蓋是其人所居、因為號、駰案風俗通義曰、鬼谷先生六國時從橫家、[索隱]按鬼谷、地名也、扶風池陽潁川陽城、竝有鬼谷墟、蓋是其人所居、因為號、又樂臺注鬼谷子書云、蘇秦欲神祕其道、故假名鬼谷、[正義]鬼谷、谷名、在雒州城縣北五里、七錄有蘇秦書、樂壹注云、秦欲神祕其道、故假名鬼谷也、鬼谷子三卷、樂壹注、樂壹字正、魯郡人、[考證]今本鬼谷子三卷、梁陶弘景注、出游數歲、大困而歸。[索隱]按戰國策、此語在說秦王之後、[考證]梁玉繩曰、史置於說秦王前、誤也、兄弟嫂妹妻妾、竊皆笑之曰。周人之俗、治產業、力工商、逐什二以為務。[正義]言工商十分之中得二分利、[考證]貨殖傳云、洛陽、東賈齊魯、南賈梁楚、逐什二、謂買賣逐利也、今子釋本而事口舌。困不亦宜乎。蘇秦聞之而慙自傷。乃閉室不出、出其書偏觀之。

[索隱]偏觀、音遍官二音、按謂盡觀覽其書也、曰。夫士業已屈首受書。[索隱]按謂士之立操、業者素也、本也、言本已屈首低頭、受書於師也、[考證]助字辨略云、業、既已也、史記外戚世家、太后業已許其行酒、無以罪也、留侯世家、良業為取履、因長跪履之、劉敬傳、是時漢兵已踰句注、二十餘萬、已業行、業已、已業、竝重言也、而不能以取尊榮、雖多亦奚以為。於是得周書陰符、伏而讀之。[正義]鬼谷子有陰符七術、樂注云、陰符者、私志於內、物應於外、若今符契、故云陰符、本太公兵法、[考證]張文虎曰、依索隱本、上文出其書偏觀之六字、當在雖多亦奚以為下、今本錯簡、愚按、秦策周書陰符、作太公陰符之謀、期年以出揣摩。[集解]戰國策曰、乃發書陳篋數十、得太公陰符之謀、伏而誦之、簡練以為揣摩、讀書欲睡、引錐自刺其股、血流至踵、曰、安有說人主不能出其金玉錦繡、取卿相之尊者乎、期年揣摩成、鬼谷子有揣摩篇也、[索隱]戰國策云、得太公陰符之謀、則陰符是太公之兵符也、揣、音初委反、摩、音姥何反、鄒誕本作揣靡、靡讀亦為摩、王劭云、揣情摩意、是鬼谷之二章名、非為一篇也、高誘曰、揣、定也、摩、合也、定諸侯、使讎其術、以成六國之從也、江邃曰、揣人主之情、摩而近之、其意當矣、[正義]鬼谷子有揣及摩二篇、言揣諸侯之情、以其所欲切摩、為揣之術也、按鬼谷子乃蘇秦之書明矣、[考證]中井積德曰、摩、在揣度之後、如以手摩弄之也、既能曉通彼人之情懷、而以我之言動搖上下之、以導入于吾橐中也、或揚之、或抑之、皆有激發、即所謂摩也、沈欽韓曰、漢書藝文志縱橫家蘇子三十一篇、今見於史記國策者、灼然為蘇秦八篇、其短章不與、秦死後蘇代蘇厲等竝有論說、國策通謂之蘇子、又誤為蘇秦、是蘇三十

一篇、容有代厲并入、曰。此可以說當世之君矣。[考證]出游數歲以下、本秦策、求說周顯王。顯王左右、素習知蘇秦。皆少之、弗信。[索隱]謂王之左右、素慣習知秦浮說、多不中當世、而以為蘇秦智識淺、故云少之、劉氏云、少、謂輕之也、[正義]言顯王左右慣知蘇秦、有少、不知行、故不用、[考證]蘇秦說周、戰國策不載、或妄、少之、劉說是、乃西至秦。秦孝公卒。說惠王曰。秦四塞之國、被山帶渭、東有關河、[正義]東有黃河、有函谷蒲津龍門合河等關、南山及武關、嶢關、西有大隴山及隴山關、大震烏蘭等關、北有黃河南塞、是四塞之國、被山帶渭、又為界、地里、江渭岷江、渭州隴山之西南流入蜀、東至荊陽入海也、河、謂黃河、從同州小積石山東北流、至勝州、即南流至華州、又東北流、經魏滄等州入海、各是萬里已下、[考證]中井積德曰、正義多錯脫、張文虎曰、各本截正文被山二句、別為一節、而截正義又界以下系之、於文義不順、今并連為一節、又曰、南下有脫文、當云南有某山云云、又字誤、疑當作以、地里字疑有誤、渭州上疑脫西從二字、愚按楓三本正義、帶渭、作帶江、地里作地理、江渭岷江、作江謂岷江、頗足正正義之訛、然尚多錯誤、不可解、西有漢中、南有巴蜀、北有代馬。[索隱]按謂代郡馬邑也、地理志、代郡又有馬邑城、一云、代郡兼有胡馬之利、[考證]楓三本、無南有二字、巴蜀、今四川嘉陵道東境、及東川道皆巴郡地、西川道及嘉陸道西境建昌道北境、皆故蜀郡地、代馬、索隱前說是、秦策作北有胡貉代馬之用、胡、樓煩林胡之類、貉、濊也、音亡格反、匈奴傳、趙襄子踰句注而破幷

代、以臨胡貉、荀子彊國篇、今秦北與胡貉爲鄰者此也、胡貉代馬、皆地名、鮑彪解馬貉爲獸名、誤、梁玉繩曰、國策云、西有巴蜀漢中之利、南有巫山黔中之限、此殆非也、而是時諸郡未屬秦、未知蘇子何以稱也、此天府也。【索隱】按周禮春官、有天府、鄭玄曰、府、物所藏、言天尊、此所藏若天府然、【正義】府、聚也、萬物所聚、【考證】中井積德曰、天府、其地饒富、如天所置府庫然、莫不有也、莫不庶也、愚按天府、中說是、索隱引周禮、非是、以秦士民之衆、兵法之教、可以吞天下、稱帝而治。【考證】楓、三本、無以秦士民之衆、兵法之教十字、而下無治字、秦策有、秦王曰。毛羽未成、不可以高蜚。文理未明、不可以幷兼。【考證】說惠王曰以下、采秦策、其加秦孝公卒四字者、遙接商君傳、又爲下文方誅商鞅之地、方誅商鞅、疾辯士弗用。【考證】九字、記者之詞、乃東之趙。趙肅侯令其弟成爲相、號奉陽君。奉陽君弗說之。【考證】楓、三本、說下無之字、凌稚隆曰、爲後奉陽君已死眼目、愚按、公子成封安平君、明載趙世家、成竝不封奉陽、奉陽君是李兌、李兌之前、趙先有奉陽君、失其姓名、不說蘇秦者卽是、說詳于國策吳注、梁氏史記志疑、去游燕。歲餘而後得見說燕文侯。【索隱】說、音稅、下竝同、燕文侯、史失名、【考證】燕文侯二十八年、曰。燕東有朝鮮・遼東、【索隱】朝鮮、潮仙二音、潮仙、二水名、【考證】中井積德曰、朝鮮

國與遼東鄰、亦非今之朝鮮、北有林胡・樓煩、【索隱】地理志、樓煩、屬鴈門郡、【正義】二胡國名、朔嵐已北、西有雲中・九原、【索隱】按地理志、雲中九原、二郡名、秦曰九原、漢武帝改曰五原郡、【正義】二郡竝在勝州也、雲中郡城、在榆林縣東北四十里、九原郡城、在榆林縣西界、南有嘑沱・易水、【集解】周禮曰、正北曰幷州、其川嘑沱、鄭玄曰、嘑沱出鹵城、【索隱】按滹沱、水名、幷州之川也、音呼沱、又地理志、鹵城縣名、屬代郡、滹沱河、自縣東至參合、又東至文安入海也、【正義】嘑沱、出代州繁畤縣東、南流經五臺山北、東南流過定州、流入海、易水、出易州易縣、東流過幽州歸義縣、東與呼沱河合也、地方二千餘里、帶甲數十萬、車六百乘、騎六千匹、粟支數年。【索隱】按戰國策、車七百乘、粟支十年、南有碣石・鴈門之饒、【索隱】戰國策、碣石山、在常山九門縣、地理志、大碣石山、在右北平驪成縣西南、【正義】碣石山、在平州、燕東南、鴈門山、在代、燕西南、【考證】姚鼐曰、碣石、在燕東、海中之貨、自此入河、鴈門、在西北、沙漠之貨、自此入路、皆達燕南、故有其饒也、愚按慶長本、索隱無戰國策三字、北有棗栗之利、民雖不佃作、而足於棗栗矣。此所謂天府者也。夫安樂無事、不見覆軍殺將、無過燕者。大王知其所以然乎。夫燕之所以不犯寇被甲兵者、以趙之爲

蔽其南也。秦・趙五戰。秦再勝而趙三勝。【考證】吳師道曰、秦趙五戰、設辭也、秦・趙相斃、而王以全燕制其後。【考證】斃、讀爲敝、策作敝、此燕之所以不犯寇也。且夫秦之攻燕也、踰雲中・九原、過代・上谷、彌地數千里。雖得燕城、秦計固不能守也。秦之不能害燕、亦明矣。今趙之攻燕也、發號出令、不至十日、而數十萬之軍、軍於東垣矣。【索隱】地理志、高帝改曰眞定也、【正義】東垣、趙之東邑、在恆州眞定縣南八里、故常山城是也、渡嘑沱、涉易水、不至四五日而距國都矣。【考證】距、至也、故曰。秦之攻燕也、戰於千里之外、趙之攻燕也、戰於百里之內。夫不憂百里之患、而重千里之外、計無過於此者。【考證】徐孚遠曰、欲燕親趙、先以趙之威劫之、則其言易入、是故願大王與趙從親。天下爲一、則燕國必無患矣。文侯曰。子言則可。然吾國小、西迫彊

趙、【正義】貝冀深趙四州、七國時屬趙、卽燕西界、南近齊。【正義】河北博滄德三州、齊地北境、與燕相接、隔黃河、齊・趙彊國也。子必欲合從以安燕、寡人請以國從。於是資蘇秦車馬金帛以至趙。【考證】得見說燕文侯以下、采燕策、而奉陽君已死。【考證】凌稚隆曰、應前奉陽君弗說、卽因說趙肅侯【索隱】按世本云、肅侯名語、【考證】趙肅侯十六年、各本索隱語作言、今從楓三本、趙世家亦引世本作語、曰。天下卿相人臣、及布衣之士、皆高賢君之行義、皆願奉教陳忠於前之日久矣。【正義】奉、符用反、【考證】楓、三本、人臣作人君、及下有至字、岡白駒曰、君斥肅侯、言以君之行義爲高賢、雖然奉陽君妬君而不任事。【考證】楓、三本、妬下君字、作賢、無而字、義長、策作奉陽君妬、大王不得任事、是以賓客游士、莫敢自盡於前者。今奉陽君捐館舍。【考證】捐館舍、謂死也、徐孚遠曰、奉陽君專國時、肅侯必內不善也、故以此爲說端、君乃今復與士民相親也。臣故敢進其愚慮。竊爲君計者、莫若安民無事。且無庸有事於民也。【考證】楓、三本、有下無事於二字、策、且無一句、作請無庸有爲也、安

民之本、在於擇交。【考證】交、與諸侯交、擇交而得、則民安。擇交而不得、則民終身不安。請言外患。齊・秦爲兩敵、而民不得安。倚秦攻齊、而民不得安。倚齊攻秦、而民不得安。故夫謀人之主、伐人之國、常苦出辭。斷絕人之交也。【考證】言謀人之君伐人之國、其事極大、說者常難出之於口、其故何也、以其斷絕人之交也、願君愼勿出於口。請別白黑所以異。陰陽而已矣。【索隱】按戰國策云、請屏左右、白言所以異陰陽、其說異此、然言別白黑者、蘇秦言、已今論趙國之利、必使分明有如白黑分別、陰陽殊異也、【考證】請別白黑所以異、句、白黑、猶言利害、陰陽、暗斥從橫、君誠能聽臣、燕必致旃裘狗馬之地、齊必致魚鹽之海、楚必致橘柚之園、韓・魏・中山、皆可使致湯沐之奉。【考證】旃裘、策作氈裘、旃氈、通、禮記、方伯、爲朝天下、皆有湯沐之邑、戰國策、效萬家之都、以爲湯沐之邑、而貴戚父兄、皆可以受封侯。夫割地包利、五伯之所以覆軍禽將而求也。封侯貴戚、湯・武之所

以放弑而爭也。今君高拱而兩有之。此臣之所以爲君願也。今大王與秦、則秦必弱韓・魏。與齊、則齊必弱楚・魏。【正義】楚東淮泗之上、與齊接境、【考證】張文虎曰、正義不釋魏境、下文亦止云楚弱、疑此魏字、涉上弱韓魏而衍、愚按策亦有魏字、魏弱則割河外。韓弱則效宜陽。宜陽效、則上郡絕。【正義】宜陽、卽韓城也、在洛州西、韓大郡也、上郡、在同州西北、言韓弱、與秦宜陽城、則上郡路絕矣、【考證】宜陽、韓地、故城、在今河南宜陽縣東、上郡、今陝西膚施縣等地、與宜陽相去遠、疑當作上黨、上黨、今山西長治縣等地、與宜陽隔河連近、河外割則道不通。【正義】河外、同華等地也、言魏弱、與秦河外地、則道路不通上郡矣、華山記云、此山分秦晉之境、晉之西鄙則曰陰晉、秦之東邑則曰寧秦、楚弱則無援。此三策者、不可不孰計也。夫秦下軹道、【正義】軹、音止、故亭、在雍州萬年縣東北十六里苑中、【考證】軹道、在今陝西咸寧縣東、則南陽危。【正義】南陽、懷州河南也、七國時屬韓、言秦兵下軹道、從東渭橋歷北道過蒲津攻韓、卽南陽危矣、【考證】南陽、韓地、今河南南陽縣、劫韓包周、【正義】周都、洛陽、秦若劫取韓南陽、是包裹周都也、趙邯鄲危、故須起兵自守、則趙氏自操兵。【索隱】戰國策作自銷鑠、據衛取卷、【集解】丘權反、【索隱】地理志、卷縣、屬河南、按戰國策云、

取淇、【正義】衞地、濮陽也、卷城、在鄭州武原縣西北七里、言秦守衞得卷、則齊必來朝秦、【考證】各本、卷上有淇字、楓三本無、今從之、王念孫曰、淇字後人加之、史作取卷、策作取淇、索隱本出據衞取卷、正義言守衞得卷、則史無淇字明矣、愚按、卷、魏邑、在今河南原武縣、則齊必入朝秦。秦欲已得乎山東、則必擧兵而嚮趙矣。秦甲渡河、踰漳據番吾、則兵必戰於邯鄲之下矣。【集解】徐廣曰、常山有蒲吾縣、【索隱】按徐氏所引據地理志云然也、【正義】番音婆、又音蒲、又音盤、疑古番吾公邑也、括地志云、蒲吾故城、在鎭州常山縣東二十里、漳水在潞州、言秦兵渡河歷南陽、入羊腸、經澤潞、渡漳水、守蒲吾城、則與趙戰於都城下矣、【考證】大河故道、自今河南濬縣西南、北歷內黃湯陰安陽臨漳、及直隸成安肥鄉曲周廣宗、至鉅鹿、皆趙地、漳水故道、自臨漳以北、經成安肥鄉曲周而入大河、番吾、趙邑、故城在今直隸平山縣東南、邯鄲、趙都、故城在今直隸邯鄲縣西南、此臣之所爲君患也。當今之時、山東之建國、莫彊於趙。趙地方二千餘里。帶甲數十萬、車千乘、騎萬匹、粟支數年。西有常山、【正義】在鎭州西、【考證】常山亦曰恆山、在今直隸曲陽縣西北、南有河漳、【正義】河字一作淸、卽漳河也、在潞州、地理志、濁漳出長子鹿谷山、東至鄴、入淸漳、東有淸河、【正義】淸河、今貝州也、【考證】中井積德曰、淸河者指其水也、不當以州名作

解、北有燕國。【正義】然三家分晉、趙得晉陽、襄子又伐戎取代、既云西有常山者、趙都邯鄲、近北燕也、燕固弱國、不足畏也。秦之所害於天下者莫如趙。【考證】策、所下有畏字、然而秦不敢擧兵伐趙者、何也。畏韓・魏之議其後也。【考證】楓三本、無何也二字、策有、然則韓・魏、趙之南蔽也。秦之攻韓・魏也、無有名山大川之限。稍蠶食之、傅國都而止。【集解】傅、音附、韓・魏不能支秦、必入臣於秦。秦無韓・魏之規、則禍必中於趙矣。【考證】策、規作隔、此臣之所爲君患也。臣聞堯無三夫之分、舜無咫尺之地、以有天下。禹無百人之聚、以王諸侯。湯・武之士、不過三千、車不過三百乘、卒不過三萬、【考證】策、無卒不過三萬五字、王念孫曰、士卽卒也、既云士不過三千、不當又云卒三萬、蓋史記本作湯武之土不過百里、車不過三百乘、卒不過三千、與趙策小異、立爲天子。誠得其道也。是故明主外料其敵之彊弱、內度其士

卒賢不肖、不待兩軍相當、而勝敗存亡之機、固已形於胸中矣。豈揜於衆人之言、而以冥冥決事哉。臣竊以天下之地圖案之、諸侯之地五倍於秦、料度諸侯之卒、十倍於秦。六國爲一、幷力西鄉而攻秦、秦必破矣。今西面而事之、見臣於秦。夫破人之與破於人也、【正義】破人、謂破前敵也、破於人爲被前敵破、臣人之與臣於人也、豈可同日而論哉。【索隱】按臣人、謂己爲彼臣也、臣於人者、謂我爲主、使彼臣己也、【正義】臣人、謂己得人爲臣、臣於人、謂己事他人、【考證】各本與下破上、與下臣上、竝有見字、是涉上見字而衍、索隱本、趙策無、今刪、夫衡人者、皆欲割諸侯之地以予秦。【索隱】按衡人、卽游說從橫之士也、東西爲橫、南北爲從、秦地形東西橫長、故張儀相秦、爲秦連橫、【正義】衡、音橫、謂爲秦人、【考證】從衡之計、不始於秦儀、但吳起傳、起相楚、破馳說之言從橫者、未足爲據耳、中井積德曰、山東之國、與秦締交、是東西之勢也、故謂之衡、六國相交、其形南北、故謂之從、秦成、則高臺榭、美宮室、聽竽瑟之音、前有樓闕軒轅、【索隱】戰國策云、前有軒轅、又史記俗本亦有

作軒是者、非本文也、【考證】中井積德曰、軒轅不可曉、豈謂飾與邪、顧炎武曰、軒轅、當作軒縣、周禮小胥、正樂縣之位、王宮縣、諸侯軒縣、注謂軒縣者闕其南面、愚按軒轅、猶言輿車也、後有長姣美人。【索隱】姣、音交、說文云、姣、美也、國被秦患、而不與其憂。【考證】而下、添其身二字看、是故夫衡人日夜務以秦權恐猲諸侯、以求割地。【集解】猲、音呼曷反、【索隱】恐、起拱反、猲、許曷反、謂相恐脅也、鄒氏猲音憩、其意疏、【考證】猲讀爲喝、故願大王孰計之也。臣聞明主絕疑去讒、屏流言之迹、塞朋黨之門。故尊主廣地彊兵之計、臣得陳忠於前矣。故竊爲大王計、莫如一韓・魏・齊・楚・燕・趙以從親、以畔秦。令天下之將相、會於洹水之上、【集解】徐廣曰、洹水出汲郡林慮縣、【正義】洹、音桓、洹水、出相州林慮縣西北林慮山中也、通質、刳白馬而盟、【索隱】質、音如字、又音躓、以言通其交質之情、【正義】質、音致、令六國將相會於洹水之上、通洩疑質之嫌、約盟定縱、刳、割也、【考證】楓、三本、無盟字、要約曰。秦攻楚、齊・魏各出銳師以佐之、【正義】要約、上如字、又音於妙反、韓絕其糧道、【索隱】謂擁兵於嶢關之外、又守宜陽也、【正義】韓引兵

至嶢關武關之外、絕其糧道、趙涉河漳、【索隱】謂趙亦涉河漳而西、欲與韓作援、以阻秦軍、【正義】謂趙涉漳河南、西南以相援、【考證】史記桃源抄云、正義本、河漳作漳河、燕守常山之北。秦攻韓・魏、【正義】謂道蒲津之東攻之、則楚絕其後、【索隱】謂出兵武關、以絕秦兵之後、齊出銳師而佐之、【考證】策、而作以、中井積德曰、據文例、當作以、趙涉河漳、燕守雲中。【考證】古雲中城、在今山西大同縣西北、秦攻齊、則楚絕其後、韓守城皐、【正義】在洛州汜水縣、【考證】策、城皐作成皐、魏塞其道、【索隱】按其道、卽河內之道、戰國策、其作午、【正義】戰國策、其道作午道、趙涉河漳・博關、【集解】徐廣曰、齊威王六年、晉伐齊到博陵、東郡有博平縣、【正義】涉貝州南河而至博陵、今博州平縣卽博陵、【考證】梁玉繩曰、策云、魏塞午道、趙涉河漳博關、此有脫誤、愚按、各本河下無漳字、今依楓、三、北宋本補、洪頤煊曰、張儀傳、悉趙兵渡清河、指博關、正義、博關在博州、趙兵從貝州渡黃河、指博關、燕出銳師以佐之。秦攻燕、則趙守常山、楚軍武關、齊涉渤海、【正義】齊從滄州渡河至瀛州、韓・魏皆出銳師以佐之。秦攻趙、則韓軍宜陽、楚軍武關、魏軍河外、【索隱】河外、謂陝及曲沃等處也、【正義】謂同華州、齊涉清河、【正義】齊從貝州過河而西、燕出

銳師以佐之。諸侯有不如約者、以五國之兵共伐之。六國從親以賓秦、【索隱】謂六國之軍、共爲合從相親、獨以秦爲賓、而共伐之、【考證】策、賓作儐、與擯同、中井積德曰、賓只是擯斥不與通之意、不必有攻伐之意、則秦甲必不敢出於函谷以害山東矣。如此、則霸王之業成矣。【考證】函谷、關名、故關在今河南靈寶縣南、新關在今新安縣東、自今潼關以東通稱函谷、古桃林塞也、趙王曰。寡人年少、立國日淺、未嘗得聞社稷之長計也。今上客有意存天下安諸侯。寡人敬以國從。乃飾車百乘、黃金千溢、【索隱】戰國策、作萬溢、一溢爲一金、則二十兩曰一溢、爲米二升、鄭玄以一溢爲二十四分之一、其說異也、【考證】凌稚隆曰、一本乃下有封蘇秦爲武安君句、愚按此後人依策補之也、又按儀禮喪服傳、朝一溢米、夕一溢米、鄭注、二十兩爲溢、爲米一升二十四分升之一、依此則索隱二十四分上、當有一升字、白璧百雙、錦繡千純、以約諸侯。【集解】純、匹端名、周禮曰、純帛不過五兩、【索隱】音淳、裴氏云、純端、疋名、高誘注戰國策、音屯、屯、束也、又禮鄉射云、某賢於某若干純、純、數也、音旋、【考證】說趙肅侯曰以下、采趙策、是時周天子致文・武之胙於秦惠王。惠王使犀首攻魏、

禽將龍賈、取魏之雕陰、且欲東兵。【索隱】雕陰、魏地也、劉氏曰、在龍門河之西北、按地理志、雕陰屬上郡、【正義】在鄜州洛交縣北三十四里、【考證】雕陰之戰、秦紀在惠文王七年、年表係之其五年、魏世家、爲襄王五年事、年代不合、而其在蘇秦約從之後、此敘于約前、甚誤、說又在秦紀及魏世家、蘇秦恐秦兵之至趙也、乃激怒張儀、入之于秦。【考證】事詳于張儀傳、策不載、於是說韓惠宣王曰。【索隱】按世本、韓宣王、昭侯之子也、【考證】索隱本、宣上無惠字、梁玉繩曰、此篇韓策置于昭侯時、是也、鮑注云、合在昭侯二十五年、宣之元年、從已解矣、韓北有鞏・成皋之固、【索隱】二邑本屬東周、後爲韓邑、地理志、二縣竝屬河南、【考證】鞏、今河南鞏縣、地屬周、言可恃以爲固耳、策、鞏下有洛字、西有宜陽・商阪之塞、【集解】徐廣曰、商、一作常、【索隱】劉氏云、蓋在商洛之閒、適秦楚之險塞、是也、【正義】宜陽、在洛州福昌縣東十四里、商阪、即商山也、在商洛縣南一里、亦曰楚山、武關在焉、【考證】策、商阪作常阪、商山在今陝西商縣東南、東有宛・穰・洧水、【集解】宛、於袁反、洧、于鬼反、【索隱】地理志、宛穰二縣名、竝居南陽、洧、音于軌反、水名、出南方、【正義】洧水、在新鄭東南、流入潁、【考證】宛、今河南南陽縣、穰、河南鄧縣東南、宛穰皆在南、非在東也、南有陘山。【集解】徐廣曰、召陵有陘亭、密縣有陘山、【正義】在新鄭西南三十里、地方九百餘里、帶甲數十萬、天下之彊弓勁弩皆

從韓出。谿子【集解】許慎云、南方谿子蠻夷柘弩、皆善材、【索隱】按許慎注淮南子、以爲南方谿子蠻出柘弩及竹弩、【正義】谿子、蠻也、出柘弩及竹弩、皆善材、【考證】中井積德曰、許慎所謂南方、不稱於本文、此不得援引、豈谿子蠻所作之弩、韓倣而製焉、因名歟、少府時力距來者、皆射六百步之外。【集解】韓有谿子弩、又有少府所造二種之弩、案時力者、謂作之得時、力倍於常、故名時力也、距來者、謂弩勢勁利、足以距來敵也、【索隱】韓又有少府所造時力距來二種之弩、按時力者、謂作之得時、則力倍於常、故有時力也、距來者、謂以弩勢勁利、足以距於來敵也、其名竝見淮南子、【正義】少府時力距來者、皆弩名、具於淮南子、少府、韓府名也、言谿子之蠻出柘竹弩材、令少府造時力距來二弩、皆射六百步外、【考證】王念孫曰、文選注引史記作巨黍、距鉅古通用、廣雅曰、繁弱鉅黍、弓也、荀子性惡篇、繁弱鉅黍、古之良弓也、小司馬緣文生義、非也、韓卒超足而射、【索隱】按超足、謂超騰用勢、蓋起足蹋之而射也、故下云、蹠勁弩是也、【正義】超足、齊足也、夫欲放弩、皆坐、舉足踏弩、兩手引揍機、然始發之、百發不暇止、遠者括蔽洞胷、近者鏑弇心。【考證】括當作銛、鏃之似鈹者、韓非子五蠹篇、鐵銛距者及乎敵、鎧甲不堅者傷乎體、蔽洞不與下弇字對、疑衍其一字、鏑亦矢鋒也、策作遠者達胸、近者掩心、掩、弇同、遠近、謂射之所及也、韓卒之劍戟、皆出於冥山、【集解】徐廣曰、莊子云、南行至郢、北面而不見冥山。駰案、司馬彪曰、冥山、在朔州北、【索隱】莊子云、南行至郢、北面而不見冥山、司馬彪云、冥山在朔州北、郭象云、冥山在乎太極、李軌云、在韓國、棠谿・

【集解】徐廣曰、汝南吳房有棠谿亭、【索隱】地理志、棠谿亭在汝南吳房縣、【正義】故城在豫州偃城縣西八十里、鹽鐵論云、有棠谿之劍、是、墨陽・【集解】淮南子曰、墨陽之莫邪也、【索隱】淮南子云、服劍者貴於剡利、而不期於墨陽莫邪、則墨陽、匠名、【正義】墨陽、地名也、淮南子云、服劍者貴於剡利、而不期於墨陽莫邪、合賻・【集解】音附、徐廣曰、一作伯、【索隱】按戰國策、作合伯、春秋後語、作合相、【考證】梁玉繩曰、合賻、此韓寶劍名、策作合伯、索隱引後語作合相、相乃柏之譌、柏伯古通、鄧師・【索隱】鄧國有工、鑄劍而師名焉、【正義】鄧出鉅鐵、有善鐵劍之師、因名、宛馮・【集解】徐廣曰、滎陽有馮池、【索隱】徐廣云、滎陽有馮池、謂宛人於馮池鑄劍、故號宛馮、龍淵・太阿、【集解】吳越春秋曰、楚王召風胡子而告之曰、寡人聞吳有干將、越有歐冶、寡人欲因子請此二人作劍、可乎、風胡子曰、可、乃往見二人作劍、一曰龍淵、二曰太阿、【索隱】按吳越春秋、楚王令風胡子請吳干將越歐冶作劍二、其一曰龍泉、二曰太阿、又太康地記曰、汝南西平有龍泉水、可以淬刀劍、特堅利、故有龍泉之劍、楚之寶劍也、以特堅利、故有堅白之論云、黃所以爲堅也、白所以爲利也、齊辨之曰、白所以爲不堅、黃所以爲不利也、故天下之寶劍、韓爲衆、一曰棠谿、二曰墨陽、三曰合伯、四曰鄧師、五曰宛馮、六曰龍泉、七曰太阿、八曰莫邪、九曰干將也、然干將莫邪、匠名也、其劍皆出西平縣、今有鐵官令、一別領戶、是古鑄劍之地也、皆陸斷牛馬、水截鵠鴈、當敵則斬堅甲鐵幕、【集解】徐廣曰、陽城出鐵、【索隱】按戰國策云、當敵則斬甲盾鞮鍪鐵幕也、鄒誕、幕一作陌、劉云、謂以鐵爲臂脛之衣、言其劍利能斬之也、【正義】幕者、爲鐵臂衣之屬、言能斬之、【考證】中井積德曰、鐵幕、即鐵盾、其排列

如帳幕、故名焉、帷幕之屬、在上爲幕、爲帟、在旁爲帷、爲帳、然通而言之、在旁者亦謂之幕也、革抉【集解】徐廣曰、一作決、【索隱】音決、謂以革爲射決、決、射韝也、【考證】射韝以韋爲之、射者著于左臂、吠芮、無不畢具。【集解】吠、音伐、【索隱】吠、與瞂同、音伐、謂楯也、芮、音如字、謂繫楯之綬也、【正義】吠、音伐、下音仁銳反、方言云、盾自關東謂之瞂、關西謂之盾、以韓卒之勇、被堅甲、蹠勁弩、帶利劍、一人當百、不足言也。夫以韓之勁與大王之賢、乃西面事秦、交臂而服。【考證】交臂、與交手同、謂拱手也、田完世家、交臂而事齊楚、司馬相如傳、單于怖駭、交臂受事、屈膝請和、義同、莊子天地篇、罪人交臂歷指、田子方篇、交一臂而失之、呂氏春秋順民篇、越王曰、孤與吳王、接頸交臂而僨、義皆與此殊、羞社稷而爲天下笑、無大於此者矣。是故願大王孰計之。大王事秦、秦必求宜陽・成皋。今茲效之、明年又復求割地。【索隱】按鄭玄注禮云、效、猶呈也、見也、【考證】中井積德曰、效、致也、獻也、與、則無地以給之。不與、則弃前功而受後禍。且大王之地有盡、而秦之求無已。以有盡之地、而逆無已之求。此所謂市怨結禍者也。不

戰而地已削矣。臣聞鄙諺曰、寧爲雞口、無爲牛後。[索隱]按戰國策云、寧爲雞尸、不爲牛從、延篤注云、尸、雞中主也、從、謂牛子也、言寧爲雞中之主、不爲牛之從後也、[正義]雞口雖小、猶進食、牛後雖大、乃出糞也、[考證]牛雞、以大小言、口後、以貴賤言、不以進食出糞爲義、論語、割雞焉用牛刀、亦雞牛對言、皆取譬家畜、何孟春曰、口後、韻叶、如寧爲秋霜、毋爲檻羊之類、古語自如此、今西面交臂而臣事秦。何異於牛後乎。夫以大王之賢、挾彊韓之兵、而有牛後之名。臣竊爲大王羞之。於是韓王勃然作色、攘臂瞋目、按劍仰天太息[索隱]太息、謂久蓄氣而大吁也、曰。寡人雖不肖、必不能事秦。今主君[索隱]指蘇秦也、禮、卿大夫稱主、今嘉蘇子合從諸侯、褒而美之、故稱曰主、[考證]中井積德曰、主君只是尊稱已、詔以趙王之教。敬奉社稷以從。[考證]說韓惠王曰以下、采韓策、又說魏襄王[索隱]世本、惠王子、名嗣、[考證]依紀年、襄王當作惠王、說在魏世家、曰。大王之地、南有鴻溝·陳·汝南·許·郾·昆陽·召陵·舞陽·新都·新郪、[集解]鴻溝、徐廣曰、在滎陽、郾、徐廣曰、在潁川、於憾切、地理志、潁川有昆陽舞陽縣、汝南有新郪縣、南陽有新都縣、[索隱]郾、音偃、又於

建反、戰國策作鄢、按地理志、潁川有許鄢二縣、又有傿陵縣、故所稱惑也、傿、音焉、地理志、昆陽舞陽屬潁川、召陵新郪屬汝南、按新郪卽郪丘、章帝以封殷後、於宋、新都屬南陽、按戰國策、直云新郪、無新都二字、[正義]陳汝南、今汝州豫州縣也、召陵、在豫州、舞陽、在許州、[考證]鴻溝卽狼蕩渠、在河南滎陽東南、至陳入潁、宋以前汴河是其道、今謂之賈魯河、汝水、出今河南嵩縣南山、舊時自郾城南至西平、舞陽、今河南舞陽縣東、新郪故城、在今安徽阜陽東南、梁玉繩曰、國策無新都二字、是也、東有淮·潁·煑棗·無胥、[集解]煑棗、徐廣曰、在宛句、[索隱]按無胥、其地闕、[正義]淮潁、淮陽潁川二郡、煑棗在宛朐、按宛朐、曹州縣也、[考證]中井積德曰、淮潁、稱其水也、不當以郡名爲解、煑棗故城、在今山東清澤縣西、策、無胥作無踈、西有長城之界。[考證]自鄭濱洛以北、至固陽、秦魏之界也、今陝西華縣西鄜西南、有故長城、六國時遺址云、北有河外·卷·衍·酸棗。[集解]徐廣曰、滎陽卷縣有長城、經陽武到密、衍、地名、[索隱]徐廣云、滎陽卷縣有長城、蓋據地險爲說也、[正義]河外、謂河南地、卷、在鄭州原武縣北七里、酸棗、在滑州、衍、徐云、地名、[考證]卷、魏邑、在今河南原武縣、衍、在今河南鄭縣北、酸棗故城、在今河南延津縣北、地方千里、地名雖小、然而田舍廬廡之數、曾無所芻牧。[考證]廬、田間屋、廡、廊下周室、數、數罟之數、密也、無所芻牧、言居民稠也、人民之衆、車馬之多、日夜行不絕、輷輷殷殷、若有三軍之衆。[正義]輷、麾宏反、殷、音隱、臣竊量大王之

國、不下楚。然衡人怵王、[正義]衡、音橫、怵、音鄙、誘也、交彊虎狼之秦、以侵天下。卒有秦患、不顧其禍。[正義]卒、音恩忽反、[考證]凌稚隆曰、策、秦患作國患、顧作被、鮑彪云、國、謂魏、不被患、謂衡人、愚按、下文亦有此語、夫挾彊秦之勢、以內劫其主、罪無過此者。魏、天下之彊國也。王、天下之賢王也。[考證]楓山、三條、寬永本、賢王作賢主、與策合、今乃有意西面而事秦、稱東藩、築帝宮、[索隱]謂爲秦築宮、備其巡狩而舍之、故謂之帝宮、受冠帶、[索隱]謂冠帶制度皆受秦法、[考證]中井積德曰、受制度者、必實賜命服、祠春秋。[索隱]言春秋貢奉、以助秦祭祀、臣竊爲大王恥之。臣聞越王句踐戰敝卒三千人、禽夫差於干遂。[索隱]按干遂、地名、不知所在、然按干是水旁之高地、故有江干河干、是也、又左思吳都賦云、長干延屬、是干爲江旁之地、遂者道也、於干有道、因爲地名、[正義]在蘇州吳縣西北四十餘里萬安山西南一里太湖、夫差敗於姑蘇、禽於干遂、相去四十餘里、[考證]李光縉曰、戰敝卒三字相聯、中井積德曰、其實多年之長育、非戰敝也、此云戰敝卒、誇張之辭、失實、武王卒三千人、革車三百乘、制紂於牧野。[正義]今衛州城是也、周武王伐紂於牧野築之、豈

其士卒衆哉。誠能奮其威也。今竊聞大王之卒、武士二十萬、[集解]漢書刑法志曰、魏氏武卒、衣三屬之甲、操十二石之弩、負矢五十、置戈其上、冠冑帶劍、贏三日之糧、日中而趨百里、中試則復其戶、利其田宅、[索隱]衣、音意、屬、音燭、按三屬、謂甲衣也、覆髆一也、甲裳二也、脛衣三也、甲之有裳、見左傳也、贏、音盈、謂齎糗糧、中、音竹仲反、謂其筋力能負重、所以得中試也、復、音福、謂中試之人、國家當優復賜之上田宅、故云利其田宅也、[考證]漢書刑法志采荀子議兵篇文、蒼頭二十萬、[索隱]謂以青巾裹頭以異於衆、荀卿、魏有蒼頭二十萬、是也、[考證]桃源抄云、正義蒼作倉、奮擊二十萬、厮徒十萬、車六百乘、騎五千匹。[索隱]厮、音斯、謂厮養之卒、厮、養馬之賤者、今起爲之卒、[正義]厮、音斯、謂炊烹供養雜役、[考證]中井積德曰、魏之軍制、當時有武士蒼頭厮徒奮擊之別、武士、卽我邦武士、蒼頭、蓋賤卒、我邦足輕也、厮徒、役夫供雜役者、我邦人夫也、奮擊、蓋選其精銳、用先鋒陷陣、陳子龍曰、韓魏逼秦、地形相錯、非可以險阻自固、須堅意力戰、乃可自立、故季子皆以精兵利器爲言、所以皷其氣也、此其過越王句踐·武王遠矣。今乃聽於羣臣之說、而欲臣事秦。夫事秦必割地以效實。[索隱]謂割地獻秦、以效己之誠實、[考證]策、效實作效質、史義爲長、韓非子五蠹篇、事大未必有實、則擧圖而委地、效璽而請兵矣、中井積德曰、效實、卽割地之事、效與上文今茲效之之效同、謂事秦不得用虛名、必用實地、故兵未用、

而國已虧矣。凡羣臣之言事秦者、皆姦人、非忠臣也。夫爲人臣、割其主之地以求外交、偸取一時之功、而不顧其後。【考證】楓三本、一時作一旦、與策合。破公家而成私門、外挾彊秦之勢、以內劫其主、以求割地。願大王孰察之。【考證】今乃聽於群臣之說以下、與韓非子五蠹篇所言略同、但韓子竝論縱橫之害、此專排衡人耳、周書曰、緜緜不絕、蔓蔓柰何。豪氂不伐、將用斧柯。【考證】周書、周書和寤解、武王之言、絕伐、何柯、隔句韻叶、劉伯莊曰、緜緜、謂細微、蔓蔓、謂長大也、言小時不滅、大則難除也、言今不絕緜緜之秦、則後日蔓蔓可用斧柯也、梁玉繩曰、此語亦見姜子守土、賈子審微、說苑敬愼、家語觀周、皆與策史小異、是爲金人之銘、路史後紀據金匱謂黃帝所作也、前慮不定、後有大患、將柰之何。大王誠能聽臣、六國從親、專心幷力壹意、則必無彊秦之患。故敝邑趙王、使臣效愚計、奉明約。【索隱】此效、猶呈也、見也、【考證】楓三本、王下重使字、與策合、在大王之詔詔之。【考證】楓三本、不重詔字、與策合、此涉下文衍、下文說楚王可證、魏王曰、寡人不

肖、未嘗得聞明教。今主君以趙王之詔詔之。敬以國從。【考證】又說魏襄王以下、采魏策、因東說齊宣王【索隱】世本、名辟彊、威王之子也、曰。齊南有泰山、東有琅邪、【考證】琅邪、山名、在今山東諸城縣東南、西有淸河、【正義】卽貝州、【考證】淸河、卽濟水、王應麟曰、濟水通得淸水之名、以水道淸深也、中井積德曰、濟水淸、對黃河之濁有此名、太山琅邪勃海、皆以山川形勢言、此不當以州名作解、正義誤、北有勃海。此所謂四塞之國也。齊地方二千餘里、帶甲數十萬、粟如丘山、三軍之良、五家之兵、【索隱】按高誘注戰國策云、五家卽五國也、【正義】齊世家云、桓公旣得管仲修齊國政、連五家之兵、【考證】王維楨曰、五家之兵、管仲之制也、高誘註缺明、愚按國語齊語云、五家爲軌、故五人爲伍、軌長帥之、十軌爲里、故五十人爲小戎、里有司帥之、四里爲連、故二百人爲卒、連長帥之、十連爲鄉、故二千人爲旅、鄉良人帥之、五鄉一帥、故萬人爲一軍、五鄉之帥帥之、三軍故有中軍之鼓、有國子之鼓、有高氏之鼓、此曰三軍、曰五家、皆管仲之制、雖呂氏滅田氏代、遺法猶存也、進如鋒矢、戰如雷霆、解如風雨。【索隱】按戰國策、作疾如錐矢、高誘曰、錐矢、小矢、喩徑疾也、呂氏春秋曰、所貴錐矢者、爲應聲而至、【正義】齊軍之進、若鋒芒之刀、良弓之矢、用之有進而無退、【考證】中井積德曰、鋒矢、謂鏃之細尖如鋒芒也、愚按雷霆喩其威力、風雨喩其速捷、卽有軍

役、未嘗倍泰山絕淸河涉勃海也。【正義】言臨淄自足也、絕、涉、皆度也、勃海、滄州也、齊有軍役、不用度河取二部、【考證】倍泰山、徵山南之兵也、是亦一部、臨菑之中七萬戶、臣竊度之、不下戶三男子、【考證】戶字當在不字上、策一本、無不字、亦通、臨菑、齊都、故齊城、在今山東臨淄縣北、三七二十一萬、不待發於遠縣、而臨菑之卒、固已二十一萬矣。【考證】中井積德曰、泰山淸河勃海之中、是臨菑國都也、三者之外、齊地尙廣也、此言不待取三者之外、而自有二十一萬兵也、此欲誇張臨菑之富、而云然耳、非謂遠縣曾無軍役徵發也、臨菑甚富而實、其民無不吹竽鼓瑟、彈琴擊筑、鬭雞走狗、六博蹹鞠者。【集解】劉向別錄曰、蹴鞠者、傳言黃帝所作、或曰起戰國之時、蹹鞠、兵勢也、所以練武士知有材也、皆因嬉戲而講練之、蹹、徒獵反、鞠、求六反、【索隱】按王逸注楚詞云、博、著也、行六棊、故曰六博、蹹鞠、上徒臘反、下居六反、別錄注云、蹴踘、促六反、蹴亦蹋也、崔豹云、起黃帝時、習兵之埶、【正義】筑、似琴而大、頭圓、五弦、擊之、不鼓、【考證】中井積德曰、局界左右各六道、故云六博耳、臨菑之塗、車轂擊、人肩摩、連衽成帷、擧袂成幕、揮汗成雨。【考證】中井積德曰、在旁爲帷、在上爲幕、家殷人足、志高氣揚。夫以大王之賢、與齊

之彊、天下莫能當。今乃西面而事秦。臣竊爲大王羞之。且夫韓・魏之所以重畏秦者、爲與秦接境壤界也。【考證】策、無境壤二字、中井積德曰、壤亦界也、吳起傳、與强秦壤界、是也、此重疊言之耳、兵出而相當、不出十日、而戰勝存亡之機決矣。【考證】胡三省曰、而戰句、勝下當有負字、愚按戰勝當作勝敗、韓・魏戰而勝秦、則兵半折、四境不守。戰而不勝、則國已危亡隨其後。是故韓・魏之所以重與秦戰、而輕爲之臣也。【考證】故讀爲固、或云、當衍、今秦之攻齊則不然。倍韓・魏之地、過衞陽晉之道、【集解】徐廣曰、魏哀王十六年、秦拔魏蒲坂陽晉封陵、【索隱】按陽晉、魏邑也、魏系家哀王十六年、秦拔魏蒲阪陽晉封陵、是也、劉氏云、陽晉、地名、蓋適齊之道、衞國之西南也、【正義】言秦伐齊、背韓魏地而與齊戰、徐說陽晉非也、乃是晉陽耳、衞地曹濮等州也、杜預云、曹衞下邑也、陽晉故城、在曹州乘氏縣西北三十七里、【考證】陽晉故城、在今山東曹縣北、故衞地、張儀傳亦云、秦兵下攻衞陽晉、大關天下之胸、又云、劫衞取陽晉、則趙不南、陽晉之險可知矣、徑乎亢父之險、【索隱】亢、音剛、又苦浪反、地理志、縣名、屬梁國也、【正義】故縣、在兗州任城縣南五十一里、【考證】亢父故城、在今山東濟寧

縣南、故齊地、車不得方軌。【正義】言不得兩車竝行、【考證】車兩輪間爲軌、方竝也、騎不得比行、百人守險、千人不敢過也。秦雖欲深入、則狼顧恐韓・魏之議其後也。【正義】狠性怯、走常還顧、是故恫疑、虛喝驕矜、而不敢進。【集解】喝、呼葛反、【索隱】恫疑、上音通、一音洞、恐懼也、猲本一作喝、竝呼葛反、高誘曰、虛猲、喘息懼貌也、劉氏云、秦自疑懼、不敢進兵、虛作恐怯之詞、以脅韓魏也、【正義】言秦雖至亢父、猶恐懼狼顧、虛作喝罵驕溢矜誇、不敢進伐齊明矣、【考證】中井積德曰、秦恫疑、不能踰陽晉亢父而前、且虛聲喝罵云、欲取齊、下文蘇代稱秦正告天下之辭、可以爲虛喝注脚、徐孚遠曰、以虛辭脅齊、非脅韓魏也、愚按、策、驕矜作高躍、則秦之不能害齊亦明矣。夫不深料秦之無柰齊何、【考證】楓三本、何下有也字、與策合、而欲西面而事之。是羣臣之計過也。今無臣事秦之名、而有彊國之實。臣是故願大王少留意計之。齊王曰、寡人不敏、僻遠守海、窮道東境之國也。【考證】楓三本、海下有嵎字、未嘗得聞餘教。今足下以趙王詔詔之。敬以國從。【考證】東說齊宣王以下、采齊策、

乃西南說楚威王【索隱】威王名商、宣王之子、曰。楚、天下之彊國也。王、天下之賢王也。【考證】楓三本、賢王作賢主、西有黔中・巫郡、【集解】黔中、徐廣曰、今之武陵也、巫郡、徐廣曰、南郡之西界、【正義】今朗州、楚黔中郡、其故城在辰州西二十里、皆盤瓠後也、巫郡、夔州巫山縣是、【考證】黔中、今湖南辰沅道及武陵道皆是、巫郡、今四川巫山縣、郡據巫山之險、故名、東有夏州・海陽、【集解】徐廣曰、楚考烈王元年、秦取夏州、駰案、左傳、楚莊王伐陳、鄉取一人焉以歸、謂之夏州、而注者不說夏州所在、車胤撰桓溫集云、夏口城上數里、有洲名夏州、東有夏州、謂此也、【索隱】裴駰據左氏及車胤說夏州、其文甚明、而劉伯莊以爲夏州侯之本國、亦未爲得也、按地理志、無海陽、劉氏云、楚之東境、【正義】大江中州也、夏水口、在荊州江陵縣東南二十五里、【考證】夏州、在今湖南夏口縣北、南有洞庭・蒼梧、【索隱】洞庭、今之青草湖是也、在岳州界也、蒼梧、地名、地理志有蒼梧郡、【正義】蒼梧山、在道州南、【考證】洞庭湖、在今湖南岳陽縣西南、蒼梧、漢零陽郡、今湖南零陵縣及廣西全縣等地、北有陘塞・郇陽、【集解】徐廣曰、春秋曰、遂伐楚、次于陘、楚威王十一年、魏敗楚陘山、析縣有鈞水、或者郇陽、今之順陽乎、一本、北有汾陘之塞也、【索隱】陘山、在楚北境、威王十一年、魏敗楚陘山是也、郇、音荀、北有郇陽、其地當在汝南潁川之界、檢地理志及太康地記、北境竝無郇邑、郇邑在河東、晉地、計郇陽當是新陽、聲相近、字變耳、汝南有新陽縣、應劭云、在新水之陽、猶豳邑變爲栒、亦當然也、徐氏云、郇陽當是慎陽、蓋其疏也、【正義】陘山、在鄭州新鄭縣西南三十里、順陽故城、在鄭州穰縣西百四十里、

【考證】陘塞、策作汾陘之塞、陘塞、卽陘山、在今河南新鄭縣南、洪頤煊曰、郇陽卽旬陽、漢書地理志、屬漢中郡、其地有關、與楚北境相近、地方五千餘里、帶甲百萬、車千乘、騎萬匹、粟支十年。此霸王之資也。夫以楚之彊與王之賢、天下莫能當也。今乃欲西面而事秦、則諸侯莫不西面而朝於章臺之下矣。【考證】章臺、秦臺、在咸陽、秦之所害莫如楚。楚彊則秦弱、秦彊則楚弱。其勢不兩立。故爲大王計、莫如從親以孤秦。大王不從、【考證】策、從下有親字、當作補、秦必起兩軍、一軍出武關、一軍下黔中、則鄢・郢動矣。【集解】徐廣曰、今南郡宜城、【正義】鄢鄉故城、在襄州率道縣南九里、安郢城、在荊州江陵縣東北六里、秦兵出武關、則臨鄢矣、兵下黔中、則臨郢矣、【考證】武關、秦之南關、在今陝西商縣西南、鄢、今湖南宜城縣西南、郢、今湖南江陵縣、徐孚遠曰、水陸兩軍也、臣聞治之其未亂也、爲之其未有也。患至而后憂之、則無及已。【考證】王、柯、凌本、而誤其、策、亦作而、故願大王蚤孰計之。大王誠能聽臣、臣請令

山東之國、奉四時之獻、以承大王之明詔。委社稷、奉宗廟、練士厲兵、在大王之所用之。大王誠能用臣之愚計、則韓・魏・齊・燕・趙・衞之妙音美人、必充後宮、燕・代橐駝良馬、必實外廏。【考證】李斯諫逐客書似用此語、橐駝、體高八九尺、背有駝峯、故從合則楚王。衡成則秦帝。今釋霸王之業、而有事人之名。臣竊爲大王不取也。夫秦、虎狼之國也。有吞天下之心。秦、天下之仇讎也。衡人皆欲割諸侯之地以事秦。此所謂養仇而奉讎者也。夫爲人臣、割其主之地、以外交彊虎狼之秦、以侵天下。卒有秦患、不顧其禍。夫外挾彊秦之威、以內劫其主、以求割地。大逆不忠、無過此者。故從親則諸侯割地以事楚。衡合則楚割地以事秦。此兩策者相去遠

矣。二者大王何居焉。故敝邑趙王、使臣效愚計奉明約。在大王詔之。[考證]楓、三本、臣上重使字、楚王曰。寡人之國、西與秦接境。秦有舉巴・蜀并漢中之心。[考證]巴蜀、見上、胡三省曰、自沔陽至上庸、皆漢中地、沔陽、今陝西沔縣、上庸、今湖北竹山縣、巴蜀、非楚地、連言之也、秦、虎狼之國、不可親也。而韓・魏迫於秦患、不可與深謀。與深謀、恐反人以入於秦。[考證]岡白駒曰、恐有反人、以入於秦、故謀未發、而國已危矣。寡人自料以楚當秦、不見勝也。內與羣臣謀、不足恃也。寡人臥不安席、食不甘味、心搖搖然如縣旌、而無所終薄。[集解]白洛反、[考證]縣旌、言心不定也、薄、附著也、今主君欲一天下、收諸侯存危國。寡人謹奉社稷以從。[考證]說楚威王以下、采楚策、於是六國從合而并力焉。[考證]張儀傳、儀說魏王曰、今從者一天下、約爲昆弟、刑白馬以盟洹水之上、以相堅也、蓋斥是事、蘇秦爲從約長、并相六國。北報趙

王。乃行過雒陽、車騎輜重、諸侯各發使送之甚衆、疑於王者。[索隱]疑作擬讀、言車騎使送之甚多、疑是王者之行、[正義]輜、廁也、謂軍糧什物雜廁載之、以其累重、故曰輜重、卒、倉忽反、[考證]楓、三本、作其衆疑於王者、據桃源抄、正義本作卒有疑於王者、各本疑作擬、恐誤、今訂、疑讀如字、索隱非是、甚衆、其衆兩通、據國策、蘇秦過洛陽、在說楚王前、與此異、周顯王聞之、恐懼除道、使人郊勞。[集解]儀禮曰、賓至近郊、君使卿朝服用束帛勞、[正義]勞、郎到反、[考證]凌稚隆曰、反前求說周、愚按、策但云、將說楚王、路過洛陽、父母聞之、清宮除道、張樂設飮、郊迎三十里、絕不言周王除道郊勞事、中井積德曰、集解不當援儀禮、蘇秦之昆弟妻嫂、側目不敢仰視、俯伏侍取食。[考證]側目、不敢正視也、凌稚隆曰、應前兄嫂皆笑、蘇秦笑謂其嫂曰。何前倨而後恭也。嫂委虵蒲服、以面掩地而謝曰。[索隱]委虵、謂以面掩地而進、若虵行也、蒲服、卽匍匐、竝音蒲仆、[正義]蒲服、猶匍匐、以面掩地而謝者、若蛇行、以面掩地而進、劉伯莊云、蛇、謂曲也、按本作委蛇者非也、[考證]正義本委蛇、作蛇行、與策合、見季子位高金多也。[集解]譙周曰、蘇秦字季子、[索隱]按其嫂呼小叔爲季子耳、未必卽其字、允南卽以爲字、未之得也、[考證]金多應前逐什二以爲務、索隱、允南、譙周字、蘇秦喟然歎曰。此一人之身。富貴則親

戚畏懼之、貧賤則輕易之。況衆人乎。[考證]蘇秦之昆弟妻嫂以下、采秦策、岡白駒曰、此一人之身、昔來、吾也、今來、吾也、嫂且如此、況衆人乎、且使我有雒陽負郭田二頃、吾豈能佩六國相印乎。[索隱]負者背也、枕也、近城之地、沃潤流澤、最爲膏腴、故曰負郭也、[正義]負、猶背也、近城郭之田、流澤肥沃也、於是散千金、以賜宗族朋友。初蘇秦之燕、貸百錢爲資。及得富貴、以百金償之。[考證]北宋本、貸下有人字、藝文類聚、無得富二字、偏報諸所嘗見德者。其從者有一人、獨未得報。乃前自言。蘇秦曰。我非忘子。子之與我至燕、再三欲去我易水之上。方是時我困。故望子深。是以後子。子今亦得矣。[考證]岡白駒曰、望、怨也、子亦得矣、言子亦得我報矣、謂與之、愚按、衣錦歸鄉、蘇秦得意可想、與晉文公、漢高祖、范雎、韓信、朱買臣、疏廣諸人、事似意殊、蘇秦既約六國從親歸趙。趙肅侯封爲武安君。乃投從約書於秦。[索隱]乃設從約書、案諸本亦作投、言設者、謂宣布其從約六國之事以告於秦、若作投亦爲易解、[考證]楓三本、封下有之字、秦

兵不敢闚函谷關十五年。[考證]通鑑考異云、史記蘇秦傳、秦兵不敢闚函谷關十五年、又云、秦使犀首欺齊魏、與共伐趙、蘇秦去趙而從約皆解、齊魏伐趙、敗從約、止在明年耳、秦本紀惠文王七年、公子卬與魏戰、虜其將龍賈、後二年事耳、烏在其不闚函谷十五年、此出於遊談之士、誇大蘇秦而云爾、今不取、王懋竑曰、蘇秦傳、秦兵不出函谷關十五年、考異以爲此游說之士、誇大蘇秦云爾、故不取、然張儀之說趙王言、秦兵不敢出函谷關十五年、而范雎言於秦昭王、亦有秦兵不敢窺兵山東之語、則非虛辭也、按六國表、自顯王三十六年、至愼靚王三年、凡十五年、中秦四伐魏、一圍魏、未嘗交兵他國、至愼靚王三年、五國共攻秦、則從約猶未解也、四年、秦攻韓、斬首八萬、諸侯震恐、可見前此之伐魏、特以偏師臨之、未嘗大出兵也、蓋魏河西與秦接壤、秦日以蠶食之、而諸侯如連鷄之不能俱飛、從約雖在、而卒莫能相一、秦之不出兵十五年、未必以從約之故、而考其事實、則誠有之、非盡虛辭也、蘇秦傳、秦使犀首欺齊魏、與共伐趙、此在顯王三十七年、距約從僅一年、然自此至四十年、魏敗楚於陘山、四十四年、魏敗韓舉、敗越護、四十六年、楚敗魏襄陵、十五年中、六國相攻、亦止此四五事爾、大抵天下皆宗蘇氏之從約、或從或不從、而其名猶在、至赧王五年、張儀破從爲橫、未一年、而諸侯復畔衡合從、則謂蘇秦去趙而從約皆解、亦未盡然也、崔適曰、案六國表、是爲燕文侯二十八年、趙肅侯十六年、韓宣惠王二十五年、魏襄王元年、齊宣王九年、楚威王六年、於周爲顯王三十五年、於秦惠文王四年也、秦本紀、惠文王十四年、更爲元年、七年、韓趙魏燕齊共攻秦、秦使庶長疾與戰修魚、虜其將申差、敗趙公子渴、韓太子奐、斬首八萬二千、自前四年、至後六年、與六國無大戰爭、且此戰亦由五國攻秦、而秦出兵應之、非秦東伐、是謂秦兵不敢闚函谷關十五年也、惟前七年、公子卬與魏戰、虜其將

龍賈、斬首八萬、九年、渡河取汾陰皮氏、與魏會應、圍焦降之、案七年卽魏襄王四年、九年卽六年、魏世家皆在五年、與秦本紀小異、愚按中井積德錢大昕諸人、亦與王崔二氏說同、可從、王氏以爲周顯王三十六年事、以從成之時言、從通鑑也、崔氏爲三十五年事、以始說之日言、從史表也、所以不同、　其後秦使犀首欺齊魏、與共伐趙、欲敗從約。齊魏伐趙。趙王讓蘇秦。蘇秦恐請使燕、必報齊。蘇秦去趙、而從約皆解。集解 徐廣曰、自初說燕、至此三年、考證 徐孚遠曰、正文云、秦兵不出十五年、而徐云、自初說至此三年、二說縣殊、崔適曰、秦兵出關、不得與從約皆解爲一事、趙世家、肅侯十八年、齊魏伐我、齊世家、宣王十一年、與魏伐趙、魏世家、無文、六國表、於三國皆載之、與此傳合、是自三國交兵、非秦伐東諸侯也、從約自解、秦兵自不出、事殊年別、何謂二說縣殊、　秦惠王以其女爲燕太子婦。是歲文侯卒。太子立。是爲燕易王。考證 史表、周顯王三十七年、燕易王元年、　易王初立。齊宣王因燕喪伐燕、取十城。考證 秦惠王以下、采燕策、　易王謂蘇秦曰。往日先生至燕。而先王資先生見趙。遂約六國從。今齊先伐趙、次至燕。以先生之故爲天下笑。先生能爲燕得

侵地乎。蘇秦大慙曰。請爲王取之。考證 燕策無此文、蓋史公以意補之也、　蘇秦見齊王再拜、俯而慶、仰而弔。索隱 劉氏云、當時慶弔、應有其詞、但史家不錄耳、　齊王曰。是何慶弔相隨之速也。蘇秦曰。臣聞飢人所以飢而不食烏喙者、爲其愈充腹、而與餓死同患也。集解 本草經曰、烏頭、一名烏喙、索隱 烏喙、音卓、又音許穢反、今之毒藥烏頭是、劉氏以愈猶暫、非也、謂食烏頭爲其暫愈飢而充腹、少時毒發而死、亦與飢死同患也、正義 廣雅云、蕪奚、毒附子也、一歲爲烏喙、三歲爲附子、四歲爲烏頭、五歲爲天雄、考證 燕策、愈作偸、岡白駒曰、愈、偸通、苟且也、王念孫說同、　今燕雖弱小、卽秦王之少壻也。正義 少壻、謂少女壻也、考證 楓本、少作女、　大王利其十城、而長與彊秦爲仇。今使弱燕爲鴈行、而彊秦敝其後、以招天下之精兵。考證 楓、三本、而下有前字、二字屬上爲句、鴈行、謂相次而行、如鴈之有行列也、魏策、請爲天下雁行頓刃、韓策、韓居爲隱蔽、出爲雁行、韓非子存韓篇、先爲雁行以攻關、義皆同、敝蔽通、岡白駒曰、秦兵爲天下精兵、　是食烏喙之類也。齊王愀然變色曰。索隱 愀、音自酉反、又七小反、　然則柰何。蘇秦曰。臣聞

古之善制事者、轉禍爲福、因敗爲功、考證 齊策、齊人曰、孟嘗君可謂善爲事矣、轉禍爲福、史管晏列傳云、其爲政也、善因禍而爲福、轉敗而爲功、下文蘇代遺燕昭王書、亦引此語、　大王誠能聽臣計、卽歸燕之十城。燕無故而得十城、必喜。秦王知以己之故而歸燕之十城、亦必喜。此所謂弃仇讎而得石交者也。考證 策、石交作厚交、義同、　夫燕秦俱事齊、則大王號令、天下莫敢不聽。是王以虛辭附秦、考證 使秦附從、　以十城取天下。此霸王之業也。王曰。善。於是乃歸燕之十城。考證 蘇秦見齊王以下、采燕策、　人有毀蘇秦者。曰。左右賣國。反覆之臣也。將作亂。考證 策、作武安君天下不信人也、　蘇秦恐得罪歸。而燕王不復官也。考證 官、下文故官之官、策作館、義異、　蘇秦見燕王曰。臣東周之鄙人也。無有分寸之功。而王親拜之於廟、而禮之於廷。考證 策、王作足下、下同、　今臣爲王卻齊之兵、

而攻得十城。宜以益親。考證 策、攻作利、中井積德曰、當作收、張文虎曰、疑衍、　今來而王不官臣者、人必有以不信傷臣於王者。臣之不信、王之福也。臣聞忠信者所以自爲也。進取者所以爲人也。且臣之說齊王、曾非欺之也。臣弃老母於東周。固去自爲、而行進取也。今有孝如曾參、廉如伯夷、信如尾生。得此三人者、以事大王、何若。考證 莊子、尾生與女子期於梁下、水至不去、抱梁柱而死、戰國策、蘇代謂楚王曰、此方其爲尾生之時也、高誘注淮南子、尾生魯人、又蘇代謂燕昭王曰、尾生高不過不欺人耳、是尾生名高、微尾、音相通、其人素有直名、蓋嘗守硜硜之信者、則尾生卽微生高也、漢書古今人表、作尾生高、吳師道亦謂卽論語微生高無疑也、　王曰。足矣。蘇秦曰。孝如曾參、義不離其親一宿於外。王又安能使之步行千里、而事弱燕之危王哉。廉如伯夷、義不爲孤竹君之嗣、不肯爲武王臣、不受封侯而餓死首陽山下。考證 楓、三本、死下有乎字、　有

廉如此。王又安能使之步行千里而行、進取於齊哉。［考證］步下行字、疑衍、信如尾生、與女子期於梁下、女子不來、水至不去、抱梁柱而死。［考證］各本、抱下無梁字、今從楓、三本、王念孫曰、文選注、太平御覽引此、柱上有梁字、燕策及莊子盜跖篇同、有信如此。王又安能使之步行千里、卻齊之彊兵哉。臣所謂以忠信得罪於上者也。燕王曰。若不忠信耳。豈有以忠信而得罪者乎。［考證］若、汝也、蘇秦曰。不然。臣聞客有遠爲吏、而其妻私於人者。其夫將來。其私者憂之。妻曰。勿憂。吾已作藥酒待之矣。［考證］楓、三本、已下有爲字、策、作作爲、居三日、其夫果至。妻使妾舉藥酒進之。妾欲言酒之有藥、則恐其逐主母也。欲勿言乎、則恐其殺主父也。［考證］主母、主婦、主父、主人、於是乎、詳僵而弃酒。［索隱］詳、音羊、詳、詐也、僵、仆也、音薑、主父大怒、笞之五十。故

妾一僵而覆酒、上存主父、下存主母。然而不免於笞。惡在乎忠信之無罪也。夫臣之過、不幸而類是乎。［考證］楓、三本、是下無乎字、人有毀蘇秦者以下、采燕策、燕策又錄蘇代謂燕昭王、文字言語與此略同、蓋所傳異也、燕王曰。先生復就故官。益厚遇之。［考證］鄒陽獄中書云、蘇秦相燕、燕人惡之於王、王按劍而怒、食以駃騠、史策無此事、鄒陽必有所傳、易王母、文侯夫人也。與蘇秦私通。燕王知之。而事之加厚。蘇秦恐誅、乃說燕王曰。臣居燕、不能使燕重。而在齊則燕必重。燕王曰。唯先生之所爲。於是蘇秦詳爲得罪於燕、而亡走齊。齊宣王以爲客卿。［集解］徐廣曰、燕易王之十年時、齊宣王卒、湣王卽位。說湣王、厚葬以明孝、高宮室、大苑囿、以明得意、欲破敝齊而爲燕。［考證］破敝二字、連讀、中井積德曰、據孟子書、齊取燕、在宣王、史記以爲湣王、蘇秦之死、亦在湣王之時、恐史記謬也、蘇代云、齊長主、長主必四十以上之人、是歲爲湣王卽位之八九年矣、未得稱長主也、是却可證孟子耳、梁玉繩曰、案張儀傳、說楚王

曰、蘇秦陰與燕王謀伐破齊而分其地、乃詳有罪、出走入齊、齊王因受而相之、居二年而覺、齊王大怒、車裂蘇秦于市、游說之言、雖未可盡信、然徐廣云、蘇秦爲齊客卿、在燕易王之十年時、而儀傳云、居二年儀死、則其死在易王末年、當齊宣王二十二年、周顯王四十八年、安得有說湣王厚葬之事乎、愚按孟子遊齊在宣王時、而唯言公孫衍張儀、而不及蘇秦、以秦既死也、秦之不及湣王、亦明矣、燕易王卒。［集解］徐廣曰、易王十二年卒、燕噲立爲王。其後齊大夫多與蘇秦爭寵者。而使人刺蘇秦。不死殊而走。［集解］風俗通義稱、漢令、蠻夷戎狄有罪當殊、殊者死也、與誅同指、而此云不死殊而走者、蘇秦時雖不卽死、然是死創、故云殊、［考證］中井積德曰、不死殊之死、疑衍文、顧炎武曰、說文繫傳云、斷絕分析曰殊、謂斷支體而未及死、淮南王傳、太子卽自剄不殊、方苞曰、殊分也、絕也、蘇秦將死未絕、而刺者走去也、愚按死殊二字連讀、齊王使人求賊。不得。蘇秦且死。乃謂齊王曰。臣卽死、車裂臣以徇於市曰、蘇秦爲燕作亂於齊。如此則臣之賊必得矣。［考證］車裂、以車曳裂人體、古之酷刑、於是如其言。而殺蘇秦者果自出。齊王因而誅之。燕聞之曰。甚矣、齊之爲蘇生報仇也。［集解］徐廣曰、生一作先、［考證］荀子臣道篇云、齊之蘇秦、楚之州侯、秦之張儀、可謂態臣者

也、呂氏春秋知度篇云、亡國者亦有人、桀用羊辛、紂用惡來、宋用唐鞅、齊用蘇秦、而天下知其亡、新語懷慮篇云、蘇秦張儀、身尊於位、名顯於六世、相六國、事六君、威振山東、淮南子說林訓云、蘇秦以百誕成一誠、諸書所述、毀譽相半、蘇秦既死、其事大泄。［考證］岡白駒曰、欲破敝齊爲燕等事、齊後聞之、乃恨怒燕。燕甚恐。蘇秦之弟曰代。代弟蘇厲。見兄遂亦皆學。［考證］楓、三本、蘇厲上有曰字、愚按蘇當作曰、遂、遂功也、及蘇秦死、代乃求見燕王、欲襲故事。曰。臣東周之鄙人也。竊聞大王義甚高、鄙人不敏、釋鉏耨而干大王。［正義］耨、乃豆反、除草也、［考證］鉏與鋤同、亦田器、至於邯鄲、所見者絀於所聞於東周。臣竊負其志。［考證］邯鄲、趙都、絀、屈同、負、違背也、燕策、負作高、與史義殊、史似長、徐孚遠曰、代至邯鄲、而所聞不稱、此隱語也、下文云、趙者燕之深仇、則是聞諸邯鄲之言、將以間燕趙也、及至燕廷、觀王之羣臣下吏、王、天下之明王也。燕王曰。子所謂明王者何如也。［考證］楓、三本、如下有者字、與策合、策、明王作明主、下同、對曰。臣聞明王務聞其過、不欲聞其善。臣請謁王之過。

【考證】謂、告也、夫齊趙者燕之仇讎也。楚魏者燕之援國也。今王奉仇讎以伐援國。非所以利燕也。王自慮之。此則計過。【考證】楓、三本、慮下無之字、與策合、無以聞者、非忠臣也。王曰。夫齊者固寡人之讎、所欲伐也。直患國敝力不足也。【考證】三條本、伐上有破字、直、特也、吳寬曰、齊趙皆燕北鄰、趙邊秦而多故、齊遠秦而無事、故趙常自贍、而齊數謀燕、愚按此燕王之所以欲伐齊也、子能以燕伐齊、則寡人擧國委子。【考證】楓本、國下有而、對曰。凡天下戰國七。燕處弱焉。【考證】三本、七下有而、與策合、獨戰、則不能。有所附、則無不重。南附楚、楚重。西附秦、秦重。中附韓魏、韓魏重。且苟所附之國重、此必使王重矣。【正義】言附諸國、諸國重燕而燕尊重、今夫齊、長主而自用也。【索隱】按謂齊王年長也、或作齊彊、故言長主、南攻楚五年、畜聚竭、西困秦三年、士卒罷敝、北與燕人戰、覆三軍、得二將。【集解】徐廣曰、齊覆三軍、而燕失二將、

【索隱】按徐廣云、齊覆三軍、而燕失二將、又戰國策云、獲二將、亦謂燕之二將、是燕之失也、【考證】中井積德曰、三軍二將皆燕、梁玉繩曰、此齊與燕戰事、無考、然而以其餘兵、南面擧五千乘之大宋、而包十二諸侯。【正義】齊表云、齊湣王三十八年滅宋、乃當赧王二十九年、此說乃燕噲之時、當周愼王之時、齊宋在前三十餘年、恐文誤矣、【考證】中井積德曰、下文言將輕亡宋、則此時宋未滅也、此言擧者、蓋謂大敗之也、誇張乃云然、愚按十二諸侯、如鄒魯之屬、此其君欲得、其民力竭。惡足取乎。且臣聞之、數戰則民勞、久師則兵敝矣。燕王曰。吾聞齊有清濟・濁河、可以爲固。【正義】濟漯二水、上承黃河、竝淄青之北、流入海、黃河又一源從洛魏二州界、北流入海、亦齊西北界、長城鉅防、足以爲塞。【集解】徐廣曰、濟北盧縣有防門、又有長城、東至海、【正義】長城西頭、在濟州平陰縣界、竹書紀年云、梁惠王二十年、齊閔王築防以爲長城、太山記云、太山西有長城、緣河經太山、餘一千里、至琅邪臺入海、【考證】秦策、張儀說秦王亦云、齊、濟清河濁、足以爲限、長城鉅防、足以爲塞、韓非子初見秦篇亦有此語、注云、濟水清、河水濁、二水皆在齊西北境、濟水發源河南濟源縣、至山東利津縣入于海、河、卽黃河、誠有之乎。對曰。天時不與、雖有清濟・濁河、惡足以爲固。民力罷敝、雖有長城鉅防、惡足以爲塞。

且異日濟西不師、所以備趙也。【正義】濟西、濟州已西也、【考證】濟西、今山東聊城高唐等地、策、不師作不役、中井積德曰、每役免于徵發也、河北不師、所以備燕也。【正義】河北、謂滄博二州在漯河之北、【考證】今直隷天津滄景等縣、今濟西河北、盡已役矣。封內敝矣。【考證】徐孚遠曰、謂二境之師不出、專以備燕趙、今用兵不休、故二境皆發也、夫驕君必好利、而亡國之臣必貪於財。王誠能無羞從子母弟以爲質、【索隱】戰國策、從作寵、【正義】質、音致、【考證】從子、各本作寵子、桃源抄引師說云、作從子、張文虎曰、作寵者、後人依策改、寶珠玉帛以事左右、彼將有德燕、而輕亡宋、則齊可亡已。【考證】輕者、易爲之也、言輕易出師以圖滅宋、齊國力益敝、可伐而亡也、燕王曰。吾終以子受命於天矣。【考證】及蘇秦死以下、采燕策、錢大昕曰、燕王噲之時、齊與燕未有深讎也、蘇代此說必在昭王時、故稱齊湣王爲長主、且有南面擧宋之語、若移此段問答于昭王召蘇代復善遇之之下、則詞有倫次矣、梁玉繩曰、正義及國策吳注、俱言策史同誤、大事記云、策載蘇代說燕、誤以爲噲、使噲能有志如是、豈至覆國、論其世、攷其事、皆說燕昭之辭也、燕乃使一子質於齊。【考證】梁玉繩曰、案燕策、作燕王之弟質齊、疑此誤也、蓋代之說燕、必燕昭時事、此質子、應是王噲之子、昭王之弟、而蘇

厲因燕質子而求見齊王。【考證】楓、三本、蘇厲作蘇代、下同、策作厲、梁玉繩曰、案燕策、此別一事、故曰初蘇秦弟厲、因燕質子而求見齊王、史誤連接爲一、遂若厲所因之質子、卽代所說之質子矣、愚按策以齊王爲宣王、與孟子合、齊王怨蘇秦、欲囚蘇厲。燕質子爲謝、已遂委質爲齊臣。【正義】眞、眞栗反、【考證】質、音致、蘇厲因燕質子以下、采燕策、燕相子之與蘇代婚、而欲得燕權。乃使蘇代侍質子於齊。齊使代報燕。燕王噲問曰。齊王其霸乎。曰。不能。曰。何也。曰。不信其臣。於是燕王專任子之。已而讓位、燕大亂。齊伐燕、殺王噲・子之。【集解】徐廣曰、是周赧王之元年時也、燕立昭王。而蘇代・蘇厲、遂不敢入燕、皆終歸齊。齊善待之。蘇代過魏。魏爲燕執代。齊使人謂魏王曰。齊請以宋地封涇陽君。【正義】涇陽君、秦王弟、名悝也、涇陽、雍州縣也、齊蘇子告秦、共伐宋、以封涇陽君、然齊假設此策以救蘇代、【考證】楓、三本、宋下無地字、秦必不受。秦非不利有齊而得宋地也。不信齊王

與蘇子也。【正義】齊言秦相親共伐宋、秦得宋地、又得齊事秦、然秦不信齊及蘇代、恐爲不成也、今齊·魏不和、如此其甚、則齊不欺秦、秦信齊。齊秦合、涇陽君有宋地、非魏之利也。故王不如東蘇子。秦必疑齊而不信蘇子矣。齊·秦不合、天下無變、伐齊之形成矣。於是出蘇代。代之宋。宋善待之。【考證】燕相子之以下、采燕策、齊伐宋、宋急。蘇代乃遺燕昭王書曰。【正義】此書爲宋說燕、令莫助齊梁、夫列在萬乘、而寄質於齊、名卑而權輕。【正義】燕前有一子質於齊、奉萬乘助齊伐宋、民勞而實費。夫破宋、殘楚淮北、肥大齊、讎彊而國害。此三者、皆國之大敗也。然且王行之者、將以取信於齊也。【考證】策、王作足下、下同、齊加不信於王、而忌燕愈甚。是王之計過矣。夫以宋加之淮北、強萬乘之國也。【考證】策注、宋五千乘之國也、又加之淮北、則萬乘而强、而齊幷之。

是益一齊也。【正義】更以淮北之地加於齊都、是強萬乘之國、而齊總幷之、是益一齊、北夷方七百里、【索隱】謂山戎北狄附齊者、【正義】齊桓公伐山戎、令支、斬孤竹而南歸、海濱諸侯、莫不來服、【考證】王念孫曰、北夷當作九夷、燕策作北夷、亦後人依史改之、秦策云、楚包九夷、方千里、魏策云、楚破南陽九夷、李斯上始皇書云、包九夷制鄢郢、是九夷之地、南與楚接、此言齊幷淮北、淮北卽楚地也、齊幷宋與淮北則地與九夷接、故又言齊幷九夷也、秦策言楚包九夷、方千里、此言九夷方七百里、七百里卽在千里之中、故言楚包九夷也、淮南齊俗篇云、越王句踐霸天下、泗上十二諸侯皆率九夷以朝、是九夷之地、東與十二諸侯接、而魯爲十二諸侯之一、故此言齊幷九夷與魯衞也、上文言齊擧宋而包十二諸侯、田完世家、言齊南割楚之淮北、泗上諸侯鄒魯之君、皆稱臣、此言齊幷宋與淮北、又言幷九夷與魯衞、以上諸文、彼此可以互證、是今本之北夷、乃九夷之誤、而不得以山戎北狄當之也、愚按、北夷以方而言、王說拘、加之以魯·衞。彊萬乘之國也、而齊幷之。是益二齊也。夫一齊之彊、燕猶狼顧而不能支。【考證】楓、三本、夫下有以字、策無、今以三齊臨燕。其禍必大矣。雖然智者擧事、因禍爲福、轉敗爲功、齊紫、敗素也、而賈十倍。【集解】徐廣曰、取敗素、染以爲紫、【索隱】按謂紫色價貴於帛十倍、而本是敗素、以喩齊雖有大名、而其國中困弊也、【正義】齊君好紫、故齊俗尙之、取惡素帛染爲紫、其價十倍、貴於錦、喩齊

雖有大名而國中以困弊也、韓子云、齊桓公好服紫、一國盡服紫、當時十素不得一紫、公患之、管仲曰、君欲止之、何不試勿衣也、公謂左右曰、惡紫臭、公語三日、境內莫有衣紫者、【考證】中井積德曰、敗素、謂故弊白繒也、柯維騏曰、敗素雖無用、而齊染紫、則售重價、智者擧事、轉敗爲功、正類此也、董份曰、非言齊國困弊也、越王句踐棲於會稽、復殘彊吳而霸天下。此皆因禍爲福、轉敗爲功者也。今王若欲因禍爲福、轉敗爲功、則莫若挑霸齊而尊之。【正義】挑、田鳥反、執持也、【考證】策、挑作遙、中井積德曰、挑讀如字、使使盟於周室焚秦符曰。【正義】符、徵兆也、【考證】張照曰、符者節信也、張儀傳云、借宋之符、焚秦符者絕之也、楚世家云、齊折楚符而合于秦、解作徵兆、非、其大上計破秦、其次必長賓之。【索隱】長、音如字、賓爲擯、【正義】大好上計策、破秦、次計、長擯弃關西、秦挾賓以待破。秦王必患之。【考證】岡白駒曰、挾、帶也、挾賓、猶云被賓、秦五世伐諸侯。今爲齊下。秦王之志、苟得窮齊、不憚以國爲功。【考證】窮、困也、以國爲功、賭國求勝也、然則王何不使辯士以此若言說秦王。【考證】各本脫若字、今依楓三本補、曰。燕·趙破宋肥齊、

尊之爲之下者、燕·趙非利之也。燕·趙不利、而勢爲之者、以不信秦王也。然則王何不使可信者、接收燕·趙。令涇陽君·高陵君先於燕·趙。【集解】徐廣曰、高陵、馮翊高陵縣、【索隱】二人秦王母弟也、高陵君名顯、涇陽君名悝、秦有變、因以爲質、則燕·趙信秦。【考證】秦有變、謂秦背二國、秦爲西帝、燕爲北帝、趙爲中帝、立三帝以令於天下、【考證】楓、三本、立上有竝字、韓·魏不聽、則秦伐之、齊不聽、則燕·趙伐之、【考證】趙下、楓本有共字、三本有竝字、天下孰敢不聽。天下服聽、因驅韓·魏以伐齊曰。必反宋地、歸楚淮北。反宋地、歸楚淮北、燕·趙之所利也。竝立三帝、燕·趙之所願也。夫實得所利、尊得所願、燕·趙弃齊、如脫躧矣。【考證】躧、草履也、今不收燕·趙、齊霸必成。諸侯贊齊、而王不從、是國伐也。【考證】楓、三本、伐上有見字、岡白駒曰、伐、秦國受諸國之伐也、諸侯贊齊、

而王從之。是名卑也。今收燕・趙、國安而名尊。不收燕・趙、國危而名卑。夫去尊安而取危卑、智者不爲也。秦王聞若說、必若刺心然。[考證]刺心、言其切己、中井積德曰、然字句、 則王何不使辯士以此若言說秦。[考證]各本、若作苦、今從楓三本、王念孫曰、苦當爲若字之誤、此若言、猶言此言、連言此若者、古人自有複語耳、管子山國軌篇曰、此若言何謂也、地數篇曰、此若言可得聞乎、輕重丁篇曰、此若言曷謂也、墨子尚賢篇曰、此若言之謂也、禮記曾子問篇曰、子游之徒有庶子祭者、以此若義也、荀子儒效篇曰、此若義信乎人矣、皆竝用此若字、愚按、王說與楓三本合、 秦必取、齊必伐矣。夫取秦、厚交也。伐齊、正利也。尊厚交務正利、聖王之事也。燕昭王善其書曰。先人嘗有德蘇氏。[考證]謂資蘇秦合從、 子之之亂、而蘇氏去燕。燕欲報仇於齊、非蘇氏莫可。乃召蘇代、復善待之、與謀伐齊。竟破齊、湣王出走。[考證]齊伐宋以下、采燕策、燕破齊、在周赧王三十一年、 久之、秦召燕王。燕王欲往。蘇代約燕王曰。[考證]約、猶

止也、 楚得枳而國亡。[集解]徐廣曰、巴郡有枳縣、燕昭王三十三年、秦拔楚鄢西陵、[正義]枳、支是反、今涪州城在秦、枳縣在江南、西陵在黃州、[考證]枳、今四川涪陵縣、周赧王三十六年、秦拔楚鄢西陵、國亡、言失國都、 齊得宋而國亡。[正義]年表云、齊湣王三十八年、滅宋、四十年、五國共擊湣王、王走莒、[考證]滅宋、周赧王二十九年、齊湣王走莒、赧王三十一年、 齊・楚不得以有枳・宋而事秦者、何也。則有功者秦之深讎也。秦取天下、非行義也、暴也。秦之行暴、正告天下。[索隱]正告、謂顯然而告天下也、[正義]正、猶顯然、 告楚曰。蜀地之甲、乘船浮於汶、乘夏水而下江、五日而至郢。[集解]汶、眉貧反、[索隱]汶、音旻、卽江所出之岷山也、夏、音暇、謂夏潦之水盛長時也、[正義]汶、音泯、謂泯江從蜀而下、夏水、謂潦水、[考證]中井積德曰、汶字從水、當爲水名、蓋江之源頭名汶江也、卽作岷山、則不得言船浮也、張儀傳、起於汶山浮江以下、當倂考、張照曰、夏水、夏水之口、夏水通漢、亦通江、似不得以夏潦之水爲解也、愚按水經注江水條云、汶出徼外岷山西玉輪坂下而南行、又東逕其縣而東注於大江、汶、正義雖題得之、夏水、索隱仍是、張儀傳曰起於汶山者、以出軍之地言、本傳曰浮於汶者、以浮船之水言、郢、楚都、 漢中之甲、乘船出於巴、乘夏水而下漢、四日而至五渚。[集解]戰國策曰、秦與荊人戰、大破荊、襲郢、取洞庭五渚、然則

五渚在洞庭、[索隱]巴、水名、與漢水近、五渚、五處洲渚也、劉氏以爲宛鄧之閒、臨漢水、不得在洞庭、或說五渚卽五湖、與劉說不同也、[正義]巴嶺山、在梁州南一百九十里、周地志云、南渡老子水、登巴嶺山、南回記、大江此南是古巴國、因以名山、劉伯莊云、巴國、在漢水上、是、[考證]胡三省曰、自沔陽至上庸、皆漢中地、沔陽、今陝西沔縣、上陽、今湖北竹山縣、中井積德曰、巴、以水名爲本、山名此無所當、愚按五渚、楚地、水經注、湘沅資澧四水、同注洞庭、北會大江、名之五渚、 寡人積甲宛東下隨、[索隱]宛縣之東、而下隨邑、[正義]宛城、今鄧州南陽縣城、東下隨、今隨州、[考證]宛東、宛縣之東、宛、今河南南陽縣、下隨、隨邑名、今湖北隨縣、 智者不及謀、勇士不及怒、寡人如射隼矣。[索隱]按易曰、射隼于高墉之上、獲之無不利、秦王言我今伐楚、必當捷獲也、[正義]隼、若今之鶻、[考證]索隱單本、楓三本、無如字、策有、愚按無者語勁、今姑從各本、 王乃欲待天下之攻函谷、不亦遠乎。楚王爲是故十七年事秦。秦正告韓曰。我起乎少曲、[索隱]地名、近宜陽也、[正義]在懷州河陽縣西北、解在范雎傳、[考證]黃式三曰、少曲、沁水之曲、沁水一名少水、見徐氏碩記、 一日而斷大行。[正義]太行山、羊腸阪道、北過韓上黨也、 我起乎宜陽、而觸平陽、[正義]宜陽、平陽、皆韓大都也、隔河也、[考證]中井積德曰、宜陽本韓地、入秦、愚按秦拔宜陽、周赧王三十四年、平陽、今山西臨汾縣、韓墳墓所在、 二日而莫不盡繇。[索隱]音搖、搖動也、

[正義]繇、動也、[考證]寬永本標記引陸氏曰、繇、繇役也、言韓國莫不盡繇役也、愚按董份說同、似長、 我離兩周而觸鄭、五日而國擧。[索隱]離如字、謂屯兵以攡二周也、而乃觸擊于鄭、故五日國擧、擧、猶拔也、[正義]離、歷也、歷二周而東觸新鄭州、韓國都拔矣、[考證]中井積德曰、離、猶是離別之離、謂歷此而離去也、 韓氏以爲然、故事秦。秦正告魏曰。我擧安邑塞女戟、[索隱]女戟、地名、蓋在太行山之西、 韓氏太原卷。[索隱]劉氏卷、音軌免反也、按擧安邑塞女戟、及至韓氏之韓國宜陽也、太原者魏地、不至太原、亦無別名、太原者蓋太衍字也、原當爲京、京及卷、皆屬滎陽、是魏境、又下軹道、是河內軹縣、言道者亦衍字、徐廣云霸陵有軹道亭、非魏之境、其疏謬如此、[正義]卷、軌免反、劉伯莊云、太原、當爲太行、卷、猶斷絕、[考證]太原、趙地、中井積德曰、此告魏之辭、則韓氏二字、恐衍、或云、太原是時半入于韓、所以別于趙、卷、猶言席卷也、言取之易且速也、焦竑曰、按趙策、秦擧安邑而塞女戟、韓氏太原絕、正義以卷爲絕、本此、愚按依焦說韓氏二字、未必衍、 我下軹道・南陽・封・冀、[集解]徐廣曰、霸陵有軹道亭、河東皮氏有冀亭也、[索隱]按魏之南陽、卽河內也、封、封陵也、冀、冀邑、皆在魏境、故徐廣云、河東皮氏縣有冀亭、[正義]封冀既包兩周、其地合當在南陽之東、未詳處所、[考證]錢大昕曰、道非地名、蓋言下軹之後、取道南陽耳、梁玉繩曰、趙太常云、道字不必衍、當屬南陽封冀爲句、余攷竹書、顯王十一年、魏取軹道、則河內枳亦稱枳道也、愚按趙策云、秦下軹道、則南陽動、劫韓包周、則趙自銷鑠、則道字不衍、錢氏解爲取道、亦非、 包兩周、[集解]徐廣曰、張儀曰、下河東、取成皐也、[正義]兩周王

城及鞏、【考證】中井積德曰、集解當側、乘夏水浮輕舟、彊弩在前、錟戈在後。【集解】徐廣曰、錟之井反、【正義】劉伯莊云、音四廉反、利也、決滎口、魏無大梁。【索隱】滎澤之口、與今汴河口通、其水深、可以灌大梁、故云無大梁也、【正義】決滎澤之口、令河水灌大梁城、又按滎澤渠首、起滎澤縣西北二十里、決白馬之口、魏無外黃・濟陽。【索隱】白馬河津、在東郡、決其流以灌外黃及濟陽、【正義】白馬津、在滑州白馬縣北三十里、決之灌外黃濟陽、故黃城在曹州考城縣東二十四里、濟陽故城在曹州宛朐縣西南三十五里、【考證】白馬津、在今河南滑縣西、濟陽故城、在今河南蘭封縣東、策無外黃二字、決宿胥之口、【集解】徐廣曰、紀年云、魏救山塞集胥口、【索隱】按紀年作胥、蓋亦津之名、今其地不知所在也、【正義】淇水、出衞州淇縣界之淇口東、至黎陽入河、魏志云、武帝於淸淇口東、因宿胥故瀆、開白溝道、淸淇二水入焉、【考證】宿胥、在今河南濬縣西南遮害亭東、決河使北、以灌虛頓丘也、魏無虛・頓丘。【集解】徐廣曰、秦始皇五年、取魏酸棗燕虛長平、【索隱】虛邑名、地與酸棗相近、【正義】虛、謂殷墟、今相州所理是、頓丘故城、在魏州頓丘縣東北二十里、括地志云、二國地時屬魏、【考證】虛、邑名、卽殷墟、在今河南安陽縣北、頓丘故城、在今直隸淸豐縣西南、陸攻則擊河內、水攻則滅大梁。魏氏以爲然、故事秦。秦欲攻安邑、恐齊救之、則以宋委於齊曰。宋王無道、爲木人以

象寡人、射其面。【考證】各本、象作寫、恩田仲任曰、寫、當作象、象古字與寫相似、燕策作象、張文虎說同、愚按楓、三本、正作象、今依訂、李笠引秦始皇紀作寫爲是、參存、寡人地絕兵遠、不能攻也。王苟能破宋有之、寡人如自得之。已得安邑塞女戟、因以破宋爲齊罪。【索隱】秦令齊滅宋、仍以破宋爲齊之罪名、【正義】言秦已得安邑塞女戟、乃以破宋爲齊之罪名也、秦欲攻韓、恐天下救之、則以齊委於天下曰。齊王四與寡人約、四欺寡人。必率天下以攻寡人者三。有齊無秦、有秦無齊。必伐之、必亡之。已得宜陽・少曲、致藺・石、【考證】藺石、趙地、非韓地、此疑有誤、策同、因以破齊爲天下罪。【考證】桃源抄云、此上文所謂有功者秦之深讎也者、秦欲攻魏、重楚。【索隱】重、猶附也尊也、【正義】畏楚救魏、【考證】重、難也、正義是、下文重燕趙同、則以南陽委於楚曰。【正義】南陽、鄧州地、本韓地也、韓先事秦、今楚取南陽、故言與韓且絕矣、寡人固與韓且絕矣。殘均陵、塞鄳阸。【集解】鄳、音盲、徐廣曰、鄳、江夏鄳縣、均、一作灼、【索隱】均陵、在南陽、蓋今之均州、鄳、音盲、縣名、在江夏、【正義】均州故城、在隨

州西南五十里、蓋均陵也、又申州羅山縣、本漢鄳縣、申州有平淸關、蓋古鄳縣之阸塞、【考證】均陵、今湖北均縣、鄳隘卽黽塞、均陵鄳隘、均屬楚、南陽、入秦已久、亦非韓地、苟利於楚、寡人如自有之。魏弃與國而合於秦。因以塞鄳阸爲楚罪。【正義】與國、楚國也、【考證】徐孚遠曰、楚魏本與國、秦攻魏、畏楚救之、故以南陽委楚、楚有事南陽、不及救魏、魏棄楚而合秦、秦欲伐楚、卽以塞鄳阸爲罪也、兵困於林中、重燕・趙。【集解】徐廣曰、河南苑陵有林鄉、【考證】林中、今河南新鄭縣東、有故林鄉城、岡白駒曰、秦兵困於林中、以膠東委於燕、以濟西委於趙。【考證】膠東、今山東膠河以東、卽膠東道東境、濟西、今山東荷澤鄆城壽張等縣地、已得講於魏、【索隱】講、和也、解也、秦與魏和也、【考證】各本、已作趙、今從楓、三本、策亦作已、王念孫曰、言秦兵困於魏之林中、恐燕趙來擊、則以膠東委於燕、以濟西委於趙、已得講於魏、則又移兵而攻趙也、下文可證、至公子延、【索隱】至、當爲質、謂以公子延爲質也、【考證】楓、三本、至作質、蓋依正義本也、因犀首屬行而攻趙、【索隱】犀首、公孫衍、本魏將、因之以屬軍行、行、音胡郎反、謂連兵相續也、【正義】屬行、上燭、下胡郎反、兵傷於譙石、而遇敗於陽馬、而重魏。【索隱】按譙石陽馬、並趙地名、非縣邑也、【正義】譙石陽馬、未詳、【考證】張文虎曰、北宋本、譙石作離石、與策合、石下各本無而字、索隱本有、策陽馬作馬陵、則以葉・蔡委於魏。【考證】葉、今河南葉縣、蔡、

謂上蔡、今河南上蔡縣、已得講於趙、則劫魏不爲割。困則使太后弟穰侯爲和、贏則兼欺舅與母。【索隱】按贏、猶勝也、舅、穰侯魏冄也、母、太后也、【正義】贏、猶寬假也、【考證】贏當從貝、適燕者、曰以膠東、【索隱】適、音宅、適者責也、下同、【考證】岡白駒曰、以膠東爲罪也、適趙者、曰以濟西、適魏者、曰以葉・蔡、適楚者、曰以塞鄳阸、適齊者、曰以宋。此必令言如循環、用兵如刺蜚。【正義】刺、七賜反、猶過惡之人有罪、刺之則易也、言秦譴謫諸國、以兵伐之、若刺擧有罪之人、言易也、【考證】楓、三本、此必作必亡、蜚作非、二本近長、必亡、屬上句、言譴謫諸國、必亡之也、如循環、言其無窮、不可致詰也、非、茦屬、葉細長而扁、叢生、刺、采取也、刺非、猶言薙草、中井積德曰、蜚、飛同、飛蟲也、岡白駒曰、蜚蟲名、此皆依蜚字作解者、參存、母不能制、舅不能約。【考證】中井積德曰、是時太后與穰侯主斷、昭王同于不在位、戰和皆二人所爲、已曰使爲和、曰欺母舅、曰母不能制、舅不能約、並是誣說助吾辯者、可知其他亦多此類矣、崔適曰、母不能制、舅不能約八字、當移上文兼欺舅與母之下、愚按以文勢語氣推之、原文爲長、不必移易、崔說非是、龍賈之戰、【集解】魏襄王五年、秦敗我龍賈軍、【考證】周顯王三十九年、岸門之戰、【集解】韓宣惠王十九年、秦大破我岸門、【考證】周赧王元年、封陵之戰、【集解】魏哀王十六年、秦敗我封陵、【考證】周赧王十二

年、高商之戰、【集解】此戰事不見、趙莊之戰、【集解】趙肅侯十二年、趙莊與秦戰敗、秦殺趙莊河西、【考證】周頃四十一年、秦之所殺三晉之民數百萬。今其生者皆死秦之孤也。【考證】死於秦者之孤、西河之外、【正義】西河之外、謂同華等州也、上雒之地、謂商州也、二地先屬晉國也、三川、洛州、周都也、此三地全晉之時、秦朝夕攻伐、是晉國之禍敗也、【考證】晉國專指魏而言、與下三晉意稍有不同、上雒之地、三川晉國之禍、三晉之半、秦禍如此其大也。【索隱】以言西河之外、上雒之地、及三川晉國、皆是秦與魏戰之處、秦兵禍敗我三晉之半、是秦禍如此其大者乎、【正義】三晉、韓魏趙也、三晉之邊民被秦傷如此、其大之甚、【考證】方苞曰、西河上雒三川、皆秦所幷三晉之地也、晉國之被秦禍、幾亡失三晉之半也、而燕・趙之秦者、皆以爭事秦說其主。【索隱】燕趙之人往秦者、謂游說之士也、【正義】言燕趙之士、往秦者皆爭事秦、而却說燕趙之主也、【考證】方苞曰、之秦、謂奉使於秦者、此臣之所大患也。燕昭王不行。蘇代復重於燕。【正義】復、音□富反、重、直拱反、言燕更尊蘇代、燕使約諸侯從親、如蘇秦時。或從或不。而天下由此宗蘇氏之從約。代・厲皆以壽死。名顯諸侯。

【考證】秦召燕王以下、采燕策、

太史公曰。蘇秦兄弟三人、皆游說諸侯以顯名。其術長於權變。【索隱】按譙允南以爲蘇氏兄弟五人、更有蘇辟蘇鵠、典略亦同其說、按蘇氏譜云然、【考證】中井積德曰、辟、鵠、葢妄說耳、縱實有之、亦何足論、而蘇秦被反閒以死、【正義】閒、紀莧反、【考證】反閒下、添名字看、岡白駒曰、被、負也、帶也、言爲燕反閒齊也、天下共笑之、諱學其術。然世言蘇秦多異。異時事有類之者、皆附之蘇秦。夫蘇秦起閭閻、連六國從親。此其智有過人者。吾故列其行事、次其時序、毋令獨蒙惡聲焉。

【索隱】述贊、季子周人、師事鬼谷、揣摩既就、陰符伏讀、合從離衡、佩印者六、天王除道、家人扶服、賢哉代厲、繼榮黨族、

蘇秦列傳第九

史記六十九

史記會注考證卷七十

漢　太　史　令　司　馬　遷　撰
宋　中　郎　外　兵　曹　參　軍　裴　駰　集　解
唐　國　子　博　士　弘　文　館　學　士　司　馬　貞　索　隱
唐　諸　王　侍　讀　率　府　長　史　張　守　節　正　義
日　本　出　雲　瀧　川　資　言　考　證

張儀列傳第十　史記七十

考證 史公自序云、六國既從親、而張儀能明其說、復散解諸侯、作張儀列傳第十、淩約言曰、蘇秦欲六國合從以擯秦、則言其强、張儀欲六國爲橫以事秦、則言其弱、然而

六國之王、皆聳敬聽從、擧國而付之、未嘗有一語相折難者、何哉、皆憚秦之勢、惟求爲苟安計、故不暇自計其强弱、而或從或橫、一惟二子之是倚耳、不然六王非盡至愚者、其於土地之廣狹、人民之多寡、兵革財賦之所出、豈無一井然于衷、而何待疎遠游客爲吾借箸而籌哉、趙恆曰、代厲覬兒故事爲從、故附之秦傳、軫衍爲秦相而主衡、故附之儀傳、

張儀者、魏人也。集解 呂氏春秋曰、儀、魏氏餘子、索隱 按晉有大夫張老、又河東有張城、張氏爲魏人必也、而呂覽以爲魏氏餘子、則蓋魏之支庶也、又晉略說、餘子、謂庶子也、正義 左傳、晉有公族餘子公行、杜預云、皆官卿之嫡、爲公族大夫、餘子、嫡子之母弟也、公行、庶子、掌公戎行也、藝文志云、張子十篇、在縱橫流、考證 集解引呂覽報更篇、張子十篇今亡、始嘗與蘇秦俱事鬼谷先生學術。蘇秦自以。不及張儀。考證 韓非傳云、非與李斯俱事荀卿、斯自以爲不如非、事甚相似、而秦斯所以待故人者各殊、張儀已學而游說諸侯。索隱 說、音稅、嘗從楚相飮。已而楚相亡璧。門下意張儀。考證 意、猶疑也、梁孝王世家、天子意梁、曰。儀貧無行。必此盜相君之璧。共執張儀掠笞數百。不服。醳之。集解 醳、音釋、索隱 古釋字、考證 楓山、三條本、共下有拘字、楊愼曰、韓信傳、醳兵北首燕路、醳亦訓釋、其

妻曰。嘻、子毋讀書游說、安得此辱乎。索隱 嘻、音僖、鄭玄曰、嘻、悲恨之聲、考證 凌本、嘻作噫、譌、張儀謂其妻曰。視吾舌。尙在不。考證 藝文類聚引史、謂其妻作張口、其妻笑曰。舌在也。儀曰。足矣。蘇秦已說趙王、而得相約從親。索隱 從、音足容反、然恐秦之攻諸侯敗約後負。念莫可使用於秦者。乃使人微感張儀曰。子始與蘇秦善。今秦已當路。子何不往游、以求通子之願。張儀於是之趙、上謁求見蘇秦。蘇秦乃誡門下人不爲通。又使不得去者數日。已而見之、坐之堂下、賜僕妾之食。因而數讓之曰。索隱 按謂數設詞而讓之、讓亦責也、數、音朔、考證 王念孫曰、數讓如數之以王命之數、高注秦策曰、數、讓也、廣雅曰、數讓、責也、數讓連文、中井積德說同、以子之材能乃自令困辱至此。吾寧不能言而富貴子。子不足收也。謝去之。張儀之來也、自以爲故人求益。反見辱。

怒。念諸侯莫可事。獨秦能苦趙。考證 楓山、三條本、可下無事字、乃遂入秦。蘇秦已而告其舍人曰。張儀、天下賢士。吾殆弗如也。今吾幸先用。而能用秦柄者、獨張儀可耳。考證 楓山、三條本、無柄字、然貧無因以進。吾恐其樂小利、而不遂。故召辱之、以激其意。子爲我陰奉之。考證 使人隨張儀、又奉車馬金錢、以爲先容之計、自有恩意、與李斯贈以毒藥異、乃言趙王、發金幣車馬、使人微隨張儀、與同宿舍。考證 楓山、三條本、人上有舍字、稍稍近就之、奉以車馬金錢、所欲用爲取給而弗告。張儀遂得以見秦惠王。惠王以爲客卿、與謀伐諸侯。蘇秦之舍人乃辭去。張儀曰。賴子得顯、方且報德。何故去也。舍人曰。臣非知君。知君、乃蘇君。蘇君憂秦伐趙敗從約。以爲非君莫能得秦柄。故感怒君、使臣陰奉給

君資、盡蘇君之計謀。今君已用。請歸報。考證楓山、三條本、謀下有也字、　張儀曰。嗟乎、此在吾術中而不悟。考證術字、承上文學術、言吾所學之術也、與吾字在在上義殊、　吾不及蘇君明矣。吾又新用。安能謀趙乎。爲吾謝蘇君。蘇君之時、儀何敢言。且蘇君在、儀寧渠能乎。集解渠音詎、索隱渠、音詎、古字少假借耳、考證楓山三條本、爲吾作爲張儀、凌稚隆曰、戰國策竝不載楚相辱張儀、及蘇秦激之入秦事、愚按、呂覽報更篇云、張儀、魏氏餘子也、將西遊於秦、過東周、昭文君謂之曰、聞客之秦、寡人之國小、不以留客、雖遊然豈必遇哉、客或不遇、請爲寡人而一歸也、國雖小、請與客共之、張儀還走、北面再拜、張儀行、昭文君送而資之、張儀所德於天下者、無若昭文君、周千乘也、重過萬乘也、與史異、

張儀既相秦。考證梁玉繩曰、案儀爲相、在惠王十年、是時初用于秦也、非相也、此誤、中井積德曰、張儀相秦在伐蜀之後、此先提之以結前案、

爲文檄告楚相曰。集解徐廣曰、一作尺一之檄、索隱按徐廣云、一作丈二檄、王劭按春秋後語云、丈二尺檄、許愼云、檄二尺書、考證中井積德曰、檄何必有定度、不論可也、又丈二尺似太長、　始吾從若飲。我不盜而璧。若笞我。若善守汝國。我顧且盜而城。索隱若者汝也、下文而亦訓汝、考證顧炎武曰、書、汝黜乃心、言汝又言乃、詩、豈不爾受、既其女遷、言

爾又言女、左傳、爾用而先人之治命、言爾又言而、女喪而宗室、言女又言而、史記張儀傳、若善守汝國、我顧且盜而城、言若言汝、又曰而、皆互辭也、　苴・蜀相攻擊。集解徐廣曰、譙周曰、益州天苴、讀爲包黎之包、音與巴相近、以爲今之巴郡、索隱苴音巴、謂巴蜀之夷自相攻擊也、今字作苴者、按巴苴是草名、今論巴遂誤作苴也、或巴人巴郡、本因芭苴得名、所以其字遂以苴爲巴也、注、益州天苴、讀爲芭黎、天苴卽巴苴也、譙周蜀人也、知天苴之音讀爲芭黎之芭、按芭黎卽織木葺爲葦籬也、今江南亦謂葦籬曰芭籬也、正義華陽國志云、昔蜀王封其弟于漢中、號曰苴侯、因命之邑曰葭萌、苴侯與巴王爲好、巴與蜀爲讎、故蜀王怒伐苴、苴奔巴、求救於秦、秦遣張儀從子午道伐蜀、王自葭萌禦之敗績、走至武陽、爲秦軍所害、秦遂滅蜀、因取苴與巴焉、括地志云、苴侯都葭萌、今利州益昌縣五十里葭萌故城是、蜀侯都益州巴子城、在合州石鏡縣南五里、故墊江縣也、巴子都江州、在都之北、又峽州界也、考證恩田仲任曰、按水經注亦云、秦惠王遣張儀等救苴侯於巴、儀貪巴苴之富、因執其王以歸、而置巴郡焉、苴、巴爲二國審矣、

各來告急於秦。秦惠王欲發兵以伐蜀。以爲道險狹難至。而韓又來侵秦。考證楓山本、狹作陜、　秦惠王欲先伐韓後伐蜀、恐不利。欲先伐蜀、恐韓襲秦之敝。猶豫未能決。司馬錯與張儀爭論於惠王之前。索隱錯、七各反、又七故反、二音、考證後伐蜀下、楓山、三條本、有蜀亂二字、猶豫作猶與、　司馬錯欲伐

蜀。張儀曰。不如伐韓。王曰。請聞其說。儀曰。親魏善楚、下兵三川、塞什谷之口、集解徐廣曰、什、一作尋、成皋鞏縣有尋口、索隱一本作尋谷、尋什聲相近、故其名惑也、戰國策云、環轅緱氏之口、亦其地相近也、正義括地志云、溫泉水卽尋、源出洛州鞏縣西南四十里、注水經云、鄩城水、出北山鄩溪、又有故鄩城、在鞏縣西南五十八里、按洛州緱氏縣東南四十里、與鄩溪相近之地、考證三川、謂伊洛河三川、張文虎曰、凌本、什作斜、梁玉繩曰、索隱本作什谷、是湖本譌斜谷、策作轘轅緱氏之口、語雖不同、其地相近、一在河南鞏縣、一在緱氏縣東南、轘轅關、通鑑地理通釋曰、郡國志、鞏縣有尋谷水、徐廣云、什一作尋、成皋鞏縣有尋口、尋、什聲近、故其名異、水經注謂之洛汭、郡縣志謂之洛口、新序善謀亦作什谷、愚按百衲宋本、王本、毛本、皆作什谷、　當屯留之道、正義屯留、潞州縣也、道、卽太行羊腸阪道也、考證今山西屯留縣地、　魏絕南陽、正義南陽、懷州也、是當屯留之道、令魏絕斷壞羊腸、韓上黨之路也、考證韓地、今河南南陽縣、　楚臨南鄭、正義是塞斜谷之口也、令楚兵臨鄭南塞、轘轅鄩口、斷韓南陽之兵也、考證南鄭、韓地、今河南新鄭縣西北有古鄭城、　秦攻新城・宜陽、索隱此新城、當在河南伊闕之左右、正義洛州福昌縣也、考證今河南洛陽有新城古城、宜陽故城、在河南宜陽東、皆韓地、　以臨二周之郊、誅周王之罪、考證誅、討也、甘茂傳云、誅齊魏之罪、　侵楚・魏之地。周自知不能救、九鼎寶器必出。

據九鼎案圖籍、挾天子以令於天下、天下莫敢不聽。此王業也。考證儀說武王、亦有此言、見下文、蓋滅國先收其圖籍、自古而然、不始於蕭何、夏禹收九州之金、鑄爲九鼎、遂以爲傳國之寶、事詳于宣三年左傳及周策、周紀、

今夫蜀、西僻之國、而戎翟之倫也。考證策、倫作長、　敝兵勞衆、不足以成名。得其地、不足以爲利。考證兵、矛戟、　臣聞、爭名者於朝、爭利者於市。今三川、周室、天下之朝市也。而王不爭焉、顧爭於戎翟。去王業遠矣。索隱去王遠矣、王、音于放反、考證顧、反也、　司馬錯曰。不然。臣聞之、欲富國者、務廣其地、欲彊兵者、務富其民、欲王者務博其德。三資者備、而王隨之矣。考證兵、士卒、　今王地小民貧。故臣願先從事於易。考證楓山、三條本、王下有之字、與策合、　夫蜀、西僻之國也、而戎翟之長也。有桀・紂之亂。以秦攻之、譬如使豺狼逐羣羊。得其地、足以廣國。取其

財、足以富民繕兵。不傷衆而彼已服焉。[索隱]取其財、戰國策、取作得、[正義]繕、音膳、同饍、具食也、[考證]凌稚隆曰、繕與左傳繕甲兵之繕同、治也、正義非是、拔一國、而天下不以爲暴。利盡西海、而天下不以爲貪。[索隱]西海、謂蜀川也、海者珍藏所聚生、猶謂秦中爲陸海然也、其實西亦有海也、[正義]海之言晦也、西夷晦昧無知、故言海也、言利盡西方羌戎、[考證]策、西海作四海、中井積德曰、盡西海、謂西方盡地域也、地以海爲限、此甚言之也、漢人常稱有四海之內、其實漢之土、唯東西有海、而西北無海、只是二海而已、要之勿以文害意可也、是我一舉而名實附也。[索隱]按名、謂傳其德也、實、謂土地財寶、而又有禁暴止亂之名。[考證]楓山、三條本、止作正、與策合、黃式三曰、而又一句、當在是我句上、愚按據黃說、名字不費解、亦與下文合、今攻韓劫天子、惡名也。而未必利也。又有不義之名。而攻天下所不欲、危矣。臣請謁其故。[索隱]論者告也、陳也、故謂陳不宜伐之端由也、[考證]各本、謁作論、今從楓山、三條本、王念孫曰、秦策及新序善謀篇、論作謁、謁、告也、疑史記亦作謁、故索隱云、告也、論字、古無訓爲告也、周、天下之宗室也。齊、韓之與國也。[考證]策作韓齊、周之與國也、田汝成曰、齊字恐衍、當云韓、周之與國也、愚按史衍齊字、韓下奪周字、周自知失九鼎、

韓自知亡三川、[正義]韓自知亡三川、故與周并力合謀也、將二國并力合謀、以因乎齊・趙、而求解乎楚・魏、以鼎與楚、以地與魏。王弗能止也。此臣之所謂危也。不如伐蜀完。[考證]楓山、三條本、無完字、策、完上有之字、惠王曰。善。寡人請聽子。卒起兵伐蜀。十月取之。[索隱]六國年表、在惠王二十二年十月也、[正義]表云、秦惠王後九年十月、擊滅之、[考證]策、上不記年、十月、攻戰亘十月也、與史義異、錢大昕曰、據秦本紀及年表、伐蜀乃惠王後九年事、此傳敘于惠王十年以前、誤以爲前九年矣、梁玉繩說同、遂定蜀、貶蜀王、更號爲侯。[考證]紀表竝云、擊蜀滅之、與此異、而使陳莊相蜀。蜀既屬秦、秦以益彊、富厚輕諸侯。[考證]司馬錯與張儀以下、采秦策、秦惠王十年、使公子華與張儀圍蒲陽降之。[集解]徐廣曰、華一作革、[索隱]蒲陽、魏邑名也、[正義]在隰州隰川縣、蒲邑故城是也、[考證]蒲陽、山西隰州、表、華作桑、儀因言秦、復與魏、而使公子繇質於魏。儀因說魏王曰。秦王之遇魏甚厚。魏不可以無禮。[考證]楓山、三條本、甚厚作厚甚、

魏因入上郡・少梁謝秦惠王。[考證]梁玉繩曰、案紀表及魏世家、是年入上郡于秦、無少梁二字、魏之少梁、已于秦孝公八年取之矣、此時尚安得少梁乎、與表言秦惠八年魏入少梁同誤、上郡、陝西延安府、惠王乃以張儀爲相。更名少梁曰夏陽。[集解]徐廣曰、夏陽、在梁山龍門、[索隱]音下、夏、山名也、亦曰大夏、是蜀所都、[正義]少梁城、同州韓城縣南二十三里、夏陽城、在縣南二十里、梁山、在縣東南十九里、龍門山、在縣北五十里、[考證]梁玉繩曰、案秦紀、更名在惠王十一年、少梁、陝西同州府韓城縣、儀相秦四歲、立惠王爲王。[正義]表云、惠王之十三年、周顯王之三十四年也、居一歲、爲秦將取陝、築上郡塞。[考證]陝、河南陝州、其後二年、使與齊・楚之相會齧桑。[考證]梁玉繩云、案紀表及魏與田完世家、齧桑之會、在取陝之明年、此云後二年誤、又但舉齊楚而不及魏、吳熙載曰、齧桑、當在今河南歸德府及安徽潁州府蒙城縣間、東還而免相。相魏以爲秦。[考證]三條本、東作來、楓山三條二本、秦下有故、欲令魏先事秦、而諸侯效之。魏王不肯聽儀。秦王怒、伐取魏之曲沃・平周、復陰厚張儀益甚。[考證]今河南陝縣有曲沃故城、非晉都曲沃、平周、今山西介休縣、張儀慙無以歸報。畱魏四歲、而魏

襄王卒、哀王立。[考證]梁玉繩曰、案襄當作惠、哀當作襄、下哀王同、愚按、說在魏世家、張儀復說哀王。哀王不聽。於是張儀陰令秦伐魏。魏與秦戰敗。明年、齊又來敗魏於觀津。[集解]觀、音貫、[考證]觀津、當作觀澤、說在魏世家、秦復欲攻魏、先敗韓申差軍、斬首八萬、諸侯震恐。[考證]說在秦紀、而張儀復說魏王曰。魏地方不至千里、卒不過三十萬、地四平、諸侯四通輻湊、[考證]楓山、三條本、四平下有易字、策、四通下、有條達二字、無名山大川之限。從鄭至梁、二百餘里、[考證]張照曰、案策、作從鄭至梁、不過百里、從陳至梁二百餘里、此有脫誤、通鑑地理通釋曰、九域志、鄭州至東京、一百四十里、陳州至東京二百四十五里、當以策爲正、車馳人走、不待力而至梁。[考證]待力、楓山本作持勵、三條本、作持刀、策作倦力、南與楚境、西與韓境、北與趙境、東與齊境、卒戍四方守亭鄣者不下十萬。[考證]梁玉繩曰、策云、守亭障者參列、粟糧漕庾不下十萬、此亦脫缺、愚按、他國境、或有山川關塞、惟梁無之、所以卒戍四方、守亭鄣、塞上要險處、築牆置亭、使人守之也、

梁之地勢固戰場也。梁南與楚而不與齊、則齊攻其東。東與
齊而不與趙、則趙攻其北。不合於韓、則韓攻其西。不親於楚、
則楚攻其南。此所謂四分五裂之道也。且夫諸侯之爲從者、
將以安社稷、尊主彊兵顯名也。今從者一天下、約爲昆弟、刑
白馬以盟洹水之上以相堅也。【集解】洹、音桓、【考證】洹水、源出河南林縣隆慮山、逕安陽至內黃入衞水、
而親昆弟同父母、尙有爭錢財。而欲恃詐僞反覆蘇秦之餘
謀、其不可成亦明矣。大王不事秦、秦下兵攻河外、【索隱】河之西、卽曲沃平周之邑等、【正義】河外、卽卷衍燕酸棗、
據卷·衍·燕·酸棗、【集解】卷、丘權反、衍、以善反、【索隱】卷縣、在河南、衍、地名、【正義】卷、衍、屬鄭州、燕、滑州胙城縣、酸棗屬滑州、皆黃河南岸地、【考證】各本衍下脫燕字、依楓山三條二本、及正義補、策亦有卷、魏邑、在今河南原武縣、燕卽南燕、故城在今河南延津縣東北、酸棗故城、在今延津縣北、衍故城、在今河南鄭縣北、
劫衞取陽晉、【正義】故城、在曹州乘氏縣西北三十七里、【考證】陽晉、衞邑、故城、在今山東曹縣北、策、

譌作晉陽、則趙不南。趙不南、而梁不北。梁不北、則從道絕。【考證】策、而作則、崔適曰、梁不北三字、當移上趙不南之下、
從道絕、則大王之國欲毋危不可得也。【考證】陳文燭曰、主從者趙、不言其他、
秦折韓而攻梁、【索隱】戰國策、折作挾也、【考證】王念孫曰、折讀爲制、言韓爲秦所制、不得不與之共攻梁也、制、折、古字通、愚按、折猶制也、不必改字、
韓怯於秦、秦·韓爲一、梁之亡可立而須也。此
臣之所爲大王患也。爲大王計、莫如事秦。事秦則楚·韓必不
敢動。無楚·韓之患、則大王高枕而臥、國必無憂矣。【正義】枕、針鴆反、
且夫秦之所欲弱者、莫如楚。而能弱楚者、莫如梁。楚雖有富
大之名、而實空虛。其卒雖多、然而輕走易北、不能堅戰。【考證】楓山、三條本、雖下有衆字、與策合、
悉梁之兵南面而伐楚、勝之必矣。【考證】楓山、三條本、無楚字、割
楚而益梁、虧楚而適秦、嫁禍安國、此善事也。【考證】楓山、三條本、無割楚而益梁五字、

適、猶歸也、大王不聽臣、秦下甲士而東伐。雖欲事秦、不可得矣。且
夫從人多奮辭而少可信。【考證】從人、主合從之人、奮辭、猶大言也、說一諸侯而成封
侯。是故天下之游談士、莫不日夜搤腕瞋目切齒、以言從之
便以說人主。人主賢其辯而牽其說、豈得無眩哉。【考證】策、賢作覽、史文爲勝、
臣聞之、積羽沈舟、羣輕折軸、衆口鑠金、積毀銷骨。【考證】楓山、三條本、無積毀銷骨四字、與策合、同語中用二積字、不文、無四字爲長、國語周語、伶州鳩引諺曰、衆心成城、衆口鑠金、史記鄒陽傳、鄒陽上梁孝王書云、何則衆口鑠金、積毀銷骨也、漢書中山靖王傳、聽樂對亦云、衆口鑠金、積毀銷骨、蓋古有此語、故曰聞之、
故願大王審定計議。且賜骸骨辟
魏。【考證】楓山、三條本、議下、且上、有儀字、骸骨、猶言身體、項羽紀、願賜骸骨歸卒伍、策、無且賜骸骨辟魏六字、蓋史公補足、哀王於是乃倍
從約、而因儀請成於秦。【考證】張儀復說魏王曰以下、采魏策、策云、魏王曰、寡人惷愚、前計失之、請稱東藩、築帝宮、受冠帶、祠春秋、效河外、
張儀歸復相秦。三歲而魏復背秦爲從。秦攻魏取曲沃。

明年、魏復事秦。秦欲伐齊。齊·楚從親。於是張儀往相楚。【考證】相字疑衍、與下文乃以相印授張儀複、
楚懷王聞張儀來、虛上舍而自館之曰。此僻陋
之國、子何以敎之。【考證】中井積德曰、館、謂就館見客也、儀說楚王曰。大王誠能聽
臣、閉關絕約於齊、臣請獻商·於之地六百里、【索隱】劉氏云、商卽今之商州、有古商城、其西二百餘里、有古於城、【正義】商於二邑、解在商君傳、【考證】又見楚世家、
使秦女得爲大王箕帚之妾。秦·
楚娶婦嫁女、長爲兄弟之國。此北弱齊而西益秦也。計無便
此者。【考證】楚世家、秦策、益作德、義長、楚王大說而許之。羣臣皆賀。陳軫獨弔之。
楚王怒曰。寡人不興師發兵、得六百里地。羣臣皆賀、子獨弔。
何也。【考證】爲下文陳軫傳張本、陳軫對曰。不然。以臣觀之、商·於之地不可得、
而齊·秦合。齊·秦合、則患必至矣。楚王曰。有說乎。陳軫對曰。夫

秦之所以重楚者、以其有齊也。今閉關絕約於齊、則楚孤。秦奚貪夫孤國、而與之商・於之地六百里。【考證】楚世家、秦策、貪作重、義長、張儀至秦、必負王。是北絕齊交、西生患於秦地。而兩國之兵必俱至。善爲王計者、不若陰合而陽絕於齊。【考證】楓山、三條本、善作蓋、使人隨張儀、苟與吾地絕齊、未晚也。不與吾地、陰合謀計也。楚王曰、願陳子閉口、毋復言、以待寡人得地。【考證】凌稚隆曰、閉口爲後發口張本、乃以相印授張儀、厚賂之。於是遂閉關絕約於齊、使一將軍隨張儀。張儀至秦、詳失綏墮車、不朝三月。【正義】詳、音羊、【考證】詳、佯也、綏、挽以上車之索也、策但云稱病不朝、史公別有依也、楚王聞之曰、儀以寡人絕齊未甚邪。乃使勇士至宋、借宋之符、北罵齊王。【考證】梁玉繩曰、案此語可疑、罵齊何必用符、而楚自有符、亦何必借宋符乎、張文虎曰、借宋之符句、當有誤、楚世家作乃使勇士宋遺北辱齊王、折楚符而合于秦、則所使勇士、姓宋、名遺耳、胡三省曰、既閉關絕約、則齊楚之信使不通、故使借宋符以至齊、愚按、胡說爲長、說又見楚世家、

齊王大怒、折節而下秦。秦・齊之交合。張儀乃朝、謂楚使者曰、臣有奉邑六里。願以獻大王左右。楚使者曰、臣受令於王、以商・於之地六百里。不聞六里。【考證】楓山、三條本、令作命、御覽引史亦同、還報楚王。楚王大怒、發兵而攻秦。陳軫曰、軫可發口言乎。攻之、不如割地反以賂秦、與之幷兵而攻齊。【考證】楓山、三條本、攻之下、有不可二字、凌稚隆曰、發口應上閉口、是我出地於秦、取償於齊也。王國尚可存。楚王不聽。【考證】儀說楚王以下、采秦策、李東陽曰、按楚世家亦載此、敍事同、而文法異、宜竝觀之、余有丁曰、按蘇秦說六國、自是實事、張儀全是欺詐反覆、觀其說楚可知也、卒發兵、而使將軍屈匄擊秦。秦・齊共攻楚、【考證】梁玉繩曰、案此仍秦策、各處不言齊共攻也、大事記云、蓋齊恐楚而助秦耳、斬首八萬、殺屈匄、遂取丹陽・漢中之地。【集解】徐廣曰、丹陽、在枝江、漢中、今梁州也、在漢水北、【正義】【考證】丹

陽、今河南內鄉縣、胡三省曰、自沔陽至上庸、皆漢中地、沔陽、今陝西沔縣、上庸、今湖北竹山縣、楚又復益發兵、而襲秦至藍田大戰。楚大敗。【正義】藍田縣、在雍州東南八十里、從藍田關入藍田縣、時楚襲秦深入、【考證】取漢中之地以下、采秦策、藍田故城、在陝西藍田縣西、於是楚割兩城、以與秦平。【考證】梁玉繩曰、案藍田之戰、各處皆無割城事、恐非實、秦要楚、欲得黔中地、欲以武關外易之。【正義】要、音腰、武關外、卽商於之地、【考證】楓山、三條本、秦下有乃字、黔中、楚地、今湖南辰沅道及武陵道皆是、梁玉繩曰、楚世家、屈原傳言分漢中、說在世家、楚王曰、不願易地、願得張儀而獻黔中地。秦王欲遣之、口弗忍言。【考證】楓山、三條本、遣作與、張儀乃請行。惠王曰、彼楚王怒子之負以商・於之地。【考證】楓山、三條本、楚下無王字、是且甘心於子。【考證】甘心、快其意也、莊九年左傳、管召讎也、請受而甘心焉、張儀曰、秦彊楚弱。臣善靳尚。尚得事楚夫人鄭袖。袖所言皆從。且臣奉王之節使楚。楚何敢加誅。假令誅臣、而爲秦得黔中之地、臣之上願。遂使楚。楚

懷王至則囚張儀、將殺之。靳尚謂鄭袖曰、子亦知子之賤於王乎。鄭袖曰、何也。靳尚曰、【考證】楓山、三條二本、靳尚下、有爲儀二字、義長、鄭袖曰下、無子亦知子之賤王乎鄭袖曰何也靳尚曰十七字、秦王甚愛張儀、而不欲出之。【索隱】按不字當作必、時張儀爲楚所囚、故必欲出之也、【正義】秦王不欲出張儀使楚、若欲自行、今秦欲以上庸地及美人贖儀、【考證】索隱是也、策無不字、今將以上庸之地六縣賂楚、【正義】上庸、今房州也、【考證】上庸、見上文漢中注、以美人聘楚、【考證】策云、秦王有愛女而美、欲內之楚王、以宮中善歌謳者爲媵。【考證】古者諸侯嫁女、以姪娣送女曰媵、後世陪嫁之妾亦曰媵、楚王重地尊秦。【考證】梁玉繩曰、案此乃靳尚對鄭袖語、不應稱楚王、下文張儀說懷王述漢中之戰、亦曰楚王大怒、蓋史公仍國策、未及改之、吳師道謂後人追書、非、徐孚遠曰、當言大王、言楚王、誤、秦女必貴、而夫人斥矣。不若爲言而出之。於是鄭袖日夜言懷王曰、人臣各爲其主用。今地未入秦。秦使張儀來、至重王。王未有禮、而殺張儀、秦必大怒攻楚。妾請子母俱遷江南、毋

爲秦所魚肉也。【考證】魚肉任人宰割、因以喩被人屠戮、或陵踐之意、項羽紀、人方爲刀俎、我爲魚肉、懷王後悔、赦張儀、厚禮之如故。【考證】至則四張儀以下、本楚策、中井積德曰、據下文、楚是時終不割黔中也、張儀既出、未去、聞蘇秦死、【索隱】按此時當秦惠王之後元十四年、【考證】崔適曰、案六國表、是爲周赧王四年、秦惠王後十四年、楚懷王十八年、韓襄王元年、齊湣王十三年、趙武靈王十五年、燕昭王元年也、中井積德曰、是時蘇秦死已十年矣、今如始聞其死者、何也、梁玉繩曰、聞蘇秦死四字當削、愚按此應上文蘇君之時儀何敢言、史文不可無此四字、但其事則失實也、乃說楚王曰。秦地半天下、兵敵四國、被險帶河、四塞以爲固、虎賁之士百餘萬、車千乘、騎萬匹、【考證】虎賁之士、勇士也、賁音奔、積粟如丘山、法令既明、士卒安難樂死、主明以嚴、將智以武、雖無出甲、席卷常山之險、必折天下之脊。【索隱】按常山於天下在北、有若人之背脊也、【正義】古之帝王多都河北河東故也、【考證】出甲下、添其勢二字看、席卷、收之如捲席、言易也、常山、卽恆山、亦曰北嶽、在今直隸曲陽縣西北、與太行山相連、故曰、折天下之背、王念孫曰、雖讀曰唯、唯雖古通、此承上文、言秦兵之彊如是、是唯無出甲、出甲則席卷常山而折天下之脊也、不更言出甲者、蒙上文而省也、愚按、雖字未必讀爲唯、天

下有後服者先亡。【考證】策、無有字、且夫爲從者、無以異於驅羣羊而攻猛虎。虎之與羊不格明矣。【考證】格、當也、敵也、今王不與猛虎而與羣羊。臣竊以爲大王之計過也。凡天下彊國非秦而楚。非楚而秦。【考證】而、猶則也、下文、非菽而麥、非菽則麥也、說具于王氏經傳釋詞、兩國交爭、其勢不兩立。大王不與秦、秦下甲據宜陽、韓之上地不通。下河東取成皐、韓必入臣。梁則從風而動。【正義】上地、上郡之地、【考證】河東、今山西河東道、今河南汜水縣西北有成皐故城、秦攻楚之西、韓・梁攻其北、社稷安得毋危。且夫從者聚羣弱而攻至彊、不料敵而輕戰、國貧而數擧兵。危亡之術也。臣聞之、兵不如者勿與挑戰、粟不如者勿與持久。【正義】挑、田烏反、夫從人飾辯虛辭、高主之節、【考證】策、節下有行字、高不事秦之節也、言其利、不言其害。卒有秦禍無

及爲已。【正義】卒、忽勿反、是故願大王之孰計之。秦西有巴・蜀。大船積粟、起於汶山、浮江以下、至楚三千餘里。【正義】汶、音泯、【考證】汶山、卽岷山、在今四川茂縣、西、蘇秦傳云、蜀地之甲、乘船浮於汶、乘夏水而下、五日而至郢、卽此事、起於汶山者、以發軍之地言、楚斥郢都、舫船載卒、【索隱】舫船、舫音方、謂竝兩船也、亦音舫、【考證】楓山、三條本、索隱本、舫作枋、楚策作方、竝船也、一舫載五十人與三月之食、下水而浮、【考證】策、食作糧、中井積德曰、下水而浮、疑當作浮水而下、一日行三百餘里。里數雖多、然而不費牛馬之力、【考證】策、牛馬作馬汗、史義長、不至十日而距扞關。【集解】徐廣曰、巴郡魚復縣、有扞水關、【索隱】扞關、在楚之西界、復、音伏、按地理志、巴郡有魚復縣、【正義】在硤州巴山縣界、【考證】距、至也、張文虎曰、王、柯、凌本作拒、愚按、策作距、扞關在今湖北長陽縣西、扞關驚、則從境以東盡城守矣。【考證】策、境作竟、下有陵字、史文誤脫、竟陵、今湖北天門縣、城守者、修守備也、黔中・巫郡、非王之有。【考證】策、有下有已字、秦擧甲出武關、南面而伐、則北地絕。【正義】楚之北境斷絕、非謂幽州北地也、【考證】北地、謂河南信陽以北、秦兵之攻楚也、危難在三月之內。

而楚待諸侯之救、在半歲之外。此其勢不相及也。夫待弱國之救、忘彊秦之禍。【考證】策、夫待作夫恃、王念孫曰、待當作恃、今作待者、涉上文而誤、此臣所以爲大王患也。【考證】楓山、三條本、無以字、與通鑑合、可從、大王嘗與吳人戰、五戰而三勝、陣卒盡矣。【考證】徐孚遠曰、懷王時、吳之屬楚久矣、安得與吳人五戰、此言誤、偏守新城、存民苦矣。【索隱】偏、匹連反、此云新城、當在吳楚之閒、【正義】新攻得之城、未詳所在、【考證】策、存民作居民、義長、臣聞功大者易危、而民敝者怨上。夫守易危之功、而逆彊秦之心。臣竊爲大王危之。且夫秦之所以不出兵函谷十五年、以攻齊・趙者、陰謀有合天下之心。【集解】徐廣曰、合一作呑、【考證】策、齊趙作諸侯、合作呑、中井積德曰、十五年錯文、當在齊趙下、吳師道曰、前二年五年六年、皆有攻趙之事、而攻齊則無之、若云不攻齊、則猶可通也、愚按不出兵函谷十五年、前人多疑之者、說見蘇秦傳、楚嘗與秦構難、戰於漢中。楚人不勝、列侯執珪、死者七十餘人。遂亡漢中。【索隱】其地在秦南山之南、楚之西北、漢水之北、名曰漢

中、楚王大怒、興兵襲秦、戰於藍田。【考證】策、藍田下有又郤二字、此缺、戰於藍田見上文、楚王當言大王、此所謂兩虎相搏者也。【集解】徐廣曰、搏、或音戟、【正義】搏、音博、猶戟也、【考證】王引之曰、搏、本作據、徐廣音戟、正是據字之音、御覽引楚策、搏作據、據讀若戟、謂兩虎相揭持也、呂后紀見物如蒼犬、據高后掖、據字徐音戟、正與此同、老子曰、猛獸不據、攫鳥不搏、鹽鐵論擊之篇曰、虎兕相據、而螻蟻得志、皆其證也、愚按搏字義自通、不必改作據、夫秦・楚相敝、而韓・魏以全制其後。計無危於此者矣。願大王孰計之。秦下甲攻衛陽晉、必大關天下之匈。【集解】徐廣曰、關、一作開、【索隱】攻衛陽晉大關天下胷、夫以常山爲天下脊、則此衛及陽晉當天下胷、蓋其地是秦晉齊楚之交道也、以言秦兵據陽晉、是大關天下胷、則他國不得動也、【正義】陽晉、在曹州乘氏縣、與濮滑相近、皆衛地、常山爲天下脊、陽晉爲天下胸、【考證】陽晉、衛地、在今山東曹縣北、必大二字、衍其一、索隱本無必字、關扃也、大王悉起兵以攻宋、不至數月而宋可舉。舉宋而東指、則泗上十二諸侯、盡王之有也。【索隱】謂邊近泗水之側、當戰國之時有十二諸侯、宋魯邾莒之比也、凡天下而以信約從親相堅者蘇秦。封武安君相燕。【考證】楓山、三條本、而作所、義長、策、封下

有爲字、卽陰與燕王謀伐破齊而分其地、乃詳有罪、出走入齊。齊王因受而相之。【考證】詳、佯同、居二年而覺。齊王大怒、車裂蘇秦於市。【考證】梁玉繩曰、按秦傳、爲燕敝齊之計、覺于死後、而秦爲人所刺、設計得賊、豈因謀齊事覺車裂乎、吳師道謂儀借事爲說、破從親也、下說趙同、夫以一詐僞之蘇秦、而欲經營天下、混一諸侯。其不可成亦明矣。【索隱】混、本作棍、同、胡本反、今秦與楚接境壤界。固形親之國也。【考證】桃源抄引陸氏曰、形親、謂形勢相親也、愚按接境壤界、見吳起蘇秦傳、大王誠能聽臣、臣請使秦太子入質於楚、楚太子入質於秦。請以秦女爲大王箕帚之妾、效萬室之都、以爲湯沐之邑、【考證】箕帚之妾、解見高紀、湯沐之邑、以其地賦稅、共湯沐之具、長爲昆弟之國、終身無相攻伐。臣以爲計無便於此者。【考證】乃說楚王以下、采楚策、於是楚王已得張儀、而重出黔中地與秦、欲許之。【考證】胡三省曰、重、難也、以地爲重、意難割弃之、屈原

曰。前大王見欺於張儀。張儀至、臣以爲大王烹之。今縱弗忍殺之、又聽其邪說。不可。懷王曰。許儀而得黔中、美利也。後而倍之不可。【考證】楓山、三條本、倍之下、無不可二字、義長、言今姑聽之、後而倍之、策不言屈原事、不獨策、先秦之書、絕無記屈原事者、說具于本傳、故卒許張儀、與秦親。張儀去楚、因遂之韓、說韓王曰。韓地險惡山居。五穀所生、非菽而麥。【考證】而猶則也、民之食、大抵飯菽藿羹。【考證】楓山、三條本、飯上有豆、與策合、王念孫曰、飯菽當作菽飯、菽飯藿羹、相對爲文、韓策作豆飯、豆亦菽也、姚宏校韓策引春秋後語、亦作菽飯、愚按藿、豆葉也、楓三二本、衍菽字、一歲不收、民不饜糟糠。地不過九百里。無二歲之食。【考證】梁玉繩曰、案蘇秦傳曰、韓地方九百里、策作千里、而此云不過九百里、策作不滿九百、史仍游士之言、故不同也、料大王之卒、悉之不過三十萬。而廝徒負養在其中矣。【索隱】廝、音斯、謂襍役之賤者、負養、謂負檐以給養公家、亦賤人也、【考證】中井積德曰、廝、謂伐薪者、養、謂炊爨也、亦軍中之事、除守徼亭鄣塞、見卒不過二十萬而已矣。秦

帶甲百餘萬、車千乘、騎萬匹、虎賁之士、跿跔科頭、【集解】跿跔、音徒俱、跳躍也、又云、偏舉一足曰跿跔、科頭、謂不著兜鍪入敵、【索隱】跿跔、音徒俱二音、跔又音劬、劉氏云、謂跳躍也、又韻集云、偏舉一足曰跿跔、戰國策曰、虎摯之士、跿跔科頭、謂不著兜鍪、貫頤奮戟者、至不可勝計。【集解】奮戟、言執戟奮怒而入陳也、【索隱】貫頤、謂兩手捧頤而直入敵、言其勇也、奮戟、謂又有執戟者、奮怒而趨入陣、【正義】貫頤、劉伯莊云、以兩手捧面、直入敵、言其勇也、奮戟、奮怒而趨戰、【考證】中井積德曰、跿跔、猶徒跣也、跿字他書無所見、蓋徒字、跔字可因而推焉、貫頤不可曉、奮戟、是奮揮戈戟也、非奮怒、王引之曰、貫讀爲彎、彎弓之彎、史記伍子胥傳、伍胥貫弓執矢嚮使者、索隱、劉氏音貫爲彎、謂滿張弓也、陳涉世家贊、士不敢貫弓而報怨、漢書作彎、是貫卽彎也、頤、弓名也、廣韻作弳、云、弓名、出韻略、古無弳字、借頤爲之耳、彎弓奮戟、事同一類、秦馬之良、戎兵之衆、【考證】楓山本、戎兵作戎馬、張文虎曰、上下皆言馬、戎兵之衆一句雜出、且上文已言之矣、疑衍、探前趹後【索隱】謂馬前足探向前、後足趹於後、趹、音烏穴反、趹、謂後足抉地、言馬之走勢疾也、蹄間三尋騰者不可勝數。【索隱】按七尺曰尋、言馬走之疾、前後蹄閒一擲過三尋也、【正義】七尺曰尋、馬蹄間有二丈一尺、亦疾也、【考證】楓山、三條本、無騰字、策有、山東之士、被甲蒙冑以會戰、秦人捐甲徒裼以趨敵、【索隱】徒者、徒跣也、裼、祖也、謂祖而見肉也、【正義】徒、跣、裼、祖也、言六國之卒、皆著甲及兜□而戰、秦人

弃甲徒跣、袒肩而戰、【考證】中井積德曰、徒裼、一意、徒者不服甲冑之謂也、非論足、裼、開衣前也、左挈人頭、右挾生虜。夫秦卒與山東之卒、猶孟賁之與怯夫、以重力相壓、猶烏獲之與嬰兒。夫戰孟賁·烏獲之士、以攻不服之弱國、【考證】楓山、三條本、無夫戰孟賁烏獲之士八字、無異垂千鈞之重於鳥卵之上。必無幸矣。【考證】楓山、三條本、脫無幸矣三字、夫羣臣諸侯、不料地之寡、而聽從人之甘言好辭、比周以相飾也、皆奮曰、聽吾計可以彊霸天下。【考證】楓山、三條本、羣下無臣字、此疑衍、策無羣臣二字、聽字管到可以彊霸天下、夫不顧社稷之長利、而聽須臾之說、詿誤人主、無過此者。【考證】楓山、三條本、人作其、詿、音卦、大王不事秦、秦下甲據宜陽、斷韓之上地。【考證】御覽、大王下有今字、楓山、三條本、上下有黨字、策、無、歸有光曰、韓近秦、故直言下甲據宜陽、上地、卽上黨之地、東取成皋·滎陽、則鴻臺之宮、桑林之苑、非王之有也。【集解】徐廣曰、桑、一作栗、【索隱】按此皆韓之宮苑、亦見戰國策、【考證】

御覽、王上有大字、張儀說楚王曰、黔中巫郡、非王有、說韓王曰、鴻臺之宮、桑林之苑、非王有、說齊王曰、臨菑卽墨、非王之有也、說燕王曰、易水長城、非大王之有也、皆以威喝之、以勢制之、儀之術止於此、夫塞成皋、絕上地、則王之國分矣。先事秦則安、不事秦則危。夫造禍而求其福報、計淺而怨深、逆秦而順楚、雖欲毋亡、不可得也。故爲大王計、莫如爲秦。【集解】爲、于僞反、秦之所欲、莫如弱楚。而能弱楚者莫如韓。非以韓能彊於楚也。其地勢然也。【考證】經傳釋詞云、以猶謂也、今王西面而事秦以攻楚、秦王必喜。夫攻楚以利其地、轉禍而說秦。計無便於此者。韓王聽儀計。【考證】說韓王以下、采韓策、策云、韓王曰、客幸而敎之、請比郡縣、築帝宮、祠春秋、稱東藩、效宜陽、史文不載、張儀歸報。秦惠王封儀五邑、號曰武信君。使張儀東說齊湣王曰。天下彊國無過齊者。大臣父兄、殷衆富樂。【考證】策、無湣字、父兄、同姓老臣也、孟子滕文公篇、父兄百官、然而爲大王計者、皆

爲一時之說、不顧百世之利。從人說大王者必曰。齊西有彊趙。南有韓與梁。齊負海之國也。地廣民衆、兵彊士勇、雖有百秦、將無柰齊何。【考證】韓非子外儲篇、雖有十黃帝不能治也、蘇洵辯姦論、使晉無惠帝、借得中主、雖王衍百千、何從亂天下乎、蘇軾晁錯論、雖有百盎、可得而閒哉、皆同一字法、大王賢其說而不計其實。夫從人朋黨比周、莫不以從爲可。臣聞之、齊與魯三戰、而魯三勝、國以危、亡隨其後。雖有戰勝之名、而有亡國之實。【考證】楓山、三條本、亾國作危亾、爲長、是何也。齊大而魯小也。今秦之與齊也、猶齊之與魯也。【考證】齊策、秦之與齊也、作趙之與秦也、是、秦·趙戰於河漳之上、再戰而趙再勝秦、【考證】楓山、三條本、而下無趙字、與策合、河漳卽漳水、有清濁二流、皆出山西、故道、至河南林縣合流、東經臨漳、又東北經直隸永年曲周等縣、以入渤海、卽禹河之道也、戰於番吾之下、再戰又勝秦。【索隱】番吾、上音盤、又音婆、趙之邑也、【考證】番吾故城、在今直隸平山縣東南、梁玉繩曰、案上文有齊與魯三戰而魯

三勝事、史無所見、吳師道以爲取譬之說、或當然也、而此兩戰、史亦不書、史仍國策、疑有譌、但趙卻秦番吾、實有其事、在王遷四年、豈作策者誤以後事爲前事歟、四戰之後、趙之亡卒數十萬、邯鄲僅存。雖有戰勝之名、而國已破矣。是何也。秦彊而趙弱。【考證】策、弱下有也字、今秦·楚嫁女娶婦、爲昆弟之國。【考證】梁玉繩曰、案秦迎楚婦時、儀死五年矣、亦在後、愚按、此張儀述秦楚之約也、事見前章、韓獻宜陽、【考證】梁玉繩曰、案韓策亦有效宜陽語、其實秦取宜陽之時、儀死四年矣、愚按、韓策云、韓王約從請效宜陽、文見上注、梁效河外、【索隱】按河外、河之南邑、若曲沃平周等也、【正義】謂同華州地也、【考證】河南陝縣有曲沃故城、平周、山西介休縣、趙入朝澠池、割河閒以事秦。【集解】澠、縣善反、【索隱】河閒、謂河漳之閒邑、暫割以事秦耳、【正義】河閒、瀛州縣、【考證】黽池故城、在河南黽池縣西、河閒、直隸河閒縣等地、戰國之時爲燕趙齊三國之境、梁玉繩曰、案國策鮑注云、據此則說趙當在齊前、但余攷後文說燕亦有斯語、而朝黽池時、無割河閒事、且黽池之會、儀死三十年矣、蓋史載儀說列國、皆本于策、多不可信、經史問答云、秦所取六國之地、韓魏最先、次之者楚、其後及趙、然所取必其爲秦之界上、今策言張儀一出、趙以河閒爲獻、燕以常山之尾五城爲獻、齊以魚鹽之地三百里爲獻、非不識地理之言乎、河閒常山、秦亦何從得而有之、況齊人海右魚鹽之地乎、以秦之察、豈受此愚、又累言文信侯欲取趙河閒以廣其封、文信封河南、當在韓周之交、何從得通道於河閒、吾不知作策者、

何以東西南北之不諳、而爲此謬語也、大王不事秦、秦驅韓・梁攻齊之南地、悉趙兵渡淸河、指博關。臨菑・卽墨、非王之有也。【正義】博關、在博州、趙兵從貝州度黃河指博關、則漯河南臨淄卽墨危矣、【考證】楓山、三條本、大王上有今字、趙上有卷字、博關、山東博平西北、卽墨、齊邑、在山東平度縣東南、國一日見攻、雖欲事秦、不可得也。是故願大王孰計之也。齊王曰。齊僻陋隱居東海之上。未嘗聞社稷之長利也。乃許張儀。【考證】東說齊湣王以下、采齊策、楓山、三條本、居下有都字、策有宅字、

張儀去、西說趙王曰。敝邑秦王、使使臣效愚計於大王。大王收率天下以賓秦、【考證】賓、讀爲擯、蘇秦傳、六國從親以賓秦、秦兵不敢出函谷關十五年。大王之威行於山東。敝邑恐懼懾伏、繕甲厲兵、飾車騎習馳射、【正義】懾、之涉反、飾、音勑、【考證】楓山、三條本、馳作戰、飾、飭通、力田積粟、守四封之內、【考證】楓山本、田下有耕字、愁居懾處、不敢動搖。唯大王有意督過

之也。【索隱】督者、正其事而責之、督過、是深責其過也、【考證】中井積德曰、唯下疑脫恐字、過亦責之也、今以大王之力、擧巴・蜀并漢中、包兩周遷九鼎、守白馬之津。【考證】楓山、三條本、力下有西字、蜀下有南字、中下有東字、岡白駒曰、秦因畏趙而飭兵、故得以擧巴蜀并漢中、故曰大王之力、愚按、猶曰賴大王神靈語婉、白馬津、河南滑縣西、梁玉繩曰、包兩周遷九鼎、此不過大言之爾、收取兩周、非惠王、遷鼎、亦無其事、秦雖僻遠、然而心忿含怒之日久矣。今秦有敝甲凋兵、軍於澠池。願渡河踰漳、據番吾、會邯鄲之下。【考證】楓山、三條本、會作禦戰、策作邀、竝非、胡三省曰、敝甲凋兵、謙其辭言、軍於澠池、則張其勢以臨趙矣、願渡河踰漳據番吾、言欲自澠池北度河、又自此東踰漳水而進據番吾、此亦張聲勢以臨趙也、願以甲子合戰、以正殷紂之事。敬使使臣先聞左右。【考證】楓山、三條本、先下有以字、與策合、下文亦有、可從、胡三省曰、武王伐紂、癸亥陳于商郊、甲子昧爽、紂帥其旅若林、會于牧野、前徒倒戈攻其後以北、遂以勝紂殺紂、張儀引以懼趙、其有所侮而動、亦已甚矣、邯鄲、趙都也、楊愼曰、說趙王之詞、又與說齊楚者異矣、蓋遣蘇秦爲從者趙王也、趙王爲宗盟之主、故言秦王之積忿含怒于趙、以合兵請戰之詞、脅之前、又以而相見相結之計、怵之于後、故趙王懼而割地謝過也、凡大王之所信爲從者恃蘇秦。蘇秦熒惑諸

侯、以是爲非、以非爲是、欲反覆齊國、而自令車裂於市。【考證】反下各本無覆字、今從楓山、三條本、策亦有、夫天下之不可一亦明矣。今楚與秦爲昆弟之國、而韓・梁稱爲東藩之臣、齊獻魚鹽之地。此斷趙之右臂也。夫斷右臂而與人鬭、失其黨而孤居、求欲毋危、豈可得乎。今秦發三將軍、其一軍塞午道、告齊、使興師渡淸河、軍於邯鄲之東、【索隱】此午道、當在趙之東齊之西也、午道、地名也、鄭玄云、一縱一橫爲午、謂交道也、【正義】劉伯莊云、道蓋在齊趙之交、按謂交午之道、一軍軍成皋、驅韓・梁軍於河外、【正義】河外、謂鄭滑州、北臨河、一軍軍於澠池、約四國爲一以攻趙。趙服、必四分其地。【考證】王念孫曰、服字義不可解、當破字之誤、趙策作破趙而四分其地、黃式三曰、形相似而誤、是故不敢匿意隱情、先以聞於左右。臣竊爲大王計、莫如與秦王遇於澠池、面相見而口相結、請案兵無攻。願

大王之定計。【考證】楓山、三條本、攻上有先字、趙王曰。先王之時奉陽君專權擅勢、蔽欺先王、獨擅綰事。【考證】先王、謂肅侯、中井積德曰、據是文、似奉陽君聽蘇秦爲合縱者、然按蘇秦傳、奉陽君不悅秦、而秦之合從、在奉陽君死之後、是等或記載之誤耳、愚按、策、獨擅作獨制、擅與上文複、策爲長、綰、策作官、綰、官、管通、統轄之意、寡人居屬師傅、不與國謀計。【考證】策、人下有宮字、屬下有於字、先王弃羣臣、寡人年幼、奉祀之日新。心固竊疑焉。【考證】楓山、三條本、奉下有祭字、策作祠祭、棄羣臣、謂歿也、以爲一從不事秦、非國之長利也。乃且願變心易慮、割地謝前過以事秦。方將約車趨行。適聞使者之明詔。【正義】趨、音趣、【考證】從、合從也、約、東也、結馬於車也、李笠曰、趨、音促、趙王許張儀。【考證】西說趙以下、采趙策、策又云、於是乃以車三百乘、入朝澠池、割河間以事秦、史不采、

張儀乃去北之燕、說燕昭王曰。大王之所親莫如趙。【考證】策、燕昭王作燕王、昔趙襄子嘗以其姊爲代王妻、欲幷代、約與代王遇於句注之塞。【正義】句注山、在代州也、上音勾、下朱諭

反、乃令工人作爲金斗、長其尾、令可以擊人。【索隱】斗、音主、凡方者爲斗、若安長柄、則名爲科、音主、尾卽斗之柄、其形若刀也、【考證】中井積德曰、斗音如字、形如斷瓢、本所以勺水、容十升也、凡形似此者、皆稱斗也、愚按斗、酒器、中說得之、金、銅也、與代王飮。陰告廚人曰。卽酒酣樂、進熱啜、【索隱】啜、音昌悅反、按謂熱而啜之、是羹也、於下云、廚人進斟、斟、謂羹汁、故因名羹曰斟、左氏羊羹不斟、是也、【正義】啜、昌拙反、劉伯莊曰、卽熱羹也、【考證】中井積德曰、啜者、有滑可啜者、羹之類也、以熱爲美、故稱熱啜也、進斟、謂進而斟、實器皿以獻也、自斗傾出爲斟、凡飮食盛器以進獻者常也、唯其尙熱食者、則嫌其引冷也、故持出至賓前而後斟、欲逮熱而食、今俗尙然、張照曰、左傳云、羊羹不徧、羊斟、羊斟是華元之御、索隱誤引之、反斗以擊之。【正義】反、卽倒斗柄擊也、【考證】中井積德曰、反斗、謂反覆之、以斗底擊頭也、於是酒酣樂、進熱啜。廚人進斟、因反斗以擊代王殺之。王腦塗地。【正義】斟、音針、【考證】進斟、進而挹羹汁也、其姊聞之、因摩笄以自刺。故至今有摩笄之山。【集解】笄、婦人之首飾、如今象牙擿、【正義】笄、今簪也、摩笄山、在蔚州飛狐縣東北百五十里、【考證】摩磨、通、研也、摩笄山、在直隸涿鹿縣西北、事又見趙世家呂覽長攻篇、代王之亡、天下莫不聞。夫趙王之很戾無親、大王之所明見。

【考證】張文虎曰、各本很譌狠、今改、且以趙王爲可親乎。趙興兵攻燕、再圍燕都而劫大王。大王割十城以謝。【考證】梁玉繩曰、案此事、策史皆不書、楊愼曰、舉趙之很戾無親、以恐喝燕王、今趙王已入朝澠池、效河閒以事秦。今大王不事秦、秦下甲雲中·九原、驅趙而攻燕、則易水·長城、非大王之有也。【正義】古雲中九原郡、皆在勝州、雲中郡故城、在榆林東北四十里、九原郡故城、在勝州西界、今連谷縣是、易水長城、竝在易州界、【考證】胡三省曰、雲中九原、皆在燕之西、秦自上郡朔方下兵則可至、且今時趙之於秦猶郡縣也。不敢妄舉師以攻伐。今王事秦、秦王必喜。趙不敢妄動。是西有彊秦之援、而南無齊·趙之患。是故願大王孰計之。燕王曰。寡人蠻夷僻處、雖大男子、裁如嬰兒。【集解】裁、音在、【正義】裁、才代反、謂形體也、公羊、辯而裁之、【考證】楓山本、裁下有形字、張守節所見之本、亦有形字、故解裁爲形體、公羊、辯而裁之、范甯穀梁傳序文、疏云、裁、謂善裁斷、亦非形體義、蓋正義本衍形字、楓山本從之、非也、裁、猶僅也、言不足以采正計。【考證】楓山、三條本、采作來、策作求、采、求、

義兩通、作來者、蓋字似而譌、策、無計字、下有謀不足以決事六字、今上客幸教之。請西面而事秦、獻恆山之尾五城。【索隱】尾、猶末也、謂獻恆山城以與秦、【正義】五城、謂常山之東五城、今易州界、【考證】說燕昭王以下、采燕策、尾、麓也、楓、三本、作邑、策作尾、梁玉繩曰、恆字何以不諱、燕王聽儀。儀歸報。未至咸陽、而秦惠王卒、武王立。【考證】咸陽、秦都、武王自爲太子時不說張儀。及卽位、羣臣多讒張儀曰。無信。左右賣國以取容。秦必復用之、恐爲天下笑。諸侯聞張儀有郤武王、皆畔衡復合從。秦武王元年、羣臣日夜惡張儀未已、而齊讓又至。【考證】讓、責也、齊王又遣使責秦用張儀也、張儀懼誅、乃因謂秦武王曰。儀有愚計。願效之。王曰。柰何。對曰。爲秦社稷計者、東方有大變、然後王可以多割得地也。【考證】胡三省曰、韓魏皆在秦之東、今聞齊王甚憎儀、儀之所在、必興師伐之。故儀願乞其不肖之身之梁。

齊必興師而伐梁。梁·齊之兵、連於城下、而不能相去。【考證】胡三省曰、言兵交不解、各欲去而不能也、王以其閒伐韓入三川、出兵函谷而毋伐、以臨周、祭器必出。【索隱】凡王者大祭祀必陳設文物軒車彝器等、因謂此等爲祭器也、【考證】中井積德曰、祭器、專指彝器、鼎鐘之類、是也、挾天子按圖籍。此王業也。【考證】挾天子按圖籍、於當時爲大策、故儀屢言之、秦王以爲然、乃具革車三十乘、入儀之梁。【考證】王念孫曰、儀字當衍、齊策作內之梁、內卽入也、愚按下文正作入之梁、王說是、齊果興師伐之。梁哀王恐、【考證】吳師道曰、梁哀王、春秋後語作魏襄王、張儀曰。王勿患也。請令罷齊兵。乃使其舍人馮喜之楚、借使之齊、謂齊王曰。【索隱】此與戰國策同、舊本作憙者誤、【正義】馬喜、戰國策作馮喜、【考證】正義本、馮作馬、王念孫曰、喜熹通、胡三省曰、之、往也、不敢徑遣人使齊、而往楚借使、借使、言借楚人以爲使、王甚憎張儀。雖然、亦厚矣王之託儀於秦也。【考證】亦厚矣三字屬下讀、猶言王之託儀於秦也厚矣、齊王曰。寡人憎儀。儀之所在、必興師伐之。何以託儀。對

曰。是乃王之託儀也。夫儀之出也、固與秦王約曰。爲王計者、東方有大變、然後王可以多割得地。今齊王甚憎儀。儀之所在、必興師伐之。故儀願乞其不肖之身之梁。齊必興師伐之。齊・梁之兵連於城下、而不能相去。王以其間伐韓、入三川、出兵函谷而無伐、以臨周、祭器必出。挾天子案圖籍、此王業也。秦王以爲然、故具革車三十乘、而入之梁也。【考證】袁黃曰、此段卽前張儀謂秦惠王者、馮喜特述之以策齊王、令勿伐梁耳、太史公敍此、一字不增減、直是古贍。愚按重複可厭、非史文之至者、温史刪之、是也、 今儀入梁、王果伐之。是王內罷國、而外伐與國、【索隱】謂齊之伐梁也、梁之與齊、先相許與約從爲鄰、故云與國也、【考證】與、黨與之與、 廣鄰敵以內自臨、而信儀於秦王也。【考證】內自臨有譌誤、策無內字、 此臣之所謂託儀也。齊王曰。善。乃使解兵。【考證】羣臣日夜惡張儀以下、采齊策、 張儀相

魏一歲、卒於魏也。【索隱】年表、張儀以安僖王十年卒、紀年云、梁安僖王九年五月卒、【正義】張儀秦武王元年卒、王赧之五年、【考證】年表、魏哀王十年、張儀死、卽周赧王六年、秦武王二年也、正義不知何據、合注本索隱、安僖王上作安王、下作哀王、愚按上當作哀王、下當作襄王、梁玉繩曰、案儀特自秦入魏耳、未必復相魏也、蓋因楚昭魚有恐儀相魏之語而誤、見魏世家、至魏策載儀走魏、王因張丑之言不內、與史駮、疑非此時事、

陳軫者游說之士、與張儀俱事秦惠王。皆貴重爭寵。【考證】凌稚隆曰、此首不敘邑里、而直曰游說之士、與敘虞卿廉頗李牧諸傳首句同、愚按張儀傳一篇文字、非別爲陳軫犀首立傳也、軫蓋齊人、其在楚見上文、此敘在秦、下文又曰奔楚過梁至秦、史公所以爲游說之士、秦策秦惠王謂陳軫曰、子秦人也、言其仕秦也、 張儀惡陳軫於秦王曰。軫重幣輕使秦・楚之閒、將爲國交也。【考證】策、重幣輕使、作馳、無將爲國交也五字、 今楚不加善於秦、而善軫者、軫自爲厚、而爲王薄也。【考證】策、作然則是軫自爲而不爲國也、 且軫欲去秦而之楚。王胡不聽乎。王謂陳軫曰。吾聞子欲去秦之楚。有之乎。【考證】策、胡作何、有之乎、作信乎、 軫曰。然。王曰。儀之言果信矣。軫曰。非獨儀知之也。行道

之士盡知之矣。昔子胥忠於其君、而天下爭以爲臣。曾參孝於其親、而天下願以爲子。【考證】楓山、三條本、曾參作孝己、與策合、孝己、殷高宗武丁之子、有孝行、事親一夜五起、母早死、高宗惑後妻之言、放之而死、策、爭字、願字、竝作欲、 故賣僕妾不出閭巷而售者、良僕妾也。出婦嫁於鄉曲者、良婦也。【正義】售、音授、【考證】策、不出閭巷而售、作售乎閭巷、 今軫不忠其君。楚亦何以軫爲忠乎。忠且見棄。軫不之楚何歸乎。【考證】策、其作於、歸作適、 王以其言爲然、遂善待之。【考證】張儀惡陳軫以下、采秦策、 居秦期年、秦惠王終相張儀。而陳軫奔楚。楚未之重也。而使陳軫使於秦。【考證】楓山本、軫下無使字、魏策云、陳軫爲秦使於齊、過魏求見犀首、云云、與史異、 過梁欲見犀首。犀首謝弗見。軫曰。吾爲事來。【索隱】軫語犀首言我故來、欲有教汝之事、何不相見、【考證】魏策、作軫之所以來者事也、 公不見軫、軫將行。不得待異日。犀首見之。陳軫曰。公何好飲也。犀首曰。無事也。【考證】策、作

公惡事乎、何爲飲食而無事、史義長、 曰。吾請令公厭事。可乎。【索隱】謂欲令其多事也、【考證】厭、上一豔反、厭者飽也、中井積德曰、饜是厭嫌之意、以形容多事也、與飽稍異、 曰。柰何。曰。田需約諸侯從親。楚王疑之未信也。【索隱】需時爲魏相也、【正義】需、音須、魏相、【考證】沈家本曰、魏策、田需作李從、 公謂於王曰。【考證】楓山、三條本、謂作謁、岡白駒曰、軫教犀首、 臣與燕・趙之王有故、數使人來曰。無事何不相見。願謁行於王。【考證】謁、請也、告也、言願請行燕趙於王也、 王雖許公、公請毋多車。以車三十乘、可陳之於庭、明言之燕・趙。【考證】楓山本、可作耳、以屬上句、義長、岡白駒曰、之、往也、以上皆軫教犀首也、於是犀首如軫言、故下文云、燕趙客聞之、 燕・趙客聞之、馳車告其王、使人迎犀首。楚王聞之大怒曰。田需與寡人約、而犀首之燕・趙。是欺我也。【考證】楓山本、而下有使字、徐孚遠曰、疑梁楚相約、欲絕燕趙、而犀首自梁之燕趙、將以賣楚、故楚王怒云、是欺我也、 怒而不聽其事。齊聞犀首之北、使人以事委焉。犀首遂行。三國相事、皆斷於犀首。【考證】梁玉繩曰、案與魏

策各異、史公或別有所本、此言軫爲楚使秦、策言爲秦使齊、疑是策誤、此言田需約楚、策言李從、此言楚王怒田需不聽約、故犀首行燕趙齊三國相事、策言楚亦以事因犀首、故策云、四國屬事、其餘字句、亦不同、未知孰實、**軫遂至秦。**【考證】遂字、承上文使軫使於秦、**韓・魏相攻、朞年不解。秦惠王欲救之、問於左右。左右或曰。救之便。或曰。勿救便。惠王未能爲之決。**【考證】秦策云、楚絕齊、齊舉兵伐楚、陳軫謂楚王曰、王不如以地東解於齊、西講於秦、楚王使陳軫之秦、而史作韓魏相攻、蓋所傳異也、吳師道曰、秦惠十三年、韓舉趙護與魏戰敗績、去楚絕齊時遠甚、他不見韓魏相攻事、**陳軫適至秦。惠王曰。子去寡人之楚。亦思寡人不。**【考證】藝文類聚引史、不作否、**陳軫對曰。王聞夫越人莊舄乎。王曰。不聞。曰。越人莊舄仕楚執珪。有頃而病。**【考證】類聚、頃作須、病作疾、**楚王曰。舄故越之鄙細人也。今仕楚執珪、貴富矣。亦思越不。**【考證】類聚、富作極、**中謝對曰。凡人之思故、在其病也。彼思越則越聲、不思越則楚聲。使人往聽之、猶尚越聲也。**【索隱】中謝、蓋謂侍御之官、【考證】中井

積德曰、中謝、蓋謁者之類、盧文弨曰、呂氏春秋去宥篇、荊有中謝佐制者、高誘註、中謝、官名、按中與中書侍中同義、韓非子作中射、孫詒讓曰、謝與射通、字當以射爲正、卽周禮夏官之射人也、中射者射人之給事宮內者、猶涓人之在內者謂之中涓、庶子之在內者謂之中庶子矣、張文虎曰、北宋本、中射下有之士二字、愚按御覽引史、則下楚上有且字、**今臣雖弃逐之楚、豈能無秦聲哉。惠王曰。善。今韓・魏相攻、朞年不解。或謂寡人救之便、或曰勿救便。**【索隱】此蓋張儀等之計策、**寡人不能決。願以子爲子主計之餘、爲寡人計之。**【索隱】子、指陳軫也、子主、謂楚王、【考證】願下以字、依楓山三條本補、各本脫、董份曰、餘字句、言爲其主計之之餘、卽爲我計之、謙言先其君而後及秦也、軫故曰、臣主與王何異也、**陳軫對曰。亦嘗有以夫卞莊子刺虎聞於王者乎。**【索隱】館莊子、謂逆旅舍其人字莊子者、或作卞莊子也、【考證】張文虎曰、王柯本、卞作辨、下同、愚按楓三二本亦作卞、卞莊子與論語合、秦策作管莊子、又按索隱館莊子當作管莊子、館謂逆旅舍、疑下文館豎子注、誤在此、**莊子欲刺虎。館豎子止之曰。兩虎方且食牛。食甘必爭。爭則必鬬。鬬則大者傷、小者死。從傷而刺之、一舉必有雙虎之名。**【考證】楓山三條本、

莊子上有卞字、桃源抄引劉伯莊云、館豎、掌宮館之小吏也、**卞莊子以爲然、立須之。**【考證】須、待也、**有頃、兩虎果鬬、大者傷、小者死。莊子從傷者而刺之、一舉果有雙虎之功。今韓・魏相攻、朞年不解。是必大國傷、小國亡。**【考證】中井積德曰、小國亡者、不必實滅也、謂破敗之甚、**從傷而伐之、一舉必有兩實。此猶莊子刺虎之類也。臣主與王何異也。**【索隱】臣主、爲軫之主、楚王也、王、秦惠王、以言我主與王俱宜待韓魏之斃而擊之、亦無異也、【考證】徐孚遠曰、軫言己之爲秦王計、不後于楚王也、索隱非、李笠曰、上云子爲子主計之餘、爲寡人計之、此句正應前語、**惠王曰。善。**【考證】以上所說、與秦策頗異、說已見前文、**卒弗救。大國果傷、小國亡。秦興兵而伐、大剋之。此陳軫之計也。**【考證】敍事中插議論、以收陳軫、**犀首者、魏之陰晉人也。**【集解】司馬彪曰、犀首、魏官名、若今虎牙將軍、**名衍、姓公孫氏。與張儀不善。張儀爲秦之魏。魏王相張儀。犀首弗利。故令人謂韓公叔曰。**【考證】策、魏王下有將字、韓世家有公叔伯嬰、此曰公叔、疑伯嬰、

張儀已合秦・魏矣。其言曰。魏攻南陽、秦攻三川。【正義】此張儀合秦魏之辭也、【考證】策、三川下、有韓氏必亡四字、**魏王所以貴張子者、欲得韓地也。且韓之南陽已舉矣。子何不少委焉以爲衍功。則秦・魏之交可錯矣。**【索隱】錯、音措、按錯、停止也、【考證】岡白駒曰、委、以事委衍、愚按錯猶置也、謂棄置不理也、策、錯作廢、**然則魏必圖秦而弃儀、收韓而相衍。**【考證】以上、令人謂韓公叔之言、**公叔以爲便、因委之犀首以爲功。果相魏。**【考證】果上添犀首二字看、魏王相張儀以下、采魏策、**張儀去。**【集解】徐廣曰、復相秦、【考證】呂氏大事記云、傳稱衍相魏儀去、則不然、以儀傳攷之、儀慙無以歸報、留魏四歲、而魏王卒、復說其嗣君、久之始去魏相秦耳、**義渠君朝於魏。犀首聞張儀復相秦、害之。**【考證】義渠、西戎國名、今甘肅寧縣東北、有義渠故城、梁玉繩曰、案儀復相秦、在惠文王後八年、而此篇下文有其後五國伐秦語、伐秦在惠文後七年、儀尚在魏、則犀首見義渠時、儀未復相也、此誤、**犀首乃謂義渠君曰。道遠不得復過。**【索隱】音戈、言義渠道遠、今日已後不復得更過相見、【考證】中井積德曰、過、謂義渠君來過也、**請謁事情。**【索隱】謂欲以秦之緩急告語之也、**曰。中國**

無事、【索隱】【正義】按謂山東諸侯齊魏之六國等、中國、謂關東六國、無事、不共攻秦、秦得燒掇焚杅君之國。【集解】徐廣曰、杅、一孤切、【索隱】掇、音都活反、謂焚燒而侵掠、焚杅、音煩烏二音、按焚揉而牽制也、戰國策云、秦且燒焫君之國、是說其事也、【正義】掇、判也、杅、割也、言攻伐侵略也、中國無事不攻秦、秦則侵掠義渠之國、義渠、在寧夏之州、有事、【索隱】謂山東諸國共伐秦也、秦將輕使重幣、事君之國。【索隱】謂秦求親義渠君也、【正義】有事、謂六國攻秦、秦若被攻伐、則必輕使重幣、事義渠之國、欲令相助、犀首此言令義渠君勿援秦也、其後五國伐秦。【索隱】按表、秦惠王後元七年、楚魏齊韓趙五國、共攻秦、是其事也、【正義】秦惠王後元七年、五國共攻秦、不勝而還、【考證】梁玉繩曰、五國當作六國、說在秦紀、會陳軫謂秦王曰。【考證】策、無會字、義渠君者蠻夷之賢君也。不如賂之以撫其志。秦王曰。善。乃以文繡千純婦女百人遺義渠君。【索隱】凡絲縣布帛等、一段爲一純、純、音屯、【考證】策、純作匹、婦作好、凌稚隆曰、應前輕使重幣事君之國、義渠君致羣臣而謀曰。此公孫衍所謂邪。【索隱】按謂上文犀首云君之國有事、秦將輕使重幣事君之國、故云衍之所謂、因起兵襲秦、以傷張儀也、【正義】今彼重遺如犀首前言、【考證】索隱犀首云下、君之國三字、當刪、乃起兵襲秦、大敗秦人李

伯之下。【索隱】入李伯之下、謂義渠破秦而收軍而入於李伯之下、則李伯人名、或邑號、戰國策、伯作帛、【考證】義渠君朝於魏以下、采秦策、中井積德曰、李伯、爲地名明矣、張儀已卒之後、犀首入相秦。嘗佩五國之相印爲約長。【索隱】犀首後相五國、或從或橫、常爲約長、【考證】中井積德曰、佩五國之相印、是一時佩五顆也、蓋相秦時事、非後來次第爲相、梁玉繩曰、案繼張儀而爲秦相者、樗里疾、甘茂、薛文、樓緩、魏冉、不聞公孫衍相秦之事、考國策、秦王愛公孫衍、欲以爲相、甘茂入賀、王怒其泄而逐之、蓋因是誤傳、至所謂相五國者、卽陳軫傳相三國事、而夸大也、

太史公曰。三晉多權變之士。夫言從衡彊秦者、大抵皆三晉之人也。夫張儀之行事、甚於蘇秦。然世惡蘇秦者、以其先死、而儀振暴其短、【索隱】暴、音步卜反、振、謂振揚而暴露其短、以扶其說、【索隱】按扶、謂說彼之非成我之是、扶、會己之說辭、成其衡道。【索隱】張儀說六國、使連衡而事秦、故云成其衡道、然山東地形從長、蘇秦相六國、令從親而賓秦也、關西地形衡長、張儀相六國、令破其從而連秦之衡、故謂張儀爲連橫矣、【考證】中井積德曰、南北爲從、東西爲衡、故六國南北相親、爲從之合、秦在西、而與山東之國結約、爲衡之連、要之、此兩人眞傾危之士哉。【考證】趙恒曰、按儀秦之說六國、一主從、一主橫、要其同師鬼谷子、同學揣摩、其言雖如陰陽晝夜相反、而靑出於藍、均

也、秦初以橫干秦、不用、則不得不易以從、儀繼秦而作、則不得不反以橫、皆其術之不得不然、非故相反也、其實秦非不能爲橫、儀非不能爲從、從則父母親兄弟、尚不能一之一言、足以破之、橫則地有盡、而割無已之言、足以破之、儀之行事甚於秦、以秦先死而儀振暴其短、所以成其橫道、誠使儀死在秦之先、則秦之振暴儀、以成其從、亦如之、繼之曰、二人眞傾危之士哉、而優劣不足論也、

【索隱】述贊、儀未遭時、頻被困辱、及相秦惠、先韓後蜀、連衡齊魏、傾危誑惑、陳軫挾權、犀首騁欲、如何三晉、繼有斯德、

張儀列傳第十　史記七十

史記會注考證卷七十一

漢　太　史　令　司　馬　遷　撰

宋中郎外兵曹參軍裴　駰集解

唐國子博士弘文館學士司馬貞索隱

唐諸王侍讀率府長史張守節正義

日　本　出　雲　瀧　川　資　言　考　證

樗里子甘茂列傳第十一　史記七十一

[考證]史公自序云、秦所以東攘雄諸侯、樗里子甘茂之策、作樗里甘茂列傳、第十一、蘇轍曰、蘇秦爲諸侯弱秦、而張儀爲秦弱諸侯、其說猶可言也、如樗里疾公孫奭黨於

韓、甘茂黨於魏、向壽黨於楚、皆借秦之彊以搖動諸侯、而成其私、民生其間、其受害可勝言乎、愚按、楓山三條本、甘茂作甘戊、

樗里子者、名疾。秦惠王之弟也。[索隱]按樗、木名也、音攄、高誘曰、其里有大樗樹、故曰樗里、然疾居渭南陰鄉之樗里、故號曰樗里子、又按紀年、則謂之褚里疾也、[考證]中井積德曰、里有樗、故里名樗、居樗里之人因稱樗里子、元不相妨、俞樾曰、古未有以所居爲號者、幼名冠字、死則以謚、仲尼不稱闕里子、子輿不稱武城子、樗里子傳、樗里子疾室在渭南陰鄉樗里、故俗謂之樗里子、蘇秦傳鬼谷先生注、潁川陽城有鬼谷、蓋是其人所居、因爲號、蓋以所居爲號、始見於此、濂溪伊川、乃襲此稱、後之道學先生、遂無不以是爲號、夫亦習而不察也、愚按論語有東里子產、列子有東郭先生、莊子有南郭子綦、以其人所居爲號者、不始於鬼谷先生樗里子、與惠王異母。母、韓女也。[考證]淩約言曰、樗里子以惠王異母弟、而致其信任之不疑、歷武王昭王、任爲相、又益尊重、夫秦素猜忌而殘忍之國也、非智囊、何以周旋其間、而結數主之心耶、余有丁曰、按母韓女、爲甘茂傳挾韓而議張本、樗里子滑稽多智。秦人號曰智囊。[索隱]滑、音骨、稽、音雞、鄒誕解云、滑、亂也、稽、同也、謂辨捷之人、言非若是、言是若非、謂能亂同異也、一云、滑稽、酒器、可轉注吐酒、不已、以言俳優之人、出口成章、詞不窮竭、如滑稽之吐酒不已也、[正義]滑讀爲淈、水流自出、稽、計也、言其智計宜吐、如泉流出無盡、故楊雄酒賦云、鴟夷滑稽、腹大如壺、是也、顏師古云、滑稽、轉利之稱也、滑、亂也、稽、礙也、其變無留也、一說、稽、考也、言其滑亂不可考較、[考證]滑稽、鄒說是、楚辭卜居篇、突梯滑稽、如脂如韋、孟荀列傳、齗儒少拘如莊周等、又猾稽、亂俗、猾讀爲滑、義同、自史公錄滑稽傳、遂轉爲俳諧義、淩稚隆曰、滑稽多智、是一篇骨子、中敍其伐曲沃、伐趙、伐楚、釋蒲、以至于知百歲後事、皆言其智也、故以智則樗里一句結之、正與前秦人號曰智囊句相應、秦惠王八年、爵樗里子右更。[索隱]按右更、秦之第十四爵名也、使將而伐曲沃。盡出其人、取其城。地入秦。[索隱]按年表云、十一年、拔魏曲沃、歸其人、又秦本紀、惠文王後元八年、五國共圍、秦使庶長疾與戰脩魚、斬首八萬、十一年、樗里疾攻魏焦降之、則焦與曲沃同在十一年拔明矣、而傳云、八年拔之、不同、王劭按本紀年表及此傳、三處記秦伐國、竝不同、又與紀年不合、今亦殆不可考、[正義]曲沃故城、在陝州縣西南三十二里也、[考證]梁玉繩曰、案秦紀屢稱庶長疾、似未嘗爲右更、八年、當作二十四年、乃後元十一年、此誤也、又曰、案秦紀云、樗里疾攻魏焦降之、然則是年所拔者、焦也、非曲沃也、曲沃已于前八年爲秦取之矣、尙安得曲沃乎、此與魏世家年表竝誤、秦惠王二十五年、使樗里子爲將伐趙。虜趙將軍莊豹、拔藺。[正義]藺縣、在石州、[考證]莊豹、秦紀作趙將壯、趙世家年表作趙壯、沈家本曰、疑豹字衍、錢大昕曰、按年表在惠王後十二年、此云二十五者、并前十三數之、明年、助魏章攻楚、敗楚將屈丐、取漢中地。秦封樗里子、號爲嚴君。[索隱]按嚴君、是爵邑之號、當是封之嚴道、[正義]地理志云、蜀郡有嚴道、[考證]君、如商君武信君之君、秦惠王卒。太子武王立。逐張

儀・魏章、而以樗里子・甘茂爲左右丞相。[考證]秦策云、秦惠王死、公孫衍欲窮張儀、李讎謂公孫衍曰、不如召甘茂於魏、召公孫顯於韓、起樗里子於國、三人者、皆張儀之讎也、公用之、則諸侯必見張儀之無秦矣、愚按、可以知當時事情、又按、樗里子甘茂爲丞相、秦武王二年、秦使甘茂攻韓、拔宜陽。[考證]甘茂拔宜陽、采秦策、使樗里子以車百乘入周、周以卒迎之。意甚敬。[考證]楓山三條本、北堂書鈔、迎下無之字、書鈔、敬下有之字、策作周君迎之以卒甚敬、秦拔宜陽、故樗里子得入周、楚王怒、讓周以其重秦。客游騰爲周說楚王曰。知伯之伐仇猶、遺之廣車、因隨之以兵。仇猶遂亡。[集解]許慎曰、仇猶、夷狄之國、[索隱]游、姓、騰、名也、戰國策云、智伯欲伐仇猶、遺之大鐘、載以廣車、以仇猶爲厹由、韓子作仇由、地理志、臨淮有厹猶縣也、[正義]括地志云、并州盂縣外城、俗名原仇山、亦名仇猶、夷狄之國也、韓子云、智伯欲伐仇猶、國道險難不通、乃鑄大鐘遺之、載以廣車、仇猶大悅、除塗內之、赤章曼支諫曰、不可、此小所以事大、而今大以遺小、卒必隨、不可、不聽、遂內之、曼支因斷轂而馳、至十九日而仇猶亾也、戰國策曰、智伯欲伐仇猶、遺之大鍾、載以廣車、周禮曰、廣車之卒、鄭玄曰、廣車、橫陳之車、[考證]周策云、遺之大鐘、載以廣車、又見韓非子說林呂覽權勳、此有脫誤、中井積德曰、廣兵車之名、楚王、楚懷王、何則無備故也。齊桓公伐蔡、號曰誅楚。其

實襲蔡。【考證】事見齊太公世家、管仲傳、今秦、虎狼之國、使樗里子以車百乘入周。周以仇猶・蔡觀焉。【考證】策、觀焉作戒之、故使長戟居前、彊弩在後。名曰衞疾、而實囚之。【正義】防衞樗里子、衞疾、且夫周豈能無憂其社稷哉。恐一旦亡國、以憂大王。楚王乃悅。【考證】樗里子以車百乘以下、采西周策、秦武王卒、昭王立。樗里子又益尊重。昭王元年、樗里子將伐蒲。【索隱】按紀年云、楮里疾圍蒲不克、而秦惠王薨、事與此合、【正義】蒲故城、在滑州匡城縣北十五里、即子路作宰地、【考證】蒲、衞邑、今直隸長垣縣、梁玉繩曰、索隱引紀年云、楮里疾圍蒲不克、而秦惠王薨、以爲事與此合、殊妄、或云、惠王是武王之誤、事又在武四年、非昭元年矣、蒲守恐、請胡衍。【索隱】人姓名也、胡衍爲蒲謂樗里子曰、公之攻蒲、爲秦乎、爲魏乎。爲魏則善矣。爲秦則不爲賴矣。【索隱】賴、利也、夫衞之所以爲衞者、以蒲也。【正義】蒲是衞國之鄣衞、【考證】二衞字皆國名、今伐蒲入於魏、衞必折而從之。【索隱】戰國策云、今蒲入於秦、衞必折而入於魏、與

此文相反、【考證】顧炎武曰、策文爲正、中井積德曰、秦伐蒲、而蒲不入秦、却入魏、竟其理、國策似長、然拔蒲而衞益弱、則秦何不遂取之、而坐視其入於魏也、是亦說辭之疎處、終不如蘇張也、魏亡西河之外、而無以取者、兵弱也。【正義】西河之外、謂同華等州、【考證】吳師道曰、秦惠王八年、魏納河南地、後二年、魏入上郡於秦、而河西濱洛之地失、今幷衞於魏、魏必彊。魏彊之日、西河之外必危矣。且秦王將觀公之事、害秦而利魏、王必罪公。【考證】策、罪作怨、史義長、樗里子曰、奈何。【考證】問其道也、胡衍曰、公釋蒲勿攻、臣試爲公入言之、以德衞君。樗里子曰、善。胡衍入蒲、謂其守曰、樗里子知蒲之病矣。其言曰、必拔蒲。衍能令釋蒲勿攻。蒲守恐。因再拜曰、願以請。因效金三百斤。【考證】楓山、三條本、守下無恐字、愚按恐因二字疑衍、策作蒲守再拜因效金三百鎰、無曰願以請四字、曰、秦兵苟退、請必言子於衞君、使子爲南面。【考證】策、苟作誠、言作厚、無使子爲南面五字、故胡衍受金於蒲、以自貴於衞。於是遂解蒲

而去。【考證】樗里子將伐蒲以下、采衞策、梁玉繩曰、案樗里子亦得三百金而歸、見國策、史略不言樗里、還擊皮氏。【正義】故城、在絳州龍門縣西百四十步、魏邑、皮氏未降。又去。昭王七年、樗里子卒。葬于渭南章臺之東。【索隱】按黃圖、在漢長安故城西、【考證】章臺、秦臺、在陝西咸陽縣、曰、後百歲、是當有天子之宮、夾我墓。樗里子疾室、在於昭王廟西渭南陰鄉樗里。故俗謂之樗里子。至漢興、長樂宮在其東。未央宮在其西。【正義】漢長樂宮、在長安縣西北十五里、未央、在縣西北十四里、皆在長安故城中也、武庫正直其墓。【索隱】直、如字讀、直猶當也、【考證】崔適曰、此堪輿家之言也、愚按呂不韋傳亦云、始皇七年、莊襄王母夏太后薨、葬杜東、曰、東望吾子、西望吾夫、後百年當有萬家邑、古書言風水方位者、蓋以此爲始、皆後人傳會之說、未必出於夏太后樗里子也、史記日者傳褚先生補引堪輿家言、漢書藝文志、有堪輿金匱十四卷、宮宅地形二十卷、亦說風水方位者、其書今亡、沈欽韓云、論衡詰術篇、圖宅術曰、宅有八術、以六甲之名數而第之、第定名立、宮商殊別、宅有五音、姓有五聲、宅不宜其姓、姓與宅相賊、則疾病死亡、犯罪遇禍、又曰、商家門不宜南向、徵家門不宜北向、商金、南方火也、徵火、北方水也、水勝火、火賊金、五行之氣不相得、故五姓之宅、門有宜向、向得其宜、富貴吉昌、向失其宜、貧賤衰耗、隋志相宅圖八卷、五姓墓圖一卷、梁有冢書、黃帝葬山圖、各四卷、五音相墓書五、音圖

等書、文選二十三注、青鳥子相冢書曰、天子葬高山、諸侯葬連岡、初學記相冢書曰、凡葬龍耳者、當貴出五侯、御覽五百六十、相冢書曰、青鳥子稱山三重相連、名傘山、葬之出三千石、按後書、袁安求葬地、道逢三書生、指一處云、葬此地、當世爲上公、又吳雄家貧喪母、營人所不封土者、擇葬其中、皆言當族滅、則漢固已有葬法矣、愚按沈氏所引皆西京以後之事、則樗里子夏太后不可有此言矣、秦人諺曰、力則任鄙、智則樗里。【考證】鄙里韻、任鄙、秦力士、見秦本紀、楓山、三條本、里下有子字、恐非、甘茂者、下蔡人也。【索隱】地理志、下蔡縣屬汝南也、【正義】今潁州縣、即州來國、事下蔡史舉先生、學百家之說。【索隱】戰國策及韓子皆云、史舉、上蔡監門、【考證】楚策、韓非子內儲篇、漢書古今人表中上、有史舉、因張儀・樗里子而求見秦惠王。王見而說之、使將而佐魏章略定漢中地。【考證】楓山、三條本、二王字間有惠字、錢大昕曰、魏章即秦本紀之庶長章也、惠王卒、武王立。張儀・魏章去東之魏。蜀侯煇・相壯反。【索隱】煇、音暉、又音胡昆反、秦之公子封蜀也、華陽國志作暉、壯、音側狀反、姓陳也、【考證】煇、凌本作輝、誤、中井積德曰、據張儀傳、惠王之時伐取蜀、貶蜀王爲侯、使陳莊相蜀、以原蜀王爲蜀侯也、然則蜀侯煇蓋原蜀王、或當其子、本紀則有公子通封於蜀之文、事相淆亂、豈通之封者、只受采於蜀而已、非爲蜀侯邪、取蜀至壯反、中間僅六七年、愚按說又見秦本紀、秦使甘茂定蜀。還而

以甘茂爲左丞相、以樗里子爲右丞相。秦武王三年、謂甘茂曰。寡人欲容車通三川、以窺周室。而寡人死不朽矣。【考證】容車通三川者、欲容車之廣、通三川之路也、不必須廣、策無容字、三川、伊洛河、李光縉曰、將欲取之而不正言、故曰窺、窺、小視也、愚按、御覽引史作死且不朽也、左傳僖三十三年、寡君之以爲戮、死且不朽、國語楚語、若得歸於楚、死且不朽、言雖死其身不朽也、當時套語、甘茂曰。請之魏、約以伐韓。而令向壽輔行。【正義】向壽、餉受二音、人姓名、【考證】孟子注、輔行、副使也、中井積德曰、甘茂與向壽不相善、然率之而行者、恐其在中作讒構也、愚按、武王亦欲使向壽監視、向壽、宜太后外族、甘茂至、謂向壽曰。子歸言之於王曰。魏聽臣矣。然願王勿伐。事成盡以爲子功。向壽歸以告王。王迎甘茂於息壤。【索隱】按山海經、啓筮云、昔伯鮌竊帝之息壤以堙洪水、或是此也、【正義】秦邑、甘茂至。王問其故。對曰。宜陽、大縣也。上黨・南陽、積之久矣。【索隱】謂上黨南陽、竝積貯日久矣、【正義】韓之北三郡、積貯在河南宜陽縣之日久矣、【考證】正義三郡、楓山三條本作二郡、名曰縣、其實郡也。【考證】杜佑曰、春秋時列國相滅、多以其地爲縣、則縣大而郡小、故趙鞅

曰、上大夫受縣、下大夫受郡、至于戰國、則郡大而縣小矣、故甘茂曰、宜陽大縣、其實郡也、今王倍數險、行千里。攻之難。【索隱】數、音率腴反、【正義】謂函谷及三崤五谷、【考證】倍與背同、正義三崤、楓山三條本作二殽、昔曾參之處費、【集解】音祕、魯人有與曾參同姓名者。殺人。【考證】策、姓名作名族、古者姓族不同、史公易以當時語、改爲姓名、人告其母曰。曾參殺人。其母織自若也。【考證】策、其母作曾子母、頃之一人又告之曰。曾參殺人。其母尚織自若也。【考證】楓山三條本、頃之作頃然、與治要所引合、策作有頃焉、頃又一人告之曰。曾參殺人。【考證】治要、頃下有然字、策作頃之一人又、其母投杼下機、踰牆而走。【考證】杼、機之持緯者、投杼、見其倉黃之狀、夫以曾參之賢與其母之信也、三人疑之、其母懼焉。【考證】李笠曰、之信、誤倒、今臣之賢不若曾參。王之信臣、又不如曾參之母信曾參也。疑臣者、非特三人。臣恐大王之投杼也。【考證】李笠曰、昔曾參之處費至臣恐大王之投杼也一段、秦策在下文寡人不聽也上、疑史記錯簡、胡時化曰、譬喻是古人文章一大機括、始於元首股肱之歌、溢於

舟楫鹽梅之命、波瀾於詩之比體、下至孟荀莊列、文章奇特處、亦多譬喻、而戰國此策、尤其善用者也、始張儀西幷巴・蜀之地、北開西河之外、南取上庸、天下不以多張子、而以賢先王。【考證】策、始作臣聞、義長、梁玉繩曰、張儀傳、不言儀幷蜀、秦紀、稱司馬錯滅蜀、而此言儀者、水經注云、惠王使儀錯等滅蜀、華陽國志云、蜀王伐苴侯、苴侯奔巴、求救于秦、惠文王使儀錯伐蜀滅之、是二人同往也、愚按上庸、漢中要地、今湖北竹山縣、周赧王三年、秦攻楚漢中、取地六百里、魏文侯令樂羊將而攻中山。三年而拔之。樂羊返而論功。文侯示之謗書一篋。樂羊再拜稽首曰。此非臣之功也。主君之力也。【考證】中山、今直隸定縣、春秋鮮虞地、周威烈王十八年、魏克中山、史記、趙獻公十年、中山武公初立、索隱、世本云、中山武公居顧、桓公居靈壽、後爲趙武靈王所滅、據此魏文侯所克、乃武公地、趙武靈王所滅、乃桓公地、地本分自中山、故皆以中山爲號也、今臣羈旅之臣也。【考證】下蔡屬楚、故曰羈旅之臣、樗里子・公孫奭二人者、挾韓而議之、王必聽之。【索隱】公孫奭、按戰國策、作公孫衍、【正義】奭、音釋、【考證】治要引史、議下無之字、王念孫曰、秦策及新序雜事篇、亦無之字、此涉下文而衍、是王欺魏王、而臣受公仲侈之怨也。

【集解】徐廣曰、侈、一作馮、【考證】負約、故曰欺魏王、爲伐韓之計、故曰受公仲侈之怨、公仲侈、韓相、梁玉繩曰、徐廣云、侈一作馮、田完世家韓馮、徐亦云、是公仲侈、卽國策韓之公仲朋也、紀年又稱韓明、馮朋、音近、侈明朋字近、人表又譌公中用、愚按朋其名、公仲其字、韓侈別是一人、說在韓世家、王曰。寡人不聽也。請與子盟。【考證】盟下、添於是與之盟於息壤八字看、卒使丞相甘茂將兵伐宜陽。五月而不拔。樗里子・公孫奭果爭之。武王召甘茂欲罷兵。甘茂曰。息壤在彼。【正義】甘茂歸至息壤、與秦王盟、恐後樗里子公孫奭伐韓、今二子果爭之、武王召茂欲罷兵、故甘茂云、息壤在彼邑也、【考證】中井積德曰、甘茂意謂奈息壤之盟何也、不悉言、而使王自省焉、是時甘茂之手必西南指也、愚按、正義伐韓句必有譌誤、王曰。有之。因大悉起兵、使甘茂擊之。斬首六萬、遂拔宜陽。【考證】秦武王三年以下、采秦策、但策不曰武王三年、又無斬首六萬之文、韓襄王使公仲侈入謝、與秦平。武王竟至周而卒於周。【考證】凌稚隆曰、此著武王卒于周、以終前窺周室死不朽之語、梁玉繩曰、案秦紀趙世家、秦武王之卒、與此異、其弟立爲昭王。【索隱】按趙系家、昭王名稷、系本云、名側也、王母宣太后、楚女也。【考證】楓山三條本、王上有昭字、楚懷王怨前秦

敗楚於丹陽、而韓不救。乃以兵圍韓雍氏。【索隱】按秦惠王二十六年、楚圍雍氏、至昭王七年、又圍雍氏、韓求救於秦、是再圍也、劉氏云、此是前圍雍氏、當赧王之三年、戰國策及紀年、與此竝不同、【正義】故城在洛州洛陽縣東北二十里、【考證】楓山、三條、凌本、丹陽作丹陽、史文云、秦昭王新立、則楚圍雍氏、則非七年事、亦非惠王二十六年事也、說在秦紀、 韓使公仲侈告急於秦。【考證】韓策、公仲侈作張翠、 秦昭王新立、太后楚人、不肯救。公仲因甘茂。茂爲韓言於秦昭王曰。公仲方有得秦救。故敢扞楚也。今雍氏圍、秦師不下殽。公仲且仰首而不朝。【考證】中井積德曰、仰首、失措不知所出之狀、愚按、策作抑首、安井衡云、憂之疾首、故按其首、而不朝聽事、二書各宜從其本義、且、將也、下文同、 公叔且以國南合於楚。楚・韓爲一、魏氏不敢不聽。然則伐秦之形成矣。【考證】公叔、韓公子、 不識坐而待伐、孰與伐人之利。秦王曰。善。乃下師於殽以救韓。楚兵去。【考證】茂爲韓言於秦昭王以下、采韓策、 秦使向壽平宜陽、【考證】陳仁錫曰、平者、正其疆界、和其人民也、 而使樗里子・甘茂

伐魏皮氏。向壽者、宣太后外族也。而與昭王少相長。故任用。向壽如楚。【集解】徐廣曰、如、一作和、【考證】中井積德曰、向壽如楚、述前事也、愚按、向壽下、添嘗字看、 楚聞秦之貴向壽、而厚事向壽。向壽爲秦守宜陽、將以伐韓。【考證】向壽爲秦上、添及字看、 韓公仲使蘇代謂向壽曰。禽困覆車。【集解】譬禽獸得困急、猶能抵觸、傾覆人車、 公破韓辱公仲。【考證】中井積德曰、辱公仲亦述前事也、 公仲收國復事秦、自以爲必可以封。【正義】公仲自以爲必可得秦封、【考證】可以封下、添而未得三字看、 今公與楚解口地、【索隱】解口、秦地名、近韓、今將與楚也、【正義】上紀買反、公、向壽也、解口、猶開口得言、向壽於秦開口、則楚人必得封地也、 封小令尹以杜陽、【索隱】又封楚之小令尹以杜陽、杜陽亦秦地、今以封楚令尹、是秦楚合也、【考證】中井積德曰、與解口、封杜陽、竝遂事、索隱將字舛、愚按、楓山、三條本、杜陽下有秦楚二字、策、解口作解中、杜陽作桂陽、 秦・楚合、復攻韓、韓必亡。韓亡、公仲且躬率其私徒、以閼於秦。【集解】閼、音烏曷反、【正義】公仲恐韓亾、欲將私徒往宜陽、閼向壽也、【考證】此將來之事、凌稚隆曰、躬率私徒閼於秦、正前禽困覆車、文種行成于吳、而謂以五千敢死之士、當十萬久疲之兵、語意

亦類此、中井積德曰、閼、猶防拒也、是將言公仲出死力敵向壽、而故緩其辭也、策、閼作闕、似長、 願公孰慮之也。向壽曰。吾合秦・楚。非以當韓也。子爲壽謁之公仲曰。秦・韓之交可合也。【正義】子、蘇代也、向壽恐、令蘇代謁報公仲云、秦韓交可合、 蘇代對曰。願有謁於公。【正義】公、向壽也、言向壽亦黨於楚、與公孫奭甘茂黨韓魏同也、【考證】策、謁作白、 人曰。貴其所以貴者貴。王之愛習公也、不如公孫奭。其智能公也、不如甘茂。【考證】安井衡曰、貴所以其貴者貴、言自貴己所以貴者、長不失其貴、梁玉繩曰、奭、國策作郝、又作赫、又作顯、疑以音形相近而譌、大事記謂、本一人、記其名者不同耳、 今二人者皆不得親於秦事。而公獨與王主斷於國者何。彼有以失之也。【索隱】彼、公孫奭及甘茂也、有以失之、謂不見委任、情有所失、【正義】言秦王雖愛習公孫奭甘茂、秦事不親委者、爲黨韓魏也、今國事獨與向壽主斷者、不知壽黨於楚以事秦王者、以失之也、【考證】恩田仲任曰、有以失之、謂甘茂公孫奭黨韓魏也、愚按、斷、制也、 公孫奭黨於韓、而甘茂黨於魏。故王不信也。今秦・楚爭彊、而公黨於楚。是與公孫奭・甘茂同道也。公何以異

之。【正義】蘇氏云、向壽與公孫奭甘茂皆有黨、言無異也、又一云、改異黨楚之意、【考證】何以異之、猶言何能得明其所以與二人異也、 人皆言楚之善變也。而公必亡之。是自爲責也。【正義】楚善變改不可信、若變改、向壽必亾敗、是自爲責、【考證】恩田仲任曰、言人皆言楚之善變改不可信、而向壽獨言楚必無變改也、是自得責於王也、亡、是有無之無、方苞說同、愚按、策、責作貴、史義長、 公不如與王謀其變也、善韓以備楚。如此則無患矣。【正義】令秦親韓而備楚之變改、則向壽無患矣、 韓氏必先以國從公孫奭、而後委國於甘茂。韓、公之讎也。【正義】韓氏必先委二人、故韓爲向壽之讎、【考證】韓公讎也四字、屬下讀、讎、言其不相善也、楓山、三條本、也作巳、 今公言善韓以備楚。是外舉不辟讎也。【考證】左傳襄二十一年、外舉不棄讎、內舉不失親、禮記儒行篇、內稱不辟親、外舉不辟怨、 向壽曰。然。吾甚欲韓合。對曰。甘茂許公仲以武遂反宜陽之民。【索隱】徐廣曰、秦昭王元年、予韓武遂、【正義】武遂宜陽、本韓邑也、秦伐取之、今欲還韓、令其民得反歸居之、【考證】楓山、三條本、反作及、義長、中井積德曰、武遂未予、只許予而已、反宜陽之民、亦許辭、非既事、又曰、前年甘茂拔宜陽矣、此只反其民而不反地之謂也、 今公徒收之。甚難。【正義】蘇代言甘茂許公仲以武遂、又歸

宜陽之民、今向壽徒擬收之、甚難事也、 向壽曰。然則奈何。武遂終不可得也。【考證】楓山、三條本、也作已、 對曰。公奚不以秦爲韓求潁川於楚。此韓之寄地也。【正義】潁川、許州也、楚侵韓潁川、蘇代令向壽以秦威重爲韓就楚求索潁川、是親向壽、【考證】潁川、今河南許昌縣地、凌稚隆曰、潁川本韓地、楚取之、故云寄地、 公求而得之、是令行於楚、而以其地德韓也。【考證】楓山、三條本、令下有得字、德作得、今本義長、 公求而不得、是韓楚之怨不解、而交走秦也。【集解】解、己買反、【索隱】韓楚怨不解、二國交走向秦也、 秦・楚爭彊、而公徐過楚以收韓。此利於秦。【集解】徐廣曰、過、一作適、【正義】若二國皆事秦、公則漸說楚之過失以收韓、此利於秦也、【考證】劉伯莊曰、過、猶毀責也、 向壽曰。奈何。【考證】中井積德曰、又言奈何者、沈吟之意也、非詰問、 對曰。此善事也。甘茂欲以魏取齊。公孫奭欲以韓取齊。今公取宜陽以爲功、收楚・韓以安之、而誅齊・魏之罪。【正義】言公孫奭甘茂、皆欲以秦挾韓魏而取齊、今向壽取宜陽爲功、收楚韓安以事秦、而責齊魏之罪、是公孫奭甘茂不得同合韓魏於秦以伐齊也、【考證】凌稚隆曰、楚歸潁川、楚韓講、故

曰、安、中井積德曰、安之者、以定宜陽之績也、 是以公孫奭・甘茂無事也。【考證】韓公仲使蘇代以下、采韓策、以字疑衍、策一本、無事字、承上文不得親於秦事、言失權如舊也、 甘茂竟言秦昭王、以武遂復歸之韓。向壽・公孫奭爭之、不能得。【正義】年表云、秦昭王元年、予韓武遂也、【考證】上文蘇代云、甘茂許公仲以武遂、至此履其約也、正義予、楓山、三條本、作歸、 向壽・公孫奭由此怨讒甘茂。茂懼、輟伐魏蒲阪、亡去。【集解】徐廣曰、昭王元年、擊魏皮氏、未拔去、【考證】楓山、三條本、茂上有甘字、中井積德曰、是時甘茂蓋自皮氏轉攻蒲阪也、而亡去、上文稱皮氏而不言蒲阪、是史氏之略筆、梁玉繩曰、蒲阪乃皮氏之誤、徐廣已言之矣、沈家本曰、以樗里子傳證之、茂此時與樗里同伐蒲、茂亡去、樗里亦釋蒲而還擊皮氏也、然則擊皮氏者樗里、故下云、樗里子與魏講罷兵、愚按、沈說是、 樗里子與魏講罷兵。【索隱】鄒氏云、講讀曰媾、媾猶和也、【考證】凌稚隆曰、此段牽引向壽樗里子蘇代諸人事、見甘茂所以亡秦奔齊之故、 甘茂之亡秦奔齊、逢蘇代。代爲齊使於秦。甘茂曰。臣得罪於秦、懼而遯逃、無所容跡。臣聞貧人女與富人女會績。貧人女曰。我無以買燭。而子之燭光幸有餘。子可分我餘光。

無損子明、而得一斯便焉。【考證】楓山、三條本、便作使、使、猶用也、一猶共也、春秋後語作便、盧藏用云、斯、此也、言貧女得此一便也、愚按、使便、義兩通、未知孰是、中井積德曰、求餘光、特託妻子也、非請薦己於齊、 今臣困。而君方使秦而當路矣。茂之妻子在焉。願君以餘光振之。【考證】甘茂之亾秦以下、本秦策、義不同、 蘇代許諾。遂致使於秦。已。【考證】秦字、已字、句、已、畢使事也、 因說秦王曰。甘茂非常士也。其居於秦累世重矣。【考證】李光縉曰、甘茂事惠武昭三王、故云累世、 自殽塞及至鬼谷、其地形險易皆明知之。【集解】徐廣曰、鬼谷、在陽城、【正義】三殽、在洛州永寧縣西北、鬼谷、陽城縣北也、【考證】策、鬼谷作谿谷、 彼以齊約韓・魏、反以圖秦、非秦之利也。秦王曰。然則奈何。蘇代曰。王不若重其贄厚其祿以迎之。使彼來、則置之鬼谷、終身勿出。【索隱】案徐廣云、鬼谷、在陽城、劉氏云、此鬼谷在關內雲陽、是矣、【正義】劉伯莊云、此鬼谷關內雲陽、非陽城者也、案陽城鬼谷、時屬韓、秦不得言置之、【考證】楓山、三條本、之下彼上無使字、今本疑衍、策、鬼谷作槐谷、梁玉繩曰、秦策、上作谿谷、此則槐谷、後語注、槐里之谷、今京兆始平之地、作鬼谷、大非、 秦王曰。善。卽

賜之上卿、以相印迎之於齊。甘茂不往。蘇代謂齊湣王曰。夫甘茂賢人也。今秦賜之上卿、以相印迎之。甘茂德王之賜、好爲王臣。故辭而不往。今王何以禮之。齊王曰。善。卽位之上卿而處之。【索隱】案處、猶畱也、【考證】甘茂之亾秦以下、采秦策、陳子龍曰、蘇代之策、卽馮驩之重孟嘗君於秦齊也、 秦因復甘茂之家、以市於齊。【正義】復、音福、【考證】復、免徭役也、市以貨喩、言秦禮甘茂、欲不使爲齊有也、凌稚隆曰、秦因復甘茂之家句、足前餘光振之之意、 齊使甘茂於楚。楚懷王新與秦合婚而驩。【集解】徐廣曰、昭王二年時、迎婦於楚、 而秦聞甘茂在楚、使人謂楚王曰。願送甘茂於秦。【考證】楓山、三條本、無曰字、 楚王問於范蜎曰。寡人欲置相於秦。孰可。【集解】徐廣曰、蜎、一作蠉、【索隱】音休緣反、又休軟反、蠉、休緣反、戰國策云、作蝝也、【正義】許緣反、【考證】梁玉繩曰、徐廣作蠉、索隱引策作蝝、今楚策作環、皆以音形相近而異、田完世家、孟荀傳有環淵、漢書人表藝文志、竝作蜎、愚按、韓非子內儲下、作干象、 對曰。臣不足以識之。楚王曰。寡人欲相甘茂。可乎。

對曰。不可。夫史擧、下蔡之監門也。[考證]策、韓非子、下蔡作上蔡、大不爲事君。小不爲家室。以苟賤不廉聞於世。[考證]苟賤不廉、策作苛廉、韓非子作苛刻、陳仁錫曰、一本不作苛、甘茂事之順焉。故惠王之明、武王之察、張儀之辯、而甘茂事之、取十官而無罪。[考證]楓山、三條本、順作愼、辯、策作好譖、韓非子與史同、茂、誠賢者也。然不可相於秦。夫秦之有賢相、非楚國之利也。且王前嘗用召滑於越、[集解]徐廣曰、滑、一作涓、而內行章義之難。[集解]徐廣曰、一云、內句章、昧之難、[索隱]謂召滑內心猜詐、外則佯章恩義、而卒包藏禍心、構難於楚也、注、一云內句章、昧之難、案戰國策云、納章句之難、[正義]內、猶陰也、楚令召滑相越、陰內章句定義之禍、難亂敗越也、[考證]而內行章義之難、策作而納句章、昧之難、與徐廣所引一本合、洪亮吉曰、句章、地名、屬會稽、昧、楚將唐昧、謂懷王二十八年、齊秦韓魏共攻楚殺昧也、當以廣說爲是、梁玉繩曰、言納召滑于句章之地、楚雖有唐昧之難、而能得越地、以滑亂之也、召滑、在始皇紀、愚按史策異義、洪梁二氏、依策作說、中井履軒所說亦同、今姑依史文釋之、召滑、人名、梁說得之、行章義之難、使召滑啓章義、作難於越也、內、斥越而言、章義、蓋越人、越國亂。故楚南塞厲門、[集解]徐廣曰、一作瀨湖、[正義]劉伯莊云、厲門、度嶺

南之要路、而郡江東。[正義]吳越之城、皆爲楚之都邑、[考證]黃以周曰、以江東爲郡也、江東、卽故吳地、故春申君請徙封江東、楚王許之、徙都吳、是也、愚按韓非子無而內行章義之難、越國亂、故楚塞厲門而郡江東十九字、有五年而能亡越六字、計王之功、所以能如此者、越國亂而楚治也。今王知用諸越、而忘用諸秦。臣以王爲鉅過矣。然則王若欲置相於秦、則莫若向壽者可。[考證]楓山、三條本、無莫字、與策合、夫向壽之於秦王、親也。少與之同衣、長與之同車、以聽事。王必相向壽於秦、則楚國之利也。[考證]楚王問於范蜎以下、采楚策、韓非子內儲說下、載此事、少異、義長、向壽、策作公孫郝、韓非子作共立、可字應前孰可字、於是使使請秦相向壽於秦。秦卒相向壽。而甘茂竟不得復入秦。卒於魏。[考證]梁玉繩曰、秦紀不書壽、郝爲相、甘茂有孫曰甘羅。甘羅者、甘茂孫也。茂既死後、甘羅年十二、事秦相文信侯呂不韋。[索隱]戰國策云、甘羅事呂不韋、爲庶子、秦始皇帝使剛成君蔡澤於燕。三

年而燕王喜使太子丹入質於秦。[考證]秦始皇帝以下、采秦策、秦使張唐往相燕、欲與燕共伐趙、以廣河閒之地。[考證]河間、漳河之間、今直隸河間縣等地、戰國時、爲燕趙齊三國之境、時秦已取楡次三十七城、置太原郡、欲遂取太行以東以至河也、張唐謂文信侯曰。臣嘗爲秦昭王伐趙。趙怨臣曰、得唐者與百里之地。今之燕必經趙。臣不可以行。文信侯不快。未有以彊也。甘羅曰。君侯何不快之甚也。文信侯曰。吾令剛成君蔡澤事燕三年。燕太子丹已入質矣。吾自請張卿相燕。而不肯行。[索隱]卽張唐也、卿字也、[正義]張唐爲卿、故曰張卿、[考證]刺客傳、衞人謂之慶卿、索隱、卿者時人尊重之號、猶如相尊美而稱然、愚按張卿之卿同、甘羅曰。臣請行之。文信侯叱曰。去。我身自請之而不肯。女焉能行之。[正義]女、音汝、焉、乙連反、甘羅曰。夫項槖生七歲爲孔子師。[索隱]槖、音託、尊其道德、故云大項槖、[正義]尊其道德、故曰大、[考證]楓山、三條本、夫作大、索隱本正義本亦作大、策作夫、策義爲

長、淮南脩務訓、項託七歲爲孔子師、今臣生十二歲於茲矣。君其試臣。何遽叱乎。[考證]何遽二字連文、遽、與距、渠通、說詳于經傳釋詞、楓山本叱上有言字、於是甘羅見張卿曰。卿之功、孰與武安君。[考證]秦將白起、卿曰。武安君南挫彊楚、北威燕・趙、戰勝攻取、破城墮邑、不知其數。臣之功不如也。甘羅曰。應侯之用於秦也、孰與文信侯專。[索隱]應侯、范睢、張卿曰。應侯不如文信侯專。甘羅曰。卿明知其不如文信侯專與。曰。知之。甘羅曰。應侯欲攻趙。武安君難之。去咸陽七里、而立死於杜郵。[考證]白起傳、七里作十里、今文信侯自請卿相燕。而不肯行。臣不知卿所死處矣。張唐曰。請因孺子行。令裝治行。行有日。甘羅謂文信侯曰。借臣車五乘。請爲張唐先報趙。[正義]借、時夜反、文信侯乃入言之於始皇曰。昔

甘茂之孫甘羅、年少耳。然名家之子孫。諸侯皆聞之。今者張唐欲稱疾不肯行。甘羅說而行之。今願先報趙。請許遣之。始皇召見、使甘羅於趙。【考證】策、無文信侯至使甘羅於趙六十六字、蓋史公以意補、趙襄王郊迎甘羅。甘羅說趙王曰。王聞燕太子丹入質秦歟。曰。聞之。曰。聞張唐相燕歟。曰。聞之。燕太子丹入秦者、燕不欺秦也。張唐相燕者、秦不欺燕也。燕・秦不相欺者、伐趙危矣。【考證】燕秦以下十字、與下文複可削、策亦有、燕・秦不相欺無異故。欲攻趙而廣河閒。王不如齎臣五城以廣河閒。【索隱】齎、音側奚反、一音賫、竝謂割五城與臣也、【正義】齎、音卽齊反、割五城廣河間、託甘羅還報秦也、【考證】中井積德曰、齎、謂令持獻于秦也、請歸燕太子、與彊趙攻弱燕。趙王立自割五城以廣河閒。秦歸燕太子。趙攻燕、得上谷三十城。【索隱】戰國策云、得三十六縣、【正義】上谷、今嬀州也、在幽州西北、【考證】上谷、今直隸口北道、令秦有十一。【索隱】謂以十一城與秦也、【考證】秦始皇帝以下、采秦策、中井積德曰、按燕世家荊卿傳、竝言丹亡歸、無秦歸之之事、又燕趙世家、竝不見上谷之役、蓋辨士之浮言、非事實也、愚按、梁玉繩亦有此說、甘羅還報。秦乃封甘羅以爲上卿、復以始甘茂田宅賜之。【考證】黃式三曰、羅爲上卿、疑亦後日事、梁玉繩曰、甘羅十二爲丞相、此世俗妄談、乃僞禮喪服傳賈疏、已有十二相秦之語、豈非誤讀史記乎、

太史公曰。樗里子以骨肉重。固其理。而秦人稱其智。故頗采焉。甘茂起下蔡閭閻、顯名諸侯、重彊齊・楚。【集解】徐廣曰、恐或疑此當云見重彊齊、誤脫一字、【正義】甘茂爲彊齊楚所重、甘羅年少。然出一奇計、聲稱後世。雖非篤行之君子、然亦戰國之策士也。方秦之彊時、天下尤趨謀詐哉。

【索隱】述贊、嚴君名疾、厥號智囊、既親且重、稱兵外攘、甘茂竝相、初佐魏章、始推向壽、乃攻宜陽、甘羅妙歲、卒起張唐、

樗里子甘茂列傳第十一　　史記七十一

史記會注考證卷七十二

漢　太　史　令　司　馬　遷　撰

宋中郎外兵曹參軍裴　駰集解

唐國子博士弘文館學士司馬貞索隱

唐諸王侍讀率府長史張守節正義

日　本　出　雲　瀧　川　資　言　考　證

穰侯列傳第十二　史記七十二

[考證]史公自序云、苞河山、圍大梁、使諸侯斂手而事秦者、魏冄之功、作穰侯列傳、第十二、凌稚隆曰、太史公首賢魏冄、繼歷敘其摧齊撓楚、破魏圍梁之功、以見四相而封

陶者非過也、卒以一夫開說、憂憤而亡、秦王其少恩哉、

穰侯魏冄者、秦昭王母宣太后弟也。[索隱]宣太后之異父長弟也、姓魏、名冄、封之穰、地理志、穰縣在南陽、宣太后者、惠王之妃、姓羋氏、曰羋八子者是也、[正義]穰、鄧州穰縣、冄、日嶮反、 其先楚人。姓羋氏。[正義]羋、亾爾反、[考證]中井積德曰、其先其字、蓋指宣太后也、上或有脫文、若穰侯、下文明言魏氏、此不當稱姓羋氏也、 秦武王卒、無子。立其弟爲昭王。昭王母、故號爲羋八子。[考證]八子、婦官名、陳仁錫曰、八子者夫人以下之稱、其爵第四等、 及昭王卽位、羋八子號爲宣太后。宣太后非武王母。武王母號曰惠文后。先武王死。[索隱]秦本紀云、昭王二年、庶長壯、與大臣公子爲逆、皆誅、及惠文后皆不得良死、又按紀年云、秦內亂、殺其太后及公子雍公子壯、是也、[考證]索隱所引、卽下文季君之亂也、此云惠文后先武王死、誤、 宣太后二弟。其異父長弟曰穰侯。姓魏氏。名冄。同父弟曰羋戎。爲華陽君。[索隱]華陽、韓地、後屬秦、羋戎後又號新城君、[正義]司馬彪云、華陽、亭名、在洛州密縣、又故華城、在鄭州管城縣南三十里、卽此、[考證]中井積德曰、宣太后有異父長弟冄、而又有同父弟戎、其母生宣太后而出、生冄於魏氏、復歸於原夫而生

戎邪、 而昭王同母弟曰高陵君・涇陽君。而魏冄最賢。[索隱]高陵君、名顯、涇陽君、名悝、[正義]悝、客廻反、[考證]黃式三曰、索隱云、涇陽君名悝、誤也、秦本紀涇陽君爲質于齊、索隱云、名市、是、悝、華陽君名、茅坤曰、敍華陽君三人者、發篇末范睢說悟昭王案、 自惠王・武王時、任職用事。武王卒、諸弟爭立。唯魏冄力爲能立昭王。[考證]徐孚遠曰、宣太后爲八子時、魏冄已用事、能援立昭王、是冄以才進、非緣戚屬也、 昭王卽位。以冄爲將軍衞咸陽、誅季君之亂。[集解]徐廣曰、年表曰、季君爲亂誅、本紀曰、庶長壯、與大臣公子謀反、伏誅、[索隱]按季君卽公子壯、僭立而號曰季君、穰侯力能立昭王、爲將軍衞咸陽、誅季君及惠文后、故本紀言伏誅、又云、及惠文后皆不得良死、蓋謂惠文后時黨公子壯欲立之、及壯誅而太后憂死、故云、不得良死、亦史諱之也、又逐武王后出之魏、亦事勢然也、[考證]梁玉繩曰、年表云、桑君爲亂誅、今據此傳、桑君者季君也、今本譌作桑爾、季君必秦之公子、 而逐武王后出之魏。昭王諸兄弟不善者、皆滅之、威振秦國。昭王少。宣太后自治。任魏冄爲政。[考證]柯維騏曰、昭王年少、羋太后攝政、故穰侯權重於昭王、家富于嬴國、漢唐以來、女主臨朝專制、自羋太后始也、 昭王七年、樗里子死。而使涇陽君質於齊。趙人樓

緩來相秦。趙不利。乃使仇液之秦、[索隱]仇液、戰國策作仇郝、蓋是一人而記別也、[正義]液、音亦、姓名、 請以魏冄爲秦相。仇液將行。其客宋公謂液曰。[索隱]戰國策作宋交、[考證]今本策作宋突、 秦不聽公、樓緩必怨公。公不若謂樓緩曰請爲公毋急秦。[考證]無急使秦王相魏冄也、 秦王見趙請相魏冄之不急、且不聽公。公言而事不成、以德樓子。事成、魏冄故德公矣。[考證]使仇液之秦以下、采趙策、策作固、通、 於是仇液從之。而秦果免樓緩、而魏冄相秦。欲誅呂禮。禮出奔齊。[考證]楓山、三條本、禮上有呂字、 昭王十四年、魏冄舉白起、使代向壽將。[考證]楓山本、將上有爲字、梁玉繩曰、白起已于十三年爲左庶長、則非十四年始舉之也、 而攻韓・魏、敗之伊闕、斬首二十四萬、虜魏將公孫喜。明年、又取楚之宛・葉。[考證]梁玉繩曰、表、韓世家、皆不言葉、 魏冄謝病免相、以客卿壽燭爲相。其明年、燭免。復相冄。乃封

魏冄於穰、復益封陶、號曰穰侯。[集解]徐廣曰、一作陰、[索隱]陶、卽定陶也、徐廣云、作陰、陶陰字本易惑也、王劭按定陶見有魏冄冢、作陰誤也、[正義]陶、今雷州陶城、[考證]沈濤曰、定陶、齊地、此時未爲秦有、豈得以封穰侯、漢書地理志、京兆華陰、故陰、穰侯所封、疑卽在此、則作陰爲是、下文諸陶字、徐廣本皆作陰、戰國策釋地云、考定陶、在今山東荷澤縣、穰故城、在今河南鄧縣、地隔韓魏、相去殊遠、陰、今湖北光化縣陰故城是也、與鄧鄰近、徐說似得之、然以陶爲陰、未免牽强、冄別封、當是山西永濟縣北之陶城、則距穰故城、尙不甚遠、 穰侯封四歲、爲秦將攻魏。魏獻河東方四百里。拔魏之河內、取城大小六十餘。[考證]梁玉繩曰、四歲、當是三歲之誤、若是四歲、則爲昭十九年、何以下又云昭王十九年乎、魏納河東、在秦昭十七年、魏昭六年、乃穰侯封陶之二歲也、取六十一城、在秦昭十八年、元屬兩事、不得幷爲一、 昭王十九年、秦稱西帝、齊稱東帝。月餘、呂禮來。而齊・秦各復歸帝爲王。[考證]呂禮來、秦紀在歸帝爲王之後、 魏冄復相秦。六歲而免。免二歲、復相秦。[考證]二歲、當作四歲、說在秦紀、 四歲而使白起拔楚之郢。秦置南郡。乃封白起爲武安君。白起者、穰侯之所任擧也。相善。於是穰侯之富、

富於王室。[考證]楓山、三條本、王室作王家、凌稚隆曰、前既言魏冄擧白起攻韓魏取楚之宛葉矣、此又言冄使白起拔楚之郢、而結之曰、白起者、穰侯之所任擧也、總見得白起之功、皆本于穰侯耳、何焯曰、白起者穰侯之所任擧也、此武安與應侯不平之根、 昭王三十二年、穰侯爲相國。將兵攻魏、走芒卯、入北宅、遂圍大梁。[集解]芒卯、上莫印反、下陌飽反、徐廣曰、魏惠王五年、與韓會宅陽、[正義]竹書云、宅陽一名北宅、括地志云、宅陽故城、在鄭州滎陽縣西南十七里、[考證]策作秦敗魏於華、走芒卯而圍大梁、梁玉繩曰、是年乃破暴鳶走開封耳、今河南滎澤東有宅陽故城、 梁大夫須賈說穰侯曰。臣聞魏之長吏謂魏王曰。昔梁惠王伐趙、戰勝三梁、[集解]徐廣曰、田完世家云、魏伐趙、趙不利、戰於南梁、[索隱]三梁、卽南梁也、[考證]桃源鈔引大康地記云、戰國時謂南梁者、別之於大梁小梁也、古蠻子邑也、 拔邯鄲。趙氏不割、而邯鄲復歸。[考證]一拔一歸、皆妄、說在趙世家、梁玉繩曰、集解索隱、以爲卽南梁之役、非也、南梁乃趙魏伐韓、非魏伐趙、 齊人攻衞、拔故國、殺子良。衞人不割、而故地復反衞。[索隱]衞之故國、蓋楚丘也、下文故地亦同、謂楚丘也、戰國策、衞字皆作燕、子良作子之、恐非也、[考證]梁玉繩曰、史策未知孰是、索隱以魏策爲非、何所見乎、愚按故國、猶言故都也、 趙之所以國全兵勁、而地不幷於

諸侯者、以其能忍難而重出地也。宋・中山、數伐割地、而國隨以亡。[考證]楓山、三條本、割上有數字、隨下有之字、 臣以爲衞・趙可法、而宋・中山可爲戒也。秦、貪戾之國也。而毋親。蠶食魏氏、又盡晉國。[索隱]河東河西河內、竝是魏地、卽故晉國、今言秦蠶食魏氏、盡晉國之地也、 戰勝暴子、割八縣。地未畢入、兵復出矣。[集解]徐廣曰、暴子、韓將暴鳶、[考證]沈家本曰、表、是年於韓書暴鳶救魏、爲秦所敗走開封、徐據此爲說、秦紀亦在是年、而下文明年走魏將暴鳶、何也、戰國策作睪子、鮑彪注、地缺、 夫秦何猒之有哉。今又走芒卯、入北宅。此非敢攻梁也。且劫王以求多割地。王必勿聽也。[考證]王、魏王也、 今王背楚・趙而講秦。[索隱]講、和也、 楚・趙怒而去王、與王爭事秦、秦必受之。[考證]楓山、三條本、受作愛、 秦挾楚・趙之兵、以復攻梁、則國求無亡不可得也。願王之必無講也。王若欲講、少割而有質。不然、必見欺。[索隱]謂與秦欲講、少割地而求秦質子、恐不然、必被秦

欺也、[正義]秦欲和魏、魏割地、仍求秦質、 此臣之所聞於魏也。[索隱]須賈說穰侯、言魏人謂梁王、若少割地而求秦質、必是欺我、卽聞魏見欺於秦也、[考證]董份曰、自臣聞至不然必見欺、皆須賈述衞人之言、故結之曰、此臣之所聞于魏也、言其所聞于魏之言如此也、詞意極明、索隱大謬、 願君王之以是慮事也。[考證]策無王字、張文虎曰、君指穰侯、下文屢稱君、可證王字衍、 周書曰。惟命不于常。此言幸之不可數也。[考證]周書、康誥篇、數音色角反、 夫戰勝暴子、割八縣。此非兵力之精也。又非計之工也。天幸爲多矣。今又走芒卯、入北宅、以攻大梁。是以天幸自爲常也。智者不然。臣聞魏氏悉其百縣勝甲以上戍大梁。[考證]勝、如勝冠之勝、任也、 臣以爲不下三十萬。以三十萬之衆、守梁七仞之城。[集解]爾雅曰、四尺謂之仞、倍仞謂之尋、[考證]策、七仞作十仞、此誤、下同、集解所引小爾雅文、中井積德曰、仞亦八尺、尋亦八尺、度高深以仞、度長短以尋、 臣以爲湯・武復生、不易攻也。夫輕背楚・趙之兵、陵七仞之城、戰三十萬之衆、而志必擧之、臣

以爲自天地始分以至于今、未嘗有者也。攻而不拔、秦兵必罷。陶邑必亡。則前功必弃矣。【索隱】陶、一作魏、言秦前攻得魏之城邑、秦罷則亾而還於魏也、【正義】定陶近大梁、穰侯攻梁、兵疲、定陶必爲魏伐、今魏氏方疑。可以少割收也。【索隱】賈引魏人之說不許王講于秦、是言魏氏方疑、可以少割地而收魏也、願君逮楚・趙之兵未至於梁、亟以少割收魏。魏方疑。而得以少割爲利必欲之。則君得所欲矣。【考證】楓山本、利作和、與策合、楚・趙怒於魏之先已也、必爭事秦。從以此散。【索隱】楚趙怒魏之與秦講、皆爭事秦、是東方從國、於是解散也、故云從以此散、【正義】從、足松反、【考證】中井積德曰、從以此散、從約解也、而君後擇焉。【考證】策注、擇其所與於散從之後、且君之得地、豈必以兵哉。割晉國、秦兵不攻、而魏必效絳・安邑、【考證】愚按效絳安邑、既往之事、必字疑衍、策無、又爲陶開兩道、【索隱】穰侯封陶、魏效絳與安邑、是得河東地、言從秦適陶、開河西河東之兩道、【正義】穰故封定陶、故宋及單父、是陶之南道也、魏之安邑及絳、是陶北道、幾盡故宋、【索隱】幾、音祈、此時宋已滅、是秦將盡得宋地也、【正義】

宋時已爲齊滅、衛必效單父。【考證】策無必字、單父作尤憚、蓋亦既往之事、秦兵可全而君制之。何索而不得。何爲而不成。願君熟慮之、而無行危。【索隱】言莫行圍梁之危事、穰侯曰。善。乃罷梁圍。【正義】表云、魏安釐王二年、秦軍大梁城、韓來救、與秦溫以和也、【考證】遂圍大梁以下、本魏策、但末段且君之得地豈必以兵哉以下、與策頗異、文蓋有譌誤、梁玉繩曰、梁圍之罷、因獻南陽、何曾是須賈說穰侯而罷乎、鮑彪魏策注辨之曰、以秦爲天幸、而欲其無行危也、秦豈信之哉、秦行是何危之有、且其爲魏過深、適足以疑秦、豈沮于是哉、梁圍之解、將別有故、非賈力也、明年、魏背秦與齊從親。秦使穰侯伐魏。斬首四萬。走魏將暴鳶。得魏三縣。【考證】沈家本曰、按魏世家及表、在安釐三年、爲秦昭三十三年、與此合、秦紀及韓世家韓表、在昭王三十二年、與此不同、梁玉繩曰、魏將乃韓將之誤、穰侯益封。明年、穰侯與白起・客卿胡陽、復攻趙・韓・魏、破芒卯於華陽下、斬首十萬。取魏之卷・蔡陽・長社、趙氏觀津、【集解】卷、丘權反、【考證】華陽、城名、在今河南新鄭縣東南、梁玉繩曰、是時秦救韓而伐趙魏、何云攻韓、當衍韓字、十萬、當作十五萬、沈家本曰、秦紀趙世家、在三十三年、與此不同、表及魏韓世家白起傳、在三十四年、與此合、且與趙觀津、益趙

以兵伐齊。【索隱】既得觀津、仍令趙伐齊、而秦又以兵益助趙也、【考證】楓山三條本、益下無趙字、索隱、既得當作既與、齊襄王懼、使蘇代爲齊陰遺穰侯書曰。臣聞往來者言曰。秦將益趙甲四萬以伐齊。臣竊必之敝邑之王曰。【索隱】告齊王、言秦必定不益兵以助趙、【正義】臣、蘇代也、必知秦與趙甲四萬以伐齊、王、謂齊王也、【考證】必、豫決也、之斥下文所言、正義與上疑脫不字、秦王明而熟於計。穰侯智而習於事。必不益趙甲四萬以伐齊。是何也。夫三晉之相與也、秦之深讎也。百相背也。百相欺也。不爲不信。不爲無行。【考證】雖相背相欺、自不以爲不信無行、今破齊以肥趙。趙、秦之深讎。不利於秦。此一也。秦之謀者必曰。破齊弊晉・楚、而後制晉・楚之勝。【正義】今晉楚伐齊、晉楚之國亦弊敗、【考證】中井積德曰、前文無楚、而代書中連稱晉楚、是以是役爲秦率晉楚伐齊者也、皆臆度之言、勿泥前文作疑、夫齊、罷國也。以天下攻齊、如以千鈞之弩決潰癰也。必死。安能弊晉・楚。此二也。【考證】策無

必死二字、義長、秦少出兵、則晉・楚不信也。多出兵、則晉・楚爲制於秦。齊恐、不走秦、必走晉・楚。此三也。秦割齊以啖晉・楚。晉・楚案之以兵。秦反受敵。此四也。【考證】楓山三條本、敵作弊、義長、策作兵、是晉・楚以秦謀齊、以齊謀秦也。何晉・楚之智、而秦・齊之愚。此五也。故得安邑以善事之、【考證】故得安邑一句不明晳、策作秦得安邑、善齊以安之、亦必無患矣。秦有安邑、韓氏必無上黨矣。【考證】策、韓氏作韓魏、韓魏均有上黨、今山西長治縣等地、取天下之腸胃、與出兵而懼其不反也、孰利。【考證】取腸胃、喻取上黨、臣故曰。秦王明而熟於計。穰侯智而習於事。必不益趙甲四萬以伐齊矣。【考證】蘇代爲齊遺穰侯書以下、采秦策、於是穰侯不行、引兵而歸。昭王三十六年、相國穰侯言客卿竈、欲伐齊取剛壽、以廣其陶邑。【集解】徐廣曰、濟北有剛縣、【正義】故剛城、在兗州龔丘縣界、壽張、鄆州縣也、【考證】相國穰侯以

下、本秦策、黃式三曰、言客卿竈、當作用客卿竈言、又曰、竈、秦策作造、剛壽、范雎傳作綱壽、梁玉繩曰、事在昭王三十七年、此誤敘于三十六年、於是魏人范雎自謂張祿先生、譏穰侯之伐齊、乃越三晉以攻齊也。以此時奸說秦昭王。【考證】策、無自謂張祿先生語、史公別有所依、奸干通、昭王於是用范雎。范雎言宣太后專制、穰侯擅權於諸侯、涇陽君・高陵君之屬太侈、富於王室。於是秦昭王悟、乃免相國、令涇陽之屬皆出關就封邑。【考證】凌稚隆曰、應前宣太后自治、穰侯出關、輜車千乘有餘。【考證】凌稚隆曰、應前穰侯富于王室、穰侯卒於陶、而因葬焉。秦復收陶爲郡。【考證】梁玉繩曰、秦無陶郡、當作縣、愚按爲郡、猶言沒入、梁說拘、

太史公曰。穰侯、昭王親舅也。而秦所以東益地弱諸侯、嘗稱帝於天下、天下皆西鄉稽首者、穰侯之功也。【考證】楓山、三條本、稽首作低首、

及其貴極富溢、一夫開說、身折勢奪、而以憂死。況於羇旅之臣乎。【考證】楓山、三條本、開說作關說、可從、梁孝王世家、佞幸傳、亦有關說字、

【索隱】述贊、穰侯智識、應變無方、內倚太后、外輔昭王、四登相位、再列封疆、摧齊撓楚、破魏圍梁、一夫開說、憂憤而亾、

穰侯列傳第十二　史記七十二

史記會注考證卷七十三

漢　太史令　司馬遷　撰
宋　中郎外兵曹參軍　裴駰　集解
唐　國子博士弘文館學士　司馬貞　索隱
唐　諸王侍讀率府長史　張守節　正義
日本　出雲　瀧川資言　考證

白起王翦列傳第十三　史記七十三

【考證】史公自序云、南拔鄢郢、北摧長平、遂圍邯鄲、武安爲率、破荊滅趙、王翦之計、作白起王翦列傳第十三、

白起者、郿人也。善用兵、事秦昭王。【正義】郿、音眉、岐州縣、【考證】穰侯傳云、白起者穰侯之所任擧也、相善、昭王十三年、而白起爲左庶長。將而擊韓之新城。【索隱】在河南也、【正義】今洛州伊闕、長、展兩反、【考證】秦紀、左庶長作左更、疑紀誤、新城、今河南洛陽縣有新城故城、是歲、穰侯相秦。擧任鄙以爲漢中守。【考證】是歲、承上秦昭十三年、而紀表竝在十二年、任鄙爲漢中守、上下無所承、蓋連書之也、其明年、白起爲左更、攻韓·魏於伊闕。斬首二十四萬。【正義】今洛州南十九里伊闕山、號曰龍門、是也、又虜其將公孫喜、拔五城。【考證】梁玉繩曰、此所拔之五城、不知是魏是韓、說在秦紀、起遷爲國尉、【正義】言太尉、涉河取韓安邑以東到乾河。【集解】徐廣曰、乾、音干、郭璞曰、今河東聞喜縣東北有乾河口、因名乾河里、但有故溝處、無復水也、【索隱】魏以安邑入秦、然安邑以東至乾河、皆韓故地、故云取韓安邑、【正義】乾河源出絳州絳縣東南穀山、南流注河、其水冬乾夏流、故曰乾河、明年、白起爲大良造、攻魏拔之、取城小大六十一。【考證】沈家本曰、按秦紀、是年白起攻魏取垣、復予之、不言取城六十一、魏世家及六國表、取城大小六十一、事皆在昭王十八年、言客卿錯、非白起、明年、起與客卿錯攻

垣城拔之。【集解】徐廣曰、河東垣縣、【考證】紀言左更錯取軹及鄧、與此異、後五年、白起攻趙拔光狼城。【索隱】地理志、不載光狼城、蓋屬趙國、【正義】光狼故城、在澤州高平縣西二十五里也、【考證】李笠曰、案後五年、昭王廿一年也、秦紀、昭王二十七年、白起攻趙、取代光狼城、與此異、後七年、白起攻楚拔鄢·鄧五城。【集解】徐廣曰、昭王二十八年、【正義】鄢鄧二邑、在襄州、【考證】明年白起爲大良造以下、與紀表不合、梁玉繩曰、宜書曰白起爲大良造攻魏垣拔之、後三年、起攻魏取城大小六十一、左更錯攻垣城河雍拔之、後九年、白起攻趙拔代光狼城、明年、白起攻楚拔鄢鄧西陵三城、其明年、攻楚拔郢、燒夷陵、遂東至竟陵。【正義】夷陵、今峽州郭下縣、竟陵故城、在郢州長壽縣南百五十里、今復州亦是其地也、【考證】郢、楚都、今湖北江陵東故郢城、夷陵、楚先王墓所在、後爲縣、今湖北東湖縣、楚王亡、去郢東走徙陳。秦以郢爲南郡。【考證】陳、今河南陳州、白起遷爲武安君。武安君因取楚、定巫·黔中郡。【考證】巫郡、今四川巫山縣、今湖南之常德辰州、永順、貴州之黎平、思南諸縣、皆楚黔中地、秦本紀云、蜀守若取巫郡及江南爲黔中郡、此傳及春申君傳云起取之、說在紀、昭王三十四年、白起攻魏拔華陽、走芒卯、而虜三晉將、斬首十三萬。【考證】梁玉繩曰、華陽、韓地、蓋破魏于華陽耳、是役、秦攻趙魏以救

韓、與韓何干、不得言三晉將、辨在紀中、與趙將賈偃戰、沈其卒二萬人於河中。【考證】秦紀及六國表、作十五萬人、穰侯傳作十萬、沈家本曰、此言十三萬、又言二萬、紀表統言之耳、穰侯傳則奪五字、昭王四十三年、白起攻韓陘城、拔五城、斬首五萬。【正義】陘城故城、在曲沃縣西北二十里、在絳州東北三十五里也、【考證】秦紀云、拔九城、韓世家六國表云、秦拔我陘城汾旁、四十四年、白起攻南陽·太行道絕之。【集解】徐廣曰、此南陽河內脩武是也、【正義】案南陽屬韓、秦攻之、則韓太行羊腸道絕矣、四十五年、伐韓之野王。【索隱】地理志、野王縣屬河內、在太行東南、孟康曰、古邢國也、【正義】野王、懷州河內縣、本春秋野王邑也、太行山、在縣北二十五里、野王降秦。上黨道絕。其守馮亭與民謀曰。鄭道已絕。【集解】徐廣曰、河南新鄭、韓之國都是也、【索隱】鄭國、卽韓之都、在河南、秦伐野王、是上黨歸韓之道絕也、【正義】鄭縣、本韓之國都、秦攻韓南陽野王、則野王上黨之道絕矣、【考證】胡三省曰、自上黨趣鄭、由野王度河、韓必不可得爲民。【考證】不可得爲韓之民也、秦兵日進、韓不能應。不如以上黨歸趙。趙若受我、秦怒必攻趙。趙被兵、必親韓。韓·趙爲一、則可以當秦。因使人

報趙。趙孝成王與平陽君・平原君計之。【索隱】平陽君、未詳何人、【正義】趙世家曰、封趙豹爲平陽君、平陽故城、在相州臨漳縣西二十五里、【考證】策云、平陽君、惠文王母弟也、平陽君曰。不如勿受。受之禍大於所得。平原君曰。無故得一郡。受之便。趙受之。因封馮亭爲華陽君。【正義】常山、一名華陽、解在趙世家、【考證】凌稚隆曰、爲長平之戰本案、愚按事詳于趙世家、又按趙策云、馮亭辭封入韓、與此異、四十六年、秦攻韓緱氏・藺拔之。【集解】徐廣曰、屬潁川、【索隱】今其地闕、西河別有藺縣也、【正義】按檢諸地記、潁川無藺、括地志云、洛州嵩縣、本夏之綸國也、在緱氏東南六十里、地理志云、綸氏屬潁川郡、按既攻緱氏藺、二邑合相近、恐綸藺聲相似、字隨音而轉作藺、【考證】恩田仲任曰、韓獻子玄孫曰康、食采於藺、因氏、據此、正義說非、四十七年、秦使左庶長王齕攻韓、取上黨。【集解】齕、音紇、上黨民走趙。趙軍長平、【集解】徐廣曰、在泫氏、【索隱】地理志、泫氏、今在上黨郡也、【正義】長平故城、在澤州高平縣西二十一里、以按據上黨民。【索隱】謂屯兵長平、以據援上黨、【考證】中井積德曰、上黨既破矣、按據、猶言鎮撫也、乃是鎮撫其走民、不使散亡也、索隱謬、四月、齕因攻趙。趙使廉頗將。趙軍士卒犯秦斥兵。【索隱】謂犯秦之斥

候兵也、秦斥兵斬趙裨將茄。【索隱】音加、裨將名也、六月、陷趙軍、取二鄣四尉。【索隱】鄣、堡城、尉、官也、【正義】括地志云、趙鄣故城、一名都尉城、今名趙東城、在澤州高平縣西二十五里、又有故穀城、此二城即二鄣也、【考證】中井積德曰、二鄣元不言處所、勿論可也、且鄣似城而小、猶砦也、後世無可搜索、下文西壘秦壁趙壁、並倣此、胡三省曰、裨將、軍之副將也、尉、軍中諸部都尉也、七月、趙軍築壘壁而守之。秦又攻其壘、取二尉、敗其陣、奪西壘壁。【集解】徐廣曰、陳、一作乘、【正義】趙西壘、在澤州高平縣北六里、是也、即廉頗堅壁以待秦、王齕奪趙西壘壁者、廉頗堅壁以待秦。秦數挑戰。趙兵不出。【正義】數、音朔、挑、田鳥反、趙王數以爲讓。而秦相應侯又使人行千金於趙爲反閒、曰。【正義】紀莧反、秦之所惡、獨畏馬服子趙括將耳。廉頗易與。且降矣。趙王既怒廉頗軍多失亡、軍數敗、【考證】張文虎曰、亡下軍字、疑涉上而衍、又反堅壁不敢戰、而又聞秦反閒之言。因使趙括代廉頗將以擊秦。秦聞馬服子將、乃陰使武安君白起

爲上將軍、而王齕爲尉裨將。令軍中、有敢泄武安君將者斬。趙括至、則出兵擊秦軍。秦軍詳敗而走、張二奇兵以劫之。【正義】詳、音羊、趙軍逐勝、追造秦壁。【正義】秦壁、一名秦壘、今亦名秦長壘、【考證】造、詣也、壁堅拒不得入。而秦奇兵二萬五千人、絕趙軍後、又一軍五千騎、絕趙壁閒。趙軍分而爲二、糧道絕。而秦出輕兵擊之。【正義】人馬不帶甲爲輕兵、趙戰不利、因築壁堅守、以待救至。【正義】趙壁、今名趙東壘、亦名趙東長壘、在澤州高平縣北五里、即趙括築壁敗處、秦王聞趙食道絕、王自之河內、【正義】時已屬秦、故發其兵、賜民爵各一級、發年十五以上、悉詣長平、【索隱】時已屬秦、故發其兵、【考證】長平、在今山西高平縣西、遮絕趙救及糧食。至九月、趙卒不得食四十六日。皆內陰相殺食、來攻秦壘欲出、爲四隊、四五復之。不能出。【考證】欲出句、爲四隊句、言括欲潰圍而出、分爲四隊、以衝秦軍者、

四五復之、而不能破之也、其將軍趙括出銳卒自搏戰。秦軍射殺趙括。【考證】陳子龍曰、廉頗僅支王齕、而括安能敵白起、然趙軍既分爲二、括猶築壁堅守、至四五十日、而後敗、括亦良將也、特以視秦太輕、墮秦之誘耳、括軍敗、卒四十萬人降武安君。武安君計曰。前秦已拔上黨。上黨民不樂爲秦而歸趙。趙卒反覆、非盡殺之、恐爲亂。【正義】樂爲、上音洛、下于危反、情不樂爲秦民、乃挾詐而盡阬殺之。遺其小者二百四十人歸趙。前後斬首虜四十五萬人。趙人大震。【考證】胡三省曰、此言秦兵自挫廉頗至大破趙括、前後所斬首虜之數耳、兵非大敗、四十萬人安肯束手而死邪、中井積德曰、此前後泄白起圍邯鄲事、蓋脫文耳、四十八年十月、秦復定上黨郡。【索隱】秦前攻趙、已破上黨、今迴兵復定其郡、其餘城猶屬趙也、秦分軍爲二、王齕攻皮牢拔之、【正義】皮牢故城、在絳州龍門縣西一里、司馬梗定太原。【正義】太原、趙地、秦定取也、韓・趙恐、使蘇代厚幣說秦相應侯曰。【考證】策、無韓趙恐使蘇代厚幣八字、蓋史公以意補之也、武安君禽馬服子乎。曰。然。又

曰。卽圍邯鄲乎。曰。然。趙亡則秦王王矣。武安君爲三公。【考證】胡三省曰、秦之稱王、自王其國耳、今破趙國則將王天下也、中井積德曰、下王字、疑當作帝、武安君所爲秦戰勝攻取者七十餘城、南定鄢·郢·漢中、【正義】鄢在襄州夷道縣南九里、郢在荊州江陵縣東六里、漢中今梁州之地、北禽趙括之軍。雖周·召·呂望之功、不益於此矣。今趙亡秦王。王則武安君必爲三公。君能爲之下乎。雖無欲爲之下、固不得已矣。【考證】策、通鑑、無欲作欲無、秦嘗攻韓、圍邢丘、【集解】徐廣曰、平皋有邢丘、【正義】邢丘、今懷州武德縣東南二十里平皋縣城是也、【考證】邢丘、魏地、非韓地、秦策鮑彪注、邢當作陘、卽韓桓惠王九年、秦拔陘事、王念孫曰、丘字恐衍、困上黨。上黨之民、皆反爲趙。天下不樂爲秦民之日久矣。今亡趙、北地入燕、東地入齊、南地入韓·魏、則君之所得民、亡幾何人。【集解】徐廣曰、亾音無也、【考證】策、韓作楚、可從、故不如因而割之。【正義】因白起之攻、割取韓趙之地、【考證】中井積德曰、割、許其割地以和也、無以爲武

安君功也。【考證】說秦相應侯以下、采秦策、於是應侯言於秦王曰。秦兵勞。請許韓·趙之割地以和、且休士卒。王聽之、割韓垣雍、趙六城以和。【集解】徐廣曰、卷縣有垣雍城、【正義】釋地名云、卷縣所理垣雍城、按今在鄭州原武縣西北七里也、正月、皆罷兵。武安君聞之、由是與應侯有隙。【考證】胡三省曰、觀此則用十月爲歲首、蓋因秦記而書之也、徐孚遠曰、武安君穰侯所任、應侯代穰侯相、二人故有隙、不待韓趙之間也、胡三省曰、爲秦殺白起張本、其九月、秦復發兵、使五大夫王陵攻趙邯鄲。是時武安君病不任行。【正義】任、入針反、堪也、四十九年正月、陵攻邯鄲少利。【考證】楓山、三條本、邯鄲二字作戰、秦益發兵佐陵。陵兵亡五校。武安君病愈。秦王欲使武安君代陵將。武安君言曰。邯鄲實未易攻也。且諸侯救日至。彼諸侯怨秦之日久矣。今秦雖破長平軍、而秦卒死者過半、國內空。遠絕河山而爭人國都。趙應其內、諸

侯攻其外、破秦軍必矣。不可。【考證】凌本、軍謂兵、中井積德曰、未易攻者、白起不欲行之辭、非其情也、死者過半、亦甚言之、不必事實、不然、當初受命圍邯鄲而不辭、其謂之何、秦王自命。不行。乃使應侯請之。武安君終辭不肯行。遂稱病。秦王使王齕代陵將。【考證】楓山、三條本、陵上有王字、八九月圍邯鄲。不能拔。【考證】秦復發兵以下、采中山策、楚使春申君及魏公子、將兵數十萬攻秦軍。秦軍多失亡。武安君言曰。秦不聽臣計。今如何矣。【考證】徐孚遠曰、武安君不宜有後言、疑應侯爲之蜚語也、秦王聞之、怒、彊起武安君。【正義】彊、其兩反、武安君遂稱病篤。【考證】秦軍多失亾以下、采中山策、應侯請之、不起。於是免武安君爲士伍、遷之陰密。【集解】徐廣曰、屬安定、【正義】如淳曰、嘗有爵、而以罪奪爵者稱士伍、顏師古曰、謂奪其爵、令爲士伍、言使從士卒之伍、陰密故城、在涇州鶉觚縣城西、卽古陰密國、密康公國也、【考證】秦本紀正義云、括地志云、陰密、古密須國、與此異、武安君病未能行。居三月、諸侯攻秦軍急。秦軍數卻。使者日至。秦王乃

使人遣白起不得留咸陽中。武安君既行出咸陽西門十里、至杜郵。【集解】按故咸陽城、在渭北、杜郵、今在咸陽城、【正義】說文云、郵、境上行舍、道路所經過、今咸陽縣城、本秦之郵也、在雍州西北三十五里、秦昭王與應侯羣臣議曰。白起之遷、其意尚怏怏不服、有餘言。秦王乃使使者賜之劒自裁。【考證】自裁、楓山、三條本、作自剄、御覽六百四十七、作自死、武安君引劒將自剄。曰。我何罪于天。而至此哉。良久曰。我固當死。長平之戰、趙卒降者數十萬人。我詐而盡阬之。是足以死。遂自殺。【考證】中井積德曰、自剄曰云云、自居死罪者、乃所以明其無罪、與蒙恬同、愚按、秦策引甘羅言云、應侯欲伐趙、武安君難之、去咸陽七里、絞而殺之、所傳不同、武安君之死也、以秦昭王五十年十一月。死而非其罪。【考證】秦紀、十一月作十二月、秦人憐之、鄉邑皆祭祀焉。【集解】何晏曰、白起之降趙卒、詐而阬其四十萬、豈徒酷暴之謂乎、後亦難以重得志矣、向使衆人皆豫知降之必死、則張虛捲、猶可畏也、況於四十萬被堅執銳哉、天下見降秦之將頭顱似山、歸秦之衆骸積成丘、則後日之戰、死當死耳、何衆肯服、何

城肯下乎、是為雖能裁四十萬之命、而適足以彊天下之戰、欲以要一朝之功、而乃更堅諸侯之守、故兵進而自伐其勢、軍勝而還喪其計、何者、設使趙衆復合、馬服更生、則後日之戰、必非前日之對也、況今皆使天下為後日乎、其所以終不敢復加兵於邯鄲者、非但憂平原君之補袒、患諸侯之捄至也、徒諱之而不言耳、若不悟而不諱、則毋所以遠智也、可謂善戰而拙勝、長平之事、秦民之十五以上者、皆荷戟而向趙矣、秦王又親自賜民爵於河內、夫以秦之彊而十五以上死傷過半者、此為破趙之功小、傷秦之敗大、又何以稱奇哉、若後之役戍、不豫其論者、則秦衆多矣、降者可致也、必不可致者、本自當戰殺、不當受降詐也、戰殺雖難、降殺雖易、然降殺之為害、禍大於劇戰也、【索隱】捲音拳、袒音濁莧反、字亦作綻、捄音救、

王翦者、頻陽東鄉人也。【索隱】地理志、頻陽縣屬左馮翊、應劭曰、在頻水之陽也、【正義】故城在雍州東同官縣界也、【考證】張文虎曰、起翦同傳、不特其功相等、即其謝病事、亦先後一轍、它日再起將兵、其所以求自免者、用心良苦、蓋有鑒於起、然亦幸而無應侯之忌功耳、少而好兵、事秦始皇。始皇十一年、翦將攻趙閼與、破之、拔九城。【正義】與音預、十八年、翦將攻趙。歲餘遂拔趙。趙王降。盡定趙地為郡。明年、燕使荊軻為賊於秦。秦王使王翦攻燕。燕王喜走遼東。翦遂定燕薊而還。【正義】薊音計、秦使翦子王賁擊荊。【集解】徐廣曰、秦諱楚、故云荊也、

【索隱】賁音奔、荊兵敗。還擊魏。魏王降。遂定魏地。秦始皇既滅三晉、走燕王、而數破荊師。秦將李信者、年少壯勇。嘗以兵數千逐燕太子丹、至於衍水中、卒破得丹。始皇以為賢勇。於是始皇問李信。吾欲攻取荊。於將軍度用幾何人而足。【考證】御覽二百七十四、信下有曰字、攻下無取字、李信曰。不過用二十萬人。始皇問王翦。王翦曰。非六十萬人不可。始皇曰。王將軍老矣。何怯也。李將軍果勢壯勇。其言是也。【集解】徐廣曰、勢、一作新、【考證】張文虎曰、御覽引勢作斷、義長、新與斷同从斤而誤、遂使李信及蒙恬將二十萬南伐荊。王翦言不用。因謝病歸老於頻陽。李信攻平與。【集解】音余、【正義】在預東北五十四里、【考證】通鑑平與作平輿、梁玉繩曰、與、輿之誤、平輿、汝南縣名、蒙恬攻寢。【集解】徐廣曰、今固始寢丘、【索隱】徐廣曰、固始、寢丘、固始縣、屬淮陽、寢丘、地名也、【正義】今光州固始縣、本寢丘、孫叔敖所封、【考證】梁玉繩曰、此前後三稱蒙恬、攷六國表及蒙恬傳、是時恬未為將、當

是蒙武之誤、愚按御覽百五十九、寢下有丘字、大破荊軍。信又攻鄢郢、破之。【考證】中井積德曰、先是白起既拔鄢郢矣、不聞楚復之、此乃云攻鄢郢、何也、蓋考烈王東徙、命壽春曰郢、唯鄢未審所謂、梁玉繩曰、信又攻鄢郢破之七字衍、於是引兵而西、與蒙恬會城父。【索隱】在汝南、即應鄉、【正義】言引兵而會城父、則是汝州郟城縣東父城者也、括地志云、汝州郟城縣東四十里有父城故城、即服虔云、城父楚北境者也、又許州華縣東北四十五里、亦有父城故城、即杜預云、襄城城父縣者也、此二城父城之名耳、服虔城父是誤也、左傳及注水經云、楚大城城父、使太子建居之、十三州志云、太子建所居城父、謂今亳州城父是也、此三家之說、是城父之名、地理志云、潁川父城縣、沛郡城父縣、據縣屬郡、其名自分、古先儒多惑、故使其名錯亂、荊人因隨之。三日三夜不頓舍。【考證】頓、讀為屯、漢書李廣傳、就善水草頓舍、顏師古曰、頓、止也、舍、息也、大破李信軍、入兩壁、殺七都尉。秦軍走。始皇聞之大怒、自馳如頻陽、見謝王翦曰。寡人以不用將軍計、李信果辱秦軍。今聞荊兵日進而西。將軍雖病、獨忍棄寡人乎。王翦謝曰。老臣罷病悖亂。【正義】罷、音皮、悖、音背、唯大王更擇賢將。始皇謝曰。已矣。將軍勿復

言。王翦曰。大王必不得已用臣、非六十萬人不可。始皇曰。為聽將軍計耳。【考證】御覽二百七十四、引史無為字、於是王翦將兵六十萬人。【考證】御覽無兵字、始皇自送至灞上。王翦行請美田宅園池甚衆。始皇曰。將軍行矣。何憂貧乎。王翦曰。為大王將、有功終不得封侯。故及大王之嚮臣、臣亦及時以請園池為子孫業耳。【考證】御覽、無終、嚮作向、凌氏評林引宛委餘編云、王翦曰、為大王將、有功終不得封侯、攷始皇二十六年琅邪臺銘、列侯武成侯王離、列侯通武侯王賁、倫侯建成侯趙亥、倫侯昌武侯成、倫侯武信侯馮毋擇、以位次差之、王離在季父賁前、則離乃翦家孫襲翦爵者也、賁蓋翦之次子、自以功封侯者也、所謂有功不封、其時未定天下云爾、及剖符而翦一子一孫為功臣之首、又當時列侯二人、倫侯三人、凡封侯者僅五人、而李斯與蒙恬李信不與焉、可謂嚴矣、始皇大笑。王翦既至關、使使還請善田者五輩。【集解】徐廣曰、善一作蓄、【索隱】謂使者五度請也、或曰。將軍之乞貸、亦已甚矣。王翦曰。不然。夫秦王怚而不信人。【集解】怚、音麁、徐廣曰、一作粗、【正義】徐廣曰、一作粗、竝音息故

反、今空秦國甲士、而專委於我。集解 徐廣曰、專亦作摶、又作剸、 我不多請田宅為子孫業以自堅、顧令秦王坐而疑我邪。考證 御覽、顧作固、王本、何本、邪作矣、黃震曰、王翦為始皇伐楚、面請美田宅、既行、使使請美田者五輩、後有勸蕭何田宅自汙者、其計無乃出於此歟、 王翦果代李信擊荊。考證 楓山、三條本、御覽、果作東、可從、 荊聞王翦益軍而來、乃悉國中兵以拒秦。王翦至、堅壁而守之、不肯戰。考證 楓山本、來下有也、何焯曰、王翦至、堅壁而守之、亞夫祖之破吳楚、即高祖之於黥布、亦然也、 荊兵數出挑戰、終不出。考證 藝文類聚、引史數下無出字、 王翦日休士洗沐、而善飲食撫循之。考證 楓山、三條本、士下有卒字、 親與士卒同食。久之王翦使人問、軍中戲乎。對曰、方投石超距。集解 徐廣曰、超一作拔、漢書云、甘延壽投石拔距、絕於等倫、張晏曰、范蠡兵法、飛石重十二斤、為機發行三百步、延壽有力、能以手投之、拔距、超距也、索隱 超距、猶跳躍也、正義 超、跳躍也、距、木械也、出地若雞距然也、壯士跳躍走拔之、按出與否、以定勝負也、考證 中井積德曰、投石、力戲也、手投重石、競遠近為輸贏也、超距亦力戲也、跳躍踰越、競其遠近高下、為輸贏也、 於是王翦曰、士卒可用矣。

荊數挑戰、而秦不出。乃引而東。翦因舉兵追之、令壯士擊、大破荊軍、至蘄南、正義 徐州縣也、 殺其將軍項燕。荊兵遂敗走。秦因乘勝略定荊地城邑。歲餘虜荊王負芻。竟平荊地為郡縣。因南征百越之君。而王翦子王賁、與李信破定燕・齊地。秦始皇二十六年、盡并天下。王氏・蒙氏、功為多、名施於後世。秦二世之時、王翦及其子賁皆已死、而又滅蒙氏。陳勝之反秦、秦使王翦之孫王離擊趙。圍趙王及張耳鉅鹿城。正義 今邢州平鄉縣城、本秦鉅鹿郡城也、 或曰、王離、秦之名將也。今將彊秦之兵、攻新造之趙。舉之必矣。客曰、不然。夫為將三世者必敗。必敗者何也。必其所殺伐多矣。其後受其不祥。今王離已三世將矣。居無何、項羽救趙

擊秦軍。果虜王離。王離軍遂降諸侯。考證 此于傳末敘其後世之報、而以或曰客曰問答發明之、敘事兼議論、亦一例也、

太史公曰、鄙語云、尺有所短。寸有所長。考證 鄙語、古諺也、楚辭卜居篇、夫尺有所短、寸有所長、 白起料敵合變、出奇無窮、聲震天下。然不能救患於應侯。王翦為秦將、夷六國。當是時翦為宿將。始皇師之。然不能輔秦建德、固其根本、考證 楓山、三條本、無其字、 偷合取容、以至歾身。集解 徐廣曰、歾、音沒、正義 歾、沒也、考證 中井積德曰、王翦一武人耳、始皇師之、亦就學兵事而已、翦無學術、又無治國之才、若仁義道德之說、未嘗經心也、乃欲以建國固本望之乎、又受命討伐、其立勳大矣、可謂能舉職奉公耳、曾無偷合取容之事、此等立論、並太史公之錯處、愚按是其所以為短、史公未嘗錯、 及孫王離、為項羽所虜。不亦宜乎。彼各有所短也。索隱 述贊、白起王翦、俱善用兵、遞為秦將、拔齊破荊、趙任馬服、長平遂阬、楚陷李信、霸上卒行、賁離繼出、三代無名、

白起王翦列傳第十三　史記七十三

史記會注考證卷七十四

漢　太　史　令　司　馬　遷　撰
宋中郎外兵曹參軍裴　駰　集　解
唐國子博士弘文館學士司馬貞　索　隱
唐諸王侍讀率府長史張守節　正　義
日　本　出　雲　瀧　川　資　言　考　證

孟子荀卿列傳第十四　史記七十四

索隱按序傳、孟嘗君第十四、而此傳爲第十五、蓋後人差降之矣、考證史公自序云、獵儒墨之遺文、明禮義之統紀、絕惠王利端、列往世興衰、作孟子荀卿列傳第十四、

張文虎曰、案今序傳、與今本次第同、漢書司馬遷傳亦同、桃源抄引蕉了自敘傳抄曰、按夫子春秋之敎、一變爲嚴刑苛法、衞鞅之所以次弟子傳也、再變爲縱橫之說、蘇張樗甘之所以次商君也、三變以戰勝爲利、以併吞爲功、諸將之所以次遊說也、承于敎變之後、復能說堯舜周孔之道、孟子之所以接白王也、

太史公曰。余讀孟子書、至梁惠王問何以利吾國、未嘗不廢書而歎也。曰。嗟乎、利誠亂之始也。夫子罕言利者、常防其原也。故曰。放於利而行多怨。自天子至於庶人、好利之弊、何以異哉。考證梁惠王問何以利我國、孟子梁惠王篇、夫子罕言利、論語子罕篇、放於利而行多怨、論語里仁篇、趙恆曰、讀孟子書、首揭孟子答梁惠利國之問、而合之於孔子罕言之旨、推尊孟子之意至矣、其時稷下諸儒尤多、而推尊孟子、使后人以孔孟並稱者、自太史公始、受業子思之門人、師友淵源之出於孔子也、述唐虞三代之德、立身行道之出於孔子也、退而與萬章云云、著書立言之出於孔子也、至末言豈與仲尼菜色云云同乎哉、困厄不遇之不異於孔子也、

孟軻、騶人也。索隱軻、音苦何反、又苦賀反、鄒、魯地名、又云邾、邾人徙鄒故也、正義軻字子輿、爲齊卿、鄒、兗州縣、考證騶一作鄒、本春秋邾國、後改號曰鄒、水經注以爲卽孔子陬邑、非是、孟子亦曰、近于聖人之居、不曰與聖人同邑、梁玉繩曰、案史不書孟子之字、趙岐題辭曰、字未聞、考漢藝文志師古注引聖證論云、字子車、王氏藝文志考證引傳子云、字子輿、文

選劉峻辨命論、子輿困臧倉之訴、注亦引傳子云、鄒之君子孟子輿、唐虞世南北堂書鈔、引孟軻傳、荀子非十二子篇楊注竝云、字子輿、孔叢子雜訓云、孟子車、注一作子居、據此、則魏晉以來始傳孟子之字、故正義著之、雖未詳其所得、要非無據、可補史遺、古車輿通、如秦三良子車氏、史于秦紀趙世家扁鵲傳、並作子輿、可驗、惟居字以音同而譌、顏師古急就篇注、孟子字子居、廣韻、孟子居貧轗軻、故名軻、字子居、疑非、

受業子思之門人。索隱王劭以人爲衍字、則以爲軻受業孔伋之門也、今言門人者、乃受業於子思之弟子也、考證梁玉繩曰、孟子題辭曰、長師孔子之孫子思、漢藝文志云、子思弟子、孔叢雜訓云、孟子車請見子思、甚說其志、又牧民居衞篇、有問答語、風俗通窮通篇云、軻受業於子思、而史稱受業於子思門人、索隱引王劭謂人字衍、蓋以史爲誤也、然玫伯魚先夫子歿五載、子思當不甚幼、子思八十二卒、非六十二姑以夫子歿時十歲計之、則卒于威烈王十八年、而赧王元年、齊伐燕、孟子猶及見之、其去子思之卒九十五年、孟子壽百餘歲、方與子思相接、恐孟子未必如是長年、則安得登子思之門、而親爲授受哉、且孟子言云、私淑諸人、更是確證、史似得其實、中井積德曰、自孔子卒至齊宣王百五十年、子思壽百歲、亦不得遭孟子誕期、

道既通、游事齊宣王。宣王不能用。適梁。梁惠王不果所言。則見以爲迂遠而闊於事情。考證梁玉繩曰、孟子游歷、史言先齊後梁、趙岐孟子注、風俗通窮通篇竝同、古史從之、然年數不合、當從通鑑始游梁、繼仕齊爲是、通鑑蓋據列女傳母儀篇也、孫奕示兒編曰、七篇之書、以梁惠王冠首、以齊宣王之問繼其後、則先後有序可見矣、故列傳爲難信、愚按孟子游梁惠王後十五年、卽周愼靚王

元年、明年、惠王卒、襄王嗣位、孟子知其不足與爲、去梁游齊、顧炎武日知錄、王懋竑白田草堂集、任兆麟孟子考、江愼修羣經補義、施樸齋孟子年譜、黃式三周季編略諸書、論之詳矣、說又見魏世家、

當是之時、秦用商君、富國彊兵、楚・魏用吳起、戰勝弱敵、齊威王・宣王用孫子・田忌之徒、而諸侯東面朝齊、天下方務於合從連衡、以攻伐爲賢。而孟軻乃述唐・虞・三代之德。是以所如者不合。考證孟子最惡戰、其言曰、今之事君者曰、我能爲君約與國、戰必克、今之所謂良臣、古之所謂民賊也、又曰、不敎民而用之、謂之殃民、殃民者不容於堯舜之世、又曰、不仁哉梁惠王也、以土地之故、糜爛其民而戰之、又曰、君不行仁政、而爲之强戰、爭地以戰、殺人盈野、爭城以戰、殺人盈城、是所謂率土地而食人肉、罪不容於死、故善戰者服上刑、其惡攻伐如此、宜矣所如者不合、

退而與萬章之徒、序詩書、述仲尼之意、作孟子七篇。索隱孟子有萬章公明高等、蓋竝軻之門人也、萬姓、章名、正義孟子有萬章公明高等、孟軻撰、趙岐注、又一本七卷、劉熙撰、又一本九卷、綦毋邃撰也、考證梁玉繩曰、七篇中言書凡二十九、援詩凡三十五、故稱敍詩書、趙岐亦云、孟子言五經、尤長于詩書、隋書經籍志云、孟子十四卷、齊卿孟軻撰、趙岐注、孟子七卷、鄭玄注、孟子七卷、劉熙注、孟子九卷、綦毋邃撰、亡、中井積德曰、公明高非孟子門人、注謬、

其後有騶子之屬。齊

有三騶子。其前騶忌以鼓琴干威王、因及國政、封爲成侯、受相印。先孟子。[正義]三騶、騶忌、衍、奭、[考證]騶忌事、見田敬仲世家。張文虎曰、中統、游、王、柯、毛本、騶作鄒、其次騶衍、後孟子。騶衍睹有國者益淫侈、不能尙德若大雅整之於身、施及黎庶矣、[考證]大雅思齊篇云、刑于寡妻、至于兄弟、以御于家邦、乃深觀陰陽消息、而作怪迂之變、終始大聖之篇、十餘萬言。[正義]七錄云、鄒子、鄒衍撰、七略云、鄒子二種、合一百條、篇亡、今惟此、又似後人所記、[考證]迂、訏通、大也、下文迂大之迂、倣此、漢書藝文志、陰陽家鄒子四十九篇、注、名衍、齊人、爲燕昭王師、居稷下、號談天衍、鄒子終始五十六篇、七略曰、鄒子二種者卽此、沈欽韓曰、文選注、劉向別錄曰、鄒衍在燕、燕有谷、地美而寒、不生五穀、鄒子居之、吹律而溫氣至、五穀生、今名黍谷、漢武帝時、嚴安上書、稱鄒子曰、政教文質者、所以云變也、周禮司爟注、鄭司農說引鄒子、與周書月令同、又曰、封禪書、齊威宣之時、騶子之徒、論著終始五德之運、及秦帝而齊人采之、故始皇采用之、鹽鐵論論鄒篇、大夫曰、鄒子疾晚世之儒墨、不知天地之宏曠、守一隅而欲知萬方、於是推大聖終始之運、以喩王公列士、所謂中國者天下八十分之一、名曰赤縣神州、而分爲九州、川谷阻絕、陵陸不通、乃爲一州、有八瀛海、環其外、此所謂八極、文學曰、鄒衍非聖人、作怪惑誤六國之君、春秋所謂匹夫熒惑諸侯也、愚按鄒子二書、今佚、馬國翰有輯本、其語閎大不經、必

先驗小物、推而大之、至於無垠、先序今以上至黃帝、學者所共術、大竝世盛衰、[集解]竝、音蒲浪反、[索隱]言其大體隨代盛衰、觀時而說事、[正義]竝、蒲浪反、言大竝依時浮沈而說事、[考證]術、述通、方苞曰、大當作及、傳寫誤也、蓋先序戰國、以上至黃帝事、爲學者所共稱述者、然後及竝世盛衰也、中井積德曰、大竝之大、謂大抵也、愚按中說近是、因載其禨祥度制、推而遠之、至天地未生、窈冥不可考而原也。先列中國名山大川通谷、禽獸水土所殖、物類所珍、因而推之、及海外人之所不能睹、稱引天地剖判以來、五德轉移、治各有宜、而符應若茲。[正義]五德、木火金水土、[考證]文選魏都賦注、應貞華林園集詩引、七略云、鄒子有終始五德、言土德從所不勝、水德繼之、金德次之、火德次之、水德次之、中井積德曰、五德肇于此、長流毒于後世、學者不知不覺、駸駸入于異端、以爲儒者所謂中國者、於天下乃八十一分居其一分耳。[索隱]桓寬王充、以衍之所言迂怪虛妄、熒惑六國之君、因納其異說、所謂匹夫而熒惑諸侯者是也、[正義]鹽鐵論及論衡、竝以衍之所言迂怪虛妄、熒惑六國之君、因納其異說、所謂匹夫而熒惑諸侯者也、[考證]黃式三曰、桓寬鹽鐵論論鄒篇、王充論衡談

天篇、皆駁鄒衍之說、然今地球圓說、天下之大、過於鄒衍論、儒者未可毀所不見也、中國名曰赤縣神州。赤縣神州內自有九州。禹之序九州是也。不得爲州數。中國外如赤縣神州者九。乃所謂九州也。於是有裨海環之、[索隱]裨、音脾、裨海、小海也、九州之外、更有大瀛海、故知此裨是小海也、且將有裨將、裨是小義也、人民禽獸、莫能相通者、如一區中者、乃爲一州。如此者九、乃有大瀛海環其外。天地之際焉。[正義]言一州縣有裨海、環繞之、凡天下有九州、有大瀛海環繞其外、乃至天地之際也、其術皆此類也。然要其歸、必止乎仁義節儉、君臣上下、六親之施。始也濫耳。[索隱]濫、卽濫觴、是江源之初始、故此文意以濫爲初也、[正義]謂衍之術、言君臣上下六親之際、行事之所施所始、皆可爲後代之宗本、故云濫耳、六親、外祖父母、一、妻母、二、姨妹之子、三、兄弟子、四、從子、五、女之子、六、王弼云、父母兄弟妻子、鄒子睹有國者益淫侈、不能尙德、須若大雅整之身、延及黎庶矣、乃作術、其終要歸乎仁義節儉君臣上下六親之施、始、初也、猶泛濫未能周備、故云濫耳、若江源濫觴、[考證]顧炎武曰、濫者汎而無節之謂、猶莊子之洸洋自恣也、錢大昕曰、衍之說、始雖泛濫、而要歸于仁義節儉耳、司馬相如傳云、相如雖多虛辭濫說、然其要歸引之節儉、語意

正相類、王侯大人、初見其術、懼然顧化。[索隱]懼、音劬、謂衍之術、皆動人心、見者莫不懼然駐想、又內心留顧而已化之、謂欲從其術也、按化者是易常聞而貴異術也、[正義]懼、俱遇反、王公大人見衍、無不懼然念駐、欲顧其術以化民、其後亦不能行、[考證]中井積德曰、懼、瞿同、驚視貌、顧、反也、化、歸往之意、其後不能行之。是以騶子重於齊。適梁。惠王郊迎執賓主之禮。適趙。平原君側行襒席。[索隱]按字林曰、襒、音疋結反、韋昭曰、敷蔑反、張揖三蒼訓詁云、襒、拂也、謂側而行、以衣襒席爲敬、不敢正坐當賓主之禮也、[考證]文選注引說文、撆、拂也、刺客傳、蔽席、三字通用、如燕。昭王擁彗先驅、[索隱]按彗、帚也、謂爲之埽地以衣袂擁帚而郤行、恐塵埃之及長者、所以爲敬也、[正義]彗、帚也、擁彗、則執帚曲腰埽也、言昭王向曲腰、若擁彗先驅之類、[考證]中井積德曰、襒席、爲除席塵也、擁篲、執賤役也、非實掃地、與漢太公擁篲迎門却行同、請列弟子之座而受業、築碣石宮、身親往師之。[正義]碣石宮、在幽州薊縣西三十里寧臺之東、作主運。[索隱]按劉向別錄云、鄒子書有主運篇、其游諸侯見尊禮如此。豈與仲尼菜色陳・蔡、孟軻困於齊・梁同乎哉。[索隱]按仲尼孟子、法先王之道、行仁義之化、且菜色困窮、而鄒衍執詭怪、營惑諸侯、其見禮重如此、可爲長太息哉、[正義]孔子孟子、法先王之道、行仁義之化、且菜

色困窮、鄒衍執詭怪、惑諸侯、反見尊禮、痛哉時君之無識也、故武王以仁義伐紂而王。伯夷餓不食周粟。衛靈公問陳。而孔子不荅。梁惠王謀欲攻趙。孟軻稱大王去邠。【索隱】今按孟子太王去邠、是軻對滕文公語、今云梁惠王謀攻趙、與孟子不同、【考證】衛靈公問陳、論語衛靈公篇、孟軻稱大王去邠、孟子梁惠王篇、此豈有意阿世俗苟合而已哉。持方枘欲內圜鑿、其能入乎。【索隱】按方枘、是筍也、圜鑿、是孔也、謂工人斲木、以方筍而內之圜孔、不可入也、故楚詞云、以方枘而內圓鑿、吾固知其鉏鋙而不入、是也、謂戰國之時、仲尼孟軻以仁義干世主、猶方枘圜鑿然、【考證】索隱引宋玉九辯、或曰。伊尹負鼎、而勉湯以王、百里奚飯牛車下、而繆公用霸。作先合、然後引之大道。騶衍其言雖不軌、儻亦有牛鼎之意乎。【索隱】按呂氏春秋云、函牛之鼎、不可以烹雞、是牛鼎、言衍之術迂大、儻若大用之、是有牛鼎之意、而譙周亦云觀太史公此論、是其愛奇之甚、【正義】太史公見鄒衍之說、怪迂詭辯、而合時君、疑衍若伊尹百里奚先作牛鼎之意、【考證】李笠曰、作、同詐、謂先以詐術求合、然引之大道也、之同至、張文虎曰、宋本中統游凌飯作飰、顧炎武曰、儻有牛鼎之意乎、謂伊尹負鼎、百里奚飯牛之意、籍此說以干時君、非有仲尼孟子守正不阿之論也、中井積德曰、太史公引或說以廣

之、後人乃爭以罪太史公、何也、自騶衍與齊之稷下先生【索隱】稷下、齊之城門也、或云稷下、山名、謂齊之學士集於稷門之下、如淳于髡·慎到·環淵·【索隱】按劉向別錄、環作姓也、接子·【索隱】古著書人之稱號、田駢·【索隱】步堅、步經反二音、騶奭之徒、各著書、言治亂之事、以干世主。豈可勝道哉。【正義】慎子十卷、在法家、則戰國時處士、接子二篇、田子二十五篇、齊人游稷下、號天口、接、田二人道家、騶奭十二篇、陰陽家、【考證】王念孫曰、生下如字、當移自下、自如者、統下之詞、稷下先生、卽指淳于髡諸人而言、下文曰、自如淳于髡以下、又曰、自如孟子至于吁子、匈奴傳曰、自如左右賢王以下至當戶、皆以自如二字連文、田完世家曰、自如騶衍淳于髡田駢接子慎到環淵之徒、此尤其明證也、愚按、此文以騶衍爲主、遂及淳于慎環之徒也、原文自通、何必改作、文選宣德皇后令注引七略云、齊田駢好談論、故齊人爲語曰、天口駢、天口者、田駢子不可窮、其口若事天、淳于髡齊人也。博聞彊記、學無所主。其諫說、慕晏嬰之爲人也。【考證】髡、齊人、故慕晏嬰也、今本晏子春秋、首有諫上諫下二篇、然而承意觀色爲務。客有見髡於梁惠王。惠王屏左右獨坐、而再見之、終無言也。惠王怪之、以讓客曰。子之稱淳于先生、管·晏不及。

【考證】客、蓋齊人、楓、三本、無先字、及見寡人、寡人未有得也。豈寡人不足爲言邪。何故哉。客以謂髡。髡曰。固也。吾前見王。王志在驅逐。後復見王。王志在音聲。吾是以默然。【考證】凌稚隆曰、此正承、意觀色處、客具以報王。王大駭曰。嗟乎、淳于先生誠聖人也。前淳于先生之來、人有獻善馬者。寡人未及視。會先生至。後先生之來、人有獻謳者。未及試、亦會先生來。寡人雖屏人、然私心在彼。有之。【索隱】謂私心實在彼馬與謳也、有之、謂我實有此二事也、【考證】中井積德曰、志在外者、起居輕躁、顏目不定、唯髡善察之不失、所謂觀色、是也、若夫音與驅、則髡之入門而獲於見聞者、不足以爲奇矣、後淳于髡見。壹語連三日三夜無倦。惠王欲以卿相位待之。髡因謝去。於是送以安車駕駟、束帛加璧、黃金百鎰。終身不仕。【考證】張文虎曰、舊刊壹作一、梁玉繩曰、淳于髡豈終身不仕者、此言失實、沈家本曰、與下文自淳于髡以下、皆命曰列大夫相牴牾、愚按淳于髡事、又見田完世家滑

稽傳、孟子、呂覽、戰國策、蓋游齊梁間者、慎到趙人。田駢·接子齊人。環淵楚人。皆學黃·老道德之術、因發明序其指意。故慎到著十二論、環淵著上下篇。【集解】徐廣曰、今慎子、劉向所定、有四十一篇、【考證】今本慎子、威德、因循、民雜、知忠、德立、君人、諸篇、殘缺極多、文選七發注引七略云、蜎子名淵、楚人也、漢書藝文志、蜎子十三篇、名淵、楚人、老子弟子、蜎環音近、而田駢·接子皆有所論焉。【考證】漢書藝文志、田子二十五篇、沈欽韓曰、莊子天下篇、田駢學於彭蒙、按尹文子大道下篇、田子讀書、彭蒙在側、田子曰、蒙之言然、又似彭蒙學於田子也、騶奭者、齊諸騶子。亦頗采騶衍之術以紀文。【考證】楓、三本、諸騶下無子字、漢書藝文志、鄒奭子十二篇、於是齊王嘉之、自如淳于髡以下皆命曰列大夫、爲開第康莊之衢、【集解】爾雅曰、四達謂之衢、五達謂之康、六達謂之莊、【正義】言爲諸子起第宅於要路也、高門大屋尊寵之、覽天下諸侯賓客。言齊能致天下賢士也。【考證】中井積德曰、覽、觀也、示也、謂使諸侯賓客覽觀之、荀卿趙人。【索隱】名況、卿者時人相尊而號爲卿也、仕齊爲祭酒、仕楚爲蘭陵令、後謂之孫卿子者、避漢宣帝諱改也、【考證】荀孫、古音相通、故先秦諸書、或曰孫、或曰荀、荀子書

中亦有稱孫卿、卿蓋其字、猶虞卿荆卿之類、不必尊稱、年五十、始來游學於齊。【考證】風俗通窮通篇云、齊威宣之時、孫卿有秀才、年十五、始來游事、至襄王時、孫卿最爲老師、郡齋讀書記引劉向序、亦作十五、桃源藏曰、曰五十始遊者、以見宿學之精熟也、若十五、則始字不通、唐書、高適年五十始作詩、騶衍之術、迂大而閎辯。奭也文具難施。淳于髡久與處、有得善言。故齊人頌曰。談天衍、雕龍奭、炙轂過髡。【集解】徐廣曰、炙轂、一作亂謁、劉向別錄曰、騶衍之所言、五德終始、天地廣大、盡言天事、故曰談天、騶奭脩衍之文、飾若雕鏤龍文、故曰雕龍、奭別錄曰、過字作輠、輠者車之盛膏器也、炙之雖盡、猶有餘流者、言淳于髡智不盡、如炙輠也、左思齊都賦注曰、言其多智難盡、如炙膏之有潤澤也、【索隱】按劉向別錄、過字作輠、輠、車之盛膏器也、炙之雖盡、猶有餘津、言髡智不盡如炙輠也、按劉氏云、轂衍字也、今按文稱炙轂過、則過是器名、音如字讀、謂盛脂之器名過、過與鍋字相近、蓋郎脂器也、轂即車轂、過爲潤轂之物、則轂非衍字矣、【正義】謁、音化、亂謁、疾言也、【考證】中井積德曰、衍之術、一味迂闊、蕩蕩茫茫、如談天也、談天亦是比喩、非以其書言天事爲稱也、奭之雕龍、亦謂其不中用也、太史公既下語曰迂大、曰難施、何勞別解、愚按文選宣德皇后令注、引七略云、鄒赫子齊人、齊人爲語曰、雕龍赫、言鄒赫之術、文飾之若雕鏤龍文也、赫奭音近、田駢之屬、皆已死齊襄王時。【索隱】襄王名法章、湣王子、莒人所立者、【考證】鄭當時傳、鄭君死孝文時、與此同一文法、是荀子游齊、在襄王既沒之後、而荀卿最爲

老師。齊尚脩列大夫之缺。而荀卿三爲祭酒焉。【索隱】按禮食必祭先、飲酒亦然、必以席中之尊者一人當祭耳、後因以爲官名、故吳王濞爲劉氏祭酒、是也、而卿三爲祭酒者、謂荀卿出入前後三度處列大夫康莊之位、而皆爲其所尊、故云三爲祭酒也、齊人或讒荀卿。荀卿乃適楚。而春申君以爲蘭陵令。【正義】蘭陵縣屬東海郡、今沂州承縣有蘭陵山、春申君死、而荀卿廢。因家蘭陵。【考證】春申君卒、楚考烈王二十五年、秦始皇六年、梁玉繩曰、案楚策、韓詩外傳四、劉向荀子序、風俗通窮通篇、並言春申君因客之說、使人謝荀卿、遂去之趙、爲上卿、春申君又因客之說、使人請于趙、荀卿謝之以書、後不得已復爲蘭陵令、史不書其之趙、甚踈、至所謂春申死而荀卿廢者、指復爲蘭陵令時也、全祖望經史問答、未檢及此、因疑荀子辭春申而去、及春申死、荀子以甘棠之舊、復游蘭陵而卒、未免臆說、愚按張照亦有此說、引荀子賦篇爲證、李斯嘗爲弟子。已而相秦。【考證】又見李斯傳、荀子議兵篇、載荀李問答、荀卿嫉濁世之政、亡國亂君相屬、不遂大道而營於巫祝、信禨祥、鄙儒小拘如莊周等、又猾稽亂俗、於是推儒墨道德之行事興壞、序列數萬言而卒。因葬蘭陵。【考證】猾、滑通、毛本作滑、荀卿之卒、不知何年、荀子堯問

篇云、孫卿迫于亂世、鰌于嚴刑、上無賢主、下遇暴秦、鹽鐵論毀學篇云、方李斯之相秦也、始皇任之、人臣無二、然荀卿爲之不食、覩其罹不測之禍也、據此則李斯相秦之時、荀卿尚存、按史、斯之相、在秦幷天下之後、距春申君之死廿四年、距齊襄王之死五十一年、是時荀子猶存、則亦長壽之人也、漢書藝文志云、孫卿子三十三篇、沈欽韓曰、劉向上言云、臣所校讎中孫卿書、凡三百二十二篇、以相校、除復重二百九十篇、定著三十二篇、案志云三十三篇、或連向敘歟、謝墉曰、荀子生孟子之後、最爲戰國老師、太史公作傳、論次諸子、獨以孟子荀卿相提竝論、蓋自周末歷秦漢以來、孟荀竝稱久矣、小戴所傳三年問、全出禮論篇、樂記鄉飲酒義所引、俱出樂論篇、聘義子貢問貴玉賤珉、亦與德行篇大同、大戴所傳禮三本篇、亦出禮論篇、以宥坐篇末見大水一則附之、哀公問五義、出哀公篇之首、則知荀子所著、載在二戴記者尚多、而本書或反缺佚、愚竊嘗讀其全書、而知荀子之學之醇正、文之博達、自四子而下、洵足冠冕羣儒、非一切名法諸家所可同類共觀也、嚴可均曰、荀子自是孟子以後第一人、非但傳禮傳樂也、又傳詩傳春秋、申公受詩于浮丘伯、浮丘伯荀子弟子、是魯詩荀子所傳也、韓詩外傳引荀子以說詩者四十餘事、是韓嬰亦荀子私淑弟子也、子夏五傳至荀子、荀子傳大毛公、見陸德明經典敍錄、是毛詩亦荀子所傳也、荀子大略篇、言春秋賢穆公善胥命、是爲公羊春秋之學、瑕丘江公受穀梁春秋及詩于申公、是穀梁春秋荀子所傳也、左丘明作傳以授曾申、曾申五傳至荀子、是左氏春秋荀子所傳也、劉向孫卿書錄、稱孫卿善爲詩禮易春秋、今觀非相大略二篇、是善爲易、古籍闕亡、其受授不得盡知也、孔子之道在六經、自尚書外、皆由荀子得傳、愚按嚴說本于汪中荀卿子通論、而趙亦有公孫龍、爲堅白同異之辯、【集解】晉大康地記云、汝南西平縣有龍

淵水、可用淬刀劍、特堅利、故有堅白之論云、黃所以爲堅也、白所以爲利也、或辯之曰、白所以爲不堅、黃所以爲不利、【索隱】按卽仲尼弟子名也、此云趙人、弟子傳作衞人、鄭玄云楚人、各不能知其眞也、又下文云、竝孔子同時、或曰在其後、所以知非別人也、【正義】藝文志、公孫龍子十四篇、顏師古云、卽爲堅白之辯、按平原君傳、騶衍同時、括地志云、西平縣、豫州西北百四十里、有龍淵水也、【考證】公孫龍事又見平原君傳、與仲尼弟子公孫龍別人、下文或曰竝孔子時、或曰在其後、專斥墨子而言、索隱謬甚、莊子駢拇篇云、駢於辯者、纍瓦結繩竄句、遊心於堅白同異之間、堅白蓋堅石白馬之說也、同異以同爲異、以異爲同也、今本公孫龍子、有跡府白馬指物通變堅白名實六篇、白馬篇云、白馬非馬、可乎、曰、可、何哉、曰、馬者所以命形也、白者所以命色也、命色者非命形也、堅白篇云、堅白石三、可乎、曰、不可、二可乎、曰、可、謂目視石、但見白、不知其堅、則謂之白石、手觸石、則知其堅、而不知其白、謂之堅石、堅白終不可合爲一也、今本未必龍之舊、錄以備考、劇子之言。【集解】徐廣曰、按應劭氏姓注、直云處子也、【索隱】按著書之人、姓劇氏、而稱子也、前史不記其名也、故趙有劇孟及劇辛也、【正義】趙有劇孟、劇辛、是有劇姓、而史記不記其名、徐廣曰、應劭氏姓注、直云處子也、藝文志云、劇子九篇、【考證】沈濤曰、漢書藝文志、處子九篇、師古曰、史記云、趙有處子、則是小顏所見本、作處不作劇、元和姓纂引風俗通、漢處興爲北郡太守、王應麟曰、蓋處子之後、史記集解引徐廣曰、應劭氏姓注云、處子、是徐野民所見本、亦作處不作劇、作劇者乃小司馬張守節本、姓纂八語處姓、二十陌劇姓、皆引藝文志、豈漢書本亦有處劇之不同乎、魏有李悝盡地力之教。【正義】藝文志、李子三十二篇、李悝相魏文侯、富國彊兵、【考證】貨殖傳云、當魏文侯時、李克務盡地力、平準書云、魏

用李克盡地力爲彊君、王應麟曰、以藝文志考之、李克七篇在儒家、李悝三十二篇在法家、盡地力者悝也、非克也、愚按李克事、又見魏世家吳起列傳、未嘗言盡地力之事、說又見平準書、**楚有尸子・長盧。**【集解】劉向別錄曰、楚有尸子、疑謂其在蜀、今按尸子書、晉人也、名佼、秦相衛鞅客也、衛鞅商君謀事畫計、立法理民、未嘗不與佼規之也、商君被刑、佼恐幷誅、乃亡逃入蜀、自爲造此二十篇書、凡六萬餘言、卒、葬蜀、【索隱】按尸子名佼、音絞、晉人、事具別錄、長盧未詳、【正義】長盧九篇、楚人、【考證】尸子今佚、孫星衍、刺取書傳、輯爲二卷、長盧之書亦不傳、列子天瑞篇引長盧子、或是同人、**阿之吁子。**【集解】徐廣曰、阿者、今之東阿、【索隱】阿、齊之東阿也、吁、音芊、別錄作芊子、今吁亦如字也、【正義】按東齊州也、藝文志云、吁子十八篇、名嬰、齊人、七十子之後、顏師古云、音弭、按是齊人、阿又屬齊、恐顏公誤也、【考證】阿上疑脫齊有二字、其書今佚、張文虎曰、疑吁字、本或作咩、故小司馬音芊、師古音弭、咩卽芊之俗字、見玉篇、**自如孟子至于吁子、世多有其書。故不論其傳云。蓋墨翟宋之大夫、善守禦爲節用。**【集解】墨子曰、公輸般爲雲梯之械成、將以攻宋、墨子聞之、至於郢見公輸般、墨子解帶爲城、以牒爲械、公輸般九設攻城之機變、墨子九距之、公輸般之攻械盡、墨子之守固有餘、公輸般詘而言曰、吾知所以距子矣、吾不言、墨子亦曰、吾知子之所以距我者、吾不言、楚王問其故、墨子曰、公輸子之意不過欲殺臣、殺臣、宋莫能守、可攻也、然臣之弟子禽滑釐等三百人、已持臣守國之器在宋城上、而待楚寇矣、雖殺臣不能絕也、楚王曰、善哉、吾請無攻宋城矣、【索隱】注爲雲梯之械者、按梯、構木瞰高也、雲者、言其昇高入

雲、故曰雲梯、械者器也、謂攻城之樓櫓也、注墨子解帶爲城者、謂墨子爲術、解身上革帶以爲城也、注以牒爲械者、按牒者、小木札也、械者、樓櫓等也、注公輸般之攻械盡者、劉氏云、械謂飛梯撞車飛石車弩之具、詘、音丘勿反、謂般技已盡、墨守有餘、禽滑釐者、墨子弟子之姓字也、釐、音里、【考證】蓋字上、疑有脫文、畢沅曰、墨子七十一篇、見漢藝文志、隋以來爲十五卷目一卷、見隋經籍志、宋亡九篇、爲六十一篇、見中興館閣書目、實六十三篇、後又亡十篇、爲五十三篇、卽今本也、淮南子氾論訓云、弦歌鼓舞以爲樂、盤旋揖讓以修禮、厚葬久喪以送死、孔子之所立也、而墨子非之、兼愛尙賢、右鬼非命、墨子之所立也、而楊子非之、全性保眞、不以物累形、楊子之所立也、而孟子非之、**或曰。竝孔子時。或曰。在其後。**【索隱】按別錄云、今按墨子書有文子、文子卽子夏之弟子、問於墨子、如此則墨子在七十子之後也、【考證】或曰二句、專就墨子而言、孫詒讓曰、以今五十三篇之書推校之、墨子前及與公輸般魯陽文子相問答、而後及見齊太公和與齊康公興樂、楚吳起之死、上距孔子之卒、幾及百年、則墨子之後孔子蓋信、審覈前後、約略計之、墨子當與子思並時、而生年尙在其後、當生於周定王之初年、而卒於安王之季、蓋八九十歲、亦壽考矣、其仕宋、蓋當昭公之世、淩約言曰、太史公略敍孟子遊說不遇、退而著書、卽開說當時餘子之紛紛、然後結以荀卿之尊孔子明王道、及其名傳、獨以孟荀、而餘子不與焉、其布置之高、旨意之深、卓乎不可尙矣、

【索隱】述贊、六國之末、戰勝相雄、軻遊齊魏、其說不通、退而著述、稱吾道窮、蘭陵事楚、騶衍談空、康莊雖列、莫見收功、

孟子荀卿列傳第十四

史記七十四

史記會注考證卷七十五

漢　太　史　令　司　馬　遷　撰

宋　中　郞　外　兵　曹　參　軍　裴　駰　集　解

唐　國　子　博　士　弘　文　館　學　士　司　馬　貞　索　隱

唐　諸　王　侍　讀　率　府　長　史　張　守　節　正　義

日　本　出　雲　瀧　川　資　言　考　證

孟嘗君列傳第十五　　史記七十五

[考證] 史公自序云、好客喜士、士歸于薛、爲齊扞楚魏、作孟嘗君列傳、第十五、陳仁錫曰、太史公作四君序、具見好客意、孟嘗則曰、以故傾天下之士、平原則曰、故爭相傾以

待士、信陵則曰、傾平原君客、春申則曰、招致賓客、以相傾奪、愚按四君以類敍列、以見當時風尚、不關年代先後、

孟嘗君名文。姓田氏。文之父曰靖郭君田嬰。田嬰者、齊威王少子、而齊宣王庶弟也。[索隱] 按戰國策及諸書、竝無此言、蓋諸田之別子也、故戰國策每稱嬰子盼子、高誘注云、田盼田嬰也、王劭又按戰國策云、齊豹辯謂宣王曰、王方爲太子時、辯謂靖郭君、不若廢太子更立郊師、靖郭君不忍、宣王太息曰、寡人少殊不知、以此言之、嬰非宣王弟明也、 田嬰自威王時任職用事、與成侯鄒忌及田忌將而救韓伐魏。[考證] 梁玉繩曰、此指齊威王二十六年桂陵之役、是救趙、非救韓也、且成侯不與田忌同將、田完世家甚明、當是田嬰與田忌將而救趙伐魏耳、此誤、 成侯與田忌爭寵。成侯賣田忌。田忌懼、襲齊之邊邑。不勝亡走。會威王卒、宣王立。知成侯賣田忌、乃復召田忌以爲將。[考證] 事又見田完世家、 [考證]梁玉繩曰、案田忌之亡、在宣王二年、不在威王時、亦無襲齊復召之事、說在田完世家、 宣王二年、田忌與孫臏・田嬰俱伐魏、敗之馬陵、虜魏太子申、而殺魏將龐涓。[索隱] 紀年、當梁惠王二十八年、至

三十六年改爲後元也、[考證] 事又見魏世家孫臏傳、張文虎曰、索隱六誤一、據魏世家索隱引紀年改、 宣王七年、田嬰使於韓・魏。韓・魏服於齊。嬰與韓昭侯・魏惠王會齊宣王東阿南。盟而去。[索隱] 紀年、當惠王之後元十一年、彼文作平阿、又云、十三年、會齊威王于鄄、與此明年齊宣王與梁惠王會鄄、文同、但齊之威宣二王、文舛互竝不同、[正義] 東阿、濟州縣也、[考證] 梁玉繩曰、案表及魏與田完世家、會平阿南、非東阿也、索隱引紀年、亦作平阿、而平阿之會、止魏齊二王、無韓昭侯、此皆誤、 明年、復與梁惠王會甄。[集解] 音絹、 是歲、梁惠王卒。[考證] 惠王是年改元、非卒也、說在魏世家、 宣王九年、田嬰相齊。齊宣王與魏襄王會徐州、而相王也。[正義] 紀年云、梁惠王三十年、下邳遷于薛、改名徐州、[考證] 是時無相王事、會又不止齊魏二國、襄當作惠、說在魏世家、 楚威王聞之、怒田嬰。[考證] 梁玉繩曰、此語不可解、將謂聞田嬰相齊而怒乎、抑聞相王而怒乎、攷是時、齊說越令攻楚、故威王怒而伐齊、楚世家所云、齊欺楚也、則不必專怒嬰子、又齊策載、有齊將封嬰于薛、楚懷王聞之大怒、將伐齊、公孫閈說之而罷、乃後此十四年事、則不得稱威王、蓋史之誤、 明年、楚伐敗齊師於徐州、而使人逐田嬰。田嬰使張丑說楚威王。威王乃止。田嬰相

齊十一年、宣王卒、湣王即位。即位三年、而封田嬰於薛。[索隱] 紀年以爲梁惠王後元十三年四月、齊威王封田嬰于薛、十月齊城薛、十四年、薛子嬰來朝、十五年、齊威王薨、嬰初封彭城、皆與此文異也、[正義] 薛故城、在今徐州滕縣南四十四里也、[考證] 宣王後十三四年始卒、史誤爲湣王之年、故以封嬰在湣王世、說在田完世家、薛故城、在山東滕縣南、方苞曰、田嬰事多田齊世家、而復詳之、著受封之始也、然終傷於繁矣、 初田嬰有子四十餘人。其賤妾有子名文。文以五月五日生。嬰告其母曰、勿擧也。其母竊擧生之。[索隱] 按上擧、謂初誕而擧之、下擧、謂浴而乳之、生、謂長養之也、[考證] 楓山、三條本、及御覽二十一、無五日二字、 及長、其母因兄弟而見其子文於田嬰。田嬰怒其母曰、吾令若去此子。而敢生之。何也。[考證] 御覽、無其母字、因下有其字、敢上無而字、 文頓首。因曰、君所以不擧五月子者何故。嬰曰、五月子者、長與戶齊、將不利其父母。[索隱] 按風俗通云、俗說五月五日生子、男害父、女害母、[正義] 俗說五月五日生子、男害父、女害母、 文曰、人生受命於天乎。將受命於戶邪。嬰默然。文曰、必

受命於天、君何憂焉。必受命於戶、則可高其戶耳。誰能至者。嬰曰。子休矣。久之、文承閒問其父嬰曰。子之子爲何。曰。爲孫。孫之孫爲何。曰。爲玄孫。玄孫之孫爲何。曰。不能知也。【索隱】按爾雅云、玄孫之子爲來孫、來孫之子爲昆孫、昆孫之子爲仍孫、仍孫之子爲雲孫、又有耳孫、亦是玄孫之子、不同也、【考證】索隱可削、凌稚隆曰、不能知也、伏後遺所不知、文曰。君用事相齊、至今三王矣。【考證】三王、威王宣王湣王、齊不加廣。而君私家富累萬金、門下不見一賢者。文聞將門必有將。相門必有相。【考證】將相韻、今君後宮蹈綺縠、而士不得裋褐。【索隱】短亦音豎、豎褐、謂褐衣而豎裁之、以其省而便事也、【考證】裋、各本作短、今從楓山三條本、陳仁錫曰、今本裋作短、誤、張文虎曰、據索隱、短、本作裋、故音豎、愚按裋、小襦也、僕妾餘粱肉、而士不厭糟糠。今君又尚厚積餘藏、欲以遺所不知何人。【索隱】遺、音唯季反、猶言不知欲遺與何人也、【考證】遺所不知何人、承上文不能知、而忘公家之事日損。文竊怪之。於是

嬰迺禮文、使主家待賓客。賓客日進、名聲聞於諸侯。諸侯皆使人請薛公田嬰、以文爲太子。嬰許之。嬰卒。謚爲靖郭君。【集解】皇覽曰、靖郭君冢、在魯國薛城中東南陬、【索隱】按謂死後別號之曰靖郭耳、則靖郭或封邑號、故漢齊王舅父駟鈞封靖郭侯、是也、陬、音鄒、亦音緅、陬者城隅也、【正義】靖郭君、邑名、蓋卒後賜邑號、【考證】中井積德曰、靖郭地名、而爲封號、是生時之號、非死後之謚、下文孟嘗君可併攷、崔適曰、謚猶號也、謚爲靖郭君、謚爲孟嘗君、猶號爲綱成君、號爲馬服君之比、而文果代立於薛。是爲孟嘗君。孟嘗君在薛、招致諸侯賓客。及亡人有罪者、皆歸孟嘗君。孟嘗君舍業厚遇之。【索隱】按舍業者、捨弃其家產業、而厚事賓客也、劉氏云、舍、音赦、謂爲之築舍立居業也、【考證】舍業、索隱前說長、以故傾天下之士。食客數千人。無貴賤一與文等。【考證】御覽四百七十五、文作之、王念孫曰、之字、指食客言、非指孟嘗君言、上文曰、文果代立於薛、是爲孟嘗君、自此以下、則皆稱孟嘗君、而不稱文、此句獨稱文、則與上下文不合、故知文爲之字之誤也、陳臥子曰、觀馮驩有幸代舍之遷、則孟嘗君之待客、本不等、何得云無貴賤、孟嘗君待客坐語。【考證】楓山三條本、待作侍、下文待客之待、亦作侍、而屏風後常有侍

史。主記君所與客語、問親戚居處。客去。孟嘗君已使使存問獻遺其親戚。孟嘗君曾待客夜食。有一人蔽火光。客怒以飯不等、輟食辭去。【考證】御覽八百五十、有下無一字、以下有爲字、孟嘗君起自持其飯比之。客慚自剄。士以此多歸孟嘗君。孟嘗君客無所擇皆善遇之。人人各自以爲孟嘗君親己。秦昭王聞其賢、乃先使涇陽君爲質於齊、以求見孟嘗君。【考證】涇陽君、昭王同母弟公子悝、齊下以、楓山三條本作亦、孟嘗君將入秦。賓客莫欲其行。諫不聽。蘇代謂曰。今旦代從外來、見木禺人與土禺人相與語。【索隱】禺、音偶、又音寓、謂以土木爲之、偶類於人也、蘇代以土偶比涇陽君、木偶比孟嘗君也、【考證】齊策以爲蘇秦語、張文虎曰、禺、索隱本禺、各本作偶、讀書雜志云、封禪書木禺龍、後漢書劉表傳、其猶木禺之於人也、是偶古通作禺、愚按楓山三條本作耦、又按木偶土偶之喻、專就孟嘗而言、中井積德曰、涇陽在齊、亦土偶、且非說所及、索隱謬甚、木禺人曰。天雨。子將敗矣。土禺人曰。

我生於土。敗則歸土。今天雨流子而行。未知所止息也。今秦、虎狼之國也。而君欲往。如有不得還、君得無爲土禺人所笑乎。孟嘗君乃止。【考證】孟嘗君將入秦以下、本齊策、齊湣王二十五年、復卒使孟嘗君入秦。昭王卽以孟嘗君爲秦相。【考證】齊湣二十五年、卽秦昭八年、而秦紀云、昭襄王九年、孟嘗君薛文來相秦、十年、薛文以金受免、與此差一年、人或說秦昭王曰。孟嘗君賢而又齊族也。今相秦。必先齊而後秦。秦其危矣。於是秦昭王乃止囚孟嘗君、謀欲殺之。【考證】楓山三條本、及御覽六百七十四、乃下無止字、此疑衍、孟嘗君使人抵昭王幸姬求解。【索隱】抵、音丁禮反、按抵、謂觸冒而求之也、【考證】抵、至也、幸姬曰。妾願得君狐白裘。【集解】韋昭曰、以狐之白毛爲裘、謂集狐腋之毛、言美而難得者、此時孟嘗君有一狐白裘、直千金、天下無雙。入秦、獻之昭王。更無他裘。孟嘗君患之、徧問客。莫能對。最下

坐有能爲狗盜者。曰、臣能得狐白裘。乃夜爲狗以入秦宮藏中、【正義】藏、在浪反、取所獻狐白裘至。以獻秦王幸姬。幸姬爲言昭王。昭王釋孟嘗君。孟嘗君得出、卽馳去。更封傳、變名姓、以出關。【索隱】更者、改也、改前封傳而易姓名、不言是孟嘗之名、封傳、猶今之驛券、夜半至函谷關。【正義】關、在陝州桃林縣西南十三里、秦昭王後悔出孟嘗君、求之。已去。卽使人馳傳逐之。孟嘗君至關。關法、雞鳴而出客。孟嘗君恐追至。客之居下坐者、有能爲雞鳴。而雞盡鳴。【考證】而雞、藝文類聚作羣雞、白氏六帖作衆雞、陳仁錫曰、一本盡作齊、遂發傳出。出如食頃、秦追果至關。已後孟嘗君出。乃還。始孟嘗君列此二人於賓客。賓客盡羞之。及孟嘗君有秦難、卒此二人拔之。自是之後、客皆服孟嘗君。過趙。趙平原君客之。趙人聞孟嘗君賢、

出觀之。皆笑曰。始以薛公爲魁然也。今視之、乃眇小丈夫耳。孟嘗君聞之、怒。客與俱者、下斫擊殺數百人、遂滅一縣以去。【考證】邵泰衢曰、孟嘗聲聞諸侯、傾天下士、眇小一語、何至殺人滅縣乎、卽曰客也、文獨不禁之乎、且以齊嘗而滅趙縣乎、齊湣王不自得。以其遣孟嘗君。【索隱】不自德、是愍王遣孟嘗君、自言己無德故也、【正義】言自嫌无德而遣孟嘗、【考證】索隱、正義本、得作德、德亦讀爲得、不自得、自以爲失、其心不安也、遣、遣孟嘗於秦也、孟嘗君至。則以爲齊相任政。孟嘗君怨秦、將以齊爲韓・魏攻楚、因與韓・魏攻秦、而借兵食於西周。【集解】徐廣曰、年表曰、韓魏齊共擊秦、軍於函谷、蘇代爲西周謂曰。【索隱】戰國策、作韓慶爲西周謂薛公、君以齊爲韓・魏攻楚九年。取宛・葉以北、以彊韓・魏。【正義】宛、在鄧州、葉、在許州、二縣以北、舊屬楚、二國共沒以入韓魏、【考證】九年下、策有而字、梁玉繩曰、此仍西周策之誤、時爲赧王十七年、齊與韓魏攻秦、而齊于前三年共秦韓魏攻楚、于前五年與韓魏伐楚、則言九年非也、取宛葉亦妄、愚按、鮑彪策注、既有此說、今復攻秦以益之、韓・魏南無楚憂、西無秦患、則齊危矣。

韓・魏必輕齊畏秦。臣爲君危之。君不如令敝邑深合於秦、而君無攻、又無借兵食。君臨函谷而無攻、令敝邑以君之情謂秦昭王曰、薛公必不破秦以彊韓・魏、其攻秦也、欲王之令楚王割東國以與齊、【正義】東國、齊徐夷、【考證】凌稚隆曰、正義、齊、疑當作楚、而秦出楚懷王以爲和、【考證】陳仁錫曰、昭王昭字、懷王懷字、當刪、君令敝邑以此惠秦。【考證】楓山、三條本、惠作忠、與策合、秦得無破而以東國自免也、秦必欲之。楚王得出、必德齊。齊得東國益彊、而薛世世無患矣。秦不大弱、而處三晉之西、三晉必重齊。薛公曰。善。【考證】文例薛公當作孟嘗君、蓋襲策文、因令韓・魏賀秦、使三國無攻、而不借兵食於西周矣。【考證】孟嘗君怨秦以下、采西周策、令韓魏賀秦、策作韓慶入秦、是也、恩田仲任曰、太史公誤認慶字、改作韓魏賀秦、梁玉繩曰、時三國伐秦、不攻已幸、尙何賀哉、是時楚懷王入秦、秦畱之。故欲必出之。

秦不果出楚懷王。【考證】徐孚遠曰、三國兵已罷、秦人失信、欲留楚王以制楚人、孟嘗君相齊。其舍人魏子、【索隱】舍人官微、記姓而略其名、故云魏子、【考證】中井積德曰、魏子不名、失之耳、爲孟嘗君收邑入。【索隱】收其國之租稅也、三反而不致一入。孟嘗君問之。對曰。有賢者。竊假與之。以故不致入。孟嘗君怒而退魏子。居數年、人或毀孟嘗君於齊湣王曰。孟嘗君將爲亂。及田甲劫湣王、湣王意疑孟嘗君。孟嘗君迺奔。【集解】徐廣曰、湣王三十四年、田甲劫王、薛文走、【考證】寬永本標記云、一本無疑字、王念孫曰、意下本無疑字、意孟嘗君者、疑其使田甲劫王也、意卽疑也、後人不知意之訓爲疑、故又加疑字耳、御覽人事部引此無疑字、魏子所與粟賢者聞之、乃上書言孟嘗君不作亂。請以身爲盟。遂自剄宮門、以明孟嘗君。【考證】楓山、三條本、君下有不亂二字、湣王乃驚而蹤跡驗問、孟嘗君果無反謀。乃復召孟嘗君。孟嘗君因謝病歸老於薛。湣王許之。【考證】唐順之曰、魏子馮

驩、豈一事而傳聞異邪、張照曰、晏子北郭騷事、亦大同小異、蓋戰國時習如此、則流言亦如此、舉不足信也、其後秦亡將呂禮相齊。【考證】穰侯傳、魏冄相秦、欲誅呂禮、呂禮走齊、據秦紀、事在秦昭十二年、欲困蘇代。代乃謂孟嘗君曰。周最於齊至厚也。【正義】周最、周之公子。【考證】最、音驟、而齊王逐之、而聽親弗。【集解】親弗、人姓名、【索隱】親、姓、弗、名也、戰國策作祝弗、蓋祝爲得之、相呂禮者、欲取秦也。【考證】橫田惟孝曰、言齊逐最而相禮者、欲因禮以取秦之交也、齊·秦合、則親弗與呂禮重矣。有用齊、秦必輕君。【考證】有用上下、疑有誤脫、策作有周、亦不可解、陳仁錫以齊字屬上讀、云、言親弗呂禮二人用於齊也、安井衡亦云、言弗與禮有用齊、秦必輕田文、參存、君不如急北兵、趨趙以和秦·魏、收周最以厚行、且反齊王之信、【索隱】周最本厚於齊、今欲逐之而相秦之亾將、蘇代謂孟嘗君、令齊收周最以自厚其行、又且得反齊王之有信、以不逐周最也、又禁天下之變。【索隱】變、謂齊秦合則親弗呂禮用、用則秦齊輕孟嘗也、【考證】恩田仲任曰、以厚行、齊王逐周最、孟嘗君今收之、是厚行也、齊用呂禮、以與秦合、取信、今反之、使不合也、安井衡曰、信、猶約也、中井積德曰、天下之變、指他日攻伐之事也、非前事、註當删、齊無秦、則天下集齊、親弗必走。則齊王孰

與爲其國也。【正義】親弗相呂禮、欲合齊秦、若齊秦不合、天下之從、集歸於齊、親弗必走去齊、【考證】謂孟嘗君曰以下、采東周策、但策不曰蘇代、孰與爲其國、言必重孟嘗也、於是孟嘗君從其計。而呂禮嫉害於孟嘗君。孟嘗君懼、乃遺秦相穰侯魏冄書曰。【考證】梁玉繩曰、秦策、作薛公爲魏謂魏冄、則非嫉呂禮而遺書也、但孟嘗號賢公子、豈有召虎狼之秦、返兵內嚮、屠滅宗邦哉、此必因孟嘗有奔魏事、遂構爲之言、乃國策之妄、史公誤信之耳、吾聞秦欲以呂禮收齊。齊、天下之彊國也。子必輕矣。【考證】收、猶取也合也、徐孚遠曰、呂禮亡秦、必與穰侯有郤、若見用於齊、亦穰侯所嫉也、齊·秦相取、以臨三晉、呂禮必并相矣。是子通齊以重呂禮也。【考證】策、通作收、若齊免於天下之兵、其讎子必深矣。【考證】岡白駒曰、齊得秦援而免於天下之兵、則呂禮之功多矣、呂禮與子有郤、得志於齊、必惡子於齊、故齊讎子深矣、子不如勸秦王伐齊。齊破、吾請以所得封子。【考證】中井積德曰、破齊、是田文不臣之甚者、所謂戎首、是也、黃式三曰、孟嘗君遺魏冄書、在去齊相魏之時、意矢在弦上、不得不發乎、而以樂毅不謀燕例之、義士猶以爲非矣、若史記孟嘗君傳、遺魏冄書、在未適魏之前、則大謬也、齊破、秦畏晉之彊、秦必重

子以取晉。【考證】策、齊破下有晉彊二字、取、猶收也、下同、晉國敝於齊而畏秦、晉必重子以取秦。是子破齊以爲功、挾晉以爲重。是子破齊定封、秦·晉交重子。若齊不破、呂禮復用、子必大窮。【考證】孟嘗君懼以下、采秦策、於是穰侯言於秦昭王伐齊。而呂禮亡。【考證】梁玉繩曰、案秦紀、伐齊、在昭王廿二年、呂禮歸秦、在昭王十九年、此言秦伐齊而呂禮亡、蓋仍遺秦相書之妄、而不自知其戾也、後齊湣王滅宋益驕、欲去孟嘗君。孟嘗君恐、迺如魏。魏昭王以爲相、西合於秦。趙與燕共伐破齊。【考證】梁玉繩曰、孟嘗奔魏有之、故魏策載孟嘗爲魏借燕趙兵退秦師一章、若相魏、是妄也、知者、年表世家、皆不書其事、卽國策亦無明文、而魏世家、取國策太子自相一節、則薛公之不相魏、明甚、蓋魏有田文、卽呂覽執一篇之商文、爲武侯相、見吳起傳、在孟嘗前、又有魏文子相襄王、見魏策、竝孟嘗時、策史誤以文子爲孟嘗、遂謂其相魏耳、至齊之破、乃燕昭復仇、與孟嘗何涉、如傳所說、竟似孟嘗爲之、豈不冤哉、荀子王霸篇、言齊閔薛公、權謀日行、國不免危亡、臣道篇、言孟嘗簒臣、殆當時惡孟嘗者、造爲斯語而傳之歟、六國破齊、此不及韓楚、亦非、齊湣王亡在莒。遂死焉。齊襄王立、而孟嘗君中立於諸侯、

無所屬。【考證】張文虎曰、於、各本誤爲、今從舊刻、齊襄王新立、畏孟嘗君、與連和、復親薛公。文卒。謚爲孟嘗君。【集解】皇覽曰、孟嘗君冢、在魯國薛城中向門東、向門出北邊門也、詩云、居常與許、鄭玄曰、常或作嘗、在薛之南、孟嘗邑于薛城也、【索隱】按孟嘗襲父封薛、而號曰孟嘗君、此云謚、非也、孟字也、嘗邑名、詩云、居常與許、鄭箋云、常或作嘗、嘗邑、在薛之旁、是也、【正義】括地志云、孟嘗君墓、在徐州滕縣五十二里、卒在齊襄王之時也、【考證】中井積德曰、孟嘗蓋封邑之名、其地不獲者、記載不傳耳、田嬰四十餘子、而文賤妾之子、蓋在叔季、無字孟之理、梁玉繩曰、上文亦言田嬰謚靖郭君、野客叢書以稱謚爲誤、索隱于靖郭云、死後號之、于孟嘗云、是字邑、而非謚、何不同也、策、史、稱靖郭孟嘗者甚多、如閔王謂齊貌辯曰、子靖郭君之所聽愛、又曰、靖郭君之于寡人一至此、貌辯亦三稱靖郭、馮驩謂梁王曰、齊放其大臣孟嘗君、舍人謂衞君曰、孟嘗君不知臣不肖、又曰、足下欺孟嘗君、此傳載馮驩亦九稱孟嘗、非皆見存之辭乎、蓋謚者號也、不作謚法解、猶之以氏爲姓、竝秦漢人語、故李斯上二世書曰、死有賢明之謚、呂不韋傳曰、謚爲帝太后、司馬相如喻巴蜀檄曰、謚爲至愚、他如金石錄侯君碑曰、謚安國君、文選王褒賦曰、幸得謚爲洞簫兮、均可驗證、諸子爭立、而齊·魏共滅薛。孟嘗絕嗣、無後也。初馮驩【集解】音歡、復作煖、音許袁反、【索隱】音歡、字或作諼、音況遠反、聞孟嘗君好客、躡蹻而見之。【索隱】蹻、音腳、字亦作屩、徐廣云、草履也、【考證】張文虎曰、屩、索隱本作蹻、他本作屩、梁玉繩曰、國策、驩作煖、所說馮事亦異、習學記言云、史記蓋別有

所本、其義爲勝也、然多有不合、如無家之歌、左右惡之爾、而此以爲孟嘗不悅、削去給馮老母一段、則無以見孟嘗待客之周、一也、煖嬌令燒券、反齊求見、而此以爲得息錢大會、不能與息者燒券、孟嘗聞之、怒而召驩、情節全乖、二也、孟嘗去相、煖說梁得復位、而此以爲說秦又說齊、三也、孟嘗復用、欲殺齊士大夫、譚拾子有趨市之喩、而此以爲客背孟嘗、驩爲客謝語、四也、其爲僞撰無疑、孟嘗君曰、先生遠辱、何以敎文也。馮驩曰、聞君好士、以貧身歸於君。孟嘗君置傳舍十日。【索隱】傳、音逐緣反、按傳舍幸舍及代舍、竝當上中下三等之客所舍之名耳、【正義】傳舍、下客所居、【考證】御覽三百四十六、置下有之字、十作五、孟嘗君問傳舍長曰、客何所爲。荅曰、馮先生甚貧、猶有一劒耳。又蒯緱。【集解】蒯、音苦怪反、茅之類、可爲繩、言其劒把無物可裝、以小繩纏之也、緱、音侯、亦作候、謂把劒之處、【索隱】蒯、草名、音蒯聵之蒯、緱、音侯、字亦作候、謂把劒之物、言其劒無物可裝、但以蒯繩纏之、故云蒯緱、【正義】驩貧、用蒯草爲繩纏、【考證】中井積德曰、緱字從糸、疑纏絲之名、彈其劒而歌曰、長鋏歸來乎、食無魚。【考證】鋏、劍把也、呼劍而歌、欲與俱去、乎、魚、韻、經傳釋詞云、來、句中語助也、莊子太宗師篇、嗟來桑戶乎、嗟來桑戶乎、嗟來、猶嗟乎也、又句末語助也、孟子離婁篇、盍歸乎來、莊子人間世篇、嘗以語我來、子其有以語我來、來字皆語助、孟嘗君遷之幸舍。食有魚矣。五日、又問傳

舍長。荅曰、客復彈劒而歌曰、長鋏歸來乎、出無輿。孟嘗君遷之代舍。出入乘輿車矣。【考證】乎、輿、韻、徐孚遠曰、孟嘗君疑馮驩非庸人也、故數問之、五日、孟嘗君復問傳舍長。舍長荅曰、先生又嘗彈劒而歌曰、長鋏歸來乎、無以爲家。孟嘗君不悅。【考證】乎、家、韻、顧炎武曰、莊子子桑歌云、父邪、母邪、天乎、人乎、語助之外、止用四字爲詩、孟嘗君傳、馮驩歌云、長鋏歸來乎、食無魚、長鋏歸來乎、出無車、長鋏歸來乎、無以爲家、三章各二句、而合爲一韻、愚按長鋏之歌每章有韻、三章一韻、亦奇法也、凌稚隆曰、按國策無以爲家下云、左右皆惡之、以爲貪而不知足、孟嘗君問馮公有親乎、對曰、有老母、孟嘗君使人給其食用無使乏、於是馮諼不復歌、史記以左右惡之爲孟嘗君不悅、似誤、徐孚遠曰、此與國策所載異、國策較爲工、此似待客不足、居朞年、馮驩無所言。孟嘗君時相齊。封萬戶於薛。其食客三千人、邑入不足以奉客。【正義】奉、符用反、使人出錢於薛。歲餘不入、貸錢者多不能與其息。【索隱】按與、猶還也、息、猶利也、客奉將不給。孟嘗君憂之、問左右、何人可使收債於薛者。【考證】楓山、三條本、債作責、下同、傳舍長

曰、代舍客馮公、形容狀貌甚辯、長者、無他伎能。宜可令收債。【集解】伎亦作技、【考證】楓山、三條本、無收字、梁玉繩曰、史通點繁雜說二篇、歷擧史記溢句冗辭、爲之刪除抉發、此宋朱子文漢書辯正所由作也、但古人操筆、非若後世沾沾于文字間、增減脩飾、劉氏所糾未免拘腐、其論此語云、同是一說、而敷演重出、分爲四言、余謂形容狀貌疊用、誠爲語病、然前賢斯類甚多、三國志魏鄧哀王傳注引魏書云、容貌姿美、與此政同、他如越語范蠡曰、靡王躬身、呂子禁塞篇、凍餓饑寒、漢書中山靖王傳、道遼路遠、張禹傳、絲竹筦絃、文選宋玉賦、旦爲朝雲、不可徧擧、然詩云、昭明有融、高朗令終、又云、自古在昔、則已先之矣、孟嘗君乃進馮驩而請之曰、賓客不知文不肖、幸臨文者三千餘人。邑入不足以奉賓客。故出息錢於薛。薛歲不入。【考證】楓山、三條本、薛歲、作歲餘、民頗不與其息。今客食恐不給。願先生責之。馮驩曰、諾。辭行至薛、召取孟嘗君錢者皆會。得息錢十萬。迺多釀酒買肥牛、召諸取錢者。能與息者皆來。不能與息者亦來。皆持取錢之券書合之。齊爲會日、殺牛置酒。酒酣。乃持

券如前合之。能與息者與爲期。【考證】中井積德曰、期、謂還本錢之期日、貧不能與息者、取其券而燒之。曰、孟嘗君所以貸錢者、爲民之無者以爲本業也。【考證】張文虎曰、無下者字疑衍、下云、爲無以奉客也、兩無以相對爲文、所以求息者、爲無以奉客也。今富給者以要期、貧窮者燔券書以捐之。諸君彊飲食。有君如此。豈可負哉。【考證】彊、勉彊之彊、力也、楓山、三條本、負作背、坐者皆起再拜。孟嘗君聞馮驩燒券書、怒而使使召驩。驩至。孟嘗君曰、文食客三千人。故貸錢於薛。文奉邑少。【索隱】言文之奉邑少、故令出息於薛、【正義】文封邑非多、而租稅少、故求息、【考證】中井積德曰、奉邑少、與下尚多緊接、蓋邑大則不與息亦不爲憂、而民尚多不以時與其息。客食恐不足。故請先生收責之。【考證】楓山、三條本、無收字、聞先生得錢、卽以多具牛酒而燒券書。何。馮驩曰、然。不多具牛酒、卽不能畢會。無以知其有餘

不足。有餘者爲要期。不足者雖守而責之十年、息愈多、急卽以逃亡自捐之、若急終無以償。[考證]若急二字疑衍。 上則爲君好利不愛士民、下則有離上抵負之名。[考證]楓山三條本、抵作拘、中井積德曰、負謂罪纍、 非所以厲士民彰君聲也。焚無用虛債之券、捐不可得之虛計、[考證]楓山三條本、債作責、 令薛民親君而彰君之善聲也。君有何疑焉。孟嘗君乃拊手而謝之。齊王惑於秦・楚之毀、以爲孟嘗君名高其主、而擅齊國之權。遂廢孟嘗君。[考證]楓山三條本、權下有於是二字、凌稚隆曰、按戰國策馮驩焚薛債券後朞年、孟嘗君免相就國于薛、未至百里、民扶老攜幼以迎、太史公不載、似缺始末。 諸客見孟嘗君廢皆去。馮驩曰、借臣車一乘可以入秦者、必令君重於國、而奉邑益廣。可乎。孟嘗君乃約車幣而遣之。[考證]策作馮煖西遊梁、 馮驩乃西說秦王曰、天下之游

士、馮軾結靷西入秦者、無不欲彊秦而弱齊。[考證]靷、用皮約馬胷以引車軸也、 馮軾結靷東入齊者、無不欲彊齊而弱秦。此雄雌之國也。勢不兩立爲雄。[考證]楓山三條本、此下有齊秦二字、勢不兩立爲雄、作而不兩爲雄、義長、 雄者得天下矣。秦王跽而問之曰、何以使秦無爲雌而可。[考證]楓山三條本、無曰字、 馮驩曰。王亦知齊之廢孟嘗君乎。秦王曰、聞之。馮驩曰、使齊重於天下者、孟嘗君也。今齊王以毀廢之。其心怨必背齊。背齊入秦、則齊國之情、人事之誠、盡委之秦。齊地可得也。豈直爲雄也。君急使使載幣陰迎孟嘗君。不可失時也。[考證]楓山三條本、君下有此字、 如有齊覺悟復用孟嘗君、則雌雄之所在未可知也。秦王大悅、迺遣車十乘黃金百鎰、以迎孟嘗君。馮驩辭以先行至齊、說齊

王曰、天下之游士、馮軾結靷東入齊者、無不欲彊齊而弱秦者。馮軾結靷西入秦者、無不欲彊秦而弱齊者。夫秦・齊雄雌之國。秦彊則齊弱矣。此勢不兩雄。今臣竊聞秦遣使車十乘、載黃金百鎰、以迎孟嘗君。孟嘗君不西則已。西入相秦、則天下歸之、秦爲雄、而齊爲雌。[考證]楓山三條本、而作則、 雌則臨淄・卽墨危矣。王何不先秦使之未到、復孟嘗君、而益與之邑以謝之。孟嘗君必喜而受之。秦雖彊國、豈可以請人相而迎之哉。[考證]楓山三條本、可下無以字、 折秦之謀、而絕其霸彊之略。齊王曰、善。乃使人至境候秦使。[考證]董份曰、使人至境候秦使者、未信馮驩之言、欲驗其實也、 秦使車適入齊境。使還馳告之。[考證]楓山三條本、使下還上有者字、 王召孟嘗君而復其相位。而與其故邑之地、

又益以千戶。秦之使者聞孟嘗君復相齊、還車而去矣。[考證]楓山三條本、而下有西字、初馮驩聞孟嘗君好客以下、又見齊策、但事多有不合、說已見前、梁玉繩曰、湣王召復孟嘗于田甲亂後、孟嘗遂歸老于薛、迨湣王又欲去孟嘗乃如魏、馮公此計、必在召復之時、所謂復相位者、恐非其實、國策云、爲相數十年、尤不足信、 自齊王毀廢孟嘗君、諸客皆去。[考證]楓山三條本、王下有以字、 後召而復之。馮驩迎之。未到。孟嘗君太息歎曰。文常好客。遇客無所敢失、食客三千有餘人、先生所知也。客見文一日廢、皆背文而去、莫顧文者。今賴先生得復其位。客亦有何面目復見文乎。如復見文者、必唾其面而大辱之。[考證]楓山三條本、之下有矣字、 馮驩結轡下拜。孟嘗君下車接之曰、先生爲客謝乎。馮驩曰、非爲客謝也。爲君之言失。夫物有必至、事有固然。君知之乎。孟嘗君曰、愚不知所謂也。曰、生者必有死、物之

必至也。富貴多士、貧賤寡友、事之固然也。君獨不見夫朝趨市者乎。〔索隱〕趣、音娶、趣向也、平明側肩爭門而入。〔考證〕各本、平明作明旦、誤、下文索隱正義可證、今從楓山、三條本、日暮之後過市朝者、掉臂而不顧。〔索隱〕過、音光臥反、朝、音潮、謂市之行位有如朝列、因言市朝耳、〔正義〕市朝、言市之行位、有如朝列、故言朝、〔考證〕中井積德曰、市朝之朝、只是帶說、猶言緩急長短之類、愚按楓山三條本、無朝字、是也、各本衍、然司馬貞張守節所見之本、已有朝字、今姑存之、非好朝而惡暮。所期物亡其中。〔索隱〕按期物、謂入市心中所期之物利、故平明側肩爭門而入、今日暮所期亡其中、亡者無也、其中市朝之中、言日暮物盡、故掉臂不顧也、〔考證〕各本亡作忘、今從楓山三條本、索隱二亡字亦然、凌稚隆曰、此段戰國策譚拾子語、張照曰、自馮驩至此、亦褚先生續爲之、與史文不類、愚按復申此一段以收孟嘗馮驩、未必褚先生續爲之、今君失位、賓客皆去。不足以怨士。而徒絕賓客之路。願君遇客如故。孟嘗君再拜曰。敬從命矣。聞先生之言、敢不奉教焉。

太史公曰。吾嘗過薛。其俗閭里、率多暴桀子弟。與鄒·魯殊。

〔考證〕薛與鄒魯相近、太史公周游之間、其感特深、問其故。曰。孟嘗君招致天下任俠、姦人入薛中、蓋六萬餘家矣。世之傳孟嘗君好客自喜、名不虛矣。

〔索隱〕述贊、靖郭之子、威王之孫、既彊其國、實高其門、好客喜士、見重平原、雞鳴狗盜、魏子馮煖、如何承睫、薛縣徒存、

孟嘗君列傳第十五　　史記七十五

史記會注考證卷七十六

漢　太　史　令　司　馬　遷　撰

宋　中　郎　外　兵　曹　參　軍　裴　駰　集解

唐　國　子　博　士　弘　文　館　學　士　司　馬　貞　索隱

唐　諸　王　侍　讀　率　府　長　史　張　守　節　正義

日　本　出　雲　瀧　川　資　言　考證

平原君虞卿列傳第十六　史記七十六

【考證】史公自序云、爭馮亭以權、如楚以救邯鄲之圍、使其君復稱於諸侯、作平原君虞卿列傳第十六、

平原君趙勝者、趙之諸公子也。【集解】徐廣曰、魏公子傳曰、趙惠文王弟、【正義】勝、式證反、【考證】趙策、諒毅曰、平原君、親寡君之母弟、諸子中勝最賢、喜賓客。賓客蓋至者數千人。平原君相趙惠文王及孝成王。三去相、三復位。【考證】梁玉繩曰、本傳不載平原三相三去之事、似平原相趙四十八年者、六國表于惠文王元年、書平原爲相、孝成王元年、又書平原爲相、兩書而已、攷惠文以相國印授樂毅、孝成割濟東地與齊、求田單爲將、遂留相趙、故趙世家惠文十四年、有毅攻齊事、孝成元年、有單攻燕、二年有單爲相之事、則平原之三相三去、固有徵矣、孝成二年相單、是平原復相、踰年而罷、迨單去趙歸齊之後、不再書平原復位者、史略之也、封於東武城。【集解】徐廣曰、屬清河、【正義】今貝州武城縣也、【考證】杜佑曰、蓋定襄有武城、時同屬趙、故此加東也、平原君家樓臨民家。民家有躄者、槃散行汲。【集解】散亦作跚、【索隱】躄、音壁、散、音先寒反、作跚、同音、【正義】躄、跛也、【考證】槃散、跛行貌、司馬相如傳、媻珊勃窣、平原君美人居樓上。臨見大笑之。明日躄者至平原君門請曰。臣聞君之喜士。士不遠千里而至者、以君能貴士而賤妾也。臣不幸有罷癃之病。【集解】徐廣曰、癃、音隆、癃病也、

【索隱】罷、音皮、癃、音呂宮反、罷癃謂背疾、言腰曲而背隆高也、而君之後宮、臨而笑臣。臣願得笑臣者頭。平原君笑應曰。諾。躄者去。平原君笑曰。觀此豎子。乃欲以一笑之故殺吾美人。不亦甚乎。終不殺。【考證】中井積德曰、以一笑殺美人、戰國之習已、然使賢者當是事、雖不殺、亦必有處置矣、居歲餘、賓客門下舍人、稍稍引去者過半。平原君怪之曰。勝所以待諸君者、未嘗敢失禮。而去者何多也。門下一人前對曰。以君之不殺笑躄者、以君爲愛色而賤士、士卽去耳。於是平原君乃斬笑躄者美人頭、自造門進躄者、因謝焉。其後門下乃復稍稍來。是時齊有孟嘗。魏有信陵。楚有春申。故爭相傾以待士。【集解】徐廣曰、待一作得、【考證】中井積德曰、四君子中、孟嘗尤爲先輩、蓋與三君不竝世、今駢稱者、襲賈生過秦也、按信陵君傳云、安釐王卽位、封爲信陵君、安釐王卽位、在田單復齊之後三年、則孟嘗中立於薛、既死矣、又黃歇未封、以辯士使於秦、在范雎相秦之後、范雎相

秦、是安釐王三十一年矣、後三年、歇相楚、封春申君、愚按呂不韋傳亦云、當是時、魏有信陵君、楚有春申君、趙有平原君、齊有孟嘗君、皆下士喜賓客以相傾、不韋相秦、孟嘗君死後二十餘年、史公以概說周末卿相氣習耳、秦之圍邯鄲、【正義】趙惠文王九年、秦昭王十五年、【考證】據六國表、秦圍邯鄲、在趙孝成王九年、秦昭王五十年、通鑑繫之其前年、正義誤孝成爲惠文、五十字誤倒、蓋傳寫之失、趙使平原君求救、合從於楚。約與食客門下有勇力、文武備具者二十人偕。平原君曰。使文能取勝則善矣。【考證】岡白駒曰、言以禮文得遂所欲則善矣、文不能取勝、則歃血於華屋之下。【正義】歃、衫甲反、【考證】岡白駒曰、欲以武劫盟、必得定從而還。士不外索、取於食客門下足矣。【考證】平原之詞至此、得十九人。餘無可取者、無以滿二十人。門下有毛遂者、前自贊於平原君曰。【考證】自贊、自薦也、遂聞君將合從於楚。約與食客門下二十人偕、不外索、今少一人。願君卽以遂備員而行矣。平原君曰。先生處勝之門下、幾年於此矣。毛

遂曰、三年於此矣。平原君曰、夫賢士之處世也、譬若錐之處囊中、其末立見。今先生處勝之門下、三年於此矣。左右未有所稱誦。勝未有所聞。是先生無所有也。先生不能。先生留。【考證】疊用四先生字、平原聲音狀貌、千載如生、洪邁容齋五筆引此及魏世家蘇秦魯仲連傳、稱史公摹寫之妙、 毛遂曰、臣乃今日請處囊中耳。使遂蚤得處囊中、乃穎脫而出。非特其末見而已。【索隱】按鄭玄曰、穎、環也、脫、音吐活反、【正義】穎、禾穗末也、穎脫而出、言特出衆穗之上、【考證】以禾芒喩錐鈍、禮記少儀、刀卻刃授穎、鄭注、穎、鐶也、索隱所本、孔疏云、穎是穎發之義、刃之在手、禾之秀穗、皆謂之穎、但少儀以刀言、此以錐言、不同、 平原君竟與毛遂偕。十九人相與目笑之、而未發也。【索隱】按鄭氏曰、皆目視而輕笑之、未能卽廢弃之也、【正義】言十九人相與目視之、竊笑未敢發聲也、發字或作廢者非也、毛遂不由十九人而得廢棄也、【考證】發、索隱本作廢、正義本作發、今本亦作發、王念孫曰、廢卽發之借字、謂目笑之而未發於口也、 毛遂比至楚、與十九人論議。十九人皆服。【正義】比、卑利反、 平原君與楚合從、言其利

害。日出而言之、日中不決。十九人謂毛遂曰、先生上。毛遂按劒歷階而上、謂平原君曰、從之利害、兩言而決耳。今日出而言從、日中不決、何也。【考證】歷階、登階不聚足、急遽之狀、兩言、謂利與害、 楚王謂平原君曰、客何爲者也。平原君曰、是勝之舍人也。楚王叱曰、胡不下。吾乃與而君言。汝何爲者也。毛遂按劒而前曰、王之所以叱遂者、以楚國之衆也。今十步之內、王不得恃楚國之衆也。王之命、縣於遂手。吾君在前。叱者何也。且遂聞湯以七十里之地王天下。文王以百里之壤而臣諸侯。豈其士卒衆多哉。誠能據其勢而奮其威。今楚地方五千里、持戟百萬。此霸王之資也。【考證】楓山、三條本、百萬下、有粟支十年四字、 以楚之彊、天下弗能當。白起小豎子耳。【考證】小豎

子、言庸劣無知、如童豎然、 率數萬之衆、興師以與楚戰、一戰而舉鄢・郢、再戰而燒夷陵、三戰而辱王之先人。【考證】胡三省曰、謂焚夷楚之陵廟也、 此百世之怨、而趙之所羞。而王弗知惡焉。【正義】惡、烏故反、 合從者爲楚、非爲趙也。吾君在前。叱者何也。楚王曰、唯唯。誠若先生之言。謹奉社稷而以從。毛遂曰、從定乎。楚王曰、定矣。毛遂謂楚王之左右曰、取雞狗馬之血來。【索隱】按盟之所用牲、貴賤不同、天子用牛及馬、諸侯用犬及豭、大夫已下用雞、今此總言盟之用血、故云取雞狗馬之血來耳、【正義】周禮盟之用牲、天子以牛及馬、諸侯以犬及豭、大夫以下用雞、今總言之、用血未詳、 毛遂奉銅槃、【索隱】奉、敷奉反、若周禮則用珠盤也、 而跪進之楚王曰、王當歃血而定從。次者吾君。次者遂。【考證】楓山、三條本、歃下有盟字、 遂定從於殿上。毛遂左手持槃血、而右手招十九人曰、公相與歃此血於堂下。【索隱】歃、音所甲反、 公等錄錄、所謂因人

成事者也。【集解】錄、音祿、【索隱】音祿、按王劭云、錄借字耳、又說文云、錄錄、隨從之貌、【考證】錄、碌通、碌碌、小石錯落貌、以喩庸人、因人成事、古語、 平原君已定從而歸。歸至於趙曰、勝不敢復相士。勝相士多者千人、寡者百數。自以爲不失天下之士。今乃於毛先生而失之也。毛先生一至楚、而使趙重於九鼎大呂。【索隱】九鼎大呂、國之寶器、言毛遂至楚、使趙重於九鼎大呂、言爲天下所重也、【正義】大呂、周廟大鍾、【考證】中井積德曰、九鼎大呂、只喩其重耳、 毛先生以三寸之舌、彊於百萬之師。勝不敢復相士。遂以爲上客。平原君既返趙。【考證】說苑復恩篇、返作歸、 楚使春申君將兵赴救趙。魏信陵君亦矯奪晉鄙軍往救趙。皆未至。秦急圍邯鄲。邯鄲急、且降。平原君甚患之。邯鄲傳舍吏子李同【正義】名談、太史公諱改也、【考證】說苑、作李談、 說平原君曰、君不憂趙亡邪。平原君曰、趙亡、則勝爲虜。何爲不憂乎。李同曰、邯鄲

之民、炊骨易子而食。可謂急矣。【考證】說苑、急矣作至困、左傳宣公十五年、敝邑易子而食、析骨而爨、而君之後宮以百數、婢妾被綺縠、餘粱肉。【考證】說苑、餘上有廚字、而民褐衣不完、糟糠不厭。民困兵盡、或剡木爲矛矢。【考證】中井積德曰、褐衣不完二句、疑錯文、宜在上文炊骨之上、而民二字衍文、愚按說苑無而民以下十字、矢作戟、而君器物鍾磬自若。使秦破趙、君安得有此。使趙得全、君何患無有。今君誠能令夫人以下編於士卒之閒、分功而作、家之所有盡散以饗士、士方其危苦之時易德耳。【正義】言士方危苦之時、易有恩德、【考證】說苑、易德作易爲惠、中井積德曰、易德、謂易施恩惠也、危苦、故小惠微恩、足以結之、易字屬我、於是平原君從之、得敢死之士三千人。李同遂與三千人赴秦軍。秦軍爲之卻三十里。亦會楚·魏救至。秦兵遂罷、邯鄲復存。李同戰死。封其父爲李侯。【集解】徐廣曰、河內成皐有李城、【正義】懷州溫縣、本李城也、李同父所封、隋煬帝從故溫城移縣於此、【考證】說苑、李侯作孝侯、

虞卿欲以信陵君之存邯鄲、爲平原君請封。公孫龍聞之、夜駕見平原君曰。龍聞虞卿欲以信陵君之存邯鄲、爲君請封。有之乎。平原君曰。然。龍曰。此甚不可。且王擧君而相趙者、非以君之智能爲趙國無有也。【考證】且、發語詞、說詳于經傳釋詞、割東武城而封君者、非以君爲有功也、而以國人無勳。【考證】非字、管到于以國人無勳、顧炎武曰、非以君爲有功也、而以國人無勳當作一句讀、言非國人無功而不封、君獨有功而封也、愚按國人下加爲字、移也字於勳字下、其義更明、乃以君爲親戚故也。君受相印、不辭無能、割地、不言無功者、亦自以爲親戚故也。今信陵君存邯鄲、而請封。是親戚受城、而國人計功也。【集解】徐廣曰、一本是親戚受城而以國許人、【考證】徐廣一本非是、愚按、初無功受封、以親戚之故、今有功又受封、是以國人計報也、又按虞卿爲平原君請封以下、本趙策、此甚不可。且虞卿操其兩權。事成操右券以

責、【索隱】言虞卿論平原君取封、事成則操其右券以責其報德也、【正義】右券、上契也、言虞卿事成、常取上契之功、以責平原報己之德、【考證】作券書、分爲左右、各執其一以爲證據也、事不成、以虛名德君。君必勿聽也。平原君遂不聽虞卿。【考證】且虞卿操兩權以下語、趙策不載、今策有遺脫乎、抑史公以他記補足乎、平原君以趙孝成王十五年卒。【索隱】按六國年表及世家、竝云十四年卒、與此不同、子孫代、後竟與趙俱亡。平原君厚待公孫龍。公孫龍善爲堅白之辯。【考證】說在孟荀列傳、及鄒衍過趙言至道、乃絀公孫龍。【集解】劉向別錄曰、齊使鄒衍過趙、平原君見公孫龍及其徒綦毋子之屬、論白馬非馬之辯、以問鄒子、鄒子曰、不可、彼天下之辯有五勝三至、而辭正爲下、辯者、別殊類使不相害、序異端使不相亂、抒意通指、明其所謂、使人與知焉、不務相迷也、故勝者不失其所守、不勝者得其所求、若是、故辯可爲也、及至煩文以相假、飾辭以相惇、巧譬以相移、引人聲使不得及其意、如此害大道、夫繳紛爭言而競後息、不能無害君子、坐皆稱善、【索隱】過音戈、杼音墅、杼者舒也、繳、音叫、謂繳繞紛亂、爭言而競後息、不能無害也、【正義】徼、音叫、繳繞紛亂、爭言而相隨、近競後息、不能無害君子、【考證】孟荀列傳亦云、鄒衍齊人、適趙、平原君側行襒席、後孟子、韓詩外傳卷六、而競後息、作競爲而後息、諸注有誤奪、虞卿者、游說之士也。躡蹻擔簦、【集解】徐廣曰、蹻、草履也、簦、長柄笠、音登、笠有柄者謂之簦、【索隱】蹻、亦作屩、音腳、徐廣云、屩、草履也、

說趙孝成王。一見賜黃金百鎰白璧一雙、再見爲趙上卿。故號爲虞卿。【集解】譙周曰、食邑於虞、【索隱】趙之虞、在河東大陽縣、今之虞鄉縣是也、【考證】徐孚遠曰、虞係食邑、則虞卿姓名、今皆不傳也、愚按虞其氏、故命其書曰虞氏春秋、卿、蓋其字、猶荀卿荊卿之類、未必爲上卿之故、秦·趙戰於長平。趙不勝、亡一都尉。【考證】表、周赧王五十五年、趙孝成王六年、趙王召樓昌與虞卿曰。軍戰不勝、尉復死。【集解】徐廣曰、復一作係、【考證】趙策、新序善謀、作係、策注、係、尉名、樓昌、趙將、見世家、寡人使束甲而趨之、何如。【考證】策、束作卷、樓昌曰。無益也。不如發重使爲媾。【集解】古后反、求和曰媾、【索隱】古候反、按求和曰媾、媾亦講、講亦和也、【考證】索隱本、使下有而字、與策合、虞卿曰。昌言媾者、以爲不媾軍必破也。而制媾者在秦。且王之論秦也、欲破趙之軍乎、不邪。王曰。秦不遺餘力矣。必且欲破趙軍。虞卿曰。王聽臣、發使出重寶以附楚·魏。楚·魏欲得王之重寶、必內

吾使。趙使入楚·魏、秦必疑天下之合從、且必恐。如此則媾乃可爲也。趙王不聽。與平陽君爲媾、發鄭朱入秦。秦內之。【考證】平陽君、惠文王母弟趙豹、趙王召虞卿曰。寡人使平陽君爲媾於秦。秦已內鄭朱矣。卿以爲奚如。虞卿對曰。王不得媾、軍必破矣。【考證】策、王下有必、天下賀戰勝者皆在秦矣。鄭朱、貴人也。入秦、秦王與應侯必顯重以示天下。【考證】楓山本、也下有而字、與策合、楚·魏以趙爲媾、必不救王。秦知天下不救王、則媾不可得成也。【考證】秦趙戰於長平以下、采趙策、應侯果顯鄭朱、以示天下賀戰勝者、終不肯媾。長平大敗、遂圍邯鄲、爲天下笑。【考證】徐孚遠曰、敘事中用斷語、疑雜引成文、刪截未淨、秦既解邯鄲圍、而趙王入朝、使趙郝約事於秦、割六縣而媾。【集解】郝、音釋、徐廣曰、一作赦、【索隱】音釋、【考證】梁玉繩曰、趙策、謂秦破趙長平、歸使人索六城于趙

而講、鮑注曰、史書此事、在邯鄲圍解後、邯鄲之圍、非秦德趙而解、趙賴魏之力爾、何事朝秦而講以六城、策以長平破懼而賂之、是也、虞卿謂趙王曰。秦之攻王也、倦而歸乎。王以其力尙能進、愛王而弗攻乎。王曰。秦之攻我也、不遺餘力矣。必以倦而歸也。虞卿曰。秦以其力攻其所不能取、倦而歸。王又以其力之所不能取以送之。【考證】策、送作資、中井積德曰、以送之送字、仍是餽送之義、以地餽於歸師耳、又曰、考當時事勢、秦師之歸、實因范睢嫉白起之功、而蘇代又沮壞成功也、非倦而歸也、信陵之救、適會于事機耳、是助秦自攻也。來年秦復攻王、王無救矣。王以虞卿之言告趙郝。【考證】梁玉繩曰、案新序善謀上篇、與此同、國策皆以趙郝爲樓緩、而移新從秦來一段在前、未知孰是、趙郝曰。虞卿誠能盡秦力之所至乎。誠知秦力之所不能進、此彈丸之地弗予、【考證】策、地下有猶字、盧藏用曰、趙界廣遠、割六城之地、如彈丸之土也、令秦來年復攻王、王得無割其內而媾乎。王曰。請聽子割矣。子能必使來年秦之不

復攻我乎。【考證】策、無使字、趙郝對曰。此非臣之所敢任也。他日三晉之交於秦相善也。【考證】策、他日作昔者、新序、善作若、若猶同也、義長、今秦善韓·魏而攻王。【考證】策、善作釋、史義長、王之所以事秦、必不如韓·魏也。今臣爲足下解負親之攻、【索隱】言爲足下解其負擔而親自攻之也、【正義】郝言爲趙王解負秦親韓魏之攻、【考證】之攻、索隱本作攻之、策、新序、作之攻、張文虎曰、鮑彪注策云、趙嘗親秦、而復負之、故秦攻之、今爲講、所以解也、意自明、小司馬所據本之攻誤倒、因强爲之說、開關通幣、齊交韓·魏、【考證】齊、等也、至來年、而王獨取攻於秦、此王之所以事秦、必在韓·魏之後也。此非臣之所敢任也。王以告虞卿。虞卿對曰。郝言、不媾、來年秦復攻王、王得無割其內而媾乎。今媾、郝又以不能必秦之不復攻也。【考證】楓山、三條本、無以字、新序同、今雖割六城何益。【考證】楓山、三條本、無六字、新序、無六城二字、來年復攻、又割其力之所不能取而媾、此自盡之術也。

不如無媾。秦雖善攻、不能取六縣。趙雖不能守、終不失六城。秦倦而歸、兵必罷。我以六城收天下、以攻罷秦。是我失之於天下、而取償於秦也。吾國尙利。孰與坐而割地、自弱以彊秦哉。今郝曰、秦善韓·魏而攻趙者、必以爲韓·魏不救趙也。而王之軍必孤。有以王之事秦不如韓·魏也。【正義】有、讀如又、字相似、變改者誤、【考證】凌稚隆曰、一本、有作又、王念孫曰、上文趙郝曰、今秦善韓魏而攻王、王之所以事秦、必不如韓魏也、故虞卿復擧其詞而駁之曰、是使王歲以六城事秦也、然則此文當以必王之事秦、不如韓魏也爲一句、而必字之下、王之事秦之上、不當有以爲韓魏不救趙也而王之軍必孤有以十六字、明矣、此不知何處錯簡、與上下文皆不相屬、趙策及新序善謀篇、竝無此十六字、是使王歲以六城事秦也。卽坐而城盡。來年秦復求割地、王將與之乎。弗與、是弃前功而挑秦禍也。與之、則無地而給之。【考證】而、猶以也、語曰。彊者善攻、弱者不能守。今坐而聽秦、秦兵不獘

而多得地。是彊秦而弱趙也。以益彊之秦、而割愈弱之趙、其計故不止矣。且王之地有盡、而秦之求無已。考證 趙策、且下、有秦虎狼之國也、無禮義之心、其求無已而十六字、以有盡之地、而給無已之求。其勢必無趙矣。趙王計未定。考證 楓山、三條本、無趙王二字、新序同、樓緩從秦來。趙王與樓緩計之曰、予秦地、何如毋予孰吉。考證 王念孫曰、此本作予秦地如毋予孰吉、如者與也、言予秦地與不予、二者孰吉也、新序作予秦地與無予孰吉、是其明證矣、今本如上有何字者、後人據趙策加之也、緩辭讓曰、此非臣之所能知也。王曰、雖然、試言公之私。索隱 按私、謂私心也、正義 試言緩之私情何如、樓緩對曰、王亦聞夫公甫文伯母乎。正義 季康子從祖母、文伯名歜、康子從父昆弟、公甫文伯仕於魯。病死。女子爲自殺於房中者二人。考證 楓山、三條本、無爲字、新序有、策作爲之、二人誤二八、其母聞之弗哭也。其相室曰、焉有子死而弗哭者乎。正義 相室、謂傅姆之類也、考證 盧藏用曰、相室、助行禮者也、

其母曰、孔子、賢人也。逐於魯。而是人不隨也。今死而婦人爲之自殺者二人。若是者必其於長者薄、而於婦人厚也。考證 禮記檀弓下篇、文伯之喪、敬姜據其牀而不哭、曰、昔者吾有斯子也、吾以爲將爲賢人也、吾未嘗以就公室、今及其死也、朋友諸臣、未有出涕者、而內人皆行哭失聲、斯子也、必多曠於禮矣夫、所傳異、故從母言之、是爲賢母。從妻言之、是必不免爲妒妻。考證 盧藏用曰、使母知子、則爲賢母、若人死、婦人爲自殺、而妻不哭者、所知雖同、則人謂之妒妻、故其言一也。言者異、則人心變矣。今臣新從秦來。而言勿予、則非計也。言予之、恐王以臣爲爲秦也。故不敢對。使臣得爲大王計、不如予之。王曰、諾。虞卿聞之入見王曰、此飾說也。王眘勿予。集解 徐廣曰、音慎、考證 新序、作慎、策作必、樓緩聞之往見王。王又以虞卿之言告樓緩。樓緩對曰、不然。虞卿得其一、不得其二。夫秦・趙構難、而天下皆說。何也。曰、

吾且因彊而乘弱矣。今趙兵困於秦。天下之賀戰勝者、則必盡在於秦矣。故不如亟割地爲和、以疑天下、而慰秦之心。不然、天下將因秦之彊怒、乘趙之獘、瓜分之、考證 楓山、三條本、怒作而、趙策、新序、無彊字、獘下有而字、中井積德曰、怒字疑衍、鮑彪曰、分其地、如破瓜然、趙且亡。何秦之圖乎。故曰、虞卿得其一、不得其二。願王以此決之。勿復計也。虞卿聞之、往見王曰、危哉樓子之所以爲秦者。是愈疑天下。而何慰秦之心哉。獨不言其示天下弱乎。且臣言勿予者、非固勿予而已也。秦索六城於王、而王以六城賂齊。齊、秦之深讎也。得王之六城、幷力西擊秦。齊之聽王、不待辭之畢也。則是王失之於齊、而取償於秦也。而齊・趙之深讎可以報矣。而示天下有能爲也。王以

此發聲、兵未窺於境、臣見秦之重賂至趙、而反媾於王也。從秦爲媾、韓・魏聞之、必盡重王。重王、必出重寶以先於王。則是王一舉而結三國之親、而與秦易道也。正義 前取秦攻、今得賂、是易道也、易、音亦、考證 三國、齊韓魏、中井積德曰、從趙爲媾、則秦制媾矣、今從秦爲媾、趙得重賂而制媾、是爲易道也、武井驥曰、易道、孟子所謂易地也、趙王曰、善。則使虞卿東見齊王、與之謀秦。虞卿未返、秦使者已在趙矣。樓緩聞之亡去。考證 秦趙戰于長平以下、采趙策、但策主媾皆樓緩語、而史以前爲趙郝語、後爲樓緩、次第亦不同、通鑑從史、而前後刪削太多、蘇轍曰、太史公記虞卿與趙謀事、皆秦破長平後、而卿爲魏齊棄相印走梁、則前此矣、意者魏齊死、卿自梁還相趙、而太史公失不言之耳、全祖望曰、范雎傳、則魏齊之亡、在秦昭王四十二年、其時虞卿已相趙、棄印與俱亡、而困于大梁、虞卿傳、謂其自此不得意、乃著書以消窮愁、是棄印之後、虞卿遂不復出也、乃長平之役、在昭王四十七年、史公所謂虞卿料事揣情、爲趙畫策者、反在棄印五年之後、則虞卿嘗再相趙矣、何嘗窮愁以老、而史公序長平之策于前、序大梁之困于後、顚倒其事、竟忘年數之參錯、豈非一大怪事也、愚按、虞卿事、本傳與范雎傳不合、王懋竑讀史記、崔適史記探源亦論之、趙於是封虞卿以一城。居頃之而魏請

爲從。趙孝成王召虞卿謀。過平原君。【索隱】過、音戈、平原君曰。願卿之論從也。虞卿入見王。王曰。魏請爲從。對曰。魏過。【集解】光臥反、王曰。寡人固未之許。對曰。王過。王曰。魏請從。卿曰。魏過。寡人未之許。又曰。寡人過。然則從終不可乎。【考證】楓山本、可下有成字、對曰。臣聞小國之與大國從事也、有利、則大國受其福、有敗、則小國受其禍。今魏以小國請其禍、而王以大國辭其福。臣故曰。王過。魏亦過。竊以爲從便。王曰。善。乃合魏爲從。【考證】魏請爲從以下、本趙策、虞卿既以魏齊之故、不重萬戶侯卿相之印、與魏齊閒行、卒去趙、困於梁。魏齊已死、不得意、乃著書。【索隱】魏齊、魏相、與應侯有仇、秦求之急、乃抵虞卿、卿弃相印、乃與齊閒行、亾歸梁、以託信陵君、信陵君疑未決、齊自殺、故虞卿失相、乃窮愁而著書也、【考證】事詳范睢傳、以既字推之、范睢傳之成、先于此傳、梁玉繩曰、虞卿嘗再相趙、則其著書非窮愁之故、史誤言之也、史通雜說篇、譏太史公自序傳、不韋遷蜀世傳呂覽、以爲思之未審、何不云虞卿窮愁著書八篇、劉氏亦未審思耳、

上採春秋、下觀近世、曰節義・稱號・揣摩・政謀凡八篇、以刺譏國家得失。世傳之曰虞氏春秋。【正義】藝文志云、十五篇、【考證】楓山、三條本、無號字、政下有教字、十二諸侯年表序亦云、趙孝成王時、其相虞卿、上采春秋、下觀近世、亦著八篇、爲虞氏春秋、篇數與藝文志不同、孔叢子執節篇、虞卿著書名曰春秋、魏齊曰、子無然也、春秋孔聖所以名經、今子之書、大抵談說而已、虞卿著書在魏齊死後、亦可以證孔叢爲僞託也、

太史公曰。平原君翩翩濁世之佳公子也。然未睹大體。【考證】翩翩、風流文采貌、鄙語曰。利令智昏。平原君貪馮亭邪說、使趙陷長平兵四十餘萬衆、邯鄲幾亡。【集解】譙周曰、長平之陷、乃趙王信閒易將之咎、何怨平原受馮亭哉、【考證】事見趙世家、楓山、三條本、無兵字、衆字、虞卿料事揣情、爲趙畫策。何其工也。及不忍魏齊、卒困於大梁。庸夫且知其不可。況賢人乎。【考證】史公暗以魏齊比李陵、以虞卿自居、然虞卿

非窮愁、亦不能著書以自見於後世云。【考證】凌稚隆曰、按非窮愁不能著書、太史公亦因以自見云、【索隱】述贊、翩翩公子、天下奇器、笑姬從戮、義士增氣、兵解李同、盟定毛遂、奐卿躡蹻、受賞料事、及困魏齊、著書見意、

平原君虞卿列傳第十六　史記七十六

史記會注考證卷七十七

漢　太史令　司馬遷　撰
宋　中郎外兵曹參軍　裴駰　集解
唐　國子博士弘文館學士　司馬貞　索隱
唐　諸王侍讀率府長史　張守節　正義
日本　出雲　瀧川資言　考證

魏公子列傳第十七　史記七十七

【考證】史公自序云、能以富貴下貧賤、賢能詘於不肖、唯信陵君爲能行之、作魏公子列傳第十七、張文虎曰、索隱本、宋本、中統、游、毛各本、作魏公子傳、合刻本、作信陵君列傳、疑本正義、愚按史公自敍、漢書本傳、同索隱本、今從之、凌稚隆曰、按此傳不襲國策、顧璘曰、孟嘗、平原、春申皆以封邑系、此獨曰公子者、蓋尊之以國系也、茅坤曰、信陵君、是太史公胸中得意人、故本傳亦太史公得意文、陳仁錫曰、一篇中凡言公子者一百四十七、大奇、大奇、

魏公子無忌者、魏昭王少子、而魏安釐王異母弟也。昭王薨、安釐王卽位、封公子爲信陵君。【索隱】按地理志、無信陵、或是鄉邑名也、【正義】信陵、地名、【考證】洪頤煊曰、水經汳水注、汳水又東逕葛城北、故葛伯之國也、葛於六國屬魏、魏襄王以封公子無忌、號信陵君、其地葛鄉、卽是城也、在寧陵縣西十里、恩田仲任曰、據水經、信陵是號、非鄉邑之名、愚按、下文云、亦以信陵奉公子、信陵必邑名、是時范雎亡魏相秦。以怨魏齊故、秦兵圍大梁、破魏華陽下軍、走芒卯。【考證】梁玉繩曰、雎相在秦昭四十二年、秦圍大梁、及破魏華陽二事、在昭王三十二、四兩年、其時穰侯相秦也、安得謂因雎怨魏齊而興兵乎、誤矣、魏王及公子患之。【考證】沈家本曰、按此言患之、而下文不具其事、恐有奪文、公子爲人仁而下士。士無賢不肖、皆謙而禮交之、不敢以其富貴驕士。士以此方數千里爭往歸之。致食客三千人。當是

時、諸侯以公子賢多客、不敢加兵謀魏十餘年。公子與魏王博。【考證】楓山、三條本、王下有方字、白氏六帖同、而北境傳舉烽。言趙寇至且入界。【集解】文穎曰、作高木櫓、櫓上作桔槔、桔槔頭兜零、以薪置其中、謂之烽、常低之、有寇卽火然、舉之以相告、【正義】烽、敷蓬反、注、櫓、音魯、魏王釋博、欲召大臣謀。【考證】六帖、王下有懼字、公子止王曰、趙王田獵耳。非爲寇也。復博如故。【正義】爲、于僞反、【考證】爲、平聲、王恐、心不在博。居頃、復從北方來傳言曰、趙王獵耳。非爲寇也。【考證】楓山、三條本、居下有有字、獵上有田字、魏王大驚曰、公子何以知之。公子曰、臣之客有能深得趙王陰事者。【索隱】按譙周作探得趙王陰事、【正義】探、音貪、一作深、【考證】正義本、深作探、趙王所爲、客輒以報臣。臣以此知之。是後魏王畏公子之賢能、不敢任公子以國政。魏有隱士、曰侯嬴。【索隱】音盈、又曹植音嬴瘦之嬴、【考證】楓山、三條本、嬴作羸、寬永本標記引鄒誕生音云、羸、力垂反、年七十、家貧、爲大梁夷

門監者。【考證】御覽百五十八、引史曰、大梁城有十二門、東門曰夷門、蓋以注文混正文也、公子聞之、往請、欲厚遺之。不肯受。曰、臣脩身絜行數十年。終不以監門困故而受公子財。公子於是乃置酒大會賓客。坐定。公子從車騎虛左、自迎夷門侯生。【考證】劉伯莊曰、車中上左爲貴也、侯生攝敝衣冠、直上載公子上坐、不讓。【考證】攝、整也、楓山、三條本、子下有車字、欲以觀公子。公子執轡愈恭。侯生又謂公子曰、臣有客在市屠中。願枉車騎過之。公子引車入市。侯生下見其客朱亥、俾倪、【索隱】上音浦計反、下音五計反、鄒誕云、又上音疋未反、下音五弟反、【正義】不正視也、故久立與其客語、微察公子。公子顏色愈和。當是時、魏將相宗室賓客滿堂、待公子舉酒。市人皆觀公子執轡。從騎皆竊罵侯生。侯生視公子色終不變、乃謝客就車至家。公子引侯生

坐上坐、徧贊賓客。【索隱】徧、音遍、贊者告也、謂以侯生遍告賓客、【正義】劉熙云、稱人美曰讚、讚、纂集其美而敍之、【考證】中井積德曰、贊、如贊謁之贊、賓客皆驚。酒酣、公子起爲壽侯生前。侯生因謂公子曰、今日嬴之爲公子亦足矣。【集解】徐廣曰、爲、一作羞、嬴乃夷門抱關者也。而公子親枉車騎、自迎嬴於衆人廣坐之中。【考證】楓山、三條本、衆人廣、坐作稠人廣衆、不宜有所過。今公子故過之。【考證】慶長本標記云、今、一本作令、義長、然嬴欲就公子之名。故久立公子車騎市中、過客以觀公子。公子愈恭。市人皆以嬴爲小人、而以公子爲長者能下士也。【考證】凌稚隆曰、按前欲觀公子、微察公子、兩段形容、皆爲侯生因謂公子一段張本、又曰、按張釋之傳、載王生語、亦此意、於是罷酒。侯生遂爲上客。侯生謂公子曰、臣所過屠者朱亥、此子賢者、世莫能知。故隱屠閒耳。公子往數請之。朱亥故不復謝。公子怪之。【正義】列士傳、秦召公子無忌、無忌不行、

使朱亥奉璧一雙謝秦王、秦王大怒、將朱亥著虎圈、亥瞋目視虎、眦裂血濺、虎終不敢動、魏安釐王二十年、秦昭王已破趙長平軍、又進兵圍邯鄲。公子姊爲趙惠文王弟平原君夫人。數遺魏王及公子書、請救於魏。魏王使將軍晉鄙將十萬衆救趙。【索隱】晉鄙、魏將姓名也、秦王使使者告魏王曰、吾攻趙、旦暮且下。而諸侯敢救者、已拔趙、必移兵先擊之。魏王恐、使人止晉鄙。畱軍壁鄴。【考證】梁玉繩曰、魯仲連傳、本國策云、止于蕩陰、不曰鄴、愚按、鄴、今河南漳縣西南、魏地、近于趙、名爲救趙、實持兩端以觀望。平原君使者冠蓋相屬於魏、【考證】冠、冠冕、蓋、車蓋、屬、連也、冠蓋相屬、使者往來不絕也、讓魏公子曰、勝所以自附爲婚姻者、以公子之高義爲能急人之困。今邯鄲旦暮降秦、而魏救不至。安在公子能急人之困也。且公子縱輕勝弃之降秦、獨不憐公子姊邪。

【考證】降上添使字看、公子患之、數請魏王、及賓客辯士、說王萬端。魏王畏秦、終不聽公子。公子自度終不能得之於王。計不獨生而令趙亡。乃請賓客、約車騎百餘乘、欲以客往赴秦軍、與趙俱死。【考證】楓山、三條本、無客字、行過夷門見侯生、具告所以欲死秦軍狀、辭決而行。【考證】楓山本、辭上有將字、侯生曰、公子勉之矣。老臣不能從。公子行數里、心不快。曰、吾所以待侯生者備矣。天下莫不聞。今吾且死、而侯生曾無一言半辭送我。我豈有所失哉。【考證】哉、疑而量度之辭、復引車還問侯生。侯生笑曰、臣固知公子之還也。曰、公子喜士、名聞天下。今有難。無他端而欲赴秦軍。【考證】端、猶方也、無他端、言無他奇策也、譬若以肉投餒虎。何功之有哉。尚安事客。然公子遇臣厚。公子

往而臣不送。以是知公子恨之復返也。公子再拜因問。侯生乃屏人閒語曰、【索隱】閒、音閑、謂靜語也、閒是請閒之閒、不使他人聞之、【考證】中井積德曰、猶言密語也、嬴聞晉鄙之兵符、常在王臥內。而如姬最幸、出入王臥內。力能竊之。嬴聞如姬父爲人所殺、如姬資之三年、【索隱】舊解、資之三年、謂服齊衰也、今案、資者畜也、謂欲爲父復讎之資、畜於心已得三年矣、【考證】桃源鈔引陸氏云、謂以寶財求人報讎也、中井積德曰、謂以金帛資給人報讎也、自王以下、欲求報其父仇、莫能得。如姬爲公子泣。公子使客斬其仇頭、敬進如姬。如姬之欲爲公子死、無所辭。顧未有路耳。公子誠一開口請如姬、如姬必許諾。則得虎符奪晉鄙軍、北救趙而西卻秦。此五霸之伐也。【考證】胡三省曰、虎、威猛之獸、故以爲兵符、漢有銅虎符、愚按、伐、功也、公子從其計請如姬。如姬果盜晉鄙兵符與公子。公子行。侯生曰、將在外、主令有

所不受。以便國家。【考證】孫子九變篇、將受命於君、合軍聚衆、君命有所不受、　公子卽合符、而晉鄙不授公子兵、而復請之、事必危矣。臣客屠者朱亥、可與俱。此人力士。晉鄙聽、大善。不聽、可使擊之。於是公子泣。侯生曰。公子畏死邪。何泣也。公子曰。晉鄙嚄唶宿將。往恐不聽。必當殺之。是㠯泣耳。豈畏死哉。【集解】嚄唶、上音烏百反、下音莊白反、【索隱】上烏白反、下爭格反、案嚄唶、謂多詞句也、【正義】聲類云、嚄、大笑、唶、大呼、【考證】中井積德曰、嚄唶、與矆踖同、剛健貌、董份曰、嚄唶、卽項羽喑啞叱咤、狀其勇氣也、愚按楓山、三條本、泣下無耳字、徐孚遠曰、公子不忍殺晉鄙、亦可見其愛士也、　於是公子請朱亥。朱亥笑曰。臣迺市井鼓刀屠者。而公子親數存之。所以不報謝者、以爲小禮無所用。【考證】存、存問也、凌稚隆曰、應前朱亥故不復謝、　今公子有急。此乃臣效命之秋也。遂與公子俱。【考證】楓山、三條本、俱下有行字、　公子過謝侯生。侯生曰。臣宜從。老不能。請數公子行日、

以至晉鄙軍之日、北鄉自剄、以送公子。【考證】鄴、魏北境、　公子遂行、至鄴。矯魏王令代晉鄙。晉鄙合符疑之。舉手視公子曰。今吾擁十萬之衆屯於境上。國之重任。今單車來代之、何如哉。欲無聽。朱亥袖四十斤鐵椎、椎殺晉鄙。公子遂將晉鄙軍、勒兵、下令軍中曰。父子俱在軍中、父歸。兄弟俱在軍中、兄歸。獨子無兄弟、歸養。【考證】楓山、三條本、二在下有此字、　得選兵八萬人、進兵擊秦軍。秦軍解去。遂救邯鄲存趙。趙王及平原君、自迎公子於界。【考證】楓山、三條本、界下有上字、　平原君負韊矢爲公子先引。【集解】呂忱曰、韊、盛弩矢、【索隱】韊、音蘭、謂以盛矢、如今之胡簏而短也、呂姓、忱名、作字林者、言韊、盛弩矢之器、【正義】若胡鹿而短、忱、時林反、字伯雍、任城人、呂姓、晉弦令、作字林七卷、【考證】桃源鈔引幻雲云、正義胡簏作胡鹿、當皆胡簶之誤、中井積德曰、韊矢、只是盛矢耳、不必言弩、　趙王再拜曰。自古賢人未有及公子者也。當此

之時、平原君不敢自比於人。【考證】楓山、三條本、人作公子、　公子與侯生決至軍。侯生果北鄉自剄。魏王怒公子之盜其兵符矯殺晉鄙。公子亦自知也。已卻秦存趙、使將將其軍歸魏、而公子獨與客留趙。趙孝成王德公子之矯奪晉鄙兵而存趙、乃與平原君計、㠯五城封公子。公子聞之、意驕矜而有自功之色。客有說公子曰。【考證】魏策、客作唐且、　物有不可忘。或有不可不忘。夫人有德於公子。公子不可忘也。公子有德於人。願公子忘之也。且矯魏王令、奪晉鄙兵以救趙。於趙則有功矣。於魏則未爲忠臣也。公子乃自驕而功之。竊爲公子不取也。【考證】楓山、三條本、乃作反、客有說公子以下、本魏策、　於是公子立自責、似若無所容者。趙王埽除自迎、執主人之

禮、引公子就西階。公子側行辭讓、從東階上。【集解】禮記曰、主人就東階、客就西階、客若降等、則就主人之階、【考證】禮記曲禮上、　自言辠過以負於魏、無功於趙。【索隱】負、音佩、【考證】楓山、三條本、自言作言自、　趙王侍酒至暮、口不忍獻五城。以公子退讓也。公子竟留趙。趙王以鄗爲公子湯沐邑。【索隱】鄗、音臛、趙邑名、屬常山、【正義】鄗、今高邑、鄗、黑各反、　魏亦復以信陵奉公子。公子留趙。公子聞趙有處士毛公藏於博徒、薛公藏於賣漿家。【集解】徐廣曰、漿、一作醪、【索隱】按別錄云、漿或作醪字、【正義】毛公九篇、在名家者流、見于藝文志、【考證】漢志、毛公九篇、趙人、與公孫龍竝游平原君趙勝家、顏師古注、劉向七錄云、論堅白同異、以爲可以治天下、此蓋史記所云藏於博徒者、愚按二毛公、姓同人異、　公子欲見兩人。兩人自匿不肯見公子。公子聞所在、乃閒步往、從此兩人游、甚歡。平原君聞之、謂其夫人曰。始吾聞夫人弟公子天下無雙。今吾聞之、乃妄從博徒賣漿者游。公子妄人耳。夫

人以告公子。公子乃謝夫人去。曰。始吾聞平原君賢。故負魏王而救趙、以稱平原君。【正義】稱、尺證反、平原君之游、徒豪舉耳。不求士也。【索隱】謂豪者舉之、舉亦音據也、【正義】劉伯莊曰、豪者舉之、不論德行、【考證】中井積德曰、舉、是舉動之舉、顧炎武曰、謂特猶爲豪傑舉動、非欲求有用之士也、張文虎曰、謂徒以客衆爲豪耳、無忌自在大梁時、常聞此兩人賢。至趙、恐不得見。以無忌從之游、尚恐其不我欲也。今平原君乃以爲羞。其不足從游。乃裝爲去。【考證】楓山、三條本、去上有欲字、夫人具以語平原君。平原君乃免冠謝、固留公子。平原君門下聞之、半去平原君歸公子。【考證】楓山、三條本、下下有之士二字、天下士復往歸公子。公子傾平原君客。公子留趙十年、不歸。秦聞公子在趙、日夜出兵東伐魏。魏王患之、使使往請公子。公子恐其怒之、乃誡門下、有敢爲魏

王使通者死。賓客皆背魏之趙、莫敢勸公子歸。毛公・薛公兩人、【索隱】史不記其名、往見公子曰。公子所以重於趙、名聞諸侯者、徒以有魏也。今秦攻魏、魏急。而公子不恤。使秦破大梁、而夷先王之宗廟。公子當何面目立天下乎。語未及卒、公子立變色、告車趣駕、歸救魏。魏王見公子相與泣。【考證】楓山、三條本、無與字、而以上將軍印授公子。公子遂將。魏安釐王三十年、公子使使遍告諸侯。諸侯聞公子將、各遣將將兵救魏。公子率五國之兵破秦軍於河外、走蒙驁、遂乘勝逐秦軍、至函谷關、抑秦兵。秦兵不敢出。【索隱】抑、音憶、按抑、謂以兵蹙之、【考證】中井積德曰、抑、謂按壓之不得出也、當是時、公子威振天下。諸侯之客、進兵法。公子皆名之。故世俗稱魏公子兵法。【集解】劉歆七略、有魏公

子兵法二十一篇圖七卷、【索隱】言公子所得進兵法、而必稱其名、以言其恕也、【考證】漢志作圖十卷、誤、董份曰、客進兵書、而總名于公子、故世稱魏公子兵法、索隱注、與下文正相反、秦王患之、乃行金萬斤於魏、求晉鄙客令毀公子於魏王曰。公子亡在外十年矣。今爲魏將。諸侯將皆屬。【考證】楓山、三條本、屬下有焉字、諸侯徒聞魏公子、不聞魏王。【考證】楓山、三條本、侯下有將字、公子亦欲因此時定南面而王。諸侯畏公子之威、方欲共立之。秦數使反間僞賀。公子得立爲魏王未也。魏王日聞其毀、不能不信。【考證】楓山、三條本、無不能二字、後果使人代公子將。公子自知再以毀廢、乃謝病不朝。與賓客爲長夜飲、飲醇酒、多近婦女、日夜爲樂飲者四歲、竟病酒而卒。【正義】秦始皇四年、其歲魏安釐王亦薨。秦聞公子死、使蒙驁攻魏、拔二十城、初置東郡。其後秦稍蠶食魏、十八歲

而虜魏王、屠大梁。【索隱】魏王名假、高祖始微少時、數聞公子賢。及卽天子位、每過大梁、常祠公子。高祖十二年、從擊黥布還。爲公子置守冢五家、世世歲以四時奉祠公子。太史公曰。吾過大梁之墟。求問其所謂夷門。夷門者城之東門也。天下諸公子、亦有喜士者矣。然信陵君之接巖穴隱者、不恥下交、有以也。【考證】張文虎曰、疑衍也字、有以二字、錯簡、當在末奉祀不絕下、中井積德說同、沈家本曰、有以者、言公子之不恥下交、非若諸公子之徒爲豪舉、欲得巖穴之士爲魏用也、三字內含蓄不盡、愚按沈說是、名冠諸侯、不虛耳。【考證】楓山、三條本、冠作館、耳作矣、疑傳寫之誤、高祖每過之、而令民奉祠不絕也。【索隱】述贊、信陵下士、鄰國相傾、以公子故、不敢加兵、頗知朱亥、盡禮侯嬴、遂卻晉鄙、終辭趙城、毛薛見重、萬古希聲、

魏公子列傳第十七

史記七十七

史記會注考證卷七十八

漢　太　史　令　司　馬　遷　撰
宋　中　郎　外　兵　曹　參　軍　裴　駰　集　解
唐　國　子　博　士　弘　文　館　學　士　司　馬　貞　索　隱
唐　諸　王　侍　讀　率　府　長　史　張　守　節　正　義
日　本　出　雲　瀧　川　資　言　考　證

春申君列傳第十八　史記七十八

【考證】史公自序云、以身徇君、遂脱彊秦、使馳說之士、南鄉走楚者、黃歇之義、作春申君列傳第十八、淩稚隆曰、此傳前敍春申君以智能安楚、而就封于吳、後敍春申君以

奸謀盜楚、而身死棘門、爲天下笑、模寫情事、春申君殆兩截人、太史公謂平原君利令智昏、余於春申君亦云、

春申君者、楚人也。名歇。姓黃氏。游學博聞、事楚頃襄王。【索隱】名横、考烈王完之父、頃襄王以歇爲辯、使於秦。秦昭王使白起攻韓・魏、敗之於華陽、禽魏將芒卯。【考證】梁玉繩曰、案華陽之役、秦攻趙魏以救韓、非攻韓也、且帥師不止白起、又策史皆云走芒卯、此言禽之、亦非、韓・魏服而事秦。秦昭王方令白起與韓・魏共伐楚。未行。而楚使黃歇適至於秦、聞秦之計。當是之時、秦已前使白起攻楚、取巫・黔中之郡、【考證】秦紀、昭襄王三十年、伐楚取巫郡及江南爲黔中郡、拔鄢・郢、東至竟陵。【正義】竟陵、屬江夏郡也、楚頃襄王東徙治於陳縣。【正義】今陳州也、【考證】頃襄王二十一年、陳縣、今河南淮陽縣、黃歇見楚懷王之爲秦所誘而入朝、遂見欺、畱死於秦。頃襄王其子也。秦輕之。恐壹擧兵而滅楚。歇乃上書說秦昭王曰、天下莫彊於秦・楚。今聞大王欲伐楚。此猶兩虎相與鬭、而駑犬受其弊。【索隱】按謂兩虎鬭、乃受弊於駑犬也、劉氏云、受、猶承也、【正義】兩虎鬭方困、而駑犬亦承制其弊弱、【考證】中井積德曰、弊者虎也、受者犬也、非虎受也、受、猶乘也、淩稚隆曰、駑犬、指韓魏、不如善楚。臣請言其說。臣聞物至則反。冬夏是也。【正義】至、極也、極則反也、冬至陰之極、夏至陽之極、致至則危。累棊是也。【集解】徐廣曰、致、或作安、【考證】新序善謀篇、至作高、鮑彪曰、致、言取物置之物上、胡三省曰、累棊至於極高則必危也、楚司馬子期累十二博棊不墜、楚王曰、危哉、兪樾曰、黃歇曰、臣聞物至則反、冬夏是也、致至則危、累棊是也、蔡澤曰、日中則移、月滿則虧、物盛則衰、天地之常數也、趙高曰、秋霜降者草花落、水搖動者萬物作、此皆黃老之說、蓋自河上丈人傳安期生、安期生三傳而至樂巨公、樂巨公傳蓋公、爲曹參師、而田叔亦學黃老於樂巨公、戰國楚漢之際、相傳不絶、漢初黃老、其來有由矣、今大國之地徧天下、有其二垂。【正義】言極東西、【考證】胡三省曰、秦國之地、有天下西北之二垂也、淮南子曰、文王砥德修政、天下二垂歸之、此從生民已來、萬乘之地、未嘗有也。先帝文王・莊王之身、【考證】策、姚本、作先帝文王莊王之身、吳本、改莊王作武王、文王、蓋斥惠文王、梁玉繩曰、秦策作文王武王王之身三世、此言莊王誤、秦無莊王、若莊襄則昭王孫也、又脱一王字、無下王字、則二世、

非三世矣、但文武二王、未嘗稱帝、而曰先帝者、特尊稱之爾、蓋以昭王曾爲西帝、故竝呼其先爲帝、然稱帝卽去之、在春申上書十年之前、三世不忘接地於齊、以絶從親之要。【索隱】音腰、以言山東從韓魏是其腰、【考證】策、脱忘字、三世以下十三字、做一句讀、言累世常欲取韓魏、接地於齊以絶山東從親之約、而不忘也、策注云、要、約也、今王使盛橋守事於韓。盛橋以其地入秦。【索隱】按秦使盛橋守事於韓、亦如楚使召滑相越然也、竝內行章義之難、【正義】劉伯莊曰、秦使盛橋守事於韓、亦如楚使召滑於越也、竝內行章義之難、【考證】梁玉繩曰、盛橋、策作成橋、當依始皇紀作盛蟜、慶長本標記云、始皇八年王弟長安君成蟜、將軍擊趙、反、死屯留、然則盛蟜始皇弟也、非昭王時也、愚按盛橋盛蟜二人、梁氏混同爲一、非是、中井積德曰、守、謂坐而促之、孟嘗君傳、守而責之、十年、是也、愚按楓山三條本、地作北、與策合、言韓北地也、新序作地、不信威、而得百里之地。【索隱】信、音申、【考證】楓山三條本、地下有也字、是王不用甲、不信威、而得百里之地。王可謂能矣。王又擧甲而攻魏、杜大梁之門、擧河內、拔燕・酸棗・虛・【集解】徐廣曰、秦始皇五年、取酸棗燕虛、蘇代曰、決宿胥之口、魏無虛頓丘、桃入・邢。【集解】徐廣曰、燕縣有桃城、平皐有邢丘、【正義】邢丘、在懷州武德縣東南二十里、【考證】始皇紀注、燕虛、二縣名、梁玉繩曰、此時河內尚屬魏、秦未擧之、桃入、策作桃人、是誤、邢字衍、策無之、攷邢卽邢丘、後十餘年、秦始拔之、此時亦未入秦也、魏之兵雲

翔而不敢捄。王之功亦多矣。【考證】雲翔、散也、捄、新序作救、同、策作校、王休甲息衆、三年而後復之、又幷蒲・衍・首・垣、【集解】徐廣曰、蘇秦云、北有河外卷衍、長垣、縣有蒲鄉、【索隱】此蒲、在衞之長垣蒲鄉也、衍、在河南、與卷相近、首、蓋牛首、垣、卽長垣、非河東之垣也、垣、音圓、【考證】策新序三年作二年、以臨仁・平丘、【集解】徐廣曰、屬陳留、【索隱】仁及平丘、二縣名、謂以兵臨此二縣、則黃及濟陽等自嬰城而守也、按地理志、平丘、屬陳留、今不知所在、【正義】仁、一作任、今任州城、屬濟州、地志云、任城屬東平國、黃・濟陽嬰城、而魏氏服。【集解】徐廣曰、蘇代云、決白馬之口、魏無黃濟陽、【正義】故黃城、在曹州考城縣東、濟陽故城、在曹州宛句縣西南、嬰城未詳、王又【考證】策黃上有小字、新序、嬰城作甄城、徐孚遠曰、嬰城、謂城守也、錢大昕曰、下文云、許鄢陵嬰城、皆謂嬰城自守、不敢戰也、嬰城、非地名、黃卽陳留之外黃、割濮・磿之北、【集解】徐廣曰、濮水、北於鉅野入濟、【索隱】磿、地名、蓋地近濮也、【考證】新序、磿作歷、通、各本磿誤、策北下有屬之燕三字、注齊・秦之要、絕楚・趙之脊。【正義】劉伯莊云、言秦得魏地、楚趙之絕從、【考證】慶長本標記引劉伯莊云、注、音朱諭反、猶截也、中井積德曰、注、接也、齊秦之地相接、如天下之腰也、脊、脊中之直理、以喩直道、愚按、策注作斷、趙作魏、張文虎曰、正義、絕從誤倒、天下五合六聚、而不敢救。王之威亦單矣。【集解】徐廣曰、單亦作殫、【索隱】單、音丹、單者盡也、言王之威盡行矣、【考證】董份曰、單、延也、詩云、

單及鬼方、愚按、策作憚、義異、王若能持功守威、絀攻取之心、而肥仁義之地、使無後患、三王不足四、五伯不足六也。【考證】鮑彪曰、肥、猶厚、地、猶道也、策作誠、王若負人徒之衆、仗兵革之彊、乘毀魏之威、而欲以力臣天下之主、臣恐其有後患也。詩曰、靡不有初。鮮克有終。易曰、狐涉水濡其尾。【正義】言狐惜其尾、每涉水擧尾、不令濕、比至極困、則濡之、譬不可力臣之、【考證】詩大雅蕩篇、易未濟彖辭、未濟亨、小狐汔濟、濡其尾、无攸利、象傳云、濡其尾、无攸利、不續終也、策無涉水二字、此言始之易終之難也。何以知其然也。昔智氏見伐趙之利、而不知榆次之禍。【索隱】智伯敗於榆次也、地理志、屬太原、有梗陽鄉、【正義】榆次、幷州縣也、注水經云、榆次縣南洞過水側、有鑿臺、智伯瑤割腹絕腸折頸摺頤處、【考證】沈家本曰、正義、當在下文鑿臺之下、吳見伐齊之便、而不知干隧之敗。【索隱】干隧、吳之敗處地名、干、水邊也、隧、道路也、【正義】干隧、吳地名也、出萬安山西南一里太湖、卽吳王夫差自剄處、在蘇州西北四十里、【考證】中井積德曰、干隧、地名、夫差所大敗之處、愚按、策吳注引史記正義、蘇州下有吳縣二字、此二國者非

無大功也、沒利於前、而易患於後也。【索隱】謂智伯及吳王、沒伐趙及伐齊之利於前、而自易其患於後、後卽榆次干隧之難也、【考證】錢大昕曰、沒與昧同、趙世家、昧死以聞、戰國策作沒死、吳之信越也、從而伐齊。【索隱】從、音絕用反、劉氏云、從、猶領也、【考證】從、猶率也、下同、既勝齊人於艾陵、【正義】艾山、在兗州博縣南六十里也、還爲越王禽三渚之浦。【集解】戰國策曰、三江之浦、【正義】吳俗傳云、越軍得子胥夢、從東入伐吳、越王卽從三江北岸立壇、殺白馬祭子胥、杯動酒盡、乃開渠由示浦入、破吳王於姑蘇、敗干隧也、智氏之信韓・魏也、從而伐趙、攻晉陽城、【正義】幷州城、勝有日矣。韓・魏叛之、殺智伯瑤於鑿臺之下。【集解】徐廣曰、鑿臺、在榆次、【考證】新序作叢臺、疑誤、今王妒楚之不毀也、而忘毀楚之彊韓・魏也。臣爲王慮而不取也。詩曰、大武遠宅而不涉。【正義】言大軍不遠跋涉攻伐、【考證】孫詒讓曰、卽周書大武篇、遠宅不薄也、古書引書、或通作詩、愚按、薄、迫也、不迫與不涉、義相近、慶長本標記引劉伯莊云、以喩遠取地而不能守、不如近攻、從此觀之、楚國援也。鄰國敵也。詩云、趯趯毚兔、遇犬獲之。他人有心、余忖

度之。【集解】韓嬰章句曰、趯趯、往來貌、獲、得也、言趯趯之毚兔、謂狡兔數往來、逃匿其跡、有時遇犬得之、毛傳曰、毚兔、狡兔也、鄭玄曰、遇犬、犬之馴者、謂田犬、【索隱】趯作躍、躍、天歷反、毚、音讒、【考證】中井積德曰、趯趯、跳躍之意、疾走之貌、愚按、據上例、云、當作曰、詩小雅巧言篇、今王中道而信韓・魏之善王也。此正吳之信越也。臣聞之、敵不可假。時不可失。臣恐韓・魏卑辭除患、而實欲欺大國也。【索隱】大國、謂秦也、【考證】假、容假之、假、策作易、張文虎曰、除疑徐之誤、說文、徐、緩也、策作慮、何則王無重世之德於韓・魏、而有累世之怨焉。【索隱】重世、猶累世也、【考證】累世、宜言累代、不宜竝用重世累世、唐人諱世、皆作代、後人改復焉、但誤改其不當改者、亦閒有之、此類是也、夫韓・魏父子兄弟、接踵而死於秦者、將十世矣。本國殘、社稷壞、宗廟毀、刳腹絕腸、折頸摺頤、【集解】徐廣曰、一作顚、【索隱】上音拉、下音夷、【考證】摺、拉也、頤、頷也、首身分離、暴骸骨於草澤、頭顱僵仆、相望於境、父子老弱、係脰束手爲羣虜者、相及於路。【考證】楓山、三條本、脰作連、父子以下十六字、策作父子老弱係虜、相隨於路、新序作係臣束子、爲羣虜者相及於路、鬼神

孤傷、無所血食、【考證】孤傷、策作狐祥、新序作潢洋、人民不聊生、族類離散流亡爲僕妾者、盈滿海內矣。【考證】梁玉繩曰、盈字當諱、愚按策無盈字、新序無滿字、史盈字當衍、故韓・魏之不亡、秦社稷之憂也。【考證】董份曰、慨切激蕩、詞旨悲惋、不容聽者不入也、愚按、漢淮南王安諫伐閩越書、唐李華弔古戰場文、皆本於此一段、今王資之、與攻楚、不亦過乎。【考證】胡三省曰、資之、謂資以兵也、愚按新序、資作齎、策無資與二字、過作失、且王攻楚、將惡出兵。【正義】惡、音烏、【考證】惡、安也、王將借路於仇讎之韓・魏乎。兵出之日、而王憂其不返也。是王以兵資於仇讎之韓・魏也。王若不借路於仇讎之韓・魏、必攻隨水右壤。【考證】策、水作陽、句下重隨陽右壤四字、此皆廣川大水、山林谿谷、不食之地也。【索隱】楚都陳、隨水之右壤、蓋在隨之西、卽今鄧州之西、其地多山林者矣、不食、謂不可墾耕、【考證】王雖有之、不爲得地。是王有毀楚之名、而無得地之實也。且王攻楚之日、四國必悉起兵以應王。【考證】鮑彪

曰、齊趙韓魏也、方言南攻、故不及燕、應言以兵從之、蓋躡秦也、秦・楚之兵構而不離、魏氏將出而攻留・方與・銍・湖陵・碭・蕭・相、故宋必盡。【正義】徐州西、宋州東、兗州南、竝故宋地、【考證】新序、魏上有韓字、策無、中井積德曰、此取地獨漏韓氏、何也、策新序、湖作胡、齊人南面攻楚、泗上必舉。【正義】此時徐泗屬齊也、【考證】策新序無攻楚二字、胡三省曰、時楚蠶食魯國、有泗上之地、中井積德曰、下文以泗水爲境者、設戰勝得地之後、則是時未屬齊、此皆平原四達膏腴之地、而使獨攻。【索隱】若秦楚構兵不休、則魏盡故宋、齊取泗上、是使齊魏獨攻伐而得其利也、【考證】策、而下有王字、使下有之字、王破楚以肥韓・魏於中國、而勁齊。韓・魏之彊、足以校於秦。【索隱】校、音教、謂足以與秦爲敵也、一云、校者報也、言力能報秦、【正義】校、敵也、【考證】新序、校作枝、張文虎曰、索隱本、秦下有矣字、與策合、齊南以泗水爲境、東負海、北倚河、而無後患。天下之國、莫彊於齊・魏。【考證】策、無魏字、齊・魏得地葆利而詳事下吏、【考證】中井積德曰、兩齊魏之魏字、疑竝衍、愚按依下文索隱、小司馬本亦無魏字、新序葆作保、詳、佯通、僞事秦也、下吏、猶言下執事、策、吳本、下吏作不吏、費解、一年之後、爲帝未能、其於禁王之

爲帝有餘矣。【索隱】言齊一年之後、未卽能爲帝、而能禁秦爲帝有餘力矣、然禁字作楚者誤也、夫以王壤土之博、人徒之衆、兵革之彊、壹舉事而樹怨於楚、遲令韓・魏歸帝重於齊。是王失計也。【集解】徐廣曰、遲、一作還、【索隱】遲、音值、值、猶乃也、令、音力呈反、韓魏歸帝重於齊、謂韓魏重齊、令歸帝號、此秦之計失、【正義】遲、猶當也、今韓魏歸帝號尊齊、秦失計、【考證】寬永本標記云、令、正義本作今、恐誤、遲、索隱讀爲值、值、直同、直猶特也、帝重二字連讀、歸、猶附也、遲、策作詘、新序作出、徐廣一本作還、皆非、臣爲王慮、莫若善楚。秦・楚合而爲一、以臨韓、韓必斂手。王施以東山之險、帶以曲河之利、韓必爲關內之侯。【考證】策、斂手作授首、施作襟、曲河作河曲、恩田仲任曰、策注、襟、蔽障如襟、蓋襟本作衿、與施相似、故誤、古人襟帶二字爲對者多、愚按新序亦作施、施字義亦通、不必改、中井積德曰、施帶之者、指山西上黨之韓、是韓之舊國、今如別都、下文戍鄭、鄭乃今之韓都矣、關內之侯、諸侯獻土去爵、臣事秦國、享封邑於關內也、韓非子顯學篇、關內之侯、雖非吾行、吾必使執禽而朝、魏策、王不若與竇屢關內侯、蓋六國亦有此號、不獨秦、若是而王以十萬戍鄭、梁氏寒心、許・鄢陵嬰城、而上蔡・召陵不往來也。如此而魏亦關內侯矣。【考證】鄭、韓

國都、梁氏、魏也、胡三省曰、上蔡召陵二縣、班志皆屬汝南郡、魏都大梁、其境南至汝南、許鄢陵、居其間、二邑皆脅於秦兵、嬰城自守、則楚之上蔡召陵、不能與大梁往來矣、依蘇秦言、許召陵屬魏、下文云、魏旦暮亡、不能愛許鄢陵、則上蔡亦必魏邑矣、王壹善楚、而關內兩萬乘之主、注地於齊。【索隱】注、謂以兵裁之也、【考證】策、新序、壹作一、關內兩萬乘以韓魏二國爲關內侯也、中井積德曰、注、猶接也、謂秦之壤直接之齊也、與前文不忘接地於齊、及注齊秦之要、皆相應、齊右壤、可拱手而取也。【正義】右壤、謂濟州之南北也、王之地、一經兩海、要約天下。【索隱】謂西海至東海、皆是秦地、【正義】廣、言橫度中國東西也、【考證】經、徑通、要約、猶管束也、策、約作絕、正義、廣、當作經、是燕・趙無齊・楚、齊・楚無燕・趙也。【考證】余有丁曰、謂四國不得相救也、然後危動燕・趙、直搖齊・楚、此四國者、不待痛而服矣。昭王曰、善。於是乃止白起而謝韓・魏、發使賂楚、約爲與國。黃歇受約歸楚。【考證】秦已前使白起攻楚以下、采秦策、又見說苑善謀篇、通鑑係之赧王四十二年、卽楚莊襄二十六年、秦昭三十四年、中井積德曰、通觀諸篇、止白起與楚和者、實爲應侯之謀計、應侯妬白起之功故耳、非以春申之說、然自有好合、或春申之說、投機會、作一臂之助、則未可知矣、若專歸功於春申、則非、楚使歇與太子完入

質於秦。秦畱之數年。楚頃襄王病、太子不得歸。而楚太子與秦相應侯善。於是黃歇乃說應侯曰。相國誠善楚太子乎。應侯曰。然。歇曰。今楚王恐不起疾。【考證】楓山、三條本、王下有病字、通鑑作楚王疾恐不起、秦不如歸其太子。太子得立、其事秦必重、而德相國無窮。是親與國、而得儲萬乘也。【考證】楓山、三條本、得作德、若不歸、則咸陽一布衣耳。楚更立太子、必不事秦。夫失與國而絕萬乘之和、非計也。願相國孰慮之。應侯以聞秦王。秦王曰。令楚太子之傅先往問楚王之疾、返而後圖之。黃歇爲楚太子計曰。秦之畱太子也、欲以求利也。今太子力未能有以利秦也。歇憂之甚。而陽文君子二人在中。【考證】陽文君、蓋楚王兄弟、王若卒大命、太子不在、陽文君子必立

爲後、太子不得奉宗廟矣。不如亡秦、與使者俱出。【考證】岡白駒曰、使者卽使先往問楚王之疾者、臣請止、以死當之。楚太子因變衣服、爲楚使者御以出關。而黃歇守舍、常爲謝病。度太子已遠、秦不能追、歇乃自言秦昭王曰。楚太子已歸、出遠矣。歇當死。願賜死。昭王大怒、欲聽其自殺也。應侯曰。歇爲人臣、出身以徇其主。太子立、必用歇。故不如無罪而歸之、以親楚。秦因遣黃歇。歇至楚三月、楚頃襄王卒。【集解】徐廣曰、三十六年、太子完立。是爲考烈王。考烈王元年、以黃歇爲相、封爲春申君、賜淮北地十二縣。【正義】然四君封邑、檢皆不獲、唯平原有地、又非趙境、竝蓋號諡、而孟嘗是諡、【考證】中井積德曰、四君皆封號、非諡、吳志云、建興二年、有鳥見于春申、春申之爲地名決矣、錢泰吉曰、正義然上當尙有文、今缺、後十五歲、黃歇言之楚王曰。淮北地邊齊。其事急。請以爲郡。

便。因幷獻淮北十二縣、請封於江東。考烈王許之。春申君因城故吳墟、以自爲都邑。【正義】墟、音虛、今蘇州也、闔閭於城內小城西北、別築城居之、今圮毀也、又大內北瀆、四從五橫、至今猶存、又改破楚門爲昌門、【考證】楚策、虞卿謂春申君曰、臣聞之、於安思危、危則慮安、今楚王春秋高矣、而君之封地不可不早定也、爲主君慮封者、莫如遠楚、春申蓋從其計也、館本考證云、正義句有誤、當作闔閭所都、春申君既相楚。是時齊有孟嘗君。趙有平原君。魏有信陵君。方爭下士、招致賓客、以相傾奪、輔國持權。【考證】楓山、三條本無持字、春申君爲楚相四年、秦破趙之長平軍四十餘萬。五年、圍邯鄲。【考證】梁玉繩曰、案長平之戰、在春申君爲相之三年、救邯鄲在六年、此皆誤、邯鄲告急於楚。楚使春申君將兵往救之。秦兵亦去。春申君歸。春申君相楚八年、爲楚北伐、滅魯。【索隱】按年表云、八年取魯、封魯君於莒、十四年而滅也、以荀卿爲蘭陵令。【考證】春申君傳特載荀卿事、猶魏世家敍孟子事、見史公尊儒之意、當是時、楚復彊。趙平原君使人於

春申君。春申君舍之於上舍。趙使欲夸楚、爲瑇瑁簪、刀劍室以珠玉飾之。【考證】楓山、三條本、無玉字、請命春申君客。【考證】楓山、三條本、無命字、春申君客三千餘人。其上客皆躡珠履以見趙使。趙使大慙。春申君相十四年、秦莊襄王立。以呂不韋爲相、封爲文信侯、取東周。春申君相二十二年、諸侯患秦攻伐無已時、乃相與合從、西伐秦。【集解】徐廣曰、始皇六年、而楚王爲從長、春申君用事。至函谷關。秦出兵攻諸侯兵。皆敗走。楚考烈王以咎春申君。春申君以此益疏。客有觀津人朱英。【正義】觀、音館、今魏州觀城縣也、【考證】楓山、三條本無客字、策、朱英作魏軼、謂春申君曰。人皆以楚爲彊、而君用之弱。其於英不然。先君時善秦二十年而不攻楚。何也。【考證】楓山、三條本、無善字、與策合、各本誤衍、秦踰黽隘之塞、而

攻楚不便。【正義】黽隘之塞、在申州、黽音盲也、假道於兩周、背韓·魏而攻楚、不可。今則不然。魏且暮亡、不能愛許·鄢陵。其計魏割以與秦。【考證】計、各本作許、蓋涉上文而誤、今從楓山、三條本、秦兵去陳百六十里。【集解】徐廣曰、在許東南、臣之所觀者、見秦·楚之日鬭也。【考證】謂春申君曰以下、采韓策、楚於是去陳徙壽春。而秦徙衛野王、作置東郡。【正義】濮、滑州兼河北置東郡、濮州本衛都、而徙野王也、【考證】崔適曰、作字旁注竄入、春申君由此就封於吳、行相事。楚考烈王無子。春申君患之、求婦人宜子者進之。甚衆。卒無子。【考證】楓山、三條本、進作奏、梁玉繩曰、史仍國策、吳注、謂此時無子也、而索隱以此文爲誤、因數考烈之子四人、曰悍、曰猶、曰負芻、曰昌平君、攷幽王悍、卽李園妹初幸春申有身所生者、哀王猶是悍同母弟、列女傳云、遺腹子、則亦園妹所生、李妹未進之前、固無有也、而昌平君之稱考烈子、未見確據、始皇紀、書昌平君先爲秦相、繼爲荊王、蓋楚之諸公子耳、若以考烈子實之、則紀尚有昌文君、又誰人乎、惟楚王負芻、莫知生于何時、世家謂猶庶兄、疑生悍之後、然列女傳作考烈王弟、今不可詳矣、趙人李園、持其女弟欲進之楚王。【考證】關脩曰、持、如矜持之持、言心持女

弟之色美、聞其不宜子、恐久毋寵。李園求事春申君爲舍人。已而謁歸、故失期還謁。春申君問之狀。對曰。齊王使使求臣之女弟。與其使者飲。故失期。春申君曰。娉入乎。對曰。未也。【考證】楓山、三條本、飲下無故字、娉聘同、幣也、春申君曰。可得見乎。曰。可。於是李園乃進其女弟。卽幸於春申君。【考證】楓山、三條本、重女弟二字、知其有身。李園乃與其女弟謀。園女弟承閒以說春申君曰。楚王之貴幸君、雖兄弟不如也。今君相楚二十餘年。而王無子。卽百歲後、將更立兄弟。則楚更立君、後亦各貴其故所親。君又安得長有寵乎。【考證】策、後作彼、非徒然也。君貴用事久。多失禮於王兄弟。兄弟誠立、禍且及身。何以保相印江東之封乎。【考證】楓山、三條本、以作乃、今妾自知有身矣。而人

莫知。妾幸君未久。誠以君之重而進妾於楚王。王必幸妾。妾賴天有子男、則是君之子爲王也。楚國盡可得。孰與身臨不測之罪乎。春申君大然之。乃出李園女弟。謹舍而言之楚王。楚王召入幸之。遂生子男。立爲太子。以李園女弟爲王后。楚王貴李園、園用事。【考證】楓山、三條本、不重園字、李園既入其女弟立爲王后、子爲太子。恐春申君語泄而益驕。陰養死士欲殺春申君以滅口。而國人頗有知之者。春申君相二十五年。楚考烈王病。朱英謂春申君曰。世有毋望之福。【正義】毋望、謂不望而忽至也、又有毋望之禍。【索隱】周易有无妄卦、其義殊也、今君處毋望之世、【正義】謂生死無常、事毋望之主。【正義】謂喜怒不節也、安可以無毋望之人乎。【正義】謂吉凶忽爲、【考證】策、毋望作無妄、中井積德曰、毋望之世、謂禍

福不可常也、毋望之主、謂寵幸不可恃也、毋望之人、謂排難脫厄之人不求而至也、毋望、無忽意、張文虎曰、正義忽爲、疑忽焉譌、春申君曰。何謂毋望之福。曰。君相楚二十餘年矣。雖名相國、實楚王也。【考證】楓山、三條本、無雖字、策、名下有爲字、今楚王病旦暮且卒。而君相少主、因而代立當國、如伊尹·周公、王長而反政。不卽遂南面稱孤而有楚國。此所謂毋望之福也。春申君曰。何謂毋望之禍。曰。李園不治國、而君之仇。【索隱】言園是春申之仇也、戰國策、作君之舅也、謂爲王之舅、意異也、【正義】李園不得國政、而怨春申君、故云仇也、【考證】梁玉繩曰、策、作王之舅、是此因聲近而誤、言李園爲王舅也、下文春申云、僕善李園、則不以爲仇明矣、愚按前後君字竝斥春申、則仇如字讀、梁說非是、不爲兵、而養死士之日久矣。【考證】策、兵下有將字、楚王卒、李園必先入據權、而殺君以滅口。此所謂毋望之禍也。春申君曰。何謂毋望之人。對曰。君置臣郎中。楚王卒、李園必先入。臣爲君殺李園。此所謂毋望

之人也。春申君曰。足下置之。李園弱人也。僕又善之。且又何至此。朱英知言不用、恐禍及身、乃亡去。【索隱】朱亥、卽上之朱英也、作亥者、史因趙有朱亥誤也、【考證】各本及策、皆作朱英、索隱本作朱亥、張文虎曰、豈小司馬獨見誤本、抑後人改正也、後十七日、楚考烈王卒。李園果先入、伏死士於棘門之內。【正義】壽州城門、春申君入棘門。園死士俠刺春申君、斬其頭投之棘門外。【正義】俠刺、上胡牒反、下七亦反、楚考烈王二十五年、秦始皇九年、【考證】策、俠作夾、胡三省曰、俠讀曰夾、於是遂使吏盡滅春申君之家。而李園女弟初幸春申君有身而入之王所生子者、遂立。是爲楚幽王。【索隱】按楚捍有母弟猶、猶有庶兄負芻、及昌平君、是楚君完非無子、而上文云、考烈王無子、誤也、【考證】說既見上文、黃式三曰、策史言春申君納李園妹、知娠而獻之、據越絕書十四篇則云、烈王娶李園妹、十月產子男、則策史之說非矣、夫春申君果知娠而出諸謹舍、言諸王而入幸之、則事非一月、安必其十月後生子乎、生而果男乎、行不可知之詭計、春申君何愚、此必後負芻謀哀王、猶之誣言也、古事難攷、讀史者不成人之惡也、愚按越絕晚出之書、不足信據、姑書備考、是歲也、秦始皇

帝立九年矣。嫪毐亦爲亂於秦、覺、夷其三族。而呂不韋廢。【考證】楚考烈王無子以下、采楚策、

太史公曰。吾適楚觀春申君故城。宮室盛矣哉。初春申君之說秦昭王、及出身遣楚太子歸。何其智之明也。後制於李園。旄矣。【集解】徐廣曰、旄、音耄、【正義】莫報反、語曰。當斷不斷、反受其亂。春申君失朱英之謂邪。【考證】當斷不斷二句、齊悼惠王世家引道家言、斷亂韵、

【索隱】述贊、黃歇辯智、權略秦楚、太子獲歸、身作宰輔、珠炫趙客、邑開吳土、烈王寡胤、李園獻女、無妄成災、朱英徒語、

春申君列傳第十八　史記七十八

史記會注考證卷七十九

漢　太　史　令　司　馬　遷　撰
宋　中　郎　外　兵　曹　參　軍　裴　駰　集　解
唐　國　子　博　士　弘　文　館　學　士　司　馬　貞　索　隱
唐　諸　王　侍　讀　率　府　長　史　張　守　節　正　義
日　本　出　雲　瀧　川　資　言　考　證

范睢蔡澤列傳第十九　　史記七十九

考證 史公自序云、能忍詢於魏齊、而信威於彊秦、推賢讓位、二子有之、作范睢蔡澤列傳、第十九、錢大昕曰、秦本紀六國表、不見二人名、蘇轍曰、范睢相秦、其所以利秦者

少、而害秦者多、以魏冉之專、忘其舊勳而逐之、可也、并逐宣太后、使昭王以子絕母、不已甚乎、及睢任秦事、殺白起而用王稽鄭安平、使民怨於內、兵折於外、曾不若魏冉之一二、范睢蔡澤、自為身謀、取卿相可耳、未見有益于秦也、

范睢者、魏人也。字叔。考證 慶長本標記云、睢、七餘反、蓋賜誕生音、中井積德曰、范睢之睢、音且、文從且、非從目、張文虎曰、睢字、宋本毛本作睢、漢書人表同、它本睢睢雜出、黃刊姚本戰國策作睢、通鑑集覽音雖、案武梁祠堂畫像有范且、錢氏跋尾云、戰國秦漢人多以且為名、讀子余切、如穰且豫且夏無且龍且皆是、且旁或加隹、如范睢唐睢、文殊而音不殊也、然則作睢者誤、 游說諸侯、欲事魏王。家貧無以自資。乃先事魏中大夫須賈。索隱 按漢書百官表、中大夫秦官、此魏有中大夫、蓋古官也、須、姓、賈、名也、須氏蓋密須之後、 須賈為魏昭王使於齊。索隱 按系本、昭王名遫、襄王之子也、 范睢從留數月、未得報。齊襄王聞睢辯口、索隱 襄王名法章、考證 祕閣古鈔本、楓山三條本、睢上有范字、下文同、辯下有有字、王念孫曰、辯口本作辯有口、謂辯給有口才也、太平御覽居處部引此作辯有口才、才字後人所加、人事部辯類作辯有口、陸賈傳曰、名為有口辯士、朱建傳曰、為人辯有口、武安傳曰、蚡辯有口、皆其證、索隱單本、無襄王名法章、 乃使人賜睢金十斤、及牛酒。睢辭謝不敢受。須賈知

之大怒、以為睢持魏國陰事告齊、故得此饋。令睢受其牛酒、還其金。考證 祕閣古鈔本、饋作餽、 既歸。心怒睢、以告魏相。魏相、魏之諸公子曰魏齊。考證 祕閣古鈔本、無曰字、 魏齊大怒、使舍人笞擊。睢折脅摺齒。索隱 摺、音力荅反、謂打折其脅、而又拉折其齒也、考證 中井積德曰、簀以竹為之、 睢詳死。即卷以簀置廁中。索隱 簀、謂葦荻之薄也、用之以裹屍也、 賓客飲者、醉更溺睢、索隱 更、音羹、溺即溲也、溺、音年弔反、溲、音所留反、正義 溺、古尿字、 故僇辱以懲後、令無妄言者。考證 祕閣本、無作毋、妄言、承持魏國陰事告齊、 睢從簀中謂守者曰。公能出我。我必厚謝公。守者乃請弃簀中死人。考證 各本、請下衍出字、今依祕閣本楓山三條本刪、 魏齊醉曰。可矣。范睢得出。後魏齊悔、復召求之。魏人鄭安平聞之、乃遂操范睢亡、伏匿、更名姓曰張祿。考證 梁玉繩曰、說苑善說云、齊張祿為孟嘗君掌門、請孟嘗君、為書寄秦王、往而大遇、未必即范子、蓋別一人、范借託之、愚按、張、張大、祿、福祿、采嘉名耳、未必借孟嘗

客名、 當此時、秦昭王使謁者王稽於魏。鄭安平詐為卒侍王稽。正義 卒、祖律反、 王稽問。魏有賢人可與俱西游者乎。鄭安平曰。臣里中有張祿先生。欲見君言天下事。其人有仇不敢晝見。王稽曰。夜與俱來。鄭安平夜與張祿見王稽。語未究、考證 祕閣本、稽下有與字、 王稽知范睢賢、謂曰。先生待我於三亭之南。與私約而去。索隱 按三亭、亭名、在魏境之邊道亭也、今無其處、一云、魏之郊境、總有三亭、皆祖餞之處、與期三亭之南、蓋送餞已畢無人處、正義 括地志云、三亭岡、在汴州尉氏縣西南三十七里、按三亭岡、在山部中名也、蓋岡字誤為南、考證 祕閣本、謂作語、與私約去、作夜與稽約去、 王稽辭魏去、過載范睢入秦。至湖。索隱 按地理志、京兆有湖縣、本名胡、武帝更名湖、即今湖城縣也、正義 今虢州湖城縣也、考證 過、過三亭也、張文虎曰、各本湖下衍關字、索隱本無、雜志云、地理志京兆尹湖、不言有關、水經河水注、亦但言過穰侯於湖縣、文選解嘲注、引史竊載范睢入秦至湖、無關字、 望見車騎從西來。考證 楓山三條本、來下有東字、 范睢曰。彼來者為誰。王稽曰。秦相穰侯東行縣

邑。【考證】祕閣本、楓山、三條本、無邑字、范雎曰、吾聞穰侯專秦權、惡內諸侯客。【索隱】內音納、亦如字、內者亦猶入也、此恐辱我。我寧且匿車中。有頃、穰侯果至、勞王稽。因立車而語曰、關東有何變。曰、無有。又謂王稽曰、謁君得無與諸侯客子俱來乎。無益。徒亂人國耳。【考證】岡白駒曰、王稽官謁者、故稱謁君、祕閣本、益下有於事二字、王稽曰、不敢。卽別去。范雎曰、吾聞穰侯智士也。其見事遲。鄉者疑車中有人、忘索之。【索隱】索、猶搜也、音柵、又先格反、於是范雎下車走曰、此必悔之。行十餘里、果使騎還索車中。無客。乃已。王稽遂與范雎入咸陽。已報使、因言曰、魏有張祿先生。天下辯士也。曰、秦王之國、危於累卵。【正義】按說苑云、晉靈公造九層之臺、費用千金、謂左右曰、敢有諫者斬、荀息聞之、上書求見、靈公張弩持矢見之、曰、臣不敢諫也、臣能累十二博棊、加九雞子其上、公曰、子爲寡人作之、荀息正顏色定志意、以棊子置下、加九雞子其上、左右懼慴息、靈公氣息不續、公曰、危哉、危

哉、荀息曰、此殆不危也、復有危於此者、公曰、願見之、荀息曰、九層之臺、三年不成、男不耕、女不織、國用空虛、鄰國謀議將興、社稷亡滅、君欲何望、靈公曰、寡人之過也、乃至於此、卽壞九層臺也、【考證】張文虎曰、今說苑無此篇、得臣則安。然不可以書傳也。臣故載來。【考證】凌稚隆曰、暗含後來傾穰侯等案、秦王弗信、使舍食草具。【索隱】謂亦舍之、而食以下客之具然、草具、謂麄食草萊之饌具、【考證】祕閣本、無使字、待命歲餘。當是時、昭王已立三十六年、南拔楚之鄢·郢、楚懷王幽死於秦。【考證】祕閣本、無幽字、秦東破齊。湣王嘗稱帝、後去之。數困三晉、厭天下辯士、無所信。穰侯·華陽君、【集解】徐廣曰、華、一作葉、【索隱】穰侯、謂魏冄、宣太后之異父弟、穰縣在南陽、華陽君芊戎、宣太后之同父弟、亦號爲新城君、是也、昭王母宣太后之弟也。而涇陽君·高陵君、皆昭王同母弟也。穰侯相。三人者更將有封邑、【考證】凌稚隆曰、伏後發四貴、以太后故、私家富重於王室。【考證】凌稚隆曰、伏後寶器珍怪、多于王室、及穰侯爲秦將、且欲越韓·魏而伐齊綱壽、欲以廣其陶封。【考證】穰侯

傳、綱壽作剛壽、范雎乃上書曰、臣聞明主立政、【索隱】按戰國策、立作莅也、有功者不得不賞、有能者不得不官。勞大者其祿厚、功多者其爵尊、能治衆者其官大。故無能者、不敢當職焉、有能者亦不得蔽隱。使以臣之言爲可、願行而益利其道。以臣之言爲不可、久留臣無爲也。語曰、庸主賞所愛、而罰所惡。明主則不然。賞必加於有功、而刑必斷於有罪。今臣之胷不足以當椹質、而要不足以待斧鉞。豈敢以疑事嘗試於王哉。【索隱】椹、音陟林反、按椹者莝椹也、質者莝刃也、腰斬者當椹質也、【考證】祕閣、楓、三本、要作腰、顏師古曰、鑕、謂質也、古人斬人加於鑕上而斫之也、愚按、不足以當以待、謙辭、言身賤死生不足論也、豈敢上添雖然二字看、雖以臣爲賤人、而輕辱、獨不重任臣者之無反復於王邪。【考證】策、賤下無人字、任臣者、斥王稽、任、保任也、下文云、秦之法、任人而所任不善者、各以其罪罪之、策、反復作反覆、且臣聞周有砥砨、【考證】砨、祕

閣本作厲、楓山、三條本作礪、策作厄、宋有結綠、梁有縣藜、【集解】薛綜曰、縣藜一曰美玉、楚有和朴。【正義】縣、音玄、劉伯莊云、珍玉朴也、【考證】策、朴作璞、此四寶者、土之所生、良工之所失也。而爲天下名器。【考證】策、無土之所生良五字、蓋史公所補、然則聖王之所弃者、獨不足以厚國家乎。【考證】楓山、三條本、王作主、岡白駒曰、聖王稱秦王、所弃、雎自謂也、臣聞善厚家者取之於國、善厚國者取之於諸侯。天下有明主、則諸侯不得擅厚者、何也。爲其割榮也。【索隱】割榮、卽上之擅厚、謂擅權也、【考證】厚家厚國、明承上文厚國家而微見穰侯厚私家意、是作家苦心處、中井積德曰、割、如字、分也、謂分割天下之榮、灌而入於己也、惡其割榮、故不使擅厚、索隱失條理、沈家本說同、楓山、三條本、王作主、策、割作凋、良醫知病人之死生、而聖主明於成敗之事。【考證】祕閣、楓山、三條本、病作疾、利則行之、害則舍之、疑則少嘗之。雖舜·禹復生弗能改已。語之至者臣不敢載之於書。其淺者又不足聽也。【正義】至、猶深也極也、【考證】語之至者、暗斥太后穰侯事、意者

臣愚而不槪於王心邪。【集解】徐廣曰、槪一作漑、音同、【索隱】按戰國策、槪作闞、謂闞涉於王心也、徐注音同非也、【正義】槪猶平也、雎言秦政敎、不能□合王心邪、【考證】李笠曰、槪與漑、音同字通、漑與沃同義、漑於王心者、亦卽尙書說命啓乃心沃朕心之義也、愚按今本策、作闞、別是一義、亡其言臣者賤而不可用乎。【索隱】亡、猶輕蔑也、【考證】策、亡作抑、余有丁曰、亡字轉語、猶言無乃也、索隱解輕蔑非是、王念孫曰、亡讀如無、或言亡、或言亡其、皆轉語詞也、莊子外物篇、抑固窶邪、亡其略弗及邪、呂氏春秋審爲篇、君將攫之乎、亡其不與、愛類篇、必得宋乃攻之乎、亡其不得宋、且不義、猶攻之乎、韓策、聽子之謁而廢子之道乎、又亡其行子之行、而廢子之謁乎、是凡言亡其者、皆轉語詞也、越語、道固然乎、妄其欺不穀邪、趙策、不識三國之憎秦而愛懷邪、妄其憎懷而愛秦邪、妄亦讀如無、魯仲連傳、亡意亦捐燕弃世東游於齊乎、索隱斷亡意爲一句、亦非也、亡意亦者、意亦也、意亦者、抑亦也、或言意、或言意亦、或言意亡、或言無意、或言亡意、亦皆轉語詞也、齊策、作意者亦捐燕棄世乎、意者亦轉語詞也、自非然者、臣願得少賜游觀之閒望見顏色。一語無效、請伏斧質。【考證】承上文椹質斧鉞、祕閣、楓山、三條本、無顏色二字、策、顏色作足下、董份曰、雎此書淺言之、則不足以感王、深言之、則立僨事、故其心最苦、於是秦昭王大說、乃謝王稽、使以傳車召范雎。【集解】徐廣曰、一云使持車、【索隱】使持車、戰國策之文也、【考證】范雎乃上書曰以下、采秦策、

於是范雎乃得見於

離宮。【正義】長安故城、本秦離宮、在雍州長安北十三里也、詳爲不知永巷而入其中。【正義】永巷、宮中獄也、【考證】如淳曰、周宣王姜后、脫簪珥待罪永巷、後改爲掖庭、顏師古曰、永、長也、宮中之長巷也、王來。而宦者怒逐之曰。王至。范雎繆爲曰。秦安得王。秦獨有太后·穰侯耳。【考證】王念孫曰、爲猶謂也、謂爲一聲之轉、祕閣、楓山、三條本、得下有有字、祕閣本、無耳字、董份曰、動昭王處、唯此言最深、所謂危以激之也、欲以感怒昭王。昭王至、聞其與宦者爭言、遂延迎。謝曰。寡人宜以身受命久矣。會義渠之事急。寡人旦暮自請太后。【考證】呂氏大事記云、漢書匈奴傳、秦昭王時、義渠戎王、與宣太后亂、有二子、宣后詐殺戎王于甘泉、遂起兵滅義渠、今義渠之事已。寡人乃得受命。竊閔然不敏。敬執賓主之禮。【索隱】鄒誕本作惛然、音昏、又云、一作閔、音敏、閔猶昏闇也、范雎辭讓。是日觀范雎之見者、羣臣莫不洒然變色易容者。【集解】徐廣曰、洒、先典反、【索隱】鄭玄曰、灑然、肅敬之貌也、【考證】策、無羣臣洒然四字、余有丁曰、洒然、非但敬肅、兼有恐懼意、中井積德曰、洒然、色變之貌、傳云、一爵而洒然、不必作肅敬、不必作恐懼、秦王屏左右。

宮中虛無人。秦王跽而請曰。先生何以幸教寡人。【索隱】跽、音其紀反、跽者、長跪、兩膝枝地、【考證】顧炎武曰、古人之坐、皆以兩膝著席、有所敬、引身而起、則爲長跪、史記范雎傳、秦王跪而請、秦王復跪、而褚先生補梁孝王世家、帝與梁王俱侍坐太后前、太后謂帝曰、吾聞殷道親親、周道尊尊、其義一也、帝跪席舉身曰、諾、是也、禮記、坐皆訓跪、三國志注引高士傳言、管寧嘗坐一木榻、積五十餘年、未嘗箕股、其榻上當膝處皆穿、以此、愚按朱子跪坐拜說云、以膝隱地、伸腰及股、危而不安者跪也、以膝隱地、以尻著蹠、而體使安者坐也、范雎曰。唯唯。有閒、秦王復跽而請曰。先生何以幸教寡人。范雎曰。唯唯。若是者三。【考證】王維楨曰、三跪請而不言、以嘗試其意耳、秦王跽曰。先生卒不幸教寡人邪。范雎曰。非敢然也。臣聞昔者呂尙之遇文王也、身爲漁父、而釣於渭濱耳。【正義】括地志曰、茲泉水、源出岐州岐山縣西南凡谷、北流十二里、注于渭、太公釣此所謂磻溪、【考證】祕閣、楓山、三條本、渭下有之字、策同、若是者交疏也。已說而立爲太師、載與俱歸者、其言深也。【考證】祕閣本、無而字、策、說而作一說、故文王遂收功於呂尙、而卒王天下。鄕使文王疏呂

尙而不與深言、是周無天子之德、而文·武無與成其王業也。今臣羈旅之臣也。交疏於王。而所願陳者、皆匡君之事、處人骨肉之閒。【考證】祕閣、楓山、三條本、君下有臣字、凌稚隆曰、暗伏太后穰侯、願效愚忠、而未知王之心也。此所以王三問而不敢對者也。臣非有畏而不敢言也。臣知今日言之於前、而明日伏誅於後。然臣不敢避也。【考證】楓山、三條本、無於後二字、大王信行臣之言、死不足以爲臣患、亡不足以爲臣憂、【考證】亡、流亡也、死亡伏伍子胥、漆身爲厲、被髮爲狂、不足以爲臣恥。【索隱】厲、音賴、癩病也、言漆塗身、生瘡如病癩、【正義】漆身、豫讓也、被髮、箕子也、【考證】漆身被髮、伏箕子接輿、正義非、且以五帝之聖焉而死、三王之仁焉而死、五伯之賢焉而死、烏獲·任鄙之力焉而死、成荊·【集解】徐廣曰、一作羌、孟賁·【集解】許愼曰、成荊、古勇士、孟賁、衞人、【正義】賁、音奔、王慶忌·【集解】吳越春秋曰、吳王僚子慶忌、

夏育之勇焉而死。【集解】漢書音義曰、或云、夏育衞人、力擧千鈞、 死、人之所必不免也。處必然之勢、可以少有補於秦、此臣之所大願也。臣又何患哉。伍子胥橐載而出昭關、夜行晝伏、至於陵水、無以餬其口、【索隱】劉氏云、陵水卽栗水也、按陵栗聲相近、故惑也、【正義】橐、音託、杜預云、昭關、在淮北、陵水在臨淮、【考證】策、陵作溧、餬作餌、左傳隱公十一年、餬其口于四方、 膝行蒲伏、稽首肉袒、鼓腹吹篪、乞食於吳市、卒興吳國、闔閭爲伯。【集解】徐廣曰、篪一作簫、【正義】蒲伏、下白北反、【考證】策、膝行蒲伏稽首肉袒鼓腹吹篪十二字、作坐行蒲服、 使臣得盡謀如伍子胥、加之以幽囚、終身不復見、【考證】策、盡作進、 是臣之說行也。臣又何憂。【考證】策、憂下有乎字、 箕子・接輿、漆身爲厲、被髮爲狂、無益於主。【考證】策、身下髮下、有而字、主作殷楚、 假使臣得同行於箕子、可以有補於所賢之主、是臣之大榮也。臣有何恥。【考證】策、作臣又何恥乎、有讀爲又、 臣之所恐者、獨

恐臣死之後、天下見臣之盡忠而身死、【考證】祕閣、楓山、三條本、死下有也字、策同、死作蹶、 因以是杜口裹足、莫肯鄉秦耳。【考證】裹足、謂足如有所裹而不前也、 足下上畏太后之嚴、下惑於姦臣之態、【索隱】按態、謂姦臣諂詐之志也、【考證】索隱本、惑下無於字、與策合、顧炎武曰、今人但見史記秦本閻樂數二世稱足下、遂以爲相輕之辭、不知戰國之時、人主之稱也、如蘇代遺燕昭王書、蘇樂毅報燕惠王書、蘇厲與趙惠文王書、皆稱足下、又如蘇秦謂燕易王、范雎見秦昭王、蘇代謂齊湣王、齊人謂齊湣王、孟嘗君舍人謂衞君、張丐謂魯君、趙郝對趙孝成王、酈生說沛公、張良獻項王、皆稱足下、愚按顧氏所引六國事、據國策、 居深宮之中、不離阿保之手、終身迷惑、無與昭姦。【正義】昭、明也、無與明其姦惡、【考證】阿若阿衡之阿、倚也、後漢崔寔傳注、阿保、謂傅母也、策、作保傅、 大者宗廟滅覆、小者身以孤危。此臣之所恐耳。若夫窮辱之事、死亡之患、臣不敢畏也。臣死而秦治、是臣死賢於生。秦王跽曰、先生是何言也。夫秦國辟遠、寡人愚不肖。先生乃幸辱至於此。是天以寡人慁先生、而存先王之宗

廟也。【集解】徐廣曰、亂先生也、音溷、【索隱】慁及注溷字、竝胡困反、慁猶汨亂之意、 寡人得受命於先生、是天所以幸先王而不弃其孤也。先生柰何而言若是。事無小大、上及太后、下至大臣、願先生悉以敎寡人。無疑寡人也。范雎拜。秦王亦拜。【考證】楓山、三條本、秦王下重秦王、亦拜下有范雎二字、中井積德曰、昭王素厭苦於太后、故譏閉易入、見上及太后句、可觀焉、不然、非人子所宜言、 范雎曰、大王之國、四塞以爲固、北有甘泉・谷口、【正義】括地志云、甘泉山、一名鼓原、俗名磨石嶺、在雍州雲陽縣西北九十里、關中記云、甘泉宮、在甘泉山上、年代永久、無復甘泉之名、失其實也、宮北云、有連山、土人爲磨石嶺、郊祀志、公孫卿言黃帝得仙寒門、寒門者谷口也、按九嵕山西謂之谷口、卽古寒門也、在雍州醴泉縣東北四十里、 南帶涇・渭、右隴・蜀、左關・阪、【考證】劉伯莊曰、關曰函谷關、阪曰商阪、愚按祕閣本阪作險、 奮擊百萬、戰車千乘。利則出攻、不利則入守。此王者之地也。民怯於私鬭、而勇於公戰。此王者之民也。王幷此二者而有之。【考證】利則出攻、至王幷此二者而有之三十八字、策無、蓋史公以意補也、 夫以秦

卒之勇、車騎之衆、以治諸侯。譬若馳韓盧而搏蹇兔也。【索隱】戰國策云、韓盧者天下之壯犬也、是韓呼盧爲犬、謂施韓盧而搏蹇兔、以喩秦彊、言取諸侯之易、【考證】馳、索隱本作施、類聚、御覽、作縱、 霸王之業可致也。而羣臣莫當其位、至今閉關十五年、不敢窺兵於山東者、【考證】莫當其位、猶言不得人、錢大昕曰、范雎說秦、在昭王三十六年、是時秦用白起、破趙魏及楚者屢矣、而穰侯方出兵攻綱壽、安有閉關十五年之事、愚按策至今閉關、作今反閉關、下無十五年三字、史公補訂、反失事實、宜依策舊文、說又見蘇秦傳、 是穰侯爲秦謀不忠、而大王之計有所失也。【考證】不忠失計、專斥越韓魏攻齊事、范雎未嘗蔽穰侯前功、諸解未得、祕閣本、楓山、三條本、計下有亦字、 秦王跽曰、寡人願聞失計。然左右多竊聽者。范雎恐未敢言內、先言外事、以觀秦王之俯仰。【考證】然左右多竊聽者以下二十五字、策無、蓋史公以意補足、 因進曰、夫穰侯越韓・魏而攻齊綱壽、非計也。【考證】策、齊綱壽作强齊、 少出師、則不足以傷齊。多出師則害於秦。臣意王之計、欲少出師而悉韓・魏之兵

也、則不義矣。今見與國之不親也、越人之國而攻、可乎。[考證]鮑彪曰、與國、謂韓魏、愚按、攻字承與國、則與國、謂齊、人之國、斥韓魏、鮑說非是、 其於計疏矣。且昔齊湣王南攻楚、破軍殺將、再辟地千里。[正義]辟、尺亦反、[考證]祕閣、楓山、三條本、千上有二字、張文虎曰、正義尺當作匹、蓋俗作疋、形似而誤、 而齊尺寸之地無得焉者、豈不欲得地哉。形勢不能有也。諸侯見齊之罷獘、君臣之不和也、[考證]祕閣本、豈下有齊字、形下無勢字、臣下無之字、 興兵而伐齊、大破之、士辱兵頓。皆咎其王曰、誰爲此計者乎。王曰、文子爲之。大臣作亂、文子出走。[索隱]文子、謂田文、卽孟嘗君也、猶戰國策謂田盼田嬰爲盼子嬰子然也、[考證]岡白駒曰、初謀伐楚者文子、以喩穰侯、愚按、皆咎其王以下二十五字、策無、亦史公所增、梁玉繩曰、此語國策旣誤、史公所增又誤、湣王二十三年伐楚有功、至四十年諸侯伐齊、敗于濟西、相越已十八年、且濟西之役、實燕欲報齊、故合秦楚三晉以伐之、何曾因攻楚罷敝而興兵乎、此史公仍策之誤也、齊敗濟西時、孟嘗謝相印歸老于薛將十年矣、而曰文子爲之哉、當是別一人、至所謂大臣作亂、文子出走者、乃閔王三十年、田甲劫王、事在敗濟西前十年、不得幷爲一案、此史公增益之誤也、 故齊所以大

破者、以其伐楚而肥韓・魏也。此所謂借賊兵、而齎盜糧者也。[索隱]借、音子夜反、一作籍、音亦同、齎、音側奚反、言爲盜齎糧也、[考證]荀子大略篇、非其人而敎之、齎盜糧而借賊兵也、李斯逐客書、此所謂藉寇兵而齎盜糧也、蓋古有此語、諸人引之、兵糧、韻、張文虎曰、宋本、毛本、兵下有而字、與索隱本合、愚按、祕閣、楓山、三條本、亦有、 王不如遠交而近攻。得寸則王之寸也、得尺亦王之尺也。今釋此而遠攻、不亦繆乎。[考證]祕閣本、寸下無也字、與策合、林少穎曰、秦之所以得天下不外遠交近攻之策、是策出于司馬錯、成于范雎、秦取六國、謂之蠶食、蠶之食葉、自近及遠、 且昔者中山之國、地方五百里。趙獨吞之、功成名立、而利附焉。天下莫之能害也。今夫韓・魏、中國之處、而天下之樞也、[考證]胡三省曰、以門戶爲喩、門戶之闔闢、皆由於樞、 王其欲霸、必親中國以爲天下樞、以威楚・趙。楚彊則附趙、趙彊則附楚。[考證]胡三省曰、彊者未易柔服、故先親附弱者、 楚・趙皆附、齊必懼矣。齊懼、必卑辭重幣以事秦。齊附而韓・魏因可虜也。昭王曰、吾欲

親魏久矣。而魏多變之國也。寡人不能親。請問親魏柰何。對曰、王卑詞重幣以事之。不可、則割地而賂之。[考證]楓山、三條本、無不字、 不可、因擧兵而伐之。王曰、寡人敬聞命矣。[考證]遂延迎謝曰以下、本秦策、 乃拜范雎爲客卿謀兵事、卒聽范雎謀、使五大夫綰伐魏、拔懷。[集解]徐廣曰、昭王三十九年、 後二歲、拔邢丘。[考證]祕閣本、二作三、邢作刑、梁玉繩曰、邢丘、當作郪丘、說在秦紀、 客卿范雎復說昭王曰、秦・韓之地形相錯如繡。秦之有韓也、譬如木之有蠹也、人之有心腹之病也。[正義]蠹、音妬、石杜蟲、[考證]張文虎曰、正義石疑當作蝕、 天下無變則已。天下有變、其爲秦患者、孰大於韓乎。王不如收韓。昭王曰、吾固欲收韓。韓不聽。爲之柰何。對曰、韓安得無聽乎。[考證]祕閣、楓山、三條本、韓下、安上、有氏字、 王下兵而攻滎陽、則鞏・成皐之道不通。[正義]言宜

陽陝虢之師、不得下相救、[考證]策、無鞏字、 北斷太行之道、則上黨之師不下。[正義]言澤潞之師、不得下太行相救、[考證]祕閣、楓山、三條本、斷作斬、與策合、中井積德曰、斷太行、亦因滎陽之師而爲之故、此雖對說、而下文曰、一興斷三也、 王一興兵而攻滎陽、則其國斷而爲三。[正義]新鄭已南、一、宜陽、二、澤潞、三、 夫韓見必亡、安得不聽乎。若韓聽、而霸事因可慮矣。[考證]而、猶則也、 王曰、善。[考證]范雎復說昭王以下、采秦策、 且欲發使於韓。范雎日益親、復說用數年矣。因請閒說曰、[正義]閒、音閑、 臣居山東時、聞齊之有田文、不聞其有王也。[考證]祕閣、楓山、三條本、田文作田單、與策合、王念孫曰、張載注魏都賦、引史記、作田單、今本誤、策鮑注云、田文去齊已十餘年、不得近舍單遠論文也、 聞秦之有太后・穰侯・華陽・高陵・涇陽、不聞其有王也。[考證]策、無高陵二字、 夫擅國之謂王、能利害之謂王、制殺生之威之謂王。[考證]策、能下有專字、 今太后擅行不顧、穰侯出使不報、華陽・涇陽等擊斷無諱、高陵進退不

請。【集解】諱、畏也、【索隱】無諱、猶無畏也、【考證】策姚本、無高陵進退不請六字、曾本有、安井衡曰、下文曰、四貴備、又曰、爲此四者下、秦王爲太后下、非所宜恥、則四貴謂穰侯涇陽華陽高陵、曾本是也、鮑彪曰、不顧、不顧王也、報、猶白也、言不白王、而擅遣使於外、擊斷、謂刑人、無諱、言不避王、橫田惟孝曰、進退、進退人也、四貴備、而國不危者、未之有也。爲此四貴者下、乃所謂無王也。然則權安得不傾、令安得從王出乎。臣聞善治國者、乃內固其威、而外重其權。【考證】關修齡曰、言是人主之事、而太后穰侯自擅威權、與善治國者相反、穰侯使者操王之重、決制於諸侯、剖符於天下、政適伐國、莫敢不聽。【集解】徐廣曰、政適、音征敵、【考證】策作征敵、戰勝攻取、則利歸於陶國、弊御於諸侯。【索隱】按弊者斷也、御、制也、言穰侯執權以制御、主斷於諸侯也、【考證】弊、與利對言、病也、御、訓爲禦、猶歸也、戰敗則結怨於百姓、而禍歸於社稷。詩曰、木實繁者披其枝、披其枝者傷其心。【正義】披、音片被反、【考證】披、屈折也、孫詒讓曰、案逸周書周祝篇云、葉之美也解其柯、柯之美也解其枝、枝之美也致其本、與此文相近、古書引書、或通稱詩、戰國策四、史記春申君傳引詩云、大武遠宅不涉、卽周書大武篇之遠宅不

薄、是其證也、大其都者危其國、尊其臣者卑其主。【考證】左傳隱公元年、祭仲曰、都城過百雉、國之害也、閔公二年、昔辛伯諗周桓公曰、內寵竝后、外寵二政、嬖子配嫡、大都耦國、亂之本也、與此語相似、又按秦策別章、應侯謂昭王曰、臣聞之、木實繁者枝必披、枝之披者傷其心、都大者危其國、臣強者危其主、意同文異、崔杼・淖齒管齊、【索隱】淖、姓也、音泥敎反、漢有淖姬是也、高誘曰、管、典也、言二人典齊權而行弑逆也、【正義】淖齒、楚人、齊湣王臣、射王股、擢王筋、縣之於廟梁、宿昔而死。【索隱】按言射王股、誤也、崔杼射莊公之股、淖齒擢湣王之筋、是說二君事也、【考證】楓山、三條本、無崔杼二字、與策合、可從、崔杼淖齒、古今不類、下文亦不言崔杼、二字後人依索隱誤增、昔、夕通、策、射王股擢王筋、作縮閔王之筋、義長、張文虎曰、案此承上文尊其臣者卑其主來、此兩王字、皆主之誤、下又云、不爲主計、而主不覺悟、是其證、李兌管趙、囚主父於沙丘、百日而餓死。【正義】沙丘臺、在邢州平鄉縣東北三十里、今臣聞秦太后・穰侯用事、高陵・華陽・涇陽佐之、卒無秦王。此亦淖齒・李兌之類也。【考證】臣居山東以下、采秦策、中井積德曰、策無臣聞二字、此疑衍文、且夫三代所以亡國者、君專授政、縱酒馳騁弋獵、不聽政事。其所授者、妒賢嫉能、御下蔽

上、以成其私、不爲主計、而主不覺悟、故失其國。【考證】策、無且夫以下五十二字、史公補足、今自有秩以上至諸大吏、下及王左右、無非相國之人者。【考證】楓山、三條本、吏作史、愚按策云、自斗食以上、至尉內史、及王左右、有非相國之人者乎、作史似是、見王獨立於朝。臣竊爲王恐萬世之後、有秦國者非王子孫也。【考證】祕閣本、楓山、三條本恐下重恐字、與策合、昭王聞之大懼曰、善。於是廢太后、逐穰侯・高陵・華陽・涇陽君於關外。【考證】今自有秩以下、采秦策、梁玉繩曰、大事記云、本紀宣太后之沒、書葬、初未嘗廢、魏公子無忌諫魏王親秦之辭、止曰太后、母也、而以憂死、亦未嘗言其廢、穰侯雖免相、猶以太后之故、未就國、及太后旣葬之後、始出之陶耳、范雎傳所載、特辨士增飾之辭、欲誇范雎之事、而不知甚昭王之惡也、皇極經世云、罷穰侯相國、及奪宣太后權、蓋得其實矣、經史問荅云、太后憂死、是實未必顯有黜退之舉、觀穰侯尚得之國于陶、無甚大譴、其所謂逐者如此、則所謂廢者亦只奪其權也、是時昭王年長、而宣太后尚事事親裁、使是不善處嫌疑之際、一旦昭王置之高閣、安得不憂死、故人以爲廢、愚按中井積德亦有此說、秦王乃拜范雎爲相、收穰侯之印、使歸陶。【考證】中井積德曰、收印、是奪穰封也、是唯有陶邑、因使縣官給車牛

以徙、千乘有餘到關。【考證】祕閣、楓山、三條本、徙作從、關閱其寶器、寶器珍怪、多於王室。秦封范雎以應、號爲應侯。【索隱】封范雎於應、案劉氏云、河東臨晉縣有應亭、則秦地有應也、又案本紀以應爲太后養地、解者云、在潁川之應鄉、未知孰是、【正義】括地志云、故應城、古應鄉、在汝州魯山縣東四十里也、當是時、秦昭王四十一年也。范雎旣相秦。秦號曰張祿。而魏不知。以爲范雎已死久矣。【考證】祕閣、三條、楓山本、雎下有良字、魏聞秦且東伐韓・魏、魏使須賈於秦。【考證】祕閣、三條、楓山本、東下有兵字、賈下有使字、范雎聞之爲微行、敝衣閒步之邸見須賈。【正義】劉云、諸國客館、【考證】桃源鈔云、劉伯莊云、閒步、謂獨行、盧藏用云、閒步、從小路也、須賈見之而驚曰、范叔固無恙乎。范雎曰、然。須賈笑曰、范叔有說於秦邪。曰、不也。雎前日得過於魏相、故亡逃至此、安敢說乎。【考證】祕閣、楓山、三條本、敢下有有字、須賈曰、今叔何事。范雎曰、臣爲人庸賃。須賈意哀之、留與坐飮食。曰、

范叔一寒如此哉。乃取其一綈袍以賜之。【集解】按綈、厚繒也、音啼、蓋今之絁也、【正義】今之麤袍、須賈因問曰。秦相張君、公知之乎。吾聞幸於王、天下之事皆決於相君。今吾事之去留在張君。孺子豈有客習於相君者哉。【索隱】劉氏云、蓋謂雎爲小子也、范雎曰。主人翁習知之。唯雎亦得謁。【考證】張文虎曰、唯讀爲雖、雎請爲見君於張君。須賈曰。吾馬病、車軸折。非大車駟馬、吾固不出。【考證】祕閣本、駟作四、下同、范雎曰。願爲君借大車駟馬於主人翁。【考證】祕閣、楓山、三條本、無翁字、范雎歸、取大車駟馬、爲須賈御之、入秦相府。府中望見、有識者皆避匿。須賈怪之。至相舍門、謂須賈曰。待我。我爲君先入通於相君。須賈待門下、持車良久。【考證】祕閣本、無待門下三字、問門下曰。范叔不出、何也。門下曰。無范叔。須賈曰。鄉者

與我載而入者。門下曰。乃吾相張君也。【考證】祕閣本、鄉作嚮、楓山本、我下有俱字、須賈大驚、自知見賣、乃肉袒膝行、因門下人謝罪。【考證】祕閣、楓山、三條本、無大驚二字、楓、三本、人作入、於是、范雎盛帷帳、侍者甚衆、見之。須賈頓首言死罪。曰。賈不意君能自致於青雲之上。【考證】祕閣本、句下有制海內至於此六字、青雲有數義、伯夷傳、閭巷之人、欲砥行立名者、非附青雲之士、惡能施於後世哉、此有德而負盛名者也、范雎傳、不意君能自致於青雲之上、此喻在高位也、後世謂登科者、平步青雲、唐曹鄴詩、一旦公道開、青雲在平地、又喻隱逸者、南史、身處朱門而情同江海、形入紫闥而意在青雲、黃式三曰、以貴仕爲青雲、本此、楊雄解嘲、當途者引青雲、隋書李德林傳贊、君臣體合、自致青雲、其義皆同、謂仕途不可言青雲、楊用修一偏之見也、賈不敢復讀天下之書、不敢復與天下之事。賈有湯鑊之罪。請自屏於胡貉之地。唯君死生之。范雎曰。汝罪有幾。曰。擢賈之髮以續賈之罪、尚未足。【考證】梁玉繩曰、評林云、續、贖古通用、別雅云、續當作贖、或傳寫誤、或因聲借用、方氏補正云、北音續數相近而誤、或曰擢髮而續之、尚不足以比其罪之長也、愚按或說爲是、范雎曰。汝罪

有三耳。昔者楚昭王時、而申包胥爲楚郤吳軍。楚王封之以荊五千戶。【考證】祕閣、楓山、三條本、無荊字、包胥辭不受。爲丘墓之寄於荊也。【考證】岡白駒曰、郤吳軍者、本爲己之先人丘墓寄於荊也、不必爲楚、故不以爲功、今雎之先人丘墓、亦在魏。公前以雎爲有外心於齊、而惡雎於魏齊。公之罪一也。【考證】外心、猶二心也、左傳昭公三年、罕虎謂楚曰、而固有外心、祕閣本、也作矣、下同、當魏齊辱我於廁中、公不止。罪二也。更醉而溺我。公其何忍乎。罪三矣。然公之所以得無死者、以綈袍戀戀、有故人之意。故釋公。乃謝罷、入言之昭王、罷歸須賈。須賈辭於范雎。范雎大供具、盡請諸侯使、與坐堂上、食飲甚設。而坐須賈於堂下、置莝豆其前、令兩黥徒夾而馬食之、【考證】莝、剉通、詩、秣之剉之、盧藏用曰、莝豆、食馬之具、黥徒、養馬者也、所以辱之、數曰。爲我告魏王。急持魏齊頭

來。不然者、我且屠大梁。【考證】祕閣、楓山、三條本、無然字、是、須賈歸以告魏齊。魏齊恐、亡走趙、匿平原君所。【考證】徐孚遠曰、魏齊、魏相、信陵君、魏公子、魏齊急、不歸信陵而歸平原、疑其當國時與信陵不合、故不敢以情告、及後復投信陵、信陵難見之、益可知也、愚按平原趙人、魏王不得奪其所保、及後信陵難見魏齊、亦恐負魏王也、徐氏未得情事、范雎既相。王稽謂范雎曰。事有不可知者三。有不可奈何者亦三。宮車一日晏駕。【集解】應劭曰、天子當晨起早作、如方崩殞、故稱晏駕、韋昭曰、凡初崩爲晏駕者、臣子之心、猶謂宮車當駕而晚出、是事之不可知者一也。君卒然捐館舍。是事之不可知者二也。使臣卒然塡溝壑。是事之不可知者三也。【考證】王稽謂者、故稱使臣、宮車一日晏駕、君雖恨於臣、無可奈何。【考證】凌稚隆曰、恨者恨其不及用也、君卒然捐館舍、君雖恨於臣、亦無可奈何。【考證】祕閣、楓山、三條本、無亦字、使臣卒然塡溝壑、君雖恨於臣、亦無可奈何。范雎不懌。乃入言於王曰。非王稽之忠、

莫能內臣於函谷關。非大王之賢聖、莫能貴臣。今臣官至於相、爵在列侯。王稽之官、尚止於謁者。非其內臣之意也。昭王召王稽拜爲河東守。三歲不上計。【集解】司馬彪曰、凡郡掌治民、進賢勸功、決訟檢姦、常以春行所至縣、勸民農桑、振救乏絕、秋冬遣無害吏、案訊問諸囚、平其罪法、論課殿最、歲盡遣吏上計、【考證】祕閣本、拜下有以字、又任鄭安平。昭王以爲將軍。【考證】任、保任也、范雎於是散家財物、盡以報所嘗困戹者。【考證】嘗下、祕閣本、有與字、楓山三條本有共字、愚按有者是、一飯之德必償、睚眦之怨必報。【索隱】睚、音崖賣反、眦、音士賣反、又音崖債二音、睚眦、謂相嗔而怒目切齒、【考證】中井積德曰、睚眦二字從目、當以目言之、非因口、恩田仲任曰、睚眦、擧目相忤貌、眦、目際也、睚、目厓也、范雎相秦二年。秦昭王之四十二年、東伐韓少曲・高平、拔之。【集解】徐廣曰、蘇代曰、起少曲、一日而斷太行、【索隱】按蘇云、起少曲、一日而斷太行、故劉氏以爲蓋在太行西南、【正義】括地志云、南韓王故城、在懷州河陽縣西北四十里、俗謂之韓王城、非也、春秋時、周桓王以與鄭、紀年云、鄭侯使辰歸晉陽向、更名高平、拔之、則少曲當與高平相近、【考證】梁玉繩曰、上文方敘雎償德報怨、便當接入報魏齊仇一段、何得橫插伐韓事、徧檢紀表世家列傳、亦無秦昭四十二年伐韓事、少曲雖無攷、蓋與高平相近、而高平爲魏地、趙世家云、反高平于魏、是也、況雎相二年、乃秦昭四十三年、非四十二年、疑此廿三字當衍、崔適曰、二十三字、當移下文秦昭王乃出平原君歸趙下、

秦昭王聞魏齊在平原君所、欲爲范雎必報其仇、乃詳爲好書遺平原君曰。寡人聞君之高義、願與君爲布衣之友。君幸過寡人。寡人願與君爲十日之飮。平原君畏秦、且以爲然、而入秦見昭王。昭王與平原君飮數日。昭王謂平原君曰。昔周文王得呂尚以爲太公、齊桓公得管夷吾以爲仲父。今范君亦寡人之叔父也。【考證】梁玉繩曰、太公當作太師、愚按太公、猶言祖父也、與仲父對言、楓、三本范君作范雎、下同、類聚亦作雎、范君之仇、在君之家。願使人歸取其頭來。不然、吾不出君於關。平原君曰。貴而爲交者爲賤也。富而爲交者爲貧也。【索隱】上爲、音如字、下爲、音于僞反、以言富貴而結交情深者、爲有貧賤之時不可忘之也、【正義】下爲、于僞反、言

富貴而結交者、本爲貧賤之人也、【考證】上交字、各本作友、今從索隱本、祕閣抄本、楓、三本、中井積德曰、言富貴之結交、以其貧賤而當相恤也、豫慮後日之意、以明魏齊危難不可棄也、夫魏齊者勝之友也。在、固不出也。今又不在臣所。昭王乃遺趙王書曰。王之弟在秦。范君之仇魏齊、在平原君之家。王使人疾持其頭來。不然、吾擧兵而伐趙、又不出王之弟於關。【考證】弟、當作叔父、說見下文、祕閣本、兵下無而字、趙孝成王乃發卒圍平原君家急。【考證】錢大昕曰、平原君爲惠文王之弟、於孝成王爲叔父、此時惠文已沒、不當更稱弟、魏齊夜亡、出見趙相虞卿。虞卿度趙王終不可說、乃解其相印、與魏齊亡閒行。念諸侯莫可以急抵者。乃復走大梁、欲因信陵君以走楚。信陵君聞之、畏秦、猶豫未肯見。曰。虞卿何如人也。時侯嬴在旁曰。人固未易知、知人亦未易也。【考證】岡白駒曰、未易知、未易被知、此以虞卿言、愚按知人未易、以信陵君言、夫虞卿躡屩擔

簦、一見趙王、賜白璧一雙、黃金百鎰。【考證】祕閣本、鎰作溢、再見、拜爲上卿。三見、卒受相印、封萬戶侯。當此之時、天下爭知之。夫魏齊窮困過虞卿。虞卿不敢重爵祿之尊、解相印捐萬戶侯而閒行。急士之窮而歸公子。公子曰、何如人。人固不易知。知人亦未易也。信陵君大慙、駕如野迎之。魏齊聞信陵君之初難見之、怒而自剄。趙王聞之、卒取其頭予秦。秦昭王乃出平原君歸趙。【考證】崔適曰、歸趙下、當移上文范雎相秦二年以下二十三字、昭王四十三年、秦攻韓汾・陘、拔之。【索隱】陘、音刑、陘蓋在韓之西界、與汾相近也、【正義】按陘庭故城、在絳州曲沃縣西北二十里汾水之陽、因城河上廣武。【索隱】劉氏云、此河上、蓋近河之地、本屬韓、今秦得而城、後五年、昭王用應侯謀、縱反閒賣趙。趙以其故令馬服子代廉頗將。【索隱】馬服子、趙括之號也、故虞喜志林云、馬、兵之首也、號曰馬服者、言能服馬也、鄒氏云、

晉、頗、匹波反、【考證】梁玉繩曰、秦拔韓陘後四年、敗趙長平、言五年、誤、淩稚隆曰、馬服君之子、故曰馬服子、中井積德曰、馬服蓋邑名、愚按史蔡澤傳、白起攻彊趙、北坑馬服、韓非子顯學篇、趙任馬服之辨而有長平之禍、皆不言馬服子、蓋括襲父號也、子、男子之稱、非父子之子、秦大破趙於長平、遂圍邯鄲。已而與武安君白起有隙。言而殺之。【集解】徐廣曰、在五十年、【索隱】注、徐云五十年、據秦本紀及年表而知之也、任鄭安平使擊趙。鄭安平爲趙所圍、急。以兵二萬人降趙。【考證】任、保任也、下同、張文虎曰、王、柯、淩本、圍作困、應侯席稾請罪。秦之法、任人而所任不善者、各以其罪罪之。【考證】祕閣本、無者字、於是應侯罪當收三族。秦昭王恐傷應侯之意、乃下令國中、有敢言鄭安平事者、以其罪罪之。而加賜相國應侯食物、日益厚、以順適其意。後二歲、王稽爲河東守、與諸侯通、坐法誅。【集解】徐廣曰、五十二年、而應侯日益以不懌。【考證】祕閣本、楓、三本、無益字、昭王臨朝歎息。應侯進曰。臣聞主憂臣

辱、主辱臣死。今大王中朝而憂。臣敢請其罪。【考證】國語周語、范蠡曰、臣聞之、爲人臣者、君憂臣勞、君辱臣死、越世家同、此臣下辱字、當作勞、昭王曰。吾聞楚之鐵劍利、而倡優拙。【正義】論士能善卒不戰、夫鐵劍利、則士勇。倡優拙、則思慮遠。【考證】祕閣本、藝文類聚、遠下有矣字、夫以遠思慮而御勇士。吾恐楚之圖秦也。【考證】藝文類聚、無夫字、夫物不素具、不可以應卒。【考證】卒、讀爲猝、今武安君既死、而鄭安平等畔。內無良將、而外多敵國。吾是以憂。欲以激勵應侯。【索隱】激、音擊、應侯懼不知所出。蔡澤聞之往入秦也。【考證】楓、三本、脫蔡澤以下八字、祕閣本、之下有而、秦下無也、蔡澤者燕人也。游學干諸侯。【正義】不待禮曰干、小大甚衆。不遇。而從唐舉相。【集解】荀卿曰、梁有唐舉、【索隱】荀卿書作唐莒、【考證】荀子非相篇作唐舉、莒舉古通、定四年、柏舉之戰、左穀作舉、公羊作莒、曰。吾聞先生相李兌曰。百日之內持國秉。有之乎。【索隱】按左傳國子實執齊秉、服虔曰、秉、權柄也、【考證】

上文云、李兌管趙、祕閣本、楓、三本、國下有權字、各本有政字、索隱本、出持國秉三字、王念孫曰、秉下本無政字、持國秉、卽持國柄也、絳侯世家、侯八歲爲將相持國秉、御覽人事部引此、作持國柄、曰。有之。曰。若臣者何如。唐舉孰視而笑曰。先生曷鼻巨肩、【集解】徐廣曰、曷一作偈、偈一作仰、巨一作渠、【索隱】曷鼻、謂鼻如蝎蟲也、巨肩、謂肩巨於項也、蓋項低而肩豎、偈、音其例反、【正義】曷鼻、有橫文若蝎蟲也、肩或作肩、言肩高、【考證】王念孫曰、曷讀爲遏、遏鼻者偃鼻也、偃鼻者仰鼻也、愚按正義本、巨肩作巨脣、謂脣大也、亦通、魋顏蹙齃鄰攣。【集解】攣、兩鄰曲也、徐廣曰、一作率、【索隱】魋顏、上魋音徒回反、魋顏、謂顏貌魋回、若魋梧然也、齃、音烏曷反、蹙齃、謂鼻蹙眉、膝攣、謂兩膝又攣曲也、【正義】鄰一本作膝、攣、卷緣反、膝攣曲也、【考證】恩田仲任曰、齃與頞通、蹙齃、鼻莖蹙縮也、吾聞聖人不相。殆先生乎。【正義】蔡澤實不醜、而唐舉戲之、揚雄解嘲言蔡澤噤吟而笑唐舉、誤甚也、蔡澤知唐舉戲之、乃曰。富貴吾所自有。吾所不知者壽也。願聞之。唐舉曰。先生之壽、從今以往者四十三歲。蔡澤笑謝而去。【考證】祕閣本、四十作卌、下同、蔡澤下有曰吾受先生之賜也乃九字、無而字、謂其御者曰。吾持粱刺齒肥、【集解】持粱作飯也、刺齒二字、當作齧、又作齕也、【索隱】持粱、謂作粱米飯而持其器以食也、按刺齒二字、字誤、當爲齧字也、齧肥、謂食

肥肉也、【考證】刺齒、祕閣本、御覽、改作齧、躍馬疾驅、懷黃金之印、結紫綬於要、揖讓人主之前、食肉富貴、四十三年、足矣。【考證】中井積德曰、食肉與上文齧肥重複、疑其一屬衍、去之趙。見逐。之韓·魏。遇奪釜鬲於塗。【集解】之、一作入、爾雅曰、款足者謂之鬲、郭璞曰、鼎曲腳、【索隱】父歷二音、款者空也、空足是曲足、云見爾雅、郭氏云、鼎曲腳也、按以款訓曲、故云曲腳也、【考證】遇、猶被也、岡白駒曰、遇奪、爲所奪也、聞應侯任鄭安平·王稽、皆負重罪於秦、應侯內慙。蔡澤乃西入秦、將見昭王、使人宣言以感怒應侯曰。燕客蔡澤、天下雄俊弘辯智士也。彼一見秦王、秦王必困君、而奪君之位。【考證】祕閣本、雄俊作駿雄、與秦策合、秦策、困君作相之、張文虎曰、秦王二字衍、應侯聞曰。五帝三代之事、百家之說、吾既知之。衆口之辯、吾皆摧之。是惡能困我而奪我位乎。【考證】秦策、聞下有之字、無曰五帝以下三十三字、使人召蔡澤。蔡澤入、則揖應侯。應侯固不快。及見之又倨。

〔考證〕鄭食其傳、鄭生入則長揖不拜、應侯因讓之曰。子常宣言欲代我相秦。寧有之乎。〔考證〕御覽、常作嘗、秦策、寧作豈、對曰。然。應侯曰。請聞其說。蔡澤曰。吁、君何見之晚也。夫四時之序、成功者去。〔考證〕序去韻、夫人生百體堅彊、手足便利、耳目聰明、而心聖智、豈非士之願與。〔考證〕楓、三本、百體作四體、應侯曰。然。蔡澤曰。質仁秉義、行道施德、得志於天下、天下懷樂敬愛而尊慕之、皆願以爲君王、豈不辯智之期與。應侯曰。然。蔡澤復曰。富貴顯榮、成理萬物、使各得其所、性命壽長、終其天年而不夭傷、〔考證〕祕閣本、富貴作貴富、傷作殤、天下繼其統守其業、傳之無窮、名實純粹、澤流千里、〔集解〕徐廣曰、一本無此字、世世稱之而無絕、與天地終始、〔考證〕秦策、無里世二字、以澤流千世爲一句、祕閣本、秦策、無始字、豈道德之符、而聖人所謂吉

祥善事者與。〔考證〕祕閣本、楓、三本、及秦策、豈下有非字、愚按、當依補、應侯曰。然。蔡澤曰。若夫秦之商君、楚之吳起、越之大夫種、其卒然亦可願與。〔考證〕秦策、無然字、與作矣、愚按、史然字衍、應侯知蔡澤之欲困己以說、〔集解〕式紬反、復謬曰。何爲不可。夫公孫鞅之事孝公也、極身無貳慮、盡公而不顧私、〔考證〕秦策、無慮字、設刀鋸以禁姦邪、信賞罰以致治、披腹心示情素、蒙怨咎欺舊友、奪魏公子卬、〔考證〕秦策、奪作虜、安秦社稷利百姓、卒爲秦禽將破敵、攘地千里。吳起之事悼王也、使私不得害公、讒不得蔽忠、言不取苟合、行不取苟容、不爲危易行、行義不辟難、〔集解〕徐廣曰、一云不困毀訾、〔考證〕秦策、作行義不固毀譽、集解、訾當作譽、策、固當作困、然爲霸主強國、不辭禍凶。〔考證〕祕閣本、楓、三本、辭作離、大夫種之事越王也、主雖困辱、悉忠而不解、〔考證〕祕閣本、解作懈、

主雖絕亡、盡能而弗離、成功而弗矜、貴富而不驕怠。若此三子者、固義之至也、忠之節也。〔考證〕節、猶期也、極也、是故君子以義死難、視死如歸。生而辱、不如死而榮。〔考證〕楓、三本、祕閣本、無死難二字、秦策、無以義死難以下十七字、士固有殺身以成名、唯義之所在、雖死無所恨。何爲不可哉。〔考證〕秦策、無士固二字、蔡澤曰。主聖臣賢、天下之盛福也。君明臣直、國之福也。父慈子孝、夫信妻貞、家之福也。故比干忠而不能存殷、子胥智而不能完吳、申生孝而晉國亂。是皆有忠臣孝子、而國家滅亂者何也、無明君賢父以聽之。故天下以其君父爲僇辱、而憐其臣子。〔索隱〕言比干子胥申生、皆以至忠孝而見誅放、故天下言爲其君父之所僇、而憐其臣子也、〔考證〕中井積德曰、爲僇辱、以爲汚辱羞恥也、鄙賤之意、愚按、僇字、與莊子、爲世大僇、田單傳、僇及先人僇字同、索隱非、今商君・吳起・大夫種之爲人臣是

也、其君非也。故世稱三子致功而不見德。豈慕不遇世死乎。〔考證〕秦策、無今商君以下三十六字、夫待死而後可以立忠成名、是微子不足仁、孔子不足聖、管仲不足大也。夫人之立功、豈不期於成全邪。身與名俱全者上也。名可法而身死者其次也。名在僇辱、而身全者下也。〔考證〕秦策、無夫人以下四十字、於是應侯稱善。蔡澤少得閒、因曰。夫商君・吳起・大夫種、其爲人臣盡忠致功則可願矣。閎夭事文王、周公輔成王也、豈不亦忠聖乎。〔考證〕張文虎曰、王、柯、凌本、聖上脫忠字、愚按、祕閣本、楓、三本、皆有忠字、以君臣論之、商君・吳起・大夫種、其可願孰與閎夭・周公哉。〔考證〕祕閣本、楓、三本、君下無臣字、爲是、秦策、君臣二字、作聖一字、應侯曰。商君・吳起・大夫種弗若也。蔡澤曰。然則君之主、慈仁任忠、惇厚舊故、其賢智與有道之士

爲膠漆、義不倍功臣、孰與秦孝公·楚悼王·越王乎。【考證】秦策、無其賢智至功臣十六字、祕閣本、無乎字、應侯曰。未知何如也。蔡澤曰。今主親忠臣、不過秦孝公·楚悼王·越王、君之設智能、爲主安危修政、治亂彊兵、批患折難、【索隱】批、白結反、又音豐雞反、批患、謂擊而郤之、折、音之列反、廣地殖穀、富國足家、彊主、尊社稷、顯宗廟、天下莫敢欺犯其主。主之威蓋震海內、功彰萬里之外、聲名光輝、傳於千世、【考證】楓、三本、主之上、有其字、君孰與商君·吳起·大夫種。應侯曰。不若。蔡澤曰。今主之親忠臣不忘舊故、不若孝公·悼王·句踐、而君之功績愛信親幸、又不若商君·吳起·大夫種。然而君之祿位貴盛、私家之富、過於三子、而身不退者、恐患之甚於三子。竊爲君危之。【考證】秦策、君之設智以下百五十二字、作君之爲正亂批患折難·廣地殖穀、富國

足家强主、威蓋海內、功章萬里之外、不過商君吳起大夫種、而君之祿位貴盛、私家之富、過於三子、竊爲君危之六十三字、豈史公所見秦策、與今本異乎、抑史公以意補足乎、傳中多類此者、錄之各條下、語曰。日中則移、月滿則虧、物盛則衰、天地之常數也。進退盈縮、與時變化。聖人之常道也。【考證】移虧衰韻、易彖傳、日中則昃、月盈則食、天地盈虛、與時消息、蔡澤或讀易傳乎、楓、三本、祕閣本、盈作贏、爲是、梁玉繩曰、盈字當諱、故國有道則仕、國無道則隱。聖人曰。飛龍在天、利見大人。不義而富且貴、於我如浮雲。【考證】飛龍在天、易乾九五文、不義而富且貴、論語述而篇、今君之怨已讎、而德已報。意欲至矣。而無變計。竊爲君不取也。且夫翠鵠犀象、其處勢、非不遠死也。而所以死者、惑於餌也。蘇秦·智伯之智、非不足以辟辱遠死也。而所以死者、惑於貪利不止也。是以聖人制禮節欲、取於民有度、使之以時、用之有止。【考證】聖人、楓、三本、作聖王、祕閣本、作聖主、故志不溢、行不驕、

常與道俱而不失、故天下承而不絕。【考證】秦策、無故國有道以下百四十八字、昔者齊桓公九合諸侯、一匡天下。至於葵丘之會、有驕矜之志、畔者九國。【考證】葵丘之會、左傳僖公九年、齊桓公三十五年、梁玉繩曰、九者極言之、吳王夫差、兵無敵於天下、勇彊以輕諸侯、陵齊·晉。故遂以殺身亡國。夏育·太史噭、叱呼駭三軍。然而身死於庸夫。【集解】徐廣曰、呼一作嗜、【索隱】夏育太史噭、二人勇者、夏育、賁育也、噭、音皎、按高誘云、夏育爲田搏所殺、然太史噭、未知爲誰所殺、恐非齊襄王時太史也、【正義】呼、火故反、【考證】中井積德曰、夏育孟賁、二人、索隱舛、太史噭、策作太史啓、鮑彪曰、太史、周官、其人未詳、此皆乘至盛而不返道理、不居卑退處儉約之患也。【考證】祕閣本、返作反、秦策、作及、無不居卑退處儉約之患九字、夫商君爲秦孝公明法令禁姦本、尊爵必賞、有罪必罰。【考證】祕閣本、無必賞有罪四字、楓本、無有罪必罰四字、祕閣本義長、秦策、無明法令以下十四字、平權衡、正度量、調輕重、決裂阡陌、以靜生民之業、而一其俗、【考證】靜、靖通、祕閣本、無

生字、業作生、秦策、無以靜以下十字、勸民耕農利土、一室無二事、力田稸積、習戰陳之事。【考證】慶長本標記引陸氏云、利土、盡土宜之利也、秦策、無利土以下十六字、是以兵動而地廣、兵休而國富。故秦無敵於天下。立威諸侯、成秦國之業。功已成矣。而遂以車裂。楚地方數千里、持戟百萬。【考證】秦策、無地方數千里五字、白起率數萬之師、以與楚戰、一戰擧鄢·郢、以燒夷陵、再戰南幷蜀漢、【考證】梁玉繩曰、幷蜀漢是張儀司馬錯、不關白起、後廿二年起始出也、且事在秦惠更元之九年、而叙于昭王廿九年拔鄢郢之後、若以爲起之第二戰功、豈非誤乎、策作一戰擧鄢郢、再戰燒夷陵、是已、又越韓·魏而攻彊趙、北阬馬服、誅屠四十餘萬之衆、盡之于長平之下、流血成川、沸聲若雷、遂入圍邯鄲、使秦有帝業。【考證】秦策、無盡之于長平之下、遂入圍邯鄲十二字、楚·趙、天下之彊國、而秦之仇敵也。【考證】策、無楚趙以下十三字、自是之後、楚·趙皆懾伏、不敢攻秦者、白起之

勢也。身所服者七十餘城、功已成矣。而遂賜劍死於杜郵。【考證】楓、三本、祕閣本、無劍字、吳起爲楚悼王立法、卑減大臣之威重、【考證】秦策、無立法以下九字、罷無能、廢無用、損不急之官、塞私門之請、一楚國之俗、禁游客之民、精耕戰之士、【考證】客、楓、三本作宕、毛本作說、秦策、無禁游以下十字、南收楊越、北幷陳・蔡、破橫散從、使馳說之士無所開其口、【考證】梁玉繩曰、言吳起幷陳蔡、妄也、愚按、吳起之時、從橫之說未行、禁朋黨以勵百姓、定楚國之政、兵震天下、威服諸侯。【考證】秦策、無禁朋黨以下二十字、功已成矣。而卒枝解。【考證】梁玉繩曰、吳起以射死、此言支解、仍秦策之誤、猶韓詩外傳一、及高誘呂覽執一注、言起車裂也、韓子難言問田二篇、亦云是支解、大夫種爲越王深謀遠計、免會稽之危、以亡爲存、因辱爲榮、【考證】祕閣本、楓、三本、遠作建、秦策、無深謀以下十七字、墾草入邑、辟地殖穀、率四方之士、專上下之力、輔句踐之賢、報夫差之讎、

【索隱】劉氏云、入猶充也、謂招攜離散、充滿城邑也、【考證】秦策、入作剏、中井積德曰、墾草入邑、墾開草萊棄地、以爲邑中良田也、秦策、無輔句踐以下十字、卒擒勁吳、令越成霸。功已彰而信矣。句踐終負而殺之。【考證】秦策、無已彰而信矣五字、負作棓、此四子者、功成不去、禍至於身。此所謂信而不能詘、往而不能返者也。【索隱】信、音申、詘、音屈、謂志已展而不退、【考證】祕閣本、返作反、中井積德曰、詘申往返、皆比喩語、范蠡知之、超然辟世、長爲陶朱公。【考證】見越世家貨殖傳、君獨不觀夫博者乎。或欲大投、或欲分功。此皆君之所明知也。【集解】班固弈指曰、博縣於投、不必在行、駰謂、投、投瓊也、【索隱】言夫博弈或欲大投其瓊以致勝、或欲分功者、謂觀其勢弱、則投地而分功以遠救也、事具小爾雅也、按方言云、所以投博、謂之枰、音平、局也、【考證】中井積德曰、大投蓋孤注之類、大字係財、不係瓊、分功、小勝、不求大勝也、大投、每在輸者、氣急也、分功、常在贏者、氣泰也、蓋輸者非大投不足償、如小勝不濟用、故不欲之、贏者已盈、又得寸吾之寸、得尺亦吾之尺、若大投一蹶、幷前功喪之、又曰、如白起之擧鄢郢併蜀漢、是大投也、其他之蠶食者、可謂分功、安井衡曰、貲本萬金、一投盡之、謂之大投也、卽後世所謂孤注、分萬爲十、一投千金、謂之分功、今君相秦、計不下席、謀不出廊廟、坐制諸侯、利施三川、

以實宜陽、【正義】施、猶展也、言伐得三川之地以實宜陽、言展開三川實宜陽、【考證】祕閣本、楓、三本、無利字、秦策有、無者是、韓世家云、施三川而歸、田完世家云、王以施三川、中井積德曰、施、如字、揚威也、決羊腸之險、塞太行之道、又斬范・中行之塗、【考證】慶長本標記云、劉伯莊曰、范中行之塗、蓋當齊晉之要路也、六國不得合從、棧道千里、通於蜀漢、使天下皆畏秦。【考證】秦策、無六國以下六字、秦之欲得矣、君之功極矣。此亦秦之分功之時也。如是而不退、則商君・白公・吳起・大夫種是也。【集解】徐廣曰、白公、白起、吾聞之、鑒於水者、見面之容。鑒於人者、知吉與凶。【考證】墨子非攻中篇、古者有語曰、君子不鏡於水、而鏡於人、鏡於水者、見面之容、鏡於人、則知吉凶、愚按、容凶韻、書曰。成功之下、不可久處。四子之禍、君何居焉。【考證】書、逸書、祕閣本、禍作福、秦策、無吾聞之以下三十七字、君何不以此時歸相印、讓賢者而授之、退而巖居川觀。【考證】秦策、無退而以下六字、必有伯夷之廉、長爲應侯、世世稱孤、而有許由・延陵季子

之讓、喬・松之壽。孰與以禍終哉。【正義】王喬、周靈王太子晉也、赤松子、神農時雨師也、【考證】秦策、無許由以下八字、卽君何居焉。忍不能自離、疑不能自決、必有四子之禍矣。易曰。亢龍有悔。此言上而不能下、信而不能詘、往而不能自返者也、願君孰計之。【考證】易、乾上九、祕閣本、返作反、秦策、無忍不能以下四十八字、應侯曰。善。吾聞欲而不知止、失其所以欲、有而不知足、失其所以有。先生幸教睢。敬受命。於是乃延入坐爲上客。【考證】秦策、無吾聞至於是三十二字、祕閣本、楓、三本、命作令、後數日入朝、言於秦昭王曰。客新有從山東來者、曰蔡澤。其人辯士、明於三王之事、五伯之業、世俗之變。足以寄秦國之政。【考證】秦策、無明於以下二十一字、臣之見人甚衆。莫及。臣不如也。臣敢以聞。【考證】秦策、無臣敢以聞四字、秦昭王召見、與語大說之、拜爲客卿。應侯因謝病、

請歸相印。昭王彊起應侯。應侯遂稱病篤。范睢免相。昭王新說蔡澤計畫、遂拜爲秦相、東收周室。蔡澤相秦數月、人或惡之。懼誅乃謝病歸相印。號爲綱成君。【考證】策、綱成作剛成、 居秦十餘年、事昭王・孝文王・莊襄王、卒事始皇帝、爲秦使於燕。三年而燕使太子丹入質於秦。【考證】梁玉繩曰、案十字必廿字、史仍策誤、不然蔡澤代相在昭王五十二年、至始皇五年、燕太子入質時、凡二十四年、澤爲秦使燕、何云十餘年乎、愚按去之趙以下依秦策、但文多補足、

太史公曰。韓子稱、長袖善舞。多錢善賈。信哉是言也。【考證】舞賈、韻、 范睢・蔡澤、世所謂一切辯士【考證】一切、猶一例、 然游說諸侯、至白首無所遇者、非計策之拙、所爲說力少也。及二人羇旅入秦、繼踵取卿相、垂功於天下者、固彊弱之勢異也。【考證】韓非子五蠹篇云、鄙諺曰、長袖善

舞、多錢善賈、此言多資之易爲工也、故治彊易爲謀、弱亂難爲計、故用於秦者十變而謀希失、用於燕者一變而計希得、非用於秦者必智、用於燕者必愚也、蓋治亂之資異也、史公全襲此意、 然士亦有偶合。賢者多如此二子、不得盡意。豈可勝道哉。【考證】岡白駒曰、不得盡意、不偶合也、愚按句上添而字看、此史公暗言其得罪於武帝、 然二子不困戹、惡能激乎。【索隱】二子、范睢蔡澤也、睢戹於魏齊、折脅摺齒、澤困於趙、被逐弃鬲是也、惡、音烏、激、音擊也、【考證】岡白駒曰、若二子不困戹、未必能激而入秦、是其得所藉以行其才、亦士之偶合耳、本不能必也、愚按此史公暗言其罹刑著史、中井積德曰、范睢有罪而無功、蔡澤雖無罪、亦未見其功、太史公假題自泄其憤、而不自覺違其事實也、

【索隱】述贊、應侯始困、託載而西、說行計立、貴平寵稽、倚秦市趙、卒報魏齊、綱成辯智、范睢招攜、勢利傾奪、一言成蹊、

范睢蔡澤列傳第十九　　史記七十九

史記會注考證卷八十

漢　太　史　令　司　馬　遷　撰
宋　中　郎　外　兵　曹　參　軍　裴　駰　集　解
唐　國　子　博　士　弘　文　館　學　士　司　馬　貞　索　隱
唐　諸　王　侍　讀　率　府　長　史　張　守　節　正　義
日　本　出　雲　瀧　川　資　言　考　證

樂毅列傳第二十　史記八十

【考證】史公自序云、率行其謀、連五國兵、爲弱燕報彊齊之讎、雪其先君之恥、作樂毅列傳第二十、

樂毅者、其先祖曰樂羊。樂羊爲魏文侯將、伐取中山。【正義】今定州、魏文侯封樂羊以靈壽。【集解】徐廣曰、屬常山、【索隱】地理志、常山有靈壽縣、中山桓公所都也、【正義】今鎮州靈壽、樂羊死、葬於靈壽。其後子孫因家焉。【考證】方苞曰、樂氏多賢、故詳其前世繫、因以爲章法、中山復國、至趙武靈王時、復滅中山。【索隱】中山魏雖滅之、尙不絕祀、故後更復國、至趙武靈王、又滅之也、【正義】鮮虞子重更得封中山、復、符富反、【考證】中井積德曰、中山蓋絕而復興也、而樂氏後有樂毅。樂毅賢好兵。趙人舉之。及武靈王有沙丘之亂、乃去趙適魏。【集解】徐廣曰、趙有沙丘宮、近鉅鹿、聞燕昭王以子之之亂而齊大敗燕、燕昭王怨齊、未嘗一日而忘報齊也、【考證】中井積德曰、上昭王二字疑衍、燕國小辟遠、力不能制、於是屈身下士、先禮郭隗以招賢者。【正義】說苑云、燕昭王問於隗曰、寡人地狹民寡、齊人取薊八城、匈奴驅馳樓煩之下、以孤之不肖、得承宗廟、恐社稷危、存之有道乎、隗曰、帝者之臣、其名臣、其實師、王者之臣、其名臣、其實友、霸者之臣、其名臣、其實僕、危困國之臣、其名臣、其實虜、今王將自東面、目指

氣使、以求臣、則廝役之才至矣、南面聽朝、不失揖讓之理、以求臣、則人臣之才至矣、北面等禮、不乘之以勢、以求臣、則朋友之才至矣、西面逡巡以求臣、則師傅之才至矣、誠欲興王霸同道、隗請爲天下之士開路、於是常置隗爲上客、【考證】楓、三本、辟作僻、屈作詘、燕昭王禮郭隗、見燕策燕世家、與說苑異、樂毅於是爲魏昭王使於燕。燕王以客禮待之。樂毅辭讓。遂委質爲臣。燕昭王以爲亞卿、久之。【考證】楓、三本、燕王作燕昭王、茅坤曰、毅仕魏、爲魏使于燕、以燕客遇之、不及報命、而遂留燕委質焉、可乎、中井積德曰、毅欲仕于燕、故請而使之、與常常使命異科、茅駁過刻、且毅之書自稱假節於魏、以身[illegible]察於燕、事情自見、凌稚隆曰、太史公詳敘樂毅入燕始末、蓋爲毅他日遺燕惠王書張本、當是時、齊湣王彊、南敗楚相唐昧於重丘、【索隱】昧、莫葛反、地理志、重丘、縣名、屬平原、【正義】在冀州城武縣界、西摧三晉於觀津、【索隱】地理志、觀津、縣名、屬信都、漢初屬清河也、【正義】在冀州武邑縣東南二十五里、遂與三晉擊秦、助趙滅中山、【考證】梁玉繩曰、觀津、當作觀澤、而齊亦未佐趙滅中山、觀澤之役、是齊敗趙魏、擊秦之兵、是合六國、皆不得言三晉、又楚相乃楚將之誤、破宋、廣地千餘里、與秦昭王爭重爲帝、已而復歸之。諸侯皆欲背秦而服於齊。湣王自矜、百姓弗堪。於是

燕昭王問伐齊之事。樂毅對曰。齊、霸國之餘業也。地大人衆。未易獨攻也。王必欲伐之、莫如與趙及楚・魏。【考證】樂毅對、采下文樂毅答惠王書、於是使樂毅約趙惠文王、別使連楚・魏、令趙嚪說秦以伐齊之利。【集解】徐廣曰、嚪、進說之意、【索隱】嚪、音田濫反、字與啗字同也、【考證】各本嚪下無說字、索隱本有、中井積德曰、嚪、謂餌之、諸侯害齊湣王之驕暴、皆爭合從與燕伐齊。樂毅還報。燕昭王悉起兵、使樂毅爲上將軍。【考證】胡三省曰、上將軍、猶春秋之元帥、趙惠文王以相國印授樂毅。樂毅於是并護趙・楚・韓・魏・燕之兵、以伐齊、【索隱】護、謂總領之也、破之濟西。【考證】梁玉繩曰、六國破齊、此失書秦、胡三省曰、水經、濟水東北過壽張縣西北、逕須昌穀城臨邑縣西、又北逕北平陰城西、又東北過盧縣北、皆齊地也、濟西地、在濟水之西、諸侯兵罷歸。而燕軍樂毅獨追至于臨菑。【考證】臨菑、山東青州府臨淄縣、齊湣王之敗濟西、亡走保於莒。【考證】莒、山東沂州府莒州、樂毅獨留徇齊。

齊皆城守。樂毅攻入臨菑、盡取齊寶財物祭器、輸之燕。【正義】鹵掠齊寶器也、【考證】亦采樂書、 燕昭王大說、親至濟上、勞軍行賞饗士、封樂毅於昌國、號爲昌國君。【集解】徐廣曰、屬齊、【索隱】地理志、縣名、屬齊郡、【正義】故昌城、在淄州淄川縣東北四十里也、 於是燕昭王收齊鹵獲以歸。【正義】鹵掠所獲之寶器也、 而使樂毅復以兵平齊城之不下者。樂毅留徇齊五歲、下齊七十餘城、皆爲郡縣、以屬燕。唯獨莒・卽墨未服。【正義】卽墨、今萊州、【考證】山東萊州府卽墨縣、 會燕昭王死、子立爲燕惠王。惠王自爲太子時、嘗不快於樂毅。及卽位、齊之田單聞之、乃縱反閒於燕曰。齊城不下者兩城耳。然所以不早拔者、聞樂毅與燕新王有隙、欲連兵且留齊、南面而王齊。齊之所患、唯恐他將之來。【考證】孫子、反閒者因其敵間而用之、杜牧云、敵有閒來窺我、我必先知之、或厚賂以誘之、反爲我

用、或佯爲不覺、示以僞情、則敵人之閒、反爲我用也、 於是燕惠王固已疑樂毅。得齊反閒、乃使騎劫代將、而召樂毅。【索隱】騎劫、燕將姓名也、 樂毅知燕惠王之不善代之、畏誅、遂西降趙。趙封樂毅於觀津、號曰望諸君、尊寵樂毅、以警動於燕・齊。【索隱】望諸、澤名、在齊、蓋趙有之、故號焉、戰國策、望作藍也、【正義】諸、之也、言王起望君之日久矣、故號望諸君也、太公世家、吾望子久矣、故號曰太公望、【考證】今本策作望諸、恩田仲任曰、中山策云、齊攻中山、藍諸君患之、注云、中山相也、索隱誤混望諸藍諸爲一、 齊田單後與騎劫戰、果設詐誑燕軍、遂破騎劫於卽墨下、而轉戰逐燕、北至河上、【正義】滄德二州之北河、 盡復得齊城、而迎襄王於莒、入于臨菑。燕惠王後悔使騎劫代樂毅、以故破軍亡將失齊、又怨樂毅之降趙、恐趙用樂毅而乘燕之獘以伐燕。燕惠王乃使人讓樂毅、且謝之曰。先王舉國而委將軍。將軍爲燕破齊、報先王之讎。

天下莫不震動。寡人豈敢一日而忘將軍之功哉。會先王弃羣臣、寡人新卽位。左右誤寡人。寡人之使騎劫代將軍、爲將軍久暴露於外、故召將軍、且休計事。將軍過聽、以與寡人有隙、遂捐燕歸趙。將軍自爲計則可矣。而亦何以報先王之所以遇將軍之意乎。樂毅報遺燕惠王書曰。臣不佞。不能奉承王命以順左右之心。恐傷先王之明、有害足下之義。故遁逃走趙。【考證】有、策作又、王念孫曰、有、讀爲又、愚按、害足下之義、言殺先王大將非義、燕策、走趙下有自負以不肖之罪七字、辭意更明、 今足下使人數之以罪。臣恐侍御者不察先王之所以畜幸臣之理、又不白臣之所以事先王之心。故敢以書對。【考證】畜、好也、寵也、鮑彪曰、白、明也、樓昉曰、此書可以見燕昭王樂毅、君臣相與之際、略似蜀昭烈諸葛武侯、書詞明白、洞見肺腑、 臣聞賢聖之君、不以祿私親、其功

多者賞之、其能當者處之。故察能而授官者、成功之君也。論行而結交者、立名之士也。臣竊觀先王之擧也、見有高世主之心。【正義】樂毅見燕昭王、有自高尊世上人主之心、故假魏節使燕、【考證】楓、三本、擧下有錯字、與策合、當依補、李笠曰、既云竊觀、不應復出見字、也下見字衍、燕策、新序雜三、竝無見字、中井積德曰、高世主、謂志氣超踰世主也、非自高、 故假節於魏、以身得察於燕。【考證】鮑彪曰、時諸侯不通、出關則以節傳之、 先王過擧、廁之賓客之中、立之羣臣之上、不謀父兄、以爲亞卿。【正義】杜預云、父兄、同姓羣臣也、 臣竊不自知、自以爲奉令承教、可幸無罪。故受令而不辭。先王命之曰。我有積怨深怒於齊。不量輕弱、而欲以齊爲事。臣曰。夫齊、霸國之餘業、而最勝之遺事也。【考證】燕策、最作驟、王念孫曰、最當最字之誤、最與驟同、驟勝者數勝也、 練於兵甲、習於戰攻。王若欲伐之、必與天下圖之。與天下圖之、莫若結於趙。且又淮北・

宋地、楚・魏之所欲也。【考證】宋、故宋地、鮑彪曰、楚欲得淮北、魏欲得宋、時皆屬齊、中井積德曰、此稱趙楚魏、而下稱四國、蓋漏韓一條也、且云楚魏所欲、而無予楚魏之語、皆脫文耳、趙若許、而約四國攻之、齊可大破也。先王以爲然、具符節、南使臣於趙。顧反命起兵擊齊。【考證】鮑彪曰、顧反、回顧而反、言其速也、王念孫曰、顧反者、還反也、屈原傳云、使齊、顧反諫懷王、趙策云、公子魏牟過趙、趙王迎之、顧反至坐前、皆謂還反也、愚按、顧反、王說是也、與田完世家顧反聽命於韓也顧反異義、命字、新序雜事三、無此與燕策恐衍、以天之道・先王之靈、河北之地隨先王。而擧之濟上。【正義】濟上、在濟水之上、【考證】而擧之濟上、燕策作擧而有之於濟上、新序雜事三無濟上二字、中井積德曰、數句難通、濟上之軍、受命擊齊、大敗齊人、輕卒鋭兵、長驅至國、齊王遁而走莒、僅以身免。【考證】國、齊都臨菑、楓三本國作齊、遁下有逃字、珠玉財寶、車甲珍器、盡收入于燕。齊器設於寧臺、【索隱】燕臺也、【正義】括地志云、燕元英、磿室二宮、皆燕宮、在幽州薊縣西四里寧臺之下、大呂陳於元英、【索隱】大呂、齊鍾名、元英、燕宮殿名也、故鼎反乎磿室、【集解】徐廣曰、磿、歷也、【索隱】燕鼎前輸於齊、今反入於磿室、磿室

亦宮名、戰國策作歷室也、【正義】括地志云、歷室、燕宮名也、高誘云、燕噲亂、齊伐燕殺噲、得鼎、今反歸燕故鼎、薊丘之植、植於汶篁。【集解】徐廣曰、竹田曰篁、謂燕之疆界移於齊之汶水、【索隱】薊丘、燕所都之地也、言燕之薊丘所植、皆植齊王汶上之竹也、徐注非也、【正義】幽州薊地西北隅有薊丘、又汶水源出兗州博城縣東北原山、西南入泲、【考證】中井積德曰、據文勢、宜云汶篁之植、植於薊丘、兪樾曰、此倒句、自五伯已來、功未有及先王者也。先王以爲慊於志、故裂地而封之、使得比小國諸侯。【索隱】按、慊、音苦簟反、作嗛、嗛者常慊然而不慊其志也、【考證】慊、快也、足也、燕策作愜、新序作快、索隱不字衍、臣竊不自知、自以爲奉命承教、可幸無罪。是以受命不辭。臣聞賢聖之君、功立而不廢。故著於春秋。蚤知之士、名成而不毀。故稱於後世。若先王之報怨雪恥、夷萬乘之彊國、收八百歲之蓄積、及至弃羣臣之日、餘敎未衰。執政任事之臣、脩法令、愼庶孼、施及乎萌隸。皆可以敎後世。【考證】愼、燕策新序作順、順庶孼、謂不亂適庶之分、萌、氓同、餘敎未衰、策作餘令詔後嗣之遺義、蓋史公改修、

臣聞之、善作者不必善成。善始者不必善終。昔伍子胥說聽於闔閭、而吳王遠迹至郢。夫差弗是也。賜之鴟夷而浮之江。吳王不寤先論之可以立功、故沈子胥而不悔。子胥不蚤見主之不同量、是以至於入江而不化。【索隱】言子胥懷恨、故雖投江而神不化、猶爲波濤之神也、【考證】楓、三本、主上有二字、燕策、化作改、與悔韻合、不改、謂至死不肯改行他適也、不化、義同、夫免身立功、以明先王之迹、臣之上計也。離毀辱之誹謗、墮先王之名、臣之所大恐也。【索隱】誹、音方味反、墮、音許規反、【考證】楓、三本、免作勉、離、罹通、策、新序無謗字、臨不測之罪、以幸爲利、義之所不敢出也。【索隱】謂既臨不測之罪、以幸免爲利、今我仍義先王之恩、雖身託外國、而心亦不敢出也、【考證】去燕奔趙、正當不可測之重罪、又乘燕之敝、使趙伐之、以徼幸於萬一、非義甚矣、臣聞、古之君子、交絕不出惡聲。【正義】言君子之人、交絕、不說己長而談彼短、忠臣去國、不絜其名。【索隱】言忠臣去離本國、不自絜其名云己無罪、故禮曰、大夫去其國、不說人以無罪、是也、【正義】言不絜己名行、

而咎於君、若箕子不忍言殷惡是也、【考證】聲、名、韻、臣雖不佞、【索隱】不佞、猶不才也、數奉敎於君子矣。【索隱】上數音朔、言我已數經奉敎令於君子、君子卽識禮之人、謂己在外、猶云己罪、不說王之有非、故下云、不察疏遠之行、斯亦忠臣之節也、恐侍御者之親左右之說、不察疏遠之行、故敢獻書以聞。唯君王之留意焉。【集解】夏侯玄曰、觀樂生遺燕惠王書、其殆庶乎知機合道、以禮始終者與、又其喩昭王曰、伊尹放太甲而不疑、太甲受放而不怨、是存大業於至公、而以天下爲心者也、夫欲極道德之量、務以天下爲心者、必致其主於盛隆、合其趣於先王、苟君臣同符、則大業定矣、于斯時也、樂生之志、千載一遇、夫千載一遇之世、亦將行千載一隆之道、豈其局迹當時、止於兼并而已哉、夫兼并者非樂生之所屑、彊燕而廢道、又非樂生之所求、不屑苟利、心無近事、不求小成、斯意兼天下者也、則擧齊之事、所以運其機而動四海也、夫討齊以明燕王之義、此兵不興於爲利矣、圍城而害不加於百姓、此仁心著於遐邇矣、擧國不謀其功、除暴不以威力、此至德全於天下矣、邁全德以率列國、則幾於湯武之事矣、樂生方恢大綱以縱二城、收民明信、以待其獘、將使卽墨莒人、顧仇其上、願釋干戈、賴我猶親、善守之智、無所施之、然則求仁得仁、卽墨大夫之義、仕窮則徙、微子適周之道、開彌廣之路、以待田單之徒、長容善之風、以申齊士之志、使夫忠者遂節、勇者義著、昭之東海、屬之華裔、我澤如春、民應如草、道光宇宙、賢智託心、鄰國傾慕、四海延頸、思戴燕主、仰望風聲、二城必從、則王業隆矣、雖淹留於兩邑、乃致速於天下也、不幸之變、世所不圖、敗於垂成、時運固然、若乃逼之以威、劫之以兵、攻取之事、求欲速之功、使燕齊之士流血於二城之下、奓

殺傷之殘，以示四海之人，是縱暴易亂，以成其私，鄰國望之，其猶豺虎，既大墮稱兵之義，而喪濟溺之仁，且虧齊士之節，廢廉善之風，掩宏通之度，弃王德之隆，雖二城幾於可拔，霸王之事逝其遠矣，然則燕雖兼齊，其與世主何以殊哉，其與鄰國何以相傾，樂生豈不知拔二城之速了哉，顧城拔而業乖也，豈不慮不速之致變哉，顧業乖與變同，繇是觀之，樂生之不屠二城，未可量也，考證 燕惠王後悔以下，采燕策，又見新序雜事三，愚按，六國將相，有儒生氣象者，惟望諸君一人，其答燕王書，理義明正，當世第一文字，諸葛孔明以管樂自比，而其出師表，實得力於此文尤多，樂書曰，恐抵斧質之罪，以傷先王之明，而又害於足下之義，諸葛則云，受命以來，夙夜憂歎，恐付託不效，以傷先帝之明，樂書曰，先王過擧，擢之乎賓客之中，而立之乎群臣之上，而使臣爲亞卿，臣自以爲奉令承教，可以幸無罪矣，故受命而不辭，諸葛則云，先帝不以臣卑鄙，猥自枉屈，三顧臣於草廬之中，由是感激，許先帝以驅馳，樂書曰，免身全功，以明先王之迹者，臣之上計也，諸葛則云，庶竭駑鈍，攘除姦兇，興復漢室，還於舊都，此臣所以報先帝而忠陛下之職分也，彼此對看，必知其風貌氣骨，有相通者。

於是燕王復以樂毅子樂閒爲昌國君。索隱 閒音紀閑反，樂毅之子也。而樂毅往來復通燕。燕、趙以爲客卿。考證 毛本不重燕字。樂毅卒於趙。集解 張華曰，望諸君冢在邯鄲西數里。樂閒居燕三十餘年。考證 梁玉繩曰，案樂閒繼封昌國，在燕惠王元年已後，則至栗腹攻趙時，安得三十餘年哉，當作二十餘年。燕王喜用其相栗腹之計，欲攻趙，而問

昌國君樂閒。索隱 栗，姓，腹，名也，漢有栗姬。樂閒曰：趙，四戰之國也。索隱 言趙數距四方之敵，故云四戰之國，正義 東鄰燕齊，西邊秦樓煩，南界韓魏，北迫匈奴，考證 燕策，四戰作四達，中井積德曰，四戰以地形而言，四方受敵也。其民習兵。伐之不可。燕王不聽。遂伐趙。趙使廉頗擊之，大破栗腹之軍於鄗。考證 燕王喜以下，本燕策。禽栗腹、樂乘。樂乘者，樂閒之宗也。考證 中井積德曰，宗謂其宗族，梁玉繩曰，樂乘當是卿秦之誤，趙世家云，虜卿秦，是也，說在燕世家，又栗腹爲趙所敗，世家及魯連傳，不言其死，年表趙世家廉頗傳皆云被殺，此獨言禽之，亦異，張文虎曰，梁氏據國策趙使廉頗以八萬遇栗腹於鄗，使樂乘以五萬遇慶秦於代之文，以爲燕世家及此傳皆誤，不知國策下文又云，樂閒樂乘，怨不用其計，二人卒留趙，正與此傳下文合，又據傳及燕世家，樂閒未爲燕將，無由被虜，自以不聽其言投趙，則被虜者實乘，趙世家誤爲閒也。於是樂閒奔趙。趙遂圍燕。燕重割地以與趙和。趙乃解而去。燕王恨不用樂閒。樂閒既在趙。乃遺樂閒書曰：紂之時，箕子不用，犯諫不怠，以冀其聽。商容不達，身祇辱焉，以冀其變。考證 不達，亦不用也，變，改悛也。及民志不

入，獄囚自出，然後二子退隱。索隱 民志不入，謂國亂而人離心向外，故云不入，又獄囚自出，是政亂而士師不爲守法也，正義 言民志不爲罪咎，而入獄，是囚自出，若箕子商容是也，考證 民志不入，民志不達於上也，獄囚自出，罪囚自囹圄脫出，政無綱紀至此，然後二子退隱，正義有誤脫。故紂負桀暴之累，二子不失忠聖之名。何者？其憂患之盡矣。考證 憂患之盡，言二子盡憂患之誠也。今寡人雖愚，不若紂之暴也。燕民雖亂，不若殷民之甚也。室有語，不相盡以告鄰里。正義 言家室有忿爭不決，必告鄰里，今故以書相告也。考證 岡白駒曰，有忿爭不相和之言論，不相盡以告鄰里，室家之情，相掩其惡，正義非，李笠曰，燕策云，室不能相和，出語鄰家，未爲通計也，較史文更爲顯明。二者，寡人不爲君取也。正義 二者，謂燕君未如紂，燕民未如殷民，復相告子反燕，以疑君民之惡，是寡人不爲君取之，考證 岡白駒曰，輕棄寡人，而往他國，非厚道之誼，不教不及，而明其過，非臣子之情，之二者，寡人不爲君取也，爲去聲，正義非，愚按，史燕王喜遺樂閒書，與燕策所載，意同文殊，新序雜事三，文與策同，而以爲惠王遺樂毅書，敘之樂毅答書前，梁玉繩曰，吳師道從策，以新序以謂策前章先生擧國一節，乃後章之首錯簡也，又曰，毅答惠書云，足下使人數之以罪，而史載惠王讓毅，無數罪之語，故知非樂閒事，新序爲是，日知錄亦稱燕王遺樂閒書，卽樂毅事，傳者誤以爲其子，然史策書辭既殊，而策復有留趙不報之言，余疑燕惠遺毅，燕喜遺閒，或係二事，

未可混并爲一，蓋國策不載遺閒書，止載遺毅書，而誤分爲兩章，史又止載前半，截去寡人不佞已下，其實書辭條暢婉麗，不可刪也，此百餘字，當是喜遺閒書，但文雖別而意則同，豈古之視草者，亦襲舊詔乎。樂閒、樂乘，怨燕不聽其計，二人卒留趙。考證 樂閒既在趙以下，本燕策。趙封樂乘爲武襄君。索隱 樂乘，樂毅之宗人也。其明年，樂乘、廉頗爲趙圍燕。燕重禮以和，乃解。考證 沈家本曰，上文云，趙遂圍燕，燕重割地以和，趙乃解而出，按此文複出而未刪正者也，燕世家及廉頗傳，燕與趙和，止一事。後五歲，趙孝成王卒。襄王使樂乘代廉頗。考證 梁玉繩曰，襄上缺悼字。廉頗攻樂乘，樂乘走。廉頗亡入魏。其後十六年，而秦滅趙。其後二十餘年，高帝過趙，問樂毅有後世乎。對曰：有樂叔。高帝封之樂鄉，號曰華成君。集解 徐廣曰，在北新城，正義 地理志云，信都有樂鄉縣，考證 茅坤曰，漢高帝所嚴事，孔子而下，信陵樂毅兩人耳。華成君，樂毅之孫也。而樂氏之族有樂瑕公、樂臣公。集解 一作巨公，索隱 本亦作巨公也，正義 巨音詎，本作臣者誤，考證 梁玉繩曰，巨字是，田叔傳作巨公，漢書作鉅公，可證，愚按，巨公是得道之名，猶墨家有鉅

子、非名字也、下文四臣公皆當作巨公、趙且爲秦所滅。亡之齊高密。樂臣公善修黃帝·老子之言、顯聞於齊、稱賢師。

太史公曰。始齊之蒯通、及主父偃、讀樂毅之報燕王書、未嘗不廢書而泣也。樂臣公學黃帝·老子。其本師號曰河上丈人。不知其所出。河上丈人教安期生、安期生教毛翕公、毛翕公教樂瑕公、樂瑕公教樂臣公、[索隱]本亦作巨公也、樂臣公教蓋公。[索隱]蓋音古闔反、蓋公史不記名、[正義]蓋、姓也、史記不名、樂閒樂乘墓竝在邯鄲縣南八里、蓋音古盍反、蓋公教於齊高密膠西、爲曹相國師。

樂毅列傳第二十　史記八十

樂毅列傳第二十

[索隱述贊]昌國忠讜、人臣所無、連兵五國、濟西爲墟、燕王受閒、空聞報書、義士慷慨、明君軾閭、閒乘繼將、芳規不渝、

史記會注考證卷八十

史記會注考證卷八十一

漢　太史令司馬遷撰
宋　中郎外兵曹參軍裴駰集解
唐　國子博士弘文館學士司馬貞索隱
唐　諸王侍讀率府長史張守節正義
日本　出雲瀧川資言考證

廉頗藺相如列傳第二十一　史記八十一

[考證]史公自序云、能信意彊秦、而屈體廉子、用徇其君、俱重於諸侯、作廉頗藺相如列傳第二十一、愚按廉頗事、國策記載頗略、而無一語及藺相如、此傳多載他書所不

載、則安知非與趙世家同得諸趙人別記乎、又案大戴禮記、賈子新書保傅篇竝云、趙得藺相如而秦兵不敢出、史司馬長卿傳云、長卿慕藺相如、則世稱藺相如久矣、茅坤曰、兩人爲一傳、中復附趙奢、已而復綴以李牧、爲四人傳、須詳太史公次四人線索纔知趙之興亡矣、盧文弨云、史漢數人合傳、自成一篇文字、雖間有可分析者、實不盡然、卽如史記廉藺列傳、首敘廉頗事、無幾卽入藺相如事、獨多、而後及二人之交驩、又間以趙奢、未復以頗之事終之、此必不可分也、漢書張周趙任申屠傳、皆爲御史大夫者、始敘張蒼、次周昌趙堯任敖、其後蒼復爲御史大夫、遷丞相、則又詳敘其終末、乃終之以申屠嘉、此一本史記之舊、

廉頗者、趙之良將也。趙惠文王十六年、廉頗爲趙將伐齊、大破之、取陽晉。拜爲上卿。以勇氣聞於諸侯。[索隱]按陽晉、衞地、後屬齊、今趙取之、司馬彪郡國志曰、今衞國陽晉城是也、有本作晉陽、非也、晉陽在太原、雖亦趙地、非齊所取、[正義]故城在今曹州乘氏縣西北四十七里也、[考證]張文虎曰、索隱本作陽晉、各本誤倒、愚按慶長本作陽晉、後漢書吳漢等傳注引戰國策曰、廉頗爲人勇鷙而愛士、白起視瞻不轉者、執志堅也、

藺相如者、趙人也。爲趙宦者令繆賢舍人。趙惠文王時、得楚和氏璧。[正義]繆、亡又反、姓也、[考證]楚人和氏、得玉璞、獻之楚厲王、王使玉人相之、曰、石也、王以爲誑、刖其左足、及厲王薨、武王卽位、又獻之、玉人又曰、石也、刖其右足、武王薨、文王卽位、和氏抱其璞、哭於山中、王乃使玉人理

之、而得寶、因命曰和氏之璧、事見韓非子和氏篇、爾雅、肉倍好謂之璧、外圓象天、內方象地、秦昭王聞之、使人遺趙王書。願以十五城請易璧。[考證]楓、三本、書下有曰字、趙王與大將軍廉頗諸大臣謀。欲予秦、秦城恐不可得、徒見欺。欲勿予、卽患秦兵之來。計未定。求人可使報秦者。未得。宦者令繆賢曰。臣舍人藺相如可使。王問、何以知之。對曰。臣嘗有罪。竊計欲亡走燕。臣舍人相如止臣曰。君何以知燕王。臣語曰。臣嘗從大王與燕王會境上。燕王私握臣手曰。願結友。以此知之。故欲往。[考證]王念孫曰、友、交之誤、文選恨賦注、御覽治道部引竝作交、相如謂臣曰。夫趙彊而燕弱。而君幸於趙王。故燕王欲結於君。今君乃亡趙走燕。燕畏趙、其勢必不敢畱君。而束君歸趙矣。君不如肉袒伏斧質請罪。則幸得脫矣。

[考證]肉袒解在下文、臣從其計。大王亦幸赦臣。臣竊以爲其人勇士有智謀。宜可使。[考證]宜、猶殆也、徐孚遠曰、繆賢以薦人之故、不隱其奔燕之謀、使人主疑其有外心、蓋亦人情所難及、愚按、不隱舊惡、却見眞情、於是王召見問藺相如曰。秦王以十五城請易寡人之璧。可予不。相如曰。秦彊而趙弱。不可不許。王曰。取吾璧、不予我城、柰何。相如曰。秦以城求璧、而趙不許。曲在趙。趙予璧而秦不予趙城。曲在秦。均之二策、寧許以負秦曲。王曰。誰可使者。相如曰。王必無人、臣願奉璧往使、城入趙而璧畱秦。城不入、臣請完璧歸趙。趙王於是遂遣相如、奉璧西入秦。秦王坐章臺見相如。相如奉璧奏秦王。秦王大喜、傳以示美人及左右。左右皆呼萬歲。相如視秦王無意償趙城、乃前曰。璧有瑕。請指

示王。王授璧。相如因持璧、卻立倚柱、怒髮上衝冠。【考證】楓、三本、御覽三百七十三、八百六、衝作穿、謂秦王曰。大王欲得璧、使人發書至趙王。【考證】楓、三本、無至字、趙王悉召羣臣議。皆曰。秦貪負其彊、以空言求璧。償城恐不可得。議不欲予秦璧。臣以爲布衣之交、尚不相欺。況大國乎。且以一璧之故、逆彊秦之驩、不可。於是趙王乃齋戒五日、使臣奉璧拜送書於庭。何者、嚴大國之威、以修敬也。今臣至、大王見臣列觀、禮節甚倨、得璧傳之美人、以戲弄臣。【考證】類聚、戲弄臣、作爲戲弄、臣觀大王無意償趙王城邑、故臣復取璧。大王必欲急臣、臣頭今與璧俱碎於柱矣。相如持其璧、睨柱、欲以擊柱。秦王恐其破璧、乃辭謝固請、召有司案圖、指從此以往十五都

予趙。相如度秦王特以詐詳爲予趙城、實不可得、【考證】詳、淩本作佯、同、乃謂秦王曰。和氏璧、天下所共傳寶也。趙王恐不敢不獻。趙王送璧時、齋戒五日。今大王亦宜齋戒五日、設九賓於廷。臣乃敢上璧。【集解】韋昭曰、九賓、則周禮九儀、【索隱】周禮大行人、別九賓、謂九服之賓客也、列士傳云、設九牢也、【正義】劉伯莊云、九賓者、周王之備禮、天子臨軒、九服同會、秦趙何得九服、但亦陳設車輅文物耳、【考證】九賓、又見荊軻傳、中井積德曰、賓、儐也、儐九人立廷、以禮使者也、愚按九賓、猶言具大禮耳、不必援古書爲證、秦王度之、終不可彊奪。遂許齋五日。舍相如廣成傳。【索隱】廣成是傳舍之名、傳、音張戀反、【考證】中井積德曰、廣成、蓋邑里名、張文虎曰、各本、傳下衍舍字、索隱本無、雜志云、魏都賦、廣成之傳無以疇、張載注引無、愚按類聚引亦無、相如度秦王雖齋決負約不償城、【考證】決、猶必也、乃使其從者衣褐懷其璧、從徑道亡歸璧于趙。【考證】徑道、間道也、秦王齋五日。後乃設九賓禮於廷、引趙使者藺相如。相如至、謂秦王曰。秦自繆公以來

二十餘君。未嘗有堅明約束者也。臣誠恐見欺於王而負趙。故令人持璧歸、閒至趙矣。且秦彊而趙弱。大王遣一介之使至趙、趙立奉璧來。【考證】介、个通、左傳襄八年、一介行李、告于寡君、今以秦之彊、而先割十五都予趙。趙豈敢留璧而得罪於大王乎。臣知欺大王之罪當誅。臣請就湯鑊。唯大王與羣臣孰計議之。秦王與羣臣相視而嘻。【索隱】音希、乃驚而怒之辭也、【正義】嘻、音希、恨怒之聲、【考證】中井積德曰、嘻、只是驚怪之聲、不必有怒意、左右或欲引相如去。秦王因曰。今殺相如、終不能得璧也。而絕秦趙之驩。不如因而厚遇之、使歸趙。趙王豈以一璧之故欺秦邪。卒廷見相如、畢禮而歸之。相如既歸。趙王以爲賢大夫使不辱於諸侯。拜相如爲上大夫。【考證】李笠曰、賢下大夫二字、蓋涉下文誤衍、時相如爲繆賢舍人、未爲大夫、秦亦不

以城予趙、趙亦終不予秦璧。其後秦伐趙拔石城。【集解】徐廣曰、惠文王十八年、【索隱】劉氏云、蓋謂石邑、【正義】故石城、在相州林慮縣南九十里也、明年、復攻趙殺二萬人。秦王使使者告趙王、欲與王爲好、會於西河外澠池。【索隱】在西河之南、故云外、案表在趙惠文王二十年也、【考證】梁玉繩曰、案表、二萬作三萬、又秦王上疑缺明年二字、趙王畏秦欲毋行。廉頗・藺相如計曰。王不行、示趙弱且怯也。趙王遂行。相如從。廉頗送至境、與王訣曰。王行、度道里會遇之禮畢、還、不過三十日。三十日不還、則請立太子爲王、以絕秦望。王許之。遂與秦王會澠池。【集解】徐廣曰、二十年、秦王飲酒酣曰。寡人竊聞趙王好音。請奏瑟。趙王鼓瑟。【考證】楓、三本、重趙王二字、愚按奏當作奉、請奉瑟趙王、與下文請奉盆缻秦王正相對、王念孫張文虎依文選西征賦注、御覽所引、改下文奉秦王爲奏秦王、云、奏進也、亦通、秦御史前書曰。某年月日、秦王與趙王會飲、令趙王鼓瑟。

【考證】楓、三本、月日上竝有某字、藺相如前曰。趙王竊聞秦王善爲秦聲。請奉盆缻秦王、以相娛樂。【集解】風俗通義曰、缶者瓦器、所以盛酒漿、秦人鼓之以節歌也、【索隱】缻、音缶、【正義】缻、音缾、【考證】說文作缶、缻、缶同、正義音缾誤、秦王怒不許。於是相如前進缻。因跪請秦王。秦王不肯擊缻。相如曰。五步之內、相如請得以頸血濺大王矣。【正義】濺音贊、【考證】五步之內、言近也、胡三省曰、以頸血濺大王、言將殺秦王也、左右欲刃相如。相如張目叱之。左右皆靡。於是秦王不懌。爲一擊缻。相如顧召趙御史、書曰。某年月日、秦王爲趙王擊缻。【考證】楓、三本、月日上有某字、秦之羣臣曰。請以趙十五城爲秦王壽。藺相如亦曰。請以秦之咸陽爲趙王壽。【考證】咸陽、秦都、左傳定十年、夾谷之會、齊魯將盟、齊人加於載書曰、齊師出竟、不以甲車三百乘從我者、有如此盟、孔丘使茲無還揖對曰、而不返我汶陽之田、吾以共命者、亦如之、藺相如折衝之語、自此等處得來、秦王竟酒、終不能加勝於趙。趙亦盛設兵以待秦。

秦不敢動。既罷歸國。以相如功大、拜爲上卿、位在廉頗之右。【索隱】王劭按董勛荅禮曰、職高者名錄在上、於人爲右、職卑者名錄在下、於人爲左、是以謂下遷爲左、【正義】秦漢以前、用右爲上、廉頗曰。我爲趙將、有攻城野戰之大功。【考證】治要、文選西征賦注、後漢書寇恂傳注、御覽人事部疾病部引竝無大字、通鑑亦無、蓋涉上文而衍、而藺相如徒以口舌爲勞、而位居我上。且相如素賤人。吾羞、不忍爲之下。宣言曰。我見相如、必辱之。相如聞、不肯與會。相如每朝時、常稱病、不欲與廉頗爭列。已而相如出、望見廉頗。相如引車避匿。於是舍人相與諫曰。臣所以去親戚而事君者、徒慕君之高義也。【考證】楓、三本、舍人上有相如二字、今君與廉頗同列。【考證】文選注、治要、頗作君、王念孫曰、當作君、廉君宣惡言、而君畏匿之、恐懼殊甚。且庸人尚羞之。況於將相乎。臣等不肖、請辭去。藺相如固止之曰。公

之視廉將軍、孰與秦王。曰。不若也。相如曰。夫以秦王之威而相如廷叱之、辱其羣臣。相如雖駑、獨畏廉將軍哉。顧吾念之、彊秦之所以不敢加兵於趙者、徒以吾兩人在也。今兩虎共鬬、其勢不俱生。吾所以爲此者、以先國家之急、而後私讎也。廉頗聞之、肉袒負荊、【索隱】肉袒者、謂袒衣而露肉也、負荊者、荊、楚也、可以爲鞭、【正義】肉袒、露膊、【考證】中井積德曰、荊、鞭也、因賓客、至藺相如門謝罪。曰。鄙賤之人、不知將軍寬之至此也。卒相與驩、爲刎頸之交。【索隱】崔浩云、言要齊生死、而刎頸無悔也、【考證】中井積德曰、謂患難相爲死也、是歲、廉頗東攻齊、破其一軍。【考證】是時燕軍攻齊、趙使廉頗助之、又見趙世家、居二年、廉頗復伐齊幾拔之。【集解】徐廣曰、幾、邑名也、案趙世家、惠文王二十三年、頗將攻魏之幾邑取之、而齊世家及年表無伐齊幾拔之事、疑幾是邑名、而或屬齊或屬魏耳、田單在齊、不得至於拔也、【索隱】世家云、惠文王二十三年、頗將攻魏之幾邑取之、與此列傳合、戰國策云、秦敗閼與、及攻魏幾、幾亦屬魏、而裴駰引齊世家及年表無伐齊拔

幾之事、疑其幾是故邑、或屬齊魏故耳、【正義】幾、音祈、在相潞之閒、【考證】梁玉繩曰、幾、是魏邑、趙世家言頗攻魏幾取之、秦策亦云、秦敗閼與、反攻魏幾、廉頗救幾、此作齊幾誤、裴駰謂或屬魏或屬齊、非也、先是樓昌攻幾不能取、故云復伐、又居二年、乃居三年之誤、後三年、廉頗攻魏之防陵・安陽拔之。【集解】徐廣曰、一作房子、【索隱】案防陵、在楚之西、屬漢中郡、魏有房子、蓋陵字誤也、【正義】城、在相州安陽縣南二十里、因防水爲名、【考證】梁玉繩曰、後三年、當作後一年、乃惠文王二十四年也、沈濤曰、房子、趙邑、漢屬常山郡、即今之贊皇、魏境不得到此、此與安陽同拔、則地必近安陽、正義之說、必有所據、後四年、藺相如將而攻齊、至平邑而罷。【正義】故城、在魏州昌樂縣東北三十里、【考證】通鑑注引括地志、三十里作四十里、其明年、趙奢破秦軍閼與下。趙奢者、趙之田部吏也。收租稅。而平原君家不肯出租。【考證】租、各本作趙、今從舊刻、奢以法治之、殺平原君用事者九人。平原君怒、將殺奢。奢因說曰。君於趙爲貴公子。今縱君家而不奉公、則法削。法削則國弱。國弱則諸侯加兵。諸侯加兵、是無趙也。君安得有此富乎。以君之貴奉公

如法、則上下平。上下平則國彊。國彊則趙固。而君爲貴戚、豈輕於天下邪。平原君以爲賢、言之於王。王用之治國賦。國賦大平。民富而府庫實。秦伐韓、軍於閼與。[考證]御覽引國策作秦師伐韓圍閼與、今本國策無、今本趙策作伐趙、與此異、說在趙世家、徐孚遠曰、閼與本趙地、伐韓而軍閼與、假道也、亦以脅趙、王召廉頗而問曰、可救不。對曰、道遠險狹、難救。又召樂乘而問焉。樂乘對如廉頗言。又召問趙奢。奢對曰、其道遠險狹、譬之猶兩鼠鬭於穴中。將勇者勝。王乃令趙奢將救之。兵去邯鄲三十里。而令軍中曰、有以軍事諫者死。秦軍軍武安西。[集解]徐廣曰、屬魏郡、在邯鄲西、[考證]御覽二百八十二引史秦下不重軍字、秦軍鼓譟勒兵、武安屋瓦盡振。軍中候有一人、言急救武安。趙奢立斬之。堅壁、留二十八日不行。復益增壘。秦閒來入。趙

奢善食而遣之。閒以報秦將。秦將大喜曰、夫去國三十里、而軍不行、乃增壘。閼與非趙地也。[正義]國、謂邯鄲、趙之都也、[考證]去邯鄲三十里以下、與御覽二百九十二所引國策略同、今本國策無、趙奢既已遣秦閒、乃卷甲而趨之。二日一夜至。[考證]楓、三本、趙上有行字、令善射者去閼與五十里而軍。軍壘成。秦人聞之、悉甲而至。軍士許歷請以軍事諫。趙奢曰、內之。許歷曰、秦人不意趙師至此。其來氣盛。將軍必厚集其陳以待之。不然必敗。[考證]許歷曰以下、與御覽三百三十二所引國策同、今本國策無、趙奢曰、請受令。許歷曰、請就鈇質之誅。趙奢曰、胥後令。[索隱]案、胥須、古人通用、今者胥後令、謂胥爲須、須者待也、待後令、謂許歷之言、更不擬誅之、故更待後令也、[正義]胥、猶須也、軍去城都三十里而不行、未有計過險狹、恐人諫令急救武安、乃出此令、今垂戰、須得謀策、不用前令、故云須後令也、[考證]請受令、猶言汝宜從前令也、請字、寓不忍行令之意、通鑑改令爲教、非是、索隱正義以胥爲須、爲待、是也、言他日當議罪定刑、汝暫待之、邯鄲、許歷復請諫[索隱]按邯

鄲二字、當爲欲戰、謂臨戰之時、許歷復諫也、王粲詩云、許歷爲完士、一言猶敗秦、是言趙奢用其計、遂破秦軍也、江遂曰、漢令稱完而不髡曰耐、是完士未免從軍也、[考證]通鑑、後令邯鄲做一句、梁玉繩曰、錢宮詹云、胥後令邯鄲、是五字句、趙都邯鄲、謂當待趙王之令也、此解甚愜、後書循史衛颯傳曰、須後詔書、語意相似、中井積德曰、邯鄲、當作將戰、愚按中說可從、索隱本、復請作請復、曰、先據北山上者勝。後至者敗。[正義]閼與山、在洛州武安縣西南五十里、趙奢拒秦軍於閼與、卽此山也、案括地志云、言拒秦軍在此山、疑其太近洛州、既去邯鄲三十里而軍、又云、趨之二日一夜至閼與五十里而軍壘成、據今洛州去潞州三百里、閒而隔相州、恐潞州閼與聚城、是所拒據處、[考證]中井積德曰、閼與、是秦之所軍、北山、是閼與近傍之山矣、勿混解、趙奢許諾。卽發萬人趨之。秦兵後至爭山。不得上。趙奢縱兵擊之、大破秦軍。秦軍解而走、遂解閼與之圍而歸。[考證]先據北山上者勝以下、與御覽三百三十二所引國策略同、今本國策無、趙惠文王、賜奢號爲馬服君、以許歷爲國尉。趙奢於是與廉頗・藺相如同位。後四年、趙惠文王卒、子孝成王立。七年秦與趙兵相距長平。[考證]梁玉繩曰、七年乃八年之誤、時趙奢已死、[集解]張華曰、趙奢冢在邯鄲界西山上、謂之馬服

山、而藺相如病篤。趙使廉頗將攻秦。秦數敗趙軍。趙軍固壁不戰。秦數挑戰。廉頗不肯。趙王信秦之閒。秦之閒言曰、秦之所惡、獨畏馬服君趙奢之子趙括爲將耳。[考證]張文虎曰、王本不重秦之閒三字、御覽引國策、惡作患、趙王因以括爲將代廉頗。[考證]秦與趙兵相距以下、與御覽二百九十二所引國策略同、今本國策無、藺相如曰、王以名使括。若膠柱而鼓瑟耳。括徒能讀其父書傳。不知合變也。[考證]胡三省曰、鼓瑟者、絃有緩急、調絃之緩急、在柱之運轉、若膠其柱、則絃不可得而調、緩者一於緩、急者一於急、無活法矣、愚按、趙人好瑟、故取譬於此、趙王不聽。遂將之。趙括自少時、學兵法言兵事。以天下莫能當。嘗與其父奢言兵事。奢不能難。然不謂善。[考證]楓、三本、治要、及御覽引策、謂下有之字、括母問奢其故。奢曰、兵、死地也。而括易言之。使趙不將括卽已。若必將之、破趙軍者必括也。[考證]李笠曰、問下奢字疑衍、治要、卽作

則、御覽、使趙以下、作趙若以爲將、破軍者必是兒、及括將行、其母上書言於王曰、括不可使將。王曰、何以。對曰、始妾事其父、時爲將、身所奉飯飲而進食者、以十數、所友者以百數。【正義】奉、音捧、【考證】治要、通鑑、無飲字、御覽引國策、無身所奉以下十八字、大王及宗室所賞賜者、盡以予軍吏士大夫。受命之日、不問家事。今括一旦爲將、東向而朝、軍吏無敢仰視之者。【考證】顧炎武曰、古人之坐、以東面爲尊、故宗廟之祭、太祖之位東面、卽交際之位、亦賓東向、主人西向、新序、楚昭奚恤爲東面之壇一、秦使者至、昭奚恤曰、君客也、請就上位、是也、史記趙奢傳、言括東面而朝軍吏、田單傳、言引卒東鄕坐、師事之、淮陰傳、言得廣武君、東鄕坐、西鄕對、師事之、王陵傳、言項王東鄕坐王陵母、周勃傳、言每召諸生說士、東向坐而責之、趣爲我語、田蚡傳、言召客飮、坐其兄蓋侯南鄕、自坐東向、以爲漢相尊、不可以兄故自橈、南越傳、言王太后置酒、漢使皆東向、此東向之見於史傳者、曲禮、主人就東階、客就西階、自西階而升、故東鄕自東階而升、故西鄕、而南鄕其旁位、如廟中之昭、故田蚡以處蓋侯也、王所賜金帛、歸藏於家、而日視便利田宅可買者買之。【考證】楓、三本、無買之二字、御覽所引國策、無可買者三字、王以爲何如其父。【考證】楓、三

本、御覽所引國策、通鑑、竝無何字、父子異心。願王勿遣。王曰、母置之。吾已決矣。括母因曰、王終遣之、卽有如不稱、妾得無隨坐乎。王許諾。【考證】藺相如曰以下、略與御覽二百七十二所引國策合、今本國策無、沈家本曰、商君收孥之法、在秦孝公時、趙事在孝成王六年、後商君九十餘年、豈趙亦參用秦法、故有隨坐之事歟、

趙括既代廉頗、悉更約束、易置軍吏。秦將白起聞之、縱奇兵詳敗走、【考證】詳、各本作佯、今從毛本、而絕其糧道、分斷其軍爲二、士卒離心。四十餘日軍餓。趙括出銳卒自搏戰。秦軍射殺趙括。括軍敗、數十萬之衆、遂降秦。秦悉阬之。趙前後所亡凡四十五萬。明年、秦兵遂圍邯鄲歲餘。幾不得脫。賴楚・魏諸侯來救、迺得解邯鄲之圍。趙王亦以括母先言竟不誅也。自邯鄲圍解五年、【考證】張文虎曰、五年乃七年之誤、而燕用栗腹之謀曰。趙壯者盡於長平、其孤未

壯。擧兵擊趙。趙使廉頗將擊。大破燕軍於鄗、殺栗腹、遂圍燕。燕割五城請和。乃聽之。趙以尉文封廉頗、爲信平君、爲假相國。【集解】徐廣曰、尉文、邑名也、【索隱】信平、號也、徐廣云、尉文、邑名、按漢書表、有尉文節侯、云在南郡、蓋尉官也、文、名也、謂取尉文所食之邑、復以封頗、而後號爲信平君、

廉頗之免長平歸也、失勢之時、故客盡去。及復用爲將、客又復至。廉頗曰、客退矣。客曰、吁、君何見之晚也。夫天下以市道交。君有勢、我則從君。君無勢則去。此固其理也。有何怨乎。【考證】王念孫曰、有讀爲又、柯維騏曰、市道交、卽馮驩所論趨市者也、孟嘗唾面、翟公勒門、長平之吏、移于冠軍、魏其之客、移于長安、汲鄭廢而其門益落、任昉逝而其後莫恤、古今交態盡然、不獨廉頗也、居六年、趙使廉頗伐魏之繁陽。拔之。【集解】徐廣曰、屬魏郡、【正義】在相州內黃縣東北也、趙孝成王卒、子悼襄王立。使樂乘代廉頗。廉頗怒攻樂乘。樂乘走。廉頗遂奔魏之大梁。其明年、趙乃以李牧爲將、

而攻燕拔武遂・方城。【索隱】按地理志、武遂、屬河閒國、方城、屬廣陽也、【正義】武遂、易州遂城也、方城、幽州固安縣南十里、【考證】梁玉繩曰、其明年、當作後二年、蓋廉頗奔魏、在孝成王卒年、李牧攻燕、在悼襄二年、廉頗居梁。久之、魏不能信用。趙以數困於秦兵、【考證】楓、三本、趙下有亦字、趙王思復得廉頗。廉頗亦思復用於趙。趙王使使者視廉頗尚可用否。【考證】楓、三本、用上有得字、廉頗之仇郭開、多與使者金令毀之。【考證】郭開、趙王寵臣、又受秦金讒李牧、見下文、趙使者既見廉頗。廉頗爲之一飯斗米肉十斤、被甲上馬、以示尚可用。趙使還報王曰、廉將軍雖老尚善飯。然與臣坐、頃之三遺矢矣。【索隱】謂數起便也、矢、一作屎、【考證】中井積德曰、三遺矢、是坐而不覺矢也、非起、趙王以爲老、遂不召。楚聞廉頗在魏、陰使人迎之。廉頗一爲楚將、無功。曰、我思用趙人。廉頗卒死于壽春。【正義】廉頗墓、在壽春縣北四里、藺相如墓、在邯鄲西南六里、李牧者、趙之北邊

良將也。常居代鴈門備匈奴。【正義】今鴈門縣、在代地、故云代鴈門也、以便宜置吏、市租皆輸入莫府、爲士卒費。【集解】如淳曰、將軍征行無常處、所在爲治、故言莫府、莫、大也、【索隱】按注如淳解莫大也云云、又崔浩云、古者出征爲將帥、軍還則罷、理無常處、以幕帟爲府署、故曰莫府、則莫當作幕字之訛耳、【考證】中井積德曰、莫幕通、幕府、征行軍營、日擊數牛饗士、習射騎、謹烽火、多閒諜、厚遇戰士。【索隱】閒諜、上紀莧反、下音牒、爲約曰。匈奴即入盜、急入收保。有敢捕虜者斬。【正義】急入壘、收斂而保護、匈奴每入烽火謹、輒入收保、不敢戰。如是數歲、亦不亡失。然匈奴以李牧爲怯、雖趙邊兵亦以爲吾將怯。趙王讓李牧。李牧如故。趙王怒召之、使他人代將。歲餘、匈奴每來出戰。出戰數不利、失亡多、邊不得田畜。【正義】許六反、【考證】羣書治要引史、御覽引策、竝無下出字、崔適曰、出戰二字衍、復請李牧。牧杜門不出、固稱疾。趙王乃復彊起使將兵。牧曰。王必用臣、

臣如前乃敢奉令。王許之。【考證】楓、三本、兵下有李字、李牧至、如故約。匈奴數歲無所得、終以爲怯。邊士日得賞賜而不用。皆願一戰。於是乃具選車得千三百乘、選騎得萬三千匹、百金之士五萬人、彀者十萬人。【集解】管子曰、能破敵擒將者賞百金、【索隱】彀、音古候反、彀、謂能射也、【正義】彀、滿弓張也、言能滿弦張射、【考證】中井積德曰、百金之士、是富實戰士、非賤役者、御覽引策、彀下有弓弩二字、悉勒習戰、大縱畜牧、人民滿野。【考證】御覽引策、民作衆、匈奴小入、詳北不勝、以數千人委之。【索隱】委、謂弃之、恣其殺略也、單于聞之、大率衆來入。【考證】御覽引策、大下有喜字、李牧多爲奇陳、張左右翼、擊之大破、【考證】御覽引策、作擊大破之、殺匈奴十餘萬騎。【考證】常居代雁門、至十餘萬、與御覽二百九十四所引國策合、今本國策無、滅襜襤、破東胡、降林胡。單于奔走。【集解】襜、都甘反、襤、路談反、徐廣曰、一作臨、駰又案如淳曰、胡名也、在代北、【索隱】上音都甘反、下音路鄉反、如淳云、胡名也、【正義】襜襤、胡國名、在代北、其後十餘歲、匈奴不敢近趙

邊城。趙悼襄王元年、廉頗既亡入魏。趙使李牧攻燕。拔武遂・方城。居二年、龐煖破燕軍殺劇辛。【索隱】按煖、即馮煖也、龐、音皮江反、煖、音況遠反、亦音暄、劇辛、本趙人、仕燕者、【考證】梁玉繩曰、元年當作二年、二年當作一年、龐煖馮煖、自是別人、張照曰、燕世家云、劇辛故居趙、與龐暖善、戰國策云、齊人有馮煖者、史記作馮驩、不言其歸趙也、後七年、秦破殺趙將扈輒於武遂、斬首十萬。【索隱】扈氏、輒、名、漢張耳時、別有扈輒、按劉氏云、武遂本韓地、在趙西、恐非、地理志、河閒武遂也、【考證】梁玉繩曰、後七年、當作後八年、各本、殺趙作將殺、從索隱本、愚按楓山本、武遂下有方城二字、張文虎曰、各本、武遂下有城字、索隱本無、錢大昕曰、趙世家武遂城作武城、武遂、在燕趙之交、秦兵未得至其地、遂字衍、洪頤煊說同、趙乃以李牧爲大將軍、擊秦軍於宜安、大破秦軍、走秦將桓齮。【索隱】齮、音蟻、【正義】宜安、在桓州槀城縣西南二十里、【考證】沈家本曰、王遷三年、世家及表同、封李牧爲武安君。居三年、秦攻番吾。【索隱】縣名、地理志在常山、音婆、又音盤、【正義】在相州房山縣東二十里也、【考證】沈濤曰、正義、房山當房子之誤、沈家本曰、世家表、皆在四年、梁玉繩曰、三年、當作一年、李牧擊破秦軍、南距韓・魏。趙王遷七年、秦使王翦攻趙。趙使李牧司

馬尚禦之。秦多與趙王寵臣郭開金爲反閒。言李牧・司馬尚欲反。【考證】胡三省曰、郭開之閒廉頗、以其仇也、其讒殺李牧、則好貨耳、讒人罔極、其禍國可勝言哉、張照曰、按戰國策、秦王賚頓弱以金、北遊燕趙、而殺李牧、史記稱秦多與趙王寵臣郭開金爲反閒、而殺牧、廉頗傳、稱頗之仇郭開與使者金、使毀頗、張釋之傳云、趙用李牧幾覇、會趙王遷立、其母倡也、遷用郭開讒、卒誅李牧、列女傳云、趙悼后者、邯鄲倡女、前嫁亂一宗族、既寡、悼襄王以其美而娶之、李牧諫、不聽、後子遷生、立爲幽閔王、后通於春平侯、多受秦賂、而使王誅其良將李牧、趙亡後、大夫怨倡后之譖太子喜殺李牧、乃殺倡后滅其家、諸說大同小異、今竝著之、趙王乃使趙葱及齊將顏聚代李牧。李牧不受命。【考證】趙策、無不受命三字、趙使人微捕得李牧、斬之、廢司馬尚。【考證】方苞曰、曰欲反、則無實迹可知、曰使人微捕、則非謀反迹見、此史遷之微指也、後三月、王翦因急擊趙、大破、殺趙葱、虜趙王遷及其將顏聚。遂滅趙。【考證】秦使王翦攻趙以下、采趙策、愚按秦策文信侯出走章、爲李牧銜劍自刺、以趙滅爲牧死後五月、二策不同、梁玉繩曰、牧之死、策言其北面再拜、銜劍自刺、史言其不受命捕斬之、二說迥異、通鑑主史、大事記主策、鮑吳注竝以史爲誤也、趙王寵臣郭開誣牧欲與秦反、又牧以臂短用木接手、韓倉誣以上壽懷刃、遂賜之死、其冤甚矣、安有所謂不受命而捕斬者哉、大事記謂、因廉頗不受代事而誤載、是已、

史公于趙世家及馮唐傳俱言王遷信郭開誅李牧、乃此以爲不受命、豈非矛盾、蓋郭開韓倉、比共陷牧、而列女傳又謂遷母譖牧、使王誅之也。

太史公曰。知死必勇。非死者難也。處死者難。【考證】史公晤自道、方藺相如引璧睨柱、及叱秦王左右、勢不過誅。然士或怯懦而不敢發。【集解】徐廣曰、一作慄懦。相如一奮其氣、威信敵國。【索隱】信音伸。退而讓頗、名重太山。其處智勇、可謂兼之矣。

【索隱】述贊、清飈凜凜、壯氣熊熊、各竭誠義、遞爲雌雄、和璧聘返、澠池好通、負荊知懼、屈節推工、安邊定策、頗牧之功。

廉頗藺相如列傳第二十一　史記八十一

史記會注考證卷八十二

漢　太史令　司馬遷　撰

宋　中郎外兵曹參軍　裴駰　集解

唐　國子博士弘文館學士　司馬貞　索隱

唐　諸王侍讀率府長史　張守節　正義

日本　出雲　瀧川資言　考證

田單列傳第二十二　史記八十二

【考證】史公自序云、湣王既失臨淄而奔莒、唯田單用卽墨破走騎劫、遂存齊社稷、作田單列傳第二十二、愚按傳中記事、多今本國策所不載、

田單者、齊諸田疏屬也、【索隱】單音丹、湣王時單爲臨菑市掾、不見知。【考證】胡三省曰、掾掌市官屬也、及燕使樂毅伐破齊、齊湣王出奔。已而保莒城。燕師長驅平齊、而田單走安平、【集解】徐廣曰、今之東安平也、在青州臨菑縣東十九里、古紀之酅邑、齊改爲安平、秦滅齊、改爲東安平、縣屬齊郡、以定州有安平、故加東字、【索隱】按地理志、東安平屬淄川國也、令其宗人盡斷其車軸末、【索隱】斷音都緩反、斷其軸、恐長相撥也、以鐵裹軸頭、堅而易進也、而傅鐵籠。【集解】徐廣曰、傅音附、【索隱】傅音附、按截其軸與轂齊、以鐵鍱附軸末、施轄於鐵中以制轂也、又方言曰、車轊、齊謂之籠、郭璞云、車軸也、【考證】胡三省曰、卷鐵以傳車轊、故曰卷鐵籠、中井積德曰、索隱云、截其軸與轂齊、按此非長轂兵車、不必截轂、又曰、索隱施轄於鐵中、至車軸也、數句援引無所用、已而燕軍攻安平、城壞。齊人走爭塗。以轊折車敗、爲燕所虜。【集解】徐廣曰、轊、車軸頭也、音衞、唯田單宗人、以鐵籠故得脫、東保卽墨。燕既盡降齊城。唯獨莒・卽墨不下。燕軍聞齊王在莒、幷兵攻之。淖齒既殺湣王於莒。【集解】徐廣曰、多作悼齒也、因堅

守距燕軍、數年不下。燕引兵東圍卽墨。卽墨大夫出與戰、敗死。城中相與推田單曰。安平之戰、田單宗人、以鐵籠得全。習兵。立以爲將軍、以卽墨距燕。頃之燕昭王卒。惠王立、與樂毅有隙。田單聞之、乃縱反閒於燕、宣言曰。齊王已死、城之不拔者二耳。樂毅畏誅而不敢歸。以伐齊爲名、實欲連兵南面而王齊。齊人未附。故且緩攻卽墨、以待其事。齊人所懼、唯恐他將之來、卽墨殘矣。燕王以爲然、使騎劫代樂毅。樂毅因歸趙。燕人士卒忿。【考證】楓、三本、忿作分心、惠王立以下、與御覽二百九十二所引國策略同、士卒忿作士卒離、今本國策無、而田單乃令城中人、食必祭其先祖於庭。【考證】楓、三本、無人字、飛鳥悉翔舞城中、下食。燕人怪之。田單因宣言曰。神來下教我。乃令城中人

曰。當有神人爲我師。有一卒曰。臣可以爲師乎。因反走。田單乃起引還、東鄉坐師事之。【考證】楓、三本、通鑑、無坐字、使卒東向也、淮陰侯傳、東鄉坐、西鄉對、師事之、胡三省曰、田單恐衆心未一、故假神以令其衆、卒曰。臣欺君。誠無能也。田單曰。子勿言也。因師之。每出約束、必稱神師。乃宣言曰。吾唯懼燕軍之劓所得齊卒、置之前行、與我戰、卽墨敗矣。【正義】行、胡郎反、燕人聞之、如其言。城中人見齊諸降者盡劓、皆怒堅守、唯恐見得。單又縱反閒曰。吾懼燕人掘吾城外冢墓僇先人。可爲寒心。燕軍盡掘壟墓燒死人。卽墨人從城上望見、皆涕泣、俱欲出戰、怒自十倍。【考證】乃宣言曰以下、與御覽百八十二所引國策文同、今本國策無、張文虎曰、俱、各本作共、今依舊刻、愚按通鑑作共、徐孚遠曰、樂毅攻兩城、數年不拔、欲以德懷齊人、騎劫代將、悉更樂毅所爲、故施虐于齊、而田單以爲資也、田單知士卒之可用、乃身操版插、與士卒

分功、妻妾編於行伍之閒。【索隱】【正義】操、音七高反、插、音初洽反、古之軍行、常負版插也、盡散飲食饗士、令甲卒皆伏、使老弱女子乘城、遣使約降於燕。燕軍皆呼萬歲。田單又收民金、得千溢。令卽墨富豪遺燕將曰。卽墨卽降、願無虜掠吾族家妻妾、令安堵。【考證】楓、三本、富豪下有遺人二字、燕將大喜許之。燕軍由此益懈。【考證】田單知士卒可用以下、與御覽百八十二所引國策文同、今本國策無、田單乃收城中得千餘牛。爲絳繒衣、畫以五彩龍文、束兵刃於其角、而灌脂束葦於尾、燒其端、鑿城數十穴、夜縱牛、壯士五千人隨其後。牛尾熱、怒而奔燕軍。燕軍夜大驚。牛尾炬火光明炫燿。燕軍視之皆龍文、所觸盡死傷。五千人因銜枚擊之。而城中鼓譟從之。老弱皆擊銅器爲聲。聲動天地。燕軍大駭敗走。齊人

遂夷殺其將騎劫。燕軍擾亂奔走。齊人追亡逐北、所過城邑、皆畔燕而歸田單。兵日益多乘勝。【考證】楓、三本、兵上重田單二字、燕日敗亡。卒至河上。【索隱】河上、卽齊之北界、近河東、齊之舊地、而齊七十餘城、皆復爲齊。乃迎襄王於莒、入臨菑而聽政。襄王封田單、號曰安平君。【索隱】以單初起安平、故以爲號、【考證】錢大昕曰、史不敍其後事、考趙世家、孝成王元年、齊安平君田單、將趙師而攻燕中陽、拔之、二年、田單爲相、卽齊王建之元年也、豈襄王已沒、單遂去齊而入趙乎、

太史公曰。兵以正合、以奇勝。【集解】魏武帝曰、先出合戰爲正、後出爲奇也、正者當敵、奇兵擊不備、【索隱】按奇、謂權詐也、注引魏武、蓋亦軍令也、【考證】集解所引、孫子魏武注文、奇兵下有自傍二字、索隱以爲軍令者謬、善之者、【索隱】兵不厭詐、故云善之、【考證】之字、承兵字、出奇無窮。【索隱】謂權變多也、奇正還相生、【正義】猶當合也、言正兵當陣、張左右翼、掩其不備、則奇正合敗敵也、如環之無端。【索隱】言用兵之術、或用正法、或用奇計、使前敵不可測量、如尋環中不知端際也、【考證】本孫子兵勢篇文、字小異、中井積德曰、

正變爲奇、奇又變爲正、一奇一正、如循環之無端、正狀還相生也、夫始如處女【索隱】言兵之始、如處女之軟弱也、適人開戶、【集解】【正義】徐廣曰、適、音敵、【索隱】適、音敵、若我如處女之弱、則敵人輕侮開戶、不爲備也、敵人、謂燕軍也、言燕軍被田單反間、易將及劓卒、燒壟墓、而令齊卒甚怒、是敵人爲單開門戶也、【考證】索隱是、後如脫兔、適不及距。【集解】魏武帝曰、如女示弱、脫兔往疾也、【索隱】言克敵之後、卷甲而趨、如兔之得脫而走疾也、敵不及距者、若脫兔忽過而敵忘其所距也、【考證】女戶兔距、韻、孫子九地篇文、中井積德曰、脫兔所以克捷、非克捷之後、索隱誤、其田單之謂邪。

初淖齒之殺湣王也、莒人求湣王子法章、得之太史嬓之家。爲人灌園。嬓女憐而善遇之。後法章私以情告女。女遂與通。及莒人共立法章爲齊王、以莒距燕、而太史氏女遂爲后。所謂君王后也、【考證】淖齒以下、本齊策、燕之初入齊、聞畫邑人王蠋賢、令軍中曰。環畫邑三十里無入。【集解】劉熙曰、齊西南近邑、畫、音獲、【索隱】畫、一音獲、又音胡卦反、劉熙云、齊西南近邑、蠋、音觸、又音歜、【正義】括地志云、戟里城、在臨淄西北三十里、春秋時棘邑、又云、澅邑、蠋所居、卽此邑、因澅水爲名也、【考證】梁玉繩曰、齊有畫邑晝邑、畫邑在臨

淄西北三十里、齊將封王蠋以萬家、卽此地、晝邑在臨淄西南、孟子出宿處、一北一南、說詳志疑、以王蠋之故。已而使人謂蠋曰。齊人多高子之義。吾以子爲將、封子萬家。蠋固謝。燕人曰。子不聽、吾引三軍而屠畫邑。王蠋曰。忠臣不事二君。貞女不更二夫。齊王不聽吾諫、故退而耕於野。國既破亡、吾不能存。今又劫之以兵爲君將。是助桀爲暴也。與其生而無義、固不如烹。遂經其頸於樹枝、自奮絕脰而死。【索隱】按經、猶繫也、何休云、脰、頸、齊語也、音豆、齊亡大夫聞之曰。王蠋、布衣也、義不北面於燕。況在位食祿者乎。乃相聚如莒、求諸子立爲襄王。【考證】立下脫法章二字、論贊補傳、與夏殷周秦紀、樂毅傳同例、

【索隱】述贊、軍法以正、實尚奇兵、斷軸自免、反閒先行、羣鳥惑來、五牛揚旌、卒破騎劫、皆復齊城、襄王嗣位、乃封安平、

田單列傳第二十二　　史記八十二

史記會注考證卷八十三

漢　太　史　令　司　馬　遷　撰
宋中郎外兵曹參軍裴　駰集解
唐國子博士弘文館學士司馬貞索隱
唐諸王侍讀率府長史張守節正義
日　本　出　雲　瀧　川　資　言　考　證

魯仲連鄒陽列傳第二十三　史記八十三

[索隱]魯連屈原、當六國之時、賈誼鄒陽、在文景之日、事迹雖復相類、年代甚爲乖絕、其鄒陽不可上同魯連、屈平亦不可下同賈生、宜抽魯連同田單爲傳、其屈原與宋玉

等爲一傳、其鄒陽與枚乘賈生等同傳、[考證]史公自序云、能設詭說、解患於圍城、輕爵祿、樂肆志、作魯仲連鄒陽列傳第二十三、陳沂曰、同傳者、或共國同、或共事同、而時不足以間之、若刺客等傳類也、索隱誤矣、觀扁鵲倉公同傳、此可知也、張文虎曰、此史公合傳之最不可解者、自序云、能設詭說、解患於圍城、輕爵祿、樂肆志、以論仲連、似矣、何與於鄒陽、陽之可取、在諫吳王、今反不載其書、班書載之、與賈山枚乘路溫舒同傳、斯勝史公矣、愚按陳氏論史公合傳之意、張氏譏魯鄒合傳之非、各有一理、今併錄之、

魯仲連者、齊人也。好奇偉俶儻之畫策、而不肯仕宦任職。好持高節。[索隱]按廣雅云、俶儻、卓異也、[正義]俶、天歷反、魯連子云、齊辯士田巴服狙丘、議稷下、毀五帝、罪三王、服五伯、離堅白、合同異、一日服千人、有徐劫者、其弟子曰魯仲連、年十二、號千里駒、往請田巴曰、臣聞堂上不奮、郊草不芸、白刃交前、不救流矢、急不暇緩也、今楚軍南陽、趙伐高唐、燕人十萬、聊城不去、國亡在旦夕、先生奈之何、若不能者、先生之言、有似梟鳴、出城而人惡之、願先生勿復言、田巴曰、謹聞命矣、巴謂徐劫曰、先生乃飛兔也、豈直千里駒、巴終身不談、[考證]張文虎曰、蔡本、中統、舊刻、游本、作宦、他本竝譌官、愚按漢藝文志儒家魯仲連子十四篇、今亡、馬國翰有輯本、沈欽韓曰、隋志、魯連子五卷、錄一卷、舊唐書與隋同、新志作一卷、玉海藝文類書目五卷、仲連退隱海上、論著此書、今惟一篇、卽史記正義所引、御覽一百八十四、魯連子見孟嘗君於杏堂之門、與鶡冠子兵政篇語相似、游於趙。趙孝成王時。而秦王使白起破趙長平之軍。前後四十餘萬。[考證]秦昭王、秦

兵遂東圍邯鄲。趙王恐。諸侯之救兵、莫敢擊秦軍。魏安釐王使將軍晉鄙救趙。畏秦、止於蕩陰不進。[集解]地理志、河內有蕩陰縣、[正義]蕩、天郎反、相州縣、魏王使客將軍新垣衍、閒入邯鄲、[索隱]新垣、姓、衍、名也、爲梁將、故漢有新垣平、[正義]新垣、姓、衍、名、漢有新垣平、[考證]鮑彪曰、閒、謂微行、因平原君謂趙王曰。秦所爲急圍趙者、前與齊湣王爭彊爲帝。已而復歸帝。[考證]楓、三本、歸帝下、有以齊彊三字、趙策有以齊故三字、今齊湣王已益弱。[考證]鮑彪曰、湣王二字衍、中井積德曰、是時齊湣王死已二十四年、宜言齊益弱、方今唯秦雄天下。此非必貪邯鄲。其意欲復求爲帝。趙誠發使、尊秦昭王爲帝、秦必喜罷兵去。[考證]鮑彪曰、昭字衍、梁玉繩曰、史仍策之誤、平原君猶預未有所決。此時魯仲連適游趙。會秦圍趙。聞魏將欲令趙尊秦爲帝、[考證]中井積德曰、是文重複、蓋太史公欲刪潤而未果者、餘多是類、可類推、乃見平原君曰。事將柰何。平原君曰。勝也何

敢言事。前亡四十萬之衆於外、今又內圍邯鄲、而不能去。[考證]李笠曰、趙策云、百萬之衆折於外、蓋夸辭耳、魏王使客將軍新垣衍、令趙帝秦。[索隱]新垣衍、欲令趙尊秦爲帝也、今其人在是。勝也何敢言事。魯仲連曰。吾始以君爲天下之賢公子也。吾乃今然後知君非天下之賢公子也。梁客新垣衍安在。吾請爲君責而歸之。[考證]毛本、請作且、平原君曰。勝請爲紹介、而見之於先生。[集解]郭璞曰、紹介、相佑助者、[索隱]按紹介、猶媒介也、且禮賓至、必因介以傳辭、紹者繼也、介不一人、故禮云介紹而傳命、是也、平原君遂見新垣衍曰。東國有魯仲連先生者。今其人在此。勝請爲紹介、交之於將軍。[考證]楓、三本、趙策、魯下無仲字、下同、新垣衍曰。吾聞魯仲連先生、齊國之高士也。衍、人臣也。使事有職。吾不願見魯仲連先生。平原君曰。勝既已泄之矣。新垣衍許諾。魯仲

連見新垣衍而無言。新垣衍曰。吾視居此圍城之中者、皆有求於平原君者也。今吾觀先生之玉貌、非有求於平原君者也。曷爲久居此圍城之中而不去。魯仲連曰。世以鮑焦爲無從頌而死者。皆非也。[集解]鮑焦、周之介士也、見莊子、[索隱]從頌者、從容也、世人見鮑焦之死、皆以爲不能自寬容而取死、此言非也、[正義]韓詩外傳云、姓鮑、名焦、周時隱者也、飾行非世、廉潔而守、荷擔採樵、拾橡充食、故無子胤、不臣天子、不友諸侯、子貢遇之、謂之曰、吾聞非其政者、不履其地、汙其君者、不受其利、今子履其地、食其利、其可乎、鮑焦曰、吾聞廉士重進而輕退、賢人易愧而輕死、遂抱木立枯焉、按魯仲連留趙不去者、非爲一身、[考證]莊子盜跖篇、鮑焦飾行非世、抱木而死、魯連以鮑焦自比、伏下文蹈東海、策從頌作從容、頌容通、衆人不知、則爲一身。[索隱]言衆人不識鮑焦之意、焦以恥居濁世而避之、非是自爲一身而憂死、事見莊子也、彼秦者弃禮義而上首功之國也。[集解]譙周曰、秦用衛鞅計、制爵二十等、以戰獲首級者、計而受爵、是以秦人每戰勝、老弱婦人皆死、計功賞至萬數、天下謂之上首功之國、皆以惡之也、[索隱]秦法、斬首多爲上功、謂斬一人首賜爵一級、故謂秦爲首功之國也、權使其士、虜使其民。[索隱]言秦人以權詐使其戰士、以奴虜使其人、言無恩以恤下、[考證]梁玉

繩曰、鹽鐵論論功篇、引史虜使作虛使、彼卽肆然而爲帝、過而爲政於天下、則連有蹈東海而死耳。[索隱]肆然、猶肆志也、過而爲政、謂以過惡而爲政也、[正義]至過字爲絕句、肆然、其志意也、言秦得肆志爲帝、恐有烹醢納筦、徧行天子之禮、過、失也、[考證]正義、過字句絕、索隱、屬下讀、中井積德曰、過字屬下句、過者不必之辭、猶言萬一也、王念孫曰、過、猶甚也、言秦若肆然而爲帝、甚而遂爲政於天下、則吾有死而已、不忍爲之民也、愚按、言秦若肆然而爲帝、則將過誤以爲政、吾有死而已、過字上添將字看、諸解未得、吾不忍爲之民也。[正義]若趙魏帝秦、得行政教於天下、魯連蹈東海而溺死、不忍爲秦百姓、所爲見將軍者、欲以助趙也。新垣衍曰。先生助之、將柰何。魯連曰。吾將使梁及燕助之。齊·楚則固助之矣。新垣衍曰。燕則吾請以從矣。若乃梁者、則吾乃梁人也。先生惡能使梁助之。魯連曰。梁未睹秦稱帝之害故耳。使梁睹秦稱帝之害、則必助趙矣。新垣衍曰。秦稱帝之害何如。魯連曰。昔者齊威王嘗爲仁義矣。率天下諸侯而朝周。周

貧且微。諸侯莫朝。而齊獨朝之。居歲餘、周烈王崩。[集解]徐廣曰、烈王十年崩、威王之七年、[正義]周本紀及年表云、烈王七年崩、齊威之十年也、與徐不同、齊後往。周怒赴於齊[正義]鄭玄云、赴、告也、今文赴作訃、曰。天崩地坼、天子下席。[索隱]按謂烈王太子安王驕也、下席、言其寢苦居廬、[正義]天子、烈王嗣也、下席、謂居廬寢苦也、又云、下席、言崩歿也、[考證]烈王太子、宜爲顯王、東藩之臣因齊後至。則斮。[集解]公羊傳曰、斮三軍者、其法斮、何休曰、斮、斬也、[考證]中井積德曰、因齊、威王之名、國策作田嬰齊、斮、刖也、齊威王勃然怒曰。叱嗟、而母婢也。[正義]罵烈王后也、[考證]而、汝也、蓋嗣天子、非嫡出也、卒爲天下笑。[考證]中井積德曰、爲笑者齊也、非謂周、又曰、此陳帝秦之害、爲梁言之、非以趙言也、故生則朝周、死則叱之。誠不忍其求也。彼天子固然、其無足怪。新垣衍曰。先生獨不見夫僕乎。十人而從一人者、寧力不勝而智不若邪。畏之也。[索隱]言僕夫十人而從一人者、寧是力不勝、亦非智不如、正是畏懼其主耳、魯仲連曰。嗚呼、梁之比於秦、若僕邪。[考證]嗚呼、趙策作然、見史公剪裁之妙、新垣衍

曰。然。魯仲連曰。吾將使秦王烹醢梁王。新垣衍怏然不悅曰。噫嘻、亦太甚矣、先生之言也。[索隱]噫嘻、上音依、噫者不平之聲、下音僖、嘻者驚恨之聲、[正義]怏、於尙反、先生又惡能使秦王烹醢梁王。魯仲連曰。固也。吾將言之。昔者九侯·鄂侯·文王、紂之三公也。[集解]徐廣曰、鄴縣有九侯城、九、一作鬼、鄂、一作邢、[正義]九侯城、在相州滏陽縣西南五十里、九侯有子而好。獻之於紂。紂以爲惡、醢九侯。鄂侯爭之彊、辯之疾。故脯鄂侯。文王聞之、喟然而歎。故拘之羑里之庫百日。欲令之死。[正義]相州蕩陰縣北九里有羑城、曷爲與人俱稱王、卒就脯醢之地。[考證]曷爲上、添梁字看、岡白駒曰、秦、王也、梁亦王也、齊湣王將之魯。夷維子爲執策而從。[索隱]按維、東萊之邑、其居夷也、號夷維子、故晏子爲萊之夷維人、是也、[正義]密州高密縣、古夷安城、應劭云、故萊夷維邑也、蓋因邑爲姓、子者男子之美號、又云、子爵也、[考證]錢大昕曰、據世家、則之魯之鄒、兩事俱在失國之後、謂魯人曰。子將何以待吾君。魯人曰。吾

將以十太牢待子之君。夷維子曰。子安取禮而來吾君。【考證】王念孫曰、來下脫待字、當依趙策補、岡白駒曰、言子於何典取此禮法、 彼吾君者、天子也。天子巡狩、諸侯辟舍、【索隱】辟、音避、避正寢、案禮、天子適諸侯、必舍於祖廟、【考證】辟舍、謂避正朝而外舍、不敢有其國也、中井積德曰、索隱案禮云云、援引失當、 納筦籥、【索隱】音管藥、【考證】管籥卽鑰也、策作管鍵、 攝衽抱机、【索隱】音紀、【正義】衽、音而甚反、臥席也、抱、抱也、【考證】張文虎曰、官本、舊刻、毛本、凌引一本、作抱、他本作枹、中井積德曰、机、蓋食案之類、非凭几、 視膳於堂下。天子已食、乃退而聽朝也。魯人投其籥、不果納。【索隱】謂閭內門不入齊君、【正義】籥卽鑰匙也、投鑰匙於地、 不得入於魯、將之薛。【正義】薛侯故城、在徐州滕縣界也、 假途於鄒。當是時鄒君死。湣王欲入弔。夷維子謂鄒之孤曰。天子弔、主人必將倍殯棺、設北面於南方、然后天子南面弔也。【索隱】倍、音佩、謂主人不在殯東、將背其殯棺、立西階上、北面哭、是背也、天子乃於阼階上、南面而弔之也、【正義】殯棺在西階也、天子弔、主人背殯棺、於西階南立、北面而哭、天子於阼階北立、南面弔也、 鄒之羣臣曰。必若此、吾將伏劍而

死。固不敢入於鄒。鄒・魯之臣、生則不得事養、死則不得賻襚。【正義】衣服曰襚、貨財曰賻、皆助生送死之禮、 然且欲行天子之禮於鄒・魯、鄒・魯之臣不果納。【索隱】謂時君弱臣彊、故鄒魯君生時臣竝不得盡事養、死亦不得行賻襚之禮、然齊欲行天子禮於鄒魯、鄒魯之臣、皆不果納之、是猶秉禮而存大體、【考證】徐孚遠曰、索隱非也、言鄒魯國小而貧、不備生死之禮、 今秦、萬乘之國也。梁、亦萬乘之國也。俱據萬乘之國、各有稱王之名。睹其一戰而勝、欲從而帝之。是使三晉之大臣、不如鄒・魯之僕妾也。【考證】鄒魯之僕妾、上文所謂鄒魯之臣、言鄒魯之臣、且不欲帝齊、今欲使堂堂三晉大臣帝秦、其可乎哉、 且秦無已而帝、則且變易諸侯之大臣。彼將奪其所不肖、而與其所賢、奪其所憎、而與其所愛。【考證】楓、三本、趙策、不肖上有謂字、漸入新垣衍身上、 彼又將使其子女讒妾、爲諸侯妃姬、處梁之宮。梁王安得晏然而已乎。而將軍又何以得故寵乎。於是新垣衍起再

拜謝曰。始以先生爲庸人。吾乃今日知先生爲天下之士也。吾請出、不敢復言帝秦。秦將聞之、爲卻軍五十里。【考證】通鑑攷異云、仲連所言、不過論帝秦之利害耳、使新垣衍慙怍而去則有之、秦將何預而退軍五十里乎、此游談者之誇大也、 適會魏公子無忌、奪晉鄙軍以救趙擊秦軍、秦軍遂引而去。【考證】事詳魏公子傳、 於是平原君欲封魯連。【考證】楓、三本、君下有乃字、策無、 魯連辭讓。使者三。終不肯受。【考證】王念孫曰、類聚御覽、引此作辭謝者三、無使字、趙策同、愚按使字衍、 平原君乃置酒。酒酣起前、以千金爲魯連壽。魯連笑曰。所貴於天下之士者、爲人排患釋難解紛亂而無取也。卽有取者、是商賈之事也。而連不忍爲也。【考證】各本所下有謂字、舊刻無、中井積德曰、謂字衍文、策無、王念孫曰、解紛亂、文與趙策同、類聚、御覽、文選注、後漢書注、引史記皆無亂字、 遂辭平原君而去、終身不復見。【考證】秦兵遂東圍邯鄲以下、采趙策、藝文類聚引魯連子曰、連却秦軍、平原君欲封之、終不肯受、平原君乃置酒、酒酣起前、以千金爲

壽、先生笑曰、所貴於天下之士者、爲排患釋難、解人之締結、卽是有取、商賈之事、連不忍也、遂杖策而去、中井積德曰、不復見、謂隱淪不復出也、不特以平原君言之、且魯連之傳、止乎此句、若下文聊城事、蓋後人之擬撰而攙入者、非史遷之旨、鮑氏論之、在策注、愚按魯連之傳、止乎是句亦可、但史公欲與鄒陽同傳、故又揭其遺燕將書、以與鄒陽上梁王書相偶、必非後人擬撰攙入也、 其後二十餘年、燕將攻下聊城。聊城人或讒之燕。燕將懼誅、因保守聊城不敢歸。齊田單攻聊城。【集解】徐廣曰、案年表、田單攻聊城、在長平後十餘年也、【索隱】按徐廣據年表以爲田單攻聊城、在長平後十餘年耳、言二十餘年誤也、【正義】今博州縣也、【考證】錢大昕曰、按六國表、無田單攻聊城事、惟燕武成王七年、書田單拔中陽、乃在長平前五年、又非聊城、或疑徐廣之誤、今細繹徐氏文義、特以仲連遺書、有栗腹事、推檢時代、當在長平後十餘年、以正史公云二十餘年之誤、非謂年表有田單事也、仲連遺書之燕將、必非與樂毅同時、蓋其事在燕王喜之世、別有以偏師下齊城、懼讒不敢歸者、不用仲連之言、至身死城屠、史公所書、比戰國策爲得其實、吳師道謂田單相趙之後、必不返齊、亦恐未然、孟嘗君相秦而歸爲齊相、此其證也、愚按姚鼐亦有此說、見古文辭類纂魯仲連遺燕將書下、 歲餘士卒多死、而聊城不下、魯連乃爲書約之矢以射城中、遺燕將書曰。吾聞之、智者不倍時而弃利。勇士不怯死而滅名。忠臣不

先身而後君。【索隱】却死、猶避死也、【考證】怯、畏也、索隱本作却、今公行一朝之忿、不顧燕王之無臣。非忠也。殺身亡聊城、而威不信於齊。非勇也。功敗名滅、後世無稱焉。非智也。【考證】信、讀爲申、楓、三本、無下有所字、三者世主不臣、說士不載。故智者不再計、勇士不怯死。今死生榮辱、貴賤尊卑、此時不再來。願公詳計而無與俗同。【考證】此時不再來、齊策作此其一時也、且楚攻齊之南陽、【索隱】即齊之淮北、泗上之地也、【考證】顧炎武曰、南陽者泰山之陽、孟子一戰勝齊、遂有南陽、齊策無齊之二字、魏攻平陸。【索隱】平陸、邑名、在西界、【正義】兗州縣也、而齊無南面之心。以爲亡南陽之害小、不如得濟北之利大。【索隱】即聊城之地也、【正義】言齊國無南面攻楚魏之心、以爲南陽平陸之害小、不如聊城之利大、言必攻之也、【考證】中井積德曰、南面、出軍拒楚救南陽也、此未及西面拒魏、而意實包之耳、非兼言之也、故定計審處之。【考證】審處之、齊策作而堅守之、今秦人下兵、魏不敢東面、衡秦之勢成、楚國之形危。【索隱】此時秦與齊和、故云衡秦之

勢成也、齊弃南陽、斷右壤、定濟北、【索隱】棄南陽、棄楚所攻之泗上也、斷右壤、又斷絕魏之所攻齊右壤之地、平陸是也、言右壤斷棄而不救也、定濟北、志在攻聊城而定濟北也、計猶且爲之也。【考證】齊策、猶且作必、無也字、且夫齊之必決於聊城、公勿再計。【考證】齊策、且夫以下十三字、在下文公之不能得也下、今楚·魏交退於齊、而燕救不至。【索隱】按交者俱也、前時楚攻南陽、而魏攻平陸、二國之兵俱退、而燕救又不至、是勢危也、【考證】齊策、無於齊二字、以全齊之兵、無天下之規、【正義】交、俱也、楚魏俱退不攻、燕救又不至、以全齊之兵、別無規求於天下、言聊城必舉、【考證】中井積德曰、規、是規畫劫制之意、與聊城共據期年之敝、則臣見公之不能得也。【考證】與上添而公二字看、且燕國大亂、君臣失計、上下迷惑、栗腹以十萬之衆、五折於外。【集解】徐廣曰、此事去長平十年、以萬乘之國、被圍於趙、壤削主困、爲天下僇笑、國敝而禍多、民無所歸心。今公又以敝聊之民、距全齊之兵。是墨翟之守也。【正義】如墨翟守宋卻楚軍、【考證】齊策、兵下有朞年不解四字、

食人炊骨、士無反外之心。是孫臏之兵也。【正義】言孫臏能撫士卒、士卒無二心也、【考證】外當依齊策作北、北背通、能見於天下。雖然、爲公計者、不如全車甲以報於燕。車甲全而歸燕、燕王必喜。身全而歸於國、士民如見父母、交游攘臂而議於世、功業可明。上輔孤主、以制羣臣、下養百姓以資說士、【索隱】言既養百姓、又資說士、終擬强國也、劉氏云、讀說士爲銳士、意雖亦便、不如依字、【考證】沈家本曰、說士、游說之士、中井積德曰、謂使以爲話柄、此句應上說士不載句、矯國更俗、【索隱】欲令燕將歸燕、矯正國事、改更弊俗也、【正義】資給說士、以招賢良、用彊國也、矯國更俗、矯正詐僞、與之更弊俗、【考證】正義非、功名可立也。【考證】雖然至此、是爲第一計、歸燕全身也、亡意亦捐燕弃世、東游於齊乎。【索隱】亡、音無、言若必無還燕意、則捐燕而東游於齊乎、【正義】亡、罔良反、亡、失也、若不歸燕、失意、棄其忠良之名、東遊齊國也、【考證】齊策、亡意作意者、意者、猶曰或又、裂地定封、富比乎陶·衛、世世稱孤、與齊久存。【索隱】按延篤注戰國策云、陶、陶朱公也、衛、衛公子荊、非也、王劭云、魏冄封陶、商君姓衛、富比陶衛、謂此也、【考證】棄燕遊齊、是爲第二計也、又一

計也。此兩計者、顯名厚實也。願公詳計而審處一焉。且吾聞之、規小節者、不能成榮名、惡小恥者、不能立大功。昔者管夷吾射桓公中其鉤。簒也。遺公子糾不能死。怯也。束縛桎梏。辱也。【索隱】遺、弃也、謂弃子糾而事小白也、【正義】管仲傅子糾、而魯殺之、不能隨子糾死、是怯懦畏死、若此三行者、世主不臣、而鄉里不通。鄉使管子幽囚而不出、身死而不反於齊、則亦名不免爲辱人賤行矣。臧獲且羞與之同名矣。況世俗乎。【集解】方言曰、荊淮海岱燕齊之閒、罵奴曰臧、罵婢曰獲、故管子不恥身在縲紲之中、而恥天下之不治。不恥不死公子糾、而恥威之不信於諸侯。故兼三行之過、而爲五霸首、名高天下、而光燭鄰國。【正義】按齊桓最初得周襄王賜文武胙、彤弓矢大輅、故爲五伯首也、【正義】趙岐注孟子、齊桓晉文秦穆宋襄楚莊是也、蒼頡篇云、燭、照也、【考證】中井積德曰、齊桓稱霸首、亦以功烈耳、豈錫賚之謂哉、曹子爲

魯將、三戰三北、而亡地五百里。【索隱】魯將曹昧是也、【考證】齊策、曹子作曹沫、五百里作千里、李笠曰、淮南氾論訓亦云、喪地千里、亦誇辭、魯地亦安得如此之廣、鄉使曹子計不反顧、議不還踵、刎頸而死、則亦名不免爲敗軍禽將矣。曹子棄三北之恥、而退與魯君計、桓公朝天下會諸侯、曹子以一劍之任、枝桓公之心於壇坫之上、【索隱】按、枝、猶擬也、【正義】坫、都念切、【考證】岡白駒曰、枝與支通、持也、中井積德曰、壇坫之坫字、以類帶說耳、只是謂壇上也、坫字無意、齊策作壇位之上、顏色不變、辭氣不悖、三戰之所亡、一朝而復之、天下震動、諸侯驚駭、威加吳·越。若此二士者、非不能成小廉而行小節也。以爲殺身亡軀、絕世滅後、功名不立、非智也。故去感忿之怨、立終身之名、棄忿悁之節、定累世之功。【正義】忿、敷粉反、悁、於緣反、忿悁、悒憂貌、【考證】感忿悁、忿字複、古文無此法、疑有誤、策、作去忿恚之心、除感忿之恥、亦重忿字、是以業與三王爭流、而名與天壤

相獘也。顧公擇一而行之。【正義】天壤、天地也、齊策、名與天壤相獘也、言天壤獘、此名乃獘、【考證】文見齊策、多異同、鮑彪曰、葢好事者聞約矢之說、惜其書不存、擬爲之以補亡、而其人意氣橫溢、肆筆而成、不暇檢校細處、太史公亦愛其千里、而畧其牝牡驪黃、至于今二千歲、莫有知其非者也、愚按、史公取其吾聞之以下三百餘言、晤以自比、燕將見魯連書、泣三日、猶豫不能自決。【考證】楓、三本、自下有爲字、欲歸燕。已有隙、恐誅。欲降齊、所殺虜於齊甚衆、恐已降而後見辱。喟然歎曰。與人刃我、寧自刃。乃自殺。聊城亂。田單遂屠聊城。【考證】梁玉繩曰、國策、燕將曰、敬聞命矣、因罷兵、倒韣而去、吳注云、史稱燕將得書自殺、單屠聊城、非事實也、連之大意、在于罷兵息民、而其料事之明、勸以歸燕降齊、亦度其計之必可者、迫之于窮而置之于死、豈其心哉、夫其勸之、政將以全聊城之民、而忍坐視屠之、策得其實、史不可信、孫侍御云、聊城齊地、田單齊將、何以反屠聊乎、歸而言魯連、欲爵之。魯連逃隱於海上曰。吾與富貴而詘於人、寧貧賤而輕世肆志焉。【索隱】肆、猶放也、【考證】齊策、無此語、史公豈有所本乎、吾與富貴而詘於人一語、與莊周言相似、鄒陽者、齊人也。游於梁、與故吳人莊忌夫子·淮陰枚生

之徒交。【索隱】忌、會稽人、姓莊氏、字夫子、後避漢明帝諱、改姓曰嚴、枚生、名乘、字叔、其子皋、漢書竝有傳、葢以銜枚氏而得姓也、【考證】魯連亦齊人、游梁、與鄒陽相似、中井積德曰、夫子、美稱、非字、愚按、忌字後人旁注、誤入本文、上書而介於羊勝·公孫詭之閒。【索隱】言鄒陽上書自達、而游於二人之閒、或往彼、或往此、介者言有隔於其閒、故杜預曰、介猶閒也、【正義】介、猶紹繼也、言與羊勝公孫詭紹繼相接廁其閒、【考證】顏師古曰、介、謂閒廁也、中井積德曰、謂與比伍、漢書鄒陽傳云、吳王濞招四方游士、陽與吳嚴忌枚乘等俱仕吳、吳王有邪謀、陽上書諫、吳王不內、是時梁孝王貴盛、亦待士、於是鄒陽枚乘嚴忌、皆去之梁、從孝王游、羊勝、公孫詭、詳梁孝王世家、勝等嫉鄒陽、惡梁孝王。【正義】顏師古曰、惡、謂讒毀也、孝王怒下之吏、將欲殺之。鄒陽客游、以讒見禽、恐死而負累、【正義】諸不以罪死爲累、【考證】中井積德曰、客居無親知爲白寃者、則死後尙爲世所疑、是爲累、乃從獄中上書曰。臣聞忠無不報。信不見疑。臣常以爲然。徒虛語耳。昔者荊軻慕燕丹之義。白虹貫日。太子畏之。【集解】應劭曰、燕太子丹質於秦、始皇遇之無禮、丹亡去、故厚養荊軻、令西刺秦王、精誠感天、白虹爲之貫日也、如淳曰、白虹、兵象、日爲君、烈士傳曰、荊軻發後、太子自相氣、見虹貫日不徹、曰、吾事不成矣、後聞軻死、事不立、曰、吾知其然也、【索隱】烈士傳曰、荊軻發後、太子自相氣、見虹貫日不徹、曰、

吾事不成、後聞軻死、事不就、曰、吾知其然、是畏也、又王劭云、軻將入秦、待其客未發、太子丹疑其畏懼、故曰畏之、其解不如見虹貫日不徹也、戰國策又云、聶政刺韓傀、亦曰、白虹貫日也、【考證】中井積德曰、精誠感虹、反見疑、與衞先生一類、注引烈士傳、非也、應說亦舛、愚按、畏猶疑也、丹疑軻不往也、衞先生爲秦畫長平之事。太白蝕昴。而昭王疑之。【集解】蘇林曰、白起爲秦伐趙、破長平軍、欲遂滅趙、遣衞先生說昭王益兵糧、乃爲應侯所害、事用不成、其精誠上達於天、故太白爲之蝕昴、昴、趙地分野、將有兵、故太白食昴、食、干歷之也、如淳曰、太白乃天之將軍也、【索隱】服虔云、衞先生秦人、白起攻趙軍於長平、遣衞先生說昭王、請益兵糧、爲穰侯所害、事不成、精誠感天、故太白食昴、昴、趙分也、如淳云、太白主西方、秦在西、敗趙之兆也、食、謂干歷之也、又王充云、夫言白虹貫日、太白食昴、實也、言荊軻之謀、衞先生之策、感動皇天、而貫日食昴、是虛也、【考證】中井積德曰、蝕、如日食之食、愚按、索隱本蝕作食、漢傳文選、竝無而字、夫精變天地、而信不喻兩主。豈不哀哉。【正義】喻、曉也、今臣盡忠竭誠、畢議願知。左右不明、卒從吏訊、爲世所疑。【集解】張晏曰、盡其計議、願王知之也、【索隱】言左右之不明、不欲斥王、【考證】新序、議作義、是使荊軻·衞先生復起、而燕·秦不悟也。願大王孰察之。昔卞和獻寶、楚王刖之。【集解】應劭曰、卞和得玉璞、獻之武王、武王示玉人、玉人曰、石也、刖右足、武王沒、復獻文

王、玉人復曰、石也、刖其左足、至成王時、卞和抱璞哭于郊、乃使玉尹攻之、果得寶玉、【索隱】楚人卞和得玉璞、事見國語及呂氏春秋、案世家、楚武王名熊通、文王名貲、武王子也、成王、文王子也、名惲、【考證】索隱本、卞和作玉人、與漢書文選合、但與李斯對言、則當以卞和爲正、 李斯竭忠、胡亥極刑。是以箕子詳狂、【索隱】詳、音陽、謂詐爲狂也、司馬彪曰、箕子名胥餘、是也、 接輿辟世。【集解】張晏曰、楚賢人、詳狂避世也、【索隱】張晏曰、楚賢人、高士傳曰、楚人陸通字接輿、是也、【考證】接輿見論語莊子楚辭、 恐遭此患也。願大王孰察卞和·李斯之意。而後楚王·胡亥之聽、無使臣爲箕子·接輿所笑。【索隱】謂以楚王胡亥之聽爲謬、故後之而不用、後、猶下也、 臣聞比干剖心、子胥鴟夷。【索隱】按韋昭云、以皮作鴟鳥形、名曰鴟夷、鴟夷、皮榼也、服虔曰、用馬革作囊也、以裹尸投之于江、 臣始不信。乃今知之。願大王孰察少加憐焉。諺曰。有白頭如新、【索隱】案服虔云、人不相知、自初交至白頭、猶如新也、 傾蓋如故。【索隱】服虔云、如吳札鄭僑也、按家語孔子遇程子於途、傾蓋而語、又志林云、傾蓋者道行相遇、軿車對語、兩蓋相切、小欹之、故曰傾也、【考證】中井積德曰、不傾蓋則兩車不相接、 何則知與不知也。【集解】桓譚新論曰、言內有以相知與否、不在新故也、 故昔樊於期逃秦之燕、

藉荊軻首以奉丹之事、【索隱】藉、音子夜反、韋昭云、謂於期逃秦之燕、以頭與軻、使入秦以示信也、【考證】中井積德曰、藉、猶資也、楓本、丹上有燕字、 王奢去齊之魏、臨城自剄、以卻齊而存魏。【集解】漢書音義曰、王奢、齊人也、亡至魏、其後齊伐魏、奢登城謂齊將曰、今君之來、不過以奢之故也、夫義不苟生以爲魏累、遂自剄也、 夫王奢·樊於期、非新於齊·秦、而故於燕·魏也。所以去二國死兩君者、行合於志、而慕義無窮也。是以蘇秦不信於天下、而爲燕尾生。【索隱】服虔云、蘇秦於齊不出其信、於燕則出尾生之信、韋昭云、尾生守信而死者、案言蘇秦於燕獨守信如尾生、故云爲燕之尾生也、【正義】尾生守信死、言蘇秦合從、諸侯不信、唯燕信之若尾生、【考證】中井積德曰、本文言天下、索隱特稱齊何邪、愚按天下言六國、正義是、或以爲蘇代訛、非、 白圭戰亡六城、爲魏取中山。【集解】張晏曰、白圭爲中山將、亡六城、君欲殺之、亡入魏、文侯厚遇之、還拔中山、【索隱】案事見戰國策及呂氏春秋也、 何則誠有以相知也。蘇秦相燕。燕人惡之於王。王按劍而怒、食以駃騠。【集解】漢書音義曰、駃騠、駿馬也、生七日而超其母、敬重蘇秦、雖有讒謗而更膳以珍奇之味、【索隱】案字林云、決啼二音、北狄之良馬也、馬父贏母、【正義】食、音寺、駃騠、音決蹄、北狄良馬也、

【考證】恩田仲任曰、駃騠、匈奴奇畜也、王怒讒蘇秦之人、使駃騠食之、猶晉厲公怒趙盾嗾夫獒也、下文投之以夜光璧、意與此同、 白圭顯於中山。中山人惡之魏文侯。文侯投之以夜光之璧。【考證】顏師古曰、以拔中山之功而尊顯也、愚按漢書文選不重中山二字、似長、投以夜光之璧者、憤怒之極、不暇擇物也、 何則兩主二臣、剖心坼肝相信。豈移於浮辭哉。故女無美惡、入宮見妒、士無賢不肖入朝見嫉。昔者司馬喜髕腳於宋、卒相中山。【集解】晉灼曰、司馬喜三相中山、蘇林曰、六國時人、被此刑也、【索隱】事見戰國策及呂氏春秋、蘇林云、六國時人、相中山也、【考證】沈欽韓曰、攷呂覽及中山策所載、喜非被刖者也、 范睢摺脅折齒於魏、卒爲應侯。【索隱】案應侯傳、作折脅摺齒、是也、說文、拉、摧也、音力荅反、【考證】摺、古拉字、 此二人者皆信必然之畫、捐朋黨之私、挾孤獨之位。故不能自免於嫉妒之人也。【考證】楓、三本、漢書文選、位作交、位字爲長、 是以申徒狄自沈於河。【集解】漢書音義曰、殷之末世人、【索隱】申屠狄、按莊子申屠狄諫而不用、負石自投河、韋昭云、六國時人、漢書云、自沈於雍河、服虔曰、雍州之河、又新序作抱甕自沈於河、不同也、 徐衍負石

入海。【集解】列士傳曰、周之末世人、【索隱】亦見莊子、張晏曰、負石欲沈、 不容於世、義不苟取比周於朝、以移主上之心。【考證】文選、容下有身字、李善曰、言皆義不苟取比周朋黨爲在朝廷、皆移主上之心妄求合也、中井積德曰、義不苟取爲一句、其下蓋脫數字、愚按中說是、 故百里奚乞食於路、繆公委之以政。【考證】楓、三本、漢書、於下有道字、 甯戚飯牛車下、而桓公任之以國。【集解】應劭曰、齊桓公夜出迎客、而甯戚疾擊其牛角、商歌曰、南山矸、白石爛、生不遭堯與舜禪、短布單衣適至骭、從昏飯牛薄夜半、長夜曼曼何時旦、公召與語、說之、以爲大夫、【索隱】事見呂氏春秋、商歌、謂爲商聲而歌也、或云、商旅人歌也、二說竝通、矸、音公彈反、矸者淨白貌也、顧野王又作岸音也、禪、音膳、如字讀、協韻失之故也、埤蒼云、骭、脛也、字林、音下諫反、 此二人者、豈借宦於朝、假譽於左右、然後二主用之哉。【考證】漢書文選、借作素、假作借、 感於心、合於行、親於膠漆、昆弟不能離。豈惑於衆口哉。【考證】文選、行作意、漢書文選、親於作堅如、 故偏聽生姦。獨任成亂。【考證】姦亂韻、 昔者魯聽季孫之說而逐孔子、【索隱】論語齊人歸女樂、季桓子受之、三日不朝、孔子行也、【考證】中井積德曰、逐孔子、隨文而解、可也、不必挾女樂爲說、 宋信

子罕之計而囚墨翟。【索隱】案左氏司城子罕、姓樂名喜、乃宋之賢臣也、漢書作子井、不知子井是何人、文穎曰、子井、子罕也、又按荀卿傳云、墨翟孔子時人、或云在孔子後、又襄二十九年左傳、宋饑、子罕請出粟、按時孔子適八歲、則墨翟與子罕不得相輩、或以子井爲是也、【考證】沈欽韓曰、史記作子罕爲是、索隱疑其不與墨翟同時、不知春秋後、復有一子罕也、梁玉繩曰、漢書陽傳、及新序三、子罕作子冉、豈冉罕音近通用乎、而此子罕必子罕之後、以字爲氏、如鄭罕氏常掌國政也、墨翟與之竝世、證一、李斯上二世書、韓子二柄、外儲右下、說疑、忠孝等篇、韓詩外傳七、淮南道應、說苑君道、皆言司城子罕劫君擅政、證二、而前人誤以爲樂喜、困學紀聞六謂子罕賢大夫、辨李斯諸說爲誣罔、而不知劫君之子罕、竝墨翟世、乃樂喜之後爲司城者、高誘注呂子召類云、春秋子罕、殺宋昭公、攷宋有兩昭公、前昭公當魯文時、後昭公當戰國時、皆與樂喜不同世、諸書但言宋君、高氏以昭公實之、殊妄、況召類篇言子罕相宋平元景三公、孔子稱其仁節、則政是樂喜、奈何以爲殺君、或者樂喜之後當後昭公時、有劫君之事歟、然不可以注春秋仁節之子罕也、囚墨翟事、無所見、夫以孔・墨之辯、不能自免於讒諛。而二國以危。何則衆口鑠金、【索隱】案國語云、衆心成城、衆口鑠金、賈逵云、鑠、消也、衆口所惡、雖金亦爲之消亡、又風俗通云、或說有美金於此、衆人或共詆訿、言其不純金、賣者欲其必售、因取鍛燒以見其眞、是爲衆口鑠金也、積毀銷骨也。【索隱】大顏云、讒人積久譖毀、則父兄伯叔自相誅戮、骨肉爲之消滅也、【考證】周語、衆志成城、衆口鑠金、史張儀傳、臣聞之、衆口鑠金、積毀銷骨、漢書中山靖王聞樂對、亦云、衆口鑠金、積毀銷骨、中井積德曰、金骨竝以

其堅難銷鑠而喻、又曰、是以必無之事、夸張言之耳、沈欽韓曰、師古弄巧、非本意、是以秦用戎人由余而霸中國。齊用越人蒙而彊威・宣。【索隱】越人蒙、未見所出、漢書作子臧、又張晏云、子臧越人、或蒙之字也、【考證】顏師古曰、威宣、齊之二王謚也、此二國、豈拘於俗牽於世、繫阿偏之辭哉。【正義】阿偏、謂阿黨之言及偏辭、公聽竝觀、垂名當世。【索隱】小顏云、公聽、言不私、竝觀、所見齊同也、【考證】中井積德曰、竝觀、謂所見不偏也、又曰、言垂則下宜言後世、言當世、則上宜言立、是必有一誤、故意合、則胡・越爲昆弟。由余・越人蒙是矣。不合、則骨肉出逐不收、朱・象・管・蔡是矣。【考證】漢書、文選、出逐不收、作爲讎敵、今人主誠能用齊秦之義、後宋・魯之聽、則五伯不足稱、三王易爲也。【考證】漢書、文選、稱、作侔、文選、爲下有比字、是以聖王覺悟、捐子之之心、【集解】徐廣曰、燕王讓國於其大臣子之也、而能不說於田常之賢、【集解】應劭曰、田常事齊簡公、簡公說之、而殺簡公、使人君去此心、則國家安全也、【考證】漢書、文選、無能字、此衍、封比干之後、修孕婦之墓。【集解】應劭曰、紂刳妊者、觀其胎產也、【索隱】案比干之後、後、謂子也、不見其文、

尚書封比干之墓、又惟云、刳剔孕婦、則武王雖反商政、亦未必修孕婦之墓也、故功業復就於天下。【考證】漢書、文選、無就字、復作覆、注云、覆、猶被也、何則欲善無厭也。夫晉文公親其讎、彊霸諸侯。齊桓公用其仇、而一匡天下。【集解】謂晉寺人勃鞮、齊管仲也、何則慈仁慇勤、誠加於心。不可以虛辭借也。【考證】文選、加作嘉、至夫秦用商鞅之法、東弱韓・魏、兵彊天下。而卒車裂之。【考證】楓、三本、漢書、文選、兵作立、越用大夫種之謀、禽勁吳、霸中國。而卒誅其身。是以孫叔敖三去相而不悔。【索隱】案三得相不喜、知其才之自得也、三去相不悔、知非己之罪也、【考證】梁玉繩曰、莊子田子方、呂覽知分、皆云、孫叔敖三爲令尹、三去令尹、荀子堯問、亦有三相楚之語、故鄒陽述之、史記循吏傳載之、它如淮南道應、汜論、說苑尊賢、雜言、竝仍之、然不足信也、呂覽高注、論語云、令尹子文、不云叔敖、隸釋漢延熹三年叔敖碑、取材最博、獨不及三去相事、困學紀聞七、謂事與子文相類、恐此一事、四書釋地又續曰、叔敖爲令尹、見宣十一年、癸亥、叔敖死于莊干、手約令尹僅七八年、以莊王之賢、豈肯暫已叔敖、意係子文事、傳譌爲叔敖耳、大全辨載一說謂叔敖實三仕三已、傳譌爲子文、不信論語、眞顚倒見矣、又經史問荅曰、子文亦未嘗三爲令尹、子文于莊公三十年爲令尹、至僖公二十三年讓子玉、凡二十八年、子玉死、爲呂

臣繼之、子上繼之、大孫伯繼之、成嘉繼之、是後楚令尹不見于左傳、文公十二年、追紀子文卒鬬般爲令尹、意者成嘉之後、嘗再起子文爲令尹、而仁山先生以爲子上之後者誤也、然則子文爲令尹者再、其初以讓人、其後卒于位、據全氏說、則子文之事、見于論語國語、尚難盡憑、況叔敖乎、然國語鬬且曰、子文三舍令尹、無一日之積、又曰、成王每出子文之祿必逃、王止而後復、則二十八年中必有逃而後復者、三仕三已、槪可想見、當以論語爲信、於陵子仲辭三公、爲人灌園。【集解】列士傳曰、楚於陵子仲、楚王欲以爲相、而不許、爲人灌園、【索隱】案孟子云、陳仲子、齊陳氏之族、兄爲齊卿、仲子以爲不義、乃適楚、居于於陵、自謂於陵子仲、楚王聘以爲相、子仲遂夫妻相與逃、爲人灌園、烈士傳云、字子終、【考證】於陵子、卽陳仲子、又曰田仲、見孟子滕文公篇、荀子非十二子篇、韓非子外儲篇、列女傳二、中井積德曰、據孟子、於陵亦齊地、索隱引孟子云、而所稱非孟子文、今人主誠能去驕傲之心、懷可報之意、【考證】李善曰、言士有功可報者、思必報、披心腹、見情素、墮肝膽、施德厚、【考證】情素、猶情實也、心腹下、肝膽下、竝添以字、看王先謙曰、墮當訓輸、終與之窮達、無愛於士、【正義】顏曰、無愛、無悋惜也、【考證】與之窮達、與士共患難安樂也、則桀之狗、可使吠堯、【集解】韋昭曰、言恩厚無不使也、【索隱】及下跖之客、可使刺由、此竝見戰國策、服虔云、仲由也、應邵云、許由也、而蹠之客、可使刺由。【集解】應邵曰、跖之客、爲其人使刺由、由、許由也、跖、盜跖也、況因萬乘之權、假

聖王之資乎。[考證]中井積德曰、桀狗吠客之喩、甚非可陳於梁王之前者、異日刺袁盎者、豈鄒陽之爲邪、學術之不正、自然露出、又曰、聖王者、非所以稱梁王也、鄒陽失辭、　然則荊軻之湛七族、要離之燒妻子、豈足道哉。[集解]應劭曰、荊軻爲燕刺秦始皇、不成而死、其族坐之湛沒、吳王闔閭、欲殺王子慶忌、要離詐以罪亾、令吳王燔其妻子、要離走見慶忌、以劒刺之、張晏曰、七族、上至曾祖、下至曾孫、[索隱]湛、音沈、張晏云、七族、上至曾祖、下至玄孫、又一說云、父之族一也、姑之子二也、姊妹之子三也、女子之子四也、母之族五也、從子六也、及妻父母、凡七、要離事見呂氏春秋、[考證]梁玉繩曰、論衡語增云、秦王誅軻九族、復滅其一里、與之不同、而漢書作軻湛七族、師古曰、此無荊字、尋諸史籍、荊軻無湛七族之事、不知陽所言何人、野客叢書又云、湛之爲義、言隱沒也、軻得罪秦、凡軻親屬皆竄迹隱遯、不見于世、非謂滅其七族、高漸離變姓名匿于宋子、政此意、未知孰是、愚按要離事見呂氏春秋忠廉篇、漢書、文選、足下有爲大王三字、　臣聞明月之珠、夜光之璧、以闇投人於道路、人無不按劒相眄者。何則無因而至前也。[考證]漢書、文選、無路字、人作衆、　蟠木根柢、輪囷離詭、而爲萬乘器者、[集解]張晏曰、根柢、下本也、輪囷離詭、委曲槃戾也、[索隱]孟康云、蟠結之木也、晉灼云、槃柢、木根也、[考證]楓三本、離詭作離倚、漢書、文選、作離奇、何則以左右先爲之容也。[索隱]謂左右先加雕刻、是爲之容飾也、[正義]言

先爲雕刻裝飾、故得爲萬乘之器也、[考證]中井積德曰、先容卽先談、謂先白其形狀、薦其可用也、正與無因對、故稱左右、若夫雕刻容飾、豈左右之任哉、　故無因至前、雖出隨侯之珠・夜光之璧、猶結怨而不見德。故有人先談、則以枯木朽株、樹功而不忘。[考證]漢書、德下無故字、談作游、　今夫天下布衣窮居之士、身在貧賤、雖蒙堯・舜之術、[索隱]案言雖蒙被堯舜之道、[考證]蒙、依索隱本、楓三本、新序、漢書、文選、他本作包、包、抱通、　挾伊・管之辯、懷龍逢・比干之意、欲盡忠當世之君、而素無根柢之容、雖竭精思、欲開忠信、輔人主之治、則人主必有按劒相眄之跡。[考證]漢書、文選、思作神、有作襲、跡下有矣字、　是使布衣不得爲枯木朽株之資也。是以聖王制世御俗、獨化於陶鈞之上、[集解]漢書音義曰、陶家名模下圓轉者爲鈞、以其能制器爲大小、比之於天、[索隱]張晏云、陶、冶、鈞、範也、作器、下所轉者名鈞、韋昭曰、陶、燒瓦之竈、鈞、木長七尺、有絃、所以調爲器具也、崔浩云、以鈞制器萬殊、故如造化也、[考證]中井積德曰、陶鈞、謂化俗之柄也、非以比於天、取喩於鈞、取其大小方圓任意也、　而不牽於卑

亂之語、不奪於衆多之口。故秦皇帝任中庶子蒙嘉之言、以信荊軻之說、而七首竊發。[索隱]案風俗通云、其頭類七、故曰七首、短而便用也、[考證]沈家本曰、文選注、風俗通、作通俗文、　周文王獵涇渭、載呂尚而歸、以王天下。故秦信左右而殺、周用烏集而王。[集解]漢書音義曰、太公望塗觀卒遇、共成王功、若烏鳥之暴集也、[索隱]韋昭云、呂尚適周、如烏之集、[正義]顏云、文王之得太公、非因舊故、若烏鳥暴集也、[考證]中井積德曰、七首發而已、秦王未嘗被傷也、此云殺、何也、　何則以其能越攣拘之語、馳域外之議、獨觀於昭曠之道也。[考證]顏師古曰、昭、明、曠、廣也、　今人主沈於諂諛之辭、牽於帷裳之制、[集解]漢書音義曰、言爲左右便辟、侍帷裳臣妾所見牽制、[考證]漢書、文選、裳作牆、帷牆、左右也、　使不羈之士、與牛驥同皁。[集解]漢書音義曰、食牛馬器、以木作如槽也、[索隱]案言駿足不可羈絆、以比逸才之人、應劭云、皁、櫪也、韋昭云、皁、養馬之官、下士也、案養馬之官、其衣皁也、又郭璞云、皁、養馬器也、[正義]顏云、不羈、言才識高遠、不可羈係、皁、在早反、方言云、梁宋齊楚燕之閒、謂櫪曰皁、[考證]與牛驥同皁、謂投圂圈也、驥只做馬字看、　此鮑焦所以忿於世、而不留富貴之樂也。

[集解]如淳曰、莊子云、鮑焦飾行非世、抱木而死、[索隱]晉灼云、烈士傳、鮑焦怨世不用己、採蔬於道、子貢難曰、非其代而採其蔬、此焦之有哉、弃其蔬、乃立枯洛水之上、案此事見莊子及說苑韓詩外傳、小有不同耳、　臣聞盛飾入朝者、不以利汙義。砥厲名號者、不以欲傷行。[考證]漢書、文選、利作私、欲作利、　故縣名勝母、而曾子不入。[集解]漢書云、里名勝母也、[索隱]按淮南子及鹽鐵論竝云、里名勝母、曾子不入、蓋以名不順故也、尸子以爲孔子至勝母縣、暮而不宿、則不同也、[正義]淮南子鹽鐵論皆云、里名、尸子及此傳云、縣名、未詳也、[考證]梁玉繩曰、勝母非縣、此誤、然諸書所說多異、不入勝母、水經注廿五、及索隱竝引尸子作孔子、與此及淮南說山、說苑談叢、論衡問孔、鹽鐵論晁錯、新論鄙名、顏氏家訓文章篇、作曾子、不同、迴車朝歌、新論家訓作顏淵、水經洪水注引論語比考讖云、邑名朝歌、顏子不舍、七十弟子掩目、宰予獨顧、由蹷墮車、與此及淮南作墨子不同、蓋所傳異詞、如水經注說苑論衡、言孔子不飲盜泉之水、淮南言曾子立廉、不飲盜泉也、　邑號朝歌、而墨子回車。[集解]晉灼曰、朝歌者不時也、[正義]朝歌、今衛州縣也、　今欲使天下寥廓之士、攝於威重之權、主於位勢之貴、[考證]文選、寥作怓、攝、漢書作籠、文選作誘、主、漢書、文選作脅、楓三本作匡、中井積德曰、主作脅爲長、　故回面汙行、以事諂諛之人、而求親近於左右、則士伏死堀穴巖巖之中

耳。〔集解〕詩云、節彼南山、維石巖巖、〔正義〕杜預云、回、邪也、〔考證〕漢書、文選、回上無故字、士下有有字、巖巖作巖藪、李笠曰、今欲使至求親左右云云、一氣貫注、回面句上不宜冠以故字、當刪、士下、有有字、語勢爲足、中井積德曰、巖巖作巖藪、似優、回、轉也、易也、安肯有盡忠信而趨闕下者哉。〔考證〕眞德秀曰、此篇用事太多、而文亦寖趨于偶儷、董份曰、鄒陽書、此體古所未有、獨起此格、愚按鄒陽諫吳王書、全篇比物連類、寓正意於其中、蓋譬喩文字、鄒陽特長、是篇亦然、書奏梁孝王。孝王使人出之、卒爲上客。〔考證〕漢傳、記鄒陽事特詳、

太史公曰。魯連其指意雖不合大義、〔考證〕梁玉繩曰、案仲連不肯帝秦一節、政見大義、戰國一人而已、史公此語、殊未當、然余多其在布衣之位、蕩然肆志、不詘於諸侯、談說於當世、折卿相之權。鄒陽辭雖不遜、然其比物連類、有足悲者。亦可謂抗直不橈矣。吾是以附之列傳焉。

〔索隱〕述贊、魯連達士、高才遠致、釋難解紛、辭祿肆志、齊將挫辯、燕軍沮氣、鄒子遇讒、見詆獄吏、慷慨獻說、時王所器、

魯仲連鄒陽列傳第二十三　史記八十三

史記會注考證卷八十四

漢　太史令司馬遷　撰
宋　中郎外兵曹參軍裴駰　集解
唐　國子博士弘文館學士司馬貞　索隱
唐　諸王侍讀率府長史張守節　正義
日本　出雲　瀧川資言　考證

屈原賈生列傳第二十四　史記八十四

【考證】史公自序云、作辭以諷諫、連類以爭義、離騷有之、作屈原賈生列傳第二十四、董份曰、屈原傳、大概漢武帝命淮南王安爲原作者也、太史公全用其語、班固嘗有論

矣、陳仁錫曰、屈賈俱被謗、俱工辭賦、其事迹相似、故二人共傳、愚按、此傳以屈原爲主、故置諸魯仲連呂不韋間、

屈原者、名平、楚之同姓也。【正義】屈、景、昭、皆楚之族、王逸云、楚王始都是、生子瑕、受屈爲卿、因以爲氏、【考證】屈原離騷云、肇錫余以嘉名、名余曰正則兮、字余曰靈均、與此異、朱熹云、正、平也、則、法也、靈、神也、均、調也、高平曰原、故名平而字原也、正則靈均、各釋其義、以爲美稱耳、愚按、正義是、疑當作郢、爲楚懷王左徒。【正義】蓋今在左右拾遺之類、【考證】錢大昕曰、黃歇由左徒爲令尹、則左徒亦楚之貴臣矣、博聞彊志、明於治亂、嫺於辭令。【集解】史記音隱曰、嫺、音閑、【正義】閑、雅也、【考證】嫺讀爲閑習也、入則與王圖議國事、以出號令。出則接遇賓客、應對諸侯。王甚任之。上官大夫與之同列、爭寵而心害其能。【考證】王逸離騷經序、作同列大夫上官靳尚、徐孚遠曰、史記張儀傳、別出靳尚、不言卽上官、疑是兩人也、愚按、說在下文、懷王使屈原造爲憲令。屈平屬草稾、未定。【索隱】屬、音燭、草稾、謂創制憲令之本也、漢書作草具、崔浩謂、發始造端也、【考證】曾國藩曰、屈平屬草稾、未定、此屬字、則與屬文字有別、屬者適也、謂當此際也、左氏成二年傳、屬當戎行、謂於此際在戎行也、昭四年、屬有宗祧之事於武城、謂於此際有事於武城也、漢書李尋傳、屬者頗有變更、謂近此之際、頗有更改也、屈平屬草稾云者、謂平於此際草

創憲令也、顏師古匡謬正俗曰、草創蓋初始之時、亦未成之稱、然則草稾二字之義、謂草創其文、同禾之稿秆、未甚整理云爾、上官大夫見而欲奪之。屈平不與。【正義】王逸云、上官靳尚、【考證】陳子龍曰、上官欲豫聞憲令、以與幾事、非竊屈平之作以爲己作也、王本命平、上官無繇竊之也、因讒之曰。王使屈平爲令。衆莫不知。每一令出、平伐其功曰。以爲非我莫能爲也。王怒而疏屈平。【考證】治要、功下無曰字、疑衍、屈平疾王聽之不聰也、讒諂之蔽明也、邪曲之害公也、方正之不容也、故憂愁幽思而作離騷。【索隱】慅亦作騷、按楚詞慅作騷、音素刀反、應劭云、離、遭也、騷、憂也、又離騷序云、離、別也、騷、愁也、【考證】索隱本、楓、三本、騷作慅、聰、明、公、容、韻、王應麟曰、楚語、伍舉曰、德義不行、則邇者騷離、而遠者距違、伍舉所謂騷離、屈平所謂離騷、皆楚言也、離騷者、猶離憂也。夫天者人之始也。父母者人之本也。人窮則反本。故勞苦倦極、未嘗不呼天也。疾痛慘怛、未嘗不呼父母也。【正義】慘怛、上七感反、下丁達反、慘、毒也、怛、痛也、【考證】孟子萬章篇、舜往于田、號泣于旻天于父母、屈平正道直行、竭忠盡

智、以事其君。讒人閒之。可謂窮矣。【正義】行、寒孟反、信而見疑、忠而被謗。能無怨乎。屈平之作離騷、蓋自怨生也。國風好色而不淫、小雅怨誹而不亂。若離騷者、可謂兼之矣。【正義】誹、方畏反、【考證】楚辭王逸注引班固離騷序云、昔在孝武、博覽古文、淮南王安敘離騷傳、以國風好色而不淫、小雅怨悱而不亂、若離騷、可謂兼之、蟬蛻濁穢之中、浮游塵埃之外、皭然泥而不滓、推此志、雖與日月爭光可也、劉勰文心雕龍辨騷篇、亦引國風好色以下五十字以爲淮南傳語、洪興祖曰、豈太史公取淮南語以作傳乎、上稱帝嚳、下道齊桓、中述湯・武、以刺世事。明道德之廣崇、治亂之條貫、靡不畢見。其文約、其辭微、其志絜、其行廉。其稱文小、而其指極大。舉類邇、而見義遠。其志絜、故其稱物芳。其行廉、故死而不容。自疏濯淖汙泥之中、【索隱】濯淖、上音濁、下音閙、汙泥、上音烏故反、下音奴計反、【正義】濯淖、上音濁、下音女教反、汙泥、上音烏故反、下音年計反、【考證】岡白駒曰、稱物芳、如稱蘭蕙茝桂之類、王念孫曰、濯、直教反、廣雅曰、淖、濁也、濯、潲也、皇侃禮記疏曰、潲、謂不淨之汁也、是濯淖皆汙濁之名、濯淖汙泥四字同義、蟬蛻

於濁穢、【正義】蛻、音稅、去皮也、又他臥反、以浮游塵埃之外、不獲世之滋垢、【考證】王念孫曰、廣韻云、獲、辱也、錢大昕曰、滋與玆同、說文云、玆、黑也、春秋傳、何故使我水玆、皭然泥而不滓者也。【集解】徐廣曰、皭、疏靜之貌、【索隱】皭、音自若反、徐廣云、疏淨之貌、泥亦音涅、滓亦音淄、又竝如字、【正義】皭然、上白若反、又子笑反、【考證】中井積德曰、潔白貌、推此志也、雖與日月爭光可也。【正義】言屈平之仕濁世、去其汙垢、在塵埃之外、推此志意、雖與日月爭其光明、斯亦可矣、屈平既絀。其後秦欲伐齊。齊與楚從親。【正義】上足松反、惠王患之。【考證】秦惠王、乃令張儀詳去秦、厚幣委質事楚曰。秦甚憎齊。齊與楚從親。楚誠能絕齊、秦願獻商於之地六百里。楚懷王貪而信張儀。遂絕齊。使使如秦受地。張儀詐之曰。儀與王約六里。不聞六百里。楚使怒去、歸告懷王。懷王怒、大興師伐秦。秦發兵擊之、大破楚師於丹淅【索隱】二水名、謂於丹水之北淅水之南、丹水淅水、皆縣名、在弘農、所謂丹陽淅、【正義】丹陽、今枝江故城、【考證】張文虎曰、索隱

本、淩、毛本、竝作丹淅、注同、蔡本、中統、游、王、柯本、竝作丹陽、楚世家同、愚按、作淅者索隱本、作陽者正義本、梁玉繩曰、史各處皆作丹陽、而此作丹淅者、索隱云、丹淅二水名、謂于丹水之北淅水之南、皆爲縣名在弘農、然則卽漢地理志丹水縣析縣也、通鑑胡注云、丹陽、丹水之陽、班志丹水出上洛冢領山、東至析入鈞水、其水蓋在丹水析兩縣之間、武關之外、秦楚交戰、當在此水之陽、楚師既敗、秦乘勝取上庸、路西入以收漢中、其勢易矣、據此則丹陽丹淅元屬一地、惟國策言杜陵、是誤耳、但索隱既知丹淅在弘農、而于楚世家又云、丹陽在漢中、于韓世家云、在今均州、三處不同、豈非自相牴牾乎、正義謂在枝江、胡注亦辨之云、楚遣屈匄伐秦、秦發兵逆擊之、枝江之丹陽、則距郢逼近、秭歸之丹陽則不當秦楚之路、索隱因下文遂取漢中、卽謂丹陽在漢中、皆非也、斬首八萬、虜楚將屈匄、【索隱】屈姓、匄名、音蓋也、遂取楚之漢中地。【索隱】徐廣曰、楚懷王十六年、張儀來相、十七年秦敗屈匄、【正義】梁州、懷王乃悉發國中兵、以深入擊秦、戰於藍田。魏聞之襲楚至鄧。【索隱】按此鄧在漢水之北、故鄧侯城也、【正義】至郢鄧、一本無郢字、故郢城在荊州陵口縣東北六里、故鄧城在城州安養縣東北二十二里、按二城相近也、【考證】梁玉繩曰、魏當作韓、說在楚世家、楚兵懼、自秦歸。而齊竟怒不救楚。楚大困。明年、秦割漢中地、與楚以和。【考證】張儀傳云、秦要楚、欲得黔中地、欲以武關外易之、與此異、說在楚世家、楚王曰。不願得地。願得張儀

而甘心焉。【考證】左傳杜注、甘心、言快意戮殺也、張儀聞乃曰。以一儀而當漢中地、臣請往如楚。如楚又因厚幣用事者臣靳尙、而設詭辯於懷王之寵姬鄭袖。懷王竟聽鄭袖、復釋去張儀。【考證】其後秦欲伐齊以下、與張儀傳出入、是時屈平既疏、不復在位、使於齊、顧反諫懷王曰。何不殺張儀。【考證】顧反、反也、連字一意、說見樂毅傳、懷王悔、追張儀。不及。【索隱】按張儀傳、無此語也、其後諸侯共擊楚、大破之、殺其將唐眛。【集解】徐廣曰、二十八年敗唐眛也、【正義】眛、莫葛反、【考證】張文虎曰、眛、各本作昧、依志疑改、時秦昭王與楚婚、欲與懷王會。懷王欲行。屈平曰。秦、虎狼之國、不可信。不如毋行。【索隱】按楚世家、昭睢有此言、蓋二人同諫王、故彼此各隨錄之也、懷王稚子子蘭勸王行、柰何絕秦歡。【考證】李笠曰、行下疑脫曰字、懷王卒行。入武關。秦伏兵絕其後、因留懷王、以求割地。【集解】徐廣曰、三十年入秦、懷王怒

不聽。亡走趙。趙不內。復之秦、竟死於秦而歸葬。【考證】楓、三本、之作入、長子頃襄王立、【索隱】名橫、以其弟子蘭爲令尹。楚人既咎子蘭以勸懷王入秦而不反也。屈平既嫉之、雖放流、睠顧楚國、繫心懷王、不忘欲反。冀幸君之一悟、俗之一改也。其存君興國、而欲反覆之、一篇之中、三致志焉。【正義】覆、敷福反、【考證】興國下、疑有譌脫、然終無可柰何。故不可以反。卒以此見懷王之終不悟也。【考證】楓、三本、不下無可字、中井積德曰、屈原既疏、然猶在朝、此乃云放流、何也、懷王既入秦、而不歸、則雖悟無益也、乃言冀一悟、何也、人君無愚智賢不肖、莫不欲求忠以自爲、舉賢以自佐。【索隱】此已下、太史公傷懷王之不任賢、信讒而不能反國之論也、然亡國破家相隨屬、而聖君治國、累世而不見者、其所謂忠者不忠、而所謂賢者不賢也。懷王以不知忠臣之分、【正義】分、符問反、【考證】張文虎曰、

臣字疑誤、故內惑於鄭袖、外欺於張儀、疏屈平而信上官大夫・令尹子蘭、兵挫地削、亡其六郡、身客死於秦、為天下笑。【考證】楓、三本、挫作銼、此不知人之禍也。易曰、井渫不食。【集解】向秀曰、渫者、浚治去泥濁也、【索隱】向秀字子期、晉人、注易、為我心惻。【集解】張璠曰、可為惻然、傷道未行也、【索隱】張璠亦晉人、注易也、可以汲。【索隱】按京房易章句、言我道可汲而用也、王明竝受其福。【集解】易象曰、求王明受福也、【索隱】按京房章句曰、上有明王、汲我道而用之、天下竝受其福、故曰王明竝受其福也、【考證】周易、井九三、以作用、食惻福、韻、王之不明、豈足福哉。【集解】徐廣曰、一云不足福、【正義】言楚王不明忠臣、豈足受福、故屈原懷沙自沈、【考證】中井積德曰、豈足福哉、謂不能予福于人也、余有丁曰、序事未畢、中間雜以論斷、與伯夷傳畧同、蓋傳之變體也、令尹子蘭聞之大怒、【考證】凌稚隆曰、接上屈平既疾之、卒使上官大夫短屈原於頃襄王。頃襄王怒而遷之。【集解】離騷序曰、遷於江南、【考證】梁玉繩曰、王逸離騷序云、上官靳尚、蓋仍新序節士之誤、攷楚策、靳尚為張旄所殺、在懷王世、而此言上官為子蘭所使、當頃襄時、必別一人、故漢書人表、列上官五等、靳尚七等、王懋竑曰、王逸離騷經序說、謂屈原之仕在懷王時、後被讒見疏、乃作離騷、是時秦令張儀譎詐懷王、令絕齊交、又

誘與俱會武關、原諫不聽、遂為所脅、客死於秦、頃襄王立、復用讒言、遷原於江南、原復作九歌、天問、九章、遠遊、卜居、漁父等篇、終不見省、乃自沈而死、洪氏補注云、考原被放、在懷王十六年、至十八年、復召用之、三十年有諫懷王入秦事、頃襄王立、復放屈原、兩說少異、余考其書、離騷之作、未嘗及放逐之云、與九歌九章等篇、自非一時之語、而卜居言既放三年、哀郢言九年之不復、壹反之無時、則初無召用再放之事、洪說誤也、原之被放、在懷王十六年、洪說或有所考、以九年計之、其自沈當在二十四五年間、而諫懷王入秦者、據楚世家、乃昭睢、非原也、夫原諫王不聽、而卒被留以至客死、此忠臣之至痛、而原諸篇、乃無一語以及之、至惜往日悲回風臨絕之音、憤懣伉激、略無所諱、而亦祇反復於隱蔽障壅之害、孤臣放子之冤、其於國家、則但言其委衡勒棄舟檝、將卒於亂亡、而不云禍殃之已至、是也、是誘會被留、乃原所不及見、而頃襄王之立、則原之自沈久矣、王說亦誤也、王之誤本於史、洪氏則以卜居有既放三年之語、而諫入秦在懷王之三十年、故為再召之說、以彌縫之、其於史亦並不合、朱子辯證、謂逸合張儀詐懷及誘會武關二事、為一失之不考、又謂洪氏解施黃棘之枉策、引襄王為言、與上下文絕不相入、而於序說及哀郢註、仍本之者、蓋偶失之、集註之作、眞有以發明屈子之心、千載而下無遺議矣、而舊說之誤、猶有未盡袪者、故竊附論、以俟後之君子考焉、又曰、或曰、屈原本末、史所載甚明、王逸蓋本之子云、原不及襄王時、則史不足據乎、余曰、史所載、得於傳聞、而楚辭原所自作、固不得據彼以疑此也、原所著、惟九章敘事最為明晰、其所述、先見信、後被讒、與史所記懷王時相合、至於仲春南遷、甲之朝以行、發郢都過夏首、上洞庭下江湘、時日道里之細、無不詳載、而於懷王入秦諸大事、乃不一及、原必不若是之顛倒也、懷王客死、君父之讎、襄王不能以復宗社危亡、將在朝夕、此宜呼天號泣、以發其冤憤不平之氣、而乃徒歎息於讒

諛嫉妬之害、而終之曰、不畢辭以赴淵兮、恐壅君之不識、則原之反復流連、纏綿惛亂、僅為一身之故、而忠君愛國之意、亦少衰矣、司馬公作通鑑、削原事不載、謂其過於中庸、不可以訓、此不足以為原病、而恐後之人或有執是以議原者、九原之下、其無遺憾焉、故不得而不辨也、蘇子由作古史、於伯夷傳、獨載孔子之說、而於史所傳則盡去之、朱子嘗取其論、以為知所考信、余蓋倣古史之例、以斷屈子之事、後之君子、其必有取於吾言也夫、又曰、按楚世家、懷王六年、使昭陽將兵攻魏、破之於襄陽、取八邑、又移兵攻齊、十一年、六國共攻秦、懷王為從約長、惜往日所云、國富強而法立、屬貞臣以自娛、正屈原為左徒任事之日也、至十六年、秦使張儀譎詐懷王、絕齊交、楚遂為秦所困、原列傳言上官大夫之譖、王怒而疏屈平、惜往日云、君含怒以待臣、不清澂其然否、又云、弗參驗以考實、遠遷臣而弗思、其指此甚明、而略不及譎詐絕交之云、則原之見疏被放、必在十六年以前、而張儀譎王、乃原被放以後之事、故考之不及、史所載原諫釋儀、雖兩見於楚世家原列傳、恐傳聞之誤、不足據也、以原之自叙考之、既見疏、卽被放、相去無幾時、而史謂懷王時見疏、不復在位、至襄王時、乃遷江南、與原自叙不合、又史云、屈平雖放流、繫心懷王、不忘欲反、冀幸君之一悟、俗之一改、然終無可奈何、卒以此見懷王之終不悟、則原在懷王時已放流矣、一篇之中、自相違戾、其不足據明甚、又史僅載、作離騷及漁父懷沙兩篇、其可據此而謂九歌九章天問遠遊卜居等篇、皆非原所作乎、又史言懷王幼子子蘭頃襄王立以子蘭為令尹、當實有子蘭其人矣、朱子辯證、則謂其因楚辭蘭椒之語而附會之、與班固古今人表令尹子椒共誤同、故於序說直削不載、是朱子固不盡以史為可信、而非余今日一人之私言也、余曩有書楚辭後一篇、其原本失去、今偶於亂稾中錄出之、而更考之史、為附其說於此、庶來者有以識余言之非誣焉爾、愚按、屈原事迹、先秦諸書、絕不錄之、

始見賈生弔文、史公蓋依淮南離騷傳述之、不深究其顛末、故多與楚辭不合、又與國策不合、司馬氏通鑑、削而不筆、未必無由、今錄王氏說、以質後之讀史者、屈原至於江濱、被髮行吟澤畔。顏色憔悴、形容枯槁。漁父見而問之曰、子非三閭大夫歟。何故而至此。【集解】離騷序曰、三閭之職、掌王族三姓、曰昭屈景、序其譜屬、率其賢良以厲國士、【索隱】父音甫、【考證】王逸曰、三閭大夫、謂其故官、洪興祖曰、漁父、假設問答以寄意耳、太史公以為實錄、非也、王世貞曰、長卿子虛、已極曼衍、卜居漁父、實開其端、屈原曰、舉世混濁、而我獨清。衆人皆醉、而我獨醒。是以見放。【考證】王本楚辭、混作皆、下同、清醒韻、漁父曰、夫聖人者、不凝滯於物、而能與世推移。【考證】二句、老子和光同塵之義、卜居篇亦云、將氾氾若水中之鳧乎、與波上下、偷以全吾軀乎、舉世混濁、何不隨其流而揚其波。【索隱】按楚詞、作搰其泥、衆人皆醉、何不餔其糟而啜其醨。【正義】釃、力知反、【考證】楚辭、啜作歠、醨作釃、醨、希薄之酒、何故懷瑾握瑜、而自令見放為。【索隱】按楚詞、此懷瑾握瑜、作深思高舉也、【考證】瑾、瑜、美玉也、移波醨為韻、屈原曰、吾聞之、新沐者必彈冠、新浴者

必振衣。人又誰能以身之察察、【集解】王逸曰、己靜絜、受物之汶汶者乎。【集解】王逸曰、蒙垢汚、【索隱】汶汶、音閔閔、汶汶、猶昏暗也、【考證】楚辭、人又誰能、作安能、衣汶、韻、荀子不苟篇、新浴者振其衣、新沐者彈其冠、人之情也、其誰能以己之僬僬、受人之掝掝者哉、蓋襲此語、寧赴常流、而葬乎江魚腹中耳。【索隱】常流、猶長流也、【考證】楚辭、常流作湘流、又安能以晧晧之白、而蒙世俗之溫蠖乎。【索隱】蠖、音烏廓反、溫蠖、猶惛憒、楚詞、作蒙世之塵埃哉、【正義】溫蠖、猶惛憒也、【考證】楚辭、無又字、下有漁父莞爾而笑、鼓枻而去、歌曰、滄浪之水淸兮、可以濯吾纓、滄浪之水濁兮、可以濯吾足、遂去不復與言四十字、史公削之、以直接懷沙賦、此文章剪裁之法、白蠖、韻、乃作懷沙之賦。【索隱】按楚詞九懷曰、懷沙礫以自沈、此其義也、其辭曰。陶陶孟夏兮、草木莽莽。【集解】王逸曰、陶陶、盛陽貌、莽莽、盛茂貌、【索隱】音姥、【正義】莫古反、【考證】楚辭、陶陶作滔滔、傷懷永哀兮、汨徂南土。【集解】王逸曰、汨、行貌、【索隱】王師叔曰、汨、行貌也、方言曰、謂疾行也、【考證】朱熹曰、徂南土、泝沅湘也、莽土、韻、眴兮窈窈、【集解】徐廣曰、眴、眩也、【索隱】眴、音舜、徐氏云、眴、音眩、窈、音烏鳥反、【考證】張文虎曰、蔡、王、柯、凌本、窈窈作窈窕、李笠曰、楚辭、作杳杳、王逸云、杳杳、深冥貌、窈杳通、作窈窕者誤、孔靜幽墨。【集解】王逸曰、孔、甚也、墨、無聲也、【正義】孔、甚、墨、無聲、言江南山高澤深、視之眴、野甚淸淨、歎無人聲、【考證】楚辭

墨作默、八字、寫滿目荒凉之狀、冤結紆軫兮、離愍之長鞠。【集解】王逸曰、鞠、窮、紆、屈也、軫、痛也、愍、病也、【索隱】離、湣、湣、病、鞠、窮、【正義】惛、病也、【考證】楚辭、冤作鬱、愍作慜、之作而、正義、愍作惛、撫情効志兮、俛詘以自抑。【考證】效、楓本作沒、三本、作歿、俛、楚辭、作寃、墨鞠抑、韻、刓方以爲圜兮、常度未替。【集解】王逸曰、刓、削、度、法、替、廢也、言人刓削方木、欲以爲圓、其常法度尚未廢也、【索隱】刓、音五官反、謂刻刓方木以爲圓、其常法度尚未廢、【正義】被讒譖逐、欲使改行、終守而不易、【考證】中井積德曰、常度、猶故態也、替、變也、易初本由兮、君子所鄙。【集解】王逸曰、由、道也、【正義】本、常也、鄙、恥也、言人遭世不道、變易初行、違離常道、君子所鄙、【考證】楚辭、由作廸、中井積德曰、初本、猶言初始也、章畫職墨兮、前度未改。【集解】王逸曰、章、明也、度、法也、言工明於所畫、念其繩墨、修前人之法、不易其道、則曲木直、而惡木好、【索隱】章、明也、畫、計畫也、楚詞、職作志、志、念也、餘如注所解、【考證】楚辭、職作志、度作圖、中井積德曰、職、識同、謂明著也、作志亦同、言規畫章明、繩墨昭著、無變於初本也、前度、卽指初本也、非借工爲喩、愚按、替鄙改、韻、內直質重兮、大人所盛。【集解】王逸曰、言人質性敦厚、心志正直、行無過失、則大人君子所盛美也、【考證】楚辭、直作厚、盛作晠、巧匠不斲兮、孰察其揆正。玄文幽處兮、矇謂之不章。【集解】王逸曰、玄、黑也、矇、盲者也、詩云、矇瞍奏公、章、明也、【正義】撥正、賢能、玄、黑色也、言待賢能之士、居於山谷、則

衆愚以爲不賢也、【考證】揆正、正義本作撥正、與楚辭合、作揆、義長、楚辭、幽處作處幽、矇下有瞍字、離婁微睇兮、瞽以爲無明。【集解】王逸曰、離婁、古明視者也、瞽、盲也、【正義】離婁、古明視者也、睇、田帝反、眄也、言賢者遭時困厄、俗人侮之以爲癡狂也、【考證】盛正章明、韻、變白而爲黑兮、倒上以爲下。【索隱】音戶、鳳皇在笯兮、【集解】徐廣曰、笯、一作郊、駰案王逸曰、笯、籠落也、【索隱】笯、音奴、又女加反、徐云、一作郊、按籠落、謂藤蘿之相籠絡、【正義】應瑞圖云、黃帝問天老曰、鳳鳥何如、天老曰、鴻前而麟後、蛇頸而魚尾、龍文而龜身、燕頷而鷄喙、首戴德、頸揭義、背負仁、心入信、翼俠順、足履正、尾繫武、小音金、大音鼓、延頸奮翼、五色備擧、鷄雉翔舞。【索隱】楚詞、雉作鶩、【考證】下舞韻、同糅玉石兮、一槩而相量。【集解】王逸曰、忠佞不異、【正義】糅、女由反、【考證】洪興祖曰、糅、雜也、槩、平斗斛木、夫黨人之鄙妒兮、羌不知吾所臧。【集解】王逸曰、莫昭我之善意、【索隱】按王師叔云、羌、楚人語辭、言卿何爲也、【正義】羌、音疆、發語端也、【考證】楚辭、夫下有惟、妒作固、吾下有之、量臧、韻、任重載盛兮、陷滯而不濟。【集解】王逸曰、言己才力盛壯、可任用重載、而身陷沒沈滯、不得成其本志也、【正義】言以才德盛大、可任用重載、無賢明主以用之、故使陷入而未濟、【考證】李笠曰、盛亦重也、此言所任者艱重、所載者盛大、以致陷滯而不濟耳、任重與載盛偶擧、與論語任重道遠語同、懷瑾握瑜兮、窮不得余所示。【集解】王逸曰、示、語也、【考證】楚辭、得作知、無吾字、

中井積德曰、示、如字、濟示、韻、邑犬羣吠兮、吠所怪也。誹俊疑桀兮、固庸態也。【集解】王逸曰、千人才爲俊、一國高爲桀也、庸、厮賤之人也、【索隱】按尹文子云、千人曰俊、萬人曰桀、今乃誹俊疑傑、固是庸人之態也、【考證】楚辭、桀作傑、與索隱合、文質疏內兮、衆不知吾之異采。【集解】徐廣曰、異、一作奧、駰案王逸曰、采、文采也、【考證】朱熹曰、內、舊音訥、材樸委積兮、莫知余之所有。【考證】朱熹曰、材、木中用者也、朴、未斲之質也、委積、言其多有、唯所用之、態采有、韻、重仁襲義兮、謹厚以爲豐。【集解】王逸曰、重、累也、襲、及也、【正義】重、直龍反、襲、亦重也、【考證】朱熹曰、豐、猶富足也、集解及當作仍、重華不可牾兮、孰知余之從容。【集解】王逸曰、牾、逢也、【索隱】楚詞、牾作遌、竝吳故反、王師叔云、牾、逢也、【考證】朱熹曰、從容、擧動自得也、豐容、韻、古固有不竝兮、豈知其故也。【索隱】楚詞、作莫知其何故、【正義】豈有此死事故也、言人固有不比竝、湯禹久遠不可慕也、乃怨憂不改其志、故進路北次、自投汨羅而死也、【考證】朱熹曰、有不竝、言聖賢不竝時而生也、林雲銘曰、豈知其故、言其理大不可解、湯禹久遠兮、邈不可慕也。【考證】楚辭、邈下有而、無也字、故慕、韻、懲違改忿兮、抑心而自彊。【正義】懲、止也、忿、恨也、【考證】王念孫曰、懲、止也、違、恨也、言止其恨改其念、抑其心而自彊勉也、廣雅曰、怨悼狠、恨也、班固幽通賦、違世業之可懷、曹大

家曰、違、恨也、楚辭違謫作連、王注、以連爲留連、失之、離湣而不遷兮、願志之有象。[集解]王逸曰、象、法也、[考證]楚辭、湣作慜、象作像、朱熹曰、不以憂患改其節、欲其志之可爲法也、强象韻、進路北次兮、日昧昧其將暮。[正義]北次將就、[考證]王逸曰、路、道也、次、舍也、中井積德曰、北次、謂還郢之宿次、含憂虞哀兮、限之以大故。[集解]王逸曰、娛、樂也、大故、謂死亾也、[索隱]楚詞、含憂虞哀、作舒憂娛哀、娛音虞、娛者樂也、[考證]朱熹曰、將欲舒憂以娛哀、而念人生幾何、死期將至、其限有不可得而越也、王念孫曰、含、當舍字之誤、舍卽舒字也、說文、舒從予、舍聲、暮故韻、亂曰。[索隱]王師叔曰、亂者理也、所以發理辭指、總撮其要、而重理前意也、浩浩沅湘兮、分流汨兮。[集解]王逸曰、汨、流也、[索隱]沅湘、二水名、按地理志、湘水出零陵海陽山、北入江、沅卽湘之後流也、[正義]說文云、沅水出牂牁東、北流入江、湘水出零陵縣海陽山、北入江、按二水皆經岳州而入大江也、脩路幽拂兮、道遠忽兮。[索隱]楚詞、幽拂作幽蔽也、[正義]拂、風弗反、言拂鬱幽蔽也、楚辭作幽蔽也、[考證]汨忽韻、曾唫恆悲兮、永歎慨兮。世既莫吾知兮、人心不可謂兮。[集解]王逸曰、謂、猶說也、[索隱]楚詞、無曾唫已下二十一字、[正義]自曾唫已下二十一字、楚辭本或有無者、未詳、[考證]沈家本曰、萬曆本楚詞、有此二十一字、而無王注、恐是後人據史文增也、懷情抱質兮、獨無匹兮。伯樂既歿兮、

驥將焉程兮。[集解]王逸曰、程、量也、[考證]楓、三本、匹作正、楚辭、懷情抱質作懷質抱情、無將字、質下歿下、無兮字、朱熹曰、匹當作正、字之誤也、無正、與并日夜無正之正意同、程、謂校量才也、正程韻、人生稟命兮、各有所錯兮。定心廣志、餘何畏懼兮。[集解]王逸曰、錯、安也、[索隱]楚詞、餘竝作余、[考證]楚辭、人作民、餘作余、命下無兮字、錯懼韻、曾傷爰哀、永歎喟兮。世溷不吾知、心不可謂兮。[集解]王逸曰、喟、息也、[正義]溷、胡困反、亂也、[考證]楓三本溷下有濁、心上有人、與楚辭合、楚辭、不作莫、王引之曰、曾傷爰哀四句、乃後人據楚辭增入、非史記原文也、曾唫恆悲四句、卽曾傷爰哀四句之異文、特史記在道遠忽兮之下、楚辭在余何畏懼兮之下耳、後人據楚辭增入、而不知已見於上文也、又曰、此四句、似當從史記列於道遠忽兮之下、今循其文義讀之、世既莫吾知兮、人心不可謂兮、懷情抱質兮、獨無匹兮、皆言世無能知也、定心廣志兮、餘何畏懼兮、知死不可讓兮、願勿愛兮、皆言己不畏死也、其敍次秩然不紊、蓋子長所見屈原賦如此、較叔師本爲長、愚按朱子楚辭集註、既有此說、知死不可讓兮、願勿愛兮。明以告君子兮、吾將以爲類兮。[集解]王逸曰、類、法也、[正義]按類、例也、以爲忠臣不事亂君之例、[考證]讓、避也、類、王說是、喟謂愛類韻、於是懷石、遂自投汨羅以死。[集解]應劭曰、汨水在羅、故曰汨羅也、[索隱]汨水在羅、故曰汨羅、地理志、長沙有羅縣、羅子之所徙、荊州記、羅縣北帶汨水、汨音覓也、[正義]故羅縣城、在岳州

湘陰縣東北六十里、春秋時羅子國、秦置長沙郡、而爲縣也、按縣北有汨水及屈原廟、續齊諧記云、屈原以五月五日投汨羅而死、楚人哀之、每於此日以竹筒貯米、投水祭之、漢建武中、長沙區回、白日忽見一人、自稱三閭大夫、謂回曰、聞君常見祭、甚善、但常年所遺、竝爲蛟龍所竊、今若有惠、可以楝樹葉塞上、以五色絲轉縛之、此物蛟龍所憚、回依其言、世人五月五日作糉、幷帶五色絲及楝葉、皆汨羅之遺風、[考證]王念孫曰、自投索隱本作自沈、下文皆曰自沈、則作自沈者是也、齋藤正謙曰、余嘗著屈原投汨羅辨、謂原自謂寧赴湘流、葬于江魚腹中、一時憤激之言、而非實語也、子長弗察、引爲實錄、果然、魯連之蹈東海、亦將爲眞投水而死耶、是連憤激之餘、發此言耳、原語殆類此、決知其非實事也、後閔哀隨園隨筆引黃石牧太史云、屈子未必沈水死也、其文曰、吾將從彭咸之所居、又曰、願依彭咸之遺則、又曰、寧赴湘流、葬江魚之腹中、皆憤怨之寓言、非實事也、太史公因賈生一弔、遂信爲眞、不知宋玉親受其門、而招魂之作、上天下地、東西南北、無所不招、而獨不及水、何耶、惟亂曰、湛湛江水上有楓、魂兮歸來哀江南、則其善終于汨羅可知也、若楚詞注、招魂作于屈子生時、則豫凶非禮、宋玉不應詛其師矣、是與余說暗合、更爲詳明、屈原既死之後、楚有宋玉・唐勒・景差之徒者。皆好辭而以賦見稱。[集解]徐廣曰、差或作慶、[索隱]按楊子法言及漢書古今人表、皆作景瑳、今作差、是字省耳、又按徐裴鄒三家、皆無音、是讀如字也、[考證]漢藝文志詩賦略云、屈原賦二十五篇、相傳今楚辭離騷一篇、九歌十一篇、天問一篇、九章九篇、遠遊、卜居、漁父三篇是也、唐勒賦四篇、今亡、御覽六百六十三引宋玉賦曰、景差唐勒等竝造大言賦、宋玉賦十六篇、楚辭錄九辯十一篇、招魂一篇、文選錄風賦、高唐賦、神女賦、登徒子

好色賦四篇、凡十六篇、古文苑載諷賦、笛賦、釣賦、大言賦、小言賦五篇、張惠言疑其爲五代宋人假託、嚴可均亦云、笛賦有宋意送荊卿之語、非宋玉作、愚按古文苑所載、未必皆擬作、但佗書不錄、景差賦、藝文志不載、然皆祖屈原之從容辭令、終莫敢直諫。[考證]從容、見懷沙賦、徐孚遠曰、此稱屈原直諫以至放流、餘子不及也、其後楚日以削、數十年、竟爲秦所滅。[考證]陳仁錫曰、楚以削二句、見屈平之死、係楚之存亡也、沈家本曰、按自頃襄王元年至負芻被虜、凡七十六年、自屈原沈汨羅後百有餘年、漢有賈生、爲長沙王太傅。過湘水、投書以弔屈原。[考證]馮班曰、太史公敍賈生、惟載二賦、不敍其新書、以賈生繼屈原、傷其遇、幷重詞賦、與漢書異意、賈生名誼、雒陽人也。[索隱]名義、漢書竝作誼也、年十八、以能誦詩屬書聞於郡中。[考證]屬書、綴輯文字也、漢書作誦詩書屬文、吳廷尉爲河南守。聞其秀才、召置門下、甚幸愛。[正義]顏云、秀、美也、應劭云、避光武諱改茂才也、[考證]此秀才、言才學秀人、非科目之稱、孝文皇帝初立、聞河南守吳公治平爲天下第一、[索隱]按吳姓也、史失名、故稱公、[考證]梁玉繩曰、史于人之名字、每不盡著、多恐是疏缺、未必當時已失其傳、故凡稱公稱君稱生之

類甚夥、史公亦何吝此一字乎、統觀全史、其中最可惜者河南守吳公、爲漢循吏之冠、朱建子以罵單于死節、樅公以守滎陽見殺、董公說高帝、爲義帝發喪、四人皆當時英傑、不容失名、安得略而不書、它若不肯名籍之鄭君、傳尙書之伏生、幸別有可攷知、伏名勝、鄭名榮、餘子碌碌、姑勿深論、雖閒有足證、亦不必詳已、故與李斯同邑、而常學事焉。【正義】李斯、上蔡人、【考證】楓、三本、常作嘗、上蔡、漢汝南郡、乃徵爲廷尉。【考證】楓、三本、漢書、徵下有以字、王先謙曰、公卿表在元年、廷尉乃言賈生年少、頗通諸子百家之書。文帝召以爲博士。是時賈生年二十餘、最爲少。每詔令議下、諸老先生不能言。賈生盡爲之對。人人各如其意所欲出。諸生於是乃以爲能不及也。孝文帝說之、超遷。一歲中至太中大夫。賈生以爲漢興至孝文二十餘年、天下和洽。而固當改正朔、易服色、法制度、定官名、興禮樂。【考證】中統、游本、法作改、與上改正朔複、楓、三本、制度作度制、法、正也、乃悉草具其事儀法、色尙黃、數用五、爲官名、悉更秦之法。

【正義】漢文帝時、黃龍見成紀、故改爲土也、【考證】王念孫曰、色上黃以下三句、皆是更秦之法、故言此以總之、中井積德曰、據尙黃用五句、賈生亦惑於五行家異端之言也、周壽昌曰、案武帝紀、太初五年夏五月、正曆、遂以正月爲歲首、色上黃、數用五、似皆追行賈生之言、卽文帝十五年、黃龍見成紀、改爲土德、未嘗非由生言發之、釋幻雲曰、黃龍見成紀、文帝十五年春也、誼謫長沙作服賦、文帝六年夏也、而請改服色者、在未爲長沙傅之前、正義所言恐非、孝文帝初卽位、謙讓未遑也。諸律令所更定、及列侯悉就國、其說皆自賈生發之。於是天子議以爲賈生任公卿之位。絳・灌・東陽侯・馮敬之屬、盡害之、【正義】絳灌、周勃灌嬰也、東陽侯、張相如、馮敬、時爲御史大夫、【考證】梁玉繩曰、顏師古于漢書禮樂志陳平傳云、楚漢春秋、高祖之臣、別有絳灌、疑昧之文、不可明也、師古殆不信之、而容齋三筆、歷辨絳灌是別一人、非周勃灌嬰、葢本文選讓責太常博士書注、恐未可從、史漢屢稱絳灌、卽如陳平傳絳灌、世家作絳侯灌嬰、尤爲明證、今無楚漢春秋、莫由攷核、愚按任、堪也、害、忌也、乃短賈生曰。雒陽之人、年少初學、專欲擅權紛亂諸事。於是天子後亦疏之、不用其議。乃以賈生爲長沙王太傅。【考證】長沙王差、吳芮玄孫、文選李善注、引應劭風俗通曰、賈誼與鄧通爲侍中同位、數廷譏之、因是文帝遷爲長沙太傅、及渡湘水投弔書曰、闒

茸尊顯、佞諛得志、以哀屈原離讒邪之咎、亦因自傷爲鄧通等所愬也、所傳不同、賈生既辭往。行聞長沙卑溼、自以壽不得長、又以適去、意不自得。【集解】徐廣曰、適、竹革反、韋昭曰、讁、譴也、【索隱】韋昭云、適、譴也、字林云、大尼反、【正義】適、張革反、譴也、【考證】中井積德曰、適只作貶義、周壽昌曰、太中大夫秩比千石、諸侯王太傅、秩尙在內史中尉之上、以秩而較、初非左官、其曰適去者、以其去天子之側而官王國也、梁玉繩曰、案賈生因服鳥入舍、故以爲壽不得長、非但因卑溼也、此乃下文之複出者、漢書改曰、誼既以適去、甚當、應衍辭字至又字十五字、文選同漢書、及渡湘水、爲賦以弔屈原。【考證】梁玉繩曰、賈賦以漢書文選校之、辭各不同、當是所傳之別、依本書讀可也、其辭曰。共承嘉惠兮、俟罪長沙。【集解】張晏曰、恭、敬也、【正義】顏云、恭、敬、嘉惠、詔命、俟作竢、同、待也、【考證】漢書文選、共作恭、側聞屈原兮、自沈汨羅。【考證】沙羅韻、造託湘流兮、敬弔先生。遭世罔極兮、乃隕厥身。【索隱】造、音七到反、【考證】張晏曰、讒言罔極、言無中正也、周書文王曰、惟世罔極、汝尙助予、生身韻、嗚呼哀哉、逢時不祥。鸞鳳伏竄兮、鴟梟翱翔。【索隱】竄音如字、又七外反、【考證】祥翔韻、闒茸尊顯兮、讒諛得志。【索隱】闒、音天臘反、茸、音而隴反、案應劭胡廣云、闒茸、不才之人、無六翮翱翔之用、而反尊貴、字林曰、闒茸、不肖之

人、賢聖逆曳兮、方正倒植。【索隱】胡廣云、逆曳、不得順道而行也、倒植、賢不肖顚倒易位也、【考證】中井積德曰、倒植、與逆曳同意、謂項搶地、脚朝天也、志植韻、世謂伯夷貪兮、謂盜跖廉。【索隱】案漢書作隨夷溷兮、跖蹻廉、一句皆兼兩人、隨、卞隨也、夷、伯夷也、跖、盜跖也、蹻、莊蹻也、莫邪爲頓兮、【集解】應劭曰、莫邪、吳大夫也、作寶劍、因以冠名、瓚曰、許愼曰、莫邪、大戟也、【索隱】應劭曰、莫邪、吳大夫也、作寶劍、因名焉、吳越春秋曰、吳王使干將造劍二枚、一曰干將、二曰莫邪、莫邪干將、劍名也、頓、鈍也、鉛刀爲銛。【集解】徐廣曰、思廉反、駰案漢書音義曰、銛謂利、【索隱】鉛者、錫也、銛、利也、音纖、言其暗惑也、【考證】廉銛韻、于嗟嚜嚜兮、生之無故。【集解】應劭曰、嚜嚜、不自得意、瓚曰、生謂屈原也、【考證】漢書文選、嚜作默、生、先生、鄧展曰、言屈原無故遇此禍也、斡弃周鼎兮、寶康瓠。【集解】如淳曰、斡、轉也、爾雅曰、康瓠、謂之甈、大瓠也、應劭曰、康、容也、斡、音筦、筦、轉也、一曰、康、空也、【索隱】斡、轉也、烏活反、爾雅云、康瓠謂之甈、甈、音丘列反、李巡云、康、謂大瓠也、康、空也、晉灼云、斡、古管字也、【正義】李巡曰、康、謂大瓠也、康、空也、鄭玄曰、康瓠、瓦盆底也、顧野王曰、甈、壺破罌也、【考證】張文虎曰、各本兮下有而字、索隱本無、與下二句一例、雜志云、漢書文選、兮在瓠下、亦無而字、故瓠韻、騰駕罷牛兮、驂蹇驢。驥垂兩耳兮、服鹽車。【索隱】戰國策曰、夫驥服鹽車上太山、中阪遷延、負轅不能上、伯樂下車哭之、也、【正義】罷、音皮、服、猶駕也、【考證】驢車韻、章甫薦屨兮、漸不可久。【集解】應劭

曰、章甫、殷冠也、劉向別錄曰、因以自諭自恨也、【考證】劉奉世曰、薦之言藉也、中井積德曰、謂履中之藉、**嗟苦先生兮、獨離此咎。**【集解】應劭曰、嗟、咨嗟、苦、勞苦、言屈原遇此難也、【考證】中井積德曰、苦傷之也、久咎韻、**訊曰。**【集解】李奇曰、訊、告也、張晏曰、訊、離騷下章亂辭也、【索隱】李奇曰、誶、告也、音信、張晏曰、訊、離騷下章誶亂也、劉伯莊音素對反、訊猶宣也、重宣其意、周成、師古音碎也、【考證】張文虎曰、索隱周成下疑有脫文、隋志、梁有解文字義七卷、周成撰、**已矣國其莫我知、獨堙鬱兮其誰語。**【索隱】堙鬱、漢書作壹鬱、意亦通、**鳳漂漂其高遰兮、夫固自縮而遠去。**【索隱】遰、音逝也、縮、漢書作引也、【正義】漂漂、輕擧貌、【考證】漢書文選、遰作逝、語去韻、**襲九淵之神龍兮、**【集解】鄧展曰、襲、重也、或曰、襲、覆也、猶言察也、【索隱】襲、復也、莊子曰、千金之珠、必在九重之淵、而驪龍頷下、故云九淵之神龍也、【正義】顧野王曰、襲、合也、師古曰、九淵、九旋之淵、言至深也、呂向曰、襲、猶察也、言察於神龍、則知藏於深淵之處、可以自珍重也、言君子在亂世、可以隱也、【考證】王先謙曰、襲、深藏也、**沕深潛㠯自珍。**【集解】徐廣曰、沕、亡筆反、潛、藏也、【索隱】張晏曰、沕、潛藏也、音密、又音勿也、**彌融爚以隱處兮、**【集解】徐廣曰、一云、偭蟂獺、一本云、彌蝎爚以隱處也、【索隱】漢書作偭蟂、獺、徐廣又一本、作彌蝎蝓以隱處、蓋總三本不同也、案蘇林云、偭、音面、應劭云、偭、背也、蟂獺、水蟲害魚者、以言背惡從善也、郭璞注爾雅云、似鳧、江東謂之魚鴆、【正義】顧野王云、彌、遠也、融、明也、爚、光也、沒深藏以自珍、彌遠明光以隱處也、【考證】梁

二五

玉繩曰、徐注一云偭蟂獺、是也、下句從蝦與蛭螾政相對、**夫豈從螘與蛭螾。**【集解】漢書、螘字作蝦、韋昭曰、蝦、蝦蟇也、蛭、水蟲、螾、丘螾也、【索隱】螘、音蟻、漢書作蝦、言偭然絕於蟂獺、況從蝦與蛭螾也、蛭、音質、螾、音引也、【正義】言寧投水合神龍、豈陸葬從蟻與蛭蚓、【考證】漢書注、孟康曰、言龍自絕於蟂獺、況從蝦與蛭螾也、珍螾韻、**所貴聖人之神德兮、遠濁世而自藏。使騏驥可得係羈兮、豈云異夫犬羊。**【正義】使騏驥可得係縛羈絆、則與犬羊無異、責屈原不去濁世以藏隱、騏、文如綦也、驥、千里馬、【考證】漢書、藏作臧、藏羊韻、**般紛紛其離此尤兮、**【集解】蘇林曰、般、音盤、孟康曰、般、音班、或曰、盤桓不去、紛紛、構讒意也、【索隱】般、音班、又音盤、槃桓也、紛紛、猶藉藉、構讒之意也、尤、謂怨咎也、【考證】王先謙曰、經典、般、斑、班、皆通用、離騷、斑陸離其上下、注、斑、亂貌、與此般字同、愚按、尤、咎也、**亦夫子之辜也。**【索隱】漢書、辜作故、夫子、謂屈原也、李奇曰、亦夫子不如麟鳳翔逝之故、罹此咎也、【考證】張文虎曰、此言屈子遭此放逐、咎由自取、不能周遊擇君、而戀戀於楚都、以反己之今日時勢不同也、李奇說、意簡而明、顏師古乃謂、誼自言今之離郢、亦猶屈原、又云、言往長沙爲傳、不足哀傷、何用苟懷此故都、夫誼生漢朝、與戰國異、雖爲長沙王傅、猶漢臣也、何得歷九州而相君、此解窒礙不如李、**瞝九州而相君兮、何必懷此都也。**【索隱】瞝、丑知反、謂歷觀也、漢書、作歷九州、【考證】楓、三本、相下有其字、與漢書文選合、辜都韻、**鳳皇翔于千仞之上兮、覽悳煇**

二六

焉下之。【索隱】案言鳳皇翔、見人君有德乃下、故禮曰、德煇動乎內、是也、**見細德之險微兮、搖增翮逝而去之。**【集解】徐廣曰、搖增翮、一云遙增擊也、【正義】搖、動也、增、加也、言見細德之人、又有險難微起、則合加動羽翮、遠逝而去之、【考證】文選、作見細德之險微兮遙增擊而去之、漢書、一本作險微、一本作險徵、作險徵爲長、顏師古曰、言見苛細之人險阨之證、故重擊其羽而去之、李笠曰、增字同層、謂鳳皇見細德之兆、故搖動其重層之翮、而遠逝而去耳、下去韻、**彼尋常之汙瀆兮、豈能容吞舟之魚。**【集解】應劭曰、八尺曰尋、倍尋曰常、【索隱】音烏獨二音、汙、瀆、汙瀆、小渠也、**橫江湖之鱣鱏兮、固將制於螻蟻。**【集解】如淳曰、鱣、大魚也、瓚曰、鱏魚無鱗、口近腹下、【索隱】莊子云、庚桑楚謂弟子曰、吞舟之魚、蕩而失水、則螻蟻能制之、戰國策、齊人說靖郭君亦同、案以此喻小國暗主、不容忠臣、而爲讒賊小臣之所見害、【正義】鱣鱏、上哲連反、下音尋、【考證】索隱本、螻蟻作蟻螻、爲是、魚螻韻、張文虎曰、蟻螻、倒文以叶韻、蓋讀螻爲龍珠切、集韻、十虞、有此一音、此後世轉侯入虞之濫觴、讀者習見螻蟻字、以爲誤而乙之、不知蟻字、不可與辜都下去魚爲韻也、今惟索隱本未改、梁玉繩曰、賈屈同傳、以渡江一賦耳、不載陳政事疏、與董仲舒傳不載賢良策對同、幾等賈董、于馬卿矣、舍經濟而登辭賦、得毋失去取之義乎、**賈生爲長沙王太傅三年、**【索隱】爲長沙傅、案誼爲傅、是吳芮之玄孫產、襄長沙王之時也、非景帝之子長沙王發也、荊州記、長沙城西北隅、有賈誼宅及誼石牀在矣、【正義】漢文帝年表云、吳芮之玄孫差襄長沙王也、傳爲長沙靖王差之二年

二七

也、括地志云、吳芮故城、在潭州長沙縣東南三百里、賈誼宅、在縣南三十步、湘水記云、誼宅中有一井、誼所穿、極小而深、上斂下大、其狀如壺、傍有一局腳石牀、容一人坐、形流古制、相承云、誼所坐、**有鴞飛入賈生舍、止于坐隅。楚人命鴞曰服。**【集解】晉灼曰、異物志、有山鴞、體有文色、土俗因形名之曰服、不能遠飛、行不出域、【索隱】案鄧展云、似鵲而大、晉灼云、巴蜀異物志云、有鳥小鷄、體有文色、土俗因形名之曰服、不能遠飛、行不出域、荊州記云、巫縣有鳥如雌鷄、其名爲鴞、楚人謂之服、吳錄云、服、黑色、鳴自呼、【正義】鴞、大如斑鳩、綠色、惡鳥也、入人家凶、**賈生既以適居長沙。長沙卑溼、自以爲壽不得長、傷悼之。**【考證】陳仁錫曰、長沙卑溼自以爲壽不得長二句、兩見、**乃爲賦以自廣。**【索隱】案姚氏云、廣、猶寬也、【考證】王先慎曰、賈子在長沙作服鳥賦、西京雜記、賈誼在長沙、鵩鳥集其承塵、長沙俗以鵩鳥至人家、主人死、誼作鵩鳥賦、齊死生等榮辱、以遣憂累焉、**其辭曰。單閼之歲兮、四月孟夏。**【集解】徐廣曰、歲在卯曰單閼、文帝六年、歲在丁卯、【索隱】爾雅云、歲在卯曰單閼、李巡云、單閼、起也、陽氣推萬物而起、故曰單閼、孫炎本作蟬焉、蟬猶伸也、【正義】閼、烏葛反、【考證】汪中曰、按史記曆書、太初元年焉逢攝提格、上推孝文五年、是爲昭陽單閼、賈生以孝文元年爲博士、歲中超遷至太中大夫、旋出爲長沙王傅、至此適得三年、愚按呂氏春秋序意篇云、維秦八年、歲在涒灘、歲星紀年見古書者、以此爲始、賈生是賦、次之屈原離騷、攝提貞于孟陬、蓋以紀月、非紀年也、**庚子日施兮、服集予舍。**

二八

【集解】徐廣曰、施一作斜、【索隱】施、音移、施、猶西斜也、漢書作斜也、【考證】李笠曰、施、移也、愚按漢書削兮字、下同、文選有、止于坐隅、貌甚閒暇。【考證】夏舍暇韻、異物來集兮、私怪其故。發書占之兮、策言其度。【索隱】漢書、策作讖、案說文云、讖、驗言也、今此筴蓍雜筴辭云然、【正義】發策數之書、占其度驗、【考證】故度去韻、請問于服兮、予去何之。【索隱】于、於也、漢書本有作子服、小顏云、子、加美辭也、吉乎告我、凶言其菑。【正義】音災、淹數之度兮、語予其期。【集解】徐廣曰、數、速也、【正義】數、音朔、速也、淹、留遲也、漢書作淹速、【考證】之菑期韻、服乃歎息、舉首奮翼。口不能言、請對以意。【索隱】協音憶也、【正義】協韻音憶、【考證】索隱正義本作意、故云音臆、他本作臆、萬物變化兮、固無休息。【考證】翼意息韻、斡流而遷兮、或推而還。【索隱】斡、音烏活反、斡、轉也、【考證】顏師古曰、斡音管、斡、轉也、還讀曰旋、愚按顏云斡音管、與弔屈原文集解合、顧炎武日知錄引說文云、斡、音古案切、不得烏括切、形氣轉續兮、化變而嬗。【集解】服虔曰、嬗、音如蟬、謂變蛻也、或曰、蟬蔓相連也、【索隱】韋昭云、而、如也、如蟬之蛻化也、蘇林云、嬗、音禪、謂其相傳與也、【考證】張文虎曰、化變、毛本作變化、與索隱本及漢書文選合、各本作化變、沕

穆無窮兮、胡可勝言。【索隱】漢書、無窮作無閒、沕、音密、又音昧、沕穆、深微之貌、以言其理深微、不可盡言也、【正義】沕、音勿、【考證】還嬗言韻、禍兮福所倚、福兮禍所伏。【索隱】此老子之言、然禍字古作旤、案倚者立身也、伏下身也、以言禍福遞來、猶如倚伏也、【正義】倚、於犧反、依也、【考證】五十八章、福下禍下有之字、中井積德曰、謂有禍則福亦與此相依、有福則禍亦潛伏於其中也、憂喜聚門兮、吉凶同域。【正義】言禍福相因、吉凶不定、【考證】伏域韻、彼吳彊大兮、夫差以敗。越棲會稽兮、句踐霸世。【考證】敗世韻、斯游遂成兮、卒被五刑。【集解】韋昭曰、斯、李斯也、【考證】應劭曰、李斯西遊於秦、身登相位、二世時爲趙高所讒、身伏五刑、傅說胥靡兮、乃相武丁。【集解】徐廣曰、腐刑也、【索隱】徐廣云、胥靡、腐刑也、晉灼云、胥、相也、靡、隨也、古者相隨坐輕刑之名、墨子云、傅說衣褐帶索、傭築於傅巖、傅巖在河東太陽縣、又夏靖書云、猶氏六十里、黃河西岸、吳阪下、便得隱穴、是說所潛身處也、【考證】刑丁韻、夫禍之與福兮、何異糾纆。【集解】應劭曰、禍福相爲表裏、如糾纆索相附會也、瓚曰、糾、絞也、纆、索也、【索隱】韋昭云、纆、徽也、又通俗文云、合繩曰糾、字林云、纆、三合繩也、音墨、糾、音九、命不可說兮、孰知其極。【考證】纆極韻、水激則旱兮、矢激則遠。【索隱】此乃淮南子及鶡冠子文也、彼作水激則悍、而呂氏春秋作疾、以言水激疾則去疾、不能浸潤、矢

激疾則去遠也、說文、旱與悍同音、以言水矢流飛、本以無礙爲通利、今遇物觸之、則激怒更勁疾而遠、悍猶人或因禍致福、倚伏無常也、【考證】劉攽曰、旱讀爲悍、猛疾也、萬物回薄兮、振蕩相轉。【考證】遠轉韻、雲蒸雨降兮、錯繆相紛。大專槃物兮、【集解】漢書、專字作鈞、如淳曰、陶者作器於鈞上、此以造化爲大鈞、【索隱】漢書云、大鈞播物、此專讀曰鈞、槃猶轉也、與播義同、如淳云、陶者作器於鈞上、以造化爲大鈞也、虞喜志林云、大鈞、造化之神、鈞陶萬物、品授羣形者也、案上鄒陽傳注云、陶家名模下圓轉者爲鈞、言其能制器大小、以比之於天、【正義】專、音均、【考證】朱錦綬曰、案專之與鈞、聲形各別、漢書作鈞、此作專者、漢書五行志注、專有員義、故大鈞可作大專、猶言大圜耳、不必讀專爲鈞也、中井積德曰、槃、轉制物形、不必訓播、愚按、槃、盤通用、旋也、坱軋無垠。【集解】應劭曰、其氣坱軋、非有限齊也、坱、音若央、軋、音若乙、【索隱】坱圠無垠、應劭云、其氣坱圠、非有限齊也、案無垠謂無有際畔也、說文云、垠、圻也、郭璞注方言云、坱軋者、不測也、王逸注楚詞云、坱軋、雲霧氣昧也、【正義】坱、烏郎反、軋、於黠反、垠、音銀、【考證】紛垠韻、天不可與慮兮、道不可與謀。【索隱】與、音預也、遲數有命兮、惡識其時。【考證】謀時韻、朱熹曰、謀、叶謨悲反、且夫天地爲鑪兮、造化爲工、【索隱】此莊子文、【考證】莊子大宗師、今一以天地爲大鑪、以造化爲大冶、惡乎往而不可哉、陰陽爲炭兮、萬物爲銅。【索隱】既以陶冶喻造化、故以陰陽爲炭、萬物爲銅也、【考證】工銅韻、合

散消息兮、安有常則。【索隱】莊子云、人之生也、氣之聚也、聚則爲生、散則爲死、【考證】莊子知北遊、千變萬化兮、未始有極。【索隱】莊子云、人之形、千變萬化、未始有極、【考證】莊子大宗師、則極韻、忽然爲人兮、何足控摶。【集解】如淳曰、控、引也、控摶、玩弄愛生之意也、【索隱】按控、引也、摶、音徒端反、控摶、謂引持而自玩弄、貴生之意也、又本作控揣、揣、音初委反、又音丁果反、揣者量也、故晉灼云、忽然爲人、言此生甚輕耳、何足引物量度己年命之長短而愛惜乎、化爲異物兮、又何足患。【索隱】謂死而形化爲鬼、是爲異物也、患協音環、【考證】摶患韻、小知自私兮、賤彼貴我。【索隱】莊子云、以物觀之、自貴而相賤、是也、【考證】莊子秋水、通人大觀兮、物無不可。【索隱】莊子云、物固有所然、物固有所可、無物不然、無物不可也、【考證】莊子齊物論、漢書文選、通人作達人、我可韻、貪夫徇財兮、烈士徇名。【集解】應劭曰、徇、營也、瓚曰、以身從物曰徇、【索隱】此語亦出莊子、臣瓚云、以身從物謂之殉也、【考證】莊子駢拇、小人則以身殉利、士則以身殉名、刻意、野語有之曰、衆人重利、廉士重名、賢士尙志、聖人貴精、張文虎曰、烈士、舊刻與索隱本同、各本作列、愚按文選作烈、夸者死權兮、【集解】應劭曰、夸毗也、好榮死於權利、瓚曰、夸、泰也、莊子曰、權勢不尤、則夸者不悲也、【索隱】言好夸毗者死於權利、是言貪權勢以自矜夸者、至死不休也、按揵爲舍人注爾雅云、夸毗、卑身屈己也、曹大家云、體柔人之夸毗也、尤、甚也、言勢不甚用、則夸毗者可悲也、【考證】中井積德曰、夸謂矜伐、

謂因權勢以致死而不悔也、品庶馮生。【集解】孟康曰、馮、貪也、【索隱】漢書作每生、音謀在反、孟康云、每者貪也、服虔云、每、念生也、鄒誕本亦作每、言唯念生而已、今此作馮、馮亦持念之意也、然案方言、每字合從手旁、每音莫改反也、【正義】馮音憑、【考證】史伯夷傳引賈子、品庶作衆庶、義同、說文、品、衆庶也、名、生、韻、怵迫之徒兮、或趨西東。【集解】孟康曰、怵、爲利所誘怵也、迫、迫貧賤、東西趨利也、【索隱】漢書亦有作私東、應劭云、仕諸侯爲私、時天子居長安、諸王悉在關東、羣小怵然、內迫私家、樂仕諸侯、故云怵迫私東也、李奇曰、私多作西者、言東西趨利也、怵、音黜、又言怵者誘也、【考證】中井積德曰、怵、怵惕也、怵迫、謂畏懼迫促之人、大人不曲兮、億變齊同。【索隱】張機云、德無不包、靈府弘曠、故名大人也、【正義】大人、聖人也、德無不包、體達性命、故不曲憂生死、【考證】漢書文選、億作意、王念孫曰、億變、猶上文言千變萬化也、億變齊同、卽莊子齊物之旨、作意者借字耳、東同韻、拘士繫俗兮、攌如囚拘。【集解】徐廣曰、攌、音華板反、又音晥、【索隱】攌、音和板反、說文云、攌、大木柵也、漢書作儹、音去隕反、【考證】楓三本、漢書、文選、拘士作愚士、當依改、拘字與句末囚拘複、中井積德曰、攌、蓋繫執之義、至人遺物兮、獨與道俱。【索隱】莊子云、古之至人、先存諸己、後存諸人、張機云、體盡於聖、德美之極、謂之至人、【考證】莊子人間世、拘、俱、韻、衆人或或兮、好惡積意。【集解】李奇曰、或或、東西也、所好所惡、積之萬億也、瓚曰、言衆懷抱好惡、積之心意、【正義】按、意、合韻音憶、【考證】漢書文選、或作惑、文選、意作億、朱熹曰、積意、積之胸臆也、愚按、當作憶、滿也、眞人澹

漠兮、獨與道息。【索隱】莊子云、古之眞人、不知悅生、不知惡死、不以心損道、不以人助天、呂氏春秋曰、精氣日新、邪氣盡去、反其天年、謂之眞人也、【正義】澹漠、上徒濫反、下音莫、澹、薄也、漠、靜也、【考證】漢書文選、澹作恬、意息韻、索隱引莊子大宗師呂覽先己、釋知遺形兮、超然自喪。【集解】服虔曰、絕聖弃知、而忘其身也、【索隱】按釋智、謂絕聖弃智也、遺形者、形故可使如槁木、是也、自喪者、謂心若死灰也、莊周云、今者吾喪我、汝知之乎、【考證】索隱、知作智、與漢書文選同、莊子齊物論、寥廓忽荒兮、與道翺翔。【考證】喪翔、韻、乘流則逝兮、得坻則止。【集解】徐廣曰、坻、一作坎、駰案、張晏曰、坻、水中小洲也、【索隱】漢書、坻作坎、按周易坎九二、有險、言君子見險則止、【正義】坻、音持、張晏曰、夷易則仕、險難則隱也、【考證】漢書作坎、文選作坻、兩通、王先謙曰、言行止一聽自然、非有計較之私、亦無關仕隱之義、縱軀委命兮、不私與己。【考證】止己、韻、其生若浮兮、其死若休。【索隱】莊子云、勞我以生、休我以死也、【考證】莊子大宗師、澹兮若深淵之靜、氾兮若不繫之舟。【索隱】出莊子也、【考證】莊子列禦冦、汎若不繫之舟、虛而遨遊者也、不以生故自寶兮、【索隱】鄧展云、自寶、自貴也、養空而游。【集解】漢書音義曰、如舟之空也、【索隱】言體道之人、但養空性而心若浮舟也、【正義】鄧氏云、道家養空虛、若浮舟也、【考證】漢書文選、游作浮、中井積德曰、空只是虛、不必以舟喩、德人無累兮、知

命不憂。【索隱】按德人、謂上德之人、心中無物累、是得道之士也、細故蔕薊兮、何足以疑。【集解】韋昭曰、蔕、音士介反、【索隱】薊、音介、漢書作介、張揖云、蔕介、鯁刺也、以言細微事故、不足蔕介我心、故云何足以疑也、【正義】蔕、忍邁反、薊、加邁反、【考證】今本漢書、薊作芥、蔕芥以喩細故也、休、舟游、疑、韻、朱熹曰、疑、叶音牛、後歲餘、賈生徵見。孝文帝方受釐。【集解】徐廣曰、祭祀福胙也、駰案如淳曰、漢唯祭天地五時、皇帝不自行、祠還致福、釐、音僖、【正義】釐、[illegible]希、禧、福也、借釐字爲之耳、言受神之福也、坐宣室。【集解】蘇林曰、未央前正室、【索隱】三輔故事云、宣室、在未央殿北、應劭云、釐、祭餘肉也、音僖、【正義】淮南子云、武王殺殷紂於宣室、漢蓋取舊名以名殿也、上因感鬼神事、而問鬼神之本。賈生因具道所以然之狀。至夜半、文帝前席。【考證】漢書、狀作故、顏師古曰、漸迫近誼、聽說其言也、愚按史商鞅傳、衞鞅見孝公、公與語、不自知膝之前於席也、旣罷。曰。吾久不見賈生。自以爲過之。今不及也。居頃之、拜賈生爲梁懷王太傅。【索隱】梁懷王、名楫、文帝子、梁懷王、文帝之少子。愛而好書。故令賈生傅之。文帝復封淮南厲王子四人、皆爲列侯。賈生諫。以爲患之興自

此起矣。【考證】賈生諫封淮南厲王子疏、見漢書本傳、賈生數上疏、言諸侯或連數郡、非古之制。可稍削之。文帝不聽。【考證】徐孚遠曰、時梁王未之國、居京師、故賈生爲傅得上疏獻替、趙翼曰、治安策所言、皆有關治道、經事綜物、兼切於當日時勢、文帝亦多用其言、賈誼傳何得遺之、漢書全載、居數年、懷王騎、墮馬而死。無後。【集解】徐廣曰、文帝十一年、賈生自傷爲傅無狀。哭泣歲餘、亦死。賈生之死時年三十三矣。及孝文崩孝武皇帝立、舉賈生之孫二人至郡守。而賈嘉最好學世其家。與余通書。至孝昭時、列爲九卿。【考證】梁玉繩曰、此文爲後人增改、孝武當作今上、而中隔景帝、似不必言孝文崩、宜云及今上皇帝立也、至孝昭時二句、當刪之、唐表、誼子名璠、璠二子嘉惲、徐孚遠曰、與余通書、史公本文、至昭帝句、則後人所增也、

太史公曰。余讀離騷天問招䰟哀郢、悲其志。適長沙、觀屈原所自沈淵、未嘗不垂涕想見其爲人。【索隱】按荊州記云、長沙羅縣北帶汨水、去縣四十里、是原自沈處、

北岸有廟也、及見賈生弔之、又怪屈原以彼其材游諸侯、何國不容。而自令若是。【考證】何焯曰、卽賦內歷九州二句、謂賈生怪之也、讀服鳥賦、同死生、輕去就。又爽然自失矣。【集解】徐廣曰、一本作奭、

【索隱】述贊、屈平行正、以事懷王、瑾瑜比潔、日月爭光、忠而見放、讒者益章、賦騷見志、懷沙自傷、百年之後、空悲弔湘、

屈原賈生列傳第二十四　史記八十四

史記會注考證卷八十五

漢　太史令　司馬遷　撰
宋　中郎外兵曹參軍　裴駰　集解
唐　國子博士弘文館學士　司馬貞　索隱
唐　諸王侍讀率府長史　張守節　正義
日本　出雲　瀧川資言　考證

呂不韋列傳第二十五　史記八十五

【考證】史公自序云、結子楚親、使諸侯之士、斐然爭入事秦、作呂不韋列傳第二十五、

呂不韋者、陽翟大賈人也。【索隱】翟、音狄、俗又音宅、地理志、縣名、屬潁川、按戰國策、以不韋爲濮陽人、又記其事迹、亦多與此傳不同、班固雖云太史公採戰國策、然爲此傳、當別有所聞見、故不全依彼說、或者劉向定戰國策時、以己異聞改彼書、遂令不與史記合也、賈、音古、鄭玄注周禮云、行曰商、處曰賈、【正義】陽翟、今河南府縣、【考證】中井積德曰、商賈、分言之二也、通言之、一也、 往來販賤賣貴、家累千金。【集解】徐廣曰、一本云、陽翟大賈也、往來賤買貴賣也、【索隱】王劭賣音作育、案育賣義同、今依義、 秦昭王四十年、太子死。其四十二年、以其次子安國君爲太子。【索隱】名柱、後立、是爲孝文王也、【正義】名柱、又名戍、 安國君有子二十餘人。安國君有所甚愛姬。立以爲正夫人、號曰華陽夫人。【考證】胡三省曰、蓋食湯沐邑於華陽、因以爲號、稱謂錄云、集韻、姬、妾統稱、案葉夢得石林燕語、婦人無名、以姓爲名、故周人稱王姬伯姬、姬、周姓、後世不思其故、遂以姬爲通稱矣、以虞美人爲虞姬、戚夫人爲戚姬、政和間、帝女下嫁曰帝姬、嘗白蔡魯公欲改正之、不果、郎仁寶七脩類藁辨之曰、姬固周姓、亦爲婦人美稱、毛詩曰、彼美淑姬、師古曰、周貴於衆國之女、所以婦人之美者稱姬、若以國姓而後世傳訛、則黃帝姓姬、炎帝姓姜、左傳雖有姬姜連稱之辭、獨用一姜字稱婦人、可乎、據此、則古人以姬爲婦人之通稱、後世乃專以之稱妾耳、 華陽夫人無子。安國君中男名子楚。

子楚母曰夏姬。【索隱】即莊襄王也、戰國策曰、本名異人、後從趙還、不韋使以楚服見、王后悅之曰、吾楚人也、而子字之、乃變其名曰子楚也、 毋愛。子楚爲秦質子於趙。【索隱】質、舊音致、今讀依此、穀梁傳曰、交質子、不及二伯、左傳曰、信不由中、質無益也、【考證】楓三本、毋作不、 秦數攻趙。趙不甚禮子楚。子楚、秦諸庶孽孫、質於諸侯。【索隱】韓王信傳亦曰、韓信、襄王孽孫、張晏曰、孺子曰孽子、何休注公羊、孽、賤子也、以非嫡正、故曰孽、【考證】楓三本無諸字、 車乘進用不饒、居處困、不得意。【索隱】按下文云、以五百金爲進用、宜依小顏讀爲贐、音才刃反、進者財也、古字假借之也、【考證】中井積德曰、進用、猶供給也、贐、是送行之財、非泛名、註非、愚按下文進用、義同、 呂不韋賈邯鄲。見而憐之曰。此奇貨可居。【集解】以子楚方財貨也、【正義】戰國策云、濮陽人呂不韋賈邯鄲、見秦質子異人、謂其父曰、耕田之利幾倍、曰、十倍、珠玉之贏幾倍、曰、百倍、立定國之主贏幾倍、曰、無數、不韋曰、今力田疾作、不得煖衣飽食、今定國立君、澤可遺後世、願往事之、秦子異人質於趙、處於屇城、故往說之、乃說秦王后弟陽泉君曰、君之罪至死、君知之乎、君門下無不居高官尊位、太子門下無貴者、而駿馬盈外廏、美女充後庭、王之春秋高矣、一日山陵崩、太子用事、君危於累卵、而不壽於朝生、今有計、可以使君富千萬、寧於太山、必無危亡之患矣、陽泉曰、請聞其說、不韋曰、王年高矣、王后無子、子傒有承國之業、士倉又輔之、王一日山陵崩、子傒立、士倉用事、王后之門、必生蓬蒿、子楚異人賢材也、棄在於趙、無母、引領西望、欲一

得歸、王后誠請而立之、是異人無國有國、王后無子有子、陽泉君曰、諾、入說王后、爲請於趙而歸之、【考證】胡三省曰、賈人居積滯貨、伺時以牟利、以異人方財貨也、釋幻雲曰、正義所引、與秦策小異、 乃往見子楚說曰。吾能大子之門。子楚笑曰。且自大君之門、而乃大吾門。呂不韋曰。子不知也。吾門待子門而大。子楚心知所謂、乃引與坐深語。【索隱】謂既解不韋所言之意、遂與密謀深語也、 呂不韋曰。秦王老矣。安國君得爲太子。竊聞安國君愛幸華陽夫人。【考證】楓三本、無幸字、 華陽夫人無子。能立適嗣者、獨華陽夫人耳。【正義】適、音嫡、 今子兄弟二十餘人、子又居中、不甚見幸、久質諸侯。即大王薨、安國君立爲王、則子毋幾得與長子及諸子旦暮在前者、爭爲太子矣。【索隱】毋、音無、幾、音冀、幾、望也、左傳曰、日月以幾、戰國策曰、子傒承國之業、高誘注云、子傒、秦太子、異人之異母兄弟也、【正義】言子楚無望得爲太子、【考證】岡白駒曰、則無幾以下十九字、當做一氣讀、 子楚曰。然。爲之柰何。呂不韋曰。子

貧、客於此。考證楓、三本、客下有在字、非有以奉獻於親、及結賓客也。不韋雖貧、請以千金爲子西游、事安國君及華陽夫人、立子爲適嗣。子楚乃頓首曰。必如君策、請得分秦國與君共之。呂不韋乃以五百金與子楚、爲進用、結賓客、而復以五百金買奇物玩好自奉、而西游秦、求見華陽夫人姊、而皆以其物獻華陽夫人。因言子楚賢智、結諸侯賓客徧天下、常曰、楚也以夫人爲天。日夜泣思太子及夫人。夫人大喜。不韋因使其姊說夫人索隱戰國策作說秦王后弟陽泉君也、曰。吾聞之、以色事人者、色衰而愛弛。正義弛、尸氏反、今夫人事太子、甚愛而無子。不以此時蚤自結於諸子中賢孝者、舉立以爲適而子之。索隱以此爲一句、子、謂養之爲子也、然欲分立以爲適作上句、而子之夫在則尊重作下句、意亦

通、正義言華陽夫人舉才達子而爲安國君嫡嗣、而又養之爲嗣也、考證中井積德曰、不上脫何字、楓、三本、結下有言字、愚按正義有譌脫、夫在則重尊、夫百歲之後、所子者爲王、終不失勢。考證張文虎曰、據上索隱引、重尊、當作尊重、此所謂一言而萬世之利也。不以繁華時樹本、即色衰愛弛後、雖欲開一語、尚可得乎。今子楚賢而自知中男也、次不得爲適、其母又不得幸、自附夫人。考證次、次序也、夫人誠以此時拔以爲適、夫人則竟世有寵於秦矣。華陽夫人以爲然、承太子閒、從容言子楚質於趙者絕賢、來往者皆稱譽之。索隱閒、音閑、從、音七恭反、乃因涕泣曰。妾幸得充後宮。不幸無子。願得子楚、立以爲適嗣、以託妾身。安國君許之。乃與夫人刻玉符、約以爲適嗣。考證中井積德曰、時昭王在焉、故太子不能顯定計議立名號、故陰刻符爲約耳、安國君及夫人、因厚餽遺子楚、而

請呂不韋傅之。子楚以此名譽益盛於諸侯。呂不韋取邯鄲諸姬絕好善舞者與居。索隱言其姿容絕美、而又善舞也、知有身。子楚從不韋飲。見而說之、因起爲壽請之。呂不韋怒。念業已破家爲子楚、欲以釣奇。索隱釣者、以取魚喻也、奇即上云、此奇貨可居也、考證言不韋初無意於獻姬、既而以爲我已以子楚爲奇、今又獻姬、以我子爲秦嗣、更奇、通鑑怒上補佯字、非是、乃遂獻其姬。姬自匿有身。至大期時生子政。子楚遂立姬爲夫人。集解徐廣曰、期、十二月也、索隱徐廣云、十二月也、譙周云、人十月生、此過二月、故云大朞、蓋當然也、既云自匿有娠、則生政固當踰常朞也、正義子政者始皇帝也、考證梁玉繩曰、攷漢書王商傳、不韋求好女爲妻、陰知其有身、而獻之王、產始皇帝、故始皇紀後所附班固文以始皇爲呂政、後儒俱稱以呂易嬴、讀史管見、論作史者、宜自始皇元年書爲後秦、正其姓氏、庶幾實錄、均本斯傳言之、余竊惑焉、左傳僖十七年、孕過期、疏云、十月而產、婦人大期、乃十月之期、不作十二月解、即如史注十二月曰大期、夫不及期、可疑也、過期尚何疑、若謂始皇之生、本不及期、隱之至大期、而乃以生子告、則子楚決無不知之理、豈非欲蓋彌彰乎、祗緣秦犯衆怒、惡盡歸之、遂有呂政之譏、而究其所起、必因不韋冒認厥考之誣辭、匿身一語、仍是奇貨可居故智、史公于本紀特書生始皇之年月、而于此更書之、猶云世皆傳不

韋獻匿身姬、其實秦政大期始生也、別嫌明微、合于春秋書子同生之義、人自誤讀史記爾、秦昭王五十年、使王齮圍邯鄲。急。趙欲殺子楚。子楚與呂不韋謀、行金六百斤予守者吏、得脫亡赴秦軍。遂以得歸。考證楓、三本、邯鄲下重邯鄲、義長、館本考證云、秦策、子楚歸在孝文王立後、與此不同、趙欲殺子楚妻子。子楚夫人、趙豪家女也。得匿。以故母子竟得活。考證徐孚遠曰、子楚夫人、即不韋姬也、不得爲豪家女、當以秦質子故有豪家主之、得自匿免、錢大昕曰、蓋不韋貲助之、遂爲邯鄲豪家、愚按錢說較長、秦昭王五十六年薨。太子安國君立爲王、華陽夫人爲王后、子楚爲太子。趙亦奉子楚夫人及子政歸秦。秦王立一年薨。諡爲孝文王。太子子楚代立。是爲莊襄王。莊襄王所母華陽后爲華陽太后。索隱劉氏本、所母作所生母、生衍字也、今檢諸本、並無生字、考證各本、所下有養字、索隱本、三條本無、王念孫曰、莊襄王乃夏姬所生、而華陽后爲夫人時、立以爲適嗣、故曰莊襄王所母華陽后、對下文眞母夏姬而言、養字後人妄加、眞母夏姬、尊以

爲夏太后。莊襄王元年、以呂不韋爲丞相、【索隱】下文尊爲相國、案百官表曰、皆秦官、金印紫綬、掌承天子、助理萬機、秦置左右、高帝置一、後又更名相國、哀帝時、更名大司徒、【正義】莊襄立丞相、至始皇又改爲相國、秦有左右丞相、高帝置一丞相、後更名相國、孝惠高后置左右丞相、文帝置一丞相、有兩長史、哀帝更名大司徒也、封爲文信侯、食河南雒陽十萬戶。【索隱】戰國策曰、食藍田十二縣、而秦本紀、莊襄王元年、初置三川郡、地理志、高祖更名河南、此秦代、而曰河南者、史記後作、據漢郡而言之耳、【考證】金耀辰曰、河南卽周王城、洛陽卽成周、竝東西周之地、其名舊矣、索隱謂河南之稱、史據漢郡言之、謬也、而周策曰、食藍田十二縣、與此不同、攷藍田、秦內史、豈河南洛陽爲封國、而藍田其采地歟、莊襄王卽位三年薨、太子政立爲王。【集解】徐廣曰、時年十三、尊呂不韋爲相國、號稱仲父。【正義】仲、中也、次父也、蓋效齊桓公以管仲爲仲父、【考證】中井積德曰、仲父、猶叔父也、愚按、昭襄稱范雎爲叔父、始皇稱不韋爲仲父、蓋由其例也、楓三本、號上有而字、秦王年少、太后時時竊私通呂不韋。【考證】楓、三本、無通字、梁玉繩志疑引劉氏史記紀疑云、此太后、乃不韋姬、子楚立爲夫人者、政立爲王、卽宜尊夫人爲太后、自是史公疏筆、而莊襄王立後、亦少立夫人爲后句、不韋家僮萬人。當是時、魏有信陵君、楚有春申君、趙有平原君、齊有孟

嘗君。皆下士、喜賓客、以相傾。【索隱】按王劭云、孟嘗春申死已久、據表及傳、孟嘗平原死稍在前、信陵將五國兵攻秦河外、正當在莊襄王時、不韋已爲相、又春申與不韋竝時、各相向十餘年、不得言死之久矣、【正義】年表云、秦昭王五十六年、平原君卒、始皇四年、信陵君死、始皇九年、李園殺春申君、孟嘗君當秦昭王二十四年已後而卒、最早、【考證】四君喜客、敍當時風習耳、平原君傳亦云、是時齊有孟嘗、魏有信陵、楚有春申、故爭相傾以客、呂不韋以秦之彊、羞不如、亦招致士、厚遇之、至食客三千人。是時諸侯多辯士、如荀卿之徒、著書布天下。呂不韋乃使其客人人著所聞、集論以爲八覽、六論、十二紀、二十餘萬言。【索隱】八覽者、有始、孝行、愼大、先識、審分、審應、離俗、恃君也、六論者、開春、愼行、貴直、不苟、以順、士容也、十二紀者、記十二月也、其書有孟春等紀、二十餘萬言、二十六卷也、以爲備天地萬物古今之事。號曰呂氏春秋。布咸陽市門、懸千金其上、延諸侯游士賓客、有能增損一字者予千金。【索隱】地理志、右扶風渭城縣、故咸陽、高帝更名新城、景帝更名渭城、案咸訓皆、其地在渭水之北、北阪之南、水北曰陽、山南亦曰陽、皆在二者之陽也、【考證】呂氏春秋序意篇、維秦八年、歲在涒灘、秋甲子朔、朔之日、良

人請問十二紀、文信侯曰、嘗得學黃帝之所以誨顓頊矣、爰有大圜在上、大矩在下、汝能法之、爲民父母、蓋聞古之淸世、是法天地、凡十二紀者、所以紀治亂存亡也、所以知壽夭吉凶也、上揆之天、下驗之地、中審之人、若此則是非可不可、無所遁矣、高誘注云、秦八年、秦始皇卽位八年也、是呂氏春秋呂不韋爲相國時所爲、史公史記自序、答任安書、曰不韋遷蜀、世傳呂覽者、誤也、吳裕垂曰、孟嘗春申諸君、皆稱好客、客曰食客、雖多至三千、不過養一羣雞鳴狗盜爾、從不聞有儒生而甘食其門下者、秦之謀士策士、雖代不乏人、而孔孟之徒、亦未聞西向入秦者、以秦不好文學故也、不韋丁七國爭雄、斯文淪喪之餘、獨禮文人學士、使各著所聞、集論以爲八覽六論十二紀二十餘萬言、其言天地萬物古今之事備矣、迺猶不敢自以爲是、懸金市門、非求增損、是戰國時、以卿相而有儒雅之風者、不韋一人而已、愚按、呂覽一書、儒道楊墨名法兵農諸家之言皆在、蓋欲合九流以爲一也、雖間或缺統紀、而當時諸說、賴此以存、則不韋傳學之功、決不可沒、漢淮南王書、殆學之乎、始皇帝益壯、太后淫不止。呂不韋恐覺禍及己、乃私求大陰人嫪毐以爲舍人。【考證】楓、三本、嫪作樛、盧藏用曰、姓樛、名毐、樛、力到反、毐、焉亥反、或曰、士無行曰毐、或作膠、膠、音交、學者不用此音、時縱倡樂、使毐以其陰關桐輪而行、令太后聞之、以啗太后。【正義】以桐木爲小車輪、太后聞、果欲私得之。呂不韋乃進嫪毐、詐令人以腐罪告之。【正義】腐、音輔、謂宮刑、胥靡也、【考證】正

義、胥靡、二字宜削、不韋又陰謂太后曰。可事詐腐、則得給事中。太后乃陰厚賜主腐者吏、詐論之、拔其鬚眉爲宦者。遂得侍太后。【考證】崔適曰、宦者無鬚、非無眉也、此拔其鬚眉、非幷其眉拔之也、特以修辭之例、因鬚而及眉耳、愚按、眉字帶言、太后私與通、絕愛之。有身。太后恐人知之、詐卜、當避時。徙宮居雍。【正義】雍故城、在岐雍縣南七里、有秦都大鄭宮、【考證】凌稚隆曰、此徙宮居雍、卽下文所遷者、嫪毐常從。賞賜甚厚。事皆決於嫪毐。嫪毐家僮數千人。諸客求宦、爲嫪毐舍人千餘人。始皇七年、莊襄王母夏太后薨。孝文王后曰華陽太后。與孝文王會葬壽陵。【正義】秦孝文王陵、在雍州萬年縣東北二十五里、夏太后子莊襄王葬芷陽。【索隱】芷、音止、地理志、京兆霸陵縣、故芷陽、案在長安東也、【正義】秦莊襄陵、在雍州新豐縣西南三十五里、始皇在北、故俗亦謂之見子陵、故夏太后獨別葬杜東。【索隱】杜原之東也、【正義】夏太后陵、在萬年縣東南二十五里、曰。東望吾子、西望吾夫。後百年、旁當

有萬家邑。【索隱】按宣帝元康元年、起杜陵、漢舊儀、武昭宣三陵、皆三萬戶、計去此一百六十餘年也、【正義】漢宣帝元康元年、以杜東原上爲初陵、更改韓爲杜陵、萬年縣東南二十五里、從始皇七年葬太后、至宣帝元年、一百七十四年、【考證】梁玉繩曰、余攷始皇七年夏太后薨、至起杜陵、凡百七十六年、愚按、樗里子傳云、昭王七年、樗里子卒于渭南章臺之東、曰、後百歲、是當有天子之宮夾我墓、詞氣略同、蓋風水之說、自秦人始也、方苞曰、夏太后華陽夫人薨葬、本不應載、不韋傳以夏太后有後百年、旁當有萬家邑語、史公好奇欲傳之、而入秦本紀則無關體例、故因莊襄王之葬、牽連書之、　始皇九年、有告嫪毐實非宦者、常與太后私亂、生子二人、皆匿之、與太后謀曰、王卽薨、以子爲後。【集解】說苑曰、毐與侍中左右貴臣博奕飲酒、醉爭言而鬬、瞋目大叱曰、吾乃皇帝假父也、窶人子、何敢乃與我亢、所與鬬者、走行白始皇、【索隱】劉氏窶音其矩反、今俗本多作屢、字蓋相承錯耳、不近詞義、今按說苑作窶子、言輕諸侍中、以爲窶窶家之子也、【正義】窶人、貧人也、【考證】說苑正諫篇、　於是秦王下吏治、具得情實。事連相國呂不韋。九月、夷嫪毐三族、殺太后所生兩子、而遂遷太后於雍。【索隱】按說苑云、遷太后棫陽宮、地理志、雍縣有棫陽宮、秦昭王所起也、【考證】梁玉繩曰、按始皇紀、誅毐在四月、此誤、諸嫪毐舍人、皆沒其家、而遷之蜀。【索隱】家、謂家產資物、並沒入官、人口則遷之蜀也、　王欲誅相國。爲其奉先王功大、及賓客辯士爲游說者衆、王不忍致法。秦王十年十月、免相國呂不韋。及齊人茅焦說秦王、秦王乃迎太后於雍、歸復咸陽。【集解】徐廣曰、入南宮、【考證】凌稚隆曰、詳始皇紀、　而出文信侯就國河南。歲餘、諸侯賓客使者、相望於道、請文信侯。【考證】請、謁也、秦王恐其爲變、乃賜文信侯書曰。君何功於秦。秦封君河南、食十萬戶。君何親於秦。號稱仲父。其與家屬徙處蜀。呂不韋自度稍侵、恐誅、乃飲酖而死。【集解】徐廣曰、十二年、駰案皇覽曰、呂不韋冢在河南、洛陽北邙道西大冢是也、民傳言呂母冢、不韋妻先葬、故其冢名呂母也、　秦王所加怒呂不韋・嫪毐、皆已死。乃皆復歸嫪毐舍人遷蜀者。始皇十九年、太后薨。謚爲帝太后。【索隱】王劭云、秦不用謚法、此蓋號耳、其義亦當然也、始皇稱皇帝之後、故其母號爲帝太后、豈謂誅列生時之行乎、　與莊襄王會葬茝陽。【集解】徐廣曰、一作芷陽、

太史公曰。不韋及嫪毐貴、封號文信侯。【索隱】按文信侯、不韋封也、嫪毐封長信侯、上文已言不韋封、此贊中言嫪毐得寵貴由不韋耳、今此合作長信侯也、【考證】中井積德曰、此蓋有錯文、崔適曰、當作嫪毐以不韋貴、封號長信侯、　人之告嫪毐、毐聞之。秦王驗左右未發。上之雍郊。毐恐禍起、乃與黨謀、矯太后璽、發卒以反蘄年宮。【正義】蘄年宮、在岐州城西故城內、【考證】梁玉繩曰、案上字、誤仍秦史元文、說在始皇紀、發吏攻毐。毐敗亡走。追斬之好時、遂滅其宗。【索隱】地理志、扶風有好畤縣也、【正義】畤、音止、故好畤也、　而呂不韋由此絀矣。孔子之所謂聞者、其呂子乎。

【集解】論語曰、夫聞也者、色取仁而行違、居之不疑、在邦必聞、在家必聞、馬融曰、此言佞人也、【考證】論語子張篇、

【索隱】述贊、不韋釣奇、委質子楚、華陽立嗣、邯鄲獻女、及封河南、乃號仲父、徙蜀懲謗、懸金作語、籌策既成、富貴斯取、

呂不韋列傳第二十五　史記八十五

史記會注考證卷八十六

漢　太　史　令　司　馬　遷　撰

宋　中　郎　外　兵　曹　參　軍　裴　駰　集　解

唐　國　子　博　士　弘　文　館　學　士　司　馬　貞　索　隱

唐　諸　王　侍　讀　率　府　長　史　張　守　節　正　義

日　本　出　雲　瀧　川　資　言　考　證

刺客列傳第二十六　　史記八十六

【考證】史公自序云、曹子匕首、魯獲其田、齊明其信、豫讓義不爲二心、作刺客列傳第二十六、愚按此傳敘五刺客、以理論之、宜次游俠傳前、今置之呂不韋李斯間者、以荊

軻入秦、尤極壯烈慘毒、六國之事、亦結其局也、故論贊亦主言荊軻、

曹沫者、魯人也。【索隱】沫、音亡葛反、左傳穀梁竝作曹劌、然則沫宜音劌、沫劌聲相近而字異耳、此作曹沫、事約公羊爲說、然彼無其名、直云曹子而已、且左傳魯莊十年、戰于長勺、用曹劌謀敗齊、而無劫桓公之事、十三年、盟于柯、公羊始論曹子、穀梁此年惟云、曹劌之盟、信齊侯也、又記不具行事之時、【考證】張照曰、按沫劌、聲近而字異、猶申包胥之爲芬冒勃蘇耳、必音沫爲濊、反涉牽混、三傳不一、其說傳疑可也、蘇子古史據左傳問戰之事、謂沫蓋知義者、安肯身爲刺客、則直以劌爲沫、未免武斷、呂氏春秋貴信篇曰、柯之會、莊公與曹翽皆懷劍至於壇上、莊公左搏桓公、右抽劍以自承、管仲鮑叔進、曹翽按劍當兩陛之間、曰、二君將改圖、毋或進者、桓公許之、封於汶南、乃盟而歸、按此則以沫爲劌之證、而字又小異、胡非子、曹劌匹夫之士、一怒而劫桓公萬乘之主、反魯侵地、亦以爲曹劌之證、梁玉繩曰、曹子之名、左穀及人表管子大匡皆作劌、呂覽貴信作翽、齊燕策與史俱作沫、蓋聲近而字異耳、索隱于魯仲連傳作昧、疑譌、以勇力事魯莊公。莊公好力。曹沫爲魯將、與齊戰、三敗北。魯莊公懼、乃獻遂邑之地以和。【索隱】左傳、齊人滅遂、杜預云、遂國在濟北蛇丘縣東北也、【正義】故城、在兗州龔丘縣西北七十六里也、【考證】梁玉繩曰、莊公自九年敗乾時後、至十三年盟柯、中閒有長勺之勝、是魯祗一戰而一勝、安得有三敗之事、齊桓會北杏、遂人不至、故滅之、遂非魯地、何煩魯獻、此皆妄也、沈家本曰、遂國名、非魯邑、猶復以爲將。齊桓

公許與魯會于柯而盟。【索隱】杜預云、濟北東阿、齊之柯邑、猶祝柯今爲祝阿也、桓公與莊公既盟於壇上。曹沫執匕首劫齊桓公。【索隱】上音比、劉氏云、短劍也、鹽鐵論以爲長尺八寸、其頭類匕、故云匕首也、【考證】何焯曰、曹沫之事、亦戰國好事者爲之、春秋無此風也、況魯又禮義之國乎、梁玉繩曰、劫桓歸地一節、年表齊魯世家管仲魯連自序傳、皆述之、此傳尤詳、荊軻傳載燕丹語、仍國策竝及其事、蓋本公羊也、公羊漢始著竹帛、不足盡信、即如歸汶陽田、在齊頃公時、當魯成二年、乃公羊以爲桓公盟柯、因曹子劫而歸之、其妄可見、況魯未嘗戰敗失地、何用要劫、曹子非操匕首之人、春秋初、亦無操匕首之習、前賢謂戰國好事者爲之耳、仲連遺燕將書云、亡地五百里、呂覽貴信云、封以汶南四百里、齊策及淮南氾論云、喪地千里、魯地安得如此之廣、汶陽安得如此之大、不辨而知其誣誕矣、桓公左右莫敢動。而問曰。子將何欲。【索隱】公羊傳曰、管子進曰、君何求、何休注云、桓公卒不能應、管仲進爲言之也、曹沫曰。齊強魯弱。而大國侵魯、亦以甚矣。【考證】楓三本、以作已、今魯城壞、即壓齊境。君其圖之。【索隱】齊魯鄰接、今齊數侵魯、魯之城壞、即壓近齊之境也、【考證】公羊傳、作城壞壓境、君不圖與、中井積德曰、城壞設言之也、魯國都城壁即壞、即壓齊之境、言齊之境深入逼魯之國都也、桓公乃許盡歸魯之侵地。既已言。曹沫投其匕首下壇、北面

就羣臣之位。顏色不變、辭令如故。【考證】齊桓公許與魯會以下、本莊公十三年公羊傳、桓公怒、欲倍其約。【索隱】倍、音佩也、管仲曰。不可。夫貪小利以自快、棄信於諸侯、失天下之援。不如與之。【考證】楓三本、無不如與之四字、於是桓公乃遂割魯侵地。曹沫三戰所亡地、盡復予魯。其後百六十有七年、而吳有專諸之事。【索隱】專字亦作鱄、音同、左傳作鱄設諸、專諸者、吳堂邑人也。【索隱】地理志、臨淮有常邑縣、伍子胥之亡楚而如吳也、知專諸之能。伍子胥既見吳王僚、說以伐楚之利。吳公子光曰。彼伍員父兄、皆死於楚。而員言伐楚。欲自爲報私讎也。非能爲吳。吳王乃止。【正義】公子光、諸樊之子也、伍子胥知公子光之欲殺吳王僚、乃曰。彼光將有內志。未可說以外事。【索隱】言其將有內難弑君之志、且對外專生文、吳世家曰、知光有他志、【考證】外事、言伐楚、索隱有譌誤、乃進

專諸於公子光。【考證】伍子胥之亡楚以下、采昭公二十年左傳、光之父曰吳王諸樊。諸樊弟三人。次曰餘祭。【索隱】祭、音則界反、次曰夷眜、【索隱】亡葛反、公羊作餘未、次曰季子札。諸樊知季子札賢、而不立太子。以次傳三弟、欲卒致國于季子札。諸樊既死、傳餘祭。餘祭死、傳夷眜。夷眜死、當傳季子札。季子札逃不肯立。吳人乃立夷眜之子僚爲王。【考證】夏、父死子繼、殷、兄沒弟承、周初太伯虞仲避位、季歷以季子襲太王後、古今繼承之道不同、諸樊之意、季札之行、各有所本、公子光曰。使以兄弟次邪、季子當立。必以子乎、則光眞適嗣。當立。故嘗陰養謀臣以求立。光既得專諸、善客待之。九年而楚平王死。【索隱】春秋昭二十六年、楚子居卒、是也、吳世家云十二年、此云九年、竝誤、據表及左傳、合在僚之十一年也、【考證】楓、三本、嘗作常、中井積德曰、光得諸之後九年也、注謬、春、吳王僚欲因楚喪、使其二弟公子蓋餘·屬庸、【索隱】屬、音燭、二子僚之弟也、左傳作掩餘屬庸、掩蓋義同、屬燭字相亂

耳、【考證】楓、三本、無二字、屬作燭、將兵圍楚之灊、【索隱】事在魯昭二十七年、地理志、廬江有灊縣、天柱山在南、音潛、杜預左傳注云、灊、楚邑、在廬江六縣西南也、【正義】灊故城、在壽州霍山縣東二百步、使延陵季子於晉、以觀諸侯之變。楚發兵絕吳將蓋餘·屬庸路。吳兵不得還。於是公子光謂專諸曰。此時不可失。不求何獲。且光眞王嗣。當立。季子雖來、不吾廢也。專諸曰。王僚可殺也。母老子弱、而兩弟將兵伐楚、楚絕其後。方今吳外困於楚、而內空無骨鯁之臣。是無如我何。【索隱】左傳直云、王可殺也、母老子弱、是無若我何、則是專設諸度僚可殺、言其少援救、故云我無柰我何、太史公採其意、且據上文、因復加以兩弟將兵外困之辭、而服虔杜預、見左氏下文云我爾身也、以其子爲卿、遂彊解是無如我何、猶言我無若是何、謂專諸欲以老弱託光、義非允愜、王肅之說、亦依史記也、【考證】中井積德曰、太史公謬解左傳耳、杜注非謬、在史記、如索隱解可也、但光之身子之身也之語、無所應也已、公子光頓首曰。光之身、子之身也。四月丙子、【索隱】注、僚之十二年夏也、吳系家以爲十三年、非也、左氏經傳、唯言夏四月、公羊穀梁、無傳、經更與左氏吳系家同、此傳稱丙子、當有所據、不知

出何書、光伏甲士於窟室中、【集解】徐廣曰、窟一作空、【索隱】左傳曰、伏甲、謂甲士也、下文云、出其伏甲以攻王、而具酒請王僚。王僚使兵陳、自宮至光之家。門戶階陛左右、皆王僚之親戚也。夾立侍、皆持長鈹。【集解】音披、【索隱】音披、兵器也、劉逵吳都賦注、鈹兩刃小刀、【考證】中井積德曰、左傳云、門階戶席、皆王親也、王親者、謂親信之人也、不必戚屬、史遷添一戚字、害文意不小、吳世家、作門階戶席、皆王僚之親也、無戚字、酒既酣。公子光詳爲足疾、入窟室中。【索隱】詳爲、上音陽、下如字、左傳曰、光僞足疾、此云詳、詳卽僞也、或讀此爲字音僞、非也、豈詳僞重言耶、【考證】楓、三本、無中字、使專諸置匕首魚炙之腹中而進之。【集解】徐廣曰、炙、一作炮、【正義】炙、者夜反、既至王前。專諸擘魚、因以匕首刺王僚。【索隱】刺、音七賜反、王僚立死。左右亦殺專諸。王人擾亂。公子光出其伏甲以攻王僚之徒、盡滅之。遂自立爲王。是爲闔閭。闔閭乃封專諸之子以爲上卿。【考證】楚平王死以下、采昭二十六年二十七年左傳、其後七十餘年、而晉有豫讓之

事。【集解】徐廣曰、闔閭元年至三晉滅智伯、六十二年、豫讓一作襄、【考證】七、當作六、豫讓者、晉人也。【索隱】案此傳所說、皆約戰國策文、【考證】趙策云、豫讓、畢陽之孫、王應麟曰、畢陽亦義士、送伯宗之子於楚、事見晉語、故嘗事范氏及中行氏、而無所知名。【索隱】案左傳、范氏、謂昭子吉射也、自士會食邑於范、後因以邑爲氏、中行氏、中行文子荀寅也、自荀林父將中行、後因以官爲氏、【考證】范下氏字、依索隱本、楓、三本、治要補、去而事智伯。【索隱】案智伯、襄子荀瑤也、襄子林父弟、荀首之後、范中行智伯事、已具趙系家、【考證】中井積德曰、據去字、是范中行生時去之事智伯也、智伯甚尊寵之。及智伯伐趙襄子、趙襄子與韓·魏合謀滅智伯、滅智伯之後而三分其地。趙襄子最怨智伯。【索隱】謂初則醉以酒、後又率韓魏水灌晉陽、城不沒者三板、故怨深也、漆其頭以爲飲器。【索隱】案大宛傳曰、匈奴破月氏王、以其頭爲飲器、裴氏注彼引韋昭云、飲器、椑榼也、晉灼曰、飲器、虎子也、皆非、椑榼所以盛酒耳、非用飲者、晉氏以爲褻器者、以韓子呂氏春秋竝云、襄子漆智伯頭爲溲杅、故云、【正義】劉云、酒器也、每賓會設之、示恨深也、按諸先儒說恐非、【考證】呂氏春秋義賞篇、擊智伯、斷其頭爲觴、韓非子難三、知伯身死、頭爲飲杯、淮南道應訓、襄子大敗智伯、破其首以爲飲器、索隱溲字恐有誤、豫讓遁逃山中曰。嗟乎、士爲知己者死、女爲說己者容。

【考證】史公答任安書、亦用此語、今智伯知我。我必爲報讎而死、以報智伯。則吾魂魄不愧矣。【考證】今智伯以下二十三字、策作吾其報智氏之讎矣、乃變名姓爲刑人、入宮塗廁中、挾匕首、欲以刺襄子。【考證】楓、三本、趙策、無中挾匕首四字、此蓋衍、趙策、名姓作姓名、襄子如廁。心動。執問塗廁之刑人、則豫讓。內持刀兵曰。欲爲智伯報仇。【考證】趙策、內持刀兵、作刃其扞、左右欲誅之。襄子曰。彼義人也。吾謹避之耳。且智伯亡無後。而其臣欲爲報仇。此天下之賢人也。卒醳去之。【索隱】卒、足律反、醳、音釋、字亦作釋、【考證】各本及趙策、醳作釋、今從索隱本、楓、三本、居頃之、豫讓又漆身爲厲、【集解】音賴、【索隱】癘、音賴、賴、惡瘡病也、凡漆有毒、近之多患瘡腫、若賴病然、故豫讓以漆塗身、令其若癩耳、然厲賴聲相近、古多假厲爲賴、今之癩字從疒、故楚有賴鄉、亦作厲字、戰國策說此、亦作厲字、吞炭爲啞、使形狀不可知。【索隱】啞、音烏雅反、謂瘖病、戰國策云、漆身爲厲、滅鬚去眉、以變其容、爲乞食人、其妻曰、狀貌不似吾夫、何其音之甚相類也、讓遂吞炭以變其音也、【正義】呂氏春秋云、豫讓欲報趙襄子、滅鬚去眉云云、【考證】梁玉繩曰、案下文、豫讓與其友及

襄子相問答、則不可言啞、當依策作以變其音爲是、行乞於市。其妻不識也。行見其友。其友識之曰。汝非豫讓邪。曰。我是也。其友爲泣曰。以子之才、委質而臣事襄子、襄子必近幸子。近幸子、乃爲所欲。【索隱】謂因得殺襄子、顧不易邪。【索隱】顧、反也、耶、不定之辭、反不易耶、言其易也、【考證】陳仁錫曰、襄子俱當作趙孟、中井積德曰、顧、顧反念之也、邪、疑辭、因以爲問辭、何乃殘身苦形、欲以求報襄子、不亦難乎。豫讓曰。既已委質臣事人、而求殺之、是懷二心以事其君也。且吾所爲者極難耳。【索隱】劉氏云、謂今爲癘啞也、然所以爲此者、將以愧天下後世之爲人臣懷二心以事其君者也。【索隱】言寧爲厲而自刑、不可求事襄子而行殺、則恐傷人臣之義、而近賊、非忠也、【正義】吾爲極難者、令天下後代爲人臣懷二心者愧之、故漆身吞炭、所以不事襄子也、既去。【考證】治要、無既去二字、中井積德曰、二字冗、頃之、襄子當出、豫讓伏於所當過之橋下。【正義】汾橋下架水、在并州晉陽縣東一里、襄子至橋。馬驚。襄子

曰。此必是豫讓也。使人問之。果豫讓也。於是襄子乃數豫讓曰。子不嘗事范・中行氏乎。智伯盡滅之。而子不爲報讎、而反委質臣於智伯。智伯亦已死矣。而子獨何以爲之報讎之深也。豫讓曰。臣事范・中行氏。范・中行氏、皆衆人遇我。我故衆人報之。至於智伯、國士遇我。我故國士報之。【考證】呂氏春秋不侵篇、豫讓之友謂豫讓曰、子之行、何其惑也、子嘗事范氏中行氏、諸侯盡滅之、而子不爲報、至於智氏、而子必爲之報、何故、豫讓曰、我將告子其故、范氏中行氏、我寒而不我衣、我饑而不我食、而時使我與千人共其養、是衆人畜我也、夫衆人畜我者、我亦衆人事之、至於智氏則不然、出則乘我以車、入則足我以養、衆人廣朝、而必加禮於吾所、是國士畜我也、夫國士畜我者、我亦國士事之、所傳與此異、襄子喟然歎息而泣曰。嗟乎、豫子。子之爲智伯、名既成矣。而寡人赦子亦已足矣。子其自爲計。寡人不復釋子。【考證】楓、三本、無息字、襄子不爲諸侯、不當稱寡人、蓋襲趙策、使兵圍之。豫讓曰。臣聞明主不掩人之美。

而忠臣有死名之義。前君已寬赦臣。天下莫不稱君之賢。今日之事、臣固伏誅。然願請君之衣而擊之焉、以致報讎之意。則雖死不恨。非所敢望也。敢布腹心。於是襄子大義之、乃使使持衣與豫讓。豫讓拔劍三躍而擊之【索隱】戰國策曰、衣盡出血、襄子迴車、車輪未周而亡、此不言衣出血者、太史公恐涉怪妄、故略之耳、【考證】今本國策無此文、後人或以其怪刪之與、曰。吾可以下報智伯矣。遂伏劍自殺。死之日、趙國志士聞之、皆爲涕泣。【考證】以上采趙策、其後四十餘年、而軹有聶政之事。【集解】自三晉滅智伯、至殺俠累五十七年、【考證】梁玉繩曰、集解、七宜作六、聶政者、軹深井里人也。【索隱】地理志、河內有軹縣、深井、軹縣之里名也、【正義】在懷州濟源縣南三十里、殺人避仇、與母姊如齊、以屠爲事。久之、濮陽嚴仲子事韓哀侯。【索隱】高誘曰、嚴遂、字仲子、案表聶政殺俠累、在列侯三年、列侯生文侯、文侯生哀侯、凡更三代、哀侯六年、爲韓嚴所殺、今言仲子事哀侯、恐非其實、且太史公聞疑傳疑、事難的據、欲使兩存、故表傳

各異、正義年表云、韓列侯三年、盜殺韓相俠累、又云、哀侯六年、韓嚴殺其君、韓世家竝同、戰國策云、傀走而抱哀侯、聶政刺之、兼中哀侯、按世家及年表、列侯後次文侯、文侯後次哀侯、凡三世也、列侯三年至哀侯六年、三十年、其縣隔未詳孰是、蓋太史公信傳信、疑傳疑、兩存之、考證梁玉繩曰、案仲子卽嚴遂、俠累卽韓傀、其事在列侯三年、年表世家所書是也、而此傳稱哀侯、索隱謂史公聞疑傳疑、聞信傳信、欲使兩存、殊非事實、攷列侯三年、聶政刺俠累、十三年列侯卒、歷文侯十年、至哀公六年、韓嚴弒哀侯、年數相去甚遠、史蓋誤合嚴遂韓嚴爲一人、故此傳獨異、然韓策固作列侯、史公反改列爲哀、豈又誤仍韓子內儲乎、而韓策于釐王策中亦誤作哀侯、通鑑因之、古史疑之、惟大事記國策吳注、辨其非、與韓相俠累有郤。索隱俠累、上古夾反、下力追反、案戰國策、俠累名傀也、戰國策云、韓傀相韓、嚴遂重於君、二人相害也、嚴遂舉韓傀之過、韓傀叱之於朝、嚴遂拔劍趨之、以救解、是有郤之由也、嚴仲子恐誅、亡去游、求人可以報俠累者。至齊。齊人或言聶政勇敢士也、避仇隱於屠者之閒。嚴仲子至門請、數反、然後具酒自暢聶政母前。集解徐廣曰、暢、一作賜、索隱徐氏云、一作賜、案戰國策作觴、近爲得也、正義數、色吏反、考證寬永板標記云、正義色吏反、一本作色庾反、酒酣、嚴仲子奉黃金百溢、前爲聶政母壽。聶政驚怪其厚、固謝嚴仲子。嚴仲子固

進。而聶政謝曰。臣幸有老母。家貧、客游以爲狗屠、可以旦夕得甘毳以養親。集解毳、此芮反、索隱鄒氏音脆、二義相通也、親供養備。不敢當仲子之賜。嚴仲子辟人、因爲聶政言曰。臣有仇、而行游諸侯衆矣。然至齊、竊聞足下義甚高。故進百金者、將用爲大人麤糲之費、得以交足下之驩。豈敢以有求望邪。正義糲、猶麤米也、脫粟也、韋昭云、古者名男子爲丈夫、尊婦嫗爲大人、漢書宣元王傳、王遇大人益解、爲大人乞骸去、按大人、憲王外祖母、古詩云、三日斷五疋、大人故言遲、是也、考證各本大人作夫人、今從正義本、館本、策作丈人、注云、一本夫人、或作大人、李光縉曰、古父母皆可稱大人、范滂將就誅、與母訣曰、大人割不忍之愛、是也、聶政曰。臣所以降志辱身居市井屠者、徒幸以養老母。索隱言其心志與身、本應高絜、今乃卑下其志、屈辱其身、論語、孔子謂柳下惠降志辱身、是也、老母在、政身未敢以許人也。索隱禮記曰、父母存、不許友以死、嚴仲子固讓。聶政竟不肯受也。考證讓、責也、強欲使受金、然嚴仲子卒備賓主之禮

而去。久之聶政母死、既已葬、除服。聶政曰。嗟乎、政乃市井之人、鼓刀以屠。正義古者相聚汲水、有物便賣、因成市、故云市井、考證中井積德曰、邑居如井畫、故曰市井、愚按、孟子在國曰市井之臣、在野曰草莽之臣、離騷、呂望之鼓刀兮、遭周文而得舉、注、鼓、鳴也、鼓刀而屠也、而嚴仲子乃諸侯之卿相也。不遠千里、枉車騎而交臣。臣之所以待之、至淺鮮矣。未有大功可以稱者。而嚴仲子奉百金爲親壽。我雖不受、然是者徒深知政也。考證徒、猶獨也、韓策無、楓三本、不下有敢字、夫賢者以感忿睚眦之意、而親信窮僻之人。而政獨安得嘿然而已乎。考證韓策、已作止、且前日要政。政徒以老母。考證徒、猶特也、老母今以天年終。政將爲知己者用。乃遂西至濮陽、見嚴仲子曰。前日所以不許仲子者、徒以親在。今不幸而母以天年終、考證楓三本、無母以天年四字、終作死、仲子所欲報仇者爲誰。請得

從事焉。嚴仲子具告曰。臣之仇韓相俠累。俠累又韓君之季父也。宗族盛多、居處兵衛甚設。臣欲使人刺之、衆終莫能就。考證衆字衍、王念孫曰、衆與終一字、一本作終、一本作衆、後人竝存之耳、韓策無衆字、今足下幸而不棄。請益其車騎壯士、而爲足下輔翼者。考證楓、三本、其作具、與韓策合、義長、聶政曰。韓之與衛相去、中閒不甚遠。索隱高誘曰、韓都潁川陽翟、衛都東郡濮陽、故曰閒不遠也、今殺人之相、相又國君之親。此其勢不可以多人。多人、不能無生得失。生得失則語泄。索隱無生得、戰國策作無生情、言所將人多、或生異情、故語泄、此云生得、言將多人往殺俠累、後又被生擒而事泄、亦兩俱通也、正義言多人不生擒韓相、其言卽漏泄也、又一曰、多人殺韓相、不能無被生擒、得之者、其語必泄、考證楓、三本、得下失字竝無、愚按索隱正義二本、亦無失字、今本衍、不能無生得、索隱正義後解是、語泄、是韓舉國而與仲子爲讎。豈不殆哉。集解徐廣曰、讎、一作難、索隱徐注云、一作難、戰國策譙周亦同、考證今策與史同、遂謝車騎人徒。聶政乃辭獨行、杖劍至韓。

韓相俠累方坐府上。持兵戟而衞侍者甚衆。聶政直入上階、刺殺俠累。【集解】徐廣曰、韓烈侯三年三月、盜殺韓相俠累、俠累名傀、戰國策曰、有東孟之會、又云、聶政刺韓傀、兼中哀侯、【索隱】戰國策曰、政直入上階刺韓傀、傀走而抱哀侯、聶政刺之、兼中哀侯、高誘曰、東孟、地名也、【考證】梁玉繩曰、韓策云、韓有東孟之會、王及相皆在、政刺殺韓傀、傀走抱烈侯、政刺之、兼中烈侯、又云、東孟之會、聶政陽堅刺相兼君、許異蹵烈侯而殪之、立以爲君、許異終身相焉、據此則史言俠累坐府上、非也、愚按、今本韓策烈侯作哀侯、誤、說既見上、左右大亂。聶政大呼、所擊殺者數十人。因自皮面決眼、自屠出腸、遂以死。【索隱】皮面、謂以刀割其面皮、欲令人不識、決眼、謂出其眼睛、戰國策作抉眼、此決亦通、音烏穴反、【正義】謂自剝其面皮、決其眼睛、【考證】中井積德曰、皮面、謂剝面皮、屠者熟習、急遽辨此、恰好、他人不能學也、愚按、列女傳、皮作披、御覽五百七十四引史亦作披、文選注作破、楓、三本、文選注、決作抉、韓取聶政屍暴於市。購問莫知誰子。【正義】暴、蒲酷反、於是韓購縣之、有能言殺相俠累者予千金。【考證】韓策、購縣作縣購、王念孫曰、下文亦云、縣購其名姓千金、謂縣金以購之也、久之莫知也。政姊榮、聞人有刺殺韓相者、賊不得、國不知其名姓、暴其尸

而縣之千金、【集解】榮一作嫈、【索隱】榮、其姊名也、戰國策無榮字、【考證】中井積德曰、是文重複煩冗、唯聞之二字、可承當、是類蓋太史公欲刪定未果者、後人乃加賞贊、可笑、乃於邑曰。其是吾弟與。嗟乎、嚴仲子知吾弟。【索隱】劉氏云、於邑、煩寃愁苦、【正義】乃於本邑中而言也、【考證】索隱是、立起如韓之市。而死者果政也。伏尸、哭極哀。曰。是軹深井里所謂聶政者也。市行者諸衆人皆曰。此人暴虐吾國相、王縣購其名姓千金。夫人不聞與。何敢來識之也。榮應之曰。聞之。然政所以蒙汚辱、自棄於市販之閒者、爲老母幸無恙、妾未嫁也。【索隱】爾雅云、恙、憂也、楚詞云、還及君之無恙、風俗通云、恙、病也、凡人相見、及通書皆云、無恙、又易傳云、上古之時、草居露宿、恙、齧蟲也、善食人心、俗悉患之、故相勞云無恙、恙非病也、親既以天年下世、妾已嫁夫。嚴仲子乃察舉吾弟困汚之中而交之。澤厚矣。可柰何。士固爲知己者死。【索隱】案察、謂觀察有志行、乃舉之、劉氏云、察、猶選也、【考證】市行者至此一百三字、韓策無、未詳其所本、今乃以妾

尙在之故、重自刑以絕從。【集解】徐廣曰、恐其姊從坐而死、【索隱】重、音持用反、重、猶復也、爲人報讎死、乃以妾故復自刑其身、令人不識也、從、音蹤、古字少假借、無旁足、而徐氏以爲從坐、非也、劉氏亦音足松反、【正義】重、直龍反、自刑作刊、說文云、刊、剟也、按重、猶愛惜也、本爲嚴仲子報仇訖、愛惜其事、不令漏泄、以絕其蹤迹、其姊妄云爲己隱、誤矣、【考證】中井積德曰、重輕重之重、又曰、政之自刑、以護仲子也、姊已誤認矣、又顯仲子之蹤、是大失政之意、陳子龍曰、政重在報嚴之德、而姊重在揚弟之名、不能兼顧也、張文虎曰、正義自刑作刊、按此正義本作自刊、而合刻者爲之詞、妾其柰何畏歿身之誅、終滅賢弟之名。大驚韓市人、乃大呼天者三。卒於邑悲哀而死政之旁。【考證】楓、三本、無悲字、晉・楚・齊・衞聞之、皆曰。非獨政能也。乃其姊亦烈女也。【考證】以上本韓策、張文虎曰、游、王、柯、凌本乃譌及、鄉使政誠知其姊無濡忍之志、【索隱】濡、潤也、人性溼潤、則能含忍、故云濡忍也、若勇躁則必輕死也、不重暴骸之難、【索隱】重難、並如字、重、猶惜也、言不惜暴骸之爲難也、必絕險千里、以列其名、姊弟俱僇於韓市者、亦未必敢以身許嚴仲子也。【考證】楓、三本、姊弟作昆弟、余有丁曰、自鄉使而下四句、一氣不可斷、謂政知其姊必如此、未必以身許仲子也、

嚴仲子亦可謂知人能得士矣。【考證】敘事插議論、其後二百二十餘年、秦有荊軻之事。【集解】徐廣曰、聶政至荊軻百七十年爾、【索隱】徐氏據六國年表、聶政去荊軻一百七十年、則謂此傳率略、而言二百餘年、亦當時爲不能細也、【正義】按年表從始皇二十三年、至韓景侯三百七十年、若至哀侯六年六百四十三年也、【考證】張文虎曰、案自韓景侯六年始爲侯、至秦始皇二十三年、首尾百八十年、若韓哀侯六年、又滅三十六年、六國表、書俠累事於韓烈侯三年、下至秦始皇二十三年、實百七十四年、此傳文及集解索隱所言年數皆不合、正義更謬、疑竝傳寫之失、荊軻者、衞人也。【索隱】按贊論稱公孫季功董生爲余道之、則此傳雖約戰國策、而亦別記異聞、其先乃齊人、徙於衞。衞人謂之慶卿。【索隱】軻先齊人、齊有慶氏、則或本姓慶、春秋慶封、其後改姓賀、此下亦至衞而改姓荊、荊慶聲相近、故隨在國而異其號耳、卿者時人尊重之號、猶如相尊美亦稱子然也、而之燕。燕人謂之荊卿。荊卿好讀書擊劍。【集解】呂氏劍技曰、持短入長、倏忽從橫、以術說衞元君。衞元君不用。其後秦伐魏置東郡、徙衞元君之支屬於野王。【正義】懷州河內縣、【考證】梁玉繩曰、案徙野王者卽元君、豈惟支屬哉、荊軻嘗游過楡次、與蓋聶論劍。【索隱】蓋音古臘反、蓋姓、聶名、【正義】楡次、幷州縣也、蓋

聶怒而目之。荊軻出。人或言復召荊卿。蓋聶曰。曩者吾與論劍、有不稱者。吾目之。試往。是宜去、不敢留。使使往之主人。荊卿則已駕而去榆次矣。使者還報。蓋聶曰。固去也。吾曩者目攝之。【索隱】攝、猶整也、謂不稱己意、因怒視以攝整之也、【正義】攝、猶視也、【考證】王念孫曰、攝讀爲懾、鄭注樂記曰、懾、猶恐懼也、襄十一年左傳、武震以攝威之、釋文、攝、之涉反、是攝與懾同、言曩者吾怒目以懾之、彼固不敢不去也、 荊軻游於邯鄲、魯句踐與荊軻博爭道。【索隱】魯姓、句踐名也、與越王同、或有意義、俗本、踐作賤、非、 魯句踐怒而叱之。荊軻嘿而逃去。遂不復會。【考證】舉二事、以證荊軻之沈深非庸人、 荊軻既至燕。愛燕之狗屠及善擊筑者高漸離。【索隱】筑似琴有弦、用竹擊之、取以爲名、漸音如字、王義之音哉廉反、【考證】張文虎曰、案隋志、有小學篇一卷、晉下邳內史王義撰、索隱王義下之字、疑衍、蔡本、王本、竝無之字、作之廉反、與此音同、柯本改王爲正、割入正義、斯爲謬矣、 荊軻嗜酒、日與狗屠及高漸離飲於燕市。酒酣以往、高漸離擊筑、荊軻和而歌於

市中相樂也。【正義】歌衆人之中、 已而相泣、旁若無人者。荊軻雖游於酒人乎、【集解】徐廣曰、飲酒之人、 然其爲人沈深好書。其所游諸侯、盡與其賢豪長者相結。【考證】以上燕策無、史公蓋得之公孫季功董生、方望溪云、荊軻傳乃史公所自作、編國策者、取焉、而刪其首尾、蓋以軻居閭巷間、事不可入國策、高漸離撲秦皇、在秦并六國後故也、愚按此傳亦史采策、非策采史、方說非也、 其之燕、燕之處士田光先生亦善待之。知其非庸人也。居頃之、會燕太子丹質秦。亡歸燕。【正義】燕丹子云、太子丹質於秦、秦王遇之無禮、不得意、欲歸、秦王不聽、謬言曰、令烏頭白、馬生角、乃可、丹仰天歎焉、卽爲之烏頭白、馬生角、王不得已遣之、爲機發橋欲陷丹、丹過之、爲不發、風俗通云、燕太子丹天爲雨粟、烏頭白、馬生角也、 燕太子丹者、故嘗質於趙。而秦王政生於趙。其少時與丹驩。及政立爲秦王、而丹質於秦。秦王之遇燕太子丹不善。故丹怨而亡歸。歸而求爲報秦王者、國小力不能。其後秦日出兵山東、以伐齊・楚・三晉、稍蠶食諸侯、

且至於燕。【考證】以上史公以意補、 燕君臣皆恐禍之至。太子丹患之、問其傅鞠武。【索隱】上音麴、又如字、人姓名也、 武對曰。秦地徧天下、威脅韓・魏・趙氏。北有甘泉・谷口之固。南有涇・渭之沃、擅巴・漢之饒、右隴・蜀之山、左關・殽之險。【考證】楓、三本、擅巴以下十五字、作巴蜀之饒、右隴蜀、左關殽、 民衆而士厲、兵革有餘。意有所出、則長城之南、易水以北、未有所定也。【正義】以北、謂燕國也、【考證】楓本、之作以、 奈何以見陵之怨、欲批其逆鱗哉。【集解】批、音白結反、【索隱】白結反、批、謂觸擊之、【考證】北有甘泉至未有所定也五十七字、史公補足、逆鱗見韓非說難、當時既爲通用語、 丹曰。然則何由。對曰。請入圖之。居有閒、秦將樊於期、得罪於秦王、亡之燕。太子受而舍之。鞠武諫曰。不可。夫以秦王之暴、而積怒於燕。足爲寒心。又況聞樊將軍之所在乎。【索隱】凡人寒甚則心戰、恐懼亦戰、今以懼譬寒、言可爲心戰、【考證】中井積德曰、恐懼之切、心胸如酸

如寒、戰、戰栗、 是謂委肉當餓虎之蹊也。禍必不振矣。【索隱】振、救也、言禍及天下、不可救之、【正義】振、動也、言舍樊將軍、禍必不動矣、【考證】正義非、索隱天下二字當刪、是就燕而言、 雖有管・晏、不能爲之謀也。願太子疾遣樊將軍入匈奴以滅口。請西約三晉、南連齊・楚、北購於單于、其後迺可圖也。【索隱】戰國策、購作講、講、和也、今讀購與爲燕媾同、媾亦合也、漢史、媾講兩字常襍、今欲北與連和、陳軫傳亦曰、西購於秦也、【考證】徐孚遠曰、戰國時、未有用胡騎爲援者、燕國弱而近匈奴、故欲媾之、愚按索隱爲燕二字衍、幻雲抄云、陳軫傳無此語、 太子曰。太傅之計、曠日彌久、心惽然、恐不能須臾。【正義】惽、音昏、【考證】岡白駒曰、言己憂思昏瞀且死、須臾不可待、楓、三本、無臾字、策有、 且非獨於此也。夫樊將軍窮困於天下、歸身於丹。丹終不以迫於彊秦、而棄所哀憐之交、置之匈奴。是固丹命卒之時也。願太傅更慮之。鞠武曰。夫行危欲求安、造禍而求福、計淺而怨深、連結一人之後交、不顧國家之大害、

【考證】張照曰、後、疑當作厚、丹與樊於期交必舊矣、愚按張說拘、此所謂資怨而助禍矣。夫以鴻毛燎於爐炭之上、必無事矣。【考證】此下所字、依舊刻補、慶長本標記云、言秦擊燕、如燎鴻毛於爐炭、豈有大事乎、謂其輕易也、且以鵰鷙之秦、行怨暴之怒、豈足道哉。【考證】夫行至道哉六十七字、楓三本無、愚按燕策亦無、蓋史公補足、燕有田光先生。其爲人智深而勇沈、可與謀。太子曰、願因太傅而得交於田先生、可乎。鞠武曰、敬諾。出見田先生、道太子願圖國事於先生也。田光曰、敬奉教。乃造焉。太子逢迎、卻行爲導、跪而蔽席。【集解】徐廣曰、蔽一作撥、一作拔、【索隱】蔽、音疋結反、蔽、猶拂也、【正義】爲導、謂引導田光、【考證】張文虎曰、舊刻、毛本、逢作進、張照曰、蔽疑當作撇、音蹩、孟荀列傳、平原君側行撇席、愚按燕策作拂、田光坐定、左右無人。太子避席而請曰、燕·秦不兩立。願先生留意也。田光曰、臣聞騏驥盛壯之時、一日而馳千里。至其衰老、駑馬先之。今太子聞光盛壯

之時、不知臣精已消亡矣。雖然光不敢以圖國事。所善荊卿可使也。【正義】燕丹子云、田光荅曰、竊觀太子客、無可用者、夏扶血勇之人、怒而面赤、宋意脈勇之人、怒而面青、武陽骨勇之人、怒而面白、光所知荊軻神勇之人、怒而色不變、【考證】楓三本、圖作乏、爲是、燕策亦作乏、或曰、當作匱、張文虎曰、正義武陽、疑卽下秦舞陽、太子曰、願因先生得結交於荊卿、可乎。田光曰、敬諾。卽起趨出。太子送至門、戒曰、丹所報、先生所言者、國之大事也。願先生勿泄也。田光俛而笑曰、諾。【正義】俛、音俯、僂行見荊卿曰、光與子相善、燕國莫不知。今太子聞光壯盛之時、不知吾形已不逮也。【考證】岡白駒曰、僂行、曲背也、言老人狀貌、楓本、已下有衰字、上文壯盛作盛壯、幸而教之曰、燕·秦不兩立。願先生留意也。光竊不自外。言足下於太子也。【考證】燕策注、不自外、不自疏於軻也、橫田惟孝曰、所託事重、故不自疎外太子也、願足下過太子於宮。荊軻曰、謹奉教。田光曰、吾聞之、長者爲行、不

使人疑之。今太子告光曰、所言者國之大事也。願先生勿泄。是太子疑光也。夫爲行而使人疑之、非節俠也。【考證】楓三本、無夫字、楓本之作己、欲自殺以激荊卿、曰、願足下急過太子、言光已死、明不言也。因遂自刎而死。【考證】楓三本、燕策、刎作剄、高儀曰、其死非爲泄、實欲勉軻使死之耳、荊軻遂見太子、言田光已死、致光之言。太子再拜而跪、膝行流涕。有頃而后言曰、丹所以誡田先生毋言者、欲以成大事之謀也。今田先生以死明不言。豈丹之心哉。荊軻坐定。太子避席頓首曰、田先生不知丹之不肖、使得至前敢有所道。此天之所以哀燕而不棄其孤也。【索隱】案無父稱孤、時燕王尚在、而丹稱孤者、或記者失辭、或諸侯嫡子、時亦僭稱孤也、又劉向云、丹燕王喜之太子、【考證】范雎傳、秦昭王曰、寡人得受命於先生、是天所以幸先王不棄其孤也、詞氣正與此同、故索隱云、記者失辭、今秦有貪利之心、而欲不

可足也。非盡天下之地、臣海內之王者、其意不厭。今秦已虜韓王、盡納其地、又舉兵南伐楚、北臨趙、王翦將數十萬之衆距漳·鄴、而李信出太原·雲中。趙不能支秦、必入臣。入臣、則禍至燕。燕小弱、數困於兵。今計舉國不足以當秦。【考證】楓三本、無計字、諸侯服秦、莫敢合從。丹之私計、愚以爲誠得天下之勇士使於秦、闚以重利。【索隱】闚、示也、言以利誘之、【考證】闚、當作閣、閣、啗通、秦王貪。【索隱】絕句、其勢必得所願矣。誠得劫秦王、使悉反諸侯侵地、若曹沫之與齊桓公、則大善矣。則不可、因而刺殺之。【考證】矣下則、讀如卽、彼秦大將擅兵於外、而內有亂、則君臣相疑。以其閒、諸侯得合從、其破秦必矣。此丹之上願、而不知所委命。【考證】盧藏用曰、言有此願、不知所委寄、唯荊卿留意焉。

久之、荊軻曰。此國之大事也。臣駑下、恐不足任使。太子前頓首、固請毋讓、然後許諾。於是尊荊卿爲上卿、舍上舍。太子日造門下、供太牢、具異物、閒進車騎美女、恣荊軻所欲、以順適其意。【索隱】燕丹子曰、軻與太子遊東宮池、軻拾瓦投鼃、太子捧金丸進之、又共乘千里馬、軻曰、千里馬肝美、即殺馬進肝、太子與樊將軍置酒於華陽臺、出美人能鼓琴、軻曰、好手也、斷以玉盤盛之、軻曰、太子遇軻甚厚、是也、【正義】所字下有欲字者非也、【考證】楓、三本、太子下無日字、所下欲字、燕策亦有、　久之、荊軻未有行意。秦將王翦破趙虜趙王、盡收入其地、進兵北略地、至燕南界。太子丹恐懼、乃請荊軻曰。秦兵旦暮渡易水、則雖欲長侍足下、豈可得哉。【考證】張文虎曰、蔡本、毛本、太子下無丹字、游、王本侍譌待、　荊軻曰。微太子言、臣願謁之。【考證】謁、告也、請也、　今行而毋信、則秦未可親也。夫樊將軍、秦王購之金千斤、邑萬家。誠得樊將軍首、與燕督亢之地

圖、奉獻秦王、【集解】徐廣曰、方城縣有督亢亭、駰案劉向別錄曰、督亢、膏腴之地、【索隱】地理志、廣陽國有薊縣、司馬彪郡國志曰、方城有督亢亭、【正義】督亢坡、在幽州范陽縣東南十里、今固安縣南有督亢陌、幽州南界、　秦王必說見臣。臣乃得有以報。【考證】燕策、報下有太子二字、　太子曰。樊將軍窮困來歸丹。丹不忍以己之私、而傷長者之意。願足下更慮之。荊軻知太子不忍、乃遂私見樊於期曰。秦之遇將軍、可謂深矣。【正義】戮家室、及購千金、是遇深也、　父母宗族、皆爲戮沒。今聞購將軍首金千斤、邑萬家。將柰何。於期仰天太息流涕【考證】楓、三本、於期上有樊字、　曰。於期每念之、常痛於骨髓。顧計不知所出耳。荊軻曰。今有一言可以解燕國之患、報將軍之仇者。何如。於期乃前曰。爲之柰何。荊軻曰。願得將軍之首以獻秦王。秦王必喜而見臣。臣左手把其袖、右手揕其匈。【集解】徐廣曰、揕、音張鴆切、一作抗、

【索隱】徐氏音丁鴆反、揕、謂以劒刺其胷也、又云、一作抗、抗音苦浪反、言抗拒也、其義非、【考證】王念孫曰、注、抗當作抌、抌、刺也、　然則將軍之仇報、而燕見陵之愧除矣。將軍豈有意乎。【考證】楓、三本、燕策、燕下有國字、　樊於期偏袒搤捥而進曰。【集解】徐廣曰、捥一作捾、【索隱】搤、音烏革反、捥、音烏亂反、勇者奮厲、必先以左手扼右捥也、捥古腕字、　此臣之日夜切齒腐心也。乃今得聞教。【索隱】切齒、齒相磨切也、爾雅曰、治骨曰切、腐、音輔、亦爛也、猶今人事不可忍云腐爛、然皆奮怒之意也、【考證】中井積德曰、憂悶不可忍、則心摧折、若腐爛然、愚按、腐心作拊心、亦通、　遂自剄。太子聞之、馳往伏屍而哭、極哀。既已不可柰何。乃遂盛樊於期首函封之。於是太子豫求天下之利匕首、得趙人徐夫人匕首。【集解】徐廣曰、徐一作陳、【索隱】徐姓、夫人名、謂男子也、【考證】中井積德曰、徐夫人、非女子、未可知也、且其命匕首、非必工名、或所貯之人名、盛則亦以命焉、　取之百金、使工以藥焠之、【索隱】焠、染也、音恖潰反、謂以毒藥染劒鍔也、【考證】中井積德曰、燒金內水、謂之焠、此謂以藥水焠之、　以試人、血濡縷、人無不立死者。【集解】言以匕首試人、人血出、足以沾濡絲縷、便立死也、【考證】中井積德曰、濡縷、謂傷淺血出、僅

如絲縷、　乃裝爲遣荊卿。燕國有勇士秦舞陽。年十三殺人。人不敢忤視。乃令秦舞陽爲副。【索隱】忤者逆也、五故反、不敢逆視、言人畏之甚也、【考證】楓、三本、無年字、燕策、十三作十二、中井積德曰、年十三殺人、以狀其慓悍絕人耳、非是時年正十三、張文虎曰、國策、燕丹子、人表、隸續、武梁畫、竝作武陽、而史獨作舞陽、古字通用、愚按、匈奴傳云、燕有賢將秦開、與荊軻刺秦王秦舞陽者、開之孫也、　荊軻有所待、欲與俱。其人居遠未來。而爲治行。【考證】燕策、治行作留待、　頃之未發。太子遲之、疑其改悔。乃復請曰。日已盡矣。荊卿豈有意哉。丹請得先遣秦舞陽。荊軻怒叱太子曰。何太子之遣。往而不返者豎子也。【考證】遣下添舞陽也三字看、意迫語急、燕策、太子之遣四字、作今日二字、　且提一匕首、入不測之彊秦。僕所以留者、待吾客與俱。今太子遲之、請辭決矣。遂發。太子及賓客知其事者、皆白衣冠以送之、至易水之上。既祖取道。【正義】易州、在幽州歸義縣界、【考證】祖、行祭也、謂祭道路之神也、　高漸

離擊筑、荊軻和而歌、爲變徵之聲。正義 徵、知雉反、考證 律呂本考云、五聲宮與商、商與角、徵與角、相去各一律、至角與徵、羽與宮、相去乃二律、相去一律、則音節和、相去二律、則音節遠、故角徵之間、近徵收一聲、比徵少下、謂之變徵、羽宮之間、近宮收一聲、少高於宮、謂之變宮、梁玉繩曰、攷藝文類聚四十四、初學記十六、引宋玉笛賦云、宋意將送荊卿于易水之上、文選二十八雜歌序云、荊軻歌、宋如意和之、淮南泰族云、高漸離宋意爲擊筑而歌于易水之上、水經注十一云、高漸離擊筑、宋如意和之、新論辨樂云、荊軻入秦、宋意擊筑、陶潛靖節集詠荊軻詩云、宋意唱高聲、策史俱不及宋如意、何也、士皆垂淚涕泣。又前而爲歌曰。風蕭蕭兮易水寒。壯士一去兮不復還。復爲羽聲忼慨。士皆瞋目、髮盡上指冠。考證 楓、三本、淚作髮、無又前至復還二十字、復作而後、策與史文同、爲下無羽聲二字、寒還韻、錢大昕曰、楚詞招魂大招、多四言、去些只助語、合兩語讀之、即成七言、荀子成相、荊軻送別、其七言之始乎、至漢而大風瓠子、見于帝製、柏梁聯句、一時稱盛、而五言靡聞、其載於班史者、唯邪徑敗良田童謠、出于成帝之世耳、劉彥和謂西京詞翰、莫見五言、所以李陵班婕妤見疑于後代、於是荊軻就車而去。終已不顧。遂至秦、持千金之資幣物、厚遺秦王寵臣中庶子蒙嘉。嘉爲先言於秦王曰。燕王誠振怖大王之

威、不敢舉兵以逆軍吏、願舉國爲內臣、比諸侯之列、給貢職如郡縣、而得奉守先王之宗廟。恐懼不敢自陳。謹斬樊於期之頭、及獻燕督亢之地圖、函封。燕王拜送于庭、使使以聞大王。唯大王命之。秦王聞之、大喜、乃朝服設九賓、正義 劉云、設文物大備、即謂九賓、不得以周禮九賓義爲釋、考證 九賓、見藺相如傳、見燕使者咸陽宮。正義 三輔黃圖云、秦始兼天下、都咸陽、因北陵營宮殿、則紫宮象帝宮、渭水貫都、以象天漢、橫橋南度、以法牽牛也、荊軻奉樊於期頭函、而秦舞陽奉地圖匣。索隱 戶甲反、柙亦函也、以次進至陛。秦舞陽色變振恐。羣臣怪之。考證 楓、三本、陛作階、荊軻顧笑舞陽、前謝曰。北蕃蠻夷之鄙人、未嘗見天子。故振慴。願大王少假借之、使得畢使於前。考證 楓、三本、前謝作爲謝、畢下使字作事、燕策前下有爲字、蕃讀爲藩、秦王謂軻曰。取舞陽所持地圖。軻既取圖奏之。秦王發

圖。圖窮而匕首見。因左手把秦王之袖、而右手持匕首揕之。未至身。秦王驚、自引而起。袖絕。拔劍。劍長。操其室。索隱 室、謂鞘也、正義 燕丹子云、左手揕其胸、秦王曰、今日之事、從子計耳、乞聽琴而死、召姬人鼓琴、琴聲曰、羅縠單衣、可裂而絕、八尺屏風、可超而越、鹿盧之劍、可負而拔、王於是奮袖、超屏風走之、考證 梁玉繩曰、惶急之際、何能聽琴、燕丹子不可信也、時惶急。劍堅。故不可立拔。考證 李慈銘曰、江南本、堅作豎、義長、荊軻逐秦王。秦王環柱而走。羣臣皆愕。卒起不意、盡失其度。而秦法、羣臣侍殿上者、不得持尺寸之兵。諸郎中執兵、皆陳殿下、非有詔召不得上。索隱 郎中、若今宿衛之官、考證 楓、三本、燕策、無寸之二字、方急時、不及召下兵。以故荊軻乃逐秦王。而卒惶急、無以擊軻、而以手共搏之。是時侍醫夏無且、以其所奉藥囊提荊軻也。索隱 且、音卽餘反、正義 提、姪帝反、考證 楓、三本、囊作橐、下同、李笠曰、案周勃傳、太后以冒絮提文帝、索隱云、蕭該音底、提者擲也、提荊軻下、策無也字、此疑誤衍、秦王方環

柱走。卒惶急、不知所爲。左右乃曰。王負劍。負劍、索隱 王劭曰、古者帶劍上長、拔之不出室、欲王推之於背、令前短易拔、故云、王負劍、又燕丹子、稱琴聲曰、鹿盧之劍、可負而拔、是也、考證 下負劍、秦王之爲、屬下讀、遂拔以擊荊軻、斷其左股。荊軻廢。乃引其匕首、以擿秦王。索隱 擿與擲同、古字耳、音持益反、不中。中桐柱。正義 燕丹子云、荊軻拔匕首擲秦王、決耳入銅柱、火出、考證 策無桐字、三條本、毛本、作銅、秦王復擊軻。軻被八創。軻自知事不就、倚柱而笑、箕踞以罵曰。事所以不成者、以欲生劫之、必得約契、以報太子也。集解 漢鹽鐵論曰、荊軻懷數年之謀而事不就者、尺八匕首、不足恃也、秦王操於不意、列斷賁育者、介七尺之利也、考證 中井積德曰、欲生劫云者、是回護之言、非實事、愚按曹沫於齊桓、亦生劫、但荊軻不必自期、又按史公不言此時秦舞陽作何狀、蓋在階下、爲衛士之所執耳、於是左右既前殺軻。秦王不怡者良久。已而論功賞羣臣、及當坐者各有差。而賜夏無且黃金二百溢。曰。無且愛我、乃以藥囊提荊軻也。於是秦王大怒、益發兵詣趙、詔

王翦軍以伐燕。十月而拔薊城。【考證】始皇二十一年十月、 燕王喜・太子丹等、盡率其精兵、東保於遼東。秦將李信追擊燕王急。【考證】會燕太子丹以下、本燕策、 代王嘉乃遺燕王喜書曰。秦所以尤追燕急者、以太子丹故也。今王誠殺丹獻之秦王、秦王必解、而社稷幸得血食。其後李信追丹。丹匿衍水中。【索隱】水名、在遼東、【考證】以上燕策所無、史公補足、 燕王乃使使斬太子丹欲獻之秦。秦復進兵攻之。後五年秦卒滅燕、虜燕王喜。【考證】丹下欲字、疑衍、以上本燕策、 其明年、秦并天下、立號爲皇帝。於是秦逐太子丹・荊軻之客。皆亡。高漸離變名姓、爲人庸保、【索隱】欒布傳曰、賣庸於齊、爲酒家人、漢書作酒家保、案謂庸作於酒家、言可保信、故云庸保、鶡冠子曰、伊尹保酒、【考證】岡白駒曰、賣傭定限期、故云保、 匿作於宋子。【集解】徐廣曰、縣名也、今屬鉅鹿、【索隱】徐注云、縣名、屬鉅鹿者、據地理志而知也、【正義】宋子故城、在邢州平鄉縣北三十里、 久之作苦。聞其

家堂上客擊筑、傍偟不能去。每出言曰。彼有善有不善。從者以告其主曰。【索隱】從者、謂主人家之左右也、 彼庸乃知音、竊言是非。家丈人召使前擊筑。一坐稱善賜酒。【索隱】劉氏云、謂主人翁也、又韋昭云、古者名男子爲丈夫、尊婦嫗爲丈人、故漢書宣元六王傳所云丈人、謂淮陽憲王外王母、卽張博母也、故古詩曰、三日斷五疋、丈人故言遲、是也、【考證】中井積德曰、家丈人、謂家主人也、決非女稱、按宣元六王傳云、遇大人益解、又云、爲大人乞骸骨、未嘗稱丈人、此註則引之、字作丈人、以解家丈人、大謬、所引古詩亦然、張文虎曰、丈人大人、皆尊屬稱、無別乎男女也、此傳家丈人、自當如劉說耳、 而高漸離念久隱、畏約無窮時。【索隱】約、謂貧賤儉約、既爲庸保常畏人、故云畏約、所以論語云、不可以久處約、【正義】一久結其約契、逃避不敢出、有何窮極時、【考證】楓、三本、無隱字、畏約、索隱是、 乃退出其裝匣中筑、與其善衣、更容貌而前。舉坐客皆驚、下與抗禮、以爲上客、使擊筑而歌。客無不流涕而去者。宋子傳客之。【集解】徐廣曰、互以爲客、 聞於秦始皇。秦始皇召見。人有識者。乃曰。高漸離也。秦皇帝惜其善擊筑、重赦之。

【考證】楓本、赦作殺、爲是、重、猶難也、張文虎曰、風俗通作殺、 乃矐其目、使擊筑。未嘗不稱善。稍益近之。【集解】矐、音海各反、【索隱】海各反、一音角、說者云以馬屎燻、令失明、 高漸離乃以鉛置筑中。【索隱】案劉氏云、鉛爲挺著筑中、令重以擊人、 復進得近、舉筑朴秦皇帝。不中。【索隱】普卜反、朴、擊也、 於是遂誅高漸離、終身不復近諸侯之人。【考證】燕策云、其後荊軻客高漸離以擊筑見秦皇帝、而以筑擊秦皇帝、爲燕報仇、不中而死、本傳錄其顚末甚詳、蓋亦得之公孫季功董生也、 魯句踐已聞荊軻之刺秦王、私曰。嗟乎、惜哉。其不講於刺劍之術也。【索隱】案不講、謂不論習之、 甚矣吾不知人也。曩者吾叱之。彼乃以我爲非人也。【考證】以句踐言結、以應傳首、顧炎武曰、古人作史、有不待論斷、而于序事之中、卽見其指者、惟太史公能之、平準書末、載卜式語、王翦傳末、載客語、荊軻傳末、載魯句踐語、鼂錯傳末、載鄧公與景帝語、武安侯田蚡傳末、載武帝語、皆於序事中寓論斷法也、

太史公曰。世言荊軻、其稱太子丹之命、天雨粟、馬生角也。太

過。【索隱】燕丹子曰、丹求歸、秦王曰、烏頭白、馬生角、乃許耳、丹乃仰天歎、烏頭卽白、馬亦生角、風俗通及論衡、皆有此說、仍云、廏門木烏生肉足、【正義】太子丹質於秦、秦王遇之無禮、不得意、欲歸、秦王不聽、謬曰、烏頭白、馬生角、乃可、丹仰天嘆焉、乃爲之烏頭白、馬生角、王不得已遣之、爲機發橋、欲陷丹、過之橋爲不發、 又言荊軻傷秦王。皆非也。始公孫季功・董生、與夏無且游、具知其事。爲余道之如是。自曹沫至荊軻五人、此其義或成、或不成。然其立意較然、【索隱】較、明也、 不欺其志。名垂後世、豈妄也哉。

【索隱】述贊、曹沫盟柯、返魯侵地、專諸進炙、定吳篡位、彰弟哭市、報主塗廁、刎頸申冤、操袖行事、暴秦奪魄、懦夫增氣、

刺客列傳第二十六　史記八十六

史記會注考證卷八十七

漢　太史令　司馬遷　撰

宋　中郎外兵曹參軍　裴駰　集解

唐　國子博士弘文館學士　司馬貞　索隱

唐　諸王侍讀率府長史　張守節　正義

日本　出雲　瀧川資言　考證

李斯列傳第二十七　史記八十七

【考證】史公自序云、能明其畫、因時推秦、遂得意於海內、斯為謀首、作李斯列傳、第二十七、林伯桐曰、李斯外似剛愎、而內實游移、其於李由告歸咸陽而置酒、既而曰、物極

則衰、吾未知所稅駕、似乎知退者矣、及李由為三川守、羣盜西略地、則李斯恐懼重爵祿、不知所出、其於趙高謀廢立、既曰忠臣不避死而庶幾、似乎以身殉國者矣、及趙高以禍福動之、則又曰、既以不能死、安託命哉、其於二世無道、既數欲請閒諫、似乎能犯顏矣、及二世責問、則又勸之督責、欲以求容、其胸中惶惑愁亂、進退無據、安得不見制於趙高哉、當其辭於荀卿曰、詬莫大於卑賤、而悲莫甚於困窮、自言其所見也、只此二語、便足斷送一生、

李斯者、楚上蔡人也。【索隱】地理志、汝南上蔡縣、云古蔡國、周武王弟叔度所封、至十八代平侯、徙新蔡、二蔡皆屬汝南、後二代至昭侯徙下蔡、屬沛、六國時、為楚地、故曰楚上蔡、　年少時為郡小吏。【索隱】鄉小史、劉氏云、掌鄉文書、【考證】索隱本、楓本、郡作鄉、類聚獸部、御覽百八十八引史亦作鄉、王念孫曰、上蔡之鄉也、　見吏舍廁中、鼠食不絜、近人犬、數驚恐之。斯入倉觀倉中鼠食積粟、居大廡之下、不見人犬之憂。於是李斯乃歎曰。人之賢不肖、譬如鼠矣。在所自處耳。乃從荀卿學帝王之術。【考證】荀子議兵篇、李斯問孫卿子曰、秦四世有勝、兵強海內、威行諸侯、非以仁義為之也、以便從事而已、孫卿子曰、女所謂便者、不便之便也、吾所謂仁者、大便之便也、此李斯仕秦之後、亦問道於荀卿、　學已成、度楚王不足事。而六國皆

弱、無可為建功者。欲西入秦、辭於荀卿曰。斯聞得時無怠。今萬乘方爭時、游者主事。【索隱】言萬乘爭雄之時、游說者可以立功成名、當得典主事務也、劉氏云、游歷諸侯、當覓彊主以事之、於文紆迴、非也、【考證】越語、范蠡曰、臣聞之、得時無怠、時不再來、中井積德曰、游者、謂游官浪士、不必說士、主事、謂持其柄也、此二句說已然之事、　今秦王欲吞天下、稱帝而治。此布衣馳騖之時、而游說者之秋也。【正義】言秋時萬物成熟、今爭彊時、亦說士成熟時、【考證】李笠曰、秋亦時也、信陵君傳、朱亥曰、此乃臣效命之秋也、諸葛亮後出師表、此誠危急存亡之秋也、中井積德曰、秋收、農務尤緊、故以喻急趨之時也、非成熟之謂、愚按楓、三本、無說字、為是、承游者主事、　處卑賤之位、而計不為者、此禽鹿視肉、人面而能彊行者耳。【索隱】禽鹿、猶禽獸也、言禽獸但知視肉而食之、莊子及蘇子曰、人而不學、譬之視肉而食、楊子法言曰、人而不學、如禽何異、言不能游說取榮貴、即如禽獸、徒有人面而能彊行耳、【正義】言處卑賤之人、如禽獸、終日食之、覬視其肉、徒有人面、強行於地、【考證】中井積德曰、鹿不肉食者、乃以肉食喻、是偶然之失、索隱宜言禽獸視肉、唯知食之而已、　故詬莫大於卑賤、而悲莫甚於窮困。【正義】詬、呼后反、恥辱也、　久處卑賤之位、困苦之地、非世而惡利、自託於

無為、此非士之情也。【索隱】非者譏也、所謂處士橫議也、【正義】言譏世富貴、惡其榮利、自託於無為者、非士人之情、實力不能致此也、　故斯將西說秦王矣。至秦。會莊襄王卒。李斯乃求為秦相文信侯呂不韋舍人。不韋賢之、任以為郎。李斯因以得說。說秦王曰。胥人者去其幾也。【索隱】胥人、猶胥吏小人也、去、猶失也、幾者、動之微、以言君子見幾而作、不俟終日、小人不識動微之會、故每失時也、劉氏解幾為彊、非也、【考證】王念孫曰、胥、須也、須、待也、去當作失、言有人釁可乘、不急乘其釁而待之、是自失其幾也、中井積德曰、幾、只是機會矣、愚按去猶失也、不必改字、　成大功者、在因瑕釁而遂忍之。【索隱】言因諸侯有瑕釁、則忍心而翦除、故我將說秦以并天下、【正義】胥、相也、幾、謂察也、言關東六國、與秦相敵者、君臣機密、並有瑕釁可成大功、而遂忍之也、【考證】中井積德曰、人將忍子、與此忍字同、謂行慘虐之事也、且此說秦之辭、索隱將說秦、失覈、　昔者秦穆公之霸、終不東并六國者、何也。【考證】中井積德曰、此言六國、據李斯之時而指他方之辭、其實不止六國、故曰諸侯尚眾也、不以辭害志可也、　諸侯尚眾、周德未衰。故五伯迭興、更尊周室。自秦孝公以來、周室卑微、諸侯相兼、關東為六

國。秦之乘勝役諸侯、蓋六世矣。正義 秦孝公、惠文王、武王、昭王、孝文王、莊襄王、今諸侯服秦、譬若郡縣。夫以秦之彊、大王之賢、由竈上騷除、足以滅諸侯成帝業、爲天下一統。集解 徐廣曰、騷、音埽、索隱 騷、音埽、言秦欲幷天下、若炊婦埽除竈上之不淨、不足爲難、正義 言秦國欲東幷六國、若炊婦除竈上塵垢、言其易也、考證 王念孫曰、由、與猶同、騷、與埽同、御覽引此、竈上有老嫗二字、據索隱、正文有此二字明矣、此萬世之一時也。今怠而不急就、諸侯復彊、相聚約從、雖有黃帝之賢不能幷也。秦王乃拜斯爲長史、聽其計、陰遣謀士、齎持金玉、以游說諸侯。諸侯名士可下以財者、厚遺結之、不肯者、利劍刺之、離其君臣之計。秦王乃使其良將隨其後。考證 事見下文李斯上二世書、秦王拜斯爲客卿。會韓人鄭國來閒秦、以作注溉渠。已而覺。正義 鄭國渠、首起雍州雲陽縣西南二十五里、自中山西邸瓠口爲渠、傍北山、東注洛、三百餘里以溉田、又曰、韓苦秦兵、而使水工鄭國閒秦作注溉渠、令費人工不東伐也、

考證 事見河渠書、梁玉繩引孫侍講云、逐客之議、因嫪毐、不因鄭國、鄭國事在始皇初年、大事記云、是時不韋專國、亦客也、孰言逐客乎、本紀載于不韋免相後、得之矣、秦宗室大臣、皆言秦王曰。諸侯人來事秦者、大抵爲其主游閒於秦耳。請一切逐客。索隱 一切、猶一例、言盡逐之也、言切者、譬若利刀之割、一運斤無不斷者、解漢書者以一切爲權時義、亦未爲得也、考證 中井積德曰、一切、譬如一刀切束芻、芻有長短、有巨細、而無所擇、唯一刀取齊整也、李斯議亦在逐中。斯乃上書曰。正義 在始皇十年、臣聞吏議逐客。竊以爲過矣。昔繆公求士、西取由余於戎、東得百里奚於宛、索隱 秦本紀云、晉獻公以百里奚爲秦穆公夫人媵於秦、奚亡走宛、楚鄙人執之、是也、正義 新序云、百里奚、楚宛人、仕於虞、虞亡入秦、號五羖大夫也、考證 楓、三本、昔下有者字、迎蹇叔於宋、索隱 秦紀又云、百里奚謂穆公曰、臣不如臣友蹇叔、蹇叔賢而代莫知、穆公厚幣迎之、以爲上大夫、今云於宋、未詳所出、正義 括地志云、蹇叔、岐州人也、時游宋、故迎之於宋、來丕豹・公孫支於晉。索隱 丕豹自晉奔秦、左氏傳有明文、公孫支所謂子桑也、是秦大夫、而云自晉來、亦未見所出、正義 括地志云、公孫支、岐州人、游晉、後歸秦、考證 來、各本作求、與上文求士複、今從索隱本、文選、此五子者、不產於秦。而繆公用之、幷國

二十、遂霸西戎。索隱 秦本紀、穆公用由余謀伐戎王、益國十二、開地千里、遂霸西戎、此都言五子之功、故云幷國二十、或易爲十二、誤也、考證 王、柯、凌、毛本、五下脫子字、中井積德曰、幷國二十、或是有所據、未可知也、或是誇張耳、孝公用商鞅之法、移風易俗、民以殷盛、國以富彊、百姓樂用、諸侯親服、獲楚・魏之師、擧地千里、至今治彊。惠王用張儀之計、拔三川之地、西幷巴・蜀、索隱 案惠王時、張儀爲相、請伐韓、下兵三川、以臨二周、司馬錯請伐蜀、惠王從之、果滅蜀、儀死後、武王欲通車三川、令甘茂拔宜陽、今竝云張儀者、以儀爲秦相、雖錯滅蜀、茂通三川、皆歸功於相、又三川是儀先請伐故也、考證 梁玉繩曰、李善文選注曰、通三川、是武王、張儀已死、此誤也、善注甚允、索隱彌縫其誤、不免曲說、至伐蜀、是司馬錯、而亦以爲儀者、索隱謂儀爲秦相、雖錯滅蜀、歸功于相、余攷華陽國志、伐蜀乃儀爲主將、而錯副之、豈徒歸功已哉、又說在甘茂傳、北收上郡、正義 惠王十年、魏納上郡十五縣、南取漢中、正義 惠王十三年、攻楚漢中、取地六百里、包九夷、制鄢・郢、索隱 九夷、卽屬楚之夷也、地理志、南郡江陵縣云、故楚郢都、又宜城縣云、故鄢也、正義 夷、謂幷巴蜀、收上郡、取漢中、伐義渠・丹犂是也、九夷、本東夷九種、此言者、文體然也、考證 中井積德曰、九、稱多數之辭、東據成皐之險、正義 河南府汜水縣也、割膏腴之壤、遂散六國之從、使之

西面事秦、功施到今。昭王得范睢、廢穰侯、逐華陽、集解 徐廣曰、華、一作葉、正義 葉、車涉反、彊公室、杜私門、蠶食諸侯、使秦成帝業。索隱 高誘注淮南子云、蠶食、盡無餘也、此四君者、皆以客之功。由此觀之、客何負於秦哉。向使四君卻客而不內、疏士而不用、是使國無富利之實、而秦無彊大之名也。今陛下致昆山之玉、正義 昆岡、在于闐國東北四百里、其岡出玉、有隨・和之寶。正義 括地志云、溳山、一名崑山、一名斷蛇丘、在隨州隨縣北二十五里、說苑云、昔隨侯行、遇大蛇中斷、疑其靈、使人以藥封之、蛇乃能去、因號其處爲斷蛇丘、歲餘、蛇銜明珠徑寸、絕白而有光、因號隨珠、卞和璧、始皇以爲傳國璽也、考證 中井積德曰、正義、徑寸之下、脫獻隨侯一事、而前文失解、又曰、秦璽非和璧、和璧豈可以爲璽、愚按正義璽當作寶、垂明月之珠、服太阿之劍、集解 見蘇秦傳、索隱 越絕書曰、楚王召歐冶子干將、作鐵劍三、一曰干將、二曰莫邪、三曰太阿也、乘纖離之馬、集解 徐廣曰、纖離、蒲梢、皆駿馬名、索隱 皆馬名、徐氏據孫卿子而爲說、建翠鳳之旗、樹靈鼉之鼓、集解 鄭玄注月令云、鼉皮可以冒鼓、此數寶者、秦不生一焉。而陛下說之。

何也。必秦國之所生然後可、則是夜光之璧、不飾朝廷、犀象之器、不爲玩好、鄭・衛之女、不充後宮、而駿良駃騠、不實外廏、[索隱]駃騠、決提二音、周書曰、正北以駃騠爲獻、廣雅曰、馬屬也、郭景純注上林賦云、生三日而超其母也、 江南金錫不爲用、西蜀丹青不爲采。所以飾後宮充下陳、娛心意說耳目者、必出於秦然後可、[索隱]下陳、猶後列也、晏子曰、有二女、願得入身於下陳、是也、[正義]下陳、謂下等陳列、 則是宛珠之簪、傅璣之珥、[索隱]宛、音於阮反、傅、音附、宛、謂以珠宛轉而裝其簪、傅璣者、以璣傅著於珥、珥者瑱也、璣是珠之不圓者、或云、宛珠、隨珠也、隨、在漢水之南、宛亦近、漢、故云宛、傅璣者女飾也、言女傅之珥、以璣爲之、竝非秦所有物也、[考證]中井積德曰、璣、小珠也、又曰、宛地出珠耳、何必傅會于隨、 阿縞之衣、錦繡之飾、不進於前、[集解]徐廣曰、齊之東阿縣、繒帛所出、 而隨俗雅化、佳冶窈窕趙女、不立於側也。[集解]徐廣曰、隨俗、一作修使、[索隱]謂閑雅變化、而能通俗也、[正義]佳冶、佳麗姚冶、佳、音居膎反、 夫擊甕叩缶、彈箏搏髀、而歌呼嗚嗚快耳目者、眞秦之聲也。[索隱]說文

云、甕、汲缻也、於貢反、缶、瓦器也、秦人鼓之以節樂、缻、音甫有反、[考證]楓、三本、無目字、王念孫曰、文選、北堂書鈔、藝文類聚、太平御覽引此、無目字、案聲能快耳、不能快目、目字後人所加、 鄭・衛・桑閒、昭・虞・武・象者、異國之樂也。[集解]徐廣曰、昭一作韶、[考證]楓、三本、虞作護、下同、 今弃擊甕叩缶而就鄭・衛、退彈箏而取昭・虞。[考證]楓、三本、無叩缶二字、 若是者、何也。快意當前、適觀而已矣。今取人則不然。不問可否、不論曲直、非秦者去、爲客者逐。然則是所重者、在乎色樂珠玉、而所輕者、在乎人民也。[考證]楓、三本、無珠玉二字、 此非所以跨海內制諸侯之術也。臣聞地廣者粟多、國大者人衆、兵彊則士勇。[考證]楓、三本、人作民、 是以太山不讓土壤、故能成其大。河海不擇細流、故能就其深。王者不郤衆庶、故能明其德。[索隱]管子云、海不辭水、故能成其大、泰山不辭土石、故能成其高、文子曰、聖人不讓負薪之言、以廣其名、[考證]墨子親士篇、江河不惡小谷之滿己也、故能大、聖人者事無辭也、物無遠也、故能爲天下器、中井積德曰、擇、揀擇而

取舍也、故有取舍二義、此擇字、屬舍、張文虎曰、索隱泰字誤、衍、管子無、 是以地無四方、民無異國、四時充美、鬼神降福。此五帝三王之所以無敵也。今乃弃黔首以資敵國、郤賓客以業諸侯、[索隱]資、猶給也、 使天下之士、退而不敢西向、裹足不入秦。[考證]裹足、謂足如有所裹、而不前也、范雎傳、杜口裹足、莫肯嚮秦耳、 此所謂藉寇兵、而齎盜糧者也。[索隱]藉、音積夜反、齎、音子奚反、說文曰、齎、持遺也、齎或爲資、義亦通、[考證]兵糧、韻、張照曰、按此必當時語、故范雎用之、李斯再用之、荀子大略篇亦曰、非其人而教之、齎盜糧借寇兵也、 夫物不產於秦、可寶者多。士不產於秦、而願忠者衆。[考證]文選、無而字、 今逐客以資敵國、損民以益讎、內自虛而外樹怨於諸侯、求國無危、不可得也。[考證]楓、三本、無損民以益讎五字、 秦王乃除逐客之令、復李斯官。[集解]新序曰、斯在逐中、道上上諫書、達始皇、始皇使人逐、至驪邑得還、 卒用其計謀、官至廷尉。二十餘年、竟并天下、尊主爲皇帝。[考證]楓、三本、主作王、梁玉繩曰、始皇十

年有逐客令、至并天下、才十七年、 以斯爲丞相、夷郡縣城、銷其兵刃、示不復用、使秦無尺土之封、不立子弟爲王、功臣爲諸侯者、使後無戰攻之患。始皇三十四年、置酒咸陽宮。博士僕射周青臣等、頌稱始皇威德。齊人淳于越進諫曰。臣聞之、殷・周之王千餘歲、封子弟功臣、自爲支輔。今陛下有海內、而子弟爲匹夫。卒有田常・六卿之患臣。無輔弼、何以相救哉。[考證]卒、音猝、田常弑齊簡公、范・中行・知・韓・趙・魏六卿分晉、楓、三本、始皇三十四年紀、竝無患字、臣字屬上讀、輔弼、猶藩屏也、卽上文支輔、 事不師古而能長久者、非所聞也。今青臣等又面諛以重陛下過。非忠臣也。[索隱]重、音逐用反、重者再也、 始皇下其議丞相。丞相謬其說、絀其辭、乃上書曰。古者天下散亂、莫能相一。[考證]絀、黜同、楓、三本、一下有定字、 是以諸侯竝作、語皆道古以害今、飾

虛言以亂實、人善其所私學、以非上所建立。今陛下幷有天下、辨白黑 索隱 劉氏云、前時國異政、家殊俗、人造私語、莫辨其眞、今乃分別白黑也、考證 索隱本、辨作別、 而定一尊。索隱 謂始皇幷六國定天下、海內共尊立一帝、故云、 而私學乃相與非法敎之制、聞令下、卽各以其私學議之、入則心非、出則巷議、非主以爲名、異趣以爲高、率羣下以造謗。考證 楓、三本、趣作取、 如此不禁、則主勢降乎上、黨與成乎下。禁之便。臣請諸有文學詩書百家語者、蠲除去之。考證 楓、三本、無除字、 令到、滿三十日弗去、黥爲城旦。所不去者、醫藥·卜筮·種樹之書。若有欲學者、以吏爲師。考證 文與始皇三十四年紀略同、 始皇可其議、收去詩書百家之語、以愚百姓、使天下無以古非今。明法度、定律令、皆以始皇起。同文書、正義 六國制令不同、今令同之、考證 正義蓋解上文明法度定律令也、同文書、一文字也、始皇

二十六年紀云、書同文字、 治離宮別館、周徧天下、考證 楓、三本、周下有道字、亦通、 明年又巡狩、外攘四夷。斯皆有力焉。考證 楓、三本、明年又巡狩、作明帝者有巡狩、義長、梁玉繩曰、始皇三十五年、無巡狩事、攘四夷亦不在是年、 斯長男由、爲三川守、諸男皆尙秦公主、女悉嫁秦諸公子。三川守李由、告歸咸陽。李斯置酒於家、百官長皆前爲壽。門廷車騎以千數。考證 楓、三本、壽上有斯字、 李斯喟然而歎曰。嗟乎、吾聞之荀卿曰。物禁太盛。夫斯乃上蔡布衣、閭巷之黔首。上不知其駑下、遂擢至此。當今人臣之位、無居臣上者。可謂富貴極矣。物極則衰。吾未知所稅駕也。索隱 稅駕、猶解駕、言休息也、李斯言己今日富貴已極、然未知向後吉凶止泊在何處也、正義 稅、舍車也、止也、考證 中井積德曰、稅駕、行之終也、以喩身之終、 始皇三十七年十月、行出游會稽、竝海上、北抵琅邪。正義 今沂州、考證 楓、三本、竝作傍、無上字、 丞相斯·中車府令趙高、

兼行符璽令事。皆從。考證 趙高、詳于蒙恬傳、 始皇有二十餘子。長子扶蘇、以數直諫上、上使監兵上郡。蒙恬爲將。正義 上郡故城、在綏州上縣東南五十里、 少子胡亥愛。請從。上許之。餘子莫從。集解 辯士隱姓名、遺秦將章邯書曰、李斯爲秦王死、廢十七兄而立今王也、然則二世是秦始皇第十八子、此書在善文中、考證 隋志、善文五十卷、晉杜預撰、 其年七月、始皇帝至沙丘。病甚。正義 沙丘臺、在邢州、考證 楓、三本、病作疾、 令趙高爲書賜公子扶蘇曰。以兵屬蒙恬、與喪會咸陽而葬。書已封、未授使者。始皇崩。書及璽、皆在趙高所。獨子胡亥·丞相李斯·趙高及幸宦者五六人、知始皇崩。餘羣臣皆莫知也。李斯以爲上在外崩、無眞太子。故祕之、置始皇居轀輬車中。集解 徐廣曰、一作轀車、考證 楓、三本、無置字、 百官奏事上食如故。宦者輒從轀輬車中可諸奏事。集解 文穎曰、轀輬車、如今喪轜車也、孟康曰、如衣車有窗牖、閉之則溫、開之則涼、

故名之轀輬車也、如淳曰、轀輬車、其形廣大、有羽飾也、 趙高因留所賜扶蘇璽書、而謂公子胡亥曰。上崩、無詔封王諸子、而獨賜長子書。長子至、卽立爲皇帝、而子無尺寸之地。爲之柰何。考證 楓、三本、立作位、而下子上有諸字、 胡亥曰。固也。吾聞之、明君知臣、明父知子。父捐命不封。諸子何可言者。趙高曰。不然。方今天下之權、存亡在子與高及丞相耳。願子圖之。且夫臣人與見臣於人、制人與見制於人、豈可同日道哉。胡亥曰。廢兄而立弟。是不義也。不奉父詔而畏死。是不孝也。考證 畏死、畏事露罹刑也、 能薄而材譾、彊因人之功。是不能也。集解 史記音隱、譾、宰顯反、索隱 音義云、宰殄反、劉氏音將淺反、則譾亦淺義、古人語自有重輕、所以文字有異、 三者逆德。天下不服、身殆傾危、社稷不血食。高曰。臣聞湯·武殺其主、天下稱義焉。不爲不忠。

衛君殺其父、而衛國載其德、孔子著之。不爲不孝。【考證】錢大昕曰、春秋哀公三年、衛石曼姑帥師圍戚、公羊以爲伯討、孟子書衛君輒爲孝公、故趙高爲此言、然蒯聵未嘗死乎輒、輒亦無德可載也、中井積德曰、載疑當作戴、 夫大行不小謹。盛德不辭讓。【考證】項羽本紀、樊噲云、大行不顧細謹、大禮不辭小讓、酈生傳、酈食其云、舉大事不細讓、盛德不辭讓、葢當時有此語、 鄉曲各有宜。而百官不同功。故顧小而忘大、後必有害。狐疑猶豫、後必有悔。斷而敢行、鬼神避之、後有成功。願子遂之。胡亥喟然歎曰。今大行未發、喪禮未終。豈宜以此事干丞相哉。【考證】癸辛雜識云、宮車晏駕曰大行、大行者、不返之辭也、 趙高曰。時乎時乎。閒不及謀。贏糧躍馬、唯恐後時。【正義】贏、裹糧也、【考證】贏、當作贏、與裹同、 胡亥既然高之言。高曰。不與丞相謀、恐事不能成。臣請爲子與丞相謀之。高乃謂丞相斯曰。上崩、賜長子書、與喪會咸陽、而立爲嗣。書未行。今上崩、

未有知者也。所賜長子書、及符璽、皆在胡亥所。定太子、在君侯與高之口耳。事將何如。【考證】徐孚遠曰、符璽及書、本在高所、而云胡亥者、亦以刼斯也、 斯曰。安得亡國之言。此非人臣所當議也。高曰。君侯自料能孰與蒙恬。功高孰與蒙恬。【考證】楓、三本、無高字、以上文推之、無者是、 謀遠不失、孰與蒙恬。無怨於天下、孰與蒙恬。長子舊而信之、孰與蒙恬。斯曰。此五者皆不及蒙恬。而君責之何深也。高曰。高固內官之廝役也。【考證】楓、三本、固作故、 幸得以刀筆之文、進入秦宮、管事二十餘年。【考證】楓、三本、秦宮作奏官、 未嘗見秦免罷丞相功臣、有封及二世者也。卒皆以誅亡。【考證】以已同、 皇帝二十餘子。皆君之所知。長子剛毅而武勇。信人而奮士。卽位必用蒙恬爲丞相。君侯終不懷通侯之印、歸於鄉

里明矣。【考證】胡三省曰、徹侯、漢曰通侯、亦曰列侯、應劭云、通亦徹也、通者功德通於王室也、張晏云、列侯者見序列也、愚按通侯解又見始皇紀、 高受詔教習胡亥、使學以法事數年矣。【考證】楓、三本、受作有、無教字、 未嘗見過失。慈仁篤厚、輕財重士、辯於心而詘於口、盡禮敬士。【正義】詘、猶訥也、 秦之諸子未有及此者。可以爲嗣。君計而定之。斯曰。君其反位。斯奉主之詔、聽天之命。何慮之可定也。高曰。安可危也。危可安也。安危不定、何以貴聖。斯曰。斯、上蔡閭巷布衣也。上幸擢爲丞相、封爲通侯、子孫皆至尊位重祿者、故將以存亡安危屬臣也。豈可負哉。【考證】楓、三本、故作固、 夫忠臣不避死而庶幾。【索隱】斯言忠臣之節、本不避死、言己今日亦庶幾盡忠不避死也、【考證】余有丁曰、庶幾、謂貪生幸利也、愚按謂徼幸於萬一也、索隱非、 孝子不勤勞而見危。【正義】言哀痛甚則危其身也、【考證】勤勞、勤勞怨恨也、見危、蹈危機也、 人臣各守其職而已矣。君其

勿復言。將令斯得罪。高曰。蓋聞聖人遷徙無常、就變而從時、見末而知本、觀指而覩歸。【考證】毛本、就作龍、 物固有之。安得常法哉。方今天下之權命、懸於胡亥。【考證】楓、三本、命懸二字倒、淮陰侯傳、當今兩主之命、縣於足下、 高能得志焉。且夫從外制中、謂之惑。從下制上、謂之賊。故秋霜降者草花落。水搖動者萬物作。【索隱】水搖者、謂冰泮而水動也、是春時而萬物皆生也、【考證】惑賊落作韻、索隱本無動字、王念孫曰、原文當作霜降而草華落、水搖者萬物作、秋字動字、後人所加、 此必然之效也。君何見之晚。【考證】楓、三本、晚下有也字、范雎傳、蔡澤曰、吁、君何見之晚也、王應麟曰、斷而敢行、鬼神避之、見末而知本、觀指而覩歸、秋霜降者草花落、水搖動者萬物作、此戰國諸子之言、趙高誦之爾、 斯曰。吾聞晉易太子、三世不安。【正義】謂廢申生立奚齊也、 齊桓兄弟爭位、身死爲戮。【正義】謂小白與公子糾、【考證】公子糾見殺、 紂殺親戚、不聽諫者、國爲丘墟、遂危社稷。【正義】謂殺比干囚箕子、 三者逆天、宗廟不血食。斯其猶人哉。安足

爲謀。[索隱]言我今日猶是人、人道守順、豈能爲逆謀、故下云安足與謀、[正義]猶人、猶是人也、秉道守順、豈有叛逆、安足與謀也、　高曰。上下合同、可以長久。中外若一、事無表裏。君聽臣之計、卽長有封侯、世世稱孤、必有喬松之壽、孔墨之智。[考證]秦策、蔡澤說范雎云、長爲應侯、世世稱孤、而有喬松之壽、　今釋此而不從、禍及子孫、足以爲寒心。[考證]王念孫曰、以字衍、文選報任安書注、引作足爲寒心、燕策云、夫以秦王之暴、而積怨於燕、足爲寒心、又其一證、　善者因禍爲福。君何處焉。斯乃仰天而歎、垂淚太息曰。嗟乎、獨遭亂世、既以不能死、安託命哉。[考證]楓、三本、以作已、中井積德曰、以已通、　於是斯乃聽高。高乃報胡亥曰。臣請奉太子之明命、以報丞相。[考證]楓、三本、請作謹、命作令、爲是、　丞相斯敢不奉令。[考證]楓、三本、敢上有不字、爲是、　於是乃相與謀、詐爲受始皇詔。丞相立子胡亥爲太子。[考證]崔適曰、丞相上、當重詔字、　更爲書、賜長子扶蘇曰。朕巡天下、禱

祠名山諸神、以延壽命。今扶蘇與將軍蒙恬、將師數十萬、以屯邊十有餘年矣。[考證]楓、三本、師作帥、　不能進而前。士卒多耗、無尺寸之功。乃反數上書、直言誹謗我所爲、以不得罷歸爲太子、日夜怨望。扶蘇爲人子不孝。其賜劍以自裁。將軍恬、與扶蘇居外、不匡正、宜知其謀。[考證]楓、三本、不下有能字、　爲人臣不忠。其賜死以兵屬裨將王離。[考證]楓、三本、裨下有軍字、　封其書以皇帝璽、遣胡亥客奉書賜扶蘇於上郡。[考證]楓、三本、於上有在字、　使者至發書。扶蘇泣入內舍、欲自殺。蒙恬止扶蘇曰。陛下居外、未立太子。使臣將三十萬衆守邊、公子爲監。此天下重任也。今一使者來、卽自殺。安知其非詐。請復請。復請而後死、未暮也。[正義]復、扶富反、復、重也、言再三重請、必然而未晚、　使者數趣

之。扶蘇爲人仁。謂蒙恬曰。父而賜子死。尙安復請。卽自殺。蒙恬不肯死。使者卽以屬吏、繫於陽周。[集解]徐廣曰、屬上郡、[正義]陽周、寧州羅川縣之邑也、[考證]事見蒙恬傳、　使者還報。胡亥・斯・高大喜、至咸陽發喪。太子立、爲二世皇帝、以趙高爲郎中令、常侍中用事。二世燕居。乃召高與謀事、謂曰。夫人生居世閒也、譬猶騁六驥過決隙也。[考證]胡三省曰、決、裂也、裂開之隙、其間不能以寸、喩狹小也、魏豹傳、人生一生間、如白駒過隙耳、　吾既已臨天下矣。欲悉耳目之所好、窮心志之所樂、以安宗廟而樂萬姓、長有天下、終吾年壽。其道可乎。高曰。此賢主之所能行也。而昏亂主之所禁也。[考證]群書治要引史、而上無也字、　臣請言之。不敢避斧鉞之誅。願陛下少留意焉。夫沙丘之謀、諸公子及大臣皆疑焉。[考證]治要、及作至、　而諸公子盡帝

兄、大臣又先帝之所置也。今陛下初立。此其屬意怏怏、皆不服。恐爲變。且蒙恬已死、蒙毅將兵居外。[考證]梁玉繩曰、案始皇紀及蒙恬傳、將兵在外者恬也、而爲內謀者毅也、又胡亥先殺毅、而殺恬、此俱自相駁、當云蒙毅未死、蒙恬將兵在外、乃合耳、　臣戰戰栗栗、唯恐不終。且陛下安得爲此樂乎。二世曰。爲之柰何。趙高曰。嚴法而刻刑、令有罪者相坐、誅至收族、滅大臣而遠骨肉、貧者富之、賤者貴之、盡除去先帝之故臣、更置陛下之所親信者近之。此則陰德歸陛下、害除而姦謀塞、羣臣莫不被潤澤蒙厚德。陛下則高枕肆志寵樂矣。計莫出於此。[考證]中井積德曰、寵、榮也、李笠曰、案出、猶逾也、過也、莫過於此者、言無有勝於此也、吳王濞傳云、臣愚計無出此、義同、　二世然高之言、乃更爲法律。於是羣臣諸公子有罪、輒下高令鞫治之、殺大臣蒙毅等、[考證]楓、三本、治要、殺上有誅字、

公子十二人僇死咸陽市、【考證】梁玉繩曰、案紀言六公子僇于杜、公子將閭昆弟三人自殺、與此異、十公主矺死於杜、【集解】史記音隱曰、矺、音貯格反、【索隱】矺、音宅、與磔同、古今字異耳、磔、謂裂其支體而殺之、【正義】矺、磔也、音宅、【考證】中井積德曰、磔、陳死人也、古謂之尸、漢景中二年、改磔曰棄市、磔是在死後、非磔而後死、楓、三本、杜下有縣字、財物入於縣官。相連坐者不可勝數。公子高欲奔。恐收族。乃上書曰。先帝無恙時、臣入則賜食、出則乘輿、御府之衣、臣得賜之、中廄之寶馬、臣得賜之。【考證】楓、三本、無寶字、臣當從死而不能。爲人子不孝、爲人臣不忠。不忠者無名以立於世。【考證】楓、三本、不重不忠二字、爲是、臣請從死、願葬酈山之足。唯上幸哀憐之。書上。胡亥大說、召趙高而示之曰。此可謂急乎。【考證】岡白駒曰、可謂事急乎、趙高曰。人臣當憂死而不暇。何變之得謀。胡亥可其書、賜錢十萬以葬。法令誅罰日益刻深、羣臣人人自

危、欲畔者衆。又作阿房之宮、治直馳道、賦斂愈重、戍傜無已。【考證】治要、直下有道字、王念孫曰、秦始皇紀二十七年、治馳道、集解應劭曰、馳道、天子道也、若今之中道也、六國表曰、始皇三十五年、爲直道、道九原通甘泉、蒙恬傳贊曰、蒙恬爲秦塹山堙谷通直道、是直道與馳道不同、今本直下脫道字、則文義不明、於是楚戍卒陳勝・吳廣等乃作亂、起於山東、傑俊相立、自置爲侯王叛秦。兵至鴻門而卻。【考證】中井積德曰、至鴻門而郤、周文之師也、李斯數欲請閒諫。二世不許。而二世責問李斯曰。吾有私議。而有所聞於韓子也。曰。堯之有天下也、堂高三尺、采椽不斲、茅茨不翦。雖逆旅之宿、不勤於此矣。【集解】徐廣曰、采、一名櫟、一作柞、【索隱】采、木名、卽今之櫟木、【正義】言采取木作也、不斲削、【考證】中井積德曰、椽材采於山、而不加斲也、愚按韓非子五蠹篇、無雖以下十字、冬日鹿裘、夏日葛衣、粢糲之食、藜藿之羹、【索隱】粢、音資、糲、音郎葛反、粢者稷也、糲者麄粟飯也、飯土匭、【集解】徐廣曰、一作溜、啜土鉶。【集解】音刑、【考證】始皇紀匭作塯、鉶作刑、雖監門之養、不觳於

此矣。【集解】徐廣曰、觳、音學、觳一作轂、推也、【索隱】觳、音學、爾雅云、觳、盡也、言監門下人飯、猶不盡此、若徐氏云、一作轂、轂推也、則字宜作較、鄒氏音角、禹鑿龍門、通大夏、疏九河、曲九防、【正義】謂河之九曲、別爲隄防、【考證】中井積德曰、九河、是九州之河、九防、卽九州澤之隄、是語本于尙書九澤既防、決渟水、致之海、【集解】徐廣曰、致、一作放、而股無胈、【集解】胈、膚毳皮、脛無毛、手足胼胝、面目黎黑、遂以死于外、葬於會稽。臣虜之勞、不烈於此矣。【正義】烈、酷也、不酷烈於此也、【考證】以上本韓非子五蠹篇、語多敷演、與始皇紀亦異、然則夫所貴於有天下者、豈欲苦形勞神、身處逆旅之宿、口食監門之養、手持臣虜之作哉。【考證】然則二字、始皇紀無、張文虎曰、疑衍、此不肖人之所勉也。非賢者之所務也。彼賢人之有天下也、專用天下適己而已矣。此所以貴於有天下也。夫所謂賢人者、必能安天下而治萬民。【考證】楓本、必下有將字、治要、民下有也字、今身且不能利。將惡能治天下哉。故吾願

肆志廣欲、長享天下而無害。爲之奈何。【考證】董份曰、二世紀亦載此文、而辭不同、此太史公不及整頓處、李斯子由爲三川守。羣盜吳廣等、西略地過去。弗能禁。章邯以破逐廣等兵、【考證】楓、三本、以作已、使者覆案三川、相屬誚讓。斯居三公位、如何令盜如此。李斯恐懼、重爵祿、不知所出。乃阿二世意、欲求容、以書對曰。夫賢主者、必且能全道、而行督責之術者也。【索隱】督者察也、察其罪、責之以刑罰也、督責之、則臣不敢不竭能以徇其主矣。此臣主之分定、上下之義明、則天下賢不肖、莫敢不盡力竭任、以徇其君矣。【考證】治要、臣上無此字、是故主獨制於天下、而無所制也。能窮樂之極矣。賢明之主也、可不察焉。【考證】楓、三本、治要、焉作耶、故申子曰。有天下而不恣睢、命之曰以天下爲桎梏者。【索隱】恣睢、上音資、

二反、下音呼季反、恣睢、猶放縱也、謂肆情縱恣也、【正義】恣睢、仰白目也、恣、縱也、言有天下不能自縱恣督責、乃勞身於天下若堯禹、卽以天下爲桎梏於身也、【考證】楓、三本、無梏字、申子之言止于此、中井積德曰、正義督責二字當削、無他焉。不能督責、而顧以其身勞於天下之民、若堯・禹然。故謂之桎梏也。夫不能修申・韓之明術、行督責之道、專以天下自適也、而徒務苦形勞神、以身徇百姓、則是黔首之役、非畜天下者也。何足貴哉。夫以人徇己、則己貴而人賤。以己徇人、則己賤而人貴。故徇人者賤、而人所徇者貴。自古及今、未有不然者也。凡古之所爲尊賢者、爲其貴也。而所爲惡不肖者、爲其賤也。而堯・禹以身徇天下者也。【考證】楓、三本、堯上而字作夫、因隨而尊之、則亦失所爲尊賢之心矣。夫可謂大繆矣。謂之爲桎梏、不亦宜乎。【考證】蔡本、中統、王、柯、毛本、竝無梏字、不能督責之過

也。【考證】楓、三本、治要、能作知、故韓子曰。慈母有敗子、而嚴家無格虜者何也。【索隱】格、彊扞也、虜、奴隸也、言嚴整之家、本無格扞奴僕也、【正義】劉曰、格、彊悍也、虜、奴隸也、按嚴整之家、無彊悍似奴虜、子弟皆勤也、【考證】韓非子顯學篇、格虜作悍虜、格虜索隱是、正義似字、子弟字、皆可削、則能罰之加焉必也。故商君之法、刑弃灰於道者。【正義】弃灰於道者黥也、韓子云、殷之法、弃灰於衢者刑、子貢以爲重問之、仲尼曰、灰弃於衢必燔、人必怒、怒則鬬、鬬則三族、雖刑之可也、【考證】北地多風、棄灰、有失火之虞、所以爲禁、夫弃灰、薄罪也。而被刑、重罰也。彼唯明主爲能深督輕罪。夫罪輕且督深。而況有重罪乎。故民不敢犯也。是故韓子曰。布帛尋常、庸人不釋。【索隱】八尺曰尋、倍尋曰常、以言其少也、庸人弗釋者、謂庸人見則取之而不釋、以其罪輕、故下云、罰不必行則庸人弗釋尋常、是也、【正義】八尺曰尋、倍尋曰常、言其少也、【考證】索隱以其罪輕四字當削、鑠金百溢、盜跖不搏者、【索隱】爾雅、鑠、美也、言百溢之美金在於地、雖有盜跖之行、亦不取者、爲其財多而罪重也、故下云、搏必隨手刑、盜跖不搏也、搏猶攫也、取也、凡鳥翼擊物曰搏、足取曰攫、故人取物亦謂之搏、【正義】鑠金、銷鑠之金也、熱不可取也、【考證】鑠金、正義是、故下文云、搏必隨手刑、非庸人之心重尋常

之利深、而盜跖之欲淺也。【考證】李笠曰、案深字疑衍、此以庸人盜跖對擧、上言庸人不釋布帛、盜跖不搏鑠金、此承上、謂非庸人之心重尋常之利、而盜跖之欲淺百鎰之利也、不云百鎰者省辭也、又不以盜跖之行爲輕百溢之重也。搏必隨手刑、則盜跖不搏百溢。【考證】刑、言鑠金傷手也、而罰不必行也、則庸人不釋尋常。【考證】韓非子五蠹篇、布帛尋常、庸人不釋、鑠金百鎰、盜跖不掇、不必害、則不釋尋常、必害手、則不掇百鎰、故明主必其誅也、文字少異、是故城高五丈、而樓季不輕犯也。【集解】許愼曰、樓季、魏文侯之弟、王孫子曰、樓季、魏文侯之兄也、泰山之高百仞、而跛牂牧其上。【集解】詩云、牂羊墳首、毛傳曰、牝曰牂、【考證】韓非子五蠹篇、十仞之城、樓季弗能踰者、峭也、千仞之山、跛牂易牧者、夷也、故明主峭其法而嚴其刑也、夫樓季也而難五丈之限、豈跛牂也而易百仞之高哉。峭塹之勢異也。【索隱】峭、峻也、高也、七笑反、塹、音漸、以言峭峻則難登、故樓季難五丈之限、平塹則易涉、故跛牂牧於泰山也、明主聖王之所以能久處尊位、長執重勢、而獨擅天下之利者、非有異道也。能獨斷而審督責、必深罰。

故天下不敢犯也。今不務所以不犯、而事慈母之所以敗子也、則亦不察於聖人之論矣。夫不能行聖人之術、則舍爲天下役。何事哉。可不哀邪。【索隱】舍、猶廢也、止也、言爲人主不能行聖人督責之術、則已廢止、何爲勤身苦心、爲天下所役、是何哉、可不哀邪、言其非也、【考證】中井積德曰、言舍聖人之術、而反爲天下之所役、甚可哀也、且夫儉節仁義之人立於朝、則荒肆之樂輟矣。諫說論理之臣閒於側、則流漫之志詘矣。【考證】閒、蔡、王、柯、毛本、作開、楓本作闕、烈士死節之行顯於世、則淫康之虞廢矣。【考證】虞、讀爲娛、故明主能外此三者、而獨操主術、以制聽從之臣、而修其明法。故身尊而勢重也。凡賢主者、必將能拂世摩俗、而廢其所惡、立其所欲。【索隱】拂、音扶弗反、磨、音莫何反、拂世、蓋言與世情乖戾、磨俗、言磨礪於俗、使從己、故生則有尊重之勢、死則有賢明之謚也。【考證】梁玉繩曰、死亡之言、非臣子所宜語于君父、乃直陳無隱、雖暴秦之多忌、不

以是爲罪、蓋秦漢時近質、諱猶少、故賈誼告孝文曰、生爲明帝、沒爲明神、顧成之廟稱爲太宗、此與端木氏言夫子其死也哀同、是以明君獨斷。故權不在臣也。然後能滅仁義之塗、掩馳說之口、困烈士之行、塞聰揜明、內獨視聽。故外不可傾以仁義烈士之行、而內不可奪以諫說忿爭之辯。故能犖然獨行恣睢之心、而莫之敢逆。若此然後可謂能明申韓之術、而脩商君之法。法脩術明、而天下亂者未之聞也。故曰、王道約而易操也。唯明主爲能行之。若此、則謂督責之誠。督責之誠、則臣無邪。[考證]各本、不重督責之誠、今從楓三本、臣無邪、則天下安。天下安、則主嚴尊。主嚴尊、則督責必。督責必、則所求得。所求得、則國家富。國家富、則君樂豐。故督責之術設、則所欲無不得矣。羣臣百姓、救過不給。何變之敢

圖。若此、則帝道備、而可謂能明君臣之術矣。雖申韓復生、不能加也。[考證]凌稚隆曰、此仍以申韓結截、王維楨曰、斯學帝王之術于荀卿、而用申商之術于秦、何也、書奏。二世悅。[考證]楓三本悅作說、於是行督責益嚴、稅民深者爲明吏。二世曰、若此、則可謂能督責矣。[考證]張文虎曰、王本治要無督字、刑者相半於道、而死人日成積於市、殺人衆者爲忠臣。二世曰、若此、則可謂能督責矣。[考證]張文虎曰、蔡本中統、王柯毛本治要、皆無責字、初趙高爲郎中令、所殺及報私怨衆多。恐大臣入朝奏事毀惡之、乃說二世曰、天子所以貴者、但以聞聲、羣臣莫得見其面。故號曰朕。[考證]朕、朕兆朕漢之朕、微也、少也、趙高取義於不可見不可聞、且陛下富於春秋。未必盡通諸事。[集解]徐廣曰、通或宜作照、今坐朝廷、譴舉有不當者、則見短於大臣。非所以示神明於天下也。且陛

下深拱禁中、與臣及侍中習法者待事。事來、有以揆之。[集解]徐廣曰、揆、一作撥也、如此、則大臣不敢奏疑事、天下稱聖主矣。二世用其計、乃不坐朝廷見大臣。居禁中。趙高常侍中用事、事皆決於趙高。[考證]楓三本無事皆決於趙高六字、高聞李斯以爲言、乃見丞相曰、關東羣盜多。今上急益發繇治阿房宮、聚狗馬無用之物。[索隱]房音旁、一如字、臣欲諫、爲位賤。此眞君侯之事。君何不諫。李斯曰、固也。吾欲言之久矣。今時上不坐朝廷、上居深宮。吾有所言者、不可傳也。欲見無閒。[考證]治要、言上有欲字、趙高謂曰、君誠能諫、請爲君候上閒語君。於是趙高待二世方燕樂、婦女居前、使人告丞相。上方閒。可奏事。丞相至宮門上謁。如此者三。二世怒曰、吾常多閒日、

丞相不來。吾方燕私、丞相輒來請事。丞相豈少我哉。且固我哉。[索隱]謂以我幼故輕我也、云固我者、一云、以我爲短少、且固陋於我也、於義爲疏、[考證]中井積德曰、固、鄙之也、趙高因曰、如此殆矣。[考證]治要無如字、夫沙丘之謀、丞相與焉。今陛下已立爲帝、而丞相貴不益。此其意亦望裂地而王矣。且陛下不問臣、臣不敢言。丞相長男李由、爲三川守。楚盜陳勝等、皆丞相傍縣之子、以故楚盜公行。[集解]徐廣曰、公一作訟、音松、過三川、城守不肯擊。高聞其文書相往來、未得其審。故未敢以聞。且丞相居外、權重於陛下。二世以爲然、欲案丞相、恐其不審、乃使人案驗三川守與盜通狀。李斯聞之。是時二世在甘泉、方作觳抵優俳之觀。[集解]應劭曰、戰國之時、稍增講武之禮、以爲戲樂、用相夸示、而秦更名曰角抵、角者角材也、抵者相抵觸也、文穎曰、案、秦名此樂爲角抵、兩兩相當角力角伎藝射御、故曰角抵也、駰案、觳抵、即角抵

也、【考證】楓、三本、轂作角、中井積德曰、角觝、蓋今相撲之類、非通他技藝射御、李斯不得見。因上書言趙高之短曰、臣聞之、臣疑其君、無不危國。妾疑其夫、無不危家。【考證】余有丁曰、疑、卽易陰疑于陽之疑、言勢相近均敵也、愚按不曰婦曰妾、措詞不苟、今有大臣於陛下。【考證】楓、三本、臣下有側字、擅利擅害、與陛下無異。此甚不便。昔者司城子罕相宋。身行刑罰、以威行之。朞年遂劫其君。【考證】韓非子二柄篇、子罕謂宋君曰、夫慶賞賜予者、民之所喜也、君自行之、殺戮刑罰者、民之所惡也、臣請行之、于是宋君失刑、子罕用之、故宋君見劫、高誘注呂覽云、子罕殺宋昭公、子罕與宋名臣司城子罕名同人異、說見鄒陽傳、田常爲簡公臣、爵列無敵於國、私家之富與公家均。布惠施德、下得百姓、上得羣臣、陰取齊國、殺宰予於庭、卽弒簡公於朝、遂有齊國。【考證】中井積德曰、田常所殺、是監止字子我、非宰予、亦傳聞之謬云、此天下所明知也。今高有邪佚之志、危反之行。如子罕相宋也。【考證】王念孫曰、危、讀爲詭、詭亦反也、私家之富、

若田氏之於齊也。【考證】楓本、若作如、兼行田常・子罕之逆道、而劫陛下之威信。其志若韓玘爲韓安相也、【索隱】玘亦作起、竝音怡、韓大夫、弑其君悼公者、然韓無悼公、或鄭之嗣君、案表、韓玘事昭侯、昭侯已下四代至王安、其說非也、【考證】胡三省曰、余觀李斯書、意正以胡亥亡國之禍、近在旦夕、故指韓安以其用韓玘而亡韓之事警動之、韓安之臣、必有韓玘者、特史逸其事耳、李斯與韓安同時、而韓安亡國之事、接乎胡亥之耳目、所謂殷鑒不遠也、索隱于數百載之後、議其說爲非、可乎、陛下不圖。臣恐其爲變也。二世曰、何哉。夫高故宦人也。【考證】楓、三本、宦作宮、中井積德曰、故宦人者、對今尊官而言、謂內宦賤役也、然不爲安肆志、不以危易心、絜行脩善、自使至此。以忠得進、以信守位。朕實賢之。而君疑之。何也。【考證】楓、三本、實作甚、且朕少失先人、無所識知、不習治民。【考證】楓、三本、無所知二字、而君又老。恐與天下絕矣。朕非屬趙君、當誰任哉。且趙君爲人精廉彊力、下知人情、上能適朕。君其勿疑。【考證】楓、三本、治要、人情作民情、李斯曰、不然。夫

高、故賤人也。無識於理、貪欲無厭、求利不止、列勢次主、求欲無窮。【考證】治要、列勢作烈勢、凌稚隆曰、威勢亞於人主、臣故曰殆。二世已前信趙高。恐李斯殺之、乃私告趙高。【考證】楓、三本、乃私作以、高曰、丞相所患者獨高。高已死、丞相卽欲爲田常所爲。於是二世曰、其以李斯屬郎中令趙高案治李斯。李斯拘執束縛、居囹圄中、仰天而歎曰、嗟乎、悲夫。不道之君、何可爲計哉。昔者桀殺關龍逢、紂殺王子比干、吳王夫差殺伍子胥。此三臣者、豈不忠哉。然而不免於死。【考證】楓、三本、不上有身字、身死而所忠者非也。【正義】所忠、謂吳太宰嚭之類、【考證】言三子所忠非其君也、正義非、今吾智不及三子、而二世之無道、過於桀・紂・夫差。吾以忠死、宜矣。且二世之治、豈不亂哉。日者夷其兄弟而自立也、殺

忠臣而貴賤人、作爲阿房之宮、賦斂天下。吾非不諫也。而不吾聽也。凡古聖王、飲食有節、車器有數、宮室有度。出令造事、加費而無益於民利者禁。故能長久治安。今行逆於昆弟、不顧其咎。侵殺忠臣、不思其殃。大爲宮室、厚賦天下、不愛其費。三者已行、天下不聽。今反者已有天下之半矣。而心尙未寤也、而以趙高爲佐。吾必見寇至咸陽、麋鹿游於朝也。【正義】麋鹿、上音眉、亦作麋、於是二世乃使高案丞相獄治罪、【考證】楓、三本、相下有下字、責斯與子由謀反狀。皆收捕宗族賓客。趙高治斯、榜掠千餘。不勝痛、自誣服。斯所以不死者、自負其辯有功、實無反心、【考證】治要、無其辯二字、幸得上書自陳、幸二世之寤而赦之。李斯乃從獄中上書曰。

臣爲丞相、治民三十餘年矣。逮秦地之陜隘。【考證】梁玉繩曰、案始皇二十八年、李斯尙爲卿、本紀可據、疑三十四年始爲丞相、則相秦纔六年、若以始皇十年斯用事數之、是二十九年、亦無三十餘年也、先王之時、秦地不過千里、兵數十萬。臣盡薄材、謹奉法令、陰行謀臣、資之金玉、使游說諸侯、陰脩甲兵、飾政敎、官鬬士、尊功臣、盛其爵祿。故終以脅韓弱魏、破燕·趙、夷齊·楚、卒兼六國、虜其王、立秦爲天子。罪一矣。地非不廣。又北逐胡貉、南定百越、以見秦之彊。罪二矣。尊大臣、盛其爵位、以固其親。罪三矣。立社稷、脩宗廟、以明主之賢。罪四矣。更剋畫、平斗斛度量文章、布之天下、以樹秦之名。罪五矣。【考證】岡白駒曰、更改也、剋畫、謂器物制度儀飾也、文章、卽制度儀飾之已成者、中井積德曰、文章上、疑有脫文、愚按文章二字、疑當移剋畫下、治馳道、興游觀、以見主之得意。罪六矣。緩刑罰、薄賦斂、

以遂主得衆之心、萬民戴主、死而不忘。罪七矣。【考證】凌稚隆曰、按李斯所謂七罪、乃自侈其極忠、反言以激二世耳、愚按此與白起蒙恬臨死自罪者相似、蓋秦人之語、中井積德曰、唯第七罪爲虛飾非實、若斯之爲臣者、罪足以死固久矣。上幸盡其能力、乃得至今。願陛下察之。【考證】楓、三本、無乃得二字、書上。趙高使吏弃去、不奏。曰。囚安得上書。趙高使其客十餘輩詐爲御史謁者侍中、更往覆訊斯。斯更以其實對。輒使人復榜之。後二世使人驗斯。斯以爲如前。終不敢更言、辭服。奏當上。二世喜曰。微趙君、幾爲丞相所賣。【考證】胡三省曰、奏當者、獄具而奏、當處其罪也、漢路溫舒曰、奏當之成、雖咎繇聽之、猶以爲死有餘辜、及二世所使案三川之守。至則項梁已擊殺之。【考證】楓、三本、無及字、至、使者至三川也、項梁所擊殺者李由、通鑑、守下補由字、使者來。會丞相下吏。趙高皆妄爲反辭。【考證】楓、三本、皆上有因字、二世二年七月、具斯五

刑、論腰斬咸陽市。【考證】商君傳、不告姦者要斬、秦策、范子因王稽入秦篇、今臣之胸不足以當椹質、要不足以待斧鉞、腰斬之刑、非始於李斯、斯出獄、與其中子俱執。顧謂其中子曰。吾欲與若復牽黃犬、俱出上蔡東門、逐狡兎、豈可得乎。【考證】凌稚隆曰、應前上蔡布衣、遂父子相哭、而夷三族。李斯已死。二世拜趙高爲中丞相。事無大小、輒決於高。【考證】中丞相、在宮中執政、故名、高自知權重、乃獻鹿謂之馬。二世問左右。此乃鹿也。左右皆曰馬也。【考證】治要、無皆字、凌稚隆曰、與本紀參互、二世驚自以爲惑、乃召太卜令卦之。太卜曰。陛下春秋郊祀、奉宗廟鬼神、齋戒不明。故至于此。可依盛德而明齋戒。於是乃入上林齋戒、日游弋獵。有行人入上林中。二世自射殺之。【考證】楓、三本、無行字、趙高敎其女壻咸陽令閻樂、劾不知何人賊殺人、移上林。

【正義】移牒勘問、【考證】沈家本曰、趙高宦者、何以有女、愚按、說又見蒙恬傳、高乃諫二世曰。天子無故賊殺不辜人。此上帝之禁也。鬼神不享。天且降殃。當遠避宮以禳之。二世乃出居望夷之宮。畱三日。趙高詐詔衞士、令士皆素服、持兵內鄉、【考證】楓、三本、衞士下重令字、入告二世曰。山東羣盜兵大至。二世上觀而見之、恐懼。高卽因劫令自殺。引璽而佩之、左右百官莫從。上殿。殿欲壞者三。【考證】林伯桐曰、始皇本紀、二世曰、丞相可得見否、閻樂曰、不可、則是二世之死、不得見趙高也、李斯列傳則曰、趙高入告二世曰、羣盜大至、二世恐懼、高卽因劫令自殺、則是趙高見二世之死也、此秦之大事、紀與傳自相矛盾如此、高自知天弗與、羣臣弗許、乃召始皇弟、授之璽。【集解】徐廣曰、一本曰、召始皇弟子嬰授之璽、秦本紀云、子嬰者二世之兄子也、【索隱】劉氏云、弟字誤、當爲孫、子嬰、二世兄子、【正義】弟、音孫、【考證】說見始皇紀、子嬰卽位、患之、乃稱疾不聽事。與宦者韓談及其子謀殺高。【考證】錢大昕曰、太史公父名談、如李談趙談之屬、皆改稱同、此韓談獨

不改、何也、滑稽傳云、談言微中、司馬相如傳、因此以談、此皆不避談字、徐孚遠曰、史記諱談、此後人所改也、高上謁請病。因召入、令韓談刺殺之、夷其三族。子嬰立三月、沛公兵從武關入、至咸陽。羣臣百官皆畔不適。【集解】徐廣曰、適音敵、子嬰與妻子自係其頸以組、降軹道旁。【正義】軹道、在萬年縣東北十六里、沛公因以屬吏。項王至而斬之。遂以亡天下。

太史公曰。李斯以閭閻歷諸侯、入事秦、因以瑕釁以輔始皇、卒成帝業、斯爲三公。可謂尊用矣。【考證】楓、三本、因下無以字、中井積德曰、衍、愚按本傳云、李斯說始皇曰、成大功者在因瑕釁而遂忍之、斯知六蓺之歸、【考證】言學帝王之術、不務明政以補主上之缺、【考證】楓、三本不下有知字、明下無政字、持爵祿之重、阿順苟合、嚴威酷刑、聽高邪說、廢適立庶。諸侯已畔、斯乃欲諫爭。不亦末乎。人皆以斯極

忠而被五刑死。察其本、乃與俗議之異。【考證】李笠曰、案之字疑衍、俗議者、上言人皆以斯極忠也、謂察其本、咎由自取與俗說異、不然、斯之功、且與周召列矣。

【索隱述贊】鼠在所居、人固擇地、斯效智力、功立名遂、置酒咸陽、人臣極位、一夫誑惑、變易神器、國喪身誅、本同末異、

李斯列傳第二十七　史記八十七

史記會注考證卷八十八

漢　太　史　令　司　馬　遷　撰
宋中郎外兵曹參軍裴駰集解
唐國子博士弘文館學士司馬貞索隱
唐諸王侍讀率府長史張守節正義
日本　出　雲　瀧　川　資　言　考　證

蒙恬列傳第二十八　史記八十八

【考證】史公自序云、爲秦開地益衆、北靡匈奴、據河爲塞、因山爲固、建榆中、作蒙恬列傳、第二十八、

蒙恬者、其先齊人也。恬大父蒙驁、自齊事秦昭王、官至上卿。【索隱】音敖、又鄒氏音五到反、【正義】驁、五高反、秦莊襄王元年、蒙驁爲秦將、伐韓取成皋・滎陽、作置三川郡。【考證】張文虎曰、各本、成作城、從蔡本、毛本、二年、蒙驁攻趙、取三十七城。始皇三年、蒙驁攻韓取十三城。【考證】通鑑作十二城、五年、蒙驁攻魏取二十城。作置東郡。始皇七年、蒙驁卒。驁子曰武。武子曰恬。恬嘗書獄典文學。【索隱】謂恬嘗學獄法、遂作獄官、典文學、【考證】中井積德曰、謂作獄辭文書、楓、三本、索隱本、無典字、始皇二十三年、蒙武爲秦裨將軍、與王翦攻楚、大破之、殺項燕。二十四年、蒙武攻楚、虜楚王。【考證】張照曰、按此與年表同、本紀、二十三年、虜荊王、二十四年、項燕自殺、蒙恬弟毅、始皇二十六年、蒙恬因家世得爲秦將、攻齊大破之、拜爲內史。【考證】毛本、無得字、張照曰、紀表、攻齊者、將軍王賁、皆不言有蒙恬、或恬此時亦從軍、非大將、秦已幷天下。乃使

蒙恬將三十萬衆、北逐戎狄。收河南、【正義】謂靈勝等州、築長城、因地形用制險塞、【考證】張文虎曰、蔡本、中統、舊刻、毛本、作制險、他本作險制、起臨洮、【集解】徐廣曰、屬隴西、至遼東。【正義】遼東郡、在遼水東、始皇築長城東至遼水、西南至海之上、延袤萬餘里。於是渡河據陽山、【集解】徐廣曰、五原西安陽縣北、有陰山、陰山在河南、陽山在河北、逶蛇而北、暴師於外十餘年、居上郡。【考證】梁玉繩曰、此言恬築長城、起臨洮至遼東萬餘里、恬亦以絕地脈爲己罪、後世遂言長城是秦築之、其實不盡然也、以趙世家蘇秦、匈奴傳、及竹書攷之、大半七國時所築、蒙恬特繕治增設、使萬里相連屬耳、豈皆恬築哉、又淮南子人間訓、言蒙公楊翁將築城、史但擧蒙恬、遂令楊翁之名不著、始皇紀、有楊端和、豈卽楊翁邪、又曰、案恬自始皇三十二年、將三十萬衆擊胡、至三十七年死、首尾僅六年、而云十餘年、與主父匈奴傳同誤、是時蒙恬威振匈奴。【考證】楓、三本、是上有當字、始皇甚尊寵蒙氏、信任賢之。而親近蒙毅、位至上卿。出則參乘、入則御前。恬任外事、而毅常爲內謀。名爲忠信。故雖諸將相、莫敢與之爭焉。趙高者、諸趙疏遠屬也。趙高昆弟數

人、皆生隱宮。【集解】徐廣曰、爲宦者、【索隱】劉氏云、蓋其父犯宮刑、妻子沒爲官奴婢、妻後野合、所生子皆承趙姓、竝宮之故云、兄弟生隱宮、謂隱宮者、宦之謂也、【考證】中井積德曰、徐說蓋謂昆弟生、輒腐爲奄官也、是說勝索隱、愚按、趙高有女壻閻樂、則非生輒腐者、隱宮又見始皇紀三十五年、其母被刑僇、世世卑賤。秦王聞高彊力通於獄法、擧以爲中車府令。高卽私事公子胡亥、喻之決獄。高有大罪。秦王令蒙毅法治之。毅不敢阿法、當高死罪、除其官籍。【考證】劉氏宋本、王本、淩本、毛本、官作宦、楓、三本、籍上有名字、阿、曲也、帝以高之敦於事也、赦之、復其官爵。【集解】徐廣曰、敦一作敏、【考證】王念孫曰、爾雅云、敦、勉也、淩稚隆曰、按此突然插入趙高起家、及其有罪一段、所以著蒙氏之禍、實本於此、始皇欲游天下、道九原、【正義】九原郡、今勝州連谷縣是、直抵甘泉。【正義】宮在雍州、迺使蒙恬通道、自九原抵甘泉。塹山堙谷、千八百里。道未就。始皇三十七年冬、行出游會稽、竝海上、北走琅邪。【索隱】竝、音白浪反、走、音奏、走、猶向也、鄒氏音趨、趨亦向義、於字則乖、【考證】楓、三本、竝作傍、道病。使蒙毅

還禱山川。未反。始皇至沙丘崩。祕之。羣臣莫知。是時丞相李斯・少子胡亥・中車府令趙高常從。【考證】張文虎曰、蔡、中統、王、柯、毛本、少子作公子、高雅得幸於胡亥。欲立之。又怨蒙毅法治之、而不爲己也。因有賊心。迺與丞相李斯・少子胡亥陰謀、立胡亥爲太子。太子已立、遣使者以罪賜公子扶蘇・蒙恬死。扶蘇已死。蒙恬疑而復請之。【考證】事見李斯傳、使者以蒙恬屬吏、更置胡亥以李斯舍人爲護軍。【考證】徐孚遠曰、更置二字連下、言更以李斯舍人典軍、奪蒙恬兵也、方苞曰、胡亥二字衍、使者還報。胡亥已聞扶蘇死、卽欲釋蒙恬。趙高恐蒙氏復貴而用事、怨之。毅還至。趙高因爲胡亥忠計、欲以滅蒙氏。【考證】屠隆曰、趙高因爲胡亥忠計一句、太史公惡之之詞、看上文因有賊心句可見、乃言曰。臣聞先帝欲舉賢立太子久矣。而毅諫曰。不可。若知

賢而兪不立、則是不忠而惑主也。【索隱】兪卽踰也、音臾、謂知太子賢而踰久不立、是不忠也、以臣愚意、不若誅之。【考證】楓本、若作如、胡亥聽而繫蒙毅於代。【正義】今代州也、因禱山川、至代而繫之、【考證】中井積德曰、上文云、毅還至、是道中會胡亥也、乃繫於代者、亦以道路之便、管事之要耳、非要至代者而繫之也、前已囚蒙恬於陽周。喪至咸陽。已葬。太子立爲二世皇帝。而趙高親近、日夜毀惡蒙氏、求其罪過、擧劾之。子嬰進諫曰。臣聞故趙王遷、殺其良臣李牧、而用顏聚、燕王喜、陰用荊軻之謀、而倍秦之約、齊王建、殺其故世忠臣、而用后勝之議。此三君者、皆各以變古者、失其國、而殃及其身。今蒙氏、秦之大臣謀士也。而主欲一旦弃去之。臣竊以爲不可。臣聞輕慮者不可以治國。獨智者不可以存君。【集解】徐廣曰、一無此字、誅殺忠臣、而立無節行之人。

【考證】凌稚隆曰、無節行之人、暗指趙高、是內使羣臣不相信、而外使鬬士之意離也。臣竊以爲不可。胡亥不聽。而遣御史曲宮乘傳之代、【索隱】曲、姓、宮、名、令蒙毅曰。先主欲立太子、而卿難之。今丞相以卿爲不忠、罪及其宗。朕不忍、乃賜卿死。亦甚幸矣。卿其圖之。毅對曰。以臣不能得先主之意、則臣少宦、順幸沒世。可謂知意矣。【索隱】蒙毅言己少事始皇、順旨蒙恩、幸至始皇沒世、可謂知上意、以臣不知太子之能、則太子獨從、周旋天下、去諸公子絕遠。臣無所疑矣。【考證】楓、三本、獨下有少字、旋作遊、夫先王之擧用太子、數年之積也。臣乃何言之敢諫。何慮之敢謀。【考證】楓、三本、無諫何慮之敢五字、非敢飾辭以避死也。爲羞累先主之名。願大夫爲慮焉、使臣得死情實。且夫順成全者、道之所貴也。刑殺者道之所

卒也。【考證】楓、三本、卒作末、昔者秦穆公殺三良、而死罪百里奚。而非其罪也。故立號曰繆。【考證】而死、疑有誤、楓、三本、無三良而死罪五字、風俗通皇覇篇、繆公殺賢臣百里奚、以子車氏爲殉、故謚曰穆、昭襄王殺武安君白起、楚平王殺伍奢、吳王夫差殺伍子胥。此四君者皆爲大失、而天下非之、以其君爲不明、以是籍於諸侯。【索隱】言其惡聲狼籍、布於諸國、而劉氏曰、諸侯皆記其惡於史籍、非也、【正義】言諸侯皆書籍其事、【考證】方苞曰、劉說是也、春秋傳、非禮也、勿籍、故曰。用道治者不殺無罪、而罰不加於無辜。唯大夫留心。使者知胡亥之意、不聽蒙毅之言。遂殺之。二世又遣使者之陽周、令蒙恬曰。君之過多矣。而卿弟毅有大罪。法及內史。恬曰。自吾先人及至子孫、積功信於秦三世矣。今臣將兵三十餘萬。身雖囚繫、其勢足以倍畔。然自知必死而守義者、不敢辱先

人之教、以不忘先主也。考證 畔下然字、楓、三本、舊刻、毛本有、 昔周成王初立、未離襁緥。周公旦負王以朝、卒定天下。考證 楓本、卒作平、毛本、卒下有平字、 及成王有病甚殆、公旦自揃其爪、以沈於河曰。王未有識。是旦執事。有罪殃、旦受其不祥。乃書而藏之記府。可謂信矣。考證 楓、三本、公旦上有周字、當依補、 及王能治國、有賊臣、言周公旦欲爲亂久矣。王若不備、必有大事。王乃大怒。周公旦走而奔於楚。成王觀於記府、得周公旦沈書、乃流涕曰。孰謂周公旦欲爲亂乎。殺言之者、而反周公旦。考證 事又見魯世家、中井積德曰、周公揃爪奔楚、謬傳耳、不足辨、又曰、沈書、世家作禱書、蓋沈者爪也、非書、世家爲優、 故周書曰。必參而伍之。索隱 參、謂三卿、伍卽五大夫、欲參伍更議、考證 李笠曰、參伍猶錯互也、史公自序云參伍不失、集解以爲參錯交互、正得其義、索隱說謬、愚按中井積德亦有此說、 今恬之宗、世無二心。而事卒如此。是必孽臣逆

亂內陵之道也。集解 徐廣曰、亂、一作辭、考證 楓、三本、必下有有字、凌稚隆曰、暗指趙高、 夫成王失而復振、則卒昌。考證 楓、三本、成王作周、 桀殺關龍逢、紂殺王子比干而不悔。身死則國亡。考證 則、猶而也、凌引一本、作則身死國亡、 臣故曰。過可振、而諫可覺也。索隱 此故曰者、必先志有此言、蒙恬引之以成說也、今不知出何書耳、振者、救也、然語亦倒、以言前人受諫可覺、則其過乃可救、考證 楓、三本、無臣字、中井積德曰、故曰、猶言故以爲、是序己之意、非引先志、又曰、過、諫、兩平語、非倒語、 察於參伍、上聖之法也。凡臣之言、非以求免於咎也。將以諫而死。願陛下爲萬民思從道也。使者曰。臣受詔行法於將軍。不敢以將軍言聞於上也。蒙恬喟然太息曰。我何罪於天、無過而死乎。良久徐曰。恬罪固當死矣。起臨洮、屬之遼東。城壍萬餘里。此其中不能無絕地脈哉。此乃恬之罪也。考證 地脈下哉字、衍、御覽六百四十七、論衡禍虛篇、無、凌約言曰、白起之引劍自裁也、曰、我何罪乎天、而至此哉、良久曰、我固當死、長平之戰、趙卒降者數十萬

人、我詐而盡坑之、是足以死、與蒙恬之咎地脈同、然實以敘其功耳、 乃吞藥自殺。考證 楓、三本、乃作遂、

太史公曰。吾適北邊、自直道歸。行觀蒙恬所爲秦築長城亭障、塹山堙谷、通直道。固輕百姓力矣。考證 張文虎曰、舊刻、毛本、障作鄣、曾國藩曰、始皇紀二十七年、治馳道、六國表、三十五年、爲直道、道九泉通甘泉、直道與馳道不同也、 夫秦之初滅諸侯、天下之心未定、痍傷者未瘳。考證 楓、三本、痍作夷、 而恬爲名將、不以此時彊諫、振百姓之急、養老存孤、務修衆庶之和。而阿意興功。此其兄弟遇誅、不亦宜乎。何乃罪地脈哉。

索隱 述贊、蒙氏秦將、內史忠賢、長城首築、萬里安邊、趙高矯制、扶蘇死焉、絕地何罪、勞人是愁、呼天欲訴、三代良然、

蒙恬列傳第二十八　　史記八十八

史記會注考證卷八十九

漢　太史令司馬遷　撰

宋　中郎外兵曹參軍裴駰　集解

唐　國子博士弘文館學士司馬貞　索隱

唐　諸王侍讀率府長史張守節　正義

日本　出雲瀧川資言　考證

張耳陳餘列傳第二十九　史記八十九

【索隱】張耳吳芮、勢侔楚漢、位埒齊韓、俱懷從沛之心、咸享誓河之業、爵在列侯之上、家傳累代之基、長沙既曰令終、趙王亦謂善始、竝可列同世家焉、【考證】史公自序云、

塡趙塞常山、以廣河內、弱楚權、明漢王之信於天下、作張耳陳餘列傳第二十九、

張耳者、大梁人也。【索隱】臣瓚云、今陳畱大梁城是也、 其少時及魏公子毋忌爲客。【正義】顏云、毋忌、六國信陵君也、言其尙及見毋忌、爲之賓客也、 張耳嘗亡命游外黃。【索隱】晉灼曰、命者名也、謂脫名籍而逃、崔浩曰、亾、無也、命、名也、逃匿則削除名籍、故以逃爲亾命、地理志、外黃屬陳畱、 外黃富人女甚美。嫁庸奴。亡其夫、【集解】徐廣曰、一云、其夫亡也、【考證】方苞曰、亡其夫、去其夫也、不曰去者、不告而去、猶逃亡也、 去抵父客。【集解】如淳曰、父時故賓客、【索隱】如淳曰、抵、歸也、音丁禮反、【考證】抵、至也、 父客素知張耳。乃謂女曰。必欲求賢夫從張耳。女聽。乃卒爲請決、嫁之張耳。【索隱】謂女請父客爲決絕其夫、而嫁之張耳、【正義】顏云、請決、絕前夫而嫁於耳、【考證】余有丁曰、卒爲請決、乃父客爲之、索隱誤、 張耳是時脫身游。女家厚奉給張耳。張耳以故致千里客。乃宦魏爲外黃令。名由此益賢。陳餘者、亦大梁人也。好儒術、數游趙苦陘。【集解】張晏曰、苦陘、漢章帝改曰漢昌、【索隱】地理志屬中山、張晏曰、章

帝醜其名、改曰漢昌、【正義】音邢、邢州唐昌縣、【考證】淮陰侯傳云、成安君儒者也、常稱義兵、不用詐謀奇計、沈欽韓曰、孔叢獨居篇、陳餘與子魚語、亦其好儒之證、 富人公乘氏以其女妻之。亦知陳餘非庸人也。【考證】亦字、承素知張耳、庸人承庸奴、 餘年少、父事張耳。兩人相與爲刎頸交。【索隱】崔浩云、言要齊生死、斷頸無悔、 秦之滅大梁也、張耳家外黃。高祖爲布衣時、嘗數從張耳游、客數月。【考證】凌稚隆曰、爲張耳從漢張本、 秦滅魏數歲、已聞此兩人魏之名士也。購求有得張耳、千金、陳餘五百金。張耳・陳餘、乃變名姓、俱之陳、爲里監門以自食。【集解】張晏曰、監門、里正衞也、【考證】中井積德曰、張耳年長而先顯、則金之差次自當然、顏師古曰、監門、卒之賤者、故爲卑職以自隱、 兩人相對。里吏嘗有過笞陳餘。陳餘欲起。張耳躡之使受笞。【集解】徐廣曰、躡、一作攝、【正義】躡、女涉反、以足躡令受笞、漢書作攝、師古曰、謂引持也、【考證】蹈其足以致意也、淮陰侯傳、張良陳平躡漢王足、 吏去。張耳乃引陳餘之桑下而數之曰。始吾與公言何如。今

見小辱而欲死一吏乎。陳餘然之。【考證】左傳、僖廿三年、謀于桑下、宣二年、舍于翳桑、蓋野桑多蔭翳、可以避人而語、 秦詔書購求兩人。兩人亦反用門者以令里中。【索隱】案門者卽餘耳也、自以其名而號令里中、詐更別求也、 陳涉起蘄。至入陳、兵數萬。張耳・陳餘、上謁陳涉。【考證】顏師古曰、上其謁而見也、上謁、若今之通名、 涉及左右、生平數聞張耳・陳餘賢、未嘗見。見、卽大喜。陳中豪傑父老、乃說陳涉曰。將軍身被堅執銳、率士卒以誅暴秦、復立楚社稷。存亡繼絕、功德宜爲王。且夫監臨天下諸將、不爲王不可。願將軍立爲楚王也。陳涉問此兩人。兩人對曰。夫秦爲無道、破人國家、滅人社稷、絕人後世、罷百姓之力、盡百姓之財。將軍瞋目張膽、出萬死不顧一生之計、爲天下除殘也。【考證】顏師古曰、張膽、言勇之甚、愚按、史公報任安書云、人臣出萬死不顧一生之計、萬死一生、對言、漢

傳刪一生二字、非是。今始至陳而王之、示天下私。願將軍毋王、急引兵而西、遣人立六國後。自爲樹黨、爲秦益敵也。敵多則力分。與衆則兵彊。如此野無交兵、縣無守城。【正義】校、報也、【考證】中井積德曰、與猶黨也、楓三本交作校、正義亦作校、犯而不校之校、角也、校兵、守城、皆二字連讀、漢書作交、誅暴秦、據咸陽、以令諸侯。諸侯亡而得立、以德服之。如此則帝業成矣。今獨王陳、恐天下解也。【正義】解、紀賣反、言天下諸侯見陳勝稱王王陳、皆解墮不相從也、【考證】張文虎曰、中統本、吳校金板、服作報、中井積德曰、解如字、解體之意、非懈墮、馮班曰、酈生說漢王、立六國後、張良以爲諫、至石勒、以爲此法宜失、張耳陳餘、說陳涉立六國後、當時不從、以爲失策、何也、蓋陳王初起、慮在亡秦而已、法宜樹黨、漢方與項羽爭天下、又立六國、反覆不可一、是樹敵也、其勢變不同耳、陳涉不聽。遂立爲王。陳餘乃復說陳王曰。大王舉梁·楚而西。務在入關。未及收河北也。臣嘗游趙、知其豪桀及地形。願請奇兵、北略趙地。於是陳王以故所善陳人武臣爲將軍、

邵騷爲護軍、以張耳·陳餘爲左右校尉、予卒三千人、北略趙地。【考證】楓、三本、陳王下有許之二字、與漢書合、武臣等從白馬渡河、【索隱】案酈食其云、白馬之津、白馬是津渡、其地與黎陽對岸、【考證】楓本馬下有津字、至諸縣、說其豪桀曰。【集解】鄧展曰、至河北縣說之、秦爲亂政虐刑、以殘賊天下、數十年矣。北有長城之役。南有五嶺之戍。【集解】漢書音義曰、嶺有五、因以爲名、在交阯界中也、【索隱】裴氏廣州記云、大庾、始安、臨賀、桂陽、揭陽、斯五嶺、【正義】蒙恬將二十萬人築城、長城之役、五嶺之戍、竝在始皇三十三年、【考證】正義本、楓、三本、毛本作役、他本譌域、吳仁傑曰、案淮南書、始皇發卒五十萬、使蒙公築修城、使尉屠睢發卒五十萬爲五軍、一軍塞鐔城之領、一軍守九疑之塞、一軍處番禺之都、一軍守南野之界、一軍結餘干之水、與張耳傳相符、所謂五嶺者此也、外內騷動、百姓罷敝、頭會箕斂、以供軍費。【集解】漢書音義曰、家家人頭數出穀、以箕斂之、【考證】集解有脫落、漢書注引服虔云、吏到其家、人人頭數出穀、以箕斂之、淮南子氾論、秦之時、頭會箕賦、輸于少府、財匱力盡、民不聊生。重之以苛法峻刑、使天下父子不相安。陳王奮臂、爲天下倡、始王楚之地。方二千里、莫不

響應。家自爲怒、人自爲鬭、各報其怨而攻其讎、縣殺其令丞、郡殺其守尉。今已張大楚王陳。【考證】顏師古曰、張建大楚之國而王於陳、使吳廣·周文將卒百萬、西擊秦。於此時而不成封侯之業者、非人豪也。諸君試相與計之。夫天下同心而苦秦久矣。因天下之力、而攻無道之君、報父兄之怨、而成割地有土之業。此士之一時也。豪桀皆然其言。乃行收兵得數萬人。號武信君、下趙十城。餘皆城守、莫肯下。乃引兵東北擊范陽。范陽人蒯通、說范陽令曰。竊聞公之將死、故弔。雖然、賀公得通而生。【集解】漢書曰、范陽令徐公、【考證】顏師古注漢書蒯通傳云、范陽、涿郡之縣也、舊屬燕、通本燕人、後游於齊、故高祖云、齊辯士蒯通、錢大昕曰、師古不攷地理、而妄爲之說也、方武臣等自白馬渡河、纔下十城、安能遠涉燕地、且范陽旣下之後、趙地不戰而下者三十餘城、然後至邯鄲、武臣乃自立爲趙王、然後命韓廣畧燕地、豈容未得邯鄲之前、已抵涿郡乎、然則蒯

生所居之范陽、當屬何地、曰、淮陰侯傳稱齊人蒯通、又稱爲齊辨士、則范陽必齊地矣、漢志、東郡有范縣、此卽齊之西境、孟子自范之齊、謂此地也、趙世家、嬴姓將大敗周人于范魁之西、小司馬謂范魁趙地、然則此范陽在燕趙之界、本齊地、亦可屬趙也、愚按楓、三本、得下通字作臣、范陽令曰。何以弔之。對曰。秦法重。足下爲范陽令十年矣。殺人之父、孤人之子、斷人之足、黥人之首、不可勝數。然而慈父孝子、莫敢傳刃公之腹中者、畏秦法耳。【集解】徐廣曰、傳、音戴、李奇曰、東方人以物插地中、皆爲傳、今天下大亂、秦法不施。然則慈父孝子、且傳刃公之腹中以成其名。此臣之所以弔公也。今諸侯畔秦矣。武信君兵且至。而君堅守范陽。少年皆爭殺君下武信君。君急遣臣見武信君、可轉禍爲福、在今矣。【考證】李光縉曰、弔賀二意、乃說士誇張常態、所謂以言餂之者、愚按詞氣與說淮陰相術者甚似、范陽令乃使蒯通見武信君曰。足下必將戰勝然後略地、攻得然後下城。臣竊以

爲過矣。誠聽臣之計、可不攻而降城、不戰而略地、傳檄而千里定。可乎。武信君曰。何謂也。蒯通曰。今范陽令宜整頓其士卒以守戰者也。怯而畏死、貪而重富貴。故欲先天下降。畏君以爲秦所置吏、誅殺如前十城也。然今范陽少年、亦方殺其令、自以城距君。君何不齎臣侯印、拜范陽令。范陽令則以城下君。少年亦不敢殺其令。令范陽令乘朱輪華轂、使驅馳燕・趙郊。燕・趙郊見之、皆曰。此范陽令先下者也。即喜矣。燕・趙城可毋戰而降也。此臣之所謂傳檄而千里定者也。武信君從其計、因使蒯通賜范陽令侯印。趙地聞之、不戰以城下者三十餘城。至邯鄲、張耳・陳餘聞周章軍入關至戲卻、【集解】蘇林曰、戲、地名、卻、

兵退也、【正義】戲、音羲、出驪山、【考證】李笠曰、正義出上當有水名二字、又聞諸將爲陳王徇地、多以讒毀得罪誅、怨陳王不用其筴、不以爲將、而以爲校尉。【考證】楓、三本、誅下有餘字、乃說武臣曰。陳王起蘄、至陳而王。非必立六國後。【考證】王先謙曰、言非六國後、人皆可王、將軍今以三千人下趙數十城、獨介居河北。不王無以塡之。【集解】晉灼曰、介、音戛、瓚曰、方言云、介、特也、【考證】顏師古曰、二說並非也、介、隔也、讀如本字、楓、三本、塡作鎭、且陳王聽讒、還報、恐不脫於禍。又不如立其兄弟。不、卽立趙後。將軍毋失時。時閒不容息。【索隱】以言舉事不可失時、時幾之迅速、其閒不容一喘息頃也、武臣乃聽之、遂立爲趙王、以陳餘爲大將軍、張耳爲右丞相、邵騷爲左丞相、使人報陳王。陳王大怒、欲盡族武臣等家、而發兵擊趙。陳王相國房君諫曰。秦未亡、而誅武臣等家、此又生一秦也。不如因而

賀之、使急引兵西擊秦。【考證】中井積德曰、相國、恐當作上柱國、陳涉世家可徵、陳王然之、從其計、徙繫武臣等家宮中、封張耳子敖爲成都君。陳王使使者賀趙、令趣發兵西入關。【考證】楓、三本、令下有趙字、趣讀曰促、張耳・陳餘說武臣曰。王王趙、非楚意。特以計賀王。【考證】顏師古曰、言力不能制、且事安撫、爲權宜之計耳、楚已滅秦、必加兵於趙。願王毋西兵、北徇燕・代、南收河內、以自廣。趙南據大河、北有燕・代、楚雖勝秦、必不敢制趙。趙王以爲然、因不西兵、而使韓廣略燕、李良略常山、張黶略上黨。【正義】黶、乙斬反、【考證】顏師古曰、烏黠反、韓廣至燕。燕人因立廣爲燕王。【集解】徐廣曰、九月也、趙王乃與張耳・陳餘北略地燕界。趙王閒出、爲燕軍所得。【考證】顏師古曰、閒出、謂投閒隙而微出也、燕將囚之、欲與分趙地半、乃歸王。使者往。燕輒殺之、以求

地。張耳・陳餘患之。有廝養卒、謝其舍中曰。吾爲公說燕、與趙王載歸。【集解】如淳曰、廝、賤者也、公羊傳曰、廝役扈養、韋昭曰、析薪爲廝、炊烹爲養、晉灼曰、以辭相告曰謝也、【索隱】謂其同舍中之人也、漢書作舍人、舍中皆笑曰。使者往十餘輩、輒死。若何以能得王。【考證】顏師古曰、若、汝也、下次同、乃走燕壁。燕將見之。問燕將曰。知臣何欲。燕將曰。若欲得趙王耳。曰。君知張耳・陳餘何如人也。燕將曰。賢人也。曰。知其志何欲。曰。欲得其王耳。趙養卒乃笑曰。君未知此兩人所欲也。夫武臣・張耳・陳餘、杖馬箠下趙數十城。【集解】張晏曰、言其不用兵革、驅策而已也、【索隱】杖、音丈、箠、音之委反、【考證】中井積德曰、杖箠、只是不勞兵之意、非驅策之意、注誤、此亦各欲南面而王。豈欲爲卿相終已邪。夫臣與主、豈可同日而道哉。顧其勢初定、未敢參分而王。【考證】新序、參作三、且以少長先立武臣爲王、以持趙心。今趙

地已服。此兩人亦欲分趙而王。時未可耳。今君乃囚趙王。此兩人名爲求趙王、實欲燕殺之。此兩人分趙自立。夫以一趙尙易燕。況以兩賢王左提右挈、而責殺王之罪、滅燕易矣。集解 徐廣曰、平原君傳曰、事成、執右券以責也、券契、義同耳、考證 顔師古曰、左提右挈、言相扶持也、中井積德曰、相與連軍而進、 燕將以爲然。乃歸趙王。養卒爲御而歸。李良已定常山、還報。趙王復使良略太原、至石邑。索隱 地理志、屬常山、考證 淩本石譌后、 秦兵塞井陘、未能前。秦將詐稱二世使人、遺李良書、不封。集解 張晏曰、欲其漏泄君臣相疑、 曰。良嘗事我得顯幸。良誠能反趙爲秦、赦良罪、貴良。良得書、疑不信。乃還之邯鄲、益請兵。未至。道逢趙王姊出飲、從百餘騎。李良望見以爲王、伏謁道旁。王姊醉不知其將。使騎謝李良。李良素

貴。起慙其從官。從官有一人曰。天下畔秦。能者先立。且趙王素出將軍下。今女兒乃不爲將軍下車。請追殺之。李良已得秦書、固欲反趙、未決。因此怒、遣人追殺王姊道中、乃遂將其兵襲邯鄲。邯鄲不知。竟殺武臣·邵騷。趙人多爲張耳·陳餘耳目者。以故得脫出。收其兵得數萬人。客有說張耳曰。兩君羇旅、而欲附趙難。索隱 案羈旅勢弱、難以立功也、 獨立趙後、扶以義、可就功。索隱 謂獨有立六國趙王之後、考證 各本、獨下重立字、以獨立屬上、誤、今從索隱本漢書、 乃求得趙歇、集解 徐廣曰、正月也、歇、音烏轄反、駰案張晏曰、趙之苗裔、 立爲趙王。居信都。集解 徐廣曰、後項羽改曰襄國、 李良進兵擊陳餘。陳餘敗李良。李良走歸章邯。章邯引兵至邯鄲、皆徙其民河內、夷其城郭。考證 何焯曰、徙民夷城、恐兵去而還、復爲趙守也、 張耳與趙王歇、走入鉅鹿城。王

離圍之。考證 楓、三本、王離上有秦將二字、梁玉繩曰、項羽紀言王離涉間圍之、下文有涉間自殺語、則此處似疏脫矣、 陳餘北收常山兵、得數萬人。軍鉅鹿北。章邯軍鉅鹿南棘原、築甬道屬河、餉王離。考證 顔師古曰、屬、聯及也、 王離兵食多。急攻鉅鹿。鉅鹿城中、食盡兵少。考證 楓、三本、兵少作人少、 張耳數使人召前陳餘。陳餘自度兵少、不敵秦、不敢前數月。張耳大怒、怨陳餘。使張黶·陳澤往讓陳餘曰。正義 澤、音釋、 始吾與公爲刎頸交。今王與耳旦暮且死。而公擁兵數萬、不肯相救。安在其相爲死。苟必信、胡不赴秦軍俱死。且有十一二相全。正義 十中冀一兩勝秦、 陳餘曰。吾度前終不能救趙。徒盡亡軍。且餘所以不俱死、欲爲趙王·張君報秦。今必俱死、如以肉委餓虎。何益。考證 漢書、委作餧、顔師古曰、餧、飤也、楓、三本、餓作饑、 張黶·陳澤曰。事已急。

要以俱死立信。安知後慮。陳餘曰。吾死顧以爲無益。必如公言、乃使五千人。令張黶·陳澤先嘗秦軍。索隱 崔浩云、嘗、猶試、 至皆沒。當是時燕·齊·楚聞趙急、皆來救。張敖亦北收代兵、得萬餘人、來皆壁餘旁、未敢擊秦。項羽兵數絕章邯甬道。王離軍乏食。項羽悉引兵渡河、遂破章邯。集解 徐廣曰、三年十二月也、 章邯引兵解。諸侯軍乃敢擊圍鉅鹿秦軍、遂虜王離。涉閒自殺。卒存鉅鹿者、楚力也。於是趙王歇·張耳乃得出鉅鹿、謝諸侯。考證 漢書、削謝諸侯三字、 張耳與陳餘相見、責讓陳餘以不肯救趙、及問張黶·陳澤所在。陳餘怒曰。張黶·陳澤、以必死責臣。臣使將五千人先嘗秦軍。皆沒不出。考證 漢書、無怒字、此疑衍、 張耳不信。以爲殺之、數問陳餘。陳餘怒

曰。不意君之望臣深也。【索隱】望、怨責也、豈以臣爲重去將哉。【索隱】案重、訓難也、或云、重、惜也、【考證】胡三省曰、豈、疑辭、乃脫解印綬、推予張耳。張耳亦愕不受。陳餘起如廁。客有說張耳曰。臣聞天與不取。反受其咎。【索隱】此辭出國語、【考證】越語、范蠡曰、天予不取、反爲之災、取咎韻、今陳將軍與君印。君不受。反天不祥。急取之。張耳乃佩其印、收其麾下。而陳餘還、亦望張耳不讓、遂趨出。【正義】言陳餘如廁還、亦怨望張耳不讓其印、張耳遂收其兵。陳餘獨與麾下所善數百人、之河上澤中漁獵。由此陳餘・張耳遂有郤。趙王歇復居信都、張耳從項羽諸侯入關。漢元年二月、項羽立諸侯王。張耳雅游。人多爲之言。【集解】韋昭曰、雅、素也、【索隱】鄭氏云、雅、故也、韋昭云、雅、素也、然素亦故也、故游言慣游從、故多爲人所稱譽、項羽亦素數聞張耳賢。乃分趙、立張耳爲常山王、治信都。信

都更名襄國。陳餘客多說項羽曰。陳餘・張耳、一體有功於趙。項羽以陳餘不從入關、聞其在南皮、卽以南皮旁三縣以封之。【索隱】地理志、屬勃海、【正義】故城、在滄州南皮縣北四里也、【考證】錢泰吉曰、縣下以字衍、漢書無、而徙趙王歇王代。張耳之國。【集解】徐廣曰、都代縣、陳餘愈益怒曰。張耳與餘功等也。今張耳王。餘獨侯。此項羽不平。【考證】中井積德曰、二人功初等也、後陳餘去趙、則是自棄前功也、而張耳從入關、則功又多矣、餘之言無謂、曲亦在餘、及齊王田榮畔楚、陳餘乃使夏說說田榮曰。【正義】上說、音悅、下式銳反、項羽爲天下宰、不平。盡王諸將善地、徙故王王惡地。今趙王乃居代。願王假臣兵。請以南皮爲扞蔽。【正義】扞蔽、猶言藩屏也、田榮欲樹黨於趙以反楚。乃遣兵從陳餘。【考證】漢書、削於趙以反楚五字、陳餘因悉三縣兵襲常山王張耳。張耳敗走。念諸侯無可歸者。曰。漢王

與我有舊故。【集解】張晏曰、漢王爲布衣時、嘗從張耳游、而項羽又彊、立我。我欲之楚。【集解】張晏曰、羽既彊盛、又爲所立、是以狐疑莫知所往也、甘公曰。漢王之入關、五星聚東井。東井者、秦分也。先至必霸。楚雖彊、後必屬漢。【集解】文穎曰、善說星者甘氏也、【索隱】天官書云、齊甘公、藝文志云、楚有甘公、齊楚不同、劉歆七略云、字逢、甘德、志林云、甘公一名德、【正義】甘氏、七錄云、甘德楚人、戰國時作天文八卷、天文志云、五星聚於東井、目歷推之、從歲星也、【考證】甘公蓋秦漢間人、與作天文八卷者異、漢書天文志載此事、作客謂張耳、楓、三本、分下有野字、故耳走漢。【集解】徐廣曰、二年十月也、【考證】三本、故作張、漢王亦還定三秦、方圍章邯廢丘。張耳謁漢王。漢王厚遇之。陳餘已敗張耳、皆復收趙地、迎趙王於代、復爲趙王。趙王德陳餘、立以爲代王。陳餘爲趙王弱、國初定、不之國、留傅趙王。而使夏說以相國守代。漢二年、東擊楚、使使告趙、欲與俱。【考證】梁玉繩曰、二年下、當有四月二字、陳餘曰。漢殺張耳、乃從。於是漢王求人

類張耳者斬之、持其頭遺陳餘。陳餘乃遣兵助漢。漢之敗於彭城西、陳餘亦復覺張耳不死、卽背漢。【考證】漢書、削復字、覺作聞、漢三年、韓信已定魏地。遣張耳與韓信、擊破趙井陘、【集解】徐廣曰、三年十月、斬陳餘泜水上。【集解】徐廣曰、在常山、音遲、一音丁禮反、【索隱】徐廣音遲、蘇林音祗、晉灼音丁禮反、今俗呼此水則然、案地理志、音脂、則蘇音爲得、郭景純注山海經云、泜水出常山中丘縣、【正義】在趙州贊皇縣界、追殺趙王歇襄國。漢立張耳爲趙王。【集解】徐廣曰、四年十一月、駰案、漢書四年夏、漢五年、張耳薨。謚爲景王。【考證】陳仁錫曰、高祖五年以後、紀年、皆無漢字、史傳刻落未盡、子敖嗣立爲趙王。高祖長女魯元公主、爲趙王敖后。漢七年、高祖從平城過趙。趙王朝夕袒韝蔽、自上食、禮甚卑。有子壻禮。【集解】徐廣曰、韝者、臂捍也、【正義】謂臂捍膝也、言自祇承上食也、【考證】楓、三本、無朝夕二字、高祖箕踞詈、甚慢易之。【索隱】崔浩云、屈膝坐、其形如箕、【正義】申兩脚而倨其膝、若箕之形、倨、傲也、【考證】張文虎曰、舊刻本踞、與索隱本合、各本作倨、楓、三

本踞下有罵字、與漢書合、趙相貫高・趙午等年六十餘。故張耳客也。[集解]徐廣曰、田叔傳云、趙相趙午等數十人、皆怒、然則或宜言六十餘人、[正義]貫高等以其老、乃有不平之氣也、[考證]楓、三本、無等字、與漢書合、何焯曰、高祖嘗從張耳遊、貫高趙午故等夷之客、故怒、愚按、年六十餘、見其與高祖等夷客、徐說非也、生平爲氣。乃怒曰。吾王孱王也。[集解]孟康曰、音如潺湲之潺、冀州人謂懦弱爲孱、韋昭曰、仁謹貌、[索隱]案服虔音鉏閑反、弱小貌也、小顏音仕連反、[考證]張文虎曰、索隱、服虔音鉏閑反、單本作昨軒反、孱字無此音、案服虔時未有反切、當有誤、愚按、或云、服虔時既有反切、此亦一證、說王曰。夫天下豪桀竝起、能者先立。今王事高祖甚恭。而高祖無禮。請爲王殺之。[考證]何焯曰、前後高祖二字、俱誤、當從漢書作皇帝、愚按史家追記、生前言謚者甚多、詳見顧氏日知錄二十三卷、但不可以爲法也、張敖齧其指出血曰。君何言之誤。且先人亡國、賴高祖得復國、德流子孫。秋毫皆高祖力也。願君無復出口。[索隱]案小顏曰、齧指以表至誠爲其約、貫高・趙午等十餘人、皆相謂曰。乃吾等非也。吾王長者、不倍德。[考證]楓、三本、者下有義字、且吾等義不

辱。今怨高祖辱我王。故欲殺之。何乃汙王爲乎。[索隱]蕭該音一故反、說文云、汙、穢也、令事成、歸王。事敗、獨身坐耳。[考證]楓、三本、舊刻、令作今、漢八年、上從東垣還過。趙貫高等乃壁人柏人、[索隱]謂於柏人縣館舍壁中著人、欲爲變也、[正義]柏人故城、在邢州柏人縣西北十二里、即高祖宿處也、要之置廁。[集解]韋昭曰、爲供置也、[索隱]要之置廁、文穎云、置人於廁壁中以伺高祖也、張晏云、鑿壁空之、令人止中也、今按云置廁者、置人於複壁中、謂之置廁、廁者隱側之處、因以爲言也、亦音側、[考證]索隱本、楓山本、毛本、有廁字、與漢書合、各本竝脫、顧炎武曰、置、驛也、如曹相國世家取祁善置、田橫傳、至尸鄉廐置之置、漢書馮奉世傳、燔燒置亭、錢大昕曰、廁與側同、非廁溷之廁也、伏人於置側、欲要而殺之、上過欲宿。心動。問曰。縣名爲何。曰。柏人。柏人者、迫於人也。不宿而去。漢九年、貫高怨家知其謀、乃上變告之。於是上皆并逮捕趙王・貫高等。十餘人皆爭自剄。[考證]中井積德曰、漢書作逮捕趙王諸反者、趙午等十餘人、皆爭自剄、意義明白、貫高獨怒、罵曰。誰令公爲之。今王實無謀。而并捕王。公等皆死、誰白王不反

者。乃轞車膠致、[正義]謂其車上著板、四周如檻形、膠密不得開、送致京師也、[考證]中井積德曰、致緻同、密也、與王詣長安。治張敖之罪。[考證]漢書、削治張敖之罪五字、上乃詔、趙羣臣賓客、有敢從王、皆族。貫高與客孟舒等十餘人、皆自髡鉗爲王家奴、從來。[考證]田汝成曰、貫高檻車膠致、與王詣長安、乃言與客孟舒等自髡鉗從來、何也、中井積德曰、稱王家奴者、孟舒等耳、田叔傳蓋得實、貫高與三字疑衍、貫高至、對獄曰。獨吾屬爲之。王實不知。吏治榜笞數千、刺剟、[集解]徐廣曰、丁劣反、[索隱]徐廣音丁劣反、案掇亦刺也、漢書作刺爇、張晏云、爇、灼也、說文云、燒也、應劭云、以鐵刺之、身無可擊者。終不復言。呂后數言、張王以魯元公主故、不宜有此。上怒曰。使張敖據天下、豈少而女乎。[考證]而、汝也、言如汝女者甚多也、不聽。廷尉以貫高事辭聞。上曰。壯士。誰知者。以私問之。[集解]瓚曰、以私情相問、中大夫泄公曰。臣之邑子。素知之。此固趙國立名義、不侵、爲然諾者也。[正義]泄、姓也、史有泄私、

[考證]胡三省曰、言以義自立、不受侵辱、重於然諾也、愚按、韓非子顯學篇、立節參名、執操不侵、史記幼雲鈔引正義、作泄姓也、秦時衛有泄姬、上使泄公持節問之。箯輿前。仰視曰。泄公邪。[集解]徐廣曰、箯、音鞭、駰案韋昭曰、輿如今輿牀、人輿以行、[索隱]服虔云、音編、編竹木如今峻、可以囊除也、何休注公羊、筍、音峻、筍者竹箯、一名編、齊魯已北、名爲筍、郭璞三倉注云、箯輿、土器、[考證]顏師古曰、高時榜笞刺剟委困、故以箯輿處之也、董份曰、箯輿仰視、與勞苦問答、歷歷如目前、齋藤謙曰、泄公邪三字、極有情致、而漢書刪去之、泄公勞苦如生平驩。與語、問張王果有計謀不。高曰。人情寧不各愛其父母妻子乎。今吾三族、皆以論死。豈以王易吾親哉。[考證]皆下以字、楓、三本作已、顧爲王實不反、獨吾等爲之、具道本指所以爲者。王不知狀。於是泄公入具以報。上乃赦趙王。[考證]楓、三本、報下重上字、上賢貫高爲人能立然諾、使泄公具告之曰。張王已出。因赦貫高。貫高喜曰。吾王審出乎。泄公曰。然。泄公曰。上多足下、故赦足下。[考證]陳懿典曰、然字下、又著泄公曰三

字、蓋然之、又言所以赦貫高之故、

貫高曰、所以不死、一身無餘者、白張王不反也。【考證】楓山本、者下有何字、 今王已出、吾責已塞、死不恨矣。且人臣有簒殺之名、何面目復事上哉。縱上不殺我、我不愧於心乎。【考證】田横曰、吾烹人之兄、與其弟併肩而事其主、縱彼畏天子之語、不敢動我、我獨不媿於心乎、項羽曰、籍與江東子弟八千人、渡江而西、今無一人還、縱江東父兄憐而王我、我何面目見之、縱彼不言、籍獨不愧於心乎、當時英雄壯士、皆能知愧、可尚也、 乃仰絕肮、遂死。【集解】韋昭曰、肮、咽也、【索隱】蘇林云、肮、頸大脈也、俗所謂胡脈、下郎反、蕭該或音下浪反、 當此之時、名聞天下。張敖已出、以尚魯元公主故、封爲宣平侯。【索隱】韋昭曰、尚、奉也、不敢言取、崔浩云、奉事公主、小顏云、尚、配也、易曰、得尚于中行、王弼亦以尚爲配、恐非其義也、【考證】王引之曰、公主尊、故以奉事爲辭、小司馬說是、公主二字、依索隱本補、 於是上賢張王諸客、以鉗奴從張王入關、無不爲諸侯相郡守者。及孝惠·高后·文帝·孝景時、張王客子孫、皆得爲二千石。【考證】見田叔傳、 張敖、高后六年薨。【集解】關中記曰、張

敖冢在安陵東、【正義】魯元公主墓、在咸陽縣西北二十五里、次東有張敖冢、與公主同域、又張耳墓、在咸陽縣東三十三里、【考證】漢書云、高后元年、魯元太后薨、後六年、宣平侯敖復薨、 子偃爲魯元王。【考證】梁玉繩曰、此及下元字皆衍、而元王弱句、當作魯王、 以母呂后女故、呂后封爲魯元王。【索隱】案謂偃以其母號而封也、【考證】楓、三本、無封元王三字、漢書改作呂太后立敖子偃爲魯王、以母爲太后故也、 元王弱、兄弟少。乃封張敖他姬子二人、壽爲樂昌侯、侈爲信都侯。【集解】徐廣曰、漢紀張酺傳曰、張敖之子壽封樂昌侯、食細陽之池陽鄉也、【考證】王、柯、凌本、乃譌及、蔡本、中統、舊刻、毛本無壽字、錢泰吉曰、據傳末集解、壽字侈字皆後人所增、愚按楓、三本、亦有壽字侈字、錢說拘、 高后崩。諸呂無道。大臣誅之、而廢魯元王及樂昌侯信都侯。孝文帝卽位、復封故魯元王偃爲南宮侯、續張氏。【集解】張敖、謚武侯、張偃之孫、有罪絕、信都侯名侈、樂昌侯名壽、【正義】南宮、冀州縣、【考證】漢書、二魯下無元字、中井積德曰、張敖卒、賜謚魯元王、在高后七年、焉得更謚武侯、集解謬、 太史公曰、張耳·陳餘、世傳所稱賢者。其賓客廝役、莫非天下

俊桀、所居國無不取卿相者。然張耳·陳餘始居約時、【集解】漢書音義曰、在貧賤時也、 相然信以死。豈顧問哉。【索隱】按葛洪要用字苑云、然猶爾也、謂相和同諸者信也、謂然諾相信、雖死不顧也、【考證】岡白駒曰、所謂刎頸交也、 及據國爭權、卒相滅亡。何鄉者相慕用之誠、後相倍之戾也。豈非以利哉。【索隱】有本作私利交、漢書作勢利、故廉頗傳云、天下以市道交、君有勢則從、君無勢則去、此固其理、是也、【考證】利字、索隱本、作勢利交三字、楓、三本、作私字、 名譽雖高、賓客雖盛、所由殆與太伯·延陵季子異矣。【考證】岡白駒曰、二人讓國、不爲利者、故取以相形、【索隱】述贊曰、張耳陳餘、天下豪俊、忘年羈旅、刎頸相信、耳圍鉅鹿、餘兵不進、張既望深、陳乃去印、勢利傾奪、隙末成釁、

張耳陳餘列傳第二十九　史記八十九

史記會注考證卷九十

漢　太　史　令　司　馬　遷　撰

宋 中 郎 外 兵 曹 參 軍 裴　駰 集 解

唐國子博士弘文館學士司馬貞索隱

唐諸王侍讀率府長史張守節正義

日　本　出　雲　瀧　川　資　言　考　證

魏豹彭越列傳第三十　　史記九十

【考證】史公自序云、收西河上黨之兵、從至彭城、越之侵掠梁地、以苦項羽、作魏豹彭越列傳第三十、

魏豹者、故魏諸公子也。【索隱】案彭越傳云、魏豹、魏王咎從弟、眞魏後也、【考證】沈欽韓曰、列女節義傳云、秦破魏、誅諸公子、今此魏豹魏咎、皆魏公子封君、是秦滅國、未嘗誅夷、故齊王建亦有子孫、世言秦暴、猶不若後世必盡其種也、陳勝兵起、齊韓趙魏楚、皆故國子孫、惟燕王喜走遼東、無後、漢得天下、鑒是故、徙諸豪傑于關中、其兄魏咎、故魏時封爲甯陵君。秦滅魏、遷咎爲家人。【索隱】案晉灼云、甯陵、梁國縣也、卽今甯陵是、【考證】漢書、家人作庶人、義同、陳勝之起王也、咎往從之。【正義】王、于放反、陳王使魏人周市徇魏地。魏地已下、欲相與立周市爲魏王。周市曰。天下昏亂、忠臣乃見。【索隱】老子曰、國家昏亂、有忠臣、此取以爲說也、今天下共畔秦。其義必立魏王後、乃可。齊·趙使車各五十乘、立周市爲魏王。市辭不受。迎魏咎於陳、五反。陳王乃遣立咎爲魏王。【集解】徐廣曰、元年十二月也、【考證】徐孚遠曰、陳王不欲立魏後、故使者五反、而後遣咎也、岡白駒曰、咎在陳勝之所、章邯已破陳王、乃進兵擊魏王於臨濟。【正義】故城在淄州高苑縣北二里、本漢縣、【考證】齊召南曰、案後志、陳留郡平丘亭有臨濟亭、卽此臨

濟、爲魏咎所都也、正義非是、魏王乃使周市出請救於齊·楚。齊·楚遣項它·田巴、將兵隨市救魏。【索隱】案項它、楚將、田巴、齊將也、【正義】它、徒多反、【考證】劉奉世曰、田儋傳、儋自將兵救魏、章邯殺儋臨濟下、非遣田巴也、章邯遂擊破殺周市等軍、圍臨濟。咎爲其民約降。約定。咎自燒殺。魏豹亡走楚。【集解】徐廣曰、二年六月、楚懷王予魏豹數千人、復徇魏地。項羽已破秦降章邯。豹下魏二十餘城。立豹爲魏王。【正義】魏豹自立爲魏王、或云、項羽立之、【考證】漢書、無立字、豹引精兵從項羽入關。漢元年、項羽封諸侯、欲有梁地。乃徙魏王豹於河東、都平陽、爲西魏王。【正義】平陽、今晉州、【考證】平陽、河東縣、今平陽府臨汾縣西南、漢王還定三秦、渡臨晉。魏王豹以國屬焉。【正義】臨晉、在同州朝邑縣界、遂從擊楚於彭城。漢敗、還至滎陽。豹請歸視親病。至國、卽絕河津畔漢。【考證】顏師古曰、親、謂母也、漢王聞魏豹反、方東憂楚、

未及擊。謂酈生曰。緩頰。往說魏豹能下之、吾以萬戶封若。【正義】緩緩頰舌說、不限急期也、【考證】漢書高紀注、張晏云、緩頰、徐言、引譬喻也、中井積德曰、緩頰、猶饒舌也、以稱辯士也、愚按蓋當時俗語、中說近是、酈生說豹。豹謝曰。人生一世閒、如白駒過隙耳。【索隱】莊子云、無異騏驥之馳過隙、則謂馬也、小顏云、白駒、謂日影也、隙、壁隙也、以言速疾若日影過壁隙也、【考證】墨子兼愛篇、人之生乎地上之無幾何也、譬猶駟馳而過郤也、亦謂馬、索隱前說是、今漢王慢而侮人、罵詈諸侯羣臣、如罵奴耳。非有上下禮節也。吾不忍復見也。【考證】漢書、如下無罵字、淮陰侯傳、蕭何謂漢王曰、王素慢無禮、今拜大將如呼小兒耳、於是漢王遣韓信、擊虜豹於河東。【集解】徐廣曰、二年九月也、傳詣滎陽、以豹國爲郡。【集解】高祖本紀曰、置三郡、河東太原上黨、漢王令豹守滎陽。楚圍之急。周苛遂殺魏豹。【考證】項高二紀云、漢王使御史大夫周苛樅公魏豹守滎陽、周苛樅公謀曰、反國之王、難與守城、乃共殺魏豹、

彭越者、昌邑人也。字仲。【正義】漢武更山陽爲昌邑國、有梁丘鄉、梁丘故城、在曹州城武縣東北三十三里、常漁鉅野澤中、爲羣盜。陳勝·項

梁之起、少年或謂越曰。諸豪桀相立畔秦。仲可以來亦效之。【考證】漢書、無以來亦三字、彭越曰。兩龍方鬬。且待之。【考證】顏師古曰、兩龍、謂秦與陳勝、居歲餘、澤閒少年相聚百餘人、往從彭越曰。請仲爲長。越謝曰。臣不願與諸君。少年彊請。乃許。與期旦日日出會。後期者斬。【索隱】旦日、謂明日之朝日出時也、【考證】中井積德曰、旦日、期日、日出、期時、旦日日出。十餘人後。後者至日中。於是越謝曰。臣老。諸君彊以爲長。今期而多後。不可盡誅。誅最後者一人。令校長斬之。皆笑曰。何至是。請後不敢。於是越乃引一人斬之、設壇祭。乃令徒屬。徒屬皆大驚畏越、莫敢仰視。【考證】陳懿典曰、此與穰苴之斬莊賈、孫武之斬宮嬪事同、乃行略地、收諸侯散卒、得千餘人。沛公之從碭北擊昌邑、彭越助之。【正義】碭、音徒郎反、宋州碭山縣、昌邑未下。沛公

引兵西。彭越亦將其衆居鉅野中、收魏散卒。項籍入關、王諸侯、還歸。彭越衆萬餘人、毋所屬。漢元年秋、齊王田榮畔項王。漢乃使人賜彭越將軍印、使下濟陰以擊楚。【考證】劉攽曰、田榮使越擊楚、此不合有漢字、愚按、項羽高祖本紀竝云、田榮與彭越將軍印、令反梁地、劉說是、楚命蕭公角將兵擊越。【正義】蕭縣令、楚縣令稱公、角名、【考證】楓、三本、命作令、與漢書合、越大破楚軍。漢王二年春、與魏王豹及諸侯東擊楚。【考證】陳仁錫曰、漢王二年、漢王三年、王字當削、漢書無、梁玉繩曰、春當作夏、彭越將其兵三萬餘人、歸漢於外黃。漢王曰。彭將軍收魏地、得十餘城。【考證】胡三省曰、項羽倂王梁楚、徙魏王豹於河東、號西魏王、今越所下外黃十餘城、皆梁地也、欲急立魏後。今西魏王豹亦魏王咎從弟也。眞魏後。乃拜彭越爲魏相國、擅將其兵、略定梁地。【索隱】擅、猶專也、【考證】何焯曰、擅將兵者、雖拜越爲魏相、不使受魏豹節度、得自主兵也、漢王之敗彭城、解而西也、

彭越皆復亡其所下城、獨將其兵、北居河上。【正義】滑州河上、漢王三年、彭越常往來爲漢游兵、擊楚、絕其後糧於梁地。漢四年冬、項王與漢王相距滎陽、彭越攻下睢陽・外黃十七城。【正義】睢陽、宋州宋城也、外黃、在汴州雍丘縣東、項王聞之、乃使曹咎守成皐、【正義】河南府汜水是、自東收彭越所下城邑、皆復爲楚。【正義】爲、于僞反、越將其兵、北走穀城。【正義】在齊州東阿縣東二十六里、是漢五年秋、項王之南走陽夏、【正義】夏、古雅反、陳州太康縣也、【考證】楓、三本、五年作四年、爲是、漢用秦正、以冬十月爲歲首、故冬在前而秋在後、或云、漢五年三字衍文、彭越復下昌邑旁二十餘城、得穀十餘萬斛、以給漢王食。漢王敗。使使召彭越、幷力擊楚。【考證】劉攽曰、此時漢未敗、敗字、疑是數字、越曰。魏地初定、尙畏楚。未可去。漢王追楚、爲項籍所敗固陵。【正義】固陵、地名、在陳州宛丘縣西北三十二里、乃謂留侯曰。諸侯兵

不從。爲之柰何。留侯曰。齊王信之立、非君王之意。信亦不自堅。彭越本定梁地、功多。始君王以魏豹故、拜彭越爲魏相國。今豹死毋後。且越亦欲王。而君王不蚤定。與此兩國約、卽勝楚。【考證】句上添今能二字看、睢陽以北至穀城、皆以王彭相國、【正義】從宋州已北、至鄆州以西曹濮汴滑、竝與彭越、從陳以東傅海、與齊王信。【集解】傅、音附、【索隱】傅、音附、【正義】從陳潁州北以東、亳泗徐淮北之地、東至海、幷淮南淮陰之邑、盡與韓信、韓信又先有故齊舊地、齊王信家在楚。此其意欲復得故邑。君王能出捐此地許二人、二人今可致。【考證】楓、三本、此下無地字、卽不能、事未可知也。於是漢王乃發使使彭越、如留侯策。使者至。彭越乃悉引兵會垓下、遂破楚。【正義】垓下、在亳州也、五年、項籍已死。春、立彭越爲梁王、都定陶。【正義】曹州、六年、朝陳。九年、十年、皆來朝

長安。十年秋、陳豨反代地。高帝自往擊、至邯鄲、徵兵梁王。【考證】楓、三本、無王字、梁王稱病、使將將兵詣邯鄲。高帝怒、使人讓梁王。梁王恐、欲自往謝。其將扈輒曰。王始不往、見讓而往。往則爲禽矣。不如遂發兵反。梁王不聽稱病。梁王怒其太僕、欲斬之。太僕亡走漢、告梁王與扈輒謀反。於是上使使掩梁王。梁王不覺。捕梁王囚之雒陽。有司治。反形已具。請論如法。【集解】張晏曰、扈輒勸越反不聽、而云反形已見、有司非也、瓚曰、扈輒勸越反、而越不誅輒、是反形已具、【考證】中井積德曰、反形已具、雖出於有司鍛鍊、然無病而稱病者再、是不能自理者、及無故脩城池造兵器之類、一經有司之考問、而不能自理者、多有之也、註瓚之說、即獄吏之舞文、上赦以爲庶人、傳處蜀青衣。【集解】文穎曰、青衣、縣名、在蜀、瓚曰、今漢嘉是也、【索隱】蘇林曰、縣名、今爲臨邛、瓚曰、今漢嘉是也、【考證】傳、傳車、西至鄭。【索隱】地理志、鄭屬京兆、【正義】華州、逢呂后從長安來。欲之雒陽。【考證】楓、三本、來作東、與漢書合、道見彭王。彭王

爲呂后泣涕、自言無罪。願處故昌邑。【考證】彭越、昌邑人、呂后許諾、與俱東至雒陽。呂后白上曰。彭王壯士。今徙之蜀、此自遺患。【正義】上唯季反、不如遂誅之。妾謹與俱來。於是呂后乃令其舍人告彭越復謀反。廷尉王恬開奏請族之。【考證】各本、開誤關、今從楓、三本、游本、張文虎曰、開與功臣表張釋之傳合、梁玉繩曰、案彭越之族、在高帝十一年、而公卿表十年是廷尉宣義、十二年廷尉育、則非王恬開、此時恬開恐尙爲郎中令也、上乃可。遂夷越宗族。國除。【考證】楓、三本、可下有之、越上有彭、

太史公曰。魏豹・彭越、雖故賤、然已席卷千里、【正義】言魏地闊千里、如席卷舒、南面稱孤、喋血乘勝、日有聞矣。【集解】徐廣曰、喋、一作啑、韓傳亦有喋血語也、【索隱】音牒、喋、猶蹀也、殺敵蹀血而行、孝文紀、喋血京師、是也、【考證】沈家本曰、喋血乘勝者、猶言血戰成功也、日有聞、言功名聞於當日也、懷畔逆之意、及敗、不死而虜囚、身被刑戮。何哉。中材已上、且羞其行。況王者乎。彼無

異故。智略絶人、獨患無身耳。【考證】楓、三本、身上有全字、陳仁錫曰、獨患無身耳、此句太史公有深意在、董份曰、太史公腐刑、不即死、亦欲以自見耳、故于此委曲致意如此、得攝尺寸之柄、其雲蒸龍變、欲有所會其度。【正義】言二人得緒攝一尺之權柄、即生變動、欲有其度數、度、徒故反、【考證】恩田仲任曰、按此言彭越得攝尺寸之柄、待天下雲蒸龍變之時、欲以其度量投機會耳、以故幽囚而不辭云。【考證】中井積德曰、懷畔句、在越爲誣、被刑戮、在豹不當、宜相通略爲主、又智略絶人句、亦在魏豹爲不當、蓋是贊主意在彭越也、

【索隱】述贊、魏咎兄弟、因時而王、豹後屬楚、其國遂亡、仲起昌邑、歸漢外黃、往來聲援、再續軍糧、徵兵不往、菹醢何傷、

魏豹彭越列傳第三十　　史記九十

史記會注考證卷九十一

漢　太　史　令　司　馬　遷　撰
宋中郎外兵曹參軍裴　駰集解
唐國子博士弘文館學士司馬貞索隱
唐諸王侍讀率府長史張守節正義
日　本　出　雲　瀧　川　資　言　考　證

黥布列傳第三十一　　史記九十一

[考證]史公自序云、以淮南叛楚歸漢、漢用得大司馬殷、卒破子羽于垓下、作黥布列傳第三十一、

黥布者、六人也。姓英氏。[索隱]地理志、廬江有六縣、蘇林曰、今爲六安也、按布本姓英、英國名也、咎繇之後、布以少時有人相云、當刑而王、故漢雜事云、布改姓黥、以厭當之也、[正義]故六城、在壽州安豐縣西南百三十三里、按黥布封淮南王、都六、卽此城、又春秋傳、六與蓼、咎繇之後、或封於英、六、蓋英後改爲蓼也、孔文祥云、爲封皋陶後於英、布其苗裔也、漢故事云、布姓黥、欲以厭當之也、[考證]王鳴盛曰、史記因英布曾犯罪而黥、遂稱黥布、漢書因車千秋乘小車、號車丞相、遂稱之爲車千秋、漢人隨意立名如此、愚按、黥英音近、秦時爲布衣。少年、有客相之曰。當刑而王。及壯坐法黥。布欣然笑曰。人相我、當刑而王。幾是乎。[集解]徐廣曰、幾、一作豈、駰謂幾近也、[索隱]裴駰曰、臣瓚音機、幾、近也、楚漢春秋、作豈是乎、故徐廣云、一作豈、劉氏作祈、祈者語辭也、亦通、[考證]王念孫曰、幾讀爲豈、言人相我、當刑而王、今豈是乎、楚漢春秋可證、幾豈古同聲通用、人有聞者、共俳笑之。[索隱]謂衆共以俳優輩笑之、[考證]漢書、俳笑作戲笑、張照曰、相共諧謔而非笑之、非以俳優輩目之也、李笠曰、一切經音義十引蒼頡篇云、俳、戲也、布已論輸麗山。麗山之徒數十萬人。布皆與其徒長豪桀交通。[正義]言布論決受黥、竟麗山作陵也、時會稽郡輸身徒、[考證]楓三本、麗作驪、與漢書合、迺率其曹偶、亡之江中爲羣盜。[索隱]曹、輩也、偶、類也、謂徒輩之類、陳勝之起也、布迺見番君、與其衆叛秦、聚兵數千人。番君以其女妻之。[正義]番君、吳芮也、[考證]漢書吳芮傳、吳芮者、秦時番陽令也、甚得江湖間民心、號曰番君、天下之初叛秦也、黥布歸芮、芮妻之、章邯之滅陳勝、破呂臣軍、布乃引兵北擊秦左右校、破之清波、引兵而東。[正義]清作青、地名、[考證]楓三本、清作青、與漢傳合、史陳涉世家亦作青、聞項梁定江東·會稽、涉江而西、[正義]時會稽郡所理、在吳闔閭城中、陳嬰以項氏世爲楚將、迺以兵屬項梁、渡淮南。[考證]楓三本、無南字、此疑衍、英布·蒲將軍、亦以兵屬項梁。項梁涉淮而西、擊景駒·秦嘉等。布常冠軍。項梁至薛、[正義]薛古城、在徐州滕縣界也、聞陳王定死、迺立楚懷王。項梁號爲武信君、英布爲當陽君。[正義]南郡當陽縣也、項梁敗死定陶。懷王徙都彭城。諸將英布、亦皆保聚彭城。當是時、秦急圍趙。趙數使人請救。懷王使宋義爲上將、范增爲

末將、項籍爲次將、英布·蒲將軍、皆爲將軍、悉屬宋義、北救趙。及項籍殺宋義於河上、懷王因立籍爲上將軍。諸將皆屬項籍。項籍使布先渡河擊秦。布數有利。[考證]各本、渡上衍涉字、楓、三、本、宋本、舊刻無、漢書作先涉河、籍迺悉引兵涉河從之。遂破秦軍、降章邯等。楚兵常勝、功冠諸侯。諸侯兵皆以服屬楚者、以布數以少敗衆也。項籍之引兵西至新安、[正義]新安故城、在河南府澠池縣東二十二里、又使布等夜擊、阬章邯秦卒二十餘萬人。至關不得入。又使布等先從閒道破關下軍。[索隱]鄒氏云、閒、猶閑也、謂私也、今以閒音紀莧反、閒道卽他道、猶若反閒之義、[正義]閒隙之道、[考證]閒道、僻道非正路也、遂得入至咸陽。布常爲軍鋒。[索隱]案漢書、作楚軍前簿、簿者鹵簿、[考證]今本漢書作前鋒、項王封諸將。立布爲九江王。都六。漢元年四月、諸侯皆罷戲下、各就國。項氏立懷

王爲義帝、徙都長沙。迺陰令九江王布等行擊之。其八月、布使將擊義帝、追殺之郴縣。【正義】郴、丑林反、今郴州有義帝冢及祠、【考證】崔適曰、史記項羽高祖本紀皆云、使衡山王臨江王殺義帝、而此傳則云、令九江王布等行擊義帝、下文隨何說布曰、楚兵雖強、天下負之以不義之名、以其背約而殺義帝也、若項王實使九江王殺之、則隨何當爲之諱、蓋後人從漢書竄入也、顏師古注高紀、謂衡山臨江、與布同受羽命、欲爲史漢調人、然漢書不謂項王使衡山臨江、本與史記異指、不可強而爲一也、梁玉繩曰、此以弒義帝在八月、與紀表異、說在羽紀、漢二年、齊王田榮畔楚。【考證】梁玉繩曰、漢二年、當移在後漢王擊楚句上、漢三年、移後淮南王至之上、此誤也、項王往擊齊、徵兵九江。九江王布稱病不往。遣將將數千人行。漢之敗楚彭城、布又稱病不佐楚。項王由此怨布。數使使者誚讓召布。布愈恐不敢往。【集解】漢書音義曰、誚、責也、項王方北憂齊・趙、西患漢。所與者獨九江王、又多布材、欲親用之。以故未擊。漢三年、漢王擊楚、大戰彭城。不利。【考證】漢書無漢三年三字、此衍、說見上文、王先謙曰、上文漢之敗彭城是實事、此

言漢王與楚大戰彭城不利、追溯之詞、非謂兩次會戰也、出梁地至虞。【正義】今宋州虞城也、謂左右曰。【索隱】案謂隨何、【考證】恩田仲任曰、泛言左右人也、如彼等者、無足與計天下事。謁者隨何進曰。不審陛下所謂。【考證】陛下、當作大王、漢王曰。孰能爲我使淮南、令之發兵倍楚、留項王於齊數月。我之取天下、可以百全。【考證】顧炎武曰、當云使九江、歸漢後乃封淮南王也、愚按下稱淮南、竝非、梁玉繩曰、案本紀項王去齊而後有彭城之戰、漢敗彭城而後有隨何之說、安得言留齊、此誤、隨何曰。臣請使之。迺與二十人俱使淮南。至。因太宰主之。【集解】漢書音義曰、淮南太宰作內主也、韋昭曰、主、舍也、【索隱】太宰、掌膳食之官、韋昭曰、主、舍、【考證】中井積德曰、主之以爲主人也、三日不得見。隨何因說太宰曰。王之不見、何。必以楚爲彊、以漢爲弱。此臣之所以爲使。【正義】以楚強漢弱、爲此事臣之所以使九江也、使何得見。言之而是邪。是大王所欲聞也。言之而非邪。使何等二十人伏斧質淮南市、以明王倍漢而

與楚也。【考證】楓、三本、明下無王字、與漢書合、太宰迺言之王。王見之。隨何曰。漢王使臣敬進書大王御者。竊怪大王與楚何親也。【考證】三條本及漢書、使下有使字、與下文合、淮南王曰。寡人北鄉而臣事之。隨何曰。大王與項王俱列爲諸侯、北鄉而臣事之、必以楚爲彊、可以託國也。項王伐齊、身負板築、以爲士卒先。【集解】李奇曰、板、牆板也、築、杵也、大王宜悉淮南之衆、身自將之、爲楚軍前鋒。今迺發四千人以助楚。夫北面而臣事人者、固若是乎。夫漢王戰於彭城、項王未出齊也。大王宜騷淮南之兵、渡淮、日夜會戰彭城下。【集解】騷、音掃、【正義】騷、音掃、言舉之如掃地之爲、大王撫萬人之衆、無一人渡淮者、垂拱而觀其孰勝。【考證】楓、三本、撫上有今字、夫託國於人者、固若是乎。大王提空名以鄉楚、而欲厚自託。

【正義】提、舉也、臣竊爲大王不取也。然而大王不背楚者、以漢爲弱也。夫楚兵雖彊、天下負之以不義之名。以其背盟約而殺義帝也。【索隱】負、猶被也、以不義被其身、然而楚王恃戰勝自彊。漢王收諸侯、還守成皋・滎陽、下蜀・漢之粟、深溝壁壘、分卒守徼乘塞。【索隱】徼、謂邊境亭鄣、以徼繞邊陲、常守之也、乘者、登也、登塞垣而守之、【考證】中井積德曰、壁、疑堅之誤、楚人還兵、閒以梁地、深入敵國八九百里。【集解】張晏曰、羽從齊還、當經梁地八九百里、迺得羽地、【索隱】案服虔曰、梁在楚漢之中間、【考證】劉奉世曰、方是時、彭越反梁地、故隨何言項羽深入敵國、乃至滎陽成皋爾、從齊還彭城、自不經梁地也、欲戰則不得、攻城則力不能、老弱轉糧千里之外。楚兵至滎陽・成皋、漢堅守而不動、進則不得攻、退則不得解。【考證】張文虎曰、中統本、攻上得字作能、中統、游、毛本、解下得字作能、故曰、楚兵不足恃也。【集解】徐廣曰、恃、一作罷、言其已困、不足復苦也、【索隱】案漢書、作罷、音皮、【考證】言大王以楚兵爲足恃、其實不足恃也、使楚勝漢、則諸

侯自危懼而相救。夫楚之彊、適足以致天下之兵耳。故楚不如漢。其勢易見也。今大王不與萬全之漢、而自託於危亡之楚。臣竊爲大王惑之。臣非以淮南之兵、足以亡楚也。夫大王發兵而倍楚、項王必留。留數月、漢之取天下、可以萬全。臣請與大王提劍而歸漢。漢王必裂地而封大王。又況淮南。淮南必大王有也。【考證】楓、三本、裂下有土字、漢書、封作分、不重淮南二字、 故漢王敬使使臣進愚計。願大王之留意也。淮南王曰。請奉命。陰許畔楚與漢、未敢泄也。【考證】楓、三本、許作計、 楚使者在、【集解】文穎曰、在淮南王所、 方急責英布發兵。舍傳舍。【考證】中井積德曰、據下文據布愕然句、是事在布之前也、不於傳舍、漢書削舍傳舍三字、爲是、 隨何直入、坐楚使者上坐曰。九江王已歸漢。楚何以得發兵。布愕然。楚使者起。何

因說布曰。事已構。可遂殺楚使者、無使歸。而疾走漢并力。【索隱】按構、訓成也、走、音奏、向也、【正義】構、結也、言背楚之事已結成、 布曰。如使者教、因起兵而擊之耳。於是殺使者、因起兵而攻楚。楚使項聲・龍且攻淮南。項王留而攻下邑。【正義】下邑、宋州碭山縣、 數月、龍且擊淮南、破布軍。布欲引兵走漢。恐楚王殺之。故閒行、與何俱歸漢。淮南王至。【集解】徐廣曰、三年十二月、 上方踞牀洗、召布入見。【考證】酈生傳云、沛公方倨牀、使兩女子洗足、而見酈生、蓋是漢皇見人慣用手段、 布甚大怒、悔來、欲自殺。【考證】梁玉繩曰、甚大二字、當去其一、漢書無甚字、 出就舍。帳御飲食從官、如漢王居。布又大喜過望。【正義】高祖以布先分爲王、恐其自尊大、故峻禮令布折服、已而美其帷帳、厚其飲食、多其從官、以悅其心、權道也、 於是迺使人入九江。楚已使項伯收九江兵、盡殺布妻子。布使者頗得故人幸臣、將衆數千人歸漢。漢益分布

兵、而與俱北收兵至成皋。四年七月、立布爲淮南王、與擊項籍。漢五年、布使人入九江、得數縣。【考證】陳仁錫曰、漢五年衍文、漢書削、下文六年、作五年、沈家本曰、高紀在四年、 六年、布與劉賈入九江、誘大司馬周殷。【考證】劉賈、高祖從父兄、後封荊王、見下文、沈家本曰、高紀在四年、按六年、衍、項籍之死、實五年也、漢書無此二字、 周殷反楚。遂擧九江兵、與漢擊楚、破之垓下。項籍死、天下定。上置酒。【考證】楓、三本、無上字、 上折隨何之功、謂何爲腐儒。爲天下安用腐儒。【索隱】腐、音輔、謂之腐儒者、言如腐敗之物、不任用、【正義】腐、爛敗之物、言不堪用、【考證】與乃公以馬上取天下、安事詩書、同一詞氣、腐儒二字、又見留侯世家、 隨何跪曰。夫陛下引兵攻彭城、楚王未去齊也。陛下發步卒五萬人、騎五千、能以取淮南乎。上曰。不能。隨何曰。陛下使何與二十人使淮南。至、如陛下之意。是何之功、賢於步卒五萬人騎五千也。然而陛下謂何腐

儒、爲天下安用腐儒。何也。上曰。吾方圖子之功。迺以隨何爲護軍中尉。布遂剖符爲淮南王、都六。【考證】楓、三本、布上有英字、 九江・廬江・衡山・豫章郡皆屬布。七年、朝陳。八年、朝雒陽。九年、朝長安。【考證】楓、三本、七年作六年、八年作七年、與漢書合、愚按高紀會諸侯於陳、在六年、如洛陽、在八年、卽七年當從漢書作六年、八年本書爲是、梁玉繩曰、九年下、缺十年二字、 十一年、高后誅淮陰侯。布因心恐。【考證】楓、三本、恐下有憂字、 夏、漢誅梁王彭越、醢之、盛其醢、徧賜諸侯。至淮南。【正義】反者被誅、皆以爲醢、卽刑法志所云葅其骨肉者、【考證】王念孫曰、夏漢、當作漢復、彭越謀反、高紀在十一年三月、 淮南王方獵。見醢因大恐、陰令人部聚兵、候伺旁郡警急。【集解】張晏曰、欲有所會、【正義】備急、上如字、或作警、恐收捕、聚兵備其急、【考證】正義本、警急作備急、 布所幸姬疾、請就醫。【考證】楓、三本、布下有有字、姬下重姬字、疾作病、 醫家與中大夫賁赫對門。【集解】徐廣曰、賁、音肥、【索隱】賁、音肥、人姓也、赫、音虛格反、 姬數如醫家。賁赫自以爲侍中、迺厚

餽遺、從姬飮醫家。姬侍王、從容語次、譽赫長者也。王怒曰、汝安從知之。具說狀。王疑其與亂。赫恐稱病。王愈怒、欲捕赫。赫言變事、乘傳詣長安。布使人追。不及。赫至上變、言布謀反有端、可先未發誅也。上讀其書、語蕭相國。相國曰。布不宜有此。恐仇怨妄誣之。請繫赫、使人微驗淮南王。集解微、一作徵、淮南王布見赫以罪亡上變、固已疑其言國陰事。漢使又來、頗有所驗。遂族赫家、發兵反。反書聞。上迺赦賁赫、以爲將軍。上召諸將問曰。布反。爲之柰何。皆曰。發兵擊之、阬豎子耳。何能爲乎。汝陰侯滕公召故楚令尹問之。考證楓、三本、問下有而字、令尹曰。是固當反。滕公曰。上裂地而王之、疏爵而貴之、南面而立、萬乘之主。其

反何也。集解漢書音義曰、疏、分也、禹決江疏河是也、索隱疏、分也、漢書曰、禹決江疏河、尙書曰列爵惟五、分土惟三、按裂地是對文、故知疏卽分也、令尹曰。往年殺彭越、前年殺韓信。集解張晏曰、往年、前年、同耳、使文相避也、考證中井積德曰、殺信越、皆在布反之時、不當稱往年前年、蓋記者之誤、此三人者同功一體之人也。考證張文虎曰、各本此上衍言字、宋本、舊刻無、愚按楓、三本、漢書亦無、自疑禍及身。故反耳。考證楓、三本、身下有是字、滕公言之上曰。臣客故楚令尹薛公者、其人有籌筴之計。可問。考證中井積德曰、漢書、削之計二字、然計稱其智數也、非複文、不必削、上迺召見問薛公。薛公對曰。布反不足怪也。使布出於上計、山東非漢之有也。出於中計、勝敗之數、未可知也。出於下計、陛下安枕而臥矣。上曰。何謂上計。令尹對曰。東取吳、正義荊王劉賈、都吳蘇州闔廬城也、西取楚、正義楚王劉交、都徐州下邳、幷齊取魯、傳檄燕・趙、固守其所、山東非漢之有也。何謂中計。東取吳、西取

楚、幷韓取魏、據敖庾之粟、索隱案太康地記云、秦建敖倉於成皐、又立庾、故云敖庾也、考證敖庾、各本作敖倉、今從索隱本、楓、三本、塞成皐之口、勝敗之數、未可知也。何謂下計。東取吳、西取下蔡、正義古州來國、考證下蔡、沛郡縣、歸重於越、身歸長沙、正義今潭州、考證顏師古曰、重、輜重也、陛下安枕而臥、漢無事矣。集解桓譚新論曰、世有圍碁之戲、或言是兵法之類也、及爲之上者、遠碁疏張、置以會圍、因而成多得道之勝、中者、則務相絕遮要、以爭便求利、故勝負狐疑、須計數而定、下者、則守邊隅、趨作罫、以自生於小地、然亦必不如、察薛公之言、上計云、取吳楚、幷齊魯、及燕趙者、此廣道地之謂、中計云、取吳楚、幷韓魏、塞成皐、據敖倉、此趨遮要爭利者也、下計云、取吳下蔡、據長沙、以臨越、此守邊隅趨作罫者也、索隱罫、音烏卦反、上曰。是計將安出。令尹對曰。出下計。上曰。何謂廢上中計而出下計。考證楓、三本、謂作爲、中上有計字、令尹曰。布故麗山之徒也。考證楓、三本、曰上有答字、自致萬乘之主。此皆爲身、不顧後爲百姓萬世慮者也。故曰。出下計。上曰。善。封薛公千戶。索隱劉氏云、薛公得封千戶、蓋關內侯也、迺立皇子長爲

淮南王。上遂發兵自將、東擊布。布之初反、謂其將曰。上老矣。厭兵。必不能來。使諸將。諸將獨患淮陰・彭越。今皆已死。餘不足畏也。故遂反。果如薛公籌之。東擊荊。荊王劉賈走死富陵。正義故城、在楚州盱眙縣東北六十里、考證中井積德曰、此荊卽上文之吳矣、以地謂之吳、以國謂之荊、當時荊與楚別自立國也、又曰、布取吳破楚而已、未嘗歸長沙也、而傳云果如薛公籌之者、何也、蓋布實有是策、未及施行、而與上兵遇而敗死也、盡劫其兵、渡淮擊楚。楚發兵與戰徐・僮閒。集解如淳曰、地名也、索隱案地理志、臨淮有徐縣、僮縣、正義杜預云、徐在下邳僮縣東、括地志云、大徐城、在泗州徐城縣北四十里、古徐國也、考證中井積德曰、擊楚、應上文取下蔡、爲三軍、欲以相救爲奇。正義楚軍分爲三處、欲互相救爲奇策、或說楚將曰。布善用兵。民素畏之。且兵法、諸侯戰其地爲散地。集解漢書音義曰、謂散滅之地、正義魏武帝注孫子曰、卒戀土地、道近而易敗散、考證孫子九地篇、用兵之法、有散地、又云、諸侯自戰其地者爲散地、又云、是故散地則無戰、今別爲三。彼敗吾一軍、餘皆走。安能相救。不聽。布果破其

一軍。其二軍散走。遂西與上兵遇蘄西會甀。【索隱】上古外反、下持瑞反、韋昭云、蘄之鄉名、漢書作⿱保缶、應劭音保、鉦下亭名、【正義】蘄、音機、沛郡蘄城也、甀、逐瑞反、【考證】張文虎曰、索隱鉦疑鋌之譌、漢志、鋌蘄皆屬沛、 布兵精甚。上迺壁庸城、望布軍。置陳如項籍軍。【集解】鄧展曰、庸城、地名也、【考證】漢書藝文志兵書略、兵形勢項王一篇、注名籍、今亡、 上惡之。與布相望見、遙謂布曰。何苦而反。布曰。欲爲帝耳。【考證】漢祖對陳善語、其於項羽亦然、中井積德曰、布之反、苟自救死也已、其言欲爲帝、是憤言而誇張、非其情、 上怒罵之。遂大戰。布軍敗走。渡淮、數止戰。不利。與百餘人走江南。【考證】沈欽韓曰、文選注五十四引楚漢春秋、下蔡亭長詈淮南王曰、封汝爵爲千乘、東南盡日所出、尚未足黥徒羣盜所耶、徐孚遠曰、淮南諸將、以漢祖不自將也、故決反計、及漢祖自來、則已心懾、故陳雖精、而易敗、 布故與番君婚。以故長沙哀王、使人紿布僞與亡、誘走越。【集解】徐廣曰、表云、成王臣、吳芮之子也、駰案晉灼曰、芮之孫固、或曰、是成王、非哀王也、傳誤也、【索隱】哀字誤也、是成王臣、吳芮之子也、【正義】哀字誤、當作成也、 故信而隨之番陽。番陽人殺布茲鄉民田舍。遂滅黥布。【索隱】番陽、鄱縣之鄉、【正義】英布冢、在饒州鄱陽縣北百五十二里十三步、

立皇子長爲淮南王。封賁赫爲期思侯。【正義】期思故城、在光州固始縣界、【考證】中井積德曰、皇子長爲王、重出、宜削其一、 諸將率多以功封者。【集解】漢書曰、將率封者六人、

太史公曰。英布者、其先豈春秋所見楚滅英六臯陶之後哉。【考證】春秋文五年、秋、楚人滅六、左氏傳、六人叛楚、秋、楚成大心仲歸、帥師滅六、冬、楚公子燮滅蓼、臧文仲聞六與蓼滅曰、臯陶庭堅不祀忽諸、史記夏本紀云、封臯陶之後英六、集解徐廣曰、史記皆爲英字、而以英布是此苗裔、正義英、蓋蓼也、 身被刑法。何其拔興之暴也。【索隱】拔、白曷反、疾也、【考證】項羽紀論贊、何興之暴也、 項氏之所阬殺人以千萬數。而布常爲首虐、功冠諸侯。用此得王。亦不免於身爲世大僇。禍之興、自愛姬殖、妒媢生患。竟以滅國。【集解】音冒、媢亦妒也、【索隱】案王邵音冒、媢亦妒也、漢書外戚傳亦云、或結寵妾妒媢之誅、又論衡云、妒夫媢婦、則媢是妒之別名、今原英布之誅、爲疑賁赫與其妃有亂、故至滅國、所以不得言妒媢是媚也、一云、男妒曰媢、【考證】張文虎曰、據索隱、是舊本有誤作妒媚者、顏氏家訓書證篇引史亦辯之、愚按、楓三本作媢、

【索隱述贊】九江初筮、當刑而王、既免徒中、聚盜江上、每雄楚卒、頻破秦將、病爲羽疑、歸受漢杖、賁赫見毀、卒致無妄、

黥布列傳第三十一　史記九十一

史記會注考證卷九十二

漢　太史令　司馬遷　撰
宋　中郎外兵曹參軍　裴駰　集解
唐　國子博士弘文館學士　司馬貞　索隱
唐　諸王侍讀率府長史　張守節　正義
日本　出雲　瀧川資言　考證

淮陰侯列傳第三十二　史記九十二

【考證】史公自序云、楚人迫我京索、而信拔魏趙、定燕齊、使漢三分天下有其二、以滅項籍、作淮陰列傳第三十二、

淮陰侯韓信者、淮陰人也。【正義】楚州淮陰縣也、始爲布衣時、貧無行、不得推擇爲吏。【集解】李奇曰、無善行可推舉選擇、【考證】中井積德曰、無行者、放縱不檢之謂、沈欽韓曰、管子小匡篇、鄉長修德進賢、名之曰三選、罷士無伍、莊子達生篇、孫休賓于鄉里、逐于州部、楚策、汗明見春申君曰、僕之不肖、阨于州部、按此戰國以來選舉之法、韓信以無行、不得推擇也、又不能治生商賈。常從人寄食飲。人多厭之者。常數從其下鄉南昌亭長寄食。【集解】張晏曰、下鄉縣、屬淮陰也、【索隱】下鄉、鄉名、屬淮陰郡、案楚漢春秋、作新昌亭長、【正義】行賣曰商、坐賣曰賈也、案食飲、謂託飲食於人、猶乞食也、【考證】楓、三本無者字、數月、亭長妻患之、乃晨炊蓐食。【集解】張晏曰、未起而牀蓐中食、食時信往、不爲具食。信亦知其意、怒竟絕去。信釣於城下。【正義】淮陰城北臨淮水、昔信去下鄉而釣於此、諸母漂。有一母、見信飢、飯信、竟漂數十日。【集解】韋昭曰、以水擊絮爲漂、故曰漂母、信喜、謂漂母曰、吾必有以重報母。母怒曰、大丈夫不能自食。吾哀王孫而進食、豈望報乎。【集解】蘇林曰、王孫、如言公子也、【索隱】劉德曰、秦末多失國、言王孫公子、尊之也、蘇林亦同、張晏云、字王孫、非也、【正義】食、音寺、【考證】何焯曰、王孫公子、皆推敬之稱、中井積德曰、漂母唯憐信、故飯之、實不知信之才、故怒於重報之言、是非避報者、不意其能報也、以爲虛言、淮陰屠中少年、有侮信者。曰、若雖長大好帶刀劍、中情怯耳。衆辱之曰、信能死、刺我。不能死、出我袴下。【集解】徐廣曰、袴一作胯、胯、股也、音同、又云、漢書作跨、同耳、【索隱】袴、漢書作胯、胯、股也、音枯化反、然尋此文作袴、欲依字讀、何爲不通、袴下卽胯下也、亦何必須作胯、【正義】衆辱、謂於衆中辱之、於是信孰視之、俛出袴下蒲伏。一市人皆笑信、以爲怯。【正義】俛、音俯、伏、蒲北反、【考證】漢書、删蒲伏二字、尤瑛曰、孰視之三字、可玩、有忍意、齋藤謙曰、蒲伏二字、駃狀如見、所以反襯他日榮達、及項梁渡淮、信杖劍從之、居戲下。無所知名。【集解】徐廣曰、戲、一作麾、【考證】宋本、毛本、杖作仗、項梁敗、又屬項羽。羽以爲郎中。數以策干項羽。羽不用。漢王之入蜀、信亡楚歸漢。未得知名。爲連敖。【集解】徐廣曰、典客也、【索隱】李奇云、楚官名、張晏云、司馬也、【考證】周壽昌曰、漢書功臣表、作入漢爲連敖票客、史記功臣表、作連敖典客、如注、連敖、楚官、左傳有連尹莫敖、其後合爲一名也、時功臣內以連敖起家者、尚有柳丘侯戎賜、隆慮侯周竈、

河陵侯郭亭、朝陽侯華寄、若煮棗侯革朱、則以越連敖入漢、知當時不獨漢有是官、坐法當斬。其輩十三人皆已斬。次至信。信乃仰視。適見滕公曰。上不欲就天下乎。何爲斬壯士。【考證】楓、三本、無上字、愚按、上字當作王、下同、滕公奇其言、壯其貌、釋而不斬。與語大說之、言於上。【考證】楓、三本、之下有入字、上拜以爲治粟都尉。上未之奇也。【考證】胡三省曰、班表、治粟內史、秦官、掌穀貨、都尉蓋其屬也、信數與蕭何語。何奇之。至南鄭。諸將行道亡者數十人。【考證】周壽昌曰、至南鄭、高祖元年夏四月、時沛公爲漢王、都南鄭、諸將士卒、皆思東歸、故多道亡、信度何等已數言上、上不我用。卽亡。【考證】度、大各反、楓、三本、無我字、何聞信亡、不及以聞、自追之。人有言上曰、丞相何亡。上大怒、如失左右手。居一二日、何來謁上。上且怒且喜、罵何曰。若亡、何也。何曰。臣不敢亡也。臣追亡者。上曰。若所追者誰。何曰。韓信也。【考證】若、汝也、上

復罵曰。諸將亡者以十數。公無所追。追信詐也。【考證】改若稱公、見漢王心稍定、何曰。諸將易得耳。至如信者、國士無雙。王必欲長王漢中、無所事信。【集解】文穎曰、事、猶業也、張晏曰、無事用信、必欲爭天下、非信無所與計事者。顧王策安所決耳。【考證】楓、三本、無所作無可、王曰。吾亦欲東耳。安能鬱鬱久居此乎。何曰。王計必欲東、能用信、信卽留。不能用、信終亡耳。王曰。吾爲公以爲將。【考證】爲公二字、見漢王未重韓信、何曰。雖爲將、信必不留。王曰。以爲大將。何曰。幸甚。於是王欲召信拜之。何曰。王素慢無禮。今拜大將、如呼小兒耳。此乃信所以去也。王必欲拜之、擇良日、齋戒、設壇場具禮、乃可耳。王許之。【考證】築土而高曰壇、除地爲場、魏豹傳、豹曰、漢王慢而侮人、罵詈諸侯羣臣、如奴耳、諸將皆喜。人人各自以爲得大將。【考證】言己必爲大將、至拜

大將、乃韓信也。一軍皆驚。信拜禮畢、上坐。【考證】中井積德曰、上坐、以漢王平常宮殿言也、非壇上、言壇上拜時之禮已畢、漢王乃延入見之與坐也、王曰。丞相數言將軍。將軍何以教寡人計策。信謝。因問王曰。今東鄉爭權天下、豈非項王邪。漢王曰。然。曰。大王自料勇悍仁彊、孰與項王。【考證】楓、三本、然下有信字、漢王默然。良久曰。不如也。信再拜賀曰。惟信亦爲大王不如也。【考證】張文虎曰、惟、漢書作唯、王本作雖、凌引一本、亦下有以字、王念孫曰、雖字、古多借作惟、又作唯、惟信亦以爲大王不如也、當作一句讀、言非獨大王以爲不如、雖信亦以爲不如也、愚按王說是、楓、三本、亦有以字、然臣嘗事之。請言項王之爲人也。項王喑噁叱咤、千人皆廢。【集解】晉灼曰、廢、不收也、【索隱】喑啞、上於金反、下烏路反、喑啞、懷怒氣、咤字或作吒、上昌栗反、下卓嫁反、叱咤、發怒聲、孟康曰、廢、伏也、張晏曰、廢、偃也、然不能任屬賢將。此特匹夫之勇耳。項王見人恭敬慈愛、言語嘔嘔、【集解】音凶于反、【索隱】音吁、嘔嘔、猶區區也、漢書作姁姁、鄧展曰、姁姁、好也、張晏音吁、【考證】楓、三本、敬作謹、與漢書合、人有疾病、

涕泣分食飲。至使人有功、當封爵者、印刓敝、忍不能予。【集解】漢書音義曰、不忍授、【正義】印刓、作印抏、注曰、音與刓同、五丸反、角之刓、與玩同、手弄角訛、不忍授也、此所謂婦人之仁也。【考證】通鑑輯覽云、韓信登壇數語、劉與項瞭、已若指掌、以項羽爲匹夫之勇、人人能言之、以爲婦人之仁、則信所獨見也、項王雖霸天下而臣諸侯、不居關中、而都彭城、有背義帝之約、而以親愛王諸侯、不平。【考證】陳仁錫曰、荀紀新序、有作又、字古通用、愚按漢書作又、諸侯之見項王遷逐義帝置江南、亦皆歸逐其主、而自王善地。【考證】楓、三本、逐其主、作逐其故主爲王、齊召南曰、指田都王臨淮、田市王濟北、臧荼王燕、司馬卬王殷、張耳王常山、皆徙其故王於他處也、不然、信拜大將在四月、諸侯已各就國罷兵矣、烏知後有田榮殺田都田市、及臧荼殺韓廣事乎、項王所過、無不殘滅者。天下多怨、百姓不親附。特劫於威彊耳。【考證】楓、三本、彊下有服字、王念孫曰、漢書及新序善謀篇、皆有服字、特劫於威彊服耳、言百姓非心服項王、特劫於威而彊服耳、彊、勉彊之彊、愚按威彊二字連讀、服字不必補、彊、彊弱之彊、上文云、勇悍仁彊、下文云、其彊易弱、名雖爲霸、實失天下心。故曰。其彊易弱。今

大王誠能反其道、任天下武勇、何所不誅。【索隱】何不誅、按劉氏云、言何所不誅也、以天下城邑封功臣、何所不服。以義兵從思東歸之士、何所不散。【索隱】何不散、劉氏云、用東歸之兵、擊東方之敵、此敵無不散敗也、【考證】王念孫曰、何所不誅、何所不服、何所不散、三所字、皆後人所加、索隱本出何不誅三字、又出何不散三字、則正文無三所字明矣、漢書、新序、竝無、鹽鐵論結和篇、夫以天下之力勤、何不摧、以天下之士民、何不服、句法與此同、且三秦王爲秦將、將秦子弟數歲矣。【正義】三秦、章邯、司馬欣、董翳、所殺亡不可勝計。又欺其衆降諸侯。至新安、項王詐阬秦降卒二十餘萬、唯獨邯・欣・翳得脫。秦父兄怨此三人、痛入骨髓。今楚彊以威王此三人。秦民莫愛也。大王之入武關、秋豪無所害、【索隱】案毫秋乃成、又王逸注楚詞云、銳毛爲毫、夏落秋生也、【正義】秋豪、喩微細之物也、【考證】張文虎曰、豪、宋本、中統、游、王、柯本、竝同、俗作毫、除秦苛法、與秦民約法三章耳。秦民無不欲得大王王秦者。於諸侯之約、大王當王關中。

關中民咸知之。大王失職入漢中。秦民無不恨者。今大王舉而東、三秦可傳檄而定也。[索隱]案說文云、檄、二尺書也、此云傳檄、謂爲檄書以責所伐者、[正義]傳檄而定、不用兵革也、[考證]中井積德曰、傳檄、猶移書也、所以勸人同己也、狀敵人之罪則有之、非徑責敵人者、愚按、酈生傳、酈食其說齊王廣曰、項王有倍約之名、殺義帝之負、於人之功無所記、於人之罪無所忘、爲人刻印、刓而不能授、攻城得賂、積而不能賞、與淮陰言合、 於是漢王大喜、自以爲得信晚。遂聽信計、部署諸將所擊。[正義]部署、謂部分而署置之也、 八月、漢王舉兵、東出陳倉、定三秦。[正義]漢王從關北出岐州陳倉縣、 漢二年、出關、收魏河南。[正義]出函谷關、 韓・殷王皆降。[考證]梁玉繩曰、本紀韓王昌不聽、擊破之、此云降、似誤、 合齊・趙共擊楚。[考證]楓、三本趙下有兵字、 四月、至彭城。漢兵敗散而還。[考證]漢書、刪四月二字、非是、楓、三本、兵作王、 信復收兵、與漢王會滎陽、復擊破楚京・索之閒。以故楚兵卒不能西。[考證]漢書、收作發、趙翼曰、是時信未有分地、從何發兵、蓋收集潰卒耳、收字得實、 漢之敗卻彭城、[正義]兵敗散彭城而卻退、[考證]楓、三

本、漢下有王字、塞王欣・翟王翳、亡漢降楚。齊・趙亦反漢與楚和。[考證]亦字、楓、三本、宋本、中統、游、毛本同、它本誤欲、漢書亦作亦、王念孫曰、亦者承上之詞、此時諸侯皆反漢而與楚、非但欲反也、 六月、魏王豹謁歸視親疾。至國、卽絕河關反漢、與楚約和。[索隱]按河關、謂今蒲津關、[考證]梁玉繩曰、六月、當作五月、說在高紀、 漢王使酈生說豹。不下。其八月以信爲左丞相擊魏。[考證]李賡芸曰、曹參以假左丞相定魏齊、右丞相侯、酈商遷右丞相、賜爵列侯、後復以右丞相擊陳豨、樊噲亦嘗遷左丞相、皆係空名、不居其職、故公卿表不載、愚按漢書高紀云、漢使酈食其說魏王豹、豹不聽、漢王以韓信爲左丞相、與曹參灌嬰俱擊魏、食其還、漢王問、魏大將誰也、對曰、柏直、王曰、是口尙乳臭、不能當韓信、騎將誰也、曰、馮敬、曰、是秦將馮無擇子也、雖賢不能當灌嬰、步卒將誰也、曰、項它、曰、是不能當曹參、吾無患矣、韓信傳云、信問酈生、魏得毋用周叔爲大將乎、曰、柏直也、信曰、豎子耳、遂進兵擊魏、 魏王盛兵蒲坂、塞臨晉。[索隱]塞、音先得反、臨晉、縣名、在河東之東岸、對舊關也、[考證]沈欽韓曰、蒲阪在河東岸、臨晉在河西岸、塞其渡河處也、 信乃益爲疑兵、陳船欲度臨晉。[集解]漢書音義曰、益張旌旗、以疑敵者、[索隱]劉氏云、陳船、地名、在舊關之西、今之朝邑是也、案京兆有船司空縣、不名陳船、陳船者、陳列船艘、欲渡河也、[考證]言陽列兵陳船、示敵以欲度臨晉、而陰自夏陽度軍也、 而伏兵

從夏陽、以木罌缻渡軍、襲安邑。[集解]徐廣曰、缻、一作缶、服虔曰、以木柙縛罌缻以渡、韋昭曰、以木爲器如罌缻、以渡軍、無船、且尙密也、[正義]按韓信詐陳列船艘於臨晉、欲渡河、卽此從夏陽木柙罌缻渡軍、襲安邑、臨晉、同州東朝邑界、夏陽、在同州北渭城界、安邑故城、在絳州夏縣東北十五里、[考證]中井積德曰、罌缶本瓦器、或鑿木爲之、時人家多有之、故取用之也、以索縛之浮于水上、可緣以渡矣、高祖功臣表云、祝阿侯高邑、以將軍屬淮陰侯、以缻度軍、此計或邑所建也、 魏王豹驚引兵迎信。信遂虜豹。[索隱]按劉氏云、夏陽舊無船、豹不備之、而防臨晉耳、今安邑被襲、故豹遂降也、[考證]中井積德曰、迎信者、逆戰也、非納款、 定魏爲河東郡。[正義]今安邑縣故城、[考證]梁玉繩曰、失書上黨、說在高紀、 漢王遣張耳與信俱、引兵東北擊趙・代。[考證]漢傳云、信既虜豹、使人請漢王、願益兵三萬人、北舉趙、東擊齊、南絕楚之糧道、南與大王會於滎陽、漢王與兵三萬人、遣張耳與俱、 後九月、破代兵、禽夏說閼與。[集解]徐廣曰、音余、駰案、李奇曰、夏說、代相也、[索隱]司馬彪郡國志、上黨沾縣有閼與聚、閼、音曷、又音嫣、與、音余、又音預、沾、音他廉反、[正義]閼與聚城、在潞州銅鞮縣西北二十里、[考證]後九月、閏九月也、 信之下魏破代、漢輒使人收其精兵、詣滎陽以距楚。[考證]楓、三本、無破字、與漢書合、 信與張耳以兵數萬、欲東下井陘擊趙。

[索隱]案地理志、常山石邑縣、井陘山在西、又穆天子傳云、至于陘山之隧、升于三道之磴、是也、[考證]梁玉繩曰、此上失書漢三年、 趙王・成安君陳餘、聞漢且襲之也、聚兵井陘口。號稱二十萬。[正義]井陘故關、在并州石艾縣東十八里、卽井陘口、[考證]井陘、常山縣、今正定府井陘縣北、趙王、名歇、 廣武君李左車說成安君曰。聞漢將韓信涉西河、虜魏王、禽夏說、新喋血閼與。[索隱]喋、舊音歃、非也、案陳湯傳、喋血萬里之外、如淳云、殺人血流滂沱也、韋昭音徒協反、[考證]文帝紀、今誅諸呂、新喋血京師、喋蹀同、踐也、 今乃輔以張耳、議欲下趙。[考證]楓、三本、欲下有以字、與漢書合、 此乘勝而去國遠鬭。其鋒不可當。臣聞千里餽糧、士有飢色。樵蘇後爨、師不宿飽。[集解]漢書音義曰、樵、取薪也、蘇、取草也、[考證]沈欽韓曰、四句、見黃石公上略、 今井陘之道、車不得方軌、騎不得成列。行數百里、其勢糧食必在其後。願足下假臣奇兵三萬人。從閒道絕其輜重。[考證]張文虎曰、舊刻、作閒道、御覽四百六十一同、各本作閒路、 足下深溝高壘、堅營勿與戰。

【考證】漢書、無堅營二字、彼前不得鬬、退不得還。吾奇兵絕其後、使野無所掠。【考證】楓、三本、使作彼、掠上有鹵字、不至十日、而兩將之頭、可致於戲下。願君留意臣之計。否、必爲二子所禽矣。成安君儒者也。常稱義兵、不用詐謀奇計。【考證】陳餘傳云、陳餘好儒術、曰。吾聞兵法、十則圍之、倍則戰。【考證】張文虎曰、各本、戰下衍之字、王念孫云、之字、宋本無、涉上誤衍、御覽兵部引無、漢書通典竝同、愚按楓、三本、作不十則不圍之、不倍則不戰、孫子謀攻篇、十則圍之、五則攻之、倍則分之、敵則能戰之、今韓信兵號數萬、其實不過數千。能千里而襲我。亦已罷極。今如此避而不擊、後有大者、何以加之。【考證】漢書、加作距、則諸侯謂吾怯、而輕來伐我。不聽廣武君策。廣武君策不用。【考證】中井積德曰、漢書削廣武君策不用六字、爲是、然削此則下文其不用之下、添入廣武君三字、乃爲盡善、不傷太史公筆意、韓信使人閒視。知其不用、還報。則大喜、乃敢引兵遂下。【正義】引兵入井陘狹道、出趙、未至井

陘口三十里、止舍。夜半傳發、【集解】漢書音義曰、傳令軍中使發、選輕騎二千人、人持一赤幟、從閒道萆山而望趙軍。【集解】如淳曰、萆、音蔽、依山自覆蔽、【索隱】案謂令從閒道小路向前、望見陳餘軍營、卽住、仍須隱山自蔽、勿令趙軍知也、萆、音蔽、蔽者蓋覆也、楚漢春秋、作卑山、漢書、作箄山、說文云、箄、蔽也、從竹、卑聲、【考證】方苞曰、使依山用草木自蔽、而望趙軍之出入也、登山、故能望遠、有蔽、故趙軍不覺、誡曰。趙見我走、必空壁逐我。若疾入趙壁、拔趙幟、立漢赤幟。令其裨將傳飱曰。今日破趙會食。【集解】徐廣曰、飱、音湌也、服虔曰、立駐傳湌食也、如淳曰、小飯曰湌、言破趙後乃當共飽食也、【索隱】如淳曰、小飯曰湌、謂立駐傳湌、待破趙乃大食也、【考證】中井積德曰、是將發而飱、非既發而駐食、諸將皆莫信。詳應曰。諾。謂軍吏曰。趙已先據便地爲壁。【考證】凌本、詳作佯、楓、三本、趙下有將皆二字、且彼未見吾大將旗鼓、未肯擊前行。恐吾至阻險而還。【考證】中井積德曰、趙必不擊先行者、恐韓信中途而還、不可禽殺也、其必見大將旗鼓而出兵也、信乃使萬人先行、出背水陳。趙軍望見而大笑。【正義】緜蔓水、一名阜將、一名洄星、自幷州流入井陘界、卽信背水

陣、陷之死地、卽此水也、【考證】沈欽韓曰、尉繚子天官篇、背水陳爲絕地、向阪陳爲廢軍、陳餘知兵法、故趙軍笑其陳也、平旦、信建大將之旗鼓、鼓行出井陘口。【考證】旗可稱建、鼓不得稱建、是帶言也、與詩大雅公劉篇弓矢斯張、易繫辭傳、潤之以風雨、禮記玉藻、大夫不得造車馬同例、趙開壁擊之。大戰良久。【正義】恆州鹿泉縣、卽六國時趙壁也、於是信・張耳詳弃鼓旗走水上軍。水上軍開入之。復疾戰。【考證】劉奉世曰、復疾戰三字、衍文、趙果空壁爭漢鼓旗、逐韓信・張耳。韓信・張耳已入水上軍。軍皆殊死戰、不可敗。【考證】顏師古曰、殊、絕也、謂決意必死、信所出奇兵二千騎、共候趙空壁逐利、則馳入趙壁、皆拔趙旗、立漢赤幟二千。趙軍已不勝、不能得信等。【考證】楓、三本、無不勝二字、與漢書合、欲還歸壁。壁皆漢赤幟。而大驚以爲漢皆已得趙王將矣。兵遂亂遁走。趙將雖斬之、不能禁也。於是漢兵夾擊、大破虜趙軍、斬成安君泜水上、禽趙王歇。

【集解】徐廣曰、泜、音遲、【索隱】徐廣音遲、劉氏音脂、【考證】沈家本曰、紀在三年、表在三年十月、張文虎曰、集解索隱、合刻本皆脫、愚按楓、三本有、信乃令軍中毋殺廣武君。有能生得者購千金。【考證】楓、三本、無中字、與漢書合、於是有縛廣武君而致戲下者。信乃解其縛、東鄉坐、西鄉對、師事之。【考證】中井積德曰、東鄉爲尊者、是堂上之禮、與對堂下南面爲尊者自不同、如燕禮可以見矣、愚按、漢初禮以東鄉爲尊、如王陵傳項羽東鄉坐陵母、欲以招陵、是羽尊陵母也、周勃傳、每召諸生說事、東鄉坐責之、是勃尊諸生也、皆此類、諸將效首虜、休畢賀。【索隱】如淳曰、效、致也、晉灼云、效、數也、鄭玄注禮、效猶呈見也、【考證】楓、三本、休作皆、漢書、畢作皆、因問信曰。兵法右倍山陵、前左水澤。【考證】漢書、倍作背、孫子行軍篇、丘陵隄防、必處其陽而右背之、沈欽韓曰、杜牧注孫子云、太公曰、軍必左川澤而右丘陵、今者將軍令臣等反背水陳。曰。破趙會食。臣等不服。然竟以勝。此何術也。信曰。此在兵法。顧諸君不察耳。兵法不曰。陷之死地而後生、置之亡地而後存。【考證】兵法、孫子九地篇、漢書、存下有乎字、且信非得素拊循士大夫也。此所

謂驅市人而戰之。[考證]沈欽韓曰、呂覽簡選篇、世有言曰、驅市人而戰之、可以勝人之厚祿教卒、愚按、當時有此語、與呂覽所引義異、驅市人而戰之、猶戰烏合之衆也、其勢非置之死地、使人人自爲戰、今予之生地、皆走。寧尙可得而用之乎。諸將皆服曰。善。非臣所及也。[考證]王鳴盛曰、韓信既破趙軍、斬成安君、與諸將論所以勝趙之術、因引兵法曰、陷之死地而後生、置之亡地而後存、太史公自序云、漢興蕭何次律令、韓信申軍法、漢書藝文志、分兵書爲四種、一、權謀、二、形勢、三、陰陽、四、技巧、權謀內有韓信三篇、班氏論之云、權謀者、先計後戰、兼形勢、包陰陽、用技巧者也、又總論云、自春秋至戰國、出奇設伏、變詐之兵作、漢興、張良韓信序次兵法、凡百八十二家、刪取要用、定著三十五家、觀信引兵法、以自證其用兵之妙、且又著書三篇、序次諸家爲三十五家、可見信平日學問、本原寄食受辱時、揣摩已久、其運百萬之衆、戰必勝、攻必取、皆本於平日學問、非以危事嘗試者、信書雖不傳、就本傳所載戰事攷之、可見其純用權謀、所謂出奇設伏、變詐之兵也、形勢內有項王一篇、項王嘗學兵法、故良與信亦取而存之、以項之形勢、當信之權謀、則敗矣、於是信問廣武君曰。僕欲北攻燕、東伐齊。何若而有功。廣武君辭謝曰。臣聞敗軍之將、不可以言勇。亡國之大夫、不可以圖存。今臣敗亡之虜、何足以權大事

乎。[考證]吳越春秋、范蠡曰、臣聞亡國之臣不敢語政、敗軍之將不敢語勇、信曰。僕聞之、百里奚居虞而虞亡、在秦而秦霸。非愚於虞、而智於秦也。用與不用、聽與不聽也。誠令成安君聽足下計、若信者亦已爲禽矣。[考證]漢書、誠作向、以不用足下、故信得侍耳。因固問曰。僕委心歸計。願足下勿辭。廣武君曰。臣聞智者千慮必有一失。愚者千慮必有一得。故曰。狂夫之言、聖人擇焉。[考證]沈欽韓曰、晏子雜篇下、聖人千慮、必有一失、愚人千慮、必有一得、顧恐臣計未必足用。願效愚忠。夫成安君有百戰百勝之計、一旦而失之、軍敗鄗下、身死泜上。[集解]李奇曰、鄗、音臛、今高邑是、今將軍涉西河、虜魏王、禽夏說閼與、[索隱]此之西河、當馮翊也、[正義]即同州龍門河、從夏陽度者、一舉而下井陘、不終朝、破趙二十萬衆、誅成安君、名聞海內、威震天下。[考證]楓、三本、十下有餘字、

農夫莫不輟耕釋耒、褕衣甘食、傾耳以待命者。[集解]如淳曰、恐滅亡不久、故也、[索隱]褕、鄒氏音踰、美也、恐滅亡不久、故廢止作業、而事美衣甘食、一曰、偸、苟且也、慮不闊久、故也、漢書、作靡衣媮食也、若此將軍之所長也。[考證]下文若此下有者字、然而衆勞卒罷、其實難用。今將軍欲擧倦弊之兵、頓之燕堅城之下。[考證]頓、讀爲鈍、弊也、晉語、君之武震、無乃玩而頓乎、左傳、師徒不動、甲兵不頓、韓非五蠹、萬乘之國、莫敢自頓於堅城之下、漢書賈誼傳、芒刃不頓、皆同、欲戰恐久力不能拔、情見勢屈、曠日糧竭、而弱燕不服。齊必距境以自彊也。[正義]屈、求物反、盡也、[考證]楓、三本、無久字、義長、戰國之時、燕弱、故有弱燕之稱、李左車亦用其語、燕・齊相持而不下、則劉・項之權、未有所分也。若此者、將軍所短也。臣愚竊以爲亦過矣。故善用兵者、不以短擊長、而以長擊短。韓信曰。然則何由。廣武君對曰。方今爲將軍計、莫如案甲休兵、鎭趙撫其孤、百里之內、牛酒日至、以饗

士大夫醳兵、北首燕路。[集解]魏都賦曰、肴醳順時、劉逵曰、醉酒也、[索隱]劉氏依劉逵音、醳酒、謂以酒食養兵士也、案史記古釋字、皆如此作、豈亦謂以酒食醳兵士、故字從酉乎、[正義]撫、存撫也、孤、死士之子、首、音狩、向也、[考證]余有丁曰、按上文已有休兵語、醳字當依劉解、中井積德曰、醳兵二字、竟不可通、或衍文、漢書刪之、而後遣辯士、奉咫尺之書、[正義]咫尺、八寸、言其簡牘或長尺也、暴其所長於燕、燕必不敢不聽從。[正義]暴、音僕、露也、燕已從、使諠言者東告齊、[考證]岡白駒曰、諠言者、辯士、如齊必從風而服。雖有智者、亦不知爲齊計矣。如是、則天下事皆可圖也。兵固有先聲而後實者。此之謂也。韓信曰。善。[考證]周壽昌曰、廣武君自此遂不知所終、從其策、發使使燕。燕從風而靡。乃遣使報漢。因請立張耳爲趙王、以鎭撫其國。漢王許之。乃立張耳爲趙王。[考證]沈家本曰、表在四年十一月、下文六月、則三年之六月、或三年請之、四年始立之耳、中井積德曰、信之請立趙王、是自爲封王之地也、漢王不寤此風旨、而使信自請焉、雖許其王齊、而猜隙由此而結矣、楚數使奇兵渡河擊趙。[考證]張照曰、奇兵、猶言

餘兵、非奇正之奇、乃奇偶之奇耳、愚按、猶言別兵也、仍是奇正之奇、趙王耳·韓信、往來救趙、因行定趙城邑、發兵詣漢。楚方急圍漢王於滎陽。漢王南出之宛·葉閒、得黥布、走入成皋。【正義】宛、在鄧州、葉、在許州、【考證】毛本、作成皋、各本、作城皋、下同、錢大昕曰、當作成皋、楚又復急圍之。【考證】楓、三本、又作人、六月、漢王出成皋、東渡河、獨與滕公俱從張耳軍脩武。至、宿傳舍。晨自稱漢使、馳入趙壁。張耳·韓信、未起。卽其臥內上、奪其印符、以麾召諸將、易置之。【考證】楓、三本、無內字、此疑衍、臥上連讀、漢書無內上二字、楊時曰、信耳勇略蓋世、竊怪漢王入臥內奪其印符、召諸將易置之、而未之知、此其禁防闊疏、與棘門霸上之軍何異邪、使敵人投閒竊發、則二人者可得而虜也、馮班曰、漢使至、韓信必有證驗、故漢王詐稱使者入信軍、偏裨皆漢將、故漢王得麾召易置之、非他國敵人所能爲也、宋人不知兵、種種妄論可笑、梁玉繩曰、案此事余疑史筆增飾、非其實也、信·耳起、乃知漢王來、大驚。漢王奪兩人軍、卽令張耳備守趙地、拜韓信爲相國、收趙兵未發者擊齊。【集解】文穎曰、謂趙人未嘗見發者、【考證】周壽昌

曰、拜信爲趙相國也、信引兵東、未渡平原、【正義】懷州有平原津、【考證】梁玉繩曰、下文漢四年三字、當移此句上、漢書又誤置四年于前文漢王出成皋上也、聞漢王使酈食其已說下齊、韓信欲止。范陽辯士蒯通說信曰。將軍受詔擊齊。而漢獨發閒使下齊。寧有詔止將軍乎。何以得毋行也。且酈生一士、伏軾掉三寸之舌、下齊七十餘城。【集解】韋昭曰、軾、今小車中隆起者、【考證】軾、車前横木、人所凴者、掉、搖也、將軍將數萬衆、歲餘乃下趙五十餘城。爲將數歲、反不如一豎儒之功乎。【考證】楓、三本、數萬作數十萬、蒯通又見張耳陳餘傳田儋傳贊、漢書別有傳、於是信然之、從其計、遂渡河。【考證】楓、三本、信上有韓字、齊已聽酈生。卽留縱酒、罷備漢守禦。【考證】漢書、留下有之字、信因襲齊歷下軍、遂至臨菑。【集解】徐廣曰、歷下、濟南歷城縣、齊王田廣以酈生賣己、乃亨之、而走高密、使使之楚請救。【考證】漢書、賣己作欺己、義同、韓信已定臨菑、

遂東追廣至高密西。楚亦使龍且將、號稱二十萬、救齊。齊王廣·龍且并軍與信戰。未合。人或說龍且曰。漢兵遠鬭窮戰。其鋒不可當。【考證】楓、三本、窮作寇、漢書、窮下有寇字、齊·楚自居其地戰。兵易敗散。【正義】近其室家、懷顧望也、【考證】沈欽韓曰、孫子九地篇、諸侯自戰其地爲散地、秦策、武安君曰、楚人自戰其地、咸顧其家、各有散心、而莫有鬬志、不如深壁、令齊王使其信臣招所亡城。亡城聞其王在、楚來救、必反漢。漢兵二千里客居。【考證】楓、三本、居下有齊字、與漢書合、齊城皆反之、其勢無所得食。可無戰而降也。龍且曰。吾平生知韓信爲人。易與耳。【考證】龍且楚人、故能知韓信事、且夫救齊、不戰而降之、吾何功。今戰而勝之、齊之半可得。何爲止。【正義】一戰而勝、則齊之地已得半矣、【考證】顏師古曰、自謂當得封齊之半地、愚按、漢書、爲下有而字、遂戰。與信夾濰水陳。【集解】徐廣曰、出東莞而東北流、至北海都昌縣入海、【索隱】濰、音維、地理志、濰水出琅邪箕縣東北、至都昌入海、徐廣云、出東莞而東北流入海、葢據

水經、而說少不同耳、韓信乃夜令人爲萬餘囊、滿盛沙、壅水上流、引軍半渡、擊龍且。詳不勝、還走。【考證】三條本、無滿字、漢書、無滿盛二字、龍且果喜曰。固知信怯也。遂追信渡水。【考證】楓山本、宋本、中統、游、毛本、追下有信字、各本脫、慶長本標記云、正義本有、信使人決壅囊。水大至。龍且軍大半不得渡。卽急擊殺龍且。龍且水東軍散走、齊王廣亡去。【考證】楓、三本、渡下有水字、水東上有死字、翁承高曰、廣與龍且同時見殺、高紀、月表、田儋傳、及漢書可證、此言亡去、誤也、因廣見殺、故田横自立爲王、表在三年十一月、信遂追北至城陽、皆虜楚卒。【正義】城陽、雷澤縣、是也、在濮州東南九十一里、【考證】胡三省曰、據班志、濟陰郡城陽縣、雷澤在西北、此梁地也、自濰水追至城陽、乃漢城陽國之地、正義此誤、田横起城陽同、漢四年、遂皆降。平齊。使人言漢王曰。齊僞詐多變、反覆之國也。南邊楚。不爲假王以鎭之、其勢不定。願爲假王便。當是時、楚方急圍漢王於滎陽。韓信使者至。發書。【集解】張晏曰、發信使者所齎書、漢王大怒、罵曰。

吾困於此。旦暮望若來佐我。乃欲自立爲王。【考證】若、汝也、　張良·陳平、躡漢王足、因附耳語曰、漢方不利。寧能禁信之王乎。不如因而立、善遇之、使自爲守。不然、變生。【考證】楓、三本、信之下有自字、而立下有信字、　漢王亦悟。因復罵曰。大丈夫定諸侯、卽爲眞王耳。何以假爲。【考證】何焯曰、人見漢王轉換之捷、不知太史公用筆入神也、他人不過曰漢王怒、良平諫、乃許之、　乃遣張良、往立信爲齊王、徵其兵擊楚。【集解】徐廣曰、四年二月、　楚已亡龍且。項王恐、使盱眙人武涉往說齊王信曰。【集解】張華曰、武涉墓、在盱眙城東十五里、　天下共苦秦久矣。相與勠力擊秦。秦已破。計功割地、分土而王之、以休士卒。【考證】楓、三本、土下有立字、　今漢王復興兵而東、侵人之分、奪人之地、已破三秦、引兵出關、收諸侯之兵、以東擊楚。其意非盡吞天下者不休。其不知

厭足、如是甚也。且漢王不可必。身居項王掌握中數矣。【正義】必、謂必信也、數、色庾反、　項王憐而活之。然得脫、輒倍約、復擊項王。其不可親信如此。今足下雖自以與漢王爲厚交、爲之盡力用兵、終爲之所禽矣。足下所以得須臾至今者、以項王尚存也。【考證】王念孫曰、此須臾與中庸道不可須臾離異義、須臾猶從容、延年之意也、言足下所以得從容至今不死者、以項王尚存也、漢書賈山傳、願少須臾毋死、少須臾卽少從容、亦延年之意也、故武五子傳、奉天期兮不得須臾、張晏曰、不復延年也、從容須臾、語之轉耳、　當今二王之事、權在足下。足下右投則漢王勝。左投則項王勝。項王今日亡、則次取足下。足下與項王有故。何不反漢、與楚連和、參分天下王之。【考證】楓、三本、故上有雅字、王上有而字、　今釋此時而自必於漢以擊楚。且爲智者固若此乎。韓信謝曰。臣事項王、官不過郎中、位不過執戟。【集解】張晏曰、郎中、宿衞執戟之人

也、　言不聽、畫不用。故倍楚而歸漢。漢王授我上將軍印、予我數萬衆、解衣衣我、推食食我、言聽計用。故吾得以至於此。夫人深親信我、我倍之不祥。雖死不易。幸爲信謝項王。【考證】藝文類聚引楚漢春秋云、項王使武涉說淮陰侯、信曰、臣事項王、位不過中郎、官不過執戟、乃去楚歸漢、漢王賜玉案之食、玉具之劍、臣背叛之、內愧於心、蓋史公所本也、　武涉已去。齊人蒯通知天下權在韓信、欲爲奇策而感動之。【考證】何焯曰、先云范陽辯士蒯通、後云齊人蒯通、一傳互異、愚按漢書刪齊人二字、　以相人說韓信曰。僕嘗受相人之術。【考證】楓、三本、以上有詳字、詳、佯同、　韓信曰。先生相人何如。對曰。貴賤在於骨法。憂喜在於容色。成敗在於決斷。以此參之、萬不失一。韓信曰。善。先生相寡人何如。對曰。願少閒。信曰。左右去矣。【考證】楓、三本、少作請、去作遠、中井積德曰、少間之下、有信屛左右一事、文略之、而信曰左右既去矣、以請其說、　通曰。相君之面、不過封侯。

又危不安。相君之背、貴乃不可言。【集解】張晏曰、背畔則大貴、【考證】楓、三本、危下有而字、與漢書合、　韓信曰。何謂也。蒯通曰。天下初發難也、俊雄豪桀、建號一呼、天下之士、雲合霧集、魚鱗襍遝、熛至風起。【考證】魚鱗、謂若鱗之相比次、　當此之時、憂在亡秦而已。今楚·漢分爭、使天下無罪之人、肝膽塗地、父子暴骸骨於中野、不可勝數。【考證】楓、三本、於上有流離二字、　楚人起彭城、轉鬭逐北、至於滎陽、乘利席卷、威震天下。然兵困於京·索之閒、迫西山而不能進者、三年於此矣。漢王將數十萬之衆、距鞏·雒、阻山河之險。一日數戰、無尺寸之功、折北不救。【集解】張晏曰、折、衂敗也、北、奔北、　敗滎陽、傷成皐。【集解】張晏曰、於成皐傷胷也、臣瓚曰、謂軍折傷、　遂走宛·葉之閒。此所謂智勇俱困者也。夫銳氣挫於險塞、而糧食竭於內府、

【考證】楓、三本、府作外、漢書蒯通傳作藏、百姓罷極怨望、容容無所倚。【考證】容容、猶搖搖也、以臣料之、其勢非天下之賢聖、固不能息天下之禍。當今兩主之命、縣於足下。足下爲漢則漢勝、與楚則楚勝。臣願披腹心、輸肝膽、效愚計。恐足下不能用也。誠能聽臣之計、莫若兩利而俱存之、參分天下、鼎足而居。其勢莫敢先動。夫以足下之賢聖、有甲兵之衆。據彊齊從燕·趙、出空虛之地、而制其後、因民之欲西鄉、【正義】鄉、音向、齊國在東、故曰西向也、爲百姓請命、【正義】止楚漢之戰鬭、士卒不死亾、故云請命、則天下風走而響應矣。【考證】楓、三本、走作起、孰敢不聽。割大弱彊、以立諸侯。諸侯已立、天下服聽而歸德於齊。案齊之故、有膠·泗之地、懷諸侯以德、深拱揖讓、則天下之君王、相率而朝於齊矣。

【考證】以德、各本作之德、今從游本、漢書亦作以德、蓋聞天與弗取、反受其咎。時至不行、反受其殃。【考證】取咎、行殃、韻、越語、范蠡曰、得時不成、反受其殃、又曰、臣聞之、得時無怠、時不再來、天予不取、反爲之災、願足下孰慮之。韓信曰。漢王遇我甚厚。載我以其車、衣我以其衣。食我以其食。吾聞之、乘人之車者、載人之患。衣人之衣者、懷人之憂。食人之食者、死人之事。吾豈可以鄉利倍義乎。蒯生曰。足下自以爲善漢王、欲建萬世之業。臣竊以爲誤矣。始常山王·成安君、爲布衣時、相與爲刎頸之交、後爭張黶·陳澤之事、二人相怨。【考證】事見張耳陳餘傳、常山王背項王、奉項嬰頭、而竄逃歸於漢王。漢王借兵而東下、【考證】楓、三本、兵上有其字、下下有戰於鄗北四字、殺成安君泜水之南、頭足異處、卒爲天下笑。此二人相與、天下至驩也。然而卒相禽者、

何也。患生於多欲、而人心難測也。【考證】欲、測、韻、今足下欲行忠信以交於漢王、必不能固於二君之相與也。而事多大於張黶·陳澤。故臣以爲足下必漢王之不危己、亦誤矣。【考證】漢書蒯通傳、誤作過、大夫種·范蠡、存亡越、霸句踐、立功成名、而身死亡。【考證】亾、流亾也、漢書刪范蠡亡三字、野獸已盡、而獵狗亨。【考證】楓、三本、亨作烹、下有敵國破而謀臣亡七字、漢書蒯通傳、作野禽殫、走犬烹、敵國破、謀臣亡、韓非子內儲說下、太宰嚭遺大夫種書曰、狡兎盡、則良犬烹、敵國滅、則謀臣亾、史記越世家、范蠡自齊遺大夫種書曰、蜚鳥盡、良弓藏、敵國破、謀臣亡、淮南子說林訓、狡兎得而獵犬烹、高鳥盡而強弩藏、夫以交友言之、則不如張耳之與成安君者也。以忠信言之、則不過大夫種·范蠡之於句踐也。【考證】漢書蒯通傳、無范蠡二字、此二人者、足以觀矣。【考證】漢書蒯通傳、無人字、願足下深慮之。且臣聞勇略震主者身危。而功蓋天下者不賞。臣請言大王功略。【考證】漢書、刪臣請以下

七字、足下涉西河、虜魏王、禽夏說、引兵下井陘、誅成安君、徇趙脅燕定齊、南摧楚人之兵二十萬、東殺龍且、西鄉以報。【考證】王念孫曰、摧楚兵殺龍且本一事、漢書漢紀竝作遂斬龍且、此所謂功無二於天下、而略不世出者也。【正義】言世之大功、不能出於韓信、言其計略奇異、世所希有、【考證】顏師古曰、功略二字承上文大王功略、今足下戴震主之威、挾不賞之功、歸楚、楚人不信。歸漢、漢人震恐。足下欲持是安歸乎。夫勢在人臣之位、而有震主之威、名高天下。竊爲足下危之。【考證】董份曰、其文略祖蔡澤、韓信謝曰。先生且休矣。吾將念之。後數日、蒯通復說曰。夫聽者、事之候也。計者、事之機也。【考證】沈欽韓曰、秦策、陳軫曰、計者、事之本也、聽者、存亡之機、愚按此與下文決者知之斷也、疑者事之害也同一句法、史公答任少卿書、修身者、智之符也、愛施者、仁之端也、取與者、義之表也、恥辱者、勇之決也、立名者、行之極也、亦學此句法、聽過計失、而能久安者鮮矣。聽不失一二者、

不可亂以言。計不失本末者、不可紛以辭。[考證]一二、先後也、夫隨廝養之役者、失萬乘之權。守儋石之祿者、闕卿相之位。[集解]晉灼曰、楊雄方言、海岱之閒、名罌爲儋、石、石斗也、蘇林曰、齊人名小罌爲儋、石、如今受鮐魚石罌、不過一二石耳、一說、一儋與一斛之餘、[索隱]儋、音都濫反、石、斗也、蘇林解爲近之、鮐、音胎、[考證]岡白駒曰、言戀小者必遺大、應劭曰、齊人名小甖爲儋、受二斛、顏師古曰、或曰、儋者一人之所負擔也、中井積德曰、古收田租以禾束、束不可量者、必以權衡、儋擔通、擔謂一人所擔也、因謂兩石爲擔、石斛也、然非石卽斛、蓋一斛米爲禾若干束、而其重一石矣、當給米一斛者、給禾則以重一石、其實數正同、故謂斛爲石耳、是知斛者米量之名也、石者禾權之名也、不當相混、張文虎曰、集解、一說、毛本無與字、斛疑當作石、餘疑當作儋、尚有脫文、故知者、決之斷也。疑者、事之害也。[考證]王念孫曰、知者決之斷也、當作決者知之斷也、正與疑者事之害也相反、下文申之云、知誠知之、決弗敢行者、百事之禍也、審豪氂之小計、遺天下之大數、智誠知之、決弗敢行者、百事之禍也。故曰。猛虎之猶豫、不若蜂蠆之致螫。[正義]音適、騏驥之跼躅、不如駑馬之安步。[集解]徐廣曰、跼一作蹢也、[考證]跼躅、進退不定也、孟賁之狐疑、不如庸夫之

必至也。雖有舜·禹之智、吟而不言、不如瘖聾之指麾也。[索隱]吟、鄒氏音拒蔭反、又音琴、此言貴能行之。夫功者難成而易敗、時者難得而易失也。時乎時、不再來。[考證]齊世家、逆旅之人、謂太公曰、吾聞時難得而易失、越語、范蠡曰、臣聞之、得時無怠、時不再來、愚按、蒯徹齊人、故好引齊人言、范蠡亦爲齊相、時來韻、顧足下詳察之。韓信猶豫不忍倍漢。又自以爲功多、漢終不奪我齊。遂謝蒯通。蒯通說不聽、已詳狂爲巫。[集解]徐廣曰、一本、遂不用蒯通、蒯通曰、夫迫於細苛者、不可與圖大事、拘於臣虜者、固無君王之意、說不聽、因去詳狂也、[索隱]案漢書及戰國策、皆有此文、[考證]楓、三本、巫下有而去二字、張照曰、戰國策安得有韓信蒯通之事、索隱誤、趙翼曰、史記淮陰侯傳、全載蒯通語、正以見淮陰之心在爲漢、雖以通之說喩百端、終確然不變、而他日之誣以反而族之者之冤痛不可言也、班書則韓信傳盡刪通語、而別爲通作傳、以此語敘入通傳中、似乎詳簡得宜矣、不知蒯通本非必應立傳之人、載其語於淮陰傳、則淮陰之心跡見、而通之爲辨士亦附見、史遷所以不更立蒯通傳、正以明淮陰之心、兼省却無限筆墨、班掾則轉因此語而特爲通立傳、反略其語於韓信傳中、是舍所重而重所輕、且開後世史家一事一傳之例、宜乎後世之史日益繁也、漢王之困固陵、用張良計、召齊王信。遂將

兵會垓下。項羽已破。高祖襲奪齊王軍。[集解]徐廣曰、以齊爲平原千乘東萊齊郡、漢五年正月、徙齊王信爲楚王。都下邳。信至國、召所從食漂母、賜千金。[集解]張華曰、漂母家、在泗口南岸、及下鄉南昌亭長賜百錢。曰。公小人也。爲德不卒。[考證]顏師古曰、言晨炊蓐食、召辱己之少年、令出胯下者、以爲楚中尉、告諸將相曰。此壯士也。方辱我時、我寧不能殺之邪。殺之無名。故忍而就於此。[考證]胯、上文作袴、漢書、二殺字作死、無於字、項王亡將鍾離眛家在伊廬。素與信善。[集解]徐廣曰、東海朐縣、有伊廬鄉、駰案、韋昭曰、今中廬縣、[索隱]徐注出司馬彪郡國志、[正義]括地志云、中廬、在義淸縣北二十里、本春秋時廬戎之國也、秦謂之伊廬、漢爲中廬縣、項羽之將鍾離眛家在、韋昭及括地志云、皆說之也、[考證]顏師古曰、眛、音莫葛反、周壽昌曰、陳平傳稱眛爲項王骨鯁臣、以金間之、眛蓋楚重將也、愚按正義志下云字疑衍、項王死後亡歸信。漢王怨眛、聞其在楚、詔楚捕眛。[考證]梁玉繩曰、高祖卽帝位矣、何言漢王也、下文漢王畏惡其能同誤、信初之國、行縣

邑、陳兵出入。漢六年、人有上書告楚王信反。[考證]陳仁錫曰、漢六年、漢十二年、二漢字衍、高帝以陳平計、天子巡狩會諸侯。南方有雲夢。發使告諸侯會陳。吾將游雲夢。實欲襲信。信弗知。高祖且至楚。信欲發兵反。自度無罪。欲謁上。恐見禽。人或說信曰。斬眛謁上、上必喜、無患。信見眛計事。眛曰。漢所以不擊取楚、以眛在公所。若欲捕我以自媚於漢、吾今日死、公亦隨手亡矣。乃罵信曰。公非長者。卒自剄。信持其首謁高祖於陳。上令武士縛信載後車。信曰。果若人言。狡兔死、良狗亨。高鳥盡、良弓藏。敵國破、謀臣亡。[集解]張晏曰、狡、猶猾、[索隱]郊兔死、郊、音狡、狡、猾也、吳越春秋作郊兔、亦通、漢書作狡兔、戰國策曰、東郭逡海內狡兔也、[考證]楓、三本、亨作烹、亨藏亡韻、沈欽韓曰、蒯通曾以風韓信、故信云果若人言也、吳越春秋、大夫種曰、子胥於吳當夫差之誅也、謂臣曰、狡兔死、良犬烹、敵國滅、謀臣亡、顏師古引黃石公三略、非也、愚按說又見上文、

天下已定。我固當亨。上曰。人告公反。遂械繫信。至雒陽。赦信罪、以爲淮陰侯。信知漢王畏惡其能、常稱病不朝從。信由此日夜怨望、居常鞅鞅、羞與絳·灌等列。考證 絳、絳侯周勃、灌、灌嬰、 信嘗過樊將軍噲。噲跪拜送迎、言稱臣。曰。大王乃肯臨臣。信出門笑曰。生乃與噲等爲伍。上常從容與信言諸將能不。各有差。考證 楓、三本、常作嘗、 上問曰。如我能將幾何。信曰。陛下不過能將十萬。上曰。於君何如。曰。臣多多而益善耳。上笑曰。多多益善、何爲爲我禽。信曰。陛下不能將兵、而善將將。此乃信之所以爲陛下禽也。且陛下所謂天授、非人力也。考證 留侯世家、張良曰、沛公殆天授、酈生傳、酈食其稱漢王曰、非人之力也、天之福也、 陳豨拜爲鉅鹿守、辭於淮陰侯。集解 徐廣曰、表云、爲趙相國、將兵守代也、考證 漢書、改作爲代相監邊、周壽昌

曰、漢書當得其實、據史記豨傳、亦未嘗爲鉅鹿守、 淮陰侯挈其手、辟左右、與之步於庭、仰天歎曰。子可與言乎。欲與子有言也。豨曰。唯將軍令之。淮陰侯曰。公之所居、天下精兵處也。考證 張文虎曰、公下之字、舊刻有、與漢書合、 而公、陛下之信幸臣也。人言公之畔、陛下必不信。再至、陛下乃疑矣。三至、必怒而自將。吾爲公從中起、天下可圖也。陳豨素知其能也。信之曰。謹奉教。漢十年、陳豨果反。考證 張文虎曰、各本、十下衍一字、舊刻無、 上自將而往。信病不從。陰使人至豨所曰。弟舉兵。吾從此助公。考證 周壽昌曰、病、與稱病、情事絕異、觀下相國紿信語、則信病非假稱也、 信乃謀、與家臣夜詐詔赦諸官徒奴、欲發以襲呂后·太子。考證 胡三省曰、有罪而沒入官者爲奴、有罪而居作者爲徒、楓、三本、發下有兵字、與漢書合、 部署已定、待豨報。其舍人得罪於信。信囚、欲殺之。索隱 按晉灼曰、楚漢春秋云、謝公也、姚

氏案功臣表云、愼陽侯樂說、淮陰舍人、告信反、未知孰是、 舍人弟上變、告信欲反狀於呂后。考證 顏師古曰、凡言變告者、謂告非常之事、 呂后欲召。恐其黨不就、乃與蕭相國謀、詐令人從上所來、言豨已得死。考證 岡白駒曰、黨、儻通、楓、三本、豨上有陳字、漢書無得字、 列侯羣臣皆賀。相國紿信曰。雖疾彊入賀。考證 楓、三本、疾作病、與漢書合、 信入。呂后使武士縛信、斬之長樂鍾室。正義 長樂宮懸鍾之室、 信方斬曰。吾悔不用蒯通之計、乃爲兒女子所詐。豈非天哉。遂夷信三族。考證 楓、三本、乃下有果字、漢書乃作反、周壽昌曰、紀表俱作十一年誅信、此從十年豨反後敘入、未加分析也、歸有光曰、陳豨事、疑出告者之口案、必相國呂后文致之者、馮班曰、陳豨以賓客盛、爲周昌所疑、高祖使案其客、始反耳、未必素有逆謀、且豨以信幸爲趙相國、將兵居邊、非韓彭之儔、有震主之威、據大國者也、何爲先自疑而有反虛乎、韓信處嫌疑之地、輕與一陳豨出口言反、此亦非人情、信以淮陰侯家居、雖赦諸徒奴、合而使之、未易部勒也、上自出關中雖虛、未能全無備、亦不可信也、論者却未及此、梁玉繩曰、信之死冤矣、前賢皆極辨其無反狀、大抵出于告變者之誣詞、及呂后與相國文致耳、史公依漢廷獄案、敘入傳中、而其冤自見、一飯千金、弗忘漂母、解衣推食、寧負高皇、不聽涉通于擁兵王齊之日、必不妄動于淮陰家

居之時、不思結連布越大國之王、必不輕約邊遠無能之將、賓客多、與稱病之人何涉、左右辟則挈手之語誰聞、上謁入賀、謀逆者未必坦率如斯、家臣徒奴善將者、亦復部署有幾、是知高祖畏惡其能、非一朝夕、胎禍于躡足附耳、露疑于奪符襲軍、故禽縛不已、族誅始快、從豨軍來見信死、且喜且憐、亦諒其無辜受戮爲可憐也、獨怪蕭何初以國士薦、而無片語申救、又詐而紿之、毋乃與留侯勸封雍齒異乎、 高祖已從豨軍來。至。考證 楓、三本、從下有破字、 見信死、且喜且憐之。問信死亦何言。呂后曰。信言恨不用蒯通計。高祖曰。是齊辯士也。乃詔齊捕蒯通。蒯通至。上曰。若教淮陰侯反乎。考證 若、汝也、 對曰。然。臣固教之。豎子不用臣之策、故令自夷於此。如彼豎子用臣之計、陛下安得而夷之乎。上怒曰。亨之。通曰。嗟乎、冤哉、亨也。上曰。若教韓信反。何冤。對曰。秦之綱絕而維弛。山東大擾、異姓竝起、英俊烏集。秦失其鹿、天下共逐之。集解 張晏曰、以鹿喻帝位也、考證 楓、三本、烏作鳥、鹿、祿、音通、 於是高材疾足者先得焉。蹠之

狗吠堯。堯非不仁。狗固吠非其主。當是時、臣唯獨知韓信。非知陛下也。且天下銳精持鋒、欲爲陛下所爲者甚衆。顧力不能耳。又可盡亨之邪。【考證】胡三省曰、銳精、言磨淬精鐵而銳之、顏師古曰、顧、反也、 高帝曰。置之。乃釋通之罪。【考證】胡三省曰、置、猶舍也、赦也、漢書蒯通傳云、通論戰國時說士權變、亦自序其說、凡八十一篇、號曰雋永、藝文志縱橫家蒯子五篇、說又見田儋傳論贊、

太史公曰。吾如淮陰。淮陰人爲余言。韓信雖爲布衣時、其志與衆異。其母死。貧無以葬。然乃行營高敞地、令其旁可置萬家。【考證】楓、三本、萬下有餘字、 余視其母冢良然。假令韓信學道、謙讓、不伐己功、不矜其能、則庶幾哉、於漢家勳可以比周·召·太公之徒、後世血食矣。【考證】道字斥下句、老子二十二章、不自伐、故有功、不自矜、故長、庶幾哉三字屬下句、 不務出此、而天下已集、乃謀畔逆。夷滅宗族、不亦宜乎。【考證】李笠曰、天下已集、豈可爲逆於其必不可爲叛之時、而夷其宗族、豈有心肝人所宜出哉、讀此數語、韓信心迹、劉季呂雉手段、昭然若揭矣、文家反覆辨論、反不若此言之宛轉痛快、

【索隱】述贊、君臣一體、自古所難、相國深薦、策拜登壇、沈沙決水、拔幟傳餐、與漢漢重、歸楚楚安、三分不議、僞遊可歎、

淮陰侯列傳第三十二 史記九十二

史記會注考證卷九十三

漢　太史令司馬遷　撰

宋　中郎外兵曹參軍裴駰　集解

唐　國子博士弘文館學士司馬貞　索隱

唐　諸王侍讀率府長史張守節　正義

日本　出雲瀧川資言　考證

韓信盧綰列傳第三十三　史記九十三

【考證】史公自序云、楚漢相距鞏洛、而韓信爲塡潁川、盧綰絶籍糧饟、作韓信盧綰列傳第三十三、陳仁錫曰、韓王信盧綰封王同、反叛同、亡匈奴同、子孫來降同、故二人同列

傳、若陳豨、則以反事附見爾、

韓王信者、【集解】徐廣曰、一云信都、【索隱】楚漢春秋云、韓王信都、恐謬也、諸書不言有韓信都、案韓王信初爲韓司徒、後訛云申徒、因誤以爲韓王名耳、【考證】齊召南曰、案劉知幾謂韓王本名信都、史削去一字、遂與淮陰無別、此臆說也、史無削人名字之理、兩人姓名偶同、故稱韓王信以別之、知幾因表有信都二字、妄爲此解、不知因司徒訛爲申徒、因申徒又訛爲信都、官名本一、而音轉字別、遂致不同、非韓王本名信都也、故韓襄王孽孫也。長八尺五寸。【集解】張晏曰、孺子爲孽、【索隱】張晏云、庶子爲孽子、何休注公羊、以爲孽、賤子、猶之伐木有孽生也、漢書、晁錯云、孽子悼惠王、是也、及項梁之立楚後懷王也、燕・齊・趙・魏皆已前王。唯韓無有後。故立韓諸公子橫陽君成爲韓王、欲以撫定韓故地。【集解】徐廣曰、二年六月也、都陽翟、項梁敗死定陶、成犇懷王。沛公引兵擊陽【正義】故橫城、在宋州宋城縣西南三十里、城、【正義】河南縣也、使張良以韓司徒降下韓故地。【集解】徐廣曰、他本多作申徒、申與司聲相近、字由此錯亂耳、今有申徒、云是司徒之後、言司聲轉爲申、得信以爲韓將。將其兵從沛公入武

關。沛公立爲漢王。韓信從入漢中。迺說漢王曰。項王王諸將近地、而王獨遠居此。此左遷也。士卒皆山東人。跂而望歸。【索隱】跂、音企、起踵也、【正義】跂、音岐、及其鋒東鄉、可以爭天下。【集解】文穎曰、鋒銳欲東向、【索隱】按姚氏云、軍中將士氣鋒、韋昭曰、其氣鋒銳、欲東也、【考證】事又見高祖紀、紀、遷上無左字、鋒下有而用之三字、及其鋒、猶言及其銳氣方盛也、中井積德曰、是淮陰之首謀必矣、此以同名誤耳、愚按顧炎武亦有此說、詳見高祖紀、漢王還定三秦。【考證】應劭曰、章邯爲雍王、司馬欣爲塞王、董翳爲翟王、分王秦地、故曰三秦、迺許信爲韓王、先拜信爲韓太尉、將兵略韓地。項籍之封諸王、皆就國。韓王成以不從無功、不遣就國、更以爲列侯。【集解】徐廣曰、元年十一月、誅成、駰案漢書曰、封爲穰侯、【索隱】地理志、穰縣屬南陽、【考證】梁玉繩曰、此但言項籍廢韓王成爲侯、而不言其殺成、疏也、及聞漢遣韓信略韓地、迺令故項籍游吳時吳令鄭昌爲韓王、以距漢。【正義】項籍在吳時、昌爲吳縣令、漢二年、韓信略定韓十餘城。漢王至河南。韓信

急擊韓王昌陽城。昌降。漢王迺立韓信爲韓王。【集解】徐廣曰、二年十一月、【考證】楓、三本、迺上無王字、與漢書合、常將韓兵從。三年、漢王出滎陽。韓王信・周苛等守滎陽。及楚敗滎陽、信降楚。已而得亡、復歸漢。漢復立以爲韓王。竟從擊破項籍。天下定。【考證】楓、三本、定上有既字、五年春、遂與剖符爲韓王、王潁川。【考證】楓、三本、與下有信字、與漢書合、王先謙曰、以潁川爲王都、明年春、【集解】徐廣曰、卽五年之二月、駰案漢書曰、六年春、【正義】徐廣曰、卽高帝五年之二月也、漢紀竝云、六年、徙信都晉陽、未審徐何據而言之也、【考證】漢書韓信傳云、六年春、史記高祖紀亦以爲五年事、正義失考、上以韓信材武、所王北近鞏・洛、南迫宛・葉、東有淮陽、皆天下勁兵處。迺詔徙韓王信王太原、以北備禦胡。都晉陽。【正義】幷州、【考證】楓、三本、上以下有爲字、以北下重北字、鞏、今河南府鞏縣西南三十里、洛、洛陽、葉、式涉反、今葉縣南三十里、宛、今南陽府南陽縣治、淮陽、今陳州府淮寧縣治、晉陽、今太原府太原縣治、信上書曰。國被邊、匈奴數入晉陽。去塞遠。請治馬

邑。【集解】李奇曰、被、音被馬之被也、【正義】馬邑、朔州、【考證】顏師古曰、被、猶帶也、馬邑、今朔平府朔州治、 上許之。信乃徙治馬邑。秋、匈奴冒頓大圍信。【索隱】冒頓、上音墨、又音莫報反、 信數使使胡求和解。漢發兵救之。疑信數閒使、有二心、使人責讓信。【考證】漢書韓王信傳云、上賜信書責讓之曰、專死不勇、專生不任、寇攻馬邑、君王力不足以堅守乎、安危存亡之地、此二者朕所以責於君王、 信恐誅、因與匈奴約、共攻漢、反以馬邑降胡、擊太原。七年冬、上自往擊破信軍銅鞮、斬其將王喜。【正義】銅鞮、潞州縣、【考證】今沁州北四十里、 信亡走匈奴、與其將白土人曼丘臣・王黃等、立趙苗裔趙利爲王。復收信敗散兵、而與信及冒頓謀攻漢。【集解】張晏曰、白土、縣名、屬上郡、【考證】劉攽曰、下云而與信及冒頓謀攻漢、則上不當有與字、陳仁錫曰、與字衍文、愚按高紀亦無與字、周壽昌曰、曼丘、姓、臣、名、兩人皆白土人、見陳豨傳、 匈奴使左右賢王將萬餘騎、與王黃等屯廣武、以南至晉陽、與漢兵戰。【正義】廣武故城、在代州鴈門縣界也、 漢大破

之、追至于離石、復破之。【正義】離石、石州縣、【考證】各本、復上有後字、漢傳無、王念孫曰、此言漢兵破匈奴於晉陽、復追破之、不當有後字、 匈奴復聚兵樓煩西北。【正義】鴈門郡樓煩縣、【考證】今代州崞縣東北、 漢令車騎擊破匈奴。匈奴常敗走。漢乘勝追北、聞冒頓居代上谷。【正義】今嬀州、【考證】王念孫曰、上字衍、漢書作居代谷、是也、主父偃傳云、高皇帝聞匈奴聚於代谷之外、而欲擊之、御史成進諫、不聽、遂北至於代谷、果有平城之圍、是代谷與平城相近、若上谷則去平城遠矣、 高皇帝居晉陽。使人視冒頓。還報曰、可擊。上遂至平城。【正義】朔州定襄縣是也、【考證】平城、鴈門縣、今大同府大同縣東、 上出白登。【集解】服虔曰、白登、臺名、去平城七里、如淳曰、平城旁之高地、若丘陵也、【索隱】姚氏案北疆記、桑乾河北有白登山、冒頓圍漢高之所、今猶有壘壁、 匈奴騎圍上。上乃使人厚遺閼氏。【正義】閼、於連反、又音燕、氏、音支、單于嫡妻號、若皇后、 閼氏乃說冒頓曰、今得漢地、猶不能居。且兩主不相戹。居七日、胡騎稍引去。時天大霧。漢使人往來。胡不覺。護軍中尉陳平言上曰、胡者全兵。【集解】漢書音義曰、言唯弓矛、無雜仗也、

【考證】胡者、猶言胡人也、孫子攻篇云、夫用兵之法、全軍爲上、破軍次之、全旅爲上、破旅次之、全卒爲上、破卒次之、全兵之全、與此正同、言胡人不欲損傷卒伍、故强弩外嚮、不敢迫之、沈欽韓云、全兵、謂短兵自衛者、故可以弩破圍、周壽昌云、言胡全用銳利之兵以殺敵、如刀矛戈戟皆是、無楯鎧之類、以禦弩弓也、皆未得、 請令彊弩傅兩矢外嚮。【索隱】傅、音附、【考證】顏師古曰、每一弩而加兩矢、外嚮者、以禦敵也、 徐行出圍、入平城。漢救兵亦到。胡騎遂解去。漢亦罷兵歸。韓信爲匈奴將兵往來擊邊。漢十年、信令王黃等說誤陳豨。【考證】事見下文陳豨傳、 十一年春、故韓王信復與胡騎入居參合、距漢。【集解】蘇林曰、參合、代地也、【正義】故城、在朔州定襄縣北、【考證】今大同府陽高縣東北、 漢使柴將軍擊之。【集解】鄧展曰、柴奇也、【索隱】應劭云、柴武、鄧展云、柴奇、晉灼云、奇、武之子、應劭說爲得、此時奇未爲將、 遺信書曰、陛下寬仁。諸侯雖有畔亡、而復歸、輒復故位號、不誅也。【考證】漢書、上復字作後、 大王所知。今王以敗亡走胡。非有大罪。急自歸。韓王信報曰、陛下擢僕起閭巷、南面稱孤。此僕之幸也。

滎陽之事、僕不能死、囚於項籍。此一罪也。及寇攻馬邑、僕不能堅守、以城降之。此二罪也。【考證】楓、三本、及作反、漢書無及字、 今反爲寇將兵、與將軍爭一旦之命。此三罪也。夫種・蠡無一罪、身死亡。【集解】文穎曰、大夫種、范蠡也、【考證】亾、逃亾、 今僕有三罪於陛下。而欲求活於世。此伍子胥所以僨於吳也。【索隱】蘇林曰、僨、音奮、張晏曰、僨、僵仆也、【正義】信知歸漢必死、故引子胥以爲辭、 今僕亡匿山谷閒、旦暮乞貸蠻夷。僕之思歸、如痿人不忘起、盲者不忘視也。勢不可耳。【索隱】痿、耳誰反、舊音耳睡反、於義爲疏、張揖云、痿不能起、哀帝紀云、帝即位痿痺、是也、 遂戰。柴將軍屠參合、斬韓王信。【考證】梁玉繩曰、斬信者、樊噲傳云、所將卒、匈奴傳、是噲、與此異、漢書高紀、信傳、是柴、而噲與匈奴傳同史、未知孰是、 信之入匈奴、與太子俱。及至穨當城、生子。因名曰穨當。【集解】漢書音義曰、縣名、韋昭曰、在匈奴地、【考證】楓、三本、太子下有赤字、穨當城、韋說是、 韓太子亦生子。命曰嬰。至孝文十四

年、積當及嬰率其衆降漢。漢封積當爲弓高侯、【集解】地理志、河閒有弓高縣也、【索隱】地理志、屬河閒、漢書功臣表、屬營陵、【正義】滄州縣、【考證】梁玉繩曰、十四年、當作十六年、 嬰爲襄城侯。【索隱】案服虔云、縣名、功臣表、屬魏郡、 吳·楚軍時、弓高侯功冠諸將。【集解】徐廣曰、謚曰壯、【考證】漢書、軍作反、七國之反、頹當數膠西王卬罪、使自殺、見吳王濞傳、 傳子至孫。孫無子。失侯。嬰孫以不敬失侯。【集解】徐廣曰、表云、嬰子澤之、元朔四年、不敬國除、【考證】梁玉繩曰、案史漢表、嬰子澤之、元朔四年、坐詐病不從不敬、國除、則此言孫誤也、 積當孽孫韓嫣貴幸。名富顯於當世。【集解】漢書音義曰、嫣、音鄢陵之鄢、【索隱】音偃、又一言反、又休延反、竝通、【考證】見佞幸傳、漢書無富字、 其弟說再封、數稱將軍。卒。爲案道侯。【考證】韓說、見衛將軍傳、初封龍額侯、坐事失侯、後復爲案道侯、卒、猶終也、竟也、梁氏志疑云、當作今、失之、 子代。歲餘坐法死。【集解】徐廣曰、名長君、 後歲餘、說孫曾、拜爲龍額侯、【集解】徐廣曰、長君之子也、【索隱】徐廣曰、長君之子、案博物志、字季君也、 續說後。【索隱】額、五格反、又作雒、音洛、龍雒、縣名、【正義】史記表衛青傳、及漢書表云、韓說、元朔五年、從大將軍有功、封龍額侯、以酎金坐免、元封元年、擊東越有功、封按道侯、征和二年、孫子曾、復封爲龍額侯、漢

書功臣表云、武後元年、說孫曾紹封龍額侯、漢表是也、【考證】梁玉繩曰、子代歲餘以下、乃後人所續、當刪之、且續于侯表者、幷其名字兄弟而誤之、續于列傳者、亦旣誤以曾爲說孫、又誤其坐罪復封之歲、蓋說子興、以征和二年代、四年、坐祝詛斬、後元元年、興弟曾紹封也、集解正義、竝誤、 盧綰者、豐人也。與高祖同里。盧綰親與高祖太上皇相愛。【集解】如淳曰、親、謂父也、【考證】楓、三本、太上有親字、 及生男、高祖·盧綰同日生。里中持羊酒賀兩家。及高祖·盧綰壯、俱學書、又相愛也。【考證】書、文字也、高祖學書、故得試爲泗上亭長、可以補本紀、 里中嘉兩家親相愛、生子同日、壯又相愛、復賀兩家羊酒。【考證】楓、三本、家下有以字、 高祖爲布衣時、有吏事辟匿。盧綰常隨出入上下。及高祖初起沛、盧綰以客從。入漢中爲將軍、常侍中。從東擊項籍、以大尉常從、出入臥內。衣被飲食賞賜、羣臣莫敢望。雖蕭·曹等、特以事見禮、至其親幸、莫及盧綰。綰封爲長安侯。長安、故咸陽也。【正義】秦咸

陽、在渭北、長安、在渭南、蕭何起未央宮處也、 漢五年冬、以破項籍。【考證】楓、三本、以作已、 迺使盧綰別將、與劉賈擊臨江王共尉、破之。【集解】李奇曰、共敖子、 七月還。從擊燕王臧荼。臧荼降。高祖已定天下。諸侯非劉氏而王者七人。欲王盧綰。爲羣臣觖望。【集解】如淳曰、觖、音決別之決、望、猶怨也、瓚曰、觖、謂相觖而怨望也、韋昭曰、觖、猶冀也、【索隱】服虔音決、觖望、猶怨望也、又音企、韋昭音冀、【考證】姚鼐曰、觖、卽缺字之異體、缺少之意、中井積德曰、不滿之意、 及虜臧荼、迺下詔諸將相列侯、擇羣臣有功者以爲燕王。羣臣知上欲王盧綰、皆言曰。太尉長安侯盧綰、常從平定天下。功最多。可王燕。【考證】楓、三本、可下有立爲二字、愚按、從楓、三本、王燕、當作燕王、 詔許之。漢五年八月、迺立盧綰爲燕王。【考證】漢五年三字衍文、梁玉繩曰、八月、後九月之誤、 諸侯王得幸、莫如燕王。漢十一年秋、陳豨反代地。【考證】豨反、在十年九月、 高祖如邯鄲擊豨兵。【考證】楓、三本、祖下有怒字、豨下無兵字、 燕王

綰亦擊其東北。【考證】胡三省曰、代在燕之西南、故綰擊其東北、 當是時、陳豨使王黃求救匈奴。燕王綰亦使其臣張勝於匈奴、言豨等軍破。【考證】凌稚隆曰、伏後降匈奴者言張勝在匈奴爲燕使案、 張勝至胡。故燕王臧荼子衍出亡在胡。見張勝曰。公所以重於燕者、以習胡事也。燕所以久存者、以諸侯數反、兵連不決也。今公爲燕欲急滅豨等。豨等已盡、次亦至燕。公等亦且爲虜矣。【考證】楓、三本、毛本、已盡上重豨等二字、與漢書合、今從之、陳仁錫引洞本、亦重二字、各本脫、 公何不令燕且緩陳豨、而與胡和。【考證】漢書、和上有連字、 事寬、得長王燕。卽有漢急、可以安國。張勝以爲然。迺私令匈奴助豨等擊燕。燕王綰疑張勝與胡反、上書請族張勝。勝還、具道所以爲者。燕王寤。迺詐論它人、脫勝家屬、使得爲匈奴閒、【考證】楓、三本、人下有以字、與漢書合、 而陰

使范齊之陳豨所、欲令久亡連兵勿決。【集解】晉灼曰、使陳豨久亾畔、【考證】漢書無亾字、此疑衍、漢十二年、東擊黥布。豨常將兵居代。【考證】楓、三本、豨上有陳字、漢使樊噲擊。斬豨。其裨將降、言燕王綰使范齊通計謀於豨所。高祖使使召盧綰。綰稱病。上又使辟陽侯審食其·御史大夫趙堯往迎燕王。因驗問左右。【考證】楓、三本、問下有其字、與漢書合、綰愈恐、閉匿、謂其幸臣曰。非劉氏而王、獨我與長沙耳。【考證】漢書、王下有者字、楓、三本、長沙下有王字、往年春、漢族淮陰、夏、誅彭越。皆呂后計。【考證】漢書、刪春秋二字、誅彭越在三月、今上病、屬任呂后。呂后婦人、專欲以事誅異姓王者、及大功臣。【考證】徐孚遠曰、迎燕王者辟陽侯、故愈疑呂后之謀、迺遂稱病不行。其左右皆亡匿。語頗泄。辟陽侯聞之、歸具報上。上益怒。又得匈奴降者。降者言張勝亡在匈

奴、爲燕使。【考證】張文虎曰、降者二字、疑複衍、楓、三本、燕下有王字、漢書無、於是上曰。盧綰果反矣。使樊噲擊燕。燕王綰悉將其宮人家屬騎數千、居長城下候伺、幸上病愈、自入謝。四月、高祖崩。盧綰遂將其衆亡入匈奴。匈奴以爲東胡盧王。【考證】顧炎武曰、封之爲東胡王也、其姓盧、故稱東胡盧王、綰爲蠻夷所侵奪、常思復歸。居歲餘死胡中。高后時、盧綰妻子亡降漢。會高后病、不能見。舍燕邸。【考證】顏師古曰、舍、止也、諸侯王及諸郡朝宿之館在京師者、謂之邸、爲欲置酒見之。高后竟崩、不得見。盧綰妻亦病死。孝景中六年、盧綰孫他之、以東胡王降。【集解】如淳曰、爲東胡王來降也、漢紀、東胡、烏丸也、【正義】他、徒何反、【考證】梁玉繩曰、中六年、當作中五年、愚按漢書他之作他人、譌、封爲亞谷侯。【集解】徐廣曰、亞、一作惡、【正義】漢表在河內、

陳豨者、宛朐人也。不知始所以得從。【索隱】地理志、屬濟陰、下又云、梁人、是褚先生之說異也、【正義】宛朐、曹州縣也、太史公云陳豨、梁人、按宛朐、六國時屬梁、【考證】陳仁錫曰、不知始所

以得從、此史家缺疑例也、梁玉繩曰、案功臣表、豨以前元年從起、何云不知始所從、及高祖七年冬、韓王信反、入匈奴。上至平城還。迺封豨爲列侯。【集解】徐廣曰、功臣表曰、陳豨以特將將卒五百人、前元年從起宛朐、至霸上爲侯、以游擊將軍別定代、已破臧荼、封豨爲陽夏侯、【考證】錢大昕曰、功臣表、高祖六年正月、豨之元年也、又云、已破臧荼爲陽夏侯、則豨之侯在平城前矣、以趙相國將、監代邊兵。邊兵皆屬焉。【考證】程一枝曰、代下邊字衍、愚按淮陰侯傳、豨爲代相國監邊、高祖十年紀、九月代相陳豨反、上曰、代地吾所急、故封豨爲列侯、以相國守代、此豨爲代相國也、趙、當作代、豨常告歸過趙。趙相周昌、見豨賓客隨之者千餘乘、邯鄲官舍皆滿。豨所以待賓客、如布衣交、皆出客下。【正義】言屈己禮之、不用富貴自尊大、【考證】史公論贊云、豨、梁人、其少時數稱慕魏公子、豨還之代。周昌迺求入見。見上、具言豨賓客盛甚、擅兵於外數歲、恐有變。上乃令人覆案豨客居代者財物諸不法事。多連引豨。【考證】楓、三本、不下有如字、豨恐、陰令客通使王黃·曼丘臣所。【正義】二人、韓王信將、及高祖十

年七月、太上皇崩。【考證】陳仁錫曰、及高祖三字衍、愚按各本、十年譌七年、今從楓、三本、使人召豨。豨稱病甚。九月、遂與王黃等反、自立爲代王、劫略趙·代。【考證】楓、三本、宋本、中統、舊刻、毛本、吳校金板、作代王、它本譌大王、上聞、迺赦趙·代吏人爲豨所詿誤劫略者、皆赦之。【考證】漢書、刪皆赦之三字、上自往至邯鄲。喜曰。豨不南據漳水、北守邯鄲。知其無能爲也。【考證】楓、三本、知上有吾字、高紀作豨不南據邯鄲而阻漳水、爲是、說在高紀、趙相奏斬常山守尉。曰。常山二十五城。豨反、亡其二十城。【考證】漢高紀、趙相下補周昌二字、顏師古曰、守者郡守、尉者郡尉也、上問曰。守尉反乎。對曰。不反。上曰。是力不足也。赦之、復以爲常山守尉。上問周昌曰。趙亦有壯士可令將者乎。對曰。有四人。四人謁。上謾罵曰。豎子能爲將乎。四人慙伏。上封之各千戶、以爲將。左右諫曰。從入蜀·漢伐楚。功未偏行。今

此何功而封。上曰。非若所知。陳豨反、邯鄲以北皆豨有。吾以羽檄徵天下兵、未有至者。【集解】魏武帝奏事曰、今邊有小警、輒露檄插羽、飛羽檄之意也。駰案、推其言、則以鳥羽插檄書、謂之羽檄、取其急速若飛鳥也、【考證】張文虎曰、集解飛羽檄之意也、當作取飛羽檄之意也、今唯獨邯鄲中兵耳。【考證】漢高紀、今下有計字、非是、吾胡愛四千戶、不封此四人、以慰趙子弟。【考證】戶下不字、封下此字、據楓三本補、漢書漢紀、以上有不字、與楓三本異、皆曰。善。於是上曰。陳豨將誰。曰。王黃・曼丘臣。皆故賈人。上曰。吾知之矣。迺各以千金購黃臣等。十一年冬、漢兵擊斬陳豨將侯敞・王黃於曲逆下。【正義】定州北平縣東南十五里蒲陰故城是也、【考證】梁玉繩曰、史詮、謂王黃二字衍、是也、下云、生得王黃、樊噲傳云、虜王黃、則非斬矣、破豨將張春於聊城、斬首萬餘。【正義】博州縣、太尉勃入定太原・代地。十二月、上自擊東垣。東垣不下。卒罵上。東垣降。卒罵者斬之、不罵者黥之。【考證】王念孫曰、黥當從高祖紀作原、原之者、謂宥之也、若不罵者黥之、則人皆不免於罪矣、更命東垣爲眞定。王黃・曼丘臣、其麾下受購賞之、皆生得。【考證】楓三本、臣下有等字、中井積德曰、之字難讀、恐有誤、以故陳豨軍遂敗。上還至洛陽。上曰。代居常山北、趙迺從山南有之。遠。迺立子恆爲代王、都中都。代・鴈門皆屬代。【集解】徐廣曰、十一年正月、【正義】中都故城在汾州平遙縣西南十二里、高祖十二年冬、樊噲軍卒追斬豨於靈丘。【正義】蔚州是、【考證】高祖二字衍、楓三本、豨上有陳字、高紀靈丘作當城、

太史公曰。韓信・盧綰、非素積德累善之世。徼一時權變、以詐力成功。【考證】顏師古曰、徼、要也、音工堯反、楓三本徼作激、遭漢初定。故得列地南面稱孤。【考證】楓三本、列作裂、與漢書合、內見疑彊大、外倚蠻貊以爲援。是以日疏自危。事窮智困、卒赴匈奴。豈不哀哉。陳豨梁人。其少時數稱慕魏公子。【考證】宛朐屬濟陰、濟陰梁地、故史公稱爲梁人、魏公子、信陵君無知、及將軍守邊、招致賓客而下士、名聲過實。【考證】楓三本、及下有爲字、周昌疑之、疵瑕頗起。懼禍及身、邪人進說、遂陷無道。於戲悲夫。夫計之生孰成敗、於人也深矣。【考證】楓三本、孰作熟、

【索隱述贊】韓襄遺孼、始從漢中、剖符南面、徙邑北通、穨當歸國、龍頟有功、盧綰親愛、羣臣莫同、舊燕是王、東胡計窮、

韓信盧綰列傳第三十三　史記九十三

史記會注考證卷九十四

漢　太史令司馬遷　撰
宋　中郎外兵曹參軍裴駰　集解
唐　國子博士弘文館學士司馬貞　索隱
唐　諸王侍讀率府長史張守節　正義
日本　出雲瀧川資言　考證

田儋列傳第三十四　史記九十四

【考證】史公自序云、諸侯畔項王、唯齊連子羽城陽、漢得以間遂入彭城、作田儋列傳第三十四。王鳴盛曰、諸王稱王者多矣、皆見田儋傳中、以儋實首事、聊以爲標目耳、唐順之曰、文一串、似世家體、愚按以事論之、當列張耳陳餘傳前、

田儋者、狄人也。【集解】徐廣曰、今樂安臨濟縣也、【正義】淄州高苑縣西北、北狄故縣城、和帝改千乘爲樂安郡、【考證】狄、縣名、故齊王田氏族也。儋從弟田榮、榮弟田橫、皆豪、宗彊、能得人。【索隱】儋子市、從弟榮、榮子廣、榮弟橫、各遞爲王、榮幷王三齊、【考證】豪下、楓三本有族字、漢傳有桀字、陳涉之初起王楚也、使周市略定魏地。北至狄。狄城守。田儋詳爲縛其奴、從少年之廷、欲謁殺奴。【集解】服虔曰、古殺奴婢、皆當告官、儋欲殺令、故詐縛奴而以謁也、【正義】詳僞、羊爲二音、【考證】詳、佯同、正義本爲作僞、僞爲通、非詐僞之僞、見狄令、因擊殺令、而召豪吏子弟曰。諸侯皆反秦自立。齊、古之建國。儋、田氏。當王。遂自立爲齊王。【集解】徐廣曰、二世元年九月也、發兵以擊周市。周市軍還去。田儋因率兵東略定齊地。秦將章邯圍魏王咎於臨濟、急。【考證】姚範曰、魏咎所都之臨濟、當屬魏地、如解爲齊州之臨濟、則不得云東走東阿、愚按說見魏豹傳、魏王請救於齊。齊王田儋將兵救魏。【集解】徐廣曰、二年六月、章邯夜銜枚、擊大破齊・魏軍、殺田儋於臨濟下。【考證】楓、三、宋、中統、毛本、齊魏作齊楚、儋弟田榮、收儋餘兵、東走東阿。【考證】楓、三、中統、游、毛本、走上有東字、齊人聞王田儋死、迺立故齊王建之弟田假爲齊王、田角爲相、田閒爲將、以距諸侯。【考證】徐孚遠曰、假爲王建弟、於次應立、故田儋敗而齊人立之、田榮之走東阿、章邯追圍之。項梁聞田榮之急、迺引兵擊破章邯軍東阿下。章邯走而西。項梁因追之。而田榮怒齊之立假、迺引兵歸、擊逐齊王假。假亾走楚。齊相角亡走趙。角弟田閒、前求救趙。因留不敢歸。【考證】漢書、救上無求字、此衍、田榮乃立田儋子市爲齊王。榮相之、田橫爲將、平齊地。【集解】徐廣曰、二年八月、項梁既追章邯。章邯兵益盛。項梁使使告趙・齊、發

兵共擊章邯。田榮曰。使楚殺田假、趙殺田角・田閒、迺肯出兵。【考證】徐孚遠曰、齊方初立田市、恐田假尚存、民有異望故也、楚懷王曰。田假與國之王、窮而歸我。殺之不義。趙亦不殺田角・田閒以市於齊。【正義】市、如市沽貿易、【考證】懷王言止此、項羽紀以爲項梁語、是也、齊曰。蝮螫手則斬手、螫足則斬足。何者爲害於身也。【集解】應劭曰、蝮一名虺、螫人手足則割去其肉、不然則致死、【索隱】蝮、音芳伏反、螫、音臘、又音釋、【正義】按、蝮、毒蛇、長二三丈、嶺南北有之、虺長一二尺、頭腹皆一遍、說文云、虺博三寸、首大如擘、擘、手大指也、音步歷反、【考證】漢書、齊下補王字、楓三本、蝮下有蛇字、中井積德曰、斬者斷也、非割肉之謂、唐詩云、蝮蛇一螫手、壯士疾解腕、蝮虺異、非一物、張文虎曰、正義一遍、疑匾字誤分、今田假・田角・田閒於楚・趙、非直手足戚也。何故不殺。【集解】文穎曰、言將亾身、非手足憂也、瓚曰、於楚趙非手足之親、【正義】蝮蛇之喻、言蝮蛇螫人、則雖手足斬之、爲去其害也、今田氏等於楚趙、其害甚於斬手足、何不殺之乎、【考證】文穎說是、直、特通、但也、柯維騏曰、言田假田角、亦似蝮蛇之毒、將害于身、不獨手足之憂、漢書削去直字、謬矣、且秦復得志於天下、則齮齕用事者墳墓矣。【集解】如淳曰、齮齕、猶齚齧、【索隱】齮、音蟻、齕、音紇、齮齕、側齒齩也、【正義】按秦重得志、

非但辱身、墳墓亦發掘矣、若子胥鞭荊平王墓、一云、墳墓言死也、【考證】中井積德曰、注、不必言側齒、漢書用上有首字、顏師古曰、首用事、謂扫兵而立號者也、愚按墳墓、祖先塋域、　楚·趙不聽。齊亦怒、終不肯出兵。章邯果敗殺項梁、破楚兵。楚兵東走。而章邯渡河圍趙於鉅鹿。項羽往救趙。由此怨田榮。項羽既存趙、降章邯等、西屠咸陽滅秦、而立侯王也、迺徙齊王田市、更王膠東、治卽墨。【考證】顏師古曰、治、謂都之也、　齊將田都從共救趙、因入關。故立都爲齊王、治臨淄。【考證】楓、三本、從下有兵字、　故齊王建孫田安、項羽方渡河救趙、田安下濟北數城、引兵降項羽。項羽立田安爲濟北王、治博陽。【考證】楓、三本、立上有亦字、　田榮以負項梁、不肯出兵助楚·趙攻秦、故不得王。【考證】楓、三本、趙上有救字、漢傳、楚譌作漢、　趙將陳餘亦失職不得王。二人俱怨項王。項王既歸、諸侯各就國。田榮使

人將兵、助陳餘令反趙地。而榮亦發兵以距擊田都。田都亡走楚。田榮留齊王市、無令之膠東。【考證】漢傳、無令字、　市之左右曰、項王彊暴。而王當之膠東。不就國必危。市懼、迺亡就國。田榮怒、追擊殺齊王市於卽墨、還攻殺濟北王安。於是田榮迺自立爲齊王、盡幷三齊之地。【索隱】田市王膠東、田都王齊、田安王濟北、　項王聞之大怒、迺北伐齊。齊王田榮兵敗、走平原。平原人殺榮。【集解】徐廣曰、三年正月、【正義】平原、德州也、【考證】楓、三本、人作民、與漢傳合、梁玉繩曰、榮見殺之後、項羽立田假爲齊王、田橫反城陽擊假、假走楚、楚殺之、此缺、誤、　項王遂燒夷齊城郭、所過者盡屠之。【集解】徐廣曰、立故王田假也、　齊人相聚畔之。榮弟橫收齊散兵、得數萬人。反擊項羽於城陽。【集解】徐廣曰、假走楚、楚殺之、【正義】城陽、濮州雷澤是、【考證】顧炎武曰、城陽、正義以爲濮州雷澤縣、非也、漢書城陽國治莒、史記呂后紀、言齊王乃上城陽之郡、孝文紀、言以齊劇郡立朱虛侯章爲城陽王、而淮陰侯傳、言擊殺龍且於濰水

上、齊王廣亡去、信遂追北至城陽、皆此地、王先謙曰、城陽、今沂州府莒州治、　而漢王率諸侯敗楚、入彭城。【考證】黃淳耀曰、楚漢之際、六國蜂起自立、惟田氏最與楚齮齕、而陰德於漢甚大、初田儋救魏、爲章邯所殺、儋從弟榮、收兵走東阿、邯追圍之、項梁聞榮急、乃引兵擊破章邯、邯走而西、是榮之復振、皆項氏力也、微梁、榮且將蟲出矣、及梁既追章邯、邯兵益盛、梁使趣齊兵共擊章邯、榮乃要楚趙殺田假、一門三人、楚趙義不忍殺、則終不出兵、夫假固齊王建弟也、齊人以儋死故立之、既已逐之矣、又必欲殺之、又以楚之不殺也、覆用爲讎、坐視項梁之敗、不義甚矣、項羽由此怨榮、入關後、分王田都田安、榮距都殺安、盡幷三齊之地、羽北伐、而漢遂得劫五諸侯、共乘閒東向矣、榮之擧事、非以爲漢、而實陰爲漢用也、吾故曰、田氏最與楚齮齕、而陰德漢甚大、王鳴盛曰、項氏之敗、半爲田氏牽綴、不西憂漢、而北擊齊、以此致亡、愚按項王不王田榮陳餘、失計之甚者、敗因實在此、　項羽聞之、迺醳齊而歸、擊漢於彭城。【索隱】此豈亦以醳酒之義、竝古釋字、【考證】張文虎曰、索隱本醳、各本作釋、　因連與漢戰、相距滎陽。以故田橫復得收齊城邑。【集解】徐廣曰、四月、　立田榮子廣爲齊王、而橫相之、專國政。政無巨細、皆斷於相。橫定齊三年、漢王使酈生往說下齊王廣、及其相國橫。橫以爲然、解其歷下軍。漢將韓信引兵且東擊

齊。齊初使華無傷·田解軍於歷下以距漢。漢使至、迺罷守戰備、縱酒、且遣使與漢平。漢將韓信已平趙·燕、用蒯通計、度平原、襲破齊歷下軍、因入臨淄。齊王廣·相橫、怒以酈生賣己、而亨酈生。齊王廣東走高密、【集解】徐廣曰、高、一作假、　相橫走博陽、【集解】漢傳、博陽作博、王先謙曰、博陽、卽博縣、非汝南博陽也、　守相田光走城陽、【考證】顏師古曰、守相者、言爲相而專主居守之事、　將軍田既軍於膠東。楚使龍且救齊。齊王與合軍高密。漢將韓信與曹參破殺龍且、【集解】徐廣曰、四年十一月、　虜齊王廣。漢將灌嬰追得齊守相田光、至博陽。而橫聞齊王死、自立爲齊王、還擊嬰。嬰敗橫之軍於嬴下。【集解】晉灼曰、嬴、泰山嬴縣也、【正義】故嬴城、在兗州博城縣東北百里、【考證】漢書、嬴作羸、　田橫亡走梁、歸彭越。彭越是時居梁地。中立、且爲漢、且爲楚。韓信已殺龍且。因令

曹參進兵、破殺田既於膠東、使灌嬰破殺齊將田吸於千乘。【正義】千乘故城、在淄州高苑縣北二十五里、韓信遂平齊、乞自立爲齊假王。【集解】徐廣曰、二月也、漢因而立之。後歲餘、漢滅項籍、漢王立爲皇帝、以彭越爲梁王。田橫懼誅、而與其徒屬五百餘人入海、居島中。【集解】韋昭曰、海中山曰島、【正義】按海州東海縣、有島山、去岸八十里、【考證】李笠曰、入海居島、蓋泛指東海中島、韋說是、高帝聞之、以爲田橫兄弟本定齊、齊人賢者多附焉。今在海中不收、後恐爲亂。迺使使赦田橫罪而召之。田橫因謝曰、臣亨陛下之使酈生。今聞其弟酈商爲漢將而賢。臣恐懼不敢奉詔。請爲庶人守海島中。使還報。高皇帝迺詔衞尉酈商曰、齊王田橫卽至、人馬從者敢動搖者、致族夷。【考證】楓三本、商下無曰字、漢書有、迺復使使持節、具告以詔

商狀曰、田橫來、大者王、小者迺侯耳。不來、且舉兵加誅焉。【考證】顏師古曰、大者謂橫身、小者其徒屬、劉奉世曰、高帝唯召橫耳、故許之大者封王、小者不失爲侯、詳語意可知、豈爲其徒衆哉、愚按劉說是、田橫迺與其客二人、乘傳詣雒陽。【集解】如淳曰、四馬下足爲乘傳、【考證】中井積德曰、乘傳、乘於傳車也、未至三十里、至尸鄉廄置。【集解】應劭曰、尸鄉在偃師、瓚曰、廄置、置馬以傳驛也、橫謝使者曰、人臣見天子、當洗沐。止留。謂其客曰、橫始與漢王俱南面稱孤。【正義】老子云、貴以賤爲本、侯王自稱謂孤寡不穀、謙稱也、今漢王爲天子、而橫迺爲亡虜、而北面事之、其恥固已甚矣。且吾亨人之兄、與其弟竝肩而事其主。縱彼畏天子之詔不敢動我、我獨不愧於心乎。【考證】中井積德曰、上我字疑衍、且陛下所以欲見我者、不過欲一見吾面貌耳。今陛下在洛陽。【考證】漢書無今字、此疑衍、今斬吾頭馳三十里閒、形容尙未能敗。猶可觀

也。遂自剄、令客奉其頭、從使者馳奏之高帝。【正義】奉音捧、高帝曰。嗟乎、有以也夫。起自布衣、兄弟三人更王。豈不賢乎哉。爲之流涕。【考證】王鳴盛曰、高帝召田橫、恐其爲亂、非眞欲赦之、橫自知不免、來而自殺、高帝爲流涕、葬以王禮、高帝慣有此一副急淚、藉以欺人屢矣、不獨於田橫爲然、心實幸其死、非眞惜而哀之也、而拜其二客爲都尉、發卒二千人、以王者禮葬田橫。【正義】齊田橫墓、在偃師西十五里、崔豹古今注云、薤露蒿里、送哀歌也、出田橫門人、橫自殺、門人傷之而作悲歌、言人命如薤上露、易晞滅、至李延年乃分爲二曲、薤露送王公貴人、蒿里送士大夫庶人、使挽柩者歌之、俗呼爲挽歌、既葬。二客穿其冢旁孔、皆自剄、下從之。高帝聞之、迺大驚、以田橫之客皆賢。【考證】楓三本、賢下有者字、與漢書合、吾聞其餘尙五百人在海中、使使召之。至則聞田橫死、亦皆自殺。於是迺知田橫兄弟能得士也。

太史公曰。甚矣蒯通之謀、亂齊驕淮陰、其卒亡此兩人。【集解】韓信、

田橫、【考證】趙翼曰、蒯通事、與田儋何涉、而贊及之、疑後人竄入、愚按此言說韓信使襲齊也、故但言亂齊也、蒯通者善爲長短說、【索隱】言欲令此事長、則長說之、欲令此事短、則短說之、故戰國策亦名曰短長書是也、【考證】長短、猶言縱橫、論戰國之權變、爲八十一首。【集解】漢書曰、號爲雋永、永一作求、【索隱】雋永、書名也、雋音松兗反、【考證】梁氏志疑曰、翁孝廉云、漢書通傳、言八十一首號雋永、攷藝文志、無雋永、而有蒯子五篇、未知此八十一首否、史公述戰國時事、與策不同者五、豈取于雋永乎、今不可攷矣、通善齊人安期生。安期生嘗干項羽。項羽不能用其筴。已而項羽欲封此兩人。兩人終不肯受、亡去。田橫之高節、賓客慕義而從橫死。豈非至賢。余因而列焉。無不善畫者。莫能圖。何哉。【索隱】言天下非無善畫之人、而不知圖畫田橫及其黨慕義死節之事、何故哉、歎畫人不知畫此也、【考證】顧炎武曰、謂以橫兄弟之賢、而不能存齊、愚按索隱憒憒、

【索隱】述贊、秦項之際、天下交兵、六國樹黨、自置豪英、田儋殞寇、立市相榮、楚封王假、齊破酈生、兄弟更王、海島傳聲、

田儋列傳第三十四　史記九十四

史記會注考證卷九十五

漢 太史令 司馬遷 撰

宋 中郎外兵曹參軍 裴駰 集解

唐 國子博士弘文館學士 司馬貞 索隱

唐 諸王侍讀率府長史 張守節 正義

日本 出雲 瀧川資言 考證

樊酈滕灌列傳第三十五　史記九十五

考證 史公自序云、攻城野戰、獲功歸報、噲商有力焉、非獨鞭策、又與之脫難、作樊酈列傳、第三十五、陳仁錫曰、樊酈戰功多、滕灌次之、四人同傳、而敘事各不同、茅坤曰、太

史公詳次樊酈滕灌戰功、大略與曹參周勃等相似、然竝從、未嘗專將也、其間書法、曰攻、曰下、曰破、曰定、曰屠、曰殘、曰先登、曰却敵、曰陷陳、曰最、曰疾戰、曰斬首、曰虜、曰得、咸各有法、又如曰身生虜、曰所將卒斬、曰別將、此以各書其戰陣之績、有不可紊亂所授也、

舞陽侯樊噲者、沛人也。正義 舞陽、在許州葉縣東十里、噲、音快、又吉外反、沛、徐州縣、以屠狗為事。正義 時人食狗、亦與羊豕同、故噲專屠以賣之、考證 孟子梁惠王篇、雞豚狗彘之畜、無失其時、七十者、可以食肉、此狗亦食其肉也、周壽昌曰、禮記士無故不殺犬豕、又以其乘壺酒束脩一犬、月令、天子以犬嘗麻、以犬嘗稻、續志祀聖師周公孔子、牲以犬、知古者食犬與羊豕同、漢猶然也、玩注、是以其時食狗為異、知唐以來不復以犬充膳矣、與高祖俱隱。考證 漢書云、隱於芒碭山下、初從高祖起豐、攻下沛。考證 漢書云、陳勝初起、蕭何曹參使噲求迎高祖、立為沛公、凌稚隆曰、以下凡用十五從字、高祖為沛公、以噲為舍人。從攻胡陵・方與、正義 房預二音、考證 唐順之曰、傳內凡言從者、從沛公行軍也、別者、分軍專攻也、還守豐、擊泗水監豐下、破之。索隱 案監者、秦時御史監郡也、豐下、豐縣之下也、正義 泗水、郡名、考證 泗水監、名平、復東定沛、破泗水守薛西。索隱 謂破其守於薛縣之西也、考證 泗水守、名壯、與司馬𡰥戰碭東、卻敵、斬首十五級。

集解 張晏曰、秦司馬、正義 秦將章邯司馬尼、碭、宋州縣也、考證 張文虎曰、司馬𡰥、宋本𡰥、舊刻毛本譌尼、餘本譌尼、愚按、楓三本作𡰥、𡰥讀與夷同、賜爵國大夫。集解 文穎曰、卽官大夫也、正義 爵第六級也、常從沛公、擊章邯軍濮陽、攻城先登、斬首二十三級。賜爵列大夫。集解 文穎曰、卽公大夫、爵第七、考證 凌稚隆曰、以下凡五用先登字、復常從。從攻城陽、集解 徐廣曰、年表、二年七月、破秦軍濮陽東、屠城陽也、正義 按城陽近濮陽、而漢書作陽城、大錯誤、先登、下戶牖、正義 戶牖、汴州東陳留縣東北九十一里東昏故城是、破李由軍、斬首十六級、賜上閒爵。集解 孟康曰、不在二十爵中、如執圭執帛比也、如淳曰、閒或作聞、呂氏春秋曰、魏文侯東勝齊於長城、天子賞文侯以上閒爵、索隱 賜上閒爵、張晏云、得徑上聞、晉灼曰、名通於天子也、如淳曰、或作上聞、又引呂氏春秋、當證上閒、閒、音中閒之閒、考證 梁玉繩曰、索隱本作上聞、與漢書同、各本譌閒字、故如淳注引呂覽下賢篇、天子賞魏文侯以上聞爵為證、史注多譌字、漢書注不譌、沈欽韓曰、噲為沛公私將、此上聞爵、上達懷王也、中井積德曰、上聞爵在五大夫之下、非可以賞諸侯者、呂氏春秋恐難據作解、從攻圍東郡守尉於成武、卻敵、斬首十四級、捕虜十一人、賜爵五大夫。正義 成武、曹州縣、考證 漢書、十一人作十六人、從擊秦軍、出亳南。索隱 案亳湯

所都、今河南偃師有湯亳、是也、正義 亳故城、在宋州穀熟縣西南四十里、河閒守軍於杠里。破之、正義 杠里、地名、近城陽、考證 全祖望曰、秦郡無河閒、卽令有之、河閒時已屬趙、項章鉅鹿之軍、隔于其閒、不得至中原也、杠里一見於高紀、再見於是傳、其地在梁周之閒、非河閒之所部、或是三川守之軍、擊破趙賁軍開封北、以卻敵先登、斬候一人、首六十八級、捕虜二十七人、賜爵卿。正義 開封、汴州縣、考證 漢書、二十七人作二十六人、從攻破楊熊軍於曲遇。索隱 音齲顒二音、邑名也、正義 曲、丘雨反、遇、牛恭反、鄭州中牟縣有曲遇聚、攻宛陵、索隱 地理志、屬河南、正義 宛陵故城、在鄭州新鄭縣東北三十八里、先登、斬首八級、捕虜四十四人、賜爵封、號賢成君。集解 徐廣曰、時賜爵有執帛執圭、又有賜爵封而加美名以為號也、又有功、則賜封列侯、駰案、張晏曰、食祿比封君、而無邑、瓚曰、秦制、列侯乃有封爵也、索隱 張晏曰、食祿比封君、而無邑、徐廣曰、賜爵有執圭執帛、又有爵封而加美號、又小顏云、楚漢之際、權設寵榮、假其位號、或得邑地、或空受爵、此例多矣、約以秦制、於義不通、從攻長社・轘轅、正義 許州理縣也、轘轅、關在緱氏縣東南三十里、絕河津。正義 古平陰津、在河南府東北五十里也、東攻秦軍於尸南、正義 在偃師南、攻秦軍於犨、正義 在汝州魯山縣東南、

破南陽守齮於陽城東、攻宛城先登。西至酈以郤敵、斬首二十四級、捕虜四十人。【正義】酈、音擲、在鄧州新城縣西北四十里。【考證】漢書二十四級作十四級。 賜重封。【集解】張晏曰、益祿也、如淳曰、正爵名也、瓚曰、增封也、【索隱】張晏云、益祿也、臣瓚以爲增封、義亦近是、而如淳曰正爵名、非也、小顏以爲重封者兼二號、蓋爲得也、【考證】重封未詳、 攻武關、至霸上、斬都尉一人、首十級、捕虜百四十六人、降卒二千九百人。項羽在戲下、欲攻沛公。沛公從百餘騎、因項伯面見項羽、謝無有閉關事。項羽既饗軍士。中酒、亞父謀欲殺沛公。【集解】張晏曰、中酒、酒酣也、 令項莊拔劍舞坐中、欲擊沛公。項伯常肩蔽之。【考證】王念孫曰、肩當屛字之誤也、漢書作屛蔽、項羽紀云、常以身翼蔽沛公、張文虎曰、中統、舊刻、游本、無之字、有沛公二字、 時獨沛公與張良得入坐。樊噲在營外、聞事急、乃持鐵盾入到營。營衞止噲。噲直撞入、【集解】漢書音義曰、撞、音撞鐺、【正義】撞、直江反、 立帳下。【集解】徐廣曰、一本作立帷下、瞋目而視、眥眥血出、

項羽目之、問爲誰。張良曰。沛公參乘樊噲。項羽曰。壯士。賜之卮酒彘肩。噲既飲酒、拔劍切肉、食盡之。項羽曰。能復飲乎。噲曰。臣死且不辭。豈特卮酒乎。且沛公先入定咸陽、暴師霸上、以待大王。【正義】時羽未爲王、史追書、【考證】張照曰、按此等稱謂、非追書也、直是當時尊奉之辭、觀亞父謂項莊、君王爲人不忍、可見時羽雖未爲王、然已擅命立雍王矣、稱以大王、若固有之耳、 大王今日至、聽小人之言、與沛公有隙。臣恐天下解、【正義】紀買反、至此爲絕句、 心疑大王也。項羽默然。沛公如廁、麾樊噲去。既出。沛公留車騎、獨騎一馬、與樊噲等四人步從。【正義】車騎、沛公所乘之車、及從者之騎、【考證】漢書、樊上無與字、此疑衍、四人、樊噲、靳彊、夏侯嬰、紀成、 從閒道山下歸走霸上軍。而使張良謝項羽。項羽亦因遂已無誅沛公之心矣。是日微樊噲犇入營譙讓項羽、沛公事幾殆。【索隱】譙、音誚、責也、或才笑反、或亦作誚、【正義】幾、音祈、

【考證】敘事中插議論、陳仁錫曰、子長一手作項羽本紀與樊噲傳、兩處俱敘噲入鴻門事、紀則豐贍、傳則簡至、俱如畫筆、學者於此中、可窺作文關竅、 明日、項羽入屠咸陽、立沛公爲漢王。【考證】漢書、明日作後數日、蓋據高紀改正也、 漢王賜噲爵爲列侯、號臨武侯。【正義】桂陽臨武縣、【考證】錢大昕曰、戰國之際、趙有臨武君、未必遠取桂陽之臨武也、洪亮吉曰、案是時桂陽未屬漢、噲安得封此、且傳明言號臨武侯、則固以美號賜之、與夏侯嬰號昭平侯、傅寬號通德侯等同、非實邑也、下云、賜食邑杜之樊鄉、始有實封耳、正義誤、 遷爲郎中。從入漢中、還定三秦、別擊西丞白水北、【集解】徐廣曰、隴西有西縣、白水在武都、駰案如淳曰、皆地名也、晉灼曰、白水、今廣平魏縣也、地理志、無西丞、似秦將名、【索隱】案西謂隴西之西縣、白水、水名、出武都、經西縣、東南流、言噲擊西縣之丞、在白水之北耳、徐廣等說皆非也、【正義】括地志云、白馬水源出文州曲水縣西南、會經孫山下、 雍輕車騎於雍南破之。【正義】上雍、於拱反、【考證】上雍字、漢書作擁、蓋爲挾包之義、正義、音於拱反、亦讀爲擁、王念孫曰、上雍、是章邯爲雍王之雍、下雍、是雍縣也、酈商傳亦云、破雍將烏氏、愚按王說是也、擊字管到下句、破之字、管到上句、 從攻雍斄城先登。擊章平軍好時、【集解】音胎、【索隱】案雍卽扶風雍縣、斄、音台、卽后稷所封、今之武功故斄城是、章平卽章邯子也、【考證】張照曰、按高祖紀明云、雍王弟平、索隱子字、疑弟之誤、 攻城先登、陷陣斬縣令

丞各一人、首十一級、虜二十人。遷郎中騎將。【考證】楓、三本、遷下有爲字、與漢書合、王先謙曰、百官表、郎中有車戶騎三將、 從擊秦軍騎壤東。【索隱】小顏亦以爲地名、【正義】壤鄉在武功縣東南二十里、【考證】齊召南曰、曹參傳云、取壤鄉、擊三秦軍壤東、然則壤是鄉名、壤東、壤鄉之東也、王先謙曰、秦、三秦省文、 郤敵。遷爲將軍。攻趙賁、下郿・槐里・柳中・咸陽。【索隱】按柳中、卽細柳、地在長安西也、【正義】郿、岐州縣、 灌廢丘。最。【集解】李奇曰、以水灌廢丘也、張晏曰、最、功第一也、晉灼曰、京輔治華陰、灌北也、【索隱】灌、謂以水灌廢丘、城陷、其功最上也、李奇曰、廢丘、卽槐里也、上有槐里、此又言者、疑此是小槐里、非也、按文云、攻趙賁、下郿槐里柳中咸陽、總言所攻陷之邑、別言以水灌廢丘、其功特最也、何者、初云槐里、稱其新名、後言功最、是重舉、不欲再見其文、故因舊稱廢丘也、 至櫟陽。【正義】雍州縣、 賜食邑杜之樊鄉。【索隱】案杜陵有樊鄉、三秦記曰、長安正南山名秦嶺、谷名子午、一名樊川、一名御宿、樊鄉卽樊川也、【考證】楓、三本、之作東、 從攻項籍、屠煮棗。【索隱】檢地理志、無煮棗、晉說是、功臣表有煮棗侯、云清河有煮棗城、小顏以爲攻項籍屠煮棗、合在河南、非清河之城明矣、今案續漢書郡國志、在濟陰宛朐也、【正義】案其時項羽未渡河北、冀州信都縣東北五十里煮棗非矣、【考證】索隱依單本、當有譌脫、漢書注云、晉灼曰、煮棗、地理志無也、清河有煮棗城、功臣表有煮棗侯、楓、三本引索隱、明矣下有但未詳其處耳六字、亦與單本異、 擊破王武・程處軍於

外黃、攻鄒・魯・瑕丘・薛。【正義】鄒、兗州縣、在州東南六十二里、魯、兗州曲阜縣、瑕丘、兗州縣、薛、在徐州滕縣界、【考證】王先謙曰、曹參傳、王武反於外黃、程處反於燕、往擊盡破之、此傳俱在外黃、與參傳微異、服虔云、皆漢將、項羽敗漢王於彭城、盡復取魯・梁地。噲還至滎陽。益食平陰二千戶。【正義】平陰故城、在濟陽東北五里、以將軍守廣武。【考證】顏師古曰、卽滎陽之廣武、一歲、項羽引而東。從高祖擊項籍、下陽夏、虜楚周將軍卒四千人。【正義】夏、音假、陳州太康縣、【考證】顏師古曰、周殷、全祖望曰、周殷是時守九江、已以軍降漢、會擊夏陽、則是別一人矣、項氏諸將、尚有周蘭、圍項籍於陳、大破之、屠胡陵。【正義】陳、陳州、胡陵在兗州南、項籍既死、漢王爲帝。以噲堅守戰有功、益食八百戶。從高帝攻反燕王臧荼。虜荼定燕地。楚王韓信反。噲從至陳、取信定楚。【正義】徐州、更賜爵列侯、與諸侯剖符、世世勿絕。食舞陽。號爲舞陽侯。除前所食。【考證】楓、三本、食下有邑字、以將軍從高祖、攻反韓王信於代、

自霍人以往、【正義】先累反、又蘇果反、又山寡反、杜預云、霍人、晉邑也、霍人、當作葰、地理志云、葰人縣屬太原郡、括地志云、葰人故城、在代州繁時縣界也、至雲中。【正義】雲中郡縣、皆朔州善陽縣北三百八十里定襄故城是也、與絳侯等共定之、益食千五百戶。因擊陳豨、與曼丘臣軍戰襄國。破柏人、【集解】徐廣曰、曼一作甯字、【正義】襄國、邢州城、柏人、邢州縣、先登、降定清河・常山凡二十七縣、殘東垣。【集解】張晏曰、殘、有所毀也、瓚曰、殘、謂多所殺傷也、孟子曰、賊義謂之殘、【考證】王先謙曰、以其卒屬高祖也、見高紀、遷爲左丞相、破得綦毋卬・尹潘軍於無終・廣昌。【正義】在蔚州飛狐縣北七里、【考證】張文虎曰、綦毋卬、毛譌卬、中統、游、王、柯譌卯、破豨別將胡人王黃軍於代南。因擊韓信軍於參合。軍所將卒斬韓信。【正義】參合、在朔州定襄縣界、【考證】洪頤煊曰、漢書高帝紀、十一年、將軍柴武斬韓王信於參合、韓王信傳、十一年春、信復與胡騎入居參合、漢使柴將軍斬之、柴將軍屠參合、斬信、是時柴將軍屬樊噲、所將卒、卽武也、破豨胡騎橫谷。【正義】谷、音欲、蓋在代、斬將軍趙既、虜代丞相馮梁・守孫奮・大將王黃・將軍太卜太僕解福等十人、

與諸將共定代鄉邑七十三。【正義】解福、人姓名、【考證】楓、三本、王黃上有軍字、愚按、太卜、將軍名、漢書太卜作大將、大將下又增一人二字、恐非、其後燕王盧綰反。噲以相國擊盧綰、破其丞相抵薊南。【索隱】抵、音丁禮反、抵訓至、一云、抵者、丞相之名、【考證】周勃世家、得綰大將抵、丞相偃、則抵、大將名、抵上疑奪假大將三字、定燕地。凡縣十八、鄉邑五十一。益食邑千三百戶。定食舞陽五千四百戶。從斬首百七十六級。【考證】沈家本曰、按通計實百八十九級、內二十四級、依漢書作十四級、則百七十九級、虜二百八十八人、別破軍七、下城五、定郡六、縣五十二、得丞相一人、將軍十二人、二千石已下至三百石十一人。【考證】楓、三本、破軍七作破軍十、漢書、八十八人作八十七人、十二人作十三人、十一人作十二人、功臣表、五千四百戶作五千戶、噲以呂后女弟呂須爲婦。生子伉。故其比諸將最親。先黥布反時、高祖嘗病甚。【考證】徐孚遠曰、此段在擊燕以前、蓋追敘也、惡見人、臥禁中。詔戶者無得入羣臣。羣臣絳・灌等、

莫敢入十餘日。【考證】絳灌、周勃灌嬰、噲乃排闥直入。【正義】闥、宮中小門、大臣隨之。上獨枕一宦者臥。噲等見上流涕曰。始陛下與臣等起豐沛、定天下。何其壯也。今天下已定。又何憊也。且陛下病甚。大臣震恐。不見臣等計事、顧獨與一宦者絕乎。【考證】顏師古曰、顧、猶反也、王先謙曰、絕、長訣也、且陛下獨不見趙高之事乎。【考證】張文虎曰、侃侃數言、深切簡括、得大臣之體、不謂出之於噲也、案噲入闥諫沛公出舍、至鴻門說項羽、理直辭壯、足折羽之氣、此其人不必胥黨呂氏以危劉氏者、以須比雉、幾與祿產同論、寃哉、高帝笑而起。其後盧綰反。高帝使噲以相國擊燕。是時高帝病甚。人有惡噲黨於呂氏。卽上一日宮車晏駕、則噲欲以兵盡誅滅戚氏・趙王如意之屬。【考證】顏師古曰、惡、謂毀譖、高帝聞之大怒、乃使陳平載絳侯代將、而卽軍中斬噲。陳平畏呂后、執噲詣長安。至則高祖已崩。呂

后釋噲、使復爵邑。【考證】漢書、使作得、孝惠六年、樊噲卒。謚爲武侯。子伉代侯。而伉母呂須亦爲臨光侯。高后時用事專權。大臣盡畏之。【考證】漢書、高后上有噲字、非是、伉代侯九歲、高后崩。大臣誅諸呂·呂須婘屬。【索隱】嬃婘、音須眷二音、因誅伉。舞陽侯中絕數月。孝文帝既立。乃復封噲他庶子市人爲舞陽侯、復故爵邑。市人立二十九歲卒。謚爲荒侯。子他廣代侯。六歲侯家舍人得罪他廣、怨之。乃上書曰。荒侯市人、病不能爲人。【正義】言不能行人道、令其夫人與其弟亂而生他廣。他廣實非荒侯子。不當代後。詔下吏。孝景中六年、他廣奪侯爲庶人、國除。【索隱】案漢書平帝元始二年、封噲玄孫之子章爲舞陽侯、邑千戶、【考證】本傳贊云、余與他廣通、爲余言高祖功臣之興若此云、是他廣能存故家遺乘、亦佳公子也、徐孚遠曰、太史公與他廣善、故言其失侯、爲怨家所告、傳疑也、楓、三本、引索隱、二年下有繼絕世三字、曲周侯

酈商者、高陽人。【索隱】酈、音歷、高陽、聚名、屬陳留、【正義】曲周故城、在洛州曲周西南十五里、酈商、雍州西南聚邑人也、陳勝起時、商聚少年、東西略人得數千。【考證】楓、三本、千下有人字、與漢書合、沛公略地至陳留六月餘、【集解】徐廣曰、月表曰、二世元年九月、沛公起兵、二世三年二月、襲陳留、用酈食其策、起兵至此十九月矣、食其傳曰、既說高帝、已乃言其弟商、使從沛公也、【索隱】事與酈生傳及年表小不同、蓋史官意異也、【正義】徐注非也、言商先東西略得數千人、及沛公略地至陳留、商起兵乃六月餘、得四千人、以將軍從高祖也、【考證】中井積德曰、六月餘三字似衍文、不然、是商聚少年至屬沛公之月數矣、愚按三字當移沛公上、錯簡、商以將卒四千人、屬沛公於岐。【索隱】此地名闕、蓋在河南陳鄭之界、【正義】高紀云、酈食其說沛公襲陳留、乃以食其爲廣野君、酈商爲將、將陳留兵、與偕攻開封、酈生傳云、沛公引兵隨之、乃下陳留、爲廣陽君、言其弟酈商、使將數千人、從沛公、西南略地、此傳云、屬沛公於岐、從攻長社、案紀傳此說、岐當與陳留高陽相近也、【考證】楓、三本、岐下有下字、從攻長社、先登。賜爵封信成君。【考證】王先謙曰、初次賞功、卽賜爵封君、與靳歙同、從沛公攻緱氏、絕河津、破秦軍洛陽東。【考證】漢書、無沛公二字、從攻下宛·穰、定十七縣。【考證】楓、三本、穰上有破字、十七作七十、別將攻旬關、定漢中。【集解】漢書音義曰、漢中旬陽縣、音詢、

【索隱】案在漢中旬陽縣、旬水上之關、【考證】漢書、定上有西字、王先謙曰、別將有二義、一、小將別在他所、高紀、項梁盡召別將、是、一、別領一軍、爲將、此傳是、與周樊灌靳等傳、單言別者義同、項羽滅秦、立沛公爲漢王。漢王賜商爵信成君。【考證】梁玉繩曰、案劉奉世云、商先封信成君、君當作侯、是也、徐孚遠云、再言衍文、義門讀書記云、復云賜爵信成君、當卽樊噲傳所謂賜重封、竝非、王先謙曰、漢初先賜名號、如樊噲臨武、傳寬通德之類甚多、信成乃名號、後賜爵列侯、則實封耳、灌嬰傳、由昌文君賜號昌文侯、卽其例也、以將軍爲隴西都尉。別將定北地·上郡、【正義】北地、寧州、上郡、鄜州、破雍將軍焉氏、【集解】音支、【索隱】上音於然反、下音支、縣名、屬安定、漢書云、破章邯別將、【正義】縣、在涇州安定縣東四十里、【考證】焉氏、各本及漢書作烏氏、今從索隱單本、楓、三本、周類軍栒邑、【索隱】栒邑在豳州、地理志屬右扶風、栒、音荀、蘇駔軍於泥陽。【集解】徐廣曰、駔一作騠、【索隱】北地、縣名、駔者、龍馬也、【正義】故城、在寧州羅川縣北三十一里、泥谷水、源出羅川縣東北泥陽、源側有泉、於泥中潛流二十餘步、而流入泥谷、又有泥陽湫、在縣東北四十里、【考證】漢書、無於字、中井積德曰、據文例、於字衍、蘇駔、人名、何須別解、凌稚隆曰、按此傳以以字起頭、縣官名于上、附戰功于下、節節相承、與他傳體格不同、賜食邑武成六千戶。【正義】縣在華州鄭縣東十三里、【考證】漢書、作武城、以隴西都尉從擊項籍軍。五月出鉅野、與鍾離眛

戰、疾鬭。受梁相國印、益食邑四千戶。以梁相國將、從擊項羽、二歲。三月、攻胡陵。項羽既已死、漢王爲帝。其秋、燕王臧荼反。商以將軍從擊荼。戰龍脫、【集解】徐廣曰、在燕趙之界、駰案漢書音義曰、地名、【索隱】孟康曰、地名、在燕趙之界、其地闕、先登陷陣、破荼軍易下、卻敵。【考證】錢大昕曰、趙世家孝成王十九年、以龍兌汾門臨樂與燕、龍脫卽龍兌也、【正義】易州易縣、遷爲右丞相。【考證】周壽昌曰、此右丞相、與韓信樊噲傳寬皆假虛稱、賜爵列侯、與諸侯剖符、世世勿絕。食邑涿五千戶。號曰涿侯。【正義】涿、幽州、【考證】楓、三本、五千戶上有郡字、與漢書合、中井積德曰、初食六千戶、又益四千戶、合爲一萬戶、至此無減半之理、蓋前文有錯謬耳、下文當併案、或喪亂之後、民物凋弊、戶數有不中實者、又土地自有沃瘠、戶數多少、不足爲損益也、下傳傚此、以右丞相別定上谷、因攻代、受趙相國印。【正義】上谷、嬀州、【考證】王先謙曰、趙相國、是實任、右丞相猶虛稱也、以右丞相趙相國、別與絳侯等定代鴈門、得代丞相程縱·守相郭同·將軍已下至六百石十九。

人。【考證】顏師古曰、守相、謂爲相居守者、梁玉繩曰、案絳侯世家、爲周勃得程縱、 還以將軍爲太上皇衞、一歲。【考證】楓、三本、爲作將、與漢書合、王先謙曰、公卿表、商爲衞尉、卽此事、 七月、以右丞相擊陳豨、殘東垣。【考證】梁玉繩曰、案漢書、七月作十月、是、蓋豨以十年九月反、不得書七月矣、 又以右丞相從高帝擊黥布、攻其前拒、陷兩陳、得以破布軍。【集解】徐廣曰、拒、一作和、駰謂、拒、方陳、拒、音矩、【索隱】音巨、又音矩、裴駰云、拒、方陣、鄒氏引左傳有左拒右拒、徐云、一作和、和、軍門也、漢書作前垣、小顏以爲攻其壁壘之前垣也、李奇以爲前鋒堅蔽若垣墻、非也、 更食曲周五千一百戶、除前所食。【考證】張照曰、功臣表云、四千八百戶、 凡別破軍三、降定郡六、縣七十三、得丞相守相大將各一人、小將二人、二千石已下至六百石十九人。商事孝惠。高后時商病不治。【集解】文穎曰、不能治官事、【考證】漢書、治下有事字、 其子寄、字況。【索隱】酈寄字也、鄒氏本作兄、亦音況、 與呂祿善。及高后崩、大臣欲誅諸呂。呂祿爲將軍、軍於北軍。太尉勃不得入北軍。於是

乃使人劫酈商、令其子況紿呂祿。【索隱】紿、欺也、詐也、音待、 呂祿信之、故與出游。而太尉勃乃得入據北軍。遂誅諸呂。是歲商卒。謚爲景侯。子寄代侯。天下稱酈況賣交也。【集解】班固曰、夫賣交者、謂見利而忘義也、若寄、父爲功臣、而又執劫、雖摧呂祿、以安社稷、誼存君親、可也、【考證】蘇軾曰、當是時、寄不得不賣友也、罪在於寄以功臣子、而與國賊交、且相厚善也、 孝景前三年、吳・楚・齊・趙反。上以寄爲將軍、圍趙城。十月不能下。【考證】七國以正月反、三月滅、趙雖後下、不能相距十月之久也、漢書、作七月、亦誤、說在楚元王世家、 得俞侯欒布自平齊來。乃下趙城、滅趙。王自殺。除國。【集解】俞、音舒、【索隱】俞、音歈、縣名、又音輸、在河東、【考證】徐孚遠曰、趙除國、於酈寄傳無涉、蓋刪截舊文未淨者、愚按漢書、易乃下以下十一字、以迺滅趙三字、 孝景中二年、寄欲取平原君爲夫人。【集解】蘇林曰、景帝王皇后母臧兒也、【考證】楓、三本、君下有姊字、與漢書合、據外戚世家、武帝卽位、尊王太后母臧兒爲平原君、此景帝中二年、尚無平原君尊號、追記隨後稱耳、 景帝怒、下寄吏。有罪奪侯。景帝乃以商他子堅封爲繆侯、續酈氏

後。【集解】徐廣曰、繆者、更封邑名、謚曰靖、【索隱】繆、音穆、邑也、謚曰靖侯、漢書無謚、【正義】繆地未詳、【考證】楓、三本、繆下有靖字、 繆靖侯卒、子康侯遂成立。遂成卒。子懷侯世宗立。【集解】徐廣曰、世、一作他、【考證】張照曰、功臣表無世字、遂字、漢表有之、 世宗卒。子侯終根立。爲太常。坐法國除。【考證】張照曰、功臣表云、坐祝詛誅、國除、陳仁錫曰、爲太常坐法國除、此征和四年事、梁玉繩曰、七字後人妄增、 汝陰侯夏侯嬰、沛人也。【正義】汝陰、卽今陽城、 爲沛廄司御。【索隱】案楚漢春秋云、滕公者御也、【考證】索隱、依單本、楓、三本、 每送使客、還過沛泗上亭、與高祖語、未嘗不移日也。嬰已而試補縣吏、與高祖相愛。高祖戲而傷嬰。人有告高祖。【集解】韋昭曰、告、白也、白高祖傷人、【考證】中井積德曰、戲、蓋相撲之類、非徒戲嫚、愚按、告、告訴也、 高祖時爲亭長。重坐傷人。【集解】如淳曰、爲吏傷人、其罪重也、【考證】重、猶難也、 告故不傷嬰。【集解】鄧展曰、律有故乞鞫、高祖自告不傷人、【索隱】案晉灼云、獄結竟、呼囚鞫語罪狀、囚若稱枉欲乞鞫者許之也、【考證】中井積德曰、言元來無傷人之事也、 嬰證之。後獄覆。【索隱】案韋昭曰、高帝自言不傷嬰、嬰證之、是獄辭翻覆也、【考證】嬰證之、其事已息、告者坐誣告之罪、不服、故覆審也、 嬰

坐高祖繫歲餘。掠笞數百。終以是脫高祖。高祖之初與徒屬欲攻沛也、嬰時以縣令史爲高祖使。【正義】爲、于僞反、使、所吏反、 上降沛一日。【正義】謂父老開城門迎高祖、【考證】淩稚隆曰、一日二字未詳、或以高祖書帛射城中、一日而開門出降也、 高祖爲沛公、賜嬰爵七大夫、以爲太僕。【考證】陳仁錫曰、滕公傳、以太僕二字爲主、凡四爲太僕、五奉車、從擊、四以兵車趣攻戰疾、五以太僕從擊、三以太僕事、種種戰功、自始至終、不離太僕、此子長作文用奇處、漢書刪常奉車者三、刪以太僕者三、刪以兵車者一、難與窺文章之奧矣、 從攻胡陵。嬰與蕭何降泗水監平。平以胡陵降。【集解】張晏曰、胡陵、平所止縣、何嘗給之、故與降也、 賜嬰爵五大夫。從擊秦軍碭東、攻濟陽、下戶牖、破李由軍雍丘下、以兵車趣攻戰疾。賜爵執帛。常以太僕奉車。從擊章邯軍東阿濮陽下。以兵車趣攻戰疾、破之。賜爵執珪。復常奉車。從擊趙賁軍開封、楊熊軍曲遇、【考證】漢書、楊作揚、 嬰從捕虜六十八人、降卒八百

五十人、得印一匱。【索隱】案說文云、匱、匣也、謂得其時自相部署之印、 因復常奉車。從擊秦軍雒陽東、以兵車趣攻戰疾。賜爵封轉爲滕公。【集解】徐廣曰、令也、駰案鄧展曰、今沛郡公丘、漢書曰、嬰爲滕令奉車、故號滕公、【正義】滕、即公丘故城是、在徐州滕縣西南十五里、【考證】中井積德曰、爵封之號不傳也、與滕公自別、愚按漢書、滕公作滕令、楚人稱令爲公、說已見前、 因復奉車、從攻南陽、戰於藍田·芷陽、【索隱】芷、音止、地名、今霸陵也、在京兆、 以兵車趣攻戰疾、至霸上。項羽至、滅秦、立沛公爲漢王。【考證】楓三本、滅秦上有咸陽二字、 漢王賜嬰爵列侯、號昭平侯。復爲太僕、從入蜀漢、還定三秦。從擊項籍至彭城。項羽大破漢軍。漢王敗不利。馳去。見孝惠·魯元載之。漢王急。馬罷、虜在後。常蹶兩兒欲弃之。【索隱】蹶、音厥、又音巨月反、一音居衞反、漢書作蹳、音撥、【考證】王先謙曰、以足蹋兩兒使下也、 嬰常收、竟載之、徐行面雍樹乃馳。【集解】服虔曰、急欲弃之、故嬰圍樹走也、面、向樹也、應劭曰、古者皆立乘、嬰恐小兒墜、各置一面雍持之植立也、蘇林曰、南陽人謂抱小兒爲雍樹、面

者、大人以面首向臨之、小兒抱大人頸似懸樹也、【索隱】蘇林與晉灼皆言南方及京師謂抱兒爲擁樹、今則無其言、或當時有此說、其應服之說蓋疎也、【考證】項羽紀云、楚騎追漢王、漢王急、推墮孝惠魯元車下、滕公常下收載之、如是者三、曰、雖急不可以驅、奈何棄之、於是遂得脫、漢書常收竟載之徐行面雍樹乃馳、作常收載行面雍樹馳、顏師古曰、面、偝也、雍、抱持之、言取兩兒、令面背己、而抱持之以馳、雍讀曰擁、沈欽韓曰、方言、樹、植立也、中井積德曰、雍、蓋地名、初倉皇奔逃、莫適往、望雍之樹色、乃馳而趨之也、灌嬰傳云、漢王遁而西還、軍於雍丘、然則所謂雍、指雍丘邪、愚按、面雍樹三字、李光地洪頤煊諸人亦有別解、皆未得、中說較長、 漢王怒、行欲斬嬰者十餘。卒得脫、而致孝惠·魯元於豐。漢王既至滎陽、收散兵、復振。賜嬰食祈陽。【集解】徐廣曰、祈一作沂、【索隱】蓋鄉名也、漢書作沂、楚無其縣、【考證】漢書、食下有邑字、梁玉繩曰、徐廣祈作沂、是也、漢書、水經注六、竝作沂陽、 復常奉車、從擊項籍、追至陳、卒定楚、至魯。益食茲氏。【索隱】縣名也、地理志屬太原、 漢王立爲帝。其秋、燕王臧荼反。嬰以太僕從擊荼。明年、從至陳、取楚王信。更食汝陰、剖符世世勿絕。以太僕從擊代、至武泉·雲中。【索隱】地理志、武泉屬雲中、【正義】二縣、在朔州善陽縣界、 益食千戶。因從擊

韓信軍胡騎晉陽旁、大破之。追北至平城、爲胡所圍七日、不得通。高帝使使厚遺閼氏。冒頓開圍一角。高帝出欲馳。嬰固徐行、弩皆持滿外向。卒得脫。【考證】固讀爲故、顏師古曰、故示閒暇、所以固士卒心而令敵不測也、楓三本、作因、亦通、 益食嬰細陽千戶。【索隱】地理志、屬汝南、 復以太僕從、擊胡騎句注北、大破之。以太僕擊胡騎平城南、三陷陳、功爲多。賜所奪邑五百戶。【集解】漢書音義曰、時有罪過奪邑者、以賜之、【考證】王文彬曰、嬰攻戰時所奪之邑、即以賜之也、 以太僕擊陳豨·黥布軍、陷陳卻敵。益食千戶、定食汝陰六千九百戶、除前所食。嬰自上初起沛、常爲太僕、竟高祖崩。以太僕事孝惠。孝惠帝及高后、德嬰之脫孝惠·魯元於下邑之閒也、【正義】宋州碭山縣、 乃賜嬰縣北第第一。曰近我。以尊異之。【考證】漢書無縣字、顏師古曰、北第者、近北闕之第、嬰最第一也、故張衡西京賦云、北闕

甲第、當道直啓、 孝惠帝崩。以太僕事高后。高后崩、代王之來、嬰以太僕與東牟侯入清宮、廢少帝。【考證】東牟侯興居、 以天子法駕迎代王代邸、與大臣共立爲孝文皇帝。復爲太僕。八歲卒。謚爲文侯。【索隱】案姚氏云、三輔故事曰、滕文公墓、在飲馬橋東大道南、俗謂之馬冢、博物志曰、公卿送嬰葬至東都門外、馬不行、踣地悲鳴、得石槨、有銘曰、佳城鬱鬱、三千年見白日、吁嗟滕公居此室、乃葬之、 子夷侯竈立。七年卒。子共侯賜立。三十一年卒。子侯頗尚平陽公主。【考證】漢書云、頗尚平陽公主、主隨外家姓、號孫公主、錢大昕曰、漢景帝女平陽公主、本陽信公主、王皇后生、元帝平陽公主、衞倢伃生、其外家皆非孫氏、此夏侯頗所尚之平陽公主、蓋別一人、愚按事在元鼎以前、則非元帝女則明矣、 立十九歲、元鼎二年、坐與父御婢姦罪、自殺。國除。潁陰侯灌嬰者、睢陽販繒者也。【正義】今陳州南頓縣西北十三里潁陰故城是、睢陽、宋州宋城縣、 高祖之爲沛公、略地至雍丘下。章邯敗殺項梁。而沛公還軍於碭。嬰初以中涓從、擊破東郡尉於成武。

及秦軍於杠里、疾鬭。賜爵七大夫。【考證】楓、三本、及下有擊字、凌稚隆曰、此下凡用十五從字、又曰、按此傳以疾鬭、疾力、疾戰、所將卒、受詔、別擊、及生得、身生得爲眼目、然亦有從字法、以字法、文以嬰名冠于其首、錯綜顚倒、變化不測、從攻秦軍亳南・開封・曲遇、戰疾力。【集解】服虔曰、疾攻之、【考證】李笠曰、疾、謂急劇也、疾力、竝形容戰字、賜爵執帛、號宣陵君。從攻陽武、以西至雒陽、破秦軍尸北、北絕河津、南破南陽守齮陽城東、遂定南陽郡。西入武關、戰於藍田。疾力、至霸上。賜爵執珪、號昌文君。【索隱】亦稱宣陵君、皆非爵土、加美號耳、沛公立爲漢王。拜嬰爲郎中。從入漢中。十月拜爲中謁者。【考證】據高紀、雍王章邯、在八月、灌拜中謁者、當在其前、十字疑有誤、漢書同、從還定三秦、下櫟陽、降塞王、還圍章邯於廢丘。未拔。從東出臨晉關、擊降殷王、定其地。擊項羽將龍且・魏相項他軍定陶南、疾戰破之。【考證】項它、蓋魏人、楓、三本、定陶上有走字、賜嬰爵列侯、號昌文侯、

食杜平鄉。【索隱】謂食杜縣之平鄉、【考證】漢書同、李慈銘曰、食杜平鄉四字衍、王先謙曰、諸傳賜名號侯、無卽賜食邑者、復以中謁者從、降下碭、以至彭城。【考證】至上、楓、三本、有西字、漢書有北字、項羽擊大破漢王。漢王遁而西。嬰從還軍於雍丘。王武・魏公申徒反。【集解】張晏曰、秦將降爲公、今反、從擊破之。攻下黃。【正義】故城、在曹州考城縣東二十四里、【考證】楓、三本、黃上有外字、與漢書合、西收兵軍於滎陽。楚騎來衆。漢王乃擇軍中可爲車騎將者。【考證】漢書、無車字、此疑衍、皆推故秦騎士重泉人李必・駱甲習騎兵。今爲校尉。可爲騎將。【集解】徐廣曰、重泉、屬馮翊、【索隱】必甲、二人名也、姚氏案漢紀、桓帝延熹三年、追錄高祖功臣、李必後黃門丞李遂、爲晉陽關內侯也、【正義】重泉故城、在同州蒲城縣東南四十五里、【考證】張照曰、李必後封戚侯、見功臣表、作季必、漢王欲拜之。必・甲曰。臣故秦民。恐軍不信臣。臣願得大王左右善騎者傅之。【集解】如淳曰、傅、音附、猶言隨從者、【考證】傅、相也、灌嬰雖少、然數力戰。乃拜灌嬰爲中大夫、令李必・駱甲爲左

右校尉、將郎中騎兵、擊楚騎於滎陽東、大破之。【考證】凌稚隆曰、以上竝從功、以下纔獨將、受詔別擊楚軍後、絕其餉道、起陽武至襄邑。【考證】凌稚隆曰、六用受詔字、擊項羽之將項冠於魯下、破之。所將卒、斬右司馬騎將各一人。【集解】張晏曰、主右方之馬、左亦如之、擊破柘公・王武軍於燕西。【集解】徐廣曰、柘屬陳、【索隱】案武、柘縣令也、柘縣、屬陳、【正義】柘、屬淮陽國、案滑州胙城、本南燕國也、【考證】王先謙曰、曹參、樊噲、靳歙傳、及本傳、上文不言王武是柘公、自別一人、非卽王武也、所將卒、斬樓煩將五人、【集解】李奇曰、樓煩、縣名、其人善騎射、故以名射士爲樓煩、取其美稱、未必樓煩人也、張晏曰、樓煩、胡國名也、【考證】中井積德曰、射士稱樓煩、取胡名也、非取縣名、樓煩解、在項羽紀、連尹一人、【集解】張晏曰、大夫、楚官、【索隱】蘇林曰、楚官也、案左傳、莫敖連尹宮廄尹是、擊王武別將桓嬰白馬下、破之。所將卒、斬都尉一人。以騎渡河、南送漢王到雒陽。使北迎相國韓信軍於邯鄲、還至敖倉。嬰遷爲御史大夫。【考證】御史大夫、假官、三年、以列侯食邑杜平鄉。

【考證】劉奉世曰、前已爲列侯、食杜平鄉矣、疑駢出、王先謙曰、前是衍文、以御史大夫受詔、將郎中騎兵、東屬相國韓信、擊破齊軍於歷下。所將卒虜車騎將軍華毋傷、及將吏四十六人。降下臨菑、得齊守相田光、追齊相田橫至嬴・博、破其騎。【考證】嬴、博、二縣名、楓、三本、破上有擊字、與漢書合、所將卒、斬騎將一人、生得騎將四人、攻下嬴・博、破齊將軍田吸於千乘。所將卒、斬吸。東從韓信、攻龍且・畱公旋於高密。【索隱】畱縣令、稱公、旋其名也、高密、縣名、在北海、漢書、作假密、假密、地名、不知所在、未知孰是、【正義】畱縣、在沛郡、公、其令、【考證】張文虎曰、中統、游本、吳校金板、有旋字、宋本、王、柯、淩、毛本、無、索隱本、旋作族、無於字、愚按、楓、三本、班馬異同、亦有旋字、梁玉繩曰、考曹相國世家、作上假密、田儋傳、作高密、漢書、皆與史不異、惟此有高假之分、疑是一地二名、卒斬龍且、【集解】文穎曰、所將卒、生得右司馬連尹各一人、樓煩將十人、身生得亞將周蘭。【考證】顏師古曰、亞、次也、齊地已定。韓信自立爲齊王。使嬰別將、擊楚將公杲於魯

北、破之。轉南破薛郡長。【考證】楓、三本、呆作果、顏師古曰、長亦如郡守也、時每郡置長、 身虜騎將一人。攻博陽、【考證】梁玉繩曰、博陽、當作傅陽、 前至下相以東南僮・取慮・徐、【索隱】取、音秋、慮、音閭、取又音趣、僮・徐是二縣、取慮是一縣名、 度淮、盡降其城邑、至廣陵。【集解】漢書音義曰、住廣陵以禦敵、【正義】謂從下相以東南、盡降城邑、乃至廣陵、皆平定也、 項羽使項聲・薛公・郯公復定淮北。嬰度淮、北擊破項聲・郯公下邳、【正義】郯、音談、東海縣、 斬薛公、下下邳。【考證】漢書、作下下邳壽春、 擊破楚騎於平陽、【索隱】【正義】小顏云、此平陽在東郡、地理志、太山有東平陽縣、南平陽縣城、今兗州鄒縣也、在兗州東南六十二里、案鄒縣、去徐州滕縣界四十餘里也、【考證】洪頤煊曰、地理志、東郡有陽平、而無平陽、山陽郡南平陽、與下邳彭城近、 遂降彭城、虜柱國項佗。【考證】梁玉繩曰、案彭城、項王所都、若降彭城、則破其都矣、何必鴻溝之約乎、降字誤、蓋圍彭城而破其軍也、 降留・薛・沛・酇・蕭・相、攻苦・譙。【正義】【考證】戶焦二音、二縣名、 復得亞將周蘭。【考證】梁玉繩曰、高密已生得周蘭、此云復得、豈逸而重獲乎、 與漢王會頤鄉。【集解】徐廣曰、苦縣有頤鄉、【索隱】徐廣云、苦縣有頤鄉、音以之反、 從擊項籍軍於

陳下、破之。所將卒斬樓煩將二人、虜騎將八人。賜益食邑二千五百戶。項籍敗垓下去也、嬰以御史大夫受詔、將車騎別追項籍、至東城破之。【正義】縣、在濠州定遠縣東南五十五里、【考證】東城、今鳳陽定遠縣、 所將卒五人、共斬項籍。皆賜爵列侯。降左右司馬各一人、卒萬二千人、盡得其軍將吏、下東城・歷陽。【正義】和州歷陽縣、即今州城是也、 渡江、破吳郡長吳下、得吳守。【集解】如淳曰、雄長之長也、【索隱】下有郡守、此長即令也、如淳以爲雄長、非也、【正義】今蘇州也、案如說非也、吳郡長、即吳郡守也、一破吳郡長兵於吳城下、而得吳郡守身也、【考證】齊召南曰、按後儒以會稽至東漢順帝分、遂疑二史此文爲誤、然亦安知楚漢之際、不嘗分爲二郡、而其後復合乎、下文又曰遂定吳豫章會稽郡、則尤明矣、 遂定吳・豫章・會稽郡。還定淮北。凡五十二縣。漢王立爲皇帝、賜益嬰邑三千戶。其秋、以車騎將軍、從擊破燕王臧荼。明年、從至陳、取楚王信。還剖符、世世勿絕。食潁陰二千五百

戶、號曰潁陰侯。【考證】中井積德曰、杜平之外、益邑兩回、合五千五百矣、至此乃食潁陰二千五百戶、蓋不除前所食耳、 以車騎將軍從擊反韓王信於代、至馬邑。受詔別降樓煩以北六縣、斬代左相、破胡騎於武泉北。【正義】縣名、在朔州北二百二十里、【考證】楓、三本、泉作原、 復從擊韓信胡騎晉陽下。所將卒斬胡白題將一人。【集解】服虔曰、胡名也、【考證】沈欽韓曰、梁書諸夷傳、白題國、其先匈奴之別種胡、今在滑國東、按裴子野即援此傳爲證、 受詔并將燕・趙・齊・梁・楚車騎、擊破胡騎於硰石。【集解】服虔曰、硰、音沙、【索隱】服虔音沙、劉氏音千臥反、 至平城、爲胡所圍。從還軍東垣。從擊陳豨。受詔別攻豨丞相侯敞軍曲逆下、破之。卒斬敞及特將五人。【集解】文穎曰、特一之特也、【考證】周壽昌曰、特將、楚漢間所置將名、功臣表、陳豨以特將將卒五百人、前元年從起宛朐、是也、韓信傳、亦有特將、似皆其所部裨將、 降曲逆・盧奴・上曲陽・安國・安平。【正義】盧奴、定州安喜縣是、曲陽、定州曲陽縣是、安平、定州安平縣、 攻下東垣。黥布反。以車騎將軍、先出攻布別

將於相、破之、斬亞將樓煩將三人。又進擊破布上柱國軍、及大司馬軍。又進破布別將肥誅。【集解】徐廣曰、一作銖、【索隱】案漢書作肥銖、【正義】誅、音珠、 嬰身生得左司馬一人。【考證】陳仁錫曰、嬰字衍文、 所將卒斬其小將十人。追北至淮上。益食二千五百戶。布已破。高帝歸。定令嬰食潁陰五千戶、除前所食邑。【考證】中井積德曰、杜平之外、益邑三回、合八千戶矣、今乃減爲五千戶、說見于酈商傳、 凡從得二千石二人。別破軍十六。降城四十六。定國一。郡二。縣五十二。得將軍二人。柱國相國各一人。二千石十人。嬰自破布歸、高帝崩。嬰以列侯事孝惠帝及呂太后。太后崩。呂祿等以趙王自置爲將軍、軍長安爲亂。【考證】楓、三本、長安下有欲字、與漢書合、中井積德曰、祿爲上將軍、在高后之時、非自置、漢書刪此文爲是、 齊哀王聞之、舉兵西、且入誅不當爲王者。【考證】楓、三本、入下有闕字、 上

將軍呂祿等聞之、乃遣嬰爲大將將軍、往擊之。【考證】楓、三本、不重將字、與漢書合、可從、嬰行至滎陽、乃與絳侯等謀、因屯兵滎陽、風齊王以誅呂氏事。【正義】風、方鳳反、【考證】風讀曰諷、齊兵止不前。絳侯等既誅諸呂。齊王罷兵歸。嬰亦罷兵、自滎陽歸、與絳侯·陳平共立代王爲孝文皇帝。孝文皇帝於是益封嬰三千戶、賜黃金千斤、拜爲太尉。【考證】漢書文紀、千斤作二千斤、王鳴盛曰、諸呂之平、灌嬰有力焉、方高后病甚、令呂祿爲上將軍、軍北軍、呂產居南軍、其計可謂密矣、卒使酈寄紿說呂祿歸將印、以兵屬太尉、而誅諸呂者、陳平周勃之功也、然其始惠帝崩、高后哭泣不下、此時高后奸謀甫兆、使平勃能逆折其邪心、安見不可撲滅者、乃聽張辟彊狂豎之言、請拜產祿爲將、將兵居南北軍、高后欲王諸呂、王陵守白馬之約、而平勃以爲無所不可、然則成呂氏之亂者平勃也、幸而產祿本庸材、又得朱虛侯之忠勇、平勃周旋其間、而亂卒平、功盡歸此兩人、而孰知當屯滎陽、與齊連和之時、嬰之遠慮、有過人者、齊王之殺其相而發兵、奪琅琊王兵、幷將而西也、此時呂祿獨使嬰擊之、嬰高帝宿將、諸呂方忌故大臣、而危急之際、一旦假以重兵、此必嬰平日僞自結於呂氏、若樂爲之用者、而始得此於祿、既得兵柄、遂留屯滎陽、待其變、而共誅之、其時呂氏亂謀急矣、顧未敢猝發者、彼見大將握重兵在外、而與敵連和以觀變、恐

猝發而嬰倍之、反率諸侯西向、故猶豫未忍決、於是平勃得從容定計、奪其兵權而誅之、然則平勃之成功、嬰有以助之也、然嬰不以此時亟與齊合、引兵而歸、共誅諸呂、乃案兵無動者、蓋太尉入北軍、呂祿歸將印、此其誅諸呂如振槁葉耳、若嬰合齊兵而歸、遽以討呂氏爲名、則呂氏亂謀發之必驟、將印必不肯解、而太尉不得入北軍矣、彼必將脅平勃而拒嬰與齊之兵、幸而勝之、喋血京師、不戕千萬之命不止、此又嬰計之得也、三歲、絳侯勃免相就國。嬰爲丞相、罷太尉官。是歲、匈奴大入北地·上郡。【考證】梁玉繩曰、史漢本紀皆云、匈奴寇北地、名臣表匈奴傳、作上郡、蓋二郡相接騷動、故此竝言之也、而漢書無郡字、以上稱文帝、連下爲句、謂上令灌嬰擊之、亦通、令丞相嬰將騎八萬五千往擊匈奴。匈奴去。濟北王反。詔乃罷嬰之兵。後歲餘、嬰以丞相卒。諡曰懿侯。子平侯阿代侯。【考證】梁玉繩曰、阿乃何之譌、功臣表灌夫傳及漢書鼂錯傳、竝作何、二十八年卒。子彊代侯。十三年、彊有罪。絕二歲。元光三年、天子封灌嬰孫賢爲臨汝侯、續灌氏。【考證】史漢表、彊在位十三年、絕一歲、賢以元光二年封、後八歲、坐行賕有罪、國除。【考證】梁玉繩曰、史漢表、賢在位四年、張照曰、漢表、元朔五年、坐子傷人首匿免千戶、

太史公曰。吾適豐沛問其遺老、觀故蕭·曹·樊噲·滕公之冢、及其素。異哉所聞。方其鼓刀屠狗賣繒之時、豈自知附驥之尾、垂名漢庭、德流子孫哉。余與他廣通。爲言高祖功臣之興時若此云。【索隱】案他廣、樊噲之孫、後失封、蓋嘗訝太史公序蕭曹樊滕之功悉具、則從他廣而得其事、故備也、【考證】楓、三本、爲下有余字、

【索隱】述贊、聖賢影響、雲蒸龍變、屠狗販繒、攻城野戰、扶義西上、受封南面、酈況賣交、舞陽內援、滕灌更王、奕葉繁衍、

樊酈滕灌列傳第三十五　史記九十五

史記會注考證卷九十六

漢　太史令　司馬遷　撰
宋　中郎外兵曹參軍　裴駰　集解
唐　國子博士弘文館學士　司馬貞　索隱
唐　諸王侍讀率府長史　張守節　正義
日本　出雲　瀧川資言　考證

張丞相列傳第三十六　史記九十六

【考證】史公自序云、漢既初定、文理未明、蒼爲主計、整齊度量、序律歷、作張丞相列傳第三十六、陳仁錫曰、張丞相傳、以御史大夫一官聯絡諸人、首敍張蒼爲御史大夫、中敍周苛周昌趙堯任敖曹窋相繼爲御史大夫、末又敍張蒼爲御史大夫、此一篇首尾法也、

張丞相蒼者、陽武人也。【索隱】【正義】案縣名、屬陳留、鄭州陽武縣也、 好書律曆。秦時爲御史、主柱下方書。有罪亡歸。【集解】如淳曰、方、版也、謂書事在版上者也、秦以上置柱下史、蒼爲御史主其事、或曰、四方文書、【索隱】周秦皆有柱下史、謂御史也、所掌及侍立、恆在殿柱之下、故老子爲周柱下史、今蒼在秦代、亦居斯職、方書者、如淳以爲方板、謂小事書之於方也、或曰、主四方文書也、姚氏以爲下云、明習天下圖書計籍、主郡上計、則方爲四方文書是也、【考證】方書、方板之書、非四方文書、王觀國云、古人寫書者、有簡有策、有觚有方、有牘有札、有槧有板、蓋簡策觚、皆以竹爲之、方牘槧板、皆以木爲之、及沛公略地、過陽武、蒼以客從攻南陽。蒼坐法當斬。解衣伏質。【索隱】小顏云、質、椹也、 身長大肥白如瓠、時王陵見而怪其美士、乃言沛公、赦勿斬。遂從西入武關、至咸陽。沛公立爲漢王、入漢中、還定三秦。【考證】楓、三本、王下有從字、 陳餘擊走常山王張耳。耳歸漢。漢乃以張蒼爲常山守。從淮陰侯擊趙。蒼得陳餘。

趙地已平、漢王以蒼爲代相、備邊寇。已而徙爲趙相、相趙王耳。耳卒、相趙王敖。復徙相代王。燕王臧荼反。高祖往擊之。蒼以代相從攻臧荼。有功。以六年中、封爲北平侯。食邑千二百戶。遷爲計相。【集解】文穎曰、能計、故號曰計相、【考證】顏師古曰、專主計籍、故號計相、沈家本曰、表、千三百戶、 一月、更以列侯爲主計、四歲。【集解】張晏曰、以列侯典校郡國簿書、如淳曰、以其所主因以爲官號、與計相同、時所卒立、非久施也、【索隱】謂改計相之名、更名主計也、此蓋權時立號也、 是時蕭何爲相國。而張蒼乃自秦時爲柱下史、明習天下圖書計籍。【考證】楓、三本、史上有御字、與漢書合、 蒼又善用算律曆、故令蒼以列侯居相府、領主郡國上計者。黥布反亡。漢立皇子長爲淮南王。而張蒼相之。【考證】按高帝紀、淮南王黥布反於十一年七月、羣臣因請立皇子長爲淮南王、是蒼爲主計在八年、 十四年、遷爲御史大夫。【考證】公卿表、高后八年、淮南丞相張蒼爲御史大夫、自高祖十二年至高后八年、計十六年、四字疑誤、

周昌者、沛人也。其從兄曰周苛。秦時皆爲泗水卒史。及高祖起沛、擊破泗水守監。於是周昌・周苛、自卒史從沛公。【考證】楓、三本、周昌周苛作周苛與昌、 沛公以周昌爲職志、【集解】徐廣曰、主旗幟之屬、【索隱】官名也、職、主也、志、旗幟也、謂掌旗幟之官也、音昌志反、 周苛爲客。【集解】張晏曰、爲帳下賓客、不掌官、 從入關破秦。沛公立爲漢王、以周苛爲御史大夫、周昌爲中尉。【考證】錢大昭曰、公卿表、苛自內史遷、則苛曾爲內史、 漢王四年、楚圍漢王滎陽急。漢王遁出去。而使周苛守滎陽城。楚破滎陽城、欲令周苛將。苛罵曰。若趣降漢王。不然、今爲虜矣。項羽怒、亨周苛。【集解】徐廣曰、四年三月也、【考證】楓、三本、亨作烹、 於是乃拜周昌爲御史大夫。常從擊破項籍。以六年中、與蕭・曹等俱封。封周昌爲汾陰侯。【考證】楓、三本、不重封字、漢書無封周昌三字、 周苛子周成、以父死事、封爲高景侯。

【集解】徐廣曰、九年封、封三十九年、文帝後元四年、謀反、死、國除、【考證】張文虎曰、集解九年、各本譌元年、今從毛本、　昌爲人彊力敢直言。自蕭・曹等皆卑下之。昌嘗燕時入奏事。【集解】漢書音義曰、以上燕時入奏事、【正義】燕者、安閒之名、　高帝方擁戚姬。昌還走。高帝逐得、騎周昌項、問曰。我何如主也。昌仰曰。陛下卽桀・紂之主也。於是上笑之。然尤憚周昌。及帝欲廢太子、而立戚姬子如意爲太子、大臣固爭之、莫能得。上以留侯策卽止。而周昌廷爭之彊。上問其說。昌爲人吃。又盛怒曰。臣口不能言。然臣期期知其不可。【正義】昌以口吃、每語故重言期期也、【考證】期、猶必也、重言、吃者之常、盛怒之時特然、楓・三本、知上有心字、　陛下雖欲廢太子、臣期期不奉詔。上欣然而笑。既罷。呂后側耳於其廂聽。【集解】韋昭曰、殿東堂也、【索隱】韋昭曰、殿東堂也、小顏云、正寢之東西室、皆號曰箱、言似箱篋之形、【考證】漢書、廂作箱、　見周昌、爲跪謝曰。微君、太子幾廢。

【索隱】幾、鉅依反、　是後戚姬子如意爲趙王。年十歲。高祖憂卽萬歲之後不全也。趙堯年少。爲符璽御史。趙人方與公、【集解】孟康曰、方與、縣名、公、其號、瓚曰、方與縣令也、　謂御史大夫周昌曰。君之史趙堯、年雖少、然奇才也。君必異之。是且代君之位。【考證】王先謙曰、異、優待也、　周昌笑曰。堯年少。刀筆吏耳。【正義】古用簡牘、書有錯謬、以刀削之、故號曰刀筆吏、　何能至是乎。居頃之、趙堯侍高祖。高祖獨心不樂、悲歌。羣臣不知上之所以然。趙堯進、請問曰。陛下所爲不樂、非爲趙王年少、而戚夫人與呂后有郤邪、備萬歲之後、而趙王不能自全乎。【考證】楓・三本無邪字、　高祖曰。然。吾私憂之、不知所出。【索隱】謂不知其計所出也、　堯曰。陛下獨宜爲趙王置貴彊相、及呂后太子羣臣素所敬憚、乃可。【考證】楓・三本、憚下有者字、與漢書合、　高祖曰。然。

吾念之欲如是。而羣臣誰可者。堯曰。御史大夫周昌、其人堅忍質直。【考證】張文虎曰、各本、人下衍有字、今刪、讀書雜志云、御覽職官部引無、漢書作其人堅忍伉直、亦無有字、　且自呂后太子及大臣、皆素敬憚之。獨昌可。高祖曰。善。於是乃召周昌謂曰。吾欲固煩公。公彊爲我相趙王。【正義】桓譚新論云、使周相趙、不如使取呂后家女爲妃、令戚夫人善事呂后、則如意無斃也、【考證】固、必也、　周昌泣曰。臣初起從陛下。陛下獨柰何中道而弃之於諸侯乎。高祖曰。吾極知其左遷。【索隱】按諸侯王表、有左官之律、韋昭以爲左猶下也、禁不得下仕於諸侯王也、然地道尊右、右貴左賤、故謂貶秩爲左遷、他皆類此、　然吾私憂趙王。念非公無可者。公不得已彊行。於是徙御史大夫周昌爲趙相。【考證】楓・三本、趙下有王字、　既行。久之高祖持御史大夫印弄之曰。誰可以爲御史大夫者。孰視趙堯曰。無以易堯。【正義】易、改也、無以改易於堯也、　遂拜趙堯爲御史大夫。【集解】徐廣曰、十年也、　堯亦前有軍功食邑。及以御史大夫從擊陳豨有功。封爲江邑侯。【集解】徐廣曰、十一年、　高祖崩。呂太后使使召趙王。其相周昌、令王稱疾不行。使者三反。周昌固爲不遣趙王。於是高后患之。乃使使召周昌。周昌至、謁高后。高后怒而罵周昌曰。爾不知我之怨戚氏乎。而不遣趙王何。昌既徵。【考證】楓・三本、昌上有周字、　高后使使召趙王。趙王果來。至長安月餘、飲藥而死。周昌因謝病不朝見。三歲而死。【集解】徐廣曰、謚悼也、【索隱】按漢書列傳及表、咸言周昌謚悼、韋昭云、或謚惠、非也、漢書又曰、傳子至孫意、有罪國除、景帝復封昌孫左車爲安陽侯、有罪國除、　後五歲、【正義】高后之年、【考證】沈家本曰、五歲、承上三歲而死、當高后元年、　高后聞御史大夫江邑侯趙堯、高祖時定趙王如意之畫、乃抵堯罪、【集解】徐廣曰、呂后元年國除、【正義】畫、音獲、謂計策、【考證】王先謙曰、據表、云免官、　以廣阿侯任敖爲御史大夫。任敖者、故沛獄史。高祖嘗辟吏。〔正義〕辟、音避、吏繫呂后、遇之不謹。任敖素善高祖。怒擊傷主呂后吏。及高祖初起、敖以客從、為御史守豐。二歲、高祖立為漢王、東擊項籍。敖遷為上黨守。陳豨反時、敖堅守。封為廣阿侯。食千八百戶。高后時為御史大夫。三歲免。〔集解〕徐廣曰、文帝二年任敖卒、諡懿侯、曾孫越人、元鼎二年為太常、坐酒酸、國除。駰案、漢書、任敖孝文元年薨、徐誤也、〔索隱〕此徐氏據漢書為說、而誤云二年、裴駰又引任安書、證為得其實、〔正義〕按史記書表云、孝文二年卒、漢表又云、封十九年卒、計高祖十一年封、到文帝二年、則十九年矣、而漢書誤、裴氏不考、乃云徐誤、何其武過也、〔考證〕李笠曰、索隱任字、蓋涉任敖誤、安為漢字之誤、以平陽侯曹窋為御史大夫。高后崩。不與大臣共誅呂祿等。免。〔考證〕漢書、作與大臣共誅諸呂、坐事免、無不字、有坐事二字、愚按、呂后紀云、高后葬後、窋行御史大夫事、郎中令賈壽、以灌嬰與齊楚合從、欲誅諸呂、告相國呂產、窋以其語馳告丞相陳平太尉周勃、則窋固非不與大臣共謀誅諸呂者也、史文不字、當從漢書刪、但代邸上議、羣臣列名、即云御史大夫臣蒼、則孝文未立之前、窋已罷官矣、公卿表、高后八年、淮南丞相張蒼為御史大夫、蓋呂后未崩、詔以張蒼代窋、蒼未任事以前、窋尚在官、故謂之行事、參觀紀表、可得其實、免字屬下句、漢書、坐事二字、當刪、歸有光、齊召南、梁玉繩諸人有說、皆未得、以淮南相張蒼為御史大夫。蒼與絳侯等尊立代王為孝文皇帝。〔考證〕楓三本、大夫下有張字、四年、丞相灌嬰卒。張蒼為丞相。自漢興至孝文二十餘年。會天下初定、將相公卿皆軍吏。張蒼為計相時、緒正律曆、〔集解〕文穎曰、緒、尋也、或曰、緒、業也、〔考證〕楊愼曰、時字、連計相讀為是、故後言至于為丞相、卒就之、又曰、漢興至孝文二十餘年、及後蒼為相十五年、皆眼目之不可失者、李笠曰、緒正者、謂次序正齊之也、尋業、非其義、以高祖十月始至霸上、因故秦時本以十月為歲首、弗革。〔考證〕漢書、因故作故因、義長、中井積德曰、漢初沿秦制、只是因循未有所革也、何曾有此意、推五德之運、以為漢當水德之時。尚黑如故。〔正義〕姚察云、蒼是秦人、猶用推五勝之法、以周赤烏為火、漢勝火以水也、〔考證〕五德之辨、見秦始皇紀廿六年、吹律調樂、入之音聲、及以比定律令。〔集解〕如淳曰、比、謂五音清濁、各有所比也、以定十二月律之法令、於樂官使長行之、瓚曰、謂以比故取類、以定法律與條令也、〔正義〕比、音鼻、或音必履反、謂比方也、〔考證〕張文虎曰、入今本譌人、舊刻作入、錢泰吉云、倪氏史漢

異同、許氏史漢方駕錄、此傳作入、愚按、漢書亦作入、漢書注、引如淳、比謂上、有比音比次之比六字、中井積德曰、兩律字意不同、若百工。天下作程品。〔集解〕如淳曰、若、順也、百工為器物、皆有尺寸斤兩、皆使得宜、此之謂順、晉灼曰、若、預及之辭、〔索隱〕按晉灼說以為若預及之辭、為得也、〔考證〕顏師古曰、言吹律調音、以定法令、及百工程品、皆取則也、若、晉說是、王先謙曰、高紀所謂張蒼定章程也、至於為丞相、卒就之。故漢家言律曆者、本之張蒼。蒼本好書、無所不觀、無所不通。而尤善律曆。〔集解〕漢書曰、著書十八篇、言陰陽律曆事、〔考證〕漢藝文志陰陽家云、張蒼十六篇、丞相北平侯、與傳異、楓三本、善作遂、漢書作邃、愚按、遂、邃之壞字、張蒼德王陵。王陵者、安國侯也。〔正義〕德王陵救其死也、及蒼貴、常父事王陵。陵死後、蒼為丞相。洗沐常先朝陵夫人上食、然后敢歸家。蒼為丞相十餘年。魯人公孫臣上書、言漢土德時。其符有黃龍當見。詔下其議張蒼。張蒼以為非是、罷之。其後黃龍見成紀。於是文帝召公孫臣、以為博士、草土德之曆、制度、更元年。〔正義〕草、創始也、以秦水德、漢土勝之、〔考證〕漢書、之曆作時曆、中井積德曰、公孫臣特為妄誕、成紀之龍、蓋臣之造言云、又曰、更元年、是無稽之甚、永生後王之累、愚按、漢書賈誼傳云、誼以為漢宜改正朔、數用五、色尚黃、贊云、誼欲改定制度、以漢為土德、其術既疏矣、誼通儒、亦不能免時俗之見、張丞相由此自絀、謝病稱老。蒼任人為中候。大為姦利。〔集解〕張晏曰、所選保任者也、瓚曰、中候、官名、〔正義〕言蒼保舉人、任而為中候官、上以讓蒼。蒼遂病免。〔考證〕讓、責也、蒼為丞相十五歲而免。孝景前五年、蒼卒。諡為文侯。子康侯代。〔考證〕梁玉繩曰、張蒼之子名奉、諡康、此誤以康為名、張文虎曰、索隱本康侯、各本誤倒、侯下疑脫奉字、八年卒。子類代為侯。〔集解〕徐廣曰、類、一作顡、音聵、〔正義〕類、五怪反、〔考證〕漢書表傳、竝作類、八年、坐臨諸侯喪、後就位不敬、國除。〔索隱〕案漢書云、傳子至孫穀、有罪國除、今此云康侯代、八年卒、子類代侯、則類即穀也、與漢書略同、初張蒼父長不滿五尺。及生蒼、蒼長八尺餘。為侯丞相。蒼子復長。〔集解〕漢書云、長八尺、及孫類、長六尺餘。坐法失侯。蒼之免相後、老、口中無齒、食乳。女子為乳母。妻妾以百數。

嘗孕者不復幸。【考證】楓、三本、孕上有有字、蒼年百有餘歲而卒。申屠丞相嘉者、梁人。以材官蹶張、從高帝擊項籍。【集解】徐廣曰、勇健有材力開張、駰案、如淳曰、材官之多力、能腳蹋強弩張之、故曰蹶張、律有蹶張士、【索隱】孟康云、主張強弩、又如淳曰、材官之多力、能蹋強弩張之、故曰蹶張、蹶、音其月反、漢令、有蹶張士百人、是也、【考證】顏師古曰、今之弩、以手張者曰擘張、以足蹋者曰蹶張、蹶、音厥、中井積德曰、材官者、武卒之總號、蹶張引強等乃其派目、弓曰引強、弩曰蹶張、每郡置之、所以備非常、蓋秦制也、遷爲隊率。【索隱】所類反、從擊黥布軍、爲都尉。孝惠時爲淮陽守。孝文帝元年、舉故吏士二千石從高皇帝者、悉以爲關內侯。食邑二十四人。而申屠嘉食邑五百戶。【考證】史漢孝文本紀、二十四人作三十八人、張蒼已爲丞相。嘉遷爲御史大夫。張蒼免相。【集解】徐廣曰、後二年八月、孝文帝欲用皇后弟竇廣國爲丞相。曰。恐天下以吾私廣國。廣國賢有行。故欲相之。念久之、不可。【考證】竇廣國、詳外戚世家、而高帝時大臣又皆多死、

餘見無可者。【考證】顏師古曰、見、謂見在之人、乃以御史大夫嘉爲丞相。因故邑封爲故安侯。【正義】今易州界武陽城中東南隅故城、是也、【考證】齊召南曰、漢初丞相、俱以功臣已封列侯者爲之、嘉本功臣、而由關內侯爲相、則破格之事也、後因丞相封侯、遂起於此、嘉爲人廉直、門不受私謁。【考證】王先謙曰、當與袁盎傳參觀、楓、三本、門下有下字、是時太中大夫鄧通方隆愛幸、賞賜累巨萬。文帝嘗燕飲通家。其寵如是。【考證】楓、三本嘗作常、是時丞相入朝。而通居上傍、有怠慢之禮。丞相奏事畢、因言曰。陛下愛幸臣、則富貴之。至於朝廷之禮、不可以不肅。上曰。君勿言。吾私之。【正義】吾私之、愛幸之、君勿言、罷朝坐府中。嘉爲檄召鄧通詣丞相府。不來、且斬通。通恐、入言文帝。文帝曰。汝第往。吾今使人召若。【考證】第、但也、若、汝也、通至丞相府。免冠徒跣頓首謝。嘉坐自如。故不爲禮。責曰。夫朝廷者高皇帝

之朝廷也。通小臣、戲殿上。大不敬。當斬。吏今行斬之。【集解】如淳曰、嘉語其吏曰、今便行斬之、【考證】今、猶卽也、通頓首。首盡出血。不解。文帝度丞相已困通、使使者持節召通、【考證】楓、三本無者字、而謝丞相曰。此吾弄臣。君釋之。鄧通既至、爲文帝泣曰。丞相幾殺臣。嘉爲丞相五歲。孝文帝崩、孝景帝卽位。二年、鼂錯爲內史。【考證】云卽位二年者、通卽位年數之、楓、三本、內上有左字、貴幸用事、諸法令多所請變更。議以謫罰侵削諸侯。而丞相嘉自絀、所言不用、疾錯。【考證】楓、三本、自上有因字、錯爲內史。門東出、不便。更穿一門南出。南出者太上皇廟堧垣。【集解】服虔曰、宮外垣也、如淳曰、堧、音畏愞之愞、【索隱】如淳音畏愞之愞、乃喚反、韋昭音而緣反、又音輭、【正義】壖、廟內院外餘地、垣、壖外院之牆、壖、如戀反、又而緣反、嘉聞之、欲因此以法錯。擅穿宗廟垣爲門、奏請誅錯。【考證】中井積德曰、此發於丞相忿疾、非公義、錯客有語錯。

錯恐、夜入宮上謁、自歸景帝。【正義】自歸帝首露、【考證】中井積德曰、自歸、是依託乞哀之意、至朝、丞相奏請誅內史錯。景帝曰。錯所穿非眞廟垣。乃外堧垣。故他官居其中。【索隱】漢書、作冗官、謂散官也、【考證】王念孫曰、他官二字、義無所取、當從漢書作冗官、冗與它字形似而譌、後人又改爲他耳、且又我使爲之。錯無罪。罷朝。嘉謂長史曰。吾悔不先斬錯、乃先請之、爲錯所賣。至舍因歐血而死。謚爲節侯。【考證】事又見鼂錯傳、子共侯蔑代。三年卒。子侯去病代。三十一年卒。子侯臾代。【集解】徐廣曰、一本無侯去病、而云共侯蔑三十三年、子臾改封靖安侯、【考證】中井積德曰、去病非有罪、而不稱謚、覺屬錯誤、梁玉繩曰、史表及漢書表傳、申屠嘉封故安侯、傳子蔑孫臾、無去病一代、漢表謂共侯在位二十二年、乃三十三年之譌、謂臾元狩三年嗣、乃二年之譌、蓋蔑以孝景三年代、臾以元狩二年代、中間止三十三年、此以蔑爲三年、又增出去病爲三十一年、非也、徐廣曰、一本無侯去病、而云共侯蔑三十三年、子臾改封靖安侯、別本是、六歲、坐爲九江太守、受故官送。有罪國除。自申屠嘉死之後、景帝時、開封侯陶青、桃侯劉舍爲

丞相。[集解]徐廣曰、陶靑、高祖功臣陶舍之子也、諡夷、劉舍、本項氏親也、賜姓劉氏、父襄佐高祖有功、舍諡哀侯、[考證]漢書、舍作含、 及今上時、柏至侯許昌、[集解]徐廣曰、高祖功臣許溫之孫、諡哀侯、 平棘侯薛澤、[集解]徐廣曰、高祖功臣廣平侯薛歐之孫、平棘節侯薛澤、 武彊侯莊靑翟、[集解]徐廣曰、高祖功臣莊不識之孫、 高陵侯趙周等爲丞相。[集解]徐廣曰、周父夷吾、爲楚王戊太傅、諫爭而死、[考證]楓、三、毛本、高陵作商陵、愚按高陵、史惠景間侯表、漢景武功臣表作商陵、百官表作南陵、皆非、此及將相表作高陵、 皆以列侯繼嗣。娖娖廉謹、爲丞相備員而已。[集解]徐廣曰、娖音七角反、一作斷、一作齱、[索隱]娖音側角反、小顏云、持整之貌、漢書作齱齱、音初角反、斷音都亂反、義如尙書斷斷猗無他技、[正義]孔注論語、以束脩爲束帶脩飾、此亦當然、[考證]娖齪同、 無所能發明功名有著於當世者。

太史公曰。張蒼文學律曆、爲漢名相。而絀賈生・公孫臣等、言正朔服色事、而不遵明。用秦之顓頊曆。何哉。[集解]張晏曰、不考經典、專用顓頊曆、何哉、[考證]漢書不遵明、作專遵、梁玉繩曰、此句不可解、愚按賈生亦主土德之說、上文既注、 周昌、木彊人也。[正義]言其質直掘强、如木石焉、 任敖以舊德用。[集解]張晏曰、謂傷辱呂后吏、 申屠嘉可謂剛毅守節矣。然無術學。殆與蕭・曹・陳平異矣。[索隱]述贊、張蒼主計、天下作程、孫臣始絀、秦曆尙行、御史亞相、相國阿衡、申屠面折、周子廷爭、其他娖娖、無所發明、

孝武時、丞相多甚不記。莫錄其行。起居狀略、且紀征和以來。有車丞相。長陵人也。[集解]名千秋、[正義]漢書云、車千秋始田氏、其先齊諸田、徙長陵、千秋爲寢郎、會太子事、上急變訟太子寃、爲鴻臚數年、代劉屈氂爲丞相、封富民侯、年老、上優之、朝見、乘牛車入宮中、號車丞相、 卒而有韋丞相代。[索隱]自車千秋已下、皆褚先生等所記、然丞相傳都省略、漢書則備、[考證]梁玉繩曰、此下皆後人妄續、孝武在位五十四年、丞相十二人、竇嬰、許昌、田蚡、薛澤、公孫弘、李蔡、莊靑翟、趙周、石慶、公孫賀、劉屈氂、車千秋、而公孫賀已上十人見史公本書、其所未及者、劉田二相爾、何云多甚莫錄乎、且征和獨非孝武時乎、既紀征和以來、何以續始于千秋、而不紀劉丞相、所紀車千秋韋賢魏相邴吉黃霸于定國韋玄成匡衡八人、中閒闕王訢楊敞蔡義三人、何也、即所紀八人、詞頗簡劣、事復舛譌、如韋賢長子方山爲高寢令、早終、故不嗣爲侯矣、而此言長子有罪、不嗣、蓋誤以其次子弘爲方山也、劾趙京兆者司直蕭望之、而此以爲司直繁君、攷公卿表、繁延壽後望之幾二十年矣、邴吉子顯官太僕、

坐奸贓免、後復爲城門校尉、此但言免爲庶人而已、張廷尉傳、安得及于定國、乃云于丞相已有廷尉傳在張廷尉語中、不亦誣邪、 韋丞相賢者、魯人也。以讀書術爲吏、至大鴻臚。有相工相之、當至丞相。有男四人。使相工相之。[考證]楓、三本、使下無相工二字、 至第二子其名玄成。相工曰。此子貴當封。韋丞相言曰。我即爲丞相、有長子。是安從得之。後竟爲丞相。病死。而長子有罪論、不得嗣。而立玄成。[正義]弘坐宗廟事、繫獄未決、[考證]慶長本標記引一本、長子下有弘字、據漢書韋玄成傳、韋弘、賢次子、爲太常丞、 玄成時佯狂不肯立。竟立之。有讓國之名。後坐騎至廟不敬、有詔奪爵一級、爲關內侯、失列侯。得食其故國邑。[考證]岡白駒曰、祠孝惠廟、當晨入廟、天雨淖、不駕駟馬車、而騎至廟下、其罪不敬、事詳漢傳、 韋丞相卒。有魏丞相代。[考證]地節元年、 魏丞相相者、濟陰人也。[正義]相字弱翁、濟陰定陶人、徙平陵、 以文吏至丞相。其人好武、

皆令諸吏帶劍。帶劍前奏事。或有不帶劍者、當入奏事、至乃借劍而敢入奏事。其時京兆尹趙君。[集解]名廣漢、 丞相奏以免罪。[正義]奏京兆尹之罪、免也、[考證]十一字、欠明晳、當曰丞相奏京兆尹趙君以免罪、岡白駒曰、有人告趙廣漢罪、事下丞相御史、丞相奏、其罪當免爵位、 使人執魏丞相、欲求脫罪。而不聽。[考證]使人上添趙君二字看、楓、三本、求上有相字、岡白駒曰、趙廣漢使人脅魏相、欲以令無窮正己事、張照曰、使中郎將趙奉壽、 復使人脅恐魏丞相、以夫人賊殺侍婢事。而私獨奏請驗之。發吏卒、至丞相舍、捕奴婢笞擊問之。實不以兵刃殺也。[考證]楓、三本、侍婢作傅婢、岡白駒曰、丞相傅婢有過自絞死、趙聞之、疑夫人妬殺誣之、 而丞相司直繁君、奏京兆尹趙君迫脅丞相、誣以夫人賊殺婢、發吏卒圍捕丞相舍、不道。又得擅屏騎士事。[索隱]繁、姓也、音婆、[考證]繁君名延壽、見漢書蕭望之傳、楓、三本、婢上有傅字、岡白駒曰、屏、退也、漢書趙廣漢傳、作擅斥除騎士乏軍興、注、斥除、逐遣之也、 趙京兆坐要

斬。【考證】事詳漢書趙廣漢傳、又有使掾陳平等、劾中尚書、疑以獨擅劾事而坐之、大不敬。【考證】張文虎曰、宋本、舊刻、無尚字、岡白駒曰、疑、罪之疑者也、長史以下、皆坐死、或下蠶室。【考證】後漢書光武二十八年紀、死罪繫囚、皆一切募下蠶室、注云、蠶室、宮刑獄名、有刑者畏風、須煖作窨室、蓄火如蠶室、因以名焉、窨、音一禁反、漢書司馬遷傳、僕又茸以蠶室、注、蠶室、初腐刑所居溫密之室也、而魏丞相竟以丞相病死。【考證】楓、三本、而下無魏丞相三字、子嗣。後坐騎至廟不敬、有詔奪爵一級、爲關內侯、失列侯。得食其故國邑。魏丞相卒。【正義】視事九歲薨、諡曰憲侯、以御史大夫邴吉代。【考證】神爵元年、邴丞相吉者、魯國人也。【正義】字少卿、以讀書好法令、至御史大夫。孝宣帝時、以有舊故、封爲列侯。【正義】以孩童時侍養宣帝、及拒詔使活宣帝之故、後封爲博陽侯、邑千三百戶、而因爲丞相。明於事、有大智。後世稱之。【正義】漢書、吉道上見殺人、不問、見牛喘吐舌、使吏問之、或讓吉、吉曰、民間相傷殺、長安令京兆尹職、歲竟、丞相課其殿最賞罰、宰相不親小

事、非所當於道問也、方春少陽用事、未可以熱、恐牛近行、以暑故喘、此時節失氣、恐有所傷害也、三公典陰陽、職所當憂、是以問之、以吉知大體、故世稱之、以丞相病死。【正義】諡曰定侯、子顯嗣。後坐騎至廟不敬。有詔奪爵一級、失列侯。得食故國邑。顯爲吏至太僕。坐官耗亂、身及子男有姦贓、免爲庶人。【正義】漢書曰、上曰、故丞相吉有舊恩、朕不忍絕、免顯官、奪邑四百戶、後復以爲城門校尉、子昌嗣爵關內侯、成帝鴻嘉元年、以吉舊恩、封吉孫中郎將關內侯昌爲博陽侯、國絕三十二歲、昌傳子孫、王莽時乃絕、邴丞相卒。黃丞相代。【考證】五鳳三年、長安中有善相工田文者。與韋丞相・魏丞相・邴丞相、微賤時會於客家。田文言曰。今此三君者皆丞相也。其後三人竟更相代爲丞相。何見之明也。黃丞相霸者、淮陽人也。【正義】霸字次公、淮陽陽夏人、以豪桀役使、徙雲陵、以讀書爲吏、至潁川太守。治潁川以禮義條教、喻告化之。犯法者、風曉令自殺。

【考證】楓、三本、殺作改、可從、化大行、名聲聞。孝宣帝下制曰。潁川太守霸、以宣布詔令治民、道不拾遺、男女異路、獄中無重囚、賜爵關內侯、黃金百斤。徵爲京兆尹。而至丞相。【正義】代丙吉爲丞相、封建成侯、食邑六百戶、復以禮義爲治。以丞相病死。子嗣。【正義】子賞嗣、後爲列侯。黃丞相卒。【正義】諡曰定侯、以御史大夫于定國代。【正義】于定國字曼倩、東海郯人也、爲縣獄吏、及廷尉史、歷位超爲廷尉、乃迎師學春秋、北面備弟子禮、爲廷尉、民自以不冤、定國飲酒至數石不亂、甘露中、代黃霸爲丞相、封西平侯、九年薨、諡安侯、子永嗣、始定國父爲縣吏、郡決曹獄平、閭門壞、父老共治之、于公謂曰、少大閭門、令容駟馬高蓋車、我治獄多陰德、未嘗有所冤、子孫必有興者、至定國爲丞相、封侯傳世也、【考證】甘露三年、于丞相已有廷尉傳。在張廷尉語中。【考證】張廷尉蓋釋之、史記釋之傳無補傳、竝無于廷尉語、于丞相去御史大夫、韋玄成代。【考證】永光二年、韋丞相玄成者、即前韋丞相子也。【正義】玄成字少翁、以父任爲郎、歷位至御史大夫、永光中、代于定國爲丞相、封故國扶陽、爲相七年、守正持重、不及父賢、文

彩過之、薨、諡曰恭侯、初賢徙平陵、玄成徙杜陵、父子明經爲相、故鄒魯閒云、遺子黃金滿籯、不如一經、代父。後失列侯。其人少時好讀書、明於詩論語。爲吏至衞尉、徙爲太子太傅。御史大夫。薛君免、爲御史大夫。【集解】名廣德也、于丞相乞骸骨、免、而爲丞相。因封故邑爲扶陽侯。數年病死。孝元帝親臨喪、賜賞甚厚。子嗣。後其治容容、隨世俗浮沈、而見謂諂巧。【考證】岡白駒曰、人以爲諂巧、而相工本謂之、當爲侯代父、而後失之、復自游宦而起至丞相。父子俱爲丞相。世閒美之。豈不命哉。相工其先知之。韋丞相卒、御史大夫匡衡代。【考證】建昭三年、丞相匡衡者、東海人也。【正義】衡字稚圭、東海承人也、父世農夫、至衡好學、【考證】三條本、丞相匡衡、作匡丞相衡、好讀書、從博士受詩。家貧。衡傭作以給食飲。才下。數射策不中。至

九、乃中丙科。【正義】衡射策甲科、不應令、爲太常掌故、儒林傳云、歲課甲科爲郎中、乙科爲太子舍人、景科補文學掌故也、其經以不中科故明習。補平原文學卒史。數年郡不尊敬。【考證】沈家本曰、漢書云、學者多上書、薦衡經明當世少雙、與此不同、御史徵之、以補百石屬。薦爲郎、而補博士。拜爲太子少傅、而事孝元帝。孝元好詩。而遷爲光祿勳。居殿中爲師、授教左右。而縣官坐其旁聽。甚善之。日以尊貴。御史大夫鄭弘坐事免、而匡君爲御史大夫。歲餘、韋丞相死。匡君代爲丞相。封樂安侯。【正義】歷位御史大夫、建昭中、代韋玄成爲丞相、封樂安侯、食邑六百戶、爲相七年、以侵封國界、免爲庶人、終于家、以十年之間、不出長安城門、而至丞相。豈非遇時而命也哉。【考證】張文虎曰、御覽二百四引命爲合、

太史公曰。【索隱】案此論匡衡已來事、則後人所述也、而亦稱太史公、其序述淺陋一何誣也、【考證】楓山本、劉氏宋本、淩本、王本、毛本、無太史公曰四字、索隱本、三條本有、深惟士之游

宦、所以至封侯者微甚。【集解】徐廣曰、微、一作徵、然多至御史大夫卽去者。諸爲大夫而丞相次也。其心冀幸丞相物故也。【集解】高堂隆答魏朝訪曰、物、無也、故、事也、言無復所能於事、【考證】物故、死也、物、沒、音近、故、舊也、或乃陰私相毀害欲代之。然守之日久不得。或爲之日少而得之、至於封侯。眞命也夫。【考證】命字承上文、御史大夫鄭君、守之數年不得。【正義】鄭弘字神卿、代韋玄成爲御史大夫、六歲、子坐與京房論議免也、匡君居之、未滿歲而韋丞相死、卽代之矣。豈可以智巧得哉。多有賢聖之才、困戹不得者衆甚也。

張丞相列傳第三十六　　史記九十六

史記會注考證卷九十七

漢　太　史　令　司　馬　遷　撰

宋 中 郎 外 兵 曹 參 軍 裴 駰 集 解

唐 國 子 博 士 弘 文 館 學 士 司 馬 貞 索 隱

唐 諸 王 侍 讀 率 府 長 史 張 守 節 正 義

日　本　出　雲　瀧　川　資　言　考　證

酈生陸賈列傳第三十七 考證 高山寺本、三十作卅、　史記九十七

考證 史公自序云、結言通使、約懷諸侯、諸侯咸親、歸漢爲藩輔、作酈生陸賈列傳、第三十七、陳仁錫曰、酈生陸賈、皆口辯士、故同傳、朱建亦以口辯附焉、查愼行曰、漢書酈食其傳、多襲史記之舊、間或刪改一二字、騎士從容言、如酈生所誡者、漢書、去如字、沛公方踞牀、令兩女子洗足、漢書、去足字、沛公輟洗起攝衣、漢書、去攝字、方今楚易取而漢反郤自奪其便、漢書、去其字、以示諸侯效實形勢之便、漢書、去效實二字、食其子疥數將兵、功未當侯、上以其父故、封爲高梁侯、漢書、去功未當侯四字、似皆不若史記之明白曉暢、又按史記酈生于齊受烹時、猶有迂闊大言、足見狂生故態、被漢書刪郤、遂覺食其一生、至此索然氣盡、

酈生食其者、陳留高陽人也。集解 徐廣曰、高陽、今在圉縣、索隱 案高陽、屬陳留圉縣、高陽、鄉名也、故耆舊傳云、食其、高陽鄉人、正義 酈食其、歷異幾三音也、陳留風俗傳云、高陽、在雍丘西南、括地志云、圉城、在汴州雍丘縣西南、食其墓、在雍丘西南二十八里、葢謂此也、考證 陳留、此時未置郡、言陳留者、擧其縣也、故下文云、夫陳留天下之衝、四通五達之郊也、臣知其令、好讀書。家貧落魄、無以爲衣食業。集解 應劭曰、落魄、志行衰惡之貌也、晉灼曰、落薄、落託、義同也、索隱 案鄭氏云、魄音薄、應劭云、志行衰惡之貌也、正義 落、謂零落、魄、謂漂薄也、言食其家貧、零落漂薄也、無可以爲衣食業產也、爲里監門吏。正義 監、音甲衫反、戰國策云、齊宣謂顏斶曰、夫監門、閭里士之賤也、考證 高山寺本及漢書、吏字在下文然字下、然縣中賢豪不敢役。縣中皆謂之狂生。及陳勝・項梁等起、諸將徇地過高陽者數十人。正義 徇、略也、酈生問其將、皆握齱好苛禮自用、集解 應劭曰、握齱、急促之貌、索隱 應劭曰、齱、音若促、鄒氏音、鼀角反、韋昭云、握齱、小節也、考證 張文虎曰、舊刻、問作聞、與漢書合、不能聽大度之言。索隱 案苛亦作荷、賈逵云、苛、煩也、小顏云、苛、細也、酈生乃深自藏匿。後聞沛公將兵略地陳留郊。考證 凌稚隆曰、郊字、見得未下陳留、沛公麾下騎士、適酈生里中子也。集解 服虔曰、食其里中子、適作沛公騎士、索隱 適食其里中子、適、音釋、服虔蘇林皆云、沛公騎士、適是食其里中人也、案言適近作騎士、沛公時時問邑中賢士豪俊。考證 高山寺本、俊作儁、同、騎士歸。酈生見謂之曰。吾聞沛公慢而易人、多大略。此眞吾所願從游。莫爲我先。索隱 案先、謂先容、言無人爲我作紹介也、正義 爲、于僞反、若見沛公、謂曰。臣里中有酈生。年六十餘。長八尺。人皆謂之狂生。生自謂我非狂生。騎士曰。沛公不好儒。諸客冠儒冠來者、沛公輒解其冠、溲溺其中。索隱 溲溺、上所由反、下乃弔反、亦如字、溲卽溺也、與人言、常大罵。未可以儒生說也。酈生曰。

弟言之。考證 弟、但也、騎士從容言、如酈生所誡者。考證 誡、告也、沛公至高陽傳舍、使人召酈生。集解 徐廣曰、二世三年二月、正義 傳舍、傳置之舍、酈生至、入謁。沛公方倨牀、使兩女子洗足、而見酈生。索隱 案樂產云、邊牀曰倨、考證 黥布傳云、上方踞牀洗、召布入見、是漢皇試人常用手段、張文虎曰、倨、索隱本作踞、愚按漢書亦作踞、與黥布傳合、沈欽韓曰、御覽三百四十二引楚漢春秋曰、上過陳留、酈生求見、使者入通、公方跣足、問何如人、曰狀類大儒、上曰、吾方以天下爲事、未暇見大儒也、使者出告、酈生瞋目按劍入言、高陽酒徒、非儒者也、按此與史記傳末所附同、酈生入。則長揖不拜。曰。足下欲助秦攻諸侯乎。且欲率諸侯破秦也。沛公罵曰。豎儒。夫天下同苦秦久矣。故諸侯相率而攻秦。何謂助秦攻諸侯乎。索隱 案豎者、僮僕之稱、沛公輕之、以比奴豎、故曰豎儒也、考證 留侯傳亦稱酈生曰豎儒、豎儒、猶言小儒、酈生曰。必聚徒合義兵誅無道秦。不宜倨見長者。考證 長者、暗承年六十餘、必下當據漢書、補欲字、淮陰侯傳云、王必欲長王漢中、無所事信、必欲爭天下、非信無所與計、與此語意正同、於是沛公輟洗、起攝衣、延酈

生上坐謝之。【正義】攝、猶言斂著也、【考證】胡三省曰、攝衣、起持其衣也、高山寺本、楓、三本、生下有坐字、 酈生因言六國從橫時。沛公喜、賜酈生食。問曰。計將安出。酈生曰。足下起糾合之衆、收散亂之兵、不滿萬人。欲以徑入強秦。此所謂探虎口者也。【集解】糾合、一作烏合、一作瓦合、【正義】言瓦合聚而蓋屋、無協力之心也、【考證】正義本作瓦合、與漢書合、 夫陳留、天下之衝、四通五達之郊也。【集解】如淳曰、四面中央凡五達也、瓚曰、四通五達、言無險阻也、【考證】中井積德曰、四通五達、言通達之多、集解誤、 今其城又多積粟。臣善其令。【正義】言食其與陳留縣令相善也、 請得使之、令下足下。【正義】令、力征反、下、謂降之也、【考證】高山寺本、無得字、 卽不聽、足下舉兵攻之。臣為內應。於是遣酈生行、沛公引兵隨之、遂下陳留。號酈食其為廣野君。酈生言其弟酈商、使將數千人從沛公、西南略地。酈生常為說客、馳使諸侯。漢三年秋、項羽擊漢拔滎陽。漢兵

逌保鞏・洛。楚人聞淮陰侯破趙、彭越數反梁地、【索隱】數、音朔、 則分兵救之。淮陰方東擊齊。漢王數困滎陽・成皋、計欲捐成皋以東、屯鞏・洛以拒楚。【考證】高山寺本、皐作睾、下同、 酈生因曰。臣聞知天之天者、王事可成。不知天之天者、王事不可成。王者以民人為天、而民人以食為天。【索隱】王者以人為天、案此語出管子、【考證】合刻本索隱引管子云、王者以民為天、民以食為天、能知天之天者斯可矣、漢書及新序、民下無人字、梁玉繩曰、索隱本無民字、疑唐時避諱、改民為人、而後遂誤竝入之也、愚按、高山寺本、無人字、 夫敖倉、天下轉輸久矣。臣聞、其下迺有藏粟甚多。【考證】中井積德曰、其下、謂窖藏者、何焯曰、聞之中州人云、秦人因土山窖粟其下、不與今他處倉廩等、故曰聞其下乃有藏粟、沈欽韓曰、呂氏春秋、穿竇窌、高誘注、穿窌所以盛穀也、是古者穿地下藏粟也、 楚人拔滎陽、不堅守敖倉、迺引而東、令適卒分守成皋。【索隱】適卒、上音直革反、案通俗文云、罰罪云讁、卽所謂讁戍、又音陟革反、卒、相忽反、【考證】楓山本、引下有兵字、當據補、中井積德曰、適卒、只是戍卒、謂非精兵也、王先謙曰、楚引東定梁地、令曹咎守成皋、徐孚遠曰、項王善野戰、而不識地勢、棄

關中、不守敖倉、此楚之所以失也、 此乃天所以資漢也。方今楚易取、而漢反郤自奪其便。臣竊以為過矣。【索隱】漢反卻自奪便、以言不取敖倉、是漢卻自奪其便利、 且兩雄不俱立。楚漢久相持不決。百姓騷動、海內搖蕩、農夫釋耒、工女下機。【索隱】謂女工、工、巧也、漢書作紅、音工、【正義】耒、手耕曲木、【考證】工工作之工、無干巧拙、 天下之心、未有所定也。願足下急復進兵、收取滎陽、據敖倉之粟、【正義】敖倉、在今鄭州滎陽縣西十有五里石門之東、北臨汴水、南帶三皇山、秦始皇時、置倉於敖山上、故名之曰敖倉也、 塞成皋之險、【正義】卽汜水縣山也、 杜大行之道、【集解】韋昭曰、在河內野王北也、【正義】大行、山名、在懷州河內縣、 距蜚狐之口、【集解】如淳曰、上黨壺關也、駰案、蜚狐在代郡西南、【正義】案蔚州飛狐縣北百五十里、有秦漢故郡城、西南有山、俗號為飛狐口也、 守白馬之津、【考證】齊召南曰、白馬縣屬東郡、大河所經、其西岸卽黎陽也、 以示諸侯效實形制之勢、則天下知所歸矣。【考證】漢書新序、無效實二字、胡三省曰、酈生之說、形格勢禁之說也、蓋據敖倉、塞成皋、則項羽不能西、守白馬、杜太行、距蜚狐、則河北燕趙之地、長為漢有、齊楚將安歸乎、愚按、新序善謀篇云、其後吳楚

反、將軍竇嬰周亞夫、復據敖倉、塞成皋如前、以破吳楚、皆酈生之謀也、何焯曰、此似後人依託之語、時漢已虜魏豹、禽趙歇、河東河內河北皆歸漢、何庸復杜太行之道、以示諸侯形勢乎、燕趙已定、卽代郡蜚狐、亦非楚人所能北窺、無事距守、壺關近太行之道、何庸杜此兼距彼乎、與當時事實闊遠、梁玉繩曰、斯乃秦人規取韓趙舊談、酈生仍戰國說士餘習、 方今燕・趙已定、唯齊未下。【考證】通鑑考異云、史漢皆以食其勸取敖倉、及說齊、合為一事、獨新序分為二、分為二者是、王先謙曰、案據高紀、三年九月、項羽令曹咎守成皋、自引兵東擊彭越、漢王使食其說齊、連和、四年冬十月、韓信破齊、齊烹食其、漢破曹咎就敖倉食、前後次第如此、是食其說漢王二事、竝在三年九月、史漢合之、未為非也、 今田廣據千里之齊、田閒將二十萬之衆、軍於歷城。【考證】劉攽曰、此時何緣有田閒、按田橫傳乃田解、橫傳云、齊使華毋傷田解、軍歷下以距漢、張文虎曰、宋本、中統、毛本、吳校金板、歷城作歷下、愚按下文云、罷歷下兵守戰備、高山寺本、二十作廿、 諸田宗彊、負海阻河、濟南近楚、人多變詐。【考證】高山寺本、濟作齊、人作民、負海阻河、對言、當依訂、漢書、海下有岱字、注、岱、泰山也、 足下雖遣數十萬師、未可以歲月破也。臣請得奉明詔說齊王、使為漢而稱東藩。上曰。善。【考證】高山寺本、藩作蕃、 迺從其畫、復守敖倉、【考證】王先謙曰、時未得敖倉、云復者、究言之、 而使酈生

說齊王曰、王知天下之所歸乎。王曰、不知也。曰、王知天下之所歸、則齊國可得而有也。若不知天下之所歸、則齊國未可得保也。齊王曰、天下何所歸。【考證】所歸二字、承上、漢書刪所字、非是、曰、歸漢。曰、先生何以言之。【考證】高山寺本、漢下有王字、曰、漢王與項王勠力西面擊秦。約先入咸陽者王之。漢王先入咸陽。項王負約不與、而王之漢中。項王遷殺義帝。漢王聞之、起蜀漢之兵擊三秦、出關而責義帝之處、【考證】王念孫曰、責、問也、處、所也、猶言義帝安在也、漢書、處上有負字、藝文類聚引史、責下有殺字、處作罪、收天下之兵、立諸侯之後、降城卽以侯其將、得賂卽以分其士、與天下同其利、豪英賢才、皆樂爲之用。【考證】與韓信所言相似、諸侯之兵四面而至、蜀漢之粟、方船而下。【索隱】案方船、謂竝舟也、戰國策、方船積粟、循江而下也、【考證】方船、又見張儀傳、項王有倍

約之名、殺義帝之負。【考證】楓、三本、負作罪、於人之功無所記、於人之罪無所忘。戰勝而不得其賞、拔城而不得其封。非項氏莫得用事。爲人刻印、刓而不能授。【集解】孟康曰、刓斷無復廉鍔也、瓚曰、項羽吝於爵賞、玩惜侯印、不能以封其人也、【索隱】刓、音五官反、案郭象注莊子云、杌斷無圭角、漢書作玩、言玩惜不忍授人也、攻城得賂、積而不能賞。天下畔之、賢才怨之、而莫爲之用。【考證】高山寺本、楓、三本、積下有財字、與新序漢書合、愚按、亦與韓信言相似、故天下之士、歸於漢王、可坐而策也。夫漢王發蜀漢、定三秦、涉西河之外、援上黨之兵、【正義】援、音爰、【考證】高山寺本、外作水、下井陘、誅成安君、破北魏、舉三十二城。【索隱】謂魏豹也、豹在河北故也、亦謂西魏、以大梁在河南故也、【考證】胡三省曰、河自砥柱以上、龍門以下、爲西河、顏師古曰、梁地既有魏名、故謂魏豹爲北魏、高山寺本、無君字、三十作卅、此蚩尤之兵也。非人之力也。天之福也。【考證】漢書、蚩尤作黃帝、周壽昌曰、黃帝蚩尤、皆古之主兵者、故高帝起兵、祠黃帝、祭蚩尤、漢書言黃帝、史記言蚩尤、初無區別、今已據敖倉之

粟、塞成皐之險、守白馬之津、杜大行之阪、距蜚狐之口、天下後服者先亡矣。王疾先下漢王、齊國社稷、可得而保也。不下漢、王危亡可立而待也。田廣以爲然、迺聽酈生、罷歷下兵守戰備、與酈生日縱酒。淮陰侯聞酈生伏軾下齊七十餘城、迺夜度兵平原襲齊。【考證】漢書、伏軾作馮軾、顏師古曰、馮軾者、但安坐乘車而游說、不用兵衆、齊王田廣、聞漢兵至、以爲酈生賣己、【考證】顏師古曰、言其與韓信通謀、迺曰、汝能止漢軍、我活汝。不然、我將亨汝。【考證】高山寺本、無將字、楓、三本、亨作烹、酈生曰、舉大事不細謹。盛德不辭讓。而公不爲若更言。【考證】李斯傳、趙高謂李斯曰、大行不小謹、盛德不辭讓、冏白駒曰、而公、自稱之倨辭、猶乃公也、言我不爲汝改言、齊王遂亨酈生、引兵東走。漢十二年、曲周侯酈商、以丞相將兵擊黥布。有功。【考證】崔適曰、當依酈商傳、丞相上補右字、高祖舉列侯功

臣、思酈食其。酈食其子疥、數將兵、功未當侯。【索隱】疥、音界、後更封武遂三世、地理志、武遂屬河閒、案漢書作武陽、子遂衍文也、【考證】高山寺本、無數字、兵下有有字、凌稚隆曰、索隱子遂以下、恐有誤、上以其父故、封疥爲高梁侯。後更食武遂。嗣三世。元狩元年中、武遂侯平坐詐詔衡山王取百斤金、當弃市。病死國除也。【正義】年表云、卒子敵嗣、卒、子平嗣、元年有罪國除、而漢書云、更食武陽、子遂嗣、恐漢書誤也、【考證】高山守本、百斤金、作金百斤、病作疥、無也字、楓本、無當字、中井積德曰、也字疑衍、陸賈者、楚人也。【索隱】案陳留風俗傳云、陸氏、春秋時陸渾國之後、晉侯伐之、故陸渾子奔楚、賈其後、又陸氏譜云、齊宣公支子達、食菜於陸、達生發、發生皐、適楚、賈其孫也、以客從高祖定天下。名爲有口辯士、居左右、常使諸侯。【考證】藝文類聚引史、無士字、與漢書合、及高祖時、中國初定。尉他平南越、因王之。【索隱】趙他爲南越尉、故曰尉他、他、音馳、【正義】他、音徒何反、趙他、眞定人、爲龍川令、南海尉任囂死、使他盡行南海尉事、故曰尉他、後自立爲南越王、【考證】漢書、無及高祖三字、他作佗、張文虎曰、柯凌本作佗、下同、高祖使陸賈賜尉他印、爲南越王。陸生至。尉他魋結箕倨

見陸生。【集解】服虔曰、魋、音椎、今兵士椎頭結、【索隱】魋、直追反、結、音計、謂爲髻一撮似椎而結之、故字從結、且案其魋結二字、依字讀之、亦得、謂夷人本被髮左衽、今他同其風俗、但魋其髮而結之、【考證】高山寺本、陸賈作陸生、顏師古曰、結讀曰髻、又曰、伸其兩脚而坐、其形如箕、蓋古人無交椅、席地危坐、以伸其足爲不敬也、陸生因進說他曰。足下中國人、親戚昆弟墳墓在眞定。【索隱】趙地也、本名東垣、屬常山、今足下反天性、弃冠帶、欲以區區之越、與天子抗衡、爲敵國。禍且及身矣。【索隱】案崔浩云、抗、對也、衡、車扼上橫木也、抗衡、言兩衡相對拒、言不相避下、　且夫秦失其政、諸侯豪桀並起。唯漢王先入關據咸陽。項羽倍約、自立爲西楚霸王、諸侯皆屬、可謂至彊。【考證】漢書、彊下有矣字、然漢王起巴·蜀、鞭笞天下、劫略諸侯、遂誅項羽滅之、五年之閒、海內平定。此非人力、天之所建也。天子聞君王王南越、不助天下誅暴逆、將相欲移兵而誅王。【考證】楓本、誅王、作誅君王、　天子憐百姓新勞苦、故且

休之、遣臣授君王印、剖符通使。君王宜郊迎、北面稱臣。迺欲以新造未集之越、屈彊於此。【正義】屈強、謂不柔服也、【考證】顏師古曰、集、成也、　漢誠聞之、掘燒王先人冢、夷滅宗族、【考證】楓、三本、冢下有墓字、與漢書合、　使一偏將將十萬衆臨越、則越殺王降漢、如反覆手耳。於是尉他迺蹶然起坐、謝陸生曰。居蠻夷中久、殊失禮義。【索隱】蹶、蘇林音厥、禮記子夏蹶然而起、埤蒼云、蹶、起也、【考證】顏師古曰、蹶然、驚起之貌、顧炎武曰、坐者跪也、　因問陸生曰。我孰與蕭何·曹參·韓信賢。陸生曰。王似賢。【考證】高山寺本、似作已、　復曰。我孰與皇帝賢。陸生曰。皇帝起豐沛、討暴秦、誅彊楚、爲天下興利除害、繼五帝三皇之業、統理中國。【考證】高山寺本及漢書漢紀、三皇作三王、爲是、御覽引史同、　中國之人以億計、地方萬里、居天下之膏腴、人衆車轝、萬物殷富、政由一家。自天地剖泮、未

始有也。【正義】剖判、猶開闢也、【考證】楓、三、柯、凌本泮作判、與漢書合、高山寺本作泮、　今王衆不過數十萬、皆蠻夷、崎嶇山海閒。譬若漢一郡。王何乃比於漢。【考證】高山寺本、山作小、高、楓、三本、何下有可字、　尉他大笑曰。吾不起中國、故王此。使我居中國、何渠不若漢。【集解】渠、音詎、【索隱】渠、劉氏音詎、漢書作遽字、小顏以爲有何迫促不如漢也、【考證】高山寺本、笑作嘆、渠作遽、渠與距詎巨遽同、豈也、何渠、連言一意、說詳于經傳釋詞、顏說失之、中井積德曰、意謂固正如漢耳、　迺大說陸生、留與飲數月。曰。越中無足與語。至生來、令我日聞所不聞。賜陸生橐中裝直千金。【集解】張晏曰、珠玉之寶也、裝、裹也、【索隱】橐、音托、案如淳云、以爲明月珠之屬也、又案詩傳曰、大曰橐、小曰囊、埤蒼云、有底曰囊、無底曰橐、謂以寶物以入囊橐也、【考證】高山寺本、說作悅、楓、三本、語下有及字、　他送亦千金。【集解】蘇林曰、非橐中物、故曰他送也、　陸生卒拜尉他爲越王、令稱臣奉漢約。【考證】高山寺本、楓、三本、宋本、中統、游、毛、吳校金板、爲下有南字、與漢書合、當據補、　歸報。高祖大悅、拜賈爲太中大夫。【考證】楓、三本、報下重高祖二字、　陸生時時前說稱詩書。高

帝罵之曰。迺公居馬上而得之。安事詩書。【考證】吳曾祺曰、文有敍述事要、而必出於他人口吻、則不得不力求其肖、若一一務從典雅、則牴牾必多、劉子玄所謂怯書今語、勇效昔言、是也、然此太史公最爲絕技、他人莫之及、觀高祖本紀、屢曰乃公、又曰而公、使後人見之、必想見嫚罵語氣、令當日悉改爲朕字、以符詔諭之體、豈不矞皇典重、然而語氣全失、至陳涉世家云、夥頤涉之爲王沈沈者、儼然是一村俗人語、佳城蕩蕩、寇來不得上、儼然是一滑稽人語、而當日並不以鄙俚爲病、　陸生曰。居馬上得之。寧可以馬上治之乎。且湯·武逆取而以順守之。文武並用、長久之術也。【考證】楓、三本、逆上有以字、　昔者吳王夫差·智伯、極武而亡、秦任刑法不變、卒滅趙氏。【集解】趙氏、秦姓也、【索隱】案韋昭云、秦伯益後、與趙同出、非廉至造父、有功於穆王、封之趙城、由此一姓趙氏、　鄉使秦已并天下、行仁義法先聖、陛下安得而有之。高帝不懌、而有慙色。迺謂陸生曰。試爲我著秦所以失天下、吾所以得之者何、及古成敗之國。【考證】楓、三本、古下有今字、　陸生迺麤述存亡之徵、凡著十二篇。每奏

一篇、高帝未嘗不稱善。左右呼萬歲。號其書曰新語。【正義】七錄云、新語二卷、陸賈撰也、【考證】高山寺本、存作在、嚴可均曰、史記新語十二篇、漢書本傳同、藝文志作二十三篇、疑兼他所論譔計之、史記正義引梁七錄新語二卷、陸賈撰、隋志舊唐書同、崇文總目、郡齋讀書志、直齋書錄解題、皆不著錄、王伯厚漢藝文志考證云、今存道基、雜事、輔政、無爲、資質、懷慮、七篇、蓋宋時此書佚而復出、出亦不全、明弘治間、李廷梧得十二篇足本刻板、漢代子書、新語最純最早、貴仁義、賤刑威、述詩書春秋論語、紹孟荀而開賈董、卓然儒者之言、史遷目爲辯、未足盡之、其詞皆協、流傳久遠、轉寫多訛、葉適曰、按酈生陸賈叔孫通、皆言高祖罵儒生儒服、而漢所共事、皆武人刀筆吏、無有士人、獨張良非軍吏、不知何服也、然儒書儒服、自春秋戰國時固己詬戾之矣、游說法術之學、行道義既絕、至是陸賈始發其端、如陽氣復於大冬、學者蓋未可輕視之也、 孝惠帝時、呂太后用事、欲王諸呂。畏大臣有口者。【考證】高山寺本、臣下有及字、 陸生自度不能爭之。迺病免家居。以好畤田地善、可以家焉。【正義】畤、音止、雍州縣也、【考證】漢書、改可以二字、爲往一字、 有五男。迺出所使越得橐中裝賣千金、分其子。子二百金、令爲生產。【正義】漢制、一金直千貫、 陸生常安車駟馬、從歌舞鼓琴瑟侍者十人。【考證】查慎

行曰、漢書、刪卻舞琴兩字、絕無意義、 寶劍直百金。謂其子曰。與汝約。【集解】徐廣曰、汝一作公、 過汝、汝給吾人馬酒食。極欲十日而更。【考證】高山寺本及漢書、欲作飲、非是、極猶言最多也、中井積德曰、不欲久留使汝煩苦、我故十日而更、 所死家、得寶劍車騎侍從者。【考證】徐孚遠曰、所死家有喪葬費、故得所遺物、 一歲中、往來過他、客率不過再三過。【索隱】率、音律、過、音戈、【考證】顏師古曰、非徒至諸子所、又往來經過它處、爲賓客、一歲之中、每子不過再過也、查慎行曰、漢書刪去三字、便成死句、 數見不鮮。【索隱】數見、音朔現、謂時時來見汝也、不鮮、言必令鮮美作食、莫令見不鮮之物也、漢書作數擊鮮、如淳云、新殺曰鮮、【考證】劉攽曰、言人情頻見則不美、故毋久溷汝也、中井積德曰、常相見、則意不新鮮、故不數數相過也、愚按此承上文十日而更、一年中往來、率不過再三過句、劉中二說得之、漢書、作數擊鮮、義異、 無久慁公爲也。【集解】韋昭曰、慁、汙辱、【索隱】慁、患也、公、賈自謂也、言汝諸子、無久厭患公也、【考證】方苞曰、我一歲止再三過、無久慁汝爲也、公、謂其子、愚按、稱臣曰公、稱子曰公、稱部屬曰公、當時常語、說見鼂錯傳、李笠曰、上文謂其子曰、與汝約集解、徐廣曰、汝一作公、疑史記汝本作公、與此慁公竝指其子也、後人改上公字爲汝、小司馬遂以下公字爲賈自謂、失之遠矣、漢書、上下竝作汝、愚按秦策、昭王謂范雎曰、天以寡人慁先生、說文、慁、亂也、一曰擾也、 呂太后時王諸呂。諸呂擅權、欲劫少主危

劉氏。右丞相陳平患之、力不能爭。恐禍及己、常燕居深念。【正義】國家不安、故靜居深思其計策、 陸生往請、直入坐。【集解】漢書音義曰、請、若問起居、【考證】漢書、請上有不字、疑衍、高山寺本、請下有也字、 而陳丞相方深念、不時見陸生。【索隱】深念、深思之也、 陸生曰。何念之深也。陳平曰。生揣我何念。【集解】孟康曰、揣、度也、韋昭曰、揣、音初委反、【考證】高山寺本、無我字、 陸生曰。足下位爲上相、食三萬戶侯。【索隱】案陳平傳、食戶五千、以曲逆、秦時有三萬戶、恐復業至此、故稱、【正義】陳平世家、食曲逆五千戶、後攻陳豨黥布、凡六出奇計、益邑蓋三萬戶也、 可謂極富貴無欲矣。然有憂念、不過患諸呂少主耳。陳平曰。然。爲之柰何。陸生曰。天下安、注意相、天下危、注意將。將相和調、則士務附。【集解】徐廣曰、務、一作豫、【考證】高山寺本、附下有也字、王文彬曰、論語務本、皇疏、務、猶向也、慕也、漢書、務附作豫附、豫、樂也、慕附與樂附意同、 士務附、天下雖有變、卽權不分。爲社稷計、在兩君掌握耳。【考證】高山寺本、卽作則、高山寺、楓山本、重權不分三字、與漢書合、 臣

常欲謂太尉絳侯。絳侯與我戲、易吾言。【正義】絳侯與生常戲狎、輕易其言也、 君何不交驩太尉、深相結。【考證】高山寺本、相下有連字、 爲陳平畫呂氏數事。陳平用其計、迺以五百金爲絳侯壽、厚具樂飲。太尉亦報如之。此兩人深相結。則呂氏謀益衰。【考證】楓、三本、衰作廢、漢書作壞、 陳平迺以奴婢百人車馬五十乘錢五百萬遺陸生、爲飲食費。陸生以此游漢廷公卿閒。名聲藉甚。【集解】漢書音義曰、言狼籍甚盛、【正義】孟康云、猶言狼藉、甚盛也、按藉、言公卿假藉陸生名聲、甚敬重也、【考證】周壽昌曰、藉、卽藉用白茅之藉、言聲名得所藉益盛也、孟言狼藉、失之、 及誅諸呂立孝文帝、陸生頗有力焉。孝文帝卽位、欲使人之南越。陳丞相等乃言陸生、爲太中大夫、往使尉佗、令尉佗去黃屋稱制、令比諸侯。皆如意旨。【考證】高山寺本、楓、三本、無尉佗令三字、與漢書合、顏師古曰、黃屋、謂車上之蓋也、黃屋及稱制、皆天子之儀、故令去之、 語在南越語中。陸

生竟以壽終。【考證】何焯曰、在『雨』傳中不可無此句、 平原君朱建者、楚人也。【考證】王鳴盛曰、論贊云、平原君子與余善、是以得具論之、則知此段乃子長筆也、 故嘗爲淮南王黥布相。有辠去。後復事黥布。【考證】高山寺本辠作罪、同、 布欲反時、問平原君。平原君止之。布不聽。而聽梁父侯遂反。【索隱】梁父侯、史失名、如淳注漢書云、遂、布臣、非也、臣瓚曰、布用梁父侯計遂反耳、其說是也、【考證】王先謙曰、梁父、泰山縣、侯姓、遂名、愚按、瓚說仍是、高山寺本無而字、 漢已誅布。聞平原君諫不與謀、得不誅。【正義】與、音預、【考證】漢書云、漢既誅布、聞建諫之、高祖賜建號平原君、家徙長安、 語在黥布語中。【集解】黥布列傳無此語。 平原君爲人辯有口。刻廉剛直、家於長安。行不苟合、義不取容。辟陽侯行不正、得幸呂太后。【考證】辟陽侯、審食其、 時辟陽侯欲知平原君。平原君不肯見。【考證】漢書刪時辟陽侯四字、知猶交也、 及平原君母死、陸生素與平原君善。過之。【考證】何焯曰、歸重於陸生、故云陸生素與平原君善、 平原君家貧、未有以發喪。

方假貸服具。【索隱】案劉氏云、謂欲葬時、須啓其殯宮、故云發喪也、【考證】中井積德曰、貧無服具、不能具喪禮、故且祕不發喪、以待備具也、 陸生令平原君發喪。陸生往見辟陽侯賀曰。平原君母死。辟陽侯曰。平原君母死。何乃賀我乎。陸賈曰。前日君侯欲知平原君。平原君義不知君。以其母故。【集解】張晏曰、相知當同恤災危、母在、故義不知君、【索隱】案崔浩云、建以母在、義不以身許人也、【考證】中井積德曰、以母故、亦陸生之設辭、非建實然、 今其母死。君誠厚送喪、則彼爲君死矣。辟陽侯乃奉百金往稅。【集解】韋昭曰、衣服曰稅、稅、當爲襚、【索隱】案說文稅、贈終服也、襚、音式芮反、亦音遂、【考證】漢書稅作襚、 列侯貴人、以辟陽侯故往稅。凡五百金。辟陽侯幸呂太后。人或毀辟陽侯於孝惠帝。孝惠帝大怒、下吏欲誅之。呂太后慙、不可以言。大臣多害辟陽侯行、欲遂誅之。辟陽侯急因、使人欲見平原君。【考證】高山寺本因作困、義長、 平原君辭曰。獄急。不

敢見君。迺求見孝惠幸臣閎籍孺、【索隱】案佞幸傳云、高祖時有籍孺、孝惠時有閎孺、今總言閎籍孺、誤也、【正義】按籍字、後人妄加也、【考證】楓、三本、迺上有平原君三字、漢書有建字、籍字、當據索隱正義刪、下同、孺、豎也、閎、蓋其名、非姓、 說之曰。君所以得幸帝、天下莫不聞。今辟陽侯幸太后而下吏。道路皆言、君讒欲殺之。今日辟陽侯誅、且日太后含怒、亦誅君。何不肉袒爲辟陽侯言於帝。【考證】高本、楓、三本、何上重君字、顏師古曰、肉袒、謂脫其衣袖而見肉、肉袒者、自挫辱之甚、冀見哀憐、 帝聽君出辟陽侯、太后大驩。兩主共幸君。君貴富益倍矣。於是閎籍孺大恐、從其計、言帝。果出辟陽侯。【考證】高、楓、三本、果上重帝字、與漢書合、 辟陽侯之囚、欲見平原君。平原君不見辟陽侯。辟陽侯以爲倍己、大怒。及其成功出之、迺大驚。呂太后崩、大臣誅諸呂。辟陽侯於諸呂至深。而卒不誅。計畫所以全者、皆陸生·平原君之力也。

【集解】如淳曰、辟陽侯與諸呂相親信也、爲罪宜誅者至深、【索隱】案如淳說以爲宜誅、非也、小顏云、辟陽侯與諸呂相知至深重、得其理也、【考證】中井積德曰、朱建之事、原無足傳也、史遷乃津津言之、若深賞之、何也、蓋遷之被罪幾死、無有人赴救、故感憤特詳之耳、其實非公論也、班椽作史、宜刪去之、然仍舊者、是無識也、 孝文帝時、淮南厲王殺辟陽侯。以諸呂故。【考證】高山寺本、殺作刺、事詳厲王傳、楓、三本、諸上有黨字、與漢書合、 文帝聞其客平原君爲計策、使吏捕、欲治。【考證】高山寺本、文上有孝字、 聞吏至門、平原君欲自殺。諸子及吏皆曰。事未可知。何早自殺爲。平原君曰。我死禍絕。不及而身矣。遂自剄。【考證】高山寺本、早作蚤、 孝文帝聞而惜之曰。吾無意殺之。迺召其子拜爲中大夫。【索隱】案下文所謂與太史公善者、 使匈奴。單于無禮。迺罵單于。遂死匈奴中。

初沛公引兵過陳留。【考證】張文虎曰、初沛公引兵以下、各本連上、今依凌本別行、梁玉繩曰、酈生不應復出于朱建傳尾、且史無兩存之例、其爲羼入無疑、猶始皇紀後之附秦記也、攷御覽三百六十六引楚漢春秋、與此政同、則是後人因其小有異同而附之、又誤置于建傳末、當移在史論之後、史通

雜說篇、野客叢書、竝錯認爲史本書、評林載歸有光云、其文類褚先生補入者、亦失攷、酈生踵軍門上謁曰、高陽賤民酈食其、竊聞沛公暴露、將兵助楚討不義、敬勞從者。考證楓、三本討作誅、願得望見、口畫天下便事。使者入通。沛公方洗。考證高山寺本、楓、三本、洗下有足字、問使者曰、何如人也。使者對曰、狀貌類大儒、衣儒衣冠側注。集解徐廣曰、側注冠、一名高山冠、齊王所服以賜謁者也。考證高本楓、三本大儒下有也字、顏師古曰、側注者形側立而下注也、沛公曰、爲我謝之、言我方以天下爲事、未暇見儒人也。考證高本、無也字、使者出謝曰、沛公敬謝先生、方以天下爲事、未暇見儒人也。酈生瞋目案劍、叱使者曰、走復入言沛公。吾高陽酒徒也。集解徐廣曰、一本、言而公高陽酒徒、非儒人也。使者懼而失謁、跪拾謁還走、復入報曰、客天下壯士也。叱臣。臣恐、至失謁。曰、

走復入、言而公高陽酒徒也。沛公遽雪足杖矛曰、延客入。酈生入揖沛公曰、足下甚苦、暴衣露冠、將兵助楚討不義。足下何不自喜也。考證自喜、言自愛重也、魏其武安傳、君何不自喜、義同、臣願以事見。而曰、吾方以天下爲事。未暇見儒人也。夫足下欲與天下之大事、而成天下之大功、而以目皮相。恐失天下之能士。考證岡白駒曰、以目皮相、言徒見其容貌以相之、且吾度足下之智不如吾。勇又不如吾。若欲就天下而不相見。竊爲足下失之。沛公謝曰、鄉者聞先生之容。今見先生之意矣。迺延而坐之、問所以取天下者。酈生曰、夫足下欲成大功、不如止陳留。陳留者、天下之據衝也、兵之會地也。考證楓、三本、兩陳留間有夫字、據衝作權衡、積粟數千萬石。城守甚

堅。臣素善其令。願爲足下說之。不聽臣、臣請爲足下殺之、而下陳留。足下將陳留之衆、據陳留之城、而食其積粟、招天下之從兵。從兵已成、足下橫行天下、莫能有害足下者矣。沛公曰、敬聞命矣。於是酈生迺夜見陳留令、說之曰、夫秦爲無道、而天下畔之。今足下與天下從、則可以成大功。今獨爲亡秦嬰城而堅守。臣竊爲足下危之。考證楓、三本、嬰作管、陳留令曰、秦法、至重也。不可以妄言。妄言者無類。考證無類、誅滅無遺類、吾不可以應。先生所以教臣者、非臣之意也。願勿復道。酈生留宿臥。夜半時斬陳留令首、踰城而下報沛公。考證中井積德曰、夜斬陳留令、不似酈生之伎倆、前文似得事實、沛公引兵攻城、縣令首於長竿、以示城上

人曰。趣下。而令頭已斷矣。今後下者必先斬之。考證而、汝也、楓、三本、縣作懸、斬下有斷字、於是陳留人見令已死、遂相率而下沛公。考證高本無人字、沛公舍陳留南城門上。因其庫兵、食積粟。留出入三月。從兵以萬數。遂入破秦。考證楓、三本、入作大、太史公曰、世之傳酈生書多。曰、漢王已拔三秦、東擊項籍、而引軍於鞏·洛之閒。考證高本、拔作收、楓、三本引下有兵而二字、酈生被儒衣往說漢王。迺非也。自沛公未入關、與項羽別而至高陽、得酈生兄弟。余讀陸生新語書十二篇。固當世之辯士。考證淩本、余作今、查愼行曰、陸賈漢初儒生之有體有用者、觀其紬尉佗以禮義、說高帝以詩書、當呂后朝、不汲汲於功名、既能全身遠患、又能以事外之人、隱然爲社稷計安全、有曲逆智謀所不逮者、子房已從赤松遊、漢之不奪於諸呂、亦賴有此人也、因其與朱建善、史記概以口辯士目之、淺之乎論陸生矣、至平原君子、與余善。是以得具

論之。【考證】高本、之下有也字、何焯曰、標目不列平原、蓋附書也、謹言如此、

【索隱】述贊、廣野大度、始冠側注、踵門長揖、深器重遇、說齊歷下、趣鼎何懼、陸賈使越、尉佗慑怖、相說國安、書成主悟、

酈生陸賈列傳第三十七　史記九十七

史記會注考證卷九十八

漢　太史令司馬遷撰
宋　中郎外兵曹參軍裴駰集解
唐　國子博士弘文館學士司馬貞索隱
唐　諸王侍讀率府長史張守節正義
日本　出雲瀧川資言考證

傅靳蒯成列傳第三十八　史記九十八

【考證】史公自序云、欲詳知秦楚之事、維周緤常從高祖、平定諸侯、作傅靳蒯成列傳、第三十八、愚按史公自序集解引張晏云、亡傅靳蒯成傳、此言不足信、柯維騏曰、此傳

敘傳功、連用屬字、敘靳功、連用別字及破之字、文體變化、與樊酈滕灌相類、非太史公不能作也、崔適曰、三侯立國之年、皆與功臣表合、其他補作、無此完密也、

陽陵侯傅寬、【集解】地理志云、馮翊陽陵縣、【考證】張照曰、漢地理志、陽陵故弋陽、景帝更置、高帝時、不先有此名、年表索隱云、楚漢春秋作陰陵、張文虎曰、宋本、中統、游、毛、皆無此集解、疑後人所增、以魏五大夫騎將從、爲舍人、起橫陽、【索隱】按橫陽、邑名、在韓、韓公子成初封橫陽君、張良立爲韓王也、【正義】括地志云、故橫城、在宋州宋城縣西南三十里、按蓋橫陽也、【考證】錢大昕曰、傅寬靳歙、史失其所居郡縣、五大夫蓋秦時所得、及魏起、仍用其稱、從攻安陽·杠里、【正義】後魏地形志云、已氏有安陽城、隋改已氏爲楚丘、今宋州楚丘縣西四十里安陽故城是也、擊趙賁軍於開封、及擊楊熊曲遇·陽武、斬首十二級、賜爵卿。【正義】賁、音奔、曲、丘羽反、遇、牛恭反、司馬彪郡國志云、中牟有曲遇聚、按鄭州中牟縣也、陽武、鄭州縣、從至霸上。沛公立爲漢王。漢王賜寬封號共德君。【索隱】謂美號耳、非地邑、共、音恭、從入漢中、遷爲右騎將。從定三秦、賜食邑雕陰。【集解】徐廣曰、屬上郡、【索隱】案孟康徐廣云、縣名、屬上郡、【正義】鄜州洛交縣三十里雕陰故城是也、從擊項籍、待懷。賜爵通德侯。【集解】服虔曰、待高帝於懷、【索隱】按服虔云、待高祖於懷縣、小顏案地理志、懷屬河內、今懷州也、【正義】通德侯未詳、從擊項冠·周蘭·龍且。所將卒斬騎將一人敖下、益食邑。【集解】徐廣曰、敖倉之下、【正義】敖倉山之下也、【考證】顏師古曰、敖、地名、敖倉蓋取其名也、左氏傳云、敖鄗之間、屬淮陰、擊破齊歷下軍、擊田解。【索隱】張晏云、信時爲相國、云淮陰者、終言之也、【考證】梁玉繩曰、案是時韓信爲相國、據下文屬相國參、屬太尉勃之例、當云屬相國信、不當書淮陰也、與表同非、王先謙曰、田儋傳、齊王使華毋傷田解軍歷下、則擊歷下軍、與擊解不得爲二事、下擊字誤也、疑擊當爲斬、或得字虜字之譌、屬相國參、殘博。益食邑。【索隱】博、太山縣也、顧祕監云、屬曹參、以殘破博縣也、【考證】索隱顧祕監、中統、游、王、柯本竝作顧、單本作顏、錢泰吉曰、漢書無此注、衞將軍傳、傳校獲王索隱、亦然、唐志顧胤漢書古今集義二十卷、小司馬徵引、或即此、他處亦屢引顧胤、因定齊地、剖符世世勿絕。封爲陽陵侯、二千六百戶。除前所食。爲齊右丞相備齊。【集解】張晏曰、時田橫未降、故設屯備、【正義】按爲齊王韓信相、【考證】錢大昭曰、功臣表、無右字、五歲爲齊相國。【正義】爲齊悼惠王劉肥相五歲也、【考證】中井積德曰、五歲承上文、爲齊右丞相之後五年也、與下文四月一月二歲同例、四月、擊陳豨。屬太尉勃、以相國代丞相噲擊豨。一月、徙爲代相國、將屯。【集解】如淳曰、既爲相國、有警則將卒而屯守也、案律謂勒兵而守曰屯、【索隱】如淳云、漢初諸王官屬如漢朝、故代有丞相、案孔文祥云、邊郡有屯兵、寬爲代相國、兼領屯兵、後因置將屯將軍也、二歲、爲代丞相、將屯。【考證】李慈銘曰、時改諸王國之相國爲丞相、孝惠五年卒。謚爲景侯。子頃侯精立。二十四年卒。【考證】頃侯、它本譌須侯、今據楓三本、及札記所引宋、中統、舊刻、毛本訂正、沈家本曰、精、表作靖、漢表作清、子共侯則立。十二年卒。子侯偃立。三十一年、坐與淮南王謀反死。國除。【考證】它本、三十一年、作二十一年、據宋、中統、毛本、吳校金板訂正、

信武侯靳歙、以中涓從、【索隱】歙、音翕然之翕、起宛朐、【正義】上於元反、下求俱反、曹州縣也、攻濟陽、【正義】曹州宛朐縣西南三十五里濟陽故城、破李由軍、擊秦軍亳南開封東北、斬騎千人將一人、首五十七級、捕虜七十三人。【集解】徐廣曰、將一作候、【正義】擊秦軍於南亳縣之南、開封縣之東北也、【考證】騎千人將、各本千譌十、毛本作千、與漢書合、梁玉繩曰、斬騎千人將一人、七字一句讀、如淳云、騎將率號爲千人、漢儀注、邊郡置部都尉千人司馬候也、徐廣云、將一作候、賜爵封號臨平君。又戰藍田北、斬車司馬二人、【集解】張晏曰、主官車、【考證】張文虎曰、

柯、淩、二作一、愚按漢書作二、騎長一人、【集解】張晏曰、騎之長、首二十八級、捕虜五十七人。至霸上。沛公立爲漢王。賜歙爵建武侯。遷爲騎都尉。從定三秦。別西擊章平軍於隴西破之、定隴西六縣。所將卒斬車司馬候各四人、騎長十二人。從東擊楚至彭城。漢軍敗。還保雍丘。去擊反者王武等、略梁地、別將擊邢說軍【集解】張晏曰、特起兵者也、說、音悅、【索隱】邢姓、說名、音悅、菑南破之。【集解】徐廣曰、今曰考城、上音災、今爲考城、屬濟陰也、【索隱】身得說都尉二人、司馬候十二人、降吏卒四千一百八十人、破楚軍滎陽東。三年、賜食邑四千二百戶。別之河內、擊趙將賁郝軍朝歌、破之。【集解】賁郝、上音肥、下音釋、【索隱】漢書作趙賁軍、案此在河北、非曹參樊噲之所擊也、【正義】按言別之河內、疑漢書誤也、【考證】李光縉曰、身得云者、以別於將卒所得也、所將卒得騎將二人、車馬二百五十匹。從攻安陽以東

至棘蒲、下七縣。【考證】錢泰吉曰、車馬同以匹計、恐有脫誤、愚按、車字帶說、洪頤煊曰、趙世家敬侯六年伐魏取棘蒲、正義、今趙州平棘縣古棘蒲邑也、漢書、七縣作十縣、別攻破趙軍、得其將司馬二人、候四人、降吏卒二千四百人。從攻下邯鄲、別下平陽、【集解】徐廣曰、鄴有平陽城、【正義】括地志云、平陽故城、在相州臨漳縣西二十五里、身斬守相。所將卒斬兵守郡守各一人。降鄴。【集解】孟康曰、將兵郡守、【考證】漢書、郡下無守各二字、中井積德曰、兵守二字、各字、恐竝衍、漢書作兵守郡一人、亦不通、從攻朝歌邯鄲、及別擊破趙軍、降邯鄲郡六縣。【集解】徐廣曰、邯鄲、高帝改曰趙國、【考證】王先謙曰、自別之河內至此、皆擊趙事、當在三年、韓信張耳擊趙時、別令歙將兵略趙地也、還軍敖倉、破項籍軍成皋南、擊絕楚饟道。起滎陽至襄邑、破項冠軍魯下。【正義】魯城之下、今兗州曲阜縣也、略地東至繒·郯·下邳、【索隱】案地理志、繒屬東海、【正義】今繒城、在沂州丞縣、下邳、泗水縣、郯縣、屬海州、南至蘄·竹邑、擊項悍濟陽下。【索隱】蘄、竹、二邑名、上音機、竹、卽竹邑、【考證】楓、三本、濟陽作淸陽、還擊項籍陳下、破之。別定江陵。降江陵

柱國大司馬以下八人。身得江陵王、生致之雒陽。【索隱】案孔文祥云、江陵王、共敖子共尉、因定南郡。從至陳、取楚王信。剖符世世勿絕。定食四千六百戶、號信武侯。以騎都尉從擊代、攻韓信平城下、還軍東垣、有功。遷爲車騎將軍、幷將梁·趙·齊·燕·楚車騎。別擊陳豨丞相敞破之。【索隱】小顏云、侯敞、因降曲逆。從擊黥布有功。益封、定食五千三百戶。凡斬首九十級、虜百三十二人。【考證】漢書、三十作四十、沈家本曰、按上文斬首實八十五級、捕虜實百三十人、別破軍十四、降城五十九。定郡國各一、縣二十三、得王·柱國各一人、二千石以下至五百石【集解】徐廣曰、一本無此五字、三十九人。高后五年、歙卒。諡爲肅侯。子亭代侯。二十一年、坐事國人過律、【索隱】案劉氏云、事、役使也、謂使人違律數多也、孝文後三年、奪侯、國除。蒯成侯

緤者、沛人也。姓周氏、常爲高祖參乘。【集解】服虔曰、蒯、音菅、蒯之蒯、【索隱】姓周、名緤、音薛、蒯者鄉名、案三蒼云、蒯鄉、在城父縣、音裴、漢書作鄘、從崩從邑、今書本竝作蒯、音菅、蒯之蒯、非也、蘇林音簿催反、晉灼案功臣表、屬長沙、崔浩音簿壞反、楚漢春秋作憑成侯、則裴憑聲相近、此得其實也、【正義】括地志云、蒯亭、在河南西十四里苑中、輿地志云、蒯成縣、故陳倉縣之故鄉聚名也、周緤所封也、晉武帝咸寧四年、分陳倉立蒯成縣、屬始平郡也、以舍人從起沛。至霸上、西入蜀漢。還定三秦、食邑池陽。【正義】雍州涇陽縣西北三里、池陽故城是也、東絕甬道。從出、度平陰、遇淮陰侯兵襄國。軍乍利、乍不利。終無離上心。【集解】徐廣曰、蒯成侯表云、遇淮陰侯軍襄國、楚漢約分鴻溝、以緤爲信武侯、戰不利、不敢離上、【考證】漢書、删東字、增以從東擊項羽滎陽七字、李慈銘曰、遇韓信軍襄國上下有佚脫、以緤爲信武侯、食邑三千三百戶。【考證】王先謙曰、表云、二千二百戶、高祖十二年、以緤爲蒯成侯、除前所食邑。上欲自擊陳豨。蒯成侯泣曰。始秦攻破天下、未嘗自行。今上常自行。是爲無人可使者乎。上以爲愛我、賜入殿門不趨、殺人不

死。【正義】楚漢春秋云、上令殺人不死、入廷不趨也、【考證】梁玉繩曰、諸大功臣、未聞有此賜、中井積德曰、賜殺人不死、是許人作惡也、可謂亂政矣、漢書削此四字、蓋諱之也、俞樾曰、後世鐵券之賜、其昉於此乎、愚按、殺人不死、減死一等也、至孝文五年、緤以壽終。謚爲貞侯。【正義】謚爲尊侯、一作卓、【考證】漢傳、作貞侯、史表作卓侯、尊與貞形近而誤、卓則謁脫貞下半也、子昌代侯。有罪國除。至孝景中二年、封緤子居代侯。【集解】徐廣曰、表云、孝景中元年、封緤子應爲鄲侯、謚康、中二年、侯居立、沛郡有鄲縣、鄲一作鄲、【索隱】鄲、蘇林音多、屬陳國、地理志云、沛郡有鄲縣、案此文云子居、表云子應、不同也、【正義】案表應鄲侯、一歲卒、侯居代、而文不說者、年少故、鄲音多、【考證】梁玉繩曰、案功臣表、漢書、孝景中元年、封緤子康侯應爲鄲侯、應卒、子仲居嗣、非中二年也、非居也、仲居亦非緤子也、此誤、至元鼎三年、居爲太常。有罪國除。【考證】漢公卿表云、鄲侯周仲居爲太常、坐不收赤側錢收行錢論、

太史公曰。陽陵侯傅寬、信武侯靳歙、皆高爵。【集解】徐廣曰、一無高字、又一本皆從高祖、【正義】言名卑而戶數多者爲高爵也、從高祖起山東、攻項籍、誅殺名將、破軍降城、以十數。未嘗困辱。此亦天授也。蒯成侯周緤、操心堅正、身不見疑。【索隱】操、音倉高反、上欲有所之、未嘗不垂涕。此有傷心者然。【集解】徐廣曰、此一作比、【考證】然字屬下讀、非是、可謂篤厚君子矣。

【索隱】述贊、陽陵信武、結髮從漢、動叶人謀、功實天贊、定齊破項、我軍常冠、蒯成委質、夷險不亂、主上稱忠、人臣扼腕、

傳靳蒯成列傳第三十八　史記九十八

史記會注考證卷九十九

漢　太　史　令　司　馬　遷　撰
宋　中　郎　外　兵　曹　參　軍　裴　駰　集　解
唐　國　子　博　士　弘　文　館　學　士　司　馬　貞　索　隱
唐　諸　王　侍　讀　率　府　長　史　張　守　節　正　義
日　本　出　雲　瀧　川　資　言　考　證

劉敬叔孫通列傳第三十九　史記九十九

[考證]史公自序云、徙彊族、都關中、和約匈奴、明朝廷禮、以宗廟儀法、作劉敬叔孫通列傳第三十九、陳仁錫曰、敬、通皆有高世之智、能爲國家建大計、極得力人、故二人同

傳、梁玉繩曰、案爲敬通立傳、而不言兩人所終、似疏、

劉敬者、齊人也。[索隱]敬、本姓婁、漢書作婁敬、高祖曰、婁卽劉也、因姓劉耳、[正義]本姓婁、漢書作婁敬、高祖曰、婁者劉也、賜姓劉氏、漢五年、戍隴西、過洛陽。高帝在焉。婁敬脫輓輅、[集解]蘇林曰、一木橫鹿車前、一人推之、孟康曰、輅、音胡格反、輓、音晚、[索隱]輓者牽也、音晚、輅者、鹿車前橫木、二人前輓、一人後推之、音胡格反、衣其羊裘、[考證]楓三本、衣作去、誤、查愼行曰、漢書刪去衣其羊裘四字、下段遂無來歷、見齊人虞將軍曰。臣願見上言便事。[考證]虞將軍未詳、漢書、便事作便宜、虞將軍欲與之鮮衣。[索隱]上音仙、鮮衣、美服也、[正義]鮮、鮮潔美服、婁敬曰。臣衣帛、衣帛見、衣褐、衣褐見。終不敢易衣。於是虞將軍入言上。上召入見、賜食。已而問婁敬。婁敬說曰。陛下都洛陽。豈欲與周室比隆哉。上曰。然。婁敬曰。陛下取天下、與周室異。周之先、自后稷堯封之邰、[正義]邰、音胎、雍州武功縣西南二十三里、故釐城是也、說文云、邰、炎帝之後、姜姓所封國、弃外家也、毛萇云、邰、姜嫄國、

堯見天因邰而生后稷、故因封於邰也、積德累善、十有餘世、公劉避桀居豳。太王以狄伐故去豳、杖馬箠居岐。國人爭隨之。[集解]張晏曰、言馬箠、示約、[正義]杖、音直尙反、箠、音竹委反、杖、持也、[考證]中井積德曰、公劉避桀、他無所見、蓋當時流傳之說、不及深辯、王先謙曰、詩大雅緜之詩云、古公亶父、來朝走馬、率西水滸、至於岐下、敬語本之、但言策往岐耳、愚按楓三本、隨作歸、與漢書合、及文王爲西伯、斷虞・芮之訟、始受命、呂望・伯夷、自海濱來歸之。[正義]呂望宅及廟、在蘇州海鹽縣西也、伯夷孤竹國、在平州、皆濱東海也、[考證]中井積德曰、始受命、是俗說、愚按孟子離婁篇、伯夷避紂、居北海之濱、太公避紂、居東海之濱、武王伐紂。不期而會孟津之上、八百諸侯。皆曰。紂可伐矣。遂滅殷。成王卽位、周公之屬傳相焉。迺營成周洛邑。[正義]括地志云、故王城、一名河南城、本郟鄏、周公所築、在洛州河南縣北九里苑中東北隅、帝王紀云、武王伐紂、營洛邑、而定鼎焉、按此卽營都城也、書云、乃營成周、括地志云、洛陽故城、在洛州洛陽城東二十六里、周公所築、卽成周城也、尙書曰、成周既成、遷殷頑民、帝王世紀云、居邶鄘之衆、按劉敬說周之美、豈言居頑民之所、以此而論、漢書非也、[考證]張文虎曰、正義所引尙書、是多士序文、尙書下疑脫序字、漢書疑亦當作書序、以此爲天下之中也。

[考證]漢書、作以爲此天下中、諸侯四方納貢職、道里均矣。有德則易以王、無德則易以亾。[考證]何焯曰、周公營洛、止以爲朝會諸侯之處、非遂居之也、則道里均之說長、無德易亡、不欲阻險、乃後世儒生推測聖人之過、周公本意、夫豈然哉、然言此於高帝之前、著都洛之非、則易以入耳矣、凡居此者、欲令周務以德致人、不欲依阻險、令後世驕奢以虐民也。[正義]言帝王阻險之地、令後世驕奢之主役民、則虐苦也、[考證]周、偏也、漢書刪、及周之盛時、天下和洽、四夷鄉風、慕義懷德、附離而竝事天子。[集解]莊子曰、附離不以膠漆也、[索隱]案謂使離者相附也、義見莊子、[正義]有德則離散之民、歸附之、[考證]離、麗也、附也、附離二字一意、莊子胠篋篇、義同、不屯一卒、不戰一士、八夷大國之民、莫不賓服、效其貢職。及周之衰也、分而爲兩、天下莫朝。周不能制也。[正義]公羊傳云、東周者何、成周也、西周者何、王城也、按周自平王東遷以下十二王、皆都王城、至敬王、乃遷都成周、王赧又居王城也、[考證]中井積德曰、周幽王以上、未嘗遷洛也、平王以下、則不足論、都關中、乃所以比於成康、都洛陽、則纔可比於衰周、事實顚倒、又曰、周季有東西周、兩周公據焉、天子特寄食耳、故東西周之號、非指天子之都而言、非其德薄也。

而形勢弱也。今陛下收豐沛、起卒三千人、【考證】各本、豐下衍擊字、今從楓三本、毛本、凌引一本、以之徑往、而卷蜀漢、定三秦、與項羽戰滎陽、爭成皐之口、大戰七十、小戰四十、使天下之民肝腦塗地、父子暴骨中野、不可勝數。哭泣之聲未絕、傷痍者未起、而欲比隆於成康之時。【正義】痍、音夷、創也、臣竊以爲不侔也。且夫秦地被山帶河、四塞以爲固。卒然有急、百萬之衆可具也。因秦之故、資甚美膏腴之地、此所謂天府者也。【索隱】案戰國策蘇秦說惠王曰、大王之國、地勢形便、此所謂天府、高誘注云、府、聚也、【考證】府、庫也、陛下入關而都之、山東雖亂、秦之故地可全而有也。夫與人鬬、不搤其亢拊其背、未能全其勝也。【集解】張晏曰、亢、喉嚨也、【索隱】搤、音尼、亢、音胡朗反、一音胡剛反、蘇林以爲亢頸大脈、俗所謂胡脈也、【考證】顏師古曰、搤、與扼同、謂捉持之、愚按項羽紀云、人說項王曰、關中阻山河四塞、地肥饒、可都以霸、項王不聽、淮陰侯傳、韓信論項羽曰、項王

雖霸天下而臣諸侯、不居關中、而都彭城、由是觀之、定都關中以制天下、當時識者所見皆然、未必待婁敬張良、今陛下入關而都、案秦之故地、此亦搤天下之亢而拊其背也。高帝問羣臣。羣臣皆山東人、爭言周王數百年、秦二世卽亾、不如都周。【考證】中井積德曰、群臣無學、亦不知盛周之都于關中也、上疑未能決。及留侯明言入關便、卽日車駕西都關中。【索隱】案謂卽日西都之計定也、【考證】董份曰、書卽日、見高帝從諫如轉圜、於是上曰、本言都秦地者婁敬。婁者乃劉也。賜姓劉氏、拜爲郎中、號爲奉春君。【索隱】案張晏云、春爲歲之始、以其首謀都關中、故號奉春君、【考證】錢大昕曰、婁、劉聲近、今吳中人呼婁江曰劉河、吾婁塘市、土人亦呼爲劉、周壽昌曰、後漢書禮義志、貙劉之禮、漢儀注、作貙婁、古今注、風俗通、竝作貙膢、足證古婁劉二字一音、中井積德曰、奉春、恐不必有意、只是邑名耳、漢七年、韓王信反。高帝自往擊之。至晉陽。聞信與匈奴欲共擊漢、上大怒、使人使匈奴。匈奴匿其壯士肥牛馬、但見老弱及羸畜。【正義】上力爲反、下許又反、

使者十輩來。皆言匈奴可擊。【考證】漢書、可作易、上使劉敬復往使匈奴。還報曰。兩國相擊。此宜夸矜見所長。【集解】韋昭曰、夸、張、矜、大也、今臣往、徒見羸瘠老弱。【索隱】羸瘠、上力爲反、瘠、音稷、瘠、瘦也、漢書作胔、音漬、胔肉也、恐非、【考證】瘠在亦反、此必欲見短、伏奇兵以爭利。愚以爲匈奴不可擊也。是時漢兵已踰句注、二十餘萬兵已業行。【正義】句注山、在代州鴈門縣西北三十里、【考證】漢書、二十餘萬作三十餘萬、與匈奴傳同、此誤、劉淇曰、業、既已也、史記外戚世家、太后業已許之、留侯世家、良業爲取履、劉敬傳、是時漢兵已踰句注二十餘萬兵已業行、業已、已業、竝重言也、王先謙曰、句注、地理志、在廣武、上怒罵劉敬曰。齊虜以口舌得官。今迺妄言沮吾軍。【索隱】沮、音才敘反、詩傳曰、沮、止也、壞也、【考證】劉敬、齊人、械繫敬廣武。【索隱】地理志、縣名、屬鴈門、【正義】廣武故縣、在句注山南也、【考證】廣武在代州西十五里、志屬太原、遂往至平城。【考證】丁謙曰、據水經注、平城、今大同府城、白登山、在平城東十七里、亦見水經注、匈奴果出奇兵、圍高帝白登、七日。然後得解。高帝至廣武、赦敬曰。吾不用公

言、以困平城。吾皆已斬前使十輩言可擊者矣。迺封敬二千戶爲關內侯、號爲建信侯。高帝罷平城歸。韓王信亾入胡。當是時、冒頓爲單于、兵彊、控弦三十萬、數苦北邊。【集解】應劭曰、控、引也、【正義】謂能引弓者三十萬人也、【考證】漢書、三十萬作四十萬、與匈奴傳合、上患之、問劉敬。劉敬曰。天下初定、士卒罷於兵。未可以武服也。冒頓殺父代立、妻羣母、以力爲威。未可以仁義說也。獨可以計久遠子孫爲臣耳。然恐陛下不能爲。上曰。誠可、何爲不能。顧爲柰何。劉敬對曰。陛下誠能以適長公主妻之、厚奉遺之、【考證】顏師古曰、適讀曰嫡、謂皇后所生、彼知漢適女送厚、蠻夷必慕以爲閼氏。生子必爲太子、代單于。何者貪漢重幣。陛下以歲時漢所餘、彼所鮮、數問遺、【考證】鮮、少也、因使辯士風諭

以禮節、冒頓在、固爲子婿。死則外孫爲單于。【考證】楓、三本、在作存、豈嘗聞外孫敢與大父抗禮者哉。兵可無戰、以漸臣也。若陛下不能遣長公主、而令宗室及後宮詐稱公主、彼亦知、不肯貴近。無益也。【考證】楓山本、室下有女字、高帝曰。善。欲遣長公主。呂后日夜泣曰。妾唯太子一女。柰何弃之匈奴。上竟不能遣長公主。【考證】梁玉繩曰、案張耳傳、魯元公主、于高帝五年適趙王敖、至是時已三年矣、而云以妻單于、豈將奪而嫁之乎、婁敬之言悖也、乃帝善其言、卽欲遣公主、有是理哉、必非事實、愚按徐孚遠錢大昕洪頤煊、沈欽韓皆有是說、而取家人子、名爲長公主、妻單于、使劉敬往結和親約。【正義】顏師古曰、於外庶人之家取女、而名之爲公主、【考證】周壽昌曰、漢制、良家子、入宮無職號者、謂爲家人子、有上家人子、中家人子之號、顏注謬、馮唐傳、士卒盡家人子、則是庶人之家子、不能與此同解也、王先謙曰、據匈奴傳、使敬奉宗室女翁主爲單于閼氏、是家人子迺宗室女也、劉敬從匈奴來。【考證】楓、三本、從下有使字、因言、匈奴河南白羊·樓煩王、去長安近者七百

里。輕騎一日一夜、可以至秦中。【集解】張晏云、白羊、匈奴國名、【索隱】案張晏云、白羊、國名、二者竝在河南、河南者案在朔方之河南、舊竝匈奴地也、今亦謂之新秦中、【正義】白羊樓煩、兩胡國名、在朔方之南靈夏勝等三州之地、秦得之、號秦新中、漢爲朔方郡、而勝州河東□嵐州、亦樓煩胡地也、秦中新破、少民、地肥饒、可益實。【考證】顏師古曰、秦中、謂關中、故秦地也、新破、謂經兵革之後、未殷實、夫諸侯初起時、非齊諸田、楚昭·屈·景、莫能興。【考證】陳項起事、非齊楚名族合力、不能滅秦、今陛下雖都關中、實少人。北近胡寇、東有六國之族宗彊。【考證】楓、三本、中下有其、漢書、族宗彊、作彊族、一日有變、陛下亦未得高枕而臥也。臣願陛下徙齊諸田、楚昭·屈·景、燕·趙·韓·魏後、及豪桀名家居關中、無事、可以備胡、諸侯有變、亦足率以東伐。此彊本弱末之術也。上曰。善。迺使劉敬徙所言關中十餘萬口。【索隱】案小顏云、今高陵櫟陽諸田、華陰好畤諸景、及三輔諸屈、諸懷、尚多、皆此時所徙也、【考證】凌稚隆曰、不載敬所終、

叔孫通者、薛人也。【集解】晉灼曰、楚漢春秋、名何、【索隱】按楚漢春秋云、名何、薛縣名、屬魯國、【考證】沈欽韓曰、據孔叢爲孔鮒弟子、周壽昌曰、此尚是秦之薛郡也、觀下亡去之薛、及項梁之薛、皆爲秦薛郡可知、

秦時以文學徵、待詔博士數歲。陳勝起山東。使者以聞。二世召博士諸儒生問曰。楚戍卒攻蘄入陳。於公如何。博士諸生三十餘人前曰。人臣無將。將卽反。罪死無赦。【集解】瓚曰、將、謂逆亂也、公羊傳曰、君親無將、將而必誅、願陛下急發兵擊之。【正義】將、謂將帥群衆也、【考證】公羊莊三十二年、昭元年傳竝云、君親無將、將而誅焉、將、既有其意、未行其事也、二世怒作色。【考證】顏師古曰、不許其言陳勝爲反、叔孫通前曰。諸生言皆非也。夫天下合爲一家、毀郡縣城、鑠其兵、示天下不復用。且明主在其上、法令具於下、使人人奉職、四方輻輳。安敢有反者。【考證】顏師古曰、輳、聚也、言如車輻之聚於轂也、字或作湊、此特羣盜鼠竊狗盜耳。何足置之齒牙閒。郡守尉、今捕論。何足憂。二世喜曰。善。盡問諸生。諸生或言反、或

言盜。於是二世令御史案諸生言反者下吏。非所宜言。諸言盜者、皆罷之。迺賜叔孫通帛二十匹·衣一襲、拜爲博士。【索隱】案國語、謂之一稱、賈逵案禮記、袍必有表、不單、衣必有裳、謂之一稱、杜預云、衣單複具云稱也、【正義】衣單複具爲一襲也、【考證】顏師古曰、一襲、上下皆具也、今人呼爲一副也、張文虎曰、索隱案國語謂之一稱、中統、游、王、柯本同、單本作國語云一稱、案國語、不見此文、凌本遂改爲古語、錢簪石云、疑是閔二年左傳祭服五稱注文、叔孫通已出宮反舍。諸生曰。先生何言之諛也。通曰。公不知也。我幾不脫於虎口。【正義】幾、音祈、迺亡去之薛。薛已降楚矣。及項梁之薛、叔孫通從之。敗於定陶。從懷王。懷王爲義帝徙長沙。叔孫通留事項王。漢二年、漢王從五諸侯入彭城。叔孫通降漢王。漢王敗而西。因竟從漢。叔孫通儒服。漢王憎之。迺變其服、服短衣。楚製。漢王喜。【索隱】案孔文祥云、短衣便事、非儒者衣服、高祖楚人、故從其俗裁製、【考證】中井積德曰、楚製、謂服楚俗之製耳、非學高祖之服、

高祖已爲漢王、恐不服短衣、但其將卒多楚俗已、叔孫通之降漢、從儒生弟子百餘人。然通無所言進、專言諸故羣盜壯士進之。弟子皆竊罵曰。事先生數歲、幸得從降漢。今不能進臣等、專言大猾。何也。【索隱】案類集云、猾、狡也、音滑、叔孫通聞之、迺謂曰。漢王方蒙矢石爭天下。【集解】漢書音義曰、謂發石以投人、【正義】蒙、猶被也、冒也、諸生寧能鬬乎。故先言斬將搴旗之士。諸生且待我。我不忘矣。【集解】張晏曰、搴、卷也、瓚曰、拔取曰搴、楚辭曰、朝搴阰之木蘭、【索隱】搴、音起焉反、又己勉反、案方言云、南方取物云搴、許愼云、搴、取也、王逸云、阰、山名、又案埤蒼云、山在楚、音毗、【考證】凌稚隆曰、此專寫叔孫通希世免禍、與時變化處、漢王拜叔孫通爲博士、號稷嗣君。【集解】徐廣曰、蓋言其德業足以繼蹤齊稷下之風流也、駰案漢書音義曰、稷嗣、邑名、【考證】徐孚遠曰、是時功臣多有名號侯者、叔孫無軍功、安得封邑、徐說爲長、漢五年、已幷天下、諸侯共尊漢王爲皇帝於定陶。叔孫通就其儀號。【考證】顏師古曰、就、成也、高帝悉去秦苛儀、法爲簡易。

羣臣飮酒爭功、醉或妄呼、拔劍擊柱。高帝患之。叔孫通知上益厭之也。說上曰。夫儒者難與進取、可與守成。臣願徵魯諸生、與臣弟子共起朝儀。高帝曰。得無難乎。叔孫通曰。五帝異樂、三王不同禮。禮者、因時世人情爲之節文者也。故夏・殷・周之禮、所因損益可知者、謂不相復也。臣願頗采古禮、與秦儀雜就之。【考證】論語爲政篇、殷因於夏禮、所損益可知也、周因於殷禮、所損益可知也、顏師古曰、復、重也、因也、音扶目反、徐孚遠曰、叔孫生爲秦博士、秦儀其素習也、故就采之、上曰。可試爲之。令易知。度吾所能行爲之。於是叔孫通使徵魯諸生三十餘人。魯有兩生、不肯行。曰。公所事者且十主。皆面諛以得親貴。【考證】胡三省曰、通事秦始皇、二世、陳涉、項梁、楚懷王、項羽及帝、凡七主、且、或也、言或及十主也、愚按通未事陳涉、胡說七主、當作六主、今天下初定、死者未葬、傷者未起。又欲起禮樂。禮樂

所由起、積德百年而後可興也。吾不忍爲公所爲。公所爲不合古。吾不行。公往矣。無汙我。叔孫通笑曰。若眞鄙儒也。不知時變。【考證】若、汝也、王維楨曰、敘兩生不行語、亦因以著叔孫人品耳、葉適曰、叔孫通以刓方希世、爲儒者所貶、然豈知通於暴秦勝羽中、以其所學緜蕝自立之爲難也、儒術賴以粗傳、巽叔孫通陸賈之力、觀兩生所言、殆亦未知者、遂與所徵三十人西、及上左右爲學者、與其弟子百餘人、爲緜蕞野外、習之月餘。【集解】徐廣曰、表位標準、音子外反、駰案如淳曰、置設緜索、爲習肄處、蕞、謂以茅翦樹地爲纂位、春秋傳曰、置茅蕝也、【索隱】徐音子外反、如淳云、翦茅樹地爲纂位、尊卑之次、蘇林音纂、韋昭云、引繩爲緜、立表爲蕞、音茲會反、按賈逵云、束茅以表位爲蕝、又纂文云、蕝、今之纂字、包愷音卽悅反、又音纂、【正義】於野外、卽縳茅竹、表爲纂、立尊卑之位也、蕝、子悅反、又子芮反、若今之纘也、【考證】中井積德曰、緜、連緜之義、表蕞緜緜相聯屬也、王先謙曰、緜者引繩營之、使連緜也、愚按野外二字、屬上句、叔孫通曰。上可試觀。上既觀、使行禮曰。吾能爲此。【考證】應度吾所能行爲之、迺令羣臣習肄、會十月。【索隱】肄亦習也、音異、【考證】張文虎曰、毛本、索隱本、作習肄、各本、譌習隸、王先謙曰、會十月、連上爲文、謂令羣臣習肄、以十月朝會也、顏師古以三字屬下、訓會爲適

會、誤、中井積德亦有此說、漢七年、長樂宮成。諸侯羣臣皆朝。【考證】漢高紀五年後九月、治長樂宮、至此始成也、長樂宮、本秦之興樂宮、在長安城東隅、十月儀、【索隱】小顏云、漢以十月爲正、故行朝歲之禮、史家追書十月也、案諸書竝云、十月爲歲首、不言以十月爲正月、古今注亦云、羣臣始朝十月也、【考證】岡白駒曰、諸侯羣臣皆朝、句、十月儀、句、先平明以下、卽十月朝儀也、故先擧其標題云十月儀、顏師古注漢書、以十月屬上、非也、先平明、謁者治禮、引以次入殿門。廷中、陳車騎、步卒衞官、設兵張旗志。【集解】徐廣曰、一作幟、傳言趨。【索隱】案小顏云、傳聲教入者、皆令趨、趨、疾行致敬也、【考證】漢書、言作曰、殿下、郎中俠陛。陛數百人。【考證】顏師古曰、俠與挾同、挾其兩旁、每陛皆數百人也、功臣列侯、諸將軍軍吏、以次陳西方東鄉。文官丞相以下、陳東方西鄉。大行設九賓臚傳。【集解】漢書音義曰、傳從上下爲臚、【索隱】漢書云、設九賓臚句傳、蘇林云、上傳語告下爲臚、下傳語告上爲句、臚猶行者矣、韋昭云、大行人掌賓客之禮、今謂之鴻臚也、九賓、則周禮九儀也、謂公侯伯子男孤卿大夫士也、漢依此以爲臚傳、依次傳令上也、向秀注莊子云、從上語下爲臚、音閭、句、音九注反、【考證】張文虎曰、各本臚下有句字、索隱本無、王念孫曰、臚下句字、後人依漢書加之、集解引漢書音義、但釋臚字、不釋句字、此其證、言臚可以該句也、中井積德曰、賓、掌賓客之

官、賓儐、同、九儐、九人、列次以應對賓客而導從之也、於是皇帝輦出房。【索隱】案輿服志云、殷周以輦載軍器、職載僞衆、至秦始去其輪而載輿、爲尊也、百官執職傳警。【集解】徐廣曰、職、一作幟、【索隱】職、音幟、亦音試、傳警者、漢儀云、帝輦動則左右侍帷幄者稱警、是也、【考證】漢書職作戟、朱慈銘曰、幟、俗字、古止作職、漢書作戟、蓋譌、漢惟郎執戟、上所云俠陛者也、引諸侯王以下至吏六百石、以次奉賀。自諸侯王以下、莫不振恐肅敬。至禮畢、復置法酒。【集解】文穎曰、作酒令法也、蘇林曰、常會須天子中起更衣、然後入置酒矣、【索隱】按文穎云、作酒法令也、姚氏云、進酒有禮也、古人飲酒不過三爵、君臣百拜、終日宴、不爲之亂也、【正義】姚察云、諸侯羣臣、於奏賀禮畢、皆復置法酒、及侍坐殿上者、皆伏而抑首也、謂之法酒者、異於私燕之酒、言進止有禮法也、古人飲不過三爵、君臣百拜、終日宴而不亂也、【考證】漢書復一字、作盡伏二字、與史義異、顏師古曰、法酒者、猶言禮酌、謂不飲之至醉、中井積德曰、此酒所以行禮、非食味也、故曰法酒、愚按下文諸侍坐殿上、至無敢讙譁者、敘法酒事、諸侍坐殿上、皆伏抑首、【集解】如淳曰、抑、屈、【正義】畏禮法、不敢平而視也、以尊卑次起上壽。觴九行、謁者言罷酒。御史執法、舉不如儀者、輒引去。【考證】滑稽傳云、賜酒大王之前、執法在旁、御史在後、竟朝置酒、無敢讙譁失禮者。【考證】楓、三本、置作罷、張

文虎曰、柯、淩、讙作讀、於是高帝曰、吾迺今日知爲皇帝之貴也。迺拜叔孫通爲太常、賜金五百斤。【正義】百官公卿表云、叔孫通、高祖七年爲奉常、至景帝中六年、始改奉常爲太常、按云太常、以修史時言也、【考證】是傳、兩太常、漢書竝作奉常、愚按使爭功殿上、妄呼拔劍擊柱者、略有節度、叔孫通之功、不可沒也、叔孫通因進曰、諸弟子儒生、隨臣久矣。與臣共爲儀。願陛下官之。高帝悉以爲郎。叔孫通出、皆以五百斤金賜諸生。諸生迺皆喜曰、叔孫生誠聖人也。知當世之要務。漢九年、高帝徙叔孫通爲太子太傅。漢十二年、高祖欲以趙王如意易太子。叔孫通諫上曰、昔者晉獻公、以驪姬之故、廢太子立奚齊、晉國亂者數十年、爲天下笑。秦以不蚤定扶蘇、令趙高得以詐立胡亥、自使滅祀。此陛下所親見。今太子仁孝、天下皆聞之。呂后與陛下攻苦食

啖。其可背哉。【集解】徐廣曰、攻、猶今人言擊也、啖、一作淡、駰案如淳曰、食無菜茹爲啖、【索隱】案孔文祥云、與帝共攻冒苦難、俱食淡也、案說文云、淡、薄味也、音唐敢反、【考證】中井積德曰、攻、治也、謂食淡味而操苦業、陛下必欲廢適而立少、臣願先伏誅、以頸血汙地。【索隱】楚漢春秋、叔孫何云、臣三諫不從、請以身當之、撫劍將自殺、上離席云、吾聽子計、不易太子、高帝曰、公罷矣。吾直戲耳。叔孫通曰、太子、天下本。本一搖、天下振動。柰何以天下爲戲。高帝曰、吾聽公言。及上置酒、見留侯所招客從太子入見、上迺遂無易太子志矣。【正義】招客、謂四皓也、【考證】中井積德曰、通既爲太子太傅、則所以自任者厚、而用心切矣、不復有從前希世之態也、論者或以此亦爲希世之說、大失之、高帝崩、孝惠即位。迺謂叔孫生曰、先帝園陵寢廟、羣臣莫能習。徙爲太常。定宗廟儀法、及稍定漢諸儀法、皆叔孫生爲太常所論著也。【考證】王念孫曰、莫能習、當作從漢書莫習、謂羣臣未習此禮也、北堂書鈔設官部、藝文類聚職官部、引史記、竝無能字、洪頤煊曰、禮樂志、今叔孫通所撰禮儀、與律令同錄、藏於理官、法家又復不傳、漢典寢而不著、民臣

莫有言者、後漢書曹褒傳、章和元年正月、乃召褒詣嘉德門、令小黃門持班固所上叔孫通漢儀十二篇、勅褒曰、此制散略、多不合經、今宜依禮條正、使可施行、王充論衡射上短篇、高祖詔叔孫通作儀品十六篇、視班固所上、增加四篇、孝惠帝爲東朝長樂宮、及閒往、數蹕煩人。【集解】關中記曰、長樂宮、本秦之興樂宮也、漢太后常居之、【索隱】韋昭云、蹕、止人行也、按長樂未央宮、東西相去稍遠、閒往、謂非時也、中閒往來、淸道煩人也、【正義】樗里子傳云、漢興、長樂宮在其東、未央宮在其西、武庫正直其北、案共在故長安城中、【考證】張文虎曰、各本往下衍來字、索隱本無、與漢書合、迺作複道、方築武庫南。【集解】韋昭曰、閣道也、如淳曰、作複道、方始築武庫南、叔孫生奏事、因請閒曰、陛下何自築複道高寢衣冠、月出游高廟。高廟漢太祖。柰何令後世子孫乘宗廟道上行哉。【集解】應劭曰、月旦出高帝衣冠、備法駕、名曰游衣冠、如淳曰、三輔黃圖、高寢在高廟西、高祖衣冠藏在高寢、月旦出游於高廟、其道值所作複道下、故言乘宗廟道上行、【正義】服虔云、持高廟中衣、月旦以游於衆廟、已而復之也、應劭云、月旦出高帝衣冠、備法駕、名曰游衣冠、如淳云、高祖之衣冠、藏在宮中之寢、三月出游、其道正值今之所作複道下、故言乘宗廟道上行也、晉灼云、黃圖、高廟在長安城門街東、寢在桂宮北、服言衣藏於廟中、如言宮中衣冠、游於高廟、每月一爲之、漢制則然、後之學者、不曉其意、謂以月出之時、夜游衣冠、失之遠矣、【考證】沈欽韓曰、衣冠藏於陵寢、月朔則出游高廟、漢書平帝紀、義陵寢、

神衣在柙中、且衣在外牀上、寢令以急變聞者、是也、孝惠帝大懼曰。急壞之。叔孫生曰。人主無過擧。【索隱】案謂擧動有過也、左傳云、君擧必書、【考證】中井積德曰、過擧、猶錯擧也、周壽昌曰、此周公對成王語、語見史記梁孝王傳、今已作。百姓皆知之。今壞此、則示有過擧。願陛下爲原廟渭北、衣冠月出游之、益廣多宗廟、大孝之本也。【正義】按括地志云、高廟、在長安縣西北十三里渭南、長安故城在中、長陵、在渭北、咸陽縣東三十里、按更於渭北爲原廟、則衣冠每月出游高廟、不渡渭南、明顏說是也、【考證】顏師古曰、原、重也、先已有廟、今更立之、故云重也、王先謙曰、黃圖、高祖長陵、在渭水北、去長安三十五里、原廟既成、則陵寢衣冠、但月游原廟、不至城中高帝廟、故復道無妨也、上迺詔有司立原廟。原廟起、以複道故。孝惠帝曾春出游離宮。【考證】楓、三本、曾下有暮字、叔孫生曰。古者有春嘗果。方今櫻桃孰。可獻。【索隱】案呂氏春秋、仲春羞以含桃、先薦寢廟、高誘云、進含桃也、鸎鳥所含、故曰含桃、今之朱櫻卽是也、【正義】禮記云、仲夏之月、以含桃先薦寢廟、鄭玄云、含桃、今謂之櫻桃、願陛下出、因取櫻桃獻宗廟。上迺許之。諸果獻由此興。【考證】中井積德曰、獻櫻桃、是事之宜爲者、且因游發之、亦納約之宜者、

未可以希世議之、淩稚隆曰、亦不載通所終、

太史公曰。語曰。千金之裘、非一狐之腋也。臺榭之榱、非一木之枝也。三代之際、非一士之智也。信哉。【考證】楓本、腋作皮、顏師古曰、此語本出愼子、夫高祖起微細、定海內、謀計用兵、可謂盡之矣。然而劉敬脫輓輅、一說建萬世之安。智豈可專邪。叔孫通希世、度務制禮、進退與時變化、卒爲漢家儒宗。大直若詘。【索隱】音屈、【考證】老子四十一章、大直若屈、大巧若拙、道固委蛇。【索隱】音移、蓋謂是乎。

【索隱】述贊、夏藉衆幹、裘非一狐、委輅獻說、緜蕝陳書、皇帝始貴、車駕西都、既安太子、又和匈奴、奉春稷嗣、其功可圖、

劉敬叔孫通列傳第三十九　史記九十九

史記會注考證卷一百

漢　太　史　令　司　馬　遷　撰
宋　中　郎　外　兵　曹　參　軍　裴　駰　集　解
唐　國　子　博　士　弘　文　館　學　士　司　馬　貞　索　隱
唐　諸　王　侍　讀　率　府　長　史　張　守　節　正　義
日　本　出　雲　瀧　川　資　言　考　證

季布欒布列傳第四十　史記一百

【考證】史公自序云、能摧剛作柔、卒為列臣、欒公不劫於勢而倍死、作季布欒布列傳第四十、陳仁錫曰、二布皆任俠、故同傳、

季布者、楚人也。為氣任俠、有名於楚。【集解】孟康曰、信交道曰任、如淳曰、相與信為任、同是非為俠、所謂權行州里、力折公侯者也、或曰、任、氣力也、俠、俜也、【索隱】任、而禁反、俠、音協、如淳曰、相與信為任、同是非為俠、權行州里、力折公侯者、其說為近、俜、音普丁反、其義難喻、【考證】為氣、使氣也、中井積德曰、任者以人之緩急為己之任、俠者好立節義之謂也、愚按俠挾持人事也、猶任也、 項籍使將兵。數窘漢王。【集解】如淳曰、窘、困也、 及項羽滅、高祖購求布千金。敢有舍匿、罪及三族。季布匿濮陽周氏。周氏曰、漢購將軍急。迹且至臣家。【考證】楓山三條本、購作求、與漢書合、顏師古曰、迹、尋其蹤迹也、 將軍能聽臣、臣敢獻計。即不能、願先自剄。季布許之。迺髡鉗季布、衣褐衣、置廣柳車中。【集解】服虔曰、東郡謂廣轍車為柳、鄧展曰、皆棺飾也、載以喪車、欲人不知也、李奇曰、大牛車也、車上覆為柳、瓚曰、茂陵書中有廣柳車、每縣數百乘、是今運轉大車是也、【索隱】案服虔臣瓚所據云、東郡謂廣轍車為廣柳車、及茂陵書稱每縣廣柳車數百乘、則凡大車任載運者、通名廣柳車、然則柳為車通名、鄧展所說、柳皆棺飾、載以喪車、欲人不知也、事義相協、最為通允、故禮曰、設柳翣、為使人勿惡也、鄭玄注周禮云、柳、聚也、諸飾所聚也、則是喪車稱柳、後人通謂車為柳也、【正義】褐衣、麁布也、劉熙注孟子云、織為之、如今馬衣也、廣柳車、鄭氏曰、作大柳衣車、若周禮喪車也、晉灼曰、周禮翣柳、柳、聚也、衆飾之所聚也、此為載以喪車、欲人不知也、鄧展曰、皆棺飾也、顏師古曰、同也、【考證】中井積德曰、車有牆屏、即是柳矣、不必喪車、

并與其家僮數十人、之魯朱家所賣之。朱家心知是季布。迺買而置之田。【考證】朱家、見游俠傳、楓山三條本、田下有舍字、與漢書合、 誡其子曰、田事聽此奴、必與同食。朱家迺乘軺車之洛陽、見汝陰侯滕公。【集解】徐廣曰、軺車、馬車也、【索隱】案謂輕車一馬車也、【考證】中井積德曰、乘一馬車、蓋潛行、欲人不知也、顏師古曰、滕公、夏侯嬰也、本為滕令、遂號為滕公、 滕公留朱家、飲數日。因謂滕公曰、季布何大罪、而上求之急也。滕公曰、布數為項羽窘上。上怨之。故必欲得之。朱家曰、君視季布何如人也。曰、賢者也。朱家曰、臣各為其主用。季布為項籍用。職耳。項氏臣可盡誅邪。【正義】布為羽將、而迫窘高祖、是布之職耳、【考證】楓山三條本、項氏作項羽、 今上始得天下。獨以己之私怨求一人。何示天下之不廣也。且以季布之賢、而

漢求之急如此。此不北走胡、即南走越耳。夫忌壯士以資敵國。此伍子胥所以鞭荊平王之墓也。君何不從容為上言邪。汝陰侯滕公、心知朱家大俠、意季布匿其所、迺許曰、諾。待閒、果言如朱家指。上迺赦季布。【考證】楓山三條本、待作得、漢書作侍、 當是時、諸公皆多季布能摧剛為柔。朱家亦以此名聞當世。季布召見、謝。上拜為郎中。孝惠時、為中郎將。單于嘗為書嫚呂后、不遜。【考證】匈奴書、見漢書匈奴傳、本史不載、 呂后大怒、召諸將議之。上將軍樊噲曰、臣願得十萬衆、橫行匈奴中。諸將皆阿呂后意曰、然。季布曰、樊噲可斬也。夫高帝將兵四十餘萬衆、困於平城。【考證】楓山三條本、夫下有以字、漢書、四作三、無衆字、梁玉繩曰、四當作三、此述季布語頗略、宜參漢傳及匈奴傳觀之、中井積德曰、衆字宜削、 今噲柰何以十萬衆橫行匈

奴中。面欺。且秦以事於胡、陳勝等起。于今創痍未瘳。噲又面諛、欲搖動天下。是時殿上皆恐。太后罷朝。遂不復議擊匈奴事。季布爲河東守。孝文時、人有言其賢者。孝文召欲以爲御史大夫。復有言其勇使酒難近。【索隱】使、音如字、近、音其靳反、因酒縱性、謂之使酒、卽酗酒也、【考證】顏師古曰、近、謂附近天子爲大臣也、顧炎武曰、難近、謂令人畏而遠之、顏注非、至。留邸一月、見罷。【正義】卽謂諸郡朝宿之舍、在京都也、【考證】見罷、罷而令還郡也、季布因進曰。臣無功竊寵、待罪河東。【索隱】季布言己無功能、竊承恩寵、得待罪河東、其詞典省而文也、陛下無故召臣。此人必有以臣欺陛下者。今臣至。無所受事罷去。此人必有以毀臣者。【考證】張文虎曰、宋本、無以字、與漢書合、夫陛下以一人之譽而召臣、一人之毀而去臣。臣恐天下有識聞之、有以闚陛下也。【集解】韋昭曰、闚見陛下深淺也、【考證】楓山、三條本、召臣下有以字、上默然慙。良久曰。河東

吾股肱郡。故特召君耳。【考證】各本、脫然字、楓山、三條本、舊刻、凌引一本有、今補、慙字後人依漢書補、宜削、默然良久、史公常用字面、楓、三本、郡下有也字、張文虎曰、宋本、中統、王、毛、特作時、布辭之官。楚人曹丘生辯士。數招權顧金錢。【集解】孟康曰、招、求也、以金錢事權貴、而求得其形勢、以自炫燿也、文穎曰、事權貴也、與通勢、以其所有辜較、請託金錢以自顧、【索隱】義如孟康文穎所說、辜較、音姑角、【正義】言曹丘生依倚貴人、用權勢屬請、數求他人顧錢、賞金錢也、【考證】數招六字、未詳、疑有譌脫、顏師古曰、言招求貴人威權、因以請託、得他人顧金錢也、劉攽曰、招權、謂作爲形勢、招權歸己也、顧金錢者、志在金錢也、顧、猶念也、中井積德曰、攀緣貴戚、作己權勢、管請託、顧、雇也、爲人幹事而取值也、沈家本曰、漢書鼂錯傳顏師古注、顧、讎也、若今言雇賃也、按讎、猶荅也、後漢桓帝紀注、雇猶酬也、顧雇同聲、得假借、言數招權而人酬荅以金錢也、姑錄諸說備考、事貴人趙同等、【集解】徐廣曰、漢書作趙談、司馬遷以其父名談故改之、【考證】趙同又見袁盎傳宦者、同蓋其字、與竇長君善。【考證】竇長君、景帝舅、見外戚傳、季布聞之、寄書諫竇長君曰。吾聞曹丘生非長者。勿與通。及曹丘生歸、欲得書請季布。【集解】張晏曰、欲使竇長君爲介於布請見、【考證】請、謁也、竇長君曰。季將軍不說足下。足下無往。固請書、遂行。使人先發書。季布

果大怒待曹丘。曹丘至、卽揖季布曰。楚人諺曰、得黃金百斤、不如得季布一諾。【考證】二人楚人、故引楚諺、中井積德曰、漢書無斤字、此蓋後人攙入、非史記之舊、愚按、百諾韻、足下何以得此聲於梁·楚閒哉。且僕楚人、足下亦楚人也。僕游揚足下之名於天下。顧不重邪。【考證】楓山、三條本、也下有亦使二字、漢書、重作美、何足下距僕之深也。季布迺大說、引入留數月、爲上客、厚送之。季布名所以益聞者、曹丘揚之也。【正義】旣爲俠、則其交必雜、此曹邱所以容于季布也、【考證】楓山、三條本、揚之下有故字、季布弟季心、氣蓋關中。【集解】徐廣曰、弟一作子、【考證】季心見袁盎傳、遇人恭謹、爲任俠。方數千里、士皆爭爲之死。嘗殺人、亡之吳、從袁絲匿。【索隱】盎、字絲、長事袁絲、弟畜灌夫·籍福之屬。【正義】以兄禮事袁盎也、【考證】灌夫別有傳、嘗爲中司馬。【集解】如淳曰、中尉之司馬、【索隱】漢書、作中尉司馬、中尉郅都不敢不加禮。【考證】郅都見酷吏傳、少年

多時時竊籍其名以行。【索隱】籍、音子亦反、【正義】籍、如字、言少年多假籍季心賓客從黨之名以行也、當是時、季心以勇、布以諾、著聞關中。【考證】楓、三本、勇下有季字、何焯曰、漢初游俠之盛、季布袁盎爲之也、自田竇敗、公卿不敢致賓客、遂多閭里之魁矣、季布母弟丁公爲楚將。【集解】晉灼曰、楚漢春秋云、薛人、名固、【索隱】案、謂布之舅也、丁公爲項羽逐窘高祖彭城西、短兵接。高祖急顧丁公曰。兩賢豈相戹哉。於是丁公引兵而還。漢王遂解去。【正義】兩賢、高祖及固也、【考證】楓、三本、顧下有謂字、與漢書合、丁公名固、薛人、姓氏里居、皆與季布別、或云、母弟、母之弟也、與淮南王傳、書厲王母弟同、史記桃源抄引楚漢春秋云、薛人丁固與彭城人賴齮、騎而追上、上被髮而顧丁公曰、吾非不知公、公何急之甚、於是回馬而去之、御覽三百七十三引楚漢春秋云、上敗彭城、薛人丁固追上、上被髮而顧曰、丁公何相急之甚、二書所引不同、及項王滅、丁公謁見高祖。高祖以丁公徇軍中曰。丁公爲項王臣、不忠。使項王失天下者、迺丁公也。遂斬丁公曰。使後世爲人臣者、無效丁公。【考證】楓本、公下有也字、與漢書合、欒布者、梁人也。始梁

王彭越爲家人時、嘗與布游。【索隱】謂居家之人無官職也、【考證】顏師古曰、家人、猶言編戶之人也、 窮困賃傭於齊、爲酒人保。【集解】漢書音義曰、酒家作保傭也、可保信、故謂之保、【正義】言可保信而傭役也、方言曰、保傭賤稱也、【考證】楓、三本、人下有家字、漢書、人作家、 數歲、彭越去之巨野中爲盜。而布爲人所略賣、爲奴於燕、爲其家主報仇。【正義】服虔曰、爲買者報仇也、按臧荼賢其爲主執仇、故擧爲都尉、【考證】漢書、家主作主家、 燕將臧荼擧以爲都尉。臧荼後爲燕王、以布爲將。及臧荼反、漢擊燕虜布。梁王彭越聞之、迺言上、請贖布、以爲梁大夫。使於齊未還。漢召彭越、責以謀反、夷三族。已而梟彭越頭於雒陽。下詔曰。有敢收視者輒捕之。布從齊還、奏事彭越頭下、祠而哭之。吏捕布以聞。上召布罵曰。若與彭越反邪。吾禁人勿收。若獨祠而哭之。與越反明矣。趣亨之。【索隱】上音促、下音普盲反、謂疾令赴鑊也、【考證】

若、汝也、楓、三本、亨作烹、高祖罵布之言、止于明矣、趣亨之幷促刑官也、趣、急也、 方提趣湯。【集解】徐廣曰、趣一作走、【索隱】上音嗁、下音趨、徐廣云、一作走、走亦趣向之也、【考證】提、擧也、方提趣湯、吏提布向湯也、敍事之文、 布顧曰。願一言而死。上曰。何言。布曰。方上之困於彭城、敗滎陽・成皋閒、項王所以遂不能西、徒以彭王居梁地、與漢合從苦楚也。【考證】王念孫曰、遂不能西、當依漢書作不能遂西、御覽人事部引史同、張文虎曰、徒、中統、舊刻、毛本、吳校金板、與漢書合、他本譌徒、 當是之時、彭王一顧、與楚則漢破、與漢而楚破。【考證】漢書、而作則、 且垓下之會、微彭王、項氏不亡。天下已定、彭王剖符受封。亦欲傳之萬世。今陛下一徵兵於梁、彭王病不行。而陛下疑以爲反。反形未見、以苛小案誅滅之。【集解】徐廣曰、小、一作峭、 臣恐功臣人人自危也。今彭王已死。臣生不如死。請就亨。於是上迺釋布罪、拜爲都尉。孝文時、爲燕相、至將軍。布迺稱

曰。窮困不能辱身下志、非人也。富貴不能快意、非賢也。於是嘗有德者、厚報之、有怨者、必以法滅之。吳軍反時、以軍功封俞侯。【集解】徐廣曰、擊齊有功也、【考證】漢書、吳軍作吳楚、俞作鄃、蘇林曰、淸河縣也、 復爲燕相。燕・齊之閒、皆爲欒布立社、號曰欒公社。【考證】顧炎武曰、萬石君傳、石慶爲齊相、齊人爲立石相祠、于定國傳、父于公爲縣獄吏、郡中爲之立生祠曰于公祠、欒布爲燕相、燕齊之閒、皆爲立祠、此後世生祠之始、 景帝中五年薨。子賁嗣、爲太常。犧牲不如令、國除。【考證】楓、三本、景帝至國除十九字、細書、梁玉繩曰、當作中四年、而布絕十八年賁始嗣、崔適曰、太常犧牲不如令、國除、年表在元狩六年、

太史公曰。以項羽之氣、而季布以勇顯於楚、身屨典軍搴旗者數矣。【集解】徐廣曰、屨一作屢、一曰覆、駰案孟康曰、屨、履蹈之也、瓚曰、屢、數也、【索隱】身履軍、按徐氏云、一作覆、按下云搴旗、則覆軍爲是、勝於屢之與履、【正義】搴、拔也、【考證】屨典、漢書作履、中井積德曰、屨典二字乃一覆字之譌、愚按漢書履字、亦當覆字之譌、 可謂壯士。然至被刑

戮、爲人奴而不死。何其下也。【考證】張文虎曰、至字、宋本、中統、游、毛、吳校金板、有、愚按、楓、三本亦有、 彼必自負其材。故受辱而不羞、欲有所用、其未足也。【考證】楓、三本、未足上有材字、 故終爲漢名將。賢者誠重其死。夫婢妾賤人、感慨而自殺者、非能勇也。【集解】徐廣曰、慨或作槪、字音義同、【正義】慨、歎也、或作槪、謂節槪、 其計畫無復之耳。【集解】徐廣曰、復一作冀、【考證】陳仁子曰、史遷謂賤妾感慨自殺、非能勇也、計畫無復之者、乃借以述其隱忍苟活、以成史書之意、愚按辭意與史公答任安書、臧獲婢妾猶能引決一節全同、 欒布哭彭越、趣湯如歸者、彼誠知所處、不自重其死。【集解】如淳曰、非死者難、處死者難、 雖往古烈士、何以加哉。

【索隱】述贊、季布季心、有聲梁楚、百金然諾、十萬致距、出守河東、股肱是與、欒布哭越、犯禁見虜、赴鼎非冤、誠知所處、

季布欒布列傳第四十　　史記一百

史記會注考證卷一百一

漢　太史令司馬遷撰

宋中郎外兵曹參軍裴駰集解

唐國子博士弘文館學士司馬貞索隱

唐諸王侍讀率府長史張守節正義

日本出雲瀧川資言考證

袁盎鼂錯列傳第四十一　史記一百一

【考證】史公自序云、敢犯顏色、以達主義、不顧其身、爲國家樹長畫、作袁盎朝錯列傳第四十一、陳仁錫曰、兩人不相得、而卒相傾、故合爲一傳、

袁盎者、楚人也。字絲。【索隱】盎、音如周禮盎齊、烏浪反、【考證】漢書、袁作爰、齊召南曰、袁爰通、父故爲羣盜、徙處安陵。高后時盎嘗爲呂祿舍人。及孝文帝卽位、盎兄噲任盎爲中郎。【集解】如淳曰、盎爲兄所保任、故得爲中郎、【正義】百官公卿表云、中郎、秩比六百石、郎中、比三百石、按任、保其中郎也、【考證】漢書、中郎作郎中、梁玉繩曰、盎爲兄所保、始得爲官、未必卽能至六百石之秩、當是爲郎中也、絳侯爲丞相、朝罷趨出、意得甚。上禮之恭。常自送之。【集解】徐廣曰、自、一作目、【考證】陳仁錫曰、漢書自作目、是也、王先謙曰、君無自送臣之理、帝禮絳侯亦不至是、袁盎進曰。陛下以丞相何如人。上曰。社稷臣。盎曰。絳侯所謂功臣、非社稷臣。社稷臣、主在與在、【集解】如淳曰、人主在時、與共治在時之事、【索隱】按如淳云、人主在時、與共理在時之事也、主亡與亡。【集解】如淳曰、不以主亾而不行其政令、【索隱】如淳云、不以人主亾而不行其政令、按如說爲得、【正義】人主在時、與共治在時之事、人主雖亡、其法存、當奉行之、高帝誓非劉氏不王、而勃等聽王諸呂、是從生主之欲、不與亡者也、【考證】據漢書注、正義用如淳說、徐孚遠曰、主亡與亡、言盡節致命也、如說甚疎、索隱亦失、中井積德曰、在亡、猶存亡、社稷臣、與主同存亡、主亡不獨存、愚按社稷臣、見汲黯傳、又見論語季子篇、禮記檀弓篇、荀子臣論篇、

方呂后時、諸呂用事、擅相王。劉氏不絕如帶。是時絳侯爲太尉主兵柄。弗能正。呂后崩、大臣相與共畔諸呂。太尉主兵、適會其成功。所謂功臣、非社稷臣。丞相如有驕主色。陛下謙讓。臣主失禮。竊爲陛下不取也。後朝。上益莊。丞相益畏。【索隱】莊、嚴也、【考證】莊、漢書同、楓山、三條本、作壯、蓋依正義本也、中井積德曰、據兩益字、非一日之事、已而絳侯望袁盎曰。吾與而兄善。今兒廷毀我。【正義】望、怨也、【考證】漢書、廷作迺、王先謙曰、時盎年少、故絳侯兒呼之、廷毀、猶廷辱也、較迺毀義深、崔適曰、兒當作而、聲之誤也、參存、盎遂不謝。及絳侯免相之國、國人上書、告以爲反。徵繫清室。【集解】漢書作請室、應劭曰、請室、請罪之室、若今鍾下也、如淳曰、請室、獄也、若古刑於甸師氏也、宗室諸公、莫敢爲言。唯袁盎明絳侯無罪。絳侯得釋、盎頗有力。【考證】王先謙曰、事在文帝四年、絳侯乃大與盎結交。淮南厲王朝、殺辟陽侯、居處驕甚。【考證】文帝三年、厲王殺審食其、見淮南王傳、

袁盎諫曰。諸侯大驕。必生患。可適削地。【考證】適、音讁、楓山、三條本、削下有其字、上弗用。淮南王益橫。及棘蒲侯柴武太子謀反、事覺治。連淮南王。淮南王徵。上因遷之蜀。轞車傳送。袁盎時爲中郎將。乃諫曰。陛下素驕淮南王、弗稍禁、以至此。今又暴摧折之。淮南王爲人剛。如有遇霧露行道死、陛下竟爲以天下之大弗能容、有殺弟之名。奈何。【考證】淩本、爲以誤倒、上弗聽。遂行之。淮南王至雍病死。聞。上輟食哭甚哀。【正義】聞、聞於天子、【考證】顏師古曰、雍、扶風縣也、楓山、三條本、聞上作上聞之、盎入頓首請罪。【正義】頓首請罪、自責以不強諫也、上曰。以不用公言至此。盎曰。上自寬。此往事。豈可悔哉。【考證】梁玉繩曰、上當作陛下、說在留侯世家、且陛下有高世之行者三。此不足以毀名。上曰。吾高世行三者何事。盎曰。陛下居代

時、太后嘗病三年。陛下不交睫、不解衣、湯藥非陛下口所嘗、弗進。【考證】楓山、三條本、睫下有憂勞二字、夫曾參以布衣猶難之。今陛下親以王者脩之。過曾參孝遠矣。夫諸呂用事、大臣專制。然陛下從代乘六乘傳、馳不測之淵、【集解】瓚曰、大臣共誅諸呂、禍福尙未可知、故曰不測也、雖賁・育之勇不及陛下。【集解】孟康曰、孟賁夏育、皆古勇者也、【索隱】賁、孟賁、育、夏育也、尸子云、孟賁水行不避蛟龍、陸行不避兕虎、戰國策曰、夏育叱呼駭三軍、身死庸夫、高誘曰、育、爲申繻所殺、賁、音奔也、陛下至代邸、西向讓天子位者再、南面讓天子位者三。【考證】李笠曰、據漢傳及文紀、再三二字、當易處、夫許由一讓。而陛下五以天下讓。過許由四矣。且陛下遷淮南王、欲以苦其志使改過。有司衞不謹。故病死。【考證】漢書、衞上有宿字、於是上乃解曰。將奈何。盎曰。淮南王有三子。唯在陛下耳。於是文帝立其三子、皆爲王。盎由此名重

朝廷。【考證】漢書、無將奈何以下二十八字、中井積德曰、三子爲王在後年、是時姑爲列侯耳、傳終言之也、袁盎常引大體忼慨。宦者趙同以數幸。常害袁盎。【集解】徐廣曰、漢書同作談字、【考證】同、蓋談之字、史公自避諱耳、中井積德曰、數、謂星曆之類、佞幸傳云、趙同以星氣幸、常爲文帝參乘、袁盎患之。盎兄子種爲常侍騎、持節夾乘。【索隱】案漢舊儀云、持節夾乘、輿車騎從者云常侍騎、【考證】漢書、無持節夾乘四字、說盎曰。君與鬬、廷辱之、使其毀不用。【集解】徐廣曰、說一作謀、【考證】岡白駒曰、言君須與趙同鬬、於廷辱之、帝知其有郤、趙雖毀君、疑而不入也、漢書、作君衆辱之、後雖惡君、上不復信、無與鬬二字、孝文帝出。趙同參乘。袁盎伏車前曰。臣聞天子所與共六尺輿者、皆天下豪英。【考證】隋書禮儀志輿下云、漢室制度、以雕玉爲之、方徑六尺、今漢雖乏人、陛下獨奈何與刀鋸餘人載。於是上笑下趙同。趙同泣下車。文帝從霸陵上。欲西馳下峻阪。袁盎騎竝車掔轡。上曰。將軍怯邪。【考證】錢大昕曰、盎時爲中郎將、文帝稱爲將軍、後爲吳將歸、說丞相申屠嘉、嘉曰、鄙野人乃不知將軍幸教、灌夫嘗爲中郎將、史亦稱灌將軍、此中郎稱將軍之

證也、盎曰。臣聞千金之子、坐不垂堂。【索隱】案張揖云、恐簷瓦墮中人、或云、臨堂邊垂、恐墮墜也、百金之子、不騎衡。【集解】徐廣曰、一作行、駰案服虔曰、自惜身不騎衡、如淳曰、騎、倚也、衡、樓殿邊欄楯也、韋昭曰、衡、車衡、【索隱】張晏云、衡、木行馬也、如淳云、騎、音於岐反、衡、樓殿邊欄楯也、韋昭云、衡、車衡也、騎、音倚、謂跨之、按如淳之說爲長、案纂要云、宮殿四面欄、縱者云檻、橫者云楯也、【考證】司馬相如傳云、家累千金、坐不垂堂、堂衡、韻、顏師古曰、言富人之子、則自愛也、垂堂、謂坐堂外邊、恐墜墮也、愚按、衡、車衡、韋說可從、梁玉繩曰、水經注十九作立不倚衡、依上坐不垂堂句、似失一字、聖主不乘危而徼幸。今陛下騁六騑、馳下峻山。【集解】如淳曰、六馬之疾若飛、【正義】騑、音芳菲反、騑、驂馬也、如有馬驚車敗、陛下縱自輕、柰高廟・太后何。上乃止。【考證】司馬相如諫獵書、蓋敷衍此數語、上幸上林。皇后・愼夫人從。其在禁中、常同席坐。【考證】中井積德曰、禁中亦就上林言之也、下入禁中句可證、非大內官省、愚按上林宮殿、不可言禁中、是就其平生而言、常字可證、中說非是、及坐、郎署長布席。【正義】蘇林云、郎署、上林中直衞之署、【考證】及坐、句、何焯曰、郎署長亦從幸上林、職司布席耳、未必天子幸署也、袁盎引卻愼夫人坐。【集解】如淳曰、盎時爲中郎將、天子幸署、豫設供帳待之、故得卻愼夫人坐、愼夫人怒、不肯

坐。上亦怒、起入禁中。【考證】入、還也、漢書、無入禁中三字、盎因前說曰。臣聞尊卑有序、則上下和。今陛下既已立后。愼夫人乃妾。妾主豈可與同坐哉。適所以失尊卑矣。且陛下幸之、卽厚賜之。陛下所以爲愼夫人、適所以禍之。陛下獨不見人彘乎。【集解】張晏曰、戚夫人、於是上乃說、召語愼夫人。愼夫人賜盎金五十斤。然袁盎亦以數直諫、不得久居中、調爲隴西都尉。【集解】如淳曰、調、選、仁愛士卒。士卒皆爭爲死。遷爲齊相、徙爲吳相。辭行。種謂盎曰。吳王驕日久、國多姦。今苟欲劾治、彼不上書告君、卽利劍刺君矣。【考證】漢書、劾作刻、南方卑溼、君能日飮、毋苛。【正義】苛、音何、言苛細勾當也、【考證】正義本、宋本、毛本、作苛、王本作奇、蓋亦苛之譌、楓山、三條本、凌本、作何、與漢書合、顏師古曰、無何、言更無餘事、吳仁傑曰、衞綰傳、不孰何綰、賈誼傳、大何之域、顏師古注皆曰、何、問也、史記作苛、苛何通、種本意蓋曰、吳王驕日久、又南方卑溼、宜日飮酒而已、

其他一切勿有所問、如此而後可免禍也、愚按無苛、正義自通、不必解爲何、　時說王曰毋反而已。如此、幸得脫。盎用種之計。吳王厚遇盎。盎告歸。道逢丞相申屠嘉。下車拜謁。丞相從車上謝袁盎。袁盎還、愧其吏、乃之丞相舍、上謁求見丞相。丞相良久而見之。盎因跪曰。願請閒。丞相曰。使君所言公事、之曹與長史掾議。吾且奏之。卽私邪、吾不受私語。【考證】楓山、三條本、邪上有事字、申屠嘉傳云、嘉爲人廉直、不受私謁、　袁盎卽跪說曰。君爲丞相、自度孰與陳平・絳侯。【考證】余有丁曰、漢書、跪說作起說、是、今史本多作跪、義難通、梁玉繩曰、是與上跪曰對、　丞相曰。吾不如。袁盎曰。善。君卽自謂不如。夫陳平・絳侯、輔翼高帝定天下、爲將相、而誅諸呂、存劉氏。君乃爲材官蹶張、遷爲隊率、【考證】材官蹶張、見申屠嘉傳、隊率、漢書作隊帥、如淳曰、隊帥、軍中小官、沈欽韓曰、通典司馬穰且曰、十伍爲隊、一軍凡二百五十隊、　積功至淮陽守。非有

奇計攻城野戰之功。且陛下從代來、每朝郎官上書疏、未嘗不止輦受其言。言不可用、置之、言可受、採之、未嘗不稱善。【考證】漢書、可受作可采、　何也。則欲以致天下賢士大夫。上日聞所不聞、明所不知、日益聖智。君今自閉鉗天下之口、而日益愚。夫以聖主責愚相、君受禍不久矣。丞相乃再拜曰。嘉鄙野人、乃不知將軍幸教。【正義】鄙野、謂邊邑野外之人也、【考證】楓山、三條本、拜下有謝字、　引入與坐爲上客。盎素不好鼂錯。鼂錯所居坐、盎去、盎坐、錯亦去。【考證】楓山、三條本、盎去盎坐、作盎輒去、盎所居坐、徐孚遠曰、袁盎任術、鼂錯守數、兩者相齟、必兩敗矣、故不相能也、　兩人未嘗同堂語。及孝文帝崩、孝景帝卽位、鼂錯爲御史大夫、使吏案袁盎受吳王財物、抵罪。詔赦以爲庶人。吳・楚反聞。鼂錯謂丞史曰。夫袁盎多受吳王金

錢、專爲蔽匿、言不反。今果反。欲請治盎、宜知計謀。【集解】如淳曰、百官表、御史大夫有兩丞、丞史、丞相史也、【正義】按百官表、御史大夫有兩丞及御史員十五人、兩丞無史、蓋史是御史、如誤也、【考證】漢書注引如淳、丞史作丞及史、如說不誤、陳子龍曰、盎有內援、又故大臣也、吳楚事急、錯恐其建議相危、欲治之、不幸爲盎所先、何焯曰、是時不直錯者必已多矣、及反聞既至、錯不亟籌兵食進賢智、乃先事私仇、此固擧國所切齒也、太史公曰、諸侯發難、不急匡救、欲報私仇、反以亡軀、可謂切而中矣、　丞史曰。事未發、治之有絕。【集解】如淳曰、事未發之時治之、乃有所絕、【索隱】案謂有絕吳反心也、【正義】按未發治之、乃有所絕、　今兵西鄉。治之何益。且袁盎不宜有謀。【集解】如淳曰、盎大臣、不宜有姦謀、　鼂錯猶與未決。人有告袁盎者。袁盎恐、夜見竇嬰、爲言吳所以反者、願至上前口對狀。【考證】竇嬰與鼂錯有隙、見錯傳、　竇嬰入言上。上乃召袁盎入見。【考證】楓山、三條本、入上重袁盎二字、漢書亦重盎字、　鼂錯在前。及盎請辟人賜閒、錯去。固恨甚。袁盎具言吳所以反狀、以錯故。【正義】謂錯削諸侯也、　獨急斬錯以謝吳。吳兵乃可罷。其語具

在吳事中。【考證】張文虎曰、王、柯、凌本、具譌俱、　使袁盎爲太常、竇嬰爲大將軍。【考證】太常、當作奉常、公卿表、奉常、景帝中六年、更名太常、　兩人素相與善。逮吳反、諸陵長者、長安中賢大夫、爭附兩人、車隨者日數百乘。【考證】王先謙曰、諸陵、長者、謂徙居諸陵、未仕之人、長安中賢大夫、則入爲朝官者也、漢書、脫長者二字、　及鼂錯已誅、袁盎以太常使吳。吳王欲使將。不肯。欲殺之、使一都尉以五百人圍守盎軍中。袁盎自其爲吳相時、嘗有從史。嘗盜愛盎侍兒。【集解】文穎曰、婢也、【考證】張文虎曰、兩嘗字、疑當衍其一、　盎知之弗泄、遇之如故。人有告從史、言君知爾與侍者通。乃亡歸。袁盎驅自追之【考證】楓山、三條本、驅上有覺字、　遂以侍者賜之、復爲從史。【考證】陳子龍曰、盎居吳時常自危、故有所縱舍以結恩、　及袁盎使吳見守、從史適爲守盎校尉司馬。【正義】從史爲守盎校尉之司馬也、　乃悉以其裝齎置二石醇醪。【正義】醪、音牢、醪汁今之酒、【考證】

漢書、置作買、顏師古曰、裝齎、謂所齎衣物自隨者也、會天寒、士卒飢渴。飲酒醉。西南陬卒皆臥。司馬夜引袁盎起曰。君可以去矣。吳王期旦日斬君。盎弗信曰。公何爲者。司馬曰。臣故爲從史盜君侍兒者。【考證】楓山、三條本、爲下有君字、盎乃驚謝曰。公幸有親。吾不足以累公。【集解】文穎曰、言汝有親老、司馬曰。君弟去。臣亦且亡辟吾親。君何患。【集解】如淳曰、藏匿吾親、不使遇害也、【索隱】案張晏云、辟、隱也、言自隱辟親不使遇禍也、乃以刀決張、【集解】音帳、【索隱】案帳、軍幕也、決之以出也、道從醉卒直隧出。【集解】如淳曰、決開當所從亾者之道、【考證】楓山、三條本、卒下有所字、漢書、張作帳、無隧字、王念孫曰、道讀曰導、愚按卒下當補所字、直、當也、隧字疑衍、司馬與分背。【考證】二人分馳也、袁盎解節毛懷之、【集解】如淳曰、不欲令人見也、【考證】漢書、毛作旄、旄、牛尾也、杖步行七八里。明。見梁騎。騎馳去、【集解】文穎曰、梁騎、擊吳楚者也、或曰、得梁馬馳去也、【考證】中井積德曰、杖、節竿也、漢書、七八里作七十里、恐非、半夜至天明、安得步行七十里、梁騎、謂斥候巡邏者、不必鬪師、遇之得馬、故得馳去、遂歸報。吳楚已

破。上更以元王子平陸侯禮爲楚王。袁盎爲楚相。嘗上書有所言。不用。袁盎病免。居家。與閭里浮沈、相隨行鬬雞走狗。雒陽劇孟嘗過袁盎。盎善待之。安陵富人有謂盎曰。吾聞劇孟博徒。【集解】如淳曰、博盪之徒、或曰、博戲之徒、將軍何自通之。盎曰。劇孟雖博徒、然母死客送葬、車千餘乘。此亦有過人者。且緩急人所有。【正義】凡人世之中、不能無緩急之變、夫一旦有急叩門、不以親爲解、【集解】張晏曰、不語云親不聽也、瓚曰、凡人之於赴難濟危、多以有父母爲解、而孟兼行之、【索隱】案謂不以親爲辭也、今此云解者、亦謂不以親在而自解、【正義】言人有急叩門被呼、則依父母自解說也、【考證】索隱是、不以存亡爲辭、【正義】存、謂辭以事故也、亡、謂出不在家也、【考證】漢書、存作在、顏師古曰、或實在家而辭云不在、王文彬曰、在亡、猶存亡耳、言緩急可恃、不以身之在亡爲計而諉謝也、顏說未當、天下所望者、獨季心・劇孟耳。【正義】言二子救人之急、如父母耳、文穎曰、心、季布弟也、【考證】正義如父母耳、贅、季心、見布傳、今公常從數騎。一旦有緩急、寧足恃

乎。【集解】徐廣曰、常一作詳、【考證】漢書、常作陽、陽、佯也、作常、義長、罵富人、弗與通。諸公聞之、皆多袁盎。袁盎雖家居、景帝時時使人問籌策。梁王欲求爲嗣。袁盎進說。其後語塞。【索隱】按鄒氏云、塞、當作蹇、非也、案以盎言不宜立弟之義、其後立梁王之語塞絕也、梁王以此怨盎。曾使人刺盎。刺者至關中問袁盎。諸君譽之皆不容口。乃見袁盎曰。臣受梁王金來刺君。君長者。不忍刺君。然後刺君者十餘曹。備之。【集解】如淳曰、曹、輩也、袁盎心不樂。家又多怪。乃之棓生所問占。【集解】徐廣曰、棓一作服、駰案文穎曰、棓、音陪、秦時賢士善術者、【索隱】文穎云、棓、音陪、韋昭云、棓姓也、【考證】張文虎曰、宋本、毛本棓、各本作掊、愚按漢書作棓、還。梁刺客後曹輩、果遮刺殺盎安陵郭門外。【正義】遮、作蹠、音之石反、蹠、謂躡其蹤也、又音庶、【考證】漢書、無輩字、鼂錯者、潁川人也。【索隱】鼂錯、上音朝、下音厝、一如字讀、案朝氏出南陽、今西鄂鼂氏謂子朝之後也、學申・商刑名於軹張恢先所。【集解】徐廣曰、先、即先生、【索隱】軹張恢生所、軹縣人、張恢先生所學申

商之法、【考證】索隱本、先作生、與漢書合、王鳴盛曰、史記鼂錯傳、學申商刑名於軹張恢先所、徐廣曰、先、即先生、漢書則先直作生、師古曰、軹縣之儒生、姓張、名恢、而此傳末有鄧公、則漢書作鄧先、師古曰、鄧先、猶云鄧先生也、又匈奴傳、匈奴見漢使非中貴人、其儒先、裴駰曰、先、先生也、漢書先亦作生、以先生爲先、古有此語、班氏改先爲生、以其亦可單稱生也、貢禹傳、天子報禹曰、朕以生有伯夷之廉、史魚之直、師古曰、生、謂先生也、學爲太常掌故。【集解】應劭曰、掌故、百石吏、主故事、【索隱】服虔云、百石卒吏、漢舊儀云、太常博士弟子試射策中甲科補郎、中乙科補掌故也、與雒陽宋孟及劉禮同師、以文【考證】漢書、劉禮作劉帶、錢大昭曰、太常、當作奉常、錯爲人陗直刻深。【集解】韋昭曰、術岸高曰陗、瓚曰、陗、峻、【索隱】案韋昭注、本無術字、或云、術、道路也、陗、七笑反、陗、峻也、孝文帝時、天下無治尚書者。獨聞濟南伏生、故秦博士、治尚書。年九十餘、老不可徵。乃詔太常、使人往受之。太常遣錯、受尚書伏生所。【正義】衞宏詔定古文尚書序云、徵之、老不能行、遣太常掌故鼂錯往讀之、年九十餘、不能正言、言不可曉、使其女傳言教錯、齊人語多與潁川異、錯所不知者凡十二三、略以其意屬讀而已也、【考證】事又見儒林傳、中井積德曰、正義衞宏誣說、不可采入、還、因上便宜事、以書稱說。詔以爲太子舍人・門大夫・家令。【集解】服虔曰、太子

稱家、瓚曰、茂陵書、太子家令、秩八百石、【考證】顏師古曰、初爲舍人、又爲門大夫、以其辯得幸太子。太子家號曰智囊。【考證】樗里子傳、樗里子滑稽多智、秦人號曰智囊、數上書孝文時、言削諸侯事、及法令可更定者。書數十上。【考證】漢書、藝文志法家、鼂錯三十一篇、鼂傳、載其教太子疏、言兵事疏、募民徙塞下疏、及賢良策、食貨志又載令民入粟受爵疏、皆有用之文、史記不載、孝文不聽。然奇其材、遷爲中大夫。【考證】漢書鼂錯傳、文帝十五年、詔有司舉賢良文學士、錯在選中、時賈誼已死、對策者百餘人、唯錯爲高第、繇是遷中大夫、周壽昌曰、此漢廷策士之始、前此卽位二年、詔舉賢良方正能直言極諫者、未聞舉何人、至是始以三道策士、胡三省曰、中大夫掌論議、屬郎中令、其位太中大夫之下、諫大夫之上、武帝太初元年、名中大夫曰光祿大夫、秩比二千石、太中大夫秩比千石、中井積德曰、漢書、遷中大夫、在上書削諸侯之前、似得實、當是時、太子善錯計策。袁盎諸大功臣、多不好錯。景帝卽位、以錯爲內史。錯常數請閒言事。輒聽。寵幸傾九卿、法令多所更定。【集解】徐廣曰、九一作公、【考證】胡三省曰、漢正卿九、奉常、郎中令、衞尉、太僕、廷尉、典客、宗正、治粟內史、少府是也、丞相申屠嘉心弗便。力未有以傷。內史府居太上廟壖

中。門東出不便。錯乃穿兩門南出、鑿廟壖垣。【索隱】上音乃戀反、謂牆外之短垣也、又音而緣反、【正義】上人緣反、壖者廟內垣外游地也、【考證】胡三省曰、三輔黃圖、太上皇廟、在長安香室街南、馮翊府北、武帝分內史爲左右、後又改左內史爲左馮翊、丞相嘉聞大怒、欲因此過、爲奏請誅錯。錯聞之、卽夜請閒、具爲上言之。丞相奏事、因言錯擅鑿廟垣爲門。請下廷尉誅。上曰。此非廟垣、乃壖中垣。不致於法。丞相謝。【考證】顏師古曰、以所奏不當天子意、故謝、罷朝、怒謂長史曰。吾當先斬以聞。乃先請、爲兒所賣。固誤。丞相遂發病死。錯以此愈貴。【考證】事又見申屠嘉傳、遷爲御史大夫、請諸侯之罪過、削其地、收其枝郡。【集解】徐廣曰、一云、言景帝曰、諸侯或連數郡、非古之制、非久長策、不便、請削之、上令公卿云云、【考證】楓、三本、之下有有字、顏師古曰、支郡、在國之四邊者也、奏上。上令公卿列侯宗室集議。莫敢難。【正義】集本作襍、高誘云、襍、集也、【考證】當作襍、獨竇嬰爭之。由此與錯有郤。錯所更令三

十章。諸侯皆諠譁疾鼂錯。錯父聞之、從潁川來、謂錯曰。上初卽位。公爲政用事、侵削諸侯、別疏人骨肉。人口議、多怨公者、何也。【集解】徐廣曰、議一作讓、【考證】如淳曰、錯爲御史大夫、位三公也、徐孚遠曰、錯父呼錯爲公、蓋以官邪、愚按陸賈傳、賈謂其子曰、數見不鮮、無久慁公爲也、是稱子爲公、項羽紀、羽謂其騎曰、吾爲公取彼一將、是稱麾下爲公、高祖紀、高祖夜解縱所送徒曰、公等皆去、是稱徒役爲公、袁盎傳、謂其從史曰、公幸有親、是稱部屬爲公、下文景帝謂鄧公、公言善、是君稱臣爲公、蓋當時常語、非以錯爲三公尊之也、漢書、人口議多怨公者、作口讓多怨公、鼂錯曰。固也。【考證】曾國藩曰、言乃父所責固當、不如此、天子不尊、宗廟不安。錯父曰。劉氏安矣。而鼂氏危矣。吾去公歸矣。【考證】連用三矣字、其辭激、遂飲藥死。曰。吾不忍見禍及吾身。死十餘日、吳·楚七國果反、以誅錯爲名。及竇嬰·袁盎進說、上令鼂錯衣朝衣、斬東市。【考證】漢書、有丞相陶靑等劾奏錯一節、鼂錯已死。謁者僕射鄧公爲校尉、擊吳·楚軍爲將。還。上書言軍事。謁見上。

【正義】漢書作鄧先、孔文祥云、名先、百官表云、郎中令屬官、有謁者、秩比六百石、謁者有僕射、秩比千石、【考證】錢大昕曰、公卿表、無鄧公、姚範曰、按此卽吳王濞傳、絳侯故客鄧都尉、愚按、顏師古注漢書云、鄧先猶言鄧先生也、上問曰。道軍所來、【集解】如淳曰、道路從吳軍所來也、瓚曰、道、由也、聞鼂錯死、吳·楚罷不。鄧公曰。吳王爲反數十年矣。發怒削地、以誅錯爲名。其意非在錯也。且臣恐天下之士、噤口不敢復言也。【索隱】噤口、上音其錦反、又音其禁反、上曰。何哉。鄧公曰。夫鼂錯患諸侯彊大不可制、故請削地以尊京師。萬世之利也。計畫始行、卒受大戮。內杜忠臣之口、外爲諸侯報仇。臣竊爲陛下不取也。於是景帝默然。良久曰。公言善。吾亦恨之。乃拜鄧公爲城陽中尉。【考證】默然良久、景帝悔恨之狀如覩、漢書改爲喟然大息、失之、査愼行曰、傳末載鄧公一段、以惜錯之忠於謀國、而景帝用法過當、愚按、禮書序亦云、天子誅錯以解難、是後官者養交安祿而已、莫敢復議、可以見史公之意、鄧公成固人也。【正義】梁州成固縣也、括地志云、成固故城、在梁州成固縣東六里、漢成固城也、

多奇計。建元中上招賢良。公卿言鄧公。時鄧公免。起家爲九卿。一年、復謝病免歸。其子章以脩黃·老言顯於諸公閒。

太史公曰。袁盎雖不好學、亦善傅會、仁心爲質、引義忼慨。[正義]傅會、上音附、言善爲附近而會時也、張晏曰、因宜附著合會也、[考證]中井積德曰、仁心爲質、大失實、陳仁錫曰、袁盎巧言小人、子長豈不知其鮮仁哉、而贊其仁心爲質、蓋指其能救絳侯、而自傷也、又曰、子長有所激而立論、故不免失平爾、 遭孝文初立、資適逢世。[集解]張晏曰、資才也、適值其世、得騁其才、 時以變易、[集解]張晏曰、謂景帝立、[考證]楓、三本以作已、與漢書合、 及吳·楚一說。說雖行哉、然復不遂。[考證]說行、殺鼂錯也、不遂、不能罷吳楚也、 好聲矜賢、竟以名敗。鼂錯爲家令時、數言事不用。後擅權、多所變更。諸侯發難、不急匡救、欲報私讎、反以亡軀。[考證]謂使吏抵袁盎罪、 語曰、變古亂常、不死則亡。豈錯等謂邪。[考證]常亾韻、

[索隱]述贊、袁絲公直、亦多附會、攬轡見重、卻席翳賴、朝錯建策、屢陳利害、尊主卑臣、家危國泰、悲彼二子、名立身敗、

袁盎鼂錯列傳第四十一　史記一百一

史記會注考證卷一百二

漢　太　史　令　司　馬　遷　撰

宋中郎外兵曹參軍裴駰集解

唐國子博士弘文館學士司馬貞索隱

唐諸王侍讀率府長史張守節正義

日　本　出　雲　瀧　川　資　言　考　證

張釋之馮唐列傳第四十二　　史記一百二

[考證]史公自序云、守法不失大理、言古賢人、增主之明、作張釋之馮唐列傳第四十二、王維楨曰、此傳或稱釋之、或稱廷尉、或稱張釋之、或稱張廷尉、各有所當、非漫語、王

鏊曰、二傳皆見文帝君臣如家人父子、班固雜以汲鄭、卽不類、

張廷尉釋之者、堵陽人也。字季。[索隱]韋昭堵音赭、又音如字、地名、屬南陽、[正義]應劭曰、哀帝改爲順陽、水東南入蔡、括地志云、順陽故城、在鄧州穰縣西三十里、楚之郇邑也、及蘇秦傳云、楚北有郇陽、謂此也、[考證]錢大昕曰、堵陽與順陽、非一地、兩漢志皆有堵陽縣、屬南陽郡、後漢朱祐傳注、堵陽故城、在今唐州方城縣、方城、今裕州也、有兄仲同居。以訾爲騎郎、事孝文帝。[集解]蘇林曰、雇錢若出穀也、如淳曰、漢儀注、訾五百萬得爲常侍郎、[索隱]訾音子移反、字苑云、貲、積財也、[考證]漢書訾作貲、以貲爲郎、又見司馬相如傳、顏師古云、以家貲多得拜爲郎、非取其貲而予以郎也、與如說同、何焯申其義云、貲郎、猶今有身家之人、非入粟拜爵之比、漢初得官皆由貲筭、有市籍者亦不得宦也、郎官宿衞親近、欲其有所顧藉、重於犯法、愚按漢書景帝後元二年詔曰、今訾筭十以上、乃得宦、廉士算不必衆、有市籍不得宦、無訾又不得宦、朕甚愍之、訾算四得宦、無令廉士久失職、貪夫長利、是其明證、或云、以貲爲郎、自是入貲而予官、非因其家貲多、馮空拜爲郎也、釋之所謂久宦減仲之產者、非入貲而何、予謂郎官須有衣馬之飾、乃得侍上、田仁補傳、有詔募擇衞將軍舍人以爲郎、將軍取舍人中富給者、卽此也、歲時所費、蓋亦非少、故云、久宦減產、未嘗云爲郎減產也、十歲不得調。無所知名。[考證]顏師古曰、調、選也、梁玉繩曰、傳言張釋之爲廷尉、至景帝初年、始出爲淮南相、而百官表、孝文三年、中郎將張釋之爲廷尉、十年、書廷尉昌、廷尉嘉、十五年、書廷尉宜昌、後

元年、書廷尉信、孝景元年、書廷尉歐、表與傳不同、困學紀聞十一、引洪氏、據表謂釋之未嘗十年不調、未嘗以廷尉事景帝也、然攷本傳、言中郎將袁盎請徙釋之補謁者、而盎于文帝六年尚爲中郎將、則釋之安得文帝三年以中郎爲廷尉乎、傳言條侯周亞夫與張廷尉結爲親友、而亞夫續封條侯、在文帝後二年、爲中尉、在後六年、若文帝三年、亞夫尚守河內、安得與釋之結親友乎、傳言釋之爲中郎將、從文帝至霸陵、而以芷陽爲霸陵、事在九年、見將相表、安得三年爲廷尉乎、傳言釋之爲公車令、劾梁王不下公門、而梁孝王以十二年徙封、十四年入朝、安得以釋之于三年爲廷尉乎、淮南厲王于六年反、淮南王傳、稱廷尉賀、百官表失書、則又安得以釋之于三年便爲廷尉乎、大事記、書爲廷尉于文之後三年、謂百官表誤、吳仁傑亦云然、當是也、但文帝六年以後、釋之補謁者、九年以後、遷中郎將、豈十年不調者哉、疑釋之爲騎郎、在文帝未卽位以前、史幷計之、故云十年耳、

釋之曰。久宦、減仲之產、不遂。[考證]遂、猶達也、欲自免歸。中郎將袁盎知其賢、惜其去、乃請徙釋之補謁者。[正義]百官表云、謁者、掌賓讚受事、員十七人、秩比六百石也、釋之既朝畢、因前言便宜事。文帝曰。卑之、毋甚高論、令今可施行也。[索隱]案卑、下也、欲令且卑下其志、無甚高談論、但令依時事、無說古遠也、[正義]卑之、謂依附時事令可施行者也、於是釋之言秦・漢之閒事、秦所以失、而漢所以興者、久之。文帝稱善。

乃拜釋之爲謁者僕射。[考證]謁者僕射、秩比千石、釋之從行、登虎圈。[正義]圈、求遠反、[考證]顏師古曰、圈、養獸之處也、上問上林尉諸禽獸簿。[索隱]漢書表、上林有八丞十二尉、百官志、尉秩三百石、[正義]上林尉屬丞也、[考證]胡三省曰、禽獸簿、謂簿錄禽獸之大數也、愚按、文帝嘗問周勃陳平以一歲決獄錢穀出入之數、與此相似、蓋帝試人慣用手段、十餘問。尉左右視、盡不能對。[考證]王先謙曰、盡不能對者、上林尉非一人也、虎圈嗇夫從旁代尉對上所問禽獸簿、甚悉。欲以觀其能、口對響應、無窮者。[正義]掌虎圈、百官表、有鄉嗇夫、此其類也、文帝曰。吏不當若是邪。尉無賴。[集解]張晏曰、才無可恃、乃詔釋之、拜嗇夫爲上林令。釋之久之前曰。陛下以絳侯周勃何如人也。[考證]凌稚隆曰、傳言久之者五、頃之者三、愚按釋之夙聞周勃失對事、故有此言、上曰。長者也。又復問、東陽侯張相如何如人也。上復曰。長者。釋之曰。夫絳侯・東陽侯、稱爲長者。此兩人言事、曾不能出口。豈斅此嗇夫諜

諜利口捷給哉。【集解】晉灼曰、諜、音牒、【索隱】音牒、漢書作喋、喋口多言、【考證】漢書功臣表云、東陽武侯張相如、高祖六年爲中大夫、以河間守擊陳豨力戰、十一年、功侯、萬石君傳云、文帝時東陽侯張相如爲太子大傅、且秦以任刀筆之吏、吏爭以亟疾苛察相高。然其敝徒文具耳。【索隱】案謂空具其文而無其實也、【正義】秦政弊壞之時、空以文書具備而已、無惻隱之實。以故不聞其過。陵遲而至於二世、天下土崩。【考證】錢大昕曰、陵遲、漢書作陵夷、平準書、選舉陵遲、漢書亦作夷、司馬相如傳、陵夷衰微、漢書作遲、古文夷與遲通、詩周道倭遲、韓詩作郁夷、淮南原道訓、馮夷大丙之御、高誘云、夷或作遲、顏師古曰、陵夷、頹替也、今陛下以嗇夫口辯而超遷之、臣恐天下隨風靡靡、爭爲口辯、而無其實。【考證】楓山本、不重靡字、無爲字、與漢書合、且下之化上、疾於景響。舉錯不可不審也。文帝曰善。乃止不拜嗇夫。上就車。召釋之參乘。徐行問釋之秦之敝。具以質言。【集解】如淳曰、質、誠也、【考證】中井積德曰、質、猶實也、至宮。上拜釋之爲公車令。【考證】王先謙曰、百官表、公車令屬衛尉、漢官儀、公車司馬令、掌殿司馬門、

頃之、太子與梁王共車入朝。不下司馬門。【集解】如淳曰、宮衛令、諸出入殿門、公車司馬門、乘軺傳者皆下、不如令、罰金四兩、【考證】楓、三本、梁下有孝字、於是釋之追止太子・梁王、無得入殿門。遂劾不下公門、不敬、奏之。薄太后聞之。文帝免冠謝曰。教兒子不謹。薄太后乃使使承詔赦太子・梁王、然后得入。文帝由是奇釋之、拜爲中大夫。頃之、至中郎將。從行至霸陵、居北臨廁。【集解】李奇曰、霸陵北頭、廁近霸水、帝登其上以遠望也、如淳曰、居高臨垂邊曰廁也、蘇林曰、廁、邊側也、韋昭曰、高岸夾水爲廁也、【索隱】劉氏廁音初吏反、按李奇曰、霸陵北頭、廁近霸水、蘇林曰、廁、邊側也、包愷音側、義亦兩通也、【考證】漢書、北作外、王念孫曰、外、當依史記作北、劉向傳亦作北、臨廁、謂北臨霸陵之厓也、此時帝北向、故下文指北山言之、而漢紀亦云、上望北山、悽然傷懷、則當作北臨廁明矣、錢大昕曰、廁卽側字、側旁从人、隸爲厂、與廁圂字从广者不同、愚按從錢說、字當作廁、是時愼夫人從。上指示愼夫人新豐道曰。此走邯鄲道也。【集解】張晏曰、愼夫人、邯鄲人也、如淳曰、走、音奏、趨也、【索隱】音奏、案走猶向也、使愼夫人鼓瑟、上自倚瑟而歌。【集解】漢書

音義曰、聲氣依倚瑟也、書曰、聲依永、【索隱】倚、於綺反、案謂歌聲合於瑟、聲相依倚也、意慘悽悲懷。顧謂羣臣曰。嗟乎、以北山石爲椁、【正義】顏師古云、美石出京師北山、今宜州石是、用紵絮斮陳、蕠漆其閒、豈可動哉。【集解】徐廣曰、斮、一作錯、駰案漢書音義曰、斮絮以漆著其閒也、【索隱】紵絮、上張呂反、下息慮反、斮陳絮漆其閒、斮音側略反、絮音女居反、案斮陳絮以漆著其閒也、【考證】漢書、無蕠字、中井積德曰、斮、切之也、陳、布列之也、用紵及絮、而布列於椁縫也、乃沃之以漆、堅如石也、蕠字疑衍、張文虎曰、御覽五百五十二、引無蕠字、漢書本傳及楚元王傳劉向說此事、亦無、漢紀幷無此二字、舊刻蕠作絮、與索隱本同、李笠曰、蕠字說文不載、玉篇蕠、藘草也、義異、集韻九魚、音袽、黏箸也、則絮義同、故集解云、漆著其間也、御覽無蕠字、依漢書刪、左右皆曰善。釋之前進曰。使其中有可欲者、雖錮南山猶有郄。【集解】張晏曰、錮、鑄也、帝北向、故云北山、迴顧南向、故云南山、【索隱】案張晏云、錮、鑄也、帝北向、故云北山、回顧向南、故云南山、今案大顏云、北山青石、肌理密、堪爲碑椁、至今猶然、故秦本紀、作阿房、或作酈山、發北山石椁、是也、故帝欲北山之石爲椁、取其精牢、釋之荅言但使薄葬、冢中無可貪、雖無石椁、有何憂焉、若使厚殉、冢中有物、雖幷錮南山、猶爲人所發掘也、言南山者、取其高厚之意、張晏殊失其旨也、【考證】楓山、三條本、無進字、與漢書合、南山取于其不騫不崩、中井積德曰、錮、謂鎔金包之、使其中無可欲者、雖無石椁、又何戚焉。文

帝稱善。【考證】漢書劉向傳云、文帝寤焉、遂薄葬、不起山墳、其後拜釋之爲廷尉。頃之、上行出中渭橋。【集解】張晏曰、在渭橋中路、瓚曰、中渭橋、兩岸之中、【索隱】張晏臣瓚之說、皆非也、案今渭橋有三所、一所在城西北咸陽路、曰西渭橋、一所在東北高陵道、曰東渭橋、其中渭橋、在古城之北也、有一人從橋下走出。乘輿馬驚。於是使騎捕、屬之廷尉。釋之治問。曰縣人來。【集解】如淳曰、長安縣人、【考證】漢紀、作遠縣人、聞蹕匿橋下。久之、以爲行已過、卽出。見乘輿車騎、卽走耳。廷尉奏當。一人犯蹕、當罰金。【集解】如淳曰、乙令、蹕先至而犯者、罰金四兩、蹕、止行人、【索隱】案崔浩云、當、謂處其罪也、案百官志云、廷尉平刑罰、奏當、所應郡國讞疑罪、皆處當以報之也、【考證】楓山、三條本、毛本、吳校元板、一作此、與漢書合、王念孫曰、一人犯蹕、罰金四兩、漢律文也、二人以上、罪當加等、漢書義短、張文虎曰、本作此者、蓋涉下文帝言此人親驚吾馬而誤、文帝怒曰。此人親驚吾馬。吾馬賴柔和。令他馬、固不敗傷我乎。而廷尉乃當之罰金。釋之曰。法者、天子所與天下公共也。【索隱】小顏云、公、謂不私也、今法如此。而更重之、是法不

信於民也。且方其時、上使立誅之則已。【考證】漢書、通鑑、無立字、今既下廷尉。廷尉、天下之平也。一傾、而天下用法皆爲輕重。民安所措其手足。唯陛下察之。良久、上曰。廷尉當是也。其後有人盜高廟坐前玉環。捕得。文帝怒下廷尉治。【考證】張文虎曰、各本、重廷尉二字、淩引一本、及班馬異同本不重、漢書亦無、釋之案律、盜宗廟服御物者爲奏。奏當弃市。【考證】漢書、通鑑、不重奏字、上大怒曰。人之無道、乃盜先帝廟器。吾屬廷尉者、欲致之族。而君以法奏之。【索隱】案法者依律以斷也、非吾所以共承宗廟意也。【考證】顏師古曰、共讀曰恭、釋之免冠頓首謝曰。法如是足也。【集解】徐廣曰、足一作止也、且罪等。然以逆順爲差。【集解】如淳曰、俱死罪也、盜玉環、不若盜長陵土之逆也、【考證】罪等、言二者俱可以大不敬論、今盜宗廟器而族之、有如萬分之一假令愚民取長陵一抔

土、陛下何以加其法乎。【集解】張晏曰、不欲指言、故以取土譬也、【索隱】抔、音步侯反、案禮運云、汙尊而抔飲、鄭氏云、抔、手掬之、字從手、字本或作盃、言一勺一杯、兩音竝通、又音普迴反、坏者塼之未燒之名也、張晏云、不欲指言、故以取土譬者、蓋不欲言盜開長陵、及說傷迫近先帝故也、【正義】按釋之言盜長陵一掬土、與盜環罪等、用以比之、令帝詳審、故云、陛下何以加其法乎、張晏云、不欲指言、故以取土譬、一何疎鄙、不解義理之甚、裴氏引之、重爲錯也、【考證】取一抔土、微言發掘陵墓也、萬分之一四字、可證、集解索隱不可動、久之、文帝與太后言之、乃許廷尉當。【考證】陳仁錫曰、乃許廷尉當、句、當、謂處其罪也、愚按上文云、廷尉當是也、是時中尉條侯周亞夫、與梁相山都侯王恬開、見釋之持議平、乃結爲親友。【集解】徐廣曰、開一作闓、漢書作啓、啓者景帝諱也、故或爲開、張廷尉由此天下稱之。後文帝崩、景帝立。釋之恐稱病。【索隱】謂帝爲太子時、與梁王入朝、不下司馬門、釋之曾劾、故恐也、【考證】中井積德曰、稱病、是實事、非意量、若意量、宜在欲字之下、欲免去、懼大誅至、欲見謝、則未知何如。用王生計、卒見謝。景帝不過也。【考證】過、責也、王生者、善爲黃·老言。處士也。嘗召居廷中。三公九卿盡

會立。【考證】王文彬曰、居、猶坐也、時漢廷尊尙黃老、故大會時、王生被召坐廷中、而公卿盡立也、王生老人。曰。吾韤解。顧謂張廷尉。爲我結韤。【索隱】結、音如字、又音計、【考證】楓山、三條本、尉下有曰字、韤、足衣也、【正義】上萬越反、下閑買反、釋之跪而結之。既已。人或謂王生曰。獨柰何廷辱張廷尉、使跪結韤。王生曰。吾老且賤。自度終無益於張廷尉。張廷尉方今天下名臣。吾故聊辱廷尉、使跪結韤、欲以重之。諸公聞之、賢王生而重張廷尉。【考證】淩稚隆曰、令釋之結韤、蓋黃老摧剛爲柔本旨、與圯上納履事同、張廷尉事景帝、歲餘爲淮南王相。猶尙以前過也。久之、釋之卒。其子曰張摯字長公。官至大夫、免。以不能取容當世、故終身不仕。【索隱】謂性公直、不能曲屈見容於當世、故至免官不仕也、馮唐者、其大父趙人。父徙代。漢興、徙安陵。唐以孝著、爲中郎署長、事文帝。【集解】應劭曰、此云孝子郎也、或曰、以至孝聞、【索隱】案謂爲郎署之長也、【考證】文帝紀云、賜三老孝者人帛五匹、弟者帛人三匹、漢代重孝、此以孝擧爲郎者、中郎署、漢書作郎中署、爰盎傳、上幸上林、郎署長布席、文帝輦過。【索隱】過、音戈、謂文帝乘輦、會過郎署、問唐曰。父老何自爲郎。家安在。【索隱】案崔浩云、自、從也、帝詢唐、何從爲郎、又小顏云、年老矣、乃自爲郎、怪之也、【考證】何自、崔說是、唐具以實對。文帝曰。吾居代時、吾尙食監高祛、數爲我言趙將李齊之賢、戰於鉅鹿下。今吾每飯、意未嘗不在鉅鹿也。父知之乎。【集解】張晏曰、每食、念監所說李齊在鉅鹿時、【考證】楓山、三條本、鹿下也上、有下字、胡三省曰、尙食監、膳食之官、中井積德曰、只是每食念鉅鹿之戰耳、集解滯、胡三省曰、鉅鹿之戰、當是秦將王離圍鉅鹿時、唐對曰。尙不如廉頗·李牧之爲將也。上曰。何以。唐曰。臣大父在趙時、爲官卒將。善李牧。【集解】徐廣曰、一云官士將、駰案晉灼曰、百人爲徹行、亦皆帥將也、【索隱】注、百人爲徹行將帥、案國語百人爲徹行、行頭皆官師、賈逵云、百人爲一隊也、官師、隊大夫也、【考證】漢書、卒作帥、王先謙曰、漢書馮奉世傳云、在趙者爲官帥、將官帥將子爲代相、所稱卽馮唐祖父也、愚按、卒讀爲率、率帥通、臣父故爲代相、善趙將李齊。知其爲人也。【考證】中井積德曰、馮之話說、尙多、史略之、

上旣聞廉頗·李牧爲人、良說、【集解】如淳曰、良、善也、【考證】中井積德曰、良說、猶甚悅也、而搏髀曰。嗟乎、吾獨不得廉頗·李牧、時爲吾將、吾豈憂匈奴哉。【考證】王念孫曰、時讀爲而、言吾獨不得廉頗李牧而爲將也、而時聲相近、故字相通、愚按吾將下、省得爲吾將等字、面語急、唐曰。主臣。陛下雖得廉頗·李牧、弗能用也。【索隱】案樂彥云、人臣進對前、稱主臣、猶上書前云昧死、案志林云、馮唐面折萬乘、何言不懼、主臣爲驚怖、其言益著也、又魏武謂陳琳云、卿爲本初檄、何乃言及上祖、琳謝云、主臣、益明主臣是驚怖也、解已見前志也、【考證】主臣、見陳丞相世家、上怒、起入禁中。良久、召唐讓曰。公柰何衆辱我。獨無閒處乎。【考證】衆辱、見淮陰侯傳、顏師古曰、何不於閒隙之處言之也、唐謝曰。鄙人不知忌諱。當是之時、匈奴新大入朝那、【索隱】上音朝遙反、下音乃何反、縣名、屬安定也、【正義】在原州百泉縣西北十里、漢朝那縣是也、殺北地都尉卬。【索隱】案都尉姓孫、名卬、【正義】北地郡、今寧州也、【考證】事在文帝十四年、上以胡寇爲意。乃卒復問唐曰。公何以知吾不能用廉頗·李牧也。唐對曰。臣聞上古王者之遣將也、跪

而推轂曰。閫以內者、寡人制之。【集解】韋昭曰、此郭門之閫也、門中橛曰閫、【索隱】橛、音其月反、【正義】閫、音苦本反、謂門限也、【考證】楓山、三條本、閫上有自字、漢書、閫作闑、沈欽韓曰、六韜立將、君親操斧持首、授將其柄曰、從此上至天者、將軍制之、復操鉞持柄、授將其刃曰、從此下至淵者、將軍制之、淮南兵略同、御覽七百六十三、引淮南子曰、閫以外將軍裁之、與此傳同、閫以外者、將軍制之。軍功爵賞、皆決於外、歸而奏之。此非虛言也。臣大父言李牧爲趙將、居邊。軍市之租、皆自用饗士。【索隱】案謂軍中立市、市有稅、稅卽租也、【考證】李牧傳云、市租皆輸入幕府、爲士卒費、日擊數牛饗士、賞賜決於外、不從中擾也。【考證】楓山、三條本、擾作覆、與漢書合、胡三省云、不從中覆校其所用之數、委任而責成功。故李牧乃得盡其智能。遣選車千三百乘、【索隱】案六韜書、有選車之法、【考證】漢書、無遣字、義長、彀騎萬三千、【索隱】如淳云、彀、音構、彀騎、張弓之騎也、【考證】王念孫曰、千下脫去匹字、御覽兵部引此正作彀騎萬三千匹、漢書馮唐傳同、王先謙曰、彀士、謂能控弦之騎士有萬三千人、騎可以匹言、彀騎以人言、不以匹言、愚按李牧傳云、選騎得萬三千匹、彀者十萬人、萬三千、卽選騎之數、非彀者之數也、王念孫說是、百金之士十萬。【集解】服虔曰、良士直百金也、或曰、直百金言重、【索隱】晉灼云、百金取

其貴重也、服虔曰、良士直百金也、劉氏云、其功可賞百金者、事見管子、及小爾雅、【考證】百金、服說是、李牧傳云、百金之士五萬人、彀者十萬人、張文虎曰、索隱單本、無小字、然今爾雅小爾雅、皆無此文、是以北逐單于、破東胡、【索隱】案崔浩云、烏丸之先也、國在匈奴之東、故云東胡也、滅澹林、【集解】徐廣曰、澹、一作襜、【索隱】澹、丁甘反、一本作襜襤、【考證】李牧傳云、滅襜襤、破東胡、降林胡、單于奔走、張文虎曰、索隱襜說見廉藺傳、西抑彊秦、南支韓·魏。當是之時、趙幾霸。【索隱】幾、音祈、其後會趙王遷立。其母倡也。【索隱】按列女傳云、邯鄲之倡、【正義】趙幽王母、樂家之女也、王遷立、乃用郭開讒、卒誅李牧、【索隱】按開是趙之寵臣、戰國策云、秦多與開金、使爲反閒、【考證】漢書無王遷立乃四字、張照曰、上文云趙王遷立、然則此句立字衍文、令顏聚代之。【索隱】聚、音似喻反、漢書作冣、本齊將也、【正義】絕庾反、【考證】今本漢書作聚、是以兵破士北、爲秦所禽滅。今臣竊聞魏尙爲雲中守、【集解】漢書曰、尙、槐里人也、【正義】雲中郡故城、在勝州榆林縣東北三十里、其軍市租、盡以饗士卒、私養錢、五日一椎牛、饗賓客軍吏舍人。【集解】服虔曰、私廩假錢、【索隱】按漢書、市肆租稅之入、爲私奉養、服虔曰、私廩假錢是也、或云、官所別廩給也、椎、音直追反、擊也、【考證】楓山、三條本、卒下有出

字、漢書亦有、疑今本脫、胡三省曰、私養錢、屬下句、中井積德曰、郡守自應得家口私費之錢、如後世月俸錢、是以匈奴遠避、不近雲中之塞。【考證】楓山、三條本、不下有敢字、虜曾一入。尙率車騎擊之。所殺甚衆。夫士卒盡家人子、起田中從軍。【索隱】按謂庶人之家子也、【考證】慶長本標記引劉伯莊云、家人子、不知軍法、妄上其功、與尺籍不相應、魏尙連署、故坐罪也、安知尺籍伍符。【集解】如淳曰、漢軍法曰、吏卒斬首、以尺籍書下縣移郡、令人故行、不行奪勞二歲、伍符、亦什伍之符、約節度也、或曰、以尺簡書、故曰尺籍也、【索隱】按尺籍者、謂書其斬首之功於一尺之板、伍符者、命軍人伍伍相保、不容姦詐、注故行不行、案謂故命人行、而身不自行、奪勞二歲也、故與雇同、【正義】注行不行、故當行、雇人行、身不行、奪勞二歲也、【考證】尺籍伍符、索隱是、尉繚子束伍令云、五人爲伍、共一符、收于將吏之所、終日力戰、斬首捕虜、上功莫府。【索隱】按莫、訓大也、又崔浩云、古者出征無常處、以幕爲府舍、故云莫府、莫當爲幕、古字少耳、【考證】崔說是、一言不相應、【索隱】音乙陵反、謂數不同也、文吏以法繩之、其賞不行。而吏奉法必用。臣愚以爲陛下法太明、賞太輕、罰太重。且雲中守魏尙、坐上功首虜差六級、陛下下之吏、削其爵、罰

作之。【考證】胡三省曰、一歲刑爲罰作、由此言之、陛下雖得廉頗・李牧、弗能用也。【集解】班固稱楊子曰、孝文帝親詘帝尊以信亞夫之軍、曷爲不能用頗牧、彼將有激、【考證】廉頗李牧、承前語、漢書刪廉頗二字、非是、臣誠愚觸忌諱。死罪死罪。文帝說。是日令馮唐持節赦魏尙、復以爲雲中守、而拜唐爲車騎都尉、主中尉及郡國車士。【集解】服虔曰、車軍之士、【考證】集解車軍、漢書注作車戰、當依改、王先謙曰、中尉之車士、及郡國之車士、皆得主之、胡三省曰、百官表無車騎都尉官、七年、景帝立。【考證】梁玉繩曰、匈奴入朝那、在文帝十四年、至景帝立、是十一年、非七年、漢書作十年、亦非、以唐爲楚相。免。武帝立。【考證】武帝、當作今上、求賢良。舉馮唐。唐時年九十餘、不能復爲官。乃以唐子馮遂爲郎。遂字王孫。亦奇士。與余善。【考證】趙世家贊云、吾聞馮王孫曰、趙王遷其母倡也、嬖於悼襄王、悼襄王廢適子嘉而立遷、遷素無行信讒、故誅其良將李牧用郭開、史公記趙事、多國策所不載、蓋得諸馮王孫也、

太史公曰。張季之言長者、守法不阿意。馮公之論將率、有味哉、有味哉。語曰。不知其人視其友。【考證】孔子家語云、不知其子觀其父、不知其人觀其友、蓋古有此語也、二君之所稱誦、可著廊廟。書曰。不偏不黨、王道蕩蕩。不黨不偏、王道便便。【集解】徐廣曰、一作辨、【考證】尙書洪範篇、梁玉繩曰、此蓋所傳尙書本異、故墨子兼愛下篇引書云、王道蕩蕩、不偏不黨、王道平平、不黨不偏、皆與今本不同、至便平辨之異、說在宋世家、張季・馮公近之矣。

【索隱】述贊、張季未偶、見識袁盎、太子懼法、嗇夫無狀、驚馬罰金、盜環悟上、馮公白首、味哉論將、因對李齊、收功魏尙、

張釋之馮唐列傳第四十二　史記一百二

史記會注考證卷一百三

漢　太　史　令　司　馬　遷　撰
宋　中　郎　外　兵　曹　參　軍　裴　駰　集　解
唐　國　子　博　士　弘　文　館　學　士　司　馬　貞　索　隱
唐　諸　王　侍　讀　率　府　長　史　張　守　節　正　義
日　本　出　雲　瀧　川　資　言　考　證

萬石張叔列傳第四十三　史記一百三

[考證]史公自序云、敦厚慈孝、訥於言、敏於行、君子長者、作萬石張叔列傳第四十三、凌稚隆曰、石奮、石建、石慶、衛綰、直不疑、周仁、張歐、行事雖不同、要不失爲長者、故同傳、

萬石君名奮。[正義]以父及四子皆二千石、故號奮爲萬石君、[考證]沈欽韓曰、萬石、非史例也、史公之誤、愚按萬石君景帝所號、故史公取以爲稱、漢書酷吏傳、嚴延年亦有萬石之號、鄉黨所稱、與此異、 其父趙人也。[正義]洺州邯鄲、本趙國都、 姓石氏。趙亡、徙居溫。[正義]故溫城、在懷州溫縣三十里、漢縣在也、[考證]正義溫縣下當有西南二字、 高祖東擊項籍、過河內。時奮年十五、爲小吏侍高祖。高祖與語、愛其恭敬。[考證]李廷機曰、傳中凡言恭敬醇謹孝等字、皆一篇領袖、 問曰、若何有。[考證]顏師古曰、若、汝也、有何戚屬、 對曰、奮獨有母。不幸失明。家貧、有姊能鼓琴。[考證]漢書琴作瑟、 高祖曰、若能從我乎。曰、願盡力。於是高祖召其姊爲美人、以奮爲中涓、受書謁。[正義]顏師古云、中涓、官名、居中而涓絜也、如淳云、主通書謁出入命也、[考證]美人、女官名、錢大昭曰、陳平世家云、是時萬石君奮爲漢王中涓、受平謁、即其事也、 徙其家長安中戚里。以姊爲美人故也。[索隱]小顏云、於上有姻戚者皆居之、故名其里爲戚里、長安記戚里在城內、[考證]劉攽曰、此里偶名戚里爾、周壽昌曰、長安志注云、高祖娶石奮姊爲美人、移家於長安城中、號之曰戚里、帝王之姻戚也、據此戚里因石奮家而名、愚按劉說是、

其官至孝文時、積功勞至大中大夫。[考證]漢書、代其官二字以奮字、勞下、補官字、無文學。恭謹無與比。[考證]漢書、謹下有學字、張晏曰、舉朝無比也、 文帝時、東陽侯張相如爲太子太傅。免。選可爲傅者。皆推奮。奮爲太子太傅。及孝景即位、以爲九卿。迫近、憚之。[集解]張晏曰、以其恭敬履度、故難之、[考證]中井積德曰、迫近、謂其職居近侍、周壽昌曰、上憚其拘謹也、 徙奮爲諸侯相。奮長子建、次子甲、次子乙、[集解]徐廣曰、一作仁、[正義]顏師古云、史失其名、故云甲乙耳、非其名也、 次子慶、皆以馴行孝謹、官皆至二千石。[集解]徐廣曰、馴一作訓、[索隱]馴、音巡、[考證]馴讀爲順、 於是景帝曰、石君及四子、皆二千石。人臣尊寵、乃集其門。號奮爲萬石君。孝景帝季年、萬石君以上大夫祿歸老于家、以歲時爲朝臣。[考證]顏師古曰、預朝請、岡白駒曰、唯外戚皇室諸侯、得奉朝請、蓋以姻戚優禮待之、 過宮門闕、萬石君必下車趨、見路馬必式焉。[考證]曲禮、大夫士下公門、式路馬、顏師

古曰、路馬、天子路車之馬、式、謂撫軾、蓋爲敬也、 子孫爲小吏、來歸謁。萬石君必朝服見之。不名。子孫有過失、不譙讓、[索隱]上才笑反、譙讓、責讓、 爲便坐、對案不食。[索隱]爲便、上于僞反、下便音婢緜反、蓋謂爲之不處正室、別坐他處、故曰便坐、坐音如字、便坐非正坐處也、故王者所居、有便殿便房、義亦然也、音婢見反、亦通也、[正義]案、謂盤案、[考證]顏師古曰、便坐、便側之處、非正室也、 然后諸子相責、因長老肉袒固謝罪。改之、乃許。子孫勝冠者在側、雖燕居必冠。申申如也。[索隱]燕、謂閒燕之時、燕、安也、[考證]論語述而篇、子之燕居、申申如也、馬融注、申申、和舒之貌、 僮僕訢訢如也。唯謹。[集解]晉灼曰、訢、許愼曰、古欣字、韋昭曰、聲和貌、 上時賜食於家、必稽首俯伏而食之、如在上前。其執喪、哀戚甚悼。子孫遵教亦如之。萬石君家以孝謹聞乎郡國。雖齊·魯諸儒質行、皆自以爲不及也。[考證]王文彬曰、質、實也、言齊魯尚實行、猶以爲不及萬石君家、下文言儒文多質少、兩質字義同、 建元二年、郎中令王臧、以文學獲罪。[正義]百官表云、郎中令、秦官、掌居

宮殿門戶、武帝太初元年、更名光祿勳也、【考證】王臧以明堂事獲罪於竇太后、自殺、事詳儒林傳、 皇太后以爲儒者文多質少。今萬石君家、不言而躬行。乃以長子建爲郎中令。少子慶爲內史。【正義】百官表云、內史、周官、秦因之、掌治京師、景帝分置左內史、武帝太初元年、更名京兆尹、左內史名左馮翊也、 建老白首。萬石君尙無恙。建爲郎中令、每五日洗沐、歸謁親。【集解】文穎曰、郎五日一下、【正義】孔文祥云、建爲郎中令、卽光祿勳、九卿之職也、直五日一下也、按五日一下直洗沐、 入子舍、【索隱】案劉氏謂小房內、非正堂也、小顏以爲諸子之舍、若今諸房也、 竊問侍者、取親中裙廁牏、身自浣滌、復與侍者、不敢令萬石君知。以爲常。【集解】徐廣曰、牏、築垣短板也、音住、廁牏、謂廁溷垣牆、建隱於其側浣滌也、一讀牏爲竇、竇音豆、言建又自洗蕩廁竇、廁竇瀉除穢惡之穴也、呂靜曰、楲窬、褻器也、音威豆、駰案蘇林曰、牏、音投、賈逵解周官、楲、虎子也、窬、行淸也、孟康曰、廁、行淸、窬、行中受糞者也、東南人謂鑿木空中如曹、謂之窬、晉灼曰、今世謂反閉小袖衫爲侯窬、廁此最廁近身之衣也、【索隱】案親、謂父也、中裙、近身衣也、蘇林曰、牏、音投、又音豆、孟康曰、廁、行淸、牏、行淸中受糞函也、言建又自洗盪廁竇、竇者洗除穢汙之穴也、又晉灼云、今世謂反閉小袖衫爲侯牏、此最廁近身之衣、而徐廣云、牏、短板、以築廁牆、未知其義何從、恐非也、【正義】牏、音投、中裙、謂中衣、今之裙也、晉灼云、今世謂

半閉小袖衫爲侯牏、此最廁近身之衣也、顏師古云、親、謂父也、中裙、若今言中衣也、廁牏、近身之小衫、若今汗衫也、【考證】王先謙曰、說文、帬、下裳也、古者裳亦得通稱衣、中、衷通、中裙者近身下裳、愚按顏解廁爲近身之小衫、是也、廁、閒也、故顏訓爲近、牏讀爲褕、說文、褕一曰直裾、謂之襜褕、漢書雋不疑傳顏注、襜褕、直裾禪衣、中帬廁褕、皆爲親身之衣、 建爲郎中令、事有可言、屛人恣言極切。【考證】王先謙曰、灌夫傳、分別言田竇事、蓋其一端、愚按楓山三條本、令下有奏字、事下有卽字、 至廷見、如不能言者。是以上乃親尊禮之。萬石君徙居陵里。【集解】徐廣曰、陵一作鄰、【索隱】小顏云、陵里、里名、在茂陵、非長安之戚里也、【正義】茂陵邑中里也、茂陵故城、漢茂陵縣也、在雍州始平縣東北二十里、【考證】劉攽曰、長安中自有里名陵、非茂陵里也、 內史慶醉歸、入外門不下車。萬石君聞之不食。慶恐肉袒請罪。不許。舉宗及兄建肉袒。萬石君讓曰。內史貴人。入閭里。里中長老、皆走匿。而內史坐車中自如。固當。【考證】顏師古曰、此深責之也、言內史貴人、正固當爾、顧炎武曰、反言之也、 乃謝罷慶。慶及諸子弟、入里門趨至家。萬石君以元朔五年中卒。【考證】洪亮吉曰、奮卒時年九十六、 長子

郎中令建、哭泣哀思、扶杖乃能行。歲餘建亦死。諸子孫咸孝。然建最甚。甚於萬石君。建爲郎中令。書奏事。事下。【考證】顏師古曰、建有所奏上、而被報下也、愚按漢書、不重事字、楓山本下下有建字、 建讀之曰。誤書。馬者與尾當五。今乃四。不足一。上譴死矣。【集解】服虔曰、作馬字、下曲而五、建時上事書誤作四、【正義】顏師古云、馬字下曲者尾、幷四點爲四足、凡五、【考證】漢書藝文志云、吏民上書、字或不正、輒舉劾、石建憂其譴死、慮有舉劾者也、篆文馬作馬、張文虎曰、游、王、柯、凌本者作字、 甚惶恐。【考證】楓山三條本、惶作悼、 其爲謹愼、雖他皆如是。萬石君少子慶爲太僕。御出。上問車中幾馬。慶以策數馬畢、舉手曰。六馬。慶於諸子中最爲簡易矣。然猶如此。【正義】漢書、慶爲太僕、御出、上間車中幾馬、慶以策數馬畢、舉手曰、六馬、按慶於兄弟最爲簡易矣、然猶如此也、【考證】通鑑考異云、慶爲太僕、公卿表不載、沈家本曰、按漢表有奪文、蓋慶於建元二年爲內史、三年、爲太僕、後三年、徙爲齊相也、中井積德曰、正義引漢書、不曉何意、張文虎曰、爲太僕至然猶如此三十六字、蓋史文所無、故正義引漢書注之、後人據注增竄、則正義爲贅矣、舊刻、毛本、然猶倒、愚按劉百衲宋本亦倒、楓山三條本、子下無中字、 爲齊

相。【考證】楓山、三條本、爲上有出字、 舉齊國皆慕其家行、不言而齊國大治、爲立石相祠。元狩元年、上立太子。選羣臣可爲傅者。慶自沛守爲太子太傅。七歲、遷爲御史大夫。元鼎五年秋、丞相有罪罷。【集解】趙周坐酎金免、【索隱】案漢書而知也、 制詔御史。萬石君先帝尊之、子孫孝。其以御史大夫慶爲丞相。【考證】楓山本、孝上有至字、與漢書合、 封爲牧丘侯。是時漢方南誅兩越、東擊朝鮮、北逐匈奴、西伐大宛、中國多事。天子巡狩海內、修上古神祠、封禪興禮樂、公家用少。桑弘羊等致利、王溫舒之屬峻法、兒寬等推文學至九卿、更進用事、事不關決於丞相。【正義】倪寬、千乘人也、治尙書、受業於孔安國、貧無資用、常爲弟子都養、時行賃作、帶經而鋤、射策補掌故、歷位左內史御史大夫而卒、【考證】桑弘羊見平準書、王溫舒見酷吏傳、兒寬見儒林傳、關決之關、如關說關白之關、通也、 丞相醇謹而已在位九歲。無能

有所匡言。嘗欲請治上近臣所忠・九卿咸宣罪。【集解】服虔曰、咸、音減損之減、【考證】所忠、見封禪書司馬相如傳、咸宣、見酷吏傳、張文虎曰、咸宣、各本作減宣、錢泰吉云、當作咸、按漢書作咸、師古音減省之減、此集解引服虔音正同、則本亦作咸明矣、不能服、反受其過。贖罪。元封四年中、關東流民二百萬口、無名數百四十萬。【索隱】案小顏云、無名數、若今之無戶籍、 公卿議欲請徙流民於邊以適之。【考證】顏師古曰、適讀曰讁、 上以爲丞相老謹、不能與其議。乃賜丞相告歸、而案御史大夫以下議爲請者。丞相慙不任職、乃上書曰。慶幸得待罪丞相。罷駑以輔治、城郭倉庫空虛、民多流亡。罪當伏斧質。上不忍致法。願歸丞相侯印、乞骸骨歸、避賢者路。天子曰。倉廩既空、民貧流亡。而君欲請徙之。搖蕩不安、動危之、而辭位。【考證】顏師古曰、搖動百姓、使其危急、而自欲去位、 君欲安歸難乎。【索隱】難、音乃彈反、言欲歸於何人、

以書讓慶。【考證】梁玉繩曰、漢書詳載報丞相詔、此摘錄數語、且有異同、 慶甚慙、遂復視事。慶文深審謹。然無他大略、爲百姓言。後三歲餘、太初二年中、丞相慶卒。謚爲恬侯。慶中子德、慶愛用之。上以德爲嗣。代侯。後爲太常。坐法當死。贖免爲庶人。【考證】梁玉繩曰、侯表及漢書恩澤百官二表、石慶子德、以太初三年嗣侯、即爲太常、其坐法、在天漢元年、史盡太初、故表不書德爲太常失侯事、則此十三字、乃後人增入者、或曰、爲太常三字、是史元文、 慶方爲丞相、諸子孫爲吏、更至二千石者十三人。及慶死、後稍以罪去、孝謹益衰矣。【考證】楓山、三條本、相下有時字、益作蓋、錢大昕曰、褚先生敍田仁制舉三河、河東太守石丞相子孫也、石氏九人爲二千石、方盛貴、仁數上書言之、其後三河太守皆下獄誅死、此在慶已沒之後、

建陵侯衛綰者、【正義】括地志云、漢建陵縣故城、在沂州丞縣界也、 代大陵人也。【索隱】地理志、縣名、在代、【正義】括地志云、大陵縣城、在并州文水縣北十二里、按代王耳時、都中都、大陵屬焉、故言代大陵人也、【考證】梁玉繩曰、大陵縣屬太原、而云代大陵者、綰事文帝、文帝初封于代、高祖詔取山南太原之地、益屬代、故大陵隸代也、正義不甚晰、索隱直以大陵爲代郡縣名、不亦疏乎、 綰以戲車爲郎。

【集解】應劭曰、能左右超乘也、如淳曰、櫟機轉之類、【索隱】按應劭云、能左右超乘、案今亦有弄車之戲、櫟、音歷、謂超踰之也、轉、音衛、謂車軸頭也、【考證】沈欽韓曰、鹽鐵論除狹篇、賢良曰、今吏道壅而不選、戲車鼎躍、咸出補吏、西京賦、建戲車、樹修旃、通典樂六、舞輪伎、蓋今之戲車輪者、御覽五百六十六、梁元帝纂要、百戲起於秦漢、戲車、見李尤平樂觀賦、 事文帝。功次遷爲中郎將。醇謹無他。【正義】性醇謹、無他伎能也、【考證】顏師古曰、無他、無他餘志念也、愚按顏說是、下文云、廉忠實無他腸、凌稚隆曰、衛綰一傳、總只醇謹無他四字盡之、 孝景爲太子時、召上左右飲。而綰稱病不行。【集解】張晏曰、恐文帝謂豫有二心以事太子、【考證】凌本、飲作飯、 文帝且崩時、屬孝景曰。綰長者。善遇之。及文帝崩、景帝立、歲餘不噍呵綰。【索隱】譙誰何二音、何、猶借訪也、一作譙呵、譙、責讓也、言不嗔責綰也、【考證】譙呵、漢書作孰何、王懋曰、史記不誰何、衛綰傳寫誤爲譙呵、愚按不誰何、置而不問也、非責讓之謂、 綰日以謹力。景帝幸上林。詔中郎將參乘。還而問曰。君知所以得參乘乎。綰曰。臣從車士、幸得以功次遷爲中郎將。不自知也。上問曰。吾爲太子時召君。君不肯來。何也。對曰。死罪。實病。上

賜之劍。綰曰。先帝賜臣劍、凡六劍。不敢奉詔。上曰。劍、人之所施易。獨至今乎。【集解】如淳曰、施讀曰移、言劍者人之所好、故多數移易貿換之也、【索隱】上音移、下音亦、【考證】中井積德曰、施、謂改易其飾具也、易即貿換矣、沈欽韓曰、施讀如字、言劍服用所施、故常易也、愚按施易一意、如說最穩、 綰曰。具在。上使取六劍。劍尚盛、未嘗服也。【考證】中井積德曰、尚盛、謂不損壞也、周壽昌曰、十襲藏之、以敬君賜、 郎官有譴、常蒙其罪。不與他將爭、【正義】蒙、謂覆蔽之、 有功、常讓他將。上以爲廉忠實無他腸。【索隱】小顏云、心腸之內、無他惡也、【考證】中井積德曰、無他腸、與上文無他同、謂專一忠實無他志念也、 乃拜綰爲河閒王太傅。【考證】河南王、景帝子德、 吳・楚反。詔綰爲將。將河閒兵擊吳・楚。有功。【考證】全祖望曰、擊趙也、河間、是趙之分國、時趙方同反、安得踰趙而東征、誤已、 拜爲中尉。【考證】王先謙曰、漢書公卿表、在孝景三年、 三歲、以軍功、孝景前六年中、封綰爲建陵侯。其明年、上廢太子、誅栗卿之屬。【集解】蘇林曰、栗太子舅也、如淳曰、栗氏親屬也、卿、其名也、【索隱】栗姬之兄弟、蘇林云、栗太子之舅也、【正義】顏師古云、太子廢爲臨

江王、故誅其外家親屬也、【考證】王先謙曰、按表、綰以六年四月封、距擊吳楚三歲、而廢太子在四年、則明年者、擊吳楚之明年也、上以爲綰長者、不忍。【考證】徐孚遠曰、中尉法官、當按獄、綰長者不肯窮治、故以屬郅都、其後郅都卒殺臨江王、乃賜綰告歸、而使郅都治捕栗氏。【考證】郅都、見酷吏傳、既已上立膠東王爲太子。召綰拜爲太子太傅。久之、遷爲御史大夫。五歲、代桃侯舍爲丞相。【正義】故桃城、在渭州胙城縣東三十里、劉舍所封也、【考證】王先謙曰、公卿表、中三年下、書綰爲御史大夫、四年遷、後三年下、書綰爲丞相、實四歲、朝奏事、如職所奏。【索隱】以言但守職分而已、不別有所奏議也、【考證】王先謙曰、舉例行事奏之、然自初官以至丞相、終無可言。【考證】楓山、三條本、官作宦、與漢書合、宦仕也、天子以爲敦厚可相少主。尊寵之、賞賜甚多。爲丞相三歲、景帝崩、武帝立。建元年中、丞相以景帝疾時、諸官囚、多坐不辜者、而君不任職、免之。【考證】梁玉繩曰、武帝、當作今上、後人改之也、攷將相百官二表、綰以建元元年免、卽在武帝立年、則建元中四字是美文、中井積德曰、景帝疾至君不任職、擧天子譴責之語也、王先謙曰、史駁文、楊愼曰、漢丞相衞綰奏

郡國所擧賢良、或治申商韓非蘇張之說、亂國政、請皆罷、武帝可之、綰之相業、他無聞焉、而此一節、加于蕭曹一等矣、史稱漢帝之美、罷黜百家、綰之功可少哉、其後綰卒。【考證】王先謙曰、據表推之、卒在元光元年、子信代。坐酎金失侯。【考證】元鼎五年、

塞侯直不疑者、南陽人也。【索隱】案塞、國名、今桃林之塞也、直、姓也、不疑、名也、與雋不疑同字、【正義】塞侯、上音先代反、古塞國、今陝州桃林縣以西至潼關、皆桃林塞地也、爲郎事文帝。其同舍有告歸。誤持同舍郎金去。已而金主覺妄、意不疑。【索隱】謂妄疑其盜取將也、【考證】楓山本、妄作亡、與漢書合、可從、索隱本、各本、皆作妄、屬下讀、疑誤、不疑謝有之、買金償。而告歸者來而歸金。而前郎亡金者大慙。以此稱爲長者。【考證】長者二字、一傳綱領、文帝稱擧、稍遷至太中大夫。【集解】徐廣曰、漢書云、稱爲長者、稍遷至太中大夫、無文帝稱擧四字、【考證】梁玉繩曰、漢書、無文帝稱擧四字、是也、攷百官表、直不疑以孝景中五年爲主爵都尉、六年由中大夫令、更爲衞尉、後元年、乃由衞尉遷御史大夫、此脫不具、且未嘗爲太中大夫也、漢傳言中大夫、亦脫令字、中大夫令卽衞尉、朝廷見人或毀曰。不疑狀貌甚美。然獨無奈其善盜嫂何也。【索隱】案小顏云、盜、謂私之、【考證】劉攽

曰、朝廷見人、謂達官也、李笠曰、見讀去聲、見人、謂顯著之人、不疑聞曰。我乃無兄。然終不自明也。【考證】楓山、三條本、兄下有安得嫂三字、吳・楚反時、不疑以二千石將兵擊之。景帝後元年、拜爲御史大夫。天子修吳・楚時功、乃封不疑爲塞侯。【考證】楓山、三條本、功下有臣字、武帝建元年中、與丞相綰俱以過免。【考證】梁玉繩曰、武帝建元年中、當作今上建元元年、不疑學老子言。其所臨、爲官如故、【考證】方苞曰、其官屢遷、所臨涖之地雖異、而接人處己、皆如故也、王先謙曰、如前任者所爲、非有大利害、不輕改變也、愚按王說是、唯恐人知其爲吏跡也。不好立名稱。稱爲長者。【考證】漢書、不重稱字、不疑卒。子相如代。孫望坐酎金失侯。【索隱】漢書、作彭祖坐酎金國除、【考證】元鼎五年、索隱依漢傳、功臣表作堅、齊召南曰、望堅、字相似、未知孰正、

郎中令周文者、名仁。其先故任城人也。【正義】任城、兗州縣也、以醫見。景帝爲太子時、拜爲舍人。積功稍遷。孝文帝時至太中大夫。景帝初卽位。拜

仁爲郎中令、仁爲人陰重不泄。常衣敝補衣溺袴。【集解】服虔曰、質重不泄人之陰謀也、張晏曰、陰重不泄、下溼故溺袴、是以得比宦者、出入後宮、仁有子孫、先未得此病時所生、韋昭曰、陰重如今帶下病泄利、【索隱】案其解二、各有理、服虔云、周仁性質重、不泄人之陰謀也、小顏云、陰、密也、爲性密重、不泄人言也、霍去病少言不泄、亦其類也、其人又常衣弊補衣及溺袴、故爲不絜淸之服、是以得幸入臥內也、又張晏云、陰重不泄、陰下溼故溺袴、是以得比宦者、出入後宮也、仁有子孫者、先未得此疾病所生也、二者未知誰得其實也、【考證】顏師古曰、爲小袴以藉其尿、愚按陰重不泄、言其爲人、下文所謂終無所言、卽是、常衣敝補衣溺袴、別是一事、溺字難解、非謁則衍、容服旣醜、妃嬪不近、所以無嫌、期爲不絜淸。【索隱】謂心中常期不絜之服、則期是故之意也、小顏亦同、【正義】淸、淸淨、期猶常也、言爲不絜淨、下溼、故得入臥內後宮比宦者、以是得幸景帝、入臥內、【考證】楓山、三條本、入上有出字、於後宮祕戲、仁常在旁。【索隱】謂後宮中戲劇所宜祕也、至景帝崩、仁尚爲郎中令。終無所言。上時問人。【正義】顏師古云、問以他人之善惡也、仁曰。上自察之。然亦無所毀。以此景帝再自幸其家。家徙陽陵。上所賜甚多。然常讓不敢受也。諸侯羣臣、賂遺終無所受。【考證】李光縉曰、終無所言、然亦無

所毀、然常讓不敢受、終無所受、亦皆本陰重不泄來、武帝立。【考證】梁玉繩曰、當作今上立、以爲先帝臣、重之。仁乃病免、以二千石祿歸老。子孫咸至大官矣。御史大夫張叔者、名歐。【集解】史記音隱曰、歐、於友反、【索隱】歐音烏後反、漢書作歐、孟康音驅也、安丘侯說之庶子也。【集解】徐廣曰、張說起於方與縣、從高祖以入漢也、【索隱】說音悅、孝文時、以治刑名言、事太子。【集解】韋昭曰、有刑名之書、欲令名實相副也、【索隱】案劉向別錄云、申子學號曰刑名家者、循名以責實、其尊君卑臣、崇上抑下、合於六家也、說者云、刑名家卽太史公所說六家之一也、【正義】刑、刑家也、名、名家也、在太史公自序傳、言治刑法及名實也、【考證】刑名卽形名、名實之義、說詳申韓列傳、漢稱法家曰刑名、正義以刑名爲二、非是、正義自序傳、各本作自有傳、今從楓山、三條本、然歐雖治刑名家、其人長者。景帝時尊重、常爲九卿。【考證】長者二字、骨子、沈家本曰、漢表、景帝前四年、安丘侯張歐爲奉常、二年而蕭勝代之、至武帝元朔四年、韓安國免。詔拜歐爲御史大夫。【考證】梁玉繩曰、案將相及百官表、韓以元光三年免、張歐以元光四年拜、此與漢傳同誤爲元朔四年也、武帝當作今上、愚按平津侯傳云、元朔三年、以弘爲御史大夫、據此則元朔四年、歐已不在位矣、自歐爲吏、未嘗言案人。專以

誠長者處官。【考證】查愼行曰、攷漢書鼂錯傳、六國反時、丞相青翟、中尉嘉、廷尉歐劾奏、錯大逆無道、當要斬、父母妻子同產、皆棄市、請論如法、注云、歐卽張歐也、錯之罪名、何至大逆無道、此議實爲過當、然則鼂錯之死禍、發於爰盎而成於張歐、廷尉爲天下平、顧當若是乎、似不得云爲吏未嘗按人也、愚按呂氏大事記、通鑑問答、宛委餘篇、夙有此說、或云、稱長者、史虛美之耳、何義門困學紀聞十一注云、此景帝納袁盎之說、自示意于丞相等行之、非張叔所案劾、或譏其不能如釋之守法、則可耳、梁氏志疑以何說爲是、官屬以爲長者、亦不敢大欺。上具獄、事有可卻卻之。不可者、不得已爲涕泣、面對而封之。其愛人如此。【考證】楓山、三條本、無對字、與漢書合、如淳曰、不正視、若不視者也、晉灼曰、面對囚、讀而封之、使其聞見、死而無恨也、顏師古曰、二說皆非也、面、謂偝之也、言不忍視之、與呂馬童面之同義、老病篤。請免。於是天子亦策罷、以上大夫祿歸老于家。家於陽陵。子孫咸至大官矣。【考證】楓山、三條本、咸作皆、太史公曰。仲尼有言曰。君子欲訥於言而敏於行。【集解】徐廣曰、訥字多作詘、音同耳、古字假借、【考證】論語里仁篇、其萬石・建陵・張叔之謂邪。是以其教不肅而

成、不嚴而治。【考證】孝經、其教不肅而成、其政不嚴而治、塞侯微巧、【索隱】功微、案直不疑以吳楚反時爲二千石將、景帝封之、功微也、【正義】不疑學老子、所臨官、恐人知其爲吏跡、不好立名稱、稱爲長者、是微巧也、【考證】沈家本曰、索隱本作功微、故注語云然、其文自當作微巧、方與下文相應、而周文處讇、君子譏之。爲其近於佞也。【索隱】周文處讇者、謂爲郎中令、陰重得幸出人臥內也、【正義】上時問人、仁曰、上自察之、上所賜常不受、又諸侯羣臣賂遺、終無所受、此爲處讇、故君子譏此二人、爲其近於佞也、然斯可謂篤行君子矣。

【索隱】述贊、萬石孝謹、自家形國、郎中數馬、內史匍匐、綰無他腸、塞有陰德、刑名張歐、垂涕恤獄、敏行訥言、俱嗣芳躅、

萬石張叔列傳第四十三　　史記一百三

史記會注考證卷一百四

漢　太　史　令　司　馬　遷　撰

宋中郎外兵曹參軍裴　駰集解

唐國子博士弘文館學士司馬貞索隱

唐諸王侍讀率府長史張守節正義

日　本　出　雲　瀧　川　資　言　考　證

田叔列傳第四十四　　史記一百四

【考證】史公自序云、守節切直、義足以言廉、行足以厲賢、任重權、不可以非理撓、作田叔列傳第四十四、

田叔者、趙陘城人也。【索隱】案下文、字少卿、陘晉刑、按縣名也、屬中山、其先、齊田氏苗裔也。叔喜劒、學黃・老術於樂巨公所。【索隱】本燕人、樂毅之後、【正義】樂姓、巨公名、【考證】巨公、漢書作鉅公、史樂毅傳作臣公、當依此文以訂、莊子天下篇說墨家云、以巨子爲聖人、皆願爲之尸、釋文向云、墨家號其道理成者爲鉅子、呂氏春秋上德篇孟勝爲墨者鉅子、去私篇腹𩡣爲墨者鉅子、道家有巨公、猶墨家有巨子、正義以爲名、誤、李笠曰、鼂錯傳、學申商刑名于軹張恢先所、倉公傳、平好爲脉、學臣意所、韓長孺傳、嘗受韓子雜家說於騶田生所、所字竝與此同、叔爲人刻廉自喜、喜游諸公。【正義】喜、音許記反、諸公謂丈人行也、【考證】中井積德曰、諸公、當時之賢豪、不必以齒、趙人舉之趙相趙午、午言之趙王張敖所。趙王以爲郎中。數歲、切直廉平。趙王賢之、未及遷。會陳豨反代、【集解】徐廣曰、七年、韓王信反、高帝征之、十年、代相陳豨反、【考證】陳豨、當作韓信、史誤、漢七年、高祖往誅之。過趙。【考證】高祖八年、趙王張敖自持案進食、禮恭甚。高祖箕踞罵之。是時趙相趙午等數十人、皆怒。【考證】中井積德曰、趙相下疑脫貫高二字、高紀張傳、皆言趙相貫高、而或併稱貫高趙午等、則是貫高趙午、前後相也、下文突然出貫

高、失次、分明此脫文也、謂張王曰。王事上、禮備矣。今遇王如是。臣等請爲亂。【考證】張王、當作趙王、趙王齧指出血曰。先人失國。微陛下、臣等當蟲出。【索隱】案謂死而蟲出也、左傳、齊桓公死、未葬、蟲流於戶外、是也、公等柰何言若是。毋復出口矣。於是貫高等曰。王長者、不倍德。【考證】楓山、三條本、王下有素字、者下有義字、卒私相與謀弑上。會事發覺。【集解】徐廣曰、九年十二月、捕貫高等也、漢下詔、捕趙王及羣臣反者。於是趙午等皆自殺。唯貫高就繫。是時漢下詔書、趙有敢隨王者、辠三族。【考證】楓山、三條本、王上有趙字、唯孟舒・田叔等十餘人、赭衣自髡鉗、稱王家奴隨。趙王敖至長安。貫高事明白、【考證】楓山、三條本、貫高事明白、作貫高明事、白無反狀、趙王敖得出。廢爲宣平侯。乃進言田叔等十餘人。上盡召見、與語。漢廷臣毋能出其右者。上說、盡拜爲郡守・諸侯

相。叔爲漢中守十餘年。【考證】何焯曰、欒布再爲燕相、田叔守漢中、孟舒守雲中、皆十餘年、此漢初所以吏盡其職、得與民休息也、會高后崩、諸呂作亂。大臣誅之、立孝文帝。孝文帝既立、召田叔問之曰。公知天下長者乎。對曰。臣何足以知之。上曰。公長者也。宜知之。叔頓首曰。故雲中守孟舒、長者也。【考證】洪邁曰、孟舒魏尚、皆以文帝時爲雲中守、皆坐匈奴入寇獲罪、皆得士死力、皆用他人言復故官、事切相類、疑其只一事云、是時孟舒坐虜大入塞盜劫、雲中尤甚、免。上曰。先帝置孟舒雲中十餘年矣。虜曾一入、孟舒不能堅守、毋故、士卒戰死者數百人。長者固殺人乎。公何以言孟舒爲長者也。叔叩頭對曰。是乃孟舒所以爲長者也。夫貫高等謀反、上下明詔、趙有敢隨張王、罪三族。然孟舒自髡鉗、隨張王敖之所在、欲以身死之。豈自知爲雲中守

哉。【考證】徐孚遠曰、此無與雲中守事、稱之以明舒之爲人也、 漢與楚相距、士卒罷敝。匈奴冒頓新服北夷、來爲邊害。【考證】匈奴新取月氏、 孟舒知士卒罷敝、不忍出言。士爭臨城死敵、如子爲父、弟爲兄。以故死者數百人。孟舒豈故驅戰之哉。【考證】楓山、三條本、豈下有敢字、 是乃孟舒所以爲長者也。於是上曰。賢哉孟舒。復召孟舒、以爲雲中守。後數歲、叔坐法失官。梁孝王使人殺故吳相袁盎。景帝召田叔案梁、具得其事。還報。景帝曰。梁有之乎。叔對曰。死罪。有之。上曰。其事安在。【考證】顏師古曰、索其狀也、 田叔曰。上毋以梁事爲也。上曰。何也。曰。今梁王不伏誅、是漢法不行也。如其伏法、而太后食不甘味、臥不安席、此憂在陛下也。【考證】楓山、三條本、曰上有叔字、劉氏宋本、無如其二字、漢傳有、 景帝大賢之、以爲魯相。

【考證】王先謙曰、相景帝子共王餘、 魯相初到、民自言相、訟王取其財物百餘人。田叔取其渠率二十人、各笞五十、餘各搏二十、【索隱】搏、音博、 怒之曰。王非若主邪。何自敢言若主。魯王聞之大慙、發中府錢、使相償之。【正義】王之財物所藏也、 相曰。王自奪之、使相償之、是王爲惡而相爲善也。相毋與償之。【考證】與預同、 於是王乃盡償之。魯王好獵。【正義】魯共王、景帝子、都兗州曲阜縣故魯城中、 相常從入苑中。【正義】括地志云、矍相圃在兗州曲阜縣南三十里、禮記云、孔子射於矍相之圃、觀者如堵、堵、墻也、 王輒休相就館舍。相出常暴坐、待王苑外。【索隱】暴坐、上音步卜反、 王數使人請相休。終不休。曰。我王暴露苑中。我獨何爲就舍。魯王以故不大出游數年。叔以官卒。魯以百金祠。少子仁不受也。曰。不以百金傷先人名。【考證】楓山、三條本、名下有遂不受百金五字、 仁以壯健爲衞

將軍舍人。【集解】張晏曰、衞青也、【考證】漢書、健作勇、 數從擊匈奴。衞將軍進言仁。仁爲郎中。數歲、爲二千石丞相長史。失官。【考證】楓山、三條本、石下有至字、漢書、爲作至、 其後使刺舉三河。【正義】百官表云、監御史、秦官、掌監郡、漢省、丞相遣御史分刺州、不常置也、案三河、河南、河東、河內也、【考證】如淳曰、爲刺史於三河郡、沈欽韓曰、如說非也、三河、後屬司隸、是時未置司隸、官仍以丞相史刺舉、崔適曰、其後使刺舉三河以下、後人竄入、 上東巡。仁奏事有辭。上說、拜爲京輔都尉。【正義】百官表云、右扶風、左馮翊、京兆尹、是爲三輔、元鼎四年、置三輔都尉、服虔云、皆治長安城中也、 月餘、上遷拜爲司直。【集解】漢書百官表曰、武帝元狩五年、初置司直、秩比二千石、掌佐丞相舉不法、【正義】百官表云、武帝元狩五年、初置司直、秩比二千石、掌佐丞相舉不法也、【考證】錢泰吉曰、正義與集解全同、疑有誤、 數歲、坐太子事。【正義】謂戾太子、【考證】沈家本曰、衞太子事在征和二年、時無左丞相、言左尤誤、 時左丞相自將兵、【集解】徐廣曰、劉屈氂時爲丞相也、 令司直田仁主閉守城門。坐縱太子、下吏誅死。仁發兵。長陵令車千秋上變仁。仁族死。【考證】楓山、三條本、陵下無令字、變下不重仁字、趙翼曰、既云丞司直田仁閉守城門、因縱太子、下吏誅死、下又云、仁發兵、長陵令

田千秋上變、仁族死、陘城、文既繁複、且不可解、 陘城今在中山國。【集解】徐廣曰、陘城、縣名也、【正義】今定州也、【考證】陳仁錫曰、陘城今在中山國、此句不類太史語、此本訓註、而後人誤爲本文也、愚按此傳首趙陘城人也注文錯簡、

太史公曰。孔子稱曰。居是國、必聞其政。【考證】論語學而篇、引子禽稱孔子之言、故曰稱、沈家本曰、按此謂田叔居趙而趙人擧之、得聞國政耳、下文義不忘賢、明主之美以救過、則指其居魯時、 田叔之謂乎。義不忘賢、明主之美以救過。仁與余善。余故幷論之。

褚先生曰。臣爲郎時、聞之曰。田仁故與任安相善。任安滎陽人也。少孤貧困。爲人將車之長安。【索隱】將車、猶御車也、【考證】中井積德曰、將車、步行推挽也、詩、無將大車、維塵冥冥、與御不同、 畱、求事爲小吏、未有因緣也。因占著名數。家於武功。【索隱】言卜日而自占著家口名數、隸於武功、猶今附籍然也、占、音之豔反、【考證】張照曰、平準書云、各以其物自占、索隱、郭璞云、占、自隱度也、占字、正宜用此解、不宜解作卜字、中井積德曰、占亦著也、二字一意、非卜占、 武功、扶風西界小邑也。谷口蜀

劉道、近山。【正義】括地志云、漢武功縣在渭水南、今盩厔縣西界也、駱谷關在雍州之盩厔縣西南二十里、開駱谷道以通梁州也、按行谷有棧道也、【考證】楓山三條本、谷作蜀、口下無蜀字、安以為武功小邑、無豪。易高也。【索隱】易、音以豉反、言邑小無豪、易得高名也、【考證】中井積德曰、高、謂自高大、為之領袖、安畱、代人為求盜亭父。【集解】郭璞曰、亭卒也、【正義】安畱武功、替人為求盜亭父也、應劭云、舊時亭有兩卒、其一為亭父、掌關閉掃除、一為求盜、掌逐捕盜賊也、後為亭長。【正義】百官表云、十里一亭、亭有長也、邑中人民俱出獵。任安常為人分麋鹿雉兔、部署老小當壯劇易處。【考證】史記師說引劉伯莊云、彊壯者當難處、老小者當易處、王念孫曰、劇易下、本無處字、部署老小當壯劇易者、當、丁也、言部署其人之老小丁壯、及事之難易也、羣書治要引六韜龍韜篇曰、知人飢飽、習人劇易、後漢書章帝紀曰、駕言出游、欲親知其劇易、列女傳曰、執務私事、不辭劇易、是古謂難易為劇易也、劇易下、不當有處字、太平御覽人事部、資產部、獸部、引此皆無處字、愚按有處字、亦通、衆人皆喜曰。無傷也。【正義】說文、傷、憂、任少卿分別平、有智略。【正義】少卿、安字、明日復合會。會者數百人。任少卿曰。某子甲、何為不來乎。諸人皆怪其

見之疾也。其後除為三老。【正義】百官表云、十亭一鄉、鄉有三老一人、掌教化也、舉為親民。【考證】凌稚隆曰、衆人舉任安以為親民之吏、愚按親民、蓋掌鄉邑事、出為三百石長、治民。【正義】百官表云、萬戶已上為令、秩千石至六百石、減萬戶為長、秩五百石至三百石、皆有丞尉也、坐上行出游、共張不辦、斥免。【考證】共、供同、乃為衛將軍舍人、與田仁會。俱為舍人、居門下、同心相愛。【考證】楓山、三條本、同心作心同、此二人家貧、無錢用以事將軍家監。家監使養惡齧馬。兩人同牀臥。仁竊言曰。不知人哉、家監也。任安曰。將軍尚不知人。何乃家監也。衛將軍從此兩人過平陽主。【正義】衛將軍、衛青也、【考證】楓山三條本、主下有家字、主家令兩人與騎奴同席而食。此二子拔刀列斷席別坐。【考證】楓山三條本、藝文類聚、列作裂、主家皆怪而惡之、莫敢呵。【考證】類聚、呵作問、下有也字、其後有詔募擇衛將軍舍人以為

郎。將軍取舍人中富給者、令具鞍馬絳衣玉具劍、欲入奏之。會賢大夫少府趙禹來過衛將軍。將軍呼所舉舍人以示趙禹。趙禹以次問之。十餘人。無一人習事有智略者。趙禹曰。吾聞之、將門之下、必有將類。傳曰。不知其君、視其所使。不知其子、視其所友。【考證】史記孟嘗君傳、聞將門必有將、相門必有相、荀子性惡篇、不知其子、視其友、不知其君、視其左右、今有詔舉將軍舍人者、欲以觀將軍而能得賢者文武之士也。【考證】凌稚隆曰、而、之、古字通用、今徒取富人子上之、又無智略、如木偶人衣之綺繡耳。將柰之何。於是趙禹悉召衛將軍舍人百餘人、以次問之、得田仁·任安。曰。獨此兩人可耳。餘無可用者。衛將軍見此兩人貧、意不平。趙禹去、謂兩人曰。各

自具鞍馬新絳衣。兩人對曰。家貧無用具也。將軍怒曰。今兩君家自為貧。何為出此言。鞅鞅、如有移德於我者、何也。【集解】徐廣曰、移、猶施、將軍不得已、上籍以聞。有詔召見衛將軍舍人。此二人前見。詔問能略相推第也。【考證】互相推讓也、史記師說引陸氏云、才能智略相推為次第、疑非、陸氏蓋陸蒙、日本見在書目、有史記新論、田仁對曰。提桴鼓立軍門、使士大夫樂死戰鬭、仁不及任安。【考證】楓山三條本、門下有外字、死下有安字、任安對曰。夫決嫌疑、定是非、辯治官、使百姓無怨心、安不及仁也。武帝大笑曰。善。使任安護北軍、使田仁護邊田穀於河上。此兩人立名天下。其後用任安為益州刺史、【正義】地理志云、武帝改曰梁州、百官表云、元封五年、初置部刺史、掌奉詔條察州、秩六百石、員十三、按若今採訪按察六條也、以田仁為丞相長史。【正義】百官表云、丞相有兩長史、秩千石、田

仁上書言。天下郡太守多爲姦利、三河尤甚。臣請先刺舉三河。三河太守皆內倚中貴人、與三公有親屬、無所畏憚。宜先正三河、以警天下姦吏。【考證】楓山、三條本、警作警動、 是時河南・河內太守、皆御史大夫杜父兄子弟也。【集解】杜、杜周也、【考證】酷吏傳云、杜周遷爲御史大夫、家兩子夾河爲守、 河東太守、石丞相子孫也。【正義】謂石慶、【考證】萬石君傳云、石慶方爲丞相、諸子孫爲吏、吏至二千石者十三人、及慶死、後稍以罪去、是時石氏九人爲二千石、方盛貴。田仁數上書言之。杜大夫及石氏、使人謝謂田少卿曰。吾非敢有語言也。願少卿無相誣汙也。仁已刺三河。【考證】楓山、三條本、刺下有舉字、 三河太守皆下吏誅死。仁還奏事。武帝說、以仁爲能不畏彊禦、拜仁爲丞相司直。威振天下。【考證】楓山、三條本、帝下有意字、詩大雅烝民篇、不侮矜寡、不畏彊禦、 其後

逢太子有兵事。丞相自將兵、使司直主城門。【考證】太子、戾太子、丞相、劉屈氂、 司直以爲太子骨肉之親、父子之閒。不甚欲近。去之諸陵過。【正義】過、音光臥反、上云仁發兵長陵、是也、【考證】張文虎曰、不甚欲近、疑當作不欲甚迫、閣白駒曰、雖以上命閉城門、不欲甚近迫、 是時武帝在甘泉。使御史大夫暴君、下責丞相、何爲縱太子。【集解】徐廣曰、暴勝之爲御史大夫、 丞相對言、使司直部守城門、而開太子。上書以聞。請捕繫司直。司直下吏誅死。是時任安爲北軍使者護軍。太子立車北軍南門外、召任安、與節令發兵。安拜受節、入閉門不出。武帝聞之、以爲任安爲詳邪、【集解】徐廣曰、佯、或作詳也、【索隱】詳、音羊、謂詐受節不發兵、不傳會太子也、 不傳事、何也。【索隱】傳、音附、謂不附會也、【考證】中井積德曰、不傳、不攻太子、索隱本、何作可、 任安笞辱北軍錢官小吏。小吏上書言之、以爲受太子節、言

幸與我其鮮好者。【索隱】鮮、音仙、謂太子請其鮮好之兵甲也、【考證】中井積德曰、鮮好者謂節也、稱任安之言也、非太子之語、 書上聞。武帝曰。是老吏也。見兵事起、欲坐觀成敗。見勝者欲合從之。有兩心。安有當死之罪甚衆。吾常活之。【考證】楓山、三條本、安上有仕字、衆作重、 今懷詐、有不忠之心。【考證】楓山、三條本、今下有乃字、 下安吏、誅死。【考證】洪邁曰、班史言霍去病既貴、衛青故人門下、多去事之、唯任安不肯去、又言衛將軍進言任爲郎中、與褚先生所書不同、梁玉繩曰、褚生所續之傳、多不足據、如御史大夫暴勝之與田仁同坐太子事誅、而云帝在甘泉宮使暴君下責丞相、何邪、又杜周兩子夾河爲守、而云河南河內太守皆周父兄子弟、亦非、 夫月滿則虧、物盛則衰。天地之常也。知進而不知退、久乘富貴、禍積爲崇。故范蠡之去越、辭不受官位、名傳後世、萬歲不忘。豈可及哉。後進者愼戒之。

【索隱】述贊、田叔長者、重義輕生、張王既雪、漢中是榮、孟舒見廢、抗說相明、按梁以禮、相魯得情、子仁坐事、刺舉有聲、

田叔列傳第四十四

史記一百四

史記會注考證卷一百五

漢　太　史　令　司　馬　遷　撰
宋　中　郎　外　兵　曹　參　軍　裴　駰　集　解
唐　國　子　博　士　弘　文　館　學　士　司　馬　貞　索　隱
唐　諸　王　侍　讀　率　府　長　史　張　守　節　正　義
日　本　出　雲　瀧　川　資　言　考　證

扁鵲倉公列傳第四十五　史記一百五

【索隱】王劭云、此醫方、宜與日者龜筴相接、不合列於此、後人誤也、【正義】此傳、是醫方、合與龜策日者相次、以淳于意孝文帝時醫、奉詔問之、又爲齊太倉令、故太史公以

次述之、扁鵲乃春秋時良醫、不可別序、故引爲傳首、太倉公次之也、【考證】史公自序云、扁鵲言醫、爲方家宗、守數精明、後世循序、弗能易也、而倉公可謂近之矣、作扁鵲倉公列傳第四十五、曾國藩曰、司馬遷敘述扁鵲倉公、具詳病者主名、及診脈之法、藥齊之宜、繁稱數十事、累牘不休、余嘗求之、非有義也、周官醫師食醫疾醫瘍醫獸醫之屬、隸於冢宰、燮陽伏陰、節宜補救、亦宰世者之所有事、爲良醫立傳、無所不可、要以略著大指、明小道之不可廢、與日者龜策諸傳相附、撫一二事以爲類足矣、繁稱奚爲者、愚按此傳以倉公爲主、其序扁鵲、示其方之所由也、故次第在田叔之後、吳濞之前、猶刺客傳以荊軻爲主也、

扁鵲者、【正義】黃帝八十一難序云、秦越人與軒轅時扁鵲相類、仍號之爲扁鵲、又家於盧國、因命之曰盧醫也、【考證】多紀元簡曰、陸氏周禮釋文、扁本亦作鶣、蒲典反、徐扶忍反、集韻云、扁婢典反、姓也、古有扁鵲、或作鶣、案扁鵲係時人所稱、以扁爲姓、恐謬、下文云、姓秦氏、又云在趙者名扁鵲、可證也、梁玉繩曰、扁鵲取鵲飛鶣翩之義、中井積德曰、正義一條當削、**勃海郡鄭人也。**【集解】徐廣曰、鄭當爲鄚、鄚縣名、今屬河閒、【索隱】案勃海無鄭縣、當作鄚縣、音莫、今屬河閒、【考證】多紀元簡曰、太平御覽醫說、并引無郡字、梁玉繩曰、徐謂鄭當作鄚、是下文家于鄭同譌、文選七發呂尚注以爲鄭人、李善注引史作鄭人、舊唐書地理志開元十三年、以鄚類鄭字、改爲莫也、張文虎曰、扁鵲時未置勃海郡、史亦無此書法、當是後人竄改、又曰據下文乃齊人而家於鄭、鄭字非誤、李笠曰、案韓詩外傳十說苑辨物竝云、鄭人醫秦越人、勃海郡三字、蓋後人因下文臣勃海秦越人也誤補、張說是也、汲古本胡刻本文選七發李注亦作鄭人、梁氏誤據俗本耳、唐人以鄚類鄭字改爲莫、蓋亦影響於徐廣司馬

貞之說耳、**姓秦氏。名越人。**【考證】陳仁錫曰、周禮釋文、引史記扁鵲傳云、姓秦、名少齊、越人、今本無少齊二字、**少時爲人舍長。**【索隱】爲舍長、劉氏云、守客館之帥、【正義】長、音丁丈反、【考證】索隱本無人字、**舍客長桑君過。**【索隱】隱者、蓋神人、【正義】過音戈、**扁鵲獨奇之。常謹遇之。長桑君亦知扁鵲非常人也。出入十餘年。乃呼扁鵲私坐、閒與語曰。**【正義】閒、音閑、**我有禁方。年老欲傳與公。公毋泄。扁鵲曰。敬諾。乃出其懷中藥予扁鵲。飲是以上池之水三十日、當知物矣。**【索隱】案舊說云、上池水、謂水未至地、蓋承取露及竹木上水、取之以和藥、服之三十日、當見鬼物也、【正義】謂以器物高承天露之水飲藥也、【考證】史記師說引劉伯莊曰、蓋謂雨水和藥、多紀元簡曰、上池水、未詳何水、知物、對視見垣一方人而言、中井積德曰、以水飲藥、猶言白湯送下也、非以和藥、海保元備曰、飲是至此十四字、蓋是長桑君語、飲是上、當補曰字、愚按、知物、猶言見物象也、**乃悉取其禁方書盡與扁鵲。忽然不見。殆非人也。扁鵲以其言飲藥三十日。視見垣一方人。**【索隱】方、猶邊也、言能隔牆見彼邊之人、則眼通神也、**以此視病、盡見五**

藏癥結。【正義】五藏、謂心肺脾肝腎也、六府、謂大小腸胃膽膀胱三焦也、王叔和脈經云、左手脈、橫癥在左、右手脈、橫癥在右、脈頭大者在上、頭小者在下、兩手脈結、上部者濡結、中部者緩結、三里者豆起、陽邪來見浮洪、陰邪來見沈細、水穀來見堅實、【考證】崔適曰、五藏下、本有六府二字、故正義兼釋六府、愚按正義連及耳、**特以診脈爲名耳。**【索隱】診、鄒氏音丈忍反、劉氏音陳忍反、司馬彪云、診、占也、**爲醫或在齊、**【正義】號盧醫、今濟州盧縣、**或在趙。在趙者名扁鵲。當晉昭公時。**【索隱】案左氏、簡子專國、在定頃二公之時、非當昭公之世、且趙系家敘此事、亦在定公之初、【考證】海保元備曰、諸者、有所指之辭、或指其時、在趙者、謂在趙之時也、名者號也、**諸大夫彊而公族弱、趙簡子爲大夫專國事。簡子疾五日、不知人。**【索隱】案韓子云、十日不知人、所記異也、**大夫皆懼。於是召扁鵲。扁鵲入視病出。董安于問扁鵲。扁鵲曰。血脈治也。而何怪。**【考證】董份曰、治、卽治亂之治、五日不知人、疑其必死、故扁鵲以爲血脈治而不死也、愚按、御覽引、治作滯、非是、**昔秦穆公嘗如此七日而寤。寤之日、告公孫支與子輿**【索隱】案二子、皆秦大夫、公孫支、子桑也、子輿、未詳、【考證】公孫支、僖九年左傳作公孫枝、張文虎曰、子輿卽子車、見秦本紀、**曰。我之帝所甚**

樂。吾所以久者、適有所學也。【索隱】適、音釋、言我適來有所受敎命、故云學也、 帝告我。晉國且大亂。五世不安。其後將霸。未老而死。霸者之子且令。而國男女無別。【考證】言霸者之子、將代父令于諸侯、而汝也、 公孫支書而藏之。秦策於是出。【考證】多紀元簡曰、策、史策也、言秦策之所記穆公之夢、驗於今日、下文獻公之亂、至歸縱淫、是也、趙世家、策作讖、說文、讖、驗也、徐諧云、凡讖緯皆言將來之驗也、釋名、讖、纖也、其義纖微也、 夫獻公之亂、文公之霸、而襄公敗秦師於殽、而歸縱淫。【考證】趙世家、夫作矣、連上讀、爲長、 此子之所聞。今主君之病與之同。不出三日必閒。閒必有言也。【考證】閒、愈也、 居二日半、簡子寤。語諸大夫曰。我之帝所甚樂。與百神遊於鈞天。廣樂九奏、萬舞、不類三代之樂。其聲動心。【考證】多紀元簡曰、列子周穆王篇、淸都紫微鈞天廣樂、帝之所居、淮南子天文訓、中央曰鈞天、廣樂、廣陳鐘鼓之屬而爲樂也、戰國中山策、廣樂充堂、是也、周禮春官、九奏乃終、謂之九成、鄭注云、樂一更端曰奏、詩簡兮、方將萬舞、毛傳、以干羽爲萬舞、鄭箋、萬舞、干舞也、公羊傳云、萬者何也、干舞也、夏小正傳

云、萬也者、干戚舞也、俱以萬爲武舞矣、周禮大司樂、禹曰大夏、湯曰大濩、武王曰大武、愚按九奏既以數言、則萬舞亦當以數言、與詩萬舞義異、 有一熊欲援我。帝命我射之。中熊。熊死。【考證】援、引也、 有羆來。我又射之。中羆。羆死。帝甚喜、賜我二笥。皆有副。吾見兒在帝側。帝屬我一翟犬曰。及而子之壯也、以賜之。【考證】風俗通、而作汝、 帝告我。晉國且世衰。七世而亡。【正義】晉定公出公哀公幽公烈公孝公靜公爲七世、靜公二年、爲三晉所滅、據此及趙世家、簡子疾在定公之十一年也、 嬴姓將大敗周人於范魁之西。【正義】嬴、趙氏本姓也、周人、謂衞也、晉亾之後、趙成侯三年、伐衞取鄉邑七十三、是也、賈逵云、川阜曰魁也、 而亦不能有也。董安于受言、書而藏之。以扁鵲言告簡子。簡子賜扁鵲田四萬畝。【考證】梁玉繩曰、趙簡秦穆之夢最誕、史公既載于封禪書趙世家、此處可省也、而所謂五世不安、當作三世、晉襄公無縱淫事、范魁之戰、無攷、俱說在趙世家中、 其後扁鵲過虢。【正義】陝州城、古虢國、又陝州河北縣東北下陽故城、古虢、卽晉獻公滅者、又洛州汜水縣、古東虢國、而未知扁鵲過何者、蓋虢至此並滅也、 虢太子死。【集解】傅玄曰、虢是晉獻公時先是百二十餘年滅矣、是

時焉得有虢、【索隱】案傳玄云、虢是晉獻所滅、先此百二十餘年、此時焉得有虢、則此云虢太子、非也、然案虢後改稱郭、春秋有郭公、蓋郭之太子也、【正義】下云、色廢脈亂、故形靜如死狀也、【考證】梁玉繩曰、虢滅已久、此時焉得有虢、索隱正義、竝糾其非、古史、謂薛久亡、而孟嘗君稱薛公、安知是時無虢、蘇氏臆度之詞、不足證也、韓子喩老篇、言扁鵲見蔡桓侯、國策、扁鵲見秦武王、漢書高紀十二年注、韋昭曰、越人魏桓侯時醫、臣瓚曰、魏無桓侯、余攷扁鵲與趙簡子同時、而蔡桓侯在春秋初魯隱桓之世、秦武王立于周赧王五年、前後相去各約二百年、何能親接、蓋說苑辨物篇、虢作趙、甚是、趙簡子之子爲桓子、韓非所謂桓侯者、魏蔡秦武皆謬、鶡冠子世賢篇、言魏文侯問扁鵲、是魏文與趙桓子竝世、可以爲驗、或曰、晉孝公紀年作桓公、與魏文侯同時、當是扁鵲所見者、亦通、李笠曰、梁氏所證、係偶合、非塙論也、上文扁鵲方視簡子疾、如其後復過趙而救其子、不應至宮門下、國中若無識者、韓子外傳、亦作虢、蘇氏之說、爲足據也、愚按、扁鵲古良醫名、後世遂稱良醫曰扁鵲、猶稱相馬者曰伯樂也、其人既非一、時代亦異、史公誤采古書所記扁鵲事蹟、湊合作此傳、宜矣其多乖錯、諸家亦從爲之說、 扁鵲至虢宮門下、問中庶子喜方者。【索隱】喜、音許既反、喜、好也、愛也、方、方技之人也、【正義】中庶子、古官號也、喜方、好方術、不書姓名也、【考證】商君傳、公叔座臣有中庶子、蓋在左右執事者、後世以爲官號、 曰。太子何病。國中治穰過於衆事。【考證】梁玉繩曰、御覽七百二十八、元龜八百五十八引、竝穰作禳、韓詩外傳說苑、竝作壞土事、則是治塋墓、非祈禳也、愚按穰讀爲禳、外間未知太子死也、太子死未半日、何遽治塋域、外傳說苑、誤讀穰字、 中庶子曰。太子病、血

氣不時。交錯而不得泄、暴發於外、則爲中害、精神不能止邪氣。邪氣畜積而不得泄。是以陽緩而陰急。故暴蹷而死。【索隱】蹷、音厥、【正義】釋名云、蹷氣從下蹷起上行、外及心脅也、【考證】海保元備曰、而不得泄四字、疑因下文邪氣畜積而不得泄而衍、多紀元堅曰、按血氣錯亂、遂致壅鬱、不得宣泄、鬱極而暴發于外、使中藏被其害、精氣不能止邪氣、卽經所謂精氣奪則虛也、邪氣畜積而不得泄、卽所謂邪氣盛則實也、精虛故陽緩、邪實故陰急、緩急蓋亦虛實之謂、又曰、素大奇論、有暴厥、蹷字、醫經皆作厥、說文作瘚、今本釋名亦作厥、 扁鵲曰。其死何如時。曰。雞鳴至今。曰。收乎。【集解】收、謂棺斂、 曰。未也。其死未能半日也。言臣齊勃海秦越人也。家在於鄭。未嘗得望精光、侍謁於前也。聞太子不幸而死。臣能生之。中庶子曰。先生得無誕之乎。何以言太子可生也。【正義】誕、欺也、 臣聞上古之時、醫有俞跗。【索隱】音臾附、下又音趺、【正義】臾附二音、應劭云、黃帝時將也、【考證】多紀元簡曰、御覽作俞附、漢書藝文志、方技者皆生生之具、王官之一守也、太古有岐伯俞拊、鶡冠子、龐煖曰、王獨不聞俞跗之爲醫乎、已成必治、鬼神避之、韓詩外傳、作踰跗、說

苑、作僉柎、揚雄解嘲、作臾跗、周禮鄭注、作楡柎、治病不以湯液醴灑、【正義】上音禮、下山解反、【考證】多紀元簡曰、陸佃鶡冠子注、醴灑作醴洒、體洒疑醴洒譌、愚按、灑當作洒、後人譌作洒、又譌作灑、鑱石撟引案抚毒熨、【索隱】鑱音士咸反、謂石針也、撟音九兆反、謂爲按摩之法、夭撟引身、如熊顧鳥伸也、抚音玩、亦謂按摩而玩弄身體使調也、毒熨、謂毒病之處、以藥物熨帖也、【考證】張文虎曰、宋本中統游毛撟作橋、下撟然同、索隱宋本中統游凌毛竝抚作杬、王柯譌杬、凌引一本作亢、錢氏攷異云、索隱音玩、當作抏、从手从元、多紀元胤曰、素湯液醪醴論曰、鑱石針艾、攻其外也、多紀元簡曰、撟醫說作蹻、按集韻、夭撟頻伸貌、爾雅釋獸、人曰撟、注、伸引手足、漢書諸侯王表、可謂撟枉過其正矣、師古曰、撟與矯同、正曲曰撟、由此攷之、从手爲是、說苑、子越扶形、子游摩、乃素問按蹻、靈樞喬摩、竝同義、又曰、杬抚同、詩小雅、天之抚我、傳、抚動也、馬融長笛賦、動杬其根者、歲五六而至焉、李善注曰、張揖注上林賦曰、杬搖也、案杬謂案其身而動搖也、其作杬或作抚、竝非也、沈家本曰、抚當作扢、從气從手、或省作扢、文選吳都賦注引廣雅、扢摩也、漢書禮樂注引孟康曰、扢摩也、玉篇手部、扢柯礙何代二切、然則扢猶按摩也、多紀元胤曰、按毒卽毒藥之義、中井積德曰、以藥物熨帖、故曰毒熨、膝維寅曰、下所謂五分熨之類、以藥熱熨病所也、靈樞有藥熨法、一撥見病之應、【考證】多紀元簡曰、曲禮、衣毋撥、注、撥發揚貌、海保元備曰、一撥、謂一撥開衣衾之際、切脈察形等事、包在其中、病之應、與下文病應同、謂病候之發見於外者也、因五藏之輸、乃割皮解肌、訣脈結筋、【索隱】音東注反、【正義】八十一難云、肺之原、出於太淵、心之原、出於太陵、肝之原、出於太衝、脾之原、出於太白、腎之原、出於太谿、少陰之原、出於兌骨、膽之原、出於丘虛、胃之原、出於衝陽、三焦之原、出於陽池、膀胱之原、出於京骨、大腸之原、出於全谷、小腸之原、出於腕骨、十二經皆以輸爲原也、按此五藏六府之輸也、【考證】多紀元簡曰、五藏之輸、謂諸穴俞、多紀元堅曰、乃猶然後也、言視五藏輸穴之所在、然後施割皮解肌等術、膝惟寅曰、割、割牲之割、解、解牛之解、訣、決通、用決通經絡之壅塞、結紐經筋之斷絕、搦髓腦、揲荒、【集解】徐廣曰、揲音舌、【索隱】搦音女角反、揲音舌、荒、膏荒也、爪幕、【索隱】幕音漠、漠病也、謂以爪決之、【正義】以爪決其闌幕也、【考證】慶長本標記云、正義荒作肓、御覽七百二十一作搦髓折肓爪膜、說苑辨物、作東肓莫、多紀元簡曰、肓膜、見素問痺論、田子通云、爪字衍、卽因荒下川而錯出耳、三字句、與搦髓腦對、句法爲齊整、孫詒讓曰、肓荒、古字通用、莫幕、亦膜之借字、素問痺論篇、熏於肓膜、散於胸腹、王冰注云、肓膜、謂五藏之間鬲中膜也、多紀元胤曰、說文、搦、按也、揲、閱持也、湔浣腸胃、【正義】湔浣、上子錢反、下胡管反、漱滌五藏、練精易形。【考證】多紀元簡曰、醫說、此下有以去百病焉六字、先生之方能若是、則太子可生也。不能若是而欲生之、曾不可以告咳嬰之兒。【考證】多紀元簡曰、此一句、中庶子調笑之辭、言扁鵲之術、無兪跗之妙、而欲生太子者、雖咳嬰之兒、猶知其不能、說文、咳、小兒笑也、御覽、作孩、終日。【考證】御覽、無此二字、多紀元堅曰、言應接談論、徒終其日、扁鵲仰天歎曰。夫子之爲方也、若以管

窺天、以郄視文。【考證】岡白駒曰、言不能見全文也、越人之爲方也、不待切脈、【正義】黃帝素問云、待切脈而知病、寸口六脈、三陰三陽、皆隨春秋冬夏、觀其脈之變、則知病之逆順也、楊玄操云、切、按也、望色、【正義】素問云、面色青、脈當弦急、面色赤、脈當浮而短、面色黑、脈當沈浮而滑也、聽聲、【正義】素問云、好哭者肺病、好歌者脾病、好妄言者心病、好呻吟者腎病、好叫呼者肝病也、寫形、【正義】素問云、欲得溫而不欲見人者、藏家病、欲得寒而見人者、府家病也、【考證】寫形、猶言察形也、多紀元堅曰、按此言越人之爲方也、自有認病神識、故不必待切脈望色聽聲寫形四診兼備、而能言病之所在、聞陽得陰、聞陰得陽也、愚按、中井氏雕題以不待切脈爲句、望色聽聲寫形六字、屬下讀、恐非、言病之所在。【考證】多紀元胤曰、謂指病在于何藏何府也、聞病之陽、論得其陰。聞病之陰、論得其陽。【正義】八十一難云、陰病行陽、陽病行陰、故令幕在陰、兪在陽、楊玄操云、腹爲陰、五藏幕皆在腹、故云幕皆在陰、背爲陽、五藏兪皆在背、故云兪皆在陽、內藏有病、則出行於陽、陽兪在背也、外體有病、則入行於陰、陰幕在腹也、鍼法云、從陽引陰、從陰引陽也、【考證】多紀元簡曰、素問陰陽應象大論曰、以我知彼、以表知裏、陰陽別論曰、知陽者知陰、知陰者知陽、中井積德曰、陰陽、猶表裏也、言聞表而知裏、聞裏而知表、病應見於大表。【考證】多紀元簡曰、大表、謂外表見證也、下文曰、當聞其耳鳴而鼻張、循其兩股以至於陰、當尚溫、此卽大表之一候也、不出千里、決者至衆、不可曲止也。【索隱】止、語助也、不可委曲具言、

【正義】言皆有應見、不可曲言病之止住所在也、【考證】多紀元胤曰、此言身不出千里之外、唯聞其患狀而決斷其證之如何也、中井積德曰、曲止、猶掩遮也、子以吾言爲不誠、試入診太子。當聞其耳鳴而鼻張。循其兩股以至於陰、當尚溫也。【正義】張、音漲、【考證】說苑云、股陰當溫、耳中焦焦、如有嘯者聲、多紀元胤曰、傷寒論平脈法、尸厥條曰、陽氣退下、熱歸陰股、中庶子聞扁鵲言、目眩然而不瞚。舌撟然而不下。【索隱】眩音縣、瞚音舜、撟音紀兆反、撟、擧也、【考證】瞚又作舜、說文、瞚、開闔數搖也、莊子秋水篇、口呿而不合、舌擧而不下、乃以扁鵲言入報虢君。虢君聞之大驚、出見扁鵲於中闕。【考證】汪中曰、天子諸侯、宮城皆四周、而闕其南爲門、城至此而闕、故謂之闕、春秋僖公二十一年、鄭伯享王於闕西辟、大戴禮保傅篇、過闕則下、是也、又謂之闕門、穀梁桓公三年傳、諸母不出闕門、史記魏世家、臣在闕門之外、是也、庫門在外、路門在中、二門之中、亦謂之中闕、扁鵲倉公傳、出見扁鵲於中闕、是也、其異名、魯周公世家、煬公築茅闕門、秦本紀、孝公築冀闕、是也、闕巍然而高、故謂之巍闕、莊子天下篇、心居巍闕之下、是也、曰。竊聞高義之日久矣。然未嘗得拜謁於前也。先生過小國、幸而擧之、偏國寡臣幸甚。【索隱】寡臣、謂虢君自謙云、己是偏遠之國、寡小之臣也、【正義】幸而擧之、謂活太

子也、【考證】岡白駒曰、擧之言擧太子病事也、董份曰、寡臣謂太子也、有先生則活、無先生則弃捐塡溝壑、長終而不得反。言未卒、因噓唏服臆、【索隱】上音皮力反、下音憶、【考證】多紀元簡曰、服與幅腷通、方言、臆滿也、注、幅臆氣滿也、魂精泄橫、流涕長潸、【集解】徐廣曰、一云、言未卒、因涕泣交流、噓唏不能自止也、【索隱】潸、音山、長潸、謂長垂淚也、忽忽承睞、悲不能自止、容貌變更。【索隱】睞、音接、睞卽睫也、承睞、言淚恆垂以承於睫也、【考證】說文、睞、目旁毛也、扁鵲曰。若太子病、所謂尸蹷者也。夫以陽入陰中、【考證】中井積德曰、此謂陰陽之氣交錯、非脈之謂、纏緣亦以氣言、多紀元堅曰、此一句卽尸厥之所由、言陽氣暴發、迸入陰分、動胃、【正義】八十一難云、脈居陰部、反陽脈見者、爲陽入陰中、是陽乘陰也、脈雖時沈濇而短、此謂陽中伏陰也、脈居陽部、而陰脈見者、是陰乘陽也、脈雖時沈滑而長、此謂陰中伏陽也、胃水穀之海也、纏緣中經維絡、【集解】徐廣曰、維、一作結、【索隱】纏、音直延反、【正義】纏、音直延反、纏緣、謂脈纏繞胃也、素問云、延緣落絡脈也、恐非此義也、八十一難云、十二經脈、十五絡脈、陽維陰維之脈也、【考證】多紀元簡曰、按中經泛言經脈、維絡卽絡也、素問骨空論、治少陽之維、張介賓注曰、維、絡也、又陰陽類論、三陽爲經、二陽爲維、張曰、維、維絡也、陽明經、上布面、下循胷腹、獨居三陰之中、維絡於前、故曰維、多紀元堅曰、集韻、纏或作纒、荀子議兵、緣之以方城、注、緣、繞也、別下於三

焦膀胱。【正義】八十一難云、三焦者、水穀之道路、氣之所終始也、上焦、在心下下鬲、在胃上口、主內而不出、其治在胸中玉堂下一寸六分、直兩孔間陷者是也、中焦、在胃中脘、不上不下、主腐熟水穀、其治在臍旁也、下焦、在臍下、當膀胱上口也、主分別清濁、主出而不內、以傳道、其治在臍下一寸、故名曰三焦、膀胱者、津液之府也、溺九升九合也、言經維絡不干三焦及膀胱也、【考證】多紀元簡曰、靈樞中多連言三焦膀胱、皆指下焦、此亦然、多紀元堅曰、按動胃至此、覆說陽入陰中之狀、是以陽脈下遂、陰脈上爭、【集解】徐廣曰、遂、一作隊、【正義】遂、音直類反、素問云、陽脈下遂難反、陰脈上爭如弦也、【考證】多紀元簡曰、御覽注、遂、音隊、竝與墜通、正義引素問、今無所攷、海保元備曰、遂如字、亦通、廣雅釋詁、遂、行也、易大壯、不能遂、虞翻云、遂、進也、卽下文陽內行之義、會氣閉而不通、【正義】八十一難云、府會太倉、藏會季脇、筋會陽陵泉、髓會絕骨、血會鬲兪、骨會大杼、脈會大淵、氣會三焦、此謂八會也、陰上而陽內行、【考證】多紀元堅曰、言陰脈既上爭、而陽脈獨內行、下內鼓而不起、【考證】多紀元堅曰、言陽氣徒鼓動于下內、而不能起發、上外絕而不爲使、【考證】多紀元堅曰、絕字、與下文絕陽之絕俱當爲阻絕之絕看、言陽氣下鬱、與上外隔絕、不爲陰使、上有絕陽之絡、【考證】多紀元堅曰、言上有與陽相隔絕之絡脈、下有破陰之紐、【正義】女九反、素問云、紐、赤脈也、【考證】多紀元堅曰、言下有陰氣破而不行之筋紐、破、言陰氣爲陽所迫、不能統攝、破陰絕陽、之色已廢、脈亂。故形

靜如死狀。【集解】徐廣曰、廢、一作發、【考證】王念孫曰、破陰絕陽以下十字、文不成義、此本破陰絕陽句、色廢脈亂句、故形靜如死狀句、之字已字衍、上文血脈治也正義引此文云、色廢脈亂、故形靜如死狀、是其證也、御覽人事部脈類引此無之已二字、太子未死也。夫以陽入陰支蘭藏者生。以陰入陽支蘭藏者死。【正義】素問云、支者順節、蘭者橫節、陰支蘭膽藏也、【考證】多紀元堅曰、支蘭藏、滕氏割解有說、俱屬臆測、要之、此二句、不過言以陽入陰者生、以陰入陽者死、不必深講、而義自明、正義引素問、今無所攷、凡此數事、皆五藏蹷中之時暴作也。良工取之、拙者疑殆。【正義】八十一難云、知一爲下工、知二爲中工、知三爲上工、上工者十全九、中工者十全八、下工者十全六、呂廣云、五藏一病輒有五、解一藏爲下工、解三藏爲中工、解五藏爲上工也、【考證】襄四年公羊傳注、殆、疑也、扁鵲乃使弟子子陽厲鍼砥石、以取外三陽五會。【索隱】陽、扁鵲之弟子也、鍼、音針、厲、謂磨也、砥、音脂、【正義】素問云、手足各有三陰三陽、太陰少陰厥陰、太陽少陽陽明也、五會、謂百會胷會聽會氣會臑會也、【考證】多紀元簡曰、甲乙經曰、百會一穴、一名三陽五會、孫詒讓曰、三陽五會、韓詩外傳卷十、說苑辨物篇、竝作三陽五輪、五輪者、當五兪之借字、素問痺論篇云、五藏有兪、注云、肝之兪曰太衝、心之兪曰太陵、脾之兪曰太白、肺之兪曰太淵、腎之兪曰太谿、皆經脈之所注也、與史記五會、文異而義兩通、有閒、太子蘇。乃使子豹爲五分

之熨、以八減之齊、和煮之、以更熨兩脇下。【索隱】五分之熨、八減之齊、案、言五分之熨者、謂熨之令溫暖之氣入五分也、八減之齊者、謂藥之齊和所減有八、並越人當時有此方也、【正義】更、格彭反、【考證】中井積德曰、五分、恐當時別有所指、亦猶八減也、李笠曰、齊同劑、滕惟寅曰、更、更互之更、左右更互也、張文虎曰、王、柯、脇誤臍、多紀元簡曰、肘後方云、熨其兩脇下、千金方云、炙熨斗熨兩脅下、蓋此法所以宣通鬱陽、太子起坐、更適陰陽。【考證】多紀元簡曰、適、調適也、謂使陰陽乖錯者、更爲調適也、但服湯二旬而復故。【考證】岡白駒曰、湯、卽八減之齊、是已、故天下盡以扁鵲爲能生死人。扁鵲曰。越人非能生死人也。此自當生者、越人能使之起耳。扁鵲過齊。齊桓侯客之。【集解】傅玄曰、是時齊無桓侯、駰謂是齊侯田和之子桓公午也、【索隱】案傅玄曰、是時齊無桓侯、裴駰云、謂是齊侯田和之子桓公午也、蓋與趙簡子頗亦相當、【考證】梁玉繩曰、趙簡子卒時至齊桓公午立、凡九十三年、何鵲之壽耶、文選養生論李善注、言史記自爲舛錯、新序二、仍史、韓子喩老、譌作蔡、入朝見曰。君有疾、在腠理。不治將深。【正義】腠理、上音湊、謂皮膚、【考證】廖文英曰、腠、肉理分際也、儀禮鄭注、腠、謂皮肉之理也、又方書、皮膚之孔、泄氣腠之竅也、一名氣門、桓侯曰。寡人無疾。扁鵲出。桓侯謂左右曰。

醫之好利也、欲以不疾者爲功。後五日、扁鵲復見曰、君有疾、在血脈。不治恐深。【考證】韓子新序、血脈作肌膚、桓侯曰、寡人無疾。扁鵲出。桓侯不悅。後五日扁鵲復見曰、君有疾、在腸胃閒。不治將深。桓侯不應。扁鵲出。桓侯不悅。後五日、扁鵲復見。望見桓侯而退走。桓侯使人問其故。扁鵲曰、疾之居腠理也、湯熨之所及也。在血脈、鍼石之所及也。其在腸胃、酒醪之所及也。【考證】韓子新序、酒醪作火齊、其在骨髓、雖司命無柰之何。今在骨髓。臣是以無請也。【考證】史天官書、文昌六星、四曰司命、莊子至樂篇、吾使司命復生子形、爲子骨肉肌膚、反子父母妻子閭里知識、張衡思玄賦、死生錯而不齊兮、雖司命其不斷、注引春秋佐助期云、司命神、名爲滅黨、通於命運期度、後五日、桓侯體病。使人召扁鵲。【考證】王念孫曰、體病當爲體痛、字之誤也、桓侯之病、由腠理而血脈、而腸胃、而骨髓、至此則病發而體痛、文選注、引此作體痛、韓子新序亦作體痛、愚按病亦痛也、不必改字、扁鵲已逃

去。桓侯遂死。【考證】扁鵲過齊以下、見韓非子喩老篇、又見新序雜事篇、使聖人預知微、能使良醫得蚤從事、則疾可已、身可活也。人之所病、病疾多。【正義】病、猒患多也、言人猒患疾病多甚也、而醫之所病、病道少。【集解】徐廣曰、所病、猶瘵病也、【考證】所病之病、猶患也、言人患多疾病、醫患治療之道少、舊解失之、故病有六不治。驕恣不論於理、一不治也。輕身重財、二不治也。衣食不能適、三不治也。陰陽并藏、氣不定、四不治也。【考證】滕惟寅曰、素問云、血氣未并、五藏安定、又云、陰與陽并、血氣以并、病形以成、形羸不能服藥、五不治也。信巫不信醫、六不治也。有此一者、則重難治也。【考證】重、猶甚也、徐孚遠曰、敘事後爲斷語、此似諸子之舊文、扁鵲名聞天下。過邯鄲聞貴婦人、卽爲帶下醫。【考證】多紀元胤曰、婦人腰帶以下經血之疾、與男子不同、故謂之帶下病、過雒陽。聞周人愛老人、卽爲耳目痺醫。【索隱】痺、音必二反、【考證】幻雲抄引劉伯莊曰、老人所患、冷痺及耳眼也、來入咸陽。聞秦人愛小

兒、卽爲小兒醫。隨俗爲變。【考證】多紀元簡曰、御覽無來字、按邯鄲及雒陽、竝言過、而此特言來入咸陽、蓋此秦人所記、太史公直採而爲傳耳、秦太醫令李醯、自知伎不如扁鵲也。使人刺殺之。【考證】漢書百官公卿表、奉常、秦官、屬官有太醫令丞、又少府、秦官、屬官有太醫令丞、至今天下言脈者、由扁鵲也。【考證】多紀元簡曰、二句應起首特以診脈爲名耳一句、乃知脈字一傳關鍵、後世以難經爲扁鵲作、蓋原於斯焉、太倉公者、齊太倉長、臨菑人也。姓淳于氏、名意。【正義】括地志云、淳于國城、在密州安丘縣東北三十里、古之斟灌國也、春秋州公如曹、傳云、冬、淳于公如曹、注水經云、淳于縣、故夏后氏之斟灌國也、周武王以封淳于公、號淳于國也、【考證】錢大昕曰、孝文紀作太倉令、意之名无所避、而文紀稱淳于公、又稱太倉公、目錄亦稱倉公而不名、蓋當時有此稱、史公因而書之、少而喜醫方術。高后八年、更受師同郡元里公乘陽慶。【正義】百官表云、公乘、第八爵也、顏師古云、言其得乘公之車也、【考證】張照曰、按公乘蓋以爵爲氏、如壺關三老公乘興是也、公乘爲陽慶之氏、非爵也、慶年七十餘、無子。【考證】梁玉繩曰、王孝廉云、後文云、愼毋令我子孫知若學我方也、又云、會慶子男殷來獻馬、則慶非無子者、無子二字疑衍、或是下文有五女句上脫文、使意盡去其故方、更悉以禁方予之。

【考證】扁鵲傳云、悉取其禁方、盡與扁鵲、傳黃帝·扁鵲之脈書、【考證】多紀元簡曰、素問顧從德序云、今世所傳內經素問、卽黃帝之脈書、實衍于秦越人陽慶淳于意諸長老、按漢志、有扁鵲內外經目、豈其脈書耶、五色診病、【正義】八十一難云、五藏有色、皆見於面、亦當與寸口尺內相應也、其面色與相應、已見前也、【考證】岡白駒曰、觀其色以診、知人死生、決嫌疑、定可治。及藥論甚精。受之三年。爲人治病決死生、多驗。然左右行游諸侯、不以家爲家。【考證】岡白駒曰、左右、言不一所也、或不爲人治病。病家多怨之者。文帝四年中、【考證】史孝文紀、漢書刑法志、以釋倉公除肉刑、爲文帝十三年事、與此不合、據下文、文帝四年、卽倉公治病有驗之年、史公誤以彼混此也、四年中、疑當作十三年、人上書言意、以刑罪。當傳西之長安。【索隱】傳、音竹戀反、傳、乘傳送之、意有五女。【考證】文紀漢志、有上有無男二字、隨而泣。意怒罵曰、生子不生男、緩急無可使者。【考證】紀志、無可使者、作非有益也、於是少女緹縈傷父之言、乃隨父西、【索隱】緹、音啼、縈、音紆營反、上書曰、妾父爲吏、齊中稱其廉平。今坐法當刑。

妾切痛死者不可復生、而刑者不可復續、【集解】徐廣曰、一作贖、【考證】紀、志續作屬、李笠曰、切、疑當作竊、雖欲改過自新、其道莫由、終不可得。妾願入身爲官婢、以贖父刑罪、使得改行自新也。書聞。上悲其意。此歲中亦除肉刑法。【集解】徐廣曰、案年表、孝文十二年除肉刑、【正義】漢書刑法志云、孝文帝即位十三年、除肉刑三、孟康云、黥劓二、左右趾一、凡三也、班固詩曰、三王德彌薄、惟後用肉刑、太倉令有罪、就遞長安城、自恨身無子、困急獨煢煢、小女痛父言、死者不可生、上書詣闕下、思古歌雞鳴、憂心摧折裂、晨風揚激聲、聖漢孝文帝、惻然感至情、百男何憒憒、不如一緹縈、【考證】又見史文紀漢書刑法志、愚按、倉公本傳、止亦除肉刑法、意家居以下、倉公手記而未經史公刊正者、後人併錄、意家居。【考證】陳子龍曰、意既至長安、事釋、即家居之、故詔書就問也、詔召問所爲治病死生驗者幾何人、主名爲誰。【考證】主名爲誰以上、先提其綱、詔問故太倉長以下、是意之對言、首稱詔問之委曲、詔問故太倉長臣意方伎所長、及所能治病者。【集解】徐廣曰、治一作爲、爲亦治、有其書、無有。皆安受學。受學幾何歲。【考證】岡白駒曰、或有書、或無書、皆何處受學乎、愚按、皆字疑涉下文而衍、嘗有所驗、何

縣里人也。何病。醫藥已其病之狀、皆何如。具悉而對。臣意對曰。自意少時喜醫藥。醫藥方、試之多不驗者。至高后八年、得見師臨菑元里公乘陽慶。【集解】徐廣曰、意年三十六、【考證】張文虎曰、集解三十六、從舊刻本、各本三譌二、案高后八年、年三十六、加文帝三年、適三十九、與史合、慶年七十餘。意得見事之。謂意曰。盡去而方書。非是也。慶有古先道。遺傳黃帝扁鵲之脈書。五色診病、知人生死、決嫌疑、定可治。及藥論書甚精。我家給富、【考證】岡白駒曰、我家固富足、不用鬻術、心愛公。欲盡以我禁方書悉敎公。臣意即曰。幸甚。非意之所敢望也。臣意即避席再拜、謁受其脈書上下經、五色診、奇咳術、揆度陰陽外變、藥論、石神、接陰陽禁書。【集解】奇、音羈、咳、音該、【正義】八十一難云、奇經八脈者、有陽維、有陰維、有陽蹻、有陰蹻、有衝、有督、有任、有帶之脈、凡此八者、皆不拘於經、故云奇經八脈也、顧野王云、胲當宍也、又云、胲、指毛皮也、藝文志有五音奇

胲用兵二十六卷、許愼云、胲、軍中約也、【考證】下文成開方案引奇咳言、張文虎曰、說文、奇侅、非常也、段氏注云、漢志五行奇胲用兵二十三卷、五音奇胲刑德二十一卷、據張守節正義、則史記本亦作奇胲、肉部訓胲爲足指皮毛、則侅正字、胲其借耳、淮南兵略訓、刑德奇賌、又作賌、亦假借、案奇咳及下揆度、今竝見素問、正義胲、柯、凌作咳、宍、柯、凌作寅、宍、俗肉字、其義不可解、滕惟寅曰、內經但有奇恒而無奇咳、多紀元堅曰、揆度、出素問玉版論要篇、病能論、疏五過論、陰陽外變、醫和所謂陰陽風雨晦明之謂、石神、蓋謂砭石之神法、接陰陽禁書、僧焦雨史記抄、滕氏倉公傳解、竝以爲房中術、受讀解驗之、可一年所。【考證】王念孫曰、一年所、猶言一年許也、許與所聲近而義同、小雅伐木篇、伐木許許、說文引作伐木所所、漢書疏廣傳、數問其家、金餘尚有幾所、顏師古云、幾所猶言幾許也、是其證、檀弓注、封高四尺所、正義云、所、是不定之辭、義竝同、明歲即驗之、有驗。然尚未精也。要事之三年所、【考證】海保元備曰、呂氏春秋察賢篇、要在得賢、注云、要、約也、要事之者、約擧前後師事之年數、蓋併前可一年所、及其明歲、亦在其中、而後事之又一年所、故大約乃爲三年所也、即嘗已爲人治、診病決死生、有驗精良。【考證】海保元備曰、嘗、試也、已、以同、嘗以連言、與莊子人閒世篇、嘗以語我來同、嘗已爲人治者、試以所受方爲人治病也、今慶已死十年所。臣意年盡三年、年三十九歲也。【考證】中井積德曰、盡三年、承上文三年所、蔣西谷曰、上言受慶方一年所、尙未精、要事之三年、此言受讀之年盡三年、時年三十九歲、出治病即

有驗、如下文所云也、梁玉繩曰、上文意家居、詔問所治病、不必定在十三年、觀意對詞、有菑川王、膠西王、濟南王、故陽虛侯、齊王、齊文王、皆在十三年已後、可見矣、齊侍御史成、自言病頭痛。【考證】以下太倉醫案、臣意診其脈、告曰。君之病、惡不可言也。即出、獨告成弟昌曰。此病疽也。【集解】疽、七如反、【考證】說文、疽、久癰也、內發於腸胃之閒。後五日當癰腫。【正義】上於恭反、下之勇反、【考證】多紀元胤曰、素問腹中論、作癰腫、甲乙經、作癰腫、癕癰古通、後八日、嘔膿死。【正義】膿、女東反、【考證】滕惟寅曰、病候源論云、內癰若吐膿血者、不可治也、成之病得之飮酒且內。【考證】滕惟寅曰、素問云、此人必數醉且飽、以入房、氣聚於脾中不得散、酒氣與穀氣相薄、熱盛於中、崔適曰、內、即齊侯好內之內、謂御女也、下文怒而以接內、得之酒且內、病得之內、皆同、成即如期死。【考證】史記論文云、上一段案、下一段論、下同、所以知成之病者、【考證】凌稚隆曰、倉公醫案、每段用所以知三字作眼目、其文短簡、而轉換多、別是一格、臣意切其脈、得肝氣。肝氣濁而靜。【集解】徐廣曰、濁、一作鼂、靜、一作清、【考證】多紀元胤曰、濁、重濁也、靜、不活動也、故見眞藏之脈也、愚按、當時方書失傳、故此文不可解者甚多、今依滕惟寅割解、多紀元簡父子彙考、參以王張諸家說、此內關之病也。【正義】八十一難云、關遂入尺爲內關、呂

廣云、脈從關至尺澤、名內關也、考證 王念孫曰、內關之病、死不治、故齊侍御史成、齊北王女子豎、齊丞相舍人奴、三人皆如期而死、內關猶內閉也、靈樞經終始篇曰、脈口四盛、且大且數者、名曰溢陰、溢陰爲內關、內關不通、死不治、此之謂也、多紀元堅曰、內關之病、與內經內關其脈候不同、而其爲陰陽否絕之證、則一耳、**脈法曰、脈長而弦、不得代四時者、**正義 王叔和脈經云、來數而中止、不能自還、因而復動者、名曰代、代者死、素問曰、病在心、愈在夏、甚於冬、病在脾、愈在秋、甚於春、病在肺、愈在冬、甚於夏、病在腎、愈在春、甚於夏、病在肝、愈在夏、甚於秋也、考證 多紀元簡曰、脈經云、春肝木王、其脈弦細而長、名曰平脈也、今非春時、而得此脈、則知其病主在於肝也、代乃謂四時相代之脈也、與下文代絕之代自別、正義引素問節藏氣法時論之文、**其病主在於肝。和、即經主病也。**正義 王叔和脈經云、脈長而弦、病於肝也、素問云、得病於筋、肝之和也、考證 海保元備曰、言其脈和者、仍爲經脈主病也、正義引素問、今無所攷、**代、則絡脈有過。**正義 素問云、脈有不及、有太過、有經、有絡、和、即經主病、代、則絡有過也、八十一難云、關之前者、陽之動也、脈當見九分而浮、過者法曰太過、減者法曰不及、遂上魚際爲溢、爲外關內格、此陰乘之脈也、關以後者、陰之動也、脈當見一寸而沈、過者法曰太過、減者法曰不及、遂入尺爲覆、爲內關外格、此陽乘之脈也、故曰覆溢、是其眞藏之脈、人不病而死也、呂廣云、過九分出一寸、各名太過也、不及九分至二分、或四分五分、此太過不滿一寸見八分或五分六分、此不及、考證 海保元備曰、上云和即經主病也、此云代則絡脈有過、即則互用、滕惟寅曰、素問云、其脈代而鉤者、病在絡脈、靈樞云、代則取血絡、按代代絕之代、過字、素問中

問有之、王冰注脈要精微論有過之脈云、過、謂異於常候也、此過字蓋同義、多紀元堅曰、以上脈法之語、又曰、正義引素問、今無所攷、**經主病和者、其病得之筋髓裏。其代絕而脈貫者、病得之酒且內。**考證 多紀元堅曰、素問陰陽類論云、一陰一陽代絕、此陰氣至心、次注、代絕者、動而中止也、海保元備曰、其代絕而脈貫者一句、應代則絡脈有過、曹山跗案云、代者時參擊竝至、乍躁乍大也、脈貫、蓋此樣景象、**所以知其後五日而癰腫、八日嘔膿死者、切其脈時、少陽初代。代者經病。病去過人。人則去、絡脈主病。**考證 海保元備曰、經病至人則去九字、疑有衍訛、不可强解、代者絡脈主病、則上文代則絡脈有過也、愚按少陽經脈之名、**當其時、少陽初關一分。故中熱。而膿未發也。及五分、則至少陽之界。及八日、則嘔膿死。故上二分而膿發、至界而癰腫、盡泄而死。**集解 徐廣曰、界、一作分、下章曰、肝與心相去五分、故曰五日盡也、正義 王叔和脈經云、分別三門鏡界脈候所主云、從魚際至高骨、卻行一寸、其中名曰寸口、其自高骨從寸至尺、名曰尺澤、故曰尺、寸後尺前、名曰關、陽出陰入、以關爲界、陽出三分、陰入三分、故曰三陰三陽、陽生於尺動於寸、陰生於寸動於尺、寸主射上焦、出頭及皮毛竟手、關主射中焦腹及於腰、尺主射下焦少腹至足也、考證 海保

元備曰、關即內關之關、關一分、謂少陽初位、爲關格一分所也、及五分上畧關字、至少陽之界、界、蓋謂末界、對上文少陽初而言、上二分、謂關及二分以上也、多紀元胤曰、此證之發也、**熱上、則熏陽明、爛流絡。流絡動、則脈結發。脈結發、則爛解。故絡交熱、氣已上行、至頭而動。故頭痛。**考證 周官天官疾醫注、脈之大候、要在陽明寸口、正義、陽明二處、在大拇指本骨之高處與第二指間、多紀元胤曰、熱上以下四句、謂病之終始、故以下謂所以頭痛、爛解、蓋糜爛離解之謂、氣熱氣、已與以同、成始告以頭痛、故以此爲結、**齊王中子諸嬰兒小子病。召臣意診切其脈。告曰、氣鬲病。病使人煩懣、食不下、時嘔沫。病得之少憂、數忔食飲。**索隱 忔、音疑乙反、忔者、風痺忔然不得動也、考證 張文虎曰、少、疑心字之誤、下文診其脈心氣也、又云、疾主在心、又云、重陽逿心主、又云、此悲心所生、病得之憂也、是其證、多紀元簡曰、集韻、忔、魚乙切、心不欲也、史記數忔飲食、案蓋謂强食飲也、**臣意即爲之作下氣湯以飲之。一日氣下。二日能食。三日即病愈。所以知小子之病者、診其脈、心氣也。濁躁而經也。此絡陽病也。**集解 徐廣曰、濁、一作黽、又作猛、考證 氣下也字疑衍、多紀元胤曰、而、當作在、多紀元簡曰、醫說、

絡陽作陽絡、蓋指心包絡、**脈法曰、脈來數疾去難而不一者、病主在心。**考證 張文虎曰、疾字從舊刻、毛本、考證據宋本竝同、它本誤作病、案脈來數疾去難而不一者十字作一句讀、謂來疾去遲而至數又不調也、滕惟寅曰、素問云、夏脈者心也、其氣來盛去衰、故曰鉤、按來數疾者、盛之狀、去難者、衰之意、**周身熱、脈盛者、爲重陽。**索隱 上音直隴反、**重陽者逿心主。**集解 徐廣曰、逿、音唐、逿者盪也、謂病盪心者、猶刺其心、索隱 逿、依字讀、正義 八十一難云、手心主中宮、在中部、楊玄操云、手心主胞絡也、自臍已上至帶鬲、爲中焦也、考證 海保元備曰、據徐廣注、徐所見本、蓋無主字、蕩心、見左傳、顧炎武云、古人以左右衝殺爲盪陣、宋書、顏師伯單騎出盪、孔顗傳、每戰以刀楯直盪、徐以盪心爲刺心、其義蓋與此同、多紀元堅曰、脈經云、心病、煩悶少氣大熱、熱上盪心、嘔吐咳逆、**故煩懣食不下、則絡脈有過。絡脈有過、則血上出。血上出者死。此悲心所生也。病得之憂也。**考證 多紀元堅曰、則絡脈有過、至血上出者死十八字、與前後文不應、疑衍、滕氏割解以爲項處案中錯簡、移置番陽入虛裏下、亦無明據、**齊郎中令循病。衆醫皆以爲蹷入中、而刺之。**考證 凌本、毛本、入譌人、王念孫曰、蹷亦作厥、釋名云、厥、逆氣從下厥起、上行入心脇也、故曰、厥入中、下文云、風入中、**臣意診之曰、湧疝也。**索隱 上音勇、下音訕、所諫反、鄒誕生疝音山也、考證

多紀元簡曰、此乃骨空論所謂衝疝、後世或呼爲奔豚疝氣、令人不得前後溲。【索隱】溲、音所留反、前溲謂小便、後溲大便也、循曰。不得前後溲三日矣。臣意飲以火齊湯。【正義】飲、於禁反、【考證】多紀元簡曰、齊、和煮湯也、韓非喩老篇、病在腸胃、火劑之所及也、漢書藝文志云、辨五苦六辛、致水火之齊、下文云液湯火齊、又云火齊米汁、又云陰陽水火之劑、又曰火齊粥、皆其證也、愚按張氏札記、疑火字爲大字之譌、李氏訂補辨其非、一飲得前後溲。再飲大溲。三飲而疾愈。【考證】王念孫曰、前下當有後字、言一飲而前後溲始通、再飲則大溲也、大溲二字、兼前後言之、則上句原有後字明矣、太平御覽引此正作一飲得前後溲、下文齊太后病、臣意飲以火齊湯、一飲卽前後溲事、與此相類也、張文虎曰、宋本、毛本、吳校元本疾作病、愚按劉百衲宋本、亦作病、病得之內。所以知循病者、切其脈時、右口氣急、【集解】徐廣曰、右、一作有、【正義】王叔和脈經云、右手寸口、乃氣口也、【考證】多紀元堅曰、氣字、猶玉機眞藏論其氣來之氣、愚按、周官疾醫注、陽明寸口正義、寸口者、大拇指本高後一寸是也、脈無五藏氣。右口脈大而數。【正義】右口、謂右手寸口也、【考證】滕惟寅曰、或云、右當作左、數者、中下熱而湧。左爲下、右爲上。皆無五藏應。故曰湧疝。【考證】多紀元胤曰、脈無五藏應者、謂若歷入中、則當見藏眞之脈、今無其應、故爲湧疝也、中熱。

故溺赤也。【正義】溺、徒弔反、齊中御府長信病。臣意入診其脈、告曰。熱病氣也。然暑汗。脈少衰。不死。曰。此病得之當浴流水而寒甚、已則熱。【考證】當、嘗通、信曰。唯。然。【正義】唯、惟癸反、往冬時、爲王使於楚、至莒縣陽周水。【正義】莒、密州縣、而莒橋梁頗壞。信則擥車轅、未欲渡也。【正義】擥、音牽、【考證】說文、擥、撮持也、馬驚卽墮。信身入水中、幾死。吏卽來救信、出之水中。衣盡濡。有閒而身寒、已熱如火。至今不可以見寒。【考證】海保元備曰、見、猶言遇也、下文病見寒氣則遺溺、病得之數飲酒見大風氣、見字與此同、臣意卽爲之液湯火齊、逐熱。【考證】多紀元堅曰、漢書郊祀志、順風作液湯、如淳云、藝文志有液湯經、其義未詳、一飲汗盡、再飲熱去、三飲病已。卽使服藥。出入二十日、身無病者。所以知信之病者、切其脈時、并陰。【考證】滕惟寅曰、熱邪去陽歸陰、專在裏、謂之并陰、脈法曰。熱病陰陽交者死。

【考證】滕惟寅曰、素問云、黃帝問曰、有病溫者、汗出輒復熱、而脈躁疾、不爲汗衰、不能食、病名爲何、岐伯曰、病名陰陽交、交者死也、王冰曰、交、謂交合、陰陽之氣不分別也、切之不交、并陰。并陰者、脈順清而愈。【考證】王念孫曰、清、讀爲動靜之靜、上文肝氣濁而靜、徐廣云、一作清、下文病重而脈順清、竝與靜同、其熱雖未盡、猶活也。腎氣有時閒濁、【集解】徐廣曰、一作黽、在太陰脈口而希、是水氣也。腎固主水。故以此知之。失治一時、卽轉爲寒熱。【考證】張文虎曰、中統、游、王本、失譌未、多紀元簡曰、素問脈要精微論云、風成爲寒熱、風論云、其寒也衰飲食、其熱也消肌肉、故使人怢慄而不能食、名曰寒熱、諸言寒熱者、皆指虛勞寒熱、此所言亦然、齊王太后病。召臣意入診脈。曰。風癉客脬。【索隱】癉、病也、音亶、脬音普交反、字或作胞、【正義】癉、音單旱反、脬亦作胞、膀胱也、言風癉之病、客居在膀胱、【考證】多紀元胤曰、漢書嚴助傳、南方暑溼、近夏癉熱、脈要精微論曰、癉成爲消中、次註、癉謂熱也、難於大小溲、溺赤。臣意飲以火齊湯。一飲、卽前後溲。再飲、病已、溺如故。病得之流汗出[氵循]。【索隱】劉氏音巡、【考證】張文虎曰、[氵循]、宋本、中統、游、王、柯、作潃、凌、作滲、索隱、舊刻、毛本、作滫、案集韻十八諄、[氵循]、流貌、史記作汗出[氵循]、[氵循]與劉音合、是古本相承作[氵循]、王引之曰、[氵循]當作滫、王風中谷有蓷篇、嘆其脩矣、毛傳

云、脩且乾也、流汗出滫者、流汗出而乾也、故下文曰、滫者去衣而汗晞也、說文玉篇廣韻、無[氵循]字、集韻誤沿劉氏之音、又以[氵循]滫連讀、其失甚矣、[氵循]者、去衣而汗晞也。所以知齊王太后病者、臣意診其脈、切其太陰之口、溼然風氣也。【考證】太陰、經脈之名、張文虎曰、溼疑誤、李笠曰、案此腎病候也、腎、水藏、故云溼然、溼字當不誤、脈法曰。沈之而大堅、【正義】沈一作深、王叔和脈經云、脈大而堅、病出於腎也、浮之而大緊者、【正義】緊、音吉忍反、素問云、脈短實而數、有似切繩、名曰緊也、【考證】岡白駒曰、沈之、重按之也、浮之、輕按之也、滕惟寅曰、素問云、病腎、脈來如引葛、按之益堅、曰腎病、沈之大堅、是按之益堅也、浮之大緊、是如引葛也、正義引素問、今無所攷、病主在腎。腎切之而相反也、脈大而躁。【考證】海保元備曰、上也字、與論語夫子至於是邦也也字同、起下文之辭、言病之主在腎者、若切其脈而與常度相反也、則其脈必大而躁也、大者、膀胱氣也。躁者、中有熱而溺赤。齊章武里曹山跗病。【索隱】跗、方符反、臣意診其脈曰。肺消癉也。加以寒熱。【考證】多紀元胤曰、素問氣厥論云、心移寒於肺、肺消、肺消者飲一溲二、不治、又云、心移熱於肺、傳爲鬲消、虛邪氣藏府病形篇云、肺脈微小爲消癉、卽告其人曰。死。不治。適其共養。此不當醫

治。【索隱】適音釋、共音恭、案謂山跗家適近、所持財物共養我、我不敢當、以言其人不堪療也、【考證】董份曰、適其供養、言當適病者之意、供養以俟其死、此不當復醫也、滕惟寅曰、舊本以治字屬下文、非、法曰。後三日而當狂、妄起行欲走。後五日死。即如期死。山跗病、得之盛怒而以接內。所以知山跗之病者、臣意切其脈、肺氣熱也。脈法曰。不平不鼓、形獘。【集解】徐廣曰、一作散、【正義】王叔和脈經云、平、謂春肝木王、其脈細而長、夏心火王、其脈洪大而散、六月脾土王、其脈大阿阿而緩、秋肺金王、其脈浮濇而短、冬腎水王、其脈沈而滑、名平脈也、【考證】滕惟寅曰、不鼓、言脈代也、多紀元堅曰、奏鼓必有節、今脈動不定、故云不鼓、此五藏高之遠數以經病也。【考證】海保元備曰、王冰注素問至要大論云、心肺爲近、肝腎爲遠、姑且依此解之、蓋高、謂肺也、遠、謂肝也、上文云、肺消癉也、肺氣熱也、下文云、是壞肝剛絕深之、猶與也、經者、歷也、言五藏自高以及遠、數數以權病也、數云者、以見其所由來有漸也、故切之時、不平而代。【正義】素問云、血氣易處曰不平、脈候動不定曰代、【考證】多紀元簡曰、正義引素問、今無所攷、但其說大是、張介賓類經代脈之解、全本于此、不平者、血不居其處。代者、時參擊竝至、乍躁乍大也。【考證】滕惟寅曰、素問云、上下左右之脈、相應如參舂者、病甚、此兩絡脈

絕。故死、不治。【考證】滕惟寅曰、肝肺兩絡脈絕、所以加寒熱者、言其人尸奪。【考證】多紀元簡曰、形肉脫而如尸、故曰尸奪、通雅、爲尸厥、非也、尸奪者形獘。形獘者不當關灸鑱石及飲毒藥也。【考證】多紀元堅曰、關字疑譌、臣意未往診時、齊太醫先診山跗病、灸其足少陽脈口、【考證】滕惟寅曰、凡脈氣所發、皆謂之脈口、不必寸口、愚按、少陽、經脈之名、而飲之半夏丸。【考證】多紀元堅曰、蓋瀉下劑也、病者即泄注、腹中虛。又灸其少陰脈。是壞肝剛絕深。【考證】滕惟寅曰、肝者將軍之官、故曰肝剛、多紀元簡曰、經脈篇、筋爲剛、愚按、少陰、經脈之名、如是重損病者氣。以故加寒熱。所以後三日而當狂者、肝一絡連屬、結絕乳下陽明。【正義】素問云、乳下陽明、胃絡也、【考證】多紀元簡曰、絕字可疑、或是紐字、正義蓋節錄素問平人氣象論、故絡絕、開陽明脈。陽明脈傷、即當狂走。【考證】滕惟寅曰、素問陽明脈解篇云、熱盛於身、故棄衣欲走也、後五日死者、肝與心相去五分。故曰五日盡。盡即死矣。【考證】張文虎曰、吳校元板無盡字、

齊中尉潘滿如病少腹痛。【正義】少、音式妙反、王叔和脈經云、脈急疝瘕、少腹痛也、【考證】張文虎曰、宋本、中統、毛、少作小、愚按、劉百衲宋本亦作小、作小爲是、臣意診其脈曰。遺積瘕也。【索隱】劉氏音加雅反、舊音遐、鄒氏音嫁、【正義】龍魚河圖云、犬狗魚鳥、不熟食之、成瘕痛、【考證】多紀元堅曰、瘕字見醫經中者、如大奇論瘕、平人氣象論、玉機眞藏論瘕、氣厥論虙瘕、骨空論二十九難女子瘕聚、水脹篇石瘕、五十七難大瘕泄、陽明篇固瘕、及本傳蟯瘕等、皆言腹內本無其物、依病爲形者、臣意即謂齊太僕臣饒・內史臣繇曰。中尉不復自止於內、則三十日死。【考證】內、房慾也、後二十餘日、溲血死。病得之酒且內。所以知潘滿如病者、臣意切其脈、深小弱、其卒然合【集解】徐廣曰、一云、來然合、【考證】劉氏百衲宋本、毛本、集解來然合、作來然合然合、錢泰吉曰、正義云、卒一作來、是惟卒字有異文爾、合也、是脾氣也。【正義】卒、音蒼忽反、卒一本作來、素問云、疾病之生、生於五藏、五藏之合、合於六府、肝合氣於膽、心合氣於小腸、脾合氣於胃、肺合氣於大腸、腎合氣於膀胱、三焦內主勞、【考證】滕惟寅曰、深沈也、多紀元簡曰、其卒然合合也句、疑有誤脫、海保元備曰、廣雅釋詁、沓、合也、文選羽獵賦、天與地沓、注、應劭曰、沓、合也、據此合沓同義、漢書禮樂志、騎沓沓、注、沓沓疾行也、合合疑即沓沓、蓋一搏一代之狀、正義引素問、今無所攷、右脈口氣

至緊小、見瘕氣也。【正義】緊小、上結忍反、以次相乘。故三十日死。三陰俱搏者如法。【正義】如淳云、音徒端反、素問云、左脈口曰少陰、少陰之前名厥陰、右脈口曰太陰、此三陰之脈也、【考證】多紀元堅曰、素問陰陽別論曰、三陰俱搏、二十日夜半死、次注、脾肺成數之餘也、搏、謂伏鼓異於常候也、蓋本傳之與內經、間有難湊合者、況如日期、義不易了、姑闕疑可也、正義引素問、今無所攷、岡白駒曰、如法、三十日死也、不俱搏者、決在急期。【考證】滕惟寅曰、不俱搏者、謂脈更代絕也、脾肺脈絕也、一搏一代者近也。【考證】滕惟寅曰、醫說、近作逆、此解上之不俱搏義、故其三陰搏、溲血如前止。【集解】徐廣曰、前、一作筋也、【考證】岡白駒曰、如前、即二十餘日溲血死、是也、多紀元堅曰、止、疑死譌、陽虛侯相趙章病。【考證】漢書齊悼惠王傳、陽虛作楊虛、召臣意。衆醫皆以爲寒中。臣意診其脈曰。迵風。【集解】迵、音洞、言洞徹入四支、【索隱】下云、飲食下嗌輒出之、是風疾洞徹五藏、故曰迵風、【考證】多紀元簡曰、邪風藏府病形篇云、洞者、食不化、下嗌還出、甲乙經引作洞泄、王肯堂證治準繩云、飧泄、水穀不化而完出、史記倉公傳迵風、即此也、迵風者、飲食下嗌、而輒出不留。【集解】嗌、音益、謂喉下也、法曰。五日死。而後十日乃死。病得之酒。所以知趙章之病者、臣

意切其脈、脈來滑。是內風氣也。【考證】多紀元堅曰、素問平人氣象論云、脈滑曰病風、脈要精微論云、久風爲飧泄、飲食下嗌而輒出不留者、法、五日死。皆爲前分界法。【正義】分、扶問反、【考證】滕正路曰、凡每一部五分、以是知死期、謂之前分界法、後十日乃死、所以過期者、其人嗜粥。故中藏實。中藏實、故過期。師言曰。安穀者過期、不安穀者不及期。【考證】師、陽慶、海保元備曰、安、安頓之義、濟北王病。召臣意診其脈。曰。風蹶胷滿。【考證】多紀元胤曰、素問評熱病論云、帝曰、有病身熱汗出、煩滿、煩滿不爲汗解、此爲何病、岐伯曰、汗出而身熱者、風也、汗出煩滿不解者、厥也、病名曰風厥、靈樞五變篇曰、黃帝曰、人之善風厥漉汗者、何以候之、少俞答曰、肉不堅、腠理疎、則善病風、按以上二篇文、與此段風蹶相類、而陰陽別論所說自異、卽爲藥酒、盡三石、病已。【考證】毛本、石作日、得之汗出伏地。所以知濟北王病者、臣意切其脈時、風氣也。心脈濁。【集解】徐廣曰、一作毘、病法、過入其陽、陽氣盡而陰氣入。陰氣入張、則寒氣上而熱氣下。故胷滿。汗出伏地者、

切其脈、氣陰。陰氣者病必入中。出及瀺水也。【索隱】瀺、音士咸反、【正義】顧野王云、手足液身體、汋、音常灼反、【考證】多紀元胤曰、瀺水未詳、張文虎曰、正義有脫文、齊北宮司空命婦出於病。【集解】徐廣曰、婦一作奴、奴蓋女奴、【正義】出於、命婦名也、【考證】多紀元簡曰、世婦爲內命婦、卿大夫之妻爲外命婦、世婦與大夫妻相敵、又命及於士、則其妻亦爲命婦、士妻與女御相對、蓋婦人無爵、從夫命之爵也、崔適曰、出於病、當作病於出、下文同、說文、娗、女出病也、醫書謂之陰挺、故此傳下文云、疝氣之客於膀胱也、愚按崔說非也、初曰某病、後曰某病得之某事、所以知某病者、上下文例皆然、正義爲是、眾醫皆以爲風入中。病主在肺。刺其足少陽脈。【集解】徐廣曰、肺、一作肝、臣意診其脈曰。病氣疝客於膀胱、難於前後溲、而溺赤、病見寒氣則遺溺。使人腹腫。出於病得之欲溺不得、因以接內。所以知出於病者、切其脈、大而實。其來難。是蹶陰之動也。【正義】郄、厥陰之脈也、【考證】張文虎曰、正義郄下脫云字、脈來難者、疝氣之客於膀胱也。腹之所以腫者、言蹶陰之絡結小腹也。蹶陰有過、則脈結

動。動則腹腫。【考證】多紀元胤曰、脈結動者、謂脈結於小腹、且爲之動作也、多紀元堅曰、齊御史成案曰、脈結發、語意相近、臣意卽灸其足蹶陰之脈。左右各一所。卽不遺溺而溲清、小腹痛止。卽更爲火齊湯以飲之。三日而疝氣散、卽愈。故濟北王阿母自言足熱而懣。【集解】徐廣曰、濟、一作齊王、【索隱】案是王之嬭母也、【正義】服虔云、乳母也、鄭慈己者、【考證】張文虎曰、正義蓋引喪服傳注、鄭下疑脫云字、臣意告曰。熱蹶也。則刺其足心各三所。案之、無出血。病旋已。【索隱】言尋則已止也、【正義】謂旋轉之閒、病則已止也、【考證】滕惟寅曰、案、以指按針孔也、素問云、刺少陰、出氣惡血、出血太多、不可復也、病得之飲酒大醉。濟北王召臣意診脈。【考證】張文虎曰、中統本、吳校元板、楪志引宋本、竝有臣字、它本脫、愚按百衲宋本亦有、諸女子侍者至女子豎。豎無病。臣意告永巷長曰。豎傷脾。不可勞。法、當春嘔血死。臣意言王曰。才人女子豎何能。王曰。是好爲方、多伎能。爲所是案法新。【集解】徐廣曰、所、一作取、【索隱】謂於舊方技能生新

意也、【考證】多紀元簡曰、方、蓋謂小方、封禪書、上使小方鬬碁、碁自相觸擊、愚按爲所是句、疑有譌、往年市之民所。四百七十萬、曹偶四人。【索隱】案當今之四千七百貫也、曹偶、猶等輩也、王曰。得毋有病乎。臣意對曰。豎病重、在死法中。王召視之、其顏色不變。以爲不然、不賣諸侯所。至春、豎奉劒從王之廁。王去。豎後。王令人召之。卽仆於廁、嘔血死。【索隱】仆、音赴、又音步北反、病得之流汗。流汗者、同法病內重。毛髮而色澤、脈不衰。【考證】張文虎曰、同字疑衍、滕惟寅曰、而當作面、此亦關內之病也。【考證】王念孫曰、關內當作內關、上文齊侍御史成條云、此內關之病也、此文云此亦內關之病也、亦字卽承上文言之、齊中大夫病齲齒。【正義】上丘羽反、釋名云、齲朽也、蟲齧之缺朽也、臣意灸其左大陽明脈。【考證】多紀元簡曰、證類本草、大作手、醫說無明字、卽爲苦參湯、日嗽三升。出入五六日、病已。得之風、及臥開口、食而不嗽。菑川王美人懷子而不乳。【索隱】乳、音人喻反、乳、生也、來召臣意。

臣意往、飮以莨碭藥一撮、以酒飮之。〔正義〕莨碭、浪宕二音、〔考證〕多紀元簡曰、本草有莨菪子、卽是陶隱居曰、一撮者、四刀圭也、 旋乳。〔索隱〕旋乳者、言迴旋卽生也、〔考證〕李笠曰、旋、猶俄也、 臣意復診其脈、而脈躁。躁者有餘病。卽飮以消石一齊。出血。血如豆。比五六枚。〔索隱〕比音必利反、〔考證〕岡白駒曰、比、比年之比、 齊丞相舍人奴從朝入宮。臣意見之食閨門外。望其色、有病氣。臣意卽告宦者平。平好爲脈、學臣意所。臣意卽示之舍人奴病、告之曰。此傷脾氣也。當至春鬲塞不通、不能食飮。〔考證〕滕惟寅曰、靈樞云、飮食不下、膈塞不通、邪在胃脘、 法、至夏泄血死。宦者平卽往告相曰。君之舍人奴有病。病重。死期有日。相君曰。卿何以知之。〔考證〕海保元備曰、案此紀事之文、不當稱君、前後亦唯稱相、蓋史之駁文、否則君字衍、 曰。君朝時入宮。君之舍人奴盡食閨門外。平與倉公立。卽示平曰。病如是者死。相卽召舍人奴而謂之曰。公奴有病、不。〔考證〕凌稚隆曰、舍人下奴字衍、海保元備曰、古人相呼曰公、史記毛遂曰、公等錄錄、是也、君呼臣亦曰公、高祖謂叔孫通曰、公罷矣、吾直戲耳、是也、貴呼賤亦曰公、高祖解縱所遣徒曰、公等皆去、是也、然則公是齊相呼其舍人之辭、言公之家奴有病否也、舍人曰、奴無病、身無痛者、蓋舍人以其所睹聞告之也、御覽無公字、非是、 舍人曰。奴無病。身無痛者。至春果病、至四月、泄血死。所以知奴病者、脾氣周乘五藏、傷部而交。故傷脾之色也。〔考證〕滕惟寅曰、交、更互交錯也、凌稚隆曰、此獨不用脈、且望而知之也、 望之殺然黃。察之如死青之茲。〔集解〕徐廣曰、殺、音蘇葛反、〔正義〕殺、蘇亥反、〔考證〕稻葉元熙曰、集韻、殺、桑葛切、散貌、史記望之殺然黃、多紀元簡曰、素問、五藏生成篇、青如草茲者死、張志聰注云、草茲者、死草之色、青而帶白也、按爾雅釋器、蓐謂之茲、張本于此、愚按李氏訂補說同、 衆醫不知、以爲大蟲、不知傷脾。〔索隱〕卽蚘虫也、 所以至春死病者、〔考證〕多紀元堅曰、死字衍、 胃氣黃。黃者土氣也。土不勝木。故至春死。〔考證〕多紀元堅曰、死、當作病、 所以至夏死者、脈法曰。病重而脈順淸者曰內關。內關之病、人不知其所痛。

心急然無苦。〔考證〕滕惟寅曰、急當作慧、慧、了也、多紀元堅曰、滕說是、靈樞邪氣藏府病形篇、心慧然若無病、又素問八正神明論、慧然字兩見、 若加以一病、死中春。一愈順、及一時。〔考證〕滕正路曰、愈通作愉、愉順、言形氣和順、及一時者過春三月也、多紀元堅曰、淳于司馬案云、其病順、故不死、順字蓋與此同、 其所以四月死者、診其人時愈順。愈順者人尙肥也。奴之病得之流汗數出、灸於火而以出見大風也。菑川王病。召臣意診脈。曰。蹶上。〔正義〕時掌反、蹶、逆氣上也、 爲重頭痛。身熱、使人煩懣。〔正義〕亾本反、非但有煩也、 臣意卽以寒水拊其頭、〔索隱〕拊、音附、又音撫、 刺足陽明脈、左右各三所。病旋已。病得之沐髮未乾而臥。診如前。所以蹶頭熱至肩。齊王黃姬兄黃長卿家、有酒召客。召臣意。諸客坐、未上食。臣意望見王后弟宋建、告曰。君有病。往四五日、君要脅痛、不可俛仰。〔正義〕上音免、〔考證〕要與腰同、滕惟寅曰、據下文、脅當作脊、 又不得小溲。不亟治、病卽入濡腎。〔考證〕多紀元簡曰、濡腎卽腎藏、蓋肝剛之類耳、 及其未舍五藏、急治之。病方今客腎濡。〔正義〕濡、溺也、病方客在腎、欲溺腎也、〔考證〕張文虎曰、濡當作輸、五藏之輸、見扁鵲傳、正義非、 此所謂腎痺也。〔考證〕滕惟寅曰、痺、閉也、素問亦有腎痺語、 宋建曰。然。建故有要脊痛。往四五日、天雨。黃氏諸倩、〔集解〕徐廣曰、倩者、女壻也、駰案方言曰、東齊之閒、壻謂之倩、郭璞曰、言可假倩也、〔正義〕倩、音七姓反、 見建家京下方石、〔集解〕徐廣曰、京者、倉廩之屬也、〔考證〕海保元備曰、廣雅釋室、京、倉也、管子、有新成囷京者二家、注云、大囷曰京、 卽弄之。〔考證〕王念孫曰、御覽引此、卽作取、於義爲長、 建亦欲效之。效之、不能起。卽復置之。暮要脊痛、不得溺。至今不愈。建病得之好持重。所以知建病者、臣意見其色、太陽色乾、〔考證〕多紀元簡曰、太陽部位、未審、素問刺熱篇云、太陽之脈、色榮顴骨、熱病也、意氣相似、當攷、 腎部上及界、要以下者、枯四分所。〔考證〕滕惟寅曰、要以下、卽腎部也、枯、甚於乾、 故以往四五日、知其發也。〔考證〕海保元備曰、當言故知其發以往四五日也、疑是訛錯、臣意卽爲柔湯使服之。【考證】滕惟寅曰、柔湯、補藥也、對剛劑言、十八日所而病愈。濟北王侍者韓女病。要背痛、寒熱。衆醫皆以爲寒熱也。臣意診脈曰。內寒、月事不下也。卽竄以藥。旋下、病已。【索隱】謂以藥燻之、故云竄、音七亂反、病得之欲男子而不可得也。所以知韓女之病者、診其脈時、切之、腎脈也。嗇而不屬。【正義】嗇、音色、不滑也、【考證】嗇濇通、多紀元簡曰、脈經云、濇脈、細而遲、往來難且散、或一止復來、嗇而不屬者、其來難堅。故曰。月不下。【考證】月下奪事字、肝脈弦、出左口。故曰。欲男子不可得也。臨菑氾里女子薄吾病甚。【索隱】氾、音凡、衆醫皆以爲寒熱篤、當死、不治。臣意診其脈曰。蟯瘕。【集解】徐廣曰、蟯、音饒、【索隱】音饒、瘕、舊音遐、【正義】人腹中短蟲、蟯瘕爲病、腹大、上膚黃麤、循之戚戚然。【考證】戚蹙通、臣意飲以芫華一撮。【考證】滕惟寅曰、本艸經云、芫花殺蟲魚、卽出蟯可數升。

病已。三十日如故。病蟯得之於寒溼。【考證】王念孫曰、蟯字衍、凡篇內稱病得之於某事者、皆不言其病名、以病名已見於上文也、愚按多紀元堅說同、寒溼氣宛、篤不發。化爲蟲。【集解】宛、音鬱、【索隱】又如字、【考證】齊王侍醫遂案云、宛氣愈深、臣意所以知薄吾病者、【考證】張文虎曰、各本薄吾上衍寒字、襍志引宋本、中統、毛本、竝無、愚按劉百衲宋本亦無、切其脈、循其尺、【正義】王叔和云、寸關尺、寸謂三分、尺謂八分、寸口在關上、尺在關下、寸關尺其有一寸九分也、其尺索刺麤、而毛美奉髮。【集解】徐廣曰、奉一作奏、又作秦、【索隱】循、音巡、案謂手循其尺索也、刺、音七賜反、麤、音七胡反、言循其尺索、刺人手而麤、是婦人之病也、徐氏云、奉一作奏、非其義也、又云、一作秦、秦謂螓首、言髮如螓蠐、事蓋近也、【考證】多紀元胤曰、尺索、尺膚枯腊之義、毛美奉髮、醫說作毛焦、拳髮、乃與其尺索刺麤、皆血液枯燥之義、毛美奉髮、蓋傳寫之誤、是蟲氣也。其色澤者、中藏無邪氣及重病。齊淳于司馬病。臣意切其脈、告曰。當病迵風。迵風之狀、飲食下嗌、輒後之。【集解】徐廣曰、如廁、【考證】上文陽虛侯相趙章案、迵風者、飲食下嗌、而輒出不留、義同、病得之飽食而疾走。淳于司馬曰。我之王家食馬肝。【考證】儒林傳云、景帝曰、食肉不食馬肝、不爲不知

味、封禪書云、武帝曰、文成食馬肝而死耳、食飽甚。【考證】御覽、無食字、見酒來、卽走去、驅疾至舍。卽泄數十出。【考證】張文虎曰、元龜引、驅疾作疾驅、臣意告曰。爲火齊米汁飲之、七八日而當愈。時醫秦信在旁。臣意去。信謂左右閣都尉【索隱】案閣者、姓也、爲都尉、一云、閣卽宮閣、都尉掌之、故曰閣都尉也、【考證】張文虎曰、據索隱、則閣當作閤、御覽引正作閤、曰。意以淳于司馬病爲何。曰。以爲迵風。可治。信卽笑曰。是不知也。淳于司馬病、法、當後九日死。卽後九日不死。其家復召臣意。臣意往問之。盡如意診。臣卽爲一火齊米汁使服之。七八日病已。所以知之者、診其脈時、切之、盡如法、其病順。故不死。【考證】御覽引、故不下有知字、齊中郎破石病。臣意診其脈、告曰。肺傷、不治。當後十日丁亥、溲血死。卽後十一日、溲血而死。破石之病、得之墮馬僵石上。【考證】多紀

元簡曰、倉公診脈、以知墜墮傷肺、而知其墮馬僵石上者、必得之於問矣、下文云、所以知其墜馬、乃謂墜墮傷肺也、故初診其脈曰肺傷、下文但云墮馬、而不云僵石上、其義可見耳、倉公珍脈雖入神、而其馬與石、豈有辨於指下之理乎、所以知破石之病者、切其脈、得肺陰氣。其來散、數道至而不一也。色又乘之。【考證】滕惟寅曰、赤色乘肺部也、所以知其墮馬者、切之得番陰脈。【索隱】番、音芳袁反、【考證】釋幻雲曰、項處案云、切其脈得番陽、索隱云、以言陽脈之翻入虛裏也、番陽番陰、可例知焉、滕惟寅曰、番通作翻、又通作反、案陰陽應象大論、陰陽反作、千金腎藏門云、陰陽翻作、陽氣內伏、陰氣外昇、知是反翻通、蓋索隱亦以爲反義也、番陰脈入虛裏、乘肺脈。肺脈散者、固色變也。乘之。【考證】海保元備曰、此蓋覆說上文色又乘之句、乘之二字、疑衍、所以不中期死者、師言曰。病者安穀卽過期。不安穀則不及期。其人嗜黍。黍主肺。故過期。【考證】多紀元簡曰、靈樞五穀篇云、肺病者宜食黃黍、千金方云、白黍米宜肺、所以溲血者、診脈法曰。病養喜陰處者順死。養喜陽處者逆死。【考證】張文虎曰、養喜陽處、宋本、毛本、與上句一例、他本養喜倒、下文其人自靜不躁、卽養喜陰處者、其人喜自靜不

躁。又久安坐、伏几而寐。故血下泄。齊王侍醫遂病。自練五石服之。【考證】多紀元簡曰、抱朴子金丹卷曰、五石者丹砂、雄黃、白礬、曾青、慈石也、按御覽引晉書云、靳邵創置五石散方、晉朝士大夫無不服餌、此云自練五石、則知不昉於靳邵矣、臣意往過之。遂謂意曰。不肖有病。幸診遂也。臣意卽診之、告曰。公病中熱。論曰。中熱不溲者、不可服五石。石之爲藥精悍。公服之、不得數溲。亟勿服。色將發臃。【考證】色、顏色、遂曰。扁鵲曰。陰石以治陰病。陽石以治陽病。【考證】釋幻雲曰、此語不順、多紀元堅曰、按據下文、陰陽之字互誤、宜作陰石以治陽病、陽石以治陰病始順、夫藥石者、有陰陽水火之齊。故中熱、卽爲陰石柔齊治之。中寒、卽爲陽石剛齊治之。臣意曰。公所論遠矣。扁鵲雖言若是、然必審診、起度量、立規矩、稱權衡、合色脈、【集解】徐廣曰、合、一作占、表裏有餘不足順逆之法、參其人動靜、與息相應、乃可

以論。論曰。陽疾處內、陰形應外者、不加悍藥及鑱石。夫悍藥入中、則邪氣辟矣。【索隱】辟、音必亦反、猶聚也、【正義】辟、言辟惡風也、劉伯莊云、辟、稸聚也、恐非其理也、【考證】正義所引劉說、與索隱同、蓋讀辟爲襞積之襞、可從、下文邪氣流行、而宛氣愈深。【索隱】愈、音庾、【考證】宛、音鬱、診法曰。二陰應外、一陽接內者、不可以剛藥。【考證】滕正路曰、二陰一陽、言寒多熱少、剛藥入、則動陽、陰病益衰、陽病益著、邪氣流行、爲重困於俞、【集解】徐廣曰、音始喻反、【考證】俞、經兪也、多紀元簡曰、重困、猶累困也、海保元備曰、應宛氣愈深、忿發爲疽。意告之後百餘日、果爲疽發乳上、入缺盆。死。【索隱】按缺盆、人乳房上骨名也、【考證】張文虎曰、御覽引爲疽作病疽、此謂論之大體也。必有經紀。拙工有一不習、文理陰陽失矣。【考證】多紀元簡曰、此謂以下四句、應前文扁鵲曰云云、言扁鵲所言、此論之要領、而更必有經紀之別、拙工徒執泥其文、不言外求意、則所失不一也、經紀二字、素靈中屢見之、蓋綱常緒理之謂、齊王故爲陽虛侯時、病甚。【集解】徐廣曰、齊悼惠王子也、名將廬、以文帝十六年爲齊王、卽位十一年卒、謚孝王、衆醫皆

以爲蹷。臣意診脈以爲痺。【考證】多紀元堅曰、玉機眞藏論、病入舍於肺、名曰肺痺、發欬上氣、根在右脅下、大如覆杯。令人喘、逆氣、不能食。臣意卽以火齊粥且飮。【考證】滕惟寅曰、飮、亦湯也、六日、氣下。卽令更服丸藥。出入六日、病已。病得之內。診之時、不能識其經解。大識其病所在。【考證】大、猶大略也、臣意嘗診安陽武都里成開方。【考證】各本嘗作常、今從楓山、三條、宋本、開方自言以爲不病。臣意謂之、病苦沓風。【索隱】沓、音徒合反、風病之名也、三歲、四支不能自用。使人瘖。【集解】徐廣曰、一作脊、音才亦反、【索隱】瘖者失音也、讀如音、又作厝、厝者置也、言使人逕置其手足也、【考證】張文虎曰、集解脊當作瘠、故音才亦反、瘖卽死。今聞其四支不能用。瘖而未死也。病得之數飮酒、以見大風氣。所以知成開方病者、診之、其脈法奇咳。言曰。藏氣相反者死。【集解】徐廣曰、反、一作及、【考證】倉公受奇咳術於陽慶、說見于前、李笠曰、言上疑脫師字、此引師言爲據、猶後引書也、上文師言曰、安穀者過期、

可證、切之得腎反肺。【集解】徐廣曰、反、一作及、法曰。三歲死也。安陵阪里公乘項處病。【索隱】案公乘、官名也、項、姓、處、名、故上云、倉公之師元里公乘陽慶、亦然也、臣意診脈曰。牡疝。【索隱】上音母、下音色諫反、【考證】堀川濟曰、牡疝、蓋心疝也、心爲牡藏、故曰牡疝、下文在鬲下、上連肺、則疝從少腹上乘心部也、嘔血死、則以心主血也、牡疝在鬲下、上連肺。病得之內。臣意謂之、愼毋爲勞力事。爲勞力事、則必嘔血死。處後蹴踘。【集解】徐廣曰、踘、一作蹹、【正義】上千六反、下九六反、謂打毬也、要蹷寒、汗出多、卽嘔血。臣意復診之曰。當旦日日夕死。【索隱】案旦日、明日也、言明日之夕死也、卽死。病得之內。【考證】多紀元堅曰、病得之內四字、與上文複、疑衍、所以知項處病者、切其脈、得番陽。【索隱】脈病之名曰番陽者、以言陽脈之翻入虛裏也、番陽入虛裏、處旦日死。【考證】多紀元堅曰、處旦日死四字恐衍、一番一絡者、牡疝也。【集解】徐廣曰、絡、一作結、【考證】多紀元堅曰、作結近是、臣意曰。他所診期決死生、及所治已病衆多。久頗忘之、不能盡識。不敢以

對。【考證】以上醫案凡二十五條、以下問答論凡七條、 問臣意、所診治病、病名多同而診異、或死或不死。何也。對曰。病名多相類、不可知。故古聖人爲之脈法、以起度量、立規矩、縣權衡、案繩墨、調陰陽、別人之脈、各名之。與天地相應、參合於人。故乃別百病以異之。有數者能異之、無數者同之。【索隱】數音色住反、謂術數之人、乃可異其狀也、【考證】數、方術也、張文虎曰、凌本能譌皆、 然脈法不可勝驗。診疾人以度異之。【考證】多紀元胤曰、疾人、猶言病者、滕惟寅曰、以度異之、推法度以別異之、 乃可別同名、命病主在所居。今臣意所診者、皆有診籍。【考證】籍、簿書也、診籍、猶今診察記、倉公醫案二十五條、自此節錄、 所以別之者、臣意所受師方適成、師死。以故表籍所診、期決死生、觀所失所得者合脈法。以故至今知之。【考證】凌稚隆曰、問答論、多用以故二字作轉語、 問臣意曰。所期病決死生、或不應期。

何故。對曰。此皆飮食喜怒不節、或不當飮藥、或不當鍼灸。以故不中期死也。問臣意。意方能知病死生、論藥用所宜。諸侯王大臣、有嘗問意者、不。及文王病時、不求意診治。何故。【集解】徐廣曰、齊文王也、以文帝十五年卒、 對曰。趙王・膠西王・濟南王・吳王、皆使人來召臣意。臣意不敢往。文王病時、臣意家貧。欲爲人治病。誠恐吏以除拘臣意也。【集解】徐廣曰、時諸侯得自拜除吏、【正義】恐爲吏拘繫之、時諸侯得自拜除官吏也、【考證】多紀元胤曰、吏以除、謂齊吏除意以拘留也、徐說迂、 故移名數左右、【正義】以名籍屬左右之人、【考證】言常不定名籍所屬、名籍、戶籍也、 不脩家生、出行游國中、問善爲方數者、事之久矣。【索隱】數、音術數之數、【正義】上色庾反、 見事數師、悉受其要事、盡其方書意、及解論之。身居陽虛侯國、因事侯。侯入朝。臣意從之長安。以故得診安陵項處等病也。

問臣意。知文王所以得病不起之狀。臣意對曰。不見文王病。然竊聞文王病喘、頭痛、目不明。臣意心論之、以爲非病也。以爲肥而蓄精、身體不得搖、骨肉不相任。故喘。不當醫治。脈法曰。年二十、脈氣當趨。年三十、當疾步。年四十、當安坐。年五十、當安臥。年六十已上、氣當大董。【集解】徐廣曰、董、謂深藏之、一作董、【索隱】董音謹、【考證】滕惟寅曰、靈樞云、人生十歲、五藏始定、血氣已通、其氣在下、故好走、二十歲、血氣始盛、肌肉方長、故好趨、三十歲、五藏大定、肌肉堅固、血脈盛滿、故好步、四十歲、五藏六府十二經脈、皆大盛以平定、腠理始疏、榮華頹落、髮頗斑白、平盛不搖、故好坐、五十歲、肝氣始衰、肝葉始薄、膽汁始減、目始不明、六十歲、心氣始衰、苦憂悲、血氣懈惰、故好臥、多紀元簡曰、方言、董、固也、 文王年未滿二十。方脈氣之趨也。而徐之。【考證】脈氣方盛、可趨之時、而文王不趨而徐步、 不應天道四時。後聞醫灸之卽篤。此論病之過也。臣意論之、以爲神氣爭而邪氣入。非年少所能復之也。以故死。所謂氣

者、當調飮食、擇晏日、車步廣志、以適筋骨肉血脈以瀉氣。【考證】漢書揚雄傳、天淸日晏、顏師古注、晏、無雲也、多紀元堅曰、車步廣志、言或車或步、以開舒志懷、海保元備曰、肉字、疑因骨下肉而衍、 故年二十、是謂易貿。【集解】徐廣曰、一作賀、又作質、【考證】通作貿、言形氣變易之時、宜適筋骨血脈以瀉氣也、 法不當砭灸。砭灸至氣逐。【考證】海保元備曰、逐、奔逐也、言砭灸、則至於脈氣奔逐、不可制止、非瀉氣之道也、 問臣意。師慶安受之。聞於齊諸侯不。對曰。不知慶所師受。慶家富、善爲醫。不肯爲人治病。當以此故不聞。慶又告臣意曰。愼毋令我子孫知若學我方也。【考證】若、汝也、 問臣意。師慶何見於意而愛意、欲悉教意方。對曰。臣意不聞師慶爲方善也。意所以知慶者、意少時好諸方事。臣意試其方、皆多驗精良。臣意聞菑川唐里公孫光善爲古傳方。【索隱】謂好能傳得古方也、【正義】謂全傳寫得古人之方書、【考證】王念孫曰、古傳方、當作傳古方、索隱正義可證、 臣意

卽往謁之、得見事之、受方化陰陽、及傳語法。【集解】徐廣曰、法、一作五、【考證】方化陰陽、未詳、岡白駒曰、傳語法、蓋口授法、臣意悉受書之。臣意欲盡受他精方。公孫光曰。吾方盡矣。不爲愛公所。【索隱】言於意所不愛惜方術也、吾身已衰、無所復事之。是吾年少所受妙方也。悉與公。毋以教人。臣意曰。得見事侍公前、悉得禁方。幸甚。意死不敢妄傳人。居有閒、公孫光閒處。【正義】上音閑、下昌汝反、臣意深論方、見言百世爲之精也。師光喜曰。公必爲國工。【考證】國、如國士之國、吾有所善者、皆疏。【考證】岡白駒曰、吾有交所善者好方、而其術皆疏、同產處臨菑、善爲方。吾不若。其方甚奇。非世之所聞也。吾年中時、嘗欲受其方。【索隱】案年中、謂中年時也、中年亦壯年也、古人語自爾、楊中倩不肯曰。若非其人也。胥與公往見之。當知公喜方也。【集解】徐廣曰、胥、猶言須也、【索隱】倩、音七見反、人姓名

也、【考證】若、汝也、其人亦老矣。其家給富。時者未往。會慶子男殷來獻馬。因師光奏馬王所。意以故得與殷善。光又屬意於殷曰。意好數。【索隱】數、色句反、謂好術數也、【考證】數、方術、公必謹遇之。其人聖儒。【索隱】言意儒德慕聖人之道、故云聖儒也、【考證】海保元備曰、說文、聖、通也、顏師古漢書司馬相如傳注、儒、術士之稱、卽爲書以意屬陽慶。以故知慶。臣意事慶謹。以故愛意也。問臣意曰。吏民嘗有事學意方、及畢盡得意方不。【考證】海保元備曰、畢、猶皆也、言承學之士、皆盡得意方不也、何縣里人。對曰。臨菑人宋邑。【集解】徐廣曰、一作晁、邑學。臣意教以五診。歲餘。【正義】五診、謂診五藏之脈、濟北王遣太醫高期王禹學。【集解】徐廣曰、禹、一作鸝、臣意教以經脈高下、及奇絡結。【正義】素問云、奇經八脈往來、舒時一止而復來、名之曰結也、【考證】多紀元堅曰、奇絡結未詳、正義引素問、今無所考、當論俞所居。【正義】俞、式喻反、【考證】當讀爲常、多紀元簡曰、醫說、俞所居、作俞穴所在、及氣當上下出入、邪、逆順、

【考證】王念孫曰、邪下脫正字、御覽引此邪正逆順、張文虎曰、元龜引亦作邪正、以宜鑱石、定砭灸處。歲餘。【考證】御覽引處作法、菑川王時遣太倉馬長馮信正方。【考證】多紀元簡曰、御覽醫說竝曰、馮信臨淄人、爲齊太倉長、據此馬字屬衍、臣意教以案法、逆順論、藥法、定五味、及和齊湯法。【考證】御覽、案法作審法、多紀元胤曰、案法、猶察法、高永侯家丞杜信喜脈來學。【考證】梁玉繩曰、史無高永侯、其地亦不知所在、臣意教以上下經脈、五診。二歲餘。臨菑召里唐安來學。臣意教以五診、上下經脈、奇咳、四時應陰陽重。【考證】海保元備曰、重疑當作動、陰陽動者、蓋謂陰陽變動之候、未成。除爲齊王侍醫。問臣意、診病決死生、能全無失乎。臣意對曰。意治病人、必先切其脈乃治之。敗逆者不可治。其順者乃治之。心不精脈、所期死生、視可治、時時失之。臣意不能全也。【正義】胃大一尺五寸、徑五寸、長二尺六寸、橫尺、受水穀三斗五升、其中常留穀二斗、水一斗五升、凡人食入於口、而聚於小胃中、穀熟、傳入小腸也、

腸、大二寸半、徑八分分之少半、長三丈二尺、受穀二斗四升、水六升三合合之大半、小腸、謂受穀而傳入於大腸也、回腸、大四寸、徑一寸半、長二丈一尺、受穀一斗、水七升半、廣腸、大八寸、徑二寸半、長二尺八寸、受穀九升三合八分合之一、故腸胃凡長五丈八尺四寸、合受水穀八斗七升六合八分合之一、此腸胃長短、受水穀之數也、甲乙經、腸胃凡長六丈四寸四分、從口至腸而數之、此經從胃至腸而數之、故短也、肝、重四斤四兩、左三葉、右四葉、凡七葉、主藏魂、肝者、幹也、於五行爲木、其體狀有枝幹也、肝之神七人、老子名曰明堂宮蘭臺府、從官三千六百人、又云、肝神六、童子三、女子三、心、重十二兩、中有七孔三毛、盛精汁三合、主藏神、心、纖也、所識纖微也、其神九、太尉公名曰絳宮太始南極老人、員光之身、其從官三千六百人、又爲帝王、身之王也、脾、重二斤三兩、扁廣三寸、長五寸、有散膏半斤、主裹血、溫五藏、主藏意、脾、裨也、在助氣、主化穀、其神云光玉女子母、其從官三千六百人也、【考證】沈家本曰、今本釋名、作裨助胃氣、肺、重三斤三兩、六葉兩耳、凡八葉、主藏魄、肺、孛也、言其氣孛、故短也、鬱也、其神八人、太和君名曰玉堂宮尚書府、其從官三千六百人、又云、肺神十四、童子七、女子七也、【考證】沈家本曰、故短也三字衍、釋名無、腎、有兩枚、重一斤一兩、主藏志、腎、引也、腎、屬水、主引水氣灌注諸脈也、其神六人、司徒、司空、司命、司錄、司隸校尉、尉卿也、【考證】沈家本曰、今本釋名無腎引也十四字、膽、在肝之短葉閒、重三兩三銖、盛精汁三合、膽、敢也、言人有膽氣而能果敢也、其神五人、太一道君居紫房宮中、其從官三千六百人也、【考證】沈家本曰、今本釋名無膽敢也十三字、胃、重二斤十四兩、紆曲屈申、長二尺六寸、大一尺五寸、徑五寸、盛穀二斗、水一斗五升、胃、圍也、言圍受食物也、其神十二人、五元之氣、諫議大夫也、小腸、重二斤十四兩、長三丈二尺、廣二寸半、徑八分分之少半、迴積十六曲、盛穀二斗四升、水六升三合合之大半、腸、暢也、言通暢胃氣、滓去穢也、其神二人、元梁使者也、【考證】沈家本曰、釋名、滓去穢、作去滓穢、大腸、重三斤十二兩、長二丈一尺、廣四寸、徑一寸半、當齊、右迴十六曲、盛穀一斗、水七升半、大腸、卽迴腸也、其迴曲因以名之、其神二人、元梁使者也、膀胱、重九兩二銖、縱廣九寸、盛溺九升九合、膀、橫也、胱、廣也、體短而又名胞、胞、虛空也、主以虛承水液也、【考證】沈家本曰、釋名、胞、鞄也、空虛之言也、主以虛承水汋也、或曰膀胱、謂其體短而橫

齒也、口、廣二寸半、脣至齒、長九分、齒已後至會厭、深三寸半、大容五合也、舌、重十兩、長七寸、廣二寸半、舌、泄也、言可舒泄言語也、【考證】釋名、作舒泄所當言也、咽門、重十兩、廣二寸半、至胃、長一尺六寸、咽、嚥也、言咽物也、又謂之咽、主地氣、胃爲土、故云主地氣也、【考證】釋名、作咽所以咽物也、或曰、嬰在頸下纓理之中、靑徐謂之脰、物投其中、受而下之也、又謂之嗌、氣取流通阨要之處、喉嚨、重十二兩、廣二寸、長一尺二寸、九節、喉嚨、空虛也、言其中空虛、可以通氣息、爲心肺之系也、呼吸之道路、喉嚨與咽並行、其實兩異、而人多惑也、肛門、重十二兩、大八寸、徑二寸太半、長二尺八寸、受穀九升三合八分合之一、肛、釭也、言其處似車釭、故曰釭門、卽廣腸之門、又名䐈也、【考證】沈家本曰、以上諸項、與釋名多同、疑皆本之釋名、或謂此皆甲乙經之文、今未得甲乙經、無以證之、手三陽之脈、從手至頭、長五尺、五六合三丈、一手有三陽、兩手爲六陽、故云五六三丈、手三陰之脈、從手至胸中、長三尺五寸、三六一丈八尺、五六三尺、合二丈一尺、兩手各有三陰、合爲六陰、故云三六一丈八尺也、足三陽之脈、從足至頭、長八尺、六八四丈八尺、兩足各有三陽、故曰六八四丈八尺也、足三陰之脈、從足至胸、長六尺五寸、六六三丈六尺、五六三尺、合三丈九尺、兩足各有三陰、故云六六三丈六尺也、按足太陰少陰、皆至舌下、厥陰至於項上、今言至胸中者、蓋據其相接之次者也、人兩足蹻脈、從足至目、長七尺五寸、二七一丈四尺、二五一尺、合一丈五尺、督脈任脈各長四尺五寸、二四八尺、二五一尺、合九尺、凡脈長一十六丈二尺也、此所謂十二經脈長短之數也、督脈、起於胲頭、上於面、至口齒縫、計此不止長四尺五寸、當取其上極於風府而言之也、手足各十二脈、爲二十四、并督任兩蹻四脈、都合二十八脈、以應二十八宿、凡長十六丈二尺、營衛行周此數、則一度也、寸口脈之大會、手太陰之動也、太陰者、脈之會也、肺諸藏主、蓋主通陰陽、故十二經皆手太陰、所以決吉凶者、十二經有病、皆寸口、知其何經之動浮沈滑濇逆順、知其死生之兆也、人一呼、脈行三寸、一吸、脈行三寸、呼吸定息、脈行六寸、十二經十五絡二十七氣、皆候於寸口、隨呼吸上下、呼脈上行三寸、吸脈下行三寸、二十七氣皆逐上下行、無有息時、人一日一夜、凡一萬三千五百息、脈行五十周於身、漏水下百刻、營衛行陽二十五度、行陰二十五度、度爲一周也、故五度復會於手太陰、寸口者、五藏六

府之所終始、故法於寸口也、人一息行六寸、百息六丈、千息六十丈、一萬三千五百息、合爲八百一十丈、陽脈出行二十五度、陰脈入行二十五度、陰陽出入行二十五度、陰陽呼吸覆行周畢度數也、脈行身畢、卽水下百刻亦畢、謂一日一夜刻盡、天明日出東方、脈還得寸口、當更始也、故寸口者、五藏六府之所終始也、肺氣通於鼻、鼻和則知臭香矣、肝氣通於目、目和則知白黑矣、脾氣通於口、口和則知穀味矣、心氣通於舌、舌和則知五味矣、腎氣通於耳、耳和則聞五音矣、五藏不和、則九竅不通、六府不和、則留爲癰也、

太史公曰。女無美惡、居宮見妒。士無賢不肖、入朝見疑。【考證】此鄒陽上書中語、本傳疑作嫉、故扁鵲以其伎見殃、倉公乃匿迹自隱而當刑。緹縈通尺牘、父得以後寧。故老子曰。美好者、不祥之器。【考證】老子三十一章、夫佳兵者不祥之器、唐傳奕本、佳作美、皆與史公所引異、豈謂扁鵲等邪。若倉公者可謂近之矣。

【索隱】述贊、上池祕術、長桑所傳、始候趙簡、知夢鈞天、言占虢嗣、尸蹷起焉、倉公贖罪、陽慶推賢、效驗多狀、式具于篇、

扁鵲倉公列傳第四十五

史記一百五

史記會注考證卷一百六

漢　太史令　司馬遷　撰

宋　中郎外兵曹參軍　裴駰　集解

唐　國子博士弘文館學士　司馬貞　索隱

唐　諸王侍讀率府長史　張守節　正義

日本　出雲　瀧川資言　考證

吳王濞列傳第四十六　史記一百六

【索隱】五宗之國、俱享大邦、雖復逆亂萌心、取汙朝典、豈可謂非靑社之國哉、然淮南猶有後不絕、衡山亦其罪差輕、比三卿之分晉、方暴秦之滅周、可不憂乎、安得黜其王

國、不止上同五宗三王、列於系家、其吳濞請與楚元王同爲一篇、淮南宜與齊悼惠王爲一篇、【考證】史公自序云、維仲之省、厥濞王吳、遭漢初定、以塡撫江淮之間、作吳王濞列傳第四十六、陳仁錫曰、吳濞淮南衡山、皆王國也、而不以世家稱、何耶、太史公序傳于吳則曰塡撫江淮之間、於淮南衡山則曰塡江淮之南、乃三國卒以叛逆誅、所謂塡撫者安在、其不得爲世家、宜矣、曾國藩曰、先敍太子爭博、鼂錯削地、詳致反之由、次敍吳誂膠西、膠西約五國、詳約從之狀、次敍下令國中、遺書諸侯、詳聲勢之大、次敍鼂錯紿誅、袁盎出使、詳息兵之策、次敍條侯出師、鄧都尉獻謀、詳破吳之計、次敍田祿伯奇道、桓將軍疾西、詳專智之失、六者皆詳矣、獨於吳軍之敗、不詳敍、但於周丘戰勝之時、聞吳王敗走而已、此亦可悟爲文詳略之法、

吳王濞者、高帝兄劉仲之子也。【集解】徐廣曰、仲名喜、【索隱】案濞、澎濞字也、音披位反、高帝已定天下、七年、立劉仲爲代王。【考證】梁玉繩曰、七年、乃六年之誤、說在高紀、而匈奴攻代。劉仲不能堅守。弃國亡、閒行走雒陽、自歸天子。【索隱】謂獨行從他道逃走、閒、音紀閑反、天子爲骨肉故、不忍致法。廢以爲郃陽侯。【索隱】地理志、馮翊縣名、在郃水之陽、音合、【正義】郃陽故城、在同州河西縣南三十里、高帝十一年秋、淮南王英布反。東幷

荊地、劫其國兵、西度淮擊楚。高帝自將往誅之。劉仲子沛侯濞、年二十、有氣力。以騎將從、破布軍蘄西會甀。布走。【索隱】會甀、地名也、在蘄縣之西、會、音古兌反、甀、音錘、荊王劉賈、爲布所殺、無後。上患吳・會稽輕悍、無壯王以塡之。【索隱】塡、音鎭、【考證】梁玉繩曰、案漢順帝永建四年分會稽爲吳郡、顧氏炎武據之、故日知錄三十一引錢康功云、吳王濞傳、上患吳會稽輕悍、今本史漢、竝作吳會稽、不知順帝時始分二郡、漢書安得言吳會稽、當是錢所見本未誤、後人妄增之、因歷舉吳會二字作證、余竊以爲不然、漢書高紀六年、以故東陽郡鄣郡吳郡五十三縣立劉賈爲荊王、又功臣表、傳陽侯周聚、以定吳郡封、灌嬰傳、破吳郡長吳下、遂定吳豫章會稽郡、是會稽之外有吳郡矣、蓋楚漢之際、諸侯分王、其地、各自立郡、非秦之舊、漢初猶仍其故名稱之、劉攽于高紀亦據順帝分吳之事、以紀文爲不可曉、亦何不可曉之有、諸子少。乃立濞於沛爲吳王、王三郡五十三城。【集解】徐廣曰、十二年十月辛丑、【考證】宋祁曰、故東陽郡、鄣郡、吳郡、卽賈舊封、梁玉繩曰、高帝封濞以劉賈故地、實東陽、鄣、吳、會稽四郡、高紀、濞傳、言三郡者、以吳包會稽也、五行志及伍被傳言四郡者、兼會稽而實數之也、已拜受印。高帝召濞相之、謂曰。若狀有反相。心獨悔。業已拜。因拊其背告曰。

漢後五十年、東南有亂者。豈若邪。然天下同姓爲一家也。愼無反。濞頓首曰。不敢。【集解】徐廣曰、漢元年至景帝三年反、五十有三年、駰案應劭曰、克期五十、占者所知、若秦始皇東巡以厭氣、後劉項起東南、疑當如此耳、如淳曰、度其貯積、足用爲難、又吳楚世不賓服、【索隱】案應氏之意、以後五十年東南有亂、本是占氣者所說、高祖素聞此說、自以前難未弭、恐後災更生、故說此言、更以戒濞、如淳之說、亦合事理、拊、音撫、【考證】洪亮吉曰、五十年者約略之詞、自是年至景帝三年濞反、實四十二年、徐廣乃自漢元年數之、以足五十之數、非也、愚按此後人附會之說、不必問年數、漢書高紀濞傳同、姓下無爲字、會孝惠・高后時、天下初定、郡國諸侯、各務自拊循其民。吳有豫章郡銅山。【集解】韋昭曰、今故鄣、【索隱】案鄣郡後改曰故鄣、或稱豫章爲衍字也、【正義】括地志云、秦兼天下以爲鄣郡、今湖州長城縣西南八十里故章城是也、銅山、今宣州及潤州句容縣有、竝屬章也、【考證】梁玉繩曰、案索隱謂豫爲衍字、韋昭漢書注云、有豫字誤、但言鄣郡、蓋是已、章爲鄣字之省、下文削吳之豫章郡、削吳會稽豫章書至、竝鄣郡之譌、灌嬰傳、定吳豫章會稽郡、亦當作鄣也、地理志曰、吳東有章山之銅、又曰丹陽故鄣郡、有銅官、若豫章爲淮南屬王封域、且無銅山也、沈欽韓曰、寰宇記、大銅山在揚州江都縣西七十二里、吳王濞卽山鑄錢處、濞則招致天下亡命者、益鑄錢、煑海水爲鹽。以故無賦、國用富饒。【集解】如淳曰、鑄錢

煑鹽、收其利以足國用、故無賦於民、正義 按既盜鑄錢、何以收其利足國之用、吳國之民、又何得無賦、如說非也、言吳國山既出銅、民多盜鑄錢、及煑海水為鹽、以山海之利、不賦之、故言無賦也、其民無賦、國用乃富饒也、考證 正義本、楓三本、益作盜、與漢書合、王念孫曰、益鑄錢、當依正義作盜鑄錢、文選注引此、益作盜、中井積德曰、鹽銅之利、國用既給有餘、不須收口賦於平民、是可知役於鹽銅者、皆亡命無賴者、非平民也、吳王所以招致、孝文時、吳太子入見、得侍皇太子飲博。索隱 姚氏案楚漢春秋云、吳太子名賢、字德明、吳太子師傅皆楚人、輕悍。又素驕。博爭道不恭。皇太子引博局、提吳太子殺之。索隱 提、音啼、又音底、又音弟、考證 錢大昕曰、吳之師傅、當是吳人、而史稱楚者、戰國時吳越地皆併於楚、漢初承項羽之後、吳會稽皆羽故地、故上文云、上患吳會稽輕悍、此云楚人輕悍、吳楚異名、其實一也、朱買臣吳人、而史稱楚士、與此傳同、顏師古曰、提、擲也、於是遣其喪歸葬。至吳。吳王慍曰。天下同宗。死長安、卽葬長安。何必來葬為。正義 慍、於問反、怨也、考證 顏師古曰、慍、怒也、天下一家、猶言同姓共為一家、愚按是承上文高帝言、復遣喪、之長安葬。吳王由此稍失藩臣之禮、稱病不朝。京師知其以子故稱病不朝、驗問、實不病。諸吳

使來、輒繫責治之。吳王恐、為謀滋甚。及後使人為秋請、集解 應劭曰、冬當斷獄、秋先請擇其輕重也、孟康曰、律、春曰朝、秋曰請、如古諸侯朝聘也、如淳曰、濞不得行、使人代己致請禮也、索隱 音淨、孟說是也、應劭所云、斷獄先請、不知何憑、如淳云、代己致請、亦是臆說、且文云、使人為秋請、謂使人為此秋請之禮也、考證 中井積德曰、親行遣使、皆謂請也、但據文義、遣使為本義、如奉請則親行也、宜逐文解焉、上復責問吳使者。使者對曰。王實不病。漢繫治使者數輩。以故遂稱病。且夫察見淵中魚不祥。集解 張晏曰、喻人君不當見盡下之私、索隱 案此語見韓子及文子、韋昭曰、知臣下陰私、使憂患生變為不祥、故當赦宥使自新也、考證 沈欽韓曰、列子說符、趙文子曰、周諺有言、察見淵中魚者不祥、智料隱匿者有殃、韓非子說林上、隰子曰、古者有諺曰、知淵中之魚者不祥、今王始詐病、及覺見責急、愈益閉、恐上誅之、計乃無聊。唯上弃之、而與更始。考證 王先謙曰、閉、閉匿不來往、愚按、無聊、愁悶之義、顏師古曰、更始、赦其已往之事、陳子龍曰、使者言、黃老術也、與文帝所見略同、故其說得行、於是天子乃赦吳使者歸之、而賜吳王几杖、老不朝。吳得釋其罪、謀亦益解。考證 楓、三本、乃作皆、無罪字、與漢書合、然其居國以

銅鹽故、百姓無賦、索隱 按吳國有鑄錢煑鹽之利、故百姓不別徭賦也、考證 中井積德曰、賦、謂口賦錢、與賦稅徭役沒干涉、注添一徭字、便舛、卒踐更、輒與平賈。集解 漢書音義曰、以當為更卒、出錢三百文、謂之過更、自行為卒、謂之踐更、吳王欲得民心、為卒雇者、其庸隨時月與平賈、如漢桓靈時、有所興作、以少府錢借民比也、索隱 案漢律、卒更有三、踐更、居更、過更也、此言踐更、輒與平賈者、謂為踐更、合自出錢、今王欲得人心、乃與平賈、官讎之也、正義 踐更、若今唱更行更者也、言民自著卒、更有三品、有卒更、有踐更、有過更、古者正卒無常人、皆當迭為之、是為卒更、貧者欲雇更錢者、次直者出錢雇之、月二千、是為踐更、天下人皆直戍邊三月、亦各為更、律所謂繇戍也、雖丞相子、亦在戍邊之調、不可人人自行三月戍、又行者出錢三百入官、官給戍者、是為過更、此漢初因秦法而行之、後改為讁、乃戍邊一歲、考證 踐更、見史郭解傳、平賈、見漢書溝洫志、可併案、宋祁曰、卒踐更輒與平賈、謂卒踐更皆得庸直也、溝洫志蘇林注云、平賈、以錢取人為卒、顧其時雇之平賈、中井積德曰、平賈、猶時價也、集解三百文者、徭戍三日之雇錢耳、難以擬踐更之價、蓋本無定數、隨時而盈縮、故云平賈也、是平常官府之厮役、已邊戍之法、非此之義、愚按漢書、與作予、給與之與、歲時存問茂材、賞賜閭里。考證 顏師古曰、茂、美也、茂材者、有美材之人也、佗郡國吏、欲來捕亡人者、訟共禁弗予。集解 徐廣曰、訟、音松、駰按如淳曰、訟、公也、正義 訟、音容、言其相容禁止不與也、考證 漢書、訟作頌、愚按如淳讀頌為公、公共二字連讀、正義讀為容、蓋以為保容、二義未知孰是、如此者四十餘

年。以故能使其衆。正義 言四十餘年者、太史公盡言吳王一代行事也、漢書、作三十餘年、而斑固見其語在孝文之代、乃減十年、是斑固不曉其理也、考證 梁玉繩曰、當依漢書三十餘年為是、下文濞亦自言三十餘年也、鼂錯為太子家令、得幸太子。數從容言吳過可削。數上書說孝文帝。文帝寬、不忍罰。以此吳日益橫。考證 楓、三本、漢書、吳下日上、有王字、及孝景帝卽位、錯為御史大夫。考證 楓、三本、位下有鼂字、說上曰。昔高帝初定天下、昆弟少、諸子弱。大封同姓、故王孼子悼惠王、王齊七十餘城。考證 顏師古曰、孼、亦庶也、李笠曰、孼上衍王字、當依漢書刪、庶弟元王、王楚四十餘城。考證 楚元王傳、高紀、俱云、王三十六城、兄子濞、王吳五十餘城。封三庶孼、分天下半。今吳王前有太子之郄。詐稱病不朝。於古法當誅。文帝弗忍。因賜几杖。德至厚。當改過自新。乃益驕溢、卽山鑄錢、煑海水為鹽、誘天下亡人、謀作亂。索隱 案卽山、山名、又卽

者、就也、【考證】後說是、漢書、海下無水字、今削之亦反、不削之亦反。削之、其反亟、禍小。不削、反遲、禍大。三年冬、楚王朝。鼂錯因言、楚王戊、往年爲薄太后服、私姦服舍。請誅之。【集解】服虔曰、服舍在喪次、而私姦宮中也、【考證】集解舍字衍、顏師古曰、言於服舍爲姦、非宮中也、詔赦、罰削東海郡。因削吳之豫章郡會稽郡。及前二年趙王有罪。削其河閒郡。【索隱】案漢書、作常山郡也、【考證】梁玉繩曰、元王世家及漢書濞傳、皆作常山郡、河閒時爲景帝子德封國、膠西王卬以賣爵有姦、削其六縣。漢廷臣方議削吳。【考證】趙翼曰、是時廷臣所議削者、卽豫章會稽也、故下文云、及削豫章會稽書至、吳王遂反、今先云削吳之豫章會稽、下又云議削吳、是又於二郡外再議削矣、則下文所謂及削豫章會稽書至者、又何說耶、中井積德曰、漢廷方議句、是擧初之語、與上文削吳句自無礙、馮班曰、當時處心積慮而反者、只一吳耳、諸侯王無與也、宜先施恩慰安之、使人人自保、則吳人無黨、欲反不能獨擧、吳乃可滅、吳亡、則七國在掌握矣、先削楚趙膠西何邪、是動天下之兵也、吳王濞恐削地無已、因以此發謀、欲擧事。念諸侯無足與計謀者。聞膠西王勇好

氣喜兵、諸齊皆憚畏、【集解】韋昭曰、故爲齊、分爲國者、膠東濟北之屬、於是乃使中大夫應高誂膠西王。【索隱】誂、音徒鳥反、【考證】楓、三本、誂作挑、說文、誂相呼誘也、無文書、口報曰。吳王不肖、有宿夕之憂。不敢自外、使喩其驩心。【考證】夕、昔通、宿昔、舊來之意、漢書作夙夜、義異、驩心、言無他心也、漢書作使使臣諭其愚心、王曰。何以敎之。高曰。今者主上興於姦、飾於邪臣、好小善、聽讒賊、【正義】飾於邪臣、言被邪臣裝飾、【考證】岡白駒曰、言以邪臣所矯飾爲眞也、漢書興於姦以下十字、改作任用邪臣、擅變更律令、侵奪諸侯之地、徵求滋多、誅罰良善、日以益甚。里語有之、舐糠及米。【索隱】案言舐糠盡則至米、謂削土盡則至滅國也、【考證】楓、三本、漢書、無里字、舐糠及米、喩自外及內也、吳與膠西、知名諸侯也。一時見察。恐不得安肆矣。【正義】肆、放縱也、吳王身有內病、不能朝請二十餘年。【考證】漢書、病作疾、內疾、謂在身中不顯於外、楓、三本、無請字、嘗患見疑無以自白。【考證】楓、三本、漢書、嘗作常、今脅肩累足、猶懼不見釋。

【正義】脅、斂也、竦體也、累、重足也、【考證】顏師古曰、脅肩累足、言懼耳、竊聞大王以爵事有適。【正義】張革反、【考證】適、責也、漢書作過、所聞諸侯、削地罪不至此。此恐不得削地而已。【考證】得、特通、漢書作止、王曰。然。有之。子將柰何。高曰。同惡相助。同好相畱。同情相成。同欲相趨。同利相死。【考證】惡助、好畱、情成、欲趨、利死、同韻、趨讀若促、六韜武韜發啓篇、同病相救、同情相成、同惡相助、同好相趨、文子自然篇、同利者相死、同情者相成、同行者相助、淮南子兵略訓、同利相死、同情相成、同欲相助、蓋古有是語、應高引之也、漢書、相成作相求、恐非、今吳王自以爲與大王同憂。願因時循理、弃軀以除患害於天下、億亦可乎。【考證】漢書、億作意、億、意通用、度也、不必讀爲抑、王瞿然駭曰。寡人何敢如是。今主上雖急、固有死耳。安得不戴。【索隱】劉氏、瞿、音九具反、又說文云、瞿、遠視貌、音九縛反、【正義】瞿、音句、【考證】瞿然、驚張目也、急、急迫也、漢書、戴作事、意同、高曰。御史大夫鼂錯、熒惑天子、侵奪諸侯、蔽忠塞賢、朝廷疾怨、諸侯皆有倍畔之意。人事極矣。彗星

出、蝗蟲數起。此萬世一時、而愁勞聖人之所以起也。【索隱】案所謂殷憂以啓明聖也、【正義】孔文祥曰、按愁勞則有聖人也、【考證】索隱是、故吳王欲內以鼂錯爲討、外隨大王後車、彷徉天下。【正義】彷徉、猶依倚也、漢書作方洋、師古曰、方洋、猶翺翔也、所鄉者降、所指者下、天下莫敢不服。大王誠幸而許之一言、則吳王率楚王、略函谷關、守滎陽·敖倉之粟、距漢兵、治次舍、須大王。大王有幸而臨之、則天下可幷。兩主分割、不亦可乎。【考證】顏師古曰、次舍、息止之處也、須、待也、王念孫曰、有讀爲又、王曰。善。高歸報吳王。吳王猶恐其不與、乃身自爲使、使於膠西、面結之。【考證】漢書、與作果、結作約、楓、三本、結下有約字、膠西羣臣或聞王謀、諫曰。承一帝、至樂也。今大王與吳西鄉、第令事成、兩主分爭、患乃始結。【考證】漢書、第令作假令、劉伯莊曰、第、猶假、諸侯之地、不足爲漢郡什二。而爲畔

逆、以憂太后、非長策也。【集解】文穎曰、王之太后也、王弗聽。遂發使、約齊・菑川・膠東・濟南・濟北。皆許諾。【考證】漢書、無濟北二字、趙翼曰、史記謂膠西來約同反時、齊濟北皆許諾、從其實也、漢書獨無濟北、則以其未成反、而遂不列於約反之內、則齊王不惟不反、且有堅守之功、何以列於從反之約乎、漢書非、而曰。城陽景王有義。攻諸呂勿與。事定分之耳。【集解】徐廣曰、爾時城陽恭王喜、景王之子、【考證】慶長本標記引陸氏云、劉章謀諸呂、於國有恩義、勿令與事、天下平定、與分其城也、諸侯既新削罰、振恐、多怨鼂錯。及削吳會稽・豫章郡書至、則吳王先起兵。膠西正月丙午、誅漢吏二千石以下、膠東・菑川・濟南・楚・趙亦然。遂發兵西。【正義】言膠西同吳王先起兵、【考證】梁玉繩曰、漢傳刪去正月丙午四字、而移膠西于膠東之上、當是也、不然則似膠西誅漢吏矣、但下文言正月甲子、吳初起兵于廣陵、則正月不得丙午、倪本作戊午、是葢甲子前六日也、張文虎曰、孝景本紀、三年正月乙巳赦天下、與此先後一日、齊王後悔、飲藥自殺畔約。【考證】此時齊但城守、聞欒布破三國兵、後欲移兵伐之、乃懼而自殺、漢書改作齊王後悔、背約城守、是、沈家本曰、飲藥自殺四字衍、濟北王城壞未完。其郎中

令劫守其王、不得發兵。膠西爲渠率。膠東・菑川・濟南共攻圍臨菑。【考證】率、帥同、下添與字看、漢書作膠西王膠東王爲渠率、趙翼曰、膠西聽吳王之謀、使人約諸王反、則主兵者膠西也、漢書增膠東爲主謀、非也、中井積德曰、下文云、三王圍齊、而獨不數濟南、豈濟南不會圍乎、趙王遂亦反、陰使匈奴與連兵。七國之發也、吳王悉其士卒、下令國中曰。寡人年六十二。身自將。【集解】徐廣曰、吳王封吳四十二年矣、少子年十四。亦爲士卒先。諸年上與寡人比、下與少子等者、皆發。發二十餘萬人。南使閩越・東越。東越亦發兵從。孝景帝三年正月甲子、初起兵於廣陵。【集解】徐廣曰、荊王劉賈都吳、吳王移廣陵也、【考證】張文虎曰、顓頊術、癸未朔、殷術、甲申朔、無甲子、景紀、書二月壬子晦、日有蝕之、年前無閏、不知何以致誤、然二月壬子晦、則正月有戊午甲子、而無乙巳丙午矣、楓三本三年上有前字、西涉淮、因并楚兵。發使遺諸侯書曰。吳王劉濞敬問膠西王・膠東王・菑川王・濟南王・趙王・楚王・淮南王・衡山王・廬江

王。故長沙王子。【集解】徐廣曰、吳芮之玄孫靖王著、以文帝七年卒、無嗣國除、駰案如淳曰、吳芮後四世、無子國除、庶子二人、爲列侯、不得嗣王、志將不滿、故誘與之反也、幸教寡人以漢有賊臣、無功天下、侵奪諸侯地、使吏劾繫訊治、以僇辱之爲故、【集解】漢書音義曰、故、事也、【正義】按專以僇辱諸侯爲事、【考證】寡人下以字管到下文欲舉兵誅之六十九字、承以謹聞教三字、漢書賊臣下有錯字、不以諸侯人君禮遇劉氏骨肉、絕先帝功臣、進任姦宄、詿亂天下、欲危社稷、【正義】詿、音挂、陛下多病志失、不能省察、欲舉兵誅之。【考證】失、佚通、漢書作逸、謹聞教。敝國雖狹、地方三千里、人雖少、精兵可具五十萬。【考證】楓、三本、漢書、人下有民字、寡人素事南越三十餘年。其王君、皆不辭分其卒以隨寡人。又可得三十餘萬。【考證】楓、三本、王下有諸字、其下有士字、顏師古曰、諸君謂其酋豪、寡人雖不肖、願以身從諸王。越直長沙者、【集解】直、音值、【索隱】服虔云、直、音值、謂其境相接也、【考證】漢書、越上有南字、直、當也、因王子定長

沙以北、【集解】如淳曰、南越直長沙者、因王子定也、【索隱】案謂南越之地、與長沙地相接値者、因長沙王子以定長沙以北也、西走蜀・漢中、【集解】如淳曰、告東越使定之、【正義】走、音奏、向也、王子、長沙王子也、南越之地對長沙之南者、其民因王子卒而鎭定長沙以北、西向蜀及漢中、咸委王子定矣、【考證】走、趨也、下文走長安之走同、告越・楚王・淮南三王、與寡人西面、【正義】越、東越也、又告東越楚淮南三王、與吳王共西面擊之、三王、謂淮南衡山廬江也、齊諸王與趙王、定河閒・河內、或入臨晉關、或與寡人會雒陽。【正義】臨晉關、今蒲津關、【考證】齊諸王、菑川・膠東・濟南等諸王、燕王・趙王固與胡王有約。燕王北定代・雲中、摶胡衆入蕭關、【索隱】摶、音專、專、謂專統領胡兵也、【正義】蕭關、今名隴山關、在原州平涼縣界、【考證】漢書摶作轉、亦當讀爲專、走長安、匡正天子、以安高廟。願王勉之。【考證】漢書、天子作天下、爲是、楚元王子、淮南三王、或不沐洗十餘年、怨入骨髓。欲一有所出之久矣。【正義】出、謂泄出其怨意、【考證】顏師古曰、不沐洗十餘年、言心有所懷、志不在洗沐也、寡人未得諸王之意。未敢聽。今諸王苟能存亡繼絕、振弱

伐暴、以安劉氏社稷之所願也。敝國雖貧、寡人節衣食之用、積金錢、脩兵革、聚穀食、夜以繼日、三十餘年矣。凡爲此願。諸王勉用之。【考證】漢書凡下有皆字、顏師古曰、爲此、謂欲反也、愚按漢書刪用字、非是、卽下文日夜用之之用、能斬捕大將者、賜金五千斤、封萬戶、列將、三千斤、封五千戶、裨將、二千斤、封二千戶、二千石、千斤、封千戶、千石、五百斤、封五百戶、皆爲列侯。其以軍若城邑降者、卒萬人、邑萬戶、如得大將。【考證】顏師古曰、以卒萬人或邑萬戶來降附者、其封賞則與得大將同、下皆類此、人戶五千、如得列將、人戶三千、如得裨將、人戶千、如得二千石。其小吏皆以差次受爵金。佗封賜皆倍常法。【集解】服虔曰、封賜倍漢之常法、【考證】漢書、常作軍、誤、其有故爵邑者、更益勿因。【考證】顏師古曰、於舊爵之外、特更與之、願諸王明以令士大夫。弗敢欺也。寡人金錢在

天下者、往往而有、非必取於吳。【考證】顏師古曰、言處處郡國皆有之、諸王日夜用之、弗能盡。有當賜者、告寡人。寡人且往遺之。敬以聞。七國反書聞天子。天子乃遣太尉條侯周亞夫、將三十六將軍往擊吳·楚、遣曲周侯酈寄擊趙、將軍欒布擊齊、【考證】錢大昕曰、七國起兵、齊固未嘗反也、然濟南菑川膠東膠西、皆故齊地、史言擊齊、擊齊地之反者耳、故功臣表亦稱布以將軍擊齊有功、大將軍竇嬰屯滎陽、監齊·趙兵。【考證】徐孚遠曰、七國之反、竇嬰不著戰功、然隔絕齊趙、使其兵不得西嚮、則其力也、吳·楚反書聞。兵未發、竇嬰未行、言故吳相袁盎。盎時家居。詔召入見。上方與鼂錯調兵笇軍食。【考證】笇、筭同、上問袁盎曰。君嘗爲吳相。知吳臣田祿伯爲人乎。【考證】田祿伯、爲吳大將軍、詳下文、今吳·楚反。於公何如。對曰。不足憂也。今破矣。上曰。吳王卽山鑄錢、煮海水爲鹽、誘天下豪桀、白頭

舉事若此。其計不百全、豈發乎。何以言其無能爲也。【考證】漢書鼂錯傳、刪若字、此字屬下讀、袁盎對曰。吳有銅鹽利則有之、安得豪桀而誘之。【考證】楓、三本、吳字下有王字、下同、漢書鼂錯傳吳下刪有字、鹽下有之字、誠令吳得豪桀、亦且輔王爲義、不反矣。吳所誘、皆無賴子弟亡命、鑄錢姦人。故相率以反。鼂錯曰。袁盎策之善。上問曰。計安出。盎對曰。願屏左右。上屏人、獨錯在。盎曰。臣所言、人臣不得知也。乃屏錯。錯趨避東廂。恨甚。【考證】沈欽韓曰、公食大夫禮注、箱、東夾之前、俟事之處、箱、廂通、上卒問盎。盎對曰。吳·楚相遺書曰。高帝王子弟、各有分地。今賊臣鼂錯、擅適過諸侯、削奪之地。【索隱】適、音直革反、又音宅、【考證】適讀曰讁、故以反爲名、西共誅鼂錯、復故地而罷。方今計、獨斬鼂錯、發使赦吳·楚七國、復其故削地、則兵可無

血刃而俱罷。【考證】漢書吳王濞鼂錯傳、故下無削字、此衍、於是上嘿然。良久曰。顧誠何如。吾不愛一人以謝天下。【考證】岡白駒曰、一人與天下對言、盎曰。臣愚計無出此。願上孰計之。【考證】無出此、言無他計也、漢書刪無字、義異、楓、三本、願作唯、與漢書同、乃拜盎爲太常。【正義】令盎爲太常、以示奉宗廟之指意、【考證】胡三省曰、景帝中六年、始改奉常爲太常、盎猶爲奉常也、吳王弟子德侯爲宗正。【集解】徐廣曰、名通、其父名廣、駰案漢書曰、吳王弟子德侯廣爲宗正也、盎裝治行。後十餘日、【考證】漢書鼂錯傳、十餘日下、補丞相青翟等劾奏鼂錯一事、上使中尉召錯、紿載行東市。錯衣朝衣斬東市。【考證】漢書鼂錯傳、行下無東字、顏師古曰、誑云乘車案行市中也、則遣袁盎奉宗廟、宗正輔親戚、使告吳、如盎策。【正義】輔親戚、以親戚之意、輔漢訓諭、【考證】顏師古曰、奉宗廟、奉宗廟之指意也、至吳。吳·楚兵已攻梁壁矣。宗正以親故先入見、諭吳王、使拜受詔。吳王聞袁盎來、亦知其欲說己、笑而應曰。我已爲東帝。尙何誰拜。不肯見

盎。而留之軍中、欲劫使將。盎不肯。使人圍守、且殺之。盎得夜出、步亡去走梁軍。遂歸報。條侯將乘六乘傳、會兵滎陽。【正義】乘傳、上音乘、下竹戀反、【考證】上文、大將軍竇嬰屯滎陽、周壽昌曰、漢制非有急務、不能乘馳傳、恐驛置煩擾也、惟昌邑王入嗣大位、乘七乘傳、外此乘六乘傳者、惟文帝由代入即帝位、及條侯此役耳、司馬相如使巴蜀、乘四乘傳、 至雒陽見劇孟、喜曰。七國反。吾乘傳至此。不自意全。【正義】言不自意洛陽得全、及見劇孟、師古曰、不自意全、言不自意得安全至雒陽也、【考證】劇孟、洛陽人、見游俠傳、顏中井積德曰、全以一身言、非洛陽、 又以爲諸侯已得劇孟。劇孟今無動。吾據滎陽。滎陽以東無足憂者。【考證】通鑑考異曰、孟、一游俠之士耳、亞夫得之、何足爲輕重、蓋其徒欲爲孟重名、妄撰此言、不足信也、愚按、劇孟夙雄於鄉曲、亞夫喜其不爲諸侯所得、是假以鼓舞士氣耳、所以重劇孟、即所以輕諸侯、亦英雄籠絡之術、 至淮陽、問父絳侯故客鄧都尉曰。策安出。【考證】梁玉繩曰、淮陽、疑滎陽之誤、 客曰。吳兵銳甚。難與爭鋒。楚兵輕。不能久。【正義】輕、遣正反、 方今爲將軍計、莫若引兵東北、壁昌邑、以

梁委吳。吳必盡銳攻之。將軍深溝高壘、使輕兵絕淮泗口、塞吳饟道。【考證】胡三省曰、泗水南入淮、故謂之淮泗口、 彼吳・梁相敝、而糧食竭。乃以全彊制其罷極、破吳必矣。條侯曰。善。從其策。【考證】趙翼云、據本傳、以梁委吳之計、亞夫至雒陽後遇鄧都尉始定也、而周勃世家則謂、亞夫初受命、即請於上曰、楚兵剽輕、難與爭鋒、願以梁委之、絕其食道、乃可制也、上許之、是此策亞夫未出長安、早定於胸中、不待至雒問鄧都尉矣、按吳楚盡銳攻梁、梁求救亞夫、亞夫不往、梁上書言天子、天子詔亞夫往救、亞夫仍守便宜、自非先奏帝、其敢抗詔旨乎、則以梁委吳之計、當是亞夫早定、而本傳所云問計於鄧都尉者、不免岐互也、 遂堅壁昌邑南、輕兵絕吳饟道。【正義】昌邑、在曹州城武縣東北四十二里也、【考證】今濟寧州金鄉縣西北四十里、輕兵、韓王信子弓高侯穨當也、見絳侯世家、 吳王之初發也、吳臣田祿伯爲大將軍。田祿伯曰。兵屯聚而西。無佗奇道、難以就功。臣願得五萬人、別循江・淮而上、收淮南・長沙、入武關、與大王會。此亦一奇也。吳王太子諫曰。王以反爲名。此兵難以藉人。藉人亦

且反王。柰何。【考證】藉、假也、 且擅兵而別、多佗利害、未可知也。徒自損耳。【集解】蘇林曰、祿伯、儻將兵降漢、自爲利己、於吳爲生患也、【考證】別、分兵也、別字句、中井積德曰、利害、主害而言、汎言分兵之多患害耳、 吳王即不許田祿伯。吳少將桓將軍說王曰。吳多步兵。步兵利險。漢多車騎。車騎利平地。願大王所過城邑不下、直弃去、疾西據雒陽武庫、食敖倉粟、阻山河之險、以令諸侯、雖毋入關、天下固已定矣。即大王徐行、留下城邑、漢軍車騎至、馳入梁・楚之郊、事敗矣。吳王問諸老將。老將曰。此少年推鋒之計可耳。安知大慮乎。【考證】楓、三本、計下無可字、漢書、推作椎、無之計二字、姚範曰、秦紀、推鋒爭先、 於是王不用桓將軍計。吳王專并將其兵、未度淮。諸賓客皆得爲將校尉候司馬。獨周丘不得用。【考證】胡三省曰、凡軍行、有大將裨將領軍、皆有部曲、部有校尉、曲有軍候軍司馬、又有假候假司馬、皆有副、其別營領

屬、爲別部司馬、 周丘者下邳人。亡命吳、酤酒無行。吳王濞薄之弗任。周丘上謁說王曰。臣以無能不得待罪行閒。臣非敢求有所將。願得王一漢節、必有以報王。王乃予之。周丘得節、夜馳入下邳。下邳時聞吳反、皆城守。至傳舍召令。令入戶。使從者以罪斬令、遂召昆弟所善豪吏告曰。吳反兵且至。至、屠下邳、不過食頃。今先下、家室必完、能者封侯矣。出乃相告。下邳皆下。周丘一夜得三萬人、使人報吳王、遂將其兵、北略城邑。比至城陽、兵十餘萬。破城陽中尉軍。【正義】地理志云、城陽國、故齊、漢文帝二年、別爲國、屬兗州、【考證】比至、二字一意、胡三省曰、城陽國都莒、其地南接下邳之境、又曰、王國有中尉、掌武職、 聞吳王敗走、自度無與共成功、即引兵歸下邳。未至。疽發背死。【考證】范增乞骸骨於項王、行未至彭城、疽發背死、與此相似、 二月中、吳

王兵既破敗走。於是天子制詔將軍曰。蓋聞爲善者、天報之以福。爲非者、天報之以殃。高皇帝親表功德、建立諸侯。【考證】漢書、表作垂、　幽王·悼惠王、絕無後。孝文皇帝哀憐加惠、王幽王子遂、悼惠王子卬等、令奉其先王宗廟、爲漢藩國。德配天地、明並日月。吳王濞倍德反義、誘受天下亡命辠人、亂天下幣、稱病不朝二十餘年。【集解】如淳曰、幣、錢也、以私錢淆亂天下錢也、　有司數請濞罪。孝文皇帝寬之、欲其改行爲善。今乃與楚王戊·趙王遂·膠西王卬·濟南王辟光·菑川王賢·膠東王雄渠、約從反、爲逆無道。【考證】漢書、反上有謀字、　起兵以危宗廟、賊殺大臣及漢使者、迫劫萬民、夭殺無罪、燒殘民家、掘其丘冢、甚爲暴虐。【考證】漢書、夭作伐、　今卬等又重逆無道、

燒宗廟、鹵御物、【集解】如淳曰、鹵、抄掠也、宗廟在郡縣之物、皆爲御物、【正義】顔師古曰、御物、宗廟之服器也、【考證】沈欽韓曰、此高帝廟在郡國者也、　朕甚痛之。朕素服避正殿。將軍其勸士大夫、擊反虜。擊反虜者、深入多殺爲功。斬首捕虜、比三百石以上者、皆殺之、無有所置。【正義】置、放釋也、　敢有議詔及不如詔者、皆要斬。初吳王之度淮、與楚王遂西敗棘壁、乘勝前。銳甚。【正義】棘壁、在宋州寧陵縣西南七十里、【考證】王先謙曰、敗、當作破、元王世家、正作攻梁破棘壁、棘壁、今歸德府寧陵縣西、　梁孝王恐、遣六將軍擊吳。又敗梁兩將。士卒皆還走梁。梁數使使報條侯求救。條侯不許。又使使惡條侯於上。上使人告條侯救梁。復守便宜不行。梁使韓安國及楚死事相弟張羽爲將軍、【集解】徐廣曰、楚相張尚、諫王而死、【正義】按羽、尚弟也、　乃得頗敗吳兵。吳兵欲西。梁城守堅。不敢西。卽走條侯軍、會下邑欲

戰。【集解】徐廣曰、屬梁國、【正義】宋州碭山縣、本漢下邑縣、【考證】今徐州府碭山縣東、　條侯壁不肯戰。吳糧絕、卒飢、數挑戰。遂夜犇條侯壁、驚東南。條侯使備西北。果從西北入。吳大敗、士卒多飢死。乃畔散。於是吳王乃與其麾下壯士數千人夜亡去、度江、走丹徒、保東越。【正義】東越傳云、獨東甌受漢之購、殺吳王、丹徒、潤州也、東甌、卽東越也、東越將兵從吳、在丹徒也、【考證】漢書、江作淮、誤、　東越兵可萬餘人。乃使人收聚亡卒。漢使人以利啗東越。【集解】韋昭曰、啗、音徒覽反、　東越卽紿吳王。吳王出勞軍。卽使人鏦殺吳王。【集解】孟康曰、方言、戟謂之鏦、【索隱】鏦、音七江反、謂以戈刺殺之、鄒氏又音舂、亦音從容之從、謂撞殺之也、　盛其頭、馳傳以聞。【集解】吳地記曰、吳王濞葬武進縣南、地名相唐、【索隱】張勃云、吳王濞葬丹徒縣南、其地名相唐、今注本云武進縣、恐錯也、【正義】括地志云、漢吳王濞冢、在潤州丹徒縣東練壁聚北、今入于江、吳錄云、丹徒有吳王冢、在縣北、其處名爲相唐、　吳王子子華·子駒、亡走閩越。吳王之弃其軍亡也、軍遂潰。往往稍降太尉梁軍。

楚王戊軍敗自殺。三王之圍齊臨菑也、三月不能下。漢兵至。膠西·膠東·菑川王、各引兵歸。【考證】梁玉繩曰、案齊圍之解、漢擊破之、非自引兵歸也、圍齊是四國、此缺濟南、　膠西王乃袒跣席稾飲水謝太后。【考證】漢書、袒跣作徒跣、太后、膠西王之母、　王太子德曰。漢兵遠。【考證】楓、三本、遠下有來字、當依補、漢書作還、誤、　臣觀之、已罷。可襲。願收大王餘兵擊之。擊之不勝、乃逃入海、未晚也。王曰。吾士卒皆已壞。不可發用。弗聽。漢將弓高侯穨當【集解】徐廣曰、姓韓、　遺王書曰。奉詔誅不義。降者赦其罪、復故。不降者滅之。王何處。須以從事。【正義】待王定計、以行事、【考證】胡三省曰、言膠西王於降與不降之間、欲何以自處、吾待以行事、　王肉袒、叩頭漢軍壁、謁曰。臣卬奉法不謹。驚駭百姓、乃苦將軍、遠道至于窮國。敢請菹醢之罪。弓高侯執金鼓見之曰。王苦軍事。願聞王發兵狀。王

頓首膝行對曰。今者鼂錯、天子用事臣。變更高皇帝法、令侵奪諸侯地。卬等以爲不義、恐其敗亂天下、七國發兵、且以誅錯。今聞錯已誅。卬等謹以罷兵歸。【考證】罷上以字、漢書作已、 將軍曰。王苟以錯不善、何不以聞。及未有詔、虎符擅發兵擊義國。【考證】漢書、錯下有爲字、王念孫曰、及當作乃、義國、言守義不從反也、謂齊國、 以此觀之、意非欲誅錯也。乃出詔書、爲王讀之。讀之訖曰。王其自圖。王曰。如卬等死有餘罪。遂自殺。太后太子皆死。膠東・菑川・濟南王皆死。【集解】徐廣曰、一云、自殺、【考證】漢書作伏誅、 國除、納于漢。酈將軍圍趙。十月而下之。【考證】張文虎曰、樊酈滕灌傳、漢書荊吳燕傳、竝作十月、楚元王世家云、相距七月、案七國以景三年正月反、至十月則入四年歲首矣、恐誤、 趙王自殺。濟北王以劫故得不誅。徙王菑川。初吳王首反、并將楚兵連齊・趙。正月起兵、三月皆破。

獨趙後下。復置元王少子平陸侯禮爲楚王、續元王後、徙汝南王非、王吳故地、爲江都王。

太史公曰。吳王之王、由父省也。【集解】言濞之王吳、由父代王被省封郃陽侯、省、音所幸反、【索隱】省、音所景反、省者減也、謂父仲從代王省封郃陽侯也、 能薄賦斂、使其衆、以擅山海利。逆亂之萌、自其子興。爭技發難、卒亡其本、【索隱】謂與太子爭博、爲爭技也、【考證】中井積德曰、技蓋枝字之譌、以削郡爲枝葉之事耳、乃與下文卒亡其本相呼應、愚按楓三本、技作博、蓋誤以旁注訂本文、 親越謀宗、竟以夷隕。鼂錯爲國遠慮、禍反近身。【考證】楓、三本、近作及、 袁盎權說、初寵後辱。故古者諸侯地不過百里。山海不以封、毋親夷狄以疏其屬。蓋謂吳邪。【考證】禮記王制云、公侯田、方百里、伯七十里、子男五十里、又云、名山大澤不以封、史公改澤爲海也、毋親夷狄二句、未詳出處、 毋爲權首。反受其咎。【考證】顏師古曰、此逸周書之言、引之者、謂錯適當此言耳、愚按首咎韻、 豈盎・錯邪。【考證】毛本、作袁盎、漢書作鼂錯、

【索隱】述贊、吳楚輕悍、王濞倍德、富因採山、鑄成提局、憍矜貳志、連結七國、嬰命始監、錯誅未塞、天之悔禍、卒取奔北、

吳王濞列傳第四十六 史記一百六

史記會注考證卷一百七

漢　太　史　令　司　馬　遷　撰
宋　中　郎　外　兵　曹　參　軍　裴　駰　集　解
唐　國　子　博　士　弘　文　館　學　士　司　馬　貞　索　隱
唐　諸　王　侍　讀　率　府　長　史　張　守　節　正　義
日　本　出　雲　瀧　川　資　言　考　證

魏其武安侯列傳第四十七　　史記一百七

【考證】史公自序云、吳楚爲亂、宗屬唯嬰賢而喜士、士鄉之、率師抗山東滎陽、作魏其武安列傳、第四十七、崔愼行曰、史記魏其武安侯傳末、附灌將軍、離而爲三人、合則爲

一傳、中閒彼是互見、敘事之曲折、情狀一一如在目、班氏一仍其舊、所節刪者數字耳、所爭只在二三字、郤失語氣之輕重、世之讀史漢者、異同之下、優劣略可見矣、曾國藩曰、武安之勢力盛時、雖以魏其之貴戚元功、而無如之何、灌夫之强力盛氣、而無如之何、廷臣內史等心非之、而無如之何、主上不直之、而無如之何、子長深惡勢利之足以移易是非、故敘之沈痛如此、

魏其侯竇嬰者、孝文后從兄子也。【考證】漢書云、字王孫、楓、三本、漢書后上有皇字、父世觀津人。【索隱】案地理志、觀津縣屬信都、以言其累葉在觀津、故云父世也、【正義】觀津城在冀州武邑縣東南二十五里、【考證】凌稚隆曰、世疑是父名、王先謙曰、索隱說是、言自其父以上、世爲觀津人、淮南厲王傳、眞定厲王母之家在焉、父世縣也、父世二字義同、喜賓客。孝文時、嬰爲吳相。病免。孝景初卽位、爲詹事。【正義】百官表云、詹事、秦官、掌皇后太子家也、梁孝王者、孝景弟也。其母竇太后愛之。梁孝王朝。因昆弟燕飮。【考證】顏師古曰、家人昆弟之親、不爲君臣禮也、是時上未立太子。酒酣、從容言曰。千秋之後傳梁王。太后驩。竇嬰引卮酒進上曰。天下者高祖天下。父子相傳、

此漢之約也。上何以得擅傳梁王。【考證】胡三省曰、引酒進之、蓋罰爵也、太后由此憎竇嬰。竇嬰亦薄其官、因病免。太后除竇嬰門籍、不得入朝請。【集解】律、諸侯春朝天子曰朝、秋曰請、【正義】才性反、【考證】胡三省曰、門籍、出入宮殿門之籍也、孝景三年、吳・楚反。上察宗室諸竇、毋如竇嬰賢。【索隱】案謂宗室之中、及諸竇之宗室也、又姚氏案、酷吏傳、周陽由其父趙兼以淮南王舅侯周陽、故國改氏、由以宗室任爲郎、則似是與國有親戚屬籍者、亦得呼爲宗室也、【考證】顏師古曰、宗室、帝之同姓親也、諸竇、總謂帝外家也、中井積德曰、本文明判宗室與諸竇、乃召嬰。嬰入見、固辭謝病不足任。太后亦慙。【考證】楓、三本、漢書、謝下有稱字、於是上曰。天下方有急。王孫寧可以讓邪。【集解】漢書曰、竇嬰字王孫、乃拜嬰爲大將軍、賜金千斤。嬰乃言袁盎・欒布諸名將賢士在家者進之。所賜金陳之廊廡下、軍吏過、輒令財取爲用。金無入家者。【集解】蘇林曰、自令裁度取爲用也、【考證】顏師古曰、廊、堂下周屋、廡、門屋也、愚按、財、裁通、淮南王安傳亦云、吳王濞行珠玉金帛、賂諸侯宗室大臣、獨竇氏不與、

竇嬰之爲人、可以見也、竇嬰守滎陽監齊趙兵。【正義】監、音甲衫反、吳王濞傳云、竇嬰屯滎陽、監齊趙兵也、【考證】錢大昕曰、時欒布擊齊、酈寄擊趙、滎陽在南北之衝、東捍吳楚、北距齊趙、吳楚之兵、有周亞父自將、非嬰所監、若齊趙、雖各遣將、而嬰爲大將軍、得遙制之、七國兵已盡破。封嬰爲魏其侯。諸游士賓客、爭歸魏其侯。孝景時每朝議大事、條侯・魏其侯、諸列侯莫敢與亢禮。【考證】顏師古曰、言特敬此二人也、孝景四年、立栗太子、使魏其侯爲太子傅。【正義】栗姬之子、後廢之、故書母姓也、孝景七年、栗太子廢。魏其數爭不能得。魏其謝病屏居藍田南山之下數月。【考證】王先謙曰、李廣傳亦云、廣屏居藍田南山中射獵、蓋藍田南山、在當日爲朝貴屏居游樂之所、田上藍字、各本無、依館本漢書補、諸賓客辯士說之、莫能來。梁人高遂乃說魏其曰。能富貴將軍者、上也。能親將軍者太后也。今將軍傅太子。太子廢而不能爭。爭不能得、又弗能死。【考證】漢書、無而不能爭四字、得作拔、自引謝病、擁趙女、屏閒

處、而不朝。相提而論。【集解】徐廣曰、提音徒抵反、【索隱】提音弟、又音啼、相提猶相抵也、論音路頓反、【正義】閒處、上音閑、下昌汝反、【考證】中井積德曰、相提、謂相提攜也、與客取手而談耳、漢書相提而論、作祇加慹、義異、是自明揚主上之過。有如兩宮螫將軍、則妻子毋類矣。【集解】張晏曰、兩宮、太后景帝也、螫、怒也、毒蟲怒必螫人、又火各反、【索隱】螫音釋、謂怒也、毒蟲怒必螫人、又音火各反、漢書作奭、奭即螫也、無類、謂見誅滅無遺類、【正義】兩宮、太子景帝也、【考證】兩宮、集解是、魏其侯然之、乃遂起、朝請如故。桃侯免相。【集解】服虔曰、劉舍也、竇太后數言魏其侯。孝景帝曰。太后豈以爲臣有愛不相魏其。魏其者、沾沾自喜耳。多易。難以爲相持重。【集解】徐廣曰、沾一作怗、又昌兼反、又當牒反、張晏曰沾沾、言自整頓也、多易、多輕易之行也、或曰、沾音幨也、【索隱】愛、猶惜也、沾音襜、又音當牒反、小顏音他兼反、注怗音如字、又天牒反、襜音尺占反、【正義】易、以豉反、言自多簡易之行也、前云毋如資嬰賢、而張晏云輕易之行、未知甚矣、遂不用。用建陵侯衞綰爲丞相。武安侯田蚡者、孝景后同母弟也。生長陵。【索隱】扶粉反、如蚡鼠之蚡、音墳、【考證】楓、三本、孝景下有帝字、外戚世家、王皇后父王仲、槐里人也、母臧兒生男信與兩女、仲死、臧兒更嫁爲長陵田

氏婦、生男蚡勝、魏其已爲大將軍後方盛。蚡爲諸郎、未貴。往來侍酒。魏其跪起如子姓。【集解】徐廣曰、諸郎、一云諸卿、時人相號長老者爲諸公、年少者爲諸卿、如今人相號爲士大夫也、【考證】諸郎、漢書作諸曹郎、張照曰、諸郎、即百官表所謂議郎中郎侍郎郎中是也、子姓、各本作子姪、今從漢書、王引之曰、古謂子孫曰姓、或曰子姓、女子謂昆弟之子爲姪、男子則否、當依漢書作子姓、及孝景晚節、蚡益貴幸、爲太中大夫。【索隱】按晚節、謂晚年也、【考證】漢書、太中大夫作中大夫、蚡辯有口。學槃盂諸書。【集解】應劭曰、黃帝史孔甲所作銘也、凡二十六篇、書槃盂中所爲法戒、諸書諸子文書也、孟康曰、孔甲槃盂二十六篇、雜家、書兼儒墨名法、【正義】晉灼曰、按藝文志、孟說是也、【考證】漢書藝文志、雜、孔甲盤盂二十六篇、文選注、七略曰、盤盂書者其傳言孔甲爲之、孔甲、黃帝之史也、於盤盂中爲誡法、或於鼎、名曰銘、蔡邕銘論、黃帝有巾机之法、孔甲有槃杅之誡、文心雕龍云、成湯盤盂、著日新之規、田蚡學盤盂諸書、中井積德曰、諸書亦盤盂之類、非雜家、王太后賢之。【集解】徐廣曰、即蚡同母姊者、【考證】梁玉繩曰、案此在景帝世、只當稱皇后、漢書作王皇后、是、孝景崩。即日太子立。稱制。所鎭撫多有田蚡賓客計筴。【考證】楓、三本、孝景下有帝字、下同、徐孚遠曰、太后初稱制、恐其不安、欲收人心、故有所鎭撫也、愚按、楓、三本有作用、蚡弟田勝、皆以太后弟、孝景後

三年、封蚡爲武安侯、勝爲周陽侯。【集解】徐廣曰、孝景後三年、即是孝武初嗣位之年也、【正義】絳州聞喜縣東二十里周陽故城也、武安侯新欲用事爲相。【考證】漢書、無欲字、爲相字、中井積德曰、欲字宜在爲字上、李笠曰、武安時已用事、所欲者爲相耳、卑下賓客、進名士家居者貴之、欲以傾魏其諸將相。【考證】漢書、刪魏其二字、査愼行曰、此田竇相傾之始也、漢書刪去魏其二字、則田所傾者、與竇無涉矣、顏師古曰、傾、謂踰越而勝之也、建元元年、丞相綰病免。【考證】凌稚隆曰、接上衞綰爲丞相、上議置丞相太尉。籍福說武安侯曰。魏其貴久矣。天下士素歸之。今將軍初興、未如魏其。即上以將軍爲丞相、必讓魏其。魏其爲丞相、將軍必爲太尉。太尉丞相尊等耳。又有讓賢名。武安侯乃微言太后風上。於是乃以魏其侯爲丞相、武安侯爲太尉。籍福賀魏其侯。因弔曰。君侯資性喜善疾惡。方今善人譽君侯。故至丞相。然君侯且

疾惡。惡人衆、亦且毀君侯。君侯能兼容、則幸久。不能、今以毀去矣。魏其不聽。魏其・武安、倶好儒術、推轂趙綰爲御史大夫、王臧爲郎中令、【索隱】案推轂、謂自卑下之、如爲之推車轂也、【考證】顏師古曰、推轂、謂升薦之若轉車轂之爲、迎魯申公、欲設明堂、令列侯就國除關、【索隱】謂除關門之稅也、【考證】服虔曰、除關禁也、徐孚遠曰、漢立關以稽諸侯出入、至此罷之、示天下一家之義也、以禮爲服制、以興太平。【索隱】案其時禮度踰侈、多不依禮、今令吉凶服制、皆法於禮也、【考證】中井積德曰、謂建之制度、注舛、舉適諸竇宗室毋節行者、除其屬籍。【索隱】適、音直革反、時諸外家爲列侯。列侯多尚公主。皆不欲就國。以故毀日至竇太后。太后好黃・老之言、而魏其・武安・趙綰・王臧等、務隆推儒術、貶道家言。【考證】三條本、后下太上、有竇字、是以竇太后滋不說魏其等。及建元二年、御史大夫趙綰、請無奏事東宮。【集解】韋昭曰、欲奪其政也、【考證】胡三省曰、漢長

樂宮在東、太后居之、故謂之東宮、又謂之東朝、竇太后大怒、乃罷逐趙綰・王臧等、而免丞相太尉。【考證】漢書大怒下補曰此欲復爲新垣平邪九字、王先謙曰、太后陰求綰臧姦利事以讓上、上下綰臧吏也、梁玉繩曰、漢書武紀及百官表云、有罪、下綰獄自殺、以柏至侯許昌爲丞相、武彊侯莊青翟爲御史大夫。魏其・武安、由此以侯家居。武安侯雖不任職、以王太后故親幸、數言事多效。【考證】顏師古曰、謂見聽用、愚按楓三本言下有私字、義異、天下吏士趨勢利者、皆去魏其歸武安。武安日益橫。建元六年、竇太后崩。丞相昌・御史大夫青翟、坐喪事不辦、免。以武安侯蚡爲丞相、以大司農韓安國爲御史大夫。【考證】周壽昌曰、大司農當作大農令、時尙未更名大司農也、天下士、郡諸侯、愈益附武安。【索隱】按謂仕諸郡及仕諸侯王國者、猶言仕郡國也、【考證】張文虎曰、各本郡下有國字、索隱本無、雜志云、國字後人所加、漢書亦作郡諸侯、師古云、郡及諸侯、猶言郡國也、愚按楓三本、士下有任字、義更明、任猶仕也、武安者貌侵。【集解】韋昭曰、侵音寢、短小也、又云、醜惡也、刻确也、

音核、【索隱】案服虔云、侵、短小也、韋昭云、刻确也、按确音刻、又孔文祥侵醜惡也、音寢、生貴甚。【索隱】按小顏云、生貴、謂自尊高示貴寵、其說疏也、按生、謂蚡自生尊貴之勢特甚、故下云、又以諸侯王多長年、蚡以肺腑爲相、非痛折節以禮屈之、則天下不肅者也、【考證】王先謙曰、蓋蚡幼時已爲外戚、尊貴矣、索隱說是、又以爲諸侯王多長。【集解】張晏曰、多長年、上初卽位、富於春秋。蚡以肺腑爲京師相。【索隱】腑音附、肺附言如肝肺之相附、又云、柿、木札、附、木皮也、詩云、如塗塗附、以言如皮之附木也、【正義】顏師古曰、舊解云、肺附、如肝肺之相附著也、一說、柿、斫木札也、喩其輕薄附著大材、按顏此說竝是疏謬、又改腑爲附、就其義重謬矣、八十一難云、寸口者脈之大會、手太陰之動脈也、呂廣云、太陰者肺之脈也、肺爲諸藏之主、通陰陽、故十二經脈皆會乎太陰、所以決吉凶者、十二經有病、皆寸口知其何經之動、浮沈濇滑、春秋逆順、知其死生、顧野王云、肺腑、腹心也、案說田蚡爲相、若人之肺知陰陽逆順、又爲帝之腹心親戚也、【考證】肺腑、猶言族戚、同姓異姓竝稱、解詳于惠景間侯表、漢書無京師二字、非痛折節以禮詘之、天下不肅。【索隱】案痛、甚也、欲令士折節屈下於己、不然、天下不肅、或解以爲蚡欲折節下士、非也、案下文不讓其兄蓋侯、知或說爲非也、當是時、丞相入奏事、坐語移日。所言皆聽。薦人或起家至二千石。權移主上。上乃曰。君除吏、已盡未。吾亦欲除吏。【考證】顏師古曰、凡言除者、除去故

官就新官、嘗請考工地益宅。上怒曰。君何不遂取武庫。是後乃退。【集解】漢書百官表曰、少府有考工室、如淳曰、官名也、【考證】考工、主作器械、齊召南曰、君何不遂取武庫、此怒語也、漢書省君何不三字、意不明、王先謙曰、是後乃退、謂後稍斂退也、嘗召客飮。坐其兄蓋侯南鄉、自坐東鄉。以爲漢相尊。不可以兄故私橈。【集解】徐廣曰、蓋侯、王后兄王信也、泰山有蓋縣、樂安有益縣也、【考證】漢書刪嘗字、蓋以上文有嘗字也、査愼行曰、不若原文之明晰、漢書南鄉作北鄉、非是、古人之坐、以東向爲尊、故宗廟之祭、太祖之位東向、卽交際之禮、亦賓東向、主人西向、橈、曲也、武安由此滋驕、治宅甲諸第、田園極膏腴、而市買郡縣器物、相屬於道。【集解】徐廣曰、甲、爲諸第之上也、前堂羅鍾鼓、立曲旃。【集解】如淳曰、旃旗之名、通帛曰旃、曲旃、僭也、蘇林曰、禮、大夫建旃、曲旃、柄上曲也、【索隱】按曲旃、旃柄上曲、僭禮也、通帛曰旃、說文云、曲旃者、所以招士也、後房婦女、以百數。諸侯奉金玉狗馬玩好、不可勝數。【考證】漢書無侯字、奉作奏、査愼行曰、似不若原文之明斷、魏其失竇太后、益疏不用。無勢。諸客稍稍自引而怠傲。唯灌將軍獨不失故。魏其日

默默不得志。而獨厚遇灌將軍。【考證】漢書改不失爲否字、査愼行曰、不及原文之委婉有情、愚按故字屬上句、三條本、漢書、志作意、灌將軍夫者、潁陰人也。夫父張孟嘗爲潁陰侯嬰舍人、得幸。【考證】楓本、漢書、嬰上有灌字、因進之至二千石。故蒙灌氏姓爲灌孟。【考證】顏師古曰、蒙、冒也、吳・楚反時、潁陰侯灌何爲將軍、屬太尉。【索隱】案何、是嬰子、漢書、作嬰、誤也、【考證】太尉、周亞夫、請灌孟爲校尉。夫以千人與父俱。【集解】漢書音義曰、官主千人、如候司馬、灌孟年老、潁陰侯彊請之。鬱鬱不得意。故戰常陷堅、遂死吳軍中。軍法、父子俱從軍、有死事、得與喪歸。灌夫不肯隨喪歸。奮曰。願取吳王若將軍頭、以報父之仇。【集解】張晏曰、奮、自奮勵也、【考證】若、猶或也、於是灌夫被甲持戟募軍中。壯士所善願從者數十人。及出壁門、莫敢前。獨二人及從奴十數騎、馳入吳軍、至吳將麾下、

所殺傷數十人。不得前。正義麾、謂大將之旗、　復馳還、走入漢壁。皆亡其奴。獨與一騎歸。夫身中大創十餘。適有萬金良藥。故得無死。夫創少瘳。又復請將軍曰。吾益知吳壁中曲折。請復往。將軍壯義之。恐亡夫。乃言太尉。太尉乃固止之。考證梁玉繩曰、壯義之、班馬異同作壯而義之、與漢傳合、　吳已破。灌夫以此名聞天下。潁陰侯言之上。上以夫爲中郎將。數月坐法去。考證楓本、之作於、漢書、數月作數歲、　後家居長安。長安中諸公、莫弗稱之。孝景時至代相。考證志疑引陳太僕云、灌夫自始爲校尉、以至代相、皆在孝景時、不應錯出、蓋誤也、漢書、作由是復爲代相、　孝景崩、今上初即位。以爲淮陽天下交、勁兵處。故徙夫爲淮陽太守。正義言淮陽天下交會處、而兵又勁、考證陳子龍曰、人主初即位、恐有奸人謀非常者、故置名太守以鎮之、　建元元年、入爲太僕。二年、夫與長樂衛尉竇甫飲。輕重不得。集解晉灼

曰、飲酒輕重不得其平也、考證顏師古曰、禮數之輕重也、中井積德曰、輕重、猶言得失也、彼以爲是、此以爲非之類、　夫醉搏甫。索隱搏、音博、謂擊也、　甫、竇太后昆弟也。上恐太后誅夫、徙爲燕相。考證楓、三本、漢書、徙下有夫字、　數歲坐法去官、家居長安。灌夫爲人剛直使酒、不好面諛。考證顏師古曰、使酒、因酒而使氣也、　貴戚諸有勢在己之右、不欲加禮、必陵之。諸士在己之左、愈貧賤、尤益敬、與鈞。考證楓、三本、漢書、益下有禮字、徐孚遠曰、言與貧賤士敵禮也、　稠人廣衆、薦寵下輩。士亦以此多之。夫不喜文學、好任俠、已然諾。索隱已、音以、謂已許諾、必使副其前言也、考證顏師古曰、已、必也、謂一言許人、必信之也、中井積德曰、已字不可解、或是究遂之意、　諸所與交通、無非豪桀大猾。家累數千萬、食客日數十百人。考證顏師古曰、或八九十、或百人也、　陂池田園、宗族賓客、爲權利、橫於潁川。考證權利、權威利益、　潁川兒乃歌之曰。潁水清、灌氏寧。潁水濁、灌氏族。考證顏師古曰、深怨嫉之、故爲此

言也、愚按、清寧、濁族韻、　灌夫家居雖富、然失勢、卿相侍中賓客益衰。考證顏師古曰、以夫居家、而卿相侍中、素爲夫之賓客者、漸以衰退不復往也、　及魏其侯失勢、亦欲倚灌夫、引繩批根生平慕之後弃之者。集解蘇林曰、二人相倚、引繩直之、意批根賓客也、弃之者、不與交通、孟康曰、根、根括、引繩以持彈、索隱案劉氏云、二人相倚、事如合繩、其相依引也、批、音步結反、批者排也、漢書作排、排根者、蘇林云、賓客去之者、不與通也、孟康云、音根格、謂引繩排彈其根格、平生慕嬰交而弃者、令不得通也、小顏、根音痕、格音下各反、駰謂引繩排彈根括以退之者也、持彈、案漢書本作抨彈、音普耕反、考證中井積德曰、引繩、規人之枉也、批根、鋤其株也、俱謂報復究之、以逞其憾、愚按、引繩、言牽連黨類、如引繩也、批根、中說是、　灌夫亦倚魏其、而通列侯宗室爲名高。兩人相爲引重、集解張晏曰、相薦達爲聲勢、考證顏師古曰、相牽引而致於尊重也、爲、音于僞反、王先謙曰、兩相援引藉重也、爲如字讀、張顏說皆非、　其游如父子然。相得驩甚、無厭。恨相知晚也。灌夫有服、過丞相。考證服、喪服、丞相、田蚡、　丞相從容曰。吾欲與仲孺過魏其侯。會仲孺有服。集解漢書曰、灌夫字仲孺、索隱案、服謂朞功之服也、故應璩書曰、仲孺不辭同生之服、是也、　灌夫曰。將軍乃

肯幸臨況魏其侯、夫安敢以服爲解。請語魏其侯帳具。將軍旦日蚤臨。正義解、紀買反、謂辭之也、考證沈欽韓曰、田蚡見爲丞相、而稱之將軍、史駁文、顏師古曰、況、賜也、解、若今言分疏、漢書無帳字、　武安許諾。灌夫具語魏其侯、如所謂武安侯。考證楓、三本、具作見、漢書作以、　魏其與其夫人、益市牛酒、夜灑埽、早帳具至旦。平明、令門下候伺。至日中、丞相不來。考證顏師古曰、益、多也、愚按、早、早曉也、至旦、屬上、漢書刪早字至旦字、下文自旦至今四字、無所承、　魏其謂灌夫曰。丞相豈忘之哉。灌夫不懌曰。夫以服請。宜往。集解徐廣曰、一云、以服請、不宜往、索隱案徐廣云、以服請、不宜往、其說非也、正言夫請不以服爲解、蚡不宜忘、故駕自往迎也、考證言此我所請、我宜往迎之、　乃駕自往迎丞相。丞相特前戲許灌夫。殊無意往。及夫至門、丞相尚臥。於是夫入見曰。將軍昨日幸許過魏其。魏其夫妻治具、自旦至今、未敢嘗食。武安鄂謝曰。吾昨日醉、忽忘與仲孺言。

【集解】徐廣曰、鄂一作愕、 乃駕往。又徐行。灌夫愈益怒。【考證】漢書重往字、 及飲酒酣、夫起舞屬丞相。【索隱】屬、音之欲反、屬、猶委也、付也、小顏云、若今之舞訖相勸也、 丞相不起。夫從坐上語侵之。【考證】漢書、從坐上作徙坐、顏師古曰、徙坐、謂移就其坐、與史義異、 魏其乃扶灌夫去、謝丞相。丞相卒飲至夜、極驩而去。丞相嘗使籍福請魏其城南田。魏其大望曰。老僕雖棄、將軍雖貴、寧可以勢奪乎。不許。【考證】顏師古曰、望、怨也、 灌夫聞、怒罵籍福。籍福惡兩人有郄、乃謾自好謝丞相曰。魏其老且死。易忍。且待之。【考證】顏師古曰、謾、猶詭也、詐爲好言也、謾、讀與慢同、愚按漢書無自字、 已而武安聞魏其・灌夫實怒不予田、亦怒曰。魏其子嘗殺人。蚡活之。蚡事魏其、無所不可。何愛數頃田。且灌夫何與也。吾不敢復求田。【考證】與、干預也、漢書愛上删何字、較失語意、 武安由此大怨灌夫・魏其。

【考證】漢書、怨作怒、史義長、 元光四年春、【集解】徐廣曰、疑此當是三年也、其說在後、【考證】梁玉繩曰、當作二年、說在後、 丞相言、灌夫家在潁川。橫甚。民苦之。請案。【考證】事見上、 上曰。此丞相事。何請。【考證】岡白駒曰、正罪自是丞相職事、不必告請、 灌夫亦持丞相陰事、爲姦利、受淮南王金與語言。【正義】姦利、爲姦惡而求利、【考證】事見下、 賓・客居間、遂止、俱解。夏、丞相取燕王女爲夫人。【索隱】案蚡娶燕王劉澤子康王嘉之女也、 有太后詔、召列侯宗室皆往賀。【考證】漢書無有字、 魏其侯過灌夫、欲與俱。夫謝曰。夫數以酒失得過丞相。丞相今者又與夫有郄。魏其曰。事已解。彊與俱。飲酒酣。武安起爲壽。【集解】如淳曰、上酒爲稱壽、非大行酒、【考證】王文彬曰、據下文、夫行酒至臨汝侯云、長者爲壽、是爲壽、卽大行酒也、如說非、 坐皆避席伏。已魏其侯爲壽。獨故人避席耳。餘半膝席。【集解】蘇林曰、下席而膝半在席上、如淳曰、以膝跪席上也、【正義】蘇說是也、【考證】中井積德曰、故人避席者半、其餘不避而跪於席上、張文虎曰、吳校金板、半作坐、 灌

夫不悅。起行酒至武安。武安膝席曰。不能滿觴。【考證】楓、三本、膝作跪、能、堪也、 夫怒。因嘻笑曰。將軍貴人也。屬之。【集解】徐廣曰、屬、一作畢、【索隱】案漢書作畢、畢、盡也、【考證】嘻、强笑也、言所以不能滿觴者、由其貴人也、嘲笑之語、語止於此、屬之、敍事之文、岡白駒曰、前段云、起舞屬將軍、師古注云、舞訖相勸也、與此屬意同、 時武安不肯。【正義】不肯、不爲盡也、 行酒次至臨汝侯。【集解】徐廣曰、灌嬰孫、名賢也、【索隱】案漢書云、臨汝侯灌賢、則賢是嬰之孫、臨汝是改封也、 臨汝侯方與程不識耳語、又不避席。夫無所發怒。乃罵臨汝侯曰。生平毀程不識、不直一錢。今日長者爲壽。乃效女兒呫囁耳語。【集解】韋昭曰、呫囁、附耳小語聲、【索隱】女兒、猶云兒女也、漢書作女曹兒、曹、輩也、猶言兒女輩、呫、鄒氏音蚩輒反、囁、音汝輒反、說文、附耳小語也、【考證】中井積德曰、女兒、謂女子也、漢書文錯謬、不當據爲解、王先謙曰、耳語、乃女兒態也、中加曹字、則文不成義、御覽人事部引漢書作女兒曹、故顏訓爲女兒輩、 武安謂灌夫曰。程・李俱東西宮衛尉。【集解】漢書音義曰、李廣爲東宮、程不識爲西宮、【考證】齊召南曰、音義非也、漢以長樂宮爲東宮、太后居之、天子居未央宮、在長樂宮西、據李廣傳、廣入爲未央衛尉、而程不識爲長樂衛尉、是廣衛西宮、而不識衛東宮也、愚按錢大昕亦有此說、 今衆

辱程將軍。仲孺獨不爲李將軍地乎。【集解】如淳曰、李將軍、李廣也、猶今人言爲除地也、【索隱】案小顏云、言今既毀程、令李何地自安處也、【正義】按地、猶材地、二人俱東西宮、毀程、能不損李將軍材地也、【考證】衆辱、於衆中辱之也、如淳曰、二人同號比尊、今辱一人、不當爲毀廣耶、王先愼曰、漢紀此下云、李將軍者李廣也、夫素所敬也、 灌夫曰。今日斬頭陷匈。何知程・李乎。【索隱】韋昭云、言不避死亡也、漢書作穴匈、 坐乃起更衣、稍稍去。【考證】顏師古曰、坐、謂坐上之人也、愚按更衣、如廁也、論衡、夫更衣之室、可謂臭矣、蓋賓主相見、不宜言穢褻之事、故如廁皆託言更衣、 魏其侯去、麾灌夫出。武安遂怒曰。此吾驕灌夫罪。乃令騎留灌夫。【考證】漢書、罪下有也字、罪、過也、顏師古曰、騎、謂常從之騎也、 灌夫欲出不得。籍福起爲謝、案灌夫項令謝。【考證】顏師古曰、使其拜也、 夫愈怒、不肯謝。武安乃麾騎縛夫、置傳舍、召長史曰。今日召宗室、有詔。劾灌夫罵坐不敬、繫居室。【集解】如淳曰、百官表、居室爲保宮、今守宮也、【考證】顏師古曰、長史、丞相長史也、李慈銘曰、蚡言今日請召宗室、因有太后詔而行之、灌夫罵坐、是輕詔命、故爲不敬也、愚按蚡告長史語、止於有詔、下添於是二字看、顏師古曰、居室、署名也、屬少府、其後改名曰

保宮、遂按其前事、遣吏分曹、逐捕諸灌氏支屬。皆得弃市罪。魏其侯大媿、爲資、使賓客請。莫能解。【集解】如淳曰、爲出資費、使人爲夫言、【考證】曹、輩也、分曹、分輩而出也、王先謙曰、灌夫不往田蚡所、資嬰强之致罹禍、以是愧也、武安吏皆爲耳目。諸灌氏皆亡匿。夫繫、遂不得告言武安陰事。魏其銳身、爲救灌夫。【考證】漢書、無身字、夫人諫魏其曰。灌將軍得罪丞相、與太后家忤。寧可救邪。魏其侯曰。侯自我得之。自我捐之。無所恨。且終不令灌仲孺獨死、嬰獨生。乃匿其家、竊出上書。【集解】晉灼曰、恐其夫人復諫止也、立召入。具言灌夫醉飽事不足誅。上然之、賜魏其食曰。東朝廷辯之。【集解】如淳曰、東朝、太后朝、魏其之東朝、盛推灌夫之善、言其醉飽得過、乃丞相以他事誣罪之。武安又盛毀灌夫所爲橫恣、罪逆不道。魏其度不可

奈何、因言丞相短。武安曰。天下幸而安樂無事。蚡得爲肺腑。所好音樂狗馬田宅、蚡所愛倡優巧匠之屬。【考證】漢書、宅下無蚡字、不如魏其灌夫日夜招聚天下豪桀壯士、與論議、【考證】楓、三本、不如、作今如、今如魏其灌夫六字爲一句、義長、腹誹而心謗、不仰視天而俯畫地、【集解】張晏曰、視天、占三光也、畫地、知分野所在也、畫地、諭欲作反事、【考證】李笠曰、不仰視天而俯畫地、此與欒布傳與楚則漢破、與漢而楚破同、以而爲則也、愚按漢書、刪不字、義亦通、辟倪兩宮閒、【集解】徐廣曰、辟、音芳細反、倪、音詣、張晏曰、占太后與帝吉凶之期、【索隱】辟、普係反、倪、五係反、埤倉云、睥睨、邪視也、幸天下有變、而欲有大功。【集解】張晏曰、幸爲反者、當得爲大將立功也、瓚曰、天下有變、謂天子崩、因變難之際、得立大功、【正義】按大功、謂爲天子也、【考證】中井積德曰、仰天畫地、睥睨兩宮、竝是隱謀祕計之光景矣、不必作星占、不必作反事、變字本無所指定、愚按欲有大功、猶言欲成大事、臣乃不知魏其等所爲。【考證】毛本、知作如、與漢書合、作知義長、於是上問朝臣、兩人孰是。御史大夫韓安國曰。魏其言、灌夫父死事、身荷戟馳入不測之吳軍、身被

數十創、名冠三軍。此天下壯士。非有大惡、爭杯酒、不足引他過以誅也。魏其言是也。丞相亦言、灌夫通姦猾、侵細民、家累巨萬、橫恣潁川、淩轢宗室、侵犯骨肉。【正義】淩轢、謂蹈踐之、此所謂枝大於本、脛大於股、不折必披。【索隱】案包愷音、疋彼反、【正義】鋪被反、披、分析也、【考證】王先愼曰、新書大都篇、引范無宇語云、尾大不掉、末大必折、又云、一脛之大、幾如要、一指之大、幾如股、安國云所謂者、蓋當時之成語也、丞相言亦是。唯明主裁之。餘皆莫敢對。上怒內史曰。公平生數言魏其・武安長短。今日廷論、局趣效轅下駒。吾并斬若屬矣。【集解】張晏曰、俛頭於車轅下、隨母而已、瓚曰、小馬在轅下、【正義】應劭云、駒、馬加著轅、局趣、纖小之貌、按應說爲長也、【考證】中井積德曰、駒與馬無異、謂進退不由己、局趣被逼迫而不得展足也、愚按局趣效轅下駒、蓋亦當時成語、趣駒、韻、沈欽韓曰、史文惟言鄭當時對不堅、故上怒其局趣、本傳以此左遷、即罷起、入上食太后。【考證】王先謙曰、帝於太后、循孝道、有上

食之禮也、太后亦已使人候伺。具以告太后。太后怒、不食曰。今我在也、而人皆藉吾弟。【索隱】案晉灼云、藉、蹈也、以言蹂藉之、令我百歲後、皆魚肉之矣。且帝寧能爲石人邪。【索隱】謂帝不如石人得長存也、【正義】顏師古云、言徒有人形耳、不知好惡、按今俗云、人不辨事、罵云、杌杌若木人也、【考證】張儀傳、毋爲秦所魚肉也、樊噲傳、人方爲刀俎、我爲魚肉、石人、索隱是、此特帝在、即錄錄。設百歲後、是屬寧有可信者乎。【索隱】案設者、脫也、【考證】顏師古曰、錄錄、言循衆也、上謝曰。俱宗室外家。故廷辯之。不然、此一獄吏所決耳。【正義】嬰、景帝從舅、蚡、太后同母弟、【考證】漢書、刪宗室二字、是時郎中令石建、爲上分別言兩人事。武安已罷朝、出止車門。【考證】王先愼曰、止車、門名、御覽居處部引洛陽故宮名、有南止車門、東西止車門、召韓御史大夫載。怒曰。與長孺共一老禿翁。何爲首鼠兩端。【集解】漢書音義曰、禿老翁、言嬰無官位扳援也、首鼠、一前一卻也、【索隱】案謂共治一老禿翁、指竇嬰也、服虔云、首鼠、一前一卻也、【考證】御史大夫韓安國字長孺、顧炎武曰、與長孺共一禿翁、謂爾我皆垂暮之年、無所顧惜、當直言以決此事

也、索隱以爲共治一老禿翁者非、中井積德曰、鼠將出穴隙、必出頭一左一右、故爲兩端之喻也、何焯曰、安國行五百金於蚡以進、故蚡責其不專助己也、韓御史良久謂丞相曰。君何不自喜。【集解】蘇林曰、何不自解釋爲喜樂邪、【索隱】案小顏云、何不自謙遜爲可喜之事、音許既反、【考證】張照曰、不自喜、猶言不自愛、下文所謂無大體、是也、注未合、愚按自喜、猶言自好、謂自愛重也、外戚世家、壹何不自喜、而倍本乎、夫魏其毀君。君當免冠解印綬歸。曰。臣以肺腑幸得待罪。固非其任。魏其言皆是。如此上必多君有讓、不廢君。【考證】顏師古曰、多、猶重也、魏其必內愧、杜門齰舌自殺。【索隱】案說文云、齰、齧也、音側革反、今人毀君、君亦毀人。譬如賈豎女子爭言。何其無大體也。【考證】張文虎曰、宋本、中統、游、毛、毀人作毀之、漢書同、武安謝罪曰。爭時急、不知出此。於是上使御史簿責魏其所言灌夫、頗不讎、欺謾。【正義】簿責、以文簿責問之、讎、音市周反、對也、言簿責魏其所言灌夫、實潁川事、故魏其不對爲欺謾者也、劾繫都司空。【索隱】案百官表云、宗正屬官、主詔獄也、【正義】如淳云、律、司空主水及罪人、【考證】何焯曰、嬰外家、故繫宗正屬、孝景時、魏其

常受遺詔。曰。事有不便、以便宜論上。【考證】漢書、常作嘗、顏師古曰、論說其事而上於天子、及繫灌夫、罪至族。事日急。諸公莫敢復明言於上。魏其乃使昆弟子上書言之。幸得復召見。書奏上。而案尚書、大行無遺詔。【集解】如淳曰、大行、主諸侯官也、【索隱】案尚書無此景帝崩時大行遺詔、乃魏其家臣印封之、如淳說非也、【正義】天子崩曰大行也、按尚書之中、景帝崩時、無遺詔賜魏其也、百官表云、諸受尚書事也、詔書獨藏魏其家、家丞封。【集解】漢書音義曰、以家臣印封遺詔、乃劾魏其矯先帝詔、罪當弃市。【考證】漢書、詔下有害字、注、鄭氏曰、矯詔有害不害也、愚按史文自通、漢書補害字、非是、五年十月、【集解】徐廣曰、疑非五年、亦非十月、【索隱】徐氏云、疑非者、案武紀四年三月蚡薨、竇嬰死在前、今云五年、故疑非也、【正義】漢書云、元光四年冬、魏其侯嬰有罪弃市、春三月乙卯、丞相蚡薨、按五年者誤也、【考證】梁玉繩曰、竇嬰灌夫田蚡之死在元光三年、夫以十月族、嬰以十二月棄市、蚡以三月卒、愚按梁說詳于史記志疑三十三卷、今不具載、悉論灌夫及家屬。魏其良久乃聞。聞卽恚、病痱。不食。欲死。【索隱】痱、音肥、又音扶味反、風病也、【正義】痱、風病、小腫也、又音蒲罪反、痱也、或聞上無意殺魏其、魏其

復食治病。議定不死矣。乃有蜚語、爲惡言聞上。【集解】張晏曰、蚡僞作飛揚誹謗之語、【考證】臣瓚曰、蜚語、無根而至也、故以十二月晦論、弃市渭城。【集解】徐廣曰、疑非十二月也、駰案張晏曰、月晦者、春垂至也、【索隱】著日月者、見春垂至、恐遇赦贖也、【正義】渭城、故咸陽也、【考證】通鑑考異云、徐廣疑非十二月、案漢制常以立春下寬大詔書、蚡恐魏其得釋、故以十二月晦殺之、何必疑、其春武安侯病、專呼服謝罪。【集解】漢書音義曰、言蚡號呼謝服罪也、【正義】其春、卽四年春也、元光四年十月、灌夫弃市、十二月末、魏其弃市、至三月乙卯田蚡薨、則三人死同在一年明矣、漢以十月爲歲首故也、秦楚之際表云、十一月十二月端月二月三月、至九爲終、周建子爲正月、十一月爲正月、十二月爲二月、正月爲三月、二月爲四月、至十月爲歲終、漢初至武帝太初以前、竝依秦法、以後改用夏正月、至今不改、然夫子作春秋、依夏正、【考證】張文虎曰、正義秦楚之際表云下、當脫十月二字、使巫視鬼者視之、見魏其・灌夫共守欲殺之。竟死。子恬嗣。【集解】徐廣曰、蚡疾、見魏其灌夫鬼殺之、則其死共在一春內邪、武帝本紀四年三月乙卯、田蚡薨、嬰死在蚡薨之前、何復云五年十二月邪、疑十二月、當爲二月也、案侯表、蚡事武帝、九年而卒、元光四年、侯恬之元年、建元元年訖元光三年、而九年、大臣表、蚡以元光四年卒、亦云嬰四年弃市、未詳此正安在、然蚡薨、在嬰死後分明、【考證】漢書使上有上字、守下有笞字、義異、元朔三年、武安侯坐衣襜褕入宮不

敬。【集解】徐廣曰、表云、坐衣不敬、國除、【索隱】襜、尺占反、褕、音踰、謂非正朝衣、若婦人服也、表云、恬坐衣不敬、國除、【正義】爾雅云、衣蔽前謂之襜、郭璞云、蔽膝也、說文字林、竝謂之短衣、【考證】安侯恬也、梁玉繩曰、此下缺國除二字、淮南王安謀反。覺治。王前朝。【集解】徐廣曰、建元二年、武安侯爲太尉時、迎王至霸上。謂王曰。上未有太子。大王最賢、高祖孫。卽宮車晏駕、非大王立、當誰哉。淮南王大喜、厚遺金財物。【考證】何焯曰、蚡爲大尉、多受諸侯王金、私與交通、其罪大矣、然安之入朝、在建元二年、武帝卽位之初、雖未有太子、尙春秋鼎盛、康强無疾、身又外戚、非王誰立之言、狂惑所不應有之言、疑惡蚡者從而加之、愚按中井積德曰、蓋獄吏之附會、故贊云被惡言、上自魏其時、不直武安。特爲太后故耳。【索隱】案武帝以魏其灌夫事爲枉、於武安侯爲不直、特爲太后故耳、【考證】漢書、魏其下有事字、及聞淮南王金事、上曰。使武安侯在者族矣。【考證】與平準書同一結法、

太史公曰。魏其・武安、皆以外戚重。灌夫用一時決筴而名顯。【考證】顏師古曰、謂馳入吳軍、欲報父讎也、魏其之舉、以吳・楚。武安之貴、在日月之際。

考證中井積德曰、日月之際、謂武帝即位之際會、及竇太后王太后之事、然魏其誠不知時變。灌夫無術而不遜。兩人相翼、乃成禍亂。武安負貴而好權。杯酒責望、陷彼兩賢。嗚呼哀哉。遷怒及人、命亦不延。衆庶不載、竟被惡言。考證楓、三本、載作戴、中井積德曰載戴通、嗚呼哀哉。禍所從來矣。考證趙恒曰、禍所從來、言禍由太后也、再言嗚呼、深恨之也、

索隱述贊竇嬰田蚡、勢利相雄、咸倚外戚、或恃軍功、灌夫自喜、引重其中、意氣杯酒、睥睨兩宮、事竟不直、冤哉二公、

魏其武安侯列傳第四十七　　史記一百七

史記會注考證卷一百八

漢　太　史　令　司　馬　遷　撰
宋　中　郎　外　兵　曹　參　軍　裴　駰　集　解
唐國子博士弘文館學士司馬貞索隱
唐諸王侍讀率府長史張守節正義
日　本　出　雲　瀧　川　資　言　考　證

韓長孺列傳第四十八　史記一百八

【考證】史公自序云、智足以應近世之變、寬足用得人、作韓長孺列傳第四十八、漢書云、韓安國字長孺、

御史大夫韓安國者、梁成安人也。【集解】徐廣曰、在汝潁之閒也、【索隱】按徐廣云在汝潁之閒、漢書地理志、縣名、屬陳留、【正義】括地志云、成安故城、在汝州梁縣東二十三里、地理志云、成安、屬潁川郡、陳留郡又有成安縣、亦屬梁、未知孰是也、【考證】成安、各本作城安、今從正義本、楓、三本及漢書、錢大昕曰、漢志陳留潁川二郡、皆有成安縣、而陳留爲梁故地、潁川爲韓故地、史稱梁成安、則爲陳留之成安無疑、又曰、安國以御史大夫病免、後爲他官以卒、篇首仍書御史大夫、亦變例、　後徙睢陽。【正義】今宋州宋城、　嘗受韓子雜家說於騶田生所。【索隱】案安國學韓子及雜家說於騶縣田生之所、　事梁孝王爲中大夫。吳・楚反時、孝王使安國及張羽爲將、扞吳兵於東界。【索隱】將扞、上音醬、下音汗、　張羽力戰、安國持重。以故吳不能過梁。【考證】何焯曰、持重二字眼目、　吳・楚已破。安國・張羽、名由此顯。梁孝王、景帝母弟。竇太后愛之、令得自請置相二千石。【考證】漢書無請字、凌稚隆曰、漢初王國二千石以下吏皆得自置、惟二千石則天子自命之、　出入游戲、僭於天子。天子聞之、心弗善也。太后知帝不善、乃怒梁使者弗見。案

責王所爲。【考證】凌稚隆曰、案責、蓋令使者籍記王過也、　韓安國爲梁使、見大長公主而泣曰、何梁王爲人子之孝、爲人臣之忠、而太后曾弗省也。【集解】徐廣曰、大長公主、景帝姊、【索隱】案即館陶公主、省、音仙井反、省者、察也、【正義】如淳云、景帝妹也、【考證】漢書注引如淳、妹作姊、　夫前日吳・楚・齊・趙七國反時、自關以東、皆合從西鄉。惟梁最親、爲艱難。梁王念太后・帝在中、而諸侯擾亂、一言泣數行下。【正義】中、謂關中也、又云、京師在天下之中、　跪送臣等六人、將兵擊卻吳・楚。【考證】王先謙曰、六人、安國、張羽、及汲黯傳之傳伯、儒林傳之丁寬、其二人未詳、　吳・楚以故兵不敢西、而卒破亡、梁王之力也。今太后以小節苛禮責望梁王。【索隱】案謂苛細小禮以責之、　梁王父兄皆帝王。所見者大。故出稱蹕、入言警。【考證】周壽昌曰、言平日所見、皆帝制之尊大、習慣爲常、即警蹕亦不爲異也、　車旗皆帝所賜也。【考證】王先謙曰、梁孝王傳、得賜天子旌旗、　即欲以佗鄙縣、驅馳國中、以

夸諸侯、令天下盡知太后・帝愛之也。【集解】徐廣曰、佗、一作衍也、駰案、佗、音丑亞反、誇也、【索隱】佗、音丑亞反、字如姹、佗者誇也、漢書作嫥、音火亞反、衍音寒孟反、　今梁使來、輒案責之。梁王恐、日夜涕泣思慕、不知所爲。何梁王之爲子孝、爲臣忠、而太后弗恤也。大長公主具以告太后。太后喜曰、爲言之帝。言之。帝心乃解。而免冠謝太后曰、兄弟不能相教、乃爲太后遺憂。悉見梁使、厚賜之。其後梁王益親驩。太后・長公主更賜安國、可直千餘金。名由此顯、結於漢。【考證】漢書無名字、梁玉繩曰、案安國凡兩見長公主、一救僭警蹕事、是安國爲中大夫時、一解殺袁盎事、是安國爲內史時、史分載梁孝王世家及此傳、乃互見之法、非不同也、或疑史誤分一事爲二者、非、古今黈亦謂前後兩事、　其後安國坐法抵罪。蒙獄吏田甲辱安國。【集解】蒙、縣名、【索隱】抵、音丁禮反、蒙、縣名、屬梁國也、【考證】楊愼曰、田甲亡其名、顧炎武曰、史記萬石君傳、長子建、次子甲、次子乙、次子慶、甲乙非名也、失其名、而假以名之也、韓安國傳獄吏田甲、張湯傳湯之客田甲、漢書高五王傳齊宦者徐甲、嚴助傳閩越王弟甲、疑亦同此、

安國曰、死灰獨不復然乎。田甲曰、然卽溺之。居無何、梁內史缺。漢使使者拜安國爲梁內史。起徒中、爲二千石。田甲亡走。安國曰、甲不就官、我滅而宗。【考證】楓、三本、甲下不上有還字、而、汝也、 甲因肉袒謝。安國笑曰、可溺矣。公等足與治乎。【索隱】案謂不足與繩持之、治、音持也、【考證】中井積德曰、治如字、是治獄之治、 卒善遇之。梁內史之缺也、孝王新得齊人公孫詭、說之、欲請以爲內史。竇太后聞、乃詔王以安國爲內史。公孫詭・羊勝說孝王、求爲帝太子、及益地事。恐漢大臣不聽。【考證】劉奉世曰、刺漢謀臣、在漢已立太子之後、此云求爲太子、恐大臣不聽、故刺之、與諸傳不同、當是此誤、梁玉繩曰、史不載益地事、見漢書鄒陽傳、 乃陰使人刺漢用事謀臣。及殺故吳相袁盎、景帝遂聞詭・勝等計畫、乃遣使捕詭・勝、必得。漢使十輩至梁。相以下擧國大索。月餘不得。內史安

國聞詭・勝匿孝王所、安國入見王而泣曰、主辱臣死。【索隱】此語見國語、【考證】越語、 大王無良臣。故事紛紛至此。今詭・勝不得。請辭賜死。【考證】三本、無辭字、 王曰、何至此。安國泣數行下。曰、大王自度於皇帝、孰與太上皇之與高皇帝、及皇帝之與臨江王親。孝王曰、弗如也。安國曰、夫太上・臨江、親父子之閒。然而高帝曰、提三尺劍取天下者朕也。【考證】以太上皇比竇太后、以臨江王比孝王、楓、三本、上下有皇字、江下有王字、 故太上皇終不得制事、居于櫟陽。臨江王、適長太子也。以一言過廢王臨江、【集解】如淳曰、景帝嘗屬諸姬太子母栗姬、言不遜、由是廢太子、栗姬憂死、 用宮垣事、卒自殺中尉府。【考證】張晏曰、以侵壖垣、徵、自殺也、 何者治天下終不以私亂公。語曰、雖有親父、安知其不爲虎。雖有親兄、安知其不爲狼。【考證】父虎、兄狼、顏師古曰、言其恩愛不可必保也、倪思曰、

此俚語、引用雖切、然不可訓、愚按宛然韓子口氣、其所學致然、 今大王列在諸侯。悅一邪臣浮說、犯上禁、橈明法。【索隱】悅、漢書作怵、說文云、怵、誘也、【正義】橈、曲也、 天子以太后故不忍致法於王。太后日夜涕泣、幸大王自改。而大王終不覺寤。有如太后宮車卽晏駕、大王尚誰攀乎。【考證】漢書、王上有大字、 語未卒、孝王泣數行下、謝安國曰、吾今出詭・勝。詭・勝自殺。漢使還報。梁事皆得釋、安國之力也。【考證】王先謙曰、據梁孝王鄒陽傳、安國亦因長公主入言、得釋、傳不言者、史文互見耳、 於是景帝・太后益重安國。【考證】楓、三本、帝下有及字、 孝王卒、共王卽位。安國坐法失官、居家。【考證】漢書、居家作家居、 建元中、武安侯田蚡爲漢太尉、親貴用事。安國以五百金物遺蚡。【考證】康海曰、以安國行賄幸進、他尚何責哉、 蚡言安國太后。天子亦素聞其賢。卽召以爲北地都尉。【考證】錢大昭曰、北地有兩都尉、北部都尉、治神泉障、渾懷都尉、治塞外渾懷障、

遷爲大司農。【考證】梁玉繩曰、當作大農令、王先謙曰、公卿表、建元二年、 閩越・東越相攻。安國及大行王恢將兵、【考證】各本、無兵字、依楓、三本、宋本、中統、游本及漢書補、閩越傳、漢書武紀、兩粵傳、東越作南越、此誤、建元六年事、 未至越。越殺其王降。漢兵亦罷。【考證】越、卽閩越、閩越王名郢、 建元六年、武安侯爲丞相、韓安國爲御史大夫。匈奴來請和親。天子下議。【考證】吳校本及漢書、議上有其字、 大行王恢燕人也。數爲邊吏、習知胡事。議曰、漢與匈奴和親、率不過數歲、卽復倍約。不如勿許、興兵擊之。安國曰、千里而戰、兵不獲利。今匈奴負戎馬之足、懷禽獸之心。遷徙鳥擧。難得而制也。【考證】負、恃也、 得其地、不足以爲廣。有其衆、不足以爲彊。【考證】主父偃傳諫伐匈奴書、引李斯言云、夫匈奴無城郭之居、委積之守、遷徙鳥擧、難得而制也、得其地、不足以爲利也、遇其民、不可役而守也、 自上古不屬爲人。【索隱】案晉灼云、不內屬於漢爲人、【考證】主父偃書又云、夫匈奴難得而制、非一世也、上及虞夏殷周、固弗程督、禽獸

畜之、不屬爲人、不屬爲人不隷屬爲民也、 漢數千里爭利、則人馬罷。虜以全制其敝。且彊弩之極矢、不能穿魯縞。衝風之末力、不能漂鴻毛。[集解]許愼曰、魯之縞尤薄、[考證]縞毛韻、 非初不勁、末力衰也。擊之不便。不如和親。羣臣議者多附安國。於是上許和親。其明年則元光元年、雁門馬邑豪聶翁壹、[集解]張晏曰、豪、猶帥也、[索隱]聶、姓也、翁壹、名也、漢書云、聶壹、[考證]周壽昌曰、豪、豪民、謂其邑人之傑出者耳、馬邑、今朔平府朔州、王鳴盛曰、史記韓長孺傳、匈奴傳、俱有聶翁壹、漢書於韓傳作聶壹、於匈奴傳則作聶翁壹、蓋壹者其名、翁者老稱、方言、周晉秦隴謂父爲翁、故可省、愚按漢書無則元光元年五字、通鑑考異云、史記韓長孺傳、元光元年聶壹畫馬邑事、而漢書武紀在二年、蓋元年壹始言之、二年議乃決也、 因大行王恢言上曰。匈奴初和親、親信邊。可誘以利。[考證]趙翼曰、漢書韓安國傳、載其與王恢論伐匈奴事、恢主用兵、安國主和親、反覆辨論、凡十餘番、皆邊疆大計、梁玉繩曰、此似不可略、 陰使聶翁壹爲閒、亡入匈奴、謂單于曰。吾能斬馬邑令丞吏、以城降。財物可盡得。[考證]漢書無吏字、 單于愛信之、以爲然、許聶翁壹。聶翁壹乃還、詐斬死罪囚、縣其頭馬邑城、示單于使者爲信。[考證]漢書、城下有下字、 曰。馬邑長吏已死。可急來。於是單于穿塞、將十餘萬騎入武州塞。[集解]徐廣曰、在雁門、[索隱]地理志、縣名、屬鴈門、又崔浩云、今平城直西百里、有武州城、是也、[考證]今朔平府左雲縣南、 當是時、漢伏兵車騎材官三十餘萬、匿馬邑旁谷中。衞尉李廣爲驍騎將軍、[集解]漢書曰、北貉燕人來致驍騎、應劭曰、驍、健也、張晏曰、驍、勇也、若六博之梟矣、 太僕公孫賀爲輕車將軍、[正義]司馬續漢書云、輕車、古之戰車、 大行王恢爲將屯將軍、[正義]李奇云、監主諸屯、 太中大夫李息爲材官將軍、[正義]臣瓚云、材官、騎射之官、 御史大夫韓安國爲護軍將軍。諸將皆屬護軍。約單于入馬邑、而漢兵縱發。王恢・李息・李廣、別從代主擊其輜重。[正義]釋名云、輜、廁也、所載衣服、雜廁其中、[考證]顏師古曰、輜、衣車也、重、謂載重物車也、故行者之資、總曰輜重、 於是單于入漢長城

武州塞、未至馬邑百餘里、行掠鹵。徒見畜牧於野、不見一人。單于怪之。攻烽燧、得武州尉史。欲刺、問尉史。尉史曰。漢兵數十萬、伏馬邑下。[考證]匈奴傳、作單于怪之、乃攻亭、是時雁門尉史行徼、見寇葆此亭、單于得、欲殺之、尉史乃告單于漢兵所居、注、如淳云、近塞郡、皆置尉、百里一人、士史尉史、各二人也、 單于顧謂左右曰。幾爲漢所賣。[正義]幾、音祈、[考證]楓三本、單于上、有於是二字、 乃引兵還。出塞曰。吾得尉史、乃天也。命尉史爲天王。塞下傳言、單于已引去。漢兵追至塞。度弗及、卽罷。王恢等兵三萬、聞單于不與漢合、[考證]楓、三本、于下有兵字、 度往擊輜重、必與單于精兵戰。漢兵勢必敗。則以便宜罷兵。皆無功。天子怒王恢不出擊單于輜重、擅引兵罷也。恢曰。始約虜入馬邑、城兵與單于接。而臣擊其輜重、可得利。[考證]楓、三本、無城兵與單于接而七字・ 今單于聞、不至而還。臣以三萬人衆不敵。禔取辱耳。[集解]徐廣曰、禔、一作祇也、[考證]漢書無聞字、禔作祇、禔祇通、 臣固知還而斬。然得完陛下士三萬人。於是下恢廷尉。廷尉當恢逗橈、當斬。[集解]漢書音義曰、逗、曲行避敵也、橈、顧望、軍法語也、[索隱]案應劭云、逗、曲行而避敵、音豆、又音住、住、謂留止也、橈、屈弱也、女孝反、一云橈、顧望也、 恢私行千金丞相蚡。蚡不敢言上、而言於太后曰。王恢首造馬邑事。今不成而誅恢。是爲匈奴報仇也。上朝太后。太后以丞相言告上。上曰。首爲馬邑事者、恢也。故發天下兵數十萬、從其言爲此。且縱單于不可得、恢所部擊其輜重、猶頗可得以慰士大夫心。今不誅恢、無以謝天下。[考證]漢書、刪其輜重三字、 於是恢聞之、乃自殺。安國爲人多大略。智足以當世取舍、而出於忠厚焉。[索隱]案出者去也、言安國爲人無忠厚之行、[考證]顏師古曰、取舍、言可取則取、可止則止、王先謙曰、明於趨避、所言

所行、當世俗意也、徐孚遠曰、言意本於忠厚也、索隱非也、觀於贊語、自得之、愚按、當、猶合也、出、猶發也、貪嗜於財。所推擧皆廉士、賢於己者也。【考證】楓、三本、漢書、財下有利然二字、於梁擧壺遂・臧固・郅他。皆天下名士。【索隱】上音質、下徒河反、謂三人姓名也、壺遂也、臧固也、郅他也、若漢書則云至他、言至於他處、亦擧名士也、【考證】漢書、郅作至、王念孫曰、至、郅通、士亦以此稱慕之。唯天子以爲國器。【考證】唯、讀爲雖、安國爲御史大夫四歲餘、丞相田蚡死。安國行丞相事。奉引墮車、蹇。【集解】如淳曰、爲天子導引而墮車跛足、天子議置相。欲用安國、使使視之。蹇甚。乃更以平棘侯薛澤爲丞相。安國病免。數月蹇愈。上復以安國爲中尉。歲餘、徙爲衞尉。車騎將軍衞青擊匈奴。【集解】徐廣曰、元光六年也、出上谷、破胡蘢城。【集解】蘢、音龍、【索隱】音龍、【考證】漢書、作龍城、將軍李廣爲匈奴所得、復失之。公孫敖大亡卒。皆當斬。贖爲庶人。明年、匈奴大入邊、殺遼西

太守。及入鴈門、所殺略數千人。車騎將軍衞青擊之、出鴈門、衞尉安國爲材官將軍、屯於漁陽。【正義】幽州縣、【考證】梁玉繩曰、案安國時爲將屯將軍、非材官也、又事在元光六年、此序在元朔元年、亦誤、安國捕生虜、言匈奴遠去。卽上書言、方田作時。請且罷軍屯。罷軍屯月餘、匈奴大入上谷・漁陽。【考證】王先謙曰、據漢書武紀、匈奴傳、元朔元年、匈奴入遼西漁陽鴈門、未入上谷、安國壁乃有七百餘人。出與戰。不勝。復入壁。匈奴虜略千餘人及畜產而去。【考證】楓、三本、漢書、復作傷、王先謙曰、匈奴傳、匈奴圍安國、安國時千餘騎、亦且盡、會燕救之至、匈奴迺去、與此微異、天子聞之、怒、使使責讓安國。徙安國益東屯右北平。【正義】幽州漁陽縣東南七十七里北平城、卽漢右北平也、是時匈奴虜言當入東方。安國始爲御史大夫及護軍。後稍斥疏下遷。而新幸壯將軍衞青等、有功益貴。安國既疏遠、默默也。將屯、又爲匈奴所欺、

失亡多。甚自愧、幸得罷歸。乃益東徙屯。意忽忽不樂。數月、病歐血死。安國以元朔二年中卒。

太史公曰。余與壺遂定律歷。觀韓長孺之義、壺遂之深中隱厚。【集解】徐廣曰、一云廉正忠厚、【考證】壺遂又見史公自序、曾國藩曰、壺遂田仁、皆與子長深交、故敘梁趙諸臣多深切、世之言梁多長者。不虛哉。壺遂官至詹事。天子方倚以爲漢相。會遂卒。不然、壺遂之內廉行修、斯鞠躬君子也。【考證】中井積德曰、會遂卒句中、暗含命字、故下承之曰、不然云云、遂之命、蓋由長孺之命云爾、又曰、遷與遂蓋交善、遂爲相、則遷必被其輔翼矣、明遂之命、亦遷之命也、是處有無限感慨、

【索隱】述贊、安國忠厚、初爲梁將、因事坐法、免徒起相、死灰更然、生虜失防、推賢見重、賄金貽譏、雪泣悟主、臣節可亮、

韓長孺列傳第四十八　史記一百八

史記會注考證卷一百九

漢　太　史　令　司　馬　遷　撰
宋　中　郎　外　兵　曹　參　軍　裴　駰　集　解
唐　國　子　博　士　弘　文　館　學　士　司　馬　貞　索　隱
唐　諸　王　侍　讀　率　府　長　史　張　守　節　正　義
日　本　出　雲　瀧　川　資　言　考　證

李將軍列傳第四十九　史記一百九

【考證】史公自序云、勇於當敵、仁愛士卒、號令不煩、師徒鄕之、作李將軍列傳第四十九、陳仁錫曰、子長作一傳、必有一主宰、如李廣傳以不遇時三字爲主、衞青傳以天幸

二字爲主、愚按史公已見李將軍、又與其孫陵友、此傳詳悉靡遺、蓋得之於陵也、其上承韓安國傳、下接匈奴傳者、以見北邊非將軍不可寄管鑰、惜其不善用之也、

李將軍廣者、隴西成紀人也。【正義】成紀、秦州縣、【考證】齊召南曰、成紀縣、漢初屬隴西郡、至元光以後置天水郡、改屬焉、故志載成紀於天水下、其先曰李信。秦時爲將、逐得燕太子丹者也。故槐里。從成紀。廣家世世受射。【索隱】案小顏云、世受射法、【正義】愛、好也、習也、【考證】正義本受作愛、索隱本、漢書作受、陳仁錫曰、廣家世受射句、乃一傳之綱領、廣所長在射、故傳中敘射事獨詳、若射匈奴射鵰者、若射白馬將、若射追騎、若射獵、若射石、若射猛獸、若射裨將、皆著廣善射之實也、末及孫陵教射、亦與篇首世世受射句相應、孝文帝十四年、匈奴大入蕭關。而廣以良家子從軍擊胡。【索隱】案如淳云、良家子、非醫巫商賈百工也、【考證】中井積德曰、醫巫商賈百工之外、亦有良家、有賤家、註未備、徐孚遠曰、良家子從軍、蓋自以才力從大將軍、取功名、非卒伍也、用善騎射、殺首虜多、爲漢中郎。【考證】楓、三本、無中字、廣從弟李蔡亦爲郎。皆爲武騎常侍。秩八百石。【索隱】案謂爲郎而補武騎常侍、嘗從行、有所衝陷折關、及格猛獸。而文帝曰。惜乎、子不遇時。如令

子當高帝時、萬戶侯豈足道哉。【考證】關、防止也、楓、三本、不上有生字、漢書嘗從行以下十四字、改作數從射獵格殺猛獸、及孝景初立、廣爲隴西都尉。徙爲騎郎將。【集解】張晏曰、爲武騎郎將、【索隱】小顏云、爲騎郎將、謂主騎郎也、【考證】王先謙曰、百官志、郎有車戶騎三將、秩皆比千石、楓、三本、孝景下有帝字、吳・楚軍時、廣爲驍騎都尉、從太尉亞夫擊吳・楚軍、取旗、顯功名昌邑下。以梁王授廣將軍印、還賞不行。【集解】文穎曰、廣爲漢將、私受梁印、故不以賞也、徙爲上谷太守。匈奴日以合戰。【考證】三本、以作與、典屬國公孫昆邪爲上泣曰。李廣才氣天下無雙。自負其能、數與虜敵戰。恐亡之。【集解】昆、音魂、【索隱】案典屬國、官名、公孫、姓也、昆邪、名、服虔云、中國人、包愷云、昆、音魂也、【考證】公孫賀傳、昆邪作渾邪、北地義渠人、賀其孫也、顏師古曰、爲上泣、對上而泣也、於是乃徙爲上郡太守。後廣轉爲邊郡太守、徙上郡。嘗爲隴西・北地・鴈門・代郡・雲中大守。皆以力戰爲名。【考證】漢書、無後廣以下三十一字、歸有光曰、當是欲敘匈奴入上郡事、故先書徙爲上郡太守、其

實爲隴西北地鴈門代郡雲中、後乃徙上郡也、張文虎曰、後廣轉爲至爲名三十一字、疑當在後文不知廣之所之故弗從下、而衍徙上郡三字、則與漢書次序合、愚按張說爲是、匈奴大入上郡。天子使中貴人從廣、勒習兵擊匈奴。【集解】漢書音義曰、內官之幸貴者、【索隱】案董巴輿服志云、黃門丞至密近、使聽察天下、謂之中貴人使者、崔浩云、在中而貴幸、非德望、故名不見也、【考證】宦官從軍、蓋以是爲始、中貴人將騎數十縱。【集解】徐廣曰、放縱馳騁、【考證】漢書、作將數十騎從、顏師古曰、直言將數十騎、自隨在大軍前行、而忽遇敵也、與史義異、見匈奴三人與戰。三人還射、傷中貴人、殺其騎且盡。中貴人走廣。【正義】射、音石、還、謂轉也、【考證】中井積德曰、還、環也、音旋、廣曰。是必射雕者也。【集解】文穎曰、雕、鳥也、故使善射者射也、【索隱】案服虔云、雕、鶚也、說文云、似鷲黑色、多子、一名鷲、以其毛作矢羽、韋昭云、鶚一名鵰也、【考證】中井積德曰、鵰鷙猛剽疾、尤難射、非善射者弗能焉、廣乃遂從百騎往馳三人。【考證】顏師古曰、疾馳而逐之、三人亡馬步行。行數十里。廣令其騎張左右翼、而廣身自射彼三人者。殺其二人。生得一人。果匈奴射雕者也。已縛之上馬。【考證】漢書、馬作山、周壽昌曰、作馬、是、若廣先上山、

匈奴又何以上山陳耶、望匈奴有數千騎、見廣以爲誘騎、皆驚上山陳。廣之百騎、皆大恐欲馳還走。廣曰。吾去大軍數十里。今如此以百騎走。匈奴追射我立盡。今我留、匈奴必以我爲大軍誘之。必不敢擊我。【考證】張文虎曰、各本、大下衍將字、宋、中統、毛本無、與漢書合、誘之當從漢書作之誘、誘卽上文所謂誘騎也、言匈奴以我爲大軍之誘敵者、不敢擊我也、廣令諸騎曰。前。前未到匈奴陳二里所止。【考證】前、句、令騎前行也、下前字、屬下讀、漢書不重前字、非是、令曰。皆下馬解鞍。其騎曰。虜多且近。卽有急奈何。廣曰。彼虜以我爲走。今皆解鞍以示不走、用堅其意。【考證】王先謙曰、堅彼以我爲誘騎之意、使之不疑也、於是胡騎遂不敢擊。有白馬將、出護其兵。【正義】其將乘白馬而出監護也、李廣上馬、與十餘騎犇射殺胡白馬將、而復還至其騎中、解鞍、令士皆縱馬臥。是時會暮。胡兵終怪之、不敢

擊。【考證】楓、三本、暮上有日字、夜半時、胡兵亦以爲漢有伏軍於旁、欲夜取之、胡皆引兵而去。平旦、李廣乃歸其大軍。大軍不知廣所之、故弗從。【考證】漢書弗從下、有後徙爲隴西北地雁門雲中太守十三字、居久之、孝景崩、武帝立。左右以爲廣名將也。於是廣以上郡太守爲未央衞尉。【考證】漢書以爲作言、改於是廣以上郡太守、爲由是入三字、梁玉繩曰、公卿表、於元光元年書隴西太守李廣爲衞尉、則此言上郡、非也、而程不識亦爲長樂衞尉。程不識故與李廣俱以邊太守將軍屯。及出擊胡、而廣行無部伍行陳、【索隱】案百官志云、將軍領軍、皆有部曲、大將軍營五部、部校尉一人、部下有曲、曲有軍候一人也、【正義】案部伍、領也、五五相次也、在廣亦無此事也、【考證】漢書部伍作部曲、顏師古曰、廣尚於簡易、故行道之中、不立部曲也、就善水草屯舍止、人人自便、【索隱】音去聲、【考證】漢書、屯作頓、無止字、顏師古曰、頓、止也、舍、息也、便、安利也、不擊刁斗以自衞。【集解】孟康曰、以銅作鐎器、受一斗、晝炊飯食、夜擊持行、名曰刁斗、【索隱】刁、音貂、案荀悅云、刁斗、小鈴、如宮中傳夜鈴也、蘇林云、形如鋗、以銅作之、無緣、受一斗、故云刁斗、鋗卽鈴也、埤蒼云、

鐎、溫器、有柄斗、似銚、無緣、音焦、【正義】鐎、三足有柄者也、莫府省約文書籍事。【索隱】案大顏云、凡將軍謂之莫府者、蓋兵行舍於帷帳、故稱莫府、古字通用、遂作莫耳、小爾雅訓莫爲大、非也、【正義】晉灼曰、將軍職在征行、無常處、所在爲治、故言莫府、莫、大也、或曰、衞青征匈奴、絕大莫、大克獲、帝就拜大將軍莫中府、故曰莫府、莫府之名、始於此、顏師古曰、二說皆非也、莫府者以軍幕爲義、古字通用耳、軍旅無常居、止以帳幕言之、廉頗傳、李牧市租皆入幕府、此則非因衞青始有其號、又莫訓爲大、於義乖矣、【考證】漢書、刪籍事二字、然亦遠斥候、未嘗遇害。【索隱】案許愼注淮南子云、斥、度也、候、視也、望也、程不識正部曲行伍營陳、擊刁斗、士吏治軍簿至明、軍不得休息。然亦未嘗遇害。不識曰。李廣軍極簡易、然虜卒犯之、無以禁也。【考證】顏師古曰、卒讀曰猝、而其士卒亦佚樂、咸樂爲之死。我軍雖煩擾、然虜亦不得犯我。是時漢邊郡、李廣·程不識皆爲名將。然匈奴畏李廣之略、士卒亦多樂從李廣、而苦程不識。【考證】武安侯傳、亦程李竝稱、程不識孝景時、以數直諫爲太中大夫。爲人廉、謹於

文法。後漢以馬邑城誘單于、使大軍伏馬邑旁谷。而廣爲驍騎將軍、領屬護軍將軍。是時單于覺之去。漢軍皆無功。【考證】胡三省曰、周末置左右前後將軍、漢因之、位上卿、至武帝、置驍騎車騎等將軍、後來名號浸多、不可勝紀、謂之雜號將軍、盤洲洪氏曰、西漢雜號將軍、掌征伐背叛、事訖則罷、不常置也、顏師古曰、護軍將軍、韓安國、其後四歲、廣以衞尉爲將軍、出鴈門擊匈奴。【考證】元光六年、匈奴兵多。破敗廣軍、生得廣。單于素聞廣賢、令曰。得李廣、必生致之。胡騎得廣。廣時傷病。置廣兩馬閒、絡而盛臥廣。行十餘里、廣詳死。睨其旁、有一胡兒騎善馬。【考證】顏師古曰、睨、邪視也、廣暫騰而上胡兒馬、因推墮兒、【集解】徐廣曰、一云、抱兒鞭馬南馳也、【考證】王先謙曰、廣雅釋詁、暫、猝也、漢書作抱兒、抱讀爲拋、與推墮義同、取其弓、鞭馬南馳數十里、復得其餘軍。因引而入塞。匈奴捕者、騎數百追之。廣行取胡兒弓、射殺追騎。以故得脫。

於是至漢。漢下廣吏。吏當廣所失亡多、爲虜所生得、當斬。贖爲庶人。頃之家居數歲。廣家與故潁陰侯孫屛野、居藍田南山中、射獵。【集解】孫、灌嬰之孫、名彊、【索隱】案灌嬰之孫、名彊、【考證】史文疑有譌誤、漢書改作數歲與故潁陰侯屛居、嘗夜從一騎出、從人田閒飮。還至霸陵亭。霸陵尉醉呵止廣。【索隱】案百官志云、尉、大縣二人、主盜賊、凡有賊發、則推索尋案之也、廣騎曰。故李將軍。尉曰。今將軍尚不得夜行。何乃故也。【考證】言現將軍尚且不得夜行、何況故將軍乎、止廣宿亭下。居無何、匈奴入殺遼西太守、敗韓將軍。韓將軍徙右北平、死。【集解】蘇林曰、韓安國、【考證】平下死字、各本脫、今依楓、三本、漢書、於是天子乃召拜廣爲右北平太守。廣卽請霸陵尉與俱、至軍而斬之。【考證】請、奏請也、漢書載廣斬尉自劾、武帝不責、反加奬譽一詔、廣居右北平。匈奴聞之、號曰漢之飛將軍、避之數歲、不敢入右北平。廣出獵。

見草中石、以爲虎而射之、中石沒鏃。【集解】徐廣曰、一作沒羽、【考證】漢書作矢、視之石也。因復更射之。終不能復入石矣。【考證】類聚引史記、入下無石字、與漢書合、此衍、何焯曰、呂覽精通篇云、養由基射虎中石、矢乃飮羽、誠乎虎也、與此相類、豈世因廣之善射、造爲此事以加之歟、段成式已疑之、愚按西京雜記亦以爲李廣事、廣所居郡、聞有虎、嘗自射之。【考證】楓、三本、漢書、嘗作常、及居右北平射虎。虎騰傷廣。廣亦竟射殺之。廣廉。得賞賜輒分其麾下。飮食與士共之。終廣之身、爲二千石四十餘年。家無餘財。終不言家產事。廣爲人長、猨臂。其善射亦天性也。【集解】如淳曰、臂如猨通肩、【考證】沈欽韓曰、淮南修務訓、羿左臂修而善射、亦如猨之通臂也、愚按、集解通肩疑當作通臂、雖其子孫他人學者、莫能及廣。廣訥口少言。與人居、則畫地爲軍陳、射闊狹以飮。專以射爲戲、竟死。【集解】如淳曰、射戲求疏密、持酒以飮不勝者、【索隱】覺、謂終覺、廣身至死以爲恆也、【正義】飮、音於禁反、【考證】王先謙曰、藝文志有李將軍射法三篇、廣之將兵、乏絕

之處、見水、士卒不盡飮、廣不近水。士卒不盡食、廣不嘗食。寬緩不苛。士以此愛樂爲用。其射、見敵急、非在數十步之內、度不中、不發。發卽應弦而倒。【考證】漢書、無急字、此疑衍、顏師古曰、度、音待各反、用此、其將兵數困辱。其射猛獸、亦爲所傷云。【考證】王先謙曰、非見敵急不射、故被敵窘迫、居頃之、石建卒。於是上召廣代建爲郞中令。元朔六年、廣復爲後將軍、從大將軍、軍出定襄、擊匈奴。諸將多中首虜率、以功爲侯者。【集解】如淳曰、中、猶充也、本秦法、得首若干封侯、【考證】大將軍、衞青、中、當也、顏師古曰、率、謂軍功封賞之科、著在法令者也、而廣軍無功。後三歲、廣以郞中令將四千騎出右北平。【考證】梁玉繩曰、案此云是元狩三年也、漢傳同然、攷名臣表匈奴傳及漢書武紀匈奴傳、皆是元狩二年、則當作後二歲、下文敘元狩四年廣爲前將軍、云後二歲、則此言三歲之誤、尤明、博望侯張騫、將萬騎與廣俱、異道。【考證】俱、同行也、楓、三本、無此字、非、行可數百里、匈奴左賢王將

四萬騎圍廣。廣軍士皆恐。廣乃使其子敢往馳之。敢獨與數十騎馳、直貫胡騎、出其左右。【考證】楓、三本、漢書、與作從、而還告廣曰。胡虜易與耳。軍士乃安。廣爲圜陳外嚮。【考證】匈奴傳云、士皆持滿、傅矢外嚮、胡急擊之、矢下如雨。漢兵死者過半。漢矢且盡。廣乃令士持滿毋發、而廣身自以大黃射其裨將、殺數人、胡虜益解。【集解】徐廣曰、南都賦曰、黃閒機張善弩之名、駰案鄭德曰、黃肩弩、淵中黃朱之、孟康曰、太公六韜曰、陷堅敗強敵、用大黃連弩、韋昭曰、角弩、色黃而體大也、【索隱】案大黃黃閒弩名也、故韋昭曰、角弩也、色黃體大是也、【正義】服虔曰、黃肩弩也、晉灼曰、黃肩卽黃閒也、大黃、其大者也、【考證】王先謙曰、凡言益者、皆以漸加之詞、漢書蘇武傳、武益愈、言武漸愈也、景十三王傳、益不愛望卿、言漸不愛望卿也、李廣傳、胡虜益解、言胡虜漸解也、會日暮。吏士皆無人色。而廣意氣自如、益治軍。【考證】楓、三本、軍作兵、軍中自是服其勇也。明日復力戰。而博望侯軍亦至。匈奴軍乃解去。漢軍罷弗能追。是時廣軍幾沒。罷歸。漢法、

博望侯留遲後期、當死。贖爲庶人。廣軍功自如、無賞。【考證】漢書自如作自當、義同、胡三省曰、自如、言功過正相當也、廣軍失亡多、而殺虜亦過當、故曰自如、初廣之從弟李蔡、與廣俱事孝文帝。景帝時、蔡積功勞至二千石。孝武帝時、至代相。【考證】梁玉繩曰、孝武帝時、當作今天子時、以元朔五年爲輕車將軍、從大將軍擊右賢王。有功。中率、封爲樂安侯。【索隱】中、音丁仲反、率、音律、亦音雙筆反、小顏云、率、謂軍功封賞之科著在法令、故云中率、【考證】上文云、諸將多中首虜率、元狩二年中、代公孫弘爲丞相。蔡爲人在下中。名聲出廣下甚遠。【索隱】案以九品而論、在下之中、當第八、然廣不得爵邑。官不過九卿。而蔡爲列侯、位至三公。諸廣之軍吏及士卒、或取封侯。廣嘗與望氣王朔燕語曰。【考證】天官書云、漢之爲天數者、氣則王朔、又云、王朔所候決於日旁、王先謙曰、開元占經日占中、多引王朔說、自漢擊匈奴、而廣未嘗不在其中。而諸部校尉以下、才能不及中

人。【正義】不及中率之人、然以擊胡軍功取侯者數十人。而廣不爲後人。【索隱】案謂不在人後、然無尺寸之功以得封邑者、何也。豈吾相不當侯邪。且固命也。【考證】楓本、漢書、然下有終字、査慎行曰、漢書刪且固命也四字、不特文氣少駘宕、且與下文數奇不相應、朔曰。將軍自念、豈嘗有所恨乎。【考證】楓、三本、漢書、恨下有者字、廣曰。吾嘗爲隴西守、羌嘗反。吾誘而降。降者八百餘人。吾詐而同日殺之。至今大恨。獨此耳。朔曰。禍莫大於殺已降。此乃將軍所以不得侯者也。【考證】此一段以敘事代議論、曾國藩曰、初廣之從弟李蔡、至此乃將軍所以不得侯者也、十餘行中、專敘廣之數奇已、令人讀之短氣、此下接敘從衛青出擊匈奴、徙東道迷失道事、愈覺悲壯淋漓、若將衛青出塞事敘於前、而以廣之從弟李蔡一段議論敘於後、則無此沈雄矣、故知位置之先後、翦裁之繁簡、爲文家第一要義也、後二歲、大將軍・驃騎將軍、大出擊匈奴。廣數自請行天子以爲老弗許。良久乃許之。以爲前將軍。是歲元狩四年也。廣既從

大將軍青擊匈奴。既出塞。青捕虜知單于所居、乃自以精兵走之、而令廣幷於右將軍、軍出東道。【集解】徐廣曰、主爵趙食其爲右將軍、東道少回遠。而大軍行水草少、其勢不屯行。【集解】張晏曰、以水草少、不可羣輩、廣自請曰。臣部爲前將軍。今大將軍乃徙令臣出東道。且臣結髮而與匈奴戰。【考證】顏師古曰、言始勝冠、卽在戰陳、今乃一得當單于。【索隱】今得當單于、案廣言自少時結髮而與匈奴戰、唯今者得與單于相當遇也、臣願居前、先死單于。大將軍青亦陰受上誡、以爲李廣老數奇。【集解】如淳曰、數爲匈奴所敗、奇爲不偶也、【索隱】案服虔云、作事數不偶也、音朔、小顏音所具反、奇、蕭該音居宜反、【考證】顏師古曰、數奇、言廣命隻不耦合也、癸辛雜識云、數、命數、非疏數之數、毋令當單于。恐不得所欲。而是時公孫敖新失侯、爲中將軍、從大將軍。【考證】劉奉世曰、按青去病傳、是歲出塞、無中將軍、而敖傳是歲以校尉從大將軍、此傳誤也、大將軍亦欲使敖與俱當單于、故徙前將軍廣。【考證】王鳴

盛曰、衛青傳、言其微時大長公主執欲殺之、其友公孫敖往篡之、得不死、是役李廣本以前將軍從、宜在前當單于、青乃徙之出東道、使其回遠失道者、非但以其數奇恐無功、實以公孫敖新先侯、欲令俱當單于有功得侯、以報其德、故徙廣乃私也、愚按胡氏通鑑注、亦有此說、廣時知之、固自辭於大將軍。大將軍不聽。令長史封書與廣之莫府曰。急詣部如書。【正義】令廣如其文牒、急引兵徙東道也、【考證】中井積德曰、大將軍不欲親强命之、且恐其不從、故令長史以書言之、授廣府也、劉奉世曰、莫府、卽廣之前將軍之莫府也、愚按上文云、廣莫府省約文書籍事、則將軍之出、各有莫府、顏師古讀之爲往、解莫府爲衛青行軍府、誤也、廣不謝大將軍而起行。意甚慍怒而就部、引兵與右將軍食其合軍、出東道。【索隱】音異基、案趙將軍名也、或亦依字讀、軍亡導、或失道、後大將軍。【索隱】謂無人導引軍、故失道也、【考證】漢書、或作惑、通、大將軍與單于接戰。單于遁走、弗能得而還。南絕幕、遇前將軍右將軍。【正義】絕、度也、南歸度沙幕、廣已見大將軍、還入軍。大將軍使長史持糒醪遺廣。【考證】顏師古曰、糒、乾飯也、醪、汁滓酒也、因問廣・食其失道狀。青欲上書

報天子軍曲折。【正義】言委曲而行迴折、使軍後大將軍也、【考證】漢書、狀下補曰字、曲折、猶言委曲事情、漢書軍上有失字、非是、姜宸英何焯論之甚詳、 廣未對。大將軍使長史急責廣之幕府對簿。【考證】莫府、廣之莫府、下同、漢書、對作上、顏師古曰、簿、謂文狀也、 廣曰。諸校尉無罪。乃我自失道。吾今自上簿。至莫府、廣謂其麾下曰。廣結髮與匈奴大小七十餘戰。今幸從大將軍出、接單于兵。而大將軍又徙廣部、行回遠。而又迷失道。豈非天哉。且廣年六十餘矣。終不能復對刀筆之吏。遂引刀自剄。廣軍士大夫一軍皆哭。百姓聞之、知與不知、無老、壯、皆爲垂涕。而右將軍獨下吏。當死。贖爲庶人。廣子三人、曰當戶・椒・敢。爲郎。天子與韓嫣戲。嫣少不遜。當戶擊嫣。嫣走。於是天子以爲勇。【索隱】嫣、或音偃、又音許乾反、【考證】徐孚遠曰、韓嫣於上有寵、當戶擊之、故天子稱其勇也、 當戶早死。

拜椒爲代郡太守。皆先廣死。當戶有遺腹子。名陵。廣死軍時、敢從驃騎將軍。廣死明年、李蔡以丞相坐侵孝景園壖地、當下吏治。蔡亦自殺、不對獄。國除。【索隱】壖、音人絹反、又音乃段反、又音而宣反、案、壖地、神道之地也、黃圖云、陽陵闕門西出神道四通、茂陵神道、廣四十三丈也、【正義】漢書云、詔賜冢地陽陵、當得二十畝、蔡盜取三頃、頗賣得四十餘萬、又盜取神道外壖地一畝、葬其中、當下獄、自殺、 李敢以校尉從驃騎將軍、擊胡左賢王、力戰奪左賢王鼓旗、斬首多。賜爵關內侯、食邑二百戶。代廣爲郎中令。【考證】王先謙曰、公卿表、敢爲郎中令、在元狩五年、 頃之、怨大將軍青之恨其父、乃擊傷大將軍。【索隱】小顏云、令其父恨而死、【考證】王先謙曰、恨讀爲很、很、違也、 大將軍匿諱之。居無何、敢從上雍、至甘泉宮獵。【索隱】雍、劉氏音尙、大顏云、雍、地形高、故云上、【考證】上、謂武帝也、楓、三本、上下有幸字、義長、時武帝連歲幸雍、故敢從之、漢書武紀亦云幸雍、 驃騎將軍去病與青有親。射殺敢。去病時方貴幸。上諱云鹿觸

殺之。【考證】楓、三本、漢書上下有爲字、 居歲餘、去病死。【集解】徐廣曰、元狩六年、 而敢有女爲太子中人、愛幸。【考證】沈欽韓曰、中人、蓋未有位號者、猶唐宋宮人曰內人、 敢男禹有寵於太子。然好利。李氏陵遲衰微矣。李陵既壯。選爲建章監、監諸騎。善射、愛士卒。【考證】李陵事、漢書李廣傳悉其委曲、梁玉繩曰、李陵既壯以下、皆後人妄續也、無論天漢間事史所不載、而史公因陵被禍、必不書之、其詳別見于報任安書、蓋有深意焉、觀贊中、但言李廣、而無一語及陵、可見、且所續與漢傳不合、如族陵家、在陵降歲餘之後、匈奴妻陵、又在族陵家之後、而此言單于得陵、卽以女妻之、漢聞其妻單于女、族陵母妻子、並誅也、且漢之族陵家、因公孫敖誤以李緒教單于兵爲李陵之故、不關妻單于女、又杭太史云、子長盛推李少卿、以爲有國士風、雖敗不足誅、彼不死、欲得當以報、可云李氏名敗、隴西之士爲恥乎、斷非子長筆、 天子以爲李氏世將、而使將八百騎。嘗深入匈奴二千餘里、過居延、視地形、無所見虜而還。【集解】徐廣曰、屬張掖、【正義】括地志云、居延海、在甘州張掖縣東北六十四里、地理志云、居延澤、古文以爲流沙、甘州在京西北二千四百六十里、 拜爲騎都尉。將丹陽楚人五千人、敎射酒泉・張掖、以屯衛胡。數歲。天漢二

年秋、貳師將軍李廣利、將三萬騎、擊匈奴右賢王於祁連天山。【集解】徐廣曰、出燉煌至天山、【索隱】案、晉灼云、在西域、近蒲類海、又西河舊事云、白山、冬夏有雪、匈奴謂之天山也、【正義】括地志云、祁連山、在甘州張掖縣西南二百里、天山一名白山、今名初羅漫山、在伊吾縣北百二十里、伊州在京西北四千四百一十六里、【考證】王下於字、依楓、三本、中統、游、毛本、他本脫、中井積德曰、胡人謂天爲祁連、故祁連山或稱天山、此文祁連與天重複、宜刪其一、漢書單云天山、得之、 而使陵將其射士步兵五千人出居延北、可千餘里。欲以分匈奴兵、毋令專走貳師也。陵既至期還。而單于以兵八萬圍擊陵軍。陵軍五千人、兵矢既盡、士死者過半。而所殺傷匈奴亦萬餘人、且引且戰、連鬭八日、還未到居延百餘里、匈奴遮狹絕道。陵食乏而救兵不到。虜急擊、招降陵。陵曰。無面目報陛下。遂降匈奴。其兵盡沒。餘亡散、得歸漢者四百餘人。單于既得陵。素聞其家聲。及戰又壯。乃

以其女妻陵而貴之。漢聞、族陵母妻子。考證漢書云、漢聞李陵教單于爲兵、遂族其母妻子、而教兵者李緒、非李陵也、又云、陵在匈奴二十餘年、元平元年病死、自是之後、李氏名敗、而隴西之士居門下者、皆用爲恥焉。

太史公曰。傳曰。其身正、不令而行。其身不正、雖令不從。其李將軍之謂也。考證傳、論語子路篇、余睹李將軍、悛悛如鄙人、口不能道辭。索隱悛、音七旬反、漢書作恂恂、音詢、考證悛悛、誠謹貌、傳云、訥口少言、及死之日、天下知與不知、皆爲盡哀。彼其忠實心、誠信於士大夫也。諺曰。桃李不言、下自成蹊。索隱案姚氏云、桃李本不能言、但以華實感物、故人不期而往其下、自成蹊徑也、以喻廣雖不能出辭、能有所感、而忠心信物故也、考證言、蹊、雙聲、古韻相通、此言雖小、可以諭大也。考證司馬相如諫獵書云、鄙諺曰、家累千金、坐不垂堂、此言雖小、可以喻大、

索隱述贊、猨臂善射、實負其能、解鞍郤敵、圓陣摧鋒、邊郡屢守、大軍再從、失道見斥、數奇不封、惜哉名將、天下無雙、

李將軍列傳第四十九

史記一百九

史記會注考證卷一百十

漢　太史令　司馬遷　撰

宋　中郎外兵曹參軍　裴駰　集解

唐　國子博士弘文館學士　司馬貞　索隱

唐　諸王侍讀率府長史　張守節　正義

日本　出雲　瀧川資言　考證

匈奴列傳第五十　史記一百十

[正義]此卷、或有本次平津侯後第五十二、今第五十者、先生舊本如此、劉伯莊音亦然、若先諸傳而次四夷、則司馬汲鄭不合在後也、[考證]史公自序云、自三代以來、匈奴常爲中國患害、欲知彊弱之時、設備征討、作匈奴列傳第五十、張文虎曰、索隱本、正如正義所言、其述贊次第亦然、然史公自序具在、不能易也、顧炎武曰、因匈奴犯塞、而有衛霍之功、故序匈奴於衛將軍驃騎傳之前、愚按武帝啓邊疆、絕大事業、是史公所以爲立傳、與後世史乘附載四夷者不同、錢泰吉曰、正義先生舊本、卽梁孝王世家所謂張先生舊本者、

匈奴、其先祖夏后氏之苗裔也。曰淳維。[集解]漢書音義曰、匈奴始祖名、[索隱]張晏曰、淳維以殷時奔北邊、又樂產括地譜云、夏桀無道、湯放之鳴條、三年而死、其子獯粥、妻桀之衆妾、避居北野、隨畜移徙、中國謂之匈奴、其言夏后苗裔、或當然也、故應劭風俗通云、殷時曰獯粥、改曰匈奴、又服虔云、堯時曰葷粥、周曰獫狁、秦曰匈奴、韋昭云、漢曰匈奴、葷粥其別名、則淳維是其始祖、蓋與獯粥是一也、[考證]周書王會篇云、匈奴狡犬、篇後附載成湯獻令、正北之夷、十有三、亦有匈奴國名、通典云、山海經已有匈奴、其餘先秦諸書、未見記匈奴者、唐・虞以上、有山戎・獫狁・葷粥。[集解]晉灼云、堯時曰葷粥、周曰獫狁、秦曰匈奴、[正義]左傳莊三十年、齊人伐山戎、杜預云、山戎、北戎、無終三名也、括地志云、幽州漁陽縣、本北戎無終子國、[考證]中井積德曰、夏殷以下、乃有山戎獫狁葷粥之名、若虞以上、無可考也、淩稚隆曰、杜註、北戎作北狄、無無終三名也五字、居于北蠻、隨畜牧而轉移。[考證]漢書、轉作遷、隨下有草、愚按草字不必補、其畜之所多、則馬牛羊、其奇畜則橐駞[索隱]橐他、韋昭曰、背肉似橐、故云橐也、包愷音託他、或作駞、[正義]橐、許又反、驢驘[索隱]案古今注云、驢牡馬牝生驘、[正義]驘、力戈反、駃騠[集解]徐廣曰、北狄駿馬、[索隱]說文云、駃騠、馬父驘子也、廣異志、音決蹄也、發蒙記、刳其母腹而生、列女傳云、生七日超其母、騊駼[集解]徐廣曰、似馬而青、[索隱]按郭璞注爾雅云、騊駼、馬青色、音淘塗、又字林云、野馬、山海經云、北海有獸、其狀如馬、其名騊駼也、驒騱。[集解]徐廣曰、音顚、巨虛之屬、[索隱]驒奚、韋昭驒音顚、說文野馬屬、徐廣云、巨虛之類、一云青驪白鱗、文如鼉魚、鄒誕生本奚字作騱、逐水草遷徙、毋城郭常處耕田之業。然亦各有分地。[索隱]上音扶糞反、毋文書、以言語爲約束。兒能騎羊、引弓射鳥鼠、少長則射狐兔、用爲食、[索隱]少長、上音式紹反、下音陟兩反、少長、謂年稍長、[考證]漢書、爲作肉、義異、士力能毌弓、盡爲甲騎。[索隱]毌弓、上音彎、如字亦通也、[考證]楓、三本、毌作貫、今依索隱本、他本及漢書作彎、其俗、寬則隨畜、因射獵禽獸爲生業、急則人習戰攻以侵伐。其天性也。其長兵則弓矢、短兵則刀鋋。[集解]韋昭曰、鋋、形似矛、鐵柄、音時年反、[索隱]音蟬、埤蒼云、鋋、小矛鐵矜、古今字詁云、矡、通作矜、利則進、不利則退、不羞遁走。苟利所在、不知禮義。自君王以下、咸食畜肉、衣其皮革、被旃裘。壯者食肥美、老者食其餘。貴壯健、賤老弱。父死、妻其後母、兄弟死、皆收其妻妻之。其俗有名不諱。而無姓字。[集解]漢書曰、單于姓攣鞮氏、[索隱]攣、音六緣反、鞮、音丁嗁反、[考證]張文虎曰、姓字衍、漢傳無、然裴見本已衍、故引漢書證之、夏道衰、而公劉失其稷官、變于西戎、邑于豳。[集解]徐廣曰、公劉、后稷之曾孫、[正義]周本紀云、不窋失其官、此云公劉、未詳也、[考證]顏師古曰、變、化也、謂行化於其俗、愚按謂公劉從西戎之俗也、變下有于字、與五帝紀云變北狄變南蠻者不同、其後三百有餘歲、戎狄攻大王亶父。[集解]徐廣曰、公劉九世孫、[考證]豳、今邠州、梁玉繩曰、國語、祭公謂不窋失官、周紀取之、此言公劉、誤已、韋昭以不窋在太康時、本于人表、而攷竹書、于少康三年書復田稷、云后稷之後、不窋失官、至是而復、雖未知稷官之復、爲何君、則固前乎公劉矣、豈得至公劉而再失官乎、又言公劉至亶父三百餘歲、亦誤、史漢吳越春秋、皆謂公劉避桀遷邠、而竹書武乙元年、依竹書凡四百三十一歲、若依前編、則六百二十一歲、何但三百餘歲哉、困學紀聞十一、以此爲無據、亶父亡走岐下。而豳人悉從亶父而邑焉。作周。[索隱]按謂始作周國也、[考證]岐、山名、今岐山縣、

其後百有餘歲、周西伯昌伐畎夷氏。【索隱】韋昭云、春秋以爲犬戎、按畎音犬、大顏云、卽昆夷也、山海經云、黃帝生苗龍、苗龍生融吾、融吾生幷明、幷明生白犬、白犬有二牡、是爲犬戎、說文云、赤狄本犬種、字從犬、又山海經云、有人面獸身、名曰犬夷、賈逵云、犬夷、戎之別種也、【考證】顏師古曰、昆夷昆字、或作混、又作緄、二字竝音工本反、昆緄畎、聲相近耳、亦曰犬夷也、愚按畎夷卽混夷、詩大雅緜八章、可證顏說是、 後十有餘年、武王伐紂而營雒邑、復居于酆鄗。【考證】中井積德曰、以營雒爲武王之事、疏漏、 放逐戎夷涇・洛之北、以時入貢。命曰荒服。【索隱】晉灼曰、洛水、在馮翊懷德縣東南、入渭、又案水經云、出上郡雕陰泰昌山、過華陰入渭、卽漆沮水也、【考證】丁謙曰、涇水發源平涼府西北、入渭河、 其後二百有餘年、周道衰。【索隱】案周紀云、懿王時王室衰、詩人作怨刺之詩、不能復雅也、【考證】梁玉繩曰、案史以穆王在位五十五年伐戎之事、雖未知何歲、而自武王伐紂、至穆王末、未及二百年、二字疑衍、 而穆王伐犬戎、得四白狼四白鹿以歸。自是之後、荒服不至。【考證】穆王以下、采周語、 於是周遂作甫刑之辟。【考證】本尙書、漢書、甫刑作呂刑、顏師古曰、卽尙書呂刑篇是也、辟、法也、 穆王之後、二百有餘年、周幽王用寵姬褒姒之故、與申侯有

郤。【正義】故申城、在鄧州南陽縣北三十里、周宣王舅所封、【考證】歸有光曰、漢書增懿王宣王事、似不可少、徐孚遠曰、穆後西周、不及二百年、 申侯怒、而與犬戎共攻殺周幽王于驪山之下、【集解】韋昭曰、戎後來居此山、故號曰驪戎、 遂取周之焦穫、而居于涇・渭之閒、侵暴中國。【正義】括地志云、焦穫亦名瓠口、亦曰瓠中、在雍州涇陽縣城北十數里、周有焦穫也、【考證】詩小雅六月篇、玁狁匪茹、整居焦穫、侵鎬及方、至于涇陽、沈家本曰、史蓋據詩而言耶、然詩乃宣王時事、豈幽王時事亦同耶、涇陽、今平涼府固原州、漢書、焦穫作鹵獲、誤、 秦襄公救周。於是周平王去酆鄗而東徙雒邑。當是之時、秦襄公伐戎至岐、始列爲諸侯。【正義】今岐州、高誘云、秦襄公救周有功、受周故地酆鄗、列爲諸侯也、 是後六十有五年、而山戎越燕而伐齊。【索隱】服虔云、山戎、蓋今鮮卑、按胡廣云、鮮卑、東胡別種、又應奉云、秦築長城、徒役之士、亾出塞外、依鮮卑山、因以爲號、【考證】左傳桓公六年、北戎伐齊、齊侯使乞師于鄭、鄭太子忽帥師救齊、六月、大敗戎師、獲其二帥大良少良、甲首三百、以獻於齊、傳云北戎、不云山戎、解者云、今直隸滄州以北至永平府、蓋皆爲戎地、 齊釐公與戰于齊郊。【索隱】釐、音僖、名諸兒也、【考證】方苞曰、春秋傳、釐公、祿父也、索隱謂名諸兒、誤也、諸兒、襄公名、張文虎曰、索隱單本無此、 其後四十四年、

而山戎伐燕。燕告急于齊。齊桓公北伐山戎。山戎走。【考證】春秋莊公三十年云、冬、公及齊侯遇于魯濟、齊人伐山戎、三十一年云、六月、齊侯來獻戎捷、左傳云、冬、遇于魯濟、謀伐山戎也、以其病燕也、梁玉繩曰、案春秋傳桓六年北戎伐齊之後、至莊三十年齊伐山戎、凡四十二年、 其後二十有餘年、而戎狄至洛邑、伐周襄王。襄王奔于鄭之氾邑。【索隱】蘇林、氾、音凡、今潁川襄城、是、按春秋地名云、氾邑、襄王所居、故云襄城也、【考證】左傳僖廿四年、穨叔桃子以狄伐周、大敗周師、王出適鄭、處于氾、是也、自齊伐山戎、至是二十八年、 初周襄王欲伐鄭。故娶戎狄女爲后、與戎狄兵共伐鄭。已而黜狄后。狄后怨。而襄王後母曰惠后。有子子帶。欲立之。【考證】梁玉繩曰、襄王亦惠后所生也、 於是惠后與狄后子帶爲內應、開戎狄。【考證】梁玉繩曰、案惠后已前卒矣、 戎狄以故得入、破逐周襄王、而立子帶爲天子。【考證】戎狄至洛邑以下、本國語周語、僖二十四年春秋經傳、 於是戎狄、或居于陸渾、【集解】徐廣曰、一爲陸邑、【索隱】春秋左氏、秦晉遷陸渾之戎于伊川、杜預以爲允姓之戎居陸渾、在秦晉之閒、二國誘而徙之伊川、遂從戎號、今陸渾縣是也、【考證】左傳、敍秦

晉遷陸渾之戎、於僖公二十二年、在襄王奔鄭之前、與史不同、大事表云、犬戎與山戎及陸渾、各爲一族、其地亦各殊、史公混諸戎而一之、竝混戎狄而一之、疏略甚矣、 東至於衞、侵盜暴虐中國。中國疾之。故詩人歌之曰。戎狄是應。薄伐獫狁、至於大原。【集解】毛詩傳曰、言逐出之而已、 出輿彭彭。城彼朔方。【集解】毛詩傳曰、彭彭、四馬貌、朔方、北方、【正義】獫狁既去、北方安靜、乃築城守之、【考證】詩魯頌閟宮篇作戎狄是膺、序云、魯僖公復周公之宇也、薄伐玁狁、至於太原、小雅六月篇、序云、宣王北伐也、出輿彭彭、城彼朔方、小雅出車篇、輿作車、序云、勞還卒也、與史異、漢書亦係之宣王、 周襄王既居外四年。乃使使告急于晉。晉文公初立、欲修霸業、乃興師伐逐戎翟、誅子帶、迎內周襄王、居于雒邑。【考證】梁玉繩曰、案春秋傳、僖二十四年、襄王出奔鄭、明晉文公納王、乃襄王十六七年閒事、周紀年表同、此云四年、誤、 當是之時、秦・晉爲彊國。晉文公攘戎翟、居于河西圁・洛之閒、【集解】徐廣曰、圁、在西河、音銀、洛、在上郡馮翊閒、【索隱】西河圁洛、晉灼音闇、三蒼作圁、地理志云、圁水、出上郡白土縣西、東流入河、韋昭云、圁當爲圁、續郡國志及太康地志、竝作圁字也、【正義】括地志云、白土故城、在鹽州白池東北三百九十里、又云、近延州綏州銀州、本春秋時白狄所居、七國屬魏、後入秦、秦置三十六郡、洛、

漆沮也、【考證】李笠曰、集解云、圁音銀、則作圁不作圖則明矣、梁玉繩曰、洛疑當作潞、正義云、潞州本赤狄地、延銀綏三州、白翟地、若是圁洛則惟白狄所居、不得言赤狄矣、中井積德曰、正義十六二字、疑衍、號曰赤翟・【索隱】案左氏傳云、晉師滅赤狄潞氏、杜氏以潞、赤狄之別種也、今上黨潞縣、又春秋地名云、今曰赤涉胡、白翟。【索隱】左氏、晉師敗狄于箕、郤缺獲白狄子、杜氏以爲白狄之別種、故西河郡有白部胡、又國語云、桓公西征攘白狄之地、遂至于西河也、【正義】括地志云、潞州、本赤狄地、延銀綏三州、白翟地、按文音圖洛之閒、號赤狄、未詳、【考證】張文虎曰、正義文旨上疑有脫字、秦穆公得由余、西戎八國服於秦。故自隴以西、有緜諸・【索隱】地理志、天水有緜諸道、【正義】括地志云、緜諸城、秦州秦嶺縣北五十六里、漢緜諸道、屬天水郡、緄戎・【正義】上音昆、字當作混、顏師古云、混夷也、韋昭云、春秋以爲犬戎、翟獂之戎。【集解】徐廣曰、在天水、獂、音丸、【索隱】地理志、天水獂道、應劭以獂戎邑、音桓、【正義】括地志云、獂道故城、在渭州襄武縣東南三十七里、古之獂戎邑、漢獂道、屬天水郡、岐・梁山・涇・漆之北、有義渠・【索隱】韋昭云、義渠本西戎國、有王、秦滅之、今在北地郡、【正義】括地志云、寧州慶州西戎、卽劉拘邑城、時爲義渠戎國、秦爲北地郡也、大荔・【集解】徐廣曰、後更名臨晉、在馮翊、【索隱】按秦本紀、厲共公伐大荔、取其王城、後更名臨晉、故地理志云、臨晉故大荔國也、【正義】括地志云、同州馮翊縣及朝邑縣、本漢臨晉縣地、古大荔戎國、今朝邑縣東三十步故王城、卽大荔王城、荔力計反、烏氏・【集解】徐廣曰、在安定、【正義】氏音支、括地志云、烏

氏故城、在涇州安定縣東三十里、周之故地、後入戎、秦惠王取之、置烏氏縣也、朐衍之戎。【集解】徐廣曰、在北地、朐音翊、【索隱】案地理志、朐衍、縣名、在北地、徐廣音詡、鄒氏音吁、【正義】括地志云、隴州、古戎狄居之、卽朐衍戎之地、秦北地郡也、而晉北有林胡・【索隱】如淳云、林胡、卽儋林、爲李牧所滅也、【正義】括地志云、朔州、春秋時北地也、如淳云、卽儋林也、爲李牧滅、樓煩之戎。【索隱】地理志、樓煩、縣名、屬鴈門、應劭云、故樓煩胡地、【正義】括地志云、嵐州、樓煩胡地也、風俗通云、故樓煩胡地也、燕北有東胡・山戎。【集解】漢書音義曰、烏丸或云鮮卑、【索隱】服虔云、東胡、烏丸之先、後爲鮮卑、在匈奴東、故曰東胡、案續漢書曰、漢初匈奴冒頓滅其國、餘類保烏桓山、以爲號、俗隨水草居、無常處、以父之名字爲姓、父子男女、悉髠頭爲輕便也、各分散居谿谷、自有君長。往往而聚者百有餘戎。然莫能相一。自是之後、百有餘年、晉悼公使魏絳和戎翟、戎翟朝晉。【考證】王應麟曰、以左傳攷之、魯文公三年、秦始覇西戎、襄公四年、魏絳和戎、裁五十餘歲、閻若璩曰、魏絳和者北戎、非西戎也、王氏未及辨、後百有餘年、趙襄子踰句注而破幷代以臨胡貉。【集解】句、音鉤、山名、在鴈門、【索隱】服虔云、句音拘、韋昭云、山名、在應陰館、案貉卽濊也、音亾格反、【考證】李笠曰、集解於句注斷句、非也、蓋幷非地、謂幷代以臨胡貉也、破下據漢書補之字、句讀自明、其後既與

韓・魏共滅智伯、分晉地而有之、則趙有代・句注之北、魏有河西・上郡、以與戎界邊。其後義渠之戎、築城郭以自守。而秦稍蠶食、至於惠王、遂拔義渠二十五城。【考證】沈家本曰、年表在惠王後十一年、惠王擊魏、魏盡入西河及上郡于秦。【考證】沈家本曰、按書此者、言秦與戎界邊也、然魏入河西、在惠王八年、納上郡、在十年、皆在拔義渠二十五城之前、秦昭王時、義渠戎王與宣太后亂、有二子。【集解】昭王母也、【索隱】服虔云、昭王之母也、宣太后詐而殺義渠戎王於甘泉、遂起兵伐殘義渠。於是秦有隴西・北地・上郡、築長城以拒胡。【考證】蘇輿曰、據此、秦在昭王時、已築長城、始皇特立萬里之名耳、後人以長城始於始皇、非也、中國自春秋以後、各有長城、顧炎武曰、春秋之世、田有封洫、故隨地可以設關、而阡陌之間、一縱一橫、亦非戎車之利也、觀國佐之對晉人、則可知矣、至於戰國、井田始廢、而車變爲騎、於是寇鈔易而防守難、不得已而有長城之築、史記蘇代傳、燕王曰、齊有長城鉅防、足以爲塞、竹書紀年、梁惠成王二十年、齊閔王築防以爲長城、續漢志、濟北國盧有長城、至東海、泰山記、泰山西有長城、緣河經泰山一千餘里、至琅邪臺入海、此齊之長城也、史記秦本紀、魏築長城、自鄭濱

洛、以北有上郡、蘇秦傳、說魏襄王曰、西有長城之界、竹書紀年、惠成王十二年、龍賈帥師築長城于西邊、此魏之長城也、續漢志、河南郡卷有長城、經陽武到密、此韓之長城也、水經注、盛弘之云、葉東界有故城、始犨縣、東至瀙水、達泚陽、南北數百里、號爲方城、一謂之長城、郡國志曰、葉縣有長城、曰方城、此楚之長城也、若趙世家、成侯六年、中山築長城、又言肅侯十七年、築長城、則趙與中山亦有長城矣、以此言之、中國多有長城、不但北邊也、其在北邊者、史記匈奴傳、秦宣太后起兵伐殘義渠、於是秦有隴西北地上郡、築長城以拒胡、此秦之長城也、魏世家、惠王十九年、築長城塞固陽、此魏之長城也、匈奴傳、又言趙武靈王北破林胡樓煩、築長城、自代竝陰山下、至高闕爲塞、而置雲中雁門代郡、此趙之長城也、燕將秦開、襲破東胡、東胡卻千餘里、燕亦築長城、自造陽至襄平、置上谷漁陽右北平遼西遼東郡、以拒胡、此燕之長城也、秦滅六國、而始皇帝使蒙恬將十萬之衆北擊胡、悉收河南地、因河爲塞、築四十四縣城臨河、徙適戍以充之、而通直道、自九原至雲陽、因邊山險、塹谿谷、可繕者治之、起臨洮至遼東萬餘里、又度河、據陽山北假中、此秦幷天下之後所築之長城也、而趙武靈王亦變俗胡服、習騎射、北破林胡・樓煩、築長城、【正義】括地志云、趙武靈王長城、在朔州善陽縣北、案水經云、白道長城、北山上有長垣、若頹毀焉、沿谿亘嶺、東西無極、蓋趙武靈王所築也、自代竝陰山下、【集解】竝、音傍、白浪反、【索隱】徐廣云、五原西安陽縣北有陰山、陰山在河南、陽山在河北、竝、音傍、白浪反、【正義】括地志云、陰山、在朔州北塞外突厥界、【考證】代郡、在今宣化府西南蔚州境、陰山、在河套東北吳喇特旗境、今所稱布爾當圖山一帶是、各本下字屬下讀、中井積德曰、當屬上句、張文虎曰、陰山索

隱有誤脫、今依蒙恬傳集解補正、至高闕爲塞、【集解】徐廣曰、在朔方、【正義】地理志云、朔方臨戎縣北有連山、險於長城、其山中斷、兩峯俱峻、土俗名爲高闕也、【考證】丁謙曰、高闕、在今河套外阿爾布坦山東、而置雲中・鴈門・代郡。其後燕有賢將秦開、爲質於胡。胡甚信之。歸而襲破走東胡。東胡卻千餘里。與荊軻刺秦王秦舞陽者、開之孫也。【考證】徐孚遠曰、此語不關本傳、以事遠爲指實也、燕亦築長城、自造陽至襄平、【集解】韋昭曰、造陽、地名、在上谷、【索隱】韋昭云、襄平、今遼東所理也、【正義】按上谷郡、今嬀州、【考證】丁謙曰、造陽、在上谷東北、上谷、卽宣化府、置上谷・漁陽・右北平・遼西・遼東郡以拒胡。當是之時、冠帶戰國七、而三國邊於匈奴。【索隱】案三國、燕趙秦也、其後趙將李牧時、匈奴不敢入趙邊。後秦滅六國、而始皇帝使蒙恬將十萬之衆北擊胡。【考證】楓、三本、漢書、十上有數字、梁玉繩曰、案紀表及蒙恬主父偃傳、皆云將三十萬、則此言十萬、淮南子人間訓、作五十萬、一多一少、竝非也、悉收河南地、因河爲塞、築四十四縣城臨河、【索隱】案太

康地記、秦塞自五原北九百里、謂之造陽、東行終利貢山南漢陽西也、漢一作漁、徙適戍以充之。【集解】適、音丁革反、【索隱】丁革反、而通直道、自九原至雲陽。【索隱】蘇林云、去長安八千里、正南北相直道也、韋昭云、九原、縣名、屬五原也、【正義】括地志云、勝州連谷縣、本秦九原郡、漢武帝更名五原、雲陽、雍縣、秦之林光宮、卽漢之甘泉宮在焉、又云、秦故道、在慶州華池縣西四十五里子午山上、自九原至雲陽、千八百里、【考證】九原、漢五原縣、雲陽、左馮翊縣、因邊山險、塹谿谷、可繕者治之、起臨洮至遼東萬餘里。【索隱】韋昭云、臨洮、隴西縣、【正義】括地志云、秦隴西郡臨洮縣、卽今岷州城、本秦長城、首起岷州西十二里、延袤萬餘里、東入遼水、【考證】漢書、治作繕、因邊以下、是說萬里長城也、中井積德曰、塹、謂以土塡之、作之崖岸也、非鑿湟也、亦非悉塹谿谷、又度河、據陽山北假中。【集解】北假、北方田官、主以田假與貧人、故云北假、【索隱】應劭云、北假、在北地陽山北、韋昭云、北假、地名、又按漢書元紀云、北假田官、蘇林以爲北方田官也、主以田假與貧人、故曰北假也、【正義】括地志云、漢五原郡河目縣故城、在北假中、北假、地名也、在河北、今屬勝州銀城縣、漢書王莽傳云、五原北假膏壤殖穀也、【考證】丁謙曰、陽山、在高闕東、陰山西北、北假、正義是、王先謙曰、河目縣、在今吳喇忒西北、當是之時、東胡彊而月氏盛。【正義】氏、音支、括地志云、涼甘肅延沙等州地、本月氏國、【考證】丁謙曰、東胡部境、在直隸關東北邊外、今內蒙古諸旗地、其人種出於鮮卑、鮮卑、山名、在俄屬西伯利亞昂吉剌河南、西人稱爲東姑斯人種、甚確、以

昂吉喇河、一名東姑斯河也、月氏亦西徼大部、在今甘涼肅三州地、隋書、言康國王姓溫、本月氏人、始居祁連昭武城、按昭武漢縣、屬張掖郡、漢書梁懂注、昭武故城、在張掖西北、蓋卽今高臺縣境、匈奴單于曰頭曼。【集解】漢書音義曰、單于者、廣大之貌、言其象天單于然、韋昭曰、曼、音瞞、【索隱】案漢書、單于姓攣鞮氏、其國稱之曰撐黎孤塗單于、而匈奴謂天爲撐黎、謂子爲孤塗、單于者、廣大之貌也、言其象天、故曰撐黎孤塗單于、又玄晏春秋云、士安讀漢書、不詳此言、有胡奴在側、言之曰、此胡所謂天子、與古書所說符會也、曼、音莫官反、韋昭音瞞、頭曼不勝秦、北徙十餘年。而蒙恬死、諸侯畔秦、中國擾亂、諸秦所徙適戍遠者皆復去。【考證】十餘年三字、上承秦滅六國、下到皆復去、蓋自始皇幷天下、至陳涉反秦、相距十三年、於是匈奴得寬、復稍度河南、與中國界於故塞。【考證】凌稚隆曰、按河南地、今河陰是也、廣七百里、號新秦中、蒙恬所取者、陳仁錫曰、太史公敍中國與匈奴之彊弱、屢提河南塞地爲綱領、若蒙恬悉收河南地、因河爲塞、此秦強而匈奴弱也、匈奴復稍度河南、與中國界於故塞、此匈奴彊而秦弱也、匈奴與漢關故河南塞、匈奴入居河南地、此匈奴彊而漢弱也、漢遂取河南地、繕故秦時所爲塞、徙關東貧民處所奪匈奴河南新秦中、此漢彊而匈奴弱也、單于有太子、名冒頓。【索隱】冒、音墨、又如字、後有所愛閼氏、生少子。【索隱】舊音於連於曷反二音、匈奴皇后號也、習鑿齒與燕王書曰、山下有紅藍、足下先知不、北方人探

取其花染緋黃、挼取其上英鮮者作烟肢、婦人將用爲顏色、吾少時再三過見烟肢、今日始視紅藍、後當爲足下致其種、匈奴名妻作閼支、言其可愛如烟肢也、閼、音煙、想足下先亦不作此讀漢書也、而單于欲廢冒頓而立少子、乃使冒頓質於月氏。【考證】月氏、見下文、冒頓既質於月氏。而頭曼急擊月氏。月氏欲殺冒頓。冒頓盜其善馬騎之、亡歸。頭曼以爲壯、令將萬騎。冒頓乃作爲鳴鏑、習勒其騎射。【集解】漢書音義曰、鏑、箭也、如今鳴箭也、韋昭曰、矢鏑飛則鳴、【索隱】應劭云、髐箭也、韋昭云、矢鏑飛則鳴、令曰。鳴鏑所射而不悉射者、斬之。行獵鳥獸。有不射鳴鏑所射者、輒斬之。已而冒頓以鳴鏑自射其善馬。左右或不敢射者。【考證】張文虎曰、者字疑衍、冒頓立斬不射善馬者。居頃之、復以鳴鏑自射其愛妻。左右或頗恐不敢射。冒頓又復斬之。居頃之、冒頓出獵、以鳴鏑射單于善馬。左右皆射之。於是冒頓知其左右皆可

用。從其父單于頭曼獵、以鳴鏑射頭曼。其左右亦皆隨鳴鏑而射、殺單于頭曼。遂盡誅其後母與弟、及大臣不聽從者。冒頓自立爲單于。冒頓既立。〔集解〕徐廣曰、秦二世元年壬辰歲立。是時東胡彊盛、聞冒頓殺父自立、乃使使謂冒頓、欲得頭曼時有千里馬。〔考證〕漢書有作號、冒頓問羣臣。羣臣皆曰、千里馬、匈奴寶馬也。勿與。冒頓曰、柰何與人鄰國、而愛一馬乎。遂與之千里馬。居頃之、東胡以爲冒頓畏之、乃使使謂冒頓、欲得單于一閼氏。冒頓復問左右。左右皆怒曰、東胡無道、乃求閼氏。請擊之。冒頓曰、柰何與人鄰國、愛一女子乎。遂取所愛閼氏予東胡。東胡王愈益驕、西侵。與匈奴閒中有弃地、莫居千餘里。各居其邊爲甌脫。〔集解〕韋昭

曰、界上屯守處、〔索隱〕服虔云、作土室以伺漢人、又纂文曰、甌脫、土穴也、又云、是地名、故下云、生得甌脫王、韋昭云、界上屯守處也、甌、音一侯反、脫、音徒活反、〔正義〕按、境上斥侯之室爲甌脫也、〔考證〕漢書、閒中作中閒、甌脫、蘇武傳作區脫、丁謙曰、史漢匈奴傳、言甌脫者凡四、一、東胡與匈奴間、有棄地、莫居千餘里、各居其邊爲甌脫、一、生得甌脫王、一、匈奴西北遠去、發人民屯甌脫、一、匈奴降者言、聞甌脫間皆殺之、服虔注、甌脫、作土室以伺也、師古注、境上候望之處、若今之伏宿處也、余謂服顏二說、不特誤會、尤瞢於塞外情形、按、傳既明言棄地莫居、又言各居其邊爲甌脫、則甌脫指棄地而言、原極明析、無待申說、且細讀本文、竝無防守意義、服顏二氏、豈誤認各居其邊、爲各守其邊乎、抑知地亘千里、何能徧守、既無人居、守之何爲、況匈奴之俗、同於蒙古、隨水草、牧畜、移徙不常、無室廬、無城郭、其邊境、幷無一定界限、故彼國人民、但習戰事、勝則進、敗則遁、無所謂守也、二氏漫以軍營斥候之法、推測虜地、用爲甌脫之解、失之遠矣、夫甌脫間地、千里莫居、是非可以居而故棄之明甚、蓋塞外境土雖極廣漠、而有水有草堪爲牧場者、亦殊無多、其天生棄地、人難託足、惟沙漠爲然、攷東胡部境、在奉天直隸邊外一帶、匈奴部境、在漠北外蒙古一帶、兩國中間、盡屬沙漠、沙漠者、古所謂瀚海、今所謂戈壁是也、橫亘萬里、此云千里、僅就東胡匈奴間言之、舍此之外、豈復有如許之棄地乎、然則甌脫之義、雖指棄地、而棄地之實卽沙漠、無可疑也、或謂沙漠之地、既無人居、何以有甌脫王、曰、匈奴所稱爲王者、自左右賢谷蠡、奧鞬外、餘皆隨意命名、雖號甌脫王、非實居甌脫地、且甌脫間亦有一二可居之地、如今內外蒙古各旗牧地、每有在沙漠中者、後此匈奴遠去、仍發人民屯於甌脫、藉以通受降城騎隊之聲息、若夫谷吉被殺、匈奴降者、聞甌脫居人所言皆然、知非虛妄、要之甌脫二字、爲當時方言、今難確解、然大意不過謂不毛之地、不足以居人、何所見而

曰、作土室以伺、又何所見而曰境上候望處耶、東胡使使謂冒頓曰、匈奴所與我界甌脫外弃地、匈奴非能至也。吾欲有之。冒頓問羣臣。羣臣或曰、此弃地。予之亦可、勿予亦可。於是冒頓大怒曰、地者國之本也。柰何予之。諸言予之者、皆斬之。冒頓上馬、令國中、有後者斬。遂東襲擊東胡。東胡初輕冒頓、不爲備。及冒頓以兵至、擊大破、滅東胡王、而虜其民人及畜產。既歸、西擊走月氏、南幷樓煩・白羊河南王、侵燕・代、〔索隱〕如淳云、白羊王居河南、〔考證〕顏師古曰、二王之居在河南、丁謙曰、白羊山名、在大同府東廣靈縣境、但此時白羊樓煩二部、均居新秦中、故稱河南王、中井積德曰、河南王三字、疑衍、後文云、衞青擊胡之樓煩白羊於河南、或相因成錯謬耳、又曰、侵燕代三字、與下文複、疑衍、漢書無、悉復收秦所使蒙恬所奪匈奴地者、與漢關故河南塞、至朝那・膚施、遂侵燕・代。〔集解〕徐廣曰、朝那、膚施、在上郡、〔正義〕漢朝那故城、在原州百泉縣西七十里、屬安定郡、膚施縣秦因

不改、今延州膚施縣是、〔考證〕恬下所字、疑衍、朝那、在今平涼府西北、膚施、今延安府首縣、正義縣秦因、當作秦縣漢因、是時漢兵與項羽相距、中國罷於兵革。〔考證〕漢書、兵作方、以故冒頓得自彊、控弦之士三十餘萬。自淳維以至頭曼千有餘歲、時大時小、別散分離、尚矣。其世傳不可得而次云。〔正義〕尚矣、言久遠也、〔考證〕梁玉繩曰、淳維不知何時、卽謂是夏桀之子、自南至秦、何止千有餘歲、愚按、云字與下文複、漢書刪、然至冒頓、而匈奴最彊大、盡服從北夷、而南與中國爲敵國。其世傳國官號、乃可得而記云。〔考證〕王鏊曰、此段結上起下、一篇之關鍵也、凌稚隆曰、自篇首至此、將歷敘匈奴強盛、必先曰三百有餘歲、百有餘歲者、凡八、始著匈奴侵盜暴虐中國、又必曰百有餘年百有餘年、始著昭王築長城以拒胡、然後揔結之曰、自淳維以至頭曼千有餘歲、見其傳世益久、流毒益深、是太史公敘事針線處、愚按、漢書世傳國官作世姓官號、云下、有單于姓攣鞮氏、其國稱之曰撐犂孤塗單于、匈奴謂天爲撐犁、謂子爲孤塗、單于者廣大之貌也、言其象天單于然也、四十五字、置左右賢王、左右谷蠡王、〔集解〕服虔曰、谷音鹿、蠡音離、〔索隱〕服虔音鹿離、蠡又音黎、〔考證〕漢書、蠡下無王字、左右大將、左右大都尉、左右大

當戶、左右骨都侯。【集解】骨都、異姓大臣、【索隱】按後漢書云、骨都侯、異姓大臣、匈奴謂賢曰屠耆。【集解】徐廣曰、屠一作諸、故常以太子爲左屠耆王、自如左右賢王以下、至當戶、大者萬騎、小者數千、凡二十四長、立號曰萬騎。【考證】賢下王字、各本脫、今依楓、三本、舊本、諸大臣皆世官。呼衍氏・蘭氏。【正義】顏師古云、呼衍、即今鮮卑姓呼延者也、蘭姓、今亦有之、其後有須卜氏。【集解】呼衍氏、須卜氏、常與單于婚姻、須卜氏主獄訟、【索隱】按後漢書云、呼衍氏須卜氏常與單于婚姻、須卜氏主獄訟也、【正義】後漢書云、呼衍氏須卜氏常與單于婚姻、此三姓其貴種也。諸左方王將、居東方、直上谷以往者東、接穢貉・朝鮮。【索隱】案姚氏云、古字例以直爲值、值者當也、【正義】上谷郡、今嬀州也、言匈奴東方南出直當嬀州也、【考證】中井積德曰、往者二字、疑衍、班史無直上谷以東爲句、下文直上郡以西、亦然、右方王將、居西方、直上郡以西、接月氏・氐・羌。【索隱】西接氐羌、案風俗通云、二氐、本西南夷種、地理志、武都有白馬氐、又魚豢魏略云、漢置武都郡、排其種人、分竄山谷、或號青氐、或號白氐、纂文云、氐亦羊稱、說文云、羌、西方牧羊人、續漢書云、羌、三苗姜姓之別、舜徙于三危、今河關之西南羌是也、【正義】上郡故城在涇州

上縣東南五十里、言匈奴西方南直當綏州也、【考證】丁謙曰、左王將居東方、爲今克魯倫河以東、及內蒙古東四盟地、右王將居西方、爲今色楞格河以西至科布多及新疆等地、蓋蒙古地雖廣漠、而有水草足資游牧者、不外以上數處、張文虎曰、漢書無月氏二字、與索隱本合、而單于之庭、直代・雲中。【索隱】案謂匈奴所都處爲庭、樂產云、單于無城郭、不知何以國之、穹廬前地若庭、故云庭、【正義】代郡城、北狄代國、秦漢代縣城也、在蔚州羌胡縣北百五十里、雲中故城、趙雲中城、秦雲中郡、在勝州榆林縣東北四十里、言匈奴之南直當代雲中也、【考證】丁謙曰、單于庭在今外蒙古塞音諾顏部搭米爾河北、塔米爾河流域、經線在偏西十二度三分、緯線在赤道北四十一度至四十三度、其地西南東三面、皆杭愛山所環抱、北面又有杭愛支峯巴彥集魯及賽坎等山、以爲屏障、惟東北一隅、爲塔米爾河流出之路、河有兩源、均發源於杭愛山麓、西源綜小水十數、滙爲台魯爾倭赫泊、復出而東流、南源稱察罕鄂倫河、即元和林河、亦綜小水十數、經元故都和林城、東北流、兩水既合、益東流、會於鄂爾坤河、又東北流、會色楞格河土拉河、共入貝加爾大泊、塔米爾河所經、兩岸多平原、土脈肥沃、草木禽獸、蕃植滋生、宜耕耘、宜畜牧、以故匈奴庭幕建於此、然其南當與寧夏相直、曰代雲中、未確、因當時測算之術不精故耳、愚按單于建庭處、史無明文、今姑錄丁氏說、以資參攷云、各有分地、逐水草移徙。而左右賢王、左右谷蠡王、最爲大國。【考證】劉攽曰、衍國字、左右骨都侯輔政。【考證】徐孚遠曰、骨都侯、爲單于近臣、不別統部落有分地也、諸二十四長、亦各自置千長百長

什長。【索隱】案續漢書郡國志云、里有魁、人有什伍、里魁主一里百家、什主十家、伍長五家、以相檢察、故賈誼過秦論以爲俛起什百之中、是也、【考證】張文虎曰、索隱郡國志、當作百官志、裨小王、相、封都尉、當戶、且渠之屬。【集解】徐廣曰、封、一作將、【正義】且、子餘反、顏師古云、今之沮渠姓、蓋本因此官、【考證】漢書、無封字、沈家本曰、疑此衍、歲正月、諸長小會單于庭祠。五月大會蘢城、祭其先天地鬼神。【索隱】漢書、蘢城作龍城、亦作蘢字、崔浩云、西方胡皆事龍神、故名大會處爲龍城、後漢書云、匈奴俗、歲有三龍祠、祭天神、【考證】丁謙曰、龍城、即後文龍祠、攷單于庭南有泊、曰台魯兒和赫、相傳爲龍所潛、故於五月祀之、幷祭其先及天地鬼神也、班固燕然山銘云、絕大漠、踰涿郡、乘燕然、至龍庭、史記漢書、歲五月大會龍城、後漢書會五月龍祠、曰龍庭曰龍城曰龍祠、名雖異而地則同、愚按、龍胡語、其義未詳、必非蛟龍之龍、故又作蘢、秋馬肥、大會蹛林、課校人畜計。【集解】漢書音義曰、匈奴秋社八月中皆會祭處、蹛、音帶、【索隱】服虔云、音帶、匈奴秋社八月中皆會祭處、鄭氏云、地名也、晉灼云、李陵與蘇武書云、相競趨蹛林、則服虔說是也、又韋昭音多藍反、姚氏案李牧傳、大破匈奴、滅襜襤、此字與韋昭音頗同、然林襤聲相近、或以林爲襤也、【正義】顏師古云、蹛者、遶林木而祭也、鮮卑之俗、自古相傳、秋祭、無林木者、尚豎柳枝、衆騎馳遶三周乃止、此其遺法也、畜、許又反、【考證】沈欽韓曰、遼史國語解云、蹛林、即松林故地、然則胡語名林木爲蹛也、新唐書、太宗以鐵勒部思結爲蹛林州、隸燕然都護府、李笠曰、索隱李陵與蘇武書、相競趨蹛林、案此李少卿逸詩也、書、當作

詩、其法、拔刃尺者死、坐盜者沒入其家、有罪小者軋、大者死。【集解】漢書音義曰、刃刻其面、【索隱】服虔云、刀割面也、音烏八反、鄧展云、歷也、如淳云、撾抶也、三蒼云、軋、輾也、說文云、輾、轢也、【正義】顏師古云、軋者謂輾轢其骨節、若今之厭踝者也、【考證】何焯曰、軋之義、似當從如說、獄久者不過十日。一國之囚、不過數人。而單于朝出營、拜日之始生、夕拜月。其坐、長左而北鄉。【正義】其座北向、長者在左、以左爲尊也、【考證】楓、三本、生作出、日上戊己。【考證】錢大昕曰、以戊己日爲吉也、周壽昌曰、上、尚字同、其送死、有棺槨金銀衣裘、而無封樹喪服。【集解】張華曰、匈奴名冢曰逗落、【考證】漢書、裘作裳、史義爲長、近幸臣妾從死者、多至數千百人。【正義】漢書、作數十百人、顏師古云、或數十人、或百人、舉事而候星月。月盛壯則攻戰。月虧則退兵。【考證】漢書、而候星月四字、作常隨二字、愚按而當作常、星字疑衍、沈欽韓曰、隋書突厥傳、候月將滿、輒爲寇抄、其攻戰、斬首虜賜一卮酒、而所得鹵獲因以予之。得人以爲奴婢。故其戰、人人自爲趨利、善爲誘兵以冒

敵。【正義】趣、向也。【考證】岡白駒曰、冒、猶覆也、覆裹取之。漢書冒作包、顏師古曰、包裹取之、故其見敵則逐利、如鳥之集。其困敗、則瓦解雲散矣。戰而扶輿死者、盡得死者家財。【考證】楓、三本輿作與、後北服渾庾・屈射・丁零・鬲昆・薪犂之國。【索隱】屈射、國名、射、音奕、又音石、按魏略云、丁零、在康居北、去匈奴庭接習水七千里、又云、匈奴北有渾窳國、【正義】已上五國、在匈奴北、漢書、庾作窳、地理志、朔方窳渾縣是、【考證】漢書渾庾作渾窳、鬲昆作隔昆、薪犂作新犂、薪上有龍字、王念孫曰、漢書龍字、蓋涉上文龍城而衍、漢紀亦無龍字、沈欽韓曰、魏志注引魏略云、匈奴北有渾窳國、屈射國、隔昆國、新黎國、亦無龍字、丁謙曰、丁零、一作丁令、部地、在今貝加爾湖東南、貝加爾湖、古稱北海、蘇武傳、武居北海、丁零盜其牛羊、以地相鄰接故、鬲昆、乃堅昆轉音、部地在唐努烏梁海境、於是匈奴貴人大臣皆服、以冒頓單于爲賢。是時漢初定中國、徙韓王信於代、都馬邑。【考證】馬邑、在朔州東、梁玉繩曰、韓信未嘗徙代、匈奴大攻圍馬邑。韓王信降匈奴。匈奴得信、因引兵、南踰句注、攻太原、至晉陽下。高帝自將兵往擊之。會冬大寒、雨雪。卒之墮指者、十二

三。於是冒頓詳敗走誘漢兵。【考證】何焯曰、卽上所謂善爲誘兵以包敵、此蓋冒頓所長也、漢兵逐擊冒頓。冒頓匿其精兵、見其羸弱。於是漢悉兵、多步兵三十二萬、北逐之。高帝先至平城。【集解】徐廣曰、在鴈門、【考證】平城、今大同府城、步兵未盡到。冒頓縱精兵四十萬騎、圍高帝於白登七日。【正義】白登臺、在白登山上、朔州定襄縣東三十里、定襄縣、漢平城縣也、【考證】漢書、四十萬騎、作三十餘萬騎、白登山、在平城東十七里、漢兵中外不得相救餉。匈奴騎、其西方盡白馬、東方盡青駹馬、北方盡烏驪馬、南方盡騂馬。【索隱】駹、音武江反、案青駹、馬色青、說文云、驪、黑色、案詩傳云、赤黃曰騂、【正義】鄭玄云、駹、不純也、說文云、駹、面顙皆白、爾雅云、黑馬面白也、【考證】楓、三本、漢書、青駹烏驪下、皆無馬字、類聚御覽引史亦無、王念孫曰、蓋此四句皆五字爲句、其馬色之一字者、則加馬字以成文、兩字者則省馬字以協句、中井積德曰、馬四方各色、以見其軍之整而畜之饒耳、又曰、馬雜純青、故取駹而有青色、高帝乃使使閒厚遺閼氏。閼氏乃謂冒頓曰。兩主不相困。今得漢地、而單于終非能居之也。且漢

王亦有神。單于察之。冒頓與韓王信之將王黃・趙利期。而黃・利兵又不來。疑其與漢有謀、亦取閼氏之言、乃解圍之一角。於是高帝令士皆持滿傅矢外鄉、從解角直出、竟與大軍合。【索隱】傅、音附、而冒頓遂引兵而去。漢亦引兵而罷、使劉敬結和親之約。是後韓王信爲匈奴將、及趙利・王黃等、數倍約、侵盜代・雲中。居無幾何、陳豨反、又與韓信合謀擊代。漢使樊噲往擊之、復拔代・鴈門・雲中郡縣、不出塞。是時匈奴以漢將衆往降、故冒頓常往來侵盜代地。於是漢患之。高帝乃使劉敬奉宗室女公主爲單于閼氏。【考證】漢書、公主作翁主、顏師古曰、諸王女曰翁主者、言其父自主婚、歲奉匈奴絮繒酒米食物各有數、約爲昆弟、以和親。冒頓乃少止。後燕

王盧綰反、率其黨數千人降匈奴、往來苦上谷以東。【考證】漢書、數千人作且萬人、高祖崩、孝惠・呂太后時、漢初定。故匈奴以驕。冒頓乃爲書遺高后妄言。高后欲擊之。【索隱】案漢書云、高后時、冒頓寖驕、乃使使遺高后書曰、孤僨之君、生於沮澤之中、長於平野牛馬之域、數至邊境、願遊中國、陛下獨立、孤僨獨居、兩主不樂、無以自娛、願以所有易其所無、高后怒、欲擊之、諸將曰。以高帝賢武、然尚困於平城。於是高后乃止、復與匈奴和親。【索隱】案漢書、季布諫高后、乃止、【考證】見本史季布傳、至孝文帝初立、復修和親之事。【考證】中井積德曰、此稱和親者、非更遣女結親也、唯修前時姻親之禮耳、後多倣此、其三年五月、匈奴右賢王入居河南地、侵盜上郡葆塞蠻夷、殺略人民。【考證】何焯曰、前此匈奴復得陽山北假地、至是入居河南、故十四年大入、遂至彭陽也、胡三省曰、河南、在北河之南、蒙恬衛青所取、皆卽此地、於是孝文帝詔丞相灌嬰、發車騎八萬五千、詣高奴擊右賢王。【正義】高奴、延州城、本漢高奴縣、舊都、【考證】在今延安府高塞縣境、右賢王走出塞。文

帝幸太原。是時濟北王反。【考證】楓、三本、時下有漢字、濟北王與居、文帝歸、罷丞相擊胡之兵。其明年、單于遺漢書曰。天所立匈奴大單于、敬問皇帝。無恙。前時皇帝言和親事、稱書意合歡。【考證】顏師古曰、稱、副也、言與所遺書意相副、而共結驩親、漢邊吏侵侮右賢王。右賢王不請、聽後義盧侯難氏等計、與漢吏相距。【集解】徐廣曰、氏、音支、【索隱】匈奴將名也、氏、音支、【考證】楓、三本、後義作俊儀、漢書氏作支、距作恨、顏師古曰、不請、不告單于也、絕二主之約、離兄弟之親。皇帝讓書再至。發使以書報。不來。漢使不至。【考證】顏師古曰、讓書、有責讓之言也、謂匈奴再得漢書、而發使將書報漢、漢留其使不得來還、而漢又更不發使至匈奴也、漢以其故不和、鄰國不附。今以小吏之敗約、故罰右賢王、使之西求月氏擊之。以天之福、吏卒良、馬彊力、以夷滅月氏、盡斬殺降下之。【考證】楓、三本、馬下有之字、漢書彊力作力彊、定樓蘭・【集解】徐廣曰、一云樓湟、【正義】漢書云、鄯善國名樓蘭、去長安一千六

百里也、烏孫・呼揭【集解】音桀、【索隱】音傑、又音丘列反、【正義】音桀、又其例反、二國皆在瓜州西北、烏孫、戰國時居瓜州、及其旁二十六國、皆以爲匈奴。【索隱】案謂皆入匈奴一國、【考證】漢書以作已、諸引弓之民、并爲一家。北州已定。願寢兵休士卒養馬、除前事、復故約、以安邊民、以應始古。【考證】漢書無士字、始古作古始、使少者得成其長、老者安其處、【考證】李笠曰、當從漢書安上補得字、世世平樂。未得皇帝之志也。故使郎中係雩淺奉書、請獻橐他一匹、騎馬二匹、駕二駟。【集解】雩、音火胡反、【索隱】係、胡計反、雩、火胡反、【正義】顏師古云、駕、可駕車也、二駟、八匹馬也、皇帝即不欲匈奴近塞、則且詔吏民遠舍。使者至、即遣之。【考證】顏師古曰、舍、止舍也、王先謙曰、遣之、勿稽留也、以六月中、來至薪望之地。【集解】漢書音義曰、塞下地名、【索隱】望薪之地、服虔云、漢界上塞下地名、今匈奴使至於此也、【考證】漢書薪作新、書至。漢議擊與和親孰便。公卿皆曰。單于新破月氏乘勝。不可擊。且得匈奴

地、澤鹵非可居也。和親甚便。【正義】澤鹵、上音鳥、漢許之。孝文皇帝前六年、漢遺匈奴書曰。皇帝敬問匈奴大單于。無恙。使郎中係雩淺遺朕書曰。右賢王不請、聽後義盧侯難氏等計、【考證】楓、三本、後義作俊義、絕二主之約、離兄弟之親、漢以故不和、鄰國不附、【考證】楓、三本、以下有其字、今以小吏敗約、故罰右賢王、使西擊月氏、盡定之、願寢兵休士卒養馬、除前事、復故約、以安邊民、使少者得成其長、老者安其處、世世平樂。朕甚嘉之。此古聖主之意也。【考證】楓、三本、嘉作喜、漢書、主作王、漢與匈奴約爲兄弟、所以遺單于甚厚。倍約離兄弟之親者、常在匈奴。然右賢王事已在赦前。單于勿深誅。單于若稱書意、明告諸吏、使無負約有信、敬如單于書。使者言、單

于自將伐國有功、甚苦兵事。服繡袷綺衣、【集解】案小顏云、服者、天子所服也、以繡爲表、綺爲裏、以賜冒頓、字林云、袷、衣無絮也、音公洽反、繡袷長襦、【集解】徐廣曰、一本無袷字、【考證】徐一本爲是、漢書、無繡袷二字、錦袷袍各一、【考證】漢書、無袷字、爲是、比余一、【集解】徐廣曰、或作疏比也、【索隱】案漢書、作比疏一、比、音鼻、小顏云、辮髮之飾也、以金爲之、廣雅云、比、櫛也、蒼頡篇云、靡者爲比、麄者爲梳、按蘇林說、今亦謂之梳比、或亦帶飾者也、【考證】漢書比余作比疏、比、篦通、細齒之櫛、余疏聲近假借、疏、梳通、說文、梳、所以理髮也、釋名、梳、言其齒疏也、篦、梳、蓋疏齒之櫛、統言之一物、析言之二物、故曰比疏一、黃金飾具帶一、【集解】漢書音義曰、要中大帶、【索隱】按謂要中大帶、【考證】沈欽韓曰、趙策、武靈王賜周紹胡服衣冠、具帶黃金師比、案具、當作貝、淮南主術訓、趙武靈王貝帶鵔鸃而朝、趙國化之、高誘注、以大貝飾帶胡服、黃金胥紕一、【集解】徐廣曰、或作犀毗、而無一字、【索隱】漢書、見作犀毗、或無下一字、此作胥者、犀聲相近、或誤、張晏云、鮮卑郭落帶、瑞獸名也、東胡好服之、按戰國策云、趙武靈王賜周紹貝帶黃金師比、延篤云、胡革帶鉤也、則此帶鉤亦名師比、則胥犀與師竝相近、而說各異耳、班固與竇憲牋云、賜犀比金頭帶是也、繡十匹、錦三十匹、赤綈綠繒各四十匹、【索隱】案說文云、綈、厚繒也、【正義】綈、音啼、【考證】漢書三十作二十、使中大夫意・謁者令肩遺單于。後頃之、冒頓死、子稽粥立。號

曰老上單于。【索隱】稽、音雞、粥、音育、老上稽粥單于初立。【集解】徐廣曰、一云稽粥第二單于、自後皆以第別之、孝文皇帝復遣宗室女公主爲單于閼氏、使宦者燕人中行說傅公主。【正義】行、音胡郎反、中行、姓、說、名也、【考證】中井積德曰、漢書公主皆作翁主、非也、蓋其實翁主也、以爲公主而嫁之、如今之義子也、前後文竝倣此、說不欲行。漢彊使之。說曰。必我行也、爲漢患者。【考證】張文虎曰、也邪、古通用、蓋中行說本不肯行、而彊使之、故恚曰、必欲我行邪、則當教匈奴擾漢、意甚明顯、者語絕之辭、俗乃以爲倒句法、云爲漢患者必我也、文不成義、且行字爲贅、愚按與汲黯傳、必湯也、令天下重足而立、側目而視矣同一句法、我行、我此行也、張說非是、漢書刪我字、義異、中行說既至。因降單于。單于甚親幸之。初匈奴好漢繒絮食物。中行說曰。匈奴人衆、不能當漢之一郡。然所以彊者、以衣食異、無仰於漢也。今單于變俗好漢物。漢物不過什二、則匈奴盡歸於漢矣。【集解】韋昭曰、言漢物十中之二入匈奴、匈奴則動心歸漢矣、【考證】顏師古曰、言漢費物十分之二、則盡得匈奴之衆也、愚按則字倣而字看、其得漢繒絮、以

馳草棘中、衣袴皆裂敝。以示不如旃裘之完善也。得漢食物皆去之。以示不如湩酪之便美也。【集解】湩、乳汁也、音都奉反、【索隱】重駱、音湩酪二音、按三蒼云、湩、乳汁也、字林云、竹用反、穆天子傳云、牛馬之湩、臣菟人所具、【考證】漢書湩作重、於是說教單于左右、疏記以計課其人衆畜物。【正義】上、許又反、【考證】楓三本、物作牧、顏師古曰、說者、舉中行說之名也、疏、分條之也、漢遺單于書、牘以尺一寸。辭曰。皇帝敬問匈奴大單于。無恙。所遺物及言語云云。【考證】漢書、所下有以字、中井積德曰、以字與下文相應、此蓋脫文、中行說令單于遺漢書、以尺二寸牘、及印封皆令廣大長、倨傲其辭曰。天地所生、日月所置匈奴大單于、敬問漢皇帝。無恙。所以遺物言語亦云云。漢使或言曰。匈奴俗賤老。中行說窮漢使曰。而漢俗屯戍從軍當發者、其老親豈有不自脫溫厚肥美、以齎送飲食行戍

乎。【考證】而、汝也、漢書、脫作奪、楓三本、行戍下有者字、漢使曰。然。中行說曰。匈奴明以戰攻爲事。其老弱不能鬭。故以其肥美飲食壯健者。蓋以自爲守衛如此、父子各得久相保。【考證】楓本、蓋作盡、楓三本、如作以、漢書無蓋字、爲字守字久字、何以言匈奴輕老也。漢使曰。匈奴父子、乃同穹廬而臥、【集解】漢書音義曰、穹廬、旃帳、父死、妻其後母、兄弟死、盡取其妻妻之。【考證】漢書、作盡妻其妻、無冠帶之飾、闕庭之禮。中行說曰。匈奴之俗、人食畜肉、飲其汁、衣其皮、畜食草飲水、隨時轉移。故其急則人習騎射、寬則人樂無事。其約束輕、易行也。【考證】漢書、無其字、輕作徑、顏師古曰、徑、直也、簡率也、君臣簡易、一國之政、猶一身也。父子兄弟死、取其妻妻之、惡種姓之失也。故匈奴雖亂、必立宗種。今中國雖詳不取其父兄之妻、親屬益疏、則相

殺。至乃易姓、皆從此類。【索隱】漢書、詳作陽、此亦音羊、【考證】詳、讀爲佯、殺親屬、至乃易姓、與雖亂必立宗種者異、漢書、類下有也字、且禮義之敝、上下交怨望、而室屋之極、生力必屈。【索隱】以言棟宇室屋之作、人盡極以營其生、至於氣力屈竭也、屈、音其勿反、【正義】言競爭勝負、爲棟宇極奢侈、故營生氣力屈盡也、【考證】中井積德曰、生力、猶生計也、非氣力、夫力耕桑以求衣食、築城郭以自備。故其民急則不習戰功、緩則罷於作業。【考證】楓、三本、漢書、功作攻、義長、嗟、土室之人、顧無多辭令喋喋而佔佔。冠固何當。【集解】喋、音諜、利口也、佔、音昌占反、衣裳貌、冠固何當、言雖復著冠、固何所當益、【索隱】鄒展曰、喋、音牒、佔、囁耳語、服虔曰、口舌喋喋、如淳曰、言汝漢人多居室中、固自宜著冠、且不足貴也、小顏云、喋喋、利口也、佔佔、衣裳貌、喋、音昌涉反、佔、音占、言當思念、無爲喋喋佔佔耳、雖自謂著冠、何所當益也、【正義】喋喋、多言也、佔佔、恭謹貌、言漢人徒多言恭謹、而著冠衣、固亦何所當益也、【考證】嗟者、歎愍之言也、佔、咕同、亦多言也、無多辭令、猶言無費多言也、漢書、無多辭令三字、自是之後、漢使欲辯論者、中行說輒曰。漢使無多言。顧漢所輸匈奴繒絮米糵、令其量中、必善美而已矣。何以爲言乎。【考證】顏師古曰、顧、

念也、量中者、滿其數也、中井積德曰、何以爲言乎、漢書作何以言爲乎、長、且所給備善則已。不備苦惡、則候秋孰、以騎馳蹂而稼穡耳。[集解]韋昭曰、苦、䴪也、音若靡盬之盬、徐廣曰、蹂音而九反、日夜教單于候利害處。[考證]王先謙曰、文紀、十一年寇狄道、漢孝文皇帝十四年、匈奴單于十四萬騎入朝那·蕭關、殺北地都尉卬、[集解]徐廣曰、姓孫、其子單封爲缾侯、白丁反、[索隱]卬、音五郎反、徐廣云、姓孫、其後子單封爲瓶侯、音白丁反、[考證]蕭關、在固原州東南、虜人民畜產甚多。遂至彭陽、[集解]徐廣曰、在安定、[索隱]出彭陽、韋昭云、安定縣、[正義]城字誤也、括地志云、彭城故城、在涇州臨城縣東二十里、案彭城在嫣州、與北地郡甚遠、明非彭城也、[考證]正義本、彭陽作彭城、使奇兵入燒回中宮。[索隱]服虔云、在北地、武帝作宮、始皇本紀、二十七年、登雞頭山、過回中、武帝元封四年、通回中道、[正義]括地志云、秦回中宮、在岐州雍縣西四十里、即匈奴所燒者也、[考證]回中宮、在隴州、候騎至雍甘泉。[索隱]崔浩云、候、邏騎、[正義]括地志云、雲陽也、秦之林光宮、漢之甘泉、在雍州雲陽西北八十里、秦始皇作甘泉宮、去長安三百里、望見長安、秦皇以來祭天圜丘處、[考證]中井積德曰、候與邏亦有辨、候、主候望、邏、主巡察、於是文帝以中尉周舍·郎中令張武爲將軍、發車

千乘騎十萬、軍長安旁、以備胡寇、而拜昌侯盧卿爲上郡將軍、[索隱]案表、盧作旅、古今字異耳、甯侯魏遫爲北地將軍、隆慮侯周竈爲隴西將軍、東陽侯張相如爲大將軍、成侯董赤爲前將軍、[正義]赤、音赫、大發車騎往擊胡。[集解]徐廣曰、內史欒布亦爲將軍、[考證]王先謙曰、上郡、北地、隴西、竝以屯地名之、何焯曰、此專以備右賢王也、及置朔方開河西四郡則無事此矣、單于畱塞內月餘、乃去。漢逐出塞、即還、不能有所殺。匈奴日已驕、[考證]楓三本、漢書、已作以、歲入邊、殺略人民畜產甚多、雲中·遼東最甚。至代郡萬餘人。[考證]漢書、無至代二字、漢患之、乃使使遺匈奴書、單于亦使當戶報謝、復言和親事。孝文帝後二年、使使遺匈奴書曰。皇帝敬問匈奴大單于。無恙。使當戶且居雕渠難·郎中韓遼、遺朕馬二匹。已至、敬受。[索隱]漢書、且居作且渠、匈奴官號、按樂彥云、當戶、且渠、

各自一官、雕渠難爲此官也、[正義]雕渠難者、其姓名也、且、音子余反、先帝制、長城以北引弓之國、受命單于、長城以內冠帶之室、朕亦制之、使萬民耕織射獵衣食、父子無離、臣主相安、俱無暴逆。今聞渫惡民、貪降其進取之利、[考證]渫、汚也、晉灼曰、邪惡不正之民、愚按降字疑衍、後人依漢書誤補、漢書作貪降其趨、亦不成義、倍義絕約、忘萬民之命、離兩主之驩。然其事已在前矣。書曰。二國已和親、兩主驩說、寢兵休卒養馬、世世昌樂、闟然更始。朕甚嘉之。[集解]徐廣曰、闟、音搶、安定意也、[考證]邵鋭曰、其事已在前、與前事在赦前意同、得尊中國體、書、來書、漢書、闟作翕、聖人者日新。改作更始、使老者得息、幼者得長、各保其首領、而終其天年。[考證]張文虎曰、王、柯、凌本、年作命、朕與單于俱由此道、順天恤民、世世相傳、施之無窮、天下莫不咸便。漢與匈奴、鄰敵之國。[考證]鄰敵之國、從三條本、宋本、毛本、與漢書合、敵、匹敵、匈奴處北、地寒、

殺氣早降。故詔吏遺單于秫櫱金帛絲絮佗物、歲有數。今天下大安、萬民熙熙。朕與單于爲之父母。朕追念前事、薄物細故、謀臣計失。皆不足以離兄弟之驩。朕聞天不頗覆、地不偏載。[考證]顏師古曰、頗亦偏也、朕與單于、皆捐往細故、俱蹈大道、墮壞前惡、以圖長久、使兩國之民、若一家子、元元萬民、下及魚鼈、上及飛鳥、跂行喙息蠕動之類、莫不就安利而辟危殆。[索隱]案跂、音岐、又音企、言蟲豸之類、或企踵而行、或以喙而息、皆得其安也、三蒼云、蠕蠕、動貌、音軟、淮南子云、昆蟲蠕動、[正義]凡有足而行曰跂行、凡有口而息曰喙息、周書云、麢鹿之類爲跂行、竝以足跪不著地、如人企、按又音企、[考證]跂行喙息、正義是、漢書禮樂志郊祀歌、跂行畢及、公孫弘傳、跂行喙息、咸得其宜、新語道基篇、跂行喘息蜎飛蠕動之類、淮南子俶眞訓、蠉飛蠕動、跂行噲息、其義可徵、蓋漢初通行之語、故來者不止、天之道也。[考證]故、更端之辭、漢人常語、俱去前事。朕釋逃虜民、單于無言章尼等。[索隱]案文帝云、我今日竝釋放彼國逃亡虜、遣之歸本國、汝單于

無得更以言詞訴於章尼等賣其逃也、【考證】中井積德曰、釋、謂舍而不問、虜、謂彼自鹵略者、與逃別項、顏師古曰、章尼等、皆背單于降漢者、　朕聞古之帝王約分明、而無食言。單于留志、天下大安。和親之後、漢過不先。單于其察之。【考證】顏師古曰、漢過不先、言更不負約、　單于既約和親。於是制詔御史曰。匈奴大單于遺朕書、言和親已定。亡人不足以益衆廣地。匈奴無入塞、漢無出塞。犯令約者殺之。可以久親。後無咎、俱便。【考證】亡人、上文所謂逃虜民、章尼等、漢書、令作今、　朕已許之。其布告天下、使明知之。【考證】此與文紀所載詔文詳略互見、　後四歲、老上稽粥單于死、子軍臣立爲單于。既立、【集解】徐廣曰、後元三年立、　孝文皇帝復與匈奴和親、而中行說復事之。軍臣單于立四歲、【集解】徐廣曰、孝文後元七年崩、而二年荅單于書、其閒五年、而此云後四年、又立四歲、數不容爾也、孝文後六年冬、匈奴入上郡雲中也、【考證】漢書、四歲作歲餘、爲是、　匈奴復絕和親、大入上郡・雲中、各三

萬騎、所殺略甚衆而去。於是漢使三將軍軍屯北地。代屯句注、趙屯飛狐口。【考證】句注山、在雁門陰關、今代州西北、丁謙曰、飛狐、谷名、水經注、代郡南四十里有飛狐關、今廣昌縣北黑石嶺也、飛狐關、當在今蔚州南北峪口地、前人謂在廣昌縣、蓋舊爲高昌地、非高昌縣城也、　緣邊亦各堅守、以備胡寇。又置三將軍軍長安西細柳、渭北棘門・霸上以備胡。【考證】三將軍、周亞夫、徐厲、劉禮、　胡騎入代句注、邊烽火通於甘泉・長安數月。漢兵至邊、匈奴亦去遠塞。漢兵亦罷。【考證】何焯曰、文帝大發兵者再、終不遠追出塞、　後歲餘、孝文帝崩、孝景帝立。【考證】王先謙曰、元年四月、遣御史大夫陶青和親、二年、復與匈奴和親、竝見漢紀、　而趙王遂乃陰使人於匈奴。吳・楚反、欲與趙合謀入邊。漢圍破趙。匈奴亦止。自是之後、孝景帝復與匈奴和親、通關市、給遺匈奴、遣公主如故約。終孝景時。時小入盜邊、無大寇。【考證】漢書、公主作翁主、說見上文、王先謙曰、帝紀、五年、遣公主、中二年、

入燕、六年、入雁門至武泉入上郡、後二年、入雁門、　今帝即位、明和親約束、厚遇、通關市、饒給之。匈奴自單于以下皆親漢、往來長城下。漢使馬邑下人聶翁壹奸蘭出物、與匈奴交。【集解】漢書音義曰、私出塞、與匈奴交市、【索隱】按衛青傳、唯稱聶壹、顧氏云、壹、名也、老故稱翁、義或然也、奸蘭、上音干、干蘭、謂犯禁私出物也、【考證】聶翁壹事、又見韓長孺傳、漢書、奸蘭作間闌、　詳爲賣馬邑城、以誘單于。【考證】詳、讀爲佯、　單于信之、而貪馬邑財物、乃以十萬騎入武州塞。【索隱】蘇林云、在鴈門也、【考證】元光二年、　漢伏兵三十餘萬馬邑旁、御史大夫韓安國爲護軍、護四將軍、以伏單于。【考證】顏師古曰、伏兵而待單于也、楓、三本、漢書、護軍下有將軍二字、　單于既入漢塞、未至馬邑百餘里、見畜布野而無人牧者、怪之。乃攻亭。是時鴈門尉史行徼。見寇、葆此亭。知漢兵謀。【索隱】如淳云、律近塞郡、皆置尉一人、士史百里、尉史各二人也、【考證】漢書、葆作保、漢書注引漢律云、近塞郡皆置尉、百里一人、士史尉史各二人、巡行徼塞也、　單于得、欲

殺之。尉史乃告單于漢兵所居。【集解】徐廣曰、一云、乃下、具告單于、　單于大驚曰。吾固疑之。乃引兵還。出曰。吾得尉史、天也。天使若言。以尉史爲天王。漢兵約單于入馬邑而縱。【考證】縱、謂放兵擊之也、漢書、縱下有兵字、　單于不至。以故漢兵無所得。漢將軍王恢部出代擊胡輜重。聞單于還、兵多、不敢出。【考證】部、猶別隊也、　漢以恢本造兵謀、而不進、斬恢。【集解】韓長孺傳曰、恢自殺、【考證】漢書武紀云、恢下獄死、各不同、　自是之後、匈奴絕和親、攻當路塞。【索隱】蘇林云、直當道之塞、　往往入盜於漢邊、不可勝數。然匈奴貪、尙樂關市、嗜漢財物、漢亦尙關市不絕、以中之。【正義】如淳云、得具以利中傷之、【考證】顏師古曰、以關市中其意、中井積德曰、以關市奇中其欲而制之、非中傷之謂、　自馬邑軍後五年之秋、漢使四將軍各萬騎擊胡關市下。【考證】元光六年、梁玉繩曰、秋當作春、武紀可據、　將軍衛青出上谷至蘢城。

得胡首虜七百人。考證 漢書、龍城作龍城、丁謙曰、衞青所至之龍城、據讀史兵略注、在察哈爾左翼旗界、非漢北單于建庭處、衞青出高闕六七百里、夜圍右賢王、知其時右賢王駐地距河套西北不遠、 公孫賀出雲中、無所得。公孫敖出代郡、爲胡所敗七千餘人。李廣出鴈門、爲胡所敗、而匈奴生得廣、廣後得亡歸。漢囚敖・廣、敖・廣贖爲庶人。其冬、匈奴數入盜邊、漁陽尤甚。考證 武紀、冬作秋、 漢使將軍韓安國屯漁陽備胡。其明年秋、考證 元朔元年、 匈奴二萬騎入漢、殺遼西太守、略二千餘人。胡又入敗漁陽太守軍千餘人。考證 漢書武紀、作敗都尉、 圍漢將軍安國。安國時千餘騎、亦且盡。會燕救至、匈奴乃去。考證 詳韓長孺傳、 匈奴又入鴈門、殺略千餘人。於是漢使將軍衞青將三萬騎出鴈門、李息出代郡、擊胡。得首虜數千人。其明年、衞青復出雲中以西

至隴西、擊胡之樓煩・白羊王於河南、得胡首虜數千、牛羊百餘萬。於是漢遂取河南地、築朔方、復繕故秦時蒙恬所爲塞、因河爲固。漢亦弃上谷之什辟縣造陽地以予胡。是歲漢之元朔二年也。集解 什、音斗、漢書音義曰、言縣斗辟曲近胡、索隱 按孟康云、縣斗辟西近胡也、什、音斗、辟、音僻、造陽即斗辟縣中地、正義 按曲幽辟縣入匈奴界者、造陽地弃與胡也、考證 漢書、什作斗、顏師古曰、斗、絕也、縣之斗曲入匈奴界者、其中造陽地也、辟、讀曰僻、齊召南曰、案造陽地、當在上谷最北、即前文所云燕亦築長城、自造陽至襄平者也、據後文、則造陽之北凡九百里、後世如開平州興州等之地、疑即古之造陽、沈濤曰、說文序、人持十爲斗、什即斗字、裴氏乃云音斗、誤矣、 其後冬、匈奴軍臣單于死、軍臣單于弟左谷蠡王伊稚斜自立爲單于。索隱 伊稺斜、稺、音持利反、斜、音士嗟反、鄒誕生音直牙反、蓋稺斜胡人語、近得其實、 攻破軍臣單于太子於單。索隱 音丹、 於單亡降漢。漢封於單爲涉安侯、數月而死。伊稚斜單于既立。其夏、匈奴數萬騎入殺代郡太守恭友、略千餘

人。考證 據漢書武紀、事在元朔三年、各本、友作及、今從館本、名臣表、衞霍傳集解、漢書匈奴傳、竝作共友、共姓友名、共恭同、 其秋、匈奴又入鴈門、殺略千餘人。考證 漢書武紀、秋作夏、 其明年、匈奴又復入代郡・定襄・上郡、各三萬騎、殺略數千人。正義 括地志云、定襄故城、在朔州善陽縣北三百八十里、地理志、定襄郡高帝置也、 考證 元朔四年冬、 匈奴右賢王怨漢奪之河南地而築朔方、數爲寇盜邊、及入河南、侵擾朔方、殺略吏民甚衆。其明年春、漢以衞青爲大將軍、將六將軍十餘萬人、出朔方・高闕擊胡。考證 元朔五年、據衞將軍傳、青出師時尚爲車騎將軍、立功後始爲大將軍、六將軍、詳衞青傳、何焯曰、再出、衞青傳云、大行李息、岸頭侯張次公爲將軍、俱出右北平、以牽綴其東、 右賢王以爲漢兵不能至、飲酒醉。考證 楓三本、醉下有臥字、 漢兵出塞六七百里、夜圍右賢王。右賢王大驚、脫身逃走、諸精騎往往隨後去。漢得右賢王衆男女萬五千人、裨小王十餘人。其秋、匈奴萬

騎入殺代郡都尉朱英、略千餘人。考證 漢書、朱英作朱央、 其明年春、漢復遣大將軍衞青、將六將軍兵十餘萬騎、乃再出定襄數百里、擊匈奴、得首虜前後凡萬九千餘級。考證 元朔六年、何焯曰、直單于庭北出、楓山本漢書、乃作仍、顏師古曰、仍、頻也、楓三本、得下有胡字、 而漢亦亡兩將軍、軍三千餘騎。集解 徐廣曰、合有三千耳、 右將軍建得以身脫。正義 建、蘇武父也、 而前將軍翕侯趙信兵不利、降匈奴。趙信者、故胡小王、降漢、漢封爲翕侯、以前將軍與右將軍并軍分行。正義 與大軍別行也、考證 漢書、分誤作介、脫行字、 獨遇單于兵、故盡沒。單于既得翕侯、以爲自次王、用其姊妻之、與謀漢。正義 自次者、尊重次於單于、考證 自次、蓋胡語、正義以漢語解之、非也、 信教單于益北絕幕、以誘罷漢兵、徼極而取之、無近塞。集解 應劭曰、幕、沙幕、匈奴之南界、瓚曰、沙土曰幕、直度曰絕、索隱 按徼、要也、謂要其疲極而取之、正義 徼、音古堯反、徼、要也、

要漢兵疲極而取之、無近塞居止、【考證】何焯曰、此後匈奴計不出此、　單于從其計。其明年、胡騎萬人入上谷、殺數百人。【考證】元狩元年夏、　其明年春、漢使驃騎將軍去病、將萬騎出隴西、過焉支山千餘里、擊匈奴。【正義】焉、音烟、括地志云、焉支山、一名刪丹山、在甘州刪丹縣東南五十里、西河故事云、匈奴失祁連焉支二山、乃歌曰、亾我祁連山、使我六畜不蕃息、失我焉支山、使我婦女無顏色、其愍惜乃如此、【考證】元狩二年、漢改刪丹爲張掖縣、今甘州山丹縣治、明地志、山丹縣東南有焉支山、在今山丹縣東南、永昌縣西北、俗稱大黃山、何焯曰、遣驃騎擊其西、春小試之、夏大發兵、愚按隴西之役、驃騎本傳較詳、參看、　得胡首虜騎萬八千餘級、破得休屠王祭天金人。【集解】漢書音義曰、匈奴祭天處、本在雲陽甘泉山下、秦奪其地、後徙之休屠王右地、故休屠有祭天金人象、祭天人也、【索隱】韋昭云、作金人以爲祭天主、崔浩云、胡祭以金人爲主、今浮圖金人是也、又漢書音義稱、金人祭天、本在雲陽甘泉山下、秦奪其地、徙之於休屠王右地、故休屠有祭天金人象、祭天人也、事恐不然、案得休屠金人、後置之於甘泉也、【正義】括地志云、徑路祠神、在雍州雲陽縣西北九十里甘泉山下、本匈奴祭天處、秦奪其地、後徙休屠右地、按金人卽今佛像、是其遺法、立以爲祭天主也、【考證】三條本無騎字、張文虎曰、騎萬二字疑衍、驃騎傳無、漢書亦無、中井積德曰、金人卽佛像、別自祠之耳、與祭天不相涉、當時不之知也、謬傳以爲祭天之用矣、注頗傳會、愚按金人、蓋獲諸西域者、未必奉其敎以祠之、沈欽

韓曰、始皇十年、迎太后、復居甘泉宮、十五年、韓非死雲陽、則雲陽爲秦地久矣、三十二年、使蒙恬略取河南地、則漢之朔方郡耳、寧得以前與秦遙處數十里問乎、地理志、左馮翊雲陽縣、有休屠金人及徑路神祠越巫䢵祠、此因霍去病得休屠金人、置諸雲陽、郊祀志作甘泉宮以致天神、是也、本以得金人而有其祠、說者反謂匈奴祭天之處、顚矣、

其夏、驃騎將軍復與合騎侯數萬騎出隴西·北地二千里、擊匈奴、過居延攻祁連山、【索隱】韋昭曰、居延、張掖縣、按西河舊事云、祁連山、在張掖酒泉二界上、東西二百餘里、南北百里、有松柏五木、美水草、冬溫夏涼、宜畜牧、匈奴失二山、乃歌云、亾我祁連山、使我六畜不蕃息、失我燕支山、使我嫁婦無顏色、祁連一名天山、亦曰白山也、【考證】張晏曰、居延、水名、丁謙曰、居延水、丹州北山丹河、明志、甘州衛西北有故祁連城、西南有祁連山、　得胡首虜三萬餘人、裨小王以下七十餘人。【考證】漢書無七字、　是時匈奴亦來入代郡雁門、殺略數百人。漢使博望侯及李將軍廣出右北平、擊匈奴左賢王。【考證】何焯曰、兩將軍擊其東、左賢王、各本作右賢王、今從凌本及李將軍傳漢書、凌稚隆曰、詳李廣傳、　左賢王圍李將軍。卒可四千人、且盡。殺虜亦過當。會博望侯軍救至。李將軍得脫。漢失亡數

千人。合騎侯後驃騎將軍期、及與博望侯皆當死。贖爲庶人。其秋、單于怒渾邪王·休屠王居西方、爲漢所殺虜數萬人、欲召誅之。渾邪王與休屠王恐謀降漢。【集解】徐廣曰、元狩二年也、【考證】楓三本、恐謀作恐誅、　漢使驃騎將軍往迎之。渾邪王殺休屠王、幷將其衆、降漢。凡四萬餘人、號十萬。【考證】何焯曰、驃騎再西、前斬三萬級、此復降四萬人、右王不能軍矣、後出代攻左王、得首虜亦七萬餘人、左王不能軍矣、冒頓之盛、控弦之士三十餘萬、於是幾耗其種之半、　於是漢已得渾邪王、則隴西·北地·河西益少胡寇。徙關東貧民、處所奪匈奴河南新秦中以實之、而減北地以西戍卒半。【索隱】如淳云、新秦中、在長安以北朔方以南、漢書食貨志云、徙貧人充朔方以南新秦中、是也、【正義】服虔云、地名、在北地、廣六七百里、長安北、朔方南、史記以爲秦始皇遣蒙恬斥逐北胡、得肥饒之地七百里、徙內郡人民皆往充實之、號曰新秦中也、　其明年、匈奴入右北平·定襄、各數萬騎、殺略千餘人而去。【考證】元狩三年、　其明年

春、漢謀曰。翕侯信爲單于計、居幕北。以爲漢兵不能至。乃粟馬、發十萬騎、負私從馬凡十四萬匹。糧重不與焉。【正義】謂負擔衣糧、私募從者凡十四萬匹、【考證】元狩四年、漢書、負私作私負、王念孫曰、私負從馬、謂私負衣裝而從之馬、中井積德曰、負私從馬凡十四萬匹爲一句、此惟計馬數、不計人數、下文云、糧重不與、正義擔字糧字募字皆當削、愚按大宛傳云、負私從者不與、漢書李廣傳亦作負私、　令大將軍青·驃騎將軍去病中分軍、大將軍出定襄、驃騎將軍出代。咸約絕幕擊匈奴。【考證】何焯曰、昆邪來降、則西方無復匈奴、故兩軍皆東、大將軍遇單于、驃騎値左賢王也、　單于聞之、遠其輜重、以精兵待於幕北、與漢大將軍接戰。一日會暮、大風起。漢兵縱左右翼圍單于。單于自度戰不能如漢兵。【考證】楓三本、會下有日字、漢書如作與、　單于遂獨身與壯騎數百潰漢圍、西北遁走。漢兵夜追、不得。行斬捕匈奴首虜萬九千級。【考證】顏師古曰、且行且捕斬之、　北至闐顏山趙信城

而還。【集解】如淳曰、信前降匈奴、匈奴築城居之、【考證】何焯曰、直北、漢書、闐顏作寘顏、丁謙曰、寘顏山、盖杭愛山南面之一支、趙信城在此山間、　單于之遁走、其兵往往與漢兵相亂而隨單于。單于久不與其大衆相得。【考證】楓、三本、漢兵作漢軍、　其右谷蠡王以爲單于死、乃自立爲單于。眞單于復得其衆、而右谷蠡王乃去其單于號、復爲右谷蠡王。漢驃騎將軍之出代二千餘里、與左賢王接戰。漢兵得胡首虜凡七萬餘級。左賢王將皆遁走。【考證】何焯曰、迺而東、先解右肩、復斷左臂、皆驃騎之爲也、　驃騎封於狼居胥山、禪姑衍、臨翰海而還。【集解】如淳曰、翰海、北海名、【正義】按翰海自一大海名、羣鳥解羽伏乳於此、因名也、【考證】楓、三本、驃騎下有將軍二字、丁謙曰、驃騎出代與左王將戰、揆其地望、當在克魯倫河境、狼居胥山、在寧夏西北沙漠間、今尚有狼居胥山碑遺蹟、姑衍、亦山名、未詳所在、齊召南曰、按翰海、北史作瀚海、卽大漠之別名、沙磧四際無涯、故謂之海、張晏如淳、以大海北海解之、非也、本文明云出代右北平二千餘里、則其地正在大漠、安能及絕遠之北海哉、塞外遇巨澤大海、通稱爲海、　是後匈奴遠遁、而幕南無王庭。

漢度河、自朔方以西至令居、往往通渠置田。官吏卒五六萬人、稍蠶食、地接匈奴以北。【集解】徐廣曰、令居、在金城、【索隱】徐廣云、在金城、地理志云、張掖令居縣、姚氏令音連、小顏云、音零、【正義】匈奴舊以幕爲王庭、今遠徙幕北、更竄食之、漢境連接匈奴舊地以北也、【考證】丁謙曰、令居、漢縣、屬金城、今平番縣地、　初漢兩將軍大出圍單于、所殺虜八九萬。而漢士卒物故亦數萬、漢馬死者十餘萬。【索隱】漢士物故、案釋名云、漢以來謂死爲物故、物就朽故也、又魏臺訪議、高堂崇對曰、聞之先師、物、無也、故、事也、言無復所能於事者也、【考證】索隱本、漢書、士下無卒字、物、猶事也、不正言死、諱云事故、索隱臺、各本譌壹、案隋志、魏臺雜訪議一卷、高堂隆撰、　匈奴雖病遠去、而漢亦馬少、無以復往。匈奴用趙信之計、遣使於漢、好辭請和親。天子下其議。或言和親、或言遂臣之。丞相長史任敞曰。匈奴新破困、宜可使爲外臣、朝請於邊。【考證】漢書、無可字、　漢使任敞於單于。單于聞敞計、大怒、留之不遣。【考證】楓、三本、遣作歸、　先是漢亦有所降匈奴

使者。單于亦輒留漢使相當。漢方復收士馬。會驃騎將軍去病死。【考證】元狩六年、　於是漢久不北擊胡數歲。伊稚斜單于立十三年死。子烏維立爲單于。是歲漢元鼎三年也。烏維單于立、而漢天子始出巡郡縣。其後漢方南誅兩越、不擊匈奴。匈奴亦不侵入邊。【正義】兩越、南越東越、【考證】漢書武紀、元鼎五年、匈奴入五原、殺太守、與此不同、　烏維單于立三年、漢已滅南越。遣故太僕賀、將萬五千騎、出九原二千餘里、至浮苴井而還。不見匈奴一人。【索隱】苴、音子餘反、臣瓚云、去九原二千里、見漢輿地圖、【考證】丁謙曰、浮苴井、當在杭愛山北、據漢書武紀、滅南越、在元鼎六年春、遣公孫賀在六年秋、漢書、南越作兩越、誤、　漢又遣故從驃侯趙破奴、萬餘騎出令居數千里、至匈河水而還。亦不見匈奴一人。【索隱】臣瓚云、匈河、水名、去令居千里、【考證】各本、匈河作匈奴河、索隱本無奴字、與衞霍傳合、梁玉繩曰、匈河、水名、故趙破奴爲匈河將軍、劉敞劉攽、竝以奴爲衍字、　是時天子

巡邊至朔方、勒兵十八萬騎、以見武節、【考證】元封元年、　而使郭吉風告單于。郭吉既至匈奴、匈奴主客問所使。【集解】韋昭曰、主客、主使來客官也、　郭吉禮卑言好。【正義】官名、若鴻臚卿、【考證】周壽昌曰、主客、應是匈奴官名、猶漢之典客、漢舊儀云、主客尚書主外國事、匈奴亦設此官、　曰。吾見單于而口言。【考證】漢書、禮卑言好作卑體好言、　單于見吉。吉曰。南越王頭已縣於漢北闕。今單于能卽前與漢戰、天子自將兵待邊。單于卽不能、卽南面而臣於漢。【考證】匈奴在北、故曰南面、　何徒遠走、亡匿於幕北寒苦無水草之地。毋爲也。語卒而單于大怒、立斬主客見者、而留郭吉不歸、遷之北海上。【正義】北海卽上海也、蘇武亦遷也、【考證】北海、今貝加爾湖、　而單于終不肯爲寇於漢邊、休養士馬、習射獵、數使使於漢、好辭甘言、求請和親。漢使王烏等窺匈奴。匈奴法、漢使非去

節而以墨黥其面者、不得入穹廬。王烏北地人、習胡俗。去其節黥面、得入穹廬。單于愛之、詳許甘言、爲遣其太子入漢爲質、以求和親。【正義】質、音致、【考證】詳讀爲佯、漢書、甘言作曰、楓三本、入漢爲質、作入質於漢、與漢書合、 漢使楊信於匈奴。是時漢東拔穢貉・朝鮮以爲郡、【正義】卽玄菟樂浪二郡、【考證】元封三年、 而西置酒泉郡、以鬲絕胡與羌通之路。【正義】酒泉郡、今肅州、 漢又西通月氏・大夏、【正義】漢書西域傳云、大月氏國、去長安城萬一千六百里、本居燉煌祁連閒、冒頓單于破月氏、而老上單于殺月氏王、以頭爲飲器、月氏乃遠去過大宛、西擊大夏而臣之、都嬀水北爲王庭也、【考證】丁謙曰、大月氏、自中國邊界徙居西域、一時强盛無敵、其國東起後阿賴山、西至阿母河、又跨河而南、有今布哈爾及阿富汗北境、竝葱嶺山中諸小部地、以嬀水北爲王庭、所謂監氏城、史記作藍市、卽大夏故城、今布哈爾城也、月氏餘衆不能去者、保南山羌、號小月氏、攷月氏本居祁連山北之昭武城、卽今甘州府高臺縣地、南山卽祁連山、山中乃羌人所居、故曰南山羌、巴格德利亞地、卽古大夏國地、都阿母河南波爾克城、徙河北之藍市城、其時國境西接安息、東抵葱嶺、南鄰烏弋山離、北濱雜拉敷散河、實有今布哈爾阿富汗兩國全地、迨武帝建元三年、爲西里亞所敗、其王被擒、幷奪其數省地、國勢大衰、及元光五年、大月氏自東北來、五六年間、阿母河北境

盡失、大夏舊時、各城有小君長、及臣大月氏、大月氏亦因其制、分遣翕侯鎭撫其地、徐繼畬曰、阿母河、古嬀水、 又以公主妻烏孫王、以分匈奴西方之援國。【考證】漢書、公主作翁主、丁謙曰、烏孫地、在今伊犂河南特克斯河濱、前人謂卽伊犂、未確也、唐地理志、溫肅州西北度拔達嶺、又五十里至頓多城、烏孫所治赤山城也、拔達嶺、唐西域傳、又作凌山、卽今木素爾達巴罕、木素爾譯言冰、達巴罕譯言嶺、冰嶺猶凌山也、過此嶺又五十里、當卽今沙圖阿滿台地、水經注、溫宿城北至烏孫赤谷六百一十里、今自阿克蘇至沙圖阿滿台六百七十里、道里亦相仿、赤山與赤谷同義、此烏孫都城之確可徵者、漢書甘延壽傳、郅支侵陵烏孫大宛、如得二國、北擊伊列、云云、伊列卽伊犂、可知當時別自爲國、不在烏孫轄境之內、是烏孫北界之確可徵者、傳又云、涉康居界至闐池西、闐池卽特穆爾圖泊、先涉康居界、至闐池西、可知兩國接壤處、在此泊東邊、是烏孫西界之確可徵者、至於凌山以南、皆溫宿姑墨國地、是烏孫之南、必以木素爾嶺爲界矣、夫本朝之平準噶爾也、西路大軍、實由烏魯木齊西額林哈畢爾罕入、準語額林、人也、哈畢爾罕、肋也、謂山形如人肋、漢時烏孫東通車師前部、以達於漢、亦必當由此路、則額林哈畢爾罕、又天然東面之界限焉、本境既明、如匈奴之在東北、康居之在西北、城郭諸國之在南、愈了然矣、 又北益廣田、至胘靁爲塞。【集解】漢書音義曰、胘靁、地名、在烏孫北、【考證】丁謙曰、胘雷塞、當在歸化城西薩拉齊廳境、漢書地理志、西河增山縣、有道西通胘雷塞、爲北部都尉治、服虔注、謂在烏孫北、大謬、 而匈奴終不敢以爲言。是歲、翕侯信死。漢用事者、以匈奴

爲已弱可臣從也、楊信爲人剛直屈彊、素非貴臣。單于不親。單于欲召入、不肯去節。單于乃坐穹廬外見楊信。楊信既見單于、說曰。卽欲和親、以單于太子爲質於漢。單于曰。非故約。故約、漢常遣公主、給繒絮食物有品、以和親。而匈奴亦不擾邊。今乃欲反古令吾太子爲質。無幾矣。【正義】幾、音記衣反、古無所冀望也、【考證】中井積德曰、無幾、謂無所獲、愚按、幾、冀通、言非吾所冀望也、 匈奴俗見漢使非中貴人、其儒先以爲欲說、折其辯、其少年以爲欲刺、折其氣。【集解】先、先生也、漢書作儒生也、【考證】儒先、猶長老也、 每漢使入匈奴、匈奴輒報償。漢留匈奴使、匈奴亦留漢使、必得當乃肯止。【考證】楓三本、得下有其字、漢書、無肯字、 楊信既歸、漢使王烏。而單于復讇以甘言、欲多得漢財物。紿謂王烏曰。吾欲入漢見天子、面

相約爲兄弟。王烏歸報漢。漢爲單于築邸于長安。匈奴曰。非得漢貴人使、吾不與誠語。匈奴使其貴人。至漢病。漢予藥欲愈之。不幸而死。【考證】王先謙曰、漢書武紀、元封四年秋、以匈奴弱可遂臣、迺遣使詔之、單于使來、死京師、卽此事也、 而漢使路充國佩二千石印綬、往使、因送其喪厚葬。直數千金。曰。此漢貴人也。【考證】楓三本、漢書、葬作幣、 單于以爲漢殺吾貴使者、乃留路充國不歸。諸所言者、單于特空紿王烏、殊無意入漢、及遣太子來質。於是匈奴數使奇兵侵犯邊。漢乃拜郭昌爲拔胡將軍、及浞野侯屯朔方以東備胡。【集解】徐廣曰、浞野侯、趙破奴、 路充國留匈奴三歲、單于死。【考證】漢書、無單于死三字、此擬衍、 烏維單于立十歲而死。子烏師廬立爲單于。【集解】徐廣曰、烏一作詹、 年少。號爲兒單于。是歲元封六年也。自此

之後、單于益西北、左方兵直雲中、右方直酒泉・燉煌郡。【正義】括地志云、鐵勒國、匈奴冒頓之後、在突厥國北、樂勝州、經秦長城太莫長路、正北經沙磧十三日、行至其國、【考證】楓、三本、漢書、右方下有兵字、中井積德曰、正義、援鐵勒、此無所當、兒單于立、漢使兩使者、一弔單于、一弔右賢王、欲以乖其國。【考證】乖、離也、岡白駒曰、欲使其君臣相疑也、 使者入匈奴。匈奴悉將致單于。單于怒、而盡留漢使。漢使留匈奴者前後十餘輩、而匈奴使來、漢亦輒留相當。【考證】張文虎云、上文云、先是漢亦有所降匈奴使者、單于亦輒留漢使相當、又云、每漢使入匈奴、匈奴輒報償、漢留匈奴使、匈奴亦留漢使、必得當迺止、與此文事皆相同、一篇三見、此史公累辭、而班史並仍之、不可解、楓、三本、來上有者字、 是歲、漢使貳師將軍廣利西伐大宛。【考證】是歲大初元年、大宛、國名、在康居南烏孫西、詳本傳、 而令因杅將軍敖築受降城。【正義】杅、音于、【考證】公孫敖、服虔曰、因杅、匈奴地名、因所征以爲名、沈欽韓曰、一統志、漢受降城、在吳喇忒旗北、吳喇忒三旗、在歸化城西三百九十里、 其冬、匈奴大雨雪。畜多飢寒死。兒單于年少、好殺伐。國人多不安。

左大都尉欲殺單于。使人閒告漢曰。我欲殺單于降漢。漢遠。卽兵來迎我、我卽發。【考證】楓、三本、漢書、遠下有漢字、卽、猶若也、迎下添則字看、 初漢聞此言、故築受降城。猶以爲遠。其明年春、漢使浞野侯破奴將二萬餘騎、出朔方西北二千餘里。期至浚稽山而還。【索隱】應劭云、浚稽山、在武威縣北、【考證】太初二年、顏師古曰、以迎左大都尉、丁謙曰、浚稽山、在涿邪山東南、今稱阿蘭察博克多山、 浞野侯既至期而還。左大都尉欲發而覺。單于誅之、發左方兵擊浞野。【考證】漢書、浞野下有侯字、 浞野侯行捕首虜、得數千人。【考證】各本、無得字、楓山本中統、游、毛、有、 還未至受降城四百里、匈奴兵八萬騎圍之。浞野侯夜自出求水。匈奴閒捕生得浞野侯。因急擊其軍。【考證】漢書、刪閒捕二字、 軍中郭縱爲護、維王爲渠。【正義】爲渠帥也、 相與謀曰。及諸校尉、畏亡將軍而誅之、莫相勸歸。軍

遂沒於匈奴。【考證】楓、三本、無曰字、中井積德曰、曰字衍、愚按、軍中至誅之二十九字、漢書作畏軍吏亡將而誅、劉辰翁梁玉繩、以漢書爲是、 匈奴兒單于大喜、遂遣奇兵攻受降城。不能下。乃寇入邊而去。【考證】漢書、寇作侵、 其明年、單于欲自攻受降城。未至。病死。兒單于立三歲而死。子年少。匈奴乃立其季父烏維單于弟右賢王呴犂湖爲單于。是歲太初三年也。【集解】呴、音鉤、又音吁、【索隱】音鉤、又音吁、 呴犂湖單于立。漢使光祿徐自爲出五原塞數百里、遠者千餘里、【正義】五原塞、卽五原郡榆林塞也、在勝州榆林縣四十里也、【考證】楓、三本、爲下有將字、 築城鄣列亭至廬朐。【集解】朐、音衢、匈奴地名、又山名、【索隱】服虔云、匈奴地名、張晏云、山名、【正義】顧胤云、鄣、山中小城、亭、候望所居也、括地志云、五原郡稒陽縣北出石門鄣、得光祿城、又西北得支就縣、又西北得頭曼城、又西北得虖河城、又西北得宿虜城、按卽築城鄣列亭至廬朐也、服虔云、廬朐、匈奴地名也、張晏云、山名也、【考證】丁謙曰、徐光祿所築亭障、當從陰山北麓、迤邐而西、直至廬朐山止、廬朐山必陽山北麓之名、蓋築此亭障、所以爲九原朔方兩郡之外護也、 而使游擊將軍韓說・長平

侯衛伉屯其旁、使彊弩都尉路博德築居延澤上。【正義】括地志云、漢居延縣故城、在甘州張掖縣東北一千五百三十里、有漢遮虜鄣、彊弩都尉路博德之所築、李陵敗、與士衆期至遮虜鄣、卽此也、長老傳云、鄣北百八十里、直居延之西北、是李陵戰地也、【考證】顏師古曰、說讀曰悅、伉卽衛青子、丁謙曰、居延澤、爲居延水所歸、在肅州北長城外、今額濟納旗境、 其秋、匈奴大入定襄・雲中、殺略數千人、敗數二千石而去、行破壞光祿所築城列亭鄣。【考證】中井積德曰、城列亭鄣、宜言城鄣列亭、漢書無列城二字、 又使右賢王入酒泉・張掖、略數千人。【考證】楓、三本、掖下有殺字、 會任文擊救。盡復失所得而去。【集解】漢書音義曰、任文、漢將也、【考證】顏師古曰、擊救者擊匈奴而自救漢人、沈欽韓曰、漢書西域傳、軍正任文、將兵屯玉門關、故得援酒泉張掖、 是歲、貳師將軍破大宛、斬其王而還。匈奴欲遮之、不能至。其冬、欲攻受降城。會單于病死、呴犂湖單于立。一歲死。匈奴乃立其弟左大都尉且鞮侯爲單于。【索隱】且鞮、上音子餘反、下音低、 漢既誅大宛、威震外國。天

子意欲遂困胡、乃下詔曰。高皇帝遺朕平城之憂。高后時單于書絕悖逆。昔齊襄公復九世之讎。春秋大之。【集解】公羊傳曰、九世猶可復讎乎、曰、雖百世可也、【考證】顏師古曰、公羊傳莊四年春、齊襄公滅紀、復讎也、襄公之九世祖、昔爲紀侯所譖、而亨殺于周、故襄公滅紀也、九世猶可以復讎乎、曰、雖百世可也、張照曰、此下疑有闕文、然漢書亦仍之、則當時所傳亦如此、中井積德曰、武帝欲逞其欲、自占好題目、故史載此語、不須終語、是歲、太初四年也。且鞮侯單于既立、盡歸漢使之不降者。路充國等得歸。【考證】梁玉繩曰、此下乃後人所續、非史公本書、史訖太初、不及天漢、故索隱于且鞮矦已下引張晏曰、自狐鹿單于已下、皆劉向褚先生所錄、班彪又撰而次之、所以漢書匈奴傳有上下兩卷、至其所載、亦多誤、如單于歸漢使、蘇武使單于、皆天漢元年事、而此誤在太初四年、匈奴妻李陵、乃陵降數歲後事、而此誤以陵降卽妻之、貳師出朔方、步兵七萬人、而此誤作十萬、貳師降匈奴、其家以巫蠱族滅、俱征和閒事、而此誤敘于天漢四年、何足信哉、單于初立、恐漢襲之、乃自謂我兒子、安敢望漢天子。漢天子、我丈人行也。【正義】行、胡朗反、【考證】顏師古曰、丈人、尊老之稱也、漢遣中郎將蘇武、厚幣賂遺單于。單于益驕、禮甚倨。非漢

所望也。其明年、浞野侯破奴得亡歸漢。其明年、漢使貳師將軍廣利、以三萬騎出酒泉、擊右賢王於天山。得胡首虜萬餘級而還。【正義】天山、在伊州、【考證】王先謙曰、貳師出酒泉、漢書武紀、在天漢二年、上文浞野侯上之明年二字、蓋衍、齊召南曰、此天山卽白山、括地志云、今云折羅漫山、在伊州伊吾縣者、顏師古以甘州張掖縣之祁連當之、則戰於內地、上文不當出酒泉矣、祁連固卽天字、但此天山、遠在西北、非前霍去病所奪之祁連、近在內地者也、丁謙曰、天山者、葱嶺東北行之山脈、斜亙二千餘里、貳師擊右賢處、當在新疆土魯番或哈密境、匈奴大圍貳師將軍、幾不脫。【考證】楓、三本、漢書、不下有得字、漢兵物故什六七。漢復使因杅將軍敖出西河、與彊弩都尉會涿涂山。毋所得。【集解】徐廣曰、涂、音邪、【索隱】涿、音卓、涂音以奢反、【正義】匈奴中山也、【考證】漢書、涿涂作涿邪、丁謙曰、涿邪、沙磧之稱、音轉爲朱邪、又爲處月、唐有處月部、地在蒲類海東、金婆山陽、金婆山今名尼赤金山、正在巴里坤湖東砂磧閒、然則尼赤金山、卽漢涿邪山、又使騎都尉李陵將步騎五千人、出居延北千餘里、與單于會合戰。【考證】楓、三本、漢書、步騎作步兵、陵所殺傷萬餘人、兵及食盡、欲

解歸。【考證】漢書、無及字、解字、匈奴圍陵。陵降匈奴。其兵遂沒。得還者四百人。【考證】楓、三本、漢書、還作脫歸、單于乃貴陵、以其女妻之。後二歲、復使貳師將軍將六萬騎、步兵十萬、出朔方。【考證】楓、三本、漢書、復作漢、漢書武紀、天漢三年秋、匈奴入雁門、四年遣貳師將軍等、漢匈奴傳、十萬作七萬、彊弩都尉路博德、將萬餘人、與貳師會、游擊將軍說、將步騎三萬人出五原。【考證】說、韓說、因杅將軍敖、將萬騎、步兵三萬人、出鴈門。匈奴聞、悉遠其累重於余吾水北、【集解】徐廣曰、余一作斜、音邪、【索隱】徐廣云、一作斜、音邪、山海經云、北鮮之山、鮮水出焉、北流注余吾、【正義】累、力爲反、重、丈用反、【考證】顏師古曰、累重、謂妻子資產也、胡三省曰、余吾水、在朔方北、丁謙曰、余吾水、當卽翁金河、此河爲漢南北衝要之途、而單于以十萬騎待水南、與貳師將軍接戰。貳師乃解而引歸、與單于連戰十餘日。貳師聞其家以巫蠱族滅、因并衆降匈奴。【集解】徐廣曰、案史記將相年表、及漢書征和二年、巫蠱始起、三年、廣利與商丘成出擊

胡軍敗、乃降、【正義】漢書音義曰、狐鹿姑單于七年、當征和三年、李廣利與商丘成等伐胡、追北至范夫人城、聞妻子坐巫蠱收、貳師狐疑、深入而求功、至燕然山、軍大亂敗、乃降匈奴、單于以女妻之、【考證】三條本、無滅字、中井積德曰、是役在天漢四年、貳師降匈奴、則在後七年、是征和三年之事、後人纘錄者、合爲一時之事、大誤、漢書可徵、得來還、千人一兩人耳。【考證】楓、三本、千作十、游擊說無所得。因杅敖與左賢王戰不利。引歸。是歲、【集解】徐廣曰、天漢四年、【正義】自此以下上至貳師聞其家、非天漢四年事、似錯誤、人所加、漢兵之出擊匈奴者、不得言功多少、功不得御。【正義】御、音語、其功不得相御當也、【考證】中井積德曰、御、謂奏上進御、有詔捕太醫令隨但。言貳師將軍家室族滅、使廣利得降匈奴。【索隱】漢書云、明年且鞮死、長子狐鹿姑單于立、張晏云、自狐鹿姑單于已下、皆劉向褚先生所錄、班彪又撰而次之、所以漢書匈奴傳有上下兩卷、【考證】張文虎曰、索隱單本、此注在史贊彼已將率條後、無漢書云明年且鞮死長子狐鹿姑單于立十六字、據漢傳、余吾水之戰明年、且鞮死、疑小司馬所見本、贊後有續紀狐鹿姑事、故引張晏語以明之、後經刪削、合刻者以無所系、故增此十六字附於傳末、然單本標題出且鞮侯已下五字、不可解、或索隱猶有脫文、

太史公曰。孔氏著春秋、隱·桓之閒則章、至定·哀之際則微。

索隱案諱國惡、禮也、仲尼仕於定哀、故其著春秋、不切論當世、而微其詞也、正義仲尼仕於定哀、故春秋不切論當代之事、而無褒貶、忌諱之辭、國禮也、言太史公亦能改當代之忌諱、故引也、

爲其切當世之文而罔褒。忌諱之辭也。索隱案罔者、無也、謂其無實而褒之、是也、忌諱當代故也、考證中井積德曰、罔褒、蓋謂不顯褒貶也、既有所褒、必不能無所貶、故并褒貶不敢也、

世俗之言匈奴者、患其徼一時之權、集解徐廣曰、徼、音皎、索隱按徐音皎、伯莊音叫、皆非也、按其字宜音僥、徼者求也、言求一時權寵、

而務讇納其說、以便偏指、不參彼己、集解詩云、彼己之子、索隱音稅、案謂說者謀匈奴、皆患其直徼求一時權幸、但務諂進其說以自便其偏指、不參詳終始利害也、彼己者、猶詩人譏詞云彼己之子、是也、將率則指樊噲衞霍等也、考證張文虎曰、彼己二字、宜連上不參爲句、不參彼己、謂不能知彼知己也、將率當下屬、小司馬誤解、遂失其句讀、愚按董份、方苞、張照、梁玉繩、中井積德諸人亦有此說、今從之、索隱彼己以下二十五字、單本在彼己將率標題下、

將率席中國廣大、氣奮、人主因以決策。正義席、謂舒展廣闊、考證席、藉也、

是以建功不深。堯雖賢、興事業不成、得禹而九州寧。正義言堯雖賢聖不能獨理、得禹而九州安寧、以刺武帝不能擇賢將相、而務諂納小人浮說、多伐匈奴、故壞齊民、故太史公引禹聖成其太平、以攻當代之罪、

且欲興聖統、唯在擇任將相哉。唯在擇任將相哉。考證中井積德曰、不特言將而稱將相、何也、蓋良將能克敵定功、而賢相不必驟武窮兵、史遷此意、不得明言之、在讀者逆其志、又曰、上文徼權納說、文臣之事矣、與將率氣奮對說、故以擇將相結之、相、爲文臣之首故也、何焯曰、下卽繼以衞霍公孫弘、而全錄主父偃諫伐匈奴書、太史之意深矣、又曰、此贊以定哀微詞發端、當知此意、王鳴盛曰、匈奴贊、但言春秋定哀多微詞、又泛論宜擇將帥、大宛贊、只辨崑崙虛妄、餘置不論、傳中言案古圖書名河所出山曰崑崙、而贊則云、惡睹所謂崑崙、有味可想、愚按王說頗是、但將帥當作將相、

索隱述贊、獫狁薰粥、居于北邊、既稱夏裔、式憬周篇、頗隨畜牧、屢擾塵煙、爰自冒頓、尤聚控弦、雖空帑藏、未盡中權、

匈奴列傳第五十　史記一百十

史記會注考證卷一百十一

漢　太史令司馬遷撰
宋　中郎外兵曹參軍裴駰集解
唐　國子博士弘文館學士司馬貞索隱
唐　諸王侍讀率府長史張守節正義
日本　出雲瀧川資言考證

衛將軍驃騎列傳第五十一　史記一百十一

【考證】史公自序云、直曲塞、廣河南、破祁連、通西國、靡北胡、作衛將軍驃騎列傳第五十一、陳仁錫曰、衛起自外戚、太史公敍靑事、若姊子夫得幸天子、若子夫入宮幸上、若子夫爲夫人、若衛夫人立爲皇后、若徒以皇后故、若大將軍得尚平陽公主、皆傳中之血脉也、王鳴盛曰、衛將軍驃騎列傳、敍述戰功雖詳、而指摘其短特甚、其論贊又補敍蘇建責大將軍至尊重、而天下賢士大夫無稱、宜招選賢者、大將軍謝以奉法不敢招士、與傳中和柔自媚等語相應、其下則云、驃騎亦放此意、而末東以一句云、其爲將如此、論體應加褒貶、此則敍述而止、無所可否、乃論之變例、隱以見其人本庸猥、用兵制勝、皆竭民力以成功、豈眞有謀略、敵未滅無以家爲、亦是自媚之詞、非其本心、上益重之者、與信燕齊怪迂士、搤掔談神仙同一受欺耳、此遷意也、

大將軍衛靑者、平陽人也。【正義】漢書云、其父鄭季、河東平陽人、以縣吏給事平陽侯之家也、其父鄭季爲吏、給事平陽侯家、與侯妾衛媼通、生靑。【索隱】衛媼也、媼、婦人老少通稱、漢書曰、與主家僮衛媼通、案既云家僮、故非老、或者媼是老稱、後追稱媼耳、又外戚傳云、薄姬父與魏王宗女魏媼通、則亦魏是媼姓、而小顏云衛者舉其夫姓也、然案此云侯妾衛媼、似更無別夫也、下云、同母兄衛長子、及姊子夫、皆冒衛姓、又似有夫、其所冒之姓、爲父與母皆未明也、【考證】査愼行曰、漢書平陽侯家之下、補入平陽侯曹壽尚武帝姊陽信長公主二句、與後尚平陽公主事相照應、似不可少、楓三本、妾上有家字、妾、婢妾也、漢書改作僮、史不明言衛姓所由、顏師古曰、衛者舉其夫家之姓也、中井積德曰、衛蓋母姓、媼給事主家、不嫁而生子也、未知其孰是、靑同母兄衛長子。而姊衛子夫、自平陽公主家、得幸天子。故冒姓爲衛氏。字仲卿。【集解】徐廣曰、曹參曾孫平陽夷侯時尚武帝姊平陽公主、生子襄、【索隱】案如淳云、本陽信長公主、爲平陽侯所尚、故稱平陽公主、按徐廣云、夷侯曹參曾孫、名襄、又按系家及功臣表、時或作疇、漢書作壽、竝文字殘缺、故不同也、長子更字長君。長君母、號爲衛媼。媼長女衛孺。次女少兒。次女卽子夫。後子夫男弟步廣、皆冒衛氏。【集解】徐廣曰、步一作少、【索隱】長女衛孺、漢書云、君孺、【考證】楓三本、衛下有君字、中井積德曰、後字疑衍、漢書無、靑爲侯家人。少時歸其父。其父使牧羊。先母之子、皆奴畜之、不以爲兄弟數。【集解】服虔曰、先母、適妻也、靑之適母、【索隱】漢書作民母、服虔云、母適妻也、靑之適母、顧氏云、鄭季本妻編於民戶之朋、故曰民母、今本亦或作民母也、數音去聲、【考證】中井積德曰、稱先母者、其既死者、靑嘗從入至甘泉居室。【正義】按居室、署名、武帝改曰保宮、灌夫繫居室、是也、【考證】楓三本、淩引一本、入作人、與漢書合、王先謙曰、甘泉別有居室、百官表、少府屬官有居室及甘泉居室令丞、武帝更名居室爲保宮、甘泉居室爲昆臺、正義誤、愚按洪頤煊亦有此說、有一鉗徒。相靑曰。貴人也。官至封侯。【集解】張晏曰、甘泉中徒所居也、靑笑曰。人奴之生、得毋笞罵卽足矣。

安得封侯事乎。【考證】沈欽韓曰、人奴、謂衛媼本主家僮也、愚按、人奴、衛靑自言也、靑壯爲侯家騎、從平陽主。建元二年春、靑姊子夫得入宮幸上。皇后、堂邑大長公主女也。無子。妒。【集解】徐廣曰、堂邑安侯陳嬰之孫夷侯午、尚景帝姊長公主、子季須、元鼎元年、季須坐姦自殺、【正義】文穎云、陳皇后、武帝姑女也、大長公主聞衛子夫幸有身、妒之、乃使人捕靑。靑時給事建章、未知名。【索隱】案晉灼云、建章宮、上林中宮名也、大長公主執囚靑、欲殺之。其友騎郎公孫敖、與壯士往、篡取之。以故得不死。【索隱】篡、猶劫也、奪也、【考證】各本、脫往字、依索隱本、楓三本、漢書補、上聞、乃召靑爲建章監侍中。及同母昆弟貴、賞賜數日間累千金。孺爲太僕公孫賀妻。【考證】楓三本、漢書孺上有君字、少兒故與陳掌通。上召貴掌。【集解】徐廣曰、陳平曾孫、名掌也、【考證】漢書霍去病傳云、其父霍仲孺先與少兒通、生去病、及衛皇后尊、少兒更爲詹事陳掌妻、公孫敖由此益貴、子夫爲夫人、靑爲大中大夫。元

光五年、青爲車騎將軍、擊匈奴、出上谷。【考證】梁玉繩曰、五年、當作六年、將相表、匈奴傳、及漢書可證、太僕公孫賀爲輕車將軍、出雲中、太中大夫公孫敖爲騎將軍、出代郡、衞尉李廣爲驍騎將軍、出雁門。軍各萬騎。青至蘢城、斬首虜數百。【考證】張文虎曰、宋本、淩、毛、蘢作籠、解在匈奴傳、王先和曰、漢書武紀云、獲首七百級、案他處或言級、或曰人、或無人級字、或曰斬、或曰獲、或言捷、或言斬首捕虜若干、敘次參差、無一定義例、騎將軍敖亡七千騎、衞尉李廣爲虜所得、得脫歸。【考證】事詳李將軍傳、皆當斬。贖爲庶人。賀亦無功。【考證】漢書、無功下、補唯青賜爵關內侯、是後匈奴仍侵犯邊、語在匈奴傳二十字、元朔元年春、衞夫人有男。【索隱】卽衞太子據也、立爲皇后。其秋、青爲車騎將軍、出雁門、三萬騎擊匈奴、斬首虜數千人。明年、【考證】梁玉繩曰、青爲車騎將軍、至明年二十三字、當在下文出代句下、傳寫譌倒、愚按、梁氏據匈奴傳漢書衞青傳移正、匈奴入殺遼西太守、虜略漁陽二千餘人、敗韓將軍軍。

【考證】韓安國、漢令將軍李息擊之出代。令車騎將軍青出雲中、以西至高闕。【索隱】按山名也、小顏云、一曰塞名、在朔方之北、【考證】沈欽韓曰、一統志、陰山在吳喇忒旗西北二百四十里、高闕塞、在陰山西榆林舊志、高闕北去大磧凡三百里、遂略河南地、至于隴西。捕首虜數千、畜數十萬、走白羊・樓煩王、遂以河南地爲朔方郡。【索隱】按謂北地郡之北黃河之南、【正義】今夏州也、【考證】中井積德曰、捕、疑當作斬、或獲、不然、捕上脫斬字也、漢書亦作捕首虜、白羊、樓煩、二王也、何焯曰、出雲中則若向單于庭者、忽西至隴西、攻其無備、所以遂取河南也、劉敬傳云、匈奴河南白羊樓煩王、去長安近者七百里、輕騎一日一夕可至、攻瑕紓患、是役爲得勝算矣、沈欽韓曰、一統志、朔方故城、在鄂爾多斯右翼旗界內、前漢治三封、三封故城、在套外黃河西岸、以三千八百戶封青爲長平侯。【考證】梁玉繩曰、青封戶凡三、其戶數惟此不異、下兩封、皆與漢書異說、青校尉蘇建有功。以千一百戶封建爲平陵侯。使建築朔方城。【正義】括地志云、夏州朔方縣北什賁故城、是、按蘇建築什賁之號、蓋出蕃語也、【考證】漢表、作一千戶、青校尉張次公有功。封爲岸頭侯。【索隱】案晉灼云、河東皮氏縣之亭名也、【正義】服虔云、鄉名也、天子曰。匈奴逆天理、亂人

倫、暴長虐老、以盜竊爲務、行詐諸蠻夷、造謀藉兵、數爲邊害。【集解】張晏曰、從蠻夷借兵抄邊也、故興師遣將、以征厥罪。詩不云乎。薄伐玁狁、至于太原。【索隱】薄伐獫狁、此小雅六月詩、美宣王北伐也、薄伐者、言逐出之也、【考證】薄伐者、不窮極之義、出車彭彭。城彼朔方。【索隱】小雅出車之詩也、【考證】顏師古曰、彭彭、衆車聲也、朔方、北方也、今車騎將軍青、度西河、至高闕、【正義】卽雲中郡之西河、云勝州東河也、【考證】沈欽韓曰、通典、河水自靈武郡西南便北流、凡千餘里、過九原郡、乃東流、自靈武以北、漢人謂之西河、自九原以東、謂之北河、獲首虜二千三百級、車輜畜產、畢收爲鹵。已封爲列侯。遂西定河南地、按榆谿舊塞、【集解】如淳曰、案、行也、榆谿、舊塞名、或曰、按、尋也、【索隱】按榆谷舊塞、如淳云、按、行也、尋也、榆谷、舊塞名也、案水經云、上郡之北有諸次水、東經榆林塞、爲榆谿、是榆谷舊塞也、【考證】沈欽韓曰、元和志、榆林關、在勝州榆林縣東三十里、東北臨河、秦卻匈奴之處、開皇於此置城、一統志、在鄂爾多斯左右翼界內、絕梓領、梁北河、【集解】如淳曰、絕、度也、爲北河作橋梁、【正義】括地志云、梁北河、在靈州界也、【考證】楓三本、領作嶺、沈欽韓曰、紀要、木根山、在廢夏州西北、唐夏州故城、在榆林府懷遠縣西、梓嶺、疑卽木根山、朱錦綬曰、梁北河、與上絕梓嶺、下討蒲泥破符離、句法同、

如說是、討蒲泥、破符離、【集解】晉灼曰、二王號、【索隱】晉灼云、二王號、崔浩云、漢北塞名、【考證】王先謙曰、漢武紀、出高闕遂西至符離、是符離爲塞名矣、愚按、蒲泥亦地名、斬輕銳之卒、捕伏聽者三千七十一級。【集解】張晏曰、伏於隱處、聽軍虛實、【考證】漢書、作三千一十七級、執訊獲醜、【正義】訊、問也、醜、衆、言執其生口、問之知虜處、獲得衆類也、【考證】執訊、生執可訊問之人也、驅馬牛羊百有餘萬、全甲兵而還。益封青三千戶。【考證】漢書、作三千八百戶、其明年、匈奴入殺代郡太守友、入略鴈門千餘人。【集解】徐廣曰、友者、太守名也、姓共也、其明年、匈奴大入代・定襄・上郡、殺略漢數千人。其明年、元朔之五年春、漢令車騎將軍青、將三萬騎出高闕、衞尉蘇建爲游擊將軍、左內史李沮爲彊弩將軍、【集解】文穎曰、沮、音狙、太僕公孫賀爲騎將軍、代相李蔡爲輕車將軍。皆領屬車騎將軍、俱出朔方。大行李息・岸頭侯張次公爲將軍出右北平、咸

擊匈奴。【考證】何焯曰、右賢王怨漢侵奪其河南地、數侵擾朔方、此出專以擊走右賢王、終前功也、前出雲中而忽西、焉知不出朔方而忽東乎、亦令兩將軍出右北平者、綴單于、疑右賢王也、大行、卽大行令、官稱省文、 匈奴右賢王、當衞青等兵。以爲漢兵不能至此。飲醉。【考證】楓三本、飲下有酒字、 漢兵夜至、圍右賢王。右賢王驚、夜逃、獨與其愛妾一人、壯騎數百、馳潰圍北去。【考證】張文虎曰、中統游本逃作遁、案以上下文審之、夜逃二字疑衍、 漢輕騎校尉郭成等逐數百里。不及。得右賢裨王十餘人、衆男女萬五千餘人、畜數千百萬。【索隱】裨王十人、賈逵云、裨、益也、小顏云、裨王、小王也、若裨將然、音頻移反、【考證】楓三本、漢書逐作追、及作得、漢書數千作數十、顏師古曰、數十萬以至百萬、 於是引兵而還至塞。天子使使者持大將軍印、卽軍中拜車騎將軍青爲大將軍。【考證】卽、就也、 諸將皆以兵屬大將軍。大將軍立號而歸。【索隱】案謂立大將軍之號令而歸、【考證】中井積德曰、號、謂官號、非號令、 天子曰。大將軍青、躬率戎士、師大捷、獲

匈奴王十有餘人。益封青六千戶。【考證】漢書作八千七百戶、 而封青子伉爲宜春侯、青子不疑爲陰安侯、青子登爲發干侯。【正義】伉、音口浪反、【考證】王懋曰、史記疊三用青子字、不以爲贅、漢書則一用青子字、而其餘則曰子已、曰、封青子伉爲宜春侯、子不疑爲陰安侯、子登爲發于侯、視史記之文、已省兩青字矣、使今人作墓志等文、則一用子字、其餘則曰某某而已、後世作文益務簡於古、然字則省矣、不知古人純實之氣已斷、愚按、古質今巧、古疎今精、不必拘古、 青固謝曰。臣幸得待罪行閒。賴陛下神靈、軍大捷。皆諸校尉力戰之功也。陛下幸已益封臣青。臣青子在繦保中。未有勤勞。【正義】繦、長尺二寸、闊八寸、以約小兒於背、褓、小兒被也、 上幸列地封爲三侯。非臣待罪行閒、所以勸士力戰之意也。【考證】漢書、列作裂、通、 伉等三人、何敢受封。天子曰。我非忘諸校尉功也。今固且圖之。乃詔御史曰。護軍都尉公孫敖、三從大將軍擊匈奴、常護軍、傅校獲王。【索隱】顧祕監云、傅、領也、五百人謂之校、小顏云、傅、

音附、言敖總護諸軍、每附部校以致克捷、而獲王也、【正義】校者、營壘之稱、故謂軍之一部爲一校也、 以千五百戶封敖爲合騎侯。【索隱】案非邑地、而以戰功爲號、謂以軍合驃騎、故云合騎、若冠軍從驃然也、【考證】合騎、謂合車騎、取戰功、立侯國號耳、 都尉韓說、從大將軍出窳渾、【集解】徐廣曰、窳渾、在朔方、音庾、【索隱】音庾、服虔云、塞名、徐廣云、在朔方、漢書作窴渾、窴、音田也、【考證】齊召南曰、以地理志覈之、朔方有窳渾縣、爲西部都尉治、有道西北出雞鹿塞、 至匈奴右賢王庭、爲麾下搏戰獲王。【索隱】搏、音博、搏、擊也、小顏同、今史漢本多作傅、傅、猶轉也、 以千三百戶封說爲龍頟侯。騎將軍公孫賀、從大將軍獲王。以千三百戶封賀爲南窌侯。【集解】徐廣曰、窌、宜作奅、音匹孝反、【索隱】徐音匹教反、韋昭云、縣名、或作窌、音于校反、字林云、大下卯、與穴下卯、竝音匹孝反、 輕車將軍李蔡、再從大將軍獲王。以千六百戶封蔡爲樂安侯。校尉李朔・校尉趙不虞・校尉公孫戎奴、各三從大將軍獲王。【考證】楓三本、奴下有皆字、 以千三百戶封朔爲涉軹侯、【考證】漢書衞青傳、涉軹作陟軹、表但作軹、 以千三百戶封不

虞爲隨成侯、以千三百戶封戎奴爲從平侯。將軍李沮・李息、及校尉豆如意有功。賜爵關內侯、食邑各三百戶。【考證】洪邁曰、歐陽公進新唐書表云、其事則增於前、其文則省於舊、夫文貴於達而已、繁與省、各有所當也、史記衞青傳、校尉李朔、校尉趙不虞云云、戎奴爲從平侯、漢書但云、校尉李朔趙不虞公孫戎奴、各三從大將軍、封朔爲陟軹侯、不虞爲隨成侯、戎奴爲從平侯、比於史記五十八字中、省二十三字、然不若史記朴贍可喜、 其秋、匈奴入代、殺都尉朱英。其明年春、大將軍青出定襄。合騎侯敖爲中將軍、太僕賀爲左將軍、翕侯趙信爲前將軍、衞尉蘇建爲右將軍、郎中令李廣爲後將軍、左內史李沮爲彊弩將軍、咸屬大將軍。斬首數千級而還。月餘、悉復出定襄擊匈奴。斬首虜萬餘人。右將軍建、前將軍信、并軍三千餘騎、獨逢單于兵。與戰一日餘。漢兵且盡。前將軍故胡人、降爲翕侯。見急、匈奴誘之。

遂將其餘騎可八百、犇降單于。右將軍蘇建、盡亡其軍、獨以身得亡去、自歸大將軍。大將軍問其罪正閎・長史安・議郎周霸等、建當云何。【集解】張晏曰、正、軍正也、閎、名也、徐廣曰、周霸、儒生、【索隱】徐廣云、儒生也、案郊祀志、議封禪有周霸、故知也、【正義】律、都軍有長史十人也、【考證】胡三省曰、凡軍行、置軍正、掌舉罪法、以正軍中、軍法曰、正無屬將軍、將軍有罪以聞、又曰、班表、議郎屬郎中令、秩比六百石、張照曰、周霸議封禪、見封禪書、又儒林傳云、魯周霸至膠西內史、申公弟子也、王先謙曰、霸蓋當時奉詔從軍、若今時奏調差遣之員、非必大將軍莫府官也、王念孫曰、云何者、如何也、問建棄軍之罪當如何、非廷尉當之當、霸曰。自大將軍出、未嘗斬裨將。今建弃軍。可斬以明將軍之威。閎・安曰。不然。兵法、小敵之堅、大敵之禽也。【考證】孫子謀攻篇文、注云、小不能當大也、今建以數千當單于數萬、力戰一日餘。士盡、不敢有二心、自歸。自歸而斬之。是示後無反意也。不當斬。【考證】士盡、言盡亡其軍、漢書改盡爲皆、文義遂別、楓三本、斬下有也字、大將軍曰。青幸得以肺腑待罪行閒。不患

無威。【考證】肺腑、謂親戚也、解在武安侯傳、而霸說我以明威。甚失臣意。【考證】胡三省曰、言失爲臣之意也、且使臣職雖當斬將、以臣之尊寵、而不敢自擅專誅於境外、而具歸天子、【考證】漢書、而具歸天子、作其歸天子、疑非、天子自裁之。於是以見爲人臣不敢專權。不亦可乎。軍吏皆曰。善。遂囚建詣行在所、入塞罷兵。【集解】蔡邕曰、天子自謂所居曰行在所、言今雖在京師、行所至耳、巡狩天下、所奏事處、皆爲宮、在長安則曰奏長安宮、在泰山則曰奏高宮、唯當時所在、【考證】中井積德曰、是時天子蓋在外、故曰行在所耳、如幸雍・幸汾陰、皆是、是歲也、大將軍姊子霍去病、年十八、幸爲天子侍中。善騎射。再從大將軍、受詔與壯士、爲剽姚校尉。【集解】徐廣曰、姊、卽少兒也、【考證】去病下、疑奪始侯去病四字、漢書作是歲也、霍去病始侯、去病、大將軍青姊少兒子也、【索隱】上音匹遙反、下音遙、大顏案荀悅漢紀作票鷂、票鷂、勁疾之貌也、上音頻妙反、下音弋召反、【正義】票姚、勁疾之貌、荀悅漢紀作票鷂字、去病後爲票騎將軍、尙取票姚之一字、今讀飄遙音、則不當其義也、【考證】楓三本、漢書、疊大將軍、與、授與之與、大將軍與之壯士也、漢書作予、梁玉繩曰、剽姚、嫖姚、票姚、當作驃鷂、蓋合二物爲官名、取勁疾武猛之義、趙破

奴爲鷹擊司馬、與鷂義同、去病後稱驃騎將軍、尙仍斯號、與輕勇騎八百、直弃大軍數百里赴利、斬捕首虜過當。【索隱】案小顏云、計其所將之人數、則捕首虜爲多、過於所當也、一云、漢軍亾失者少、而殺獲匈奴數多、故曰過當也、於是天子曰。剽姚校尉去病、斬首虜二千二十八級、及相國當戶、斬單于大父行籍若侯產、【集解】張晏曰、籍若、胡侯、【索隱】行、音胡浪反、謂籍若侯是匈奴祖之行也、漢書云、藉若侯產、產卽大父之名、【正義】行、胡郎反、又胡浪反、謂祖父行流、【考證】楓三本、相國上有其字、當戶、匈奴官名、漢書、籍作藉、中井積德曰、籍若侯、是單于祖父之行第、產其名也、生捕季父羅姑比、【索隱】案顧氏云、羅姑比、單于季父名也、小顏云、比頻也、案下文既云再冠軍、無容重言頻也、再冠軍。以千六百戶封去病爲冠軍侯。【考證】漢書、千六百戶作二千五百戶、齊召南曰、冠軍初無此縣名、武帝褒去病功、以南陽穰縣盧陽鄉宛縣臨駣聚爲冠軍侯國、上谷太守郝賢、四從大將軍、捕斬首虜二千餘人、以千一百戶封賢爲衆利侯。【考證】漢書、二千餘人作千三百級、衆利作終利、是歲、失兩將軍軍、亡翕侯、軍功不多。故大將軍不益封。右將軍建

至。天子不誅、赦其罪、贖爲庶人。大將軍既還、賜千金。是時王夫人方幸於上。甯乘說大將軍曰。將軍所以功未甚多、身食萬戶、三子皆爲侯者、徒以皇后故也。今王夫人幸、而宗族未富貴。願將軍奉所賜千金爲王夫人親壽。【考證】甯乘、齊人、滑稽傳褚先生補、以爲待詔東郭先生說衞青、大將軍乃以五百金爲壽。天子聞之、問大將軍。大將軍以實言。上乃拜甯乘爲東海都尉。張騫從大將軍、以嘗使大夏留匈奴中久、【正義】大夏國、在大宛西、【考證】王先謙曰、據張騫傳、當作使月氏、月氏迺後君大夏耳、騫留十三歲、大夏月氏解、見匈奴傳、導軍、知善水草處、軍得以無飢渴。因前使絕國功、封騫博望侯。【考證】楓三本、漢書、騫下有爲字、冠軍侯去病既侯三歲。元狩二年春、以冠軍侯去病爲驃騎將軍、【集解】徐廣曰、驃、一亦作剽、【正義】漢書云、霍去病征匈奴、有絕幕之勳、始置驃騎將軍、位在三司、品秩

同大將軍、說文云、驃、黃馬發白色、一曰、白髦尾、【考證】漢書、二年、譌作三年、將萬騎出隴西有功。天子曰。驃騎將軍、率戎士踰烏盭、討遬濮、涉狐奴、【集解】漢書音義曰、盭、音戾、山名也、晉灼曰、狐奴、水名也、【索隱】遬濮、音速卜二音、崔浩云、匈奴部落名、案下有遬濮王、是國名也、【考證】丁謙曰、蓋票騎之軍、由鞏昌狄道北進、烏盭山名、卽媼圍轉音、水經、河又東北過媼圍縣東、故阯當在蘭州東北、買子城地、遬濮、部名、當在烏盭山北、票騎軍由此道西行、再過莊浪河、當卽所謂狐奴水、歷五王國、輜重人衆、懾慴者弗取。【集解】文穎曰、懾慴、恐懼也、【索隱】案說文云、懾慴、失氣也、劉氏云、上式涉反、下之涉反、【考證】丁謙曰、五王皆休屠王屬部、時休屠王駐涼州地、五王所部、當在平番迤北一帶、冀獲單于子、轉戰六日、【集解】徐廣曰、子、一作與、【考證】作子則屬上讀、作與則文連下、作子、近是、過焉支山千有餘里、合短兵、殺折蘭王、斬盧胡王、【集解】張晏曰、折蘭盧胡、國名也、殺者、殺之而已、斬者、獲其首、【正義】顏師古云、折蘭、匈奴中姓也、今鮮卑有是蘭姓者、卽其種、【考證】漢書、短兵下、有鏖皋蘭下四字、丁謙曰、焉支山、在今山丹縣東南、永昌縣西北、俗稱大黃山、皋蘭、應劭云、在隴西白石縣塞外、水經注、灕水又東北、皋蘭山水注之、灕水今大夏河、皋蘭山水、今洪水河、知皋蘭山在河州西境、蓋票騎軍已北過焉支山千餘里、何又鏖戰於此、揆度情形、必旋師時過昆野王、遬其歸路、故合短兵破之也、誅全甲、執渾邪王子、及相

國都尉、【集解】徐廣曰、全一作金、【正義】全甲、謂具足不失落也、金甲、卽鐵甲也、能誅斬也、【考證】顏師古曰、全甲、謂軍中之甲不喪失也、中井積德曰、誅字衍、全甲上下、有脫字、愚按、曰殺、曰斬、曰誅、異文耳、全甲似亦國名、漢書、誅字上有銳悍者三字、甲下有獲醜二字、文意益晦、首虜八千餘級、收休屠祭天金人。益封去病二千戶。【集解】如淳曰、祭天爲主、【索隱】案張晏云、佛徒祠金人也、如淳云、祭天以金人爲主也、屠、音儲、【考證】漢書、作二千二百戶、其夏、驃騎將軍與合騎侯敖俱出北地、異道。博望侯張騫、郎中令李廣、俱出右北平、異道。皆擊匈奴。郎中令將四千騎先至。博望侯將萬騎在後。至。【考證】楓、三本、後下無至字、中井積德曰、至字疑衍、漢書、在後至三字、作後一字、匈奴左賢王、將數萬騎圍郎中令。郎中令與戰二日。死者過半。所殺亦過當。博望侯至。匈奴兵引去。博望侯坐行留、當斬。贖爲庶人。【考證】楓、三本、漢書、兵引作引兵、顏師古曰、軍行而輒稽留、故坐法、而驃騎將軍出北地、已遂深入、與合騎侯失道、不相得。驃騎將軍

踰居延、至祁連山、捕首虜甚多。【集解】張晏曰、居延、水名也、【考證】居延水、甘州北、山丹河、祁連山、南山、天子曰。驃騎將軍踰居延、遂過小月氏、【索隱】韋昭云、氏、音支、西域傳、大月氏本居敦煌祁連閒、餘衆保南山、遂號小月氏、攻祁連山、【索隱】小顏云、卽天山也、匈奴謂天祁連、西河舊事、謂白山天山、祁連恐非卽天山也、得酋涂王、【集解】張晏曰、胡王也、【索隱】酋、音才由反、涂、音徒、漢書云、揚武乎鱳得、得單于單桓酋涂王、此文省也、以衆降者二千五百人、【考證】漢書、以上有及相國都尉五字、斬首虜三萬二百級、獲五王、五王母、單于閼氏、王子五十九人、相國將軍當戶都尉六十三人、師大率減什三。【索隱】案漢書云、減什七、不同也、小顏云、破匈奴之師、十滅其七、一云、漢兵亡失之數、下皆類此、案後說爲是也、【正義】率、音律也、【考證】中井積德曰、漢書減什七、是前役、非此役、此役亦云減什三、愚按減什三、謂匈奴之師什滅其三也、大率者略計之辭也、此詔敘驃騎之功、而計漢兵亡失之數、無其理也、益封去病五千戶。【考證】漢書、作五千四百戶、賜校尉從至小月氏爵左庶長。鷹擊司馬破奴、再從驃騎將軍、斬遬濮王、捕稽且王、【索隱】且、音子余反、【正義】遬濮、速卜二

音、【考證】漢書、小月氏下有者字、左庶長、第十爵、破奴、趙破奴、千騎將、得王・王母各一人、王子以下四十一人、捕虜三千三百三十人、【索隱】按漢書云、右千騎將王、然則此千騎將、漢之將屬趙破奴、得匈奴五王及王母也、或云、右千騎將、卽匈奴王之名、【考證】索隱前說是、千騎上當據漢書補右字、右千騎與下前行相對爲文、皆破奴部校也、前行、捕虜千四百人。以千五百戶封破奴爲從驃侯、【集解】張晏曰、從驃騎將軍有功、因以爲號、校尉句王高不識、從驃騎將軍、捕呼于屠王、王子以下十一人、捕虜千七百六十八人。【集解】徐廣曰、句、音鉤、匈奴以爲號、【索隱】案句王高不識二人、並匈奴人也、呼于屠三字、共爲王號、【考證】中井積德曰、句王高不識、非兩人、下只言封不識、而不言句王、其爲一人明矣、漢書無句王二字、或是衍文、漢書于屠作于耆、以千一百戶封不識爲宜冠侯。【正義】孔文祥云、從冠軍將軍戰、故宜冠、從驃之類也、校尉僕多有功、封爲煇渠侯。【索隱】案漢百官表、僕多作僕朋、疑多是誤、煇、音暉、【考證】張照曰、僕朋祇一見於漢表耳、史漢驃騎傳、及建元以來侯者年表、皆作僕多、合騎侯敖、坐行畱不與驃騎會當斬。贖爲庶人。諸宿將所將士馬

兵、亦不如驃騎。驃騎所將常選。【索隱】音宣變反、謂驃騎常選擇取精兵、 然亦敢深入、【考證】漢書、大下無將字、常與壯騎先其大將軍。軍亦有天幸。未嘗困絕也。中井積德曰、此衍將字、王念孫曰、先其大軍、謂驃騎敢於進入、常棄其大軍而先進也、上文曰與輕勇八百直棄大軍數百里赴利、是其證也、棄大軍而先進、則寡不敵衆、易致困絕、故下文曰、軍亦有天幸、未嘗困絕也、 然而諸宿將、常坐畱落不遇。【索隱】案謂遲留零落、不偶合也、【考證】漢書、不遇作不耦、王觀國曰、留落、與流落不同、蓋留落者、留滯遺落也、流落者飄流零落也、王念孫曰、留落、即不耦之意、耦之言遇也、言無所遇合也、故史記作留落不遇、留落者牢落也、陸機文賦、心牢落而無偶、是牢落即無偶之意、留落雙聲字、不得分爲兩義、留落與不耦、亦不得爲兩義、 由此驃騎日以親貴、比大將軍。其秋、單于怒渾邪王居西方、數爲漢所破亡數萬人。以驃騎之兵也。【考證】中井積德曰、以驃騎之兵也一句、蓋解釋之語、非記事、 單于怒、欲召誅渾邪王。渾邪王與休屠王等謀、欲降漢、使人先要邊。【索隱】案謂先於邊境要候漢人、言其欲降、【考證】各本、先下有遺使向邊境要遮漢人令報天子十三字、楓、三本、舊刻無、與漢書合、王念孫曰、自使人至要邊十八字、蕪累不成文理、蓋正文唯有使

人先要邊五字、其遺使向邊境要遮漢人令報天子十三字、乃集解之誤入正文者也、當在使人先要邊之下、 是時大行李息、將城河上。【考證】王先謙曰、將兵於河上築城也、 得渾邪王使、卽馳傳以聞。天子聞之、於是恐其以詐降而襲邊、【考證】漢易天子聞之於是六字、以上一字、 乃令驃騎將軍將兵往迎之。驃騎既渡河、與渾邪王衆相望。渾邪王裨將見漢軍、而多欲不降者、頗遁去。驃騎乃馳入、與渾邪王相見、斬其欲亡者八千人、遂獨遣渾邪王乘傳、先詣行在所。盡將其衆渡河。降者數萬、號稱十萬。既至長安。天子所以賞賜者數十巨萬。封渾邪王萬戶爲漯陰侯、【索隱】漯、音他合反、案地理志、縣名、在平原郡、 封其裨王呼毒尼爲下摩侯、【集解】文穎曰、呼毒尼、胡王名、 鷹庇爲煇渠侯、【集解】徐廣曰、一云篇訾、【索隱】漢書、鷹作鴈、庇音必二反、又音疋履反、案漢書功臣表云、元狩二年、以煇渠封僕朋、至三年、又封鷹庇、其地俱屬魯陽、未詳所以、【正義】煇渠、表作順梁、【考證】王先謙曰、

史表、煇渠侯扁訾、不作順梁、正義誤也、 禽黎爲河綦侯、【集解】徐廣曰、禽一作烏、【索隱】案表、作烏黎、【考證】今本史表、作烏犂、漢傳作禽黎、漢表作烏黎、 大當戶銅離爲常樂侯。【集解】徐廣曰、一作稠離也、【索隱】徐廣曰、一作稠離、與漢書功臣表同、此文云銅離、文異也、【考證】漢傳、作調雖、史漢表、作稠離、 於是天子嘉驃騎之功曰。驃騎將軍去病、率師攻匈奴、西域王渾邪王、及厥衆萌咸相犇率。【考證】顏師古曰、萌字與甿同、愚按率如率服之率、相率來犇也、漢書、犇下有於字、義異、 以軍糧接食、幷將控弦萬有餘人、誅獟駻、【集解】晉灼曰、獟、音欺譙反、【索隱】上音丘昭反、說文、作趬、行遬貌、遬一作疾、駻音胡旦反、【考證】廣雅、獟、狂也、漢書、駻作悍、誅獟駻、上文所謂斬其欲亡者八千人也、 獲首虜八千餘級、降異國之王三十二人、戰士不離傷、十萬之衆、咸懷集服仍與之勞。【考證】楓、三本、三十二人作三十三人、漢書仍與作仍興、顏師古曰、離、遭也、王先謙曰、史記、興作與、轉寫之誤、仍、頻也、興、軍興也、周禮旅師、平頒其興積、注、縣官徵聚物曰興、今云軍興、是也、是因軍旅而賦物以備調發、謂之興也、愚按服猶任也、任頻興之勞、專就戰士而言、 爰及河塞、庶幾無患、幸既永綏矣。【正義】言匈奴右地渾邪王降、而塞外竝河諸郡之民、無憂患也、

【考證】漢書、無幸既永綏矣五字、 以千七百戶益封驃騎將軍、減隴西・北地・上郡戍卒之半、以寬天下之繇。居頃之、乃分徙降者邊五郡故塞外。【正義】五郡、謂隴西、北地、上郡、朔方、雲中、竝是故塞外、又在北海西南、 而皆在河南。因其故俗爲屬國。【正義】以降來之民、徙置五郡、各依本國之俗、而屬於漢、故言屬國也、 其明年、匈奴入右北平・定襄、殺略漢千餘人。其明年、天子與諸將議曰。翕侯趙信、爲單于畫計、常以爲漢兵不能度幕輕畱。【索隱】案幕、卽沙漠、古字少耳、輕畱者、謂匈奴以漢軍不能至、故輕易畱而不去也、【考證】顏師古曰、一曰、輕留、謂漢兵輕入而久留也、愚按輕字難解、或云、當作經、恆久之義、 今大發士卒、其勢必得所欲。是歲元狩四年也。元狩四年、【考證】張文虎曰、元狩四年四字、疑衍、漢書無、 春、上令大將軍青・驃騎將軍去病、將各五萬騎、步兵轉者踵軍數十萬。【正義】言轉軍之士、及步兵接後、又數十萬人、【考證】顏師古曰、轉者、謂運輜重也、踵、接也、張文虎曰、正義轉軍、汪校改轉深、 而敢力戰深入

之士、皆屬驃騎。驃騎始爲出定襄、當單于。捕虜言單于東。【考證】楓、三本、漢書、重虜字、乃更令驃騎出代郡、令大將軍出定襄。郎中令爲前將軍、太僕爲左將軍、【考證】漢書、郎中令下補李廣、太僕下補公孫賀、主爵趙食其爲右將軍、平陽侯襄爲後將軍。【考證】曹襄、皆屬大將軍。兵卽度幕。人馬凡五萬騎。與驃騎等咸擊匈奴單于。【考證】何焯曰、代郡雲中、皆直單于庭、大將軍出定襄、反遇單于者、時單于度幕遠徙、非故所居地、趙信爲單于謀曰。漢兵既度幕、人馬罷。匈奴可坐收虜耳。【考證】顏師古曰、言收虜取漢軍人馬、可不費力、故曰坐、乃悉遠北其輜重、皆以精兵待幕北。而適值大將軍軍出塞千餘里、見單于兵陳而待。於是大將軍令武剛車自環爲營、【集解】孫吳兵法曰、有巾有蓋、謂之武剛車也、而縱五千騎往當匈奴。匈奴亦縱可萬騎。會日且入、大風起、沙礫

擊面、兩軍不相見。漢益縱左右翼繞單于。單于視漢兵多、而士馬尙彊、戰而匈奴不利、薄暮、單于遂乘六羸、壯騎可數百、直冒漢圍、西北馳去。時已昏。漢·匈奴相紛挐、殺傷大當、【索隱】以言所殺傷大略相當、【正義】三蒼解詁云、紛挐、相牽也、【考證】顏師古曰、亂相持搏也、漢軍左校捕虜、言單于未昏而去。漢軍因發輕騎夜追之。大將軍軍因隨其後。匈奴兵亦散走。遲明、行二百餘里、不得單于。【集解】徐廣曰、遲、一作黎、【索隱】遲明、上音値、待也、待天欲明、謂平明也、諸本多作黎明、鄒氏云、黎、遲也、然黎、黑也、候天將明、猶黑也、【正義】遲、音値、【考證】李笠曰、尉佗傳犁旦集解引呂靜云、犁、結也、結、猶連及逮至也、是犁與遲義同、故鄒氏以黎訓遲、頗捕斬首虜萬餘級。遂至窴顏山趙信城、得匈奴積粟食軍。軍留一日而還、悉燒其城餘粟以歸。【集解】徐廣曰、窴、音田、【考證】窴顏山、趙信城、解在匈奴傳、大將軍之與單于會也、而前將軍廣、右將軍食其軍、別從東

道、或失道、後擊單于。【考證】楓本、或作惑、迷也、大將軍引還過幕南。乃得前將軍右將軍。大將軍欲使使歸報、令長史簿責前將軍廣。廣自殺。右將軍至、下吏。贖爲庶人。大將軍軍入塞、凡斬捕首虜萬九千級。是時匈奴衆失單于十餘日。右谷蠡王聞之、自立爲單于。【索隱】谷蠡、上音祿、下音黎、又音離、單于後得其衆。右王乃去單于之號。【考證】楓、三本、右下有谷蠡二字、匈奴傳亦有、漢傳無、驃騎將軍亦將五萬騎、車重與大將軍軍等、而無裨將。【考證】王先謙曰、輜車亦曰重車、車重、猶言車輜也、悉以李敢等爲大校、當裨將、出代·右北平千餘里、直左方兵。所斬捕功已多大將軍。【考證】王先謙曰、左方當作左王、匈奴傳、票騎之出代二千餘里、與左王接戰、漢兵得胡首虜凡七萬人、左王將皆走、是其證、愚按楓、三本、漢書、多下有於字、軍既還。天子曰。驃騎將軍去病、率師躬將所獲葷粥之士、約輕齎、

絕大幕、【集解】徐廣曰、粥、一作允、駰案應劭曰、所降士有材力者、【考證】漢書、作葷允、涉獲章渠、以誅比車耆、【集解】徐廣曰、獲一作護、晉灼曰、比車耆、王號也、【索隱】小顏云、涉、謂涉水也、章渠、單于之近臣、謂涉水而破獲之、漢書云、涉獲單于章渠也、比、必耳反。【考證】上文曰涉狐奴、曰涉鈞耆、皆水名、獲章渠、亦當水名、漢書獲下有單于二字、顏師古依以章渠爲單于近臣之名、索隱從之、恐誤、轉擊左大將、斬獲旗鼓、【索隱】案漢書、左大將、名雙、歷涉離侯、【索隱】漢書、作度離侯、小顏云、山名、歷、度也、【考證】今本漢書作難侯、濟弓閭、【集解】晉灼曰、水名也、【索隱】弓、包愷音穹、亦如字讀、獲屯頭王·韓王等三人、將軍相國當戶都尉八十三人、【集解】漢書音義曰、屯頭、胡王號也、徐廣曰、韓王、一作韓藉、【索隱】按漢書云、屯頭韓王等三人、李奇曰、皆匈奴王號、封狼居胥山、禪於姑衍、【正義】積土爲壇於山上、封以祭天也、祭地曰禪、登臨翰海、【集解】張晏曰、登海邊山以望海也、【索隱】按崔浩云、北海名、羣鳥之所解羽、故云翰海、廣異志云、在沙漠北、【考證】狼居胥、姑衍、二山名、翰海、大漠之別名、說在匈奴傳、執鹵獲醜、七萬有四百四十三級、師率減什三。【考證】漢書、鹵作訊、三作二、取食於敵、逴行殊遠、而糧不絕。【索隱】逴、音與卓同、卓、遠也、以五千八百戶益封驃

騎將軍。右北平太守路博德、屬驃騎將軍、會與城、不失期。【正義】與、音余、【考證】漢書作與、從至檮余山、斬首捕虜二千七百級。【索隱】檮余、音桃徒二音、【考證】漢書七作八、以千六百戶封博德爲符離侯。北地都尉邢山、從驃騎將軍獲王。【集解】徐廣曰、邢山、一作衞山、【考證】漢傳表、符離作邳離、史漢表、漢傳、邢山作衞山、以千二百戶封山爲義陽侯。故歸義因淳王復陸支、樓專王伊卽軒、皆從驃騎將軍有功。【索隱】復、劉氏音伏、小顏音福、專、漢書作剸、竝音專、小顏音之兗反也、軒、九言反、【考證】漢書、歸義下有侯字、以千三百戶封復陸支爲壯侯、【考證】漢書表傳、壯侯作杜侯、以千八百戶封伊卽軒爲衆利侯。從驃侯破奴、昌武侯安稽、從驃騎有功。益封各三百戶。【集解】徐廣曰、安稽、姓趙、故匈奴王、【索隱】故匈奴王、姓趙也、校尉敢、得旗鼓。爲關內侯、食邑二百戶。【索隱】敢、李廣子也、校尉自爲、爵大庶長。【索隱】案徐自爲也、【考證】漢書、大庶長作左庶長、百官

表、爵十、左庶長、十八、大庶長、史近是、軍吏卒爲官賞賜甚多。而大將軍不得益封、軍吏卒皆無封侯者。兩軍之出塞、塞閱官及私馬、凡十四萬匹。而復入塞者、不滿三萬匹。【考證】漢書武紀云、兩軍士戰死者數萬人、何焯曰、書死馬之多、所亡士衆、可以意求、此史家隱顯互見之辭也、上文固云、殺傷相當、乃益置大司馬位。大將軍・驃騎將軍、皆爲大司馬。【集解】如淳曰、大將軍驃騎將軍、皆有大司馬之號也、【索隱】案如淳云、本無大司馬、今新置耳、案前謂太尉、其官又省、今武帝始置此位、衞將軍、霍驃騎、皆加此官、【正義】位字屬下讀、以位字冠大將軍驃騎者、明二將軍、皆兼大司馬、以其功等、百官表云、元狩四年、初置大司馬、冠軍將軍之號、顏師古云、冠者加於其上、爲大一官也、【考證】位字屬上讀、正義非、定令、令驃騎將軍秩祿與大將軍等。自是之後、大將軍靑日退、而驃騎日益貴。擧大將軍故人門下、多去事驃騎、輒得官爵。唯任安不肯。【考證】漢書刪擧字、顏師古曰、任安滎陽人、爲益州刺史、卽遺司馬遷書者、楓三本漢書、肯下有去字、驃騎將軍爲人少言不泄。【索隱】案孔文祥云、謂質重少言、膽氣在中也、周仁陰重不泄、其行亦同也、有氣

敢任。【索隱】謂果敢任氣也、漢書作往、亦作任也、天子嘗欲敎之孫・吳兵法。對曰、顧方略何如耳。不至學古兵法。天子爲治第、令驃騎視之。對曰、匈奴未滅。無以家爲也。【考證】漢書、改未爲不、原文較勝、由此上益重愛之。然少而侍中、貴、不省士。【考證】顏師古曰、省、視也、不恤視也、其從軍、天子爲遣太官、齎數十乘。既還、重車餘弃粱肉、而士有飢者。【考證】顏師古曰、齎與資同、王先謙曰、百官表、有太官、顏注、太官主膳食、說文、齎、持遺也、據本文、此齎字專以食言、不當與資裝同解、其在塞外、卒乏糧、或不能自振。而驃騎尙穿域蹋鞠。事多此類。【集解】徐廣曰、穿地爲營域、【索隱】穿域蹴鞠、徐氏云、穿地爲營域、蹴鞠書有域說篇、又以杖打、亦有限域也、今之鞠戲、以皮爲之、中實以毛、蹴蹋爲戲、劉向別錄云、蹵鞠、兵勢所以陳武事、知有材力也、漢書作蹵鞠、三蒼云、鞠毛可蹵、以爲戲、鞠音巨六反、【正義】按蹴鞠書有域說篇、卽今之打毬也、黃帝所作、起戰國時、程武士、知其材力也、若講武、【考證】何焯曰、蹋鞠二十五篇、漢書附兵家技巧中、大將軍爲人仁善退讓、以和柔自媚於上。然天下未有稱也。【考證】漢書、仁善作仁喜士、疑傳寫析爲

二字、何焯曰、大將軍將略、以伍被所答淮南王問參觀、乃備、不可獨據於天下未有稱之語、此卽出太史公淮南衡山列傳也、驃騎將軍自四年軍後三年、元狩六年而卒。天子悼之、發屬國玄甲軍、陳自長安至茂陵、【正義】屬國、卽上分置邊五郡者也、玄甲、鐵甲也、爲冢、象祁連山、【索隱】案崔浩云、去病破昆邪於此山、故令爲冢象之以旌功也、姚氏案、冢在茂陵東北、與衞青冢竝西、西者是青、東者是去病、冢上有豎石、前有石馬相對、又有石人也、謚之、幷武與廣地曰景桓侯。【集解】蘇林曰、景、武謚也、桓、廣地謚也、張晏曰、謚法、布義行剛曰景、闢土服遠曰桓、【索隱】案景桓、兩謚也、謚法、布義行剛曰景、是武謚也、又曰、辟土服遠曰桓、是廣地之謚也、以去病平生有武藝、及廣邊地之功、故云、謚之幷武與廣地曰景桓侯、子嬗、代侯。【索隱】嬗、音市戰反、嬗少字子侯。上愛之。幸其壯而將之。居六歲、元封元年、嬗卒。謚哀侯。無子、絕。國除。【考證】封禪書云、奉車子侯暴病、一日死、楓三本、絕下有後字、自驃騎將軍死後、大將軍長子宜春侯伉、坐法失侯。【考證】王先謙曰、據表、元鼎元年免、後去病死一歲、後五歲、伉弟二人陰安侯不疑及發干侯登、皆坐酎金失侯。

【考證】酎金、解在封禪書、徐孚遠曰、大將軍尙在、而三子皆失侯、漢法之嚴如此、失侯。後二歲、冠軍侯國除。【考證】元封元年、漢書、削失侯二字、其後四年、大將軍青卒。諡爲烈侯。【集解】徐廣曰、元封五年、子伉代爲長平侯。自大將軍圍單于之後十四年而卒。【考證】楓、三本、漢書、年作歲、王先謙曰、元狩四年至元封五年十四歲、漢書云、青尙平陽主、與主合葬、起冢象廬山云、何焯云、廬當作盧、匈奴中山也、竟不復擊匈奴者、以漢馬少、而方南誅兩越、東伐朝鮮、擊羌西南夷、以故久不伐胡。大將軍以其得尙平陽公主、故長平侯伉代侯。【正義】漢書云、平陽侯曹壽有惡疾、就國、乃詔青尙平陽公主、如淳云、本陽信長公主、爲平陽侯所尙、故稱平陽公主云、【考證】中井積德曰、伉初別封、坐法失侯者、故不當嗣父爵、以父尙公主故得嗣也、故傳詳言之、六歲坐法失侯。【考證】梁玉繩曰、六歲坐法失侯六字、後人妄增、伉失侯、在天漢元年也、建元侯表書今侯伉、則知此非史公本書、

左方兩大將軍及諸裨將名。【考證】張文虎曰、此行、宋本、中統、舊刻、游、毛皆不提、王本、凌本、方譌右、梁玉繩曰、此指衞霍兩人、沈家本曰、疑大字衍、

最大將軍青、凡七出擊匈奴、斬捕首虜五萬餘級。【索隱】謂凡計也、【考證】此總計擊匈奴之數、一與單于戰、收河南地、遂置朔方郡。再益封。凡萬一千八百戶。【考證】漢書、作萬六千三百戶、封三子爲侯、侯千三百戶、并之萬五千七百戶。【考證】漢書、作二萬二百戶、其校尉裨將、以從大將軍侯者九人。【考證】梁玉繩曰、案史漢表傳、侯者十一人、一蘇建、二張次公、三公孫敖、四公孫賀、五韓說、六李蔡、七趙不虞、八公孫戎奴、九李朔、十張騫、十一郝賢、言九人誤、其裨將及校尉已爲將者十四人。【索隱】案漢書云、爲特將者十五人、蓋通李廣也、此李廣一人自有傳、若漢書則七人自有傳、八人附見、七人、謂李廣、張騫、公孫賀、李蔡、曹襄、韓說、蘇建也、【考證】陳仁錫曰、敍諸裨將武功、俱用一從字、蓋歸功於大將軍驃騎二將也、爲裨將者、曰李廣。自有傳。無傳者曰將軍公孫賀。賀、義渠人。【正義】今慶州本義渠戎國也、地理志云、北義渠道也、【考證】錢大昕曰、公孫賀李蔡、皆官至丞相、而以將軍目之、蓋漢人以將軍爲重、且諸人從衞霍立功、其在相位、初無表見、故但稱將軍而已、愚按漢書公孫賀傳、記載較詳、又按附傳後人妄增、故有及天漢後事者、說見下文、

其先胡種。賀父渾邪、景帝時、爲平曲侯。【集解】徐廣曰、爲隴西太守、【考證】漢書公孫賀傳云、昆邪、景帝時爲隴西太守、以將軍擊吳有功、封平曲侯、著書十餘篇、坐法失侯。賀、武帝爲太子時舍人。【考證】漢傳云、賀夫人君孺、衞皇后姊也、賀由是有寵、梁玉繩曰、案此兩稱武帝、及下李息公孫敖李沮李蔡趙信趙食其六傳、稱武帝者、皆後人妄改、當作今上、武帝立八歲、以太僕爲輕車將軍、軍馬邑。後四歲、以輕車將軍出雲中。後五歲、以騎將軍從大將軍有功。封爲南窌侯。後一歲、以左將軍再從大將軍、出定襄。無功。後四歲、以坐酎金失侯。【考證】梁玉繩曰、案史漢表、賀以元鼎五年坐酎金免、則自元朔六年出定襄後至元鼎五年、凡十一歲也、後八歲、以浮沮將軍出五原二千餘里。無功。【集解】徐廣曰、元鼎六年、【索隱】沮、音子餘反、【考證】錢大昕曰、據匈奴傳、賀將萬五千騎、出五原二千餘里、至浮苴井而還、浮苴卽浮沮、蓋以地名、趙破奴爲匈河浚稽將軍、李廣利爲貳師將軍、亦其類也、梁玉繩曰、賀出五原、卽元鼎六年事、非坐酎金失侯之後八歲也、後八歲、以太僕爲丞相、封葛繹侯。

【集解】徐廣曰、太初二年、賀七爲將軍、出擊匈奴、無大功。而再侯、爲丞相。【考證】梁玉繩曰、案賀爲將軍五、安有七乎、坐子敬聲與陽石公主姦、爲巫蠱、族滅。無後。【集解】徐廣曰、陽石、一云德邑、【考證】公主、武帝女、梁玉繩曰、坐子敬聲以下後人所續、非史本書、將軍李息、郁郅人。【集解】服虔曰、郅、音窒、【索隱】服虔音窒、小顏音質、案北地縣名也、【正義】之栗反、今慶州弘化縣是、事景帝。至武帝立八歲、爲材官將軍、軍馬邑。【考證】王先謙曰、元光二年、後六歲、爲將軍出代。【考證】梁玉繩曰、李息出代、在元朔元年、後于軍馬邑五歲、後三歲、爲將軍、從大將軍出朔方。【考證】梁玉繩曰、息出朔方、在元朔五年、後出代四歲、王先謙曰、衞青傳、出朔方之役、息有功、爵關內侯、與此異、皆無功。凡三爲將軍。其後常爲大行將軍。公孫敖義渠人。以郎事武帝。【考證】漢書、武帝作景帝、此誤、武帝立十二歲、爲驃騎將軍出代。亡卒七千人。當斬。贖爲庶人。【考證】漢書、無驃字、此衍、余有丁曰、驃騎將軍、武帝立名以寵去病、本傳前云賀爲輕車將軍、又曰騎將軍、此驃字必誤、後五歲、以校尉從

大將軍有功。封爲合騎侯。後一歲、以中將軍從大將軍、再出定襄。無功。【考證】梁玉繩曰、案傳言斬虜萬餘人、史漢表、皆言是年敖益封、則此誤也、當衍無功二字、 後二歲、以將軍出北地。後驃騎期。當斬。贖爲庶人。後二歲、以校尉從大將軍。無功。後十四歲、以因杅將軍築受降城。【索隱】杅、音于、【考證】匈奴傳云、元封六年、因匈奴左大都尉欲降、故築受降城、漢武紀在太初元年、此曰十四歲、以初築之歲數、 七歲、復以因杅將軍再出擊匈奴。至余吾、亡士卒多。下吏。【索隱】余、音餘、又音徐、案水名、在朔方、【考證】楓、三本、七歲上有後字、沈欽韓曰、紀要、余吾水、在廢夏州北塞外、丁謙曰、余吾水、當卽翁金河、此河爲漠南北衝要之途、梁玉繩曰、此下後人所續、蓋敗余吾、在天漢四年、巫蠱起于征和元年、且數自余吾還腰斬、非先嘗亡居民間、而後坐巫蠱族也、七歲至巫蠱族四十四字、當刪、漢傳同其誤、 當斬。詐死、亡居民間五六歲。後發覺、復繫。坐妻爲巫蠱族。凡四爲將軍、出擊匈奴、一侯。將軍李沮、雲中人。【索隱】沮、音組豆之組、【正義】雲中、今嵐勝州也、 事景帝。武帝立十七歲、以左內史爲

彊弩將軍。後一歲、復爲彊弩將軍。將軍李蔡、成紀人也。【正義】秦州縣也、 事孝文帝・景帝・武帝。以輕車將軍從大將軍有功。封爲樂安侯。已爲丞相。坐法死。將軍張次公、河東人。以校尉從衞將軍靑有功。封爲岸頭侯。其後太后崩、爲將軍軍北軍。【考證】王先謙曰、據武紀及功臣表、元朔二年五月封侯、六月皇太后崩、閻白駒曰、太后武帝母王太后也、次公爲將軍軍北軍、天子諒陰、備非常也、 後一歲、爲將軍從大將軍。再爲將軍、坐法失侯。次公父隆、輕車武射也。以善射、景帝幸近之也。將軍蘇建、杜陵人。以校尉從衞將軍靑有功。爲平陵侯。【考證】楓、三本、爲上有封字、 以將軍築朔方。後四歲、爲游擊將軍、從大將軍出朔方。【考證】梁玉繩曰、蘇建封侯、在元朔二年、此元朔五年事、當云後三歲、 後一歲、以右將軍再從大將軍出定襄。亡翕侯、失軍。當斬。贖爲庶人。其後

爲代郡太守卒。冢在大猶鄉。【考證】張文虎曰、宋本、凌本、冢譌家、 將軍趙信、以匈奴相國降、爲翕侯。武帝立十七歲、爲前將軍、與單于戰、敗降匈奴。【考證】梁玉繩曰、漢書、十七作十八、是、趙信爲前將軍、在元朔六年、武帝立十八年也、 將軍張騫、以使通大夏還、爲校尉。從大將軍有功。封爲博望侯。後三歲、爲將軍出右北平。【考證】凌本、脫後字、 失期。當斬。贖爲庶人。其後使通烏孫。爲大行而卒。冢在漢中。將軍趙食其、祋祤人也。【索隱】縣名、在馮翊、祋音都活反、又音丁外反、祤音詡、【正義】上都誨反、雍州同官縣、本漢祋祤縣也、 武帝立二十二歲、以主爵爲右將軍、從大將軍出定襄。【考證】主爵、主爵都尉、 迷失道、當斬。贖爲庶人。將軍曹襄以平陽侯爲後將軍。從大將軍出定襄。襄、曹參孫也。【考證】中井積德曰、曹襄是參之玄孫、此單云孫者、泛稱耳、 將軍韓說、弓高侯庶孫也。以校尉從大將軍有功。爲

龍頟侯。【考證】楓、三本、爲上有封字、 坐酎金失侯。元鼎六年、以待詔爲橫海將軍、擊東越有功。爲按道侯。【考證】楓、三本、爲上有封字、 以太初三年、爲游擊將軍、屯於五原外列城。爲光祿勳、掘蠱太子宮。衞太子殺之。【考證】梁玉繩曰、爲光祿勳以下十四字、後人以征和二年事續入也、當刪、 將軍郭昌、雲中人也。以校尉從大將軍。元封四年、以太中大夫爲拔胡將軍、屯朔方。還擊昆明。毋功。奪印。【考證】王先謙曰、西南夷傳略云、南粤反、上使發南夷兵、且蘭君遂反、漢發八校尉擊之、會越已破、漢八校尉不下、中郎將郭昌衞廣、引兵還、行誅且蘭、遂平南夷、爲牂柯郡、據武紀、定越地及西南夷、是元鼎六年事、又武紀元封二年、遣郭昌衞廣、發巴蜀兵、平西南夷未服者、以爲益州郡、昌將兵有功、本傳竝不載、其擊昆明無功、西南夷傳亦不載也、惟武紀、元封六年、書益州昆明反、遣拔胡將軍郭昌擊之、 將軍荀彘、太原廣武人。以御見、侍中。【正義】以善御求見也、以善御得見、因爲侍中也、【考證】顏師古曰、御、謂御車也、 爲校尉、數從大將軍。以元封三年爲左將軍擊朝鮮。毋功。以捕樓船將軍、坐法死。

【考證】朝鮮傳、詳 最驃騎將軍去病、凡六出擊匈奴。其四出以將軍。【集解】徐廣曰、再出以剽姚校尉也、 斬捕首虜十一萬餘級。【考證】張文虎曰、宋本、毛本首虜、他本誤倒、 及渾邪王以衆降數萬、遂開河西・酒泉之地、【正義】河、謂隴右蘭州之西河也、謂涼肅等州、漢書西域傳云、驃騎將軍擊破匈奴右地、置酒泉郡、後分置武威張掖燉煌等郡、 西方益少胡寇。四益封、凡萬五千一百戶。【考證】梁玉繩曰、去病本封千六百戶、四益封萬四千五百、并之得萬六千一百戶、此誤數也、若依漢傳、本封二千五百戶、四益封萬五千一百、并之、得萬七千六百戶、而漢傳此句作萬七千七百戶、亦誤、 其校吏有功爲侯者、凡六人。【考證】梁玉繩曰、案史漢表傳、從去病爲侯者七人、一趙破奴、二高不識、三僕多、四路博德、五衞山、六復陸支、七伊卽軒、言六人誤、 而後爲將軍二人。將軍路博德、平州人。【正義】漢書云、西河平州、按西河郡今汾州、 以右北平太守從驃騎將軍有功。爲符離侯。【考證】漢書、符離作邳離、 驃騎死後、博德以衞尉爲伏波將軍、伐破南越、益封。其後坐法失侯、爲彊弩都尉、屯居延。卒。

【考證】王先謙曰、據表紀、失侯、在太初元年、屯居延、在三年、 將軍趙破奴、故九原人。【正義】今勝州、【考證】漢書、作太原、疑誤、 嘗亡入匈奴。已而歸漢、爲驃騎將軍司馬、出北地。時有功。封爲從驃侯。坐酎金失侯。後一歲、爲匈河將軍。【考證】王先謙曰、元鼎六年、 攻胡至匈河水。無功。後二歲、擊虜樓蘭王。復封爲浞野侯。【集解】徐廣曰、元封二年、【考證】史表及漢功臣表、趙破奴虜樓蘭、在元封三年、卽本文二歲當作三歲、集解元封二年、游本作元封三年、當依正、 後六歲、爲浚稽將軍、將二萬騎擊匈奴左賢王。【集解】徐廣曰、太初二年、【考證】後六歲、當作後五歲、 左賢王與戰。兵八萬騎圍破奴。破奴生爲虜所得、遂沒其軍。居匈奴中十歲。復與其太子安國亡入漢。【集解】徐廣曰、以太初二年入匈奴、天漢元年亡歸、涉四年、 後坐巫蠱族。【考證】梁玉繩曰、案居匈奴至巫蠱族二十一字、後人妄續也、 自衞氏興、大將軍靑首封。其後枝屬爲五侯。凡二十四歲。而五侯盡奪、衞氏無爲侯者。【考證】梁玉繩曰、自衞氏興以下三十三字、史詮謂當在上文六歲坐法失侯下、蓋是也、然亦後人續而誤者、衞青以元朔二年封、其枝屬以元朔五年封、自元朔二至太初四、凡二十七年、不得言三十四歲、而長平侯伉、于太初四年見存、不得言盡奪無侯、青止三子、亦不得言五侯、而漢書仍其誤、何歟、

太史公曰。蘇建語余曰。吾嘗責大將軍至尊重、而天下之賢士大夫毋稱焉。【索隱】謂不爲賢士大夫所稱譽、【考證】賢下、各本無士字、依索隱單本及漢書補、 願將軍觀古名將所招選擇賢者、勉之哉。【考證】漢書、削擇賢二字、 大將軍謝曰。自魏其・武安之厚賓客、天子常切齒。彼親附士大夫、招賢絀不肖者、人主之柄也。人臣奉法遵職而已。何與招士。【索隱】與、音預、【考證】梁玉繩曰、案此青謝蘇建語如此、汲黯爲揖客、大將軍益賢之、又進言田仁爲郎中、言減宣爲大廐丞、言主父偃于上、爲上言郭解不中徙茂陵、則未嘗不招士也、但所招之士不皆賢耳、王鳴盛曰、李廣傳贊、美其死天下知與不知皆盡哀、忠心誠信於士大夫、衞青傳贊、則著其不肯招士、位尊而天下賢士大夫無稱、兩兩相形、優劣自見、乃青名爲不薦士、而傾危如主父偃殘賊如減宣、皆其所薦、又爲郭解請免徙關內、然則青特不薦賢耳、於不肖者、未嘗不交通援引也、何焯曰、衞霍將略、太史公不之取也、此論却許其能知時變以保祿位、非以示譏、又門此

言得之、其言主父偃減宣於上、乃在名位未盛之時也、武帝雄猜、拔擢一人、必欲恩自己出、丞相猶不敢薦士、況爲將握兵者乎、 驃騎亦放此意。其爲將如此。【考證】王鳴盛曰、佞幸傳末、忽贊二語云、衞青霍去病、亦以外戚貴幸、然頗用材能自進、一若以此二人本可入佞幸者、子長措詞如此、

【索隱】述贊、君子豹變、貴賤何常、青本奴虜、忽升戎行、姊配皇極、身尚平陽、寵榮斯僭、取亂彝章、嫖姚繼踵、再靜邊方、

衞將軍驃騎列傳第五十一　史記一百十一

史記會注考證卷一百十二

漢　太　史　令　司　馬　遷　撰

宋　中　郎　外　兵　曹　參　軍　裴　駰　集　解

唐　國　子　博　士　弘　文　館　學　士　司　馬　貞　索　隱

唐　諸　王　侍　讀　率　府　長　史　張　守　節　正　義

日　本　出　雲　瀧　川　資　言　考　證

平津侯主父列傳第五十二　史記一百十二

考證　史公自序云、大臣宗室、以侈靡相高、唯弘用節衣食、爲百吏先、作平津侯列傳第五十二、陳仁錫曰、太史公平津傳、附主父偃徐樂嚴安三人、然行事終不相合、主父以下、當別爲一傳、王鳴盛曰、公孫弘以儒者致位宰相封侯、乃與主父偃同傳、張湯杜周皆三公也、乃入之酷吏傳、子長惡此三人特甚、故其位置如此、愚按、偃等三人、皆以文辭進、皆以伐匈奴通西南夷爲非、其事相涉、此所以與平津同傳、觀次諸衞霍兩越諸傳問、可以知史公之意也、陳王二說未得、査愼行曰、漢書於弘至太常下、添入策諸儒制、及弘對策全文、及召見後、史記止云、狀貌甚麗、拜爲博士、漢書復增入待詔金馬門所上一疏、及問答數十言、弘之生平學術、後來相業底裏、具見於此、此司馬之略、似不如班氏之詳、

丞相公孫弘者、齊菑川國薛縣人也。字季。索隱　案薛縣、屬魯國、漢置菑川國、後割入齊也、正義　表云、菑川國、文帝分齊置、都劇、括地志云、故劇城、在青州壽光縣南三十一里、故薛城、在徐州滕縣界、地理志云、薛縣屬魯國、按薛與劇隔兖州及太山、未詳、公孫弘墓、又在青州北魯縣西二十里也、考證　梁玉繩曰、齊與菑川實爲兩國、薛縣別屬魯、乃史公連書之、河也、下文汲黯詰弘曰、齊人多詐、又云菑川國推上弘、而儒林傳稱薛人公孫弘、徐廣謂薛縣在菑川、索隱謂薛本屬魯、漢置菑川國、後割入齊、說亦欠明、史記攷異云、菑川本齊故地、史言菑川、又言齊者、當時通俗之稱、扁鵲言臣齊勃海秦越人、與此一例、非史之誤、漢志菑川國祇三縣、無薛縣、然高五王傳、青州刺史奏菑川王終古禽獸行、詔削四縣、安知薛縣不在所削之內、漢志郡國領縣若干、皆元成以後之制、未可據以駁傳也、此說甚確、毛本及漢書無齊字、沈欽韓曰、西京雜記五、鄒長倩遺弘書云、次卿足下、則弘一字次卿、少時爲薛獄吏。有辠免。

家貧。牧豕海上。年四十餘、乃學春秋雜說。考證　何焯曰、雜說、雜家之說、兼儒墨合名法者也、藝文志亦有公羊雜記八十三篇、以弘所對智者術之原也一條味之、其學蓋出於雜家、則此雜說、非春秋經師之雜說也、養後母孝謹。考證　淩稚隆曰、伏後後母死服喪、建元元年、天子初卽位、招賢良文學之士。是時弘年六十。徵以賢良爲博士、使匈奴。還報。不合上意。上怒以爲不能。弘迺病免歸。考證　漢書、病上有移字、元光五年、有詔徵文學。菑川國復推上公孫弘。考證　沈欽韓曰、案西京雜記云、公孫弘以元光五年爲國士所推、爲賢良、國人鄒長倩以其家貧少自資致、乃解衣裳以衣之、釋所著冠履以與之、又贈以芻一束、絲一緵、撲滿一枚、書題遺之、梁玉繩曰、文學上脫賢良二字、漢書有之、而五年是元年之誤、荀紀西京雜記石林燕語、皆依史作元光五年、失之、通鑑攷異反據五年爲說、無怪乎疑未能明也、漢書武紀、以弘舉賢良在元光元年、而弘傳本史記誤作五年耳、野客叢書辨之極是、其言曰、武帝兩開賢良科、一在建元元年、一在元光元年、而元光元年、但詔徵吏民明當世務者、不聞有賢良之舉、攷武帝初卽位、弘年六十、以賢良徵、元狩二年、薨年八十、自元狩二年推而上之至武帝初年、恰二十年、以是言之、弘于元光元年再舉賢良、明甚、本傳謂五年、誤也、又況元光元年賢良制、政係弘所對者、弘讓謝國人曰。臣已嘗

西應命、以不能罷歸。願更推選。考證　楓三本、漢書、無歸字、國人固推弘。弘至太常。考證　漢傳、補入策問及弘對策、太常令所徵儒士各對策百餘人。弘第居下。策奏。天子擢弘對爲第一。召入見。狀貌甚麗。拜爲博士。考證　漢書、拜爲博士下、補待詔金馬門、弘復上疏一節、是時通西南夷道、置郡。巴蜀民苦之。詔使弘視之。還奏事。盛毀西南夷無所用。上不聽。弘爲人恢奇多聞。考證　楓本、無恢奇二字、常稱以爲人主病不廣大。人臣病不儉節。弘爲布被、食不重肉。後母死、服喪三年。每朝會議、開陳其端、令人主自擇、不肯面折庭爭。於是天子察其行敦厚、辯論有餘、習文法吏事、而又緣飾以儒術。上大說之。索隱　謂以儒術飾文法、如衣服之有領緣以爲飾也、考證　何焯曰、弘號以儒進、然所以當上意者、習文法吏事、乃少爲獄吏力也、沈欽韓曰、西京雜記、公孫弘著公孫子、言刑名事、謂字直百金、二歲中、至

左內史。【集解】徐廣曰、一云一歲、【考證】漢書、亦作一歲、梁玉繩曰、徐廣作一歲、是弘以元光元年對策爲博士、中更母服三年、蓋元光五年仍爲博士、即于是歲爲左內史、故公卿表言元光五年爲左內史也、弘奏事、有不可、不庭辯之。【考證】楓、三本、漢書、有下有所字、嘗與主爵都尉汲黯請閒。汲黯先發之、弘推其後。天子常說、所言皆聽。以此日益親貴。嘗與公卿約議。至上前、皆倍其約、以順上旨。汲黯庭詰弘曰。齊人多詐而無情實。始與臣等建此議。今皆倍之。不忠。上問弘。弘謝曰。夫知臣者、以臣爲忠。不知臣者、以臣爲不忠。上然弘言。左右幸臣每毀弘、上益厚遇之。元朔三年、張歐免。以弘爲御史大夫。【考證】楓、三本、免下有上字、是時通西南夷、東置滄海、北築朔方之郡。弘數諫。以爲罷敝中國、以奉無用之地。願罷之。於是天子乃使朱買臣等難弘、置朔方

之便發十策。弘不得一。【集解】韋昭曰、以弘之才非不能得一也、以爲不可、不敢逆上耳、【索隱】按韋昭以弘之才非不能得一、以爲不可、不敢逆上故耳、【正義】顏師古曰、言其利害十條、弘無以應、弘迺謝曰。山東鄙人、不知其便若是。願罷西南夷·滄海、而專奉朔方。上乃許之。【考證】中井積德曰、弘不敢置對、似阿世者、然因此請罷西南夷滄海、則大有補益、立朝統職者、不能無是臭味、宜算其損益多少而褒貶之、汲黯曰。弘位在三公、奉祿甚多。然爲布被。此詐也。【考證】藝文類聚引奉作俸、上問弘。弘謝曰。有之。夫九卿與臣善者、無過黯。然今日庭詰弘。誠中弘之病。夫以三公爲布被、誠飾詐欲以釣名。且臣聞管仲相齊有三歸。侈擬於君、桓公以霸。亦上僭於君。【正義】擬、音儗、僭也、【考證】亦當作此、下文可證、三歸、解在管夷吾傳、晏嬰相景公。食不重肉、妾不衣絲。齊國亦治。此下比於民。【索隱】比、音鼻、比者近也、小顏音比方之比、今臣弘位爲御史大夫、而爲布被。自九卿以下至

於小吏無差。誠如汲黯言。且無汲黯忠、陛下安得聞此言。天子以爲謙讓、愈益厚之。【考證】平準書云、公孫弘以宰相布被、食不重味、爲天下先、然而無益於治、修務於功利、西京雜記云、公孫弘起家、徒步爲丞相、故人高賀從之、弘食以脫粟飯、覆以布被、賀怨曰、何以故人富貴爲、脫粟布被、我自有之、弘大慙、賀嘗語人曰、公孫弘內服貂蟬、外衣麻枲、內厨五鼎、外膳一肴、豈以示天下、于是朝廷疑其矯焉、弘嘆曰、寧逢惡賓、不逢故人、卒以弘爲丞相、封平津侯。【集解】徐廣曰、大臣表曰、元朔五年十一月乙丑、公孫弘爲丞相、功臣表曰、元朔三年十一月乙丑、封平津侯、駰案漢書高成之平津鄉也、【索隱】案漢書曰、漢興皆以列侯爲丞相、弘本無爵、乃詔封弘高成之平津鄉六百五十戶、爲平津侯、丞相封侯、自弘始也、【考證】通鑑考異云、史記將相名臣表、漢書百官公卿表、弘爲相、皆在元朔五年、建元以來侯者表、恩澤侯表皆云、元朔三年封侯、按三年弘始爲御史大夫、蓋誤書五爲三、因置於三年耳、弘爲人意忌、外寬內深。【索隱】謂弘外寬內深、意多有忌害也、【考證】王念孫曰、意忌二字平列、意者疑也、陳丞相世家曰、項王爲人意忌信讒、酷吏傳曰、張湯文深意忌、義竝與此同、諸嘗與弘有郤者、雖詳與善、陰報其禍。【考證】詳佯、通、漢書作陽、殺主父偃、徙董仲舒於膠西、皆弘之力也。食一肉、脫粟之飯。【索隱】案一肉、言不兼味也、脫粟、纔脫穀而已、言不精鑿也、故

人所善賓客仰衣食。弘奉祿皆以給之。家無所餘。士亦以此賢之。【考證】與西京雜記所言異、梁玉繩曰、案弘開東閤以延賢人、此盛德事、不知史何以不載、淮南·衡山謀反。治黨與方急。弘病甚。自以爲無功而封、位至丞相。宜佐明主、塡撫國家、使人由臣子之道。今諸侯有叛逆之計。此皆宰相奉職不稱、恐竊病死、無以塞責。【索隱】案人臣委質於君、死生由君、今若一朝病死、是竊死也、【考證】漢書、無竊字、王念孫曰、恐竊當爲竊恐、寫者誤倒耳、乃上書曰。臣聞天下之通道五。所以行之者三。【索隱】案此語出子思子、今見禮記中庸篇、曰君臣父子兄弟夫婦長幼之序。此五者天下之通道也。【考證】兄弟與長幼之序複、漢書、作君臣父子夫婦長幼朋友之交、與中庸合、當依改、呂覽壹行篇云、先王所惡、無惡於不可知、不可知則君臣父子兄弟朋友夫妻之際敗矣、次第雖異、五倫之目、亦與中庸合、智仁勇、此三者、天下之通德、所以行之者也。【考證】漢書、勇下無此字、者下無天下之通德五字、故曰力行近乎仁。好問近乎智。

知恥近乎勇。知此三者、則知所以自治。知所以自治、然後知所以治人。天下未有不能自治而能治人者也。【考證】以上本中庸、表章中庸、不始於宋儒、此百世不易之道也。今陛下躬行大孝、鑒三王、建周道、兼文武、厲賢予祿、量能授官。【集解】徐廣曰、厲、一作廣也。【考證】漢書、大孝作孝弟、厲賢予祿作招徠四方之士、任賢序位、官下有將以厲百姓勸賢材也九字、今臣弘罷駑之質、無汗馬之勞。陛下過意擢臣弘卒伍之中、【考證】周壽昌曰、過意、猶言過垂恩意、封爲列侯、致位三公。臣弘行能不足以稱。【考證】顏師古曰、不副其任也、素有負薪之病。恐先狗馬塡溝壑、終無以報德塞責。【考證】楓、三本、宋本、中統、毛本、病作疾、與漢書合、曲禮下、君使士射、不能、則辭以疾、曰、某有負薪之憂、負薪之憂、猶言采薪餘勞、病猶言憂、願歸侯印、乞骸骨、避賢者路。天子報曰、古者賞有功褒有德。守成尙文、遭遇右武。【索隱】小顏云、右、亦上也、言遭遇亂時則上武也、【考證】漢書顏注、作禍亂時則上武耳、

與索隱所引異、愚按遭遇、當作遭禍、正與守成對文、遇、禍形似而訛、漢書一本、作遇禍、未有易此者也。朕宿昔庶幾、獲承尊位、懼不能寧。惟所與共爲治者、君宜知之。【考證】王先謙曰、知、謂知朕意也、蓋君子善善惡惡、君宜知之。君若謹行、常在朕躬。【考證】漢書、作蓋君子善善及後世、若茲行常在朕躬、郭嵩燾曰、此答其歸侯之意、善善及後世、謂世傳國爲侯、行者所以行賞也、武帝自言任賞罰之權、與史記文義各別、愚按史義自通、顏師古云、常在朕躬、朕常思此、不息於心也、君不幸罹霜露之病、何恙不已。【集解】漢書音義曰、何恙、喩小疾不以時愈、【索隱】恙、憂也、言罹霜露寒涼之疾、輕何憂於病不止、禮曰、疾止、復初也、迺上書歸侯乞骸骨、是章朕之不德也。今事少閒、君其省思慮、一精神、輔以醫藥。因賜告、牛酒雜帛。居數月、病有瘳、視事。元狩二年、弘病、竟以丞相終。【集解】漢書曰、年八十、【索隱】漢書云、凡爲御史丞相六歲、年八十終、【考證】十七史商榷引陳鵬年云、案史記、公孫弘以建元元年辛丑徵爲博士、不合罷歸、年六十、至元光五年辛亥、凡十一年、年七十一矣、是年卽以博士爲左內史、元朔三年乙卯、爲御史大夫、年七十五、五年乙巳十一月、爲丞相、年七十七、元狩二年庚申三月薨、在相位二年餘、年八

十、子度嗣爲平津侯。度爲山陽太守。十餘歲、坐法失侯。【索隱】漢書云、坐不遣鉅野令史成詣公車、論爲城旦、元始中、詔復弘後爲關內侯也、主父偃者、齊臨菑人也。學長短縱橫之術。【考證】劉向上戰國策云、舊號或曰短長、張晏注張湯傳云、蘇秦張儀之謀、趣彼爲短、歸此爲長、戰國策名長短術也、是長短縱橫二語同意、漢書藝文志縱橫家、主父偃二十八篇、今亡、馬國翰有輯本、晚乃學易春秋百家言。【考證】中井積德曰、晚字似失當、凌稚隆曰、暗伏後日暮途遠一段案、游齊諸生閒。莫能厚遇也。齊諸儒生相與排擯。不容於齊。家貧。假貸無所得。【考證】漢書、貸作貣、顏師古曰、音土得反、貣、從人求物也、迺北游燕・趙・中山。皆莫能厚遇。爲客甚困。孝武元光元年中、以爲諸侯莫足游者。【考證】楓、三本、光下無元字、梁玉繩曰、孝武當作今上、主父偃・徐樂・莊安三人同上書拜郎中、應在元朔初、通鑑載于元朔元年、攷異謂光乃朔字之誤、其說自不可易、何以證之、假傳言假入關、見衞將軍、而衞青以元光六年始爲將軍、若假見青于元光元年、則青尙爲太中大夫、安得稱將軍、其證一、漢書言徐樂燕郡無終人、以無終屬燕、雖不免錯、而燕之爲郡、實在元朔元年以後、政當上書之時、其證二、莊安書中、有略薉州建城邑之語、而降穢貉爲蒼海郡、在元朔元年、其證三、獨大事記書于元光元年、其解題

曰、偃竊奏董仲舒高園殿對、高園殿災、在建元六年、距元朔改元八年、若偃以是年召見、安得竊仲舒草藁奏之、若召見親近之後、方竊奏仲舒藁、則仲舒亦不應追論七八年前災異也、況田蚡死已久、仲舒所謂貴而不正者、果安所指耶、殊不知仲舒奏藁、自在建元末年、而偃之竊奏、固在元朔初、何足據哉、愚按、史明言元光元年偃西入關、留久乃上書、未嘗以上書爲元年事、通鑑考異史記志疑、以史爲誤者何也、乃西入關見衞將軍。【考證】顏師古曰、衞青、洪頤煊曰、衞青傳、子夫爲夫人、青爲太中大夫、元光六年、拜爲車騎將軍擊匈奴、是時青尙未爲將軍、愚按此追記之辭、衞將軍數言上。上不召。資用乏、留久。諸公賓客多厭之。乃上書闕下。朝奏、暮召入見。所言九事。其八事爲律令。一事諫伐匈奴。其辭曰、臣聞明主不惡切諫以博觀。忠臣不敢避重誅以直諫。是故事無遺策。而功流萬世。今臣不敢隱忠避死、以效愚計。願陛下幸赦而少察之。司馬法曰、國雖大、好戰必亡。天下雖平、忘戰必危。【考證】今本司馬法仁本篇、天下既平、天子大凱、【集解】應劭曰、大凱、周禮還師振旅之樂、春蒐、秋獮。

諸侯春振旅、秋治兵。所以不忘戰也。【集解】宋均曰、春秋少陽少陰、氣弱未全、須人功而後用、士庶法之、教而後成、宗仁本義、天子諸侯、必春秋講武、簡閱車徒、以順時氣、不忘戰也、【索隱】按宋均云、宗本仁義、助少陰少陽之氣、因而教以簡閱車徒、 且夫怒者逆德也。兵者凶器也。爭者末節也。【考證】國語越語、范蠡曰、勇者逆德也、兵者凶器也、爭者事之末也、沈欽韓曰、尉繚子兵議、兵者凶器也、爭者逆德也、說苑指武篇、屈宜咎語同、 古之人君一怒、必伏尸流血。故聖王重行之。【考證】顏師古曰、重、難也、 夫務戰勝窮武事者、未有不悔者也。昔秦皇帝任戰勝之威、蠶食天下、并吞戰國、海內爲一、功齊三代。務勝不休、欲攻匈奴。李斯諫曰、不可。夫匈奴無城郭之居、委積之守。【考證】胡三省曰、積、子智翻、委積者倉廩之藏也、鄭氏云、少曰委、多曰積、 遷徙鳥擧、難得而制也。輕兵深入、糧食必絕。踵糧以行、重不及事。【考證】踵、接也、漢書作運、 得其地、不足以爲利也。遇其民、不可役而守也。【考證】漢書、遇作得、役作調、楓三本、役作臣、守作使、 勝必

殺之、非民父母也。靡敝中國、快心匈奴、非長策也。【索隱】靡、音糜、獘猶凋敝也、【考證】楓三本、漢書、快作甘、呂祖謙曰、李斯方助始皇爲虐、必無此諫、徐孚遠曰、李斯諫伐胡、本傳不載、非實事也、意者欲沮蒙恬之功、故爲正言邪、愚按漢書、長策作完計、 秦皇帝不聽。遂使蒙恬將兵攻胡。辟地千里、以河爲境。地固澤鹹鹵、不生五穀。【集解】徐廣曰、澤一作斥、瓚曰、其地多水澤、又有鹵、【考證】王念孫曰、鹹字後人所加、集解可證、漢書作澤鹵、漢紀作斥澤、澤鹵卽斥鹵、加一鹹字、文不成義、張文虎曰、匈奴傳亦云、地澤鹵、 然後發天下丁男、以守北河。暴兵露師十有餘年、死者不可勝數。終不能踰河而北。【考證】梁玉繩曰、始皇紀、蒙恬傳、匈奴傳、皆云、逐戎築長城、起臨洮至遼東萬餘里、渡河至陽山、乃假書言恬攻胡辟地千里、終不能踰河而北、未詳其故、 是豈人衆不足、兵革不備哉。其勢不可也。又使天下蜚芻輓粟、【集解】文穎曰、轉芻穀就戰、是也、【考證】顏師古曰、運載芻稾、令其疾至、故云飛芻也、愚按輓、輓其落者也、四字又見嚴安書、 起於黃腄・琅邪負海之郡、轉輸北河。【集解】徐廣曰、腄在東萊、音綏、【索隱】黃腄、縣名、在東萊、音逐瑞反、注音綏、【考證】黃腄、各本作東腄、依索隱及漢書、顏師古云、二縣名、齊地濱海、故曰負海、

率三十鍾而致一石。【考證】顏師古曰、六斛四斗爲鍾、計其道路所費、凡用百九十二斛乃得一石至、 男子疾耕、不足於糧饟。女子紡績、不足於帷幕。百姓靡敝、孤寡老弱、不能相養、道路死者相望。蓋天下始畔秦也。及至高皇帝定天下、略地於邊、聞匈奴聚於代谷之外、而欲擊之。御史成進諫曰、不可。夫匈奴之性、獸聚而鳥散、從之如搏影。今以陛下盛德攻匈奴、臣竊危之。【考證】徐孚遠曰、成進之諫、與奉春君同、而其說不顯、僅見於此、 高帝不聽。遂北至於代谷。果有平城之圍。【考證】楓三本、高下有皇字、 高皇帝蓋悔之甚。乃使劉敬往結和親之約、然後天下忘干戈之事。【考證】漢書、忘作亡、 故兵法曰、興師十萬、日費千金。【考證】孫子用閒篇、 夫秦常積衆暴兵數十萬人。雖有覆軍殺將、係虜單于之功、亦適足以結怨深讎。不足

以償天下之費。夫上虛府庫、下敝百姓、甘心於外國、非完事也。夫匈奴難得而制、非一世也。行盜侵驅、所以爲業也。天性固然。上及虞・夏・殷・周、固弗程督、禽獸畜之、不屬爲人。【考證】楓三本、固弗作皆弗、漢書、及作自、屬作比、顏師古曰、程、課也、督、視責也、 夫上不觀虞・夏・殷・周之統、而下偱近世之失。此臣之所大憂、百姓之所疾苦也。【考證】楓三本、漢書、偱作循、爲是、隸書循偱形似易訛、 且夫兵久則變生。事苦則慮易。乃使邊境之民、靡敝愁苦、而有離心、將吏相疑而外市。【集解】張晏曰、與外國交、求利己、若章邯之比、 故尉佗・章邯、得以成其私也。夫秦政之所以不行者、權分乎二子。此得失之效也。故周書曰、安危在出令。存亡在所用。【考證】沈欽韓曰、周書王佩解、存亡在所用、離合在出命、 願陛下詳察之、少加意而熟慮焉。是時趙人徐樂・齊人嚴

安、俱上書言世務。各一事。〔索隱〕樂、音岳、按嚴安本姓莊、避明帝諱、後竝改嚴也、安及徐樂竝拜郎中、樂後爲中大夫、〔考證〕梁玉繩曰、漢書謂徐樂燕郡無終人、則史言趙人誤也、顧炎武曰、鄧伯羔謂安自姓嚴、然漢書藝文志云、主父偃二十八篇、徐樂一篇、莊安一篇、是安本姓莊、非嚴也、漢書之稱莊安、班氏所未改也、史記之稱嚴安、後人所追改也、 徐樂曰。臣聞天下之患、在於土崩、不在於瓦解。古今一也。〔考證〕楓、三本、徐樂下有爲其辭三字、文選東方朔非有先生論、是以輔弼之臣瓦解、淮南子泰族訓、紂士億有餘萬、武王麾之、則瓦解而走、土崩而下、 何謂土崩。秦之末世是也。陳涉無千乘之尊、尺土之地、身非王公大人名族之後、無鄉曲之譽、非有孔・墨・曾子之賢、陶朱・猗頓之富也。然起窮巷、奮棘矜、偏袒大呼、而天下從風。〔集解〕矜、音勤、〔索隱〕棘矜、下音勤、矜、今戟柄、棘、戟也、〔考證〕顏師古曰、時秦銷兵器、故但有戟之把耳、愚按、此一節、分明襲賈生過秦論、 此其故何也。由民困而主不恤、下怨而上不知也。俗已亂、而政不脩。〔考證〕梁玉繩曰、知下也字衍、漢書無、 此三者、陳涉之所以爲資也。是之謂土崩。故

曰。天下之患、在於土崩。何謂瓦解。吳・楚・齊・趙之兵是也。七國謀爲大逆、號皆稱萬乘之君。帶甲數十萬、威足以嚴其境內、財足以勸其士民。然不能西攘尺寸之地、而身爲禽於中原者、此其故何也。非權輕於匹夫、而兵弱於陳涉也。當是之時、先帝之德澤未衰、而安土樂俗之民衆。故諸侯無境外之助。此之謂瓦解。故曰。天下之患、不在瓦解。由是觀之、天下誠有土崩之勢、雖布衣窮處之士、或首惡而危海內。陳涉是也。況三晉之君或存乎。〔考證〕漢書、惡作難、顏師古曰、韓趙魏三國本分晉、故稱三晉、愚按、言陳涉尙且危天下、況三晉之君乎、 天下雖未有大治也、誠能無土崩之勢、雖有彊國勁兵、不得旋踵而身爲禽矣。吳・楚・齊・趙是也。況羣臣百姓能爲亂乎哉。〔考證〕漢書、

未下無有大二字、乎下無哉字、 此二體者、安危之明要也。賢主所畱意而深察也。閒者關東五穀不登、年歲未復、民多窮困。重之以邊境之事。推數循理而觀之、則民且有不安其處者矣。〔考證〕漢書、且作宜、 不安故易動。易動者土崩之勢也。故賢主獨觀萬化之原、明於安危之機、脩之廟堂之上、而銷未形之患。其要期使天下無土崩之勢而已矣。故雖有彊國勁兵、陛下逐走獸射蜚鳥、弘游燕之囿、淫縱恣之觀、極馳騁之樂自若也。金石絲竹之聲、不絕於耳、帷帳之私、俳優侏儒之笑、不乏於前、而天下無宿憂。〔考證〕自若、言無廢損、宿、久也、楓、三本、絲竹下有鐘鼓二字、分明襲賈生治安策、 名何必湯・武。俗何必成・康。雖然臣竊以爲陛下天然之聖、寬仁之資、而誠以天下爲務、則湯

武之名不難侔、而成・康之俗可復興也。此二體者立、然後處尊安之實、揚名廣譽於當世、親天下而服四夷、餘恩遺德、爲數世隆、南面負扆攝袂而揖王公。此陛下之所服也。〔考證〕扆、畫斧屏風、明堂位、天子斧扆南鄉而立、顏師古曰、服、事也、 臣聞圖王不成、其敝足以安。〔考證〕沈欽韓曰、御覽七十七、桓譚新論曰、儒者或曰、圖王不成、其敝可以霸、後漢書王元說隗囂、亦作霸、 安則陛下何求而不得。何爲而不成。何征而不服乎哉。〔考證〕漢書、無哉字、 嚴安上書曰。臣聞周有天下、其治三百餘歲。〔考證〕莊安書臣聞下、尙有二百七十餘字、漢書載之、皆切中時弊、深識治體之要、史公何以删之、 成・康其隆也、刑錯四十餘年而不用。其衰也、亦三百餘歲。故五伯更起。五伯者、常佐天子、興利除害、誅暴禁邪、匡正海內、以尊天子。五伯既沒、賢聖莫續、天子孤弱、號令不行、諸侯恣行、彊陵

弱、衆暴寡、田常篡齊、六卿分晉、竝爲戰國。此民之始苦也。於
是彊國務攻、弱國備守、合從連橫、馳車擊轂、【考證】中井積德曰、漢書、備作修、於耦對
爲切、介冑生蟣蝨、民無所告愬。及至秦王、蠶食天下、并吞戰國、
稱號曰皇帝、主海內之政、壞諸侯之城、【考證】楓、三本、主作壹、漢書作一、 銷其
兵、鑄以爲鍾虡、示不復用。【索隱】鍾虡、下音巨、鄒氏本作鐻、音同、 元元黎民、得免於
戰國、逢明天子、人人自以爲更生。嚮使秦緩其刑罰、薄賦斂、
省繇役、貴仁義、賤權利、上篤厚、【索隱】上、猶尚也、貴也、 下智巧、【索隱】謂智巧爲下也、
【考證】漢書、智作佞、非、 變風易俗、化於海內、則世世必安矣。秦不行是風、
而脩其故俗、【考證】漢書、脩作循、 爲智巧權利者進、篤厚忠信者退、法嚴
政峻、諂諛者衆、日聞其美、意廣心軼、欲肆威海外、乃使蒙恬

將兵以北攻胡、辟地進境、戍於北河、蜚芻輓粟、以隨其後、又
使尉佗屠睢將樓船之士、南攻百越。【索隱】案、尉、官也、他、趙他也、音徒何反、屠睢、人姓名、睢、音雖、【考證】
梁玉繩曰、南越傳、無尉佗攻越事、乃尉屠睢也、尉、秦官、屠睢人姓名、蓋尉斯離之比、漢書嚴助嚴安傳、皆無佗字、此因下文尉佗戍越而誤、索隱謬分爲二人、尉屠睢事、見淮南子
人間訓、 使監祿鑿渠運糧、深入越。【集解】韋昭曰、監、御史、名祿也、【考證】秦時郡置守尉監、 越人遁
逃、曠日持久、糧食絕乏。越人擊之、秦兵大敗。秦乃使尉佗將
卒以戍越。【考證】沈欽韓曰、尉佗、任囂之誤、使囂戍越、因爲南海尉、趙佗應以偏裨行耳、王先謙曰、因後尉佗擅越、特擧之、非誤也、 當是時、
秦禍北構於胡、南挂於越、宿兵無用之地、進而不得退。【考證】顏師
古曰、挂、懸也、王念孫曰、挂讀爲絓、絓、結也、 行十餘年、丁男被甲、丁女轉輸、苦不聊生、自
經於道樹、死者相望。及秦皇帝崩、天下大叛、陳勝·吳廣擧陳、
【索隱】謂勝廣擧兵於陳、擧音如字、或音擄、恐疎也、下同、 武臣·張耳擧趙、項梁擧吳、田儋擧齊、景

駒擧郢、周市擧魏、韓廣擧燕、【考證】張文虎曰、游、王、柯、凌本、駒譌騎、 窮山通谷、豪士
竝起、不可勝載也。然皆非公侯之後、非長官之吏也。無尺寸
之勢、起閭巷、杖棘矜、應時而皆動、不謀而俱起、不約而同會、
壤長地進、至于霸王。時教使然也。【集解】張晏曰、長、進益也、【考證】顏師古曰、言其稍稍攻伐、進益土境、以
至彊大也、閻白駒曰、時教、所謂法嚴政峻是也、 秦貴爲天子、富有天下、滅世絕祀者、窮兵
之禍也。故周失之弱。秦失之彊。不變之患也。【考證】蘇氏審勢篇、敷演此數語、
今欲招南夷、朝夜郎、降羌僰、略濊州、建城邑、深入匈奴、燔其
蘢城。【集解】如淳曰、濊州、東夷也、【索隱】僰、白北反、又皮逼反、濊州、地名、即古濊貊國也、音紆廢反、蘢城、匈奴城名、音龍、燔、音煩、燔、燒也、【考證】漢書武紀、元光五年、發
巴蜀治南夷道、元朔二年罷、元朔元年、東夷薉君南閭等口二十八萬人降、爲蒼海郡、三年罷、蓋安上書時、方有此事也、漢書削欲字、非是、 議者美之。
此人臣之利也。非天下之長策也。今中國無狗吠之驚。【考證】漢書、

驚作警、 而外累於遠方之備、靡敝國家。非所以子民也。行無窮
之欲、甘心快意、結怨於匈奴。非所以安邊也。禍結而不解、兵
休而復起、近者愁苦、遠者驚駭。非所以持久也。今天下鍛甲
砥劍、橋箭累弦、轉輸運糧、未見休時。此天下之所共憂也。
【考證】楓本、漢書、橋作矯、通、中井積德曰、累弦、造弦也、運糧、漢書作軍糧、 夫兵久而變起、事煩而慮生。今外
郡之地、或幾千里、列城數十、形束壤制、旁脅諸侯。非公室之
利也。【集解】服虔曰、言所束在郡守、土壤足以專民制、蘇林曰、言其土地形勢、足以束制其民也、【索隱】案、謂地形及土壤、皆束制在諸侯也、【考證】楓本、或作封、漢書
旁作帶、公作宗、李笠曰、正義、蘇林、漢書注作孟康、 上觀齊·晉之所以亡者、公室卑削、六卿大
盛也。下觀秦之所以滅者、嚴法刻深、欲大無窮也。【考證】漢書、嚴法刻深作
刑嚴文刻、楓、山本、大作甚、 今郡守之權、非特六卿之重也。地幾千里、非特閭

巷之資也。甲兵器械、非特棘矜之用也。以遭萬世之變、則不可稱諱也。【考證】稱字、楓、三本、漢書、作勝、中井積德曰、論郡守之彊大、比以晉之六卿、是安之過慮、比擬失倫者、且此在推恩分封之前、諸侯王尚彊大、非郡守所能脅制也、敘事亦失實、書奏天子。天子召見三人、謂曰。公等皆安在。何相見之晚也。【集解】徐廣曰、佗史記本皆不見嚴安、此旁所篹者、皆取漢書耳、然漢書不宜乃容大異、或寫史記相承闕脫也、【索隱】篹、音撰、於是上乃拜主父偃·徐樂·嚴安爲郎中。【考證】三人上書、通鑑係之元朔元年、或云、元光六年事、未詳、趙翼曰、漢高祖駐軍、酈食其謁見、帝方洗足、即召入、酈生責以不宜倨見長者、帝改容謝之、陳平以魏無知入見、即召賜食、遣出、平曰、臣所言不可過今日、遂欣然留使盡言、帝在洛陽、婁敬脫輓輅、謂虞將軍曰、臣願見上、虞將軍欲爲易衣、敬曰、臣衣帛帛見、衣褐褐見、將軍入言上、上即召見賜食、此高祖創業時固收攬人才爲急也、至武帝則繼體已五世、朝廷尊嚴、宜與臣民闊絕矣、乃主父偃上書、朝奏入、暮即召見、同時徐樂嚴安、亦上書俱召見、曰、公等皆安在、何見之晚也、終軍上書言事、帝奇其文、即拜爲謁者、甚而東方朔上書、自言年十三學書、十五學劍、十六學詩書、誦二十二萬言、十九學孫吳、亦誦二十二萬言、今年二十三、長九尺三寸、目若懸珠、齒若編貝、勇若孟賁、捷若慶忌、廉若鮑叔、信若尾生、若此可爲天子大臣矣、其狂肆自舉如此、使在後世、豈不以妄誕得罪、乃帝反偉之、而令待詔金馬門、遂以進用、史稱武帝招英俊、程其器能、用之如不及、宜乎興文治建

武功、爲千古英主也、又戾太子死巫蠱之禍、車千秋上書、爲太子訟冤、帝大感悟召見、即拜爲大鴻臚、不數月、遂爲丞相、帝之度外用人如此、而當時禁網疏闊、懷才者、皆得自達、亦於此可見矣、偃數見上疏言事。詔拜偃爲謁者、遷樂爲中大夫、一歲中四遷偃。【考證】數上偃字、依楓、三本補、漢書亦有、梁玉繩曰、遷中大夫者主父偃也、漢書曰、偃遷謁者中郎中大夫、所謂一歲四遷、以此、與徐樂何涉、樂字當衍、偃說上曰。古者諸侯不過百里。彊弱之形易制。【考證】楓、三本、漢書、侯下有地字、今諸侯或連城數十、地方千里。緩則驕奢、易爲淫亂。急則阻其彊而合從、以逆京師。今以法割削之、則逆節萌起。前日鼂錯是也。今諸侯子弟、或十數。而適嗣代立。餘雖骨肉、無尺寸地封。則仁孝之道不宣。【考證】漢書、寸地作地之、願陛下令諸侯得推恩分子弟、以地侯之、彼人人喜得所願。上以德施、實分其國。不削而稍弱矣。【考證】賈生遺策、於是上從其計。【集解】徐廣曰、元朔二年、始令諸侯王分封子弟也、又說上曰。茂陵初立、天下豪桀幷兼之家、亂衆之民、皆可徙茂陵。內實京師、外銷姦猾。此所謂不誅而害除。上又從其計。【考證】武紀云、建元二年、初起茂陵、元朔二年夏、徙郡國豪傑及貲三百萬以上于茂陵、尊立衞皇后、及發燕王定國陰事、蓋偃有功焉。【考證】漢書武紀、元朔元年春、立皇后衞氏、二年秋、燕王定國有罪自殺、張文虎曰、蓋字吳增、與舊刻合、大臣皆畏其口、賂遺累千金。人或說偃曰。太橫矣。主父曰。臣結髮游學四十餘年。身不得遂。【考證】顏師古曰、遂、猶達也、楓本、父下有偃字、親不以爲子、昆弟不收、賓客弃我。我阨日久矣。且丈夫生不五鼎食、死即五鼎烹耳。吾日暮途遠。故倒行暴施之。【索隱】按偃言、吾日暮途遠、恐赴前途不跌、故須倒行而逆施、乃可及耳、今此本作暴、暴者言已困久得申、須急暴行事以快意也、暴者、卒也急也、【考證】張晏曰、五鼎食、牛羊豕魚麋也、諸侯五、卿大夫三、孔穎達曰、少牢陳五鼎、羊一、豕二、膚三、魚四、腊五、愚按五鼎、猶言盛饌、不必論其品目、顏師古曰、五鼎亨之、謂被鑊亨之誅、又曰、日暮、言年老也、倒行逆施、謂不遵常理、此語本出伍子胥、偃述而稱之、愚按

漢書、暴施作逆施、伍子胥傳、作倒行而逆施之、偃盛言朔方地肥饒、外阻河。蒙恬城之、以逐匈奴。內省轉輸戍漕、廣中國。滅胡之本也。【考證】何焯曰、偃前諫伐匈奴、此何以復議置朔方郡、前言地澤鹵不生五穀、轉輸率三十鍾致一石、此何以復云地肥饒省轉漕、豈非進由衞氏、衞將軍始取其地、故偃變前說、以建此計乎、王鳴盛曰、公孫弘及主父偃徐樂嚴安、皆傾險浮薄之徒耳、而其上書言事、皆能諫止用兵、蓋是時如若輩者、猶倚正論以行其說、武帝亦喜而恨相見晚、武帝好文、故愛其辭、而不責其忤己、偃既任用、遂請城朔方、以爲滅匈奴之本、與初進議論大相矛盾矣、上覽其說、下公卿議。【考證】楓、三本、覽作賢、皆言不便。公孫弘曰。秦時常發三十萬衆築北河。終不可就。已而弃之。【考證】楓、三本、漢書、常作嘗、主父偃盛言其便。上竟用主父計、立朔方郡。【考證】楓、三本、父下有偃字、下同、元朔二年、主父言齊王內淫佚行僻、上拜主父爲齊相。至齊。遍召昆弟賓客、散五百金予之、數之曰。始吾貧時、昆弟不我衣食。賓客不我內門。今吾相齊。諸君迎我、或千

里。吾與諸君絕矣。毋復入偃之門。【考證】楓、三本、或下有數字、 乃使人以王與姊姦事動王。王以爲終不得脫罪。恐效燕王論死、乃自殺。有司以聞。【考證】齊厲王次景也、事互見齊悼惠王世家、 主父始爲布衣時、嘗游燕・趙。及其貴、發燕事。趙王恐其爲國患、欲上書言其陰事。爲偃居中、不敢發。【考證】趙王、景帝子彭祖、 及爲齊相出關、卽使人上書告言主父偃受諸侯金。以故諸侯子弟多以得封者。【考證】楓、三本、漢書、及下有其字、 及齊王自殺、上聞大怒、以爲主父劫其王令自殺。乃徵下吏治。主父服受諸侯金、實不劫王令自殺。上欲勿誅。是時公孫弘爲御史大夫。【考證】漢書百官表、弘爲御史大夫、在元朔三年、 乃言曰。齊王自殺、無後國除、爲郡入漢。主父偃本首惡。陛下不誅主父偃、無以謝天下。乃遂

族主父偃。【考證】何焯曰、公孫弘以議朔方族主父、二人合傳、猶之袁盎鼂錯也、 主父方貴幸時、賓客以千數。及其族死、無一人收者。唯獨洨孔車收葬之。【集解】徐廣曰、孔車、洨人也、沛有洨縣、【索隱】洨、戶交反、按縣名、在沛、車、尺奢反、 天子後聞之、以爲孔車長者也。【考證】史公答任安書云、交游莫救、左右親近、不爲一言、無慼於孔車乎、漢書公孫弘傳云、弘沒後爲相者、李蔡等十餘人、盡誅、惟石慶得善終、正以見弘之能得君也、

太史公曰。公孫弘行義雖脩、然亦遇時。漢興八十餘年矣。【集解】徐廣曰、漢初至元朔二年、八十年也、 上方鄉文學。招俊乂以廣儒墨。弘爲舉首。主父偃當路、諸公皆譽之。及名敗身誅、士爭言其惡。悲夫。

太皇太后詔大司徒大司空。【集解】徐廣曰、此詔是平帝元始中王元后詔、後人寫此、及班固所稱、以續卷後、【索隱】按徐廣云、此是平帝元始中詔、以續卷後、則又非褚先生所錄也、【考證】洪亮吉曰、案此疑馮商受詔續太史公書時所錄入、梁玉繩曰、讀史漫錄云、平帝時追錄公孫弘、言其位爲丞相、食一肉脫粟爲布被、可見弘本以此著名稱、而汲汲公獨少之、豈弘之詐能欺數世之後、而不能欺一長孺歟、蓋漢廷之臣皆知其僞、而汲公敢言也、然平

帝褒之者何、王莽僞爲恭儉、以釣名聲、取其與己類、故錄之爾、夫不見取于同時之長孺、而見知于數世之王莽、弘之品流、不益爲轅生恥耶、 蓋聞治國之道、富民爲始。富民之要、在於節儉。孝經曰。安上治民、莫善於禮。禮與奢也寧儉。【考證】論語八佾篇、禮與其奢也寧儉、 昔者管仲相齊桓、霸諸侯、有九合一匡之功。而仲尼謂之不知禮。以其奢泰侈擬於君故也。【考證】論語八佾篇、 夏禹卑宮室、惡衣服。後聖不循。由此言之、治之盛也德優矣。莫高於儉。【考證】董份曰、聖字、恐當世字、張文虎曰、治、它本作始、依宋本、毛本、愚按凌引一本亦作治、 儉化俗民、則尊卑之序得、而骨肉之恩親、爭訟之原息。斯乃家給人足、刑錯之本也歟。可不務哉。夫三公者、百寮之率、萬民之表也。未有樹直表而得曲影者也。孔子不云乎。子率以正、孰敢不正。舉善而教不能則

勸。【考證】上句論語顏淵篇、下句爲政篇、 維漢興以來、股肱宰臣、身行儉約、輕財重義、較然著明、未有若故丞相平津侯公孫弘者也。【索隱】較、音角、較、明也、 位在丞相、而爲布被、脫粟之飯、不過一肉。故人所善賓客、皆分奉祿以給之。無有所餘。誠內自克約、而外從制。汲黯詰之、乃聞于朝。此可謂減於制度而可施行者也。【集解】應劭曰、禮貴有常尊、衣服有常品、 德優則行、否則止。與內奢泰、而外爲詭服、以釣虛譽者殊科。以病乞骸骨。孝武皇帝卽制曰。賞有功、褒有德、善善惡惡、君宜知之。其省思慮存精神、輔以醫藥。賜告治病、牛酒雜帛。居數月、有瘳視事。至元狩二年、竟以善終于相位。夫知臣莫若君。此其效也。弘子度嗣爵。後爲

山陽太守。坐法失侯。夫表德章義、所以率俗厲化、聖王之制、不易之道也。其賜弘後子孫之次當爲後者、爵關內侯、食邑三百戶。徵詣公車、上名尚書、朕親臨拜焉。【考證】楓、三本、朕下有將字、

班固稱曰。公孫弘·卜式·兒寬、皆以鴻漸之翼、困於燕雀、【集解】李奇曰、漸、進也、鴻一舉而進千里者、羽翼之材也、弘等皆以大材初爲俗所薄、若燕雀不知鴻鵠之志也、【索隱】按謂公孫弘等未遇、爲時所輕、若飛鴻之未漸、受困於燕雀也、是燕雀安知鴻鵠之志也、【考證】顏師古曰、易漸卦上九爻辭曰、鴻漸于陸、其羽可以爲儀、鴻、大鳥也、漸、進也、高平曰陸、喻弘等皆有鴻之羽儀、未進之時、燕爵所輕也、遠迹羊豕之閒。【集解】韋昭曰、遠迹、謂耕牧在於遠方、【索隱】案公孫弘牧豕、卜式牧羊也、非遇其時、焉能致此位乎。是時漢興六十餘載、海內乂安、府庫充實。【索隱】乂、理也、而四夷未賓、制度多闕。上方欲用文武、求之如弗及。始以蒲輪迎枚生、【索隱】案謂枚乘也、漢始迎申公、亦以蒲輪、謂以蒲裹車輪、恐傷草木也、且蒲是草之美者、故禮有蒲璧、葢畫蒲於輪以爲榮飾也、【考證】徐孚遠曰、封泰山、用蒲輪、恐傷草木也、迎賢人用蒲輪、欲令車安也、索隱非是、見主父而歎息。【索隱】案上文、嚴安等上書、上曰、公等安在、何相見之晚、是也、羣臣慕嚮、異人竝出。【考證】楓、三本、漢書、臣作士、卜式試於芻牧、弘羊擢於賈豎、衞青奮於奴僕、日磾出於降虜。【考證】卜式、見平準書、金日磾、匈奴休屠王太子、武帝拜爲侍中車騎將軍、帝崩、受遺詔輔政、漢書有傳、斯亦曩時版築飯牛之朋矣。【考證】顏師古曰、版築、傅說也、飯牛、甯戚也、漢書、矣作已、漢之得人、於茲爲盛。儒雅則公孫弘·董仲舒·兒寬。篤行則石建·石慶。質直則汲黯·卜式。推賢則韓安國·鄭當時。定令則趙禹·張湯。文章則司馬遷·相如。滑稽則東方朔·枚皋。應對則嚴助·朱買臣。歷數則唐都·落下閎。協律則李延年。運籌則桑弘羊。奉使則張騫·蘇武。將帥則衞青·霍去病。受遺則霍光·金日磾。其餘不可

勝紀。是以興造功業、制度遺文、後世莫及。孝宣承統、纂脩洪業、亦講論六藝、招選茂異。而蕭望之·梁丘賀·夏侯勝·韋玄成·嚴彭祖·尹更始、以儒術進、劉向·王褒、以文章顯。將相則張安世·趙充國·魏相·邴吉·于定國·杜延年。治民則黃霸·王成·龔遂·鄭弘·召信臣·韓延壽·尹翁歸·趙廣漢之屬、皆有功迹、見述於後。累其名臣、亦其次也。【考證】以上漢書公孫弘卜式兒寬傳贊、漢書、趙廣漢下有嚴延年張敞、後累作世參、以世字爲句、郭嵩燾曰、其名臣、疑當作諸名臣、顏師古曰、次於武帝時、

【索隱】述贊、平津巨儒、晚年始遇、外示寬儉、內懷嫉妒、寵備榮爵、身受肺腑、主父推恩、觀時設度、生食五鼎、死非時蠹、

平津侯主父列傳第五十二　史記一百十二

史記會注考證卷一百十三

漢　太　史　令　司　馬　遷　撰

宋中郎外兵曹參軍裴　駰集解

唐國子博士弘文館學士司馬貞索隱

唐諸王侍讀率府長史張守節正義

日　本　出　雲　瀧　川　資　言　考　證

南越列傳第五十三　　史記一百十三

【考證】史公自序云、漢既平中國、而佗能集揚越、以保南藩、納貢職、作南越列傳第五十三、愚按各本作南越尉佗列傳、今從自序及索隱本、楓三本、凌稚隆曰、南越、今廣東

西二省、陳仁錫云、太史公作兩越朝鮮西南夷列傳、取其以外夷而藩臣於中國也、故敘南粵、則曰以保南藩、敘東越、則曰葆封禺爲臣、敘朝鮮、則曰葆塞爲外臣、敘西南夷、則曰、請爲內臣、

南越王尉佗者、眞定人也。姓趙氏。【索隱】尉他、尉、官也、他、名也、姓趙、他、音徒河反、又十三州記云、大郡曰守、小郡曰尉、韋昭曰、眞定、故郡名、後更爲縣、在常山、【正義】南越都廣州南海縣、【考證】眞定、今直隷正定府、秦時已幷天下、略定揚越、【集解】張晏曰、揚州之南越也、【索隱】案戰國策云、吳起爲楚收揚越、【正義】夏禹九州、本屬揚州、故云揚越、置桂林・南海・象郡、【索隱】按地理志、武帝更名鬱林、案本紀、始皇三十三年、略陸梁地、以爲南海桂林象郡、地理志云、武帝更名日南、以謫徙民、與越雜處十三歲。【集解】徐廣曰、秦幷天下至二世元年十三年、幷天下八歲乃平越地、至二世元年六年耳、【索隱】謫、音直革反、佗、秦時用爲南海龍川令。【索隱】地理志、縣名、屬南海也、【正義】顏師古云、龍川、南海縣也、卽今之循州也、裴氏廣州記云、本博羅縣之東鄉、有龍穿地而出、卽穴流泉、因以爲號也、【考證】龍川、惠州府龍川縣西北、至二世時、南海尉任囂病且死。【集解】徐廣曰、爾時未言都尉也、【索隱】囂、五刀反、【考證】館本考證云、案此郡尉也、掌一郡兵、故得移檄發兵、召龍川令趙佗語

曰。聞陳勝等作亂。秦爲無道、天下苦之、項羽・劉季・陳勝・吳廣等、州郡各共興軍聚衆、虎爭天下、中國擾亂、未知所安、豪傑畔秦相立。【考證】聞陳勝等以下五十字、辭意重複、漢書修爲聞陳勝等作亂、豪傑叛秦相立十二字、南海僻遠。吾恐盜兵侵地至此。吾欲興兵絕新道、自備、待諸侯變。【索隱】案蘇林云、新道、秦所通越道、會病甚。且番禺負山險、阻南海、東西數千里。【考證】漢書、海作北、以阻字絕句、周壽昌曰、史記險字海字絕句、漢書海字譌爲北字、遂云南北東西數千里、與南越地勢不合、從史記、是、頗有中國人相輔。此亦一州之主也。可以立國。郡中長吏、無足與言者。故召公告之。卽被佗書、行南海尉事。【集解】韋昭曰、被之以書、音光被之被、【索隱】韋昭云、被之以書、音皮義反、服虔云、囂詐作詔書、使爲南海尉、囂死。佗卽移檄告橫浦・陽山・湟谿關曰。【集解】徐廣曰、陽山、在桂陽、通四會也、【索隱】案南康記云、南野縣大庾嶺三十里、至橫浦、有秦時關、其下謂爲塞上、姚氏案地理志云、桂陽有陽山縣、今此縣、上流百餘里、有騎田嶺、當是陽山關、湟谿、鄒氏劉氏本竝

作湼、音年結反、漢書作湟谿、音皇、又衛靑傳云、出桂陽下湟水、是也、而姚察云、史記作湼、今本作湟湼及匯、不同、良由隨聞則輒改故也、水經云、含匯縣南有匯浦關、未知孰是、然鄒誕作湼、漢書作湟、蓋近於古、【考證】張文虎曰、湟谿、索隱本作湼谿、則與鄒氏劉氏及姚察所見本同也、湼乃譌字、今本史記竝作湟、疑依漢書改、丁謙曰、橫浦、今南雄州地、卽水經注洭浦、爲豫章入粵之孔道、陽山、漢縣、今屬連州、湟溪關、在連州界、卽湟水發源處、爲桂陽入粵之孔道、凌稚隆曰、索隱引衛靑傳、考衛靑傳、無出桂陽之文、張文虎曰、當云南粵傳、王念孫曰、水經注、匯作洭、盜兵且至。急絕道、聚兵自守。【考證】凌稚隆曰、絕道自守、與上絕新道自備相應、因稍以法誅秦所置長吏、以其黨爲假守。【索隱】案謂他立其所親黨、爲郡縣之職或假守、【考證】假、眞假之假、假爲郡守也、漢書作守假、義殊、顏師古曰、令爲郡縣之職、或守或假、中井積德曰、守、行守之守、秦已破滅。佗卽擊幷桂林・象郡、自立爲南越武王。【集解】韋昭曰、生以武爲號、不稽於古也、【考證】桂林郡、秦置、淸廣西省地、象郡、亦秦置、越南北圻地、顏師古曰、成湯曰、吾武甚、因自號武王、佗言武王、亦猶是耳、愚按草澤之雄、各自爲制、何必稽於古、高帝已定天下、爲中國勞苦故、釋佗弗誅。漢十一年、遣陸賈、因立佗爲南越王、與剖符通使、和集百越、毋爲南邊患害。與長沙接境。【考證】周壽昌曰、時桂陽

零陵兩郡、俱屬長沙、未別置郡、而皆與南粵接境、漢書高紀、十一年五月詔曰、粵人之俗、好相攻擊、前時秦徙中縣之民南方三郡、使與百粵雜處、會天下誅秦、南海尉它、居南方長治之、甚有文理、中縣人以故不耗減、粵人相攻擊之俗益止、俱賴其力、今立它爲南粵王、事又詳陸賈傳、 高后時、有司請禁南越關市鐵器。佗曰。高帝立我、通使物。今高后聽讒臣、別異蠻夷、隔絕器物。此必長沙王計也。欲倚中國、擊滅南越、而幷王之、自爲功也。【考證】漢書、計下無也字、 於是佗乃自尊號爲南越武帝、【考證】漢書、作南武王、非是、 發兵攻長沙邊邑、敗數縣而去焉。高后遣將軍隆慮侯竈往擊之。【索隱】韋昭云、姓周、隆慮、縣名、屬河內、音林閭二音、 會暑溼、士卒大疫、兵不能踰嶺。【索隱】案此嶺、卽陽山嶺、 歲餘、高后崩、卽罷兵。佗因此以兵威邊、財物賂遺閩越·西甌·駱、役屬焉。東西萬餘里。【集解】漢書音義曰、駱越也、【索隱】鄒氏云、又有駱越、姚氏案廣州記云、交阯有駱田、仰潮水上下、人食其田、名爲駱人、有駱王駱侯、諸縣自名爲駱將、銅印青綬、卽今之令長也、後蜀王子將兵討駱侯、自稱爲安陽王、治封溪縣、後南越王尉

他、攻破安陽王、令二使典主交阯九眞二郡人、尋此駱卽甌駱也、【考證】楓、三本、兵作士卒、財上有以字、顏師古曰、西甌卽駱越也、言西者以別東甌也、愚按下文云、其東閩越千人衆、號稱王、其西甌駱裸國、亦稱王、此駱下當有裸字、閩越、西甌、駱裸、蓋三國名、 迺乘黃屋左纛、稱制、與中國侔。【正義】纛、音導、又音獨、蘚□云、纛以旄牛尾置馬頭上也、 及孝文帝元年、初鎭撫天下、使告諸侯四夷從代來卽位意、喩盛德焉。乃爲佗親冢在眞定、置守邑、歲時奉祀、召其從昆弟、尊官厚賜寵之。【考證】顏師古曰、親、謂父母也、 詔丞相陳平等、擧可使南越者。平言好時陸賈、先帝時習使南越。【考證】楓、三本、言上有等字、 迺召賈以爲太中大夫、往使。因讓佗自立爲帝、曾無一介之使報者。【考證】介、與个同、左傳、不使一介行李告于寡君、漢書文帝贈尉它書、作一乘、 陸賈至南越。王甚恐、爲書謝。稱曰。蠻夷大長老夫臣佗、前日高后隔異南越。【考證】楓、三本、后下有時字、 竊疑長沙王讒臣。又遙聞高后盡誅佗宗

族、掘燒先人冢。以故自弃、犯長沙邊境。且南方卑溼、蠻夷中閒。其東閩越千人衆、號稱王。其西甌駱裸國、亦稱王。【索隱】裸國、音和寡反、裸、露形也、【考證】西字當重、其東其西對文、西甌、國名、見上、索隱和疑利之譌、 老臣妄竊帝號、聊以自娛。豈敢以聞天王哉。乃頓首謝。願長爲藩臣奉貢職。【考證】漢書兩粵傳、載文帝賜書及佗荅書全文、彼是參看情事兩得、 於是乃下令國中曰。吾聞兩雄不俱立、兩賢不竝世。皇帝賢天子也。自今以後、去帝制黃屋左纛。【考證】漢書、皇帝上有漢字、後作來、 陸賈還報。孝文帝大說。遂至孝景時、稱臣、使人朝請。【考證】張文虎曰、凌本、人譌入、愚按漢書、使上有遣字、人作入、 然南越其居國、竊如故號名。其使天子稱王、朝命如諸侯。至建元四年卒。佗孫胡爲南越王。【集解】徐廣曰、皇甫謐曰、越王趙佗、以建元四年卒、爾時漢興七十年、佗蓋百歲矣、【考證】王鳴盛曰、趙佗於文帝元年已自稱老夫處粵四十九年、歷文帝二十三年、景帝十六年、至武帝建

元四年、凡四十三年、卽以二十餘歲爲龍川令、亦一百十餘歲矣、愚按佗何若是之壽耶、案漢傳無卒字、此疑衍、建元四年、佗孫胡嗣位之歲也、非佗卒于是歲、史漢皆不書佗子、蓋外藩事略、 此時閩越王郢、興兵擊南越邊邑。【考證】漢書、此時作立三年、 胡使人上書曰。兩越俱爲藩臣。毋得擅興兵相攻擊。今閩越興兵侵臣。臣不敢興兵。唯天子詔之。【考證】楓、三本、漢書、閩越下有擅字、 於是天子多南越義、守職約、爲興師、遣兩將軍往討閩越。【索隱】兩將軍、王恢、韓安國、【考證】漢書武紀、建元六年、 兵未踰嶺、閩越王弟餘善、殺郢以降。於是罷兵。天子使莊助往諭意。南越王胡頓首曰。天子乃爲臣興兵討閩越。死無以報德。遣太子嬰齊入宿衞。謂助曰。國新被寇。使者行矣。胡方日夜裝、入見天子。助去後、其大臣諫胡曰。漢興兵誅郢、亦行、以驚動南越。【考證】岡白駒曰、漢之興兵誅郢、南越已驚動矣、今又行漢、亦以驚動南越、 且先王昔言。事

天子、期無失禮。要之、不可以說好語入見。【索隱】悅好語入見、悅、漢書作怳、韋昭云、誘怳好語、【考證】王先謙曰、要之、猶言總之、謂大要在此、張文虎曰、誘訹字从言、怳乃假借字、愚按說讀爲悅、義通、不必從漢書改字、入見、則不得復歸。亡國之勢也。於是胡稱病、竟不入見。後十餘歲、胡實病甚。太子嬰齊請歸。胡薨。謚爲文王。嬰齊代立、卽藏其先武帝璽。【索隱】李奇云、去其僭號、【考證】梁玉繩曰、案漢書作武帝文帝璽、已僭帝號、有璽宜也、豈其孫亦僭帝號乎、蓋其居國中、兩世竊如故號耳、則此缺文帝二字、嬰齊其入宿衛在長安時、取邯鄲樛氏女、生子興。【集解】徐廣曰、興一作典、【索隱】樛氏女、樛、紀虬反、樛姓出邯鄲、【考證】漢書樛从手、及卽位、上書請立樛氏女爲后、興爲嗣。漢數使使者風諭嬰齊。【考證】顏師古曰、風讀曰諷、諷諭令入朝、嬰齊尙樂擅殺生自恣、懼入見、要用漢法、比內諸侯。【考證】楓、三本、漢書、嬰齊下有猶字、要、劫也、固稱病、遂不入見。遣子次公入宿衛。嬰齊薨。謚爲明王。太子興代立。其母

爲太后。太后自未爲嬰齊姬時、嘗與霸陵人安國少季通。【索隱】安國、姓也、少季、名也、及嬰齊薨後、元鼎四年、漢使安國少季往諭王·王太后、以入朝比內諸侯。令辯士諫大夫終軍等宣其辭、勇士魏臣等輔其缺、衞尉路博德將兵屯桂陽待使者。【集解】徐廣曰、一作決、【考證】胡三省曰、百官表、元狩五年、初置諫大夫、秩八百石、終軍、漢書有傳、梁玉繩曰、終軍奇人、史公何以不爲立傳、輔其缺、補其不足也、徐引一本作決、與漢書合、顏注、助令決策也、亦通、桂陽、今郴州、隸湖南、王年少、太后中國人也。嘗與安國少季通。其使、復私焉。國人頗知之、多不附太后。太后恐亂起、亦欲倚漢威、數勸王及羣臣求內屬。【考證】漢書、削數字、羣作幸、卽因使者上書、請比內諸侯、三歲一朝、除邊關。於是天子許之、賜其丞相呂嘉銀印、及內史中尉太傅印、餘得自置。【考證】顏師古曰、丞相內史中尉太傅之外、皆任其國自選置、不受漢之印綬、

除其故黥劓刑、用漢法、比內諸侯。使者皆留塡撫之。【考證】胡三省曰、漢自文帝除肉刑、不用黥劓之法、故亦使南越除之、王·王太后、飭治行裝、重齎、爲入朝具。其相呂嘉年長矣。相三王、宗族官仕爲長吏者七十餘人。男盡尙王女、女盡嫁王子兄弟宗室、及蒼梧秦王有連。【集解】漢書音義曰、蒼梧、越中王、自名爲秦王、連、親婚也、【索隱】案蒼梧、越中王、自名爲秦王、卽下趙光是也、故云有連、連者連姻也、趙與秦同姓、故稱秦王、【考證】楓、三本、官作宦、周壽昌曰、音義是也、光自據蒼梧地、稱秦王、安在以秦趙同姓乎、其居國中甚重。越人信之、多爲耳目者、得衆心愈於王。【考證】顏師古曰、愈、勝也、王之上書、數諫止王。王弗聽。有畔心。數稱病、不見漢使者。使者皆注意嘉。勢未能誅。王·王太后亦恐嘉等先事發、乃置酒、介漢使者權、謀誅嘉等。【集解】韋昭曰、恃使者爲介冑也、【索隱】韋昭曰、恃使者爲介冑、志林云、介者、因也、欲因使者權誅呂嘉、然二家之說皆通、韋昭以介爲恃、介者、閒也、以言閒恃漢使者之權、意卽得云恃爲介冑則非也、虞喜以介爲因、亦有所由、案

介者、賓主所由也、【考證】顏師古曰、介、恃也、方苞曰、春秋傳、介恃楚衆以憑凌我敝邑、又嬰齊、魯之常隷也、敢介大國以求厚焉、使者皆東鄉、太后南鄉、王北鄉、相嘉·大臣皆西鄉、侍坐飲。【考證】漢書、修使者以下二十二字、爲請使者大臣皆侍坐飲九字、嘉弟爲將、將卒居宮外。酒行。太后謂嘉曰。南越內屬、國之利也。而相君苦不便者、何也。以激怒使者。使者狐疑相杖、遂莫敢發。【考證】杖、去聲、持也、與仗同、嘉見耳目非是、卽起而出。太后怒、欲鏦嘉以矛。王止太后。【集解】韋昭曰、鏦、撞也、【索隱】韋昭云、鏦、撞也、案字林七凶反、又吳王濞傳、鏦殺吳王、與此同、【考證】顏師古曰、耳目非是、異於常也、嘉遂出、分其弟兵就舍、稱病不肯見王及使者。【索隱】分弟兵就舍、案謂分取其兵也、漢書作介、介、被也、恃也、【考證】漢書作介、不成義、當從史文、乃陰與大臣作亂。王素無意誅嘉。嘉知之。以故數月不發。太后有淫行、國人不附。欲獨誅嘉等、力又不能。天子聞嘉不聽王·王太后弱孤不能制、使

者怯無決、又以爲王·王太后已附漢、獨呂嘉爲亂、不足以興兵、欲使莊參以二千人往使。參曰。以好往、數人足矣。以武往、二千人無足以爲也。辭不可。天子罷參也。考證漢書、參下也作兵、郟壯士故濟北相韓千秋奮曰。以區區之越、又有王太后應、獨相呂嘉爲害。願得勇士二百人、必斬嘉以報。集解徐廣曰、郟縣、屬潁川、音古洽反、索隱如淳云、郟、縣名、在潁川、正義今汝州郟城縣、考證錢大昕曰、李陵傳、作濟南相、毛本、二百人作三百人、與漢書合、於是天子遣千秋、與王太后弟樛樂、將二千人往。入越境。集解徐廣曰、千秋爲校尉、呂嘉等乃遂反。下令國中曰。王年少、太后中國人也。又與使者亂、專欲內屬、盡持先王寶器、入獻天子以自媚、多從人行至長安、虜賣以爲僮僕、取自脫一時之利、無顧趙氏社稷、爲萬世慮計

之意。乃與其弟將卒攻殺王太后及漢使者。遣人告蒼梧秦王及其諸郡縣、立明王長男越妻子術陽侯建德爲王。集解徐廣曰、元鼎四年、以南越王兄越封高昌侯、索隱韋昭云、漢所封、案功臣表、術陽屬下邳、正義術陽侯、漢所封、考證錢大昕曰、言粵妻者、以別於樛氏、胡三省曰、建德降漢、始封術陽侯、史蓋追書也、而韓千秋兵入破數小邑。其後越直開道給食。考證顏師古曰、縱之使入、然後誅滅之、未至番禺四十里、越以兵擊千秋等、遂滅之、考證番禺、今廣東廣州府、南海縣治、尉佗所都、使人函封漢使者節置塞上、好爲謾辭謝罪、發兵守要害處。索隱函封漢使節置塞上、案南康記以爲大庾名塞上也、考證顏師古曰、謾、音慢、誑也、顧炎武曰、顏師古注漢書西南夷傳云、要害者、在我爲要、於敵爲害也、此解未盡、要害、謂攻守必爭之地、我可以害彼、彼可以害我、謂之害、於是天子曰。韓千秋雖無成功、亦軍鋒之冠。封其子延年爲成安侯。樛樂其姊爲王太后、首願屬漢。封其子廣德爲龍亢侯。索隱案功臣表、成安屬郟、龍亢屬譙國、漢書作龔

侯、服虔音卬、晉灼云、古龍字、考證沈欽韓曰、表作龍侯、蓋脫一字、龔又龍亢之併、乃下赦曰。天子微、諸侯力政、譏臣不討賊。考證楓、三本、赦作詔、漢書、赦下有天下二字、微下有弱字、顏師古曰、力政、謂以兵力相加也、譏臣不討賊者、春秋之義、王文彬曰、政讀曰征、今呂嘉·建德等反、自立晏如。令罪人、及江淮以南、樓船十萬師、往討之。集解徐廣曰、淮一作匯也、應劭曰、時欲擊越、非水不至、故作大船、船上施樓、故號曰樓船也、考證漢書、罪人作粵人、愚按下文亦云、馳義侯因巴蜀罪人、伏波將軍將罪人、作罪人是、元鼎五年秋、衛尉路博德爲伏波將軍、出桂陽下匯水、集解徐廣曰、一作湟、駰案地理志曰、桂陽有匯水通四會、或作淮字、索隱劉氏云、匯當作湟、漢書云、下湟水、或本作洭、主爵都尉楊僕爲樓船將軍、出豫章下橫浦、考證豫章郡、今江西省、故歸義越侯二人、爲戈船下厲將軍、出零陵、或下離水、或抵蒼梧。集解張晏曰、歸義越侯、故越人降爲侯、徐廣曰、厲一作瀨、駰案張晏曰、越人於水中負人船、又有蛟龍之害、故置戈於船下、因以爲名也、應劭曰、瀨、水流沙上也、瓚曰、伍子胥書有戈船、以載干戈、因謂之戈船也、徐廣曰、離水、在零陵、通廣信、正義地理志云、零陵縣有離水、東至廣信入鬱林九百八十里、考證漢書武紀云、歸義越侯嚴爲戈船將軍出零陵下離水、

甲爲下瀨將軍下蒼梧、嚴、甲二人名、徐德森曰、戈船、瓚說是、三輔黃圖曰、昆明池中有戈船數十、樓船百艘、船上立戈矛、四角悉垂幡旄葆麾、蓋照燭涯涘、是明明以船載戈、初非置戈於船下、劉攽曰、船下安戈、既既難措置、又不可以行、丁謙曰、零陵郡、武帝時置、今湖南永州府、南蓋湖湘水之源以入灕水、二水通連處、在今廣西興安縣東南、蒼梧、今廣西梧州、蓋戈船下瀨二軍、會合於此、再東進也、使馳義侯因巴蜀罪人、發夜郎兵、下牂牁江、咸會番禺。集解徐廣曰、馳義侯、越人也、名遺、正義曲州協州以南、是夜郎國、牂牁江、出南徼外、東通四會、至番禺入海也、元鼎六年冬、樓船將軍將精卒、先陷尋陝、破石門。索隱姚氏云、尋陝在始興西三百里、近連口也、按廣州記、石門、在番禺縣北三十里、昔呂嘉拒漢、積石鎮江、名曰石門、又俗云、石門水、名曰貪泉、飲之、則令人變、故吳隱之至石門、酌水飲、乃爲之歌云也、考證丁謙曰、尋陝、即湞陽峽、在韶州英德縣南、石門、在廣州西北、中井積德曰、石門、地名、得越船粟、因推而前、挫越鋒、以數萬人待伏波。伏波將軍將罪人、道遠、會期後。與樓船會、乃有千餘人。遂俱進。考證漢書、會期後、作後期、樓船居前、至番禺。建德·嘉皆城守。樓船自擇便處、居東南面、伏波居西北面。會暮。樓船攻

敗越人、縱火燒城。考證楓、三本、東南面下有而字、會下有日字、越素聞伏波名。日暮不知其兵多少。伏波乃爲營、遣使者招降者賜印、復縱令相招。樓船力攻燒敵、反驅而入伏波營中。犂旦、城中皆降伏波。集解徐廣曰、呂靜云、犂、結也、音力奚反、結猶連及逮至也、漢書犂旦爲遲日、謂待明也、索隱鄒氏云、犂一作比、比音必至反、然犂卽比義、又解犂黑也、天未明尙黑時也、漢書亦作遲明、遲、音稚、遲、待也、亦犂之義也、呂嘉・建德、已夜與其屬數百人亡入海、以船西去。伏波又因問所得降者貴人、以知呂嘉所之、遣人追之。以其故校尉司馬蘇弘得建德。封爲海常侯。集解徐廣曰、在東萊、考證朱一新曰、故校尉司馬、蓋以故校尉而今爲軍司馬也、功臣表云、蘇弘以伏波司馬、得南越王建德侯、王先謙曰、建德被獲、仍封術陽侯、越郎都稽得嘉。封爲臨蔡侯。集解徐廣曰、南越之郎官都稽、表曰、孫都、索隱案表、臨蔡屬河內、蒼梧王趙光者、越王同姓。聞漢兵至、及越揭陽令定、自定屬漢。集解韋昭曰、揭、音其逝反、索隱地理志、揭陽縣屬南海、揭、音桀、韋昭音、其逝反、劉氏音、求例反、定者、令之名也、案漢功臣表云、定、揭陽令、意又別也、考證揭陽、漢縣、今屬潮州、方苞曰、光與揭陽令定、皆自輯其吏民以屬漢、是謂自定也、越桂林監居翁、諭甌・駱屬漢。集解漢書音義曰、桂林郡中監、姓居、名翁也、索隱案漢書、甌駱三十餘萬口降漢、皆得爲侯。索隱案漢書云、光聞漢兵至、降、封爲隨桃侯、揭陽令史定爲安道侯、越將畢取爲膫侯、桂林監居翁爲湘城侯、韋昭云、湘城屬堵陽、隨桃安道膫三縣、皆屬南陽、膫、音遼也、戈船・下厲將軍兵、及馳義侯所發夜郎兵、未下、南越已平矣。遂爲九郡。集解徐廣曰、儋耳、珠崖、南海、蒼梧、九眞、鬱林、日南、合浦、交阯、索隱徐廣皆據漢書爲說、考證楓、三本、軍下無兵字、遂下有置字、中井積德曰、兵字疑衍、伏波將軍益封、樓船將軍兵以陷堅爲將梁侯。考證兵以當作以兵、漢書、作以推鋒、自尉佗初王後、五世九十三歲、而國亡焉。

太史公曰。尉佗之王、本由任囂。遭漢初定、列爲諸侯、隆慮離溼疫、佗得以益驕。甌・駱相攻、南越動搖。漢兵臨境、嬰齊入朝。其後亡國、徵自樛女。考證中井積德曰、女疑當作后、愚按后後韻叶、索隱述贊、亦云樛后內朝、呂嘉小忠、令佗無後。樓船從欲、怠傲失惑。伏波困窮、智慮愈殖。因禍爲福。成敗之轉、譬若糾墨。考證墨讀爲纆、陳仁錫曰、南越朝鮮二贊、俱用韻語、班書敘傳蓋祖此、索隱述贊、中原鹿走、羣雄莫制、漢事西驅、越權南裔、陸賈騁說、尉他去帝、樛后內朝、呂嘉狠戾、君臣不協、卒從剿弃、

南越列傳第五十三　史記一百十三

史記會注考證卷一百十四

漢　太史令　司馬遷　撰

宋　中郎外兵曹參軍　裴駰　集解

唐　國子博士弘文館學士　司馬貞　索隱

唐　諸王侍讀率府長史　張守節　正義

日本　出雲　瀧川資言　考證

東越列傳第五十四　史記一百十四

〔考證〕史公自序云、吳之叛逆、甌人斬濞、葆守封禺爲臣、作東越列傳第五十四、

閩越王無諸、及越東海王搖者、其先皆越王句踐之後也。姓騶氏。〔集解〕韋昭曰、閩、音武巾反、東越之別名、徐廣曰、騶一作駱、〔索隱〕案說文云、閩、東越蛇種也、故字從虫、閩、音旻、徐廣云、騶一作駱、是、上云甌駱、不姓騶、〔考證〕張照曰、按越爲楚滅、子孫分散、臣服於楚、越世家雖有或爲王或爲君之言、其實自相稱署、而不得比於宋衞中山之數者也、秦兼天下、罷侯置守、六國之後、尚不得尺土寸地、矧區區江南海上之越、別奉以君長之號乎、疑無諸與搖、皆已廢爲庶人、陳項兵起、乃始糾合義旅、閩越之民、尚思舊德、相率景從耳、梁玉繩曰、論中亦言句踐之後有禹餘烈、其實句踐非禹苗裔、而甌閩非句踐種族、通志氏族略引顧氏譜云、句踐七世孫閩君搖、漢封東甌、亦不足信、蓋越是芊姓、見國語、閩東越蛇種、見索隱引說文、不得強合爲一、而高祖所封之海陽侯搖無餘、同名二王、又不可曉、丁謙曰、閩粵、今福建地、東海、今浙江南境地、　秦已并天下、皆廢爲君長、以其地爲閩中郡。〔集解〕徐廣曰、今建安侯官是、〔索隱〕徐廣云、本建安侯官是、案爲閩州、案下文、都東冶、韋昭以爲在侯官、〔正義〕今閩州又改爲福也、〔考證〕王鳴盛曰、地理志載秦三十六郡、無閩中郡、蓋置在始皇晚年、且雖屬秦而無諸與搖、君其地如故、屬秦未久、旋率兵從諸侯滅秦、故不入三十六郡之數、　及諸侯畔秦、無諸・搖率越歸鄱陽令吳芮。所謂鄱君者也。從諸侯滅秦。〔考證〕楓、三本、率下有閩字、漢書、鄱作番、　當是之時、項籍主命、弗王。以故不附

楚。〔集解〕漢書音義曰、主號令諸侯、不王無諸搖等、　漢擊項籍。無諸・搖率越人佐漢。漢五年、復立無諸爲閩越王、王閩中故地、都東冶。〔考證〕東冶、漢縣、今侯官、　孝惠三年、舉高帝時越功曰。閩君搖功多、其民便附。乃立搖爲東海王、都東甌。世俗號爲東甌王。〔集解〕應劭曰、東海、在吳郡東南濱海云、徐廣曰、東甌、今之永寧也、〔索隱〕韋昭曰、今永寧、姚氏云、甌、水名、永嘉記、水出永寧山、行三十餘里、去郡城五里入江、昔有東甌王都城、有亭、積石爲道、今猶在也、〔考證〕沈欽韓曰、元和志、東甌、今溫州永嘉縣是也、後以甌地爲回浦縣、永嘉縣、卽漢回浦縣之東甌鄉、錢大昕曰、封禪書、越人勇之言、東甌敬鬼、壽至百六十歲、卽東海王搖也、　後數世、至孝景三年、吳王濞反、欲從閩越。閩越未肯行。獨東甌從吳。及吳破、東甌受漢購、殺吳王丹徒。以故皆得不誅歸國。〔考證〕又見吳王濞傳、漢書無歸國二字、丹徒、今鎭江府治、　吳王子子駒亡走閩越。怨東甌殺其父、常勸閩越擊東甌。至建元三年、閩越發兵圍東甌。東甌食盡、困且降。乃使

人告急天子。天子問太尉田蚡。蚡對曰。越人相攻擊、固其常。又數反覆。不足以煩中國往救也。自秦時弃弗屬。於是中大夫莊助詰蚡曰。特患力弗能救、德弗能覆。誠能、何故弃之。〔考證〕覆、數又反、　且秦舉咸陽而弃之。何乃越也。〔考證〕漢書嚴助傳、乃作但、顏師古曰、擧、總也、言總天下乃至京師皆棄也、　今小國以窮困來告急天子、天子弗振。彼當安所告愬。又何以子萬國乎。〔考證〕振、救也、　上曰。太尉未足與計。吾初卽位、不欲出虎符發兵郡國。〔考證〕通鑑考異云、是時蚡不爲太尉、云太尉、誤也、梁玉繩曰、兩稱太尉、通鑑攷異以爲誤、攷蚡以建元元年爲大尉、二年免、幷省大尉官、是時乃建元三年、蚡以列矦家居、莫非問丞相許昌否、或謂蚡曾爲大尉、以故官呼之、亦未確、沈欽韓曰、以銅爲符、鑄虎爲飾、中分之、頒其右而藏其左、起軍旅時、則出以合中外之契、　乃遣莊助、以節發兵會稽。〔考證〕胡三省曰、會稽東南邊越、沈欽韓曰、唐六典云、旌以專賞、節以專殺、故助得斬司馬也、　會稽太守欲距不爲發兵。〔考證〕胡三省曰、以法拒之、爲無漢虎符驗、　助

乃斬一司馬諭意指、遂發兵、浮海救東甌。【考證】楓、三本、遂下有爲字、未至。閩越引兵而去。東甌請舉國徙中國。乃悉舉衆來處江·淮之閒。【集解】徐廣曰、年表云、東甌王廣武侯望、率其衆四萬餘人來降、家廬江郡、【索隱】徐廣據年表而爲說、【考證】漢書、東甌作東粵、誤、丁謙曰、江淮間、蓋揚州淮安等地、至建元六年、閩越擊南越。南越守天子約、不敢擅發兵擊、而以聞。上遣大行王恢出豫章、大農韓安國出會稽。皆爲將軍。【考證】楓、三本、漢書、大農作大司農、下同、愚按、武帝太初元年始改大農爲大司農、此無司字、是、兵未踰嶺、閩越王郢發兵距險。其弟餘善乃與相·宗族謀曰。王以擅發兵擊南越、不請。故天子兵來誅。今漢兵衆彊。今卽幸勝之、後來益多、終滅國而止。【考證】胡三省曰、相、閩越國相也、漢書、誅下無今字、今殺王以謝天子、天子聽、罷兵、固一國完。不聽、乃力戰不勝、卽亡入海。皆曰。善。卽鏦殺王、使使奉

其頭致大行。【索隱】劉氏又音窗、鏦、撞也、大行曰。所爲來者誅王。今王頭至、謝罪。不戰而耘、利莫大焉。【集解】徐廣曰、漢書作殞、耘義當取耘除、或言耘音于粉反、此楚人聲重耳、隕、耘、當同音、但字有假借、聲有輕重、【索隱】耘、音云、耘、除也、漢書作隕、音于粉反、【考證】楓、三本、所下有以字、梁玉繩曰、耘、抎字之誤、漢書作殞、抎與殞通、古今字也、徐廣云耘義當取耘除、失之、乃以便宜案兵、告大農軍、而使使奉王頭馳報天子。詔罷兩將兵。曰。郢等首惡。獨無諸孫繇君丑、不與謀焉。【索隱】繇、音搖、邑號也、丑、名、【考證】丁謙曰、繇、爲閩粵屬地、未詳何在、乃使郎中將立丑爲越繇王、奉閩越先祭祀。【考證】劉敞曰、郎中將、當作中郎將、餘善已殺郢、威行於國、國民多屬。竊自立爲王。繇王不能矯其衆持正。【考證】楓、三本、民上有中字、漢書、繇王一句、改作繇王不能制、天子聞之、爲餘善不足復興師。曰。餘善數與郢謀亂。而後首誅郢。師得不勞。因立餘善爲東越王、與繇王竝處。至元鼎五年、南越反。東

越王餘善上書、請以卒八千人、從樓船將軍擊呂嘉等。兵至揭揚。以海風波爲解、不行。持兩端、陰使南越。【考證】漢書、揭揚作揭陽、揭陽、今屬潮州、顏師古曰、解者、自解說、若今言分疏、及漢破番禺、不至。是時樓船將軍楊僕使使上書、願便引兵擊東越。【考證】漢書、無是時二字、便作請、上曰。士卒勞倦。不許。罷兵、令諸校屯豫章梅嶺待命。【集解】徐廣曰、在會稽界、【索隱】案徐廣云、在會稽、非也、今案豫章三十里、有梅嶺、在洪崖山足、當古驛道、此文云、豫章梅嶺、知非會稽也、【正義】括地志云、梅嶺在虔化縣東北百二十八里、虔州漢亦屬豫章郡、二所未詳、【考證】張文虎曰、中統本、嶺作領、丁謙曰、梅嶺在江西寧都州東北、錢泰吉曰、通鑑綱目集覽引正義、有豫章記云、梅嶺在西山極峻處十二字、在括地志上、案下云二所未詳、謂豫章記括地志二說不同也、今本正義不全、元鼎六年秋、餘善聞樓船請誅之、漢兵臨境且往、乃遂反、發兵距漢道、號將軍騶力等爲吞漢將軍、入白沙·武林·梅嶺、殺漢三校尉。【集解】徐廣曰、在豫章界、【索隱】徐廣云、在豫章界、案今豫章北二百里接鄱陽界、地名白沙、有小水入湖、名曰白沙阬、東南八十里有武陽亭、亭東南

三十里、地名武林、此白沙武林、今當閩越入京道、【考證】丁謙曰、攷漢武紀、楊僕出豫章、知白沙武林皆江西地、白沙、在鄱陽縣西、武林、卽餘干縣東之武陵山、是時漢使大農張成、故山州侯齒將屯。弗敢擊、卻就便處。皆坐畏懦誅。【集解】徐廣曰、齒、成陽共王子、【考證】周壽昌曰、公卿表、元鼎六年、大農令張成、漢書作大司農、誤也、太初元年、始更名大司農、侯表山州侯齒、元鼎五年、坐酎金免、此六年事、齒已失侯、故云故山州侯、餘善刻武帝璽自立、詐其民爲妄言。天子遣橫海將軍韓說出句章、浮海從東方往、【索隱】鄭氏句、音勾、會稽縣也、【正義】句章故城、在越州鄮縣西一百里、漢縣、【考證】王先謙曰、句章、在今寧波府慈谿縣西三十五里、樓船將軍楊僕出武林、中尉王溫舒出梅嶺、越侯爲戈船·下瀨將軍、出若邪·白沙。【索隱】案姚氏云、若邪、地名、今闕、【正義】越州有若耶山若耶溪、若如一、預州有白沙山、蓋從如此邪、白沙東故閩州、【考證】將相表及漢書武紀、韓說王溫舒出會稽、楊僕出豫章、兩粵傳與此同、若邪作如邪、沈欽韓曰、輿地廣記、新昌縣西、有鹽溪、一名若邪溪、當此若邪也、正義以爲越州之若邪溪、太遠、王文彬曰、据武紀、越侯二人、曰嚴、曰甲、一戈船、出灕水、一下瀨、出蒼梧、此則一出如邪、一出白沙也、錢泰吉曰、正義、蓋謂若如一義也、上下文俱有譌脫、張文虎曰、正義蓋從如此邪五字、當在預州上、陳仁錫曰、太史公敍武帝北伐胡、南討越、每書某將軍

出某地者、蓋見當時用兵制勝之方、在於分道並進、使敵人備多而力分也、

元封元年冬、咸入東越。東越素發兵距險、使徇北將軍守武林、敗樓船軍數校尉、殺長吏。[考證]漢書吏作史、 樓船將軍率錢唐轅終古、斬徇北將軍、爲禦兒侯。[集解]漢書音義曰、禦兒、今吳南亭是也、[正義]錢唐、杭州縣、轅、姓、終古、名、禦字、今作語、語兒鄉、在蘇州嘉興縣南七十里、臨官道也、[考證]中井積德曰、率、當作卒、漢書可徵、漢書轅作樸、禦作語、張文虎曰、王柯凌本終譌給、 自兵未往、故越衍侯吳陽、前在漢。漢使歸諭餘善、餘善弗聽。及橫海將軍先至、越衍侯吳陽、以其邑七百人反、攻越軍於漢陽。[考證]沈欽韓曰、紀要、漢陽城、在建寧府浦城縣北、 從建成侯敖、與其率從繇王居股謀曰、餘善首惡、劫守吾屬。今漢兵至、衆彊。計殺餘善、自歸諸將、儻幸得脫。乃遂俱殺餘善、以其衆降橫海將軍。[集解]徐廣曰、敖、亦東越臣、[考證]漢書從作及、中井積德曰、率、當作卒、居股、蓋丑之子、 故封繇王居股爲東成侯。萬戶。[索隱]韋昭曰、東成在九江、 封建成侯敖爲開陵侯、[索隱]徐廣云、敖、東越臣、韋昭云、開陵、屬臨淮、 封越衍侯吳陽爲北石侯。[考證]漢書兩粵傳、北作卯、功臣表、作外、兩粵傳爲是、 封橫海將軍說爲案道侯、封橫海校尉福爲繚嫈侯。福者、成陽共王子、故爲海常侯、坐法失侯。舊從軍、無功。以宗室故侯。[集解]漢書音義曰、繚嫈、音遼縈、[索隱]服虔云、嫈、音縈、縣名、劉伯莊云、繚、音遼、下音紆營反、成陽王子也、[考證]楓三本毛本舊作奮、張文虎曰、作奮似勝、 諸將皆無成功。莫封。東越將多軍、漢兵至、弃其軍降。封爲無錫侯。[集解]漢書音義曰、多軍、名也、[索隱]李奇云、多軍、名、韋昭云、多、姓、軍、名也、[考證]此下漢書兩粵傳補故甌駱將左黃同斬西于王、封爲下鄜侯十六字、 於是天子曰。東越狹多阻。閩越悍數反覆。詔軍吏皆將其民徙處江·淮閒。東越地遂虛。[考證]中井積德曰、東越與閩越對舉者、蓋東甌之地耳、前日東甌既內徙、而其地入閩越、然不得更稱東甌、是越之東邊云爾、下文東越虛者、兼閩越東甌舊地而言、是對南越者、兩東越、當子細分別、不然、皆字無所當、

太史公曰、越雖蠻夷、其先豈嘗有大功德於民哉。何其久也。歷數代常爲君王。句踐一稱伯。然餘善至大逆、滅國遷衆。其先苗裔繇王居股等、猶尚封爲萬戶侯。由此知越世世爲公侯矣。蓋禹之餘烈也。[考證]史公以越世世爲公侯爲禹之餘烈、與項羽紀陳杞越世家黥布傳論贊、其義相貫、[索隱]述贊、句踐之裔、是曰無諸、既席漢寵、實因秦餘、騶爲姓、閩中是居、王搖之立、爰處東隅、後嗣不道、自相誅鋤、

東越列傳第五十四　史記一百十四

史記會注考證卷一百十五

漢　太史令　司馬遷　撰
宋　中郎外兵曹參軍　裴駰　集解
唐　國子博士弘文館學士　司馬貞　索隱
唐　諸王侍讀率府長史　張守節　正義
日本　出雲　瀧川資言　考證

朝鮮列傳第五十五　史記一百十五

【集解】張晏曰、朝鮮有濕水洌水汕水、三水合爲洌水、疑樂浪朝鮮、取名於此也、【集解】案朝、音潮、直驕反、鮮、音仙、以有汕水故名也、汕、一音訕、【考證】史公自序云、燕

丹散亂遼間、滿收其亡民、厥聚海東、以集眞藩、葆塞爲外臣、作朝鮮列傳、第五十五、中井積德曰、朝鮮、箕子之封國、本在三韓之西、遼水之東、宋史云、遼陽府卽古朝鮮國、是也、後之襲稱朝鮮者、妄自託耳、不可以地域論、

朝鮮王滿者、故燕人也。【索隱】案漢書、滿、燕人、姓衞、擊破朝鮮而自王之、【正義】朝鮮、潮仙二音、括地志云、高驪都平壤城、本漢樂浪郡王險城、又古云朝鮮地也、【考證】齊召南曰、滿、姓衞、朝鮮自周封箕子後、傳四十餘世、至戰國時、侯準始稱王、漢初共國大亂、燕人衞滿擊破準而自王也、後書正補此傳之誤、愚按、索隱漢書上疑脫後字、今本漢書無此文、自始全燕時、嘗略屬眞番・朝鮮、爲置吏築鄣塞。【集解】徐廣曰、番、一作莫、遼東有番汗縣、番、音普寒反、【索隱】始全燕時、謂六國燕方全盛之時、徐氏據地理志而知也、番、音潘、又音盤、汗、音寒、如淳云、燕嘗略二國、以屬己也、應劭云、玄菟本眞番國、【考證】丁謙曰、眞番、本朝鮮附屬番部、七國時爲燕所略、武帝破朝鮮、改爲郡、治霅縣、在今奉天興京廳邊外東南至鴨綠江地、秦滅燕、屬遼東外徼。漢興、爲其遠難守、復修遼東故塞、至浿水爲界、屬燕。【集解】漢書音義曰、浿、音備沛反、【索隱】浿、音旁沛反、【正義】地理志云、浿水出遼東塞外、西南至樂浪縣西入海、浿、普大反、【考證】丁謙曰、浿水有二、唐書高麗傳、南涯浿水、指大同江、而此傳浿水均指鴨綠江、今考據家但知大同江爲浿水、不知鴨綠江亦有浿水之名、蓋大同江在平壤南、衞滿所都王險城卽

平壤、滿渡浿水而後居此、則水在平壤之北可知、證一、涉河諭右渠還、朝必經浿水、證二、左將軍擊破浿水西軍、方得至王險、證三、右渠太子入謝天子、至浿水引歸、證四、觀此傳中浿水皆指鴨綠江明矣、燕王盧綰反入匈奴。滿亡命、聚黨千餘人、【正義】命、謂教令、【考證】亡命、謂脫名籍而逃也、魋結蠻夷服、而東走出塞、渡浿水、居秦故空地上下鄣。【索隱】案地理志、樂浪有雲鄣、【考證】漢書、魋結作椎結、解見陸賈傳、稍役屬眞番・朝鮮蠻夷及故燕・齊亡命者王之。都王險。【集解】徐廣曰、昌黎有險瀆縣也、【索隱】韋昭云、古邑名、徐廣曰、昌黎有險瀆縣、應劭注地理志、遼東險瀆縣、朝鮮王舊都、臣瓚云、王險城在樂浪郡浿水之東也、【正義】臣瓚曰、主險在樂浪郡也、【考證】杜佑曰、平壤卽王險城也、中井積德曰、前註以王險爲平壤、似得實、愚按、正義本王險譌主險、會孝惠・高后時、天下初定。遼東太守卽約滿爲外臣、保塞外蠻夷、無使盜邊。諸蠻夷君長、欲入見天子、勿得禁止。以聞。上許之。以故滿得兵威財物、侵降其旁小邑。眞番・臨屯、皆來服屬。方數千里。【索隱】臨屯、東夷小國、後以爲郡、【正義】括地志云、朝鮮、高驪、貊、東沃沮、五國之地、國東西千三百

里、南北二千里、在京師東、東至大海四百里、北至營州界九百二十里、南至新羅國六百里、北至靺鞨國千四百里、【考證】丁謙曰、臨屯亦番部、後爲郡、治東暆、今爲朝鮮江原道江陵府城、愚按、正義、貊上疑脫濊字、傳子、至孫右渠。【正義】其孫名也、所誘漢亡人滋多。又未嘗入見。眞番旁衆國、欲上書見天子、又擁閼不通。【正義】後漢書、朝鮮有三韓、一曰馬韓、二曰辰韓、三曰弁韓、魏志云、韓有帶方國、東西以海限、南與倭接、方可四千里、馬韓在西、辰韓在中、弁韓在東、括地志曰、新羅百濟在西馬韓之地、新羅在東辰韓弁韓之地也、【考證】慶長本標記云、正義本、衆作辰、張文虎曰、宋本、衆作辰、案漢書作直番辰國、蓋卽後漢書東夷傳所謂辰韓者也、然此作旁衆、於文義亦通、凌稚隆曰、擁讀曰壅、一本作雍、元封二年、漢使涉何譙諭右渠。終不肯奉詔。【索隱】說文云、譙、讓也、諭、曉也、譙、音才笑反、【考證】譙、各本作誘、今從索隱本、何去至界上、臨浿水、使御刺殺送何者朝鮮裨王長。【索隱】卽送何之御也、【正義】顏師古云、長者、裨王名也、送何至浿水、何因刺殺也、按裨王乃將士長、恐顏非也、【考證】顏說是、中井積德曰、御、涉何之從者、卽渡、馳入塞。遂歸報天子曰、殺朝鮮將。【正義】入平州榆林關也、【考證】楓三本、鮮下有裨字、上爲其名美、卽不詰。【索隱】有殺將之美名、拜何爲遼東東部都

尉。【正義】地理志云、遼東郡武次縣、東部都尉所理也、 朝鮮怨何、發兵襲攻殺何。天子募罪人擊朝鮮。其秋、遣樓船將軍楊僕、從齊浮渤海、【考證】丁謙曰、渤海、一名黃海、今直隸山東東面之海是也、 兵五萬人。左將軍荀彘出遼東討右渠。右渠發兵距險。左將軍卒正多、率遼東兵、先縱敗散。多還走。坐法斬。【考證】王先謙曰、卒正、其官、而多、其名、坐法斬者卽此人、愚按漢書、卒下無正字、義殊、 樓船將軍將齊兵七千人、先至王險。右渠城守。窺知樓船軍少、卽出城擊樓船。樓船軍敗散走。將軍楊僕失其衆、遁山中十餘日。稍求收散卒。復聚。左將軍擊朝鮮浿水西軍。未能破自前。天子爲兩將未有利、乃使衞山因兵威往諭右渠。【考證】梁玉繩曰、衞山、此非義陽侯也、乃別一人、 右渠見使者頓首謝。願降、恐兩將詐殺臣。今見信節。請服降。遣太子入謝、獻

馬五千匹、及饋軍糧。人衆萬餘持兵、方渡浿水。使者及左將軍疑其爲變、謂太子、已服降、宜命人毋持兵。【考證】楓、三本、漢書、命作令、 太子亦疑使者左將軍詐殺之、遂不渡浿水、復引歸。山還報天子。天子誅山。左將軍破浿水上軍、乃前至城下、圍其西北。樓船亦往會、居城南。右渠遂堅守城。數月未能下。左將軍素侍中幸。將燕·代卒、悍乘勝、軍多驕。【考證】顏師古曰、幸、親幸於天子、 樓船將齊卒入海、固已多敗亡。其先與右渠戰、困辱亡卒。卒皆恐、將心慙。其圍右渠、常持和節。左將軍急擊之。朝鮮大臣乃陰閒使人私約降樓船。往來言、尚未肯決。左將軍數與樓船期戰。樓船欲急就其約、不會。左將軍亦使人求閒郤降下朝鮮。【考證】漢書、郤作隙、

朝鮮列傳第五十五　七

朝鮮不肯心附樓船。【考證】王念孫曰、朝鮮二字、蒙上文而衍、此言樓船不會左將軍、左將軍亦不肯心附樓船、故曰兩將不相能、非謂朝鮮不肯心附樓船也、漢書無此二字、 以故兩將不相能。左將軍心意樓船前有失軍罪。今與朝鮮私善、而又不降。【考證】意、疑也、漢書、私作和、誤、 疑其有反計。未敢發。天子曰。將率不能前、及使衞山諭降右渠、【考證】此敘前事也、將率上添嚮字看、楓、三本、及作又、漢書作乃、非是、 右渠遣太子。山使不能剸決、與左將軍計相誤、卒沮約。今兩將圍城、又乖異。以故久不決。【考證】天子言至此、 使濟南太守公孫遂往征之。有便宜得以從事。【正義】征、漢書作正、爲是、【考證】楓、三本、漢書、濟南上有故字、 遂至。左將軍曰。朝鮮當下久矣。不下者有狀。言樓船數期不會、具以素所意告遂曰。今如此不取、恐爲大害。非獨樓船、又且與朝鮮共滅吾軍。【考證】意字承上文、 遂亦以爲然、而以節召樓船將

朝鮮列傳第五十五　史記會注考證　卷一百十五　八

軍、入左將軍營計事。卽命左將軍麾下、執捕樓船將軍、幷其軍、以報天子。天子誅遂。【考證】楓、三本、命作令、通鑑考異云、漢書、誅遂作許遂、案左將軍亦以爭功相嫉乖計棄市、則武帝必以執樓船爲非、漢書誤、王先謙曰、史記贊、荀彘爭勞、與遂皆誅、作誅無疑、 左將軍已幷兩軍。卽急擊朝鮮。朝鮮相路人·相韓陰·尼谿相參·將軍王唊、相與謀曰。始欲降樓船。樓船今執。獨左將軍幷將、戰益急。恐不能與戰。王又不肯降。【集解】漢書音義曰、朝鮮相路人、相韓陶、尼谿相參、將軍王唊、凡五人也、戎狄不知官紀、故皆稱相、唊、音頰、【索隱】應劭云、凡五人、戎狄不知官紀、故皆稱相也、路人、漁陽縣人、如淳云、相、其國宰相、路人名也、唊、音頰、一音協、【正義】已上至路人凡四人、【考證】顏師古曰、相路人一也、相韓陶二也、尼谿相參三也、將軍王唊四也、應氏乃云五人、誤讀爲句、謂尼谿人名、失之矣、不當尋下文乎、愚按漢書、韓陰作韓陶、通鑑從史記、 陰·唊·路人皆亡降漢。路人道死。元封三年夏、尼谿相參、乃使人殺朝鮮王。右渠來降。王險城未下。故右渠之大臣成已又反、復攻吏。左將軍使右渠子

長降、相路人之子最、告諭其民、誅成已。[集解]徐廣曰、表云、長路、漢書表云、長路、音各、[索隱]案漢書表云、長路、音各、子最、路人子也、名最、[考證]錢大昕曰、降字當連上爲句、長降、右渠子名也、功臣表作長路、小顏注漢書、謂相路人前已降漢、而死于道、故謂之降相、妄之甚也、下文、長爲幾侯、長下亦當有降字、以故遂定朝鮮爲四郡。[集解]眞番、臨屯、樂浪、玄菟也、封參爲澅清侯、[集解]韋昭曰、屬齊、[索隱]參、澅清侯、韋昭云、縣名、屬齊、顧氏澅音獲、陰爲荻苴侯、[集解]韋昭曰、屬勃海、[索隱]陰荻苴侯、晉灼云、屬勃海、荻、音狄、苴、音子餘反、唊爲平州侯、[集解]韋昭曰、屬梁父、[索隱]唊平州侯、韋昭云、屬梁父、長爲幾侯、[集解]韋昭曰、屬河東、[索隱]長幾侯、韋昭云、縣名、屬河東、最以父死頗有功、爲涅陽侯。[集解]韋昭曰、屬齊、[索隱]最涅陽侯、韋昭云、屬齊也、[考證]陳仁錫曰、監本、涅作溫、誤、愚按、楓、三本、作涅、漢書亦譌作沮、左將軍徵至。坐爭功相嫉乖計、弃市。[考證]楓、三本、徵作徵、計作言、樓船將軍亦坐兵至洌口、當待左將軍、擅先縱、失亡多、當誅。贖爲庶人。[索隱]蘇林曰、洌口、縣名、度海先得之、[考證]漢書、洌口作列口、樂浪郡有列口縣、梁玉繩曰、此與漢傳同、而漢表云、坐爲將軍擊朝鮮、畏懦、入竹二萬箇贖、完爲城旦、罪狀與此不同、入竹贖罪亦奇、

太史公曰。右渠負固、國以絶祀。涉何誣功、爲兵發首。[考證]岡白駒曰、朝鮮之役、由涉河發、樓船將狹、及難離咎。[集解]徐廣曰、將狹、言其所將卒狹少、[考證]中井積德曰、將、猶行也、狹、謂心志狹隘、悔失番禺、乃反見疑。[考證]余有丁曰、按樓船前力攻番禺、反驅降者入伏波營、故此欲獨降之爲己功也、荀彘爭勞、與遂皆誅。[考證]荀彘見南越傳、兩軍俱辱、將率莫侯矣。[考證]陳仁錫曰、贊用韻語、蓋後世銘詩之祖也、

[索隱]述贊、衛滿燕人、朝鮮是王、王險置都、路人作相、右渠首差、涉何調上、兆禍自斯、狐疑二將、山遂伏法、紛紜無狀、

朝鮮列傳第五十五　史記一百十五

史記會注考證卷一百十六

漢　太史令司馬遷　撰
宋　中郎外兵曹參軍裴駰　集解
唐　國子博士弘文館學士司馬貞　索隱
唐　諸王侍讀率府長史張守節　正義
日本　出雲瀧川資言　考證

西南夷列傳第五十六　史記一百十六

【考證】史公自序云、唐蒙使略通夜郎、而邛筰之君、請爲內臣受吏、作西南夷列傳第五十六、丁謙曰、漢西南夷、爲今四川南、貴州西南、及雲南全省地、淩稚隆曰、此傳以夜郎滇二國爲首、蓋漢所封也、

西南夷君長以什數。夜郎最大。【索隱】數、劉氏音所具反、鄒氏音所主反、荀悅云、犍爲屬國也、韋昭云、漢爲縣、屬牂牁、按後漢書云、夜郎東接交阯、其地在胡南、其君長本出於竹、以竹爲姓也、【正義】西南夷、在蜀之南、今瀘州南大江南岸、協州曲州、本夜郎國、【考證】中井積德曰、西字疑衍、漢書無、姚範曰、夜郎、今遵義府桐梓縣、漢夜郎縣也、屬牂柯、瀘州之南、曲靖州、貴州之普安州石阡府、興隆思南、與廣西諸州、多夜郎地、其西靡莫之屬、以什數。滇最大。【集解】如淳曰、滇、音顛、顛馬出其國也、【索隱】靡莫、夷邑名、滇與同姓、崔浩云、滇後爲縣、越嶲太守所理也、【正義】在蜀南、以下及西也、靡在姚州北、去京西南四千九百三十五里、即靡莫之夷、昆州郎州等、本滇國、去京西五千三百七十里也、【考證】丁謙曰、滇國以滇池名、今雲南昆明縣、自滇以北、君長以什數。邛都最大。此皆魋結、耕田、有邑聚。【索隱】魋、漢書作椎、音直追反、結、音計、【考證】丁謙曰、邛都、今四川寧遠府、顏師古曰、結讀曰髻、爲髻如椎之形也、愚按魋結、又見陸賈朝鮮貨殖諸傳、其外西自同師以東、【集解】韋昭曰、邑名也、【索隱】韋昭云、邑名、漢書作桐師、【考證】沈欽韓曰、桐師在曲靖府霑益州北、丁謙曰、桐師爲滇國西南邊界、讀史兵略謂即龍陵縣近是、北至楪榆、【集解】韋昭曰、在益州、楪、音葉、【索隱】韋昭曰、益州縣、楪、音葉、【正義】上音葉、楪澤在靡北百餘里、漢楪榆縣、在澤西益都靡非、本葉榆王屬國也、【考證】丁謙曰、葉榆、漢縣、屬益州、後隸永昌、以葉榆水得名、水即元江上游、源出今雲南縣北梁王山、則縣爲雲南地無疑、名爲嶲・昆明。【集解】徐廣曰、永昌有嶲唐縣、【索隱】崔浩云、二國名、韋昭云、嶲、益州縣、【正義】嶲、音髓、今澧州也、昆明、嶲州縣、蓋南接昆明之地、因名也、【考證】丁謙曰、嶲、昆明、在葉榆桐師之間、當爲今永昌騰越順寧等地、師古注謂嶲即嶲州、昆明在其東南、即南寧州、殊誤、皆編髮、隨畜遷徙、毋常處、毋君長。地方可數千里。【正義】編、步典反、畜、許又反、皆嶲昆明之俗也、自嶲以東北、君長以什數。徙・筰都最大。【集解】徐廣曰、徙、在漢嘉、筰、音昨、在越嶲、【索隱】徐服虔云、二國名、韋昭云、徙縣屬蜀、筰縣在越嶲、廣云、筰、音昨、【正義】徙、音斯、括地志云、筰州本西蜀徼外、曰貓羌嶲、地理志云、徙縣也、華陽國志、雅州邛崍山、本名邛筰山、故邛人筰人界、【考證】丁謙曰、徙國、武帝時爲徙縣、後隸屬國都尉、會典謂即雅州西天全州、筰都、漢爲蜀郡嚴道縣、今曰清谿、自筰以東北、君長以什數。冄駹最大。其俗或土著、或移徙、在蜀之西。【索隱】案應劭云、汶江郡本冄駹、音亡江反、【正義】括地志云、蜀西徼外羌茂州冄州、本冄駹國地也、後漢書云、冄駹其山有六夷七羌九氐、各有部落也、【考證】丁謙曰、冄駹、漢爲汶山縣、今曰茂州、自冄駹以東北、君長以什數。白馬最大。【索隱】案夷邑名、即白馬氏、【正義】括地志云、隴右成州武州、皆白馬氏、其豪族楊氏、居成州仇池山上、

【考證】丁謙曰、白馬、漢爲陰平道、今階州成縣西南白馬關地、皆氐類也。此皆巴・蜀西南外蠻夷也。始楚威王時、使將軍莊蹻將兵循江上略巴・蜀・黔中以西。莊蹻者、故楚莊王苗裔也。【索隱】蹻、音炬灼反、楚莊王弟、爲盜者、【正義】其略反、郎州昆州、即莊蹻所王、【考證】王念孫曰、蜀字因上文巴蜀而衍、莊蹻循江上自巴黔中以西而至滇池、不得至蜀也、漢書無蜀字、丁謙曰、巴、漢巴郡、今重慶府、黔、水名、於義爲黑、今曰烏江、古黔中郡、即漢武陵、章懷注、黔中故城、在辰州沅陵縣西、按辰州無黔水、必郡雖置此、其轄境均在烏江流域耳、沈家本曰、按韓非子喩老篇、楚莊王時、莊蹻爲盜於境內、小司馬殆據彼以爲說、然此云楚威王時、則非爲盜之莊蹻矣、史文明曰將軍、曰楚莊王苗裔、小司馬誤也、愚按說又見梁氏志疑、蹻至滇池。地方三百里。【索隱】滇池、方三百里、地理志、益州滇池縣、澤在西北、後漢書云、其池水源深廣、而更淺狹、有似倒流、故謂滇池、【正義】括地志云、滇池澤在昆州晉寧縣西南三十里、其水源深廣而更淺狹、有似倒流、故謂滇池、【考證】王念孫曰、池下不當有地字、索隱本及漢書、皆無地字、王先謙曰、一統志、滇池、在雲南府昆明縣南、呈貢縣西、晉寧州西北、昆陽州北、旁平地肥饒數千里。以兵威定屬楚、欲歸報。會秦擊奪楚巴・黔中郡、道塞不通。【考證】沈家本曰、按此楚頃襄王二十二年事、上距威王末年、五十二年矣、因還以其衆王滇、變

服、從其俗以長之。秦時常頞略通五尺道。【集解】頞、音案。【索隱】謂棧道廣五尺。【正義】括地志云、五尺道、在郎州、顏師古云、其處險阸、故道纔廣五尺、如淳云、道廣五尺、【考證】常頞、楓三本作嘗頗、漢書作嘗破、徐孚遠曰、常頞、疑人姓名、諸此國頗置吏焉。十餘歲秦滅。【考證】中井積德曰、諸此國、疑當作此諸國、而下文此國間脫諸字、及漢興、皆弃此國而開蜀故徼。巴·蜀民或竊出商賈、取其筰馬僰僮髦牛。以此巴·蜀殷富。【索隱】韋昭云、僰、屬犍爲、音蒲北反、服虔云、舊京師有僰婢、【正義】今益州南戎州、北臨大江、古僰國、【考證】王念孫曰、開字當依漢書作關、言秦時常於諸國置吏、及漢初、則棄此諸國、而但以蜀諸徼爲關也、下文曰、巴蜀民或竊出商賈、卽謂出此關也、若云開蜀故徼、則與上下文皆不合矣、顏師古曰、西南之徼、猶北方塞也、岡白駒曰、筰國之馬、僰國之奴婢及髦牛、愚按、髦疑當作犛、建元六年、大行王恢擊東越。東越殺王郢以報。恢因兵威、使番陽令唐蒙風指曉南越。南越食蒙蜀枸醬。【集解】徐廣曰、枸、一作蒟、音窶、駰案、漢書音義曰、枸木似穀樹、其葉如桑葉、用其葉作醬酢、美、蜀人以爲珍味、【索隱】蒟、案、晉灼音矩、劉德云、蒟樹如桑、其椹長二三寸、味酢、取其實以爲醬、美、又云、蒟、緣樹而生、非木也、今蜀土家出蒟、實似桑椹、味辛似薑、不酢、又云、取葉、此注又云、葉似桑葉、非也、廣志云、色黑、味辛、下氣消穀、

窶、求羽反、【正義】番、音婆、【考證】丁謙曰、番陽、地理志作鄱陽、漢縣名、屬豫章、今爲九江府、蒙問所從來。曰、道西北牂牁。牂牁江廣數里、出番禺城下。【正義】崔浩云、牂柯、繫船杙也、常氏華陽國志云、楚頃襄王時、遣莊蹻伐夜郎、軍至且蘭、椓船於岸而步戰、既滅夜郎、以且蘭有椓船牁處、乃改其名爲牂牁、【考證】楓三本、牂牁下有江字、王念孫曰、牂牁下當有江字、道從也、言從西北牂牁江來也、索隱本出道牂牁江四字、漢書漢紀竝作道西北牂柯江、江廣數里、是其證、丁謙曰、牂柯江、今盤江、水經注稱爲溫水、出雲南曲靖府北霑益州境、南流至阿迷州東、折東北流爲八達江、俗稱混水河、至羅平州東界、轉東流、過貴州興義府南、又東與北盤江合、卽水經注存水也、南北二盤江會合、始有牂柯江名、蓋興義府地、卽漢武帝所立之牂柯郡也、故酈氏謂水逕牂柯郡且蘭縣、謂之牂柯水、知牂柯江當時專指牂柯郡南一帶而言、其後方爲全江總名、蒙歸至長安、問蜀賈人。賈人曰、獨蜀出枸醬。多持竊出市夜郎。夜郎者臨牂牁江。江廣百餘步。足以行船。南越以財物役屬夜郎、西至同師。然亦不能臣使也。蒙乃上書說上曰、南越王黃屋左纛、地東西萬餘里。名爲外臣、實一州主也。今以長沙·豫章往、水道多絕、難行。

竊聞夜郎所有精兵、可得十餘萬。浮船牂牁江、出其不意。此制越一奇也。誠以漢之彊、巴·蜀之饒、通夜郎道、爲置吏、易甚。上許之。乃拜蒙爲郎中將、將千人、食重萬餘人、【索隱】案食貨輜重車也、音持用反、【考證】劉攽曰、郎中將、當作中郎將、後使相如以郎中將往諭、同、周壽昌曰、華陽國志、作中郎將、從巴蜀筰關入、遂見夜郎侯多同。【正義】地理志、犍爲郡有符離縣、按符關在符縣、犍爲郡、今戎州也、【考證】漢書、巴下無蜀字、王念孫曰、巴筰關本作巴符關、水經云、江水東過符縣北邪東南、鰼部水從符關東北注之、注云、縣故巴夷之地也、漢武帝建元六年、以唐蒙爲中郎將、從萬人出巴符關者也、是符關卽在符縣、而縣爲故巴夷之地、故曰巴符關也、漢之符縣、在今瀘州合江縣西、今合江縣南有符關、仍漢舊名也、若筰地、則在蜀之西、不與巴相接、不得言巴筰關矣、史記作巴蜀筰關、多一蜀字、舊本北堂書鈔政術部引漢書、作巴符關、愚按正義依幻雲抄所引補、張氏本、亦作符、不作筰、顏師古曰、多同、其侯名也、蒙厚賜、喻以威德、約爲置吏、使其子爲令。【考證】顏師古曰、比之於漢縣也、夜郎旁小邑、皆貪漢繒帛、以爲漢道險、終不能有也。乃且聽蒙約。還報。【考證】楓三本、蒙下有等字、還上有蒙字、乃以爲犍

爲郡、發巴·蜀卒治道。自僰道指牂牁江。【索隱】道牂柯江、崔浩云、牂柯、繫船杙也、以爲地名、道、猶從也、地理志、夜郎又有豚水、東至南海、四會入海、此牂柯江、【考證】丁謙曰、僰道、漢縣、爲犍爲郡治、卽今敘州宜賓縣、張文虎曰、案索隱牂柯已見上文、不當至此始釋、單本此條亦出在食重萬餘人條後、疑錯亂、蜀人司馬相如亦言西夷邛·筰可置郡。使相如以郎中將往喻。皆如南夷、爲置一都尉十餘縣、屬蜀。【考證】司馬相如傳、郎中將作中郎將、當是時、巴·蜀四郡、通西南夷道、戍轉相饟數歲、道不通。士罷餓離溼、死者甚衆。【集解】徐廣曰、四郡、漢中、巴郡、廣漢、蜀郡、【正義】漯、音溫、言士卒歷暑熱氣而死者衆多也、【考證】漢書、戍作載、離上有餧字、溼上有暑字、正義本、溼作漯、西南夷又數反、發兵興擊、秏費無功。上患之、使公孫弘往視問焉。還、對言其不便。及弘爲御史大夫、是時方築朔方、以據河逐胡。弘因數言西南夷害、可且罷、專力事匈奴。上罷西夷、獨置南夷·夜郎兩縣一都尉。【集解】徐廣曰、元光六年、南夷始置

鄭亭、【考證】罷上、楓三本、有許字、漢書有許之二字、稍令犍爲自夷就。【正義】令犍爲自葆守而漸修成其郡縣也、【考證】漢書葆作保、王念孫曰、保就、猶保聚也、及元狩元年、博望侯張騫使大夏來言、居大夏時、見蜀布邛竹杖。【集解】韋昭曰、邛縣之竹、屬蜀、瓚曰、邛、山名、此竹節高實中、可作杖、【考證】蜀布、蜀地之布、邛竹杖、邛地之竹杖、大夏見匈奴傳、梁玉繩曰、案史漢表、騫以元朔六年三月封侯、必非元狩元年歸也、攷大宛傳、騫留匈奴中、因左谷蠡王攻其太子自立、國內亂、騫亡歸漢、而以匈奴傳核之、乃元朔三年事、則騫歸于元朔三年甚審、使問所從來。曰、從東南身毒國、可數千里。得蜀賈人市。或聞邛西可二千里、有身毒國。【集解】徐廣曰、字或作竺、漢書直云身毒、史記一本作乾毒、駰案漢書音義曰、一名天竺、則浮屠胡是也、【索隱】身、音捐、毒、音篤、一本作乾毒、漢書音義、一名天竺也、【正義】身毒、卽東天竺國、【考證】王先謙曰、集解史記一本身毒作乾毒、顏師古云、亦曰捐篤、案捐篤當作捐毒、西域國、非天竺也、詳見漢書西域傳、騫因盛言大夏在漢西南。慕中國、患匈奴隔其道。誠通蜀・身毒國、道便近、有利無害。於是天子乃令王然于・柏始昌・呂越人等、使閒出西夷、西指求身毒國。

【考證】漢書、無有利二字、楓三本無柏始昌呂越人等七字、至滇。滇王嘗羌乃留、爲求道、西十餘輩。【集解】徐廣曰、嘗、一作賞、【考證】嘗羌、漢書又作當羌、滇王名、歲餘、皆閉昆明、莫能通身毒國。【集解】如淳曰、爲昆明所閉道、【正義】昆明、在今嶲州南昆縣是也、滇王與漢使者言曰。漢孰與我大。及夜郎侯亦然。以道不通、故各自以爲一州主、不知漢廣大。【考證】漢書、主作王、譌、使者還、因盛言滇大國、足事親附。【考證】顏師古曰、言可專事招來之、令其親附、天子注意焉。及至南越反、上使馳義侯因犍爲發南夷兵。且蘭君恐遠行旁國虜其老弱、乃與其衆反、殺使者及犍爲太守。【索隱】且蘭、上音子餘反、小國名也、後縣屬牂柯、【考證】漢書武紀作越馳義侯遺、馳義侯蓋越人、失其姓、顏師古曰、且蘭君恐發兵與漢行後、其國空虛、而旁國來寇鈔其老弱也、梁玉繩曰、此且蘭所殺漢使者、卽馳義侯、而案漢書武紀、元鼎六年、馳義侯征西南夷平之、兩處不同、大事記以紀爲誤、亦無據、漢乃發巴・蜀罪人嘗擊南越者八校尉、擊破之。【考證】楓三本、漢書、嘗作當、爲是、會越已破。

漢八校尉不下。卽引兵還。行誅頭蘭。頭蘭常隔滇道者也。【索隱】卽且蘭也、【考證】漢書、頭蘭作且蘭、姚範曰、且蘭爲不發兵助漢擊南粵、而頭蘭以常隔滇道、事不相蒙、如史意、應以擊南粵且蘭不下、乃引兵誅頭蘭、乃還平南夷也、漢書乃襲史文、混而爲一事、疑誤、愚按頭蘭、別是一國、姚說是、已平頭蘭、遂平南夷、爲牂牁郡。【考證】楓三本、夷下有以字、夜郎侯始倚南越。南越已滅、會還誅反者。【考證】漢書、無會字、反者、苴蘭之屬、夜郎遂入朝。上以爲夜郎王。南越破後、及漢誅且蘭・邛君、幷殺筰侯・冄駹、皆振恐、請臣置吏。乃以邛都爲越嶲郡、筰都爲沈犂郡、冄駹爲汶山郡、廣漢西白馬爲武都郡。【集解】應劭曰、汶山、今蜀郡岷江、上使王然于以越破、及誅南夷兵威、風喩滇王入朝。滇王者、其衆數萬人。其旁東北有勞浸・靡莫。皆同姓相扶、未肯聽。勞浸・靡莫、數侵犯使者吏卒。【索隱】勞寖、靡莫、二國、與滇王同姓、【正義】杖、直亮反、顏師古曰、杖、猶倚也、相倚爲援、不聽滇王入

朝、【考證】勞浸、漢書作勞深、丁謙曰、二國當今尋甸州境、扶、正義本作杖、與漢書合、元封二年、天子發巴・蜀兵、擊滅勞浸・靡莫、以兵臨滇。滇王始首善。以故弗誅。【考證】顏師古曰、言初始以來常有善意、滇王離難西南夷、擧國降、請置吏入朝。於是以爲益州郡、賜滇王王印、復長其民。【考證】中井積德曰、離難西南夷五字、不通、漢書、作離西夷三字、顏師古云、謂東嚮事漢、愚按西南夷三字、涉下文而衍、離難、滇王名、丁謙曰、漢益州、今雲南省城、至三國時、始以四川爲益州、西南夷君長以百數。獨夜郎・滇受王印。滇小邑、最寵焉。【考證】楓三本、受上有王字、印下有而字、

太史公曰。楚之先豈有天祿哉。在周爲文王師、封楚。【考證】岡白駒曰、按楚世家、熊通云、吾先鬻熊爲文王師、成王擧我先公、乃以子男田令居楚、是也、及周之衰、地稱五千里。秦滅諸侯。唯楚苗裔尚有滇王。漢誅西南夷、國多滅矣。唯滇復爲寵王。【考證】以滇復爲寵王、爲祖先餘烈、其義與東粤傳贊相貫、然南夷之端、見枸醬番禺。大夏杖

邛竹。西夷後揃。剽分二方、[集解]漢書音義曰、揃、音翦、[索隱]揃、音剪、揃、謂被分割也、剽音匹妙反、言西夷後被揃迫逐、遂剽居西南二方、各屬郡縣、剽亦分義、[正義]杖、直亮反、顏師古云、杖猶倚也、相倚爲援、不聽漢王、卒爲七郡。[集解]徐廣曰、犍爲、牂柯、越巂、益州、武都、沈黎、汶山地也、

[索隱述贊]西南外徼、莊蹻首通、漢因大夏、乃命唐蒙、勞浸靡莫、異俗殊風、夜郎最大、邛筰稱雄、及置郡縣、萬代推功、

西南夷列傳第五十六　史記一百十六

史記會注考證卷一百十七

漢　太史令司馬遷撰

宋中郎外兵曹參軍裴駰集解

唐國子博士弘文館學士司馬貞索隱

唐諸王侍讀率府長史張守節正義

日本　出雲瀧川資言考證

司馬相如列傳第五十七　史記一百十七

[索隱]司馬相如汲鄭列傳、不宜在西夷之下、[考證]史公自序云、子虛之事、大人賦說、靡麗多誇、然其指風諫、歸於無爲、作司馬相如列傳第五十七、愚按長卿以中郎將

略定西夷、邛筰冉駹斯榆之君、皆請爲內臣、其功尤多、所以次本傳於西南夷之下、索隱未達、劉知幾曰、司馬相如爲自敍傳、具在其集中、子長因錄斯篇、梁玉繩曰、史公不說相如自敍、且傳中譏游獵賦、侈靡非理義、而天子求書奏封禪、在相如沒後、安在其爲自敍、或史公取相如作而增改之、

司馬相如者、蜀郡成都人也。字長卿。少時好讀書、學擊劍。[索隱]呂氏春秋劍伎云、持短入長、倏忽縱橫之術也、魏文典論云、余好擊劍、善以短乘長、是也、[考證]沈欽韓曰、學刺擊之術也、故其親名之曰犬子。[索隱]孟康云、愛而字之也、[考證]中井積德曰、犬子、名也、非字、故曰名之也、取其捷便也、因擊劍之便利而名耳、愚按劍犬音相近、相如既學。[索隱]案秦宓云、文翁遣相如受七經、[考證]梁玉繩曰、蜀志秦宓云、文翁遣相如、東受七經、還敎吏民、宓此語、與漢地理志所謂文翁倡其敎、相如爲之師者政合、史公但采詞賦、而遺其明經化俗之大端、何也、史通載文篇譏史漢載上林甘泉等賦、無裨勸獎、有長奸詐慕藺相如之爲人、更名相如。以貲爲郎、事孝景帝爲武騎常侍。非其好也。[索隱]張揖曰、武騎常侍、秩六百石、常侍從、格猛獸、[正義]藺相如、六國時人、義而有勇也、以貲爲郎、以貲財多、得拜爲郎、[考證]以貲爲郎、正義是、非納貲得官也、解在張釋之傳、沈欽韓曰、武騎常侍、其官與李廣李蔡同、亦郎中被選者耳、云六百石、謬、王先謙曰、據史李廣傳、當是八百石、會景帝不好辭賦。是時梁孝

王來朝。從游說之士齊人鄒陽・淮陰枚乘・吳莊忌夫子之徒。相如見而說之、因病免、客游梁。[集解]徐廣曰、名忌、字夫子、[索隱]徐廣郭璞皆云、名忌、字夫子、案鄒陽傳云、枚先生、嚴夫子、此則夫子是美稱、時人以爲號、漢書作嚴忌者、案忌本姓莊、避明帝諱改姓嚴也、[考證]中井積德曰、嚴之爲莊、是後人之改寫、非改姓、梁孝王令與諸生同舍。相如得與諸生游士居數歲。乃著子虛之賦。會梁孝王卒。相如歸。而家貧無以自業。素與臨邛令王吉相善。吉曰。長卿久宦遊不遂。而來過我。[考證]漢書、而下有困字、於是相如往舍都亭。臨邛令繆爲恭敬、日往朝相如。相如初尚見之。後稱病、使從者謝吉。吉愈益謹肅。[索隱]案都亭、臨邛郭下之亭也、[正義]臨邛縣郭下之亭也、[考證]繆、詐也、徐孚遠曰、臨邛多富人、故其令繆爲恭敬、以示相如之重、臨邛中多富人。而卓王孫家僮八百人。程鄭亦數百人。[正義]貨殖傳、卓氏之先趙人、秦時被遷、卓氏獨夫妻推輦而行、曰、吾聞汶山之下有蹲鴟、乃求遷、致之臨邛、程鄭、山東遷虜、二人乃

相謂曰。令有貴客。爲具召之、幷召令。令既至卓氏。客以百數。至日中謁司馬長卿。[考證]謁、請也、漢書作請、長卿謝病不能往。臨邛令不敢嘗食、自往迎相如。相如不得已彊往。一坐盡傾。[考證]傾首望其風采也、酒酣、臨邛令前奏琴曰。竊聞長卿好之。願目自娛。相如辭謝、爲鼓一再行。[索隱]案樂府長歌行短歌行、行者曲也、此言鼓一再行、謂一兩曲、[正義]行者、鼓琴瑟曲也、[考證]周壽昌曰、不直云娛客、故以自娛爲言、是時卓王孫有女文君。新寡好音。故相如繆與令相重、而以琴心挑之。[集解]郭璞曰、以琴中音挑動之、[索隱]張揖云、挑、嬈也、以琴中嬈之、挑、音徒了反、嬈、音奴了反、其詩曰、鳳兮鳳兮歸故鄉、遨遊四海求其皇、有一豔女在此堂、室邇人遐毒我腸、何由交接爲鴛鴦也、又曰、鳳兮鳳兮從皇棲、得託子尾永爲妃、交情通體必和諧、中夜相從別有誰、[考證]中井積德曰、繆與令相重、謂琴歌寓悅慕之意、陽若指令者、而陰挑文君也、其歌今不傳、索隱所引、是後人之僞作、張文虎曰、索隱單本、蔡本、中統、游本、皆無又曰以下三十三字、相如之臨邛、從車騎、雍容閒雅甚都。[集解]韋昭曰、閒、讀曰閑、甚得都邑之容也、郭璞曰、都、猶姣也、詩曰、恂美且都、[考證]中

井積德曰、借都鄙之都、作容儀之美稱、及飲卓氏弄琴、文君竊從戶窺之、心悅而好之、恐不得當也。既罷。相如乃使人重賜文君侍者通殷勤。文君夜亡奔相如。【索隱】郭璞云、婚不以禮爲亡也、【考證】沈家本曰、按禮記、奔則爲妾、弟謂六禮不備者耳、與文君之私奔不同、不當引此爲訓、又按集解索隱、屢引郭璞、璞嘗注相如傳序及游獵詩賦、見漢書敍例、相如乃與馳歸成都。家居徒四壁立。【集解】郭璞曰、言貧窮也、【索隱】案孔文祥云、徒、空也、家空無資儲、但有四壁而已、云就此中以安立也、【考證】張文虎曰、舊刻及王、柯、淩本、竝脫成都二字、王念孫曰、家卽居也、文選注引此、作居徒四壁立、張文虎曰、御覽百八十七引、作家徒四壁立、與漢書合、疑本有異文、後人誤併、中井積德曰、徒、猶唯也、言家中無物、唯有四壁植立而已、卓王孫大怒曰。女至不材。我不忍殺。不分一錢也。人或謂王孫。王孫終不聽。文君久之不樂。曰。長卿第俱如臨邛、從昆弟假貸。猶足爲生。何至自苦如此。【索隱】弟如臨邛、文穎云、弟、且也、郭璞云、弟語辭、如、往也、【正義】第、但也、俱、共也、【考證】索隱本、無俱字、正義本有、相如與俱之臨邛、盡賣其車騎、買一酒舍酤酒。而

令文君當鑪。【集解】韋昭曰、鑪、酒肆也、以土爲墮、邊高似鑪、【正義】顏云、賣酒之處、累土爲鑪、以居酒瓮、四邊微起、其一面高、形如鍛鑪、故名曰鑪耳、而俗之學者皆謂當鑪爲對溫酒火鑪、失其義也、【考證】漢書、鑪作盧、李慈銘曰、鑪、晉書作壚、周禮艸人、埴壚用豕、注云、埴壚、黏疏者、埴壚、謂黏合疏土、正所謂以土爲墮、及累土爲盧也、壚、正字、盧、假借字、鑪、通用字矣、愚按漢書顏注、微起作隆記、相如身自著犢鼻褌、與保庸雜作、滌器於市中。【集解】韋昭曰、犢鼻褌、今三尺布、作形如犢鼻、稱此者、言其無恥也、今銅印言犢紐、此其類矣、方言曰、保庸、謂之甬、奴婢賤稱也、韋昭曰、器、瓦器也、每食必滌溉者、【考證】中井積德曰、保亦庸類、若奴而非眞奴也、蓋須人之保任而使用、故曰保也、卓王孫聞而恥之、爲杜門不出。昆弟諸公、更謂王孫曰。有一男兩女。所不足者非財也。今文君已失身於司馬長卿。長卿故倦游。雖貧、其人材足依也。且又令客。獨柰何相辱如此。【集解】郭璞曰、諸公、父行也、倦游、厭游宦也、【正義】諸公、謂臨邛之長者也、非財、言非是錢財、倦、疲也、卓王孫不得已、分予文君僮百人、錢百萬、及其嫁時衣被財物。文君乃與相如歸成都、買田宅爲富人。居久之、蜀

人楊得意爲狗監侍上。【集解】郭璞曰、狗監、主獵犬也、上讀子虛賦而善之。曰。朕獨不得與此人同時哉。得意曰。臣邑人司馬相如自言爲此賦。上驚、乃召問相如。相如曰。有是。然此乃諸侯之事、未足觀也。請爲天子游獵賦。賦成奏之。上許令尙書給筆札。【正義】說文、札、牒也、按木簡之薄小者也、此時未用紙也、【考證】柯維騏曰、相如游梁時著子虛賦、爲武帝所善、此著天子遊獵賦、復借子虛三人之詞、以明天子之義、故亦名子虛賦、賦中敍上林、故又名上林賦、其實一也、文選截爲二篇、以前敍齊楚者爲子虛賦、自亡是公听然而笑以下敍上林者爲上林賦、失其旨矣、王若虛滹南文集辨疑、顧炎武日知錄、閻若璩潛邱劄記、亦各有異說、愚按子虛上林、原是一時作、合則一、分則二、而齊使子虛使於齊、獨不聞天子之上林乎、賦名之所由設也、相如使鄉人奏其上篇、以求召見耳、正是才子狡獪手段、柯氏疑是篇之外別有上林賦、亦爲相如所欺也、又按王楙野客叢書云、相如此賦、決非一日所能辨者、其運思緝工、亦已久矣、及是召見、因以發揮、不然、何以不俟上命、遽曰請爲天子游獵之賦、是知此賦已平時製下、而非一旦倉卒所能爲者、西京雜記、謂相如爲上林子虛賦、幾百日而後就、此言似可信、王說尤理、相如以子虛、虛言也。爲楚稱。【集解】郭璞曰、稱說楚之美、烏有先生者、烏有此事也。

爲齊難。【集解】徐廣曰、烏、一作惡、郭璞曰、詰難楚事也、無是公者、無是人也。明天子之義。【集解】郭璞曰、以爲折中之談也、故空藉此三人爲辭、以推天子諸侯之苑囿。【索隱】借、音假借、與積同音、其卒章歸之於節儉。因以風諫、奏之天子。天子大說。其辭曰。楚使子虛使於齊。齊王悉發境內之士、備車騎之衆、與使者出田。田罷、子虛過詫烏有先生。而無是公在焉。【集解】郭璞曰、詫、誇也、音託夏反、【索隱】過詫、上音戈、下音勑亞反、誇、詫、是也、【考證】文選、在作存、愚按、而無是公在焉、豫爲上林作地、楊得意奏子虛時、或無此六字也、坐定。烏有先生問曰。今日田、樂乎。子虛曰。樂。獲多乎。曰。少。然則何樂。曰。僕樂齊王之欲夸僕以車騎之衆、而僕對以雲夢之事也。【正義】夢、在江南華容、雲、在江北安陸、而名雲夢、已解在夏本紀、曰。可得聞乎。子虛曰。可。王駕車千乘、選徒萬騎、田於海濱。列卒滿澤、罘罔彌山。【集解】郭璞曰、罘、罝

也、音浮、【正義】說文云、罘、兔罟也、今幡車罟也、彌、竟也、揜兔轔鹿、射麋腳麟、【集解】徐廣曰、轔、音吝、躙案郭璞曰、腳、掎足、轔、車轢、【索隱】腳麟、韋昭云、謂持其一腳也、司馬彪曰、腳、掎也、說文云、掎、偏引一腳也、【考證】孔文祥曰、兎小、但以罝羅掩之、漢書、腳作格、顏注、格字或作腳、言持引其腳也、鶩於鹽浦、割鮮染輪。【集解】郭璞曰、鹽浦、海邊地、多鹽鹵、鮮、生肉也、染、擩也、音而沿反、又音而悅反、擩之於輪、鹽而食之、鶩馳也、音務、【索隱】李奇云、鮮、生肉也、染、濡也、切生肉、濡鹽而食之、染或爲淬、與下文將割輪染意同也、【考證】中井積德曰、染輪、謂血灑兩輪、愚按濱山轔輪韻、射中獲多、矜而自功。【考證】沈家本曰、按此句、與上文獲多乎曰少、不免矛盾、顧謂僕曰。楚亦有平原廣澤、游獵之地、饒樂若此者乎。楚王之獵、何與寡人。【集解】郭璞曰、與、猶如也、【考證】漢書文選、何作孰、文選、人下有乎字、僕下車對曰。臣楚國之鄙人也。幸得宿衞十有餘年。時從出游、游於後園、覽於有無。然猶未能偏覩也。又惡足以言其外澤者乎。【考證】李善曰、覽於有無、謂或有所見、或復無也、漢書文選無者字、齊王曰。雖然、略以子之所聞見而言之。【考證】漢書、無而字、僕對曰。唯唯。臣聞楚有七

澤。嘗見其一、未覩其餘也。【正義】唯唯、恭應也、臣之所見、蓋特其小小者耳。【索隱】郭璞云、特、獨也、名曰雲夢。【索隱】褚詮音亡棟反、又音莫風反、裴駰云、孫叔敖激沮水作此澤、張揖云、楚藪也、在南郡華容縣、郭璞曰、江夏安陸有雲夢城、南郡枝江亦有雲夢城、華容縣又有巴丘湖、俗云卽古雲夢澤也、則張揖云、在華容者、指巴湖也、今安陸東見有雲夢城雲夢縣、而枝江亦有者、蓋縣名遠取此澤、故有城也、【考證】沈家本曰、隋志、百賦音一卷、宋御史褚詮之撰、疑索隱奪之字、或省文也、雲夢者方九百里。其中有山焉。其山則盤紆岪鬱、隆崇嵂崒、岑巖參差、日月蔽虧、交錯糾紛、上干青雲、罷池陂陀、下屬江河。【集解】漢書音義曰、高山壅蔽日月、虧缺半見、【索隱】案漢書注、此卷多不題注者姓名、解者云、是張揖、亦兼有餘人也、【正義】岪、音佛、郭璞曰、相樛結而峻屈竦起也、【考證】漢書文選、巖作嵒、李善曰、嵒、音吟、錢大昭曰、江淹雜體詩、岑嵒還相蔽、李善引郭注方言云、岑崟、峻貌、王文彬曰、蔽、全隱也、虧、半缺也、山岑崟而參差、則日月或蔽或虧、郭璞曰、罷池陂陀、言旁穨也、屬、連也、顏氏刊謬正俗、陂池、讀如坡陁、猶言靡迤耳、文穎曰、南方無河也、冀州凡水大小皆謂之河、詩賦通方言耳、顏師古曰、下屬江河者、總言山之廣大所連者遠耳、於文無妨、何焯曰、今吳諺水無大小、皆謂之河、非冀州方言然矣、愚按鬱崒差虧紛雲陁河韻、其土、則丹青赭堊、【集解】徐廣曰、一作瑕、【索隱】張揖云、赭、赤土、出少室山、堊、白堊、本草云、一名白墡也、

雌黃白坿、【集解】徐廣曰、音符、駰案漢書音義曰、白坿、白石英也、【索隱】張揖曰、白石英也、出魯陽山、蘇林音附、郭璞音符也、【正義】藥對曰、雌黃出武都山谷、與雄黃同山、錫碧金銀、衆色炫燿、照爛龍鱗。【集解】郭璞曰、龍鱗、如龍之鱗采、【正義】顏云、錫、青金也、碧、謂玉之青白色者也、【正義】采色相曜、間雜若龍鱗、【考證】方廷珪曰、錫碧金銀、皆土之色似之、非指其物、愚按、銀鱗韻、其石、則赤玉玫瑰、【集解】郭璞曰、赤玉、赤瑾也、見楚辭、玫瑰、石珠也、琳瑉琨珸、【集解】漢書音義曰、琳、球也、珉、石次玉者、琨珸、山名也、出善金、尸子曰、昆吾之金者、【索隱】琨珸、司馬彪云、石之次玉者、按河圖云、流州多積石、名昆吾石、鍊之成鐵、以作劍、光明昭如水精、案字或作昆吾、瑊玏玄厲、【集解】徐廣曰、瑊、音古咸反、玏、音勒、皆次玉者、駰案漢書音義曰、玄厲、黑石、可用磨者、碝石武夫。【集解】徐廣曰、石似玉、駰案漢書音義曰、碝石、出鴈門、武夫、出長沙也、【正義】武夫、赤色白采、蔥蘢白黑不分、出長沙、【考證】曾國藩曰、以上敘山上石、漢書文選、琨珸作昆吾、文選、武夫作碔夫、珸夫韻、其東、則有蕙圃。【索隱】司馬彪云、蕙、香草也、本草云、薰草一名蕙、廣志云、蕙草、綠葉紫莖、魏武帝以此燒香、今東下田有此草、莖葉似麻、其華正紫也、衡蘭、芷若。【集解】漢書音義曰、衡、杜衡也、其狀若葵、其臭如蘼蕪、芷、白芷、若、杜若、【索隱】張揖云、衡、杜衡、生下田山、案山海經云、天帝之山有草、葉如葵、臭如蘼蕪、可以走馬、博物志云、一名土杏、其根一似細辛、葉似葵、故藥對亦爲似細辛、是也、蘭、張揖云、秋蘭、芷若、張揖云、若、杜若、芷、白芷也、本草云、一名茝、埤蒼云、齊曰茝、晉曰虈、字林曰、茝、音昌亥反、又音昌里反、虈、音火嬌反、本草又曰、

杜若、一名杜衡、今杜若葉似薑而有文理、莖葉皆有長毛、古今名號不同、故其所呼別也、射干、【索隱】廣雅云、烏蓬射干、本草名烏扇、【考證】柯維騏曰、此賦三用射干、漢書文選、芷若下無射干、梁章鉅曰、王氏學林云、每四字句、於韻爲協、一爲草類、一爲獸類、與下射干不害重複、按李注以芷若下有射干爲非、師古亦云、今流俗本妄增之、又師古於傳首云、近代之讀相如賦者多矣、皆改易文字、競爲音說、致失本眞、徐廣鄒誕生褚詮之陳武之屬是也、今依班書舊文爲正、於彼數家竝無取焉、是漢書所載獨經師古校定、非他本比也、穹窮昌蒲、江離麋蕪、諸蔗猼且。【集解】徐廣曰、猼、音匹沃反、駰案漢書音義曰、江離、香草、蘼蕪、蘄芷也、似蛇床而香、諸蔗、甘柘也、猼且、蘘荷也、【索隱】芎藭、司馬彪云、芎藭似藁本、郭璞云、今歷陽呼爲江離、淮南子云、夫亂人者、若芎藭之與藁本、吳錄曰、臨海縣海水中生江離、正青似亂髮、卽離騷所云者是也、廣志云、赤葉紅華、則與張勃所說又別、案今芎藭苗曰江離、綠葉白華、又不同、孟康云、麋蕪、蘄芷也、似蛇床而香、樊光曰、藁本、一名麋蕪、根名蘄芷、又藥對以爲麋蕪一名江離、芎藭苗也、則芎藭藁本江離麋蕪竝相似、非是一物也、諸柘、張揖云、諸柘、甘柘也、猼且、上音竝卜反、下音子余反、漢書作巴且、文穎云、巴蕉也、郭璞云、猼且、蘘荷屬、未知孰是也、【考證】文選、穹窮昌江離麋、六字皆从草、漢書文選、蔗作柘、猼作巴、桂馥說文義證、蘺下云、相如傳三句同韻、每句竝舉二物、上文云、芎藭昌蒲、下文云、諸柘巴且、中云江蘺蘼蕪、傳又云、揜以綠蕙、被以江離、糅以蘼蕪、雜以流夷、此四句各舉一草、江離蘼蕪非一草、又可見、故顏師古毛晃洪興祖皆蘼蕪非江蘺、蘺者、虈也、王先謙曰、說文、諸下云、諸蔗也、蔗下云、蔗諸也、漢書作柘、通段耳、王引之廣雅疏證釋草云、張揖注漢書云、蓴苴、蘘荷也、蓋一本有作蓴苴者、故索隱引郭璞子虛賦

注云、巴且、襄荷屬、則亦以巴且爲蓴苴也、叚借耳、愚按、蒲蕉且韻、其南、則有平原廣澤。登降陁靡、案衍壇曼。[集解]陁靡、音移靡、[索隱]司馬彪云、案衍、窳下、壇曼、平博也、衍、音弋戰反、緣以大江、限以巫山。[集解]郭璞曰、巫山、今在建平巫縣也、[考證]曼山韻、其高燥、則生葴蔪苞荔、[集解]徐廣曰、葴、音針、馬藍也、蔪、或曰、草生水中、華可食、荔、音力詣反、草似蒲、駰案漢書音義曰、苞、藨也、[索隱]葴析、音針斯二音、孟康曰、葴、馬藍也、郭璞曰、葴、酸漿、江東名烏葴、析、漢書作斯、孟康云、斯、禾、似燕麥、埤蒼又云、生水中、華可食、廣志云、涼州地生析草、皆如中國燕麥、是也、[考證]蔪、漢書作析、文選作蔪、王先謙曰、說文無蔪菥二字、蓋皆後人誤加艸耳、薛莎青薠。[集解]徐廣曰、薛、音先結反、駰案漢書音義曰、薛、賴蒿也、莎、鎬侯也、青薠、似莎而大也、薠、音煩、其卑溼、則生藏莨蒹葭、東薔雕胡、[集解]徐廣曰、烏桓國有蕎、似蓬草、實如葵子、十月熟、駰案漢書音義曰、藏、似薍而葉大、莨、莨尾草也、蒹、薕也、葭、蘆也、[索隱]庳、音婢、庳、下也、藏莨、郭璞云、狼尾、似茅、蒹葭、音兼加、孟康云、蒹、葭、似蘆也、郭璞云、蒹、蔽也、以蘆而細小、高數尺、江東人呼爲蒹蒿、叉云、葭、蘆也、似葦而細小、江東人呼爲烏蓲、蓲、音五恚反、蔽、音敵、東薔、案續漢書云、東薔似蓬草、實如葵子、十一月熟、廣志云、子色青黑、河西語云、貸我東薔、償我白粱也、彫胡、案謂菰米、[考證]漢書文選、卑作埤、薔作蘠、文選、雕作彫、蓮藕菰蘆、[集解]徐廣曰、生水中、[索隱]郭璞云、菰、蔣也、蘆、葦也、[考證]漢書文選、菰蘆作觚盧、菴蕳軒芋。[集解]漢書音義曰、奄閭、蒿也、軒芋、蕕草也、[索隱]

郭璞云、菴閭、蒿子、可療病也、軒芋、生水中、今揚州有也、衆物居之、不可勝圖。[集解]郭璞曰、圖、畫也、[考證]漢書文選、芋作于、葭胡蘆芋圖韻、曾國藩曰、此段南有平原廣澤、似最宜畋獵之地、而下文敘獵、但在東西北三處、而不及南之廣澤、蓋虛實相備也、其西、則有湧泉清池。激水推移、外發芙蓉蔆華、內隱鉅石白沙。其中、則有神龜蛟鼉、瑇瑁鼈黿。[正義]郭注山海經云、蛟、似蛇而四腳、小頭細頸、有白嬰、大者數十圍、卵生、子如一二斛瓮、吞人、鼉似蜥蜴而大、身有甲皮、可以冒鼓、瑇瑁、似觜觿、甲有文、出南海、可以飾器物也、[考證]瑇瑁、漢書作毒冒、顏師古曰、蛟、鼉之鮫、是鮫魚、非蛟龍之蛟、中井積德曰、鼈黿句、無韻、疑與上句誤相易者、沈家本曰、鼉、從單聲、黿、從元聲、古韻叶、愚按、池移華沙鼉黿韻、其北、則有陰林巨樹。[集解]郭璞曰、林、在山北陰地、[考證]顏師古曰、陰林、言其樹木衆而且大、常多陰也、愚按、文選、巨作其、疑非、楩柟豫章、[集解]郭璞曰、楩、杞也、似梓、柟、葉似桑、豫章、大木也、生七年、乃可知也、[正義]案溫活人云、豫、今之枕木也、章、今之樟木也、二木生至七年、枕樟乃可分別、[考證]杭世駿曰、按活人書名、即本草也、溫字疑衍、桂椒木蘭、[集解]駰案郭璞曰、木蘭、樹皮辛香、可食、[正義]郭璞云、桂、似枇杷葉而大、白花、花而不著子、叢生巖嶺、閒無雜木、冬夏常青、案今諸寺有桂樹、葉若枇杷而小、光淨、冬夏常青、其皮不中食、蓋二色桂樹、廣雅云、木蘭似桂、皮辛可食、葉冬夏榮、常以冬華、其實如小柹、辛美、南人以爲梅也、[考證]中井積德曰、桂是木犀、非藥用之桂、蘗離朱楊、

[集解]徐廣曰、蘗、音扶戾反、漢書音義曰、離、山梨、朱楊、赤楊也、[索隱]朱楊、郭璞云、赤莖柳、生水邊、爾雅云、檉、河柳、是也、樝梸梬栗、[集解]徐廣曰、梬、音郢、駰案漢書音義曰、梬、梬棗也、橘柚芬芳。[正義]小曰橘、大曰柚、樹有刺、冬不凋、葉青、花白、子黃、赤、二樹相似、非橙、[考證]章楊芳韻、其上、則有赤猨蠷蝚、[集解]徐廣曰、音劬柔、[正義]蠷、音劬、蝚、音柔、皆猿猴類、[考證]漢書文選、無赤猨蠷蝚四字、鵷雛孔鸞、騰遠射干。[集解]郭璞曰、鵷雛、鳳屬也、孔、孔雀、鸞、鸞鳥也、漢書音義曰、騰遠、鳥名、射干、似狐、能緣木、[索隱]孟康云、騰遠、鳥名、非也、司馬彪云、騰遠、蛇也、郭璞云、騰、蛇、龍屬、能興雲霧、張揖云、射干、似狐、能緣木、其下、則有白虎玄豹、蟃蜒貙豻、[集解]郭璞曰、蟃蜒、大獸、長百尋、貙、似貍而大、漢書音義曰、豻、胡地野犬、似狐而小也、[索隱]郭璞云、蟃蜒、大獸、長百尋、張揖云、貙、似貍而大、豻、胡地野犬、似狐而小、黑喙、應劭音顏、韋昭一音岸、鄒誕生音苦姦反、協音是、兕象野犀、窮奇獌狿。[正義]兕、狀如水牛、象、大獸、長鼻、牙長一丈、俗呼爲江猨、犀、頭似猨、一角在額、漢書無此一句、[考證]漢書文選、無兕象野犀窮奇獌狿八字、錢大昕曰、八字後人妄增、錢泰吉曰、獌狿與上蟃蜒複出、集解索隱本、蓋皆無之、故無辨釋、而窮奇象犀、注於後也、愚按、干豻韻、於是乃使專諸之倫、手格此獸。[正義]專諸、剌吳王僚者也、[考證]文選漢書、是下有乎字、專作剸、曾國藩曰、以上東西南北開下畋獵之地、楚王乃駕馴駮之駟、乘雕玉之輿、[集解]漢書音義曰、

馴、擾也、駮、如馬、白身黑尾、一角鋸牙、食虎豹、擾而駕之、以當駟馬也、[考證]漢書文選、駮作駁、駁駮通假、馬色不純曰駁、詩皇駁其馬、王先謙曰、駟、一乘也、靡魚須之橈旃、[集解]郭璞曰、以海魚須爲旃旌、言橈弱也、通帛爲旃也、[考證]中井積德曰、魚須、鯨魚口中之鬚、用以爲旗竿、柔軟易橈、曳明月之珠旗、[集解]漢書音義曰、以明月珠綴飾旗、建干將之雄戟、[集解]漢書音義曰、干將、韓王劒師、雄戟、胡中有鉅、干將所造也、[索隱]應劭曰、干將、吳善冶者姓、如淳曰、干將、鐵所出、晉灼曰、闔閭鑄干將劒、應劭說是、方言云、戟中小孑刺者、所謂雄戟也、周處風土記云、戟爲五兵雄也、鉅、音巨、案周禮、冶氏爲戈、胡三之、注云、胡其孑也、又禮圖、謂戟支曲下爲胡也、[考證]中井積德曰、雄只取壯辭耳、非制度之名、左烏嗥之雕弓、[索隱]烏號之雕弓、黃帝上仙、羣臣舉弓抱之而號、見封禪書及郊祀志文、韓詩外傳云、弓工之妻曰、此弓大山南烏號之柘、案淮南子云、烏號柘桑、其材堅勁、烏棲其上、將飛枝勁、復起號呼其上、伐取其材爲弓、因曰烏號、古史考風俗通、皆同此說也、[考證]漢書文選、嗥作號、右夏服之勁箭、[集解]徐廣曰、韋昭云、夏、夏羿也、矢室名曰服、呂靜曰、步叉謂之服也、[索隱]案夏羿善射者、又服箭室之名、故云夏服、又夏后氏有良弓、名繁弱、其矢亦良、即繁弱箭服是也、[考證]中井積德曰、只是夏世之箭服已、何必論羿與繁弱、陽子驂乘、纖阿爲御、[集解]漢書音義曰、陽子、僊人陵陽子、纖阿、月御也、韋昭曰、陽子、古賢也、[索隱]服虔云、陽子、仙人陵陽子也、張揖云、陽子、伯樂也、孫陽字伯樂、秦繆公臣、善御者也、服虔云、纖阿爲月御、或曰、美女姣好貌、又樂彥曰、纖阿、山名、有女子處其巖、月歷岩度、

躍入月中、因名月御也、考證陽子、張說近是、郭璞曰、纖阿、古之善御者、見楚辭、案節未舒、卽陵狡獸、索隱郭璞曰、言頓轡也、司馬彪云、案轡徐行得節、故曰案節、馬足未展、故曰未舒之也、亦曰未得也、考證顏師古曰、案節猶弭節也、未舒、言未盡意驅馳、已凌狡獸、轔邛邛、蹵距虛、集解郭璞曰、邛邛、似馬而色青、距虛、卽邛邛、變文互言之、穆天子傳曰、邛邛距虛、日走五百里也、考證漢書文選、邛邛作蛩蛩、轔蹵二字互易、轔、轢也、中井積德曰、邛邛與距虛是二物、王先謙曰、此極言車馬迅疾、雖至捷之獸、亦不能蹴踐之也、軼野馬而轊騊駼、集解徐廣曰、轊、音銳、駰案郭璞曰、野馬如馬而小、騊駼似馬、轊、車軸頭、索隱轊騊駼、上音衛、轊、車軸頭也、謂車軸衛殺之、騊駼、野馬、考證王念孫曰、軼讀若迭、隱九年左傳、懼其侵軼我也、注、軼、突也、漢書文選、無而字、乘遺風而射游騏。集解漢書音義曰、遺風、千里馬、爾雅曰、䮫如馬一角、不角者騏也、索隱呂氏春秋云、遺風之乘、古今注云、秦始皇馬名、韋昭云、騏如馬一角、爾雅云、䮫無角、曰騏、非麒麟之騏、䮫音攜、考證漢書文選、無而字、儵眒淒浰、集解徐廣曰、淒音七見反、浰音力詣反、駰案漢書音義曰、皆疾貌、考證儵、文選作倏、音式六反、眒、眴瞬同、四字以狀車騎之迅疾、靁動熛至、星流霆擊、弓不虛發、中必決眥、集解韋昭曰、在目所指、中必決於眼眥也、考證熛、漢書作焱、文選作猋、文選是也、猋颷同、暴風也、顏師古曰、決眥、決獸之目眥、中井積德曰、決裂獸眥也、與洞胸達腋相連、共承必字也、洞胷達腋、絕乎心繫、獲若雨獸、揜

草蔽地。考證旃、箭、御、舒、虛、駼、騏、浰、至、眥、地、韻、於是楚王乃弭節裴回、翱翔容與、集解郭璞曰、或云、節、今之所杖信節也、索隱司馬彪云、弭、猶低也、或云、節、今之所言杖節信也、郭璞曰、容與、言自得、考證王文彬曰、弭節、猶案節也、周亞夫傳、天子乃按轡徐行、按轡案節、皆安徐之貌也、弭亦安也、覽乎陰林、觀壯士之暴怒、與猛獸之恐懼、徼谻受詘、殫睹衆物之變態。集解徐廣曰、谻、音劇、駰案郭璞曰、谻、疲極也、詘、盡也、言獸有倦游者、則徼而取之、索隱徼谻受詘、司馬彪云、徼、遮也、谻、倦也、謂遮其倦者、谻、音劇、詘、音屈、說文云、谻、勞也、燕人謂勞爲谻、徼、音古堯反、考證曾國藩曰、以上觀於陰林、卽上文北有陰林也、中井積德曰、屈、謂窮困也、於是鄭女曼姬、集解郭璞曰、曼姬、謂鄭曼姬、婦人之總稱、正義文穎云、鄭國出好女、曼者、其色理曼澤也、如淳云、鄭女、夏姬也、曼姬、楚武王夫人鄧曼、考證顏師古曰、文說是、王先謙曰、曼、美也、鄭女多美、故鄭女爲當時美女恆稱、不必果出自鄭、鄭女曼姬、猶言美女美姬耳、被阿錫、集解漢書音義曰、阿、細繒也、錫、布也、正義按東阿出繒也、考證文選、錫從糸、假借字、揄紵縞、集解徐廣曰、揄、音臾、正義揄、曳也、韋昭云、紵之色若縞也、顏云、紵、織紵也、縞、鮮支也、襍纖羅、垂霧縠、集解郭璞曰、言細細如霧垂、以覆頭、考證張揖曰、縠細如霧、垂以爲裳也、李善曰、神女賦曰、動霧縠以徐步、襞積褰縐、紆徐委曲、鬱橈谿谷、集解漢書音義曰、襞積、簡齰也、褰、縮也、

縐、裁也、其縐中文理、茀鬱迟曲、有似於谿谷也、索隱小顏云、襞積、今之裙襵、古謂之素積、蘇林曰、褰縐、縮蹙之、是也、縐、音側救反、齰、音叉革反、裁、音在代反、鬱橈、谿谷、孟康曰、其縐中文理、茀鬱迟曲、有似于谿谷也、迟、字林音丘亦反、考證漢書、無紆徐委曲四字、郭嵩燾曰、說文、襞、韏衣也、褰、袴也、引春秋傳、徵褰與襦、蓋皆褻服、襞積狀衣之摺疊、衣在外、袴在內、錫縞羅縠之屬、輕輭多蹙紋、故以鬱橈谿谷爲言、言表裏之深邃也、王先謙曰、褰縐蘇說是、士冠禮注、積猶辟也、以素爲裳、辟蹙其要中、謂[illegible]要摺疊處也、鬱橈谿谷四字、總狀、狀其縮蹙耳、郭說亦通、衯衯裶裶、索隱郭璞云、衣長貌、正義上芳云反、下方非反、揚袘卹削、集解徐廣曰、袘、音迤、衣袖也、駰案漢書音義曰、卹削、裁制貌也、索隱揚袘戌削、張晏曰、揚、擧也、袘、衣袖也、卹削、裁制貌也、考證漢書袘作袘、漢書文選卹作戌、顏師古曰、揚、擧也、袘、曳也、或擧或曳、則戌削然、見其降殺之美也、王先謙曰、玉篇、袘、衣緣也、士昏禮、纁袘、注、袘謂緣、袘之言施、以緇緣裳、象陽氣下施也、類篇、袘、裳下緣也、袘、袘同一字、訓爲裳緣、戌削、狀行時裳緣之整齊、張訓裁制貌、得之、顏說非、蜚纖垂髾、集解徐廣曰、纖、音芟、駰案郭璞云、纖、袿衣飾、髾、髾、髾也、考證漢書纖作襳、文選注司馬彪曰、纖、袿飾也、髾、燕尾也、李善曰、纖與燕、皆婦人袿衣之飾也、蜚、古飛字也、髾、所交切、曾國藩曰、襞積至谿谷三句、衯衯至垂髾三句、皆下二句用韻、扶與猗靡、集解郭璞曰、淮南所謂曾折摩地、扶與猗委也、正義與、音餘、猗、於綺反、謂鄭女曼姬侍從王者、扶其車輿而猗靡、考證扶與、正義本作扶輿、與漢書文選合、噏呷萃蔡、集解漢書音義曰、噏呷、衣裳張起也、萃蔡、衣聲也、索隱孟康曰、噏呷、衣起張也、韋昭云、呷、音呼甲反、萃縩、孟康云、萃縩、衣聲也、郭璞曰、萃縩、猶璀璨也、正義

呷、火甲反、萃、音翠、蔡、千賄反、考證漢書文選、噏作翕、王先謙曰、扶與猗靡、衣之狀、翕呷萃蔡、衣之聲、下摩蘭蕙、上拂羽蓋、錯翡翠之威蕤、繆繞玉綏。集解徐廣曰、錯、音措、或作錯紛翠蕤、郭璞曰、綏、所執以登車、正義顏云、下摩蘭蕙、謂垂髾也、上拂羽蓋、謂飛纖也、玉綏、以玉飾綏也、言飛纖垂髾錯襍翡翠之旌幡、或繞玉綏也、張揖云、翡翠、大小一如雀、雄赤曰翡、雌青曰翠、博物志云、翡身通黑、唯胷前背上翼後有赤毛、翠身通青黃、唯六翮上毛長寸餘、青、其飛則羽鳴、翠翡翠然、因以爲名也、考證文選、摩作靡、李善作摩、古靡摩通、李善曰、垂髾飛纖飄揚上下、故或摩蘭蕙、或拂羽蓋、愚按徐廣引或本可從、錯紛翠蕤、繆繞玉綏、亦承上狀鄭女曼姬之服飾也、靡蔡蕙蓋蕤綏韻、漢書、威作葳、縹乎忽忽、若神仙之仿佛。正義仿佛、言似神仙也、戰國策云、鄭之美女、粉白黛黑而立於衢、不知者謂之神仙、考證漢書文選、縹乎作眇眇、仿佛作髣髴、漢書無神字、忽佛韻、於是乃相與獠於蕙圃、集解郭璞曰、獠、獵也、音遼、索隱爾雅云、宵獵曰獠、郭璞曰、獠、獵也、又音遼也、媻珊勃窣、上金隄。索隱盤姍勃猝、韋昭曰、盤姍、匍匐上下也、猝、音素忽反、考證漢書文選、珊作姍、文選、上下有乎字、顏師古曰、媻姍勃窣、謂行於叢薄之間也、金隄、言水之隄塘堅如金也、上字下、當補乎字、揜翡翠、射鵔鸃、集解漢書音義曰、鵔鸃、鳥似鳳也、索隱司馬彪云、鵔鸃、山雞也、許愼云、鷩鳥也、郭璞曰、似鳳有光彩、音浚宜、李彤云、鵔鸃、神鳥、飛光竟天也、微矰出、纖繳施、集解徐廣曰、繳、音斫、弋白鵠、連駕鵝、

[集解]郭璞曰、野鵝也、駕、音加、[索隱]駕鵝、爾雅云、舒鴈鵝也、郭璞曰、野鵝也、[正義]鵠、水鳥也、駕鵝連、謂兼獲也、抱朴子云、千歲之鵠純白、能登於木、[考證]駕、諸本作駕、今從索隱單本、中統、游、毛本、漢書、文選亦作駕、雙鵠下、玄鶴加。[集解]郭璞曰、詩云、弋言加之、是也、[正義]司馬彪云、鶬似鴈而黑、亦呼爲鶬括、韓詩外傳云、胎生也、相鶴經云、鶴壽二百六十歲則色純黑、案弋雙鵠既下、又加玄鶴之上也、[考證]隄鵝施鵝加韻、怠而後發、游於清池。[考證]漢書、無發字、郭璞曰、怠、倦也、浮文鷁、[集解]漢書音義曰、鷁、水鳥也、畫其象於船首、淮南子曰、龍舟鷁首、天子之乘也、揚桂枻、[集解]徐廣曰、音曳、駰案韋昭曰、枻、檝也、[考證]漢書文選、桂作旌、張翠帷、建羽蓋、罔瑇瑁、釣紫貝、[集解]郭璞曰、紫質黑文也、[正義]毛詩蟲魚疏云、貝、水之介蟲、大者蚢、音下郎反、小者爲貝、其白質如玉、紫點爲文、皆成行列、當大者徑一尺、小者七八寸、今九眞交趾以爲杯盤寶物也、貨殖傳云、貝寶龜、是也、摐金鼓、吹鳴籟、[集解]漢書音義曰、摐、撞也、籟、簫也、榜人歌、[集解]郭璞曰、唱櫂歌也、榜、船也、音謗、聲流喝。[集解]徐廣曰、烏邁反、水蟲駭、波鴻沸、[考證]二句疑倒、涌泉起、奔揚會。礧石相擊、硠硠礚礚。若靁霆之聲、聞乎數百里之外。[考證]郭璞曰、奔揚會、暴溢激相彭薄也、中井積德曰、奔揚、濤也、漢書、硠硠作琅琅、里下無之字、枻蓋貝籟喝駭會礚外韻、曾國藩曰、以上與衆女獵於蕙圃、游於清池、即上文東有蕙圃、西有清池也、將息獠者、擊靈鼓、起烽燧。[集解]郭璞曰、靈鼓、六面也、車案行、騎就隊。纚乎淫淫、班乎裔裔。[集解]郭璞曰、皆羣行貌也、[考證]漢書文選、班作般、燧隊裔韻、於是楚王乃登陽雲之臺、[集解]徐廣曰、宋玉云、楚王游於陽雲之臺、駰案郭璞曰、在雲夢之中、[考證]文選、陽雲作雲陽、泊乎無爲、澹乎自持、勺藥之和具、而後御之。[集解]郭璞曰、勺藥、五味也、[正義]文穎曰、勺藥、五味之和也、顏云、芍藥、草名、其根主安和五藏、又辟毒氣、故合之於蘭桂五味、以助調食、因呼五味和爲芍藥耳、今人食馬腸馬肝者、猶合芍藥而煮之、豈非古之遺法乎、伏儼云、芍藥以蘭桂調食、[考證]文選、澹作憺、臺爲持之韻、不若大王終日馳騁而不下輿、脟割輪淬、自以爲娛。臣竊觀之、齊殆不如。[集解]徐廣曰、淬、千內反、駰案郭璞曰、脟、膞、淬、染也、脟、音臠也、[考證]漢書文選、而作曾、淬作焠、顏師古曰、脟字與臠同、焠亦揾染之義耳、言臠割其肉揾車輪、鹽而食之、此蓋目譏上割鮮染輪之言也、愚按輿娛如韻、於是王默然無以應僕也。[考證]文選、王上有齊字、漢書文選、無默然二字、曾國藩曰、以上息獵、烏有先生曰、是何言之過也。足下不遠千里、來況齊國。[集解]郭璞曰、言有惠況也、[考證]文選、況作貺、齊作吾、王悉發境

內之士、而備車騎之衆、以出田。[考證]漢書、無發字、乃欲戮力致獲、以娛左右也。何名爲夸哉。問楚地之有無者、願聞大國之風烈、先生之餘論也。[正義]先生、言子虛也、今足下不稱楚王之德厚、而盛推雲夢以爲高、奢言淫樂而顯侈靡。竊爲足下不取也。[考證]高、高談也、奢字屬下讀、漢書、高作驕、恐非、必若所言、固非楚國之美也。有而言之、是章君之惡。無而言之、是害足下之信。[考證]文選、無有而言之、是章君之惡九字、漢書、惡下信下、有也字、章君之惡、而傷私義。二者無一可。而先生行之。必且輕於齊而累於楚矣。[考證]漢書文選、君下無之字、且齊東陼巨海、[索隱]陼、蘇林音渚、小洲曰陼、謂東有大海之陼也、南有琅邪、[集解]郭璞曰、山名、在琅邪縣界、[正義]山名、在密州東南百三十里、琅邪臺在山上、觀乎成山、[集解]徐廣曰、在東萊不夜縣、[索隱]張揖云、觀、闕也、於山上築宮闕、郭璞云、言在山下遊觀、音館也、[正義]封禪書云、成山斗入海、言上山觀也、括地志云、成山、在萊州文登縣東北百八十里也、張揖說非也、[考證]中井積德曰、觀、游也、與下文射字浮字一例、正與孟子觀於轉附之觀同、射乎之罘、[集解]漢書音義曰、之罘、山、在牟平縣、射獵其上也、[正義]括地志云、罘山、在萊州文登縣西北百九十里、言射獵其上也、罘、音浮、浮勃澥、[集解]漢書音義曰、海別枝名也、[索隱]案齊都賦云、海傍曰勃、斷水曰澥也、游孟諸、[集解]郭璞曰、宋之藪澤名、[正義]周禮職方氏、青州藪曰望諸、鄭玄云、望諸、孟豬也、邪與肅愼爲鄰、[正義]邪、謂東北接之、括地志云、靺鞨國、古肅愼也、亦曰挹婁、在京東北八千四百里、南去扶餘千五百里、東及北各抵大海也、右以湯谷爲界。[正義]言右者、北向天子也、海外經云、湯谷、在黑齒北、上有扶桑木、水中十日所浴、張揖云、日所出也、許愼云、熱如湯、[考證]中井積德曰、左右、只據其所而爲言耳、不必據天子、秌田乎青丘、[索隱]郭璞云、山名、出九尾狐也、[正義]服虔云、青丘國、在海東三百里、郭璞云、青丘、山名、上有田、亦有國、出九尾狐、在海外、傍偟乎海外、吞若雲夢者八九。其於胷中、曾不蔕芥。[索隱]張揖曰、刺、鯁也、郭璞云、言不覺有也、若乃俶儻瑰偉、異方殊類、珍怪鳥獸、萬端鱗萃、充仞其中者、不可勝記。禹不能名。契不能計。[正義]俶儻、猶非常也、禹爲堯司空、辨九州土地山川草木禽獸、契爲司徒、敷五教、主四方會計、言二人猶不能名計其數、[考證]漢書文選、萃作崒、然在諸侯之位、不敢言游

戲之樂、苑囿之大。【考證】邪罘諸、界外芥類萃記計大韻、先生又見客。【索隱】先生、指子虛也、如淳曰、見客、見賓客禮待故也、李善曰、言見先生、是賓客之也、是以王辭而不復。何爲無用應哉。【索隱】郭璞曰、復、荅也、【考證】各本、不下有能字、索隱本無、與漢書文選合、王念孫曰、能字後人所加、類聚產業部引無、曾國藩曰、以上烏有折子虛、愚按篇首至此相如賦前半、武帝所驚嘆、文選題曰子虛賦、以下召見之日所記奏、文選題曰上林賦、無是公听然而笑曰。楚則失矣。齊亦未爲得也。【集解】郭璞曰、听、笑貌也、【索隱】說文云、听、笑貌、夫使諸侯納貢者、非爲財幣。所以述職也。【集解】郭璞曰、諸侯朝於天子曰述職、言述所職、見孟子、封疆畫界者、非爲守禦。所以禁淫也。【集解】郭璞曰、禁絕淫放也、【正義】郭云、天子有道、守在四夷、立境界者、欲以禁絕淫放、非禦捍、今齊列爲東藩、而外私肅愼、捐國踰限、越海而田。其於義、故未可也。【正義】越海而田、言其度海田獵於青丘、【考證】舊刻、毛本、故作固、與漢書文選合、故固通假、且二君之論、不務明君臣之義、而正諸侯之禮、徒事爭游獵之樂、苑囿之大、欲以奢侈相勝、荒淫相

越。此不可以揚名發譽、而適足以貶君自損也。且夫齊・楚之事、又焉足道邪。君未睹夫巨麗也。獨不聞天子之上林乎。左蒼梧、右西極、【集解】郭璞曰、西極、邠國也、見爾雅、【正義】文穎云、蒼梧郡、屬交州、在長安東南、故言左、爾雅云、西至於豳國爲極、在長安西、故言右、丹水更其南、【集解】漢書音義曰、丹水出上洛冢領山、【考證】更、歷也、紫淵徑其北、【集解】郭璞曰、紫淵所未詳、【正義】山海經云、紫淵水、出根者之山、西流注河、文穎云、西河穀羅縣有紫澤、其水紫色、注亦紫、在縣北、於長安爲北、【考證】張文虎曰、正義、其水紫色注亦紫七字、漢書文選注無、疑是讀者旁注誤入、終始霸・滻、出入涇・渭、【索隱】張揖云、灞、出藍田西北而入渭、滻、亦出藍田谷北、至霸陵入灞、灞滻二水、盡於苑中、不出故云終始也、涇渭二水、從苑外來、又出苑去也、涇水出安定涇陽縣笄頭山、東至陽陵入渭、渭水出隴西首陽縣鳥鼠同穴山、東北至華陰入河、【考證】文選霸作灞、漢書滻作產、酆・鄗・潦・潏、紆餘委蛇、經營乎其內、【集解】郭璞曰、潦、潏、皆水流貌、音決、【索隱】張揖云、豐水出鄠縣南山豐谷北入渭、鎬在昆明池北、郭璞云、鎬水、豐水下流也、應劭云、潦、流也、潏、涌出聲也、張揖云、又有潏水出南山、姚氏云、潦或作澇也、澇水出鄠縣北、注渭、潏水出杜陵、今名沇水、自南山皇子陂西北流、注昆明池入渭、案此下文八川分流、則從涇渭灞滻豐鎬潦潏爲八、晉灼曰、從丹水下則有九、從灞以下則七、案今潏既是水名、除丹紫二川、自涇渭以下、適足

八川、是經營乎其內也、又潘岳關中記曰、涇渭灞滻豐鎬澇潏、上林賦所謂八川分流、蕩蕩兮八川、分流相背而異態、【集解】郭璞曰、八川、名在上、【考證】漢書文選、兮作乎、東西南北、馳騖往來、【考證】極北、渭蛇態來韻、出乎椒丘之闕、行乎洲淤之浦、【集解】郭璞曰、椒丘、丘名、言有巖闕也、見楚辭、淤、亦洲名、蜀人云、見方言、【索隱】服虔云、丘名、楚詞曰、馳椒丘、且焉止息也、案兩山俱起、象雙闕、如淳云、丘多椒也、徑乎桂林之中、過乎泱莽之野、【集解】郭璞曰、桂林、林名也、見南海經也、漢書音義曰、山海經所謂大荒之野、【正義】顏云、凡言此者、著水流之長遠也、【考證】中井積德曰、椒丘桂林、竝非地名、特借美稱於所植耳、洲淤泱漭亦非地名、只謂有洲渚之地、廣大無邊之野耳、闕者、丘之斷所也、文選、徑作經、莽作漭、汩乎渾流、順阿而下、【集解】郭璞曰、阿、大陵、【考證】漢書文選、渾作混、阿、丘陵曲處、浦野下韻、赴隘陝之口、觸穹石激堆埼、【集解】郭璞曰、穹隆、大石貌、堆、沙堆、埼、曲岸頭、音祁、【索隱】郭璞曰、堆、沙堆、埼、曲岸頭也、【考證】漢書文選、陝作陿、顏師古曰、兩岸間相迫近也、中井積德曰、穹石、謂穹隆之石、堆埼、謂高大之埼、沸乎暴怒、洶涌滂潰、【集解】洶、音許勇反、涌、音勇、滂、音浦橫反、潰、音浦拜反、【索隱】洶湧澎湃、司馬彪云、洶湧、跳起貌、澎湃、相戾也、湧或作容、澎或作滂、【考證】漢書文選、滂潰作澎湃、滭浡滵汨、【索隱】司馬彪云、滭沸、盛貌、滵汨、去疾也、【正義】畢渤密三音、汨、于筆反、【考證】漢書文選、浡滵作弗宓、

湢測泌瀄、【集解】郭璞曰、逼側筆櫛四音、【索隱】司馬彪云、湢測、相迫也、泌瀄、相楔也、郭璞云、逼側筆櫛四音、【考證】漢書文選、湢測作偪側、橫流逆折、轉騰潎洌、【索隱】蘇林曰、流輕疾也、澎濞沆瀣、【索隱】滂濞沆溉、溉亦作瀣、司馬彪云、滂濞、水流聲也、沆溉、徐流、郭璞云、鼓怒鬱𩞄之貌也、【正義】澎、普彭反、濞、普秘反、沆、胡朗反、溉、胡代反、【考證】漢書文選、作滂濞沆溉、穹隆雲撓、【索隱】穹崇雲橈、服虔云、水旋還作泉也、郭璞云、水隴起回窊也、【考證】索隱本、撓作橈、與漢書文選合、王先謙曰、言水勢起伏、乍穹然而上、隆旋若雲而低回也、蜿灗膠戾、【索隱】司馬彪云、蜿灗、展轉也、膠戾、邪屈也、音婉善交戾四音也、【正義】蜿、音婉、灗、音善、踰波趨浥、【集解】徐廣曰、烏狹反、【索隱】踰波趨浥、司馬彪云、隃波、後陵前也、趨浥、輸于深泉也、浥、音焉浹反、莅莅下瀨、【索隱】司馬彪云、莅莅、水聲也、瀨、音利、【考證】漢書文選、莅作涖、批壧衝壅、奔揚滯沛、【索隱】滯沛、郭璞云、水洒散貌、滯、音丑制反、【正義】批、白結反、壧、巖、司馬彪云、批、反擊也、壅、曲隈也、【考證】漢書文選、壧作巖、中井積德曰、壅、水道壅閼之處、臨坻注壑、瀺灂霣墜、【索隱】瀺灂、上音士湛反、下音士卓反、說文云、水小聲也、【正義】坻、音遲、坻、水中沙微起出水者也、爾雅云、小沚曰坻、壑、墟也、霣、音隕、隧、直類反、湛湛隱隱、砰磅訇礚、【集解】徐廣曰、湛、音沈、【正義】砰、披萌反、磅、蒲黃反、訇、呼宏反、礚、苦蓋反、皆水流鼓怒之聲也、【考證】漢書文選、湛作沈、李善曰、沈沈、深貌、隱隱、盛貌、潏潏淈淈、湁潗鼎沸、【集解】郭璞

曰、潏、音勑立反、潗、音緝、【索隱】潏滈、潏潗、郭璞云、皆水微轉細涌貌、潏滈、音決骨、潏、音勑力反、潗、音緝、廣雅云、滈滈、決流也、周成雜字云、潏潗、水沸之貌也、馳波跳沫、汨㴔漂疾、【集解】徐廣曰、跳沫、一云吸呷、【索隱】㴔、晉灼曰、華給反、郭璞云、許立反、汨㴔、急轉貌也、悠遠長懷、寂漻無聲、【正義】悠遠、放散貌也、【考證】文選注、郭璞曰、懷亦歸、變文耳、王先謙曰、郭說與下肆乎永歸意複、釋言、懷、來也、肆乎永歸、然後灝溔潢漾、【正義】晃養二音、郭云、皆水無涯際也、安翔徐徊、翯乎滈滈、【索隱】翯、音鶴、滈、音鎬、詩曰、白鳥翯翯、郭璞云、水白光貌、翯、音皛、滈、音昊也、東注大湖、衍溢陂池。【正義】太湖、在蘇州西南、【考證】正義、大作太、與文選合、郭璞曰、言溢溢而出也、陂池、江旁小水、齊召南曰、太湖指關中巨澤言之、曾國藩曰、以上、水、子虛賦言水始終、不外有力自然兩義、觸穹石四句、言水之盛怒有力、滭弗五句、極言其有力、穹隆四句、言其自然、批巖二句、言其有力、臨坻二句、言其自然、沈沈二句、言其有力、滈滈二句、言其自然、馳波十句、皆言其自然、脈絡極分明也、又曰、湃漑瀨沛墜礚沸爲韻、懷歸回池爲韻、一韻之中、上有數句、又各私自爲韻、如滯折洌、私自爲韻、戾浥私自爲韻也、於是乎、蛟龍赤螭、【索隱】文穎曰、龍子曰螭、張揖云、雌龍也、【正義】螭、丑知反、文穎云、龍子爲螭、張揖曰、雌龍也、二說皆非、廣雅云、有角曰虬、無角曰螭、案虬螭皆龍類、而非龍、【考證】漢書、無乎字、䱭䲛螹離、【集解】徐廣曰、螹、音漸、駰案郭璞曰、䱭䲛、鮪也、音亘曹、螹離未聞、【正義】䱭、古鄧反、䲛、末鄧反、李奇云、周洛曰鮪、蜀曰䱭䲛、出鞏山穴中、三月遡河上、能度龍門之限、則

爲龍矣、【考證】漢書文選、螹作漸、螭離、韻、司馬彪曰、漸離、魚名、張揖曰、其形狀未聞、鰅鱅鰬魠、【集解】徐廣曰、鰅、音娛匈反、皮有文、出樂浪、鰬、音虔、魠、音託、哆口魚、駰案郭璞曰、鱅似鰱而黑、漢書音義曰、鰬似鯉而大也、【考證】漢書文選、鱅作鰫、禺禺鱋魶、【集解】徐廣曰、禺禺、魚牛也、鱋、一作魼、魶、音納、一作鰨、音榻、駰案漢書音義曰、魼、比目魚也、魶、鯢魚、【考證】漢書文選、鱋魶作魼鰨、揵鰭擢尾、振鱗奮翼、【正義】揵、音乾、鰭、音祁、揵、擧也、鰭者、魚背上鬣也、【考證】漢書文選、擢作掉、掉、搖也、魠魶翼、韻、潛處于深巖、魚鼈讙聲、萬物衆夥、【考證】夥、多也、明月珠子、玓瓅江靡、【集解】郭璞曰、靡、崖也、【索隱】玓瓅江靡、應劭曰、靡、邊也、明月珠子、生於江中、其光耀、乃照于江邊、張揖曰、靡、涯也、郭璞曰、玓瓅、照也、【考證】索隱本、玓瓅作的皪、與漢書文選合、子靡、韻、蜀石黃碝、水玉磊砢、【集解】郭璞曰、碝、石黃色也、水玉、水精也、【考證】郭璞曰、磊砢、魁礧貌也、磷磷爛爛、采色澔旰、叢積乎其中、【正義】皆玉石符采映耀於水中也、【考證】漢書文選、旰作汗、爛旰、韻、鴻鷫鵠鴇、鴐鵝鸀鳿、【集解】郭璞曰、鷫鷫霜、鸀鳿、似鴨而大、長頸赤目、紫紺色也、【索隱】鴇、音保、郭璞云、鴇似鴈無後指、毛詩鳥獸疏云、鴇似鴈而虎文也、【正義】鸀鳿、燭玉二音、郭云、似鴨而大、長頸赤目、紫紺色、辟水毒、生子在深谷澗中、若時有雨、鳴、雌者生子、善鬬、江東呼爲燭玉、【考證】漢書文選、鴇鷫倒、鸀鳿作屬玉、鵁鶄䴉目、【集解】徐廣曰、䴉、音環、【索隱】䴉目、郭璞云、未詳、

小顏云、荆郢閒有水鳥、大如鷺而短尾、其色紅白、深目、目旁毛長而旋、此其旋目乎、鷃、音旋、【正義】郭云、鵁鶄似鳧而腳高、有毛冠、辟火災、【考證】漢書文選、作交精旋目、鳿目、韻、煩鶩鷛鸈、【集解】徐廣曰、煩鶩、一作番鸔、鷛、音容、駰案漢書音義曰、煩鶩、鳧也、鷛鸈似鶩、灰色而雞足、【索隱】煩鶩、鷛渠、郭璞云、煩鶩、鴨屬、鷛渠、一名章渠也、【考證】漢書文選、作庸渠、鱵鴜鵁鸕、【集解】徐廣曰、鱵、音斟、水鳥也、鴜、音斯、鵁、音火交反、駰案漢書音義曰、鱵鴜、蒼黑色、郭璞曰、鵁、魚鵁也、腳近尾、鸕、鸕鷀也、【索隱】葴鴜、張揖云、葴鴜似魚虎而蒼黑、鄒誕本、作鵃鴜也、【考證】漢書文選、作箴疵鵁盧、鴜鸕、韻、羣浮乎其上、汎淫泛濫、隨風澹淡、【索隱】郭璞云、皆鳥任風波自縱漂貌、汎、音馮、泛、音芳劍反、廣雅云、汎汎、氾氾、浮也、【考證】濫淡、韻、與波搖蕩、掩薄草渚、【索隱】張揖云、掩、覆也、草叢生曰薄也、【正義】掩、覆也、薄、依也、言或依草渚而遊戲也、【考證】漢書文選、作奄薄水渚、唼喋菁藻、咀嚼菱藕。【集解】郭璞曰、菁、水草、呂氏春秋曰、太湖之菁也、【索隱】郭璞云、菁、水草、藻、藻也、呂氏春秋曰、太湖之菁、左傳云、蘋蘩蘊藻、蘊、即聚、【正義】唼、疏甲反、喋、丈甲反、鳥食之聲也、【考證】漢書文選、菱作蔆、顏師古曰、唼喋、銜食也、渚藕、韻、曾國藩曰、以上、水中之物、於是乎、崇山巃嵸、崔巍嵯峩、【正義】巃、力孔反、嵸、子孔反、崔、在回反、巍、五回反、郭云、皆峻貌、【考證】漢書文選、山下有矗矗二字、巍下無嵳峩二字、爲是、下云嵾嵳峩峩、則此不應復云嵳峩、深林鉅木、嶄巖嵾嵳、【正義】嶄、音咸、又仕銜反、嵾、音楚林反、嵳、楚宜反、顏云、嶄巖、尖銳貌、嵾嵳、不齊也、【考證】漢書、嵾嵳作參差、

九嵕巀嶭、南山峩峩、【集解】漢書音義曰、九嵕山、在左馮翊谷口縣西、巀嶭山、在池陽縣北、【正義】嵕、子公反、巀、才切反、嶭、五結反、巖陁甗錡、摧崣崛崎、【集解】陁、音遲、郭璞曰、陁、崖際、甗、音魚晚反、錡、音蟻、摧、音作罪反、【索隱】摧崣崛崎、郭璞云、皆崇屈竅折貌、摧、音作罪反、崣、音委、崛、音掘、崎、音倚、【考證】郭璞曰、巀嶭、高峻貌、梁章鉅曰、此處只當作高峻解、據漢書文選、巍嵳峩、韻、王先謙曰、甗、甑也、山形似甑、上大下小、錡、三脚釜也、山之嵌空玲瓏、有若錡然者、與甗對文、甑釜相類之物、故擧以爲喩、巖陁甗錡四字、各爲一義、言巖而峻、或陁而下、或如甗而巀嶭、或如錡而嵌空也、愚按司馬彪曰、陁、靡也、錡、欹也、甗、五臣本文選作巘、巘、山嶺也、言巖靡巘欹、其狀崇屈竅折也、王說非是、錡崎、韻、振谿通谷、蹇產溝瀆、【集解】漢書音義曰、蹇產、屈折也、【索隱】張揖云、振、拔也、水注川曰溪、注溪曰谷、郭璞曰、振、猶灑也、【考證】李善曰、言山石收斂溪水而不分泄、谷瀆、韻、谽呀豁閜、【集解】郭璞曰、皆澗谷之形容也、谽、音呼含反、呀、音呼加反、閜、音呼下反、【索隱】司馬彪云、谽呀、大貌、豁閜、空虛也、【考證】漢書、谽作谺、文選、閜作閕、王先謙曰、谽呀豁閜、屬上谿谷溝瀆言、阜陵別島、崴磈嵔瘣、【正義】高平曰陸、大陸曰阜、水中山曰島、崴、於鬼反、磈、魚鬼反、嵔、烏罪反、瘣、胡罪反、皆高峻貌、【考證】王先謙曰、阜陵別島與下連文、丘虛崫礨、隱轔鬱嵂、【正義】虛、音墟、崫、口忽反、又口罪反、礨、力罪反、皆堆壟不平貌、嵂、音律、郭云、皆其形勢也、【考證】方廷珪曰、虛與墟通、大丘曰墟、崫、土穴、石之高下連生者、登降施靡、【正義】郭云、施靡、猶連延、【考證】王先謙曰、登降猶曰高下、施同陁、

陂池貏豸、集解郭璞曰、貏、音衣被、豸、音蟲豸也、索隱郭璞曰、陂池、旁穨貌、陂、音皮、貏、音衣被之被、考證李善曰、貏豸、漸平貌、方廷珪曰、句連上讀、言下
殺至乎陂池、此陂池是山水所聚之地、蓋有山必有谿、有谿必有水、故山上而下、殺到平陸處、如下所云也、瘣嵔崵靡豸韻、沇溶淫鬻、散渙
夷陸、索隱郭璞云、游激淖衍貌、司馬彪曰、夷陸、平地、正義溶、音容、鬻、音育、張云、水流谿谷之閒、考證方廷珪曰、沇溶淫鬻、皆水流之貌、沇溶、形陂池受水之多、淫
鬻、形山水之至不一處、散渙、謂水之汎溢、夷、平也、夷陸、謂平廣之陸也、亭皋千里、靡不被築。集解郭璞曰、言爲亭候於皋隰、皆
築地令平、賈山所謂隱以金椎也、考證顏師古曰、爲亭候於皋隰之中、千里相接、皆築令平也、王先謙曰、案加亭字於皋上、稱曰亭皋、文不成義、郭顏說皆非也、亭、當訓平、淮南
原道訓、味者甘立而五味亭矣、高注、亭、平也、秦始皇紀、決河亭水、正義、亭、平也、酷吏傳、亭疑法、李奇釋亭爲平、亭皋千里、猶言平皋千里、皋、水旁地、故以平言、下哀二世賦注、平皋
之廣衍、此變文爲亭耳、鬻陸築韻、曾國藩曰、以上山、掩以綠蕙、被以江離、正義張云、綠、王芻也、蕙、薰草也、顏云、綠蕙、言蕙草色綠
耳、非王芻也、爾雅云、菉、一名王芻、考證掩、被、皆覆也、糅以蘪蕪、雜以流夷。集解漢書音義曰、流夷、新夷也、正義糅、女又反、
留夷、香草也、考證漢書文選、流作留、楚辭王逸注、留夷、香草、離夷韻、尃結縷、集解徐廣曰、尃、古布字、一作布、駰案漢書音義曰、結縷、似白茅、蔓聯而
生、布、種之者、欑戾莎、集解徐廣曰、草可染紫、揭車衡蘭、槀本射干、集解徐廣曰、揭、音桀、駰案郭璞曰、

揭車、一名乞輿、槀本、槀茇、射干、十月生、皆香草、索隱槀本、案桐君藥錄云、苗似穹窮也、茈薑蘘荷、索隱茈薑、張晏云、子薑也、案四民月令云、生薑、謂
之茈薑、音紫、正義蘘、人羊反、柯、根旁生筍、若芙蓉、可以爲菹、又治蠱毒也、葴橙若蓀、集解郭璞曰、葴、未詳、橙、柚、若蓀、香草也、索隱張揖云、
葴、持闕、郭璞云、橙、柚也、姚氏以爲此前後皆草、非橙也、小顏云、葴、寒漿也、持、當爲符、符、鬼目也、案今讀者亦呼爲登、謂金登草也、張揖云、蓀、香草、姚氏云、蓀草似昌蒲而無脊也、生
溪澗中、蓀、音孫、考證漢書文選、橙作持、鮮枝黃礫、集解郭璞曰、皆未詳、索隱鮮支黃礫、張揖云、皆草也、未詳、司馬彪云、鮮支、支子、或云、
鮮支亦香草也、小顏云、黃礫、黃屑木、恐非也、考證索隱本、枝作支、與漢書文選合、蔣芧青薠、集解徐廣曰、芧、音佇、駰案漢書音義曰、蔣、菰也、芧、三稜、
索隱蔣、菰也、郭璞芧音佇、又云、三稜芧、薠音煩、考證芧、文選作宁、玉篇曰、芧與苧同、布濩閎澤、延曼太原、麗靡廣
衍、考證漢書文選、麗作離、王先謙曰、布濩閎澤、言普徧布散於大澤之中、太原、猶言廣原、濩、音護、愚按、蘭干蓀薠、原衍韻、應風披靡、吐芳
揚烈、集解郭璞曰、香酷烈也、郁郁斐斐、衆香發越、肸蠁布寫、晻曖苾勃。
正義晻曖、奄愛二音、皆芳香之盛也、詩云、苾苾芬芬、氣也、肸蠁、盛也、寫、吐也、司馬彪云、若蠁蟲之布吐也、考證漢書文選、斐作菲、曖作薆、苾勃作咇茀、郭璞曰、郁郁菲菲、香氣
四散也、顏師古曰、肸蠁、盛作也、晻薆咇茀、皆芳香意也、肸、音許乙反、蠁、音響、烈越勃、韻、曾國藩曰、以上山上之草、方廷珪曰、此段寫上林苑之山溪、及山溪中所生之草木、自崇山

至此、通爲一大段、於是乎、周覽泛觀、瞋盼軋沕、芒芒怳忽、集解徐廣曰、瞋、音丑人反、盼、一作
縉、駰案郭璞曰、皆不可分貌、考證漢書文選、瞋作縝、盼作紛、沕作芴、孟康曰、縝紛、衆盛也、軋芴、緻密也、沕忽韻、視之無端、察之無崖。
考證漢書文選、崖作涯、日出東沼、入於西陂。索隱張揖云、日朝出苑之東池、暮入于苑西陂中也、考證崖陂韻、方廷珪曰、二
句正是證上苑中大處、其南、則隆冬生長、踊水躍波、考證漢書文選、踊作涌、張揖曰、其苑南陽煖、則盛冬十
月、草木生長也、郭璞曰、躍波、言不凍也、獸則㺎旄貘犛、集解徐廣曰、㺎、音容、獸類也、犛、音貍、一音茅、駰案郭璞曰、旄、旄牛、貘、似熊、庳腳、銳
頭、犛牛、黑色、出西南徼外也、索隱郭璞云、㺎、㺎牛、領有肉堆、音容、案今之犎牛也、張揖云、旄、旄牛、狀如牛而四節生毛、貘、白豹也、似熊、庳腳銳頭、骨無髓、食銅鐵、音陌、犛、音貍、又
音茅、或以爲貓牛、犛牛、黑色、出西南徼外、毛可爲拂、是也、考證楓三本、獸上有其字、與漢書文選合、下獸上同、愚按、不必補、沈牛麈麋、集解漢書
音義曰、沈牛、水牛也、正義麈、似鹿而大、案麋似水牛、赤首圜題、集解郭璞曰、題、額也、所未詳、窮奇象犀。集解漢書
音義曰、窮奇、狀如牛、而蝟毛、其音如嘷狗、食人也、索隱張揖云、窮奇、狀如牛而蝟毛、其音如嘷狗、食人、郭璞云、象、大獸、長鼻、牙長一丈、犀、頭似豬、庳腳、一角在頭也、考證犛麋
題、犀、韻、其北、則盛夏含凍裂地、涉冰揭河、集解郭璞曰、言水漫凍不解、地坼裂也、揭、褰衣、獸則

麒麟索隱張揖曰、雄曰麒、雌曰麟、其狀麇身牛尾狼蹄一角、郭璞云、麒似麟而無角、毛詩疏云、麟、黃色、角端有肉、京房傳云、有五采、腹下黃色也、角䚢、
集解郭璞曰、角䚢、音端、似豬、角在鼻上、堪作弓、李陵嘗以此弓十張遺蘇武也、索隱張揖云、音端、角䚢似牛、郭璞云似豬、角在鼻上、毛詩疏云、可以爲弓、李陵曾以此
弓遺蘇武、考證漢書文選、䚢作端、騊駼橐駝、蛩蛩驒騱、駃騠驢騾。正義騊駼、桃徒二音、橐、音託、駝、徒
河反、蛩、音其恭反、驒騱、顚奚二音、駃騠、音決啼、考證騊駼、蛩蛩見上、驒騱、說文云、野馬也、司馬彪曰、距驢類也、駃騠、駿馬也、河駝騾韻、曾國藩曰、以上總寫苑中氣象、點出各獸、
卽爲下文畋獵張本、於是乎、離宮別館、彌山跨谷、正義彌、滿也、跨、猶騎也、言宮館滿山、又跨谿谷也、
考證凌稚隆曰、長安志、上林、秦舊苑也、武帝始廣開之、漢舊儀、謂廣長三百里、離宮七十所、容千乘萬騎、關中記、謂苑門十二、中有苑三十六、宮十二、觀二十五、則規制之宏侈
可知矣、高廊四注、重坐曲閣、集解郭璞曰、重坐、重軒也、曲閣、閣道曲也、考證顏師古曰、廊、堂下四周屋也、重坐、謂增室
也、曲閣、閣之屈曲相連者也、王先謙曰、注、屬也、四注、謂四周相屬而下垂也、愚按、顏注增室、當作層室、華榱璧璫、輦道纚屬、
索隱韋昭曰、裁玉爲璧、以當榱頭、司馬彪曰、以璧爲瓦當、考證顏師古曰、榱、椽也、華、謂彫畫之也、璧璫、以玉爲椽頭當、卽所謂琁題玉題者也、輦道、謂閣道可以乘輦而行者
也、纚屬、纚迤相連屬也、步櫩周流、長途中宿。集解郭璞曰、途、樓閣閒陛道、中宿、言長遠也、考證顏師古曰、步櫩、言其下可行

步、卽今之步廊也、謂其途長遠、雖經日行之、尙不能達、故中道而宿也、愚按、谷閣屬宿韻、

夷嵕築堂、纍臺增成、巖突洞房。【集解】郭璞曰、嵕、山名、平之以安堂其上、成亦重也、周禮曰、爲壇三成、在巖穴底爲室、潛通臺上者、【索隱】服虔云、平此山以爲堂、如淳云、嵕、山名也、張揖云、重累而成之、故曰增成、禮曰、爲壇三成也、郭璞曰、言在巖突底爲室、潛通臺上、突、音一弔反、釋名、以爲突幽也、楚辭云、冬有突廈、夏屋寒、王逸以爲複室也、【考證】顏師古曰、夷、平也、山之高聚者曰嵕、增、重也、一重爲一成也、中井積德曰、成、猶級也、愚按、增讀爲層、突、漢書作窔、文選作窔、顏師古曰、於巖穴底爲室、若竈突然、潛通臺上、中井積德曰、突、謂幽室、如陶窯者、無潛通之意、王念孫曰、當從史記作突、窔與突同、巖突洞房、皆言其幽深、故下句云、頫杳眇而無見、師古强爲突字作解、斯爲謬矣、愚按、堂成房韻、

俛杳眇而無見、仰攀橑而捫天、【考證】漢書文選、俛作頫、攀作仌、顏師古曰、仌、古攀字也、橑、椽也、捫、摸也、言臺榭之高、有升上之者、俛視則不見地、仰攀其椽、可以摸天也、

奔星更於閨闥、宛虹拖於楯軒、【集解】徐廣曰、楯、音食尹反、【正義】拖、音徒我反、顏云、宛虹、屈曲之虹、拖、謂申加於上也、楯、軒之闌板也、言室宇之高、故星虹得經加之、【考證】顏師古曰、奔星、流星也、更、歷也、應劭曰、楯、欄檻也、愚按、天軒韻、

靑虯蚴蟉於東箱、象輿婉僤於西淸。【集解】漢書音義曰、山出象輿、瑞應車也、郭璞曰、西淸、西箱淸淨地也、【正義】蚴、一糾反、蟉、力糺反、婉僤、宛善二音、顏云、蚴蟉婉僤、皆行動之貌也、【考證】漢書文選、虯作龍、相如大人賦云、駕應龍象輿之蠖略委麗兮、驂赤螭靑虯之蚴蟉蜿蜒、上曰象輿、下曰靑虯、蚴

蟉蜿蜒連用、與此文相似、沈欽韓曰、楚辭惜誓、駕太一之象輿、韓非十過、黃帝合鬼神于泰山之上、駕象車、中井積德曰、靑虯象輿、言車馬之美也、象蓋以雕刻物象而言、箱淸韻、

靈圄燕於閒觀、【集解】郭璞曰、靈圄、淳圄、仙人名也、【索隱】張揖云、衆仙號、淮南子云、騎飛龍從淳圄、許愼曰、淳圄、仙人也、【考證】漢書文選、觀作館、淮南子淑眞訓、眞人騎蜚廉而從敦圄、與索隱所引異、文選圄作圉、兪樾曰、上林賦、靈圉燕於閒館、封禪文、靈圉賓於閒館、大人賦、悉徵靈圉而選之、相如文每喜相襲、且如子虛上林、皆一時奏御之作、而既云轊騊駼、又云轊白鹿、既云軼野馬、又云軼赤電、既云捷狡兎、又云捷鵕鸃、既云轔鹿、又云轔距虛、如此類、不可勝擧、蓋本無實事、而徒以夸誕之言飾而成之、無惑乎語之重、字之複也、

偓佺之倫暴於南榮。【集解】漢書音義曰、偓佺、仙人名也、【索隱】韋昭曰、古仙人、姓偓、列仙傳云、槐里採藥父也、食松、形體生毛數寸、方眼、能行追走馬也、應劭云、屋檐兩頭如翼也、故鄭玄云、榮、屋翼也、高誘云、飛榮似鳥舒翼、是也、暴、偃臥日中也、【考證】之倫二字、疑旁注竄入、

醴泉涌於淸室、通川過乎中庭、【考證】通川、水流自外通中庭也、與醴泉自別、

槃石裖崖、【集解】徐廣曰、裖、音賑、【索隱】盤石裖厓、如淳曰、裖、音振、盛多也、李奇曰、裖、整也、整頓池外之厓、音之忍反也、【考證】槃、文選作盤、與索隱本合、漢書作磐、通用字、易漸卦虞注、聚石稱磐、裖、文選作振、注引李奇云、振、整也、以石整頓池水之涯也、比索隱所引意足、

嶔巖倚傾、嵳峩磼礏、刻削崢嶸、【集解】徐廣曰、峩、一作池、磼、音雜、礏、音五合反、【索隱】磼礏、埤蒼云、高貌也、上士劫反、下魚揖反、又字林音、磼、才币反、礏、五币反、【正義】郭云、言自然若彫刻也、

【考證】王先謙曰、隨水之高下、以石整之、其低處則嶔巖倚傾、其高處則嵯峨磼礏也、刻削崢嶸、皆言石狀、

玫瑰碧琳、珊瑚叢生、【正義】郭云、珊瑚、生水底石邊、大者樹高三尺餘、枝格交錯、無有葉、【考證】玫瑰碧琳、見上、榮庭傾嶸生韻、

瑉玉旁唐、【索隱】郭璞云、旁唐、言盤薄、

璸㻞文鱗、【集解】徐廣曰、璸、音彬、㻞、音班、【考證】漢書文選、璸㻞作玢豳、漢書、鱗作磷、郭璞曰、玢豳、文理貌、方廷珪曰、據上下文、則玢豳亦是玉名、文鱗、方是文理、

赤瑕駁犖、雜臿其閒、【集解】徐廣曰、雜、一云插、臿、一云遝、【索隱】赤瑕駁犖、說文云、瑕、玉之小赤色、張揖曰、赤玉也、司馬彪曰、駮犖、采點也、犖、音洛角反、

垂綏琬琰、和氏出焉。【集解】徐廣曰、垂綏、一作朝采、駰案、郭璞曰、汲冢竹書曰、桀伐岷山、得女二人、曰琬、曰琰、桀愛二女、斲其名于苕華之玉、苕是琬、華是琰也、【考證】垂綏、漢書作鼂采、文選作晁采、晁鼂與朝同、顏師古曰、朝采者、美玉、每旦有白虹之氣、光采上出、故名朝采、猶言夜光之璧矣、琬琰、美玉名、和氏之璧、卞和所得、亦美玉也、言今皆出於上林、鱗間焉韻、曾國藩曰、以上宮室、方廷珪曰、此段寫苑中閣道臺觀及珍寶之多、自離宮至此、通爲一大段、

於是乎、盧橘夏孰、【集解】郭璞曰、今蜀中有給客橙、似橘而非、若柚而芬香、冬夏華實相繼、或如彈丸、或如拳、通歲食之、卽盧橘也、【索隱】應劭曰、伊尹書、果之美者、箕山之東、靑鳥之所有、盧橘夏熟、晉灼曰、此雖賦上林、博引異方珍奇、不係於一也、案、廣州記云、盧橘皮厚、大小如甘、酢多、九月結實、正赤、明年二月、更靑黑、夏熟、吳錄云、建安有橘、冬月樹上覆裹、明年夏、色變靑黑、其味甚甘美、盧卽黑、是也、【考證】索隱如甘之甘、讀爲柑、

黃甘橙楱、【集解】徐廣曰、音湊、

橘屬、【考證】甘、柑同、

枇杷橪柿、【集解】徐廣曰、橪、音而善反、果也、【索隱】張揖曰、橪、橪支、香草也、韋昭曰、橪、音汝蕭反、郭璞云、橪支、木也、橪、音烟、徐廣曰、橪、棗也、而善反、說文曰、橪、酸小棗也、淮南子云、伐橪棗以爲矜、音勤也、

楟柰厚朴、【集解】徐廣曰、楟、音亭、山梨、【索隱】張揖云、楟柰、山梨也、司馬彪曰、上黨謂之楟柰、齊都賦云、楟柰樑熟也、厚朴、藥名、【考證】楟奈、二物、漢書文選、楟作亭、張文虎曰、李時珍注本草云、厚朴、實如冬靑子、生靑熟赤、有核、七八月采之、味甘美、乃厚朴亦果也、此節皆言果類、不得雜以藥名、

梬棗、【集解】徐廣曰、梬、音弋井反、梬棗似柿、【索隱】上音弋井反、梬棗似柿也、

楊梅、【索隱】張揖云、其大小似穀子而有核、其味酢、出江南荊揚、異物志、其實外肉著核、熟時正赤、味甘酸、

櫻桃、【索隱】張揖曰、一名含桃、呂氏春秋、爲鸎鳥所含、故曰含桃、爾雅云、爲荊桃也、

蒲陶、【集解】郭璞曰、蒲陶、似燕薁、可作酒也、

隱夫鬱棣、榙樑荔枝、【集解】徐廣曰、鬱一作薁、榙、音荅、駰案、郭璞曰、鬱、車下李也、棣、實似櫻桃、榙樑、似李、棣、音逮、樑、音沓、隱夫未聞、【索隱】荅遝離支、郭璞云、荅遝似李、出蜀、晉灼曰、離支、大如雞子、皮麤、剝去皮、肌如雞子中黃、其味甘多酢少、廣異志云、樹高五六丈、如桂樹、綠葉、冬夏靑茂、有華、朱色、離字或作荔、音力致反、【正義】隱夫未詳、【考證】漢書文選、作薁棣荅遝離支、何焯曰、隱夫、卽馬夫艸、見管子地員篇、

羅乎後宮、列乎北園、貤丘陵、下平原、【集解】郭璞曰、貤、猶延也、音施、【索隱】貤丘陵、郭璞曰、貤、延也、【考證】園原韻、

揚翠葉、杌紫莖、【集解】郭璞曰、杌、搖也、

發紅華、秀朱榮、【考證】莖榮韻、

煌煌扈扈、照曜鉅野、【考證】漢書文選、秀作垂、後漢馮衍傳注、扈扈光彩盛也、扈野韻、

沙棠櫟櫧、【集解】漢書音義曰、沙棠似棠、黃華赤實、其味如李、呂氏春秋曰、果之美者、沙棠之實、櫟、果名、櫧似柃葉、冬不落也、

華氾檘櫨、【集解】徐廣曰、氾一作楓、駰案漢書音義曰、華木、皮可以爲索也、【索隱】華楓檘櫨、張揖曰、華、皮可以爲索、古今字林云、櫨、合櫸之木、楓木厚葉弱支善搖、郭璞云、似白楊、葉圓而岐、有脂而香、犍爲舍人曰、楓爲樹、厚葉弱莖、大風則鳴、故曰楓、爾雅云、一名攝、檘、枰、卽平仲木也、櫨、今黃櫨木也、一云玉精、食其子得仙也、【考證】漢書文選、氾檘作楓枰、

留落胥餘、仁頻幷閭、【集解】徐廣曰、頻一作賓、駰案郭璞曰、落、樓也、胥餘似幷閭、幷閭、櫻也、皮可作索、餘未詳、【索隱】留落胥邪、晉灼云、留落、未詳、郭璞曰、落、樓也、中作器索、胥邪、似幷閭、司馬彪云、胥邪樹高十尋、葉在其末、異物志、實大如瓠、繫在顚、若挂物、實外有皮、中有核、如胡桃、核裏有膚、厚半寸、如豬膏、裏有汁斗餘、淸如水、味美於蜜、孟康曰、仁頻、櫻也、張揖云、幷閭、皮可爲索、姚氏云、檳一名櫻、卽仁頻也、林邑記云、樹葉似甘蕉、頻、音賓、【考證】櫧櫨餘閭韻、漢書文選、餘作邪、沈家本曰、弦異云、餘邪聲相近、按今韻、麻韻之字、古韻有在魚虞部者、故餘邪得通借、

欃檀木蘭、豫章女貞、【集解】漢書音義曰、欃檀、檀別名也、女貞木、葉冬不落、【索隱】欃、音讒、檀別名也、皇覽云、孔子墓後有欃檀樹也、荊州記云、宜都有喬木叢生、名爲女貞、葉冬不落、

長千仞、大連抱、夸條直暢、【考證】貞暢韻、

實葉葰茂、【考證】漢書文選、茂作楙、郭璞曰、夸、張布也、顏師古曰、暢、通也、通、謂上下相稱也、王文彬曰、夸卽荂之省文、說文、荂、草木華也、或从艸从夸、此賦以

荂條實葉四字相對爲文、謂荂與條、氣機直達、實與葉、蕃殖大茂也、郭依本字訓荂爲張布、誤、顏訓暢爲通、又申言上下相稱、亦非、王先謙曰、文選注引司馬彪云、葰、大也、

攢立叢倚、連卷累佹、【考證】累、漢書文選作欐、顏師古曰、攢、聚立也、叢倚、相倚也、連卷、屈曲也、欐佹、支柱也、司馬彪曰、欐、支重累也、王先謙曰、欐、聲義竝從麗、麗、附也、詩皇矣箋釋文、佹、戾也、樹之枝柯相附而又相戾、

崔錯發骫、阬衡閜砢、【集解】骫、古委字、徐廣曰、發、音拔、駰案郭璞曰、骫、音委、閜、音惡可反、砢、音魯可反、【索隱】崔錯發骫、郭璞云、蟠戾相摎、楚詞云、林木發骫、音跋、骫、音委、阬衡閜砢、郭璞云、揭孼傾欹貌、【考證】漢書文選、阬作坑、顏師古曰、崔錯、交雜也、王先謙曰、崔、音七罪反、後人加玉爲璀、靈光殿賦、下茀蔚以璀錯、注、璀錯、衆盛貌、與交雜同義、沈欽韓曰、淮南招隱士、樹輪相糾兮、林木茷骫、說文、發、以足蹋夷草也、字當作茷、說文、茷、草葉多也、

垂條扶於、落英幡纚、【集解】郭璞曰、扶於、猶扶疏也、幡纚、偏幡也、音灑、【索隱】張晏云、飛揚貌、纚、音所綺反、【考證】漢書文選、扶於作扶疏、顏師古曰、扶疏、四布也、倚佹骫纚韻、

紛容蕭蔘、旖旎從風、【索隱】張揖云、旖旎、阿那也、【考證】漢書文選、容蕭作溶箾、漢書、旖旎作猗柅、文選作猗狔、文選注、郭璞云、紛溶箾蔘、支竦擢也、溶、音容、箾、音蕭、蔘、音森、王先謙曰、箾蔘、今承用作蕭森、

瀏莅芔吸、【集解】徐廣曰、莅、音栗、【索隱】瀏莅芔歙、郭璞云、皆林木鼓動之聲、瀏、音留、莅、如字、又音栗也、【考證】漢書文選、吸作歙、芔、古卉字、

蓋象金石之聲、管籥之音。【正義】金、鐘、石、磬、廣雅云、象箎、長一尺、圍一寸、有六孔、無底、籥、謂之笛、有七孔、說文云、籥、三孔籥也、【考證】正義象

箎、漢書注作管、蔘音韻、

柴池茈虒、【集解】徐廣曰、柴、音差、虒、音豸、【索隱】張揖曰、柴池、參差也、茈虒、不齊也、柴、音差、虒、音惻氏反、

旋環後宮、雜遝累輯、【集解】徐廣曰、雜、一作揷、【考證】漢書文選、環作還、下有乎字、遝作襲、

被山緣谷、循阪下隰。【考證】吸輯隰韻、

視之無端、究之無窮。【考證】曾國藩曰、以上宮中草木、

於是玄猨素雌、蜼玃飛鸓、【集解】徐廣曰、蜼、音于季反、駰案漢書音義曰、蜼、似獼猴、仰鼻而長尾、玃、似獼猴而大、飛鸓、飛鼠也、其狀如兎而鼠首、以其額飛也、【索隱】張揖曰、蜼、似獼猴、卬鼻而長尾、玃、似獼猴而大、飛蠝、飛鼠也、其狀如兎而鼠首、以其額飛、郭璞曰、蠝、飛鼠也、毛紫赤色、飛且生、一名飛生、蜼、音遺、蠝、音誄、玄猨、猨之雄者色也、素雌、猨之雌者色也、玃、音钁、蜼似猴、尾端爲兩岐、天雨、便以尾窒鼻兩孔、郭璞云、玃、色蒼黑、能攫搏人、故云玃也、【考證】漢書文選、是下有乎字、

蛭蜩蠼蝚、【集解】徐廣曰、蛭、音質、駰案漢書音義曰、山海經曰、不咸之山有飛蛭、四翼、郭璞曰、蠼猱、似獼猴而黃、蜩、未聞、【索隱】蛭蜩蠼蝚、司馬彪云、山海經云、不咸之山有飛蛭、四翼、蜩、蟬也、蠼蝚、獼猴也、郭璞云、蛭蜩未聞、如淳曰、蛭、音質、顧氏云、玃、音塗卓反、山海經曰、皐塗山下有獸、似鹿、馬足人首、四角、名爲玃、玃猱卽此也、字作玃、郭璞云、玃非也、上已有蜼玃、此不應重見、又神異經云、西方深山有獸、毛色如猴、能緣高木、其名曰蜩、字林、蠼、音狖、蛭、音質、蛭蜩、二獸名、【考證】漢書文選、蠼作玃、文選、蝚作猱、

螹胡豰蛫、【集解】徐廣曰、螹、音在廉反、似猨、黑身、豰、音呼谷反、蛫、音詭、駰案漢書音義曰、豰、白狐子也、【索隱】獑胡豰蛫、張揖曰、螹胡似獼猴、頭上有髦、腰以後黑、郭璞曰、豰、似貂而大、腰以

後黃、一名黃腰、食獼猴、豰、白狐子也、蛫、未聞、姚氏案山海經、卽山有獸、狀如龜、白身赤首、其名曰蛫、又說文云、獑胡、黑身白腰若帶、手有長白毛、似握柘也、【考證】漢書文選、螹作獑、

棲息乎其閒、長嘯哀鳴、翩幡互經、【正義】郭云、互經、互相經過、

夭蟜枝格、偃蹇杪顚、【正義】夭、音妖、蟜、音矯、杪、音弭沼反、郭云、皆猨猴在樹共戲恣態也、夭蟜、頻申也、【考證】顏師古曰、杪顚、枝上端也、

於是乎隃絕梁、【正義】張云、絕梁、斷橋也、郭云、梁、厚石絕水也、【考證】漢書文選、無於是乎三字、似長、

騰殊榛、【正義】榛、仕斤反、爾雅云、木叢生爲榛也、殊、異也、

捷垂條、【正義】捷、音才業反、張云、捷、持懸垂之條、

踔稀閒、【集解】郭璞曰、踔、縣蹋也、託釣反、【索隱】踔、懸蹋也、【考證】漢書文選、踔稀作掉希、王先謙曰、後漢馬融傳注、踔、跳也、史記貨殖傳索隱、遠騰貌也、郭言縣蹋者、謂以身投擲於空中、故曰踔希閒、掉乃借字、

牢落陸離、爛曼遠遷、【正義】郭云、奔走崩騰狀也、顏云、言其聚散不常、雜亂移徙、【考證】漢書文選、曼作漫、閒顚榛閒遷韻、文選注、牢落、猶遼落也、陸離、參差也、

若此輩者、數千百處、嬉游往來、【考證】漢書文選、作若此者數百千處、娛游往來、

宮宿館舍、庖廚不徙、後宮不移、百官備具。【正義】說文云、庖、廚屋、鄭玄注周禮云、庖之言苞也、苞裹肉曰苞苴也、後宮、內人也、言宮館各自有、【考證】張文虎曰、館舍、各本誤館客、舊刻與漢書文選合、顏師古曰、言所在之處、供具皆足也、中井積德曰、庖、宰處、廚、烹處、處、舍、具韻、曾國藩曰、以上宮中畜獸及

離宮之多、於是乎背秋涉冬、天子校獵。【考證】凌稚隆曰、至此始言校獵之事、顏師古曰、校獵者、以木相貫穿、總為闌校、遮止禽獸而獵取之、乘鏤象、六玉虯、【集解】徐廣曰、以玉為飾、駰案郭璞曰、鏤象、象山所出輿、言有雕鏤、虯、龍屬也、韓子曰、黃帝駕象車、六交龍、是也、【考證】中井積德曰、鏤象、謂雕鏤之輿、玉虯稱馬之美也、拖蜺旌、【正義】拖、音徒可反、張云、析毛羽染以五采、綴以縷為旌、有似虹蜺氣、靡雲旗、【正義】張云、畫熊虎於旌、似雲氣也、【考證】蜺旌雲旗、皆假言也、前皮軒、後道游。【集解】郭璞曰、皮軒、革車也、或曰、卽曲禮前有士師則載虎皮者也、道、道車、游、游車、皆見周禮也、【考證】顏師古曰、言皮軒最居前、而道游次皮軒之後、道讀曰導、虯游韻、孫叔奉轡、衞公驂乘、【集解】漢書音義曰、孫叔者、太僕公孫賀也、衞公者、衞青也、太僕御、大將軍驂乘也、【索隱】孫叔、鄭氏云、太僕公孫賀、衞公、大將軍衞青也、案大駕出、太僕御、大將軍驂乘也、【考證】漢書文選、驂作參、顏師古曰、參乘、在車之右也、吳仁傑曰、此兩人、蓋指古之善御者耳、下云、青琴虙妃之徒、色授神予、心愉于側、又豈當時眞有此耶、案孫叔卽楚詞所謂驥躊躇于弊輂、遇叔陽而得代者是也、衞公卽國語所謂衞莊公為右、曰、吾九上九下、擊人盡殪者是也、校獵賦、蚩尤竝轂、蒙公先驅、二京賦、大丙弭節、風后陪乘、亦祗用古人、此類甚多、不可徧舉、至長楊賦、迺命票衞、此則指青去病也、扈從橫行、出乎四校之中。【集解】郭璞曰、言跋扈縱恣、不安鹵簿矣、【索隱】晉灼曰、扈、大也、張揖曰、跋扈縱橫、不案鹵簿也、文穎曰、凡五校、今言四者、一校隨天子乘輿也、【考證】田汝成曰、扈、尾也、後從曰扈、王先謙曰、

廣雅釋詁、扈、使也、扈從、從駕而供使令也、愚按、扈從、承孫叔衞公而言、顏師古曰、四校、闌校之四面也、中井積德曰、謂四面之闌校、乘中韻、鼓嚴簿、縱獠者、【集解】漢書音義曰、鼓嚴、嚴鼓也、簿、鹵簿也、駰謂鼓嚴於林薄之中、然後縱獠也、【索隱】張揖曰、鼓、嚴鼓也、簿、鹵簿也、謂擊嚴鼓於鹵簿中也、【考證】王先謙曰、蓋天子儀衞森嚴、故曰嚴簿、言鼓於嚴簿之中而縱獵者也、漢書文選、獠作獵、江河為阹、泰山為櫓、【集解】郭璞曰、櫓、望樓也、因山谷遮禽獸為阹、音去車反、【索隱】郭璞曰、因山谷遮禽獸為阹、櫓、望樓也、【考證】簿者阹櫓韻、車騎靁起、隱天動地、【正義】隱、猶震也、【考證】漢書文選、隱作陰、先後陸離、離散別追、【正義】陸離、分散也、言各有所追也、【考證】李善曰、廣雅曰、陸離、參差、淫淫裔裔、緣陵流澤、雲布雨施。【正義】郭璞曰、言徧山野也、【考證】起地離追裔施韻、生貔豹、【集解】郭璞曰、貔、執夷、虎屬也、音毗、【考證】韋昭曰、生、謂生得之也、搏豺狼、【正義】搏、擊也、杜林云、豺似狗、白色、說文云、狼屬、手熊羆、【正義】張云、熊、犬身人足、黑色、羆大於熊、黃白色、皆能攀沿上高樹、冬至入穴而蟄、始春而出也、足野羊、【集解】郭璞曰、野羊、如羊千斤、手足、謂拍蹋殺之、蒙鶡蘇、【集解】徐廣曰、蘇尾也、【索隱】孟康曰、鶡尾也、蘇、析羽也、張揖曰、鶡似雉、鬭死不御、案蒙、謂覆而取之、鶡以蘇為奇、故特言之以成文耳、鶡音曷、決疑注云、鳥尾為蘇也、【考證】狼羊韻、絝白虎、【集解】徐廣曰、絝、音袴、駰案郭璞曰、絝、謂絆絡之、【索隱】張揖曰、著白虎文絝、郭璞曰、絝、謂絆絡也、被豳

文、【集解】郭璞曰、著斑衣、【索隱】被班文、文穎曰、著斑文之衣、輿服志云、虎賁騎、被虎文單衣、單衣、卽此斑文也、【考證】豳、漢書作斑、文選作班、通用、跨野馬、【索隱】跨壄馬、案壄、音野、跨、乘之也、【考證】虎馬韻、陵三嵕之危、【集解】漢書音義曰、三嵕、三成之山、下磧歷之坻、【集解】郭璞曰、磧歷、阪名也、【正義】坻、音遲、磧歷、淺水中沙石也、坻、水中高處、言獵人下此也、徑陵赴險、越壑厲水、【考證】漢書文選、陵作峻、郭璞曰、厲、以衣渡水、椎蜚廉、【集解】郭璞曰、飛廉、龍雀也、鳥身鹿頭者、【索隱】椎蜚廉、郭璞曰、飛廉、龍雀也、鳥身鹿頭、象在平樂觀、椎、音直追反、【考證】漢書、椎作推、顏師古曰、推亦謂弄之也、其字從手、今流俗讀為椎擊之椎、失其義矣、王先謙曰、說文、推、排也、弄解豸、【集解】漢書音義曰、解豸似鹿而一角、人君刑罰得中、則生於朝廷、主觸不直者、可得而弄也、【索隱】張揖曰、解豸似鹿而一角、人君刑罰中、則生於朝、主觸不直者、言今可得而弄也、解、音蟹、豸、音丈妳反、又音丈介反、【考證】文選、解作獬、漢書、豸作廌、格瑕蛤、鋋猛氏、【集解】漢書音義曰、瑕蛤、猛氏、皆獸名、【索隱】格蝦蛤、鋋猛氏、孟康曰、蝦蛤、猛氏、皆獸名、晉灼曰、蝦蛤、闕、郭璞曰、今蜀中有獸、狀如熊而小、毛淺、有光澤、名猛氏、說文云、鋋、小矛也、音蟬、【考證】漢書文選、瑕作蝦、罥騕褭、射封豕。【集解】郭璞曰、騕褭、神馬、日行萬里、兩音窈嫋、封豕、大豬、【考證】漢書文選、罥作羂、危坻水豸氏豕韻、箭不苟害、解脰陷腦。弓不虛發、應聲而倒。【索隱】張揖云、脰、頸也、陷、音苦念反、亦依字讀也、【考證】腦倒韻、曾國藩曰、以上天子校各部曲將帥之獵、

於是乎、乘輿彌節裴回、翱翔往來、睨部曲之進退、覽將率之變態。【正義】睨、五計反、睨、遠視也、【考證】漢書文選、無乎字、彌作弭、裴回作徘徊、回來退態韻、然後浸潭促節、儵敻遠去、【集解】郭璞曰、敻、音詡盛反、【索隱】浸潭、猶漸荐也、漢書作浸淫、或作乘輿案節也、潭、音蕁、【正義】儵敻、分散也、【考證】文選、浸潭作浸淫、儵敻、倏忽也、流離輕禽、蹵履狡獸、【考證】顏師古曰、流離、困苦之也、張揖曰、輕禽、飛鳥也、轊白鹿、捷狡兔、【集解】徐廣曰、轊、音銳、一作惠也、【正義】轊、音衞、抱朴子云、白鹿壽千歲、滿五百歲色純白也、晉徵祥記云、白鹿色若霜、不與他鹿為羣、【考證】轊、漢書作轉、文選作轊、軸也、言軸轢白鹿也、捷、捷取之也、軼赤電、遺光耀、【集解】徐廣曰、超陵赤電、電光不及、言去速也、【考證】張揖曰、軼、過也、王先謙曰、此言行疾、可以軼過赤電、而遺其光耀、反在後也、與下二句連讀、總謂迅捷耳、追怪物、出宇宙、【正義】怪物、謂游梟飛虡也、張揖云、天地四方曰宇、往古來今曰宙、許愼云、宙、舟輿所極也、案許說宙、是也、【考證】漢書注引說文解字、極下有覆字、中井積德曰、宇宙字、竝從宀、是蓋屋之義、俱喻天覆而已、彎繁弱、【正義】上烏繁反、文穎云、彎、牽也、繁弱、夏后氏良弓名、左傳云、分魯公以夏后之璜、封父之繁弱、【考證】漢書文選、繁作蕃、彎、引也、滿白羽、【正義】文穎云、引弓盡箭鏑為滿、以白羽羽箭、故云白羽也、射游梟、櫟蜚虡、【集解】郭璞曰、梟、梟羊也、似人、長脣、反踵、被髮、食人、蜚虡、鹿頭龍身神獸、櫟、梢也、【考證】漢書文選、

虡作遽、櫟、擊也、擇肉後發、先中命處。弦矢分、藝殪仆。【集解】徐廣曰、射準的曰藝、仆、音赴、【考證】漢書文選、肉下中下、有而字、郭璞曰、言必如所志也、王先謙曰、擇其肥者、而後射、先命其射處、迺從而中之、言矢不苟發、發必奇中、命、名也、羽虡處仆韻、然後揚節而上浮、【正義】上浮、猶遊、【考證】矢飛揚空中也、陵驚風、歷駭飆、【正義】飆、音必遙反、爾雅云、扶搖、暴風、從下升上、故曰飆、乘虛無、與神俱、【正義】張揖云、虛無寥廓、與天通靈、言其所乘氣之高、故能出飛鳥之上而與神俱也、轔玄鶴、亂昆雞、【集解】徐廣曰、轔、音躪、【正義】轔、音吝、鶴二百六十歲則淺黑色也、【考證】轔、漢書作藺、文選作躪、郭璞曰、躪、踐也、王先謙曰、說文、鶤、鶤雞也、昆即鵾字、與鶤同、淮南覽冥訓、軼鶤雞於姑餘、注、鶤雞、鳳皇之別名、遒孔鸞、促鵕鸃、拂鷖鳥、捎鳳皇、【集解】漢書音義曰、遒、奏由反、鷖、烏雞反、張云、山海經云、九疑之山、有五采之鳥、名曰鷖鳥也、【正義】捎、山交反、京房易傳云、鳳皇、鴈前麟後、雞喙燕頷、蛇頸龜背、魚尾駢翼、高丈二尺、東山經云、其狀如鶴、五采而首文曰經、翼文曰順、背文曰義、膺文曰仁、股文曰信、是鳥自歌自舞、雄曰鳳、雌曰皇、【考證】郭璞曰、遒促、皆迫捕之也、捷鴛雛、掩焦明、【集解】鷦明似鳳、【索隱】張揖曰、焦明似鳳、西方鳥、樂叶圖徵曰、焦明狀似鳳皇、宋衷曰、水鳥、【正義】案長喙疏翼員尾、非幽閑不集、非珍物不食、【考證】風飇無俱雞鸃皇明韻、鴛鶵、同、道盡塗殫、迴車而還。招搖乎襄羊、降集乎北紘。【集解】郭璞曰、紘、維也、北方之

紘曰委羽、【索隱】消搖乎襄羊、郭璞曰、襄羊、猶仿佯、【考證】漢書文選、招作消、司馬彪曰、消搖、逍遙也、率乎直指、闇乎反鄉。【正義】日晚南歸也、【考證】闇、漢書作揜、文選作晻、郭璞曰、率、徑馳去、晻、忽然疾歸貌、殫還羊紘鄉韻、曾國藩曰、以上天子親獵而還、蹷石闕、歷封巒、過鳷鵲、望露寒、【集解】徐廣曰、鳷、音支、駰案漢書音義曰、皆甘泉宮左右觀名也、【正義】蹷、息也、【考證】郭璞曰、蹷、蹋也、石闕、漢書作石關、文選及漢書揚雄傳、三輔黃圖、作石闕、梁玉繩曰、當作關、張文虎曰、闕與下巒寒韻、愚按、作闕爲是、是句不必韻、下棠梨、【集解】漢書音義曰、宮名也、在雲陽縣東南三十里、息宜春、【正義】括地志云、宜春宮、在雍州萬年縣西南三十里、西馳宣曲、濯鷁牛首、【集解】漢書音義曰、宣曲、宮名、在昆明池西、牛首、池名、在上林苑西頭、【正義】艗鷁首之船也、【考證】中井積德曰、濯櫂通、登龍臺、【集解】漢書音義曰、觀名、在豐水西北、近渭、掩細柳、【正義】郭云、觀名、在昆明南柳市、【考證】李善曰、掩者急也、中井積德曰、掩淹通、首柳韻、觀士大夫之勤略、鈞獠者之所得獲。【集解】徐廣曰、鈞、一作診也、【正義】勤略、言觀士大夫之懃功智略也、【考證】文選、鈞作均、漢書文選、獠作獵、郭璞曰、鈞、平其多少也、觀徒車之所轔轢、【正義】轔、踐也、轢、輾也、【考證】張文虎曰、徒上觀字衍、漢書文選無、轔、漢書作躪、文選作轥、乘騎之所蹂若、【集解】徐廣曰、蹂、音人久反、【考證】乘、漢書無、文選作步、李善曰、廣倉云、若、蹈足貌、人民之所蹈躪、

【考證】漢書、無民字、文選、人民作人臣、躪、漢書作藉、文選作籍、與其窮極倦谻、驚憚讋伏、不被創刃而死者、佗佗籍籍、塡阬滿谷、揜平彌澤。【集解】徐廣曰、谻、音劇、【考證】郭璞曰、窮極倦谻、疲憊者也、驚憚讋伏、怖不動貌也、他他籍籍、交橫也、顏師古曰、平、平原也、略獲轢若躪籍澤韻、曾國藩曰、以上天子還歷各處、數獵者之所獲、於是乎、游戲懈怠、置酒乎昊天之臺、【索隱】張揖云、臺高上干皓天也、【考證】漢書文選、昊作顥、張樂乎轇輵之宇。【集解】徐廣曰、輵、音葛、【索隱】郭璞云、言曠遠深貌也、撞千石之鐘、立萬石之鉅、【考證】漢書文選、鉅作虡、建翠華之旗、樹靈鼉之鼓、【集解】郭璞曰、木貫鼓中、加羽葆其上、所謂樹鼓、【考證】顏師古曰、翠華之旗、以翠羽爲旗上葆也、靈鼉之鼓、以鼉皮爲鼓、宇鉅鼓韻、奏陶唐氏之舞、聽葛天氏之歌。【集解】漢書音義曰、葛天氏、古帝王號也、呂氏春秋曰、葛天氏之樂、三人操牛尾、投足以歌、【索隱】張揖曰、葛天氏、三皇時君號也、呂氏春秋云、其樂三人持牛尾、投足以歌八闋、一曰載人、二曰玄鳥、三曰遂草木、四曰奮五穀、五曰敬天常、六曰建帝功、七曰依地德、八曰總禽獸之極、【考證】呂氏春秋古樂篇、千人唱、萬人和、山陵爲之震動、川谷爲之蕩波。【集解】徐廣曰、動、一作勳、【考證】郭璞曰、波、浪起也、愚按、波、播通、歌和波韻、

巴俞·宋·蔡、淮南于遮、【集解】郭璞曰、巴西閬中有俞水、獠人居其上、皆剛勇好舞、漢高募取以平三秦、後使樂府習之、因名巴俞舞也、漢書音義曰、于遮、歌曲名、【索隱】郭璞曰、巴西閬中有俞水、獠人居其上、好舞、初高祖募取以平三秦、後使樂人習之、因名巴俞舞也、張揖曰、禮樂記曰、宋音宴女溺志、蔡人謳員三人、楚詞云、吳謳蔡謳、淮南鼓員四人、于遮曲、是其意也、【考證】文選、俞作渝、漢書文選、于作干、錢大昕曰、巴渝、當作嗙喻、說文引司馬相如說、引淮南宋蔡舞嗙喻、正據此賦、蓋以宋蔡嗙喻與淮南干遮對文也、王先謙曰、巴俞蔡淮南、竝見漢書禮樂志、愚按、說文所引、當是相如凡將篇句、與此賦沒交涉、錢氏失考、文成顚歌、【集解】郭璞曰、未聞也、【索隱】郭璞云、未聞、文穎曰、文成、遼西縣名、其縣人善歌、顚、益州顚縣、其人能作西南夷歌、顚、即滇也、族擧遞奏、【集解】徐廣曰、擧、一作居、【考證】漢書文選、擧作居、顏師古曰、族、聚也、聚居而遞奏也、王念孫曰、居讀爲擧、古字通用、族擧者具擧也、遞奏者更奏也、金鼓迭起。鏗鎗鐺鼞、洞心駭耳。【集解】郭璞曰、鐺鼞、鼓音、【考證】漢書文選、鐺鼞作闛鞈、荊·吳·鄭·衞之聲、韶·濩·武·象之樂、陰淫案衍之音、鄢·郢繽紛、激楚結風。【集解】郭璞曰、激楚、歌曲也、列女傳曰、聽激楚之遺風也、【索隱】文穎曰、激楚、激急風也、結風、回風、回風亦急風也、楚地風氣既自漂疾、然歌樂者猶復依激結之急風以爲節、其樂促迅哀切也、【考證】文穎曰、韶、舜樂也、濩、湯樂也、武、武王樂也、張揖曰、象、周公樂也、李奇曰、鄢、今宜城縣也、郢、楚都也、繽紛、舞貌也、顏師古曰、結風亦曲名也、王先謙曰、鄢郢繽紛、謂楚歌楚舞、交雜竝進、古

歌必兼舞、激楚結風、竝歌舞曲名、李奇以繽紛爲舞貌、非也、楚辭、宮庭震驚發激楚些、後漢邊讓傳、揚激楚之清宮兮、展新聲而長歌、淮南子、揚鄭衛之浩樂、結激楚之遺風、以鄭衛激楚對文、文選嘯賦、收激楚之哀荒、節北里之奢淫、以激楚北里對文、皆與郭說激楚歌曲合、唐獨孤及詩、齊童如花解郢曲、起舞激楚歌采蓮、激楚采蓮對擧、尤激楚爲歌舞曲名之明證、徐陵玉臺新詠序、騁纖腰於結風、此以結風爲舞曲也、俳優侏儒、狄鞮之倡、【集解】徐廣曰、韋昭云、狄鞮、地名、在河內、出善倡者、【考證】遮歌、起耳、音風倡韻、所以娛耳目而樂心意者、麗靡爛漫於前、【索隱】郭璞云、言恣其觀也、列女傳曰、桀造爛漫之樂、靡曼美色於後。【索隱】張揖曰、靡、細、曼、澤也、韓子曼服皓齒也、【考證】文選無於後二字、李笠曰、索隱本亦無於後二字、但靡曼美色四字、在麗靡句上、讀之較爲諧協、二靡字義同、古人文不避複、參存、若夫青琴宓妃之徒、【集解】漢書音義曰、皆古神女名、【索隱】伏儼曰、青琴、古神女也、如淳曰、宓妃、伏羲女、溺死洛水、遂爲洛水之神、宓、音伏、絕殊離俗、【索隱】郭璞云、俗無雙、姣冶嫺都、【索隱】姣冶閑都、郭璞云、姣、好也、都、雅也、詩云、姣人嫽兮、方言云、自關而東、河濟之閒、凡好或謂之姣、音絞、說文曰、嫺、雅也、或作閑、小雅曰、都、盛也、【考證】蔡、凌、毛本、漢書文選姣作妖、漢書嫺作閑、靚莊刻飭、便嬛綽約、【集解】郭璞曰、靚莊、粉白黛黑也、【考證】文選莊作粧、漢書文選飭作飾、與中統游毛本合、柔橈嬛嬛、【集解】徐廣曰、音娟、【索隱】郭璞曰、柔橈嬛嬛、皆骨體耎弱長豔貌也、廣雅云、嬛嬛、容也、

張揖曰、嬛嬛、猶婉婉也、【考證】文選、嬛嬛作嫚嫚、顏師古曰、橈、動曲也、斌媚姌嫋、【集解】徐廣曰、姌、音乃忏反、嫋、音弱、【索隱】嫵媚孅弱、埤蒼云、嫵媚、悅也、通俗文云、頰輔謂之嫵媚、郭璞云、孅弱、弱貌、埤蒼曰、孅弱、謂容體孅細柔弱也、【考證】漢書文選、斌作嫵、姌作孅、抴獨繭之褕袘、【集解】徐廣曰、抴、音曳、襜褕、【索隱】褕袣、張揖云、褕、襜褕也、袣、袖也、郭璞曰、獨繭、一繭絲也、埤蒼云、袘、衣長貌也、【考證】漢書文選、抴作曳、袘、漢書作袣、文選作紲、眇閻易以戌削、【集解】徐廣曰、閻易、衣長貌、戌削、言如刻畫作之、【索隱】眇閻易以恤削、郭璞曰、閻易、衣長貌、恤削、言如刻畫作也、【考證】戌、漢書作恤、文選作䘏、戌削解見上、褊姺徽𧙍、與世殊服、【集解】郭璞曰、褊姺徽𧙍、衣服婆娑貌、【正義】褊、白眠反、姺、音先、徽、音白結反、𧙍、音屑、【考證】漢書文選、褊姺徽𧙍作便姍嫳屑、世作俗、王先謙曰、褊姺卽蹁躚、芬香漚鬱、酷烈淑郁、皓齒粲爛、宜笑旳皪、【索隱】郭璞曰、鮮明貌也、楚詞曰、美人皓齒以姱、又曰、娥眉笑以旳皪、皪、音礫也、【考證】文選注引楚辭曰、嫮目宜笑娥眉曼、長眉連娟、微睇緜藐、【索隱】郭璞曰、連娟、眉曲細也、緜藐、遠視貌也、娟、音一全反、睇、大計反、藐、音邈、【考證】沈欽韓曰、宋玉舞賦、眉連娟以增繞、目流睇而橫波、王念孫曰、緜藐、好視也、下文云、色授魂予、心愉於側、則非謂視遠貌也、色授魂與、心愉於側。【索隱】張揖曰、彼色來授我、我魂往與接也、愉、音踰、往也、愉、悅也、二義竝通也、【考證】漢書、與作予、顏師古曰、愉、樂也、俗飭約嫋削𧙍服郁皪藐側韻、曾國藩曰、以上置酒張樂、於是酒中樂

酣、天子芒然而思、似若有亡。【考證】顏師古曰、酒中、飲酒中半也、樂酣、奏樂洽也、似若有亡、如有失也、曰。嗟乎此泰奢侈。朕以覽聽餘閒、無事弃日、【正義】言聽政餘暇、不能棄日也、【考證】漢書文選、泰作大、蘇輿曰、言閒居無事、是虛棄此日、故順天殺伐、注未晰、順天道以殺伐、時休息於此。【正義】郭云、謂苑囿中也、【考證】郭璞曰、因秋氣也、恐後世靡麗、遂往而不反。非所以爲繼嗣創業垂統也。【考證】文選、世作葉、漢書文選、反作返、於是乃解酒罷獵。而命有司曰。地可以墾辟、悉爲農郊、以贍萌隸。【正義】邑外曰郊、言於郊野之中營農事也、【考證】漢書文選、是下有乎字、文選、辟作闢、漢書、萌作甿、隤牆塡塹、使山澤之民得至焉。【正義】言得芻牧樵采也、實陂池而勿禁。【正義】實、滿也、言人滿陂池、任采捕所取也、【考證】司馬彪曰、養魚鼈滿陂池、而不禁民取也、中井積德曰、實、塡也、愚按中說較長、虛宮觀而勿仞。【正義】仞、音刃、亦滿也、言離宮別館、勿令人居止、竝廢罷也、【考證】仞、牣通、郭璞曰、虛、言不聚人衆其中也、李笠曰、郭言人衆、當兼輿服車馬奴婢而言、發倉廩以振貧窮、補不足、恤鰥寡、存孤獨、出德號、省刑罰、改制

度、易服色、更正朔、與天下爲始。【考證】漢書文選、更作革、於是歷吉日以齊戒、襲朝衣、乘法駕、建華旗、鳴玉鸞、【正義】朝衣、謂袞龍之服也、法駕、六馬也、【考證】文選、齊作齋、漢書文選、衣作服、游乎六藝之囿、【正義】六藝云、言田獵訖、則遍遊六藝、而疾驅於仁義之道也、【考證】郭璞曰、六藝、禮樂射御書數也、顏師古曰、此六藝、謂六經者也、錢泰吉曰、正義六藝云下、疑有脫文、騖乎仁義之塗、覽觀春秋之林、【集解】郭璞曰、春秋所以觀成敗明善惡者、【考證】漢書文選、騖上有馳字、王先謙曰、游其囿、馳其塗、覽其林、皆以射獵之地借喻也、射貍首、兼騶虞、【集解】禮射義曰、天子以騶虞爲節、諸侯以貍首爲節、騶虞者、樂官備也、貍首者、樂會時也、【正義】說文云、騶虞、白虎黑文、尾長於身、太平乃至、天子射以爲節、山海經云、如虎五采、日行千里、周禮云、九射、王以騶虞爲節、諸侯以貍首爲節、大夫以采蘩爲節、鄭云、樂章名也、禮射義云、騶虞者、樂官備也、貍首者、樂會時也、采蘋者、樂循法也、采蘩者、樂不失職也、是故天子以備官爲節、諸侯以時會天子爲節、卿大夫以循法度爲節、士以不失職爲節、按貍首、逸詩、騶虞、邵南之卒章、弋玄鶴、建干戚、【考證】曾國藩曰、干戚、當作干羽、此處當用韻、不似四句卽韻者、載雲罕、【索隱】張揖云、罕、畢也、文穎曰、卽天畢、星名、前有九旒雲罕之車、案說者以雲罕爲旌旗、非也、且案中朝鹵簿圖云、雲罕駕駟、不兼言九旒、罕車與九旒車別、【正義】鶴、古或反、禮射義、作鵠、音同、【考證】弋亦射也、李善曰、尙書大傳曰、舜樂歌曰和伯之樂、舞玄鶴、中井積德曰、玄

鶴、疑古樂名、漢書文選、建作舞、王先謙曰、雲罕、自是罼網、雲罕九旒、自是旌旗、愚按載雲罕、建雲罕九旒爲前驅也、雲罕、旌旗之名、此文每句三字、三字一事、王氏誤連讀載雲罕揜羣雅六字、遂以雲罕爲罼網、非是、梁玉繩曰、案上有玄鶴加、轔玄鶴二句、并此三見矣、他若罕原、蕙圃、青蘋、衡蘭、江離、蘪蕪、白虎、野馬、駕鵝、孔鸞、騊駼、駿驥、瑇瑁之類、重用複出、豈非文之疵病歟、而彌節、裴回、翱翔、往來、則全文疊見、蓋未檢也、 揜羣雅、集解漢書音義曰、大雅、小雅也、索隱揜、捕也、張揖曰、詩小雅之材七十四人、大雅之材三十一人、故曰羣雅也、言雲罕載之於車、以捕羣雅之士、考證三字一意、不與上句相涉、王先謙曰、揜羣雅、網羅賢俊之意、 悲伐檀、索隱張揖曰、其詩刺賢者不遇明主也、正義伐檀、魏國之詩、刺在位貪鄙也、 樂樂胥、索隱毛詩云、君子樂胥、受天之祜、言王者樂得賢材之人、使之在位、故天與之福祿也、胥、音先呂反、考證詩小雅桑扈篇、 修容乎禮園、正義禮所以自修飾整威儀也、 翺翔乎書圃、正義尙書所以明帝王君臣之道也、 述易道、正義易所以絜靜微妙、上辨二儀陰陽、中知人事、下明地理也、言田獵乃射訖、又歷涉六經之要也、考證錢泰吉曰、正義乃疑及、 放怪獸、正義張揖云、苑中奇怪之獸不復獵也、考證中井積德曰、放怪獸、不復畜也、 登明堂、坐清廟、正義明堂有五帝廟、故言清廟、王者朝諸侯之處、 恣羣臣奏得失。四海之內、靡不受獲。正義言天下之人、無不受恩惠、考證文選恣作次、 於斯之時、天下大說、嚮風而聽、隨流而

化、喟然興道而遷義、刑錯而不用、索隱喟、漢書作𡗗、音許貴反、考證郭璞曰、𡗗、猶勃也、 德隆乎三皇、功美於五帝。索隱司馬彪云、美、溢也、溢、怡戰反、正義美、饒也、 若此故獵乃可喜也。若夫終日暴露馳騁、勞神苦形、罷車馬之用、抏士卒之精、索隱抏、音五官反、正義抏、挫也、敝也、考證漢書文選、無暴露二字、顏師古曰、罷讀曰疲、 費府庫之財、而無德厚之恩、務在獨樂、不顧衆庶、忘國家之政、而貪雉兎之獲、則仁者不由也。從此觀之、齊·楚之事、豈不哀哉。地方不過千里、而囿居九百。是草木不得墾辟、而民無所食也。夫以諸侯之細、而樂萬乘之所侈。僕恐百姓之被其尤也。考證何焯曰、萬乘之所侈、謂天子猶此太奢侈者也、文選、無所字、非也、漢書文選、姓下無之字、 於是二子愀然改容、超若自失、索隱郭璞云、愀、變色貌、音作酉反、 逡巡避席曰。鄙人固陋、不知忌諱。乃今日見教。謹聞命矣。

考證漢書文選、聞作受、 賦奏。天子以爲郎。無是公言天子上林廣大、山谷水泉萬物、及子虛言楚雲夢所有甚衆、侈靡過其實、且非義理所尙。考證漢書、過上有多字、尙作止、梁玉繩曰、左思三都賦序、文心雕龍夸飾篇、竝稱相如之賦、詭濫不實、余謂上林地本廣大、且天子以天下爲家、故所敘山谷水泉、統形勝而言之、至其羅陳萬物、亦惟麟鳳蛟龍一二語爲增飾、觀西京雜記三輔黃圖、則奇禽異木、貢自遠方、似不全妄、況相如明著其指、曰子虛烏有亡是、是特主文譎諫之義爾、不必從地望所奠、土毛所產、而較有無也、 故刪取其要、歸正道而論之。索隱大顏云、不取其夸奢靡麗之論、唯取終篇歸於正道耳、小顏云、刪要、非謂削除其詞、而說者謂此賦已經史家刊劉、失之也、考證王先謙曰、玩此賦文辭、首尾完具、即所謂侈靡失實者固在、豈爲刊劉之本、刪、定也、愚按、此言司馬相如刪定無是子虛之語也、王維楨曰、此子長史筆斷案、而非長卿自作傳、明矣、 相如爲郎數歲。會唐蒙使略通夜郎·西僰中。集解徐廣曰、羌之別種也、音扶逼反、索隱張揖曰、蒙、故鄱陽令、今爲郎中、使行略取之、文穎曰、夜郎、僰中、皆南夷、後以爲夜郎、屬牂柯、僰屬犍爲、音步北反、考證中井積德曰、西字疑衍、漢書無之、王先謙曰、開二郡、事在建元六年、相如已爲郎數歲、是獻賦在武帝即位初矣、通夜郎僰中、詳西南夷傳、 發巴·蜀吏卒千人、索隱案巴蜀、二郡名、 郡又多爲發、轉漕

萬餘人。用興法誅其渠帥。集解漢書曰、用軍興法也、考證興法、即軍興法、解在下文、又見驃騎將軍傳、錢大昕曰、晉書刑法志云、魏文侯時、李悝著法經八篇、蕭何又益興廄戶三篇、 巴·蜀民大驚恐。上聞之、乃使相如責唐蒙、因喻告巴·蜀民以非上意。考證張文虎曰、蔡、中統、游、毛本、唐蒙下有等字、與漢書合、愚按、楓、三本、亦有、凌稚隆曰、非上意三字、喻民本旨、太史公特首揭之、 檄曰。告巴·蜀太守。蠻夷自擅、不討之日久矣。時侵犯邊境、勞士大夫。陛下即位、存撫天下、輯安中國、考證輯安、漢書作集安、文選作安集、 然後興師出兵。北征匈奴、單于怖駭、交臂受事、詘膝請和。考證王先謙曰、元光三年、從大行王恢議、誘匈奴擊之、無功、然匈奴貪漢財物、漢亦通關市不絕、以中之、詳匈奴傳、屈膝請和、蓋飾言之、李善曰、戰國策、張儀曰、儀交臂而事齊楚、愚按交臂與交手同、謂拱手也、史記蘇秦傳、西面事秦、交臂而服、西面交臂而臣事秦、義竝同、 康居西域、重譯請朝、稽首來享。考證漢書文選、請朝作納貢、文選、首作顙、顏師古曰、享、獻也、獻其國珍也、王先謙曰、西域傳、漢興至于孝武、事征四夷、廣威德、而張騫始開西域之迹、據史張騫傳、騫使西域、以元朔三年歸、喻巴蜀時、西域康居、疑尙未通中國、乃相如夸飾之辭、或其時偶有通貢之事、史無明文耶、 移師

東指、閩越相誅。右弔番禺、太子入朝。【索隱】文穎曰、番禺、南海郡理也、弔、至也、東伐閩越、後至番禺、故言右至也、案姚氏弔讀如字、小顏云、兩國相伐、漢發兵救之、令弔番禺、故遣太子入朝、弔、非至也、【考證】弔、恤也、指閩越、弔番禺、在建元六年、事詳南越傳、番禺、即南越、南夷之君、西僰之長、常效貢職、不敢怠墮。【考證】怠墮、漢書作惰怠、文選作墯怠、延頸舉踵、喁喁然皆爭歸義、欲爲臣妾。【正義】喁、五恭反、口向上也、【考證】桃源抄云、淮南子云、群生莫不喁然仰其治、漢書文選、爭歸義作鄉風慕義、道里遼遠、山川阻深、不能自致。夫不順者已誅、而爲善者未賞。故遣中郎將往賓之、【索隱】賈逵云、賓、伏也、【正義】賓、往賓服而賜之也、【考證】徐孚遠曰、賓、謂以賓見諸侯之禮接之、發巴·蜀士民各五百人、以奉幣帛、衞使者不然、靡有兵革之事、戰鬬之患。【考證】漢書文選、士民作之士、漢書、無帛字、不然、猶言不虞也、今聞其乃發軍興制、驚懼子弟、憂患長老。【索隱】張揖曰、發三軍之衆也、興制、謂起軍法制也、案唐蒙爲使、而用軍興法制也、【考證】徐鴻鈞曰、案軍興、是漢法名、周禮地官旅師、平頒其興積、鄭氏注云、縣官徵物曰興、今云軍興、是也、據此則軍興、不當析讀、上文云、用軍興法誅其渠率、又

漢書雋不疑傳、以軍興法誅不從命者、義竝同、郡又擅爲轉粟運輸。皆非陛下之意也。當行者或亡逃自賊殺。亦非人臣之節也。夫邊郡之士、聞烽舉燧燔、【集解】漢書音義曰、烽、如覆米䉛、縣著桔槔頭、有寇則舉之、燧、積薪、有寇則燔然之、【索隱】烽燧、韋昭曰、燧、束草置之長木之端、如挈皋、見敵則燒舉之、燧者積薪、有難則焚之、燧主晝、燧主夜、字林云、䉛、漉米籔也、音一六反、又纂要云、䉛、淅箕也、此注是孟康說、【考證】中井積德曰、燧見烟、烽見火、是烽主夜、燧主晝也、注正相反、皆攝弓而馳、荷兵而走、【索隱】攝弓、上音奴頰反、【考證】攝、持也、流汗相屬、唯恐居後、觸白刃、冒流矢、義不反顧、計不旋踵、人懷怒心、如報私讎。【考證】漢書文選、義作議、彼豈樂死惡生、非編列之民、而與巴·蜀異主哉。【考證】顏師古曰、編列、謂編戶也、計深慮遠、急國家之難、而樂盡人臣之道也。故有剖符之封、析珪而爵、【索隱】如淳曰、析、中分也、白藏天子、青在諸侯也、位爲通侯、居列東第、【索隱】列甲第、在帝城東、故云東第也、終則遺顯號於後世、傳土地於子孫。行事甚

忠敬、居位甚安佚、名聲施於無窮、功烈著而不滅。【考證】漢書、行事作事行、是以賢人君子、肝腦塗中原、膏液潤野草而不辭也。【考證】董份曰、當時巴蜀民、未嘗知兵、故以邊城之習戰者風示之、今奉幣役至南夷、即自賊殺、或亡逃抵誅、身死無名、謚爲至愚、恥及父母、爲天下笑。【考證】李善曰、謚、猶號、人之度量相越、豈不遠哉。然此非獨行者之罪也。父兄之教不先、子弟之率不謹也。寡廉鮮恥、而俗不長厚也。【考證】漢書文選、謹下無也字、其被刑戮、不亦宜乎。陛下患使者有司之若彼、悼不肖愚民之如此。故遣信使、曉喩百姓以發卒之事、因數之以不忠死亡之罪、讓三老孝弟以不教誨之過。【正義】百官表云、十里一亭、亭有長、十亭一鄉、鄉有三老、有秩、嗇夫、游徼、三老、掌教化、嗇夫、職聽訟收賦稅、游徼、備盜賊、【考證】顏師古曰、數、責也、音所具反、讓、責也、責其教誨不備也、李善曰、漢書景帝詔曰、置三老孝弟、以道民焉、方今田時、

重煩百姓。【索隱】重、猶難也、已親見近縣。【考證】顏師古曰、近縣之人、使者已自見而口諭之矣、故爲檄文、馳以示遠所也、恐遠所谿谷山澤之民不偏聞。檄到亟下縣道、【集解】漢書百官表曰、縣有蠻夷曰道、【索隱】亟、音紀力反、亟、急也、使咸知陛下之意、唯毋忽也。【考證】漢書、無之字也字、顏師古曰、忽、怠忽也、相如還報。唐蒙已略通夜郎、因通西南夷道、發巴·蜀·廣漢卒。【考證】廣漢、郡名、事詳西南夷傳、作者數萬人治道。二歲道不成。士卒多物故、費以巨萬計。【索隱】案巨萬、猶萬萬也、案數有大小二法、張揖曰、算法萬萬爲億、是大數也、鬻子曰、十萬爲億、是小數也、【正義】物故、死也、如衆物之故而零落也、【考證】漢書蘇武傳、前日降及物故、顏師古曰、物故、謂死也、言其同鬼物而故也、一說不欲斥言、但云、其所服用之物、皆已故耳、說者妄欲改物爲勿、非也、宋祁曰、物、當從南本作歾、音沒、王念孫曰、釋名、漢以來、謂死爲物故、言其諸物皆就朽故也、史記張丞相傳集解、引高堂隆答魏朝訪曰、物、無也、故、事也、言無所能於事、念孫案、宋說近之、物與歾同、說文、歾、終也、或作殁、歾物、聲近而字通、今吳人言物字、聲如沒、語有輕重耳、物故、猶言死亡、楚元王傳云、物故流離、以十萬數、夏侯勝傳云、百姓流離物故者過半、物故與流離對文、諸家皆不知物爲歾之借字、愚按、物故、猶言事故、戰死病沒、皆是、說見匈奴傳、蜀民及漢用事者、多言其不便。

【索隱】案謂公孫弘也、是時邛·筰之君長、聞南夷與漢通、得賞賜多、【索隱】邛筰之君長、文穎曰、邛者、今爲邛都縣、筰者、今爲定筰縣、皆屬越巂郡、【正義】邛筰二國、在蜀西、解在西南夷傳也、【考證】邛、今四川寧遠府地、筰、今雅州清溪縣、唐置黎州、多欲願爲內臣妾、請吏比南夷。【索隱】謂請置漢吏、與南夷爲比例也、天子問相如。相如曰。邛·筰·冄駹者、近蜀。道亦易通。【正義】冄駹、一國、在蜀西、解在西南夷傳也、【考證】冄駹、今茂州、秦時嘗通爲郡縣。至漢興而罷。今誠復通爲置郡縣、愈於南夷。【索隱】張揖曰、愈、差也、又云、愈、猶勝也、晉灼曰、南夷謂犍爲牂柯也、西夷謂越巂益州、【正義】愈、勝也、天子以爲然。乃拜相如爲中郎將。建節往使。【索隱】張揖曰、秩四百石、五歲遷補大縣令、【考證】王先謙曰、此及上文中郎將、與漢書同、西南夷傳竝作郎中將、漢書亦同、未知孰是、漢百官志、中郎有五官、左右三將、秩皆比二千石、郎中有車戶騎三將、秩皆比千石、非四百石也、沈家本曰、是時相如至蜀、蜀太守以下郊迎、縣令負弩矢先驅、其非五歲補縣令之郎可知矣、副使王然于·壺充國·呂越人。馳四乘之傳、因巴·蜀吏幣物、以賂西夷。至蜀。【索隱】案漢書公卿表、太初元年、充國爲鴻臚卿也、【考證】王先謙曰、四乘亦急傳

也、六乘傳、見吳王濞傳、七乘僅見漢書武五子傳、漢書西下有南字、蜀太守以下郊迎、縣令負弩矢先驅。【索隱】案亭吏二人、弩矢合是亭長負之、今縣令自負矢、則亭長當負弩也、且負弩亦守宰無定、或隨輕重耳、案、霍去病出擊匈奴、河東太守郊迎負弩、又魏公子救趙擊秦、秦軍解去、平原君負韊矢、迎公子於界上、【考證】王先謙曰、傳明言縣令負弩矢、索隱既謂隨時輕重、又言亭長當負弩、文義兩失矣、蜀人以爲寵。【索隱】蜀以爲寵、華陽國志云、蜀大城北十里有升仙橋、有送客觀也、相如初入長安、題其門云、不乘赤車駟馬、不過汝下也、【考證】寵、猶榮也、於是卓王孫、臨邛諸公、皆因門下獻牛酒以交驩。【考證】凌稚隆曰、應轉卓王孫臨邛一段、卓王孫喟然而歎、自以得使女尚司馬長卿晚。而厚分與其女財、與男等同。【索隱】小顏云、尚、猶配也、本或作當也、【考證】李笠曰、尚上同時長卿已貴、故云尚、作當非、漢書無等字、司馬長卿便略定西夷。【考證】漢書、便作使、西下有南字、非是、邛·筰·冄駹·斯榆之君、皆請爲內臣。【索隱】斯、鄭氏音曳、張揖云、斯、俞國也、案今斯讀如字、益部耆舊傳、謂之斯臾、華陽國志、邛都縣有四部、斯臾一也、【正義】斯渝國、在蜀南、解在西南夷傳、【考證】今雅州府天全州、除邊關、關益斥、【索隱】張揖曰、斥、廣也、【考證】漢書、不重關字、蓋脫文也、王先謙曰、言除去舊設之關、更於新開之地置關也、益斥、文意

連下、西至沫·若水、【索隱】張揖曰、沫水、出蜀廣平徼外、與青衣水合也、若水、出旄牛徼外、至僰道入江、華陽國志、漢嘉縣有沫水、音妹、又音末、【考證】齊召南曰、張揖注廣平、當作廣柔、南至牂柯爲徼、【索隱】張揖曰、徼、塞也、以木柵水爲蠻夷界、【考證】中井積德曰、徼者邊疆之限也、何必論木水、通零關道、【集解】徐廣曰、越巂有零關縣、【考證】漢書、零關作靈山、齊召南曰、以地理志證之、越巂有靈關道、則山字訛也、錢大昭曰、兩漢志俱作靈關道、愚按、靈零通用、橋孫水、【集解】韋昭曰、爲孫水作橋、以通邛都。【索隱】橋孫水通筰、韋昭曰、爲孫水作橋也、案華陽國志云、相如卒開僰道、通南夷、置越巂郡、韓說開益州、唐蒙開牂柯、斬筰王首、置牂柯郡也、【考證】索隱出通筰二字、漢書作通邛筰、王念孫曰、邛都當從漢書作邛筰、上文言邛筰冄駹、皆請爲內臣、下文言朝冄從駹、定筰存邛、則此不得言但通邛都也、還報天子。天子大說。相如使時、蜀長老多言通西南夷不爲用。唯大臣亦以爲然。【考證】唯、雖通、大臣、公孫弘、相如欲諫。業已建之。不敢。【索隱】案業者、本也、謂本由相如立此事也、【考證】中井積德曰、業亦既也、相如嘗贊成之、故曰建之也、乃著書、籍以蜀父老爲辭、而己詰難之、以風天子。【正義】籍、音借、【考證】漢書、籍作藉、顏師古曰、藉、假也、風、讀曰諷、且因宣其使指、令百姓知天子之意。

【考證】何焯曰、此篇仍賦頌之體、較之前檄、爲辭勝事、其辭曰。漢興七十有八載、【集解】徐廣曰、元光六年也、德茂存乎六世、【正義】高祖、惠帝、高后、孝文、孝景、孝武、威武紛紜、湛恩汪濊、【索隱】韋昭云、湛恩、上音沈、【正義】紛紜、威武盛也、汪濊、深廣也、羣生澍濡、洋溢乎方外。【正義】顧野王云、時雨所以澍萬物也、【考證】漢書文選、澍作霑、載世濊外、韻、於是乃命使西征、隨流而攘。【索隱】攘、卻也、汝羊反、風之所被、罔不披靡。因朝冄從駹、定筰存邛、略斯榆、舉苞滿。【索隱】服虔云、夷種也、滿字或作蒲也、【考證】漢書文選作蒲、卽靡莫、結軼還轅、東鄉將報。至于蜀都。【索隱】結軼、下音轍、漢書作軌、張揖云、結、屈也、【考證】軼、諸本作軌、今從索隱本、王念孫曰、今本作軌、依漢書改、征攘、被靡、駹邛、榆蒲、都韻、耆老大夫薦紳先生之徒、二十有七人、儼然造焉。辭畢、因進曰。【考證】顏師古曰、辭、謂初謁見之辭、蓋聞天子之於夷狄也、其義羈縻勿絕而已。【索隱】案羈、馬絡頭也、縻、牛韁也、漢官儀、馬云羈、牛云縻、言制四夷如牛馬之受羈縻也、【考證】文選、於作牧、中井積德曰、縻亦以馬言、是小索牽馬、圉人所執、亦與轡異、今罷三郡之士、通夜

郎之塗、三年於茲、而功不竟。【考證】顏師古曰、罷讀曰疲、 士卒勞倦、萬民不贍。今又接以西夷。【考證】漢書文選、接下有之字、 百姓力屈、恐不能卒業。此亦使者之累也。竊爲左右患之。且夫邛・筰・西僰之與中國竝也、歷年茲多、不可記已。【正義】言邛筰西僰、立國以來、與中國年月等、不可記錄、【考證】顏師古曰、已、語終之辭、 仁者不以德來。彊者不以力幷。意者其殆不可乎。【正義】言自古帝王、雖仁治不能招來、雖強力不能幷兼、以其路遠、殆不可通、【考證】顏師古曰、以其險遠、理不可也、 今割齊民以附夷狄、【考證】何焯曰、附、附益之也、割齊民、謂賂以巴蜀吏幣物、 弊所恃以事無用。【正義】所恃、齊民、言帝王依恃、無用、謂夷狄也、 鄙人固陋不識所謂。使者曰。烏謂此邪。必若所云、則是蜀不變服、而巴不化俗也。【正義】言巴蜀蠻夷、本椎髻左衽、今從中國服俗也、若西南夷不可通、卽巴蜀服俗、不應變改、 余尙惡聞若說。【索隱】張揖曰、惡聞若曹之言也、包愷音一故反、又音烏、烏者安也、【考證】漢書文選、余作僕、文選、尙作常、顏師古曰、若、如也、言僕猶惡聞如此之說、況乎遠識之人也、 然斯

事體大、固非觀者之所覯也。余之行急、其詳不可得聞已。請爲大夫麤陳其略。【考證】漢書文選、麤作粗、 蓋世必有非常之人、然後有非常之事。有非常之事、然後有非常之功。非常者、固常人之所異也。【索隱】案常人見之以爲異、【考證】文選、功下有夫字、固常下人字、楓三本毛本有、與漢書文選合、今依補、 故曰。非常之原、黎民懼焉。【索隱】張揖曰、非常之事、其本難知、衆人懼也、【考證】漢書、原作元、顏師古曰、元、始也、 及臻厥成、天下晏如也。昔者鴻水浡出、氾濫衍溢。民人登降移徙、陭隔而不安。【考證】漢書文選、鴻作洪、浡作沸、登作升、陭隔作崎嶇、 夏后氏戚之、乃堙鴻水、決江疏河、灑沈贍菑、【集解】徐廣曰、灑、一作灑、【索隱】灑沈澹菑、灑音鹿、菑音災、漢書作澌沈澹災、解者云、澌作灑、灑分也、音所綺反、澹、安、沈、深也、澹音徒暫反、【考證】堙鴻水、漢書作堙洪原、文選、作湮洪塞源、灑沈贍菑、漢書文選、作灑沈澹災、愚按、堙、猶遏也、抑也、說詳河渠書、中井積德曰、贍如字、訓救、可也、漢書不必據、 東歸之於海、而天下永寧。當斯之勤、豈唯民哉。【索隱】案謂非獨人勤、禹亦親其勞也、 心煩於

慮、而身親其勞、躬胝無胈、膚不生毛。【集解】徐廣曰、胝、音竹移反、胈、腫也、一作腠、音湊、膚、理也、胈、音魃、【索隱】躬奏胝無胈、張揖曰、奏、作戚、躬、體也、戚、腠理也、韋昭曰、胈、其中小毛也、胝、音丁私反、莊子云、禹腓無胈、脛不生毛、李頤云、胈、白肉也、音蒲末反、【考證】躬下漢書有傶、腓二字、文選有腠字、索隱本有奏字、愚按無者爲正、荀子子道篇、手足胼胝、胝、皮厚也、 故休烈顯乎無窮、聲稱浹乎于茲。【正義】浹、徹也、【考證】于茲、今茲也、 且夫賢君之踐位也、豈特委瑣握齱、拘文牽俗、循誦習傳、當世取說云爾哉。【索隱】孔文祥云、委瑣、細碎、握齱、局促也、【正義】拘文牽俗、言武帝常拘繫脩法之文、牽引隨俗之化、【考證】文選、握作喔、循作脩、顏師古曰、說、讀曰悅、言非直因循自誦習所傳聞、取美悅於當時而已、 必將崇論閎議、創業垂統、爲萬世規。故馳騖乎兼容幷包、而勤思乎參天貳地。【索隱】案天子比德於地、是貳地也、與己幷天爲三、是參天也、故禮曰、天子與天地參、是也、 且詩不云乎。普天之下、莫非王土。率土之濱、莫非王臣。【集解】毛詩傳曰、濱、涯也、【考證】詩小雅北山之篇、 是以六合之內、八方之外、浸潯衍溢、懷生之物、有不浸潤於澤者、賢君

恥之。【索隱】浸淫、案浸淫、猶漸浸、【正義】六合、天地四方、八方、四方及四維也、【考證】楓三本、及漢書文選、潯作淫、顏師古曰、浸淫、猶漸漬也、衍溢、言有餘也、 今封疆之內、冠帶之倫、咸獲嘉祉、靡有闕遺矣。而夷狄殊俗之國、遼絕異黨之地、舟輿不通、人迹罕至、政教未加、流風猶微。【考證】漢書文選、輿作車、 內之則犯義侵禮於邊境、外之則邪行橫作、放弒其上。【考證】文選、犯上有時字、漢書文選、弒作殺、內外自漢言之、王先謙曰、其於中國則犯邊、在其國則放弒、 君臣易位、尊卑失序、父兄不辜、幼孤爲奴、係纍號泣。【正義】纍、音力追反、言爲人掠獲、而係纍爲奴、離別號泣、內向怨天子化不至也、【考證】文選、兄作老、漢書文選、奴下有虜字、中井積德曰、不辜、謂不辜而被戮也、 內嚮而怨曰。蓋聞中國有至仁焉。德洋而恩普、物靡不得其所。今獨曷爲遺己。【考證】漢書文選、洋下無而字、凌稚隆曰、如東征西夷怨之意、愚按恩普下諸本、有洋溢貌、集解、慶長本無、張文虎曰、洋溢已見上文、此後人旁注誤混、今刪、 舉踵思慕、若枯旱之望雨。【考證】分明學孟子、 盭夫爲之垂涕。況乎上聖、又惡能已。

【集解】徐廣曰、鷙音戾、【索隱】張揖曰、很戾之夫也、字或作戾、鷙、古戾字、【考證】惡、漢書作烏、文選作焉、顏師古曰、已、止也、故北出師以討彊胡、南馳使以誚勁越、四面風德。二方之君、鱗集仰流、願得受號者以億計。【索隱】二方、謂西夷邛僰、南夷牂柯夜郎也、【考證】顏師古曰、誚、責也、號、謂爵號也、翟鴻禨曰、鱗、魚也、鱗集、猶言魚聚而向流、不必定爲鱗之相次、故乃關沬若、徼牂柯、鏤零山、梁孫原、【集解】漢書音義曰、以沬若水爲關、【正義】鑿靈山通以關也、【考證】慶長本標記云、正義本、零作靈、愚按漢書文選亦作靈、創道德之塗、垂仁義之統。將博恩廣施、遠撫長駕、使疏逖不閉、【索隱】逖遠、言其疏遠者不被閉絕也、【正義】遠撫安、長駕御、言帝德廣被若親臨、【考證】王先謙曰、長駕、猶遠馭、阻深闇昧、【索隱】曶爽闇昧、三蒼云、曶爽、早朝也、曶音昧、案字林又音忽、【考證】索隱本、阻深作曶爽、與漢書文選合、王念孫曰、作曶爽者是也、漢書郊祀志、昒爽、顏師古云、昒爽、未明之時也、義與闇昧相近、若作阻深、則與下句義不相屬、得耀乎光明、以偃甲兵於此、而息誅伐於彼。【考證】漢書文選、誅作討、遐邇一體、中外提福、不亦康乎。【集解】徐廣曰、提、一作禔、音支、【索隱】禔福、說文云、禔、安也、市支反、【考證】漢書文選提作禔、夫拯民於沈溺、

奉至尊之休德、反衰世之陵遲、繼周氏之絕業。斯乃天子之急務也。【考證】漢書文選、陵遲作陵夷、無斯乃二字、遲夷、古音同、顏師古曰、陵夷、謂弛替也、百姓雖勞、又惡可以已哉。【正義】惡、音烏、言漢奉至尊休德、救民沈溺、繼周之絕業、反陵夷之衰代、是天子之急事、百姓雖勞苦、何以止住哉、【考證】文選、已下有乎字、且夫王事固未有不始於憂勤、而終於佚樂者也。【考證】漢書文選、事作者、顏師古曰、始能憂勤則終獲逸樂也、然則受命之符、合在於此矣。【索隱】張揖云、在於憂勤佚樂之中也、【考證】王先謙曰、此謂天子通西南夷憂民勤遠之事、張注非、文選漢書、無矣字、方將增泰山之封、加梁父之事、鳴和鸞、揚樂頌、上咸五、下登三。【集解】徐廣曰、咸、一作函、駰案韋昭曰、咸同於五帝、登三王之上、【索隱】上減五、下登三、李奇曰、五帝之德、漢比爲減、三王之德、漢出其上、故云減五登三也、虞憙志林云、相如欲減五帝之一以漢盈之、然以漢爲五帝之數、自然是登於三王之上也、今本減或作咸、是韋昭之說也、【考證】詩閟宮克咸厥功鄭箋、咸、同也、韋說爲長、文選作減、非是、余有丁曰、此封禪遺書所由作也、觀者未睹指、聽者未聞音。猶鷦明已翔乎寥廓、而羅者猶視乎藪澤。悲夫。【正義】寥廓、天上寬廣之處、【考證】鷦明、

漢書作焦朋、文選作鷦鵬、文選、廓下有之字二字、顏師古曰、澤無水曰藪、楊愼曰、鷦明羅者之喻、所以言非常固非常情之所度也、於是諸大夫芒然喪其所懷來、而失厥所以進、【考證】漢書文選、芒作茫、顏師古曰、初有所懷而來、欲進而陳之、今竝喪失其來意也、喟然竝稱曰。允哉漢德。此鄙人之所願聞也。百姓雖怠、請以身先之。【考證】漢書文選、怠作勞、敞罔靡徙、因遷延而辭避。【索隱】案敞罔、失容也、靡徙、失正也、【考證】漢書文選、無因字、楓三本、遷延作逡遁、蓋逡巡之義、

其後人有上書、言相如使時受金。失官。居歲餘、復召爲郎。相如口吃而善著書。【考證】韓非傳云、非爲人口吃不能道說、而善著書、常有消渴疾。與卓氏婚、饒於財。其進仕宦、未嘗肯與公卿國家之事。稱病閒居、不慕官爵。【考證】楓三本、事下有常字、與漢書合、常從上至長楊獵。【正義】括地志云、秦長楊宮、在雍州盩厔縣東南三里、上起以宮內有長楊樹、以爲名、【考證】楓三本、及漢書、常作嘗、是時天子方好自擊熊彘、馳逐野獸。【考證】漢書、彘作豕、相如上疏諫之。其辭曰。臣聞物

有同類而殊能者。故力稱烏獲、【索隱】張揖曰、秦武王力士舉龍文鼎者也、捷言慶忌、【索隱】張揖曰、吳王僚之子、勇期賁育。【正義】賁、音奔、孟賁、古之勇士、水行不避蛟龍、陸行不避豺狼、發怒吐氣、聲音動天、夏育亦古之猛士也、臣之愚竊以爲人誠有之。獸亦宜然。【考證】文選、愚下有暗字、董份曰、見獸亦有力絕群類者、不可輕犯、愚按又暗言陵險射猛、勇士之事、非人君所宜躬親、今陛下好陵阻險、射猛獸。卒然遇軼材之獸、【索隱】猝然、廣雅云、猝、暴也、音倉兀反、駭不存之地、【索隱】謂所不慮而猛獸駭發也、【考證】劉攽曰、不存、猶言不虞、王先謙曰、釋詁、存、察也、謂不及察之地、犯屬車之清塵、【集解】蔡邕曰、古者諸侯貳車九乘、秦滅九國、兼其車服、故大駕屬車八十一乘、【考證】屬車、猶言後車、不直言乘輿也、輿不及還轅、人不暇施巧、雖有烏獲逢蒙之伎、力不得用。【集解】吳越春秋曰、羿傳射於逢蒙、【索隱】孟子云、逢蒙學射於羿、盡羿之道也、【考證】文選、雖作惟、漢書、無力字、枯木朽株、盡爲害矣。【考證】漢書文選、害作難、是胡越起於轂下、而羌夷接軫也。豈不殆哉。【考證】顏師古曰、軫、車後橫木、雖萬全無患、然本非天子之所宜近也。【考證】漢書、全下有

而字、且夫淸道而後行、中路而後馳、猶時有銜橛之變。【集解】徐廣曰、橛音巨月反、鉤逆者謂之橛矣、【索隱】銜橜之變、張揖曰、銜、馬勒銜也、橜、騑馬口長銜也、周遷輿服志云、鉤逆上者爲橜、橜在銜中、以鐵爲之、大如雞子、鹽鐵論云、無銜橜而禦捍馬、橜、音巨月反、【正義】橛、謂車鉤心也、言馬銜或斷、鉤心或出、則致傾敗以傷人也、【考證】漢書文選、馳下無後字、王念孫曰、銜橛、皆所以制馬、若鉤心在輿之下軸之上、與馬何涉、當從張說爲是、而況涉乎蓬蒿、馳乎丘墳、前有利獸之樂、而內無存變之意。其爲禍也不亦難矣。【考證】漢書文選、況涉乎蓬蒿、馳乎丘墳、作況乎涉豐草騁丘虛、禍作害、漢書無亦字、夫輕萬乘之重、不以爲安、而樂出於萬有一危之塗、以爲娛。臣竊爲陛下不取也。【考證】漢書、無而字、漢書文選、無於字、蓋明者遠見於未萌、而智者避危於無形。禍固多藏於隱微、而發於人之所忽者也。【考證】文選、蓋下有聞字、故鄙諺曰。家累千金、坐不垂堂。【索隱】張揖云、畏簷瓦墮中人、樂產云、垂、邊也、恐墮墜之也、【考證】袁盎傳、盎諫文帝曰、臣聞、千金之子坐不垂堂、百金之子不騎衡、聖主不乘危而徼幸、今陛下騁六騑馳下峻山、如有馬驚車敗、陛下縱自輕、奈高廟太后何、與此

文詞氣相似、沈欽韓曰、論衡四諱篇、毋承屋檐而坐、恐瓦墜擊人首也、此言雖小可以喩大。臣願陛下之留意幸察。上善之。還過宜春宮。【正義】括地志云、秦宜春宮、在雍州萬年縣西南三十里、宜春苑、在宮之東杜之南、始皇本紀云、葬二世杜南宜春苑中、案今宜春宮、見二世陵、故作賦以哀也、【考證】顏師古曰、宜春、本秦之離宮、胡亥於是爲閻樂所殺、故感其處而哀之、相如奏賦、以哀二世行失也。其辭曰。登陂阤之長阪兮、【索隱】登陂阤、陂、音普何反、阤、音徒何反、坌入曾宮之嵳峩。【集解】漢書音義曰、坌、竝也、【索隱】坌入、上音步寸反、【考證】曾、讀爲層、顏師古曰、重也、臨曲江之隑州兮、望南山之參差。【集解】漢書音義曰、隑、長也、苑中有曲江之象、泉中有長洲也、【索隱】案隑音祈、隑、即碕、謂曲岸頭也、張揖曰、隑、長也、苑中有曲江之象、中有長州、又有宮閣路、謂之曲江、在杜陵西北五里、又三輔舊事云、樂游原在北、是也、巖巖深山之谾谾兮、通谷豁兮谽谺。【集解】徐廣曰、谾、音力工反、【索隱】谾、音苦江反、晉灼曰、音籠、古礱字、蕭該云、谾、或作礲、長大貌也、谽谺、呼含、呼加二反、【考證】即谺字、峩差谺韻、汨減噏習以永逝兮、注平皋之廣衍。【索隱】汨減噏、上音于筆反、減、音域、疾貌也、噏、音許及反、漢書作靸靸、輕舉意也、【考證】吳都賦、翕習容裔、噏翕同意、漢書、無習字、觀衆樹之蓊薆

兮、覽竹林之榛榛。【索隱】薆、音愛、謂隱也、【正義】榛榛、盛貌也、【考證】漢書、蓊作薆、張文虎曰、此下索隱三條、單本無、蔡、中統、游、三本、亦無、衍、榛、韻、東馳土山兮、北揭石瀨。【索隱】說文云、瀨、水流沙上也、【考證】顏師古曰、揭、褰衣而渡也、石而淺水曰瀨、彌節容與兮、歷弔二世。持身不謹兮、亡國失勢。信讒不寤兮、宗廟滅絕。【索隱】容與、游戲貌也、【考證】漢書、彌作弭、瀨世勢絕、韻、嗚呼哀哉、操行之不得兮、墳墓蕪穢而不脩兮、魂無歸而不食。【考證】漢書、無哀哉墳三字、夐邈絕而不齊兮、彌久遠而愈休。精罔閬而飛揚兮、拾九天而永逝。嗚呼哀哉。【正義】太玄經云、九天、謂一爲中天、二爲美天、三爲從天、四爲更天、五爲睟天、六爲廓天、七爲減天、八爲沈天、九爲成天、【考證】休、昧同、九天、猶言極天、不必一一命名、得食、休逝、韻、漢書無結末五句、劉辰翁以刪之爲工、梁玉繩爲後人妄增、而吳汝倫則云、五句神妙所注也、相如拜爲孝文園令。【索隱】百官志云、陵園令、六百石、掌案行掃除也、天子既美子虛之事。相如見上好僊道、因曰。上林之事、未足美也。尙有靡者。臣嘗爲大人賦。未就。

請具而奏之。【考證】漢書、無道字、顏師古曰、靡、麗也、相如以爲列僊之傳、居山澤閒。【索隱】列仙之傳、居山澤、案傳者、謂相傳以列仙居山澤間、音持全反、小顏及劉氏竝作儒、儒、柔也、術士之稱、非、【正義】儒、柔也、凡有道術、皆爲儒、【考證】正義本、傳作儒、與漢書合、王念孫曰、郊祀志、此三神山者、其傳在勃海中、與此傳字同、漢書作儒、轉寫之訛、形容甚臞。此非帝王之僊意也。【集解】徐廣曰、臞、瘦也、【索隱】韋昭曰、臞、瘠也、舍人云、臞、瘦也、文子云、堯癯瘦、音巨俱反、乃遂就大人賦。【考證】漢書、就作奏、其辭曰。【考證】此篇多用楚辭遠遊篇語、世有大人兮、在于中州。【索隱】張揖云、喩天子、向秀云、聖人在位、謂之大人、張華云、相如作遠遊之體、以大人賦之也、【考證】顏師古曰、中州、中國也、愚按遠遊楚辭篇名、屈原所作、宅彌萬里兮、曾不足以少留。【考證】顏師古曰、彌、滿也、悲世俗之迫隘兮、朅輕舉而遠遊。【索隱】如淳曰、武帝云、誠得如黃帝、去妻子如脫屣、是悲世俗迫隘也、【考證】說文、朅、去也、遠遊篇、悲時俗之迫阨兮、願輕舉而遠遊、垂絳幡之素蜺兮、載雲氣而上浮。【正義】張揖曰、乘、用也、赤氣爲幡、綴以白氣也、如淳曰、絳氣以虹蜺爲幡、【考證】遠游篇、焉託乘而上浮、又云、掩浮雲而上征、垂字與下文相犯、正義本作乘、與漢書合、王先謙曰、乘載對文、猶言駕素蜺而載雲氣耳、不當訓用、愚按州留遊浮韻、建格澤之長竿兮、總

光耀之采旄。集解漢書音義曰、格澤之氣如炎火狀、黃白色、起地上至天、以此氣爲竿、旄、葆也、總、係也、係光耀之氣於長竿以爲葆者、考證漢書、長作修、遠遊篇、建雄虹之采旄、五色雜而炫耀、垂旬始以爲幓兮、抴彗星而爲髾。集解漢書音義曰、旬始、氣如雄雞、縣於葆下以爲旄也、髾、燕尾也、抴彗星綴著旄、以爲燕尾、考證漢書、抴作曳、遠遊篇、擥彗星以爲旍、又云、造旬始而觀清都、注、旬始、星名、掉指橋以偃蹇兮、又旖旎以招搖。集解漢書音義曰、指橋、隨風指靡、索隱棹、音徒弔反、指、音居桀反、橋、音嬌、張揖曰、指矯、隨風指靡、偃蹇、高貌、應劭云、旌旗屈撓之貌、考證索隱本、指作揭、故云居桀反、漢書、旖旎作猗狔、張揖曰、偃蹇委曲貌、猗狔、下垂貌、招搖、跳躍也、攬欃槍以爲旌兮、靡屈虹而爲綢。集解漢書音義曰、綢、韜也、以斷虹爲旌杠之韜、索隱綢、音籌、或音韜、屈虹、斷虹也、正義天官書云、天欃長四丈、末銳、天槍長數丈、兩頭銳、其形類彗也、考證中井積德曰、靡、披靡也、屈虹、謂婉曲之虹也、非斷、紅杳渺以眩湣兮、猋風涌而雲浮。集解漢書音義曰、旬始屈虹氣、色紅、杳渺眩湣、闇冥無光也、索隱紅杳渺以泫湣、蘇林曰、泫、音炫、湣、音麪、晉灼曰、紅、赤色貌、杳眇、深遠、泫湣、混合也、紅或作虹也、考證漢書、眩作玄、晉灼曰、言自絳幡以下、衆氣色盛、光采相耀、幽藹炫亂也、顏師古曰、如猋風之踊、如雲之浮、言輕舉也、旄髾搖綢浮、韻、駕應龍象輿之蠖略逶麗兮、驂赤螭青蚪之⿰虫幽蟉蜿蜒。

正義文穎曰、有翼曰應龍、其最神妙者也、瑞應圖云、虬龍神無鱗甲、女媧時時服應龍驂青虬、是也、顏云、蠖略委麗、蚴蟉宛蜒、皆其行步進止之貌也、考證漢書、逶作委、蚪作虬、⿰虫幽作蚴、蜿作宛、象輿、見上林賦、低卬天蟜、据以驕驁兮、索隱張揖曰、据、直項也、驕驁、縱恣也、据、音據、驕、音居召反、驁、音五到反、考證遠游篇、服偃蹇以低昂兮、驂連蜷以驕驁、漢書、据作裾、詘折隆窮、蠼以連卷。索隱蠼以連卷、韋昭曰、龍之形貌也、蠼、音起碧反、連卷、音輦卷也、正義据、直項也、驕驁、縱恣也、詘折、委曲也、崇窮、舉嚮也、蠼、跳也、連卷、句蹏也、考證索隱本、正義本、蠼作躩、正義本、隆作崇、中井積德曰、窮、穹同、王先謙曰、論語足躩如也、疏、躩、盤辟而爲敬也、詩卷阿傳、卷、曲也、言其連卷局曲狀若盤辟、故曰躩以連卷也、連卷亦作連蜷、楚辭雲中君、靈連蜷兮既留、甘泉賦、蛟龍連蜷于東厓兮、注、連蜷、長曲貌、沛艾赳螑、仡以佁儗兮、集解漢書音義曰、赳螑、申頸低卬也、佁儗、不前也、索隱孟康曰、赳螑、申頸低頭、張揖曰、赳螑、跳也、赳、音居幼反、螑、音許救反、張揖曰、仡、舉頭也、佁儗、不前也、佁、音勑吏反、儗、音魚吏反也、正義沛艾、駊騀也、考證王先謙曰、文選東京賦、齊騰驤而沛艾、李善注、沛艾、作姿容貌也、漢書注引張揖、解爲駊騀、玉篇、駊騀、馬搖頭、與選訓合、類篇、赳螑、龍申頸行貌、螑當爲趨之借字、說文、赳、輕勁有才力也、趨、行也、詩大雅、崇墉仡仡、傳、仡仡、高大也、放散畔岸、驤以孱顏。索隱服虔曰、馬仰頭、其口開、正孱顏也、韋昭曰、顏、音吾板反、詩云、兩服上驤、注云、驤馬是也、正義畔岸、自縱之貌、考證驤、舉也、蜒卷顏、韻、跮踱輵螛、容以委麗兮、綢繆偃蹇、怵㚟以

梁倚。集解徐廣曰、跮踱、乍前乍卻也、跮、音丑栗反、踱、音勑略反、輵、烏葛反、螛、音曷、綢、一作雕、㚟、音他略反、駰案漢書音義曰、怵㚟、走也、梁倚、相著也、索隱跮踱、輵螛、張揖曰、跮踱、疾行貌、輵螛、前卻也、跮、音褚栗反、踱、音褚略反、輵、音烏葛反、螛、音曷、蜩蟉偃蹇、蜩、音徒弔反、蟉、音勑弔反、張揖曰、偃蹇、卻距也、廣雅曰、偃蹇、夭蟜之貌、張揖曰、怵㚟、奔走、梁倚、相著、韋昭曰、㚟、音笞略反、相如傳云、倏㚟遠去、㚟、視也、考證集韻、輵螛、轉搖也、士相見禮注、容、謂趨翔、文選魯靈光殿賦、奔虎攫挐以梁倚、糾蓼叫奡、踏以艐路兮、集解徐廣曰、艐、音介、至也、索隱蓼、音了、奡、音五到反、小顏云、叫奡、高舉貌、踏、音徒荅反、艐、音屆、三倉云、踏、著地、孫炎云、艐、古屆字也、考證張揖曰、叫奡、相呼也、王先謙曰、蓼爲繚之借字、奡爲嚻之借字、沈欽韓曰、艐屆、古今字、至也、蔑蒙踊躍、騰而狂趡。集解漢書音義曰、蔑蒙、飛揚也、趡、走、索隱篾蒙、張揖曰、篾蒙、飛揚也、趡、走貌、考證趡、音唯、倚趡、韻、漢書作趭、音焦、失韻、莅颯卉翕、熛至電過兮、煥然霧除、霍然雲消。正義莅颯、飛相及也、卉翕、走相追也、考證漢書、翕熛作歙猋、莅、音利、邪絕少陽而登太陰兮、與眞人乎相求。集解漢書音義曰、少陽、東極、太陰北極、邪度東極而升北極者也、考證消求、韻、互折窈窕以右轉兮、橫厲飛泉以正東。正義厲、渡也、張云、飛泉、谷也、在崑崙山西南、考證說文、窈、深遠也、窕、深肆極也、遠游篇、歷大皓以右轉兮、悉徵靈圉而選之兮、部乘衆神於

瑤光。集解漢書音義曰、搖光、北斗杓頭第一星、正義靈圉、仙人也、考證漢書、乘作署、瑤作搖、遠游篇、選署衆神以竝轂、使五帝先導兮、正義遵導應云、五帝、五時、帝太皓之屬也、反太一而從陵陽。集解漢書音義曰、仙人、陵陽子明也、正義天官書云、中官天極星、其一明者太一常居也、列仙傳云、子明於沛銍縣旋溪釣得白龍、放之後白龍來迎子明、去止陵陽山上百餘年、遂得仙也、左玄冥而右含靁兮、集解漢書音義曰、含靁、黔嬴也、天上造化神名也、或曰水神、考證張揖曰、玄冥、北方黑帝佐也、漢書、含作黔、遠游篇、歷玄冥以邪徑兮、乘間維以反顧、召黔嬴而見之兮、爲余先乎平路、沈家本曰、按楚辭則注中黔嬴之嬴、當作嬴、含黔同聲、靁嬴聲相近、前陸離而後潏湟。集解漢書音義曰、皆神名、正義陸離、漢書作長離、如淳曰、長離、朱爵也、考證漢書、潏湟作潏皇、廝征伯僑而役羨門兮、集解徐廣曰、伯僑、燕人也、形解而仙也、索隱應劭曰、廝、役也、張揖曰、王子喬也、漢書郊祀志、作正伯僑、此當別人、恐非王子喬也、正義張云、羨門碣石山上仙人羨門高也、考證索隱本、楓三本、蔡本、中統、舊刻、游本、作伯僑、與漢書合、他本誤北僑、屬岐伯使尙方。集解徐廣曰、岐伯、黃帝臣、駰案漢書音義曰、尙、主也、岐伯、黃帝太醫、屬使主方藥、考證漢書、屬作詔、祝融驚而蹕御兮、淸雰氣而後行。正義張云、祝融、南方炎帝之佐也、獸身人面、乘兩龍、應火正也、火正祝融、警蹕淸氛氣也、考證漢書、驚作警、警、戒也、遠游篇、祝融戒而蹕御兮、顏師古曰、御、禦也、漢書、雰氣作氣雰、蓋誤倒、東光陽

湟方行韻、屯余車其萬乘兮、綷雲蓋而樹華旗。【索隱】綷、音祖內反、如淳曰、綷、合也、合五綵雲爲蓋也、【考證】漢書其作而、遠遊篇、屯余車之萬乘兮、紛溶與而竝馳、使句芒其將行兮、吾欲往乎南嬉。【正義】張云、句芒、東方青帝之佐也、鳥身人面、乘兩龍、顏云、將行、領從者也、【考證】漢書、嬉作娭、娭嬉、皆訓爲戲、遠遊篇指炎帝而直馳、吾將往乎南疑、注、疑一作娭、歷唐堯於崇山兮、過虞舜於九疑。【正義】張云、崇山、狄山也、海外經云、狄山、帝堯葬其陽、九疑山、零陵營道縣、舜所葬處、紛湛湛其差錯兮、雜遝膠葛以方馳。【索隱】湛、音徒感反、膠輵、廣雅云、膠輵、驅馳也、【考證】索隱本葛作輵、與漢書合、遠遊篇騎膠葛以雜亂兮、斑漫衍而方馳、注、膠葛、雜亂貌、顏師古曰、湛湛、積厚之貌、差錯、交互也、騷擾衝蓯其相紛挐兮、滂濞泱軋、灑以林離。【索隱】衝蓯、上昌勇反、下息冗反、【考證】漢書、衝作衝、灑作麗、張揖曰、衝蓯、相入貌、滂濞、衆盛貌、麗、靡也、泱軋、謂無涯際也、林離、與淋漓同、鑽羅列聚、叢以蘢茸兮、衍曼流爛、壇以陸離。【集解】徐廣曰、壇、音坦、【考證】漢書、鑽作攢、壇作瘮、顏師古曰、蘢茸、聚貌、流爛、布散也、張揖曰、瘮、衆貌、王先謙曰、壇瘮、皆嘽借字、詩小雅、戎車嘽嘽、嘽嘽、衆也、離騷注、陸離、參差衆貌、徑入靁室之砰磷鬱律兮、洞出鬼谷之崫礨嵬磈。【集解】漢書音義曰、

鬼谷、在北辰下、衆鬼之所聚也、楚辭曰、覽鬼谷于北辰也、【正義】崫、口骨反、礨、音力罪反、嵬、音烏迴反、磈、音回、張云、崫礨嵬磈、不平也、【考證】漢書、崫作堀、嵬磈作崴魁、王先謙曰、入雷室、出鬼谷、出入陰陽之界也、砰磷鬱律、雷聲、堀壘、見上、昔人以後賢箸作效屈原文體者、統謂之楚辭、劉向九歎云、凌驚雷以軼駭電兮、綴鬼谷於北辰、蓋集解所引、卽用此文也、旗嬉疑馳離離磈韻、徧覽八紘而觀四荒兮、朅渡九江而越五河。【正義】顏云、五色之河也、仙經云、紫碧絳青黃之河也、【考證】漢書、荒作海、江下無而字、渡、九江也、越五河、猶言徧渡長江大河也、不必一一求其名義、經營炎火而浮弱水兮、杭絕浮渚而涉流沙。【集解】漢書音義曰、杭、船也、絕、渡也、浮渚、流沙中渚也、【正義】姚丞云、大荒西經云、崑崙之丘、其外有炎火之山、投物輒然、括地志云、弱水有二原、俱出女國北阿傉達山、南流會于國北、又南歷國北、東去一里、深丈餘、闊六十步、非乘舟不可濟、流入海、阿傉達山、一名崑崙山、其山爲天柱、在雍州西南一萬五千三百七十里、又云、弱水在甘州張掖縣南山下也、【考證】河沙韻、奄息總極氾濫水嬉兮、【集解】漢書音義曰、總極、蔥領山也、在西域中也、【正義】括地志、嶺山、在京西九千八百六十里、蔥茂於常、故云蔥嶺、其山東至于滇國、西踰罽賓云、【考證】漢書、總作蔥、嬉作娭、張揖曰、奄息、奄然休息也、總、蔥之借字、使靈媧鼓瑟而舞馮夷。【集解】徐廣曰、媧、一作貽、駰案、漢書音義曰、靈媧、女媧也、馮夷、河伯字也、淮南子曰、馮夷得道以潛大川、【正義】姓馮、名夷、以庚日溺死、河常以庚日好溺死人、【考證】遠遊篇使湘靈鼓瑟兮、令海若舞馮夷、

時若薆薆將混濁兮、召屏翳【正義】應云、屏翳、天神使也、韋云、雷師也、【考證】漢書、薆薆作曖曖、混濁、不明也、誅風伯而刑雨師。【正義】張云、風伯字飛廉、沙州有雨師祠、【考證】漢書、無而字、遠游篇、風伯爲余先驅兮、又曰、左雨師使徑侍兮、西望崑崙之軋沕洸忽兮、【正義】張云、海內經云、崑崙去中國五萬里、天帝之下都也、其山廣袤百里、高八萬仞、增城九重、面九井、以玉爲檻、旁有五門、開明獸守之、括地志云、崑崙、在肅州酒泉縣南八十里、十六國春秋、後魏昭成帝建國十年、涼張駿酒泉太守馬岌上言、酒泉南山、卽崑崙之體、周穆王見西王母、樂而忘歸、卽謂此山、有石室王母堂、珠璣鏤飾、煥若神宮、又刪丹西河名云弱水、禹貢崑崙、在臨羌之西、卽此明矣、括地志云、又阿傉達山、亦名建末達山、亦名崑崙山、恆河出其南吐師子口、經天竺入達山、嬀水、今名爲滸海、出於崑崙西北隅吐馬口、經安息大夏國入西海、黃河、出東北隅吐牛口、東北流、經濫澤、潛出大積石山、至華山北、東入海、其三河去山入海各三萬里、此謂大崑崙、肅州謂小崑崙也、禹本紀云、河出崑崙二千五百餘里、日月所相隱避爲光明也、軋沕洸忽、不分明貌、【考證】漢書、洸作荒、直徑馳乎三危。【集解】三危、山名也、【正義】括地志云、三危山、在沙州東南三十里、排閶闔而入帝宮兮、【正義】韋昭云、閶闔、天門也、淮南子曰、西方曰西極之山閶闔之門、【考證】遠游篇排閶闔而望予、又曰、集重陽入帝宮、載玉女而與之歸。【正義】張云、玉女青要乘弋等也、舒閬風而搖集兮、【正義】張云、閬風、在崑崙閶闔之中、楚辭云、登閬風而緤馬也、【考證】漢書、舒作登、

搖作遙、張揖曰、遙、遠也、愚按登閬風而緤馬、離騷篇文、亢烏騰而一止。【集解】漢書音義曰、亢然高飛、如烏之騰也、【考證】漢書、烏作鳥、低回陰山、翔以紆曲兮、【正義】張云、陰山、在大崑崙西二千七百里、吾乃今目睹西王母、矐然白首。【集解】徐廣曰、矐、音下沃反、【索隱】矐、音鶴也、【正義】張云、西王母、其狀如人、豹尾虎齒、蓬髮矐然白首、石城金穴、居其中、【考證】楓三本、目作日、與漢書合、戴勝而穴處兮、【集解】郭璞曰、勝、玉勝也、【正義】顏云、勝、婦人首飾也、漢代謂之華勝也、【考證】漢書、戴作載、亦幸有三足烏爲之使。【正義】張云、三足烏、青鳥也、主爲西王母取食、在昆墟之北、必長生若此而不死兮、雖濟萬世不足以喜。【考證】嬉夷師危歸止使喜韻、顏師古曰、昔之談者、咸以西王母爲仙靈之最、故相如言大人之仙、娛遊之盛、顧視王母、鄙而陋之、不足羨慕也、回車朅來兮、絕道不周、【集解】漢書音義曰、不周、山、在崑崙東南、會食幽都、呼吸沆瀣餐朝霞兮、噍咀芝英兮嘰瓊華。【集解】徐廣曰、嘰、音祈、小食也、駰案、韋昭曰、瓊華、玉英、【正義】幽都、山名、在北方、海內經云、北海之內有山、名曰幽都、【考證】漢書、噍咀作咀噍、李笠曰、漢書、兮字在餐上、以下句例之、班書是也、遠游篇、喰六氣而飲沆瀣兮、漱正陽而含朝霞、都霞華韻、嬐侵潯而高縱兮、紛鴻涌而上厲。【集解】徐廣曰、嬐、音

孅、【索隱】漢書、嬐作㑳、㑳仰也、音襟、嬐、音魚錦反、【考證】漢書、嬐侵潯作㑳祲尋、涌作溶、張揖曰、鴻溶、竦踊也、王先謙曰、祲潯、侵尋之借字、言漸進也、貫列缺之倒景兮、涉豐隆之滂沛。【集解】漢書音義曰、列缺、天閃也、倒景、日在下、【正義】張云、豐崇、雲師也、淮南子云、季春三月、豐崇乃出以將雨、案豐崇將雲雨、故云滂沛、【考證】漢書、沛作濞、王先謙曰、列缺、一作烈缺、文選羽獵賦、霹靂烈缺、吐火施鞭、應劭注、烈缺、閃隙也、火電照也、倒景、謂電光倒在下耳、非日月景也、愚按楚辭遠遊篇、上至列缺兮、降望大壑、離騷篇、吾令豐隆乘雲兮、求宓妃之所在、遠遊篇、召豐隆使先導兮、問大微之所居、王逸注、豐隆、雲師、一曰雷師、馳游道而脩降兮、鶩遺霧而遠逝。【正義】游、游車也、道、道車也、脩、長也、降、下也、鶩遺霧、言馳車從長路而下馳、遺棄其霧而遠逝也、【考證】楓三本、馳作騁、與漢書合、顏師古曰、言周覽天上、然後騁車也、道讀曰導、王先謙曰、司常、道車載旞、斿車載旌、斿游字通用、游車、先驅之乘也、道車、出入持馬陪乘、張文虎曰、蔡中統、舊刻游柯、毛本、脩作循、沛逝韻、廹區中之隘陝兮、舒節出乎北垠。【考證】顏師古曰、舒、緩也、垠、崖也、音銀、遺屯騎於玄闕兮、軼先驅於寒門。【集解】漢書音義曰、玄闕、北極之山、寒門、天北門、【考證】王先謙曰、淮南子、盧敖游乎北海、經乎太陰、入乎玄闕、又云、北方北極之山曰寒門、言行疾、屯騎先驅皆遺而軼之、屈原遠遊、舒并節以馳騖兮、逴絕垠乎寒門、此文數語祖之、中井積德曰、軼與逸通、亦遺也、下崢嶸而無地兮、上寥廓而無天。視眩眠

而無見兮、聽惝恍而無聞。乘虛無而上假兮、超無友而獨存。【集解】徐廣曰、假、音古下反、至也、【考證】漢書、眠作泯、惝恍作敞怳、假作遐、顏師古曰、眩泯、目不安也、敞怳、耳不諦也、泯、音眄、陳子龍曰、數語言至道、依乎廣成之對軒轅也、愚按遠遊篇云、下崢嶸而無地兮、上寥廓而無天、視儵忽而無見兮、聽惝怳而無聞、超無為以至清兮、與泰初而為鄰、長卿蓋襲其語也、垠門天聞存韻、姚鼐曰、此賦多取於遠遊、遠遊先訪中國仙人之居、乃至天帝之宮、又下周覽天地之間、自於微閭以下、分東西南北四段、此賦自橫厲飛泉以正東以下、分東西南北四段、而求仙人之居、意即載其間、末六句與遠遊語同、然屈子意、在遠去世之沈濁、故云、至清而與太初為鄰、長卿則謂、帝若果能為仙人、即居此無聞無見無友之地、亦胡樂乎此耶、與屈子語同而意別矣、相如既奏大人之頌。天子大說、飄飄有淩雲之氣、似游天地之閒意。【考證】楓三本、雲下無之字、與漢書合、似作以、漢書無似字、相如既病免、家居茂陵。天子曰。司馬相如病甚。可往從悉取其書。若不然、後失之矣。【考證】漢書、若不然後失之矣、作若後之矣、非是、使所忠往。【索隱】張揖曰、使者姓名、見食貨志、【正義】姓所、名忠也、風俗通姓氏云、漢書有諫大夫所忠氏、【考證】所忠、又見武紀封禪書、而相如已死、家無書。【考證】漢書、無下有遺字、問其妻。對曰。長卿

固未嘗有書也。時時著書、人又取去、即空居。【考證】漢書、無即空居三字、長卿未死時、為一卷書。曰。有使者來求書奏之。無他書。其遺札書言封禪事。【正義】封禪、國之大禮、故曰札書、顏云、書於札而留之、故曰遺札、恐非、奏所忠。忠奏其書。【考證】漢書、作所忠奏其書、天子異之。其書曰。伊上古之初肇、自昊穹兮生民。歷撰列辟、以迄于秦。【集解】徐廣曰、撰、一作選、【索隱】歷選、文穎曰、選、數之也、【考證】漢書、昊作顥、無兮字、索隱本、撰作選、與漢書文選合、率邇者踵武、【集解】徐廣曰、率、循也、邇、近也、武、迹也、循省近世之遺迹、【索隱】案率、循也、邇、近也、言循覽近代之事、則繼跡可知也、【考證】踵武、猶言足迹、與風聲對言、逖聽者風聲。【集解】徐廣曰、逖、遠也、聽察遠古之風聲、【索隱】風聲、風雅之聲、以言聽遠古之事、則著在風雅之聲也、【考證】漢書、逖聽作聽逖、徐廣云、聽察遠古之風聲、徐本亦似作聽逖、顏師古曰、風聲、遺風嘉聲、紛綸葳蕤、堙滅而不稱者、不可勝數也。【索隱】紛綸威蕤、胡廣曰、紛、亂也、綸、沒也、威蕤、委頓也、張揖云、亂貌、【考證】漢書、綸作輪、文選、堙作湮、無也字、索隱本、葳作威、與漢書文選合、王先謙曰、說文無葳字、續昭夏、崇號謚、略可道者七十有二君。

【集解】漢書音義曰、昭、明也、夏、大也、德明大、相繼封禪於泰山者、七十有二人、【索隱】七十有二君、韓詩外傳及封禪書皆然、【考證】漢書文選、續作繼、文選、昭作韶、王先謙曰、昭韶、通用、昭、舜樂、夏、禹樂、繼昭夏、謂繼舜禹而起、尊號、人主生時所上、美謚、歿後所加、罔若淑而不昌、疇逆失而能存。【集解】徐廣曰、若、順也、駰案韋昭曰、疇、誰也、言順善必昌、逆失必亡、【考證】應劭曰、罔、無也、愚按若淑逆失對言、軒轅之前、遐哉邈乎。其詳不可得聞也。【考證】也、與下文犯、漢書文選、作已、已、語終之辭、五三六經載籍之傳、維見可觀也。【索隱】胡廣云、五、五帝也、三、三王也、六、六經也、案六經、詩書禮樂易春秋也、【考證】文選、見作風、書曰。元首明哉。股肱良哉。【考證】顏師古曰、此虞書益稷之辭也、元首、君也、股肱、大臣也、愚按今文皐陶謨、因斯以談、君莫盛於唐堯、臣莫賢於后稷。【考證】漢書、無唐字、后稷創業於唐、公劉發迹於西戎。【考證】文選、唐下有堯字、注引漢書音義曰、唐堯之世、播殖百穀、文王改制、爰周郅隆。【集解】徐廣曰、郅、蓋字誤、皇甫謐曰、王季徙郢、故周書曰、維王季宅郢、孟子稱文王生於畢郢、或者郅字宜為郢乎、或為郅、北地有郁郅縣、郅、大也、音質、駰案漢書音義曰、郅、至也、【索隱】爰、於、及也、郅、大也、隆、盛也、應劭曰、郅、至也、樊光云、郅可見之大也、徐及皇甫之說皆非也、以言文王改制、及周而大盛也、【考證】張文虎曰、集解生於畢郢、生當作卒、大行越成、

【集解】漢書音義曰、行、道也、文王始開王業、改正朔、易服色、太平之道、於是成矣、【索隱】案行、道也、越、於也、以言道德大行、於是而成之也、【考證】王念孫曰、大行越成者、大道於是始成也、音義說是、王先謙曰、越、粵同、

而後陵夷衰微、千載無聲。豈不善始善終哉。【集解】徐廣曰、周之王四海、千載之後、聲教乃絶、駰案韋昭曰、無惡聲、【考證】文選、夷作遲、李注、漢書音義曰、美周家終始相副若一也、莊子曰、善始善終、人猶效之、愚按、此與韋說合、不字、做非字看、

然無異端。愼所由於前、謹遺敎於後耳。【考證】無異端、猶言無他故、李善曰、言周之先王創制垂業、既愼其規模、又謹其遺敎也、

故軌迹夷易、易遵也。湛恩濛涌、易豐也。憲度著明、易則也。垂統理順、易繼也。【正義】軌迹夷易、言軌法蹤迹平易、易遵奉也、濛、遍布也、涌、出也、【考證】漢書文選、濛作厖、漢書、涌作洪、文選作鴻、顏師古曰、湛讀曰沈、沈、深也、王念孫曰、理亦順也、夷易皆平也、厖洪皆大也、著明皆明也、理順皆順也、

是以業隆於繦褓、而崇冠于二后。【集解】漢書音義曰、繦褓、謂成王也、二后、謂文武也、周公負成王、致太平、功德冠於文武者、道成法易故也、【考證】方苞曰、二后、謂夏商、自堯以後所述、惟周事、故以爲崇冠於夏商也、

揆厥所元、終都攸卒。【集解】漢書音義曰、都、於、卒、終也、【考證】顏師古曰、元、始也、言度其所始、究其所終、錢大昕曰、都、於、釋詁文、

未有殊尤絶迹、可考于今者也。

然猶躡梁父、登泰山、建顯號、施尊名。【考證】顏師古曰、尤、異也、李善曰、顯號尊名、謂封禪也、

大漢之德、逢涌原泉、沕潏漫衍、【集解】韋昭曰、漢德逢涌如泉原也、【索隱】逢源泉、張揖曰、逢、遇也、喩其德盛若遇泉源之流也、又作峰、讀曰烽、胡廣曰、自此已下、論漢家之德也、【正義】沕潏漫衍、言漢恩廣大也、【考證】各本逢從火、今依索隱本、漢書、文選改、梁章鉅曰、逢、大也、書洪範、子孫其逢、馬注、禮記、衣逢掖之衣、鄭注、竝訓大、此言漢之盛德、若原泉大涌而出、沕潏曼衍也、王先謙曰、逢讀爲漨、文選吳都賦、歊霧漨浡、漨浡、水盛貌、言霧氣如水之盛也、逢涌、卽漨浡之義耳、王說較長、

旁魄四塞、雲尃霧散、【集解】徐廣曰、尃、音布、【考證】漢書文選、尃作布、

上暢九垓、下泝八埏。【集解】徐廣曰、音衍、駰案漢書音義曰、暢、達、垓、重也、泝、流也、埏、音延、地之際也、言其德上達於九重之天、下流於地之八際也、

懷生之類、霑濡浸潤、協氣橫流、武節飄逝、邇陜游原、迥闊泳沫、【集解】漢書音義曰、邇、近、原、本也、迥、遠、闊、廣也、泳、浮也、恩德比之於水、近者游其原、遠者浮其沫、【考證】漢書、陜作陿、沫作末、文選、迥作遐、顏師古曰、協氣橫流、武節猋逝、言和氣橫被四表、威武如猋之盛、李善曰、橫流、多也、猋逝、遠也、王先謙曰、陿作陜、末作沫、皆借字、王念孫曰、泳末與游原相對、

首惡湮沒、闇昧昭晳、【集解】漢書音義曰、始爲惡者、皆湮滅闇昧、喩夷狄皆化、【考證】漢書文選、湮作鬱、文選、闇作晻、

昆蟲凱澤、回首面內。

【集解】韋昭曰、面、向也、【正義】澤、音懌、文穎曰、凱懌、皆樂也、【考證】漢書文選、凱作闓、

然後囿騶虞之珍羣、徼麋鹿之怪獸、【集解】漢書音義曰、徼、遮也、麋鹿得其奇怪者、謂獲白麟也、【正義】騶虞、義獸也、白虎黑文、不食生物、有至信之德則應之、案以此故曰珍羣、將充囿也、

䆃一莖六穗於庖、【集解】徐廣曰、䆃、瑞禾也、駰案漢書音義曰、謂嘉禾之米於庖廚、以供祭祀、【索隱】䆃一莖六穗、鄭玄云、䆃、擇也、說文云、嘉禾一名䆃、字林云、禾一莖六穗謂之䆃也、【考證】漢書文選、䆃作導、擇米也、漢書百官公卿表、少府屬官有導官、顏師古注、導主擇米、唐書百官志有䆃官二人、掌䆃擇米麥而供、䆃、導、相通、

犧雙觡共抵之獸、【集解】徐廣曰、抵、音底、駰案漢書音義曰、犧、牲也、觡、角也、底、本也、武帝獲白麟兩角共一本、因以爲牲也、【考證】文選、抵作柢、宋祁曰、觡、音居額反、

獲周餘珍收龜于岐、【集解】徐廣曰、一作放龜、駰案漢書音義曰、餘珍、得周鼎也、岐、水名也、【索隱】餘珍、案謂得周鼎也、【考證】漢書、無珍字、漢書文選、收作放、愚按收當作放、珍字涉上下衍、文選注云、文穎曰、周放畜餘龜於沼池之中、至漢得之於岐山之旁、龜能吐故納新、千載不死、愚按文說近是、集解索隱以餘珍爲得周鼎、九鼎夏禹所鑄、遷在洛邑、與岐何涉、上下所言、亦惟動植之物、

招翠黃乘龍於沼、【集解】漢書音義曰、翠黃、乘黃也、龍翼馬身、黃帝乘之而登仙、言見乘黃而招呼之、禮樂志曰、訾黃其何不來下、余吾渥洼水中出神馬、故曰乘龍於沼、【索隱】服虔云、龍翠色、又云、卽乘黃也、乘四龍也、周書云、乘黃、似狐、背上有兩角也、【考證】劉奉世曰、翠黃、言其色翠而黃、非別物、

鬼神接靈圉、賓於

閒館、【集解】徐廣曰、言至德與神明通接、故靈圉爲賓旅于閒館矣、郭璞曰、靈圉、仙人名也、【考證】文穎曰、是時上求神仙之人、得上郡之巫、長陵女子、能與鬼神交接、治病輒愈、置於上林苑中、號曰神君、有似古之靈圉、禮待之於閒館舍中也、中井積德曰、靈圉、神之使令也、此巫爲靈圉也、

奇物譎詭、俶儻窮變。欽哉、符瑞臻茲。猶以爲薄、不敢道封禪。【考證】文選、爲下有德字、俶、音吐歷反、文選注引漢書音義云、俶儻、卓異也、奇偉之物、譎詭非常、卓然絶異、窮極事變、

蓋周躍魚隕杭、休之以燎。【索隱】杭、舟也、胡廣云、武王渡河、白魚入于王舟、俯取以燎、隕、墜之於舟中也、【考證】文選、杭作航、應劭曰、休、美也、顏師古曰、燎、祭天也、

微夫斯之爲符也。以登介丘。不亦恧乎。【集解】漢書音義曰、介、大、丘、山也、言周以白魚爲瑞、登太山封禪、不亦慙乎、

進讓之道、其何爽與。【集解】徐廣曰、爽、差異也、駰案漢書音義曰、進、周也、讓、漢也、言周未可封禪而封禪、爲進、漢可封禪而不封禪、爲讓也、【索隱】何其爽與、爽、猶差也、言周未可封而封、漢可封而不封、爲進讓之道皆差之也、【考證】漢書、讓作攘、顏師古曰、攘、古讓字、索隱本、其何作何其、與漢書文選合、

於是大司馬進曰。陛下仁育羣生、義征不憓。【集解】漢書音義曰、大司馬、上公也、故先進議、憓、音惠、順也、

諸夏樂貢、百蠻執贄。德侔往初、功無與二。休烈浹洽、符瑞衆

變、期應紹至、不特創見。【集解】徐廣曰、不但初顯符瑞而已、蓋將終以封禪之事、【索隱】文穎曰、不獨一物造次見之、胡廣云、符瑞衆多、應期相繼而至也、意者泰山・梁父、設壇場望幸、【索隱】設壇場望幸華、案諸本或作望華蓋、華蓋、星名、在紫微太帝之上、今言望華蓋太帝耳、且言設壇場望幸者、望聖帝之臨幸也、義亦兩通、而孟康服虔注本、皆云望幸、下有華字、而摯虞流別集則唯云望幸、當是也、於義亦通、直以後人見幸下有蓋字、又幸字似華字、因疑惑、遂安華字、使之誤也、蓋號以況榮。【集解】徐廣曰、以況受上天之榮爲名號、【索隱】案文穎曰、蓋、合也、言考合前代之君、揆其榮而相比況而爲號也、大顏云、蓋、語辭也、言蓋欲紀功立號、受天之況賜榮名也、於義爲愜、然其文云蓋詞義典質、又上與幸字連文、致令有華蓋之謬也、【考證】錢大昕曰、蓋讀如盍、文穎訓爲合、合號、猶言合符也、王先謙曰、釋名、蓋、加也、加物上也、言太山梁父、望帝臨幸、加上尊號、以比榮於往代、語意甚明、愚按王說較長、上帝垂恩儲祉、將以薦成。【集解】徐廣曰、以衆瑞物初至封禪處、薦之上天告成功也、【索隱】薦、案漢書作慶、義亦通也、【考證】儲、積也、文選無此十字、陛下謙讓而弗發也。【考證】文選無也字、挈三神之驩、缺王道之儀。羣臣恧焉。【集解】徐廣曰、挈、猶言垂也、騆案韋昭曰、挈、缺也、三神、上帝泰山梁父也、【索隱】案徐氏云、挈、猶垂、非也、應劭作絕、李奇韋昭作闕、意亦不遠、三神、韋昭以爲上帝太山梁父、如淳謂地祇天神山岳也、【正義】挈猶持、言漢帝執持三神之驩、今乃不封禪、缺王道之儀號、孔文祥云、三神、天地

人也、按三家說、韋氏爲長、【考證】三神、如說爲長、挈、索隱爲長、或謂且天爲質闇、珍符固不可辭。【集解】漢書音義曰、言天道質昧、以符瑞見意、不可辭讓也、【索隱】孟康曰、言天道質昧、以符瑞見意、不可辭讓也、【考證】文選、謂作曰、漢書文選、闇下有示字、若然辭之、是泰山靡記、而梁父靡幾也。【集解】漢書音義曰、太山之上、無所表記、梁父壇場、無所庶幾、【索隱】案幾、音冀、【正義】符瑞、盛而辭之、則是太山無碑記、梁父無望祭祀也、亦各竝時而榮、咸濟世而屈。【集解】漢書音義曰、屈、絕之也、言古帝王但作一時之榮、畢代而絕也、【索隱】言自古封禪之帝王、是各竝時而榮貴、咸有濟代之勳、而屈者、謂言抑屈總不封禪、使說者尚何稱述於後代也、如上文云七十二君者哉、【考證】漢書文選、濟下有厥字、說者尚何稱於後、而云七十二君乎。【集解】徐廣曰、若無封禪之遺迹、則榮盡於當時、至於歷世之後、人何所述、夫修德以錫符、奉符以行事、不爲進越。【索隱】文穎曰、越、踰也、不爲苟進踰禮也、【考證】漢書文選、越下有也字、文選、符作命、故聖王弗替、而修禮地祇、謁款天神、勒功中嶽、以彰至尊、舒盛德、發號榮、受厚福、以浸黎民也。【集解】漢書音義曰、款、誠也、謁、告之報誠也、【考證】漢書文選、無也字、顏師古曰、替、廢也、不廢封禪之事也、張揖曰、蓋先禮中岳而幸太

山也、皇皇哉斯事。天下之壯觀、王者之丕業、不可貶也。【考證】丕、大也、漢書文選、作卒、卒、終也、願陛下全之。而後因雜薦紳先生之略術、使獲燿日月之末光絕炎、以展采錯事。【集解】徐廣曰、錯、音厝、騆案漢書音義曰、采、官也、使諸儒記功著業、得覩日月末光殊絕之用、以展其官職、設厝其事業者也、【考證】王先謙曰、因雜、猶言重積、謂總萃之也、略術、猶言道術、左定四年傳注、略、道也、絕炎與末光同意、言諸儒瞻仰帝德、譬猶日月高負僅曜其餘光遠燄而已、中井積德曰、耀者受照也、猶兼正列其義、校飭厥文、作春秋一藝、【集解】徐廣曰、校、一作祓、祓、猶拂也、音廢也、騆案漢書音義曰、春秋者、正天時列人事、諸儒既得展事業、因兼正天時、列人事、敘述大義爲一經、【考證】漢書文選、校飭作祓飾、文選注云、祓、音弗、蓋讀爲黻也、黻飾二字一意、藝讀爲經、將襲舊六爲七、【集解】韋昭曰、今漢書增一、仍舊六爲七也、【考證】孟康曰、襲、猶因也、文穎曰、六經加一爲七也、攄之無窮、【集解】徐廣曰、攄、一作臚、臚、敘也、【索隱】廣雅云、攄、張舒也、【正義】攄、布也、俾萬世得激清流、揚微波、蜚英聲、騰茂實。【索隱】胡廣曰、飛揚英華之聲、騰馳茂盛之實也、前聖之所以永保鴻名、而常爲稱首者用此。【索隱】案謂用此封禪、宜命掌故、

悉奏其義而覽焉。【集解】漢書音義曰、掌故、太史官屬、主故事也、【考證】漢書文選、義作儀、於是天子沛然改容曰。愉乎。朕其試哉。【考證】漢書文選、愉作俞、顏師古曰、沛然、感動之意也、俞者、然也、然其所請也、文選、沛作俙、注、俙、感動之意也、或作沛、乃遷思回慮、總公卿之議、詢封禪之事、詩大澤之博、廣符瑞之富。【集解】漢書音義曰、詩、歌詠功德也、下四章之頌也、大澤之博、謂自我天覆雲之油油、廣符瑞之富、謂斑斑之獸以下三章、言符瑞廣大宣饒也、【考證】詩、猶言歌詠也、實字虛用、劉奉世曰、嘉穀亦符瑞之一也、此但包擧作頌之意、不必別之、乃作頌曰。自我天覆、雲之油油、【集解】漢書音義曰、油油、雲行貌、孟子曰、油然作雲、沛然下雨、【考證】漢書文選、乃作遂、甘露時雨、厥壤可游。【考證】漢書文選、游作遊、李善曰、遊、遨也、言祥瑞屢臻、故可遊遨也、滋液滲漉、何生不育。【集解】徐廣曰、滲、音色蔭反、【索隱】案說文云、滲漉、水下流之貌也、嘉穀六穗、我穡曷蓄。【集解】徐廣曰、何所畜邪、畜嘉穀、非唯雨之、又潤澤之。非唯濡之、氾尃濩之。【集解】徐廣曰、古布字作尃、【索隱】胡廣曰、氾、普也、言雨澤非偏於我、普徧布散、無所不濩之也、【考證】濡之、漢書作偏我、文選作徧之我、漢書文選、尃作布、濩作護、據索隱、史記本作偏我、文選偏誤徧、我上衍之字、護讀爲濩、顏師古曰、布護、言遍布也、萬物

熙熙、懷而慕思、名山顯位、望君之來。集解 韋昭曰、名山、大山也、顯位、封禪也、考證 漢書、思作之、君乎君乎、侯不邁哉。索隱 李奇云、侯、何也、言君何不行封禪之事也、案邁訓行也、如淳云、侯、維也、考證 漢書、乎作兮、般般之獸、樂我君囿、白質黑章、其儀可嘉。索隱 案般般、文彩之貌也、音班、胡廣曰、謂騶虞也、考證 漢書文選、囿作圃、漢書、嘉作喜、朱一新曰、囿喜古韻叶也、作圃嘉、非也、翟灝曰、說文、禽獸曰囿、種菜曰圃、此當作囿、旼旼睦睦、君子之能。集解 徐廣曰、旼、音旻、和貌也、能、一作態、駰案、漢書音義曰、旻和穆敬、言和且敬、有似君子、索隱 旼、音旻、考證 漢書文選、睦作穆、能作態、中井積德曰、能態同、蓋聞其聲、今觀其來。考證 觀、漢書作視、文選作親、聲、名也、翟灝曰、來與之哉喜態皆叶、厥塗靡蹤、天瑞之徵。集解 徐廣曰、其所來路非有迹、蓋自天降瑞、不行而至也、考證 漢書文選、蹤作從、中井積德曰、作從爲長、無知其所從來也、乃所以爲天瑞、茲亦於舜、虞氏以興。索隱 文穎曰、舜百獸率舞、則騶虞亦在其中者已、考證 漢書、此亦作爾、王念孫曰、爾字於義無取、當作亦、文選、呂延濟注曰、言此獸於舜亦見也、濯濯之麟、游彼靈畤。集解 漢書音義曰、武帝祠五畤、獲白麟、故言游靈畤也、索隱 詩人云、麀鹿濯濯、注云、濯濯、嬉遊貌、孟冬十月、君徂郊祀。馳我君輿、帝以享祉。考證 李善曰、帝、天帝也、

白麟、馳我君車之前、因取燎祭於天、天用歆享之、荅以祉福也、三代之前、蓋未嘗有。宛宛黃龍、興德而升。索隱 胡廣曰、宛宛、屈伸也、正義 黃龍者、四龍之長、西方正色、神靈之精、能巨細剛柔、文明章、應和氣而游池沼、考證 此以下謂渥洼神馬事、以龍喩馬也、與成紀見龍、無些交涉、采色炫燿、熿炳煇煌。集解 徐廣曰、熿、音晃、煇、音魂、考證 漢書、炫作玄、漢書文選、熿作煥、正陽顯見、覺寤黎烝。索隱 文穎曰、陽、明也、謂南面受朝也、考證 顏師古曰、黎蒸、衆庶也、愚按、馬陽類數句、形容神馬、於傳載之、云受命所乘。索隱 如淳云、書傳所載、揆其比類、以爲漢土德、黃龍爲之應、見之於成紀、故云受命所乘也、考證 以上言神馬事、厥之有章、不必諄諄。集解 徐廣曰、諄、止純反、告之丁寧、駰案、漢書音義曰、天之所命、表以符瑞、章明其德、不必諄諄然有語言也、依類託寓、諭以封巒。集解 漢書音義曰、寓、寄也、巒、山也、言依事類託寄、以喩封禪者、考證 張文虎曰、託、從舊刻、與漢書文選合、據集解、則本是託字、它本作記、非、愚按、楓三本亦作託、披藝觀之、天人之際已交、上下相發允荅、聖王之德、兢兢翼翼也。考證 漢書、德作事、漢書文選、無也字、藝、經也、王先謙曰、言聖王戒敬修禮、信所以答天休也、故曰、興必慮衰、安必思危。考證 漢書文選、興上有於字、沈欽韓曰、周書程典解、於安思危、於始思終、是以湯

武至尊嚴、不失肅祗。舜在假典、顧省厥遺。此之謂也。集解 徐廣曰、假、大也、正義 在、察也、考證 文選、厥作闕、李善曰、湯武雖居至尊嚴之位、而猶不失肅祗之道、舜所以在於大典、謂能顧省其遺失、言漢亦當不失恭敬而自省也、祭天、是不忘敬也、不封禪、是遺失也、毛詩曰、湯降不遲、上帝是祗、愚按、假典、郊祀封禪之大典、顧省厥遺、恐失禮節也、在讀如字、厥、不必改闕、肅祗亦就祭祀而言、司馬相如既卒。集解 徐廣曰、元狩五年也、五歲、天子始祭后土。八年而遂先禮中嶽、正義 嵩高也、在洛州陽城縣西北二十二里、封于太山、正義 在兗州博城縣西北三十里、至梁父、禪肅然。集解 徐廣曰、小山、在泰山下趾東北、考證 凌約言曰、相如封禪書、議者謂其至死獻諛、然予觀太史公自序傳、其父談曰、天子接千歲之統、封太山、而予不得從行、是命也夫、是知當時以登封爲盛、有事爲榮、蓋如此、相如自以文章擅當代、見武帝改正易服定制度、興樂章、度其必封禪、以夸耀後世、當其時謂可秉筆託附不磨、由是草書、將以上勸、而不幸病以死、則初意不獲遂也、然欲使帝之必知、於是屬其妻、身後上之、此其爲計、實夸心之所致耳、何焯曰、傳遂終言其事、史通云、馬卿爲自敍傳、具在其集中、子長因錄斯篇、卽爲列傳、班氏仍舊、更無改作、固於揚馬傳末皆云、遷雄之自敍如此、至於相如篇下、獨無此言、其何不純、按傳中終言相如卒後之事、則非止錄自敍也、愚按、說又見上、相如他所著、若遺平陵侯書、集解 徐廣曰、平陵侯蘇建也、與五公子相難、草

木書篇、不采。采其尤著公卿者云。考證 漢書藝文志、詩賦略云、司馬相如賦二十九篇、其存者史漢本傳子虛賦、上林賦、哀秦二世賦、大人賦四篇、文選、長門賦一篇、古文苑、美人賦一篇、凡六篇、又有梨賦、魚葅賦、竝殘、梓桐山賦、亡、其雜文、本傳、諫獵上書、喩巴蜀檄、難蜀父老、封禪文四篇、報卓文君書、荅盛覽問作賦、竝殘、遺平陵侯與五公子二書、佚、藝文志小學略又云、武帝時司馬相如作凡將篇、佞幸傳云、上方興天地諸祠、欲造樂、使司馬相如等作詩頌、本傳亦不及、

太史公曰。春秋、推見至隱。集解 韋昭曰、推見事至於隱諱、謂若晉文召天子、經言狩河陽之屬、索隱 李奇曰、隱、猶微也、言其義彰而文微、若隱公見弒、而經不書、諱之、韋昭曰、推見事至于隱諱、謂若晉文召天子、經言狩河陽之屬、考證 何焯曰、言由人事之見著者、推而至於天道之隱微也、李注失之、愚按、中井積德亦有此說、易、本隱之以顯。集解 韋昭曰、易本隱微妙、出爲人事、乃顯著也、索隱 韋昭曰、易本陰陽之微妙、出爲人事、乃更昭著也、虞喜志林曰、春秋以人事通天道、是推見以至隱也、易以天道接人事、是本隱以之明顯也、考證 漢書、之以作以之、中井積德曰、之以當作以之、愚按、以字疑衍、顏師古曰、之、往也、大雅、言王公大人、而德逮黎庶。集解 韋昭曰、先言王公大人之德、乃後及衆庶也、索隱 文穎曰、大雅先言大人王公之德、後及衆庶、小雅、譏小己之得失、其流及上。集解 韋昭曰、小雅之人、

志狹小、先道己之憂苦、其流乃及上政之得失者、[索隱]文穎曰、小雅之人、材志狹小、先從道己之憂苦、其末流及上政之得失也、故禮緯云、小雅譏己得失、及之於上也、[正義]從傳至小雅、所言殊異、其合德化民若一、用比相如虛詞浮濫、後要歸於節儉、與詩之諷諫同德也、[考證]張揖曰、己、詩人自謂也、顏師古曰、小己者、謂卑少之人、以對上言大人耳、

所以言雖外殊、其合德一也。[考證]漢書、無以字、楓、三本、無外字、與漢書合、**相如雖多虛辭濫說、然其要歸引之節儉。此與詩之風諫何異。**[考證]漢書、其要歸、作要其歸、**揚雄以爲靡麗之賦、勸百風一。猶馳騁鄭・衛之聲、曲終而奏雅。**[考證]揚雄法言無此語、但吾子篇云、或曰、賦可以諷乎、曰諷乎、諷則已、不已、吾恐不免於勸也、**不已虧乎。**[考證]已、猶太甚也、岡白駒曰、不亦虧損本旨乎、漢書、虧作戲、王先謙曰、謂揚雄之論、過輕相如也、梁玉繩曰、揚雄以下二十八字、當刪、困學紀聞曰、雄後於遷甚久、遷得引雄辭、何哉、蓋後人以漢書贊附益之、**余采其語可論者著于篇。**[考證]徐孚遠曰、此文非太史公不能作、揚雄語則後人勦入也、漢書、無余以下十字、

[索隱]述贊、相如縱誕、竊貲卓氏、其學無方、其才足倚、子虛過吒、上林非侈、四馬還邛、百金獻伎、惜哉封禪、遺文卓爾、

司馬相如列傳第五十七　　史記一百十七

史記會注考證卷一百十八

漢　太史令司馬遷　撰

宋　中郎外兵曹參軍裴駰　集解

唐　國子博士弘文館學士司馬貞　索隱

唐　諸王侍讀率府長史張守節　正義

日本　出雲瀧川資言　考證

淮南衡山列傳第五十八　史記一百十八

【考證】史公自序云、黥布叛逆、子長國之、以塡江淮之南、安剽楚庶民、作淮南衡山列傳第五十八、

淮南厲王長者、高祖少子也。其母故趙王張敖美人。高祖八年、從東垣過趙。【正義】趙張耳所都、今邢州也、【考證】時擊韓王信餘寇於東垣、趙王獻之美人。厲王母得幸焉。有身。趙王敖弗敢內宮。爲築外宮而舍之。及貫高等謀反、柏人事發覺、幷逮治王、盡收捕王母兄弟美人、繫之河內。厲王母亦繫。告吏曰。得幸上、有身。【考證】漢書、身作子、周壽昌曰、高帝八年冬過趙、幸美人有身、九年十二月、貫高謀反事始覺、計已逾年、蓋已生子也、吏以聞上。上方怒趙王、未理厲王母。【考證】漢書、不重上字、厲王母弟趙兼、因辟陽侯言呂后。【考證】母弟、母之弟也、辟陽侯、審食其、呂后妒。弗肯白。辟陽侯不彊爭。【考證】凌稚隆曰、伏後案、及厲王母已生厲王、恚卽自殺。【考證】漢書、刪及字、吏奉厲王詣上。上悔、令呂后母之。【正義】悔不理厲王母、而葬厲王母眞定。眞定、厲王母之家在焉。父世縣

也。【索隱】案漢書曰、母家縣、案謂父祖代居眞定也、高祖十一年十月、淮南王黥布反。【考證】陳仁錫曰、十月、當作七月、立子長爲淮南王。王黥布故地、凡四郡。【集解】徐廣曰、九江、廬江、衡山、豫章也、上自將兵擊滅布。厲王遂卽位。厲王蚤失母、常附呂后。孝惠·呂后時、以故得幸無患害。而常心怨辟陽侯、弗敢發。及孝文帝初卽位、淮南王自以爲最親、驕蹇、數不奉法。【正義】驕蹇、謂不巽順也、【考證】顏師古曰、時高帝子、唯二人在、上以親故、常寬赦之。三年、入朝。甚橫。從上入苑囿獵、與上同車。常謂上大兄。厲王有材力、力能扛鼎。乃往請辟陽侯。辟陽侯出見之。卽自袖鐵椎、椎辟陽侯。【索隱】案漢書、作褏金椎椎之、案魏公子無忌、使朱亥袖四十斤鐵椎、椎之也、【考證】請、謁也、令從者魏敬剄之。【正義】剄、古鼎反、剄謂刺頸、厲王乃馳走闕下、肉袒謝曰。臣母不當坐趙事。其時辟陽侯力

能得之呂后。弗爭。罪一也。趙王如意、子母無罪。呂后殺之。辟陽侯弗爭。罪二也。呂后王諸呂、欲以危劉氏。辟陽侯弗爭。罪三也。臣謹爲天下誅賊臣辟陽侯、報母之仇。謹伏闕下請罪。孝文傷其志、爲親故弗治、赦厲王。當是時、薄太后及太子諸大臣皆憚厲王。【考證】凌稚隆曰、伏後案、厲王以此歸國、益驕恣、不用漢法、出入稱警蹕、稱制、自爲法令、擬於天子。【考證】漢書、擬於天子下、補厲王上書不遜順、文帝令薄昭予書諫之、厲王不說等事八百四十字、厲王驕恣之由益明、六年、令男子但等七十人、與棘蒲侯柴武太子奇謀、以輂車四十乘反谷口、【集解】徐廣曰、大車駕馬曰輂、音己足反、漢書音義曰、谷口、在長安北故縣也、處多險阻、【正義】括地志云、谷口故城、在雍州醴泉縣東北四十里、漢谷口縣也、【考證】輂車、漢書作棨車、非是、谷口、馮翊縣、在今西安府醴泉縣東北七十里、令人使閩越·匈奴。事覺治之、使使召淮南王。淮南王至長

安。丞相臣張倉、典客臣馮敬、行御史大夫事宗正臣逸、廷尉臣賀、備盜賊中尉臣福昧死言。【考證】張倉、當依漢書作張蒼、行御史大夫事、當屬下讀、時馮敬爲典客、錢大昕曰、公卿表、無逸賀福三人名、梁玉繩曰、賀雖未知何人、然可以證公卿表于孝文三年書張廷尉之譌、是時爲孝文六年、愚按、行御史以下二十四字、漢書作行御史大夫事與宗正廷尉雜奏、淮南王長、廢先帝法、不聽天子詔、居處無度、爲黃屋蓋乘輿、出入擬於天子、擅爲法令、不用漢法、及所置吏、以其郎中春爲丞相、【考證】楓三本、郎中下有令字、聚收漢諸侯人、及有罪亡者、匿與居、【考證】王先謙曰、漢諸侯人、漢郡縣及諸侯國之人、爲治家室、賜其財物爵祿田宅、爵或至關內侯、奉以二千石。所不當得。欲以有爲。【集解】如淳曰、賜亾畔來者、如賜其國二千石也、瓚曰、奉以二千石之秩祿、【索隱】案謂有罪之人、不得關內侯及二千石、【考證】漢書、賜其作賜與、所下無不字、刪欲以有爲四字、王念孫曰、集解引如淳薛瓚二說爲解、則史記本無不字明矣、中井積德曰、漢書無不字、所當得三字屬上文、愚按不字不必衍、奉以二千石、下文所謂以二千石俸奉之也、所不當得、言諸侯王不當有此事也、欲以有爲、言欲危宗廟社稷也、索隱非是、

大夫但·【集解】張晏曰、大夫、姓也、上云、男子但、明其姓大夫也、瓚曰、官爲大夫、名但者也、【索隱】張揖曰、大夫姓、非也、案上云男子但、此云大夫但及士伍開章、則知大夫是官也、【考證】中井積德曰、大夫、爵也、王舉以爲大夫、故此稱大夫但也、錢大昭曰、大夫、民爵第五等、士伍開章等七十人、【集解】如淳曰、律、有罪失官爵、稱士伍者也、開章、名、【考證】伍、蔡、中統、游、王、柯、毛本、作五、今從凌本、漢書亦作伍、中井積德曰、士伍、兵卒之等、微賤者也、此以其本言之、不論前罪有無、與棘蒲侯太子奇謀反、【集解】徐廣曰、棘蒲侯柴武、以文帝後元年卒、謚剛、嗣子謀反、不得置後、國除、欲以危宗廟社稷、使開章陰告長、與謀、使閩越及匈奴發其兵。開章之淮南見長。長數與坐語飲食、爲家室娶婦、以二千石俸奉之。開章使人告但、已言之王。春使使報但等。吏覺知、使長安尉奇等往捕開章。長匿不予。與故中尉蕑忌謀、殺以閉口。【索隱】蕑、姓也、音姦、嚴助傳則作閒忌、亦同、音姦、【正義】謀殺開章以閉絕謀反之口也、爲棺槨衣衾、葬之肥陵邑。【正義】括地志云、肥陵故縣、在壽州安豐縣東六十里、在故六城東北百餘里、【考證】漢書無邑字、謾吏曰。不

知安在。【索隱】謾吏、上音慢、慢、誑也、按實葬肥陵、誑云、不知處、肥陵、地名、在肥水之上也、【考證】王先慎曰、索隱非也、初言不知安在、謂告往捕之吏、不知開章所往、非謂不知葬處也、纔乃誑稱已死、陽表其墓、實未死也、迨吏窮知其詐、長知不可掩、乃令蕑忌殺之肥陵、即葬其地、情事如此、文特倒敘、遂致讀者難明耳、又詳聚土樹表其上曰。開章死、埋此下。【考證】詳、佯通、漢書、埋作葬、及長身自賊殺無罪者一人、令吏論殺無罪者六人、爲亡命弃市罪、詐捕命者以除罪。【集解】晉灼曰、亾命者當棄市、而王藏之、詐捕不命者而言命、以脫命者之罪、【考證】張文虎曰、毛本有亡字、與漢書合、它本竝脫、擅罪人、罪人無告、劾繫治城旦舂以上十四人。【考證】漢書、不重罪人二字、中井積德曰、恐衍其一、愚按、擅罪人、罪人無告、先舉其綱、劾繫以下共目、與下文同列、中說非也、岡白駒曰、無告、有罪無告于漢、赦免罪人、死罪十八人、城旦舂以下五十八人。【考證】王先謙曰、死罪及城旦舂以下不應赦者、長皆赦之、賜人爵關內侯以下九十四人。前日長病。陛下憂苦之、使使者賜書、棗脯。長不欲受賜、不肯見拜使者。【考證】沈欽韓曰、新書淮難篇云、皇太后之餽賜、逆拒而不受、天子使者奉詔而弗得見、僵臥以發書、即此事也、

南海民處廬江界中者反、淮南吏卒擊之。【考證】王先謙曰、嚴助傳、淮南王安上書云、前時南海王反、陛下先臣使將軍間忌將兵擊之、以其軍降、處之上淦、後復反、即其事也、陛下以淮南民貧苦、遣使者賜長帛五千匹、以賜吏卒勞苦者。長不欲受賜、謾言曰。無勞苦者。【考證】漢書、五千作五十、誤、南海民王織上書獻璧皇帝。忌擅燔其書、不以聞。【集解】文穎曰、忌、蕑忌、【考證】漢書無民字、陳仁錫曰、民字衍、織、南海王名、周壽昌曰、南海王織、見高紀、吏請召治忌。長不遣。謾言曰。忌病。春又請長願入見。長怒曰。女欲離我自附漢。【考證】凌稚隆曰、春、即淮南丞相春也、長當弃市。臣請論如法。制曰。朕不忍致法於王。其與列侯二千石議。臣倉、臣敬、臣逸、臣福、臣賀昧死言。臣謹與列侯吏二千石臣嬰等四十三人議。【考證】倉當作蒼、齊召南曰、嬰、即汝陰侯夏侯嬰也、錢大昭曰、時灌嬰陳嬰皆前卒、故知是夏侯嬰也、皆曰。長不奉法度、不聽天子詔。

乃陰聚徒黨及謀反者、厚養亡命、欲以有爲。臣等議論如法。制曰。朕不忍致法於王。其赦長死罪、廢勿王。臣倉等昧死言。長有大死罪。陛下不忍致法。幸赦、廢勿王。臣請處蜀郡嚴道邛郵、[集解]徐廣曰、嚴道有邛僰九折阪、又有郵置、駰案、張晏曰、嚴道、蜀郡縣、[索隱]按嚴道、蜀郡之縣也、縣有蠻夷曰道、嚴道有邛萊山、有郵置、故曰嚴道邛郵也、遣其子母從居。[索隱]案樂產云、妾媵之有子者、從去也、[考證]漢書作其子子母、顏師古曰、子母者、所生子之姬妾、縣爲築蓋家室、皆廩食、給薪菜鹽豉炊食器席蓐。[考證]漢書、廩食作三食、顏師古曰、炊器、釜鬲之屬、食器、盂椀之屬、臣等昧死請、請布告天下。制曰。計食長、給肉日五斤、酒二斗、令故美人才人得幸者十人從居。他可。[索隱]按謂他事可其制也、[考證]顏師古曰、上言子母、則有子者令從之、今此云美人才人、則無子者、則亦令從之、愚按他可、謂他事如議也、又按、文帝殺弟、固非美事、史公錄丞相劾奏特詳、蓋不欲使帝專負殺弟之名也、盡誅所與謀者。於是乃遣淮南王、載以輜車、令縣以次

傳。[考證]顏師古曰、輜、衣車也、王先謙曰、縣次傳、以郵傳致之也、是時袁盎諫上曰。上素驕淮南王、弗爲置嚴傅相。以故至此。且淮南王爲人剛。今暴摧折之。臣恐卒逢霧露病死。陛下爲有殺弟之名。柰何。[考證]胡三省曰、卒讀猝、袁盎傳、作如有遇霧露行道死、上曰。吾特苦之耳。今復之。[考證]各本、今作令、誤、據宋本毛本訂、漢書亦作令、顏師古曰、暫困苦之、令其自悔、卽追還也、王念孫曰、今復之、卽復之也、汲黯傳、君薄淮陽邪、吾今召君矣、索隱、今、猶卽今也、縣傳淮南王者、皆不敢發車封。[集解]漢書音義曰、檻車有檻封也、[考證]中井積德曰、漢書、以縣傳者不敢發車封二句、置不食死之下、似長、諸避事、略知其死、漫爲不知者而過之也、王先謙曰、不敢發者、畏其勇也、愚按中說得之、淮南王乃謂侍者曰。誰謂乃公勇者。吾安能勇。[索隱]乃、汝也、汝公、淮南王自謂也、吾以驕故、不聞吾過、至此。人生一世閒、安能邑邑如此。乃不食死。至雍。[正義]雍、岐州雍縣也、雍令發封、以死聞。上哭甚悲。謂袁盎曰。吾不聽公言、卒亡淮南王。盎曰。不可柰何。

願陛下自寬。[考證]楓、三本、不可上有淮南王三字、與漢書合、顏師古曰、不可奈何、謂王死不能復生、王先謙曰、盎語、當參觀本傳、上曰。爲之柰何。盎曰。獨斬丞相御史以謝天下、乃可。[索隱]案劉氏云、袁盎此言、亦大過也、[考證]凌約言曰、丞相御史執法、而盎欲斬之、幸而文帝不用、盎之刻惡憸邪、大抵如此、不獨私仇一晁錯已也、上卽令丞相御史逮考諸縣傳送淮南王不發封餽侍者、皆弃市。[考證]他本、逮作遂、據王念孫引宋本、及毛本訂、漢書亦作逮、顏師古曰、逮、捕也、王先謙曰、侍、候問也、乃以列侯葬淮南王於雍、守冢三十戶。孝文八年、上憐淮南王。淮南王有子四人。皆七八歲。乃封子安爲阜陵侯、子勃爲安陽侯、子賜爲陽周侯、子良爲東成侯。[考證]張文虎曰、陽周、各本作周陽、考證、據惠景侯者表、漢書表傳改、下同、志疑說同、孝文十二年、民有作歌、歌淮南厲王曰。一尺布尚可縫。一斗粟尚可舂。兄弟二人、不能相容。[集解]漢書音義曰、尺布斗粟、猶尚不棄、況於兄弟而更相逐乎、瓚曰、一尺布尚可縫而共衣、一斗粟尚可舂而共食也、況以天下之廣而不能相容、[考證]中井積德

曰、尺布雖不可縫、而接他布、可以縫成衣、斗粟雖不可舂、而合他粟、可以舂成食、是布粟滅割分裂、不足憂也、兄弟則一喪不可復得矣、欲求接合於他人而弗能、是所以爲比喩、愚按音義最穩、他說鑿、又按縫舂容、韻、容齋隨筆云、高誘作鴻烈解敘、許叔重注文、其辭云、一尺繒好童童、一升粟飽蓬蓬、兄弟二人、不能相容、上聞之、乃歎曰。堯·舜放逐骨肉、周公殺管·蔡、天下稱聖。[正義]帝系云、堯、黃帝之後、舜、顓頊之後、四凶之內、有承黃帝顓頊者、而堯舜竄之、故放逐骨肉耳、四凶者、共工三苗伯鯀及驩兜、皆堯舜之同姓、故云骨肉也、[考證]中井積德曰、放逐骨肉、指舜放象而言、堯是帶說耳、周公不殺蔡、是蔡亦帶說、愚按皆取例於兄弟、何者、不以私害公。天下豈以我爲貪淮南王地邪。乃徙城陽王王淮南故地。[集解]徐廣曰、景王章之子、[考證]城陽王名喜、下文所謂淮南王喜、而追尊謚淮南王爲厲王、置園復如諸侯儀。[正義]謚法云、暴慢無親曰厲、[考證]中井積德曰、諸侯儀、謂諸侯王之儀、非謂列侯、復字可徵、凡稱諸侯、雖無王字、皆是王矣、與列侯異、孝文十六年、徙淮南王喜復故城陽。[索隱]故城陽、景王之子也、[考證]李笠曰、復下疑脫王字、漢書有、上憐淮南厲王廢法不軌、自使失國、蚤死、乃立其三子阜陵侯安爲淮南王、安陽侯

勃爲衡山王、陽周侯賜爲廬江王、皆復得厲王時地參分之。東城侯良、前薨無後也。孝景三年、吳・楚七國反。吳使者至淮南。淮南王欲發兵應之。其相曰。大王必欲發兵應吳、臣願爲將。王乃屬相兵。[考證]周壽昌曰、張釋之傳云、事景帝歲餘、爲淮南相、此景帝三年事、則將兵之相疑是釋之、 淮南相已將兵。因城守、不聽王而爲漢。漢亦使曲城侯將兵救淮南。淮南以故得完。[集解]徐廣曰、曲城侯、姓蟲、名捷、其父名逢、高祖功臣、 吳使者至廬江。廬江王弗應。而往來使越。吳使者至衡山。衡山王堅守無二心。孝景四年、吳・楚已破。衡山王朝。上以爲貞信。乃勞苦之曰。南方卑溼。徙衡山王王濟北。所以襃之。[考證]漢書無所字、 及薨、遂賜諡爲貞王。廬江王邊越。數使使相交。故徙爲衡山王、王江北。[考證]顏師古曰、邊越者、

邊界與越相接、王先謙曰、廬江王王江南、得豫章廬江、徙江北、則漢收二郡、斷其通越、田汝成曰、此段敍三王所以應吳者、賢否具見、而景帝或因、或徙之、故褒貶寓焉、辭不煩、而意自足、 淮南王如故。[考證]漢書刪此五字、查愼行曰、淮南王如故一句、所以結上起下、漢書不當刪去、中間文章、令薄昭予厲王書、反覆八百餘言、開示利害、辭嚴而義正、冀其改過、具見文帝友愛之情、漢書獨詳、史記少此一段、 淮南王安爲人好讀書鼓琴、不喜弋獵狗馬馳騁。亦欲以行陰德、拊循百姓、流譽天下。[考證]漢書、流譽天下、改作流名譽、下補招致賓客方術之士數千人、作爲內書二十一篇、外書甚衆、又有中篇八卷、言神仙黃白之術、亦二十餘萬言、時武帝方好藝文、以安屬爲諸父、辯博善爲文辭、甚尊重之、每爲報書及賜、常召司馬相如等視草迺遣、初安入朝、獻所作內篇、新出、上愛祕之、使爲離騷傳、且受詔、日食時上、又獻頌德及長安都國頌、每宴見、談說得失及方術賦頌、昏莫然後罷、百數十字、藝文志又云、雜家、淮南內二十一篇、外三十三篇、詩賦、淮南王八十二篇、淮南羣臣賦四十四篇、淮南歌詩四篇、天文、淮南雜子星十卷、今存淮南內二十一篇、屏風賦一篇、諫伐南越書一篇、 時時怨望厲王死、時欲畔逆。未有因也。及建元二年、淮南王入朝。素善武安侯。[考證]武安侯田蚡、 武安侯時爲太尉。乃逆王霸上、與王語曰。方今上無太子。大王親高

皇帝孫、[正義]漢書云、武帝以安屬爲諸父、 行仁義、天下莫不聞。卽宮車一日晏駕、非大王當誰立者。淮南王大喜、厚遺武安侯金財物。[考證]語又見武安傳、武安傳、作非大王立當誰哉、漢書、作非王尚誰立者、中井積德曰、按文理、誰字當在當下、又曰、武安語、蓋流傳非實、太史公所謂被惡言、是也、武安傳可併考、 陰結賓客、拊循百姓、爲畔逆事。[索隱]淮南要略云、安養士數千、高才者八人、蘇非、李尚、左吳、陳由、伍被、毛周、雷被、晉昌、號曰八公也、[考證]李笠曰、上已云拊循百姓、流譽天下、此拊循百姓四字、疑誤衍、愚按漢書云、其羣臣賓客、江淮間多輕薄、以厲王遷死感激安、又按索隱引淮南要略、今本無此文、高誘淮南敍云、安爲辨達、善屬文、天下方術之士、多往歸焉、於是遂與蘇飛、李尚、左吳、田由、雷被、毛被、伍被、晉昌等八人、及諸儒大山小山之徒、共講論道德、總統仁義、而著此書、八人姓名、與索隱所引、亦有異同、 建元六年、彗星見。淮南王心怪之。或說王曰。先吳軍起時、彗星出、長數尺。然尚流血千里。今彗星長竟天。天下兵當大起。王心以爲上無太子。天下有變、諸侯並爭。愈益治器械攻戰具、積金錢、賂遺郡國諸侯游士奇材。[考證]漢書、刪諸侯

二字、郡守令、國諸侯、 諸辨士爲方略者、妄作妖言諂諛王。王喜多賜金錢。而謀反滋甚。[考證]張文虎曰、謀反、疑倒、 淮南王有女陵、慧有口辯。王愛陵、常多予金錢、爲中詗長安、約結上左右。[集解]徐廣曰、詗、伺候采察之名也、音空政反、安平侯鄂千秋玄孫伯、與淮南王女陵通、而中絕、又遺淮南王書、稱臣盡力、故棄市、[索隱]鄧展曰、詗、捕也、徐廣曰、伺候探察之名、孟康曰、詗、音偵、西方人以反閒爲偵、劉氏及包愷並音丑政反、服虔云、偵、候也、[考證]各本、慧譌彗、今從楓本、舊刻、毛本、周壽昌曰、功臣表、岸頭侯張次公、元狩元年、坐與淮南王女陵姦、受財物免、張文虎曰、集解采字、疑譌、 元朔三年、上賜淮南王几杖不朝。[考證]梁玉繩曰、三年乃二年之誤、漢書紀傳、皆言元朔二年賜几杖、 淮南王王后荼。王愛幸之。王后生太子遷。遷取王皇太后外孫修成君女爲妃。[集解]應劭曰、王太后先適金氏女也、[考證]張文虎曰、取下王字、疑衍、漢書無、王先謙曰、外戚傳、修成君男女各一人、女嫁諸侯、卽此太子妃也、 王謀爲反具。畏太子妃知而內泄事。乃與太子謀、令詐弗愛、三月不同席。王乃詳爲怒太子、閉太子、使與妃同內三

月。【考證】詳佯、通內、房也、　太子終不近妃。妃求去。王乃上書謝、歸去之。
【考證】高五王傳、修成君女娥、欲嫁齊王、蓋在淮南謝歸後也、　王后荼・太子遷、及女陵、得愛幸王、擅
國權、侵奪民田宅、妄致繫人。【集解】徐廣曰、一云、毆擊、　元朔五年、太子學用
劍。自以爲人莫及。聞郞中靁被巧、乃召與戲。【索隱】案巧、言善用劍也、　被一
再辭讓、誤中太子。【索隱】樂產云、初一讓至二讓、後遂不讓、故云一再讓而誤中、　太子怒。被恐。此時
有欲從軍者、輒詣京師。被卽願奮擊匈奴。太子遷數惡被於
王。王使郞中令斥免、欲以禁後。【正義】言屏斥免郞中令官、而令後人不敢效也、【考證】余有丁曰、郞中令、郞中之
長、斥免、免被也、　被遂亡至長安、上書自明。詔下其事廷尉河南。【正義】雷被
告章、下廷尉及河南共治之、　河南治、逮淮南太子。【正義】逮、謂追赴河南也、　王・王后計、欲無
遣太子、遂發兵反。計猶豫、十餘日未定。會有詔卽訊太子。

【索隱】案樂彥云、卽、就也、訊、問也、就淮南案之、不逮詣河南也、　當是時、淮南相怒壽春丞畱太子逮
不遣、劾不敬。【集解】如淳曰、丞主刑獄囚徒、丞順王意、不遣太子應逮書、【考證】壽春、淮南邑、　王以請相。相弗
聽。【考證】請相、請不治丞也、　王使人上書告相。事下廷尉治。蹤跡連王。王使
人候伺漢公卿。公卿請逮捕治王。【考證】漢書、删公卿二字、漢公卿三字、屬下讀、　王恐事
發。太子遷謀曰、漢使卽逮王、王令人衣衞士衣、持戟居庭中、
王旁有非是、則刺殺之。【考證】漢書、删庭中二字、是下有者字、　臣亦使人刺殺淮南
中尉。乃擧兵未晚。是時上不許公卿請、而遣漢中尉宏卽訊
驗王。【索隱】中尉宏、案百官表、姓殷也、【考證】今表作中尉殷客、汲黯傳濮陽客段宏、索隱云、漢書作叚宏、愚按段叚、當作殷、客當作宏、　王聞漢使
來、卽如太子謀計。漢中尉至、王視其顏色和。訊王以斥靁被
事耳。【考證】漢書、訊作問、　王自度無何。不發。【集解】如淳曰、無何罪、　中尉還以聞。公卿

治者曰。淮南王安擁閼奮擊匈奴者靁被等、廢格明詔。當弃
市。【索隱】崔浩云、詔書募擊匈奴、而壅遏應募者、漢律所謂廢格、案如淳注梁孝王傳云、攱閣不行也、音各也、【考證】擁讀爲壅、漢書作雍、　詔弗許。公
卿請廢勿王。詔弗許。公卿請削五縣。詔削二縣、使中尉宏赦
淮南王罪、罰以削地。中尉入淮南界、宣言赦王。王初聞漢公
卿請誅之、未知得削地。聞漢使來、恐其捕之。乃與太子謀刺
之如前計。及中尉至卽賀王。王以故不發。其後自傷曰、吾行
仁義見削。甚恥之。然淮南王削地之後、其爲反謀益甚。諸使
道從長安來、爲妄妖言、【索隱】道長安來、如淳曰、道、猶言路由長安來、姚承云、道或作從、【考證】中井積德曰、據索隱、本文從字衍、漢書亦作道長安、王念孫曰、道卽從也、史本一作道、一作從、後人誤合之耳、　言上無男、漢不治、卽喜。卽言漢
廷治、有男、王怒以爲妄言非也。【考證】顏師古曰、漢廷治者、朝廷皆理治也、云治及有男、皆妄言耳、非眞實也、

王日夜與伍被・左吳等、案輿地圖、部署兵所從入。【集解】漢書曰、伍被、楚人、
或言其先伍子胥後、蘇林曰、輿、猶盡載之意、【索隱】按志林云、輿地圖、漢家所畫、非出遠古也、【考證】漢書、無伍被二字、　王曰。上無太子。宮
車卽晏駕、廷臣必徵膠東王。不卽常山王。【集解】徐廣曰、皆景帝子也、【考證】膠東王寄、常山
王舜、全祖望曰、景帝十三王、而出於王美人者、膠東常山二王也、王美人者、王后之妹、於武帝爲從母之弟、尤親、故云、　諸侯竝爭。吾可以
無備乎。且吾高祖孫親。行仁義。【考證】王先謙曰、親字當在高祖孫上、後人傳寫誤倒耳、上文王親高帝孫、行仁義、
是其證、　陛下遇我厚。吾能忍之。【正義】漢書云、武帝以安屬爲諸父、辯博善爲文辭、甚尊重之、每爲報書、及賜、常召司馬
相如等、視草迺遣、安入朝、每宴見、談論得失、昏暮然後罷、　萬世之後、吾寧能北面臣事豎子乎。王
坐東宮、召伍被與謀曰、將軍上。【考證】周壽昌曰、漢制、諸侯王國、止有中尉、掌武職、無將軍、將軍、天子之官也、淮南
王僭呼伍被、故被以亡國爲言、衡山王傳、號其子孝曰將軍、時王有逆計也、　被悵然曰、上寬赦大王。王復安
得此亡國之語乎。臣聞、子胥諫吳王、吳王不用。乃曰、臣今見

麋鹿游姑蘇之臺也。今臣亦見宮中生荊棘、露霑衣也。【考證】中井積德曰、伍被問答、是伍被之首狀耳、太史公以其辭典雅、入淮南傳中、可謂失事實、漢書引以立傳、其失尤甚、又曰、伍被傾詭小人、固反逆之首矣、故前文案地圖稱伍被左吳、是也、及事敗圖自脫、乃自告獻狀如此、梁玉繩曰、案王及被問答、非一日之言、故不免複、以漢傳校之、多有不同、或先後移易、或字句增損、 王怒、繫伍被父母、囚之三月。【考證】中井積德曰、繫被父母、尤虛假、 復召曰。將軍許寡人乎。被曰。不直來爲大王畫耳。【正義】上音獲、言畫計謀反、 臣聞聰者聽於無聲、明者見於未形。【考證】聲形韻、 故聖人萬舉萬全。昔文王一動、而功顯于千世、列爲三代。此所謂因天心以動作者也。故海內不期而隨。此千歲之可見者。夫百年之秦、近世之吳·楚、亦足以喻國家之存亡矣。【考證】凌稚隆曰、百年之秦、近世之吳楚作兩柱、下分段照應、陳仁錫曰、二句、正是佳處、漢書刪、失之、 臣不敢避子胥之誅。願大王毋爲吳王之聽。昔秦絕聖人之道、殺術士、燔

詩書、弃禮義、尙詐力、任刑罰、轉負海之粟、致之西河。【考證】各本、聖人作先王、據索隱本、楓、三本、蔡、中統、游、王、毛本訂、 當是之時、男子疾耕、不足於糟糠、女子紡績、不足於蓋形。【考證】漢書伍被傳、糟糠作糧餽、 遣蒙恬築長城、東西數千里、暴兵露師、常數十萬、死者不可勝數、僵尸千里、流血頃畝。【正義】伍被傳、作僵尸滿野、流血千里、 百姓力竭、欲爲亂者、十家而五。又使徐福入海求神異物。【考證】梁玉繩曰、徐市又作福者、市與芾同、卽黻字、語轉又作福、非徐有兩名、故始皇紀作市、而此作福、漢書伍被傳、抱朴子用刑極言二篇竝作徐福、何孟春謂、漢時未有翻切、但以聲相近字音注其下、遂疑爲別名、其說非也、 還爲僞辭曰。臣見海中大神、言曰。汝西皇之使邪。【考證】王念孫曰、御覽引此無爲字、僞爲通、僞辭、爲之辭也、張文虎曰、疑史本一作爲、一作僞、後人兩存而誤幷耳、 臣荅曰。然。汝何求。曰。願請延年益壽藥。神曰。汝秦王之禮薄。得觀而不得取。卽從臣東南至蓬萊山、見芝成宮闕。有使者、

銅色而龍形、光上照天。於是臣再拜問曰。宜何資以獻。海神曰。以令名男子、若振女、與百工之事、卽得之矣。【集解】徐廣曰、西京賦曰、振子萬童、駰案、薛綜曰、振子、童男女、【考證】岡白駒曰、令名男子、良家男子也、若、及也、振、當作侲、或古相通、 秦皇帝大說、遣振男女三千人、資之五穀種種百工而行。【考證】伍被傳、五穀種種、作五種、顏師古注、五種、五穀之種也、蓋史文作五穀、後人誤與漢書混、又衍爲重文耳、 徐福得平原廣澤、止王不來。【正義】括地志云、亶州在東海中、秦始皇遣徐福將童男女、遂止此州、其後復有數洲萬家、其土人有至會稽市易者、闕文、【考證】錢泰吉曰、此及後武闕正義、皆有闕文二字、蓋後人所記、 於是百姓悲痛相思、欲爲亂者、十家而六。【考證】伍被傳、相思作愁思、 又使尉佗踰五嶺攻百越。尉佗知中國勞極、止王不來。【考證】漢書、不來作南越、五嶺解、在張耳傳、顏師古注漢書云、南越傳云、南海尉任囂謂趙佗曰、聞陳勝等作亂、豪桀叛秦相立、卽被佗書行南海尉事、囂死、後佗始自爲王、今此乃言尉佗先王、陳勝乃反、此蓋伍被一時對辭、不究其實也、 使人上書求女無夫家者三萬人、以爲士卒衣補。秦皇帝可

其萬五千人。於是百姓離心瓦解、欲爲亂者、十家而七。【考證】伍被傳、此下有欲爲亂者十室而八一段、卽移後文與萬乘之駕十二句補之、 客謂高皇帝曰。時可矣。高皇帝曰。待之。聖人當起東南。【考證】沈欽韓曰、易緯通驗云、亡行之名合胡、誰代者起東南、愚按高祖紀、秦始皇帝常曰、東南有天子氣、於是因東游以厭之、 閒不一年、陳勝·吳廣發矣。【考證】顏師古曰、中間不經一歲也、 高皇始於豐沛一倡、天下不期而響應者、不可勝數也。此所謂蹈瑕候閒、因秦之亡而動者也。百姓願之、若旱之望雨。【考證】伍被傳、旱上有枯字、 故起於行陳之中、而立爲天子、功高三王、德傳無窮。今大王見高皇帝得天下之易也。獨不觀近世之吳·楚乎。夫吳王賜號爲劉氏祭酒。復不朝。【集解】應劭曰、禮、飲酒必祭、示有先也、故稱祭酒、尊也、【考證】伍被傳、祭酒下有受几杖而三字、無復字、如淳曰、祭祠時、唯尊長者以酒沃酹、顏師古曰、如說是也、 王四郡之衆、地方數千里、內鑄消銅以

爲錢、東煮海水以爲鹽、【考證】胡三省曰、四郡、東陽、鄣、吳、豫章、漢書、鑄消銅、作采山銅、陳仁錫曰、消當作鄣、謂鄣郡之銅也、上取江陵木以爲船、一船之載、當中國數十兩車。國富民衆、行珠玉金帛、賂諸侯宗室大臣。獨竇氏不與。【考證】徐孚遠曰、竇氏、帝舅家、吳楚反、彊起魏其爲將、以肺腑也、計定謀成、擧兵而西、破於大梁、敗於狐父、【集解】徐廣曰、在梁碭之閒、奔走而東、至於丹徒。越人禽之、身死絕祀、爲天下笑。夫以吳·越之衆、不能成功者何。誠逆天道而不知時也。【考證】伍被傳、吳下無越字、張文虎曰、越、疑楚字之譌、上下文、竝作吳楚、方今大王之兵衆、不能十分吳·楚之一。天下安寧、有萬倍於秦之時。【考證】於秦、各本作於吳楚、梁玉繩曰、當作于秦、張文虎曰、舊刻作於秦、與梁說合、願大王從臣之計。大王不從臣之計、今見大王事必不成、而語先泄也。臣聞微子過故國而悲。於是作麥秀之歌。是痛紂之不

用王子比干也。【考證】漢書、微子作箕子、館本考證云、呂氏春秋及宋世家、皆以爲箕子、楓、三本、比干下有之諫二字、故孟子曰。紂貴爲天子、死曾不若匹夫。【考證】錢大昭曰、今孟子無此文、愚按孟子梁惠王篇、聞誅一夫紂矣、未聞弒君也、伍被約言之、是紂先自絕於天下久矣。非死之日而天下去之。今臣亦竊悲大王弃千乘之君、必且賜絕命之書、爲羣臣先、死於東宮也。【集解】如淳曰、王時所居也、於是王氣怨結而不揚、涕滿匡而橫流。卽起、歷階而去。【考證】漢書、刪於是以下二十一字、易以被因流涕而起六字、王念孫曰、氣怨結二句、指伍被而言、王字衍文、愚按二句、屬王、卽歷階而去、屬被、怨苑、通、詩苑結、箋、苑、猶屈也積也、匡與眶同、王有孽子不害、最長。王弗愛。王·王后·太子、皆不以爲子兄數。【集解】如淳曰、不以爲子兄秩數、【考證】漢書、不重王字、胡三省曰、言后不以爲子、太子不以爲兄、不害有子建、材高有氣、常怨望太子不省其父、【集解】服虔曰、不省錄著兄弟數中、又怨時諸侯皆得分子弟爲侯、而淮南獨二子、一爲太子、建

父獨不得爲侯。建陰結交、欲告敗太子、以其父代之。太子知之、數捕繫而榜笞建。建具知太子之謀、欲殺漢中尉、卽使所善壽春莊芷、以元朔六年上書於天子曰。【索隱】莊芷、漢書作嚴正也、【考證】周壽昌曰、班氏以明帝諱改莊爲嚴、正芷、則字近而譌也、毒藥苦於口利於病、忠言逆於耳利於行。【考證】留侯世家、忠言逆身、利於行、毒藥苦口、利於病、孔子家語六本篇、良藥苦於口、而利於病、忠言逆於耳、而利於行、病行韻、今淮南王孫建、材能高。淮南王·王后荼·荼子太子遷、常疾害建。建父不害無罪。擅數捕繫、欲殺之。今建在、可徵問。具知淮南陰事。書聞。上以其事下廷尉。廷尉下河南治。是時故辟陽侯孫審卿、善丞相公孫弘。怨淮南厲王殺其大父、乃深購淮南事於弘。【考證】毛本、購作構、與漢書合、王先謙曰、辟陽侯子平、嗣於孝景二年、坐謀反自殺、國除、審卿蓋平子、弘乃疑淮南有畔逆計謀、深

窮治其獄。河南治建。辭引淮南太子及黨與。淮南王患之、欲發。問伍被曰。漢廷治亂。【考證】岡白駒曰、治耶亂耶、伍被曰。天下治。王意不說。謂伍被曰。公何以言天下治也。被曰。被竊觀朝廷之政、君臣之義、父子之親、夫婦之別、長幼之序、皆得其理、【考證】五品五敎、見乎尙書、而不言其目、左傳文公十八年、引季文子言曰、舜擧八元、使布五敎於四方、父義、母慈、兄友、弟共、子孝、孟子滕文公篇云、聖人使契爲司徒、敎以人倫、父子有親、君臣有義、夫婦有別、長幼有序、朋友有信、二書所言不同、而淮南人間訓云、百姓不親、五品不愼、契敎以君臣之義、父子之親、夫婦之辨、長幼之序、蓋從孟子也、伍被亦循其目、上之擧錯、遵古之道。風俗紀綱、未有所缺也。重裝富賈、周流天下、道無不通。【考證】岡白駒曰、重裝、謂多載貨物也、故交易之道行、南越賓服、羌僰入獻、東甌入降、廣長楡、開朔方、匈奴折翅傷翼、失援不振。【集解】如淳曰、廣、謂拓大之也、長楡、塞名、王恢所謂樹楡爲塞、【正義】長楡、今楡木塞也、在勝州北、雖未及古太平之時、然猶爲

治也。【考證】中井積德曰、是時朝廷多事、天下騷然、國臣如何得此獎讚、分明是伍被首狀之緣飾、乞憐於天子者、王怒。被謝死罪。王又謂被曰。山東卽有兵、漢必使大將軍將而制山東。公以爲大將軍何如人也。【考證】大將軍、衞青、被曰。被所善者黃義、從大將軍擊匈奴。還告被曰。大將軍遇士大夫有禮、於士卒有恩、衆皆樂爲之用。騎上下山若蜚、材幹絕人。被以爲材能如此、數將習兵。未易當也。及謁者曹梁使長安。來言、大將軍號令明、當敵勇敢、常爲士卒先。休舍、穿井未通、須士卒盡得水、乃敢飲。【考證】漢書、作須士卒休乃舍、穿井得水、迺敢飲、義異、軍罷、卒盡已渡河、乃渡。皇太后所賜金帛、盡以賜軍吏。雖古名將弗過也。【考證】中井積德曰、此亦乞憐於大將軍者、當時惡有是等語哉、且大將軍之才、良未必至于此、王默然。淮南王見建已徵治、恐國陰事且覺、欲發。

【考證】楓本、發下有兵字、被又以爲難。乃復問被曰。公以爲吳興兵、是邪非也。被曰。以爲非也。吳王至富貴也。舉事不當、身死丹徒、頭足異處、子孫無遺類。【集解】徐廣曰、遺、一作噍、音寂笑反、臣聞吳王悔之甚。願王孰慮之、無爲吳王之所悔。王曰。男子之所死者一言耳。【集解】徐廣曰、一本無此言字、駰案張晏曰、不成則死、一計耳、瓚曰、或有一言之交、以死報之矣、【正義】言男子出一言、至死不改、言反也、【考證】正義是、且吳何知反。【集解】瓚曰、言吳王不知舉兵反、【索隱】案知猶解、【正義】言吳不解反、故敗耳、【考證】凌稚隆曰、謂吳不知所以反、故使漢將得過成皋耳、漢將一日過成皋者四十餘人、【集解】如淳曰、言吳不塞成皋口、而令漢將得出之、今我令樓緩先要成皋之口、【集解】漢書直云緩、無樓字、樓緩乃六國時人、疑此後人所益也、李奇曰、緩、似人姓名、韋昭曰、淮南臣名、【正義】成皋故城、在河南氾水縣東南二里、【考證】徐孚遠曰、周被陳定、皆著姓名、緩不得獨去姓、樓緩當是與古人姓名同也、錢大昕曰、正義氾水、蓋汜水之譌、周被下潁川兵、塞轘轅伊闕之道、【正義】轘轅故關、在河南緱氏縣南四十里、伊闕故關、在河南縣南十九里、陳定發南陽兵、

守武關。【正義】故武關、在商州商洛縣東九十里、春秋時闕文、【考證】館本考證云、正義闕文、疑當秦地二字、河南太守獨有雒陽耳。何足憂。然此北尙有臨晉關·河東·上黨與河內·趙國。人言曰。絕成皋之口、天下不通。據三川之險、招山東之兵。【正義】險、卽成皋關也、【考證】漢書、山東作天下、舉事如此、公以爲何如。被曰。臣見其禍、未見其福也。王曰。左吳·趙賢·朱驕如、皆以爲有福、什事九成。公獨以爲有禍無福、何也。被曰。大王之羣臣近幸、素能使衆者、皆前繫詔獄、餘無可用者。【考證】胡三省曰、漢時、左右都司空、上林中都官、皆有詔獄、蓋奉詔以鞫囚、因以爲名、王曰。陳勝·吳廣、無立錐之地、千人之聚、起於大澤、【正義】聚、謂聚落也、【考證】漢書、千作百、奮臂大呼、而天下響應、西至於戲、而兵百二十萬。今吾國雖小、然而勝兵者可得十餘萬。非直適戍之衆、鐖鑿棘矜也。

【集解】徐廣曰、大鐮謂之剴、音五哀反、或是鐖乎、【索隱】鐖鑿、劉氏音上吾裏反、下自洛反、又鐖、鄒音機也、注、大鐮謂之剴、鐮音廉、剴音五哀反、【正義】矜、音槿、柄也、言不如陳勝用謫戍棘矜等物、公何以言有禍無福。被曰。往者秦爲無道、殘賊天下、興萬乘之駕、作阿房之宮、收太半之賦、發閭左之戍。【正義】閭左邊不役之民、秦則役之也、父不寧子、兄不便弟、政苛刑峻、天下熬然若焦。【索隱】若燋、音卽消反、【考證】熬嗷通、民皆引領而望、傾耳而聽、悲號仰天、叩心而怨上。故陳勝大呼、天下響應。【考證】叩、擊也、凌稚隆曰、被非一日一時之語、故重疊不自覺耳、當今陛下臨制天下、一齊海內、汎愛蒸庶、布德施惠。口雖未言、聲疾雷霆。令雖未出、化馳如神。心有所懷、威動萬里。下之應上、猶影響也。而大將軍材能、不特章邯·楊熊也。大王以陳勝·吳廣諭之、被以爲過矣。【考證】楊熊、秦將名、與漢將酈商等戰敗、爲二世所誅者、見高紀及樊噲夏侯嬰傳、中井積德曰、復乞憐於天子與大將軍、王

曰。苟如公言、不可徼幸邪。被曰。被有愚計。王曰。柰何。被曰。當今諸侯無異心、百姓無怨氣。朔方之郡、田地廣、水草美、民徙者不足以實其地。臣之愚計、可僞爲丞相御史請書、徙郡國豪桀任俠、及有耐罪以上、赦令除其罪、產五十萬以上者、皆徙其家屬朔方之郡、【集解】應劭曰、輕罪不至於髡、完其耏鬢、故曰耏、古耏字從彡、髮膚之意也、杜林以爲法度之字、皆從寸、後改如是、耐音若能、如淳曰、律、耐爲司寇、耐爲鬼薪白粲、耐、猶任也、蘇林曰、一歲爲罰作、二歲刑已上爲耐、耐能任其罪、【考證】中井積德曰、半髡曰耐、去其頂髮而存其鬢頰之毛、故曰罪不至髡也、王先謙曰、請、奏請也、詐爲丞相御史奏請徙人之書、愚按漢書無僞字、舊刻毛本凌引一本、產上有可字、與漢書合、集解杜林、誤作蘇林、依高紀注改、 益發甲卒、急其會日。【考證】顏師古曰、促其期日、 又僞爲左右都司空·上林中都官·詔獄書、逮諸侯太子幸臣。【集解】晉灼曰、百官表、宗正有左右都司空、上林有水司空、皆主囚徒官也、【考證】顏師古曰、中都官、京師諸官府、王先謙曰、左右都司空者、左右司空、都司空也、百官表、宗正屬官都司空、無左右二字、少府迺有左右司空、晉說非也、又表云、護軍都尉、武帝征和四年

初置、持節從中都官徒千二百人、捕巫蠱、督大姦猾、顏注又云、中都官、京師諸官府也、先謙案、文云上林中都官、疑上林二字、不當如晉注逗上爲文、中都官、亦不當訓京師諸官府、或中都官、自屬上米後隸護軍、都尉也、若如顏說、則但稱中都官、卽可以該諸官府、何必更言左右都司空乎、愚按、各本書逮二字倒、今從楓三本、漢書、梁玉繩曰、逮字當在書下、屬下句、一本書下有以逮二字、亦非、王先謙曰、幸臣、親近用事之臣、 如此則民怨、諸侯懼。卽使辯武隨而說之、儻可徼幸什得一乎。【集解】徐廣曰、淮南人、名士曰武、辯武、謂辯口而武、所說必行也、【正義】按【考證】漢書、辯武作辯士、 王曰。此可也。雖然吾以爲不至若此。於是王乃令官奴入宮、作皇帝璽、丞相御史大將軍軍吏中二千石都官令丞印、及㓨近郡太守都尉印、漢使節法冠、欲如伍被計。【集解】蔡邕曰、法冠、楚王冠也、秦滅楚、以其君冠賜御史、【索隱】崔浩云、一名獬廌冠、按蔡邕云、楚王冠也、秦滅楚、以其君冠賜御史者也、【考證】王鳴盛曰、漢書百官表、雖言守治郡、尉典武職、而實守兼掌之、韓延壽爲潁川太守、傳中述其都試講武甚備、翟義爲東郡太守、以九月都試、日勒車騎材官士起事、淮南王安傳、安欲發兵反、先令人作㓨近郡太守都尉印、可見守尉互掌兵權也、又安與太子反謀聞、上遣廷尉監與淮南中尉、逮捕太子、王與太子謀、召相二千石、欲殺而發兵、召相、相至、內史以出爲解、中尉曰、臣受詔使、不得見王、王念獨殺

相、而內史中尉不來、無益也、卽罷相、觀此知諸侯王國中兵權、相與內史中尉兼掌之、互相牽制、三者有一不肯、卽不能發兵、 使人僞得罪而西、事大將軍·丞相、【集解】蘇林曰、詐作罪人而西也、【考證】顏師古曰、西、謂如京師也、 一日發兵、使人卽刺殺大將軍青、【集解】如淳曰、發淮南兵也、【索隱】崔浩云、一日猶一朝、卒然無定時也、【考證】方苞曰、淮南一日發兵反、其所使人、卽刺殺大將軍也、 而說丞相下之、如發蒙耳。【集解】如淳曰、以物蒙覆其頭、而爲發去、其人欲之耳、韋昭曰、如蒙巾發之甚易、【考證】晉灼曰、如發去物上之蒙、直取其易也、王先謙曰、易序卦傳、蒙者蒙也、物之穉也、愚按、蒙、物生之初也、發、撥去也、發蒙又見汲黯傳、吳王濞傳、中井積德曰、僞得以下、卽是伍被計、愚按是淮南意中事、而未及發之、使人上宜加王以爲字、 王欲發國中兵。恐其相二千石不聽。【考證】說見上文、 王乃與伍被謀、先殺相二千石。僞失火宮中、相二千石救火。至、卽殺之。計未決。又欲令人衣求盜衣、持羽檄、從東方來呼曰。南越兵入界。欲因以發兵。【集解】漢書音義曰、求盜衣、卒衣也、【正義】求盜、掌逐捕盜賊者、解在高祖本紀、【考證】顏師古曰、羽檄、徵兵之書也、王先謙曰、漢書東方作南方、按下言南越兵入、則南方是也、 乃使人至廬江·會

稽爲求盜。未發。王問伍被曰。吾舉兵西鄉、諸侯必有應我者。卽無應、柰何。被曰。南收衡山、以擊廬江、有尋陽之船、【考證】尋陽、廬江縣、 守下雉之城、【集解】徐廣曰、在江夏、駰案、蘇林曰、下雉、縣名、【索隱】雉音徐爾反、案縣名、在江夏、 結九江之浦、絕豫章之口、【正義】卽彭蠡湖口、北流出大江者、 彊弩臨江而守、以禁南郡之下。東收江都·會稽、【正義】江都、揚州也、會稽、蘇州也、 南通勁越、屈彊江·淮閒、猶可得延歲月之壽。【正義】屈、求勿反、彊、其兩反、 王曰。善。無以易此。急則走越耳。於是廷尉以王孫建辭連淮南王太子遷聞。上遣廷尉監因拜淮南中尉、逮捕太子。至淮南。淮南王聞、與太子謀、召相二千石、欲殺而發兵。召相。相至。內史以出爲解。【考證】顏師古曰、不應召、而云已出也、解者解說也、若今言分疏矣、 中尉曰。臣受詔使。不得見王。王念獨殺相、而內史中尉不來、

無益也。卽罷相。【考證】顏師古曰、罷、遣出去、　王猶豫、計未決。太子念所坐者、謀刺漢中尉。所與謀者已死。以爲口絕。【考證】王先謙曰、謂無證其事者、　乃謂王曰。羣臣可用者、皆前繫。今無足與擧事者。王以非時發、恐無功。臣願會逮。【考證】顏師古曰、會、謂應逮書而往也、　王亦偷欲休。卽許太子。【集解】徐廣曰、偷、苟且也、【考證】王念孫曰、言偷安而不欲發兵也、漢書作愈、亦讀爲偷、　太子卽自剄不殊。【集解】晉灼曰、不殊、不死、【正義】顏師古云、殊、絕也、雖自刑殺、而身首不絕、　伍被自詣吏、因告與淮南王謀反、反蹤跡具如此。吏因捕太子·王后、圍王宮、盡求捕王所與謀反賓客在國中者、索得反具以聞。上下公卿治。所連引、與淮南王謀反列侯二千石豪傑數千人。【考證】楓、三本、治下所上有辭字、　皆以罪輕重受誅。衡山王賜、淮南王弟也。當坐收。有司請逮捕衡山王。天子曰。諸

侯各以其國爲本。不當相坐。與諸侯王列侯會肆丞相者議。【集解】徐廣曰、詣都座就丞相共議也、【索隱】會肆丞相者、案肆、習也、音異、【考證】各本、丞相下有諸侯二字、無者字、諸侯二字與上文複、今從索隱本、楓、三本、以上天子之命、　趙王彭祖、列侯臣讓等四十三人議。【考證】王先愼曰、按功臣恩澤侯表、元朔間列侯無以讓名者、讓疑當作襄、襄、平陽侯曹參玄孫、據史漢表、功臣位次、平陽第二、蕭何第一、何曾孫勝、元朔元年、坐不齋、耐爲隸臣、故此時列侯與議、襄宜居首也、　皆曰。淮南王安、甚大逆無道、謀反明白。當伏誅。膠西王臣端議曰。淮南王安、廢法行邪、懷詐僞心、以亂天下、熒惑百姓、倍畔宗廟、妄作妖言。【考證】漢書、法下有度字、邪下有辟字、與下文邪僻相應、　春秋曰。臣無將。將而誅。【正義】將、將帶群衆也、【考證】蘇輿曰、此春秋義說也、公羊莊三十一年、昭元年傳竝云、君親無將、將而誅焉、義同而文小異、漢書叔孫通傳、博士諸生亦引人臣無將語、王莽傳、春秋之義、君親無將、將而誅焉、文同公羊、而不言傳、蓋漢時義說如此、或以爲春秋下脫傳字、非也、　安罪重於將、謀反形已定。臣端所見其書節印圖、及他逆無道、事驗明白、甚大逆無道。當伏

其法。而論國吏二百石以上及比者、【集解】徐廣曰、比吏而非眞、【考證】顏師古曰、謂眞二百石及秩比二百石以上、　宗室近幸臣、不在法中者、不能相教。當皆免官削爵、爲士伍。毋得宦爲吏。【考證】不在法中、言無反狀、　其非吏、他贖死金二斤八兩。【集解】蘇林曰、非吏、故曰他、　以章臣安之罪、使天下明知臣子之道、毋敢復有邪僻倍畔之意。丞相弘·廷尉湯等以聞。天子使宗正以符節治王。未至。淮南王安自剄殺。【集解】徐廣曰、卽位凡四十二年、元狩元年十月死、　王后荼·太子遷、諸所與謀反者皆族。天子以伍被雅辭、多引漢之美、欲勿誅。廷尉湯曰。被首爲王畫反謀。被罪無赦。【考證】凌本、王作之、楓、三本、謀作計、中井積德曰、天子受被之欺、太史公亦受被之欺、唯張湯不受焉、酷吏亦有識哉、　遂誅被。國除爲九江郡。【集解】徐廣曰、又爲六安國、以陳縣爲都、　衡山王賜、王后乘舒、生子三人。【正義】乘舒、衡山王后名也、

長男爽爲太子、次男孝、次女無采。又姬徐來生子男女四人、美人厥姬生子二人。衡山王·淮南王兄弟、相責望禮節、閒不相能。【考證】陳仁錫曰、監本、閒字屬上句、非、　衡山王聞淮南王作爲畔逆反具、亦心結賓客以應之。恐爲所幷。元光六年、衡山王入朝。其謁者衛慶有方術。欲上書事天子。王怒故劾慶死罪、彊榜服之。【考證】顏師古曰、榜、擊也、擊笞之、令其自服死罪也、　衡山內史以爲非是、卻其獄。王使人上書告內史。內史治、言王不直。【考證】顏師古曰、內史被治、而具言王之意狀、　王又數侵奪人田、壞人冢以爲田。有司請逮治衡山王。天子不許。爲置吏二百石以上。【集解】如淳曰、漢儀注、吏四百石以下、自調除國中、今王惡、天子皆爲置之、【考證】趙翼曰、漢書齊悼惠王傳贊云、高祖初定天下、大封同姓諸侯、得自置御史大夫以下、漢但爲置丞相而已、此可見當時法制之疎也、今按悼惠王傳、悼惠初封、得自置二千石、是二千石得自置也、田叔傳、田叔爲人廉直、趙相言於趙王張敖、以爲

郎中、是郎中、亦自置也、淮南厲王傳、薄昭與厲王書云、大王逐漢所置相二千石、而請自置、皇帝屈法許之、是幷得自置相矣、昭書又云、今諸侯子爲吏者、御史主、爲軍吏者、中尉主、出入殿門者、衛尉大行主、從蠻夷歸來者、內史縣令主、如淳云、御史以下皆王官也、是諸侯王有此等官、以主諸事矣、韓安國傳、景帝以梁孝王屬官韓安國爲梁內史、孝王則欲以公孫詭爲之、竇太后詔不許、是時已在七國反後、故法令稍嚴、衡山王傳、武帝以衡山王驕恣、乃爲置吏二百石以上、則禁網更密矣、其後又有左官附益阿黨之法、諸侯王惟得食租衣稅、貧者或乘牛車、蓋法制先疎闊而後漸嚴、亦事勢之必然也、衡山王以此恚、與奚慈·張廣昌謀、求能爲兵法候星氣者。日夜從容王、密謀反事。集解徐廣曰、密豫作計校、正義從、子勇反、容讀曰勇、從容、謂勸獎也、考證漢書、從容作縱臾、從容、縱臾、慫慂、字異音同、王后乘舒死。立徐來爲王后。厥姬俱幸。兩人相妒。厥姬乃惡王后徐來於太子曰。徐來使婢蠱道殺太子母。太子心怨徐來。徐來兄至衡山。太子與飲、以刃刺傷王后兄。考證漢書、易王后兄三字、以之字、王后怨怒、數毀惡太子於王。太子女弟無采、嫁弃歸、與奴姦、又與客姦。太子數

讓無采。無采怒不與太子通。王后聞之、卽善遇無采。無采及中兄孝、少失母、附王后。王后以計愛之、與共毀太子。王以故數擊笞太子。元朔四年中、人有賊傷王后假母者。集解漢書音義曰、傳母屬、王疑太子使人傷之、笞太子。後王病。太子時稱病不侍。孝王后·無采、惡太子。太子實不病、自言病、有喜色。王大怒、欲廢太子立其弟孝。王后知王決廢太子、又欲幷廢孝。王后有侍者善舞。王幸之。王后欲令侍者與孝亂、以汙之、欲幷廢兄弟、而立其子廣代太子。太子爽知之。念后數惡己無已時。欲與亂以止其口。王后飲。太子前爲壽、因據王后股、求與王后臥。王后怒以告王。王乃召、欲縛而笞之。太子知王常欲廢己、

立其弟孝、乃謂王曰。孝與王御者姦、無采與奴姦。王彊食。請上書。卽倍王去。考證王先謙曰、强食、猶言努力加餐、此爲惡言以對王也、上書者、上書於天子、發孝無采姦亂事、王使人止之。莫能禁。乃自駕追捕太子。太子妄惡言。王械繫太子宮中。孝日益親幸。王奇孝材能、乃佩之王印、號曰將軍、令居外宅、多給金錢、招致賓客。賓客來者、微知淮南·衡山有逆計、日夜從容勸之。考證從容、見上、漢書、作將養、王乃使孝客江都人救赫·陳喜作輣車鏃矢、刻天子璽、將相軍吏印。集解徐廣曰、輣車、戰車也、音扶萌反、索隱救、漢書作枚、劉向別錄云、易家有救氏注也、考證漢書、鏃矢作鍛矢、王念孫云、鏃與鍛、當作鍭字、爾雅說矢、金鏃翦羽謂之鍭、王日夜求壯士如周丘等、數稱引吳·楚反時計畫、以約束。正義周丘、下邳人、吳王反時、請得漢節下下邳者、考證洪頤煊曰、吳王濞傳云、周丘聞吳王敗走、卽引兵歸下邳、未至、癰發背死、此當別一人、愚按周丘旣死、求類之者也、洪氏閒却如字、衡山王非敢效淮南

王求卽天子位。畏淮南起幷其國。以爲淮南已西、發兵定江淮之閒而有之。望如是。考證王先謙曰、衡山王云、賜與其下言如此也、元朔五年秋、衡山王當朝。六年、過淮南。淮南王乃昆弟語、除前卻、約束反具。考證顏師古曰、昆弟語、爲相親愛之言、衡山王卽上書謝病。上賜書。不朝。考證漢書、賜下無書字、元朔六年中、衡山王使人上書、請廢太子爽立孝爲太子。考證梁玉繩曰、元朔六年中五字衍、上已書元朔六年也、沈家本曰、上文六年二字疑衍、梁說未是、張文虎曰、衡山下各本脫王字、中統、王、毛本有、爽聞、卽使所善白贏之長安上書、言孝作輣車鏃矢、與王御者姦、欲以敗孝。索隱贏、音盈、人姓名也、白贏至長安、未及上書。吏捕贏、以淮南事繫。考證王先謙曰、時淮南事覺、連引及贏、王聞爽使白贏上書、恐言國陰事、卽上書反告太子爽所爲不道弃市罪事。事下沛郡治。考證漢書、刪棄市罪事四字、

元朔七年冬、有司公卿下沛郡、求捕所與淮南謀反者。未得。【考證】漢書、元朔七年、作元狩元年、無公卿下沛郡、未得七字、梁玉繩曰、元朔無七年、崔適曰、五宗世家、江都王建、膠東康王寄、隱陵侯傳、寬傳、陽陵侯偃、坐淮南事死、以年數校之、皆在元朔六年、惟將相名臣表、漢書武帝紀、二王之自殺、皆列於元狩元年、然五行志亦云、元朔六年、得陳喜於衡山王子孝家。吏劾孝首匿喜。孝以爲陳喜雅數與王計謀反。恐其發之。聞律先自告除其罪、又疑太子使白嬴上書發其事、卽先自告、告所與謀反者救赫陳喜等。廷尉治。驗。公卿請逮捕衡山王治之。天子曰。勿捕。遣中尉安、大行息卽問王。【索隱】中尉安、案漢書表、司馬安也、大行息、案漢書表、李息也、王具以情實對。吏皆圍王宮而守之。中尉大行還以聞。公卿請遣宗正・大行、與沛郡雜治王。王聞卽自剄殺。孝先自告反、除其罪、坐與王御婢姦弃市。王后徐來、亦坐蠱

殺前王后乘舒、及太子爽坐王告不孝、皆弃市。【考證】張文虎曰、凌本、王告倒、舊刻王、柯本、脫坐字、毛本亦誤告作后、諸與衡山王謀反者皆族。國除爲衡山郡。

太史公曰。詩之所謂戎狄是膺。荊舒是懲。信哉是言也。【考證】詩魯頌閟宮篇、張文虎曰、蔡、王、柯、凌本、脫言字、淮南・衡山、親爲骨肉。疆土千里、列爲諸侯。不務遵蕃臣職、以承輔天子。【考證】蕃、舊刻作藩、與漢書合、承、漢書作丞、丞承通用、翊也、奉也、而專挾邪僻之計、謀爲畔逆、仍父子再亡國。各不終其身、爲天下笑。此非獨王過也。亦其俗薄、臣下漸靡使然也。【考證】漸讀爲漸漬之漸、靡與摩同、夫荊・楚僄勇輕悍、好作亂。乃自古記之矣。【考證】正與上引詩之意相應、

【索隱】述贊、淮南多橫、舉事非正、天子寬仁、其過不更、檻車致禍、斗粟成詠、王安好學、女陵作詷、兄弟不和、傾國殞命、

淮南衡山列傳第五十八　史記一百十八

史記會注考證卷一百十九

漢　太　史　令　司　馬　遷　撰
宋中郎外兵曹參軍裴　駰集解
唐國子博士弘文館學士司馬貞索隱
唐諸王侍讀率府長史張守節正義
日　本　出　雲　瀧　川　資　言　考　證

循吏列傳第五十九　　史記一百十九

【索隱】案謂本法循理之吏也、【考證】史公自序云、奉法循理之吏、不伐功矜能、百姓無稱、亦無過行、作循吏列傳第五十九、陳子龍曰、太史公傳循吏、無漢以下者、傳酷吏

無周以前者、寄慨深矣、陳仁錫曰、漢之循吏、若吳公文翁、不爲作傳、亦一缺事、奢離二人得事、未見爲循吏、

太史公曰。法令所以導民也。刑罰所以禁姦也。文武不備、良民懼。然身修者、官未曾亂也。奉職循理、亦可以爲治。何必威嚴哉。【考證】趙恒曰、法令爲文、刑罰爲武、奉職循理四字、乃太史公循吏之本旨、

孫叔敖者、楚之處士也。【正義】說苑云、孫叔敖爲令尹、一國吏民皆來賀、有一老父、衣麤衣、冠白冠、後來弔曰、有身貴而驕人者、民亾之、位已高而擅權者、君惡之、祿已厚而不知足者、患處之、叔敖再拜敬受命、願聞餘教、父曰、位已高、而意益下、官益大、而心益小、祿已厚、而愼不取、君謹守此三者、足以治楚、虞丘相進之於楚莊王、以自代也。【考證】梁玉繩曰、左傳無所謂虞丘相、而韓詩外傳七、列女傳、與說苑至公、同史、攷墨子所染、說苑雜言作沈尹、韓詩外傳二、作沈令尹、呂氏春秋尊師、作沈尹巫、當染作沈尹蒸、新序雜事五又云、莊王因楚善相人者之言招聘之、所說不同、疑沈尹爲近、宣十二年左傳、沈尹將中軍、杜注沈或作寢、今固始縣、疏引哀十八年寢尹吳由于爲證、而荀子非相、呂子贊能、稱孫叔敖期思之鄙人、蓋其隱處、期思卽春秋寢丘、漢名寢縣、東漢名固始、然則沈尹官于叔敖所隱之縣、知其賢而薦之、事非無因者、虞丘不可攷、或是傳聞之誤、沈尹之官、韓誤增令字、呂誤作申字、而曰筮曰莖曰竺曰蒸曰巫、竝以音形相鄰致譌、莫定沈尹之名孰是、相人之言不足信耳、三月

爲楚相。施教導民、上下和合、世俗盛美、政緩禁止、吏無姦邪、盜賊不起。【考證】張文虎曰、志疑云、後書郭丹傳注引、姦邪下有遂霸諸侯句、按如章懷所引、則句當在盜賊不起下、但彼節去盜賊句耳、秋冬則勸民山採、春夏以水、【集解】徐廣曰、乘多水時、而出材竹、【考證】楓三本、夏下有下字、愚按依集解、當有下字、李笠云、以水、對上山採而言、蓋言田漁也、故下云各得其所便、李說非是、各得其所便、民皆樂其生。莊王以爲幣輕、更以小爲大。百姓不便。皆去其業。【正義】幣、謂幣帛之屬、【考證】幣、錢幣、市令言之相曰。市亂、民莫安其處、次行不定。【考證】次行、市肆行列、相曰。如此幾何頃乎。市令曰。三月頃。相曰。罷。吾今令之復矣。後五日朝。相言之王曰。前日更幣以爲輕。今市令來言曰。市亂、民莫安其處、次行之不定。臣請遂令復如故。【考證】中井積德曰、之字疑衍、王許之。下令三日。而市復如故。楚民俗好庳車。【索隱】庳、下也、音婢、王以爲庳車不

便馬。欲下令使高之。相曰。令數下、民不知所從。不可。王必欲高車、臣請教閭里使高其梱。【索隱】音口本反、梱、門限也、乘車者皆君子。君子不能數下車。王許之。居半歲、民悉自高其車。此不教而民從其化、近者視而效之、遠者四面望而法之。故三得相而不喜。知其材自得之也。三去相而不悔。知非己之罪也。【集解】皇覽曰、孫叔敖冢、在南郡江陵故城中白土里、民傳孫叔敖曰、葬我廬江陂、後當爲萬戶邑、去故楚都郢城北三十里所、或曰、孫叔敖激沮水、作雲夢大澤之池也、【考證】孫叔之三相三去、見莊子田方、呂覽知分、荀子堯問、淮南道應氾論諸篇、史公據之、但其事則不足信、說在鄒陽傳、

子產者、鄭之列大夫也。【索隱】按有管晏列傳、其國僑羊舌肸、亦古之賢大夫、合著管晏之下、不宜散入循吏之篇、【考證】何焯曰、子產篇、不用左傳、馮班曰、太史公敘子產孫叔敖、二君有政事勳業、皆不敘、闕略僅數語、若曰爲吏當如此也、二君一邦名相、當與管晏竝傳、此敘循吏、非爲二君作傳也、鄭昭君之時、以所愛徐摯爲相。【索隱】案鄭系家云、子產、鄭成公之少子、事簡公定公、簡公封子產以六邑、子產受其半、子產不事昭君、亦無徐摯作相之事、蓋別有所出、太史記異耳、國

亂、上下不親、父子不和。大宮子期言之君、以子產爲相。【索隱】子期亦鄭之公子也、左傳國語、亦無其說、案系家鄭相子駟子孔、與子產同時、蓋亦子期之兄弟也、【考證】沈家本曰、左傳、鄭無子期、索隱之言、恐亦臆揣、爲相一年、豎子不戲狎、斑白不提挈、僮子不犁畔。【正義】狎、輕侮之言、各肅謹也、【考證】岡白駒曰、僮未冠者也、言丁壯力農、二年、市不豫賈。【索隱】下音價、謂臨時評其貴賤、不豫定也、【正義】賈、音嫁、謂其數不虛豫廣索也、【考證】方苞曰、言索價一定、無猶豫之虛辭也、三年、門不夜關、【集解】徐廣曰、一作閉、道不拾遺。四年、田器不歸。【考證】岡白駒曰、田器不歸於家、道不拾遺故也、五年、士無尺籍、【正義】言士民無一尺方板之籍書什伍、什伍相保也、【考證】岡白駒曰、尺籍所以書軍令、言大國不兵討、喪期不令而治。【正義】言士民自遵五服之制也、治鄭二十六年而死。丁壯號哭、老人兒啼。曰。子產去我死乎。民將安歸。【集解】皇覽曰、子產冢在河南新鄭、城外大冢、是也、【索隱】案左傳及系家云、子產死、孔子泣曰、子產古之遺愛也、又韓詩稱子產卒、鄭人耕者輟耒、婦人捐其佩玦也、【考證】梁玉繩曰、左傳、子產以魯襄十九年爲卿、三十年相鄭、至昭二十年卒、今以爲卿之年計、是三十三年、以爲相之年計、是二十二年、此文蓋誤、年表及鄭世家、謬謂子產卒于定十四

年、爲鄭聲公五年、其去子產眞卒之歲、適二十六、得毋以卒後妄加之年、爲生前治國之年乎、則誤中又誤矣、

公儀休者、魯博士也。以高弟爲魯相。【考證】毛本、弟作第、姚鼐曰、古時卽有博士高弟、孟子告子下篇、魯穆公時、公儀休爲政、鹽鐵論相刺篇、魯穆公之時、公儀休爲相、奉法循理、無所變更。百官自正、使食祿者不得與下民爭利、受大者不得取小。客有遺相魚者。相不受。【考證】羣書治要、相不受、作不受也、客曰。聞君嗜魚、遺君魚。何故不受也。相曰。以嗜魚故不受也。今爲相、能自給魚。今受魚而免、誰復給我魚者。吾故不受也。【考證】新序雜事、作餽於鄭相、韓非外儲右下、韓詩外傳三、淮南道應訓、作遺於公儀休、食茹而美。拔其園葵而弃之。【考證】茹、菜也、見其家織布好、而疾出其家婦、燔其機。云。欲令農士工女、安所讎其貨乎。【索隱】讎、音售、【考證】楓三本、疾作逐、

石奢者、楚昭王相也。【考證】梁玉繩曰、按楚相卽令尹、昭王時子西尸之、未聞相石奢、呂覽高義篇、言昭王使石渚爲政、與此同、渚乃奢之譌、史詮本呂、而誤改作相也、韓詩外傳二、新序節士竝言、昭王有士曰石奢、使爲理、

堅直廉正、無所阿避。行縣。道有殺人者。相追之。乃其父也。縱其父而還、自繫焉。使人言之。王曰。殺人者、臣之父也。夫以父立政、不孝也。廢法縱罪、非忠也。臣罪當死。王曰。追而不及、不當伏罪。子其治事矣。石奢曰。不私其父、非孝子也。不奉主法、非忠臣也。王赦其罪、上惠也。伏誅而死、臣職也。遂不受令、自刎而死。【索隱】刎、音亡粉反、【考證】中統、王、毛本、主法作王法、

李離者、晉文公之理也。【正義】理、獄官也、【考證】梁玉繩曰、案韓詩外傳二、新序節士、述李離事各異、此更不全、過聽殺人。自拘當死。文公曰。官有貴賤。罰有輕重。下吏有過。非子之罪也。李離曰。臣居官爲長、不與吏讓位。受祿爲多、不與下分利。今過聽殺人、傳其罪下吏。非所聞也。辭不受令。文公曰。子則自以爲有罪。寡

人亦有罪邪。李離曰。理有法。失刑則刑、失死則死。公以臣能聽微決疑。故使爲理。【索隱】言能聽察微理、以決疑獄、故周禮司寇以五聽察獄、詞氣色耳目也、又尚書曰、服念五六日、至于旬時、是也、今過聽殺人。罪當死。【考證】李笠曰、案公疑君字之誤、史臣可稱文公曰公、李離不當呼之曰公也、韓詩外傳新序、公竝作君、當據正、遂不受令、伏劍而死。

太史公曰。孫叔敖出一言、郢市復。子產病死、鄭民號哭。公儀子見好布、而家婦逐。【考證】復哭逐、韻、石奢縱父而死、楚昭名立。李離過殺而伏劍、晉文以正國法。【考證】立法、韻、

【索隱】述贊、奉職循理、爲政之先、恤人體國、良史述焉、叔孫鄭產、自昔稱賢、拔葵一利、赦父非愆、李離伏劍、爲法而然、

循吏列傳第五十九　　史記一百十九

史記會注考證卷一百二十

漢　太史令　司馬遷　撰
宋　中郎外兵曹參軍　裴駰　集解
唐　國子博士弘文館學士　司馬貞　索隱
唐　諸王侍讀率府長史　張守節　正義
日本　出雲　瀧川資言　考證

汲鄭列傳第六十　史記一百二十

【考證】史公自序曰、正衣冠立於朝廷、而君臣莫敢言浮說、長孺矜焉、好薦人、稱長者、莊有溉、作汲鄭列傳第六十、葉夢得曰、循吏傳後卽次以黯、其以黯列于循吏乎、而以

鄭當時附之、黯尙無爲之化、當時尙黃老言、亦無爲云、陳仁錫曰、兩人分敘、至傳末合二人而結之、馮班曰、汲黯傳、多敘公孫弘張湯之過失、

汲黯字長孺。濮陽人也。其先有寵於古之衞君。【集解】文穎曰、六國時衞但稱君、至黯七世、世爲卿大夫。【考證】張文虎曰、舊刻、七世作十世、與漢書合、黯以父任、孝景時爲太子洗馬、以莊見憚。【索隱】按莊者嚴也、謂嚴威也、按自漢明帝諱莊、故已後莊皆云嚴、【考證】孟康曰、任大臣任舉其子弟爲官、愚按莊、嚴肅也、漢書改作嚴、諱明帝名、索隱欠明、孝景帝崩、太子卽位。黯爲謁者。東越相攻。上使黯往視之。不至。至吳而還。報曰。越人相攻、固其俗然。不足以辱天子之使。河內失火、延燒千餘家。上使黯往視之。還報曰。家人失火、屋比延燒。不足憂也。【索隱】比音鼻、【正義】比、近也、師古曰、言屋相近、故連延而燒亡、【考證】顏師古曰、家人猶言庶人家也、愚按比、比肩之比、臣過河南。河南貧人、傷水旱萬餘家。或父子相食。臣謹以便宜持節、發河南倉粟、以振貧民。臣請

歸節、伏矯制之罪。【考證】漢書、改三河南作河內、非也、王念孫曰、蓋河內失火、武帝使黯往視、道經河南、見貧民傷水旱、因發倉粟振之、是黯未至河內、先過河南、故曰臣過河南、上賢而釋之。遷爲滎陽令。黯恥爲令、病歸田里。【考證】漢書、病作稱疾、上聞、乃召拜爲中大夫。以數切諫、不得久留內。遷爲東海太守。黯學黃·老之言。治官理民、好淸靜、擇丞史而任之。【集解】如淳曰、律、太守都尉諸侯內史、史各一人、卒史書佐、各十人、今總言丞史、或以爲擇郡丞及史使任之、鄭當時爲大農、推官屬丞史、亦是也、【考證】胡三省曰、據漢制、郡守之屬、有丞、有諸曹掾吏、其治、責大指而已。不苛小。黯多病。臥閨閤內、不出。歲餘、東海大治。稱之。上聞、召以爲主爵都尉、列於九卿。治務在無爲而已。弘大禮不拘文法。【考證】齊召南曰、按公卿表、黯以建元六年、爲主爵都尉、十一年徙爲右內史、元朔五年也、主爵都尉主列侯、胡三省曰、漢太常、郎中令、中大夫令、太僕、太理、大行、宗正、大司農、少府爲正九卿、中尉、主爵都尉、內史列於九卿、漢書、弘作引、黯爲人性倨少禮。面折不能容人之過。合己者善待之。不合己

者、不能忍見。士亦以此不附焉。然好學游俠、任氣節、【考證】漢書、無學字、此疑衍、內行脩絜、好直諫、數犯主之顏色。常慕傅柏·袁盎之爲人也。【集解】應劭曰、傅柏、梁人、爲孝王將、素伉直、【索隱】傅、音付、人姓、柏名、爲梁將也、【考證】漢書、傅柏作傅伯、善灌夫·鄭當時及宗正劉弃。【集解】徐廣曰、一云、名弃疾、【索隱】漢書、名弃疾、【考證】漢書汲黯傳、作劉棄疾、公卿表作劉棄、亦以數直諫、不得久居位。當是時、太后弟武安侯蚡爲丞相。中二千石來拜謁、蚡不爲禮。然黯見蚡、未嘗拜、常揖之。天子方招文學儒者。上曰。吾欲云云。【集解】張晏曰、所言欲施仁義也、【考證】顏師古曰、云云、猶言如此如此也、杭世駿曰、荀紀、帝問汲黯曰、吾欲興政治法堯舜、如何、可補史缺、黯對曰。陛下內多欲、而外施仁義。柰何欲效唐·虞之治乎。上默然、怒變色、而罷朝。公卿皆爲黯懼。上退謂左右曰。甚矣、汲黯之戇也。【索隱】戇、愚也、音陟降反也、羣臣或數黯。黯曰。天子置

公卿輔弼之臣。寧令從諛承意、陷主於不義乎。且已在其位、縱愛身、柰辱朝廷何。黯多病。病且滿三月、上常賜告者數。終不愈。[集解]如淳曰、杜欽所謂病滿賜告、詔恩也、數者、非一也、或曰、賜告、得去官歸家、與告、居官不視事、[索隱]數、音所角反、按注、賜告、得去官家居、予告、居官不視事也、[考證]中井積德曰、告、休暇也、漢法、病滿三月、當免官、賜告、則不免官而養病、 最後病。莊助爲請告。[集解]徐廣曰、最、一作其也、[考證]漢書無病字、 上曰。汲黯何如人哉。助曰。使黯任職居官、無以踰人。[索隱]踰、音庾、案漢書作瘉、瘉猶勝也、此作踰、踰謂越過人也、 然至其輔少主、守城深堅、招之不來、麾之不去。雖自謂賁育、亦不能奪之矣。[考證]漢書、守城作守成、無深堅以下十字、李笠曰、城當從漢書作成、此涉下深堅字而誤爲城也、深堅者卽招之不來、麾之不去之謂、非謂城之深堅也、 上曰。然。古有社稷之臣。至如黯、近之矣。[考證]社稷之臣、解在袁盎傳、 大將軍青侍中。上踞廁而視之。[集解]如淳曰、廁、音側、謂牀邊、踞牀視之、一云、溷廁也、廁、牀邊側、[考證]廁當作廁、廁側通、劉奉世曰、古者見大臣、則御坐爲起、然則踞廁者輕之也、 丞相弘

燕見。上或時不冠。至如黯見、上不冠不見也。[考證]王先謙曰、至如、疑本作至於、涉上文而誤、 上嘗坐武帳中。[集解]應劭曰、武帳、織成爲武士象也、孟康曰、今御武帳、置兵闌五兵於帳中、韋昭曰、以武名之示威、[考證]孟說是、 黯前奏事。上不冠。望見黯避帳中、使人可其奏。其見敬禮如此。張湯以更定律令爲廷尉。黯數質責湯於上前。[正義]質、對也、 曰。公爲正卿、上不能襃先帝之功業、下不能抑天下之邪心、[考證]襃、大也、 安國富民、使囹圄空虛。二者無一焉。非苦就行、放析就功。[考證]漢書、無二者以下十三字、余有丁曰、按謂湯恣行苛刻、而又毀析舊制、以成其事功、卽所謂紛更之說也、楊愼曰、謂其深文巧詆、至以勝爲功、方苞曰、明知所行之非、而爲艱苦以成之、如湯爲三公、而家產不過三百金、及造詣諸公、不避寒暑、是也、析言破律、以就其功、如湯興皮幣、造白金、籠鹽鐵、出告緡令、是也、愚按就行就功、方說得之、非苦放析四字、必有譌誤、 何乃取高皇帝約束紛更之爲。公以此無種矣。[集解]如淳曰、紛、亂也、[考證]顏師古曰、無種、言當誅及子孫也、 黯時與湯論議。湯辯常在文深小苛。

黯伉厲守高、不能屈。忿發罵曰。天下謂刀筆吏、不可以爲公卿。果然。必湯也、令天下重足而立、側目而視矣。[考證]顏師古曰、重累其足、言懼甚也、中井積德曰、試取必字、置湯也之下、意乃了了、倒置之、乃見語勢之急、愚按與匈奴傳中行說云、必我行也、爲漢患者、句法一例、 是時漢方征匈奴、招懷四夷。黯務少事、乘上閒、常言與胡和親、無起兵。[正義]閒、隙也、[考證]乘、楓、三本作承、張文虎曰、蔡、游、毛本作承、中統一本、亦剜改承、愚按作承、是、漢書刪乘上二字、 上方向儒術、尊公孫弘。及事益多、吏民巧弄。[索隱]弄、音路洞反、[考證]漢書、無弄字、 上分別文法。湯等數奏決讞以幸。[索隱]讞、魚列反、[正義]讞、決獄也、 而黯常毀儒、面觸弘等、徒懷詐飾智、以阿人主取容、而刀筆吏專深文巧詆、陷人於罪、使不得反其眞、以勝爲功。[索隱]詆、音丁禮反、[正義]巧詆、巧爲毀辱也、[考證]方苞曰、以勝爲功、求勝於民、以爲功也、 上愈益貴弘湯。弘湯深心疾黯。唯天子亦不說也。欲誅之以事。[考證]楓、三本、唯作

雖、與漢書合、唯雖通、 弘爲丞相。乃言上曰。右內史界部中、多貴人宗室、難治。非素重臣不能任。請徙黯爲右內史。[考證]大初元年、改右內史稱京兆尹、 爲右內史數歲。官事不廢。[考證]承多病、 大將軍青既益尊、姊爲皇后。然黯與亢禮。[正義]應劭云、長揖不拜、 人或說黯曰。自天子欲羣臣下大將軍。大將軍尊重益貴。君不可以不拜。[考證]漢書、尊重益貴、作尊貴誠重、據下文黯云反不重邪、漢書爲長、 黯曰。夫以大將軍有揖客、反不重邪。[正義]言能降貴禮賢、是益己之尊重也、 大將軍聞愈賢黯、數請問國家朝廷所疑、遇黯過於平生。淮南王謀反。憚黯曰。好直諫、守節死義。難惑以非。至如說丞相弘、如發蒙振落耳。[正義]如發蒙覆、及振欲落之物、言其易也、[考證]發蒙又見吳王濞傳、淮南王傳、蒙、物之初生也、故草木之初萌、亦謂之蒙、發萌芽、振落木、皆言其易也、正義恐非、 天子既數征匈奴有功。黯之言益不用。始黯列爲九

卿。而公孫弘・張湯爲小吏。及弘・湯稍益貴、與黯同位。黯又非毀弘・湯等。已而弘至丞相、封爲侯、湯至御史大夫。故黯時丞史皆與黯同列、或尊用過之。【考證】各本、丞下衍相字、今依楓・三本・漢書削。 黯褊心不能無少望。【考證】顏師古曰、褊、陿也、望、怨也、 見上、前言曰。陛下用羣臣、如積薪耳。後來者居上。上默然。【考證】顏師古曰、積薪之言、出曾子。周壽昌曰、今世傳曾子書、無此語。沈欽韓曰、文子上德篇、虛無因循、常後而不先、譬若積薪燎、後者處上、淮南繆稱訓、聖人不爲物先、而常制之、其類若積薪樵、後者在上。 有閒黯罷。上曰。人果不可以無學。觀黯之言也、日益甚。【考證】周壽昌曰、日益甚、言其愚戇日更甚、下文帝云、吾久不聞汲黯之言、今又復妄發矣、則明以此語爲妄發可知、上文云、上方鄉儒術、尊公孫弘、黯常毀儒而觸弘等、故帝以無學譏黯也。 居無何、匈奴渾邪王率衆來降。漢發車二萬乘。縣官無錢、從民貰馬。民或匿馬、馬不具。【索隱】貰、音時夜反、貰、賒也。鄒氏音勢。【考證】胡三省曰、貰、貸也。 上怒、欲斬長安令。黯曰。長安令

無罪。獨斬黯、民乃肯出馬。【考證】岡白駒曰、長安令屬右內史、故黯云爾。 且匈奴畔其主而降漢。漢徐以縣次傳之。【考證】王先謙曰、令所過者縣以次給傳、徐徐而來也。 何至令天下騷動、罷獘中國、而以事夷狄之人乎。上默然。及渾邪至、賈人與市者、坐當死者五百餘人。【考證】楓本、渾邪下有王字、與漢書合。 黯請閒、見高門曰。【集解】如淳曰、黃圖、未央宮中有高門殿。 夫匈奴攻當路塞、絕和親。【考證】胡三省曰、言塞障當匈奴所入之路也。 中國興兵誅之、死傷者不可勝計。而費以巨萬百數。【考證】顏師古曰、卽數百鉅萬也。 臣愚以爲陛下得胡人、皆以爲奴婢、以賜從軍死事者家、所鹵獲因予之、以謝天下之苦、塞百姓之心。【考證】漢書、無之苦二字。顏師古曰、塞、滿也。 今縱不能、渾邪率數萬之衆來降、虛府庫賞賜、發良民侍養、譬若奉驕子。愚民安知市買長安中物、而文吏繩以

爲闌出財物于邊關乎。【集解】應劭曰、闌、妄也、律、胡市、吏民不得持兵器出關、雖於京師市買、其法一也。瓚曰、無符傳出入、爲闌。【考證】漢書、于作如。 陛下縱不能得匈奴之資、以謝天下、又以微文殺無知者五百餘人。【考證】漢書、資作贏。 是所謂庇其葉而傷其枝者也。臣竊爲陛下不取也。上默然。不許曰。吾久不聞汲黯之言。今又復妄發矣。後數月、黯坐小法。會赦免官。【考證】王先謙曰、公卿表、元狩四年、義縱代。 於是黯隱於田園。居數年、會更五銖錢。【集解】徐廣曰、元狩五年、行五銖錢。【考證】王先謙曰、黯隱居祇一年、不得云數年也。 民多盜鑄錢。楚地尤甚。上以爲淮陽、楚地之郊。乃召拜黯爲淮陽太守。【正義】郊、謂郊道衝要之處也。【考證】何焯曰、懼梁楚之閒有變、以黯鎮之耳。 黯伏謝、不受印。詔數彊予、然後奉詔。詔召見黯。黯爲上泣曰。臣自以爲塡溝壑、不復見陛下。不意陛下復收用之。臣常有狗馬病。力不能

任郡事。【考證】狗馬病、猶言犬馬之疾、謙辭、力字屬下句、漢書改作常有狗馬之心、今病、力不能任郡事、義異。 臣願爲中郎、出入禁闥、補過拾遺。臣之願也。上曰。君薄淮陽邪。吾今召君矣。【索隱】今、卽今也、謂今日後卽召君。【考證】中井積德曰、今者、不久之辭。 顧淮陽吏民不相得。吾徒得君之重、臥而治之。【考證】顏師古曰、徒、但也、重、威重也。 黯既辭行、過大行李息曰。黯弃居郡、不得與朝廷議也。然御史大夫張湯、智足以拒諫、詐足以飾非。【考證】殷本紀、辛紂、知足以距諫、言足以飾非、五宗世家、膠西王端、彊足以距諫、智足以飾非。 務巧佞之語、辯數之辭、非肯正爲天下言。專阿主意。主意所不欲、因而毀之、主意所欲、因而譽之、好興事、舞文法。【集解】如淳曰、舞、猶弄也。 內懷詐以御主心、外挾賊吏以爲威重。【考證】方苞曰、御、迎也、詩、百爾御之、曲禮、大夫士自御之。 公列九卿。不早言之、公與之俱受其僇矣。【考證】之下公字疑衍。 息畏湯、終不敢言。黯居

郡如故。治淮陽政清。後張湯果敗。上聞黯與息言、抵息罪。【考證】王先謙曰、漢武紀、元鼎二年、張湯自殺、公卿表、於是年書張騫爲大行令、是息因湯事得罪去職、　令黯以諸侯相秩居淮陽。【集解】如淳曰、諸侯王相在郡守上、秩眞二千石、律、眞二千石俸、月二萬、二千石、月萬六千、【考證】沈欽韓曰、新書等齊篇、諸侯之相、尊無異等、秩加二千石之上、愚按、漢書注引如淳作律眞二千石、月得百五十斛、歲凡得千八百石耳、二千石月得百二十斛、歲凡得一千四百四十石耳、中井積德曰、集解二萬謂二萬錢也、是百五十石之價直、　七歲而卒。【集解】徐廣曰、元鼎五年、【考證】漢書、七歲作十歲、　卒後、上以黯故、官其弟汲仁至九卿。子汲偃至諸侯相。【考證】王先謙曰、仁不見公卿表、　黯姑姊子司馬安、亦少與黯爲太子洗馬。安文深巧、善宦。官四至九卿。以河南太守卒。【考證】父之姊爲姑姊、漢書無姑字、事異、鄭當時傳云、當時任人賓客、爲大農僦人逋負、司馬安爲發其事、酷吏傳云、周陽由與汲黯俱爲忮、司馬安之文惡、俱在二千石、同車、未嘗敢均茵伏、此皆可證安用法深巧、中井積德曰、四至者、或出爲守相、復入列卿位也、非罷免復任、下再至倣此、王先謙曰、安歷官見公卿表者、元狩元年、書中尉司馬安、五年、書廷尉司馬安、其二無考、惟元狩三年、書廷尉安、不著其姓、未知卽此司馬安否、　昆弟以安故、同時至二千

石者十人。濮陽段宏始事蓋侯信。【集解】徐廣曰、蓋侯、太后兄王信、【索隱】段客、案漢書作段宏、【考證】段宏、與汲黯同其鄉、王念孫曰、索隱本段宏作段客、注云、漢書作段宏、是史記本作段客、今本作段宏、後人據漢書改之也、　信任宏。宏亦再至九卿。【考證】蘇林曰、任、保舉、　然衛人仕者皆嚴憚汲黯、出其下。【考證】應起首、　鄭當時者、字莊。陳人也。其先鄭君嘗爲項籍將。籍死。已而屬漢。【集解】漢書音義曰、鄭君、當時父、　高祖令諸故項籍臣名籍。鄭君獨不奉詔。詔盡拜名籍者爲大夫、而逐鄭君。【考證】顧炎武曰、名籍、謂奏事有涉項王者、必斥其名曰項籍也、　鄭君死孝文時。【考證】王先謙曰、孝文時鄭君乃死也、與司馬遷傳蘄孫昌、爲秦王鐵官、當始皇之時同一文法、愚按、孟荀列傳亦云、田駢之屬、皆已死齊襄王時、　鄭莊以任俠自喜、脫張羽於戹、聲聞梁·楚之閒。【集解】服虔曰、張羽、梁孝王之將、楚相之弟、【考證】王先謙曰、羽事詳韓安國傳、愚按、凌本羽譌禹、　孝景時爲太子舍人。每五日洗沐、常置驛馬長安諸郊、存諸故人、請謝賓客、夜以繼日、至

其明旦、常恐不徧。【集解】如淳曰、郊、交道四通處也、請賓客便、瓚曰、諸郊、謂長安四面郊祀之處、閑靜可以請賓客、【索隱】按、置卽驛馬、謂於置著馬也、四面郊、【正義】姚承云、邑外謂之郊、言長安四面之郊也、此言當時任俠與賓客游於邑野、每休下、或請謝去、故置馬於郊、以往來速也、言驛馬常去來、不得停候也、【考證】中井積德曰、置、猶設也、郊、近野也、設驛馬、爲莊身奔走候問也、非爲招邀賓客、又曰、請、候也、謝、拜恩也、　莊好黃·老之言。其慕長者、如恐不見。年少官薄。然其游知交、皆其大父行、天下有名之士也。【考證】岡白駒曰、恐不見、恐長者不見我、愚按、年少官薄屬下、漢書不下見上、有稱自二字、義異、大父、祖父也、　武帝立。莊稍遷爲魯中尉·濟南太守·江都相、至九卿、爲右內史。【考證】武帝、當作太子、據公卿表、當時爲右內史、建元四年、　以武安侯·魏其時議、貶秩爲詹事、遷爲大農令。【考證】顏師古曰、議田蚡及竇嬰事、齊召南曰、漢書、大農令作大司農、史記是也、當時爲大農令、在元光中、至太初元年、始改曰大司農、　莊爲太史、誡門下、客至、無貴賤無留門者、執賓主之禮、以其貴下人。【考證】張文虎曰、太史疑內史之譌、漢書作大吏、　莊廉又不治其產業。仰奉賜以給諸公。

【考證】慶長本標記云、徐廣曰、時人相與、長者爲諸公、年少爲諸卿、岡白駒曰、仰、資之上也、奉與俸通、賜、諸所賜金銀布帛之屬、　然其餽遺人、不過算器食。【集解】徐廣曰、算、音先管反、竹器、【索隱】算、音先管反、按、謂竹器、以言無銅漆也、漢書作具器食、【考證】中井積德曰、算器食、如今盒子食品相饋者、謂其物之輕微也、非謂其器之貴賤、　每朝、候上之閒說、未嘗不言天下之長者。其推轂士及官屬丞史、誠有味。【正義】推轂、謂薦舉人如車轂轉運無窮也、有味者、言其推薦之辭甚美也、　其言之也、常引以爲賢於己。未嘗名吏。與官屬言、若恐傷之。聞人之善言、進之上、唯恐後。【正義】其言之也四字、屬下句、　山東士諸公以此翕然稱鄭莊。鄭莊使視決河、自請治行五日。【集解】如淳曰、治行、謂莊嚴也、【考證】漢書、不重鄭莊、治行、謂治行裝也、治、卽治具之治、集解莊嚴、疑裝嚴之誤、　上曰。吾聞鄭莊行千里不齎糧。請治行者何也。然鄭莊在朝、常趨和承意、不敢甚引當否。【考證】漢書、引作斥、顏師古曰、趨讀曰趣、趣、向也、岡白駒曰、和、去聲、相應也、王先謙曰、如武安魏其時議、是魏其、後不堅之類也、　及晚節、漢征匈奴、招

四夷。天下費多、財用益匱。【正義】匱、乏也、【考證】漢書、匱作屈、 莊任人賓客、爲大農僦人、多逋負。【集解】徐廣曰、人一作入、一云、賓客爲大農僦人、僦人蓋興生財利、如今方宜矣、駰案晉灼曰、當時爲大農、而任使其賓客、辜較任僦也、瓚曰、任人、謂保任見擧者、【索隱】僦、音卽就反、注辜較、音姑角、按謂當時作大農、任賓客就人取庸直也、或者貰物以應官取庸、故下云、多逋負、辜較字亦作酤榷、榷者獨也、言國家獨榷酤也、此云辜較、亦謂令賓客任人專其利、故云辜較也、【正義】僦人、傭載運之人、莊爲大農、任人及賓客等、爲大農僦貨載運、官多侵欺、故云、多逋負也、【考證】正義爲是、任人、與賓客對擧、任人、謂見保任之人、若富貴大賈之屬、莊賓客任人、竝爲大農僦人使役、多逋負罪及莊也、漢書、大農作大司農、僦人作僦入、 司馬安爲淮陽太守。發其事。莊以此陷罪、贖爲庶人。頃之守長史。【集解】如淳曰、丞相長史、 上以爲老、以莊爲汝南太守。數歲、以官卒。鄭莊・汲黯、始列爲九卿。廉、內行脩絜。此兩人中廢。家貧賓客益落。【索隱】按落、猶零落、謂散也、 及居郡卒後、家無餘貲財。莊兄弟子孫、以莊故至二千石六七人焉。【考證】王先謙曰、武帝於汲鄭兩人、竝以東宮舊恩加厚待也、茅坤曰、此兩人行旨不同、而猶意氣相合、其廢也、賓客竝落、故太史公爲一傳、以摸寫之、愚按汲鄭二人、性行雖異、其好黃老尙無爲則同、史公合爲一傳、不獨爲廢後賓客竝落也、說已具題下、

太史公曰。夫以汲・鄭之賢、有勢則賓客十倍、無勢則否。況衆人乎。下邽翟公有言。【集解】徐廣曰、邽一作邳、【索隱】邽、音圭、縣名、屬京兆、徐廣曰、下邽作下邳、【考證】翟公有言、猶謂翟公旣言之、 始翟公爲廷尉、賓客闐門。及廢、門外可設雀羅。【考證】齊召南曰、案公卿表、翟公爲廷尉、在元光元年、漢書、闐作填、滿也、顏師古曰、可設雀羅、言其寂靜無人行也、 翟公復爲廷尉。賓客欲往。翟公乃大署其門曰。一死一生、乃知交情。一貧一富、乃知交態。一貴一賤、交情乃見。【考證】顏師古曰、署、謂書之、愚按此極聯之始、生情、富態、賤見、韻、 汲・鄭亦云。悲夫。【考證】炎涼世態、自古而然、廉頗孟嘗事、與此相似、野客叢書對比論之、王鏊曰、太史公感慨之言、其深情從朋友不救腐刑中來、【索隱】述贊、河南矯制、自古稱賢、淮南臥理、天子伏焉、積薪興歎、伉直愈堅、鄭莊推士、天下翕然、交道勢利、翟公愴旃、

汲鄭列傳第六十　史記一百二十

史記會注考證卷一百二十一

漢　太史令司馬遷　撰

宋　中郎外兵曹參軍裴駰　集解

唐　國子博士弘文館學士司馬貞　索隱

唐　諸王侍讀率府長史張守節　正義

日本　出雲瀧川資言　考證

儒林列傳第六十一　史記一百二十一

【正義】姚承云、儒林、謂博士爲儒雅之林、綜理古文、宣明舊藝、咸勸儒者以成王化者也、【考證】史公自序云、自孔子卒、京師莫崇庠序、唯建元元狩之閒、文辭粲如也、作儒林列傳第六十一、愚案、儒林博敍諸經、史記以詩爲首、尙書次之、禮、易、春秋又次之、漢書以易爲首、尙書、詩、禮、春秋相次、又案、儒林列傳本是一篇文字、今本每段提行、非史公之舊、今改、錢泰吉曰、正義姚承、前卷多作丞、

太史公曰、余讀功令、至於廣厲學官之路、未嘗不廢書而歎也。【索隱】案、功令、謂學者課功著之於令、卽今學令是也、【考證】顏師古曰、功令、篇名、若今選擧令、沈欽韓曰、唐學令、選擧令中一門也、愚案、厲字涉下文衍、 曰。嗟乎、夫周室衰而關雎作。【考證】學孟子詩亡而春秋作句法、以關雎爲刺詩、與毛詩異、說在十二侯表、 幽・厲微而禮樂壞。諸侯恣行、政由彊國。故孔子閔王路廢而邪道興。【考證】書洪範、無有作惡、遵王之路、 於是論次詩書、修起禮樂、適齊聞韶、三月不知肉味。自衞返魯、然後樂正、雅頌各得其所。【正義】鄭玄云、魯哀公十一年、是時道衰樂廢、孔子還修正之、故雅頌各得其所也、【考證】子在齊聞韶、論語述而篇、子曰、吾自衞反魯、論語子罕篇、 世以混濁、莫能用。【考證】以已通、 是以仲尼干七十餘君無所遇。【索隱】案後之記者失辭也、案家語等說云、孔子歷聘諸

國、莫能用、謂周・鄭・齊・宋・曹・衞・陳・楚・杞・莒・匡等、縱歷小國、亦無七十餘國也、【考證】莊子天運篇、孔子謂老聃曰、丘治詩書禮樂易春秋六經、自以爲久矣、孰知其故矣、以奸七十二君、一君無所鉤用、中井積德曰、匡非國也、其周・曹・杞・莒、亦非實也、家語不足據、愚按、七十餘君、本于莊子、莊子寓言、亦不足據、說又見十二侯表序、 曰。苟有用我者、期月而已矣。【考證】論語子路篇、 西狩獲麟、曰。吾道窮矣。【考證】哀公十四年公羊傳、 故因史記作春秋、以當王法。【正義】因魯史記年月日而作春秋、兼見諸國史所記之事、 其辭微而指博。後世學者多錄焉。【集解】徐廣曰、錄一作繆、【考證】梁玉繩曰、述六藝而獨缺孔子贊易、班氏補之、 自孔子卒後、七十子之徒、散游諸侯、大者爲師傅卿相、【索隱】案、子夏爲魏文侯師、子貢爲齊魯聘吳越、蓋亦卿也、而宰予亦仕齊爲卿、餘未聞也、【考證】中井積德曰、子貢游說非卿也、齊卿之子我、非宰予也、傳者謬耳、 小者友教士大夫、或隱而不見。故子路居衞、【集解】案、仲尼弟子列傳、子路死於衞、時孔子尙存也、【考證】班氏刪此句、是、 子張居陳、【正義】今陳州、【考證】子張顓孫師、王先謙曰、仲尼弟子列傳、子張陳人、 澹臺子羽居楚、【正義】今蘇州城南五里、有澹臺湖、湖北有澹臺、【考證】子羽名滅明、王先謙曰、弟子傳稱其南游至江、 子夏居西河、【正義】今汾州、

【考證】禮記檀弓篇、退而老於西河之上、鄭注、西河龍門至華陰之地、 子貢終於齊。【正義】今青州、 如田子方・段干木・吳起・禽滑釐之屬、皆受業於子夏之倫、爲王者師。【考證】沈欽韓曰、呂覽重言篇注、田子方學於子貢、尊師篇、段干木晉國之大駔也、學于子夏、史記、吳起嘗學於曾子、其年不相當、經典序錄、吳起受左氏傳於曾申、非曾子、又據墨翟書、禽滑釐爲彼弟子、呂覽當染、禽滑釐學于墨子、列子湯問篇、莊子天下篇、並同、未可援墨入儒、愚按、史云受業於子夏之倫、則諸子非皆子夏之門人也、 是時獨魏文侯好學。後陵遲以至于始皇。【考證】程一枝曰、漢書削去此句、尤順、 天下並爭於戰國、儒術既絀焉。然齊魯之間、學者獨不廢也。【考證】閒、各本作門、今從毛本・楓山本、漢書亦作閒、 於威・宣之際、【考證】漢書、於上有至字、 孟子・荀卿之列、咸遵夫子之業而潤色之、以學顯於當世。【考證】楓山本列作倫、 及至秦之季世、焚詩書、阬術士。六藝從此缺焉。【正義】顏云、今新豐縣溫湯之處、號愍儒鄉、溫湯西南三里有馬谷、谷之西岸有阬、古相傳以爲秦阬儒處也、衞宏詔定古文尙書序云、秦旣焚書、恐天下不從所改更法、而諸生到者拜爲郎、前後七百人、乃密種瓜於驪山陵谷中溫處、瓜實成、詔博士諸生說之、人言不同、乃令

就視、爲伏機、諸生賢儒皆至焉、方相難不決、因發機、從上塡之、以土皆壓、終乃無聲也、【考證】周壽昌曰、經術之士稱術士、猶有道之人稱道人也、陳涉之王也、而魯諸儒、持孔氏之禮器、往歸陳王。於是孔甲爲陳涉博士、卒與涉俱死。【集解】徐廣曰、孔子八世孫、名鮒、字甲也、【考證】孔子世家云、子愼生鮒、年五十七、爲陳王涉博士、死於陳下、陳涉起匹夫、驅瓦合適戍、【索隱】上音丁革反、【正義】言如衆瓦全聚蓋屋、先無計謀也、旬月以王楚。不滿半歲、竟滅亡。其事至微淺。然而縉紳先生之徒、負孔子禮器、往委質爲臣者、何也。以秦焚其業、積怨而發憤于陳王也。【考證】鹽鐵論褒賢篇云、大夫曰、戍卒陳勝、釋輓輅、首爲叛逆、自立張楚、素非有回由處士之行、宰相列臣之位也、奮於大澤、不過旬月、而齊魯儒墨縉紳之徒、肆其長衣、長衣官之也、負孔氏之禮器詩書、委質爲臣、孔甲爲涉博士、卒俱死陳、爲天下大笑、深藏高逝者、固若是也、文學曰、周室衰、禮義壞、不能統理天下、諸侯交爭、相滅亡、幷爲六國、兵革不休、民不得事息、秦以虎狼之心、蠶食諸侯、幷吞戰國、以爲郡縣、伐能矜功、自以爲過堯舜、而羞與之同、棄仁義而尙刑罰、以爲今時不師於文而決於武、趙高治獄於內、蒙恬用兵於外、百姓愁苦、同心而患秦、陳王赫然、奮爪牙爲天下首事、道雖凶、而儒墨或干之者、以爲無王久矣、道擁遏不得行、自孔子以至于玆、而秦復重禁之、故發憤於陳王也、此蓋敷演

史文也、毀學篇亦引司馬子言云、天下穰穰爲利往、此貨殖傳中語、則知史記之書、昭宣間、既行於世矣、及高皇帝誅項籍、擧兵圍魯。魯中諸儒、尙講誦習禮樂、弦歌之音不絕。豈非聖人之遺化、好禮樂之國哉。【考證】事又見項羽紀、故孔子在陳曰。歸與歸與。吾黨之小子、狂簡斐然成章、不知所以裁之。【考證】論語公冶長篇、夫齊・魯之閒於文學、自古以來其天性也。【考證】陳仁錫曰、閒、習也、故漢興、然後諸儒始得脩其經藝、講習大射鄉飮之禮。叔孫通作漢禮儀、因爲太常。【考證】漢書、太常作奉常、諸生弟子共定者、咸爲選首。於是喟然歎興於學。然尙有干戈、平定四海。【正義】顏云、陳豨、盧綰、韓信、黥布之徒、相次反叛征討也、孝惠・呂后時、亦未暇遑庠序之事也。【考證】漢書無暇字、暇遑二字連讀、公卿皆武力有功之臣。孝文時頗徵用。【正義】言孝文稍用文學之士居位、然孝文帝本好刑名

之言。及至孝景、不任儒者。而竇太后又好黃・老之術。故諸博士具官待問、未有進者。【正義】言具官備員而已、及今上卽位、趙綰・王臧之屬、明儒學、而上亦鄉之。【考證】今上卽武帝、趙綰爲御史大夫、王臧爲郎中令、皆學于申公、申公之學、出於浮邱伯、浮邱伯、荀卿門人、於是招方正賢良文學之士。【考證】漢書武紀、建元元年、冬十月、詔丞相、御史、列侯、中二千石、二千石、諸侯相、擧賢良方正直言極諫之士、丞相綰奏、所擧賢良或治申商韓非蘇秦張儀之言、亂國政、請皆罷、奏可、注、綰、衞綰也、自是之後、言詩、於魯則申培公、【集解】徐廣曰、一作陪、韋昭曰、培、申公名、音扶尤反、【索隱】徐廣云、培一作陪、音裴、韋昭曰、培、申公之名、音浮、鄒氏音普來反也、於齊則轅固生、【正義】申轅、姓、培固、名、公生、其處號也、【考證】正義處字衍、漢書顏注無、於燕則韓太傅。【索隱】韓嬰也、爲常山王太傅也、【正義】名嬰、言尙書、自濟南伏生。【索隱】按張華云、名勝、漢紀云、字子賤、言禮、自魯高堂生。【索隱】謝承云、秦氏季代、有魯人高堂伯、則伯是其字、云生者、自漢已來、儒者皆號生、亦先生省字呼之耳、【考證】生、索隱是、言易、自菑川田生。言春秋、於齊・魯自胡毋生、【索隱】毋音無、胡毋、姓、字子都、於趙自董仲

舒。【正義】漢藝文志、事爲春秋、言爲尙書、帝王靡不同之、仲尼思存前聖之業、以魯周公之國、禮文備物、史官有法、故與左丘明觀其史記、據行事、仍人道、因興以立功、就敗以成罰、假日月以定歷數、藉朝聘以正禮樂、有所褒諱貶損、不可書見、口授弟子、弟子退而異言、丘明恐弟子各安其意、以失其眞、故論本事而作傳、明夫子不以空言說經也、所貶損大人有權威、皆形於傳、是以隱其書而不宣、所以免時難也、末代口說流行、故有公羊穀梁鄒夾之傳、七錄曰、漢興有公羊穀梁竝立國學、左氏始出乎張蒼家、本無傳之者、建武中鄒夾氏皆滅絕、自漢末稍貴左氏、服虔杜預二注、與公羊穀梁俱立國學、按左丘明、魯史也、夾音頰也、【考證】錢大昕曰、仲舒、廣川人、而稱趙者、廣川故趙也、公孫弘、菑川人、而云齊人、朱買臣、會稽人、而云楚士、亦此類、及竇太后崩、武安侯田蚡爲丞相、【考證】建元六年、絀黃・老刑名百家之言、延文學儒者數百人。【考證】漢書、數百人作以百數、洪頤煊曰、陳平傳、治黃帝老子之術、田叔傳、學黃老術於樂鉅公、張歐傳、孝文時以治刑名事太子、鼂錯傳、學申商刑名於軹張生所、與雒陽宋孟及劉帶同師、田蚡傳、學盤盂諸書、韓安國傳、受韓子雜說鄒田生所、主父偃傳、學長短縱橫術、張湯傳、王朝齊人、以術至右內史、邊通學短長、皆漢初雜學、而公孫弘以春秋白衣爲天子三公。【集解】徐廣曰、一云、自齊爲天子三公、封以平津侯。天下之學士、靡然鄉風矣。公孫弘爲學官、悼道之鬱滯。乃請曰。丞相御史言。

【正義】自此以下、皆弘奏請之辭、制曰。蓋聞導民以禮、風之以樂。【考證】顏師古曰、風、化也、婚姻者、居室之大倫也。【考證】漢書元朔五年武紀、無婚姻以下八字、今禮廢樂崩。朕甚愍焉。故詳延天下方正博聞之士、咸登諸朝。【考證】顏師古曰、詳、悉也、愚按、漢書方下無正博二字、蓋脫文、其令禮官勸學講議、洽聞興禮、以爲天下先。【考證】議、讀爲義、漢書武紀儒林傳、聞下有舉遺二字、太常議與博士弟子、崇鄉里之化、以廣賢材焉。【考證】漢書武紀儒林傳、廣作厲、據下文崇化厲賢語、作厲爲是、顏師古曰、自此目上、弘所引詔文、謹與太常臧・博士平等議。【集解】臧、漢書百官表、孔臧也、【考證】周壽昌曰、文選兩都賦李注引孔臧集曰、臧、仲尼之後、少以才博知名、稍遷御史大夫、辭曰、臣代以經學爲家、請爲太常、專修學業、武帝遂用之、曰。聞三代之道、鄉里有教。夏曰校、【正義】校、教也、可教道藝也、殷曰序、【正義】序、舒也、言舒禮教、周曰庠。【正義】庠、詳也、言詳審經典、【考證】孟子滕文公篇、設爲庠序學校以教之、庠者養也、校者教也、序者射也、夏曰校、殷曰序、周曰庠、學則三代共之、楓山本、作殷曰庠、周曰序、與漢書合、其勸善也、顯之朝廷。其懲惡也、加之

刑罰。故教化之行也、建首善、自京師始、由內及外。今陛下昭至德、開大明、配天地、本人倫、勸學脩禮、崇化厲賢、以風四方。太平之原也。古者政教未洽、不備其禮。請因舊官而興焉。爲博士官置弟子五十人、復其身。太常擇民年十八已上儀狀端正者、補博士弟子。郡國縣道邑、有好文學、敬長上、肅政教、順鄉里、出入不悖所聞者、令・相・長・丞、上屬所二千石。【索隱】上、時兩反、屬、音燭、屬、委也、所二千石、謂於所部之郡守相、【正義】言好文學敬順、出入不乖所聞者也、令、縣令、相、侯相、長、縣長、丞、縣丞也、【考證】齊召南曰、縣有蠻夷曰道、列侯公主所食曰邑、謂屬於郡或國之縣、及道與邑也、漢書、縣道作縣官、非是、陳仁錫曰、出入不悖所聞者七字爲一句、中井積德曰、所聞、謂所學、王鳴盛曰、大縣稱令、小縣稱長、侯國之相如令長、王之相如太守、同名而實異、顏師古曰、二千石、謂郡守及諸王相也、王先謙曰、屬所與在所義同、自二千石下言之、則曰所屬、自令相長丞上言之、則曰屬所、二千石謹察可者、當與計偕詣太常。【索隱】計、計吏也、偕、俱也、謂令與計吏俱詣太常也、【考證】索隱本、漢書、當作常、與

計偕詣太常者、指上文好文學者而言、得受業如弟子。一歲皆輒試。【考證】漢書、試作課、非是、能通一藝以上、補文學掌故缺。【正義】掌故有缺而補之、其高弟可以爲郎中者、太常籍奏。【正義】籍奏、爲名籍而奏之、卽有秀才異等、輒以名聞。其不事學若下材、及不能通一藝、輒罷之。而請諸不稱者罰。【考證】沈欽韓曰、當是兼坐舉主也、通考四十云、諸不稱者、謂太常之謬選、博士之失教、及郡國之濫以充賦也、功臣表、山陽侯張當居坐爲太常擇博士弟子、故不以實、完爲城旦、則其罰可知、臣謹案詔書律令下者、【正義】下者、謂班行、【考證】王先謙曰、謂平時所班行者、不蒙上文、明天人分際、通古今之義、文章爾雅、訓辭深厚、恩施甚美。【索隱】謂詔書文章雅正、訓辭深厚也、小吏淺聞、不能究宣。無以明布諭下。治禮次治掌故、以文學禮義爲官、遷留滯。【集解】徐廣曰、一云、次治禮學掌故、【正義】言留滯者改遷之、【考證】漢書、治禮上有以字、無次治二字、中井積德曰、次治二字衍、愚按、漢書以字衍、治禮掌故、二官名、漢書平當傳、當少爲大行治禮丞、兒寬傳、以射策爲掌故者此也、言治禮掌故二官、以文學禮義爲職、其遷徙常多留滯、若選擇其中、以

補左右內史大行及郡太守之卒史、不獨開選用之路、亦得使郡國小吏、究宣詔書律令、又按、治禮以下十六字、文義晦窒、王懋竑白田草堂存稿卷三、沈欽韓漢書疏證卷三十三、李慈銘孟學齋日記甲集下、皆有辯、參看、請選擇其秩比二百石以上、及吏百石通一藝以上、補左右內史大行卒史、【正義】案左右內史、後改爲左馮翊、右扶風、大行、後改爲大鴻臚、亦補其卒史也、比百石已下、補郡太守卒史、皆各二人、邊郡一人。先用誦多者、【考證】王先謙曰、以上言它途選補之法、若不足、乃擇掌故、補中二千石屬、【索隱】蘇林曰、屬、亦曹吏、今縣官文書解云、屬某甲、文學掌故、補郡屬備員。【索隱】如淳云、漢儀、弟子射策甲科百人、補郎中、乙科二百人、補太子舍人、皆秩比二百石、次郡國文學、秩百石也、【正義】備員者、示以升擢之、非籍其實用也、【考證】錢大昕曰、平津本意、以詔書爾雅深厚、非俗吏所解、故選文學掌故補卒史、所謂以儒術緣飾吏事也、安得云不藉其實用乎、備員、蓋蒙上不足之文、謂如有不足、當以文學掌故充之、毋使缺額耳、中二千石屬、卽謂內史大行卒史、郡屬、卽謂郡卒史、請著功令。【考證】顏師古曰、新立此條、請以著於功令、佗如律令。【考證】顏師古曰、此外竝如舊律令、制曰。可。自此以來、則公卿大夫士吏、斌斌多文學之士矣。

【考證】斌斌、漢書作彬彬、文章貌、王鳴盛曰、子長於封禪平準等書、匈奴大宛等傳、直筆無隱、至儒林傳、則力表武帝之能尊儒、又田蚡公孫弘本傳及他傳、惡之殊甚、而儒林傳則言蚡爲相、始絀黃老刑名百家之言、而延儒者、弘以春秋白衣爲三公、而天下學士靡然鄉風、皆是深許之、且詳載弘請置博士弟子等奏、制曰可、而結之曰、自此以來、則公卿大夫士吏、斌斌多文學之士矣、其歸功於武帝君臣如此、此篇多是頌揚、可謂不以人廢言、惡而知其美也、班氏所云、不虛美、不隱惡、良信、而先黃老、後六經、非子長本意明矣、

申公者、魯人也。高祖過魯。申公以弟子從師、入見高祖于魯南宮。【索隱】按漢書云、申公少與楚元王俱事齊人浮丘伯受詩、【正義】括地志云、泮宮在兗州曲阜縣西南二百里魯城內宮之內、鄭云、泮之言半也、其制半於天子之壁雍、【考證】申公、上文所謂申公培、中井積德曰、傳明言南宮、何用泮宮之解、呂太后時、申公游學長安、與劉郢同師。【索隱】案漢書云、呂太后時浮丘伯在長安、申公與元王郢客俱卒學也、已而郢爲楚王。令申公傅其太子戊。【集解】徐廣曰、楚元王劉交、以文帝元年薨、子夷王郢立、四歲薨、子戊立、郢以呂后二年封上邳侯、文帝元年、立爲楚王、戊不好學、疾申公。及王郢卒、戊立爲楚王、胥靡申公。【集解】徐廣曰、腐刑、【考證】晉灼曰、胥、相也、靡、隨也、顏師古曰、聯繫使相隨而服役之、故謂胥靡、猶今之役囚徒以鎖聯綴耳、徐孚遠曰、胥靡、徒隸之屬、非腐刑也、申公恥之、歸魯、退

居家教。終身不出門。復謝絕賓客。獨王命召之、乃往。【集解】徐廣曰、魯恭王也、弟子自遠方至、受業者百餘人。申公獨以詩經爲訓以教。無傳。疑疑者則闕不傳。【索隱】謂申公不作詩傳、但教授、有疑則闕耳、【考證】漢書、百餘人作千餘人、傳下無疑字、此衍、齊召南曰、下文言申公弟子爲博士者十餘人、大夫郎掌故以百數、則作千餘人是也、梁玉繩曰、謂申公不作詩傳、但教授也、而世有申公詩說、豈不妄哉、蓋與子貢詩傳、皆明鄞人豐坊僞撰、蘭陵王臧、既受詩、以事孝景帝、爲太子少傅、免去。今上初即位。臧迺上書宿衛。上累遷、一歲中爲郎中令。【考證】漢書、衛下無上字、此衍、及代趙綰亦嘗受詩申公。綰爲御史大夫。綰·臧請天子、欲立明堂以朝諸侯。不能就其事。乃言師申公。於是天子使使束帛加璧、安車駟馬、迎申公。【考證】漢書云、以蒲裹輪、弟子二人、乘軺傳從。【集解】徐廣曰、馬車、至、見天子。天子問治亂之事。申公時已八十餘。老。對

曰。爲治者不在多言、顧力行何如耳。【考證】張文虎曰、中統、王、柯、凌本、在作至、是時天子方好文詞。見申公對、默然。然已招致。則以爲太中大夫、舍魯邸、議明堂事。太皇竇太后好老子言、不說儒術。得趙綰·王臧之過以讓上。上因廢明堂事、盡下趙綰·王臧吏。【考證】漢書、讓上下、有曰此欲復爲新垣平也九字、事下無盡字、後皆自殺。申公亦疾免以歸。數年卒。弟子爲博士者十餘人。孔安國至臨淮太守。【集解】徐廣曰、孔鮒之弟子襄、爲惠帝博士、遷爲長沙太傅、生忠、忠生武及安國、安國爲博士臨淮太守、周霸至膠西內史。【考證】周霸、疑羽紀贊周生、圖封禪事、見封禪書、夏寬至城陽內史。碭魯賜至東海太守。蘭陵繆生至長沙內史。【索隱】繆、音亾救反、繆氏出蘭陵、一音穆、所謂穆生、爲楚元王所禮也、【考證】中井積德曰、置醴之穆生、是申公之同門、非弟子、註謬、或是穆生之子、徐偃爲膠西中尉。【考證】徐偃論封禪祠器、見封禪書、鄒人闕門慶忌爲膠東內史。【集解】漢書音義曰、姓闕門、名慶忌、

其治官民、皆有廉節、稱其好學。學官弟子、行雖不備、而至於大夫郎中掌故、以百數。【考證】顧炎武曰、謂不必皆有行誼、而多顯官、言詩雖殊、多本於申公。【正義】言詩、於魯則申培公、於齊則轅固生、於燕則韓太傅、申公爲詩訓詁、而齊轅固、燕韓生、皆爲之傳、或取采雜說、咸非其本義、與不得已、三家皆列於學官、又有毛公之學、自爲子夏所傳、七錄云、毛公詩傳、後鄭玄箋之、諸儒各爲注解、其齊詩久亡、魯詩亡於西晉、韓詩雖有、無傳之者、毛氏鄭氏獨立國學也、清河王太傅轅固生者、齊人也。以治詩、孝景時爲博士。與黃生爭論景帝前。【考證】史公自序云、太史公習道論於黃子、黃生學黃老、黃老之學、祖述黃帝、不憲章湯武、黃生曰。湯·武非受命。乃弒也。轅固生曰。不然。夫桀·紂虐亂、天下之心、皆歸湯·武。湯·武與天下之心而誅桀·紂。桀·紂之民、不爲之使、而歸湯·武。湯·武不得已而立。非受命爲何。黃生曰。冠雖敝、必加於首。履雖新、必關於足。【考證】漢書、關作貫、通用、顏師古曰、語見太公六韜也、愚按御覽六百九十七引六韜云、崇侯虎曰、冠雖弊、禮加於首、履雖新、法以

踐地、韓非子外儲說、費仲曰、冠雖穿弊、必戴之於頭、履雖五采、必踐之于足、文殊意同、 何者、上下之分也。今桀·紂雖失道、然君上也。湯·武雖聖、臣下也。夫主有失行、臣下不能正言匡過、以尊天子、反因過而誅之、代立踐南面、非弑而何也。轅固生曰、必若所云、是高帝代秦、卽天子之位、非邪。[考證]楓山、三條本、必若所云、作必若君所云、 於是景帝曰、食肉不食馬肝、不爲不知味。言學者無言湯·武受命、不爲愚。[正義]論衡云、氣熱而毒盛、故食馬肝殺人、又盛夏馬行多渴死、殺氣爲毒也、言凡談論不說湯武放殺、亦得爲談論、猶如食肉不食馬肝、未爲不知味、[考證]顏師古曰、馬肝有毒、食之憙殺人、幸得無食、言湯武爲殺、是背經義、故以爲喻也、劉敞曰、知味者不必須食馬肝、言學者不必須論湯武、此欲令學者皆置之耳、愚按、倉公傳、齊淳于司馬案我之王家食馬肝、蓋異味也、劉說得之、 遂罷。是後學者莫敢明受命放殺者。竇太后好老子書。召轅固生問老子書。固曰、此是家人言耳。[索隱]此家人言耳、服虔云、如家人言也、案老子道德篇、近而觀之、理國理身而已、故言此家人之言也、[考證]漢

書無是字、藝文類聚引史記亦無、中井積德曰、家人謂庶人、言庶人理身家之術耳、不可施之邦國也、如索隱解、太后何以怒、兪正燮曰、宮中名家人者、蓋宮人無位號、如言宮女子宮婢、司空城旦書、謂其時公羊學慘刻過申商、而託名儒者、家人言本意、謂仁弱似嫗語、而家人又適爲宮中無位號者、劉敬列傳云、高帝不遣長公主、而取家人子、名爲長公主、是也、外戚世家云、竇太后始以良家子入宮侍呂后、呂后出宮人賜諸王、竇姬籍代伍中、至代、是竇太后始爲家人子、故怒、怒其干犯、非僅以有仁弱之譏也、明神宗慈聖李太后生也、光宗王妃生也、光宗未立時、李太后問故、神宗曰、彼都人子也、內廷呼宮人曰都人、太后亦由宮人進、遂大怒曰、汝亦都人子、神宗伏地不敢起、儲位由是定、明李太后惡聞都人、漢竇太后惡聞家人、其事同也、 太后怒曰、安得司空城旦書乎。[集解]徐廣曰、司空、主刑徒之官也、駰案漢書音義曰、道家以儒法爲急、比之於律令、[正義]虞喜志林云、道家之法、尚於無爲之敎、儒家動有所防、竇太后方之於律令、故言得司空城旦書也、[考證]沈欽韓曰、周禮役諸司空、漢以司空主罪、中井積德曰、司空掌邦土、故亦主刑徒之作役也、愚按、司空城旦書、罵儒書也、當時以經義斷獄、故云、言政刑之書、無所取也、 乃使固入圈刺豕。景帝知太后怒、而固直言無罪、乃假固利兵、下圈刺豕。正中其心。一刺、豕應手而倒。[考證]利兵、利刃也、 太后默然、無以復罪。罷之。居頃之、景帝以固爲廉直、拜爲淸河王太傅。[集解]徐廣

曰、哀王乘也、 久之、病免。今上初卽位、復以賢良徵固。諸諛儒多疾毀固曰、固老。罷歸之。時固已九十餘矣。固之徵也、薛人公孫弘亦徵。[集解]徐廣曰、薛縣在菑川、 側目而視固。[考證]漢書、視作事、顏師古曰、言深憚之、馮班曰、傳中兩言公孫弘側目轅固、排董仲舒、皆刺之也、 固曰、公孫子、務正學以言、無曲學以阿世。自是之後、齊言詩、皆本轅固生也。[考證]楓、三本、詩下有者字、 諸齊人以詩顯貴、皆固之弟子也。韓生者、燕人也。[集解]漢書曰、名嬰、 孝文帝時、爲博士。景帝時、爲常山王太傅。[集解]徐廣曰、憲王舜也、 韓生推詩之意、而爲內外傳數萬言。其語頗與齊·魯閒殊。然其歸一也。淮南賁生受之。[索隱]賁音肥、 自是之後、而燕·趙閒言詩者由韓生。韓生孫商爲今上博士。[考證]漢書藝文志云、韓故三十六卷、韓內傳四卷、韓外傳六卷、韓詩說四十一卷、今存韓詩外傳十卷、亦間有闕文脫簡、 伏生者、

濟南人也。[集解]張晏曰、伏生名勝、伏氏碑云、[考證]錢大昭曰、後漢伏湛傳云、九世祖勝、字子賤、所謂濟南伏生者也、 故爲秦博士。孝文帝時、欲求能治尚書者。天下無有。[考證]漢書、無欲字、 乃聞伏生能治、欲召之。是時伏生年九十餘。老不能行。於是乃詔太常、使掌故朝錯往受之。[正義]衞宏詔定古文尚書序云、徵之、老不能行、遣太常掌故朝錯往讀之、生年九十餘、不能正言教錯、齊人語、多與潁川異、錯所不知者、凡十二三、略以其意屬讀而已、[考證]漢書儒林傳顏師古注、引衞宏定古文尚書序、作伏生老不能正言、言不可曉也、使其女傳言教錯云云、劉台拱曰、伏女傳言、所謂受讀也、漢書音讀訓詁、學者以口相傳、周田觀文王之德、讀爲厥亂勸寧王之德、其一事也、鄭賈受周禮讀、馬融受漢書讀、東京猶然、馬鄭後就經爲注、口說絕矣、 秦時焚書。伏生壁藏之。其後兵大起流亡。漢定、伏生求其書、亡數十篇、獨得二十九篇。卽以敎于齊·魯之閒。[正義]孔子纂尚書、上斷於堯、下訖于秦、凡百篇、而爲之序、言其作意、秦燔書禁學、濟南伏生獨壁藏之、漢興、求得二十九篇、以敎齊魯之間、訖孝宣代、有歐陽大小夏侯氏、立於學官、七錄云、魯恭王時、壞孔子舊宅、得古文尚書、孔安國爲之傳、以隸古寫之、凡五十八篇、其餘錯亂磨滅、不可復知、至漢明帝竝傳、歐陽氏書獨擅一代、三家至西晉竝亡、今古文孫氏鄭玄注云、列於國學也、

〔考證〕王先謙曰、此藝文志所云經二十九篇也、今文本有泰誓、董仲舒司馬相如所引是也、馬鄭諸人以爲民間後得太誓者非、愚按正義所引七錄孫氏二字有誤、或云當作孔氏、學者由是頗能言尚書。諸山東大師、無不涉尚書以教矣。伏生教濟南張生及歐陽生。〔集解〕漢書曰、字和伯、千乘人、〔考證〕漢書藝文志云、尚書歐陽章句三十一卷、今亡、歐陽生教千乘兒寬。兒寬既通尚書、以文學應郡舉、詣博士受業。受業孔安國。兒寬貧無資用。常爲弟子都養。〔索隱〕謂倪寬家貧、爲弟子造食也、何休注公羊、灼烹爲養、案有廝養卒、廝、掌馬、養、造食、〔考證〕漢書倪寬傳、不重受業二字、顏師古曰、都、凡衆也、養、主給亨炊者也、及時時閒行傭賃、以給衣食。行常帶經。止息則誦習之。以試第次、補廷尉史。〔考證〕倪寬傳云、以射策爲掌故、次補廷尉文學卒史、愚按、文學卒史、主行文書、是時張湯方鄉學。以爲奏讞掾、以古法議決疑大獄、而愛幸寬。寬爲人溫良、有廉智自持。〔考證〕倪寬傳、自持作自將、顏師古曰、將、衞也、而善著書書奏。敏於文、口不能發明也。

湯以爲長者、數稱譽之。及湯爲御史大夫、以兒寬爲掾、薦之天子。天子見問說之。張湯死後六年、兒寬位至御史大夫。〔集解〕徐廣曰、元狩元年、〔考證〕集解元狩、當作元封、九年而以官卒。〔考證〕倪寬傳、作居位九歲、以官卒、王先謙曰、表作八年卒、案太初三年正月、延廣爲御史大夫、則八年是也、武紀、書寬卒於大初二年十二月、尤居位八年之確證、寬在三公位、以和良承意、從容得久。然無有所匡諫於官。官屬易之、不爲盡力。〔考證〕王念孫曰、從容者、從諛也、言承意從諛、故得久居其位也、汲黯傳、從諛承意、其證、顏師古曰、易、輕也、愚按於官之官、楓山本作朝、倪寬傳作上、張生亦爲博士。而伏生孫以治尚書徵。不能明也。自此之後、魯周霸·孔安國、雒陽賈嘉、頗能言尚書事。〔考證〕此謂周霸孔安國賈嘉三人通今文、下別敘孔氏有古文起自安國、漢書儒林傳、刪孔安國三字、失史遷原意、顏師古曰、嘉者賈誼之孫、孔氏有古文尚書。而安國以今文讀之、因以起其家。逸書得十餘篇。〔索隱〕案孔臧與安國書云、舊書潛于壁室、欻爾復出、古訓復申、唯聞尚書二十八篇、取象二十八

宿、何圖乃有百篇、卽知以今讐古、隸篆推科斗、以定五十九篇、得多十六篇、起者、謂起發以出也、〔考證〕何焯曰、起、起其家、似謂別起家法、王引之曰、當讀因以起其家爲句、逸書二字、連下讀、起、興起也、家、家法也、漢世尚書、多用今文、自孔氏治古文經、讀之說之、傳以教人、其後遂有古文家、是古文家法自孔氏興起也、漢書藝文志云、凡書九家、謂孔氏古文、伏生大傳、歐陽大小夏侯說、及劉向五行傳、許商五行傳記、逸周書、石渠議奏也、是古文尚書自爲一家之證、梁玉繩曰、孝景時、魯共王壞孔子宅、得古文尚書、其後孔安國得以讎二十九篇、多十六篇、亦稱二十四篇、蓋分出九共八篇數之、又分出伏生所合者五篇爲五十八篇、四十五卷、加序爲四十六卷、建武之際亡武成、止五十七篇、魏晉時己不行、惟祕府有之、永嘉之亂、祕府書亦亡、至元帝時、豫章內史汝南梅賾、忽奏上古文尚書、增多二十五篇、卽今所讀者、于是眞僞相雜、今古混編、此吳澄所以作書纂言也、孔序及傳皆僞作、且安國未嘗獻書、荀紀于成帝三年云、武帝時、孔安國家獻之、會巫蠱事、未列于學官、漢書藝文志、楚元王傳、缺家字、直以爲安國獻之、則史稱安國早卒、何能及天漢後巫蠱事起時乎、若夫藏書之人、東觀漢紀及漢紀、尹敏云、孔鮒、隋志及史通、古今正史篇釋文云、孔惠、家語云、孔騰、是安國祖子襄、疑子襄近之、余參稽而撮其概如此、其詳則有尚書疏證及後辨在、蓋尚書滋多於是矣。諸學者多言禮。而魯高堂生最。本禮固自孔子時。而其經不具。及至秦焚書、書散亡益多。於今獨有士禮。高堂生能言之。〔正義〕謝丞云、秦代有魯人高堂伯人也、藝文志云、

易曰、有夫婦父子君臣上下、禮義有所錯、而帝王質文、世有損益、至周曲爲之防、事爲之制、故曰、禮經三百、威儀三千、及周衰、諸侯將踰法度、惡其害己、皆滅去其籍、自孔子時而不具、至秦大壞、漢興、魯高堂生、士禮十七篇、訖孝宣代、后蒼最明、戴德戴聖慶普皆其弟子、三家立於學官、七錄云、自後漢諸儒多小戴訓、卽今禮記是也、後又作曲臺記、而慶氏傳之竝亡、大戴立於國學、又古經出魯淹中、皆書周宗伯所掌五禮威儀之事、有五十六篇、無敢傳者、後博士傳其書、得十七篇、鄭玄注、今之儀禮是也、餘篇皆亡、周官六篇、周代所理天下之書也、鄭玄注、今二經立於國學、案禮經、周禮也、威儀、儀禮也、〔考證〕梁玉繩曰、漢書志傳、皆言高堂生傳士禮十七篇、卽儀禮也、而今書若燕禮大射聘禮公食大夫覲禮五篇、皆諸侯之禮、喪服一篇、總包天子已下之服制、則所云士禮者十一篇耳、疑今儀禮非高堂元本、或所傳、實不止于士禮耶、而魯徐生善爲容。〔索隱〕漢書作頌、亦音容也、〔正義〕言善爲容儀、〔考證〕沈欽韓曰、新書卷六、有容經、此爲容者所誦習也、禮玉藻少儀、亦有說容、知其有名家也、孝文帝時、徐生以容爲禮官大夫。傳子、至孫徐延·徐襄。襄其天姿善爲容。不能通禮經。延頗能、未善也。襄以容爲漢禮官大夫、至廣陵內史。延及徐氏弟子公戶滿意·〔索隱〕公戶姓、滿意名也、案鄒展云、二人姓字、非也、桓生·單次、〔索隱〕上音善、單姓、次名也、〔考證〕沈欽韓曰、劉歆移太常書所謂魯國桓公也、〔考證〕錢大昕曰、公羊傳有公扈氏、公戶、疑卽公扈也、

皆常爲漢禮官大夫。【考證】楓山本、常作嘗、 而瑕丘蕭奮以禮爲淮陽太守。【集解】徐廣曰、瑕丘屬山陽也、 是後能言禮爲容者、由徐氏焉。自魯商瞿受易孔子、【索隱】案商姓、瞿名、字子木、瞿音劬、 孔子卒、商瞿傳易六世、至齊人田何字子莊。【索隱】案漢書云、商瞿授東魯橋庇子庸、子庸授江東馯臂子弓、子弓授燕周醜子家、子家授東武孫虞子乘、仲尼弟子傳作淳于人光羽子乘、不同也、子乘授田何子裝、是六代孫也、【考證】漢書儒林傳云、及秦禁學、易爲筮卜之書、獨不禁、故傳受者不絕也、崔適曰、瞿少孔子二十九歲、是生於魯昭公十九年、至漢高九年、徙齊田氏關中、計三百二十六年、是師弟之年、皆相去五十四五、師必踰七十而傳經、弟子皆十餘歲而受業、乃能幾及、其可信耶、 而漢興、田何傳東武人王同子仲。【考證】漢書儒林傳、田何下補以齊田徙杜陵、號杜田生十字、子仲下補雒陽周王孫丁寬齊服生皆著易傳數篇十六字、子仲作子中、藝文志云、易傳王氏二篇、名同、 子仲傳菑川人楊何。【索隱】案田何傳東武王同、同傳菑川楊何、【考證】漢書云、楊何字叔元、史公自序云、太史公受易於楊何、太史公卽司馬談、 何以易元光元年徵、官至中大夫。【考證】漢書作太中大夫、誤、 齊人卽墨成、以易至城陽相。【正義】卽墨、姓、成、名、 廣川人孟

但、以易爲太子門大夫。魯人周霸、【考證】周霸言尙書、見上文、與議封禪、見封禪書、以議郎在軍、見衞將軍傳、官至膠西內史、 莒人衡胡、【集解】徐廣曰、莒、一作呂、 臨菑人主父偃、皆以易至二千石。然要言易者、本於楊何之家。【考證】漢書、楊何作田何、 董仲舒、廣川人也。以治春秋、孝景時爲博士。下帷講誦。弟子傳以久次相受業。或莫見其面。【考證】顏師古曰、言新學者、但就其舊弟子受業、不必親見仲舒、 蓋三年、董仲舒不觀於舍園。其精如此。【考證】漢書董仲舒傳、作蓋三年不窺園、顏師古曰、雖有園圃、不窺視之、言專門也、 進退容止、非禮不行。學士皆師尊之。今上卽位、爲江都相。【索隱】案仲舒事易王、王、武帝兄也、【考證】漢書董仲舒傳、載武帝賢良策問、及仲舒對策、仲舒傳、不可缺此事、 以春秋災異之變、推陰陽所以錯行、故求雨、閉諸陽、縱諸陰。其止雨、反是。【考證】顏師古曰、謂若閉南門、禁擧火、及開北門、水灑之類、是也、錢大昭曰、求雨止雨之法、詳見春秋繁露、 行之一國。未

嘗不得所欲。中廢爲中大夫。居舍、著災異之記。是時遼東高廟災。主父偃疾之、取其書、奏之天子。【集解】徐廣曰、建元六年、【索隱】案漢書以爲遼東高廟、及長陵園殿災也、仲舒爲災異記、草而未奏、主父偃竊而奏之、【考證】梁玉繩曰、高廟災、何以主父偃疾仲舒、其事欠明、漢書董仲舒傳、以爲遼東高廟長陵高園殿災、仲舒居家推說其意、草稾未上、主父偃候仲舒、私見嫉之、竊其書奏焉、而五行志直以爲仲舒對、誤已、漢志載其奏、不免阿詞曲說、起天子誅殘骨肉之心、何以爲醇儒、其弟子斥以下愚、宜也、余疑主父偃竊易奏之、不然、何以與削地分封之議、徙豪茂陵之言、如出一口乎、愚按、據漢書武紀、高廟高園災、在建元六年、時仲舒未爲江都相、漢書董傳、易是時爲先是、錢大昕曰、按主父偃傳、元光元年、西入關、而高廟高園災、乃在建元六年、計其年月、似不相應、王先謙曰、災在建元六年、仲舒草稾未上、其後偃竊奏之、非一時事也、 天子召諸生示其書。有刺譏。董仲舒弟子呂步舒、不知其師書、以爲下愚。【集解】徐廣曰、一作荼、亦音舒、【考證】步舒事見下文、又見漢五行志、沈欽韓曰、鹽鐵論孝養篇、呂步舒弄口而見戮、 於是下董仲舒吏。當死。詔赦之。於是董仲舒竟不敢復言災異。董仲舒爲人廉直。是時方外攘四夷。公孫弘治春秋不如董仲舒。【考證】何焯

曰、弘傳、少爲獄吏、年四十餘、乃學春秋雜說、 而弘希世用事、位至公卿。董仲舒以弘爲從諛。弘疾之、乃言上曰、獨董仲舒可使相膠西王。膠西王素聞董仲舒有行、亦善待之。【考證】五宗世家云、膠西于王端、孝景皇子、爲人賊戾、相二千石、往者、奉漢法以治、端輒求其罪告之、從王治、則漢繩以法、故膠西小國、而所殺傷二千石甚衆、梁玉繩曰、不言膠西之難相、則董之可相不明、弘疾之下、宜補曰、膠西王上兄也、尤縱恣數害吏二千石、 董仲舒恐久獲罪、疾免居家、至卒、終不治產業。以脩學著書爲事。【正義】漢書云、仲舒上疏條教、凡百二十三篇、而說春秋事得失、有聞擧玉杯繁露淸明竹林之屬、數十篇、七錄云、春秋繁露十七卷、春秋斷獄五卷、 故漢興至于五世之閒、唯董仲舒名爲明於春秋。其傳公羊氏也。【考證】史公受公羊春秋於仲舒、故其言如此、 胡毋生、齊人也。【集解】漢書曰、字子都、 孝景時爲博士。以老歸教授。【考證】楓、三本、授下有齊字、 齊之言春秋者、多受胡毋生。公孫弘亦頗受焉。瑕丘江生、爲穀梁春秋。自公孫弘得用、嘗集比

其義、卒用董仲舒。仲舒弟子遂者、蘭陵褚大・廣川殷忠・溫呂步舒。集解徐廣曰、殷一作段、又作瑕也。考證顏師古曰、遂、謂名位成達者、梁玉繩曰、徐廣言殷一作段、是、漢書藝文志、易有京氏段嘉、而儒林傳譌殷嘉、酷吏傳有段仲、而史譌殷中、後書馮異傳有段建、注作殷、隋志及經典序錄、有段肅、注穀梁、史通古今正史篇、言續史記者也、而後書班固傳譌殷肅、可以互證、中忠、古通、詳別雅、褚大至梁相、步舒至長史、持節使決淮南獄。於諸侯擅專斷不報、以春秋之義正之。考證以淮南爲諸侯擅專斷不報也、報、如孟子勿有封而不告之告、天子皆以爲是。弟子通者、至於命大夫、爲郎謁者掌故者、以百數。考證凌稚隆曰、通一作遂、與通同、謂名位成達者、而董仲舒子及孫、皆以學至大官。

索隱述贊孔氏之衰、經書緒亂、言諸六學、始自炎漢、著令立官、四方扼腕、曲臺壞壁、書禮之冠、傳易言詩、雲蒸霧散、與化致理、鴻猷克贊、

儒林列傳第六十一　史記一百二十一

史記會注考證卷一百二十二

漢　太　史　令　司　馬　遷　撰
宋中郎外兵曹參軍裴　駰集解
唐國子博士弘文館學士司馬貞索隱
唐諸王侍讀率府長史張守節正義
日　本　出　雲　瀧　川　資　言　考　證

酷吏列傳第六十二　史記一百二十二

【考證】史公自序云、民倍本多巧、奸軌弄法、善人不能化、唯一切嚴削、爲能齊之、作酷吏列傳第六十二、王鳴盛曰、酷吏傳論稱十人、蓋郅都、甯成、周陽由、趙禹、張湯、義縱、王溫舒、尹齊、減宣、杜周也、而其敘首中又帶敘侯封、鼂錯二人、共十二人、鼂錯雖刻深、究以文學進、子長不忍抑之與刀筆吏、及攻剽爲羣盜、椎埋爲姦者伍、故只用帶敘、侯封則於敘首中已明目之爲酷吏矣、而不數者、子長意以酷吏惟郅都當景帝時、餘皆盛於武帝之世、侯、高后時人、故略而不數、於都傳中特提云、是時民朴、畏罪、則固無所事重法矣、而都獨先嚴酷云云者、深著都實首惡、以爲世戒也、次敘甯成周陽由、皆從景帝入武帝者、而又特提云、武帝即位、吏治尚循謹甚、然由居二千石中最爲暴酷、末又結之云、自成由後、事益多、民巧法、大抵吏之治類成由等矣、見酷吏多而吏治壞、在武帝世也、又次趙禹而言、禹晚節吏愈嚴、而禹治反名爲平、其用意如此、後又詳述盜賊滋起、官事秏廢、皆由酷吏所致、乃又云、慘酷斯稱其位、一似自相矛盾者、紓其詞耳、又曰、十二人中、得免禍良死者、僅趙禹、尹齊、杜周三人而已、棄市者五人、自殺者三人、髡鉗者一人、陳仁錫曰、敘酷吏十人、錯綜聯絡、如甯成傳附郅都事、張湯傳附趙禹事、義縱傳附甯成事、楊僕傳附溫舒事、總成一篇文字、奇絕、愚按、酷吏傳元是一篇、各本每段提行、故陳氏有是言、今復史公之舊、

孔子曰。導之以政、齊之以刑、民免而無恥。【集解】孔安國曰、免、苟免也、　導之以德、齊之以禮、有恥且格。【集解】何晏曰、格、正也、【正義】顏云、論語載孔子之言也、格、至也、言御以政刑、則人思苟免、不恥於惡、化以德禮、則下知愧辱、而至於治也、【考證】論語爲政篇、　老氏稱。上德不德、是以有德。下德不失德、是以無德。法令滋章、盜賊多有。【正義】顏云、老子道德經之言也、上德體合自然、是以有德、下德務於修建、更以喪之也、法令繁滋、則巧詐益起、故多盜賊、【考證】老子三十八章、　太史公曰。信哉是言也。法令者治之具、而非制治清濁之源也。昔天下之網嘗密矣。【索隱】昔天下之罔嘗密矣、案鹽鐵論云、秦法密於凝脂、　然姦僞萌起、其極也上下相遁、至於不振。【正義】顏云、遁、避也、言吏避於君、民避於吏、至乎喪敗不可振救、【考證】賈誼過秦論、姦僞竝起、而上下相遁、　當是之時、吏治若救火揚沸。【索隱】言本弊不除、則其末難止、【正義】言網密令峻、姦僞極生、至于君臣相遁、若救猛火、及揚盛沸之湯、言難止也、　非武健嚴酷、惡能勝其任而愉快乎。言道德者、溺其職矣。【正義】顏云、溺、謂沈滯不舉也、言敗亂之時、武健嚴酷、纔能薄快耳、若以道德治、則沒溺沈滯於政也、【考證】漢書酷吏傳、愉作媮、愉媮通、顏師古曰、媮、苟且也、　故曰。聽訟、吾猶人也。必也使無訟乎。【正義】顏云、論語載孔子之言也、言使我聽獄訟、猶凡人耳、然而立政行德、則使其絕於爭訟也、【考證】論語顏淵篇、　下士聞道大笑之。【考證】老子四十一章、　非虛言也。【考證】董份曰、前以孔子老氏發端、故又以聽訟二語、復明其說、此太史公照應處、文字之易見者也、　漢興、破觚而爲圜、【集解】漢書音義曰、觚、方、【索隱】應劭云、觚、八稜有隅者、高祖反秦之政、破觚爲圜、謂除其嚴法約三章耳、【考證】中井積德曰、觚、謂其稜角、不泥其六八可也、　斲雕而爲朴、【索隱】應劭云、削琱爲樸也、晉灼云、凋、弊也、斲理凋弊之俗、使反質樸、【考證】雕、謂刻鏤也、朴、無飾也、破觚二句、言反自然、　網漏於吞舟之魚。【正義】法令疏、　而吏治烝烝、不至於姦、黎民艾安。【正義】蒸蒸、謂純一、【考證】烝烝、美厚也、書堯典、克諧以孝、烝烝乂不格姦、顏師古曰、黎、庶也、艾讀曰乂、乂、治也、　由是觀之、在彼不在此。【集解】韋昭曰、在道德、不在嚴酷、　高后時、酷吏獨有侯封。刻轢宗室、侵辱功臣。呂氏已敗、遂禽侯封之家。【考證】顏師古云、轢、謂陵踐也、音來的反、愚按、侯封未審其人、禽、殺也、漢書作夷、　孝景時、鼂錯以刻深、頗用術輔其資。而七國之亂、發怒於錯。錯卒以被戮。【考證】顏師古曰、資、材也、王愼中曰、錯非酷吏比也、特借言刻者之不可爲耳、　其後有郅都·寧成之屬。郅都者、楊人也。【集解】徐廣曰、屬河東、【索隱】郅、音質、漢書云、河東大陽人、【正義】括地志云、故楊城、本秦時楊國、漢楊縣城也、今晉州洪洞縣也、至隋爲楊、唐初改爲洪洞、以故洪洞鎭爲名也、秦及漢皆屬河東郡、郅都墓在洪洞縣東、

南二十里、漢書云、郅都、河東大陽人、班固失之甚也、大陽、今陝州河北縣、是亦屬河東郡也、 以郎事孝文帝。孝景時、都爲中郎將、敢直諫面折大臣於朝。嘗從入上林。賈姬如廁。野彘卒入廁。索隱 案姬生趙王彭祖也、考證 漢書、無卒字、卒、猝也、 上目都。都不行。上欲自持兵救賈姬。都伏上前曰。亡一姬、復一姬進。天下所少、寧賈姬等乎。陛下縱自輕、柰宗廟太后何。上還。彘亦去。太后聞之、賜都金百斤。由此重郅都。濟南瞯氏宗人三百餘家、豪猾、二千石莫能制。集解 漢書音義曰、瞯、音閑、小兒癇病也、索隱 荀悅音閑、鄒氏劉氏、音竝同也、 於是景帝乃拜都爲濟南太守。至則族滅瞯氏首惡。餘皆股栗。集解 徐廣曰、髀[illegible]戰搖也、正義 栗、懼也、考證 漢書、族滅作誅、何焯曰、僅誅首惡、法之正也、族滅、此都所以爲酷耳、錢大昕曰、據漢表、都自濟南太守遷中尉、在景帝前七年、而郡守更稱太守、乃在景帝中二年、則其時不得稱太守也、太字衍、漢書無太字、 居歲餘、郡中不拾遺。旁十餘郡守、畏都如大府。

考證 顏師古曰、言猶如統屬之也、愚按下文云、不可以居大府、 都爲人、勇有氣力。公廉不發私書。問遺無所受、請寄無所聽。常自稱曰。已倍親而仕。身固當奉職死節官下。終不顧妻子矣。郅都遷爲中尉。丞相條侯至貴倨也。而都揖丞相。考證 條侯、周亞夫、倨、倨傲、揖、揖而已、不拜也、 是時民朴、畏罪自重。而都獨先嚴酷。致行法不避貴戚。列侯宗室、見都側目而視。號曰蒼鷹。考證 致、猶極也、陳仁錫云、太史公叙酷吏、首郅都曰、獨先嚴酷、次寧成則曰、治效郅都、次溫舒則曰、治酷於禹、次義縱則曰、治放郅都、次尹齊則曰、聲甚於寧成、次楊僕則曰、治放尹齊、次杜周則曰、治與宣相放、曰治大放張湯、曰酷甚於溫舒、節節血脈聯絡回顧、 臨江王徵詣中尉府對簿。考證 顏師古曰、蒼鷹、言其摯擊之甚、臨江王、景帝太子榮、廢王臨江、事詳五宗世家、顏師古曰、簿者、獄辭之文書也、 臨江王欲得刀筆爲書謝上。而都禁吏不予。正義 古者無紙筆、用刀削木、爲筆簡牘而書之、考證 沈欽韓曰、恐其告言他事也、 魏其侯使人以閒與臨江王。考證 魏其侯、竇嬰、顏師古曰、閒與、伺閒隙而私與也、 臨江王既

爲書謝上、因自殺。竇太后聞之、怒以危法中都。索隱 案中如字、謂以法中傷之、正義 以危忍之法中射於都、令有罪也、考證 顏師古曰、謂構成其罪也、 都免歸家。考證 公卿表、景帝前七年爲中尉、三年免、 孝景帝乃使使持節拜都爲鴈門太守、而便道之官、得以便宜從事。正義 言從家便往鴈門上官、不令至朝廷謝、考證 漢書、持節作卽、顏師古曰、卽、就家拜、李笠曰、此班馬別裁、 匈奴素聞郅都節。居邊爲引兵去。竟郅都死、不近鴈門。考證 漢書、居作擧、 匈奴至爲偶人象郅都、索隱 漢書、作寓人象、案寓卽偶也、謂刻木偶類人形也、一云、寄人形於木也、考證 今本漢書作偶、寓偶、古同聲通用、 令騎馳射。莫能中。見憚如此。匈奴患之。竇太后乃竟中都以漢法。考證 漢書、無竇太后竟四字、何焯曰、漢書去四字、似都爲匈奴所閒矣、沈欽韓曰、遷書在前、疑得其實、荀悅漢紀云、匈奴中以法、太后以臨江王之死也、怨之、遂斬都、荀紀全據班書抄撮、故爲潤飾、愚按史文自通、竟字承上文以危法中都、漢字對匈奴而言、 景帝曰。都、忠臣。欲釋之。竇太后曰。臨江王獨非忠臣邪。於是遂斬郅都。寧成者、穰人也。集解 徐廣

曰、寧一作甯、穰、屬南陽、 以郎謁者事景帝。好氣、爲人小吏、必陵其長吏、爲人上、操下如束溼薪。集解 徐廣曰、一無此字、駰案韋昭曰、言急也、索隱 操、音七刀反、操、執也、考證 漢書亦無薪字、顏師古曰、溼物則易束、 滑賊任威。考證 漢書、滑作猾、 稍遷至濟南都尉。正義 百官表云、都尉、秦官、掌佐守典武職甲卒、秩比二千石、有丞、秩皆六百石、景帝中二年、更名都尉、若周之司馬、 而郅都爲守。始前數都尉、皆步入府、因吏謁守如縣令。其畏郅都如此。索隱 數、音所注反、 及成往、直陵都出其上。都素聞其聲。於是善遇、與結驩。久之郅都死。後長安左右宗室、多暴犯法。考證 顏師古曰、長安左右、京邑之中也、 於是上召寧成爲中尉。正義 百官表云、中尉、秦官、掌徼循京師、武帝太初元年、更名執金吾、顏云、金吾、鳥名也、主辟不祥、天子出行、職主先道、以禦非常、故執此鳥之象、因以名官、考證 公卿表、景帝中六年、 其治效郅都。其廉弗如。然宗室豪桀、皆人人惴恐。正義 惴、之瑞反、怖懼、考證 皆人人、漢書作人皆、 武帝卽位、徙爲內史。考證 武帝當作今上、下同、 外戚多毀

成之短、抵罪髡鉗。是時九卿罪死即死。少被刑。而成極刑。自以爲不復收。【考證】漢書、罪死即死、作死即死、極刑作刑極、錢大昭曰、文帝深納賈誼之言、養臣下有節、是後大臣有罪皆自殺、至武帝時、稍復入獄、自寧成始、周壽昌曰、刑極、即謂被髡鉗、如淳曰、不復收、以被重刑、將不復見收用也、於是解脫、詐刻傳出關歸家。【索隱】上音紀買反、下音他活反、謂脫鉗鈦、【考證】顏師古曰、傳、所以出關之符也、稱曰。仕不至二千石、賈不至千萬、安可比人乎。乃貰貸【索隱】上音食夜反、貰、賒也、又音勢、下音天得反、買陂田千餘頃、假貧民、役使數千家。【正義】假貧民、言假借貧民、力營而分其利也、數年會赦。致產數千金。爲任俠、持吏長短、出從數十騎。其使民威重於郡守。【考證】寧成後事、在義縱條下、御覽使作役、周陽由者、其父趙兼、以淮南王舅父侯周陽。故因姓周陽氏。【集解】徐廣曰、侯五年、孝文六年國除、【正義】周陽故城、在絳州聞縣東二十九里、【考證】漢書舅下無父字、中井積德曰、厲王之母、趙兼之姉、父字衍、錢大昭曰、由、嘉定人、見淮南王傳、由以宗家任爲郎、【索隱】案與國家有外戚姻屬、比於宗室、故曰宗家也、【考證】中井

積德曰、由、是周陽之支子、用周陽侯之保任爲官也、周陽即失侯、其家未必絕矣、事孝文及景帝。景帝時、由爲郡守。武帝即位、吏治尚循謹甚。然由居二千石中、最爲暴酷驕恣。所愛者、撓法活之、所憎者、曲法誅滅之。【考證】漢書、撓作橈、所居郡必夷其豪。爲守、視都尉如令、爲都尉、必陵太守、奪之治。與汲黯俱爲忮。【集解】漢書音義曰、堅忮也、【考證】漢書、無與字俱字、忮、害也、很也、司馬安之文惡。【集解】漢書音義曰、以文法傷害人、【考證】汲黯傳云、黯姑姉子司馬安、文深巧善宦、俱在二千石列、同車未嘗敢均茵伏。【集解】徐廣曰、漢書、作馮、伏者軾、【索隱】案均、等也、茵、車蓐也、伏、車軾也、言二人與由同載一車、尚不敢與之均茵軾也、謂下之也、漢書、伏作憑也、【考證】言周由驕恣、而獨畏汲黯司馬安、同車、常下之也、茵、車中所藉也、伏字或作軾、以皮覆軾、在前、人所馮者、故又曰馮、由後爲河東都尉時、與其守勝屠公爭權、相告言罪。勝屠公當抵罪。義不受刑。自殺。而由弃市。【索隱】風俗通云、勝屠、即申屠、自寧成・周陽由之後、事益多、民巧法。大

抵吏之治、類多成・由等矣。趙禹者斄人、【集解】徐廣曰、屬扶風、音台、【索隱】音胎、斄縣屬扶風、【正義】音胎、故斄城、在雍武功縣西南二十二里、古部國、后稷所封、漢斄縣也、以佐史補中都官、【索隱】案謂京師諸官府吏、【正義】若京都府史、用廉爲令史、事太尉亞夫。亞夫爲丞相。禹爲丞相史。府中皆稱其廉平。然亞夫弗任曰。極知禹無害。【索隱】蘇林云、言若無比也、蓋云其公平也、【考證】無害、文無害、能通曉法令、無所凝滯也、解詳蕭相國世家、然文深、不可以居大府。【集解】漢書音義曰、禹持文法深刻、今上時、禹以刀筆吏積勞、稍遷爲御史。上以爲能、至太中大夫、與張湯論定諸律令、【集解】徐廣曰、論一作編、作見知・吏傳得相監司。【正義】謂見罪、知有罪、皆須舉之、【考證】漢書、傳下無得字、是也、見知、吏傳相監司、皆律令之名、史記平準書云、張湯爲廷尉、見知之法生、而廢格沮誹窮治之獄用矣、漢書刑法志云、孝武招進張湯趙禹之屬、條定法令、作見知故縱監臨部主之法、鹽鐵論刺復篇云、憯急之臣進、而見知廢格之法起、即是事也、見知一事、吏見知其罪不舉也、秦始皇三十四年紀云、吏不舉者與同罪、此法秦時有之、吏傳相監司一事、傳讀爲轉、司讀爲伺、何焯曰、謂互相監察也、沈欽韓曰、謂所部屬吏有罪、坐其長上也、愚按、屬吏有罪、長

上坐之、長上有罪、屬吏坐之、用法益刻、蓋自此始。張湯者杜人也。【集解】徐廣曰、爾時未爲陵、【考證】漢書張湯傳、杜下有陵字、故徐廣云爾、其父爲長安丞。出。湯爲兒守舍。還。而鼠盜肉。其父怒笞湯。【考證】藝文類聚引史、還字在父下、文順、湯掘窟、得盜鼠及餘肉。劾鼠掠治、傳爰書、訊鞫論報。【集解】蘇林曰、謂傳囚也、爰、易也、以此書易其辭處、鞫、窮也、張晏曰、傳考證驗也、爰書、自證不如此言、反受其罪、訊考三日、復問之、知與前辭同不也、鞫、一吏爲讀狀、論其報行也、【索隱】韋昭云、爰換也、古者重刑、嫌有愛惡、故移換獄書、使他官考實之、故曰傳爰書也、【考證】傳、有數說、張晏云、傳、考證驗也、是一說、顏師古云、傳、謂傳逮、若今之追逮赴對也、是一說、錢大昕云、傳當作傅、傅音附、謂附於爰書也、張文虎云、錢說是、傳者附比之義、猶今比某律以定罪也、是一說、劉奉世云、傳者傳囚辭也、是一說、劉說近是、爰書、自證不如此言、反受其罪、訊考三日、復問之、是一說、韋昭云、爰換也、古者重刑、嫌有愛憎、故移換獄書、使他官考實之、故曰傳爰書也、是一說、劉奉世云、爰書者、趙高作爰歷、教學隸書、時獄吏書體、蓋用此、故從俗呼爲爰書也、是一說、蘇林云、爰易也、以此書易其辭、顏師古云、爰換也、以文書換其口辭也、是亦一說、蘇顏近是、王先謙曰、傳爰書者、傳囚辭而著之文書也、蓋此數者皆見之文辭、劾一也、爰書二也、論報三也、三事具而獄成矣、掠治乃有爰書、訊鞫然後論上、故下言父視其文辭也、中井積德曰、說文、報、當罪人也、論報是一事、并取鼠與肉、具獄磔堂下。【集解】鄧展曰、罪備具、

考證 具獄、猶言具成案、其父見之、視其文辭、如老獄吏。大驚、遂使書獄。集解 如淳曰、決獄之書、謂律令也、考證 使書獄辭、練習其事也、父死後、湯爲長安吏、久之。周陽侯始爲諸卿時、集解 徐廣曰、田勝也、武帝母王太后之同母弟也、武帝始立、而封爲周陽侯、正義 按周陽前封趙兼、國除、今封田勝也、考證 王啓原曰、田勝爲卿、百官表闕、蓋在景帝後元之末、嘗繫長安。湯傾身爲之。集解 韋昭曰、爲之先後、考證 韋說是、漢書、爲之作事之、及出爲侯、大與湯交、偏見湯貴人。湯給事內史、爲寧成掾。以湯爲無害、言大府。調爲茂陵尉、治方中。集解 漢書音義曰、方中、陵上土作方也、湯主治之、蘇林曰、天子即位豫作陵、諱之、故言方中、如淳曰、大府、幕府也、茂陵尉、主作陵之尉也、韋昭曰、太府、公府、正義 服虔曰、藏壙中長皆有丞尉、中用地一頃餘、又冢墓記云、築成城、然後錯石帶白沙及炭、考證 調、選也、茂陵、武帝壽陵、漢天子即位、一年而爲陵、顏師古曰、大府、丞相府也、中井積德曰、指丞相御史之等、又曰、方陵穴也、陵穴蓋鑿地正方、故謂穴爲方耳、治方中、監穴中營作也、愚按正義有訛脫、武安侯爲丞相。徵湯爲史。時薦言之。天子補御史、使案事。考證 武安侯田蚡、周陽侯之兄、建武六年、爲丞相、漢書張湯傳、御史作侍御史、治陳皇后蠱獄。

深竟黨與。考證 漢書武紀、元光五年、皇后陳氏廢、捕爲巫蠱者皆梟首、漢傳、蠱上有巫字、於是上以爲能、稍遷至太中大夫、與趙禹共定諸律令。務在深文。拘守職之吏。集解 蘇林曰、拘刻於守職之吏、考證 王闓運曰、言以文法律令拘守職之吏、使不得出入、李楨曰、按刑法志、湯禹條定律令、作見知故縱監臨部主之法、緩深故之罪、急縱出之誅、所以深文拘吏者如此、已而趙禹遷爲中尉、徙爲少府。而張湯爲廷尉。兩人交驩、而兄事禹。禹爲人廉倨。爲吏以來、舍毋食客。公卿相造請禹。禹終不報謝。務在絕知友賓客之請。孤立行一意而已。見文法輒取、亦不覆案、求官屬陰罪。考證 方苞曰、言見獄辭與文法應、輒取之、而不覆按其事、以求官屬陰惡也、湯爲人多詐、舞智以御之。集解 韋昭曰、制御人、始爲小吏乾沒。集解 徐廣曰、隨勢沈浮也、駰案、服虔曰、射成敗也、如淳曰、得利爲乾、失利爲沒、索隱 如淳曰、得利爲乾、失利爲沒、正義 此二說非也、按乾沒、謂無潤及之而取他人也、又云、陽浮慕爲乾、心內不合爲沒也、考證 顧炎武曰、乾沒、大抵是徼幸取利之意、洪頤煊曰、乾沒、即幹末二字之借、言所幹末務、即所謂逐什一之利也、晉書潘岳傳、其

母數誚讓之曰、爾當知足、而乾沒不已乎、三國志傅嘏傳、豈敢傾根竭本、寄命洪流、以徼乾沒乎、皆其義、愚按、乾、乾燥之乾、音干、以物投水曰沒、出之於水爲乾、出入財物、以逐什二之利也、不必讀爲幹末、又按、張文虎札記云、乾沒、猶言陸沈、謂陰取其利、李笠訂補云、言湯爲小吏沈溺下僚、猶無水而沒也、故云乾沒、下云及列九卿收接天下名士、言其顯揚、對此乾沒而言也、併記備考、與長安富賈田甲・魚翁叔之屬交私、集解 徐廣曰、姓魚也、正義 謂貸便財物也、及列九卿、收接天下名士大夫、已心內雖不合、然陽浮慕之。是時上方鄉文學。湯決大獄、欲傅古義、索隱 傅音附、乃請博士弟子治尚書春秋、補廷尉史、亭疑法。集解 李奇曰、亭、平也、均也、索隱 廷史、廷尉之吏也、亭、平也、使之平疑事也、考證 王先謙曰、用兒寬、是其一證、愚按、董仲舒春秋繁露郊事對一篇、對張湯承制問郊事者、又按漢書張湯傳、亭上有平字、奏讞疑事、必豫先爲上分別其原。上所是、受而著讞決法廷尉、絜令揚主之明。集解 韋昭曰、絜、在板絜、正義 按謂律令也、古以板書之、言上所是、著之爲正獄、以廷尉法令決平之、揚主之明監也、考證 漢書張湯傳、讞下無決字、絜作挈、顏師古曰、著、謂明書之也、挈、獄訟之要也、書於讞法、挈令、以爲後令式也、絜音口計反、揚主之明、言此自天子之意、非由臣下有司、王先謙曰、言上

所允行者、則受而書之於板、著其上請之事、爲定法、復舉此令、以宣布上美、杜周傳云、後主所是、疏爲令也、挈、舉也、奏事即譴、湯應謝、鄉上意所便、必引正監掾史賢者。集解 徐廣曰、應一作權、正義 百官表云、廷尉、秦官、有正左右監、皆秩千石也、按上即責、湯應對謝之如上意、必引正監等賢者、本爲臣建議如上意、臣不用、愚昧不從、至此也、曰。固爲臣議、如上責臣。臣弗用。愚抵於此。集解 蘇林曰、主坐不用諸掾語、故至於此、罪常釋。聞即奏事上善之、曰。臣非知爲此奏、乃正監掾史某爲之。其欲薦吏揚人之善、集解 徐廣曰、詔荅聞也、如今制曰聞矣、駰案、瓚曰、謂常見原、考證 聞、當從漢書作問、罪常釋、句、問即奏事、句、瓚說亦以罪常釋爲句、王闓運曰、問即奏事、猶言有時奏事、蔽人之過如此。考證 漢書、蔽作解、所治、即上意所欲罪、予監史深禍者。即上意所欲釋、與監史輕平者。所治即豪、必舞文巧詆。即下戶羸弱、時口言。雖文致法、上財察。集解 李奇曰、先見上口言之、欲與輕平也、正義 顏云、言下戶羸弱、湯欲佐助、雖文奏之、又口奏言、雖律令之文、合致此罪、聽上裁察、蓋爲此文冀恩宥也、於是上得湯此言、往往釋其人罪、非未奏之前、口豫言也、財讀曰裁、古字少故也、考證 漢書、

財作裁、於是往往釋湯所言。【集解】李奇曰、湯口所先言、皆見原釋、【考證】李說未得、說見前文正義、湯至於大吏、內行脩也。通賓客飲食、【考證】漢書、也作交、於故人子弟爲吏、及貧昆弟、調護之尤厚。其造請諸公、不避寒暑。是以湯雖文深意忌不專平、然得此聲譽。【考證】胡三省曰、不專平、不專於持平、而刻深吏多爲爪牙用者。依於文學之士。丞相弘數稱其美。及治淮南·衡山·江都反獄、皆窮根本。嚴助及伍被、上欲釋之。湯爭曰。伍被本畫反謀、而助親幸、出入禁闥爪牙臣。乃交私諸侯如此。弗誅、後不可治。於是上可論之。【考證】顏師古曰、可湯所奏而論決之、其治獄、所排大臣自爲功、多此類。於是湯益尊任。遷爲御史大夫。【集解】徐廣曰、元狩二年、會渾邪等降、漢大興兵伐匈奴、山東水旱、貧民流徙、皆仰給縣官。

縣官空虛。於是丞上指、請造白金及五銖錢、籠天下鹽鐵、排富商大賈。【正義】天下有鹽鐵之處、皆籠合稅之、令利入官也、【考證】漢書、丞作承、同、出告緡令、鉏豪彊幷兼之家、【正義】緡、音岷、錢貫也、武帝伐四夷、國用不足、故稅民田宅船乘畜產奴婢等、皆平作錢數、每千錢一算、出一等、賈人倍之、若隱不稅、有告之、半與告人、餘半入官、謂緡、出此令、用鋤築豪強兼幷富商大賈之家也、一算百二十文也、【考證】中井積德曰、富商大家、屬鹽鐵、而豪強幷兼、屬告緡、自有條理、正義幷屬告緡者非、何焯曰、鹽鐵出於弘羊、告緡出於楊可、然非倚湯、不能取於天子、以酷虐助而成之、故惡皆歸之湯、張文虎曰、正義出字、當在一算上、而衍一等二字、然與平準書不合、當有脫誤、愚按正義謂下當有告字、舞文巧詆以輔法。湯每朝奏事、語國家用、日晏、天子忘食。丞相取充位。【集解】徐廣曰、時李蔡莊青翟爲丞相、天下事皆決於湯。百姓不安其生、騷動。縣官所興、未獲其利、姦吏並侵漁。【考證】並、音步浪反、旁緣爲姦也、愚按楓、三本、侵漁作侵薄、於是痛繩以罪。則自公卿以下、至於庶人、咸指湯。湯嘗病。天子至自視病。其隆貴如此。匈奴來請和親。羣臣議上前。博士狄山曰。和親便。上問其便。山曰。兵者凶器、未易數動。

高帝欲伐匈奴、大困平城。乃遂結和親。孝惠·高后時、天下安樂。及孝文帝欲事匈奴。北邊蕭然苦兵矣。【考證】顏師古曰、蕭然猶騷然、擾動之貌也、孝景時、吳·楚七國反。景帝往來兩宮閒、寒心者數月。【考證】漢書、兩宮作東宮、寒心上有天下二字、顏師古曰、往來東宮閒、謂諸謀於太后也、愚按改兩宮爲東宮、閒字不可解、天下亦與下文複、史記爲長、吳·楚已破、竟景帝不言兵。天下富實。【考證】顏師古曰、訖景帝之身、更不言征伐之事、今自陛下擧兵擊匈奴、中國以空虛、邊民大困貧。由此觀之、不如和親。上問湯。湯曰。此愚儒無知。狄山曰。臣固愚忠。若御史大夫湯、乃詐忠。若湯之治淮南·江都、以深文痛詆諸侯、別疏骨肉、使蕃臣不自安。臣固知湯之爲詐忠。【考證】張文虎曰、舊刻、蕃作藩、愚按漢書、亦作藩、於是上作色曰。

吾使生居一郡、能無使虜入盜乎。【考證】顏師古曰、博士之官、故呼爲生也、曰。不能。曰。居一縣。對曰。不能。復曰。居一障閒。【正義】障、謂塞上要險之處、別築城置吏士守之、以扞寇盜也、【考證】漢書、障作鄣、山自度辯窮、且下吏。曰。能。於是上遣山乘鄣。【考證】顏師古曰、乘、登也、登而守之、至月餘、匈奴斬山頭而去。自是以後、羣臣震慴。【正義】慴、懼也、湯之客田甲、雖賈人有賢操。始湯爲小吏時與錢通。【集解】徐廣曰、以利交、【考證】顏師古曰、爲小吏之時、與田甲爲錢財之交、愚按、與上文始爲小吏乾沒相應、以終田甲事、及湯爲大吏、甲所以責湯行義過失、亦有烈士風。湯爲御史大夫七歲敗。河東人李文、嘗與湯有卻。已而爲御史中丞。恚數從中文書、事有可以傷湯者、不能爲地。【考證】漢書、恚作薦、服虔曰、薦、藉也、文與湯有隙、已而爲御史中丞、藉己在內臺中、文書有可用傷湯者、因會致之、不爲能爲湯作道地、蘇林曰、薦、仍也、顏師古曰、薦數、義同、蘇說是也、數數在中、其有文書事可用傷湯者、不爲作道地也、薦、音在見反、數、音所角反、大雅雲漢之詩曰、饑饉薦臻、字亦如此、愚按、恚、當依漢書作薦、詩毛傳云、薦、重也、數、色主反、閱也、言李文在內臺中、每閱文書、欲求可中傷張湯者、使之無餘地也、劉奉世漢書刊誤引史記、恚數作悉數、亦通、湯有所愛史魯謁居、知湯不平、使人上蜚變、告文姦事。【考證】劉奉世曰、飛變、謂如飛語、無姓名上變者、故上問蹤跡安起、而湯云殆文故人也、事下湯。湯治論殺文。而湯心知謁居爲之。上問曰、言變事、蹤跡安起。湯詳驚曰、此殆文故人怨之。謁居病臥閭里主人。湯自往視疾、爲謁居摩足。趙國以治鑄爲業。王數訟鐵官事。湯常排趙王。趙王求湯陰事。謁居嘗案趙王。趙王怨之。并上書、告湯大臣也、史謁居有病、湯至爲摩足。疑與爲大姦。事下廷尉。謁居病死。事連其弟。弟繫導官。【集解】如淳曰、太官之別也、主酒、【考證】顏師古曰、導、擇也、以主擇米、故曰導官、事見百官表、時或以諸獄皆滿、故權寄在此署、繫之、非本獄所也、湯亦治他囚導官、見謁居弟。欲陰爲之、而詳不省。【考證】爲、猶助也、詳、佯、同、漢書作陽、省、視也、

謁居弟弗知、怨湯。使人上書告湯與謁居謀、共變告李文。事下減宣。宣嘗與湯有郤。及得此事、窮竟其事、未奏也。會人有盜發孝文園瘞錢。【集解】如淳曰、瘞埋錢於園陵以送死、【考證】沈欽韓曰、瘞錢、埋墓四隅、傳稱盜發者、卽是四隅所瘞、原不在冢藏中也、丞相青翟朝、與湯約俱謝、至前。湯念獨丞相以四時行園。當謝。湯無與也。不謝。【考證】冊府元龜五百八十七、唐舊制、每年四季之月、嘗遣使往諸陵起居、蓋沿漢制、後改二時巡陵、通典五十二、唐高宗以每年二時、太常卿少卿、分行二陵、事重人輕、乃詔三公行事、與漢丞相四時行園之制不異、丞相謝。上使御史案其事。湯欲致其文丞相見知。【集解】張晏曰、見知故縱、以其罪罪之、【考證】文、法也、見知、見上文、丞相患之。三長史皆害湯、欲陷之。【正義】百官表、丞相有兩長史、今此云三者、蓋權守置之、非正員也、【考證】三長史、朱買臣、王朝、邊通、始長史朱買臣、會稽人也。【正義】朱買臣、吳人也、此時蘇州爲會稽郡也、讀春秋。莊助使人言買臣。買臣以楚辭與助俱幸。侍中、爲太中大夫用事。而

湯乃爲小吏、跪伏使買臣等前。已而湯爲廷尉治淮南獄、排擠莊助。買臣固心望。【考證】望、怨也、及湯爲御史大夫、買臣以會稽守爲主爵都尉、列於九卿。數年坐法廢、守長史見湯。湯坐牀上、丞史遇買臣、弗爲禮。買臣楚士。【正義】周末越王句踐滅吳、楚威王滅越、吳越之地總屬楚、故謂朱買臣爲楚士、【考證】楓本、楚士作楚人、貨殖傳云、淮北沛陳汝南南郡、此西楚也、其俗剽輕易發怒、錢大昕曰、戰國時吳越皆并於楚、漢初承項羽之後、吳會稽皆項羽故地、故吳王濞傳云、上患吳會稽輕悍、又云、吳太子師傅、皆楚人輕悍、吳楚異名、其實一也、朱買臣吳人、而史稱楚士同此、深怨、常欲死之。【考證】張文虎曰、中統、游、毛本、常、他本譌嘗、愚按漢書朱買臣傳、亦作常、顏師古曰、致死以害之、中井積德曰、楚俗剽悍、故以稱怨之所以深也、王朝、齊人也。以術至右內史。【考證】錢大昕曰、公卿表、作王鼂、鼂與朝同、邊通學長短。【集解】漢書音義曰、長短術、興於六國時、行長入短、其語隱謬、用相激怒、【考證】劉向上戰國策云、舊號或曰短長、中井積德曰、言或長之、或短之、以騁其術也、剛暴彊人也。官再至濟南相。故皆居湯右。【考證】顏師古曰、言舊在湯上、已而失官、守長史、詘體於

湯。湯數行丞相事。知此三長史素貴、常淩折之。以故三長史合謀曰、始湯約與君謝。已而賣君。今欲劾君以宗廟事。此欲代君耳。【考證】君、斥青翟、吾知湯陰事。使吏捕案湯左田信等。【集解】漢書音義曰、左、證左也、【正義】言湯與田信爲左道之交、故言左田信等、【考證】左、音義爲長、田信賈人、蓋田甲之族、故下文云、賈人輒先知之、通鑑改作賈人田信、曰、湯且欲奏請、信輒先知之、居物致富、與湯分之。及他姦事。事辭頗聞。【考證】服虔曰、居、謂儲也、顏師古曰、聞、聞於天子也、上問湯曰、吾所爲、賈人輒先知之、益居其物。是類有以吾謀告之者。湯不謝。湯又詳驚曰、固宜有。減宣亦奏謁居等事。天子果以湯懷詐面欺、使使八輩簿責湯。【集解】蘇林曰、簿、音主簿之簿、悉責也、【考證】顏師古曰、以文簿一一責之、湯具自道無此。不服。於是上使趙禹責湯。禹至讓湯曰、君何不知分也。君所治夷滅者幾

何人矣。今人言君皆有狀。天子重致君獄、欲令君自爲計。何多以對簿爲。【考證】顏師古曰、重、猶難也、自爲計、言引決也、湯乃爲書謝曰。湯無尺寸功、起刀筆吏。陛下幸致爲三公。無以塞責。然謀陷湯罪者、三長史也。【考證】漢書、寸下有之字、致爲作致位、遂自殺。湯死。家產直不過五百金。皆所得奉賜、無他業。【考證】漢書、業作贏、昆弟諸子欲厚葬湯。湯母曰。湯爲天子大臣、被汙惡言而死。何厚葬乎。【考證】漢書、無汙字、載以牛車、有棺無椁。【考證】王先謙曰、欲令湯貧狀上聞、冀冤得白也、天子聞之曰。非此母不能生此子。乃盡案誅三長史。丞相青翟自殺。出田信。上惜湯、稍遷其子安世。趙禹中廢。已而爲廷尉。始條侯以爲禹賊深、弗任。及禹爲少府、比九卿。禹酷急。【考證】漢書酷吏傳、無比字禹字、通鑑武帝元鼎四年紀、禹酷急作爲酷急、胡三省曰、言以當時九卿同列者比之、

禹爲酷急也、愚按與史義殊、至晚節、事益多、吏務爲嚴峻、而禹治加緩、而名爲平。王溫舒等後起、治酷於禹。禹以老徙爲燕相數歲、亂悖有罪。免歸。【考證】周壽昌曰、亂悖、猶今俗言昏瞶、此老年疾也、後湯十餘年、以壽卒于家。義縱者、河東人也。爲少年時、嘗與張次公俱攻剽爲羣盜。【集解】徐廣曰、剽、音扶召反、【索隱】說文云、剽、刺也、一云、剽、劫、又音敷妙反、縱有姊姁、以醫幸王太后。【索隱】姁、李奇音吁、孟康音詡也、【考證】顏師古曰、王太后、武帝母、王太后問、有子兄弟爲官者乎。姊曰。有弟無行。不可。太后乃告上、拜義姁弟縱爲中郎、【集解】漢書音義曰、姁、音煦、縱姊名也、補上黨郡中令。【索隱】案謂補上黨郡中之令史、失其縣名、【考證】王念孫曰、篇內所稱郡名、凡一字者必加郡字、若兩字者則不加郡字、此文上黨下、不當有郡字、索隱本亦無、愚按漢書、有郡字、治敢行、少蘊藉。縣無逋事。【集解】漢書音義曰、敢行、暴政而少蘊藉也、【索隱】蘊、音慍、藉、音才夜反、張晏云、爲人無所避、故少所假借也、【考證】中井積德曰、敢行、謂其勇果也、未有暴政之意、顏師古曰、少溫籍、言無所含容也、逋、亡也、負也、舉爲

第一。遷爲長陵及長安令。直法行治、不避貴戚。以捕案太后外孫脩成君子仲、【索隱】案王太后之女、號脩成君、其子名仲、【考證】脩成君、太后未入內時所生、陳子龍曰、義縱以太后故得官、而即捕案太后私屬、此示公以結於人主、上以爲能。遷爲河內都尉。至則族滅其豪穰氏之屬。河內道不拾遺。而張次公亦爲郎、以勇悍從軍、敢深入。有功、爲岸頭侯。【集解】徐廣曰、受封五年、與淮南王女淩姦、及受財物國除、【考證】張次公事、附載衞將軍驃騎列傳後、寧成家居。上欲以爲郡守。御史大夫弘曰。臣居山東爲小吏時、寧成爲濟南都尉。其治如狼牧羊。成不可使治民。【考證】弘、公孫弘、上乃拜成爲關都尉。歲餘、關東吏隸郡國出入關者、【集解】漢書音義曰、隸、閱也、【考證】中井積德曰、吏受任郡國在關東者、時時詣京而經關、愚按漢書酷吏傳、關東吏隸郡國作關吏稅肄郡國、義異、集解混淆、號曰。寧見乳虎、無值寧成之怒。【考證】顏師古曰、猛獸產乳、養護其子、則搏噬過常、故以喻也、愚按漢書、值作直、義同、虎怒、韻、義縱自河

內遷爲南陽太守。聞寧成家居南陽。及縱至關、寧成側行送迎。然縱氣盛、弗爲禮。至郡、遂案寧氏、盡破碎其家。成坐有罪。及孔·暴之屬、皆犇亡。【集解】徐廣曰、孔暴、二姓大族、【考證】方苞曰、義縱守南陽、寧成奔亡、而其迹終焉、故敍列於此、南陽吏民、重足一迹、而平氏朱彊、杜衍杜周、爲縱牙爪之吏任用。【考證】顏師古曰、平氏、杜衍、二縣名、遷爲廷史。【考證】漢書、廷史作廷尉史、王先謙曰、王溫舒傳廷尉史、史記亦作廷史、則義同文省也、軍數出定襄。定襄吏民亂敗。於是徙縱爲定襄太守。縱至、掩定襄獄中重罪輕繫二百餘人、及賓客昆弟私入相視亦二百餘人。【考證】漢書、脫輕繫二字、縱一捕鞠曰。爲死罪解脫。【集解】漢書音義曰、一切皆捕之也、律、諸囚徒私解脫桎梏鉗赭、加罪一等、爲人解脫、與同罪、縱鞫相贍餉者二百人、爲解脫死罪、盡殺也、【考證】漢書、一捕鞠、作一切捕鞠、依注、史記亦有切字、今本脫、顏師古曰、鞠、窮也、謂窮治也、是日皆報、殺四百餘人。【正義】言奏請得報而殺之、又一本、報字作執、【考證】楓三本、報作執、陳仁錫曰、皆報、句、報、論決也、

罪之義、張湯傳、訊鞫論報、王溫舒傳、奏行不過二三日、得可事論報、諸報字皆同、徐鴻鈞曰、說文幸部、報、當罪人也、漢書胡建傳、辟報故不窮審、蘇林注、報、論也、報、治罪之義、張湯傳、訊鞫論報、王溫舒傳、奏行不過二三日、得可事論報、諸報字皆同、其後郡中不寒而栗。猾民佐吏爲治。【索隱】案謂豪猾之人、干豫吏政、故云佐吏爲理也、【考證】顏師古曰、百姓有素豪猾爲罪惡者、今畏縱之嚴、反爲吏耳目、助治公務以自效、是時趙禹·張湯以深刻爲九卿矣。然其治尚寬、輔法而行。而縱以鷹擊毛摯爲治。【集解】徐廣曰、鷙鳥將擊必張羽毛也、【考證】中井積德曰、毛、毛蟲也、指虎豹之類、摯以摯殺他獸而言、後會五銖錢白金起。【考證】楓、三本、會下有吏字、與漢書合、顏師古曰、吏、改也、民爲姦、京師尤甚。乃以縱爲右內史、王溫舒爲中尉。溫舒至惡。其所爲不先言縱、縱必以氣淩之、敗壞其功。【考證】王先謙曰、其溫舒弗先與言者、則縱必敗壞之、其治所誅殺甚多。然取爲小治、姦益不勝。直指始出矣。【正義】應劭曰、漢官云、御史中丞有繡衣直指、出討姦也、【考證】晉灼曰、取、音趣、直指、夏蘭之屬、見平準書、吏之治以斬殺縛束爲務、閻奉以惡用矣。【正義】閻奉以嚴惡之故而見任用、言時政尙急刻也、【考證】賢云、水衡閻奉朴擊

賣請、奉、元封元年、爲水衡都尉、縱廉。其治放郅都。上幸鼎湖、病久。已而卒起幸甘泉。【索隱】卒、音七忽反、【正義】鼎湖、今虢州胡城縣也、郊祀志云、黃帝采首山之銅、鑄鼎荊山之下、有龍垂髯、下接黃帝、后人名其處曰鼎湖、已、止愈也、卒、急也、【考證】顏師古曰、已、謂病愈也、言帝久病、既得愈而忽然卽幸甘泉、卒讀曰猝、道多不治。上怒曰、縱以我爲不復行此道乎。嗛之。【集解】徐廣曰、嗛、音銜、【正義】嗛、含恨也、至冬楊可方受告緡。【集解】韋昭曰、人有告言不出緡者、可方受之、【索隱】緡、錢貫也、漢氏有告緡令、楊可主之、謂緡錢出入、有不出算錢者、令得告之也、【考證】詳見平準書、縱以爲此亂民。部吏捕其爲可使者。【索隱】謂求楊可之使、【考證】王念孫曰、據索隱、捕當作求、疑後人依漢書改之、何焯曰、捕其爲可使者、以氣淩之、敗壞其功之智、非能爲民也、愚按何說是、下文所謂廢格沮事也、天子聞使杜式治。以爲廢格沮事。【集解】漢書音義曰、武帝使楊可主告緡、沒入其財物、縱捕爲可使者、此爲廢格詔書、沮已成之事、【索隱】應劭云、沮敗已成之事、格、音閣、【考證】杜式、人姓名、中井積德曰、民若出算、故匿其緡、故以多爲少、乃令告之也、沮、拒其事令不行也、非已成之謂、弃縱市。後一歲、張湯亦死。【考證】梁玉繩曰、一歲當作二歲、公卿表、義縱以元狩五年棄市、張湯以元鼎二年死也、王溫舒者、陽陵人也。【集解】徐廣曰、屬馮翊、少時椎埋爲姦。【集解】徐廣曰、椎殺人而埋之、或謂發冢、【考證】椎埋、或說是、已而試補縣亭長。數廢。【考證】漢書無補字、爲吏、以治獄至廷史、事張湯。【考證】漢書廷下有尉字、義同、遷爲御史、督盜賊。殺傷甚多。稍遷至廣平都尉。【考證】周壽昌曰、廣平爲郡、在武帝征和二年前、故有都尉、擇郡中豪敢任吏十餘人、以爲爪牙。皆把其陰重罪。【正義】言擇廣平中豪強敢行威人、卽任用爲吏、將爲爪牙、仍把未發大罪以防禦、【考證】豪敢、豪強勇敢、任、任用也、漢書、改任爲往、敢往連讀、其義亦通、而縱使督盜賊、快其意所欲得。此人雖有百罪、弗法。卽有避、因其事夷之、亦滅宗。【考證】漢書、因作回、無其事二字、顏師古曰、避回、謂不盡意捕擊也、義殊、以其故、齊·趙之郊、盜賊不敢近廣平。廣平聲爲道不拾遺。上聞、遷爲河內太守。素居廣平時、皆知河內豪姦之家。及往、九月而至令郡具私馬五十匹、爲驛自河內至長安。【正義】驛、傳也、以私馬相傳於境上、來往相傳、部吏如

居廣平時方略。捕郡中豪猾。郡中豪猾、相連坐千餘家。上書請大者至族、小者乃死、家盡沒入償臧。【考證】臧贓同、奏行不過二三日。得可、事論報。至流血十餘里。【考證】漢書、二三日作二日、顏師古曰、天子可其奏而論決之、殺人既多、故血流十餘里、陳仁錫曰、得可、句、王先謙曰、得奏可之事、則論報也、愚按得可陳說似是、或云、事字衍、河內皆怪其奏、以爲神速。盡十二月、郡中毋聲、毋敢夜行、野無犬吠之盜。其頗不得、失之旁郡國、黎來。【索隱】黎、音犁、犁、比也、【考證】張文虎曰、索隱本黎、各本作犁、淩引一本作追求、蓋依漢書改、愚按作追求、義長、會春。溫舒頓足歎曰、嗟乎、令冬月益展一月、足吾事矣。【考證】顏師古曰、立春之後、不復行刑、故云然、展、伸也、其好殺伐行威、不愛人如此。天子聞之、以爲能、遷爲中尉。【考證】王先謙曰、公卿表、在元狩四年、其治復放河內。徙諸名禍猾吏與從事。【集解】徐廣曰、有殘刻之名、【索隱】徙請名禍猾吏、案漢書作徒請召猜禍吏、服虔曰、徒、但也、猜、惡也、應劭曰、猜、疑也、取吏名爲好猜疑人作禍敗者而

使之、【考證】徒諸名禍猾吏、索隱本、作徒請名禍猾吏、漢書、作徒請召猜禍吏、王念孫曰、名、卽召字之譌、猜禍、皆猾之譌、徒諸、又徒請之譌、當作徒請召猾吏、上文云、滑民佐吏爲治、是也、河內則楊皆・麻戊、【集解】徐廣曰、一云、麻成、關中楊贛・成信等。【考證】此皆猾吏、義縱爲內史、憚未敢恣治。【考證】顏師古曰、言溫舒憚縱、不得恣其酷暴、及縱死、張湯敗後、徙爲廷尉。而尹齊爲中尉。【考證】王先謙曰、公卿表、元鼎三年、溫舒爲廷尉、一年復徙中尉、尹齊者、東郡茌平人、【索隱】茌、音仕疑反、以刀筆稍遷至御史、事張湯。張湯數稱以爲廉武、使督盜賊。所斬伐不避貴戚。【考證】漢書、武下衍帝字、遷爲關內都尉。聲甚於寧成。【考證】漢書、無內字、此衍、上以爲能、遷爲中尉。吏民益凋敝。尹齊木彊少文。【考證】漢書、尹作輕、顏師古曰、木、質也、言如木石之爲也、豪惡吏伏匿、而善吏不能爲治。【考證】顏師古曰、惡吏不肯爲用、獨善吏在、故不能治事也、以故事多廢。抵罪。上復徙溫舒爲中尉。而楊僕以嚴酷爲主爵都尉。楊僕者、宜陽人也。

以千夫爲吏。【集解】漢書音義曰、千夫、若五大夫、武帝軍用不足、令民出錢穀爲之、【考證】中井積德曰、千夫、元武功爵、後又以賞納錢穀者也、未詳楊僕以何路得之、河南守案舉以爲能。遷爲御史、使督盜賊關東。治放尹齊。以爲敢摯行。【考證】漢書、敢上無爲字、此誤衍、摯、鷙通、漢書、作擊、稍遷至主爵都尉、列九卿。天子以爲能。南越反。拜爲樓船將軍。有功封將梁侯。爲荀彘所縛。【集解】徐廣曰、受封四年、征朝鮮、還贖爲庶人、【索隱】案漢書云、與左將軍荀彘俱擊朝鮮、爲彘所縛、還免爲庶人、病死、【考證】楊僕事、又見南越東越朝鮮諸傳、居久之、病死。而溫舒復爲中尉。爲人少文、居廷惽惽不辯。至於中尉則心開。【索隱】惽、音昏、餘官則心意蒙蔽、職事不舉、【考證】漢書、廷作它、顏師古曰、言爲它官、張文虎曰、疑史誤、姚範曰、溫舒復爲中尉、接前尹齊條下復徙爲中尉句、督盜賊。素習關中俗、知豪惡吏。豪惡吏盡復爲用。爲方略、【考證】漢書、無督盜賊爲方略六字、張文虎曰、遊、王本、方誤萬、吏苛察盜賊惡少年、投缿購告言姦。【集解】徐廣曰、缿、音項、器名也、如今之投書函中、【索隱】器名、受投書之器、入不可出、三倉音胡江反、【正義】缿、受錢器也、古以瓦、

今以竹、按以此器受投書、置伯格長、以牧司姦盜賊。【集解】徐廣曰、一作落、古村落字亦作格、街陌屯落、皆設督長也、【索隱】伯音阡陌、格音村落、言阡陌村落、皆置長也、【考證】漢書、格作落、牧作收、無盜賊二字、王念孫曰、伯與陌同、故食貨志地理志、阡陌竝作仟伯、管子四時篇亦云、脩封疆正千伯、伯落長三字連讀、而顏師古云、置伯及邑落之長、則伯讀如字、且分伯與落長爲二、斯爲謬矣、王引之曰、牧作收誤、牧司相監察也、詳商君傳、溫舒爲人讇。善事有勢者。【考證】漢書、讇作諂、卽無勢者、視之如奴。有勢家、雖有姦如山、弗犯。無勢者、貴戚必侵辱。【考證】楓山本、貴戚上有雖字、與漢書合、舞文巧詆下戶之猾、以焄大豪。【集解】焄、音熏、下戶之中有姦猾之人、【索隱】以熏大豪、案熏、猶熏炙之、謂令案之、以熏逐大姦、【考證】漢書、詆作請、焄作動、董份曰、言以火熏逼也、今人于狐鼠穴、亦常火攻之、溫舒不能卽禽有勢之家、故巧詆下戶、而熏逼大豪、使之知懼耳、王念孫曰、焄、史記舊本蓋作動、動卽動之誤、漢書顏師古注、治下戶之狡猾者、用諷動大豪之家、愚按以焄爲熏、史義自通、不必依漢書改爲動、其治中尉如此。姦猾窮治、大抵盡靡爛獄中。行論無出者。【考證】靡讀爲糜、其爪牙吏、虎而冠。於是中尉部中中猾以下皆伏。有勢者、爲游聲譽、稱治。治

數歲、其吏多以權富。【考證】漢書、不重治字、權下有貴字、顏師古曰、爲權貴之家所擁佑、故積受取致富者也、與史義異、溫舒擊東越還。【集解】徐廣曰、元鼎六年、出會稽破東越、【考證】事見東越傳、議有不中意者。坐小法、抵罪免。【正義】不中天子意也、是時天子方欲作通天臺、而未有人。【正義】漢書、元封三年、三輔舊事云、起甘泉通天臺、高五十丈、溫舒請覆中尉脫卒、得數萬人作。【正義】中尉部中脫漏之卒、考校取之、【考證】中井積德曰、脫卒、蓋姦巧避役者、謂更卒也、上說、拜爲少府。徙爲右內史。【考證】王先謙曰、公卿表、元封二年、爲少府、四年、徙右內史、治如其故。姦邪少禁。坐法失官。復爲右輔、行中尉事。如故操。【考證】王先謙曰、公卿表、在元封六年、歲餘、會宛軍發。【集解】漢書音義曰、發兵伐大宛、詔徵豪吏。溫舒匿其吏華成。及人有變告溫舒受員騎錢他姦利事、罪至族。自殺。【正義】姚承云、置騎有員數、其時兩弟及兩婚家、亦各自坐他罪而族。光祿徐自爲曰。悲夫、夫古有三族。而王溫舒

罪至同時而五族乎。正義顏云、溫舒與弟同三族、而兩妻家各一、故為五也、考證漢書、祿下有勳字、溫舒死、家直累千金。後數歲、尹齊亦以淮陽都尉病死。家直不滿五十金。所誅滅淮陽甚多。及死仇家、欲燒其尸。尸亡去歸葬。集解徐廣曰、尹齊死、未及斂、恐怨家欲燒之、屍亦飛去、正義言妻將其尸亡逃而去、歸家葬、考證下尸字、漢書作妻、尸亡去歸葬、言其家人竊載尸而逃、託謂自飛去耳、漢書蓋以為誕而易之、梁玉繩曰、徐廣本風俗通神怪篇、以為尹齊尸飛去、論衡死偽篇、辯其妄、蓋亡去者、家人知仇家欲燒其尸、竊尸而逃爾、觀漢傳尸作妻、益明、日知錄廿七、亦依王充竊舉持亡之說、自溫舒等以惡為治、而郡守・都尉・諸侯二千石、欲為治者、其治大抵盡放溫舒。考證漢書、自溫舒等以惡為治而九字、作是時、都尉作尉、無其治二字、放作效、放下有王字、張文虎曰、吳校元板、無其治二字、上云欲為治者、則此二字贅、而吏民益輕犯法、盜賊滋起。正義言酷暴者多、故吏民不畏法、南陽有梅免・白政、楚有殷中・杜少、集解徐廣曰、殷一作假、人亦有姓假者也、漢書、白作百、殷作段、顏師古曰、梅・百皆姓也、齊有徐勃、燕・趙之閒、有堅盧・范生之屬。大羣至

數千人。考證沈欽韓曰、鹽鐵論大論篇云、往者應少伯正之屬、潰梁楚、昆盧徐穀之徒、亂齊趙、與此文稍異、擅自號、考證王先謙曰、自立名號也、攻城邑、取庫兵、釋死罪、縛辱郡太守・都尉、殺二千石、為檄告縣、趣具食。考證趣、促也、小羣盜以百數、掠鹵鄉里者、不可勝數也。考證漢書、無盜字、王念孫曰、盜字後人所加、蓋前既云盜賊滋起、故後但云大羣至數千人、小羣以百數、無庸更言盜也、於是天子始使御史中丞・丞相長史督之。考證督、察也、猶弗能禁也。乃使光祿大夫范昆・諸輔都尉、及故九卿張德等、衣繡衣、持節・虎符、發兵、以興擊。考證何焯曰、漢書、諸輔作諸部、百官表、有左右京都尉、屬中尉、當從史記、顏師古曰、以興擊、以軍興之法而討擊也、沈家本曰、漢百官表、九卿無張德、斬首、大部或至萬餘級。及以法誅通行飲食、坐連諸郡、甚者數千人。考證各本、通下無行字、今從楓本、漢書坐連諸郡、作坐相連郡、王先謙曰、漢書、連字句、史記、郡字句、王鳴盛曰、漢書尹賞傳云、守長安令、捕長安中輕薄少年惡子數百人、皆劾以為通行飲食羣盜、又元后傳、繡衣御史暴勝之等、奏殺二千石、誅千石以下、及通行飲食坐連及者、通飲食之義如此、後書陳寵

傳、寵子忠上疏曰、穿窬不禁、則致彊盜、彊盜不斷、則為攻盜、故亡逃之科、憲令所急、通行飲食、罪致大辟、注、通行飲食、猶今律云過致資給與同罪也、飲、音蔭、食、音寺、數歲乃頗得其渠率、散卒失亡、復聚黨阻山川者、往往而羣居、無可奈何。正義渠、大也、於是作沈命法。集解漢書音義曰、沈、藏匿也、命、亡逃也、索隱服虔云、沈匿不發覺之法、韋昭云、沈、沒也、考證應劭曰、沈、沒也、敢蔽匿盜賊者、沒其命也、沈欽韓曰、與之相連俱死也、曰。羣盜起不發覺、發覺而捕弗滿品者、二千石以下至小吏、主者皆死。正義品、程限也、言群盜起不發覺、及發覺不捕、並捕捉程限滿不獲者皆死也、考證漢書、捕弗滿品作弗捕滿品、顏師古曰、品、率也、以人數為率也、愚按顏說為長、其後小吏畏誅、雖有盜不敢發。恐不能得、坐課累府。府亦使其不言。正義縣有盜賊、府亦坐、府使縣不言上、故盜賊漸多、孟康曰、縣有盜賊、府亦并坐、使縣不言也、考證凌本、其下脫後字、岡白駒曰、課、程也、顏師古曰、府、郡府也、故盜賊寖多、上下相為匿、以文辭避法焉。集解徐廣曰、詐為虛文、言無盜賊也、考證梁玉繩曰、自溫舒等以惡為治、至以文辭避法焉一段、無端橫入、不成章法、乃漢書減宣傳尾之語、後人妄取入史、而又誤置于此也、蓋漢傳減宣已上、皆襲史元文、田廣明已下、孟堅自作、故以斯語結之、且徐勃等阻山攻城、天子

遣使者繡衣治盜、事在天漢元年、沈命法更在後、則非史公所撰益明矣、減宣者、楊人也。考證漢書、減作咸、顏師古曰、咸音減省之減、沈欽韓曰、急就篇、姓氏有減罷軍、彼注即引減宣、減咸通用、考工記輈人注、減亦為咸、一統志、楊縣故城在平陽府洪洞縣東南十五里、以佐史無害給事河東守府。衛將軍青使買馬河東。考證顏師古曰、將軍衛青充使、而於河東買馬也、見宣無害、言上。徵為大廄丞。官事辦。正義百官表云、大僕屬官、有大廄、各五丞一尉也、考證漢書、廄上脫大字、稍遷至御史及中丞。考證漢書、脫中字、使治主父偃。及治淮南反獄、所以微文深詆、殺者甚衆。稱為敢決疑。數廢數起、為御史及中丞者幾二十歲。王溫舒免中尉、而宣為左內史。考證漢書、免中尉作為中尉、歸有光曰、溫舒未嘗免、為字是、王先謙曰、據公卿表、溫舒免中尉、在元鼎六年、宣為左內史、在元封元年、其治米鹽。正義米鹽、謂細碎、考證韓非子說難篇、米鹽博辯、則以為多而交之、事大小皆關其手。自部署縣名曹實物。官吏令丞、不得擅搖。考證楓山本、實作寶、與漢書合、痛以重法繩之。居官數年、一切

郡中爲小治辦。然獨宣以小致大、能因力行之。難以爲經。【正義】難以爲經、言不可爲常法也、【考證】漢書、致作至、因作自、王念孫曰、因當作自、言獨宣能行之、而他人則不能、故曰、難以爲常也、 中廢爲右扶風。【考證】王先謙曰、據公卿表、元封六年、宣免、太初元年、爲右扶風、中廢不過數月、 坐怨成信、信亡藏上林中、宣使郿令格殺信、吏卒格信時、射中上林苑門、【集解】漢書曰、成信、宣吏、【正義】郿令、今岐州岐縣北、時屬右扶風、【考證】漢書、怨作怒、 宣下吏抵罪。以爲大逆、當族。自殺。而杜周任用。杜周者南陽杜衍人。【索隱】杜衍、地名也、【正義】杜氏譜云、字長孺、 義縱爲南陽守、以爲爪牙。【考證】漢書杜周傳、守上有太字、 舉爲廷尉史、事張湯。湯數言其無害。至御史。使案邊失亡。所論殺甚衆。【集解】文穎曰、邊卒多亡也、或曰、郡縣主守有所亡失也、【正義】謂邊郡被寇、失亡人畜財物甲卒多、故使按之、【考證】正義是、 奏事中上意。任用與減宣相編。更爲中丞十餘歲。其治與宣相放。【考證】漢書、無相編二字、其治與宣相放六字、楊愼曰、相編、卽相埒也、愚按編猶班也、顏師古曰、更、

互也、 然重遲、外寬內深次骨。【集解】李奇曰、其用罪深刻至骨、【索隱】次、至也、李奇曰、其用法刻至骨、【考證】漢書、然下有少言二字、依贊語以少言爲重文、此似奪少言二字、 宣爲左內史。周爲廷尉。【考證】王先謙曰、據公卿表、竝在元封間、 其治大放張湯、而善候伺。【正義】審察人主之意、【考證】漢書、大下有抵字、 上所欲擠者、因而陷之、上所欲釋者、久繫待問、而微見其冤狀。客有讓周曰。君爲天子決平。不循三尺法、專以人主意指爲獄。獄者固如是乎。【集解】漢書音義曰、以三尺竹簡書法律也、【考證】楓、三本、天子作天下、與漢書合、漢書朱博傳云、太守漢吏、奉三尺律令以從事耳、 周曰。三尺安出哉。前主所是、著爲律。後主所是、疏爲令。當時爲是。何古之法乎。【考證】顏師古曰、著、謂明表也、疏、謂分條也、愚按上文記張湯事云、上所是、受而著讞決法、杜周葢放張湯也、 至周爲廷尉、詔獄亦益多矣。二千石繫者、新故相因、不減百餘人。郡吏大府舉之廷尉、一歲至千餘章。【集解】如淳曰、郡吏、郡太守也、孟康曰、舉之廷尉、以章劾付廷尉治之、【正義】言周

爲廷尉、用法刻深、天子善之、郡吏太府有奏章、詔皆付周治之、故詔獄一歲至千餘章也、【考證】顏師古曰、舉、皆大府、丞相御史之府、言郡吏大府獄事、皆歸廷尉也、郭嵩燾曰、漢制、郡國秋冬遣無害吏、訊問諸囚、此言公府及郡國之獄、皆由廷尉鞫治、中井積德曰、郡吏、總稱郡守以下吏也、非指守一人、 章大者、連逮證案數百、小者數十人、遠者數千、近者數百里、會獄。【考證】楓山本、千下有里字、與漢書合、顏師古曰、會、獄往赴對也、 吏因責如章告劾。不服、以笞掠定之。【正義】服、卽以其罪狀推問、不服、卽以笞掠、猶今定服也、【考證】顏師古曰、如章告劾、皆令服罪、如所告劾之本章、 於是聞有逮、皆亡匿。獄久者、至更數赦。十有餘歲而相告言。【集解】張晏曰、詔書赦、或有不從此令、 大抵盡詆以不道以上。【索隱】案大氐、猶大都也、氐音至、 廷尉及中都官詔獄、逮至六七萬人。【考證】顏師古曰、中都官、凡京師諸官府也、獄辭所及追考問者六七萬也、 吏所增加十萬餘人。【考證】顏師古曰、吏又於此外以文法更增加也、 周中廢。後爲執金吾。【正義】百官表曰、御史中丞杜周爲廷尉、十年免、天漢三年二月、執金吾杜周爲御史大夫、太始三年卒、 逐盜、捕治桑弘羊・衞皇后昆弟子刻深。【考證】漢書、逐盜捕治作逐捕、

天子以爲盡力無私。遷爲御史大夫。【集解】徐廣曰、天漢三年、爲御史大夫、四歲、太始三年卒、【考證】顧炎武曰、衞太子巫蠱事、在征和二年、杜周卒已四年、又十一年、昭帝元鳳元年、御史大夫桑弘羊坐燕王旦事誅、史家之謬如此、愚按黃汝成日知錄集釋引錢氏駁顧氏云、史文但稱昆弟子、當時大臣后族、犯法者衆、周能以法繩之、故武帝嘉其盡力無私、非謂周所逐捕者卽衞皇后桑大夫也、又引孫氏云、所云逐捕者、自指桑衞昆弟犯法、周能不避權貴而逐捕之也、本文並不云治桑衞獄、無緣以此爲史家之謬也、 家兩子夾河爲守。【考證】齊召南曰、唐書宰相世系表、周三子、延壽延考延年、延年最幼、昭帝初、始爲吏、則夾河爲郡守者、延壽延考也、何焯曰、褚先生書田仁事云、仁刺舉三河時、河南河內太守、皆杜周子弟、河東太守石丞相子孫、仁已刺三河、皆下吏誅死、當史遷作酷吏傳時、未覩其終、 其治暴酷、皆甚於王溫舒等矣。杜周初徵爲廷史。有一馬、且不全。及身久任事至三公列、子孫尊官、家訾累數巨萬矣。【考證】漢書、無數字、

太史公曰。自郅都・杜周十人者、【考證】陳仁錫曰、酷吏十人、不數楊僕也、愚按葢舉其大數、 此皆以酷烈爲聲。然郅都伉直、引是非、爭天下大體。張湯以知陰

陽、人主與俱上下。正義 知陰陽、言知人主意旨輕重、考證 余有丁曰、人主與俱上下、謂與人主俱上下也、倒用便奇、 時數辯當否、國家賴其便。趙禹時據法守正。杜周從諛、以少言爲重。考證 傳云、上所欲擠者、因而陷之、上所欲釋者、久繫待問、而微見其冤、是從諛也、傳云、重遲、是以少言爲重也、 自張湯死後、網密多詆嚴、官事寖以秏廢。考證 漢書、多詆嚴官四字作事叢兩字、 九卿碌碌奉其官、救過不贍。何暇論繩墨之外乎。然此十人中、其廉者足以爲儀表、其汚者足以爲戒。集解 徐廣曰、一本無此四字、 方略教導、禁姦止邪、一切亦皆彬彬、質有其文武焉。雖慘酷、斯稱其位矣。至若蜀守馮當暴挫、廣漢李貞擅磔人、東郡彌僕鋸項、索隱 彌、姓、僕、名、考證 陳仁錫曰、湖本、擅作檀、誤、劉伯莊曰、鋸以截人項而殺之、 天水駱璧推咸。集解 徐廣曰、一作成、索隱 上音直追反、下音減、一作成、是也、謂推繫之以成獄也、正義 推成、言推掠以成罪也、考證 中井積德曰、推、椎通、謂椎擊以取服、王念孫曰、索隱推繫、乃椎擊之訛、椎擊之以成獄、故曰椎成、所謂棰楚之下、何求而不得也、

河東褚廣妄殺、京兆無忌、馮翊殷周蝮鷙。索隱 上音蝮虵、下音鷙鷹也、言其酷比之蝮毒鷹攫、考證 王念孫曰、蝮讀爲愎、愎鷙皆狠也、言其愎戾不仁也、趙策云、知伯之爲人好利而鷙復、復亦讀爲愎、 水衡閻奉、朴擊賣請。考證 凌稚隆曰、以朴擊致人買免請求、 何足數哉、何足數哉。

索隱述贊 太上失德、法令滋起、破觚爲圓、禁暴不止、姦僞斯熾、慘酷爰始、乳獸揚威、蒼鷹側視、舞文巧詆、懷生何恃、

酷吏列傳第六十二　史記一百二十二

史記會注考證卷一百二十三

漢　太史令司馬遷撰
宋　中郎外兵曹參軍裴駰集解
唐　國子博士弘文館學士司馬貞索隱
唐　諸王侍讀率府長史張守節正義
日本　出雲瀧川資言考證

大宛列傳第六十三　史記一百二十三

索隱 大宛列傳、宜在朝鮮之下、不合在酷吏游俠之間、斯蓋司馬公之殘缺、褚先生補之失也、幸不深尤焉、考證 史公自序云、漢既通使大夏、而西極遠蠻、引領內鄉、欲

觀中國、作大宛列傳、第六十三、王鏊曰、史記不與張騫立傳、其始附衛青、而於大宛傳備載始末、蓋大宛諸國土俗、皆騫所歸爲武帝言者也、騫沒後、諸使西域者亦具焉、事備具而有條理、若漢書則大宛張騫多自爲傳矣、董份曰、此傳決非褚先生所能撰次、

大宛之跡、見自張騫。索隱 宛音苑、又於袁反、正義 漢書云、大宛國去長安萬二千五百五十里、東至都護治、西南至大月氏、南亦至大月氏、北至康居、括地志云、率都沙那國、亦名蘇對沙那國、本漢大宛國、考證 漢書西域傳云、大宛國、王治貴山城、去長安萬二千五百五十里、戶六萬、口三十萬、勝兵六萬人、副王、輔國王、各一人、東至都護所、四千三十一里、北至康居卑闐城、千五百一十里、西南至大月氏、六百九十里、北與康居、南與大月氏接、宛別邑七十餘城、多善馬、馬汗血、正義節略失義、丁謙曰、大宛國、北魏號破洛那、唐號東曹、唐書言東曹、或曰率都沙那、蘇對沙那、郤布呾那、蘇都識匿、凡四名、居波悉山之陰、漢貳師城也、今攷其地在伊犂西南、喀什噶爾西北、故浩罕國南境、其地東南北三面環山、惟西有平路可通他部、納林河橫貫其中、西人地理志謂河北高坡地、皆名費爾加拉、河南高坡地、皆名蘇的亞納、唐書率都沙那等四名、皆蘇的亞納之異譯、貴山城貳師城、均當在浩罕南境、然其地今難確指、張騫漢中人。建元中爲郎。索隱 陳壽益部耆舊傳云、騫、漢中成固人、是時天子問匈奴降者。皆言匈奴破月氏王、以其頭爲飲器。集解 韋昭曰、飲器、椑榼也、單于以月氏王頭爲飲器、晉灼曰、飲器、虎子之屬也、或曰、飲酒器也、索隱 椑音白迷反、榼音苦盍反、案謂

今之偏榼也、正義 氏音支、涼甘肅瓜沙等州、本月氏國之地、漢書云、本居敦煌祁連閒、是也、漢書匈奴傳云、元帝遣車騎都尉韓昌光祿大夫張猛與匈奴盟、以老上單于所破月氏王頭爲飲器者、共飲立盟、考證 沈欽韓曰、趙策、以知伯頭爲飲器、呂覽云、斷其頭以爲觴、則云虎子者非也、月氏遁逃、而常怨仇匈奴。無與共擊之。考證 顏師古曰、無人援助也、漢方欲事滅胡。聞此言、因欲通使。道必更匈奴中。乃募能使者。索隱 更、經也、音羹、騫以郎應募、使月氏。與堂邑氏故胡奴甘父俱出隴西。經匈奴。匈奴得之、傳詣單于。集解 漢書音義曰、堂邑氏、姓胡奴、甘父字、索隱 案謂堂邑縣人家胡奴、名甘父也、下云、堂邑父者、蓋後史家從省、唯稱堂邑父、而略甘字、甘或其姓號、經、謂道經匈奴也、考證 張文虎曰、索隱本無故字、此疑衍、經作徑、漢書無故胡二字、王先謙曰、據下文、騫以軍臣單于死之歲還、爲元朔三年、去十三歲、則出使在建元三年、單于畱之。曰。月氏在吾北。漢何以得往使。吾欲使越、漢肯聽我乎。畱騫十餘歲。與妻、有子。然騫持漢節不失。居匈奴中。益寬。騫因與其屬亡鄉月氏、西走數十日、至大宛。大宛聞漢之

饒財、欲通不得。見騫喜問曰。若欲何之。騫曰。爲漢使月氏。而爲匈奴所閉道。今亡。唯王使人導送我。誠得至反漢、漢之賂遺王財物、不可勝言。大宛以爲然、遣騫。索隱 謂大宛發遣騫西也、爲發導驛抵康居。索隱 爲發道驛抵康居、發道、謂發驛令人導引而至康居也、導音道、抵、至也、居音渠也、正義 抵、至也、居、其尼反、括地志云、康居國在京西一萬六百里、其西北可二千里、有奄祭酒國也、考證 蔡中統王本、導驛作道繹、漢書作譯道、愚按、驛繹、當作譯、下文云、烏孫發導譯送騫還、又按西域傳云、康居國、王治樂越匿地到卑闐城、去長安萬二千三百里、不屬都護、至樂越匿地、馬行七日、至王夏所居番內、九千一百四十里、戶十二萬、口六十萬、勝兵十二萬人、東至都護治所、五千五百五十里、與大月氏同俗、東羈事匈奴、丁謙西域傳攷證云、康居爲西域游牧行國、凡游牧者、皆夏居北、而冬居南、俄屬游記言、喀支司人、春閒出覓水草、自南而北、夏日所駐地、距冬幾二千里、喀支司即哈薩克、實康居突厥之後、是其俗至今未改、卑闐城爲其國都、築於都賴水上、都賴水、今名盧列阿塔河、一名塔拉斯河、卑闐城築於此河上、當在今盧列阿塔城南、康居傳致大月氏。正義 此大月氏在大宛西南、於嬀水北爲王庭、漢書云、去長安萬一千六百里、大月氏王已爲胡所殺、立其太子爲王。集解 徐廣曰、一云、夫人爲王、夷狄亦或女主、索隱 案漢書張騫傳云、立其夫人爲王

也、【考證】齊召南曰、以下文推之、似史是、既臣大夏而居。【索隱】既臣大夏而君之、謂月氏以大夏爲臣、而爲之作君也、【正義】既、盡也、大夏國在嬀水南、【考證】張文虎曰、中統游毛本、居下有之字、與索隱本合、愚按漢書張騫傳、作君之、郭嵩燾曰、史記作居、是也、西域傳明言月氏爲匈奴所敗、益遠去、過宛西、擊大夏而臣之、都嬀水北、爲王城、而大夏傳云、都嬀水南、嬀水爲今阿母河、其地屬布哈爾、近多爲俄羅斯所侵踞、當時皆大夏地、月氏襲居之、盡嬀水以北爲界、以兵力臣屬大夏、而大夏仍自爲國也、地肥饒、少寇、志安樂。又自以遠漢、殊無報胡之心。【考證】張騫傳、重遠字、騫從月氏至大夏。竟不能得月氏要領。【集解】漢書音義曰、要領、要契、【索隱】李奇云、要領、要契也、小顏以爲衣有要領、劉氏云、不得其要害、然頗是其意於文字爲疏者也、【考證】要領、顏說得之、留歲餘、還並南山、【正義】並、白浪反、南山即連終南山、從京南東至華山、過河東、北連延至海、即中條山也、從京南連接、至葱嶺萬餘里、故云並南山也、西域傳云、其南山東出金城、與漢南山屬焉、欲從羌中歸。【正義】說文云、羌、西方牧羊人也、南方蠻閩從虫、北方狄從犬、東方貉從豸、西方羌從羊、復爲匈奴所得。留歲餘、單于死。【集解】徐廣曰、元朔三年、左谷蠡王攻其太子自立、國內亂。騫與胡妻及堂邑父俱亡歸漢。漢拜騫爲太中大夫、堂

邑父爲奉使君。【索隱】堂邑、父之官號、【正義】堂邑父者、史省文也、騫爲人彊力寬大、信人。蠻夷愛之。堂邑父故胡人、善射。窮急、射禽獸給食。初騫行時百餘人、去十三歲、唯二人得還。【考證】通鑑考異云、史記西南夷傳、元狩元年、張騫使大夏來、言通身毒之利、按年表、騫以元朔六年二月封博望侯、必非元狩元年始歸也、或者元狩元年、始令騫通身毒國、疑不能明、王先謙曰、騫歸在元朔三年、史記大宛傳迺確據、西南夷傳、特遙溯前事、非謂騫以元狩元年歸也、考異所疑、何其不審、騫身所至者、大宛·大月氏·大夏·康居。而傳聞其旁大國五六、具爲天子言之。曰。大宛、在匈奴西南、在漢正西。去漢可萬里。其俗土著耕田。田稻麥。有蒲陶酒。【考證】顏師古曰、土著者、有城郭常居、不隨畜牧移徙也、多善馬。馬汗血。其先天馬子也。【集解】漢書音義曰、大宛國有高山、其上有馬、不可得、因取五色母馬置其下、與交、生駒、汗血、因號曰天馬子、【索隱】案外國傳云、外國稱天下有三衆、中國人衆、大秦寶衆、月氏馬衆、【正義】按有汗從前髆間出、皆赤如血、有城郭屋室。其屬邑大小七十餘城。衆可數十萬。其兵弓

矛。騎射。其北則康居、西則大月氏、西南則大夏、東北則烏孫、東則扜罙·于窴。【集解】徐廣曰、漢紀曰、拘彌國去于窴三百里、【索隱】扜罙、國名也、音汙彌二音、漢紀謂荀悅所撰漢紀、拘音俱、彌即罙也、則拘彌與扜罙是一也、窴音殿、【考證】扜罙即扜彌、西域傳云、扜彌國、王治扜彌城、去長安九千二百八十里、戶三千三百四十、口二萬四千、勝兵三千五百四十人、北至都護治所三千五百五十三里、南與渠勒、北與龜茲、西北與姑墨接、西通于闐三百九十里、今名寧彌、丁謙考證云、今克里雅地、一作克勒底雅、近置于闐縣於北、唐地理志作寧彌城、于窴即于闐、西域傳云、于闐國、王治西城、去長安九千六百七十里、戶三千三百、口萬九千三百、勝兵二千四百人、東北至都護治所三千九百四十七里、南與婼羌接、北與姑墨接、丁謙考證云、于闐即今和闐直隸州地、新唐書、西城作西山城、西山城當在今伊里齊城之南近山處、金耀辰曰、下文亦言大月氏在大宛西可二三千里、大夏在大宛西南二千餘里、漢書西域傳、謂大宛西南至大月氏六百九十里、南與月氏接、何也、于窴之西、則水皆西流注西海。其東、水東流注鹽澤。【索隱】塩水也、太康地記云、河北得水爲河、塞外得水爲海也、【正義】漢書云、塩澤去玉門陽關三百餘里、廣袤三四百里、其水皆潛行地下、南出於積石山、爲中國河、括地志云、蒲昌海、一名泑澤、一名鹽澤、亦名輔日海、亦名穿蘭、亦名臨海、在沙州西南、玉門關在沙州壽昌縣西六里、鹽澤潛行地下。其南則河源出焉。【索隱】案漢書西域傳云、河有兩源、一出葱嶺、一出于窴、山海經云、河出崑崙東北隅、郭璞云、河出

崑崙、潛行地下、至葱嶺山于窴國、復分流岐出、合而東注泑澤、已而復行積石爲中國河、泑澤即塩澤也、一名蒲昌海、西域傳云、一出于闐南山下、與郭璞注山海經不同、廣志云、蒲昌海在蒲類海東也、【考證】方苞曰、爲漢使窮河源張本也、西域傳、刪塩澤潛行地下、其南則九字、丁謙曰、于闐之西句下、應有踰葱嶺三字、方與水皆西流注西海相貫串、否則于闐西、尙多東北流之水、不得云水皆西流也、西海、指裏海言、蓋古時阿母河直入裏海、至明時改入鹹海耳、其東水東流、即指車爾成河、河原出焉、謂車爾成河入羅布泊、潛行地中、至巴顏喀喇山、復出爲中國之黃河也、又曰、塩澤、一名蒲昌海、水經注作泑澤、今曰羅布泊、多玉石。河注中國。【考證】丁謙曰、攷西域水道記、和闐產玉處凡五、曰哈喇哈什、曰桑谷、曰樹雅、曰哈朗歸山、而以玉隴哈什產者良、又西域聞見錄、和闐出玉石、多於葉爾羌、故曰多玉石、而樓蘭·姑師、邑有城郭、臨鹽澤。【正義】樓蘭、姑師、二國名、姑師即車師也、【考證】樓蘭、西域傳云、鄯善國、本名樓蘭、王治扜泥城、去陽關千六百里、去長安六千一百里、戶千五百七十、口萬四千一百、勝兵二千九百十二人、地沙鹵、少田、寄田仰穀旁國、民隨畜牧、逐水草、國最在東垂、近漢、國中有伊循城、其地肥美、丁謙考證云、鄯善國、在今敦煌縣西、羅布泊南、所都扜泥城、據水經注、俗謂之東故城、蓋以伊循爲新城也、姑師非即車師、西域傳云、宣帝破姑師、未盡殄、分以爲車師前後王、及山北六國、徐松補注云、山、天山也、今博羅圖山、姑師地、正今吐魯番及奇臺縣阜康縣境、分姑師、爲車師前後國、且彌東西國、卑陸前後國、蒲類前後國、共八國、鹽澤、去長安可五千里。匈奴右方居鹽澤以東、至隴西長城南、接

羌、鬲漢道焉。烏孫、在大宛東北可二千里。行國隨畜。【集解】徐廣曰、不土著、【正義】烏孫、本塞種、塞本釋字、謂佛姓釋氏也、胡語訛轉、【考證】烏孫奄蔡安息大夏事、皆張騫爲天子言者、其文與上下接續、後人據漢書西域傳、提行別項、非史公之舊也、與匈奴同俗、控弦者數萬、敢戰。故服匈奴。及盛取其羈屬、不肯往朝會焉。【考證】董份曰、故、舊也、嘗臣服于匈奴、

康居、在大宛西北可二千里。行國。與月氏大同俗、控弦者八九萬人、與大宛鄰國。國小。南羈事月氏、東羈事匈奴。

奄蔡、在康居西北可二千里。行國。與康居大同俗、控弦者十餘萬、臨大澤無崖。蓋乃北海云。【正義】漢書解詁云、奄蔡卽闔蘇也、魏略云、西與大秦通、東南與康居接、其國多貂、畜牧水草、故時羈屬康居也、【考證】王先謙漢書補注引西域圖考云、奄蔡屬今俄羅斯東境西伯利部、自哈薩克右部而北、卽俄羅斯之多僕斯科、再北爲德波爾斯科、卽臨北海者也、又引徐繼畬云、此北海當爲裏海、丁謙西域傳考證引洪侍郎鈞云、攷奄蔡卽元之阿速、地在黑海東北、故臨大澤無涯、去康居二千餘里、道里亦符、愚按前說以大澤爲裏海、後說以爲黑海、所斥之地亦異、併錄存疑、

大月氏、在大宛西可

二三千里。居嬀水北。【正義】萬震南州志云、在天竺北可七千里、地高燥而遠、國王稱天子、國中騎乘常數十萬匹、城郭宮殿與大秦國同、人民赤白色、便習弓馬、土地所出及奇瑋珍物、被服鮮好、天竺不及也、康泰外國傳云、外國稱天下有三衆、中國爲人衆、大秦爲寶衆、月氏爲馬衆也、其南則大夏、西則安息、北則康居。行國也。隨畜移徙、與匈奴同俗。控弦者可一二十萬。故時彊、輕匈奴。【考證】安息、見下文、及冒頓立、攻破月氏。至匈奴老上單于、殺月氏王、以其頭爲飲器。始月氏居敦煌・祁連閒。【正義】初月氏居敦煌以東、祁連山以西、敦煌郡今沙州、祁連山在甘州西南、【考證】丁謙曰、月氏本居祁連山北之昭武城、卽今甘州府高臺縣地、及爲匈奴所敗、乃遠去、過宛、西擊大夏而臣之、遂都嬀水北爲王庭。【考證】楓本過下有大字、王先謙曰、西域圖考云、嬀水、唐之烏滸河、亦名縛芻河、今爲阿母河、西北流入布哈爾西之鹹池、其餘小衆不能去者、保南山羌。號小月氏。【考證】後漢書西羌傳、湟中月氏胡、其先大月氏之別也、舊在張掖酒泉地、月氏王爲匈奴所殺、餘種分散、西踰葱嶺、其羸弱者、南入山阻、依諸羌居止、遂共婚姻、卽此事、丁謙曰、南山、卽祁連山、山中乃羌人所居、故曰南山羌、

安息、在大月氏西可數千里。【正義】地理志云、安息國、京西萬一千二百里、自西關西行三千四百里、至阿蠻國、西行三千六百里、至斯賓國、從斯賓南行度河、又西南行至于羅國、九百六十里、安息西界極矣、自此南乘海、乃通大秦國、漢書云、北康居、東烏弋山離、西條枝國、臨嬀水、土著、以銀爲錢、如其王面、王死、輒更錢效王面焉、【考證】丁謙曰、安息、本古波斯地、波斯爲馬基頓所滅、未幾各地分裂、有阿賽西者、於西前元二百五十年、起兵據波斯中境、巴提亞省自立爲巴提亞國、其王世世以阿賽西第幾爲號、漢人誤王名爲國名、稱爲安息、安息者阿賽西轉音也、番兜城西書稱帕而杜瓦、蓋卽巴提轉音、帕爾杜合音、卽今波斯呼拉商省巴治斯坦城、其國北與基窪地接、基窪卽康居境、烏弋山離當在其東南、條支當在其西南、東北至阿母河、阿母河古稱嬀水、時大月氏境跨阿母河南北、故東面均與相接、張文虎曰、正義引地理志、漢書地理志無此文、見後漢書西域傳、又曰、案漢書西域傳、安息國王治番兜城、去長安萬一千六百里、後漢傳、安息國居和犢城、去洛陽二萬五千里、竝與正義不合、西關、後漢傳作安息、此南二字、依後漢書補、其俗土著耕田。田稻麥。蒲陶酒。城邑如大宛。其屬小大數百城、地方數千里。最爲大國。臨嬀水。有市民商賈。用車及船、行旁國或數千里。以銀爲錢。錢如其王面。王死、輒更錢效王面焉。【索隱】漢書云、文獨爲王面、幕爲夫人面、荀悅云、幕、音漫、無文面也、張晏云、錢之文面作人乘馬、錢之幕作人面形、

韋昭云、幕、錢背也、音漫、包愷音慢、畫革旁行、以爲書記。【集解】漢書音義曰、橫行爲書記、【索隱】畫、音獲、小顏云、革、皮之不柔者、韋昭云、外夷書皆旁行、今扶南猶中國直下也、其西則條枝、北有奄蔡・黎軒。【索隱】漢書作犂靬、續漢書一名大秦、按三國竝臨西海、後漢書云、西海環其國、惟西北通陸道、然漢使自烏弋以還、莫有至條枝者、【正義】上、力奚反、下、巨言反、又巨連反、後漢書云、大秦一名犂鞬、在西海之西、東西南北各數千里、有城四百餘所、土多金銀奇寶、有夜光璧、明月珠、駭雞犀、火浣布、珊瑚、琥珀、琉璃、瑯玕、朱丹、青碧、珍怪之物、率出大秦、康氏外國傳云、其國城郭皆青水精爲礎、及五色水精爲壁、人民多巧、能化銀爲金、國土市買皆金銀錢、萬震南州志云、大家屋舍以珊瑚爲柱、琉璃爲牆壁、水精爲礎舄、海中斯調州上有木、冬月往剝取其皮、績以爲布、極細、手巾齊數匹、與麻焦布無異、色小青黑、若垢汚欲浣之、則入火中便更清潔、世謂之火浣布、秦云定重參問門樹皮也、括地志云、火山國、在扶風南東大湖海中、其國中山皆火、然火中有白鼠皮及樹皮、績爲火浣布、魏略云、大秦在安息條支西大海之西、故俗謂之海西、從安息界乘船、直截海西、遇風利時三月到、風遲或一二歲、其公私宮室、爲重屋、郵驛亭置如中國、從安息繞海北陸到其國、人民相屬、十里一亭、三十里一置、無盜賊、其俗人長大平正、似中國人、而胡服、宋膺異物志云、秦之北附庸小邑、有羊羔自然生於土中、候其欲萌、築牆繞之、恐獸所食、其臍與地連、割絕則死、擊物驚之、乃驚鳴、臍遂絕、則逐水草爲羣、又大秦金二枚、皆大加瓜、植之滋息無極、觀之如用則眞金也、括地志云、小人國在大秦南、人纔三尺、其耕稼之時、懼鶴所食、大秦衞助之、卽焦僥國、其人穴居也、【考證】西域圖考云、犂靬卽後書之大秦、兼有今歐羅巴一洲之地、國都羅馬、拓地直至土耳其、

東境與安息鄰、條枝、在安息西數千里。臨西海。暑溼。耕田、田稻。考證西域傳無耕田二字、丁謙曰、條支、阿拉伯也、國臨西海、謂國之西面臨於紅海、阿拉伯自古皆游牧部落、境中平地居三之一、惟平原之外、環以沙漠、沙漠之外、間以高原、故其地不相連屬、遂各立小君長爲治、國以分而見弱、故每爲安息所役、視之爲外夷也、國地南近印度洋、爲熱風所煽、故暑熱、但俗事游牧、不勤種植、安得田稻、此史之誤、有大鳥、卵如甕。正義漢書云、條支出獅子犀牛孔雀大雀、其卵如甕、和帝永元十三年、安息王滿屈獻獅子大鳥、世謂之安息雀、廣志云、鳥、鵄鷹身、蹄駱、色蒼、擧頭八九尺、張翅丈餘、食大麥、卵大如甕、人衆甚多、往往有小君長。而安息役屬之、以爲外國。國善眩。集解應劭曰、眩、相詐惑、正義顏云、今吞刀吐火、殖瓜種樹、屠人截馬之術、皆是也、安息長老傳聞條枝有弱水・西王母、而未嘗見。索隱魏略云、弱水、在大秦西、玄中記云、天下之弱者、有崑崙之弱水、鴻毛不能載、也、山海經云、玉山、西王母所居、穆天子傳云、天子觴西王母瑤池之上、括地圖云、崑崙弱水、非乘龍不至、有三足神烏、爲王母取食、正義此弱水西王母、既是安息長老傳聞而未曾見、後漢書云、桓帝時、大秦國王安敦遣使、自日南徼外來獻、或云、其國西有弱水流沙、近西王母處、幾於日所入也、然先儒多引大荒西經云、弱水云有二源、俱出女國北阿耨達山、南流會於女國、東去國一里、深丈餘、闊六十步、非毛舟不可濟、南流入海、阿耨達山卽崑崙山也、與大荒西經合矣、然大秦國在西海中島上、從安息西界過海、好風用三

月乃到、弱水又在其國之西、崑崙山弱水流在女國北、出崑崙山南、女國在于窴國南二千七百里、于窴去京凡九千六百七十里、計大秦與大崑崙山相去幾四五萬里、非所論及、而前賢誤矣、此皆據漢括地論之、猶恐未審、然弱水二所說皆有也、考證弱水、水名、西王母、國名、其地未詳、張文虎曰、正義長下老上衍安者二字、女國北出崑崙山南下又衍女國北山崑山南八字、今皆刪、又曰、正義引大荒西經、大荒西經無此文、大夏、在大宛西南二千餘里嬀水南。其俗土著、有城屋。與大宛同俗。無大王長、往往城邑置小長。考證漢書西域傳、漢紀、大王長作大君長、王念孫曰、御覽四夷部引史作大君長、上文條枝往往有小君長、其兵弱畏戰。善賈市。及大月氏西徙、攻敗之、皆臣畜大夏。大夏民多可百餘萬。其都曰藍市城。有市販賈諸物。考證張文虎曰、毛本、藍市作藍氏、與後漢書合、漢書作監氏、丁謙曰、監市、卽布哈爾城也、其東南有身毒國。集解徐廣曰、身或作乾、又作訖、索隱身、音乾、毒、音篤、孟康云、卽天竺也、所謂浮圖胡也、正義一名身毒、在月氏東南數千里、俗與月氏同、而卑溼暑熱、其國臨大水、乘象以戰、其民弱於月氏、脩浮圖道、不殺伐、遂以成俗、土有象犀瑇瑁金銀鐵錫鉛、西與大秦通、有大秦珍物、明帝夢金人、長大、頂有光明、以問羣臣、或曰、西方有神、名曰佛、其形長丈六尺、而黃金色、帝於是遣使天竺問佛道、法遂至中國、畫形像焉、萬震南州志云、地方三萬里、佛道所

出其國王居城郭、殿皆彫文刻鏤、街曲市里、各有行列、左右諸大國凡十六、皆共奉之、以天地之中也、浮屠經云、臨兒國王生隱屠太子、父曰屠頭邪、母曰莫邪、屠身色黃、髮如青絲、乳有青色、爪赤如銅、始莫邪夢白象而孕、及生、從母右脅出、生有髮、墮地能行七步、又云、太子生時、有二龍王、夾左右吐水、一龍水暖、一龍水冷、遂成二池、今猶一冷一暖、初行七步、處琉璃上、有太子脚跡、見在、生處名祇洹精舍、在舍衛國南四里、是長者須達所起、又有阿輸迦樹、是夫人所攀生太子樹也、括地志云、沙祇大國、卽舍衛國也、在月氏南萬里、卽波斯匿王淩處、此國共九十種、知身後事、城有祇樹給孤園、又云、天竺國有東西南北中央天竺國、國方三萬里、去月氏七千里、大國隷屬凡二十一、天竺在崑崙山南、大國也、治城臨恆水、又云、阿耨達山、亦名建未達山、亦名崑崙山、水出一名拔扈利水、一名恆伽河、卽經稱恆河者也、自崑崙山以南、多是平地、而下溼、土肥良、多種稻、歲四熟、留役駞馬、米粒亦極大、又云、佛上忉利天、爲母說法九十日、波斯匿王思欲見佛、卽刻牛頭旃檀象、置精舍內、佛坐此像、是衆像之始、後人所法也、佛上天青梯、今變爲石、沒入地、唯餘十二蹬、蹬閉二尺餘、彼耆老言、梯入地盡、佛法滅、又云、王舍國、胡語曰罪悅祇國、其國靈鷲山、胡語曰耆闍崛山、山是青石、石頭似鷲鳥、名耆闍鷲也、崛山石也、山周四十里、外周圍水、佛於此坐禪、及諸阿難等、俱在此坐、又云、小孤石、石上有石室者、佛坐其中、天帝釋以四十二事問佛、佛一一以指畫石、其跡尙存、又於山上起塔、佛昔將阿難在此、上山四望見福田疆畔、因制七條衣割截之法於此、今袈裟衣是也、考證梁玉繩曰、身音乾、毒音篤、漢張騫傳、李奇曰、一名天篤、西域傳作捐毒、師古曰、卽身毒、天篤也、後書西域傳作天竺、文苑傳作天督、山海經作天毒、史西南夷傳徐廣曰、一作乾毒、漢傳屢言塞種、師古以爲卽釋種、音先得反、蓋浮屠經皆譯讀其國名、當亦由譯而得、故無定字耳、愚按、身毒、

張騫傳同、與西域傳捐毒異、捐毒、北與烏孫接、西與休循接、其俗隨水草、不土著、梁氏謬混、騫曰。臣在大夏時、見邛竹杖蜀布。正義邛都邛山出此竹、因名邛竹、節高實中、或寄生、可爲杖、布、土蘆布、問曰。安得此。大夏國人曰。吾賈人往市之身毒。身毒、在大夏東南可數千里。其俗土著、大與大夏同。而卑溼暑熱。云。其人民乘象以戰。其國臨大水焉。正義大水、河也、以騫度之、大夏去漢萬二千里、居漢西南。今身毒國又居大夏東南數千里。有蜀物。此其去蜀不遠矣。今使大夏、從羌中險、羌人惡之。少北、則爲匈奴所得。從蜀宜徑、又無寇。集解如淳曰、徑、疾也、或曰、徑、直、天子既聞大宛及大夏・安息之屬、皆大國、多奇物、土著頗與中國同業、而兵弱、貴漢財物。考證漢書、業作俗、其北有大月氏・康居之屬、兵彊。可以賂遺設利朝也。考證顏師古曰、設、施也、施之以利、誘令入朝、

且誠得而以義屬之、則廣地萬里、重九譯、致殊俗、威德徧於四海。【正義】言重重九遍譯語而致、顏師古曰、以義屬之、謂不以兵革、【考證】天子欣然以騫言爲然。乃令騫因蜀犍爲發閒使四道竝出。【正義】犍、其連反、犍爲郡、今戎州也、在益州南一千餘里、出駹、出冄、出徙、出邛·僰。皆各行一二千里。【集解】徐廣曰、徙、屬漢嘉、【索隱】李奇云、徙、音斯、蜀郡有徙縣也、【正義】茂州向州等冄駹之地、在戎州西北也、僰、蒲北反、徙、在嘉州、邛、今邛州、僰、今雅州、皆在戎州西南也、其北方閉氐·筰、【集解】服虔曰、皆夷名、漢使見閉於夷也、【索隱】韋昭云、筰縣、在越巂、音昨、案南越破後殺筰侯、以筰都爲沈黎郡、又有定筰縣、【正義】氐、今成州及武等州也、筰、白狗羌也、皆在戎州西北也、南方閉巂·昆明。【正義】巂州及南昆明夷也、皆在戎州西南、【考證】丁謙曰、巂、昆明、在葉楡桐師之間、當爲今永昌騰越順寧等地、顏師古謂巂卽巂州、昆明在其東南、卽南寧州、殊誤、昆明之屬無君長、善寇盜。輒殺略漢使、終莫得通。然聞其西可千餘里、有乘象國、名曰滇越。【集解】徐廣曰、一作城、【正義】昆郞等州、皆滇國也、其西南滇越、越巂、則通號越、細分而有巂滇等名也、而蜀賈姦出物者、或至焉。【考證】漢書張騫傳、姦作間、顏師古曰、間

出物、謂私往市者、於是漢以求大夏道、始通滇國。初漢欲通西南夷。費多、道不通。罷之。及張騫言可以通大夏、乃復事西南夷。【考證】事又見西南夷傳、騫以校尉從大將軍擊匈奴。知水草處、軍得以不乏。乃封騫爲博望侯。是歲元朔六年也。【索隱】案張騫封號耳、非地名、小顏云、取其能博廣瞻望也、尋武帝置博望苑、亦取斯義也、【正義】地理志、南陽博望縣、【考證】水經注亦云、南陽博望縣、騫所封、沈家本曰、按許舜亦封博望侯、地理志南陽郡領縣博望、原注侯國、卽指騫舜所封也、田敬仲世家、朝齊王於博望、正義、括地志云、博望故城、在鄧州向城東南四十五里、是博望爲地名、不始於漢、其明年、騫爲衞尉、與李將軍俱出右北平擊匈奴。【考證】梁玉繩曰、其明年、當依漢書騫傳、作後二年、匈奴圍李將軍。軍失亡多、而騫後期當斬。贖爲庶人。是歲漢遣驃騎、破匈奴西城數萬人、至祁連山。【考證】凌稚隆曰、漢書、西城作西邊、是、愚按漢書城下有殺字、其明年、渾邪王率其民降漢。【考證】梁玉繩曰、渾邪之降、卽在元狩二年、當依漢書騫傳作其秋、而金城·河西西

竝南山至鹽澤、空無匈奴。匈奴時有候者到、而希矣。其後二年、漢擊走單于於幕北。【考證】王先謙曰、據武紀霍去病匈奴傳、事在元狩四年、是後天子數問騫大夏之屬。騫既失侯。因言曰。臣居匈奴中、聞烏孫王號昆莫。昆莫之父、匈奴西邊小國也。匈奴攻殺其父。【索隱】按漢書、父名難兜靡、爲大月氏所殺、【考證】漢書張騫傳載騫言云、臣居匈奴中、聞烏孫王號昆莫、昆莫父難兜靡、本與大月氏俱在祁連焞煌間、小國也、大月氏攻殺難兜靡、奪其地、人民亡走匈奴、蓋班氏訂史也、下文所記亦異、史記近是、而昆莫生弃於野。烏嗛肉蜚其上、狼往乳之。【集解】徐廣曰、讀嗛與銜同、酷吏傳、義縱不治道、上忿銜之、史記亦作嗛字、【索隱】嗛、音銜、蜚亦飛字、單于怪以爲神、而收長之。及壯使將兵。數有功。單于復以其父之民予昆莫、令長守於西城。【考證】上文云、匈奴西邊小國也、此云西城、未必其父故封、昆莫收養其民、攻旁小邑。控弦數萬、習攻戰。【考證】楓山本、弦下有者字、單于死、昆莫乃率其衆遠徙。

中立不肯朝會匈奴。匈奴遣奇兵擊。不勝。以爲神而遠之、因羈屬之、不大攻。今單于新困於漢、而故渾邪地空無人。蠻夷俗貪漢財物。【考證】漢書張騫傳、作昆莫地空、蠻夷戀故地、又貪漢物、義殊、今誠以此時而厚幣賂烏孫、招以益東、居故渾邪之地、與漢結昆弟、其勢宜聽。聽則是斷匈奴右臂也。既連烏孫、自其西大夏之屬、皆可招來而爲外臣。天子以爲然、拜騫爲中郞將、將三百人、馬各二匹、牛羊以萬數、齎金幣帛直數千巨萬、多持節副使、道可使使遺之他旁國。騫既至烏孫。烏孫王昆莫、見漢使如單于禮。騫大慙、知蠻夷貪、乃曰。天子致賜。王不拜則還賜。昆莫起拜賜。其他如故。騫諭使指曰。【正義】諭曉以天子指意也、烏孫能東居渾邪地、則漢

遣翁主爲昆莫夫人。烏孫國分王老、而遠漢、未知其大小。素服屬匈奴日久矣。且又近之。其大臣皆畏胡、不欲移徙。王不能專制。騫不得其要領。昆莫有十餘子。其中子曰大祿。彊善將衆。將衆別居萬餘騎。大祿兄爲太子。太子有子曰岑娶。【考證】中井積德曰、漢書西域傳、敘烏孫官號曰、相大祿、左右大將二人、然則次子爲大祿耳、岑娶、西域傳作岑陬、亦是官號、史漢誤爲人名、而太子蚤死。臨死謂其父昆莫曰。必以岑娶爲太子。無令他人代之。昆莫哀而許之。卒以岑娶爲太子。大祿怒其不得代太子也、乃收其諸昆弟、將其衆畔、謀攻岑娶及昆莫。昆莫老、常恐大祿殺岑娶、予岑娶萬餘騎別居、而昆莫有萬餘騎自備。國衆分爲三、而其大總取羈屬昆莫。昆莫亦以此不敢專約於騫。騫因

分遣副使、使大宛・康居・大月氏・大夏・安息・身毒・于窴・扜罙及諸旁國。【考證】漢書張騫傳、刪安息身毒于窴扜罙及諸旁國十二字、烏孫發導譯送騫還。騫與烏孫遣使數十人馬數十匹報謝。因令窺漢知其廣大。騫還到。拜爲大行、列於九卿。歲餘卒。【考證】王先謙曰、公卿表、元鼎二年、騫爲大行、三年卒、與此異、烏孫使既見漢人衆富厚、歸報其國。其國乃益重漢。其後歲餘騫所遣使通大夏之屬者、皆頗與其人俱來。於是西北國始通於漢矣。【集解】晉灼曰、其人、其國人、【考證】梁啓超曰、博望通西域之役、其功在漢種者有三、一曰、殺匈奴猾夏之勢、自文景以來、匈奴役屬西域、結黨南羌、地廣勢强、燕蒸南下、侯騎每至甘泉、屯防及於細柳、非有以挫之、則小之、爲劉淵石勒之横行河朔、大之爲金源蒙古之蹂躪神州左衽之痛、豈俟數百年千年之後哉、其時漢欲制匈奴、則伐謀伐交之策、遠交近攻之形、不可不注意於西域、張博望首倡通月氏結烏孫之議、卒以斷匈奴右臂、隔絕南羌、斬其羽翼、及孝武末世、遂至匈奴遠遁、而幕南無王庭、元成以後、卒俯首帖耳、稱藩屬於我大國、而發之成之者、實自張博望、二曰、開亞歐交通之機、秦漢之間、東西民族、皆已成熟、漲進、務伸權力於域外、羅馬帝國將興、而阿利安族文明、將馳驟於地中海之東西岸、顧不能踰葱嶺、以求通於我國、據近世史家所考據、西域人呼希臘人曰伊耶安、卽耶宛之轉音、故大宛國者卽大希臘國之一部也、蓋此地早爲帕德利亞之希臘人所蔓延、史記載其俗與秦西古代多相類、其蒲萄苜蓿等名物、卽希臘 Botr-us,Medike 等之譯音、蓋中國希臘兩文明種之相接、實起於是、是黃種人與阿利安種交通之起源也、又史稱烏孫本塞地也、大月氏西破走塞王、塞王南越懸度、大月氏居其地、塞種者、卽今日西人所謂沁謨種 Semitics 古代巴比倫人猶太人之所屬也、是黃種人與沁謨人交通之起源也、而溝而通之者、實始博望、三曰、完中國一統之業、當時滇黔諸國、皆未內屬、漢武初雖嘗從事西南夷、然以費多罷之、其後感博望蜀布邛杖之言、卒再與作、使王然于柏始昌呂越人等十餘輩、往求身毒國、遂開滇池、達交趾、卒使數千年爲國屏藩、雖其事專不成於博望、而創始之功、實博望尸之、博望之有造於漢種者何如也、然張騫鑿空、【集解】蘇林曰、鑿、開、空、通也、騫開通西域道、【索隱】案謂西域險阸、本無道路、今鑿空而通之也、【考證】顏師古曰、空、孔也、猶言始鑿其孔穴也、故此下言當空道、而西域傳謂孔道也、其後使往者、皆稱博望侯、以爲質於外國。外國由此信之。【集解】如淳曰、質、誠信也、博望侯有誠信、故後使稱其意以喻外國、李奇曰、質、信也、【考證】凌稚隆曰、按此騫死後事、中井積德曰、後使漫自冒稱博望侯也、外國乃信之、自博望侯騫死後、匈奴聞漢通烏孫、怒欲擊之。及漢使烏孫、若出其南、抵大宛・大月氏相屬。【集解】徐廣曰、漢書、若作及、若意義

亦及也、【考證】今本漢書西域傳、及作又、若作迺、迺、卽乃字、當及字譌、集解可證、抵、至也、若、猶或也、及也、相屬、使者相屬也、大宛、大月氏、在烏孫西南、烏孫乃恐、使使獻馬、願得尙漢女翁主爲昆弟。【考證】徐松曰、漢通大宛月氏、則出烏孫後、事在元封初、天子問羣臣議計。皆曰。必先納聘、然後乃遣女。初天子發書易云、神馬當從西北來。【集解】漢書音義曰、發易書以卜、【考證】宋祁曰、古本漢書、書易作易書、依集解、當作易書、得烏孫馬、好。名曰天馬。及得大宛汗血馬、益壯。更名烏孫馬曰西極、名大宛馬曰天馬云。而漢始築令居以西、初置酒泉郡、以通西北國。【集解】徐廣曰、令居、屬金城、【考證】顏師古曰、令、音零、因益發使抵安息・奄蔡・黎軒・條枝・身毒國。而天子好宛馬、使者相望於道。諸使外國、一輩大者數百、少者百餘人、人所齎操、大放博望侯時。【考證】漢書張騫傳、無諸使外國四字、其後益習而衰少焉。【考證】顏師古曰、以其串習、故不多發人、中井積德曰、衰、是等衰之衰、漢率

一歲中、使多者十餘、少者五六輩。遠者八九歲、近者數歲而反。【考證】顏師古曰、道遠則還遲、近則來疾、是時漢既滅越、而蜀西南夷皆震、請吏入朝。【考證】漢書張騫傳、作漢既滅越蜀、所通西南夷、於是置益州・越巂・牂柯・沈黎・汶山郡、欲地接以前、通大夏。【集解】李奇曰、欲地界相接至大夏、【考證】漢書張騫傳、汶山作文山、錢大昭曰、地志無沈黎文山二郡、沈黎省於天漢四年、文山省於地節三年、皆併蜀、王先謙曰、前、往也、乃遣使柏始昌・呂越人等、歲十餘輩出此初郡、抵大夏。【索隱】按謂越巂汶山等郡、謂之初者、後背叛而併廢之也、【考證】顏師古曰、文山以上初置者、中井積德曰、初所置之郡、故謂之初郡、猶言新郡也、皆復閉昆明、爲所殺奪幣財、終莫能通至大夏焉。【考證】上文云、南方昆明之屬、無君長、善寇盜、輒殺略漢使、終莫得通、於是漢發三輔罪人、因巴・蜀士數萬人、遣兩將軍郭昌・衛廣等、往擊昆明之遮漢使者、斬首虜數萬人而去。【集解】徐廣曰、元封二年、【考證】楓本首下有捕字、漢書無虜字、其後遣使、昆明復爲

寇、竟莫能得通。而北道酒泉抵大夏。使者既多、而外國益厭漢幣、不貴其物。自博望侯開外國道以尊貴、其後從吏卒皆爭上書、言外國奇怪利害求使。【考證】漢書張騫傳、後從吏卒皆五字、爲吏士、天子爲其絕遠非人所樂往、聽其言予節、募吏民、毋問所從來、爲具備人衆遣之、以廣其道。【考證】絕遠之地、人皆不樂往、故有自請者、卽聽而遣之、予使者節也、顏師古曰、毋問所從來、不爲限禁遠近、雖家人私隸、竝許應募、來還不能毋侵盜幣物、及使失指。【正義】失指、失天子之本意也、天子爲其習之、輒覆案致重罪以激怒、令贖復求使。【考證】顏師古曰、爲其習之、言其串習不以爲難、必當更求充使也、激怒令贖、言立功以贖罪、使端無窮、而輕犯法。其吏卒亦輒復盛推外國所有、言大者予節、言小者爲副。故妄言無行之徒、皆爭效之。其使皆貧人子、私縣官齎物、欲賤市以私其利外國。

【正義】縣官、天子也、言天子所齎物、竊用之、如己私有、【考證】漢書、無貧人子三字、又無外國二字、言所齎官物、視同私有、賤賣自利、不盡入官也、外國二字、疑複衍、外國亦厭漢使人人有言輕重、【集解】服虔曰、漢使言於外國、人人輕重不實、如淳曰、外國人人自言、數爲漢使所侵易、【考證】服說是、度漢兵遠不能至、而禁其食物、以苦漢使。漢使乏絕積怨、至相攻擊。而樓蘭・姑師小國耳、當空道。攻劫漢使王恢等尤甚。【集解】徐廣曰、姑師、卽車師、恢、一作怪、【正義】空道、孔道也、【考證】姑師、見上文、顏師古曰、空、卽孔也、而匈奴奇兵、時時遮擊使西國者。使者爭徧言外國災害、皆有城邑、兵弱易擊。【考證】漢書、災害作利害、義異、於是天子以故遣從驃侯破奴、將屬國騎及郡兵數萬、至匈河水、欲以擊胡。胡皆去。【考證】顏師古曰、破奴、趙破奴、周壽昌曰、時從票既失侯、因此役更封浞野侯也、此應稱故從票侯、其明年、擊姑師。破奴與輕騎七百餘先至、虜樓蘭王、遂破姑師。因擧兵威以困烏孫・大宛之屬。還。封破奴

爲浞野侯。【集解】徐廣曰、元封三年、王恢數使、爲樓蘭所苦、言天子。【集解】徐廣曰、爲中郎將、天子發兵、令恢佐破奴、擊破之。封恢爲浩侯。【集解】徐廣曰、捕得車師王、元封四年封浩侯、【考證】徐孚遠曰、此別一王恢、非大行王恢也、蓋同時同姓名、於是酒泉列亭鄣至玉門矣。【集解】韋昭曰、玉門關、在龍勒界、【索隱】韋昭云、玉門、縣名、在酒泉、又有玉門關、在龍勒也、【正義】括地志云、沙州龍勒山、在縣南百六十五里、玉門關、在縣西北百一十八里、烏孫以千匹馬聘漢女。漢遣宗室女江都翁主往妻烏孫。【集解】漢書曰、江都王建女、【考證】凌稚隆曰、接前先納聘、烏孫王昆莫以爲右夫人。匈奴亦遣女妻昆莫。昆莫以爲左夫人。昆莫曰、我老。乃令其孫岑娶妻翁主。烏孫多馬。其富人至有四五千匹馬。【考證】此見烏孫馬多、千匹未爲重聘、初漢使至安息。安息王令將二萬騎迎於東界。東界去王都數千里。行比至過數十城、人民相屬甚多。漢使還、而後發使隨漢使

來、觀漢廣大、以大鳥卵及黎軒善眩人獻于漢。【集解】韋昭云、變化惑人也、按魏略云、犂靬多奇幻、口中吹火、自縛自解、小顏亦以為植瓜等也、【考證】郭嵩燾曰、西域傳、安息王以大鳥卵及犂靬眩人獻於漢、而於烏弋山離國亦云、有大鳥卵如甕、後漢西域傳、條支國出大雀、其卵如甕、永元十三年、安息獻條支大鳥、時謂安息雀、西域傳、獻大鳥卵者安息也、而其種實出條支烏弋山離、蓋皆近海炎地也、其性不能耐寒、僅後漢時一來獻、餘皆獻卵而已、今阿剌伯出此鳥、名駝鳥、其形如駝、可以輓車、西人尤重其卵、以為供具、王念孫曰、眩上本無善字、後人以上文云條汥國善眩、因加善字也、不知此言眩人、卽是善為眩術之人、漢書張騫傳、正作眩人、張文虎曰、索隱本亦無善字、及宛西小國驩潛・大益、宛東姑師・扜罙・蘇薤之屬、皆隨漢使獻見天子。天子大悅。而漢使窮河源。【考證】承上文鹽澤潛地下、其南則河源出焉句、丁謙曰、攷西域傳、康居小王中有奧鞬、一名火尋、驩潛為奧鞬火尋之轉音、居烏滸水陽、大益指阿剌伯人、據洪氏西域補傳言、古時阿剌伯人游牧於西里亞者、西里亞人稱之曰大抑、大抑卽大益、此唐書大食國之名稱所由來也、愚按蘇薤亦康居五小王之一、見西域傳、河源出于窴。其山多玉石、采來。【集解】瓚曰、漢使采取將持來至漢、【考證】張文虎曰、采來二字、連上為句、采當為采色之采、來乃奎之借字、說文奎、瓚玉也、玉篇、奎、玉屬也、采來、謂采色之奎、天子案古圖書、名河所出山曰崑崙

云。【考證】王闓運曰、爾雅、西方之美者有昆崙虛之球琳琅玕、故以玉石名河所出山為昆侖、愚按崑崙之名、始見禹貢、其後山海經、爾雅、穆天子傳、莊子、列子、尚書大傳、賈誼新書、淮南子諸書、亦言崑崙、而以于窴河源為崑崙、蓋始于武帝、未必古崑崙、後人往往混同、是時上方數巡狩海上。乃悉從外國客。大都多人則過之、散財帛以賞賜、厚具以饒給之、以覽示漢富厚焉。於是大觳抵、出奇戲諸怪物、多聚觀者、行賞賜、酒池肉林、令外國客徧觀各倉庫府藏之積、見漢之廣大傾駭之。及加其眩者之工、而觳抵奇戲歲增變、甚盛益興、自此始。【正義】加其眩者之工、言漢人幻人工妙、更加於黎軒、【考證】李笠曰、漢書張騫傳、觳作角、同、見李斯傳集解、各倉庫、諸本作名倉庫、張文虎曰、名字、當從漢書作各、西北外國使、更來更去。【考證】顏師古曰、遞互來去、前後不絕、漢書張騫傳、西北作而、宛以西皆自以遠、尚驕恣晏然、未可詘以禮、羈縻而使也。自烏孫以西至安息、以近匈奴、匈奴困月氏也、【考證】漢書西域傳、困上有嘗字、氏下無也字、徐松曰、卽

謂冒頓老上事、匈奴使持單于一信、則國國傳送食、不敢留苦。【考證】西域傳、則作到、周壽昌曰、信卽古之符契也、顏師古曰、不敢留苦、不敢留連及困苦之也、及至漢使、非出幣帛、不得食、不市畜、不得騎用。所以然者、遠漢、而漢多財物。故必市、乃得所欲。然以畏匈奴於漢使焉。【考證】方苞曰、為貳師伐宛、當道小國、不肯給食張本、宛左右以蒲陶為酒。富人藏酒至萬餘石。久者數十歲不敗。【考證】御覽引後涼錄曰、呂光入龜茲城、胡人奢侈、富於生養、家有蒲萄酒、或至千斛、經十年不敗、俗嗜酒、馬嗜苜蓿。漢使取其實來。【考證】西域傳改作漢使采蒲陶目宿種歸、齊民要術引陸機與弟書云、張騫使外國十八年、得苜蓿歸、蓋傳聞之誤、顏師古曰、今北道諸州、舊安定北地之境、往往有目宿者、皆漢時所種也、於是天子始種苜蓿蒲陶肥饒地。及天馬多、外國使來衆、則離宮別觀旁盡種蒲萄苜蓿極望。自大宛以西至安息、國雖頗異言、然大同俗、相知言。其人皆深眼、多鬚頿、善市

賈、爭分銖。俗貴女子。女子所言、而丈夫乃決正。【考證】徐松曰、以為正而斷決從之、沈家本曰、今西洋諸國、頗類此、其地皆無絲漆、【考證】西域傳、脫無字、不知鑄錢器。【集解】徐廣曰、多作錢字、又或作鐵字、【考證】西域傳、作鐵器、吳仁傑曰、當從史記為正、西域罽賓傳、有金銀銅錫為器、金銀為錢、則錢器自是兩事、及漢使亡卒降、教鑄作他兵器、得漢黃白金、輒以為器、不用為幣。【考證】顏師古曰、漢使至其國、及有亡卒降其國者、皆教之也、而漢使者往既多、其少從率多進熟於天子。【集解】漢書音義曰、少從、不如計也、或云、從行之微者也、進熟美語、如成熟者也、【考證】顏師古曰、漢時謂隨使而出外國者為少從、總言其少年而從使也、從、音材用反、事見班固與弟仲升書、中井積德曰、謂美語為熟者、取烹孰甘美之義也、非成熟之義、王闓運曰、進熟、謂進見孰習也、以習孰故無所不言、而言及馬矣、愚按少從、顏說是、進熟、王說是、言曰。宛有善馬、在貳師城、匿不肯與漢使。【考證】徐松曰、唐書云、東曹居悉波山之陰、漢貳師城地、丁謙曰、貳師城、當在浩罕南疆、然其地今難確指、天子既好宛馬。聞之甘心。使壯士車令等持千金及金馬、以請宛王貳師城善馬。【考證】凌稚隆曰、應前天子好宛馬、顏師古曰、甘心、

心懷美悅、專事求之、宛國饒漢物。【正義】言前輩使往時所賞賜也、相與謀曰、漢去我遠、而鹽水中數敗、【集解】服虔曰、水名、道從外水中、如淳曰、道絕遠、無穀草、【正義】孔文祥云、鹽、鹽澤也、言水廣遠、或致風波而數敗也、裴矩西域記云、在西州高昌縣東、東南去瓜州一千三百里、竝沙磧之地、水草難行、四面危、道路不可準記、行人唯以人畜骸骨及駞馬糞為標驗、以其地道路惡、人畜卽不約行、曾有人於磧內時聞人喚聲、不見形、亦有歌哭聲、數失人、瞬息之閒、不知所在、由此數有死亾、蓋魑魅魍魎也、【考證】顏師古曰、沙磧之中、不生草木、水亦鹹苦、卽今敦煌西北惡磧者也、數有敗、言每自死亡也、出其北、有胡寇。出其南、乏水草。又且往往而絕邑、乏食者多。【考證】顏師古曰、絕邑、言近道之處、無城郭之居也、漢使數百人為輩來、而常乏食、死者過半。是安能致大軍乎。無柰我何。且貳師馬、宛寶馬也。遂不肯予漢使。漢使怒、妄言椎金馬而去。【集解】如淳曰、妄言、罵詈、【考證】顏師古曰、椎破金馬也、椎、直追反、其字從木、王先謙曰、示絕交也、王本凌本、妄譌忘、宛貴人怒曰。漢使至輕我。遣漢使去、令其東邊郁成遮攻殺漢使、取其財物。【考證】漢書張騫傳、郁成下有王字、於是天子

大怒。諸嘗使宛姚定漢等言。宛兵弱。誠以漢兵不過三千人、彊弩射之、卽盡虜破宛矣。【考證】張騫傳、無盡虜二字、天子已嘗使浞野侯攻樓蘭。以七百騎先至、虜其王。以定漢等言為然、而欲侯寵姬李氏。【考證】顏師古曰、欲封其兄弟、拜李廣利為貳師將軍、發屬國六千騎、及郡國惡少年數萬人、以往伐宛。【考證】顏師古曰、惡少年、無行義者、期至貳師城取善馬。故號貳師將軍。趙始成為軍正、故浩侯王恢使導軍、而李哆為校尉、制軍事。是歲太初元年也。【集解】徐廣曰、恢先受封、一年坐使酒泉矯制、國除、【索隱】哆、音尺奢反、又尺者反、【考證】漢書李廣利傳、故浩侯上、無趙始成為軍正六字、使道軍下、無而李哆為校尉制軍事九字、中井積德曰、詳具三人職事、而校尉更稱制軍事、可見將軍無所掌也、唯與俱往還、取封侯而已矣、漢書節去、大無味、愚按王恢見上、而關東蝗大起、蜚西至敦煌。貳師將軍軍、既西過鹽水。當道小國恐、各堅城守、不肯給

食。攻之不能下。下者得食、不下者數日則去。比至郁成、士至者不過數千。皆飢罷。攻郁成。郁成大破之、所殺傷甚衆。貳師將軍與哆・始成等計、至郁成、尚不能舉。況至其王都乎。引兵而還。往來二歲、還至敦煌、士不過什一二。使使上書言。道遠、多乏食。且士卒不患戰、患飢。人少不足以拔宛。願且罷兵、益發而復往。天子聞之大怒、而使使遮玉門曰。軍有敢入者輒斬之。貳師恐。因留敦煌。【考證】楓本、留下有屯字、與漢書合、其夏、漢亡浞野之兵二萬餘於匈奴。【集解】徐廣曰、太初二年、趙破奴為浚稽將軍、二萬騎擊匈奴、不還也、【考證】浞野侯、趙破奴、王先謙曰、據漢書武紀、其夏、當作其秋、公卿及議者、皆願罷擊宛軍、專力攻胡。天子已業誅宛。宛小國、而不能下、則大夏之屬輕漢、而宛善馬絕不來。烏孫・侖

頭、易苦漢使矣。為外國笑。【集解】晉灼曰、易、輕也、【考證】侖頭、漢書李廣利傳作輪臺、顏師古曰、輪臺、亦國名、乃案言伐宛尤不便者鄧光等、赦囚徒材官、益發惡少年及邊騎。【正義】言放囚徒及材官之士從事也、【考證】中井積德曰、材官上、似脫一字、愚按漢書李廣利傳、材官作扞寇盜、義異、歲餘而出敦煌者六萬人。負私從者不與。【考證】顏師古曰、負私糧及私從者、不在六萬人數中也、王念孫曰、此謂負私裝以從者、不在六萬中也、顏誤分負私與從者二事、匈奴傳、私負從馬凡十四萬匹、亦謂私負裝以從之馬也、顏云、私負衣裝者、及私將馬從者、亦誤分為二事、牛十萬、馬三萬餘匹、驢騾橐駝以萬數。多齎糧、兵弩甚設。天下騷動、傳相奉。伐宛凡五十餘校尉。宛王城中無井、皆汲城外流水。於是乃遣水工徙其城下水空、以空其城。【集解】徐廣曰、空、一作穴、蓋以水蕩敗其城也、言空者、令城中渴乏、【考證】漢書李廣利傳、下空字作穴、顏師古曰、空、孔也、徙其城下水者、令從他道流、不迫其城也、空以穴其城者、圍而攻之、令作孔、使穿穴也、下云、決其水源移之、又云、圍其城攻之、皆再敍其事也、一曰、既徙其水、不令於城中流、而因其舊引水入城之孔、攻而穴之、王先謙曰、此敍遣水工之故、尚未至宛、而顏云下再敍其事、誤也、此文作一句讀、徙水穴城、

不分二事、愚按上空字、鑿空之空、顏訓爲孔、是也、水空卽水道、下文所謂決其水源者、下空字讀如字、使城中涸渴也、不必從漢書改字、下文亦止云圍其城、不云穴其城、水空二字屬上讀、益發戍甲卒十八萬、酒泉・張掖北置居延・休屠、以衞酒泉。【集解】如淳曰、立二縣以衞邊也、或曰、置二部都尉、以衞酒泉、【考證】王先謙曰、漢地理志、居延、張掖縣、休屠、武威縣、皆都尉治、武紀、太初三年、遣路博德築居延澤、蓋二縣、於是時置、居延休屠、皆匈奴地、取於元狩中、而志云、二郡縣太初所開也、衞酒泉者、以備胡、觀武紀匈奴傳甚明、而發天下七科適、及載糒給貳師。【正義】適、音讁、張晏云、吏有罪、一、亡命、二、贅壻、三、賈人、四、故有市籍、五、父母有市籍、六、大父母有市籍、七、凡七科、武帝天漢四年、發天下七科讁出朔方也、【考證】顏師古曰、糒、乾飯、轉車人徒、相連屬至敦煌。而拜習馬者二人爲執驅校尉、備破宛擇取其善馬云。【考證】顏師古曰、一人爲執馬校尉、一人爲驅馬校尉、於是貳師後復行。兵多、而所至小國、莫不迎出食給軍。至侖頭。侖頭不下。攻數日屠之。自此而西、平行至宛城。【考證】顏師古曰、平行、言無寇難、漢兵到者三萬人。宛兵迎擊漢兵。漢兵射敗之。宛走入

葆乘其城。【考證】李廣利傳、葆作保、無乘字、貳師兵欲行攻郁成。恐留行而令宛益生詐、【考證】顏師古曰、留行、謂留止軍廢其行、楓本、郁成下有城字、乃先至宛、決其水源移之。則宛固已憂困。圍其城攻之四十餘日。其外城壞。虜宛貴人勇將煎靡。【正義】煎靡、將名、宛大恐、走入中城。宛貴人相與謀曰。漢所爲攻宛、以王毋寡匿善馬、而殺漢使。今殺王毋寡、而出善馬、漢兵宜解。卽不解、乃力戰而死、未晚也。【正義】毋、音無、宛王名、宛貴人皆以爲然、共殺其王毋寡、持其頭、遣貴人使貳師。約曰。漢毋攻我、我盡出善馬、恣所取、而給漢軍食。卽不聽、我盡殺善馬。而康居之救且至。至、我居內、康居居外、與漢軍戰。漢軍熟計之、何從。是時康居候視漢兵、漢兵尙盛、不敢進。貳師與趙始成・

李哆等計、聞宛城中新得秦人、知穿井、而其內食尙多。【考證】李廣利傳、秦人作漢人、王先謙曰、外夷稱中國、秦漢一也、亦見匈奴傳、愚按西人稱禹域爲支那脂那震旦、皆秦音之轉、所爲來誅首惡者毋寡。毋寡頭已至。如此而不許解兵、則堅守。而康居候漢罷而來救宛、破漢軍必矣。軍吏皆以爲然、許宛之約。宛乃出其善馬、令漢自擇之、而多出食、食給漢軍。【考證】顏師古曰、下食讀曰飤、漢軍取其善馬數十匹、中馬以下牡牝三千餘匹、而立宛貴人之故待遇漢使善者名昧蔡、以爲宛王、與盟而罷兵。終不得入中城。乃罷而引歸。【索隱】昧蔡、本大宛將也、上音末、下音先葛反、初貳師起敦煌西、以爲人多、道上國不能食。【考證】顏師古曰、起、發也、道上國、近道諸國也、食讀曰飤、乃分爲數軍、從南北道。校尉王申生・故鴻臚壺充國等千餘人、別到郁成。【考證】王先謙曰、壺充國太初元年爲鴻臚、二年免、見公卿表、郁成城守、不肯給食其軍。王申生去大軍二百里、偵而輕之、【考證】漢書李廣利傳、偵作負、疑誤、責郁成。郁成食不肯出。窺知申生軍日少、晨用三千人、攻戮殺申生等。軍破、數人脫亡走貳師。貳師令搜粟都尉上官桀往攻破郁成。【考證】齊召南曰、漢書公卿表、太初元年、搜粟都尉上官桀爲少府、年老免、卽合此傳、左將軍上官桀、與霍光同輔政者、在此人後、姓名偶同耳、郁成王亡走康居。桀追至康居。康居聞漢已破宛、乃出郁成王予桀。桀令四騎士縛守詣大將軍。【集解】如淳曰、時多別將、故謂貳師爲大將軍、四人相謂曰。郁成王漢國所毒。今生將去、卒失大事。【考證】顏師古曰、毒、言毒恨、漢書、將下無去字、李慈銘曰、生將、謂生致之也、王先謙曰、史記、將下有去字、文義更明、恐其猝佚去、事重大也、欲殺、莫敢先擊。上邽騎士趙弟最少。拔劍擊之、斬郁成王、齎頭。弟・桀等逐及大將軍。【正義】邽、音珪、秦州縣、【考證】漢書、逐作追、初貳師

後行。【考證】王先謙曰、後行、上文所謂後復行也、　天子使使告烏孫、大發兵并力擊宛。烏孫發二千騎往。持兩端不肯前。貳師將軍之東、諸所過小國、聞宛破、皆使其子弟從軍、入獻、見天子。因以爲質焉。【正義】東、破宛東歸、　貳師之伐宛也、而軍正趙始成力戰、功最多。【考證】中井積德曰、而字疑衍、　及上官桀敢深入、李哆爲謀計。軍入玉門者萬餘人、軍馬千餘匹。貳師後行、軍非乏食、戰死不能多。【考證】漢書李廣利傳、能多作甚多、　而將吏貪、多不愛士卒、侵牟之。以此物故衆。【考證】李廣利傳、貪下無多字、愛下無士字、故下有者字、沈欽韓曰、集韻、牟、取也、大也、此爲侵取之義、　天子爲萬里而伐宛、不錄過、封廣利爲海西侯、又封身斬郁成王者騎士趙弟爲新畤侯、軍正趙始成爲光祿大夫、上官桀爲少府、李哆爲上黨太守。軍官吏爲九

卿者三人、諸侯相郡守二千石者百餘人、千石以下千餘人。奮行者官過其望、【集解】漢書音義曰、奮迅自樂入行者、　以適過行者、皆絀其勞。【集解】徐廣曰、奮行者及以適行者、雖俱有功勞、今行賞、計其前有罪而減其賜、故曰絀其勞也、絀、抑退也、此本以適行、故功勞不足重、所以絀降之、不得與奮行者齊賞之、【正義】適、音謫、過、光臥反、言有罪謫罰而行者、免其所犯、皆絀退其功也、【考證】李廣利傳、絀作黜、郭嵩燾曰、漢法七科發謫、一曰、吏有罪者、此云黜其勞、主軍官軍吏言之、蓋吏之有罪者也、但許其立功贖罪、而不授官、故曰黜其勞、意在示人以重犯法也、　士卒賜直四萬金。【考證】李廣利傳、四萬金作四萬錢、是時士卒約萬人、史記云四萬金、通言之、漢書云四萬錢、一士卒所得之賜也、一金、卽黃金一斤、一斤直錢一萬、郭嵩燾曰、漢法、凡賞賜有帛有金有錢、各分數品、直曰四萬金者、通金幣數者合計之、　伐宛再反。凡四歲而得罷焉。【考證】顏師古曰、再反、猶今言再過、　漢已伐宛、立昧蔡爲宛王而去。歲餘、宛貴人以爲昧蔡善諛、使我國遇屠。乃相與殺昧蔡、立毋寡昆弟曰蟬封爲宛王。而遣其子入質於漢。【考證】楓本、蟬封作日磾、漢書西域傳、入下有侍字、　漢因使使賂賜以鎭撫之。而漢

發使十餘輩、至宛西諸外國、求奇物。因風覽以伐宛之威德。【考證】西域傳、而漢作又、覽作諭、顏師古曰、風讀曰諷、　而敦煌置酒泉都尉、【集解】徐廣曰、一云、置都尉、一本無置字、又云、敦煌有淵泉縣、或者酒字當爲淵字、【考證】梁玉繩曰、徐廣引別本、置字在都尉上、是也、至疑酒字爲淵、則非、漢志敦煌淵泉縣無都尉、　西至鹽水、往往有亭。而崙頭有田卒數百人。因置使者、護田積粟、以給使外國者。

太史公曰。禹本紀言河出崑崙。崑崙其高二千五百餘里。日月所相避隱爲光明也。其上有醴泉瑤池。【考證】日出月沒、月出日沒、故曰相、岡白駒曰、爲其太高避隱也、王念孫曰、論衡談天篇、藝文類聚、太平御覽、文選注、楚辭補注、竝引史記、瑤池作華池、山海經郭璞注、引禹本紀、亦作華池、梁玉繩曰、困學紀聞十云、三禮義宗引禹受地記、王逸注離騷引禹大傳、豈卽太史公所謂禹本紀者歟、余因攷郭璞山海經注、亦引禹大傳、漢藝文志有大命三十七篇、師古曰、命古禹字、列子湯問篇引大禹、疑皆一書、而異其篇目爾、而古言崑崙非一處、禹本紀所言、是山海經海外之崑崙、非河源所出、日月相避隱爲光明、類釋氏須彌山之說、未免誕妄、意崑崙不過如太山王屋之屬、山海海

內西經、以爲高萬仭、庶幾近之、水經、博物志、言高萬一千里、淮南地形、言山有增城九重、高萬一千里百十四步三尺六寸、拾遺記言九層、每層相去萬里、與此竝難信也、　今自張騫使大夏之後也、窮河源。惡睹本紀所謂崑崙者乎。【集解】鄧展曰、漢以窮河源、於何見崑崙乎、尚書曰、導河積石、是爲河源出於積石、積石在金城河關、不言出於崑崙也、【索隱】惡、音烏、烏、於何也、睹、見也、言張騫窮河源至大夏于窴、於何而見崑崙爲河所出、謂禹本紀及山海經爲虛妄也、然案山海經、河出崑崙東北隅、西域傳云、南出積石山、爲中國河、積石本非河之發源、猶尚書導洛自熊耳、然其實出於冢嶺山、乃東經熊耳、今推此義、河亦然矣、則河源本崑崙、而潛流至于闐、又東流至積石、始入中國、則山海經及禹貢各互擧耳、【正義】按張騫窮河源不審、今太史公有疑也、【考證】正義得之、王鳴盛曰、大宛贊、只辨崑崙虛妄、餘置不論、傳中言案古圖書、名河所出曰崑崙、而贊則云、惡睹所謂崑崙、有味可想、梁玉繩曰、史公此言疑河不出崑崙乎、抑疑世無崑崙乎、古今談河源者各異、禹貢言河出積石、兩漢西域傳及水經注、言河有兩源、一出蔥嶺山、一出于闐、此傳言出于窴南、漢西域傳改其文曰南出于積石、爲中國河、則所謂出于窴南者、指積石言之、依禹貢也、而兩源之說不著、夫禹貢之導河積石、猶導淮自桐柏、導洛自熊耳、皆自其山以導之、而未窮其源、烏得據爲河之所出、蔥嶺于窴、雖殊出、然同注于鹽澤、以至積石、隱淪顯發、異脈合流矣、但蔥嶺于窴之水、俱重源旁源、而非河之眞源、崑崙其眞源乎、爾雅、山海經、淮南地形、水經、與史所稱禹本紀竝言之、而傳記言崑崙有五處、一在西域、近禹貢崑崙國、山海經西次二經謂在槐江山之南、卽海內西經所云崑崙墟、在西北、河水出其東北隅者、唐釋玄奘西域、

記、名爲阿耨達山、又名無熱丘、是也、一在海外、山海大荒經謂、西海之南、流沙之濱、赤水之後、黑水之前、有大山、曰崑崙、其下弱水環之、近條支大秦國、禹本紀所稱者是也、一在于寘、漢武帝案古圖書、名于寘之山爲崑崙、是也、一在酒泉、漢志、金城臨羌縣西北有崑崙、十六國春秋、謂張駿時酒泉太守馬岌上言、酒泉南山卽崑崙之體、是也、一在吐蕃、通典、言吐蕃自云、崑崙山在國中西南、卽唐書吐蕃傳所稱紫山、直大羊同國、虜曰悶摩黎山、是也、五處崑崙、當定吐蕃爲眞河源之所出、元世祖使招討都實求河源、以爲出土蕃朶甘思西鄙、有泉百餘泓、方可七八十里、履高下瞰、燦若列星、名火敦腦兒、譯言星宿海、羣流奔湊五七里、匯二巨澤、名阿剌腦兒、自西而東、號赤賓河、岐爲八九股、行二十日、至大雪山、名亦耳麻不莫剌、其山最高、譯言騰乞里塔、卽崑崙也、潘昂霄從都實之弟闊闊出得其說、撰爲河源志、臨川朱思本、又從八里吉思家得帝師所藏梵字圖書、而以華文譯之、與昂霄志互有詳略、見元史地理志、我朝康熙四十三年、侍衛拉錫奉命窮河源、以爲在鄂敦他臘、卽元史之火敦腦兒、然自星宿海至崑崙、約有一月程、河源去崑崙甚遠、此胡氏禹貢錐指所以疑古來言河出崑崙爲虛語也、今乾隆四十七年、侍衛阿彌達氏、奉命往青海窮河源、言星宿海西南有河、名阿勒坦郭勒、蒙古語阿勒坦卽黃金、郭勒卽河也、水色黃、廻旋三百餘里、穿入星宿海、自此合流、至貴德堡、水色全黃、始名黃河、阿勒坦郭勒之西、有巨石高數丈、名阿勒坦噶達素齊老、蒙古語噶達素北極星、齊老石也、崖壁黃赤色、壁上爲天池、池中流泉噴湧、釃爲百道、皆作金色、入阿勒坦郭勒、實黃河之上源、又在星宿海上、則知崑崙爲黃河眞源、在今回部中、其水伏流而出青流之阿勒坦噶達素齊老、始經星宿海、重源再發、得未曾有、不但千古之疑可以冰釋、卽都實拉錫氏之所尋探、尙屬得半而止、爾張騫蓋嘗身歷其地、史漢疏略不言也、又唐書吐谷渾傳、及

舊書侯君集傳敘、太宗時李靖侯君集、任城王道宗、破吐谷渾、次星宿川、達柏海、北望積石山、觀河源、此河源只在積石山、流入爲中國河處、而星宿川亦非星宿海、至明徐弘祖遊記、謂河出崑崙北星宿海、去中夏三萬四千三百里、恐未可信、愚按梁氏所論、亦未必確、姑錄以資考據、

故言九州山川、尙書近之矣。至禹本紀山海經所有怪物、余不敢言之也。【索隱】余敢言也、案漢書作所有放哉、如淳云、放蕩迂闊、言不可信也、余敢言也、亦謂山海經難可信耳、而荀悅作效、蓋失之矣、【正義】言本紀及山海經所言奇怪之物、余不敢敍也、【考證】王先謙曰、此質不敢斥言武帝志窮荒遠之失、據崑崙之非實以寓諷也、武帝所名崑崙、非眞河源、然因此並疑崑崙、則蔽所不見之失也、梁玉繩曰、劉秀上山海經奏、吳越春秋無余外傳、論衡別通、路史後紀並謂益作之、隋志及顏氏家訓書證云、禹益所記、酈道元水經注序及濁漳水注並云、禹著、史通雜述篇言夏禹敷土、實著山經、宋尤袤以爲恢誕不典、定爲先秦之書、朱子以爲緣解楚辭天問而作、吾丘衍閒居錄謂凡政字皆避去、知秦時方士所著、楊愼升菴集山海經後序、以爲出于太史終古孔甲之流、疑莫能定、文多冗複、似非一時一手所爲也、

【索隱述贊】大宛之迹、元因博望、始究河源、旋窺海上、條枝西入、天馬內向、蔥嶺無塵、鹽池息浪、曠哉絕域、往往亭障、

大宛列傳第六十三 史記一百二十三

史記會注考證卷一百二十四

漢　太史令　司馬遷　撰

宋　中郎外兵曹參軍　裴駰　集解

唐　國子博士弘文館學士　司馬貞　索隱

唐　諸王侍讀率府長史　張守節　正義

日本　出雲　瀧川資言　考證

游俠列傳第六十四　史記一百二十四

【集解】荀悅曰、立氣齊、作威福、結私交、以立彊於世者、謂之游俠、【考證】史公自序云、救人於戹、振人不贍、仁者有乎、不既信、不倍言、義者有取焉、作游俠列傳、第六十四、柯

維騏曰、荀悅謂世有三游、德之賊也、揚雄謂游俠竊國靈者也、太史公作傳、豈誠美其事哉、遷遭李陵之禍、平昔交游、緘默自保、其視不愛其軀、赴士之戹困者何如、其言曰、誠使鄉曲之俠、與季次原憲、比權量力、效功於當世、不同日而論、蓋有激也、此與貨殖傳同意、班固不原此意、乃譏其進奸雄、而崇勢利、誤矣、張照曰、按遷意所不滿、莫若公孫丞相、及衛霍、觀佞幸傳之闌入衛霍可見、此言儒不如俠、其所爲儒、卽指公孫弘輩、而班固謂其是非頗謬於聖人、亦不達其旨焉、愚按周末游俠極盛、至秦漢不衰、修史者不可沒其事也、史公此傳、豈有激而作乎哉、諸解失其本末、又按此傳亦是一篇文字、各人提行、非史公之舊、今從金陵本、

韓子曰。儒以文亂法、而俠以武犯禁。【正義】言文之蔽、小人以僿、謂細碎苛法亂政、【考證】韓非子五蠹篇語、儒以文亂法、李斯所謂諸生不師今而學古、以非當世、惑亂黔首者、正義誤、二者皆譏。【正義】譏、非言也、儒敝亂法、俠盛犯禁、二道皆非、而學士多稱於世者、故太史公引韓子、欲陳游俠之美、【考證】韓子之言、止于犯禁、二者皆譏、言儒俠二者爲韓非所譏也、而學士多稱於世云。

至如以術取宰相卿大夫、輔翼其世主、功名俱著於春秋。【索隱】功名俱著春秋、案春秋謂國史也、以言人臣有功名、則見記于其國之史、是俱著春秋者也、【正義】春秋則左傳也、言以數術取宰相卿大夫、輔其主、功名著左傳者、固無可更言說也、【考證】以術取宰相卿大夫、暗斥公孫弘張湯諸人、春秋猶言史乘、索隱爲是、固無可言者。【考證】中井積德曰、無可言、不容論

也、

及若季次・原憲、閭巷人也。讀書懷獨行君子之德、義不苟合當世。當世亦笑之。【集解】徐廣曰、仲尼弟子傳曰、公晳哀字季次、未嘗仕、孔子稱之、【索隱】行、音下孟反、故季次・原憲、終身空室蓬戶、褐衣疏食不厭。【索隱】不饜、饜、飽也、於豔反、【正義】莊子云、原憲處居環堵之室、蓬戶不完、以桑爲樞、而甕牖、上漏下溼、獨坐而弦歌也、死而已四百餘年、而弟子志之不倦。【考證】陳仁錫曰、死而已四百餘年七字爲一句、今游俠其行雖不軌於正義、然其言必信、其行必果、已諾必誠、不愛其軀、赴士之阸困、【索隱】上音厄、既已存亡死生矣。【考證】李笠曰、案存亡死生、當作存亡生死、謂亡者存之、死者生之也、左氏襄公二十二年傳、所謂生死而肉骨也、與此語同、愚按出入存亡死生間也、自游俠言之、李說非、而不矜其能、羞伐其德。蓋亦有足多者焉。且緩急、人之所時有也。【考證】陳仁錫曰、太史公敘游俠之義曰、有足多、曰、有所長、曰、賢豪、曰、曷可乎、曰、是爲難、曰、有足稱、其所推揚之者不一而足、可謂婉曲矣、

太史公曰。昔者虞舜窘於井廩、伊尹負於鼎俎、【正義】舜塗廩浚井、

在五帝紀、非有先生論云、伊尹蒙恥辱負鼎俎、和五味以干湯也、【考證】鼎俎之誣、說在殷紀、傅說匿於傅險、呂尙困於棘津、【集解】徐廣曰、在廣川、【正義】尉繚子云、太公望行年七十、賣食棘津、云、古亦謂之石濟津、故南津、夷吾桎梏、百里飯牛、仲尼畏匡、菜色陳・蔡。此皆學士所謂有道仁人也。猶然遭此菑。況以中材而涉亂世之末流乎。其遇害、何可勝道哉。鄙人有言曰。何知仁義。已饗其利者爲有德。【索隱】已、音以、饗、音享、受也、言已受其利、則爲有德、何知必仁義也、【考證】張文虎曰、已、當作己、己、猶身也、謂身受其人之利、卽其人爲仁義矣、索隱音已爲以、非、伯夷醜周、餓死首陽山。而文・武不以其故貶王。跖・蹻暴戾。其徒誦義無窮。【正義】跖、秦大盜也、蹻、楚大盜也、蹻、求略反、由此觀之、竊鉤者誅、【索隱】以言小竊則爲盜而受誅也、竊國者侯。侯之門、仁義存。【索隱】言人臣委質於侯王門、則須存于仁義、若游俠輕健、亦何必肯存仁義也、【考證】語本莊子胠篋篇、其義不同、余有丁曰、此上文饗其利者爲有德意也、方苞曰、竊鉤者誅、喩俠客之捍文網也、竊國者侯、喩弘湯誣上殘民、以竊高位也、侯之門仁義存、譏世人不知弘湯之醜、而稱美之也、張文虎曰、侯之門、仁義存、謂衆

以仁義稱之、受其利故也、索隱不知所謂、非虛言也。今拘學或抱咫尺之義、久孤於世。豈若卑論儕俗、與世沈浮、而取榮名哉。［索隱］言拘學守義之士、或抱咫尺纖微之事、遂久以當代孤負我志、而不若卑論儕俗以取榮寵也、［正義］儕、等也、言拘學之人、或抱纖介之義、久孤不官者、豈若下卑儕等之流、隨世衰盛、而取榮祿、何相比哉、原憲季次、不及欒布上也、［考證］中井積德曰、拘學、拘泥之學士、孤於世、於時無偶也、張文虎曰、此謂拘守志節、獨行踽踽、不見知於世也、方苞曰、所謂榮名、卽以術取宰相卿大夫、非君子所謂榮也、曲學阿世、爲卑鄙之論、以儕於流俗、乃與世浮沈、以取榮名之術、愚按史公固非惡拘學之士、尙榮名之徒者、蓋故反言之以竦動人聽也、班固不得其意、則曰序游俠則退處士而進姦雄、誤矣、 而布衣之徒、設取予然諾、千里誦義、爲死不顧世。此亦有所長。非苟而已也。故士窮窘而得委命。此豈非人之所謂賢豪閒者邪。［考證］岡白駒曰、委、託也、上文所云、赴士之阸困者也、中井積德曰、閒字疑衍、愚按、楓山三條本閒作間、 誠使鄉曲之俠、予季次原憲、比權量力、效功於當世、不同日而論矣。［考證］凌稚隆曰、一本、予作與、岡白駒曰、予、與同、愚按此言鄉曲之俠、權力效功、夐過季次原憲也、賈誼過秦論、試使山東之國、與陳涉度長絜大、比權量力、則不可同年而語矣、

史公句法所本、要以功見言信、俠客之義、又曷可少哉。古布衣之俠、靡得而聞已。近世延陵・孟嘗・春申・平原・信陵之徒、［集解］徐廣曰、代郡亦有延陵縣、駰案韓子云、趙襄子召延陵生、令車騎先至晉陽、襄子時趙已幷代、可有延陵之號、但未詳是此人非耳、［考證］顧炎武曰、延陵、謂季札、以其徧游上國、與名卿相結、解千金之劍而繫冢樹、有俠士之風也、中井積德曰、延陵疑衍文、漢書擧四君、而不及延陵、亦足徵、崔適曰、下文專承四豪爲義、豈有一字涉於延陵者、其爲衍文明矣、愚按梁玉繩張文虎亦以延陵爲衍文、徐廣顧炎武說非、 皆因王者親屬、藉於有土卿相之富厚、招天下賢者、顯名諸侯。不可謂不賢者矣。比如順風而呼。聲非加疾。其執激也。［考證］凌稚隆曰、一本比作此、愚按比、譬也、荀子勸學篇、順風而呼、聲非加疾也、而聞者彰、韓非子難勢篇、弩弱而矢高者、激於風也、至如閭巷之俠、脩行砥名、聲施於天下、莫不稱賢。是爲難耳。［索隱］施、音以豉反、 然儒墨皆排擯不載。［正義］擯、棄也、 自秦以前、匹夫之俠、湮滅不見。余甚恨之。以余所聞、漢興有朱家・田仲・王公・劇孟・郭

解之徒。［考證］王公、卽王孟、 雖時扞當世之文罔、［索隱］扞、卽捍也、違扞當代之法網、謂犯於法禁也、 然其私義廉絜退讓、有足稱者。名不虛立、士不虛附。至如朋黨宗彊、比周設財役貧、豪暴侵淩孤弱、恣欲自快、游俠亦醜之。余悲世俗不察其意、而猥以朱家・郭解等、令與暴豪之徒、同類而共笑之也。［正義］猥、烏罪反、朱家郭解、與豪暴之徒、雜處而同類、共笑之、故爲游俠之別也、 魯朱家者、與高祖同時。魯人皆以儒教。而朱家用俠聞。所藏活豪士、以百數。其餘庸人、不可勝言。［考證］藏、藏亡命之人也、 然終不伐其能、歆其德。［考證］岡白駒曰、不歆其德、不亨人之以爲恩德、愚按楓山三條本、歆作飮、與漢書游俠傳合、非是、 諸所嘗施、唯恐見之。振人不贍、先從貧賤始。家無餘財、衣不完采、食不重味、乘不過軥牛。［集解］徐廣曰、音雊、駰案漢書音義曰、小牛、［索隱］上音古豆反、案大牛當軶、小爲軥牛、［正義］軥牛在當前挽也、晉灼曰、軥、軛也、軥牛、小牛也、［考證］漢書、完作兼、沈

欽韓曰、時賤牛車、而朱家所乘、並是挽軥之小牛、言其貧薄、說文、軥、軶下曲者、 專趨人之急、甚己之私。［考證］漢書、己下無之字、 既陰脫季布將軍之阸。及布尊貴、終身不見也。［索隱］陰脫季將軍之厄、案季布爲漢所購求、朱家以布髠鉗爲奴、載以廣柳車而出之、及尊貴而不見之、亦高介至義之士、然布竟不見報朱家之恩、［考證］楓山三條本、不下有往字、徐孚遠曰、季布事已具傳中、此不詳敘、亦史法也、 自關以東、莫不延頸願交焉。楚田仲以俠聞、喜劍。父事朱家。自以爲行弗及。田仲已死、而雒陽有劇孟。［考證］漢書、無喜劍二字、楓三本、重朱家二字、田仲下有仲字、 周人以商賈爲資、而劇孟以任俠顯諸侯。［考證］漢書、無諸侯二字、 吳・楚反時、條侯爲太尉、乘傳車將至河南。［考證］漢書、車作東、 得劇孟、喜曰。吳・楚擧大事、而不求孟。吾知其無能爲已矣。天下騷動。宰相得之、若得一敵國云。［考證］李笠曰、漢書、無矣字、此文多一矣字、則語緩、疑誤衍、宰相、當作大將軍、通鑑考異云、按劇孟一游俠之士耳、亞夫得之、何足爲輕重、蓋其徒欲爲孟重名、妄撰此言、不足信也、 劇孟行大類朱家、而

好博、多少年之戲。【索隱】按博、六博戲也、 然劇孟母死、自遠方送喪、蓋千乘。【考證】庶人送喪之多、蓋始於此、 及劇孟死、家無餘十金之財。而符離人王孟、亦以俠稱江·淮之閒。是時濟南瞯氏、【索隱】瞯、音閑、案爲郅都所誅、 陳周庸、【索隱】陳國人、姓周、名庸、【考證】漢書、庸作膚、 亦以豪聞。景帝聞之、使使盡誅此屬。其後代諸白、【索隱】代、代郡人、有白氏豪俠非一、故言諸、 梁韓無辟、【索隱】梁國人、韓姓、無辟名、辟音避、【正義】辟、音璧、梁人也、 陽翟薛兄、【索隱】音況、 陝韓孺、【集解】徐廣曰、陝、疑當作郟字、潁川有郟縣、南越傳曰、郟壯士韓千秋也、【索隱】陝當爲郟、陝音如幷反、郟音紀洽反、漢書作寒孺、【正義】薛況、河南陽翟人也、韓孺、陝縣人也、不用徐音、 紛紛復出焉。郭解、軹人也。字翁伯。【索隱】漢書云、河內軹人也、 善相人者許負外孫也。【考證】許負相周亞夫、見絳侯世家、相薄太后、見外戚世家、 解父以任俠、孝文時誅死。解爲人短小精悍、不飲酒。【正義】精、善好人、悍、勇健、【考證】漢書、精作靜、顏師古曰、性沈靜而勇悍、王念孫曰、靜與精同、藝文類聚人部十七、御覽人事部百七十三、引漢書亦作精悍、精與悍義相近、故以精悍連文、儒

林傳、韓嬰其人精悍、酷吏傳、嚴延年爲人短小精悍、作靜者、音聲近而字通耳、若以靜爲沈靜、則與悍字義相遠矣、 少時陰賊、【索隱】以內心忍害、 慨不快意、身所殺甚衆。【正義】慨、苦代反、慷慨言不合意則殺之、【考證】漢書、慨上有感字、 以軀借交、報仇、藏命、作姦剽攻不休、【索隱】案藏命、謂亡命也、【正義】命、名也、謂藏匿其名而作姦惡也、【考證】漢書、借交作藉友、休上無不字、顏師古曰、藏命、藏亡命之人也、顏師古曰、剽、劫也、劉攽曰、攻、謂攻奪而取之、王念孫曰、剽攻是一事、 及鑄錢掘冢、固不可勝數。【考證】漢書、及作乃、上文休字、屬下讀、無固字、王念孫曰、及當作乃、休上不字衍、休乃鑄錢掘冢爲一句、漢書作藏命作姦剽攻、休乃鑄錢掘冢、顏師古云、不報仇剽攻、則鑄錢發冢也、是休字屬下爲句、貨殖傳云、起則相隨椎剽、休則掘冢、此又一證也、愚按、及、猶又也、史文自通、不必從漢書改文、 適有天幸、窘急常得脫、若遇赦。【考證】若、及也、 及解年長、更折節爲儉、以德報怨、厚施而薄望。然其自喜爲俠益甚。【索隱】蘇林云、言性喜爲俠也、【考證】儉、檢束也、中井積德曰、自喜、謂自愛好、 既已振人之命、不矜其功。其陰賊著於心、卒發於睚眦如故云。【考證】振、救也、卒、猝、同、漢書作本、非是、 而少年慕其行、亦輒爲報仇、不使知

也。解姊子負解之勢、與人飲、使之嚼。非其任、彊必灌之。【集解】徐廣曰、嚼、音子妙反、盡酒也、【索隱】負、恃也、嚼、即妙反、謂酒盡、【正義】其人不能飲、強使盡之、【考證】漢書、嚼作釂、錢大昕曰、嚼與釂同、說文、釂、飲盡酒也、 人怒、拔刀刺殺解姊子、亡去。解姊怒曰、以翁伯之義、人殺吾子、賊不得。【考證】翁伯、解字、漢書、之義作時、 弃其尸於道、弗葬。欲以辱解。解使人微知賊處。賊窘自歸、具以實告解。【考證】顏師古曰、微、伺問之也、 解曰、公殺之固當。吾兒不直。遂去其賊、罪其姊子、【集解】徐廣曰、去、遣使去、【考證】王先謙曰、言歸罪死者、 乃收而葬之。諸公聞之、皆多解之義、益附焉。解出入、人皆避之。有一人、獨箕踞視之。解遣人問其名姓。客欲殺之。解曰、居邑屋、至不見敬。是吾德不脩也。彼何罪。【考證】張文虎曰、踞、各本作倨、毛本舊刻作踞、顏師古曰、邑屋、猶今人言村舍也、愚按、莊子胠篋篇、治邑屋州閭鄉曲、 乃陰屬尉史曰、是人吾所急也。至踐更時

脫之。【索隱】案謂吾心中所急、言情切急之謂、漢書作重也、【考證】漢書、史作吏、沈欽韓曰、漢舊儀、尉史曰尉吏、蓋更繇之事、掌於尉、中井積德曰、急、謂親恤之切至也、 每至踐更、數過、吏弗求。【集解】如淳曰、更有三品、有卒更、有踐更、有過更、古者正卒無常人、皆當迭爲之、一月一更、是爲卒更也、貧者欲得顧更錢者、次直者出錢顧之、月二千、是爲踐更也、律說、卒更踐更者、居縣中五月乃更也、後從尉律、卒踐更一月休十一月也、【索隱】數、音朔、謂頻免之也、又音色主反、數亦頻也、【考證】吳王濞傳云、卒踐更、卒價、顏師古曰、踐更、爲踐更之卒也、直、當也、中井積德曰、按漢書音義云、自行爲卒、謂之踐更、是知踐更當更番者也、吳王濞傳當併案、如注三品、不可從、且註卒更、卽是本文踐更矣、 怪之、問其故。乃解使脫之。【正義】箕踞者、怪踐更至、數過不喚、乃問其故、 箕踞者乃肉袒謝罪。【考證】凌稚隆曰、應前以德報怨、 少年聞之、愈益慕解之行。雒陽人有相仇者。邑中賢豪居閒者以十數。終不聽。【索隱】數、色具反、【正義】閒、言處兩仇之閒、【考證】顏師古曰、居閒、居中閒爲道地、和輯之、而不見許也、 客乃見郭解。解夜見仇家。仇家曲聽解。【索隱】仇家曲聽、謂屈曲聽解也、【考證】漢書、聽下無解字、中井積德曰、曲聽、非其心、勉強從之也、 解乃謂仇家曰、吾聞雒陽諸公在此閒、多不聽者。今子幸而聽解。解柰

何乃從他縣奪人邑中賢大夫權乎。【考證】漢書、無此字者字、乃字中字、乃夜去、不使人知。曰。且無用待我。待我去、令雒陽豪居其間、乃聽之。【索隱】按漢書、無用、作無庸、蘇林曰、且無便用吾言、待我去、令洛陽豪居其閒也、【正義】解曰、且無用我言、待我去後、洛陽豪言之、乃從也、是不欲奪人權勢、【考證】漢書、無待我二字、正義本無待字、愚按正義本近是、無用我、猶言無爲用我也、淩稚隆曰、應前不矜其功、解執恭敬、不敢乘車入其縣廷。【考證】漢書、恭敬作恭儉、下有出未嘗有騎五字、之旁郡國、爲人請求事、【考證】顏師古曰、所屬之縣也、事可出、出之、不可者、各厭其意、然後乃敢嘗酒食。【考證】楓山本、各上有令字、漢書、各下有令字、如淳曰、事可爲免出者出之、顏師古曰、厭滿也、淩稚隆曰、應前厚施薄望、諸公以故嚴重之、爭爲用。邑中少年、及旁近縣賢豪、夜半過門、常十餘車、請得解客舍養之。【索隱】如淳云、解多藏亾命者、故喜事年少與解同志者、知亾命者多歸解、故多將車來、欲爲解迎亾者而藏之者也、【考證】楓山三條本、賢豪下有過從解、常至五字、漢書無、及徙豪富茂陵也、解家貧不中訾。【索隱】不中訾、案訾不滿三百萬已上爲不中、

【正義】言貲財少、不中徙茂陵也、吏恐不敢不徙。【考證】中井積德曰、解雖不中貲、而其名在籍、故吏恐違上命獲罪、不敢釋之也、非恐解、衞將軍爲言、郭解家貧不中徙。上曰。布衣權至使將軍爲言。此其家不貧。解家遂徙。諸公送者出千餘萬。【考證】周壽昌曰、衞青固謹畏、不肯薦士、所言於上者、獨主父偃郭解兩人、尚有咸宣、亦因青言、上爲廄丞、陳子龍曰、人皆言衞將軍不好客、然如郭解者、將軍未嘗不識也、苟不多奇士、何以有將軍之功乎、將軍蓋因人主意、而晦其迹耳、通鑑考異云、荀紀以郭解事著於建元二年、按武帝建元二年、初置茂陵邑、三年、賜徙茂陵者錢、當是時衞青公孫弘皆未貴、又元朔二年、徙郡國豪傑于茂陵、此乃徙解之時也、軹人楊季主子爲縣掾。舉徙解。【考證】岡白駒曰、新徙茂陵、解本情所不願也、故衞將軍爲言不中徙、上文云、解家遂徙、此又云、舉徙解、蓋言掾當初據天子言而舉徙之也、愚按漢書、舉徙作鬲之、顏師古云、隔塞其送、不令解得之也、與史義異、解兄子斷楊掾頭。由此楊氏與郭氏爲仇。解入關。關中賢豪、知與不知、聞其聲、爭交驩解。解爲人短小不飲酒。出未嘗有騎。【考證】漢書、無解解爲人短小不飲酒出未嘗有騎十四字、中井積德曰、解爲人短小不飲酒、是複出、誤寫耳、出未嘗有騎句、當在前文不敢乘上、已又殺楊

季主。【考證】漢書、已作邑人、楊季主家上書。人又殺之闕下。【正義】解客於闕下殺上書人、上聞、乃下吏捕解。解亡、置其母家室夏陽、【集解】徐廣曰、屬馮翊、【正義】故城在同州韓城縣南二十里、漢夏陽也、身至臨晉。【正義】故城在同州馮翊縣西南二里、臨晉籍少公素不知解。解冒、因求出關。【考證】岡白駒曰、冒、假稱他人姓名也、愚按漢書、公作翁、無解冒求三字、籍少公已出解。解轉入太原。所過輒告主人家。【正義】告主人家、示所去處、【考證】漢書、轉入作傳、無所字、家作處、中井積德曰、主人家、謂今後所經過之家、故吏得迹之、吏逐之、跡至籍少公、少公自殺、口絕。【考證】岡白駒曰、少公素不知解、自殺口絕、上文所謂知與不知聞其聲爭交驩也、久之、乃得解。窮治所犯、爲解所殺、皆在赦前。【考證】楓山本、爲下有而字、與漢書合、軹有儒生、侍使者坐。客譽郭解。生曰。郭解專以姦犯公法。何謂賢。解客聞、殺此生、斷其舌。吏以此責解。解實不知殺者。殺者亦竟絕莫知爲誰。【考證】漢書、責上無此字、淩稚隆曰、應前少年爲報

仇不使知、吏奏、解無罪。御史大夫公孫弘議曰。解布衣爲任俠行權、以睚眦殺人。解雖弗知、此罪甚於解殺之。當大逆無道。【考證】漢書、解殺之、作解知殺之、中井積德曰、弗知之罪、甚於親殺、是老吏弄文處、遂族郭解翁伯。【考證】梁玉繩曰、王孝廉云、翁伯二字衍、是處何必復表其字耶、周壽昌曰、後漢書郭伋傳、高祖父解、汲父梵、蜀郡太守、是解曾孫、伋則玄孫也、解雖被族誅、必有慕其俠義而藏其後人者、故至東漢復盛、自是之後、爲俠者極衆、敖而無足數者。【集解】徐廣曰、敖、倨也、【考證】中井積德曰、漢書削敖字、似長、然關中長安樊仲子、槐里趙王孫、長陵高公子、西河郭公仲、太原鹵公孺、【集解】徐廣曰、鴈門有鹵城也、【索隱】太原鹵翁、漢書作魯公孺、魯、姓也、與徐廣之說不同也、【考證】漢書、仲子作中子、公仲作翁中、鹵公孺作魯公孺、徐廣以鹵爲地名、非、臨淮兒長卿、東陽田君孺、【索隱】漢書作陳君孺、然陳田聲相近、亦本同姓、【正義】其東陽、蓋貝州歷亭縣者、爲近齊故也、【考證】兒、音五奚反、雖爲俠、而逡逡有退讓君子之風。【考證】漢書、逡逡作恂恂、顏師古曰、謹信之貌、至若北道姚氏、【索隱】北道諸姚、蘇林云、道、猶方也、如淳云、京師四出道也、【考證】北道西道、猶北國西國也、

西道諸杜、南道仇景、東道趙他羽公子、南陽趙調之徒、此盜跖居民間者耳。[索隱]舊解以趙他羽公子爲二人、今案此姓趙、名他羽、字公子也、[考證]漢書、跖下有而字、東道下無趙字、顏師古曰、姓它、名羽、字公子、錢大昕曰、以上下文證之、則索隱舊解爲是、春秋傳、鄭穆公之後有羽氏、愚按楓山三條本、盜上有比字、曷足道哉。此乃鄉者朱家之羞也。[考證]楓山三條本、之下有所字、漢書、之作所、自是之後以下、列擧似俠非俠者以結、文有落著、或以爲後人所續、非也、

太史公曰。吾視郭解、狀貌不及中人、言語不足採者。然天下無賢與不肖、知與不知、皆慕其聲、言俠者、皆引以爲名。諺曰、人貌榮名、豈有既乎。[集解]徐廣曰、人以顏狀爲貌者、則貌有衰落矣、唯用榮名爲飾表、則稱譽無極也、既、盡也、於戲惜哉。[考證]中井積德曰、惜其不令終也、

[索隱]述贊、游俠豪倨、藉藉有聲、權行州里、力折公卿、朱家脫季、劇孟定傾、急人之難、免讎於更、偉哉翁伯、人貌榮名、

游俠列傳第六十四　史記一百二十四

史記會注考證卷一百二十五

漢　太　史　令　司　馬　遷　撰
宋　中　郎　外　兵　曹　參　軍　裴　駰　集　解
唐　國　子　博　士　弘　文　館　學　士　司　馬　貞　索　隱
唐　諸　王　侍　讀　率　府　長　史　張　守　節　正　義
日　本　出　雲　瀧　川　資　言　考　證

佞幸列傳第六十五　史記一百二十五

[考證]史公自序云、夫事人君、能說主耳目、和主顏色、而獲親近、非獨色愛、能亦各有所長、作佞幸列傳第六十五、

諺曰。力田不如逢年。善仕不如遇合。[集解]徐廣曰、遇、一作偶、[考證]劉辰翁曰、偶合是、梁玉繩曰、封禪河渠平準及此傳前敍、獨無太史公曰四字、何也、固無虛言。非獨女以色媚、而士宦亦有之。[考證]張文虎曰、南宋舊刻毛本、士作仕、昔以色幸者多矣。至漢興、高祖至暴抗也。[索隱]伉、音苦浪反、言暴猛伉直、[考證]索隱本、抗作伉、酷吏傳贊云、郅都伉直、楊愼曰、樊噲傳、高帝枕一宦者臥、豈即籍孺、然籍孺以佞幸。孝惠時有閎孺。[正義]籍、閎、皆名也、孺、幼小也、此兩人非有材能。徒以婉佞貴幸、與上臥起。公卿皆因關說。[索隱]按、關、訓通也、謂公卿因之而通其詞說、劉氏云、有所言說、皆關由之、[正義]關、猶歷也、言公卿有事、皆關兩人而說於上也、[考證]梁孝王世家、大臣及袁盎等有所關說於景帝、義同、故孝惠時、郎侍中皆冠鵕鸃、貝帶、傅脂粉。化閎・籍之屬也。[集解]漢書音義曰、鵕鸃、鳥名、以毛羽飾冠、以貝飾帶、[索隱]鵕鸃、應劭云、鳥名、毛可以飾冠、許愼云、鷩鳥也、淮南子云、趙武靈王服貝帶鵕鸃、漢官儀云、秦破趙、以其冠賜侍中、三倉云、鵕鸃、神鳥也、飛光映天者也、傅、音付、兩人徙家安陵。[正義]惠帝陵邑、孝文時、中寵臣、士人則鄧通、宦者則趙同、[索隱]案漢

書、作趙談、此云同者、避太史公父名也、北宮伯子。[正義]顏云、姓北宮、名伯子、也、按伯子、名、北宮之宦者也、北宮伯子以愛人長者、而趙同以星氣幸、常爲文帝參乘。[考證]趙同事、又見袁盎傳、鄧通無伎能。鄧通、蜀郡南安人也。[集解]徐廣曰、後屬犍爲、[考證]錢大昕曰、地理志、南安屬犍爲郡、犍爲武帝所置、漢初屬蜀也、以濯船爲黃頭郎。[集解]徐廣曰、著黃帽也、駰案、漢書音義曰、善濯船池中也、一說、能持擢行船也、土、水之母、故施黃旄於船頭、因以名其郎曰黃頭郎、[索隱]濯、音棹、遲教反、[正義]濯、音宅教反、濯船、持楫行船也、黃頭、著黃帽也、以土勝水也、[考證]顏師古曰、濯讀曰櫂、孝文帝夢欲上天。不能。有一黃頭郎、從後推之上天。顧見其衣裻帶後穿。[集解]徐廣曰、一無裻字、[索隱]音篤、裻者、衫襦之橫腰者、[考證]中井積德曰、說文、裻、背縫也、裻以語縱、帶以語後、恐按、漢書作尻、覺而之漸臺、[索隱]覺、音教、[正義]括地志云、漸臺在長安故城中、關中記云、未央宮西有蒼池、池中有漸臺、王莽死於此臺、以夢中陰自求推者郎。[考證]毛本、自作目、與漢書合、即見鄧通其衣後穿。夢中所見也。召問其名姓。姓鄧氏、名通。文帝說焉。[索隱]漢書云、上曰、鄧猶登也、悅之、尊幸之日

異。通亦愿謹、不好外交。雖賜洗沐、不欲出。於是文帝賞賜通巨萬以十數。[正義]言賜通巨萬、以至於十也、[考證]劉攽曰、積前後賞賜、盈鉅萬者、以十數爾、不謂一賜則鉅萬也、官至上大夫。[考證]王先謙曰、百官表有太中大夫中大夫、無上大夫、據石奮傳、奮爲太中大夫、二千石、以上大夫祿歸於家、是上大夫卽太中大夫也、下文上大夫義同、文帝時時如鄧通家遊戲。[考證]如、往也、漢書、時時作時間、然鄧通無他能、不能有所薦士。獨自謹其身以媚上而已。上使善相者相通。曰。當貧餓死。文帝曰。能富通者在我也。何謂貧乎。於是賜鄧通蜀嚴道銅山、[正義]括地志云、雅州榮經縣北三里有銅山、卽鄧通得賜銅山鑄錢者、案榮經卽嚴道、得自鑄錢。鄧氏錢布天下。其富如此。[正義]錢譜云、文字稱兩、同漢四銖文、[考證]沈欽韓曰、西京雜記、文字肉好、皆與天子錢同、張文虎曰、中統本吳校金板、自作以、愚按、漢書作自、文帝嘗病癰。鄧通常爲帝唶吮之。[索隱]唶、仕格反、吮、仕兗反、[考證]漢書、唶作嗽、顏師古曰、音山角反、文帝不樂。從容問通曰。天下誰最愛我者乎。通

曰。宜莫如太子。考證 徐孚遠曰、文帝自以爲病困、故不樂也、又曰、是時諸子無奪適者、通偶然言之耳、非以排太子也、 太子入問病。文帝使唶癰。唶癰而色難之。考證 漢書、使唶癰下、有太子二字、 已而聞鄧通常爲帝唶吮之、心慙。由此怨通矣。及文帝崩景帝立、鄧通免家居。居無何、人有告鄧通盜出徼外鑄錢。下吏驗問。頗有之。遂竟案、盡沒入鄧通家。尙負責數巨萬。正義 顏師古曰、積其前後所犯、合沒官者數多、除其現在財物以外、尙有負官數鉅萬、故云、吏輒隨沒入之、 長公主賜鄧通。集解 韋昭曰、景帝姊也、索隱 案卽館陶公主也、正義 館陶公主、文帝之女、 吏輒隨沒入之、一簪不得著身。索隱 吏輒沒入、謂長公主別有物賜通、吏輒沒入以充贓也、 於是長公主乃令假衣食。索隱 謂公主令人假與衣食、正義 公主乃令通假借衣食、而公主私給之、 竟不得名一錢。索隱 按始天下名鄧氏錢、今皆沒入、卒竟無一錢之名也、考證 中井積德曰、苟名通物、吏輒沒入之、故衣食亦不得名爲通物、史欲言其極、而曰不得名一錢也、與上文鄧氏錢不相干、 寄死人家。孝景帝時、中無寵臣。然

獨郎中令周文仁、索隱 案漢書稱周仁、此上稱周文、今兼文仁、恐後人加耳、案仁字文、考證 文字衍、蓋旁注竄入、周仁附載萬石張叔傳、沈家本曰、索隱按語、後人所加、 仁寵最過。庸乃不甚篤。索隱 案庸、常也、言仁最被恩寵過於常人、乃不甚篤如韓嫣也、考證 張文虎曰、南宋本毛本、作乃不、各本倒、方苞曰、庸、用也、帝雖寵用之、而任用則不甚篤也、錢大昕曰、以見景帝之無寵臣也、 今天子中寵臣、士人則韓王孫嫣。索隱 音偃、又音於建反、 宦者則李延年。嫣者弓高侯孽孫也。集解 徐廣曰、弓高侯、韓王信之子穨當也、考證 嫣事又見韓王信傳、 今上爲膠東王時、嫣與上學書、相愛。及上爲太子、愈益親嫣。考證 楓山三條本嫣作幸、 嫣善騎射、善佞。考證 善佞、楓山三條本、作佞幸、漢書、作聰慧、 上卽位、欲事伐匈奴。而嫣先習胡兵。考證 漢書、無胡字、 以故益尊貴。官至上大夫、賞賜擬於鄧通。考證 陳仁錫曰、敍韓嫣則云、賞賜擬於鄧通、敍延年則云、埒如韓嫣、血脈聯絡處、 時嫣常與上臥起。考證 漢書、時上有始字、 江都王入朝。考證 江都王、武帝弟、 有詔得從入獵上林中。天子車駕、蹕道未行。考證 楓山

三條本、蹕上有警、道作通、 而先使嫣乘副車、從數十百騎、騖馳視獸。江都王望見、以爲天子、辟從者、伏謁道傍。考證 顏師古曰、辟去其從者、而身獨伏謁也、 嫣驅不見。旣過、江都王怒、爲皇太后泣曰、請得歸國、入宿衞、比韓嫣。索隱 謂還爵封於天子、而請入宿衞、 太后由此嗛嫣。集解 徐廣曰、嗛、讀與銜同、漢書作銜字、正義 慊、銜恨也、 嫣侍上、出入永巷。不禁。以姦聞皇太后。考證 王先謙曰、永巷、掖廷也、百官表、武帝太初元年、改永巷爲掖廷、 皇太后怒、使使賜嫣死。上爲謝。終不能得。嫣遂死。而案道侯韓說其弟也。亦佞幸。索隱 說、音悅、嫣弟、考證 漢書云、韓說以軍功封案道侯、巫蠱時爲戾太子所殺、 李延年、中山人也。父母及身、兄弟及女、皆故倡也。考證 顏師古曰、倡、樂人也、 延年坐法、腐、給事狗中。集解 徐廣曰、主獵犬也、索隱 或犬監也、考證 漢書、狗下有監字、 而平陽公主言延年女弟善舞。上見心說之。考證 女弟卽李夫人、在外戚世家、 及入永巷、而召貴延

年。延年善歌、爲變新聲。考證 漢書、變新作新變、崔適曰、衞后色衰、而李夫人進、當在元鼎元封之間、 而上方興天地祠、欲造樂詩歌弦之。延年善承意、弦次初詩。索隱 歌初詩、按初詩卽所新造樂章、考證 漢書云、上方興天地諸祠、欲作樂、令司馬相如等作詩頌、延年輒承意、弦歌所造之詩、爲之新聲曲、李笠曰、弦次、當作弦歌、 其女弟亦幸有子男。考證 卽昌邑王、 延年佩二千石印、號協聲律。與上臥起。考證 楓山本、號下有曰字、漢書、號協聲律、作爲協律都尉、沈欽韓曰、御覽五百七十引漢書曰、李延年善歌、帝幸之、時人語曰、一雌復一雄、雙飛入紫宮、按書中無是語、當亦漢雜事之類、 甚貴幸。埒如韓嫣也。集解 徐廣曰、埒、等也、蜀都賦曰、卓鄭埒名、又云、埒者疇等之名、正義 埒音劣、埒如微減、考證 埒、徐說是、 久之、寖與中人亂、集解 徐廣曰、一云、坐弟季與中人亂、考證 漢書、作久之延年弟季與中人亂、徐一本可據、不然、下文誅昆弟三字不可解、 出入驕恣。及其女弟李夫人卒後、愛弛。則禽誅延年昆弟也。自是之後、內寵嬖臣、大底外戚之家。然不足數也。衞青·霍去病、亦以外戚貴幸。然頗用材能自進。

太史公曰。甚哉愛憎之時。彌子瑕之行、足以觀後人佞幸矣。[集解]衛靈公之臣、事見說苑也。[考證]又見韓非傳。雖百世可知也。[考證]論語爲政篇、其或繼周者、雖百世可知也。

[索隱]述贊、傳稱令色、詩刺巧言、冠鵔入侍、傅粉承恩、黃頭賜蜀、官者同軒、新聲都尉、挾彈王孫、泣魚竊駕、著自前論。

佞幸列傳第六十五　史記一百二十五

史記會注考證卷一百二十六

漢　太　史　令　司　馬　遷　撰
宋中郎外兵曹參軍裴　駰集解
唐國子博士弘文館學士司馬　貞索隱
唐諸王侍讀率府長史張　守　節正義
日　本　出　雲　瀧　川　資　言　考　證

滑稽列傳第六十六　　史記一百二十六

【索隱】按、滑、亂也、稽、同也、言辨捷之人、言非若是、說是若非、言能亂異同也、【正義】顏師古云、滑稽、轉利之稱也、滑、亂也、稽、礙也、言其變亂無留滯也、一說、稽、考也、其滑亂不

可考校、【考證】史公自序云、不流世俗、不爭勢利、上下無所凝滯、人莫之害、以道之用、作滑稽列傳第六十六、愚按、儒林、酷吏、游俠、佞幸諸傳、概以其人先後爲序、管晏、老莊申韓、孫吳、白王、范蔡諸傳、亦莫不皆然、此傳以優孟序于淳于髡前、改秦有優旃、爲齊有淳于髡、改楚有優孟爲秦有優旃、則庶于先後有次、各本索隱亂異同也下、有楚詞云云一百四字、蓋下文褚先生補傳注語、今依單本移正、

孔子曰。六藝於治一也。【正義】言六藝之文雖異、禮節樂和、導民立政、天下平定、其歸一揆、至於談言微中、亦以解其紛亂、故治一也、禮以節人、樂以發和、書以道事、詩以達意、易以神化、春秋以道義。太史公曰。天道恢恢。豈不大哉。【考證】恢恢、大貌、 談言微中、亦可以解紛。【考證】曾國藩曰、言不特六藝有益於治世、卽滑稽之談言微中、亦有裨於治道也、岡白駒曰、解紛亂、卽是治、豈獨止六藝耶、天道之所以大也、愚按、談字不諱者何也、 淳于髡者、齊之贅壻也。【索隱】髡、苦魂反、贅壻、女之夫也、比於子、如人疣贅、是餘剩之物也、長不滿七尺。滑稽多辯、數使諸侯、未嘗屈辱。齊威王之時喜隱、好爲淫樂長夜之飮、【索隱】喜、音許既反、喜、好也、喜隱、謂好隱語、 沈湎不治、委政卿

大夫。百官荒亂、諸侯竝侵、國且危亡、在於旦暮。左右莫敢諫。淳于髡說之以隱曰。國中有大鳥、止王之庭。三年不蜚又不鳴。王知此鳥何也。【考證】庭、鳴韻、 王曰。此鳥不飛則已。一飛沖天。不鳴則已。一鳴驚人。【考證】天人韻、黃氏日抄云、三年不飛不鳴之語、楚世家以爲伍舉諫莊王語、愚按呂氏春秋重言篇、爲成公賈諫楚莊王語、說見楚世家、徐孚遠曰、楚莊齊威、皆有雄略、故先縱樂以觀羣臣、大鳥之喩、爲得其情也、 於是乃朝諸縣令長七十二人、賞一人、誅一人、奮兵而出。【考證】齊七十二城、賞卽墨大夫、烹阿大夫、 諸侯振驚、皆還齊侵地、威行三十六年、語在田完世家中。威王八年、楚大發兵加齊。【考證】錢大昕曰、案世家及表、是年無齊楚交兵事、此傳之言、多不足信、 齊王使淳于髡之趙請救兵。齎金百斤、車馬十駟。淳于髡仰天大笑、冠纓索絕。【索隱】案索訓盡、言冠纓盡絕也、孔衍春秋後語、亦作冠纓盡絕也、 王曰。先生少之乎。髡曰。何敢。王曰。笑

豈有說乎。髡曰。今者臣從東方來。見道傍有禳田者。【索隱】案謂爲田求福禳、【考證】張文虎曰、索隱本舊刻毛本禳、各本譌穰、 操一豚蹄酒一盂祝曰。甌窶滿篝。【集解】徐廣曰、篝、籠也、【索隱】案甌窶、猶杯樓也、窶、音如婁、古字少耳、言豐年收掇、易可滿篝籠耳、【正義】窶、音樓、篝、音溝、籠也、甌樓、謂高地狹小之區、得滿篝籠也、【考證】甌窶、蓋方言、言高地也、滿篝、亦言收獲之多、 汙邪滿車。【集解】司馬彪曰、汙邪、下地田也、【索隱】按司馬彪云、汙邪、下地田、卽下田之中、有薪可滿車、【正義】汙、音烏、下田肥澤、故得滿車、【考證】中井積德曰、滿篝滿車、竝以穀言、 五穀蕃熟、穰穰滿家。【正義】野王云、穰穰、衆多也、夥也、【考證】錢大昕曰、甌窶滿篝、汙邪滿車、五穀蕃熟、穰穰滿家、四句、不獨車與家韻也、甌窶與篝韻、汙邪與車韻、穀與熟韻、蕃與滿韻、穰穰重文、亦韻、五與車家亦韻、蓋無一字虛設矣、左傳讒鼎之銘曰、昧旦丕顯、後世猶怠、昧與丕、旦與顯、後與猶、世與怠皆韻也、 臣見其所持者狹、而所欲者奢、故笑之。於是齊威王乃益齎黃金千溢、白璧十雙、車馬百駟。髡辭而行、至趙。趙王與之精兵十萬、革車千乘。楚聞之、夜引兵而去。【考證】說苑尊賢篇、亦載此事、文有異同、 威王大說、置酒後宮、召髡賜之酒、問

曰。先生能飲幾何而醉。對曰。臣飲一斗亦醉、一石亦醉。威王曰。先生飲一斗而醉、惡能飲一石哉。其說可得聞乎。髡曰。賜酒大王之前、執法在傍、御史在後。髡恐懼俯伏而飲。不過一斗徑醉矣。若親有嚴客、髡帣韝鞠𦙶、[集解]徐廣曰、帣、收衣袖也、袖、袂也、韝、臂捍也、音溝、鞠、曲也、𦙶、音其紀反、又與跽同、謂小跪也、[索隱]帣、音卷、紀免反、謂收袖也、韝、音溝、臂扞也、鞠、曲躬也、𦙶、音其紀反、與跽同音、謂小跪、[考證]洪頤煊曰、𦙶卽丞字、說文、丞、謹身有所承也、從己丞、傳寫者譌作丞、鞠𦙶、謂曲身奉杯、 侍酒於前、時賜餘瀝、奉觴上壽數起。飲不過二斗徑醉矣。若朋友交遊、久不相見。卒然相覩、歡然道故、私情相語。飲可五六斗徑醉矣。[考證]覩、故語、韻、 若乃州閭之會、男女雜坐、行酒稽留、六博投壺、相引爲曹。[考證]留、曹、韻、曹、偶也、 握手無罰、目眙不禁。[集解]徐廣曰、眙、吐甑反、直視貌、[索隱]眙、音與瞪同、謂直視也、丑甑反、又音丑二反、 前有墮珥、後有遺簪。髡竊

樂此、飲可八斗而醉二參。[索隱]案上云、五六斗徑醉矣、則此爲樂亦甚、飲可八斗而未徑醉、故云竊樂、二參、言十有二參、[正義]珥、珠之在耳、[考證]禁簪參、韻、外戚世家、夫人脫簪珥而叩頭、珥簪皆婦人首飾、 日暮酒闌、合尊促坐、男女同席、履舃交錯、杯盤狼籍、堂上燭滅、主人留髡而送客。[集解]徐廣曰、一本云、留髡坐起送客、 羅襦襟解、微聞薌澤。[正義]襟、巨禁反、解、閑買反、衿或作紟、帶結也、 當此之時、髡心最歡、能飲一石。[考證]錯滅客澤石、韻、 故曰。酒極則亂、樂極則悲。萬事盡然。言不可極。極之而衰。[考證]悲、衰、韻、 以諷諫焉。齊王曰。善。乃罷長夜之飲、以髡爲諸侯主客。[正義]今鴻臚卿也、 宗室置酒、髡嘗在側。[考證]嘗、讀爲常、 其後百餘年、楚有優孟。[考證]劉知幾曰、優孟楚莊王時人、在淳于髡前二百餘年、此傳云髡後百餘年、何也、梁玉繩曰、自楚莊卽位、至齊威末年、凡二百七十一年、 優孟、故楚之樂人也。[索隱]案優者倡優也、孟字也、其優旃亦同、旃其字耳、優孟在楚、旃在秦者也、[考證]群書治要、之樂作優、 長八尺、多辯。常以談笑諷諫。楚莊王之

時、有所愛馬。[考證]治要、無所字、 衣以文繡、置之華屋之下、席以露牀、啗以棗脯。[考證]岡白駒曰、露牀、牀之無帷幕者、 馬病肥死。使羣臣喪之、欲以棺槨大夫禮葬之。左右爭之、以爲不可。王下令曰。有敢以馬諫者、罪至死。優孟聞之、入殿門、仰天大哭。王驚而問其故。優孟曰。馬者、王之所愛也。以楚國堂堂之大、何求不得。而以大夫禮葬之、薄。請以人君禮葬之。王曰。何如。對曰。臣請以彫玉爲棺、文梓爲槨、楩楓豫章爲題湊、[集解]蘇林曰、以木累棺外、木頭皆內向、故曰題湊、[正義]楩、頻緜反、 發甲卒爲穿壙、老弱負土、齊·趙陪位於前、韓·魏翼衛其後、[集解]楚莊王時、未有趙韓魏三國、[索隱]案此辨說者之詞、後人所增飾之矣、 廟食太牢、奉以萬戶之邑。諸侯聞之、皆知大王賤人而貴馬也。王曰。寡人之過、一至此乎。爲之柰

何。優孟曰。請爲大王六畜葬之。以壠竈爲槨、[索隱]按皇覽亦說此事、以壠竈爲礱突、 銅歷爲棺、[索隱]按歷、卽釜鬲也、[正義]以銅爲釜鬲、居竈中如棺、[考證]錢大昕曰、歷卽歷字、說文、鬲或作歷、也、[正義]土壠爲竈、居鬲外、如槨、 齎以薑棗、[索隱]按古者食肉用薑棗、禮內則云、實棗於其腹中、屑桂與薑、以洒諸其上而食之、是也、[考證]齎、當作齊、調也、藝文類聚引史作齊、 薦以木蘭、祭以糧稻、[考證]糧稻、楓山三條本、作粳糧、張文虎曰、中統毛本作粳糧、 衣以火光、葬之於人腹腸。[索隱]皇覽云、火送之著端、葬之腸中、 於是王乃使以馬屬太官、無令天下久聞也。[考證]類聚、無使字、久作知、 楚相孫叔敖知其賢人也、善待之。病且死、屬其子曰。我死、汝必貧困。若往見優孟、言我孫叔敖之子也。居數年、其子窮困、負薪逢優孟、與言曰。我孫叔敖子也。父且死時、屬我、貧困往見優孟。優孟曰。若無遠有所之。[索隱]案謂優孟語孫叔敖之子曰、汝無遠有所之、適他境、恐王後求汝不得者也、 卽爲孫叔敖衣冠、抵掌談語。[集解]戰國策曰、蘇

秦說趙王華屋之下、抵掌而言、張載曰、談說之容則也、【考證】張文虎曰、中統游本吳校金板語作話、歲餘像孫叔敖。楚王左右不能別也。【考證】張文虎曰、南宋中統游毛吳校金板、王下有及字、愚按御覽及宋費袞梁谿漫志引史、亦有及字、莊王置酒。優孟前爲壽。莊王大驚、以爲孫叔敖復生也。【考證】劉知幾曰、孫叔敖之歿、時日已久、豈有一見無疑、而遽欲加以寵榮、復其祿位者哉、中井積德曰、楚王亦喜其貌肖耳、非爲眞敖而不疑也、復生、猶言再來也、欲以爲相。優孟曰。請歸與婦計之、三日而爲相。莊王許之。三日後優孟復來。王曰。婦言謂何。孟曰。婦言愼無爲。楚相不足爲也。如孫叔敖之爲楚相、盡忠爲廉、以治楚、楚王得以霸。今死、其子無立錐之地、貧困負薪以自飲食。必如孫叔敖、不如自殺。因歌曰。山居耕田苦。難以得食。起而爲吏、身貪鄙者餘財、不顧恥辱。身死家室富、又恐受賕枉法、爲姦觸大罪、身死而家滅。貪吏安

可爲也。【正義】說文云、賕、以財枉法相謝也、念爲廉吏、奉法守職、竟死不敢爲非、廉吏安可爲也。楚相孫叔敖、持廉至死。方今妻子窮困、負薪而食。不足爲也。【考證】梁玉繩曰、優孟之事、決不可信、所謂滑稽也、隸釋延熹碑、述優孟事、與史不同、而所載優孟歌、亦異、歌曰、貪吏而可爲而不可爲、廉吏而可爲而不可爲、貪吏而不可爲者、當時有汙名、而可爲者子孫以家成、廉吏而可爲者、當時有清名、而不可爲者、子孫困窮、披褐而賣薪、貪吏常苦富、廉吏常苦貧、獨不見楚相孫叔敖、廉潔不受錢、梁溪漫志譏、憤世疾邪、哀怨過于慟哭、比史記所書遠甚、於是莊王謝優孟、乃召孫叔敖子、封之寢丘四百戸、以奉其祀。後十世不絕。【集解】徐廣曰、寢丘在固始、【正義】今光州固始縣、本寢丘邑也、呂氏春秋云、楚孫叔敖有功於國、疾將死、戒其子曰、王數欲封我、我辭不受、我死必封汝、汝無受利地、荊楚閒有寢丘者、其爲地不利、而前有妬谷、後有戾丘、其名惡、可長有也、其子從之、楚功臣封、二世而收、唯寢丘不奪也、【考證】梁玉繩曰、翟敎授云、列子說符、呂子異寶、淮南子人間訓、皆言叔敖死後、封其子寢丘、而韓子喩老篇、謂莊王賞叔敖、叔敖請漢間沙石之地、九世而祀不絕、則寢丘之封、在敖未死時也、此知可以言時矣。【考證】岡白駒曰、言投機而中也、此知可以言之時也、愚按、史公不知時而言、以遭慘刑、六字、有感而發、其後二百餘年、秦有優旃。【考證】崔適

曰、旃仕秦歷漢、則在孟後三百七八十年、此云二百餘年亦非也、優旃者、秦倡朱儒也。善爲笑言。然合於大道。秦始皇時、置酒而天雨、陛楯者皆沾寒。優旃見而哀之、謂之曰。汝欲休乎。陛楯者皆曰。幸甚。優旃曰。我卽呼汝。汝疾應曰。諾。居有頃、殿上上壽呼萬歲。優旃臨檻大呼曰。陛楯郎。郎曰。諾。【正義】檻、御覽反、優旃曰。汝雖長何益。幸雨立。我雖短也、幸休居。【考證】幸雨立、不成義、楓山三條本、幸作事、可從、王念孫曰、初學記人部、御覽人事部樂部、引此並下無幸字、雨下有中字、蓋今本幸字涉下文而衍、又脫中字、參存、於是始皇使陛楯者得半相代。始皇嘗議欲大苑囿、東至函谷關、西至雍·陳倉。【正義】今岐州雍縣、及陳倉縣也、優旃曰。善。多縱禽獸於其中、寇從東方來、令麋鹿觸之足矣。始皇以故輟止。二世立、又欲漆其城。優旃曰。善。主上雖無言、臣固將請之。漆城雖於百

姓愁費、然佳哉。漆城蕩蕩、寇來不能上。卽欲就之、易爲漆耳。顧難爲蔭室。【考證】岡白駒曰、凡漆新髹物、露於外則液流、必入之蔭室而乾、於是二世笑之、以其故止。居無何、二世殺死。優旃歸漢。數年而卒。

太史公曰。淳于髡仰天大笑、齊威王橫行。優孟搖頭而歌、負薪者以封。優旃臨檻疾呼、陛楯得以半更。【正義】更、代也、【考證】橫行、得志也、行、封、更、韻、豈不亦偉哉。

褚先生曰。臣幸得以經術爲郎、而好讀外家傳語。【索隱】按東方朔亦多博觀外家之語、則外家非正經、卽史傳雜說之書也、【考證】姚範曰、外家傳語、未詳、後東方朔傳亦云、多所博觀外家之語、柳子厚亦稱史記爲外家書、顧亭林云、褚少孫以傳記雜說爲外家、蓋以六經爲內也、張文虎曰、索隱此注、各本錯在東方朔傳中、單本亦然、今移正、竊不遜讓、復作故事滑稽之語六章、編之於左。【索隱】楚詞云、將突梯滑稽、如脂如韋、崔浩云、滑、音骨、滑稽、流酒器也、轉注吐酒、終日不已、言

出口成章、詞不窮竭、若滑稽之吐酒、故揚雄酒賦云、鴟夷滑稽、腹大如壺、盡日盛酒、人復藉沽、是也、又姚察云、滑稽、猶俳諧也、滑、讀如字、稽、音計也、言諧語滑利、其知計疾出、故云滑稽、【考證】楓山三條本、左下有方字、與淩所引一本合、王鳴盛曰、褚先生附傳、若王夫人請其子於齊事、重出可厭、鄒令西門豹事、又不當附滑稽、梁玉繩曰、少孫續傳六章、惟郭舍人、東方生、東郭先生四章爲類、但方朔雖雜詼諧、頗能直言切諫、安可與齊贅優伶比、說衛青者、靑傳是寧乘、此云東郭先生、豈東郭卽乘耶、至王生從太守就徵、乃宣帝徵勃海守龔遂、漢循吏傳甚明、而以爲武帝徵北海太守、王先生請俱妄矣、且東郭之白衛將軍、王生之語太守、皆便計美言、何謂滑稽、其餘二章、淳于髡已見本傳、復勦入獻鵠一節、殊失之贅、況說苑奉使、稱魏文侯使舍人無擇獻鵠于齊、韓詩外傳十、稱齊使獻鴻于楚、初學記二十、御覽九百十六、竝引魯連子云、展無所爲、魯君遣齊襄君鴻、所載各異、皆不說髡、毋乃謬歟、若夫西門豹、古之循吏也、而列于滑稽、尤爲不倫、然敍次特妙、非他所續之蕪弱、董份疑爲舊文、褚生取而編之耳、可以覽觀揚意、以示後世。好事者讀之、以游心駭耳。以附益上方太史公之三章。武帝時、有所幸倡郭舍人者。發言陳辭、雖不合大道、然令人主和說。武帝少時、東武侯母常養帝。【索隱】案東武、縣名、侯、乳母姓、【正義】高祖功臣表云、東武侯郭家、高祖六年封、子他、孝景六年、弃市國除、蓋他母常養武帝、【考證】藝文類聚、常作嘗、帝

壯時、號之曰大乳母。【考證】徐孚遠曰、以諸侯夫人養視人主、故貴異其號、率一月再朝。朝奏入、有詔使幸臣馬游卿以帛五十匹賜乳母、又奉飲糒飧養乳母。【正義】糒、乾飯、飧、溫飯、乳母上書曰。某所有公田、願得假倩之。【正義】倩、七姓反、借也、【考證】楓山三條本、倩作請、帝曰。乳母欲得之乎。以賜乳母。乳母所言、未嘗不聽。有詔得令乳母乘車行馳道中。【正義】馳道、謂御道也、當此之時、公卿大臣、皆敬重乳母。乳母家子孫奴從者、橫暴長安中、當道掣頓人車馬、奪人衣服。【考證】岡白駒曰、掣頓、挽止之、聞於中。不忍致之法。有司請徙乳母家室、處之於邊。奏可。乳母當入至前面見辭。乳母先見郭舍人、爲下泣。舍人曰。卽入見辭去、疾步數還顧。乳母如其言、謝去、疾步、數還顧。郭

舍人疾言罵之曰。咄。老女子。何不疾行。陛下已壯矣。寧尚須汝乳而活邪。尚何還顧。於是人主憐焉。悲之、乃下詔止無徙乳母。罰謫譖之者。【索隱】罰適譖之者、謂武帝罰謫譖乳母之人也、武帝時、齊人有東方生名朔。【索隱】案仲長統云、遷爲滑稽傳、序優旃事、不稱東方朔、非也、朔之行事、豈直旃孟之比哉、而桓譚亦以遷爲是、又非也、【正義】漢書云、平原厭次人也、輿地志云、厭次、宜是富平縣之鄉聚名也、括地志云、富平故城、在倉州陽信縣東南四十里、漢縣也、【考證】楓山三條本、方下有先字、以好古傳書、愛經術、多所博觀外家之語。朔初入長安、至公車上書。【正義】百官表云、衞尉屬官有公車司馬、漢儀注云、公車司馬、掌殿司馬門、夜徼宮、天下上事及闕下、凡所徵召、皆總領之、秩六百石、凡用三千奏牘。公車令兩人共持擧其書。僅然能勝之。人主從上方讀之。止、輒乙其處。讀之二月乃盡。【考證】通俗編云、輒乙其處、謂止絕處乙而記之、如今人讀書、以朱識其所止作乚形、非甲乙之乙也、愚按楓山三條本、月下有所字、陳子龍曰、此時未有紙、當是木札、朔書雖多、不過如今數十卷、武帝以二月

讀盡、可見人主愛重其書、非以多而難盡也、詔拜以爲郎。常在側侍中。數召至前談語。人主未嘗不說也。【考證】楓山三條本、重談語二字、時詔賜之食於前。飯已、盡懷其餘肉持去。衣盡汙。【考證】漢書東方朔傳、載伏日賜肉事、與此事一傳異、楓山本、食作飯、與淩一本同、數賜縑帛。擔揭而去。徙用所賜錢帛、取少婦於長安中好女。率取婦一歲所者、卽弃去、更取婦。所賜錢財、盡索之於女子。【考證】索、盡也、人主左右諸郎、半呼之狂人。人主聞之曰。令朔在事、無爲是行者。若等安能及之哉。朔任其子爲郎、又爲侍謁者、常持節出使。朔行殿中。郎謂之曰。人皆以先生爲狂。朔曰。如朔等、所謂避世於朝廷閒者也。古之人、乃避世於深山中。時坐席中酒酣。據地歌曰。陸沈於俗、【索隱】司馬彪云、謂無水而沈

也、【考證】莊子則陽篇、方且與世違、則心不屑與之俱、是陸沈者也、郭注、人中隱者、譬無水而沈也、避世金馬門。宮殿中可以避世全身。何必深山之中、蒿廬之下。金馬門者、宦署門也。門傍有銅馬。故謂之曰金馬門。【考證】王念孫曰、類聚、御覽、文選注引此、宦下有者字、愚按三輔黃圖云、金馬門、宦者署、在未央宮、武帝得大宛馬、以銅鑄象、立於署門、因以爲名、東方朔・主父偃・嚴安・徐樂、皆待詔金馬門、時會聚宮下。博士諸先生與論議、共難之。【索隱】案方朔設詞對之、即下文是荅對之難也、【考證】東方朔答客難、蓋倣宋玉對楚王問、漢書本傳、文選、載其全文、此節錄、自朔作答客難、揚雄有解嘲、班固有答賓戲、韓愈有進學解、曰。蘇秦・張儀、一當萬乘之主、而都卿相之位、澤及後世。【考證】如淳曰、都、居也、今子大夫修先王之術、慕聖人之義、諷誦詩書百家之言、不可勝數。著於竹帛。【考證】顏師古曰、子者、人之嘉稱、大夫、舉官稱也、漢書本傳、竹帛下、有脣腐齒落、服膺而不釋、好學樂道之效、明白甚矣十九字、自以爲海內無雙。即可謂博聞辯智矣。【考證】漢書、以爲作以、智能、即作則、然悉力盡忠、

以事聖帝、曠日持久、積數十年、【考證】漢書、無積數十年四字、官不過侍郎、位不過執戟。意者尚有遺行邪。其故何也。【考證】漢書、無尚字、邪下有同胞之徒、無所容居八字、遺行、過失之行、宋玉對楚王問云、先生其有遺行與、何士民衆庶不譽之甚也、東方生曰。【考證】漢書、作東方先生喟然長息、仰而應之曰、是固非子之所能備也。彼一時也。此一時也。豈可同哉。【考證】孟子公孫丑篇、彼一時、此一時也、也字可依此補、夫張儀・蘇秦之時、周室大壞、諸侯不朝、力政爭權、相禽以兵、并爲十二國、未有雌雄。【考證】漢書、張儀蘇秦、作蘇秦張儀、得士者彊、失士者亡。故說聽行通、身處尊位、澤及後世、子孫長榮。【考證】漢書、說聽行通、作談說行焉、位下有珍寶充內、外有廩倉八字、榮作享、今非然也。聖帝在上、德流天下、諸侯賓服、【考證】漢書、非然也、作則不然、在上德流天下、作流德、天下震慴、威振四夷、連四海之外以爲席、安於覆盂、天下平均、合爲一家、動

發舉事、猶如運之掌中。賢與不肖、何以異哉。【正義】言四海之外皆賓服、如席之相連環繞、【考證】漢書、威振四海以下四十一字、作連四海之外以爲帶、安於覆盂、動猶運之掌、賢不肖何以異哉二十四字、其下有遵天之道、順地之理、物無不得其所、故綏之則安、動之則苦、尊之則爲將、卑之則爲虜、抗之則在青雲之上、抑之則在深泉之下、用之則爲虎、不用則爲鼠、雖欲盡節效情、安知前後六十九字、方今以天下之大、士民之衆、竭精馳說、並進輻湊者、不可勝數。悉力慕義、困於衣食、或失門戶。使張儀・蘇秦與僕並生於今之世、曾不能得掌故、安敢望常侍侍郎乎。【考證】顏師古曰、失門戶、言不得所由入也、漢書、方今作夫、馳作談、慕義作慕之、無能字、不重侍字、傳曰。天下無害菑、雖有聖人、無所施其才。上下和同、雖有賢者、無所立其功。故曰。時異則事異。【考證】立上其字、各本無、今從楓山三條本、傳、古書也、菑、才、同、功、韻、淮南子本經訓、世無災害、雖神無所施其德、上下和輯、雖賢無所立其功、韓非子五蠹篇、世異則事異、漢書無傳曰以下二十九字、文選有、雖然、安可以不務修身乎。詩曰。鼓鍾于

宮、聲聞于外。鶴鳴九皋、聲聞于天。苟能修身、何患不榮。【考證】顏師古曰、鼓鍾、小雅白華之詩也、言苟有於中、必形於外也、鶴鳴、小雅鶴鳴之詩也、言處卑而其聲徹高遠、太公躬行仁義、七十二年、逢文王、得行其說、封於齊、七百歲而不絕。此士之所以日夜孜孜、修學行道不敢止也。【考證】楓山三條本、年下有乃字、漢書、躬作體、二年作有二、逢文王得行其說、作延用於文武得信厥說、士下無之字、修道行道不敢止也、作敏行而不敢怠也、其下有辟若鶺鴒飛且鳴矣、傳曰、天不爲人之惡寒而輟其冬、地不爲人之惡險而輟其廣、君子不爲小人之匈匈而易其行、天有常度、地有常形、君子有常行、君子道其常、小人計其功、詩云、禮義之不愆、何恤人之言、故曰、水至清則無魚、人至察則無徒、冕而前旒、所以蔽明、黈纊充耳、所以塞聰、明有所不見、聰有所不聞、舉大德、赦小過、無求備於一人之義也、枉而直之、使自得之、優而柔之、使自求之、揆而度之、使自索之、聖人教化如此、欲自得之、自得之則敏且廣矣百七十八字、今世之處士、時雖不用、崛然獨立、塊然獨處、上觀許由、下察接輿、策同范蠡、忠合子胥、天下和平、與義相扶、寡偶少徒、固其常也。子何疑於余哉。於是

諸先生默然無以應也。【考證】張文虎曰、王柯凌本、其作有、愚按、楓山本、作其、處與胥扶韻、漢書無時雖不用四字、崛然獨立、塊然獨處、作魁然無徒、廓然獨居、策作計、偶作耦、常作宜、余作我、哉下有若夫燕之用樂毅、秦之任李斯、酈食其之下齊、說行如流、曲從如環、所欲必得、功若丘山、海內定、國家安、是遇其時也、子又何怪之邪、語曰、以管闚天、以蠡測海、以莛撞鐘、豈能通其條貫、考其文理、發其音聲哉、繇是觀之、譬猶鼱鼩之襲狗、孤豚之咋虎、至則靡耳、何功之有、今以下愚而非處士、雖欲勿困、固不得已、此適足以明其不知權變、而終或於大道也、百三十七字、無於是以下十一字、　建章宮後閣重櫟中、有物出焉。其狀似麋。【索隱】重櫟、上逐龍反、下音歷、重櫟、欄楯之下、有重欄處也、【正義】在長安縣西北二十里故城中、　以聞。武帝往臨視之、問左右羣臣習事通經術者。莫能知。詔東方朔視之。【考證】楓山三條本、詔下有召字、　朔曰、臣知之。願賜美酒粱飯、大飱臣。臣乃言。詔曰、可已。又曰、某所有公田魚池蒲葦數頃、陛下以賜臣。臣朔乃言。詔曰、可。於是朔乃肯言曰、所謂騶牙者也。【索隱】騶、音鄒、按方朔以意自立名、而偶中也、以有九牙齊等、故謂之騶牙、猶騶騎然也、　遠方

當來歸義、而騶牙先見。其齒前後若一、齊等無牙。故謂之騶牙。其後一歲所、匈奴混邪王果將十萬衆來降漢。【考證】張文虎曰、中統游本、混作渾、　乃復賜東方生錢財甚多。至老、朔且死時、諫曰、詩云、營營青蠅、止于蕃。愷悌君子、無信讒言。讒言罔極。交亂四國。【考證】詩小雅青蠅篇、　願陛下遠巧佞、退讒言。帝曰、今顧東方朔多善言。怪之。【考證】楓山本、顧作頃、徐孚遠曰、武帝末年有巫蠱之禍、東方生所言、蓋指此也、　居無幾何、朔果病死。傳曰、鳥之將死、其鳴也哀。人之將死、其言也善。此之謂也。【考證】傳曰、論語泰伯篇引曾子、　武帝時大將軍衞青者、衞后兄也。【集解】徐廣曰、衞青傳曰、子夫之弟也、　封爲長平侯、從軍擊匈奴、至余吾水上而還。斬首捕虜有功。來歸。詔賜金千斤。將軍出宮門。齊人東

郭先生、以方士待詔公車。當道遮衞將軍車、拜謁曰、願白事。【集解】徐廣曰、衞青傳云、甯乘說青而拜爲東海都尉、【考證】余有丁曰、東郭先生名甯乘、而東郭先生則人稱之者、　將軍止車、前。東郭先生旁車言曰、王夫人新得幸於上。家貧。今將軍得金千斤。誠以其半賜王夫人之親、人主聞之必喜。此所謂奇策便計也。衞將軍謝之曰。先生幸告之以便計。請奉教。於是衞將軍乃以五百金爲王夫人之親壽。王夫人以聞武帝。帝曰、大將軍不知爲此。問之、安所受計策。對曰、受之待詔者東郭先生。詔召東郭先生、拜以爲郡都尉。東郭先生久待詔公車。貧困飢寒、衣敝、履不完。行雪中、履有上無下、足盡踐地。道中人笑之。東郭先生應之曰、誰能履行

雪中、令人視之、其上履也、其履下處、乃似人足者乎。【考證】楓山三條本、也下有然字、　及其拜爲二千石、佩青緺出宮門、行謝主人。【集解】徐廣曰、緺、音瓜、一音螺、青綬、　故所以同官待詔者、等比祖道於都門外。【考證】楓山三條本、以作與、祖上有皆字、　榮華道路、立名當世。【集解】徐廣曰、東郭先生也、　此所謂衣褐懷寶者也。【索隱】此指東郭先生也、言其身衣褐而懷寶玉、【考證】老子七十章、知我者希、則我者貴、是以聖人被褐懷玉、褐、毛布、賤者之服、　當其貧困時、人莫省視。至其貴也、乃爭附之。諺曰、相馬失之瘦。相士失之貧。其此之謂邪。王夫人病甚。人主至自往問之曰、子當爲王。欲安所置之。對曰、願居洛陽。人主曰、不可。洛陽有武庫敖倉、當關口、天下咽喉。自先帝以來、傳不爲置王。然關東國莫大於齊。可以爲齊王。王夫人以手擊頭、

呼幸甚。王夫人死。號曰齊王太后薨。【考證】齊懷王閎、陳仁錫曰、東郭先生章末有王夫人一節、與上文不相屬、又有淳于髡獻鵠一節、尤爲無謂、不知何故附之、豈後人剿入之歟、　昔者齊王使淳于髡獻鵠於楚。【索隱】案韓詩外傳、齊使人獻鵠於楚、不言髡、又說苑云、魏文侯使舍人無擇獻鴻於齊、皆略同而事異、殆相涉亂也、　出邑門、道飛其鵠。徒揭空籠、造詐成辭、往見楚王曰。齊王使臣來獻鵠。過於水上。不忍鵠之渴、出而飲之。去我飛亡。吾欲刺腹絞頸而死。恐人之議吾王、以鳥獸之故、令士自傷殺也。鵠毛物、多相類者。吾欲買而代之、是不信而欺吾王也。欲赴佗國奔亡、痛吾兩主使不通。故來服過、叩頭受罪大王。楚王曰。善。齊王有信士若此哉。厚賜之。財倍鵠在也。武帝時徵北海太守。【索隱】漢書、宣帝徵渤海太守龔遂、非武帝時、此褚先生記謬耳、　詣行在所。有文學卒史

王先生者。自請與太守俱。吾有益於君。君許之。【考證】館本考證云、漢書循吏傳龔遂章、作議曹王生、　諸府掾功曹白云。王先生嗜酒、多言少實。恐不可與俱。太守曰。先生意欲行。不可逆。遂與俱行。至宮下待詔宮府門。王先生徒懷錢沽酒、與衛卒僕射飲、日醉不視其太守。太守入跪拜。王先生謂戶郎曰。幸爲我呼吾君。至門內遙語。戶郎爲呼太守。太守來望見王先生。王先生曰。天子卽問君何以治北海令無盜賊、【正義】北海、今青州、　君對曰何哉。對曰。選擇賢材、各任之以其能、賞異等、罰不肖。王先生曰。對如是、是自譽自伐功。不可也。願君對言非臣之力、盡陛下神靈威武所變化也。太守曰。諾。召入至于殿下。有詔問

之曰。何以治北海、令盜賊不起。叩頭對言。非臣之力、盡陛下神靈威武之所變化也。武帝大笑曰。於呼、安得長者之語而稱之。安所受之。對曰。受之文學卒史。帝曰。今安在。對曰。在宮府門外。有詔召拜王先生爲水衡丞、以北海太守爲水衡都尉。【考證】漢書公卿表、龔遂以宣帝地節四年爲水衡都尉、　傳曰。美言可以市。尊行可以加人。【考證】傳、老子六十二章、淮南道應人間、引老子曰、美言可以市尊、美行可以加人、多一美字、　君子相送以言、小人相送以財。【考證】晏子春秋內篇雜上、君子贈人以言、庶人贈人以財、荀子大略篇、晏子曰、嬰聞之、君子贈人以言、庶人贈人以財、史孔子世家、老子曰、吾聞富貴者送人以財、仁人者送人以言、意同詞異、　魏文侯時、西門豹爲鄴令。【正義】今相州縣也、　豹往到鄴。會長老問之民所疾苦。長老曰。苦爲河伯娶婦。以故貧。【正義】河伯、華陰潼鄉人、姓馮氏、名夷、浴於河中而溺死、遂爲河伯也、【考證】河伯、河神、猶海神曰海若也、　豹

問其故。對曰。鄴三老廷掾、常歲賦斂百姓、收取其錢、得數百萬、用其二三十萬、爲河伯娶婦、與祝巫共分其餘錢持歸。當其時、巫行視人家女好者、云、是當爲河伯婦。【考證】張文虎曰、南宋舊刻毛本、人作小、　卽娉取。洗沐之、【考證】娶問曰娉、　爲治新繒綺縠衣、閒居齋戒、爲治齋宮河上、張緹絳帷、【正義】緹、他禮反、顧野王云、黃赤色也、又音啼、厚繒也、　女居其中。爲具牛酒飯食、行十餘日。共粉飾之、如嫁女床席。【考證】王念孫曰、太平御覽方術部、引此、飯食下無行字、此言居齋宮中十餘日也、日上不當有行字、　令女居其上、浮之河中。始浮行數十里、乃沒。其人家有好女者、恐大巫祝爲河伯取之。以故多持女遠逃亡。【考證】張文虎曰、伯字、南宋舊刻毛本有、他本脫、愚按楓本亦有、　以故城中益空無人、又困貧。所從來久遠矣。【考證】張文虎曰、御覽引、困貧作貧困、　民

人俗語曰。卽不爲河伯娶婦、水來漂沒、溺其人民云。西門豹曰。至爲河伯娶婦時、願三老巫祝父老送女河上、幸來告語之。吾亦往送女。【正義】亭三老、皆曰。諾。至其時、西門豹往會之河上。三老、官屬、豪長者、里父老皆會、與人民往觀之者三二千人。【考證】與、各本作以、何焯曰、以同與、今從楓山本、御覽所引、其巫、老女子也。已年七十、從弟子女十人所。皆衣繒單衣、立大巫後。【考證】楓山三條本、重弟子女三字、陳仁錫曰、湖本、十作千、誤、西門豹曰。呼河伯婦來。視其好醜。卽將女出帷中來至前。豹視之、顧謂三老巫祝父老曰。是女子不好。煩大巫嫗。爲入報河伯。得更求好女、後日送之。【考證】張文虎曰、御覽三百六十七引、得作待、卽使吏卒共抱大巫嫗、投之河中。有頃曰。巫嫗何久

也。弟子趣之。復以弟子一人投河中。有頃曰。弟子何久也。復使一人趣之。復投一弟子河中。凡投三弟子。西門豹曰。巫嫗弟子、是女子也。不能白事。煩三老、爲入白之。復投三老河中。西門豹簪筆磬折、【正義】簪筆、謂以毛裝簪頭、長五寸、插在冠前、謂之爲筆、言插筆備禮也、磬折、謂曲體揖之、若石磬之形曲折也、磬一片黑石、凡十二片、樹在虡上擊之、其形皆中曲垂兩頭、言人腰側似也、【考證】中井積德曰、筆者所以記事、簪筆、待事也、磬、不論數可也、嚮河立待良久。長老吏傍觀者、皆驚恐。西門豹顧曰。巫嫗三老不來還。柰之何。欲復使廷掾與豪長者一人入趣之。皆叩頭。叩頭且破額血流地、色如死灰。西門豹曰。諾。且畱待之須臾。須臾豹曰。廷掾起矣。狀河伯畱客之久。若皆罷去歸矣。【考證】狀、猶測知也、若、汝也、鄴吏民大驚恐、從是以後、不敢復言爲

河伯娶婦。西門豹卽發民鑿十二渠、引河水灌民田。田皆漑。【正義】括地志云、按横渠首接漳水、蓋西門豹史起所鑿之渠也、溝洫志云、魏文侯時、西門豹爲鄴令、有令名、至文侯曾孫襄王、與羣臣飲、祝曰、令吾臣皆如西門豹之爲人臣也、史起進曰、魏氏之行田也以百畝、鄴獨二百畝、是田惡也、漳水在其傍、西門不知用、是不智、知而不興、是不仁、仁智豹未之盡、何足法也、於是史起爲鄴令、遂引漳水漑鄴、以富魏之河內、左思魏都賦云、西門漑其前、史起灌其後也、當其時、民治渠少煩苦。不欲也。豹曰。民可以樂成。不可與慮始。【考證】語先於商鞅、何焯曰、以同與、楓山三條本、作與、今父老子弟、雖患苦我、然百歲後、期令父老子孫思我言。至今皆得水利、民人以給足富。【考證】羣書治要引、無富字、十二渠經絕馳道。到漢之立、而長吏以爲十二渠橋絕馳道、相比近。不可。欲合渠水、且至馳道、合三渠爲一橋。鄴民人父老不肯聽長吏、以爲西門君所爲也。賢君之法式、不可更也。長吏終聽

置之。故西門豹爲鄴令、名聞天下、澤流後世、無絕已時。幾可謂非賢大夫哉。【考證】幾、豈通、傳曰。子產治鄭、民不能欺。子賤治單父、民不忍欺。西門豹治鄴、民不敢欺。三子之才能、誰最賢哉。辨治者當能別之。【集解】魏文帝問羣臣、三不欺、於君德孰優、太尉鍾繇司徒華歆司空王朗對曰、臣以爲君任德、則臣感義、而不忍欺、君任察、則臣畏覺而不能欺、君任刑、則臣畏罪而不敢欺、任德感義、與夫導德齊禮、有恥且格等趣者也、任察畏罪、與夫導政齊刑、免而無恥同歸者也、孔子曰、爲政以德、譬如北辰居其所、而衆星共之、考以斯言、論以斯義、臣等以爲不忍欺、不能欺、優劣之縣、在於權衡、非徒低卬之差、乃鈞銖之覺也、且前志稱、仁者安仁、智者利仁、畏罪者強仁、校其仁者功、則無以殊、核其爲仁者、則不得不異、安仁者性善者也、利仁者力行者也、強仁者不得已者也、三仁相比、則安仁優矣、易稱神而化之、使民宜之、若君化使民然也、然則安仁之化、與夫強仁之化、優劣亦不得不相縣絕也、然則三臣之不欺雖同、所以不欺異矣、純以恩義崇不欺、與以威察成不欺、既不可同概而比量、又不得錯綜而易處、【索隱】案此三不欺、自古傳記、先達共所稱述、今褚先生因記西門豹而稱之、以成說也、循吏傳記子產相鄭、仁而且明、故人不能欺之也、子賤爲政淸淨、唯彈琴、三年不下堂而化、是人見思、故不忍欺之、豹以威化御俗、故人不敢欺、其德優劣、鍾華之評、寔爲允當也、

索隱述贊、滑稽鵾夷、如脂如韋、敏捷之變、學不失詞、淳于索絕、趙國興師、楚優拒相、寢丘獲祠、偉哉方朔、三章紀之、

滑稽列傳第六十六

史記一百二十六

史記會注考證卷一百二十七

漢　太　史　令　司　馬　遷　撰
宋中郎外兵曹參軍裴　駰集解
唐國子博士弘文館學士司馬貞索隱
唐諸王侍讀率府長史張守節正義
日　本　出　雲　瀧　川　資　言　考　證

日者列傳第六十七　　史記一百二十七

【集解】墨子曰、墨子北之齊遇日者、日者曰、帝以今日殺黑龍於北方、而先生之色黑、不可以北、墨子不聽、遂北至淄水、墨子不遂而反焉、日者曰、我謂先生不可以北、然則

古人占候卜筮、通謂之日者、墨子亦云、非但史記也、【索隱】案名卜筮曰日者、以墨所以卜巫占候時日通名日者故也、【考證】史公自序云、齊楚秦趙爲日者、各有俗所用、欲循觀其大旨、作日者列傳、第六十七、史別有龜策傳、則日者斥占候時日者而言、傳謬敍卜者事、索隱亦混同、所引墨子貴義篇文、梁玉繩曰、史缺此傳、褚生取記司馬季主事補之、序論亦僞託、然其文汪洋自肆、頗可愛誦、黃震古今紀要二、言呂東萊謂、歐公每製文、必先取日者傳讀數過、疑當時有此文、如客難賓戲之比、故史記攷要云、季主傳、蓋沈淪隱遯、不得志于時者之言、未必出少孫、愚按、此篇有褚氏補傳、則本傳之成、必在少孫前、而非史公手筆、篇中但敍楚人司馬季主事、不及齊秦趙諸國人、與自序所言異、亦其一證、

自古受命而王。王者之興、何嘗不以卜筮決於天命哉。其於周尤甚。及秦可見。代王之入、任於卜者。太卜之起、由漢興而有。【索隱】案周禮有太卜之官、此云由漢興者、謂漢自文帝卜大橫之後、其卜官更興盛焉、【正義】漢文帝卜得大橫、與夏啓之卜同、乃乘六乘傳入長安者也、【考證】張照曰、龜策傳、高祖時因秦太卜官、是漢興卽有太卜、不因文帝而更興盛也、由漢興而有者、蓋言漢興以來卽有之矣、索隱說迂、　司馬季主者、楚人也。【索隱】按云楚人、而太史公不序其系、蓋楚相司馬子期子反後、芊姓也、季主見列仙傳、【考證】中井積德曰、楚置司馬官尚矣、爲之者亦多、註特擧子期子反、以

證不可知之事、何也、李笠曰、今列仙傳、無季主事、　卜於長安東市。宋忠爲中大夫、賈誼爲博士。同日俱出洗沐。【正義】漢官五日一假洗沐也、　相從論議、誦易先王聖人之道術、究徧人情、相視而歎。【考證】張文虎曰、御覽引、誦易作講習、疑今本誤、　賈誼曰、吾聞古之聖人、不居朝廷、必在卜醫之中。今吾已見三公九卿朝士大夫、皆可知矣。試之卜數中以觀采。【索隱】卜數、猶術數也、音所具反、劉氏云、數、筮也、亦通、筮必易、用大衍之數者也、【考證】岡白駒曰、采、風采也、言遺才隱賢、或在卜醫之中者、欲觀其風采、愚按、觀采、猶言物色、　二人卽同輿而之市、游於卜肆中。天新雨、道少人。司馬季主閒坐、弟子三四人侍、方辯天地之道、日月之運、陰陽吉凶之本。二大夫再拜謁。司馬季主視其狀貌、如類有知者。【考證】此云二大夫、下云二君、非史家語、宜改曰二人、　卽禮之、使弟子延之坐。坐定。司馬季主復理前語、分別天地之終始、

日月星辰之紀、差次仁義之際、列吉凶之符。語數千言、莫不順理。宋忠・賈誼、瞿然而悟、獵纓正襟危坐。【索隱】獵、猶攬也、攬其冠纓、而正其衣襟、謂變而自飾也、免坐、謂俛爲敬、【正義】危坐、謂小坐、【考證】索隱單本、危作免、　曰、吾望先生之狀、聽先生之辭、小子竊觀於世、未嘗見也。今何居之卑、何行之汙。【索隱】音烏故反、　司馬季主捧腹大笑曰。觀大夫類有道術者。今何言之陋也。何辭之野也。今夫子所賢者何也。所高者誰也。今何以卑汙長者。【考證】張文虎曰、中統本吳校金板、賢作貴、下文別賢同、　二君曰。尊官厚祿、世之所高也。賢才處之。今所處非其地。故謂之卑。言不信、行不驗、取不當。故謂之汙。夫卜筮者、世俗之所賤簡也。世皆言曰、夫卜者、多言誇嚴、以得人情、【索隱】謂卜者自矜誇而莊嚴、說禍以誑人也、【考證】王念孫曰、嚴讀爲譀、說文、譀、誕也、誇譀也、廣韻引東觀漢記曰、雖誇譀猶令人熱、猶言誇誕、

此謂卜者多言誇誕以惑人、譀與嚴古今字也、虛高人祿命、以說人志、擅言禍災、以傷人心、矯言鬼神、以盡人財、厚求拜謝、以私於己。此吾之所恥。故謂之卑汙也。司馬季主曰。公且安坐。公見夫被髮童子乎。日月照之則行、不照則止。問之日月疵瑕吉凶、則不能理。由是觀之、能知別賢與不肖者寡矣。賢之行也、直道以正諫、三諫不聽則退、【考證】楓山本、賢下有者字、其譽人也、不望其報、惡人也、不顧其怨、以便國家利衆爲務。故官非其任、不處也。祿非其功、不受也。見人不正、雖貴不敬也。見人有汚、雖尊不下也。得不爲喜。去不爲恨。非其罪也、雖累辱而不愧也。【考證】累、讀爲縲、今公所謂賢者、皆可爲羞矣。卑疵而前、【索隱】疵、音貲、孅趨而言、【索隱】孅、音纖、孅趍、猶足恭也、

相引以勢、相導以利、比周賓正、【集解】徐廣曰、客旅、謂之賓、入求長官、謂之正、【考證】慶長本標記引陸氏云、賓正、謂擯棄正人也、錢大昕曰、賓讀曰擯、六國表、諸夏賓之、張儀傳、大王收率天下以賓秦、皆擯棄之義、以求尊譽、以受公奉、【考證】奉讀爲俸、事私利、枉主法、獵農民、以官爲威、以法爲機、求利逆暴。譬無異於操白刃劫人者也。初試官時、倍力爲巧詐、飾虛功執空文、以誷主上。用居上爲右、試官不讓賢。陳功、見僞增實、以無爲有、以少爲多、以求便勢尊位、食飲驅馳、從姬歌兒、不顧於親、犯法害民虛公家。【考證】張文虎曰、冊府元龜八百三十三引、作虛耗公家、疑今本脫、此夫爲盜不操矛弧者也。攻而不用弦刃者也。欺父母未有罪、而弒君未伐者也。何以爲高賢才乎。盜賊發不能禁。夷貊不服不能攝。姦邪起不能塞。官秏亂不能治。四時不和不能調。歲穀不

孰不能適。【索隱】音釋、適、猶調也、【考證】劉基賣柑者言、正學此詞氣、才賢不爲、是不忠也。才不賢而託官位、利上奉、妨賢者處、是竊位也。【索隱】奉、音扶用反、【考證】張文虎曰、元龜引、才不賢作不才不賢、有人者進、有財者禮、是僞也。【正義】言有大衆祿位者進用、有錢財者禮敬、是僞也、【考證】岡白駒曰、有黨與者進、子獨不見鴟梟之與鳳皇翔乎。蘭芷芎藭、弃於廣野、蒿蕭成林、使君子退而不顯。衆公等是也。【正義】言鴟梟之與鳳凰翔于蘭芷、芎藭棄在廣野、若蒿蕭成林、使君子退處不顯、由公等、【考證】鴟梟鳳凰翔、喩君子小人相竝也、蘭芷芎藭、棄於廣野、蒿蕭成林、喩君子失職、小人得勢、衆公等、言在朝諸人、述而不作、君子義也。【正義】言述天地陰陽不改作、是君子義也、司馬季主自言也、【考證】述而不作、論語述而篇、今夫卜者必法天地、象四時、順於仁義、分策定卦、旋式正棊、然後言天地之利害、事之成敗。【集解】徐廣曰、式、音栻、【索隱】按、式、卽栻也、旋、轉也、栻之形上圓象天、下方法地、用之則轉天綱加地之辰、故云旋式、棊者、筮之狀、正棊、蓋謂卜以作卦也、【考證】漢書王莽傳、天文郎案栻於前、顏師古曰、栻所以占時日、天文郎、今之用栻者也、音式、廣雅、栻、揭也、揭有天地、所以推陰陽占吉凶、

以楓子棗心木爲之、式字、漢書從手、廣雅從木、唐六典作式、張文虎曰、旋、索隱中統毛本同、他本誤按、昔先王之定國家、必先龜策日月、而後乃敢代、正時日乃後入。【考證】岡白駒曰、乃敢代、代天而爲政也、乃後入、事不苟、必正之時日、言入、則出亦可知矣、愚按、楓山本代作伐、義較長、入、戰勝振旅也、家產子、必先占吉凶、後乃有之。【索隱】謂若卜之不祥、則或不收也、卜吉而後有、故云有之、【考證】張文虎曰、類聚七十五引、有作育、自伏羲作八卦、周文王演三百八十四爻、而天下治。越王句踐倣文王八卦、以破敵國霸天下。【索隱】放、音方往反、由是言之、卜筮有何負哉。且夫卜筮者、掃除設坐、正其冠帶、然後乃言事。此有禮也。言而鬼神或以饗、忠臣以事其上、孝子以養其親、慈父以畜其子。此有德者也。而以義置數十百錢、【考證】岡白駒曰、所以謝卜筮者也、下文利大而謝少、是也、病者或以愈、且死或以生、患或以免、事或以成、嫁子娶婦、或以養生。【考證】楓山本、死下

有者字、此之爲德、豈直數十百錢哉。此夫老子所謂上德不德、是以有德。[考證]老子三十八章、岡白駒曰、不校其謝少、是上德不德也、今夫卜筮者、利大而謝少。老子之云、豈異於是乎。[正義]言卜者於天下、利則大矣、天下宜以財饋謝則少也、莊子曰、君子內無飢寒之患、外無劫奪之憂、居上而敬、居下不爲害、君子之道也。今夫卜筮者之爲業也、積之無委聚、藏之不用府庫、徙之不用輜車、負裝之不重、止而用之、無盡索之時。[正義]索、亦盡也、持不盡索之物、游於無窮之世、雖莊氏之行、未能增於是也。子何故而云不可卜哉。天不足西北、星辰西北移。地不足東南、以海爲池。日中必移、月滿必虧。先王之道、乍存乍亡。公責卜者言必信、不亦惑乎。公見夫談士辯人乎。慮事定計、必是人也。然不能以一言說人主意。[考證]說悅通、故言必稱先王、語必道上古。慮事定計、飾先王之成功、語其敗害、以恐喜人主之志、以求其欲、多言誇嚴、莫大於此矣。[集解]徐廣曰、嚴一作險、[考證]說見上文、然欲彊國成功、盡忠於上、非此不立。今夫卜者導惑教愚也。夫愚惑之人、豈能以一言而知之哉。言不厭多。故騏驥不能與罷驢爲駟、而鳳皇不與燕雀爲羣。而賢者亦不與不肖者同列。故君子處卑隱以辟衆、自匿以辟倫、微見德順、以除羣害、以明天性、助上養下、多其功利、不求尊譽。公之等喁喁者也。[考證]御覽七百二十五、公下無之字、史司馬相如傳、延頸舉踵、喁喁然皆爭歸義、欲爲臣妾、正義云、口向上也、淮南子、群生莫不喁然仰其治也、愚按、喁、魚口上見也、喁喁、承上仰風、謂羣魚之上向也、何知長者之道乎。宋忠・賈誼、忽而自失、芒乎無色、

悵然噤口不能言。[索隱]芒、音莫郎反、悵、音暢、噤、音禁、劉氏音其錦反、[考證]忽、惚通、忽而、猶惚然也、芒、茫通、芒然、自失貌、於是攝衣而起、再拜而辭、行洋洋也。[考證]李笠曰、楚辭哀郢、焉洋洋而爲客、王逸注、洋洋、無所歸也、出市門、僅能自上車、伏軾低頭、卒不能出氣。居三日、宋忠見賈誼於殿門外。乃相引屏語、相謂自歎曰、道高益安、勢高益危。居赫赫之勢、失身且有日矣。夫卜而有不審、不見奪糈。[集解]徐廣曰、糈、音所、駰案、離騷經曰、懷椒糈而要之、王逸云、糈、精米、所以享神、[索隱]糈、音所、糈者、卜求神之米也、[正義]糈、音所、謂祠神米也、[考證]楓山三條本、審下無不字、恐非、中井積德曰、糈字起於米、而通於貨財、上文所謂數十百錢、亦是糈矣、凡所以謝於卜筮之人者、皆是、爲人主計而不審、身無所處。[索隱]言卜之不中、乃不見奪其糈米、若爲人主計不審、則身無所處也、此相去遠矣、猶天冠地屨也。[正義]言不相及也、此老子之所謂無名者萬物之始也。[考證]老子一章、天地曠曠、物之熙熙、或安或危、莫知居之。我與若、何足預彼哉。[考證]楓山本預作與、彼久而愈安、雖曾氏之義、未有以異也。[集解]徐廣曰、曾一作莊、[考證]一本是莊氏、莊周、久之、宋忠使匈奴、不至而還、抵罪。而賈誼爲梁懷王傅、王墮馬薨。誼不食、毒恨而死。此務華絕根者也。[索隱]言宋忠賈誼、皆務華而喪其身、是絕其根本也、

太史公曰、古者卜人所以不載者、多不見于篇。及至司馬季主、余志而著之。

褚先生曰、臣爲郎時、游觀長安中、見卜筮之賢大夫、觀其起居行步、坐起自動、誓正其衣冠、而當鄉人也。[考證]楓山本誓作整、爲是、岡白駒曰、雖鄉人、必正衣冠以待之、有君子之風。見性好解。婦來卜、對之顏色嚴振、未嘗見齒而笑也。[考證]振、整也、從古以來、賢者避世、有居

止舞澤者。考證舞、讀爲蕪、 有居民閒、閉口不言。有隱居卜筮閒以全身者。夫司馬季主者、楚賢大夫、游學長安、道易經、術黃帝·老子、博聞遠見。考證術、讀爲述、 觀其對二大夫貴人之談、言稱引古明王聖人道、固非淺聞小數之能。及卜筮立名聲千里者、各往往而在。傳曰。富爲上、貴次之。考證傳古書、 既貴、各各學一伎能立其身。考證李笠曰、各字衍其一、 黃直、丈夫也。陳君夫、婦人也。以相馬立名天下。齊張仲曲成侯、以善擊刺學用劍、立名天下。留長孺、以相彘立名。滎陽褚氏、以相牛立名。能以伎能立名者甚多。皆有高世絕人之風。何可勝言。考證張文虎曰、中統本名作身、張之象曰、此段祖貨殖傳末段總敍之意、 故曰。非其地、樹之不生。非其意、教

之不成。考證生成、韻、 夫家之教子孫、當視其所以好。好含苟生活之道、因而成之。考證好含、未詳、南宋本凌本、含作舍、 故曰。制宅命子、足以觀士。子有處所、可謂賢人。臣爲郎時、與太卜待詔爲郎者同署。言曰。孝武帝時、聚會占家問之。某日可取婦乎。五行家曰。可。堪輿家曰。不可。建除家曰。不吉。叢辰家曰。大凶。歷家曰。小凶。天人家曰。小吉。太一家曰。大吉。考證漢書藝文志五行類、堪輿金匱十四卷、鍾律叢辰日苑二十二卷、泰一二十九卷、錢大昕曰、天人家、不見于藝文志、或云、當作天一、藝文志五行家有天一六卷、愚按、建除家亦不見于藝文志、 辯訟不決。以狀聞。制曰。避諸死忌、以五行爲主。人取於五行者也。

索隱述贊、日者之名、有自來矣、吉凶占候、著於墨子、齊楚異法、書亡罕紀、後人斯繼、季主獨美、取免暴秦、此焉終否、

日者列傳第六十七

史記一百二十七

史記會注考證卷一百二十八

漢　太　史　令　司　馬　遷　撰
宋　中　郎　外　兵　曹　參　軍　裴　駰　集　解
唐　國　子　博　士　弘　文　館　學　士　司　馬　貞　索　隱
唐　諸　王　侍　讀　率　府　長　史　張　守　節　正　義
日　本　出　雲　瀧　川　資　言　考　證

龜策列傳第六十八　史記一百二十八

[索隱]龜策傳、有錄無書、褚先生所補、其敘事煩蕪陋略、無可取、[正義]史記至元成閒、十篇有錄無書、而褚少孫補景武紀、將相年表、禮書、樂書、律書、三王世家、蒯成侯日

者、龜策列傳、日者龜策、言辭最鄙陋、非太史公之本意也、[考證]史公自序云、三王不同龜、四夷各異卜、然各以決吉凶、略闚其要、作龜策列傳第六十八、梁玉繩曰、史公此傳亡、褚生補之、而其序則託之史公者也、史公封禪書首曰、自古受命帝王、曷常不封禪、而日者序曰、自古受命而王、何嘗不以卜筮、此序曰、自古聖王、何嘗不寶卜筮、胡屢襲之耶、巫蠱起于征和、乃言邱子明之屬因巫蠱族誅、則非史詑太初之限、余至江南以下、尤義支辭弱、徐孚遠曰、太史公天官家與龜策家、相爲出入、故著其傳、陳仁錫曰、龜策敘、乃子長之筆、臣以經術以下、則褚生所補、錢大昕曰、張晏謂龜策傳有目無書、褚先生言臣往來長安中、求龜策列傳不能得、然此篇有今上即位之文、其詞非褚先生所能作、愚按龜策傳序、史公手筆、但頗少儁邁氣象、非其至者也、梁氏以其起首與封禪日者同法疑之、一百三十篇五十三萬言、豈無一二同法者乎、梁氏又云、余至江南以下義支辭弱、尚卜筮、信禎祥、當時之人皆然、不獨史公、未可以今概古也、褚少孫亦但云、求列傳不能得、不及序論有無、

太史公曰。自古聖王、將建國受命、興動事業、何嘗不寶卜筮以助善。唐·虞以上、不可記已。自三代之興、各據禎祥。塗山之兆從、而夏啟世。飛燕之卜順、故殷興。[考證]禹娶于塗山氏生啓、簡狄見玄鳥墮卵生契、 百穀之筮吉、故周王。[考證]后稷播百穀、 王者決定諸疑、參以卜筮、斷以蓍龜。

不易之道也。[正義]蓍音詩、 蠻夷氐羌、雖無君臣之序、亦有決疑之卜。或以金石、或以草木、[集解]徐廣曰、草、一作革、 國不同俗。然皆可以戰伐攻擊、推兵求勝、各信其神、以知來事。略聞夏·殷欲卜者、乃取蓍龜。已則弃去之。[考證]何焯曰、卜下有筮字、 以爲龜藏則不靈、蓍久則不神。至周室之卜官、常寶藏蓍龜。又其大小先後、各有所尚。要其歸等耳。[考證]此史公自序所謂略闚其要也、 或以爲聖王遭事無不定、決疑無不見。其設稽神求問之道者、以爲後世衰微、愚不師智、人各自安、化分爲百室、道散而無垠。故推歸之至微、要潔於精神也。[考證]李笠曰、潔當作絜、猶絜矩之絜、 或以爲昆蟲之所長、聖人不能與爭。其處吉凶、別然否、多中於人。[正義]昆蟲、謂龜也、 至高祖時、因秦太卜官。

天下始定、兵革未息。及孝惠、享國日少。呂后女主。孝文·孝景、因襲掌故、未遑講試。[考證]漢百官公卿表、奉常、秦官、掌宗廟禮儀、景帝中六年、更名太常、屬官有太樂太常太宰太史太卜太醫、 雖父子疇官、世世相傳、其精微深妙、多所遺失。[考證]疇官、猶曰疇人、疇籌、通、疇官掌歷算卜筮之官、史歷書、周室微、陪臣執政、史記不時、故疇人子弟分散、程大昌云、古人字多假借、疇人者籌人也、蓋以算數名、 至今上即位、博開藝能之路、悉延百端之學。通一伎之士、咸得自效。絕倫超奇者爲右、無所阿私。數年之閒、太卜大集。會上欲擊匈奴、西攘大宛、南收百越。[集解]徐廣曰、攘一作襄、襄除也、 卜筮至預見表象、先圖其利。及猛將推鋒執節、獲勝於彼、而蓍龜時日、亦有力於此。上尤加意、賞賜至或數千萬。如丘子明之屬、富溢貴寵、傾於朝廷、至以卜筮射蠱道、巫蠱時或頗中。[考證]漢書武紀、元光五年秋七月乙巳、皇后陳氏廢、捕爲巫蠱者

皆梟首、外戚傳、女子楚服等、坐為皇后巫蠱祠祭祝詛、大逆無道、相連及誅者三百餘人、楚服梟首於市、此序所謂巫蠱卽是、非言衞皇后戾太子事、梁氏誤、素有眦睚不快、因公行誅、恣意所傷、以破族滅門者、不可勝數。百僚蕩恐、皆曰。龜策能言。後事覺姦窮、亦誅三族。【考證】岡白駒曰、卜筮誣蠱者、亦誅三族、夫揲策定數、灼龜觀兆、變化無窮。【集解】徐廣曰、揲、音逢、一作達、【索隱】按徐廣揲音逢、揲謂兩手執蓍、分而扐之、故云揲策、是以擇賢而用占焉。可謂聖人重事者乎。【考證】陳子龍曰、此段刺世深隱、非太史公不能作、周公卜三龜、而武王有瘳。【考證】周書金縢、乃卜三龜、一習吉、啓籥見書、乃并是吉、紂為暴虐、而元龜不占。【考證】商書西伯戡黎、格人元龜、罔敢知吉、晉文將定襄王之位、卜得黃帝之兆、卒受彤弓之命。【集解】左傳曰、遇黃帝戰于阪泉之兆、【考證】僖廿五年廿八年左傳、獻公貪驪姬之色、卜而兆、有口象、其禍竟流五世。【考證】晉語、獻公卜伐驪戎、史蘇占之曰、遇兆挾以銜骨、齒牙為猾、戎夏交捽、且懼有口、楚靈將背周室、卜而龜逆。終被乾谿

之敗。【集解】左傳曰、靈王卜曰、余尚得天下、不吉、投龜詬天而呼曰、是區區者而不余畀、余必自取之、【索隱】詬、音火候反、【考證】昭十三年左傳、兆應信誠於內、而時人明察、見之於外。可不謂兩合者哉。君子謂夫輕卜筮無神明者、悖背人道。【索隱】悖背、上音倍、下音佩、信禎祥者、鬼神不得其正。故書建稽疑五謀。而卜筮居其二、五占從其多。明有而不專之道也。【考證】周書洪範、余至江南、觀其行事、問其長老。云。龜千歲乃遊蓮葉之上。【集解】徐廣曰、蓮一作蘋、蘋與蓮聲相近、或假借字也、蓍百莖共一根。【集解】徐廣曰、劉向云、龜千歲、而靈蓍百年、而一本生百莖、又其所生、獸無虎狼、草無毒螫。江傍家人、常畜龜、飲食之、以為能導引致氣、有益於助衰養老。豈不信哉。【考證】張文虎曰、御覽九百三十一、引家人作人家、今本誤倒、愚按御覽引信作偉、何焯曰、按此卷但有序論、而無傳、故褚先生補之、以下乃少孫所補、若序論、則非少孫所能為也、今人概焉忽之、惑于索隱有錄無書之一言耳、

褚先生曰。臣以通經術、受業博士治春秋、以高第為郎、幸得宿衞出入宮殿中、十有餘年。竊好太史公傳。太史公之傳曰。三王不同龜、四夷各異卜。然各以決吉凶。略闚其要。故作龜策列傳。【正義】傳、卽卜筮之書、【考證】此龜策列傳史公自序之文、臣往來長安中、求龜策列傳、不能得。故之大卜官、問掌故文學長老習事者、寫取龜策卜事、編于下方。聞古五帝三王、發動舉事、必先決蓍龜。傳曰。【索隱】此傳卽太卜所得古占龜之說也、下有伏靈、上有兔絲。上有擣蓍、下有神龜。【索隱】擣、音逐留反、按卽稠也、擣蓍卽聚蓍、擣是古稠字也、【考證】絲龜、韻、淮南子說山訓、千年之松、下有茯苓、上有兔絲、上有叢蓍、下有伏龜、聖人從外知內、以見知隱也、高誘注、茯苓、千載松脂也、兎絲生其上而無根、一名女蘿也、所謂伏靈者、在兔絲之下。狀似飛鳥之形。新雨已、天清靜無風。以夜捎兔絲

去之、【考證】捎、芟也、卽以篝燭此地。【集解】徐廣曰、篝、籠也、蓋然火而籠罩其上也、音溝、陳涉世家曰、夜篝火也、燭之火滅、卽記其處、【考證】岡白駒曰、氣自地中吹出滅之、以新布四丈環置之、明卽掘取之。入四尺至七尺得矣。過七尺不可得。伏靈者、千歲松根也。食之不死。【考證】王念孫曰、伏靈、今茯苓、松脂所化、非松根也、根、當作脂、御覽爾雅翼竝引龜策傳曰、茯苓者千載松脂也、淮南子說山篇高注曰、茯苓、千載松脂也、博物志引神仙傳曰、松脂入地、千年化為茯苓、聞蓍生滿百莖者、其下必有神龜守之。其上常有青雲覆之。傳曰。天下和平、王道得、而蓍莖長丈、其叢生滿百莖。【考證】王念孫曰、類聚御覽、引此作其叢生百莖共根、百上無滿字、莖下有共根二字、上下文言滿百莖、皆褚先生之語、此言百莖共根、乃褚引古傳之文、不與上下同也、方今世取蓍者、不能中古法度。不能得滿百莖長丈者。取八十莖已上、蓍長八尺、卽難得也。人民好用卦者、取滿六十莖已上、長滿六尺者、

卽可用矣。記曰、能得名龜者、財物歸之、家必大富、至千萬。一曰北斗龜、二曰南辰龜、三曰五星龜、四曰八風龜、五曰二十八宿龜、六曰日月龜、七曰九州龜、八曰玉龜、凡八名龜。【考證】御覽九百三十一、引玉龜作王龜、藝文類聚亦作王龜、岡白駒曰、其文北斗爲北斗龜、 龜圖各有文在腹下。文云云者、此某之龜也。略記其大指、不寫其圖。取此龜、不必滿尺二寸。民人得長七八寸、可寶矣。今夫珠玉寶器、雖有所深藏、必見其光、【考證】張文虎曰、游王凌本、必誤之、 必出其神明。其此之謂乎。故玉處於山而木潤、淵生珠而岸不枯者、潤澤之所加也。【集解】徐廣曰、一無不字、許氏說淮南、以爲滋潤鍾於明珠、致令岸枯也、【考證】張文虎曰、凌本、處誤出、荀子勸學篇、玉在山而草木潤、淵生珠而崖不枯、淮南子說山訓、玉在山而草木潤、淵生珠而岸不枯、愚按許氏淮南注、與史義殊、 明月之珠、出於江海、藏於蚌中、

蚗龍伏之。【集解】徐廣曰、許氏說淮南云、蚗龍、龍屬也、音決、【索隱】蚗蠪伏之、按蚗當爲蛟、蠪音龍、注音決、誤也、 王者得之、長有天下、四夷賓服。能得百莖蓍、幷得其下龜以卜者、百言百當、足以決吉凶。神龜出於江水中。廬江郡常歲時生龜。長尺二寸者二十枚、輸太卜官。太卜官、因以吉日剔取其腹下甲。龜千歲乃滿尺二寸。【考證】張文虎曰、太卜官三字、柯凌本不重、蓋脫字、愚按御覽亦重三字、 王者發軍行將、必鑽龜廟堂之上、以決吉凶。今高廟中有龜室。藏內以爲神寶。傳曰、取前足臑骨穿佩之、取龜置室西北隅、懸之以入深山大林中、不惑。【集解】徐廣曰、臑、音乃毛反、臑、臂、【索隱】臑、音乃高反、臑、臂也、一音乃導反、 臣爲郎時、見萬畢石朱方傳曰、有神龜、在江南嘉林中。【索隱】按萬畢術中有石朱方、方中說嘉林中、故云傳曰、【考證】王引之曰、水經決水注云、灌水導源廬江金蘭縣西北東陵鄉大蘇山、褚先生所謂神龜出

於江灌之間嘉林之中、蓋謂此水也、東北逕蓼縣故城西、而北注決水、是此傳原文本作神龜出於江灌之間、且其地在江北、非在江南、今本云、神龜在江南、蓋後人多聞江水、少聞灌水、故以意改之耳、 嘉林者獸無虎狼、鳥無鴟梟、草無毒螫、野火不及、斧斤不至。是爲嘉林。龜在其中、常巢於芳蓮之上、左脅書文曰、甲子重光、【集解】徐廣曰、子一作于、 得我者、匹夫爲人君、有土正。【集解】徐廣曰、正、長也、爲有土之官長、 諸侯得我爲帝王。求之於白蛇蟠杅林中者、【集解】徐廣曰、杅、一孤反、【索隱】按林名白蛇蟠杅林、龜藏其中、杅、音烏、謂白蛇嘗蟠杅此林中也、 齋戒以待、譺然狀如有人來告之。【索隱】譺、音嶷、言求龜者齋戒以待、常譺然也、【正義】譺、猶疑也、【考證】岡白駒曰、譺然、齋敬貌、 因以醮酒佗髮求之、三宿而得。【集解】徐廣曰、佗、一作被、【索隱】佗、音徒我反、按謂被髮也、【考證】岡白駒曰、醮酒、灌地祭也、 由是觀之、豈不偉哉。故龜可不敬歟。南方老人、用龜支牀足、行二十餘歲、老人死。【考證】藝文類聚引史、行作經、 移牀。龜尙生不死。龜

能行氣導引。問者曰、龜至神若此。然太卜官得生龜、何爲輒殺取其甲乎。近世江上人有得名龜。畜置之。家因大富。與人議、欲遣去。人教殺之勿遣。遣之破人家。【考證】岡白駒曰、言破汝家也、 龜見夢曰、送我水中、無殺吾也。其家終殺之。殺之後、身死、家不利。人民與君王者異道。人民得名龜、其狀類不宜殺也。以往古故事言之。古明王聖主、皆殺而用之。宋元王時得龜。亦殺而用之。謹連其事於左方、令好事者觀擇其中焉。【考證】莊子外物篇、宋元王作宋元君、釋文、李云、元君、元公也、元公名佐、平公之子、顧炎武曰、宋有元公、無元王、錢大昕曰、宋稱王、自偃始、此元王或王偃之譌、王偃雖戰勝攻取、尋卽亡滅、暴而不德、非靈龜所能祐也、愚按淮南子說山訓、神龜能見夢元王、而不能自出漁者之籠、作元王者、不獨褚少孫、 宋元王二年、江使神龜使於河、至於泉陽。漁者豫且、舉網得而囚

之、置之籠中。【索隱】豫且、下音子余切、泉陽人網元龜者、【考證】莊子外物篇作余且、釋文、姓余名且、夜半龜來見夢於宋元王曰。我爲江使於河、而幕網當吾路。泉陽豫且得我。我不能去。身在患中、莫可告語。王有德義。故來告訴。【考證】路去語訴韻、元王惕然而悟、乃召博士衞平而問之。【索隱】衞平、宋元君之臣也、曰。今寡人夢見一丈夫。延頸而長頭、衣玄繡之衣、而乘輜車、來見夢於寡人。曰。我爲江使於河、而幕網當吾路。泉陽豫且得我。我不能去。身在患中、莫可告語。王有德義。故來告訴。是何物也。衞平乃援式而起、【集解】徐廣曰、式、音勑、【考證】日者傳、旋式正棊、仰天而視月之光、觀斗所指、定日處鄉、規矩爲輔、副以權衡。四維已定、八卦相望。視其吉凶、介蟲先見。【考證】岡白駒曰、鄉與嚮通、何焯曰、仰天而觀

月之光以下用韻、愚按、光鄉衡望韻、乃對元王曰。今昔壬子、【索隱】今昔、猶昨夜也、以今日言之、謂昨夜爲今昔、【考證】昔、夕通、宿在牽牛。河水大會、鬼神相謀。漢正南北、【正義】漢、天河、江河固期。南風新至、江使先來。白雲壅漢、萬物盡留。斗柄指日、使者當囚。玄服而乘輜車、其名爲龜。王急使人問而求之。王曰。善。【考證】牛謀期來留囚韻、御覽七百二十五、壅漢作擁漢、錢大昕曰、奇門之式、古人謂之遁甲、即易八卦方位、加以中央與乾鑿度太一下行九宮之法相合、史記龜策傳、衞平乃援式而起、仰天而視月之光、觀斗所指云云、乃對曰、今昔壬子、宿在牽牛云云、此遁甲式也、日在牽牛、冬至之候、蓋冬至後壬子日庚子時陽遁第一局、甲午爲旬首、在巽宮、杜門爲直使、時加子、子爲玄武、故云介蟲先見也、規矩權衡、謂坎離震兌四正之位、漢書魏相傳、東方之神、執規司春、南方之神、執衡司夏、西方之神、執矩司秋、北方之神、執權司冬、是其義也、加以四維、故云八卦相望也、張文虎曰、援式而起、謂地盤也、仰天而視月之光者、定時也、觀斗所指者、正月令也、定日處鄉者、正日躔也、規矩權衡四維八卦者、左規右矩、前衡後權、謂天盤所加十二辰之位也、義見淮南天文訓及漢書律歷志、介蟲先見者、謂初傳玄武發用也、今昔壬子者、日辰也、宿在牽牛者、日宿在丑也、河水大會者、仲冬水王、又夜半時箕斗在子、日時干支皆水也、漢正南北者、天漢正當南北也、南風新至者、冬至一陽生也、斗柄指日者、月建在

壬位也、使者當囚者、白虎乘子加壬、又玄武乘功曹也、錢氏十駕養新錄以爲奇門之式、未然、於是王乃使人馳而往問泉陽令曰。漁者幾何家。名誰爲豫且。豫且得龜、見夢於王。王故使我求之。泉陽令乃使吏案籍視圖。水上漁者五十五家。上流之廬、名爲豫且。泉陽令曰。諾。乃與使者馳而問豫且曰。今昔汝漁何得。豫且曰。夜半時舉網得龜。【集解】莊子曰、得白龜圓五尺、【考證】莊子外物篇、得白龜焉、箕圓五尺、使者曰。今龜安在。曰。在籠中。使者曰。王知子得龜、故使我求之。豫且曰。諾。即系龜而出之籠中、獻使者。使者載行、出於泉陽之門。正晝無見、風雨晦冥、雲蓋其上、五采青黃、雷雨竝起、風將而行。入於端門、見於東箱。身如流水、潤澤有光。【考證】張文虎曰、游凌本、雷譌雲、岡白駒曰、箱與廂同、愚按、冥黃行箱光韻、望見

元王、延頸而前、三步而止、縮頸而卻、復其故處。元王見而怪之、問衞平曰。龜見寡人延頸而前。以何望也。縮頸而復。是何當也。衞平對曰。龜在患中、而終昔囚。王有德義、使人活之。今延頸而前、以當謝也。縮頸而卻、欲亟去也。【考證】終昔、猶終夜也、元王曰。善哉。神至如此乎。不可久留、趣駕送龜。勿令失期。衞平對曰。龜者、是天下之寶也。先得此龜者爲天子。且十言十當、十戰十勝。生於深淵、長於黃土。知天之道、明於上古。游三千歲、不出其域。安平靜正、動不用力。壽蔽天地、莫知其極。與物變化、四時變色。居而自匿、伏而不食。春倉夏黃、秋白冬黑。明於陰陽、審於刑德。先知利害、察於禍福。

以言而當、以戰而勝。王能寶之、諸侯盡服。王勿遣也、以安社稷。[考證]土古、域力極色食黑德福服稷韻、凌稚隆曰、一本倉作蒼、愚按御覽七百二十五亦作蒼、或云、勝當作克、與上下韻協、　元王曰、龜甚神靈、降于上天、陷於深淵、在患難中、以我爲賢。德厚而忠信、故來告寡人。寡人若不遣也、是漁者也。漁者利其肉、寡人貪其力、下爲不仁、上爲無德、君臣無禮、何從有福。寡人不忍、柰何勿遣。[考證]淵賢、人力德福韻、　衞平對曰、不然。臣聞盛德不報、重寄不歸。天與不受、天奪之寶。今龜周流天下、還復其所。上至蒼天、下薄泥塗。還徧九州、未嘗愧辱。無所稽留。今至泉陽、漁者辱而囚之。王雖遣之、江河必怒、務求報仇、自以爲侵、因神與謀、淫雨不霽、水不可治。若爲枯旱、風而

揚埃、蝗蟲暴生、百姓失時。王行仁義、其罰必來。此無佗故。其祟在龜。後雖悔之、豈有及哉。王勿遣也。[考證]所塗、州留囚仇、謀治埃時來龜哉韻、元王慨然而歎曰、夫逆人之使、絕人之謀、是不暴乎。取人之有、以自爲寶、是不彊乎。寡人聞之、暴得者必暴亡、彊取者必後無功。桀紂暴彊、身死國亡。今我聽子、是無仁義之名、而有暴彊之道。江河爲湯武、我爲桀紂。未見其利、恐離其咎。寡人狐疑、安事此寶。趣駕送龜、勿令久留。衞平對曰、不然。王其無患。天地之閒、累石爲山、高而不壞、地得爲安。故云物或危而顧安、或輕而不可遷。人或忠信、而不如誕謾。[集解]徐廣曰、誕一作訑、音土和反、[索隱]誕、田爛反、謾、音漫、一音竝。如字、訑、音吐禾反、[正義]訑、欺也、[考證]李笠曰、願、反也、　或醜惡

而宜大官、或美好佳麗、而爲衆人患。非神聖人、莫能盡言。春秋冬夏、或暑或寒。寒暑不和、賊氣相奸。同歲異節、其時使然。[考證]山安還謾、官患言寒奸然韻、　故令春生夏長、秋收冬藏。或爲仁義、或爲暴彊。[考證]藏彊韻、　暴彊有鄉、仁義有時。萬物盡然、不可勝治。[考證]時治韻、　大王聽臣、臣請悉言之。天出五色、以辨白黑。地生五穀、以知善惡。人民莫知辨也、與禽獸相若。谷居而穴處、不知田作。天下禍亂、陰陽相錯。悤悤疾疾、[集解]徐廣曰、一作病、　通而不相擇。妖孼數見、傳爲單薄。[正義]說文云、衣服謌謠、草木之怪、謂之妖、禽獸蟲蝗之怪、謂之蠥也、[考證]岡白駒曰、通、謂人民皆然也、不相擇、言不知去惡而就善、出谷穴而從田作也、愚按、傳、猶承也、　聖人別其生、使無相獲。禽獸有牝牡、置之山原。鳥有雌雄、布之林澤。有介之蟲、置之

谿谷。故牧人民、爲之城郭、內經閭術、外爲阡陌。[考證]岡白駒曰、百家爲里、里十爲術、外爲阡陌、謂田也、民冬在閭術、農時在田廬、　夫妻男女、賦之田宅、列其室屋。爲之圖籍、別其名族。立官置吏、勸以爵祿。衣以桑麻、養以五穀、[考證]黑惡若作錯擇薄獲澤谷郭陌宅籍祿穀韻、　耕之耰之、[集解]徐廣曰、音憂、[正義]耰、覆種也、說文云、耰、摩田器、　鉏之耨之、[集解]徐廣曰、耨、除草也、[考證]耰耨韻、　口得所嗜、目得所美、身受其利。[考證]嗜美利韻、　以是觀之、非彊不至。[考證]駁元王彊取者必後無功語、　故曰、田者不彊、囷倉不盈。[正義]說文云、圓者謂之囷、方者謂之廩、　商賈不彊、不得其贏。[正義]贏、餘利也、　婦女不彊、布帛不精。官御不彊、其勢不成。大將不彊、卒不使令。侯王不彊、沒世無名。[考證]盈贏精成令名韻、　故云、彊者事之始也、分之理也、物之紀也。[考證]始理紀韻、　所求於彊、無不有也。王以爲不然、王獨

不聞玉櫝隻雉、出於崑山、【集解】徐廣曰、隻一作雙、【考證】岡白駒曰、雉、所以爲飾也、明月之珠、出於四海、鑴石拌蚌、傳賣於市。【集解】徐廣曰、鑴、音子旋反、拌、音判、【索隱】拌、音判、判、割也、聖人得之、以爲大寶。大寶所在、乃爲天子。【考證】陳子龍曰、珠玉與龜同爲國之鎭寶、故比類焉、今王自以爲暴。不如拌蚌於海也。自以爲彊。不過鑴石於崑山也。【考證】言剝龜與拌蚌鑴石不異、取者無咎、寶者無患。今龜使來抵網、而遭漁者得之、見夢自言。是國之寶也。王何憂焉。元王曰。不然。寡人聞之。諫者福也。諛者賊也。人主聽諛、是愚惑也。【考證】福賊惑韻、雖然禍不妄至。福不徒來。天地合氣、以生百財。陰陽有分、不離四時。十有二月、日至爲期。聖人徹焉、身乃無災。明王用之、人莫敢欺。【考證】來財時期災欺韻、岡白駒曰、日至、夏至冬至、故云。福

之至也、人自生之。禍之至也、人自成之。【考證】生成韻、禍與福同。刑與德雙。聖人察之、以知吉凶。桀紂之時、與天爭功。擁遏鬼神、使不得通。是固已無道矣。諛臣有衆。【考證】李笠曰、有、同又、愚按同雙凶功通衆韻、桀有諛臣、名曰趙梁。【考證】錢大昕曰、桀臣趙梁、紂臣左彊、本紀皆無之、教爲無道、勸以貪狼。繫湯夏臺、殺關龍逢。在右恐死、偷諛於傍。國危於累卵、皆曰無傷。稱樂萬歲、或曰未央。蔽其耳目、與之詐狂。湯卒伐桀、身死國亡。聽其諛臣、身獨受殃。春秋著之、至今不忘。紂有諛臣、名爲左彊。誇而目巧、教爲象郎、【集解】禮記曰、目巧之室、鄭玄曰、但用目巧善意作室、不由法度、許愼曰、象牙郎、【考證】陳子龍曰、郎廊通用、象郎似以象飾室之名、或作繪象、如後世畫室之意、二義俱通、觀後文之象郎、知定是室也、張文虎曰、御覽、郎作廊、按淮南子本經篇、桀紂爲璇室瑤臺象廊、即此事、將至於天、【考證】岡白駒曰、即上文與天爭功者、愚按言其高也、又有

玉牀犀玉之器。象箸而羹。【索隱】箸、音持慮反、則箸是筯、爲與羹連、則或非箸櫓也、記曰、羹之有菜者用挾、挾者箸也、聖人剖其心、壯士斬其胻。【集解】胻、音衡、腳脛也、【索隱】胻、音衡、即腳脛、【考證】剖比干之心、斮朝涉之脛、箕子恐死、被髮佯狂。殺周太子歷。【索隱】按殺周太子歷、文在囚文王昌之上、則近是季歷、季歷不被紂誅、則其言近妄、無容周更別有太子名歷也、【考證】陳仁錫曰、歷字衍文、太子謂伯邑考也、愚按、其事未詳、囚文王昌、投之石室、將以昔至明。【考證】李笠曰、此句難解、岡白駒曰、昔、夕也、陰兢活之、【集解】徐廣曰、兢一作競、【索隱】陰、姓、兢、名、與之俱亡。入於周地、得太公望、興卒聚兵、與紂相攻。文王病死、載尸以行。太子發代將。號爲武王、戰於牧野、破之華山之陽。紂不勝、敗而還走。圍之象郎、自殺宣室。【集解】徐廣曰、天子之居名曰宣室、身死不葬、頭懸車軫、四馬曳行、寡人念其如此、腸如涫湯。【集解】徐廣曰、涫、音館、一作沸、【索隱】上音館、涫、沸也、【考證】梁狼逢傍傷央狂亾殃忘彊郎牀羹胻狂昌明亾望攻行王陽郎葬行湯韻、是人

皆富有天下、而貴至天子。然而大傲、欲無猒時、舉事而喜高、貪狼而驕、不用忠信、聽其諛臣、而爲天下笑。今寡人之邦、居諸侯之閒、曾不如秋毫。舉事不當、又安亡逃。【考證】傲高驕笑毫逃韻、衛平對曰。不然。河雖神賢、不如崑崙之山。江之源理、不如四海、而人尙奪取其寶、諸侯爭之、兵革爲起、小國見亡、大國危殆、殺人父兄、虜人妻子、殘國滅廟、以爭此寶、戰攻分爭。是暴彊也。【考證】寶、言珠玉、故云、取之以暴彊、而治以文理。【考證】張文虎曰、中統游毛本、吳校金板、取下無之字、無逆四時、必親賢士。與陰陽化、鬼神爲使、通於天地、與之爲友。【考證】友字、不與上下韻協、疑有譌誤、諸侯賓服、民衆殷喜、邦家安寧、與世更始。湯武行之、乃取天子、春秋著之、

以爲經紀。【考證】理士使喜始子紀韻、　王不自稱湯・武、而自比桀・紂。桀・紂爲暴彊也、固以爲常。【考證】各本脫桀紂二字、今從毛本館本、　桀爲瓦室、【集解】世本曰、昆吾作陶、張華博物記亦云、桀作瓦、蓋是昆吾爲桀作也、　紂爲象郎、徵絲灼之、務以費民。【索隱】按灼謂燔也、燒絲以當薪、務費人也、【考證】王念孫曰、民當作氓、與常郎方囊彊嘗傍行祥戌亨冥光綱長亾十六字爲韻、　賦斂無度、殺戮無方、殺人六畜、【考證】殺下民所畜六畜、　以韋爲囊、囊盛其血、與人懸而射之、與天帝爭彊、逆亂四時、先百鬼嘗。【考證】兪樾曰、殷本紀、武乙無道、爲革囊盛血、而仰射之、名曰射天、宋世家、宋王偃盛血以革囊、懸而射之、名曰射天、龜策傳、紂殺人六畜、以韋爲囊、盛其血、與人懸而射之、與天帝爭彊、三君所爲、如出一轍、何哉、子貢不云乎、紂之不善、不如是之甚、　諫者輒死、諛者在傍。聖人伏匿、百姓莫行。天數枯旱、國多妖祥。螟蟲歲生、五穀不成。民不安其處、鬼神不享。飄風日起、正晝晦冥。日月竝蝕、滅息無光。列星奔亂、皆絕紀綱。以

是觀之、安得久長。雖無湯・武、時固當亡。故湯伐桀、武王剋紂、其時使然。乃爲天子、子孫續世、終身無咎、後世稱之、至今不已。是皆當時而行、見事而彊。乃能成其帝王。今龜大寶也。爲聖人使、傳之賢士。【考證】張文虎曰、士疑當作王、與上下韻、　不用手足。雷電將之、風雨送之、流水行之、侯王有德、乃得當之。【考證】將、送也、行彊王將行當、韻、　今王有德、而當此寶、恐不敢受、王若遣之、宋必有咎。後雖悔之、亦無及已。元王大悅而喜。【考證】張文虎曰、喜疑當作起、愚按、喜讀爲嘻、　於是元王向日而謝、【索隱】蓋欲神之以謝天也、天之質闇、日者天之光明、著見者莫過也、　再拜而受、擇日齋戒。甲乙最良。【考證】岡白駒曰、吉日也、　乃刑白雉及與驪羊、以血灌龜、於壇中央、以刀剝之。身全不傷、脯酒禮之、橫其腹腸、荊支

卜之、【考證】御覽七百二十五、剝作剶、岡白駒曰、支與枝通、燒荊枝也、愚按下文云灼以荊若剛木、御覽七百二十五引三禮圖云、楚焞以荊爲然、以灼龜、正以荊者、凡木心皆圓、而荊心方、是以用之、其義可見、　必制其創。【正義】音瘡、　理達於理、文相錯迎。【考證】王念孫曰、理達於理、文不成義、理達當爲程達、程理右半相似、又涉下理字而誤也、程與呈古字通、灼龜爲兆、其理縱橫、呈達於外、故曰程達於理文相錯迎也、太平御覽方術部、引此正作程達於理、　使工占之、所言盡當、邦福重寶、【集解】徐廣曰、福音副、藏也、　聞于傍鄉。殺牛取革、被鄭之桐。【集解】徐廣曰、牛革桐爲鼓也、【索隱】徐氏云、牛革桐爲鼓、　草木畢分、化爲甲兵、戰勝攻取、莫如元王。【考證】良羊央傷腸創迎當鄉桐兵王韻、　元王之時、衛平相宋。宋國最彊、龜之力也。故云。神至能見夢於元王、而不能自出漁者之籠、身能十言盡當、不能通使於河、還報於江。【考證】籠江韻、　賢能令人戰勝攻取、不能自解於刀鋒、免剝刺之患。聖能先知亟見、而不能令衛平無言。言

事百全、至身而攣。【考證】而、猶則也、岡白駒曰、攣、拘繫也、　當時不利、又焉事賢。賢者有恆常。士有適然。【考證】張文虎曰、恆常、當衍其一、蓋漢世諱恆爲常、後人兩存之、愚按、患言攣賢然韻、又按莊子外物篇云、仲尼曰、神龜能見夢於元君、而不能避余且之網、知能七十二鑽而無遺筴、不能避刳腸之患、此文所本、　是故明有所不見、聽有所不聞。【考證】莊子外物篇、知有所困、神有所不及、楚辭卜居、物有所不足、智有所不明、數有所不逮、神有所不通、中井積德曰、聽、當作聰、　人雖賢、不能左畫方右畫圓。日月之明、而時蔽於浮雲。羿名善射、不如雄渠・蠭門。【集解】新序曰、楚雄渠子、夜行見伏石當道、以爲虎而射之、應弦沒羽、淮南子曰、射者重以逢門子之巧、劉歆七略、有蠭門射法也、　禹名爲辯智、而不能勝鬼神。地柱折、天故毋椽。又奈何責人於全。【考證】聞圓雲門神椽全韻、張文虎曰、南宋舊刻毛本椽、他本譌掾、岡白駒曰、天東南傾、是也、　孔子聞之曰。神龜知吉凶、而骨直空枯。【正義】凡龜其骨空中而枯也、直語發聲也、今河東亦然、　日爲德、而君於天下。辱於三足之烏。【考證】淮南子精神訓、日中有踆烏、注云、踆、趾也、謂三足烏也、　月

爲刑而相佐。見食於蝦蟇。【考證】淮南子說林訓、月照天下、而蝕於蟾諸、騰蛇游霧、而殆於蝍蛆、注云、蟾諸、月中蝦蟇、食月、故曰食於蟾諸、蝍蛆、蟋蟀、爾雅謂之蜻蛚之大腹也、上蛇、蛇不敢動、故曰殆於蝍蛆、蝟辱於鵲。【集解】郭璞曰、蝟能制虎、見鵲仰地、淮南萬畢曰、鵲令蝟反腹者、蝟憎其意、而心惡之也、騰蛇之神、而殆於卽且。【集解】郭璞曰、騰蛇、龍屬也、蝍蛆、似蝗大腹、食蛇腦也、【正義】卽、津日反、且、則餘反、卽吳公也、狀如蚰蜒、而大黑色、竹外有節理、中直空虛。松柏爲百木長。而守門閭。日辰不全、故有孤虛。【集解】甲乙謂之日、子丑謂之辰、六甲孤虛法、甲子旬中無戌亥、戌亥卽爲孤、辰巳卽爲虛、甲戌旬中無申酉、申酉爲孤、寅卯卽爲虛、甲申旬中無午未、午未爲孤、子丑卽爲虛、甲午旬中無辰巳、辰巳爲孤、戌亥卽爲虛、甲辰旬中無寅卯、寅卯爲孤、申酉卽爲虛、甲寅旬中無子丑、子丑爲孤、午未卽爲虛、劉歆七略、有風后孤虛二十卷、【正義】按歲月日時、孤虛竝得上法也、【考證】岡白駒曰、松柏守門閭、伐松栢以爲門、愚按、閭門之側、植以松栢也、黃金有疵、白玉有瑕。事有所疾、亦有所徐。物有所拘、亦有所據。罔有所數、亦有所疏。人有所貴、亦有所不如。【正義】拘、檢也、【考證】枯烏蟇且虛閭虛瑕徐據疎如、韻、桃源抄云、據、音倨、敖也、罔、網同、數、音朔、細也、何可而適乎。

物安可全乎。【考證】岡白駒曰、而、爾也、適、主也、天尙不全、故世爲屋、不成三瓦而陳之、以應之天。【集解】徐廣曰、一云、爲屋成、欠三瓦而棟之也、【索隱】劉氏云、陳、猶居也、注、作棟音都貢反、【正義】言爲屋不成、欠三瓦以應天、猶陳列而居之、【考證】張文虎曰、作棟、是也、不成三瓦、謂中霤也、古者後室之霤、正當棟下、故云、不成三瓦而棟之、索隱正義、訓陳爲居、郢書燕說耳、天下有階、物不全乃生也。【正義】言萬物及日月天地、皆不能全、喻龜之不全也、【考證】岡白駒曰、有階、言不一也、梁玉繩曰、褚傳但衍莊子外物篇宋元君得龜事、二千八百餘言、皆用韻語、奇恣自喜、亦必當時舊文、而褚述之、惟語多悖謬、不可以訓、如宋元公何曾僭王、其時亦無博士之官、而稱宋元王召博士衛平、史不言王季之死、呂氏春秋首時謂季歷困而死、竹書及晉書束晳傳、俱謂文丁殺季歷、卽以爲眞、是王季不得正其終矣、而此作紂殺太子歷、豈天下之惡皆歸歟、且季歷不應稱太子、若以太子爲伯邑考、又不應名歷、文王之出羑里、紂赦之也、而云與陰兢亡入于周、武王載木主伐紂、示不敢專爾、而云文王攻紂病死、載尸以行、武王代將破紂、其說與淮南齊俗同妄、太白之懸本經、此又云頭懸車軫、四馬曳行、射天乃武乙事、此以爲桀紂、辱于三足之烏、月食于蝦蟇、孔子事、有斯語、其誕不辨而明、史通敍事篇、言曰者龜策傳、無所取、蓋謬認出于史公之手也、至褚枚述宋元一節、及占卜命召之辭、索隱正義譏其煩蕪鄙陋、良然、愚按、宋元王疑宋王偃、說既見上、太子歷、未必王季、其餘梁說、略有條理、

褚先生曰。漁者擧網而得神龜、龜自見夢宋元王、元王召博士衛平告以夢龜狀、平運式、定日月、分衡度、視吉凶、占龜與物色同。【考證】岡白駒曰、運式觀其物色、以知其爲神龜、平諫王、留神龜、以爲國重寶。美矣。古者筮必稱龜者、以其令名所從來久矣。余述而爲傳、

三月　二月　正月、【正義】言正月二月三月、右轉周環終十二月者、日月之龜、腹下十二黑點爲十二月、若二十八宿龜也、【考證】張文虎曰、正義爲十二月、王柯誤作爲十日、

十二月　十一月　中關內高外下、【正義】此等下至首俛大者、皆卜兆之狀也、【考證】張文虎曰、中關內高外下、此卜兆、乃正文、各本混作集解、今正、

四月、【考證】張文虎曰、當在三月上、首仰、【索隱】音魚兩反、【正義】謂兆首仰起、【考證】張文虎曰、南宋中統游毛首上空格、不誤、王凌、連上四月、柯本脫、正義柯本與索隱系四月下、凌本混入索隱、

足開肣開、【索隱】音琴、肣、謂兆足斂也、【考證】

張文虎曰、肣開、當作足肣、李笠曰、上開字衍、索隱本無、首俛大、【索隱】俛、音免、兆首伏也、【考證】張文虎曰、首俛大、索隱、當次首仰下、刪下文重出之首俛大三字、而以正義次索隱後、李笠曰、案、索隱本出正文、亦在足肣開下、則其誤已久矣、又俛同俯、

五月　橫吉　首俛大、【正義】俛、音免、謂兆首伏而大、六月　七月

八月　九月　十月。

【考證】張文虎曰、案正月下正義云、言正月二月三月右轉周環終十二月者、日月之龜、疑舊式本依日躔之次、從亥位起、正月右旋、十二辰列於上、辰者日月所會、故名日月龜矣、其卜兆別在下方、傳寫錯亂、致不可解、今依正義尋之、尚可得其仿佛、別寫如左、

四月　三月　二月　正月　中關內高外下　首仰　首俛

五月　十二月　大　足開　足肣　橫吉

六月　十一月

七月　八月　九月　十月

卜禁曰。【考證】張文虎曰、南宋舊刻曰、它本譌日、愚按、劉百衲本作曰、子亥戌、不可以卜、及殺龜。日中如食、【考證】岡白駒曰、日不明、已卜暮昏、龜之徼也。【索隱】徼、音叫、謂徼繞不明也、【考證】張文虎

曰、卜字疑衍、不可以卜。庚辛可以殺、及以鑽之。常以月旦祓龜。【索隱】上音廢、又音拂、拂洗之以水、雞卵摩之而呪、【考證】張文虎曰、南宋中統游毛本吳校金板同、它本月譌日、愚按御覽七百二十五、作月、先以清水澡之、以卵祓之。【正義】以常月朝、清水洗之、以雞卵摩而祝之、【考證】張文虎曰、正義以常倒、乃持龜而遂之。【考證】岡白駒曰、遂之、謂卜之、張文虎曰、而遂之、疑有脫文、周禮菙氏、凡卜以明火爇燋、遂歛其峻契以授卜師、遂役之、若嘗以爲祖。【集解】徐廣曰、一作視、【索隱】祖、法也、嘗以爲常法、【考證】毛本御覽、嘗作常、嘗常通、岡白駒曰、言雖不卜、亦以爲常法、人若已卜不中、皆祓之以卵、東向立、灼以荊。若剛木、土卵指之者三。【集解】徐廣曰、土一作十一、【索隱】按古之灼龜、取生荊枝及生堅木燒之、斬斷以灼龜、按土字合依劉氏說、當連下句、【正義】言卜不中、以土爲卵、三度指之、三周繞之、用厭不祥也、持龜、以卵周環之、祝曰。今日吉。謹以粱卵焍黃、祓去玉靈之不祥。【索隱】粱、米也、卵、雞子也、焍、灼龜木也、音次第之第、言燒荊枝、更遞而灼、故有焍名、一音梯、言灼之以漸、如有階梯也、黃者以黃絹裹粱卵以祓龜也、必以黃者中之色、主土而信、故用雞也、【正義】焍、音題、焍、焦也、言以粱米雞卵祓去龜之不祥、令灼之不焦不黃、若色焦及黃、卜之不中也、玉

靈以信以誠、知萬事之情。【考證】黃、祥韻、情、韻、辯兆皆可占。不信不誠則燒玉靈揚其灰、以徵後龜。其卜必北向。龜甲必尺二寸。卜先以造灼鑽。【集解】徐廣曰、造、音竈也、【索隱】造、音竈、造、謂燒荊之處、荊若木也、【正義】造竈、用燒荊枝也、【考證】張文虎曰、索隱荊若木三字、疑衍、鑽中已、又灼。龜首各三。【考證】岡白駒曰、三鑽、三灼也、又復灼所鑽中曰正身、灼首曰正足。【集解】徐廣曰、足、一作止、【考證】張文虎曰、灼首下疑脫曰正首灼足五字、各三。卽以造三周龜、祝曰。假之玉靈夫子。【索隱】尊神龜而爲之作號、【考證】張文虎曰、假之疑假爾誤、下文假之同、愚按曲禮載命龜辭云、假爾泰龜有常、夫子玉靈、荊灼而心、令而先知。而上行於天、下行於淵。諸靈數箣、莫如汝信。【集解】徐廣曰、箣、音策、【索隱】數箣、數所具反、箣、音近策、或箣是策之別名、此卜筮之書、其字亦無可厭、皆放此、【考證】張文虎曰、南宋本舊刻、箣作刺、今日良日、行一良貞。【集解】徐廣曰、行一作身、某欲卜。某卽得而喜、不得而悔。卽得、發鄉我、身長大、

首足收入、皆上偶。【考證】張文虎曰、首當作手、下首足滅去同、不得、發鄉我、身挫折、中外不相應、首足滅去。【考證】張文虎曰、游本、中外作內外、靈龜卜祝曰。【考證】張文虎曰、靈龜二字、疑衍、假之靈龜。五筮五靈、不如神龜之靈。知人死、知人生。某身良貞、【考證】張文虎曰、南宋中統舊刻毛本、作良貞、它本脫貞字、愚按楓三本、作良貞、某欲求某物。卽得也、頭見足發、內外相應。卽不得也、頭仰足肣、內外自垂。可得占。【考證】張文虎曰、垂誤隨、依下文改、卜占病者。【考證】張文虎曰、占字疑衍、祝曰。今某病困。死、首上開、內外交駭、身節折。【考證】張文虎曰、中統游本、上作止、疑足之壞文、而上脫仰字、駭字疑誤、岡白駒曰、駭當作駮、交駮不同也、不死、首仰足肣。卜病者祟。【考證】李笠曰、者祟二字、當乙、曰。今病有祟、無呈。無祟、有呈。兆有中祟、有內。外祟、有外。【考證】卜病祟者以下、宜提行、

卜繫者出不出。橫吉安。若出、足開首仰有外。卜求財物其所當得。得、首仰足開、內外相應。卽不得、呈兆首仰足肣。【考證】張文虎曰、案卜兆蓋以首俛足開爲類、首俛足肣爲類、今各條有首仰無首俛、疑傳寫誤、卜有賣若買臣妾馬牛。得之、首仰足開、內外相應。不得、首仰足肣、呈兆若橫吉安。卜擊盜聚若干人在某所。今某將卒若干人、往擊之。當勝、首仰足開、身正內自橋外下。不勝、足肣首仰身首、【集解】徐廣曰、一作簡、【考證】張文虎曰、案此對上身正而言、首字簡字皆非、內下外高。卜求當行不行。行、首足開。【考證】張文虎曰、首下脫仰字、不行、足肣首仰、若橫吉安。安、不行。

卜往擊盜、當見不見。見、首仰足肣有外。不見、足開首仰。

卜往候盜見不見。見、首仰足肣、肣勝有外。不見、足開首仰、〔考證〕張文虎曰、肣字疑衍、而勝又肣之譌衍、

卜聞盜來不來。來、外高內下、足肣首仰。不來、足開首仰、若橫吉安。期之自次。

卜遷徙去官不去。去、足開有肣外首仰。〔考證〕張文虎曰、肣字疑衍、 不去、自去卽足肣、呈兆若橫吉安、〔考證〕張文虎曰、自去二字疑衍、

卜居官尙吉不吉。吉、呈兆身正、若橫吉安。不吉、身節折首仰足開。

卜居室家吉不吉。吉、呈兆身正、若橫吉安。不吉、身節折首

仰足開。

卜歲中禾稼孰不孰。孰、首仰足開、內外自橋、外自垂。不孰、足肣首仰有外。

卜歲中民疫不疫。疫、首仰足肣、身節有彊外。不疫、身正首仰足開。〔考證〕張文虎曰、有彊疑倒、

卜歲中有兵無兵。無兵、呈兆若橫吉安。有兵、首仰足開、身作外彊情。〔考證〕張文虎曰、身作外彊情句、疑有譌脫、

卜見貴人吉不吉。吉、足開首仰、身正內自橋。不吉、首仰身節折、足肣有外、若無漁。〔考證〕二字有譌脫、

卜請謁於人得不得。得、首仰足開、內自橋。不得、首仰足肣

有外。

卜追亡人當得不得。得、首仰足肣、內外相應。不得、首仰足開、若橫吉安。

卜漁獵得不得。得、首仰足開、內外相應。不得、足肣首仰、若橫吉安。

卜行遇盜不遇。遇、首仰足開、身節折、外高內下。不遇、呈兆〔考證〕張文虎曰、兆下疑有脫文、

卜天雨不雨。雨、首仰有外、外高內下。不雨、首仰足開、若橫吉安。

卜天雨霽不霽。霽、呈兆足開首仰。不霽、橫吉安。

命曰橫吉安。〔考證〕命曰橫吉安、各本連上卜天雨霽條、慶長本別提、錢泰吉曰、宜別、 以占病。病甚者、一日不死。不甚者、卜日瘳、不死。繫者、重罪不出。輕罪環出。過一日不出、久毋傷也。求財物、買臣妾馬牛。一日環得。過一日不得。不得。〔考證〕張文虎曰、不得二字複衍、 行者不行。來者環至。過食時不至。不來。擊盜、不行。行不遇。聞盜、不來。徙官、不徙。居官家室、皆吉。歲稼不孰。民疾疫、無疾。〔考證〕無疾、凌本作無疫、 歲中無兵。見人行、不行不喜。請謁人、不行不得。追亡人、漁獵、不得。行不遇盜。雨不雨。霽不霽。

命曰呈兆。病者不死。繫者出。行者行。來者來。市買得。追亡人、得。過一日不得。問行者、不到。

命曰柱徹。卜病不死。繫者出。行者行。來者來。而市買不得。憂者毋憂。追亡人、不得。【考證】張文虎曰、而字衍、下而市買同、

命曰首仰足肣有內無外。占病、病甚不死。繫者、解。求財物、買臣妾馬牛、不得。行者、聞言不行。來者、不來。聞盜、不來。聞言不至。徙官、聞言不徙。居官、有憂。居家、多災。歲稼、中孰。民疾疫、多病。歲中有兵、聞言不開。【考證】張文虎曰、開疑當作來、 見貴人、吉。請謁、不行。行不得善言。追亡人、不得。漁獵、不得。行不遇盜。雨不雨。甚霽不霽。故其莫字皆爲首備。【考證】其莫字、不可解、張文虎云、疑莫即其字譌衍、岡白駒云、其莫字龜文理也、 問之、曰、備者仰也。【考證】張文虎曰、案備無仰義、疑儼之誤、說文、儼、昂頭也、 故定以爲仰。此私記也。

命曰首仰足肣有內無外。【考證】全同上條、疑有譌誤、 占病、病甚不死。繫者不出。求財、買臣妾、不得。【考證】財下脫物字、 行者、不行。來者、不來。擊盜、不見。聞盜來、內自驚、不來。徙官、不徙。居官家室、吉。歲稼、不孰。民疾疫、有病甚。歲中無兵。見貴人、吉。請謁、追亡人、不得。亡財物、財物不出、得。漁獵、不得。行不遇盜。雨不雨。霽不霽。凶。

命曰呈兆首仰足肣。以占病、不死。繫者、未出。求財物、買臣妾馬牛、不得。行、不行。來、不來。擊盜、不相見。聞盜來、不來。徙官、不徙。居官、久多憂。居家室、不吉。歲稼、不孰。民病疫。歲中毋兵。見貴人、不吉。請謁、不得。漁獵、得少。行不遇盜。雨不雨。

霽不霽。不吉。

命曰呈兆首仰足開。以占。病、病篤死。【考證】病字重衍、下文同、 繫囚、出。求財物、買臣妾馬牛、不得。行者行、來者來。擊盜、不見盜。聞盜來、不來。徙官、徙。居官、不久。居家室、不吉。歲稼、不孰。民疾疫、有而少。歲中毋兵。見貴人、不見吉。請謁、追亡人、漁獵、不得。行遇盜。雨不雨、霽。小吉。【考證】張文虎曰、霽下疑有脫文、

命曰首仰足肣。以占病、不死。繫者、久毋傷也。求財物、買臣妾馬牛、不得。行者、不行。擊盜、不行。來者、來。【考證】來者來三字、當在行者不行下、 聞盜、來。徙官、聞言不徙。居家室、不吉。歲稼、不孰。民疾疫少。歲中毋兵。見貴人、得見。請謁、追亡人、漁獵、不得。行遇盜。雨

不雨。霽不霽。吉。

命曰首仰足開有內。以占病者、死。繫者、出。求財物、買臣妾馬牛、不得。行者、行。來者、來。擊盜、行不見盜。聞盜來、不來。徙官、徙。居官不久。居家室、不吉。歲孰。民疾疫、有而少。歲中毋兵。見貴人、不吉。請謁、追亡人、漁獵、不得。行不遇盜。雨霽、霽小吉。不霽、吉。【考證】張文虎曰、霽下有脫文、

命曰橫吉內外自橋。以占。病卜曰、【考證】張文虎曰、毛本、卜作占、愚按、卜曰二字、者字壞文、 毋瘳死。繫者、毋罪出。求財物、買臣妾馬牛、得。行者、行。來者、來。擊盜、合交等。聞盜來、來。徙官、徙。居家室、吉。歲孰。民疫無疾。【考證】張文虎曰、疫字衍、或在無下、 歲中無兵。見貴人、請謁、追亡人、漁獵、得。行遇

盜。雨霽雨霽、大吉。【考證】張文虎曰、雨霽雨霽、疑當作雨雨霽霽、

命曰橫吉內外自吉。【考證】張文虎曰吉字疑誤、以占。病病者、死。繫、不出。求財物、買臣妾馬牛、追亡人、漁獵、不得。行者、不來。擊盜、不相見。聞盜、不來。徙官、徙。居官、有憂。居家室、見貴人、請謁、不吉。歲稼、不孰。民疾疫。歲中無兵。行不遇盜。雨不雨。霽不霽。不吉。

命曰漁人。以占。病者、病者甚不死。【考證】下者字疑衍、下倣之、繫者、出。求財物、買臣妾馬牛、擊盜、請謁、追亡人、漁獵、得。行者行、來。【考證】來下疑奪者來二字、聞盜來、不來。徙官、不徙。居家室、吉。歲稼、不孰。民疾疫。歲中毋兵。見貴人、吉。行不遇盜。雨不雨。霽不霽。吉。

命曰首仰足肣內高外下。以占。病、病者甚不死。繫者、不出。求財物、買臣妾馬牛、追亡人、漁獵、得。行、不行。來者、來。擊盜、勝。徙官、不徙。居官、有憂無傷也。居家室、多憂病。歲大孰。民疾疫。歲中有兵不至。見貴人、請謁、不吉。行遇盜。雨不雨。霽不霽。吉。

命曰橫吉上有仰下有柱。病、久不死。繫者、不出。求財物、買臣妾馬牛、追亡人、漁獵、不得。行、不行。來、不來。擊盜、不行。行不見。聞盜來、不來。徙官、不徙。居家室、見貴人、吉。歲大孰。民疾疫。歲中毋兵。行不遇盜。雨不雨。霽不霽。大吉。

命曰橫吉榆仰。以占。病、不死。繫者、不出。求財物、買臣妾馬

牛、至不得。行、不行。來、不來。擊盜、不行。行不見。聞盜來、不來。徙官、不徙。居官、家室、見貴人、吉。歲孰。歲中有疾疫。毋兵。請謁、追亡人、不得。漁獵、至不得。行不得。行不遇盜。雨霽不霽。小吉。【考證】張文虎曰雨下有脫字、

命曰橫吉下有柱。以占。病、病甚不環。有瘳無死。繫者、出。求財物、買臣妾馬牛、請謁、追亡人、漁獵、不得。行來不來。【考證】行下疑有奪字、擊盜、不合。聞盜來、來。徙官、居官、吉、不久。居家室、不吉。歲不孰。民毋疾疫。歲中毋兵。見貴人、吉。行不遇盜。雨不雨。霽。小吉。

命曰載所。以占。病環、有瘳無死。繫者、出。求財物、買臣妾馬

牛、請謁、追亡人、漁獵、得。行者、行。來者、來。擊盜、相見不相合。聞盜來、來。徙官、徙。居家室、憂。見貴人、吉。歲孰。民毋疾疫。歲中毋兵。行不遇盜。雨不雨。霽霽、吉。

命曰根格。以占。病者、不死。繫、久毋傷。求財物、買臣妾馬牛、請謁、追亡人、漁獵、不得。行、不行。來、不來。擊盜、盜行不合。聞盜、不來。徙官、不徙。居家室、吉。歲稼、中。民疾疫無死。見貴人、不得見。行不遇盜。雨不雨。大吉。

命曰首仰足肣、外高內下。卜有憂、無傷也。行者、不來。病、久死。求財物、不得。見貴人者、吉。

命曰外高內下。卜、病、不死、有祟。而市買、不得。【考證】張文虎曰、而字衍、居

官、家室、不吉。行者、不行。來者、不來。繫者、久毋傷。吉。

命曰頭見足發、有內外相應。以占。病者、起。繫者、出。行者、行。來者、來。求財物、得。吉。

命曰呈兆首仰足開。以占。病、病甚死。繫者、出、有憂。求財物、買臣妾馬牛、請謁、追亡人、漁獵、不得。行、行不行。【考證】張文虎曰、一行字疑衍。中統、毛本無、來、不來。擊盜、不合。聞盜來、來。徙官、居官、家室、不吉。歲惡。民疾疫無死。歲中。毋兵。見貴人、不吉。行不遇盜。雨不雨。霽不。【考證】張文虎曰、疑不字下脫霽字、吉。

命曰呈兆首仰足開外高內下。以占。病、不死。有外祟。繫者、者出、有憂。求財物、買臣妾馬牛、相見不會。行行、來。【考證】張文虎曰、疑

來字當重、聞言、不來。擊盜、勝。聞盜來、不來。徙官、居官、家室、見貴人、不吉。歲中。民疾疫。有兵。請謁、追亡人、漁獵、不得。聞盜、遇盜。【考證】張文虎曰、上云聞盜來不來、此聞盜遇盜、非誤卽衍、雨不雨、霽凶。【考證】張文虎曰、霽下有脫字、

命曰首仰足肣身折內外相應。以占。病、病甚不死。繫者、久不出。求財物、買臣妾馬牛、漁獵、不得。行不行。來不來。擊盜、有用勝。聞盜來、來。徙官、不徙。居官、家室、不吉。歲不孰。民疾疫。歲中。有兵、不至。見貴人、喜。請謁、追亡人、不得。遇盜。凶。

命曰橫吉內外相應自橋榆仰上柱上柱足足肣。【考證】張文虎曰、上柱足三字衍、以占。病、病甚不死。繫、久不抵罪。求財物、買臣妾馬牛、請謁、追亡人、漁獵、不得。行、不行。來、不來。居官、家室、見貴

人。吉。徙官、不徙。歲不大孰。民疾疫。有兵。有兵不會。行遇盜。聞言不見。雨不雨。霽霽。大吉。

命曰頭仰足肣內外自垂。【考證】張文虎曰、各本垂誤隨、今改、卜憂病者甚不死。居官、不得居。行者、行。來者、不來。求財物、不得。求人、不得。吉。

命曰橫吉下有柱。卜。來者、來。卜日卽不至未來。卜病者、過一日毋瘳、死。行者、不行。求財物、不得。繫者、出。

命曰橫吉內外自擧。以占。病者、久不死。繫者、久不出。求財物、得而少。行者、不行。來者、不來。見貴人、見。吉。

命曰內高外下疾輕足發。求財物、不得。行者、行。病者、有瘳。繫者、不出。來者、來。見貴人、不見。吉。

命曰外格。求財物、不得。行者、不行。來者、不來。繫者、不出。不吉。病者、死。求財物、不得。見貴人、見。吉。

命曰內自擧外來正足發。者、行。來者、來。求財物、得。病者、久不死。繫者、不出。見貴人、見。吉。【考證】發下疑奪行字、

此橫吉。【考證】張文虎曰、首當有龜兆形、傳寫失之、以下各條放此、又疑上文命曰、各條上亦有之、上柱外內內自擧足肣。【考證】張文虎曰、疑衍內字、以卜。有求、得。病、不死。繫者、毋傷未出。行、不行。來、不來。見人、不見。百事盡吉。

此橫吉上柱外內自擧柱足以作。【考證】張文虎曰、作疑詐字之譌、以卜。有求、得。病、死環起。繫、留毋傷、環出。行、不行。來、不來。見人、不見。百事吉。可以擧兵。

此挺詐有外、以卜、有求、不得、病、不死、數起、繫、禍罪、聞言、毋傷、行、不行、來、不來。

此挺詐有內、以卜、有求、不得、病、不死、數起、繫畱、禍罪、無傷、出、行、不行、來者、不來、見人、不見。[考證]張文虎曰、各本繫字錯在傷下、毛本不誤、

此挺詐內外自舉、以卜、有求、得、病、不死、繫、毋罪、行、行、來、來、田賈市漁獵、盡喜。

此狐狢、以卜、有求、不得。[考證]張文虎曰、葉校本、狐作交、中統游王柯毛本卜有誤倒、 病、死、難起。繫畱、毋罪難出、可居宅、可娶婦嫁女、行、不行、來、不來、見人、不見、有憂、不憂。

此狐徹、以卜。[考證]張文虎曰、中統柯本吳校金板狐作交、愚按楓山三條本作文、 有求、不得、病者死。

繫畱、有抵罪、行、不行、來、不來、見人、不見、言語定、百事盡、不吉。

此首俯足肣、身節折、以卜、有求、不得、病者死、繫畱、有罪、望行者不來。[考證]有訛奪、 行、行、來、不來、見人、不見。[考證]張文虎曰、繫留各本倒、今改、

此挺內外自垂、以卜、有求、不晦、病、不死、難起、繫畱、毋罪、難出、行、不行、來、不來、見人、不見、不吉。[考證]張文虎曰、晦字疑誤、

此橫吉榆仰首俯、以卜、有求、難得、病、難起、不死、繫、難出、毋傷也、可居家室、以娶婦嫁女。

此橫吉上柱載正身節折內外自舉、以卜、病者、卜日不死、其一日乃死。

此橫吉上柱足肣內自舉外自垂、以卜、病者、卜日不死、其一日乃死。[考證]張文虎曰、中統王游本此條複衍、

為人病。[考證]張文虎曰、為人病三字疑衍、此條毛本連上、 首俯足詐有外無內、病者占、龜未已、急死、卜輕失大、一日不死。

首仰足肣、以卜、有求、不得、以繫、有罪。[考證]張文虎曰、以下疑有脫字、 人言語恐之、毋傷、行、不行、見人、不見。

大論曰。[索隱]按褚先生所取太卜雜占卦體、及命兆之辭、義蕪辭重沓、殆無足採、凡此六十七條別是也、 外者人也、內者自我也、外者女也、內者男也、首俛者憂。[考證]張文虎曰、此下當有首仰云云、傳寫脫、 大者身也、小者枝也、大法、病者、足肣者生、足開者死、行者、足開至。[考證]張文虎曰、行字疑當作來、 足肣者不至、行者、足肣不行、足開

行、有求、足開得、足肣者不得、繫者、足肣不出、開出、其卜病也、足開而死者、內高而外下也、[正義]大德曰、以下九十七字、甚鄙拙、[考證]張文虎曰、疑有脫文、愚按、周官大卜云、掌三兆之法、一曰玉兆、二曰瓦兆、三曰原兆、其經兆之體、皆百有二十、其頌皆千有二百、以邦事作龜之八命、一曰征、二曰象、三曰與、四曰謀、五曰果、六曰至、七曰雨、八曰瘳、卜師云、掌龜之四兆、一曰方兆、二曰功兆、三曰義兆、四曰弓兆、凡卜事眡高、揚火以作龜、致其墨、凡卜辨龜之上下左右陰陽、以授命龜者、而招相之、龜人云、掌六龜之屬、各有名物、天龜曰靈屬、地龜曰繹屬、東龜曰果屬、西龜曰雷屬、南龜曰獵屬、北龜曰若屬、各以其方之色與其體辨之、凡取龜用秋時、攻龜用春時、各以其物入于龜室、上春釁龜、祭祀先卜、菙氏云、掌共燋契、以待卜事、禮記玉藻云、卜人定龜、史定墨、國君定體、皆與此記所言異、蓋少孫所傳、秦漢卜人之書、非三代之舊籍也、漢藝文志云、龜書五十二卷、夏龜二十六卷、南龜書二十八卷、巨龜三十六卷、皆亡佚不傳、在今欲徵古儀、獨賴此記、則少孫存錄之功、亦不可沒也、

[索隱]述贊、三王異龜、五帝殊卜、或長或短、若瓦若玉、其記已亡、其繇後續、江使觸網、見留宋國、神能託夢、不衛其足、

龜策列傳第六十八　　史記一百二十八

史記會注考證卷一百二十九

漢　太　史　令　司　馬　遷　撰

宋　中　郎　外　兵　曹　參　軍　裴　駰　集　解

唐　國　子　博　士　弘　文　館　學　士　司　馬　貞　索　隱

唐　諸　王　侍　讀　率　府　長　史　張　守　節　正　義

日　本　出　雲　瀧　川　資　言　考　證

貨殖列傳第六十九　　史記一百二十九

[集解]論語云、賜不受命而貨殖焉、廣雅云、殖、立也、孔安國注尚書云、殖、生也、生資貨財利、[考證]史公自序云、布衣匹夫之人、不害於政、不妨百姓、取與以時、而息財富、知

者有采焉、作貨殖列傳第六十九、漢書司馬遷傳贊云、司馬遷是非頗謬於聖人、論大道、則先黃老而後六經、序遊俠則退處士而進姦雄、述貨殖則崇勢利而羞賤貧、此其所蔽也、董份曰、遷答任少卿書、自傷極刑、家貧不足自贖、故感而作貨殖傳、專慕富利、班固譏之、是也、陳仁錫曰、平準貨殖相表裏之文也、當時武帝好興利、故子長作平準、貨殖、皆多微辭、班氏譏其崇勢利而羞賤貧、信乎、姚鼐曰、世言司馬子長因己被罪於漢、不能自贖、發憤而傳貨殖、余謂不然、蓋子長見其時天子不能以寧靜淡薄先海內、無校於物之盈絀、而以制度防禮俗之末流、乃令其民仿傚淫侈、去廉恥而逐利資、賢士困於窮約、素封僭於君長、又念里巷之徒、逐取十一、行至猥賤、而盬鐵酒酤均輸以帝王之富、親細民之役、爲足羞也、故其言曰、善者因之、其次利導之、又次敎誨之、整齊之、夫以無欲爲心、以禮敎爲術、人胡弗寧、國奚不富、若乃懷貪欲以競黔首、恨恨焉思所勝之用、刻剝聚斂、無益習俗之靡、使人徒自患其財、懷促促不終日之慮、戶無積貯、物力凋敝、大亂之故、由此始也、故譏其賤以繩其貴、察其俗以見其政、觀其靡以知其敝、此蓋子長之志也、曾國藩曰、自桑孔弊出、當時之弊、天子與民爭利、平準書譏上之政、貨殖傳譏下之俗、上下交征利、孟子列傳所爲廢書而歎也、中惟家貧親老數行、是子長自傷之辭、餘則姚論得之、愚按、貨殖傳亦一篇文章、後人分段提行、非史公之舊、今改、

老子曰。至治之極、鄰國相望、雞狗之聲相聞、民各甘其食、美其服、安其俗、樂其業、至老死不相往來。[正義]望、音亡、遠見而不相往來、故相望也、[考證]言至

治之世、不知有貨殖、王弼本老子下卷、無至治之極四字、狗作犬、俗作居、業作俗、至上有民字、

必用此爲務、輓近世、塗民耳目、則幾無行矣。[索隱]輓、音晚、古字通用、[正義]輓、與挽同、引也、塗、塞也、言輓引至於近世、求利乃塗民耳目、則無所機其行迹、言不似古無爲、[考證]胡鳴玉曰、輓、與挽通、輓近世、用此輓近世之俗也、愚按、言必用老子所言以塗塞民耳目爲務、則不可行也、下文說明其義、正義以行爲行迹、非是、梁啓超曰、老子所言、上古之俗也、上古道路未通、所至閉塞、一林之障、一川之隔、則其勢不能相通、於是濬然畫爲一國、山人乏漁、澤人乏木、農有餘粟、女有餘布、操作之人甚勞、而所獲樂利甚寡、遇有旱乾水溢、更復無自振救、不相往來、其敝乃極於此、是孟子所謂率天下而路、太史公最達此義、故篇首直揭邪說而斥爲塗民耳目、老氏自言法令者、將以愚民、非以明民、正塗民耳目之確詁、以上古不得已之陋俗、而指爲郅治之極、故史公作傳、開宗即明此義、

太史公曰。夫神農以前、吾不知已。[正義]太史公云、神農以前、詩書不及、至於貨殖、不能知已、

至若詩書所述、虞・夏以來、耳目欲極聲色之好、口欲窮芻豢之味、身安逸樂、而心誇矜勢能之榮。使俗之漸民久矣。[正義]言詩書述虞夏以來、聲色芻豢佚樂夸矜、有威勢則能爲榮華、然世被漸染、使民爲之久矣、[考證]勢能連讀、能、才能也、使俗之漸民、言上使此等流俗漸染人民也、或云、使俗、當作流俗、字之譌也、

雖戶說以眇論、終不能

化。[索隱]眇論、上音妙、下如字、[正義]論、音路頓反、雖戶戶說以無爲之眇論、終不能改貨殖夸矜之俗化也、[考證]眇論、微妙之論、斥老子言、

故善者因之、其次利道之、其次敎誨之、其次整齊之。最下者與之爭。[正義]言其善政者、因循清淨、隨俗而誘之、其次以利導引之、其次設化變改之、整齊不貪之、最下者與衆爭利、及夸矜也、[考證]因、從自然也、利、順利之利、非利益之利、道讀爲導、最下者與之爭、譏武帝興利、何焯曰、數句宜與平準書對看、

夫山西饒材竹穀纑旄玉石。[集解]徐廣曰、紵屬、可以爲布、[索隱]上音谷、又音雊、穀、木名、皮可爲紙、纑、山中紵、可以爲布、音盧、紵、音佇、今山閒野紵、亦作苧、[考證]楓三本、無石字、

山東多魚鹽漆絲聲色。江南出枏梓薑桂金錫連丹沙犀瑇瑁珠璣齒革。[集解]徐廣曰、連、音蓮、鉛之未鍊者、[索隱]枏梓、南子二音、錫連、下音蓮、[考證]陳子龍曰、聲色、指美女、亦列於貨物矣、楓本、犀下有象字、與通志合、

龍門碣石北多馬牛羊旃裘筋角。[正義]龍門山、在絳州龍門縣、碣石山、在平州盧龍縣、

銅鐵則千里往往山出棊置。[索隱]言如置棊子、往往有之、[正義]言出銅鐵之山、方千里如圍棊之置也、管子云、凡天下名山五千二百七十、出銅之山、四百六十七、出鐵之山、三千六百有九、山上有赭、其下有鐵、山上有鉛、其下有銀、山上有銀、其下有丹、山上有磁石、其下有金也、

此其大較也。

【索隱】較音角、大較猶大略也、　皆中國人民所喜好、謠俗被服飲食、奉生送死之具也。【考證】下文云、其謠俗猶有趙之風也、漢書李尋傳、參人民繇俗、注、繇讀與謠同、繇俗者、謂若童謠及輿人之誦、愚按、猶言風尙也、　故待農而食之、虞而出之、工而成之、商而通之。此寧有政教發徵期會哉。人各任其能、竭其力、以得所欲。【考證】出山澤之材者、謂之虞、政教發徵期會、皆官府之事、史項羽紀、漢王追項王至陽夏、與淮陰侯韓信建功侯彭越、期會而擊楚、漢書賈誼傳、大臣特以簿書不報期會之閒、以爲大故、梁啓超曰、西人言富國學者、以農礦工商分爲四門、農者、地面之物也、礦者、地中之物也、工者、取地面地中之物、而製成致用也、商者、以製成致用之物流通於天下也、四者相需、缺一不可、與史記之言、若合符節、　故物賤之徵貴、貴之徵賤、各勸其業、樂其事、若水之趨下、日夜無休時、不召而自來、不求而民出之。【索隱】徵者求也、謂此處物賤、求彼貴賣之、【正義】徵、召也、言物賤、彼貴處徵召之、必至也、【考證】寬永本標記引劉伯莊云、徵、求也、此處賤、求彼貴處賣之、此處貴、求彼賤處買之、董份曰、賤之徵貴賤極則人棄之、故其徵必貴、白圭之術、正能明貴賤之徵、而棄取之也、以徵爲求、謬、凌稚隆曰、此二句卽下文貴上極則反賤二句、愚按、此專就貴賤而言、不及棄取之術、言物賤極必貴、貴極必賤、故賤者貴之徵、貴者賤之徵、

凌說得之、　豈非道之所符、而自然之驗邪。【索隱】道之符、符、謂合於道也、【正義】言物自然而至、若道養萬物、不期而四時符合也、【考證】索隱是、　周書曰。農不出、則乏其食、工不出、則乏其事、商不出、則三寶絶、虞不出、則財匱少、財匱少而山澤不辟矣。【索隱】不辟、下音闢、辟、開也通也、【考證】中井積德曰、蓋以食事財爲三寶也、則三寶二句、當在末、館本考證云、周書語、汲冢書無之、疑在所闕八篇之中、李笠曰、而同則、　此四者民所衣食之原也。原大則饒、原小則鮮。上則富國、下則富家。貧富之道、莫之奪予。【索隱】音與、言貧富自由、無予奪、【正義】予、音與、言貧富之道、無人奪之及與之、原大則饒、原小則鮮、巧者有餘、拙者不足、　而巧者有餘。拙者不足。【考證】管子形勢篇、巧者有餘、而拙者不足、　故太公望封於營丘。地潟鹵、人民寡。【集解】徐廣曰、潟、音昔、潟鹵鹹地也、　於是太公勸其女功、極技巧、通魚鹽。則人物歸之、繦至而輻湊。【正義】繦、脚兩反、【考證】岡白駒曰、繦、索也、言若繩索之相屬不絶也、　故齊冠帶衣履天下、海・岱之閒、斂袂而往朝焉。

【索隱】言齊既富饒、能冠帶天下、豐厚被於他邦、故海岱之閒、斂衽而朝齊、言趨利者也、【考證】中井積德曰、天下之冠帶衣履、皆齊國所造、與上女功句相應、又曰、往朝者是海岱左右之諸侯、與下桓公以霸句相照、竝謂齊之彊也、非謂射利之細民、　其後齊中衰。管子修之、設輕重九府。則桓公以霸、九合諸侯、一匡天下、而管氏亦有三歸、位在陪臣、富於列國之君。是以齊富彊至於威・宣也。【正義】管子云、輕重謂錢也、夫治民有輕重之法、周有大府玉府內府外府泉府天府職內職金職幣、皆掌財幣之官、故云九府也、　故曰。倉廩實而知禮節。衣食足而知榮辱。【考證】管子牧民篇、實節、足辱韻、　禮生於有、而廢於無。故君子富好行其德。小人富以適其力。淵深而魚生之、山深而獸往之。人富而仁義附焉。富者得埶益彰、失埶則客無所之、以而不樂。夷狄益甚。【考證】吳乘權曰、以、已同、言失其富厚之實、則客無所附而不樂、中井積德曰、以而不樂句、似有脫誤、　諺曰。千金之子、不死於市。此非空言也。【考證】子市韻、何焯曰、不死市者、知榮辱恥犯法也、　故曰。天下

熙熙、皆爲利來。天下壤壤、皆爲利往。【考證】鹽鐵論毀學篇、引司馬子、壤作穰、壤、穰通、熙來壤往韻、吳乘權曰、四句用韻、蓋古歌謠也、　夫千乘之王、萬家之侯、百室之君、尙猶患貧。而況匹夫編戶之民乎。昔者越王句踐困於會稽之上、乃用范蠡・計然。【集解】徐廣曰、計然者范蠡之師也、名研、故諺曰、研桑心筭、駰案、范子曰、計然者葵丘濮上人、姓辛氏、字文子、其先晉國亡公子也、嘗南游於越、范蠡師事之、【索隱】計然、韋昭云、范蠡師也、蔡謨云、蠡所著書名計然、蓋非也、徐廣亦以爲范蠡之師名研、所謂研桑心計也、范子曰、計然者葵丘濮上人、姓辛氏、字文、其先晉之公子、南游越、范蠡事之、吳越春秋謂之計倪、漢書古今人表計然列在第四、則倪之與研是一人、聲相近而相亂耳、【考證】越春秋集解、范蠡師事之、楓三本、作卑身事之、其下有其書則有方物錄、著五方所出、其述事見皇覽晉中經、徐云計然者名研、吳越春秋越絶書作計兒、研然音相近、乃一人耳、四十七字、　計然曰。知鬭則修備、時用則知物。二者形、則萬貨之情、可得而觀已。【索隱】時用知物、案言知時所用之物、【考證】倪思曰、借知鬭則修備、以明時用則知物、其理甚明、未有欲鬭而徒手者也、知物之爲時用、猶知彼知己所以鬭也、金穰水毀、皆大概之論、非謂必然、下六穰六旱十二年饑、亦然、一水一旱、有時作、无時備、不會常稔常旱也、　故歲在金穰。水毀。木饑。火旱。【索隱】五行不說土

者、土、穰也、[正義]此不說土者、土、四季不得爲主故也、[考證]岡白駒曰、穰、豐盛也、毀雖不至饑、比穰之三分之一耳、旱則資舟、水則資車。物之理也。[索隱]國語大夫種曰、賈人旱資舟、水資車以待也、[正義]資、取也、國語、大夫種曰、賈人夏則資皮、冬則資絺、旱則資舟、水則資車、以待之也、[考證]岡白駒曰、旱極則水、故於旱時蓄舟、以待其貴也、六歲穰、六歲旱、十二歲一大饑。夫糶二十病農、九十病末。[索隱]言米賤則農夫病也、若米斗直九十、則商賈病、故云病末、謂逐末、卽商賈也、末病則財不出。農病則草不辟矣。上不過八十、下不減三十、則農末俱利、平糶齊物、關市不乏。治國之道也。積著之理、務完物、無息幣、[索隱]著、音張呂反、毋息幣、久停息貨物、則無利、[正義]著、張呂反、言停貯務在完牢之物也、息幣、無停弊惡之物也、[考證]錢大昕曰、著、古貯字、愚按索隱正義本、幣作弊、義長、以物相貿易、腐敗而食之貨勿留。[正義]腐、音符愚反、言爛敗可食之貨物、莫復留滯、[考證]方苞曰、務取完善之物、可久藏且易售也、其腐敗者、則自食而無市於人、愚按食、蝕也、腐敗而食之物、言腐敗易蝕之貨、八字爲一句讀、無敢居貴。[考證]居、積居之居、論其有餘不足、則知貴賤。貴上極則反賤。賤下極則反

貴。貴出如糞土、賤取如珠玉。財幣欲其行如流水。[索隱]夫物極貴必賤、極賤必貴、貴出如糞土者、既極貴、後恐其必賤、故乘時出之如糞土、賤取如珠玉者、既極賤、後恐其必貴、故乘時取之如珠玉、此所以爲貨殖也、元注恐錯、[正義]夫物貴出賣之、而收財買、言如糞土不惜也、物賤而買居貯之、言如珠玉必惜也、[考證]凌稚隆曰、此卽上賤之徵貴說、愚按計然言止此、正義財買二字、疑有誤、修之十年、國富、厚賂戰士。士赴矢石、如渴得飲、遂報彊吳、觀兵中國、稱號五霸。[正義]言稱號比於五伯也、范蠡既雪會稽之恥。乃喟然而歎曰。計然之策七。[正義]策七、漢書作十字、越絕書云、其術有九、解在越世家、[考證]漢書、雪作刷、顏師古曰、刷、謂拭除之也、七策、吳越春秋亦作九術、吳越春秋、越絕書、皆後出之書、不足據、越用其五而得意。既已施於國。吾欲用之家。乃乘扁舟浮於江湖、[集解]漢書音義曰、特舟也、[索隱]扁、音篇、又音符殄反、服虔云、特舟也、國語云、范蠡乘輕舟、[正義]國語云、句踐滅吳、反至五湖、范蠡辭於王曰、君王勉之、臣不復入國矣、遂乘輕舟以浮於五湖、莫知其所終極、[考證]扁、小也、變名易姓、適齊爲鴟夷子皮、[索隱]大顏曰、若盛酒者鴟夷也、用之則多所容納、不用則可卷而懷之、不忤於物也、案韓子云、鴟夷子皮事田成子、成子去齊之燕、子皮乃從之也、蓋范蠡也、

之陶爲朱公。[索隱]服虔云、今定陶也、[正義]括地志云、卽陶山、在齊州平陽縣東三十五里陶山之陽也、今南五里猶有朱公冢、又云、曹州濟陽縣東南三里、有陶朱公冢、又云、在南郡華容縣西、未詳也、[考證]齊召南曰、陶、曹州近之、朱公以爲陶、天下之中、諸侯四通、貨物所交易也。乃治產、積居與時逐、[集解]漢書音義曰、逐時而居貨、[索隱]韋昭云、隨時逐利也、而不責於人。[索隱]案謂與人不負之、故云擇人而不責於人也、[正義]言順時積居、不出責於人、[考證]劉攽曰、與時逐、宜屬下句、治產、治凡可以生息者、居積、積貯成物居停之、與時逐而不責於人、言此兩事、自與天時馳逐、無求責於人也、故善治生者、能擇人而任時。[考證]擇人而任時、卽與時逐而不責於人也、擇、當作釋、孫子勢篇云、善戰者求之於勢、不責於人、故能擇人而任勢、韓非子難勢篇擇賢而專任勢、足以爲治乎、擇、亦當作釋、十九年之中、三致千金。再分散與貧交疏昆弟。此所謂富好行其德者也。[考證]凌稚隆曰、應前、楓三本、金下再上、有而字、年衰老而聽子孫。子孫脩業而息之、遂至巨萬。故言富者皆稱陶朱公。[集解]徐廣曰、巨萬、萬萬也、[考證]又見越世家、秦策、蔡澤曰、范蠡超然避世長爲陶朱、賈誼過秦論云、陶朱猗頓之富、陶朱之事所傳舊矣、顏師古曰、息、生也、子贛既學

於仲尼退而仕於衞。廢著鬻財於曹・魯之間。[集解]徐廣曰、子贛傳云、廢居、著、猶居也、著、讀音如貯、[索隱]著、音貯、漢書亦作貯、貯、猶居也、說文云、貯、積也、[考證]李笠曰、案廢、古與發字通、平準書廢居索隱引劉氏云、廢、出賣、居、停蓄也、仲尼弟子列傳子貢好廢居索隱引劉氏云、廢、謂物貴而賣之、舉、謂物賤而買之、廢之爲發可知矣、居與舉聲近義通、故徐野民所見子貢傳、作廢居也、貯居義同、故廢著卽爲發貯、亦卽爲廢居、並謂或發或居以取財、劉說是也、漢書正作發貯鬻財曹魯之間、然師古曰、多有積貯、趣時而發賣之、是又以貯爲實字矣、七十子之徒、賜最爲饒益。原憲不厭糟穅、匿於窮巷。[索隱]厭、飽也、[考證]中井積德曰、益、溢通、楓本、益作蓋、子貢結駟連騎、束帛之幣、以聘享諸侯、所至國君、無不分庭與之抗禮。[考證]楓三本、分庭作界、迎、顏師古曰、抗禮、爲賓主之禮也、夫使孔子名布揚於天下者、子貢先後之也。此所謂得埶而益彰者乎。[考證]凌稚隆曰、應前、論語公冶長篇、子曰、賜不受命而貨殖焉、億則屢中、崔述曰、按古者金粟皆謂之貨、殖、猶生也、所謂貨殖云者、不過留心於家人生產、酌盈劑虛、使不至困乏耳、非糴賤販貴、若商賈所爲也、樊遲請學稼圃、孔子以小人斥之、若子貢學道、而躬行商賈之事、孔子不知當如何斥之、何以其辭僅如是而已乎、且謂孔子之道之顯、子貢先後之可也、謂子貢以富故能顯之、豈聖人之道、亦必藉有財而後能

行於世乎、此乃司馬氏憤激之言、後人不察、遂以子貢爲若商賈者然、謬矣、故不可以不辯、 白圭、周人也。當魏文侯時、李克務盡地力、[索隱]案漢書食貨志、李悝爲魏文侯作盡地力之教、國以富強、今此及漢書言克、皆誤也、劉向別錄則云李悝也、[考證]孟荀列傳、魏有李悝盡地力之教、魏世家、吳起列傳、皆有李克、對魏文侯語、而未嘗說盡地力事、王應麟曰、以藝文志攷之、李克七篇在儒家、李悝三十二篇在法家、盡地力者悝也、非克也、姚鼐曰、當魏文侯時五字、專屬李克、說言舊有此務地力之道而已、而其後白圭乃別用一術、非謂圭亦文侯時人也、故圭言吾治生產、若孫吳用兵、商鞅行法、若文侯時人、亦安取稱述後進如吳起商鞅者乎、張文虎曰、商鞅入秦、在秦孝公初、當梁惠王十年後、去魏文侯遠矣、呂氏春秋有惠施與白圭匡章問答、則與孟子同時、即治水之丹無疑、愚按白圭周人、先於吳起商鞅、史有明文、魏相白圭、見韓非子內儲說、呂氏春秋不屈應言篇、孟子告子篇、依孟子、名丹、字圭、又不言其爲周人、同異未可知、姑錄諸說以存疑、

而白圭樂觀時變。[考證]盡地力者、農工之事也、觀時變者、商之事也、兩者相須而成、而不可偏廢、故史公欲敍白圭、併及李悝、 故人弃我取、人取我與。[考證]楓三本弃作不取、 夫歲孰取穀、予之絲漆。繭出取帛絮、予之食。[索隱]食、謂穀、[考證]中井積德曰、歲孰、非謂豐穰、只是穀登耳、與下繭出正作對、 太陰在卯、穰。[正義]太陰、歲後二辰爲太陰、[考證]中井積德曰、歲星即太陰矣、愚按說詳天官書、 明歲衰惡。至午、旱。[考證]岡白駒曰、太陰在

午、旱、 明歲美。至酉、穰。明歲衰惡。至子、大旱。明歲美。有水。至卯。[考證]中井積德曰、據文例、有水至卯、宜言至卯有水、岡白駒曰、至卯、終而復始、愚按是承上文太陰在卯穰而言、有水至卯、猶言既而有水、以至卯復穰也、中說非是、 積著率歲倍。[正義]著、貯律二音、[考證]積著、連語、率、大抵也、 欲長錢取下穀。長石斗取上種。[考證]下穀價廉、上種穀多、 能薄飲食、忍嗜欲、節衣服、與用事僮僕同苦樂、趨時、若猛獸摯鳥之發。故曰。吾治生產、猶伊尹・呂尚之謀、孫・吳用兵、商鞅行法是也。[考證]李笠曰、案漢書、無產字、生即古產字、疑一本作生、一本作產、後人誤而兩存之也、上文故善治生者、下文天下善治生祖白圭、竝可證、 是故其智不足與權變、勇不足以決斷、仁不能以取予、彊不能有所守、雖欲學吾術、終不告之矣。蓋天下言治生祖白圭。白圭其有所試矣。能試有所長。非苟而已也。 猗頓、用盬鹽起。[集解]孔叢子曰、猗頓、魯之窮士也、耕則常飢、桑則常寒、聞朱公富、往而問術焉、朱公告之曰、子欲速富、畜五牸、於是乃適西河、大

畜牛羊于猗氏之南、十年之閒、其息不可計、貲擬王公、馳名天下、以興富於猗氏、故曰猗頓、[索隱]盬、音古、案周禮鹽人云、共苦鹽、杜子春以爲苦讀如盬、盬謂出鹽直用不煉也、一說云、盬鹽、河東大鹽、散鹽、東海煮水爲鹽也、[正義]案猗氏、蒲州縣也、河東鹽池是畦鹽、作畦若種韭一畦、天雨下、池中鹹淡得均、即映池中水、上畔中深一尺許、坑日暴之五六日則成鹽、若白礬石、大小如雙陸、及暮、則呼爲畦鹽、或有花鹽、緣黃河鹽池有八九所、而鹽州有烏池、猶出三色鹽、有井鹽、畦鹽、花鹽、其池中鑿井深一二尺、去泥即到鹽、掘取若至一丈、則著平石無鹽矣、其色或白、或青黑、名曰井鹽、畦鹽、若河東者、花鹽、池中有下隨而大小成鹽、其下方微空、上頭隨雨下池中、其滴高起若塔子形、處曰花鹽、亦曰即成鹽焉、池中心有泉井、水淡、所作池、人馬盡汲此井、其鹽四分入官、一分入百姓也、池中又鑿得鹽塊、闊一尺餘、高二尺、白色光明洞徹、年貢之也、[考證]中井積德曰、以地名顯者、地名充姓、今人猶然、正義誤、又曰、池鹽爲鹽、鹽又爲大名、故謂池鹽爲盬鹽也、沈欽韓曰、尸子治天下篇、相玉而借猗頓、淮南氾論訓注云、猗頓能知玉、 而邯鄲郭縱、以鐵冶成業、與王者埒富。烏氏倮、畜牧、[集解]韋昭曰、烏氏、縣名、屬安定、倮、名也、[索隱]漢書作贏、案烏氏、縣名、氏音支、名倮、音踝也、[正義]縣古城、在涇州安定縣東四十里、倮、名也、 及衆斥賣、求奇繒物、閒獻遺戎王。[集解]徐廣曰、閒、一作奸、不以公正、謂之奸也、[索隱]及衆、謂畜牧及至衆多之時、斥賣、謂斥而賣之、以求奇物也、閒獻、猶私獻也、[正義]斥、不用也、言盡賣也、 戎王什倍其償、與之畜。畜至用谷量馬牛。[集解]韋昭曰、滿谷則具

不復數、[索隱]什倍其當、予之畜、謂戎王償之牛羊十倍也、當字、漢書作償也、谷、音欲、[正義]谷、音欲、言畜衆多、以山谷多少言、[考證]王念孫曰、索隱本、償作當、當者直也、謂什倍其物之直也、中井積德曰、以谷量馬牛、計其多少之時、不可以頭數之、故以谷量之、知其大數、猶以量料米也、顧炎武曰、山谷之谷、雖有穀欲二音、其實欲乃正音、說詳音學五書、 秦始皇帝令倮比封君、以時與列臣朝請。而巴蜀寡婦清、其先得丹穴、而擅其利數世。[集解]徐廣曰、涪陵出丹、[索隱]漢書、巴寡婦清、巴、寡婦之邑、清、其名也、[正義]括地志云、寡婦清臺山、俗名貞女山、在涪州永安縣東北七十里也、[考證]王念孫曰、蜀字、因下文巴蜀而衍、漢書作巴寡婦清、中井積德曰、雖稱始皇帝、而是事蓋在未併吞之時、故軍興有賫於其力也、非徒嘉其富厚、 家亦不訾。[索隱]案謂其多不可訾量、[正義]音子兒反、言資財衆多、不可訾量、一云、清多以財餉遺四方、用衛其業、故財亦不多積聚、[考證]不訾、索隱是、 清、寡婦也。能守其業、用財自衛、不見侵犯。秦皇帝以爲貞婦而客之、爲築女懷清臺。[考證]中井積德曰、懷、疑女之姓氏、 夫倮、鄙人牧長。清、窮鄉寡婦。禮抗萬乘、名顯天下。豈非以富邪。漢興、海內爲一。開關梁、弛山澤之禁。是以富商大賈、周流天下、

交易之物莫不通、得其所欲。【考證】陳仁錫曰、漢興以後、言郡國風俗、而附列產物貨殖、漢書間采其語入地理志中、而徙豪傑諸侯彊族於京師。關中自汧・雍以東至河・華、膏壤沃野千里。自虞・夏之貢以爲上田。而公劉適邠、大王・王季在岐、文王作豐、武王治鎬。故其民猶有先王之遺風。好稼穡、殖五穀、地重。【索隱】言重耕稼也、【考證】地重、民重土田也、重爲邪。【索隱】重、音逐隴反、重者、難也、畏言不敢爲姦邪、【正義】重、竝逐隴反、言關中地重厚、民亦重難不爲邪惡、【考證】中井積德曰、言重土地而恐失之、故不敢爲邪橫、張文虎曰、索隱言疑罪之誤、及秦文・孝・繆居雍、隙隴・蜀之貨物而多賈。【集解】徐廣曰、隙者、閒孔也、地居隴蜀之閒、要路故曰隙、【索隱】徐氏云、隙、閒孔也、隙者、隴雍之閒、閑隙之地、故云雍隙也、賈、音古、【正義】雍縣、岐州雍縣也、【考證】陳仁錫曰、繆公以前無孝公、按本紀、德公居雍、孝當作德、梁玉繩曰、通志無孝字、愚按楓三本亦無孝字、今本衍、方苞曰、居雍爲句、隙隴蜀之貨物、與下東綰濊貉朝鮮之利、文義正相類、蓋居其隙而竝受之也、獻・孝公徙櫟邑。【集解】徐廣曰、在馮翊、【索隱】上音藥、卽櫟陽、【考證】古鈔本無孝字、梁玉繩曰、孝字衍、通志引無、櫟邑北卻戎翟、東通三晉、亦多

大賈。武・昭治咸陽。因以漢都。長安諸陵、四方輻湊竝至而會。【考證】梁玉繩曰、武當作孝、姚範曰、按漢都長安、然以漢都絕句爲是、地小人衆。故其民益玩巧而事末也。南則巴・蜀。巴・蜀亦沃野、地饒卮薑丹沙、銅鐵竹木之器。【集解】徐廣曰、卮、音支、烟支也、紫赤色也、邛都出銅、臨邛出鐵、【考證】中井積德曰、卮、卮子也、南御滇・僰。僰僮。西近邛・笮。笮馬旄牛。然四塞。棧道千里、無所不通。唯褒・斜綰轂其口。【集解】徐廣曰、褒斜、在漢中、【索隱】言褒斜道狹、綰其道口、有若車轂之湊、故云綰轂也、【正義】斜、音也奢反、梁州記云、萬石城泝漢上七里、有褒谷、南口曰褒、北口曰斜、長四百七十里、以所多易所鮮。【索隱】易、音亦、鮮、音尠、言以所多易其所少、天水・隴西・北地・上郡、與關中同俗。然西有羌中之利、北有戎翟之畜、畜牧爲天下饒。然地亦窮險、唯京師要其道。【正義】要、音腰、言要東其路也、故關中之地、於天下三分之一、而人衆不過什三。然量其富、什居其六。昔唐

人都河東、【集解】徐廣曰、堯都晉陽也、殷人都河內、【正義】盤庚都殷墟、地屬河內也、周人都河南。【正義】周自平王已下都洛陽、夫三河在天下之中、若鼎足、王者所更居也。建國各數百千歲、土地小狹、民人衆。都國諸侯所聚會。【考證】楓三本、都國作都國、故其俗纖儉習事。楊・平陽陳、【索隱】楊平陽、二邑名、在趙之西、陳蓋衍字、以下有楊平陽陳掾、此因衍也、言二邑之人、皆西賈於秦翟、北賈於種代、種代、在石邑之北也、西賈秦・翟、【正義】賈、音古、秦、關內也、翟、隰石等州部落稽也、延綏銀三州、皆白翟所居、北賈種・代。【正義】上之勇反、種、在恆州石邑縣北、蓋蔚州也、代、今代州、種・代、石北也。【集解】徐廣曰、石邑縣也、在常山、地邊胡、數被寇、人民矜懻忮、好氣、任俠爲姦、不事農商。【集解】晉灼曰、懻、音慨、忮音堅忮、瓚曰、懻、音慨、今北土名彊直爲懻中也、【索隱】懻忮、上音冀、下音寘、【正義】懻忮、強直而很也、【考證】張文虎曰、集解忮字譌、類篇忮有居企切一音、然迫近北夷、師旅亟往。中國委輸、時有奇羨。【索隱】上音羈、下音羊戰反、奇羨、謂奇有餘衍也、【考證】陳子龍曰、用兵之地、資財所聚、民得以貿易獲利、其民羯羠不均。【集解】徐廣曰、羠、音兒、一音囚几反、

皆健羊名、【索隱】羯、音己紀反、羠、音慈紀反、徐廣云、羠、音兒、皆健羊也、其方人性若羊、健捍而不均、【考證】羯羠、蓋羯種、匈奴別部、居北邊之地、及地入趙、與民庶雜處、自全晉之時、固已患其慓悍。而武靈王益厲之。其謠俗猶有趙之風也。【正義】全晉、全盛時、【考證】未分爲韓魏趙也、故楊・平陽陳掾其間得所欲。【索隱】掾、音逐緣反、陳掾、猶經營馳逐也、【考證】張文虎曰、毛本、掾、集韻二仙掾下引此文同、它本竝作椽、劉辰翁曰、掾、緣通、因緣其間得所欲耳、愚按楓三本、得下有其字、溫・軹、西賈上黨、北賈趙・中山。【索隱】溫、軹、二縣名、屬河內、【正義】上黨、澤潞等州也、中山、洛州及定州、中山地薄人衆。猶有沙丘紂淫地餘民。【集解】晉灼曰、言地薄人衆、猶復有沙丘紂淫地餘民、通係之於淫風而言之、【正義】沙丘、在邢州也、民俗懁急、仰機利而食。【集解】徐廣曰、懁、急也、音絹、一作儇、一作惠也、音翾也、【索隱】懁、音絹、儇、音翾、【正義】言仰機巧之利也、【考證】下文亦云、設智巧仰機利、岡白駒曰、以巧黠獲利曰機利、張文虎曰、案慧惠、古通、集解下一作二字、涉上而衍、丈夫相聚游戲、悲歌忼慨。起則相隨椎剽、休則掘冢、作巧姦冶、【集解】徐廣曰、冶、一作蠱、【索隱】椎、卽追反、椎殺人而剽掠之、【正義】謂作巧僞之物、姦蕩婬冶也、多美物爲倡優。【集解】徐廣曰、美、一作弄、一作椎、女子

則鼓鳴瑟跕屣、游媚貴富、入後宮、偏諸侯。集解徐廣曰、跕音帖、張晏曰、跕、屣也、瓚曰、躧跟爲跕也、索隱跕屣、上音帖、下所綺反、考證張文虎曰、集解屣疑當作躧、集韻、跕、曳履也、然邯鄲亦漳·河之間一都會也。正義洛水本名漳水、邯鄲在其地、北通燕·涿、南有鄭·衞。鄭·衞俗與趙相類。然近梁·魯、微重而矜節。集解徐廣曰、矜、一作務、考證梁玉繩曰、御覽百六十二作重義而務節、濮上之邑徙野王。野王好氣任俠、衞之風也。集解徐廣曰、衞君角徙野王、正義秦拔衞濮陽、徙其君於懷州野王、夫燕亦勃·碣之間一都會也。正義勃海、碣石、在西北、南通齊·趙、東北邊胡、上谷至遼東、地踔遠、人民希、數被寇。索隱踔遠、劉氏上音卓、一音勑教反、亦遠騰貌也、大與趙·代俗相類。而民雕捍少慮。有魚鹽棗栗之饒。索隱人雕悍、言如雕性之捷捍也、考證捍、悍通、北鄰烏桓·夫餘、東綰穢貉·朝鮮·眞番之利。索隱鄰一作臨、臨者亦御背之義、他竝類此也、綰者、綰統其要津、則上云臨者、謂御背之、正義番音潘、洛陽東賈齊·魯、南賈梁·楚。

考證蘇秦傳云、周人之俗、治產業、力工商、逐什二以爲務、故泰山之陽則魯、其陰則齊。齊帶山海、膏壤千里、宜桑麻、人民多文綵布帛魚鹽。集解徐廣曰、齊世家曰、齊自泰山屬之琅邪、北被于海、膏壤二千里、其民闊達多匿智、考證楓三本、魚作鮐、臨菑亦海·岱之間一都會也。其俗寬緩闊達、而足智好議論、地重難動搖、怯於衆鬬、勇於持刺。故多劫人者。大國之風也。考證楓三本、持作特、義長、其中具五民。集解服虔曰、士農商工賈也、如淳曰、游子樂其俗不復歸、故有五方之民、正義如說非也、而鄒魯濱洙·泗。猶有周公遺風。俗好儒、備於禮。故其民齪齪、頗有桑麻之業、無林澤之饒。索隱齪、音側角反、又音側斷反、考證齪無側斷反、索隱有誤、地小人衆、儉嗇、畏罪遠邪。及其衰、好賈趨利、甚於周人。考證楓三本、南宋舊刻、毛本、有其字、它本脫、夫自鴻溝以東、芒碭以北、屬巨野。此梁·宋也。集解徐廣曰、鴻溝、在滎陽、芒碭、今爲臨淮、梁宋、今之浚儀、正義巨野、鄆州鉅野縣、在鉅野澤也、鴻溝以東、芒碭以北、

至鉅野、梁宋二國之地、考證巨野、猶言廣原也、正義非、陶·睢陽亦一都會也。集解徐廣曰、陶、今之定陶、正義陶、今曹州、睢陽、今宋州宋城也、昔堯作游成陽、集解如淳曰、作、起也、成陽、在定陶、考證張文虎曰、作游、不辭、游、疑於字之譌、與下二句、一例、舜漁於雷澤、集解徐廣曰、在成陽、正義澤在雷澤縣西北也、湯止于亳。集解徐廣曰、今梁國薄縣、正義宋州穀熟縣西南四十五里南亳州故城是也、其俗猶有先王遺風、重厚多君子、好稼穡。雖無山川之饒、能惡衣食、致其蓄藏。越楚則有三俗。正義越滅吳則有江淮以北、楚滅越、兼有吳越之地、故言越楚也、夫自淮北沛·陳·汝南·南郡、此西楚也。正義沛、徐州沛縣也、陳、今陳州也、汝、汝州也、南郡、今荊州也、言從沛郡西至荊州、竝西楚也、其俗剽輕、易發怒。地薄、寡於積聚。正義輕、音去聲、江陵、故郢都。正義荊州江陵縣、故爲郢、楚之都、西通巫·巴、東有雲夢之饒。集解徐廣曰、雲夢在華容、正義巫郡、巴郡、在江陵之西也、陳在楚·夏之交、通魚鹽之貨。其民多賈。正義夏都陽城、言陳南則楚、西及北則夏、故云楚夏之交、徐僮·取慮、則淸刻矜已

諾。集解徐廣曰、皆在下邳、正義取、音秋、慮、音閭、徐、即徐城、故徐國也、僮、取慮二縣、竝在下邳、今泗州、已諸上音紀、考證矜已諸、猶言重然諾、彭城以東東海·吳·廣陵、此東楚也。其俗類徐·僮。正義彭城、徐州治縣也、東海郡、今海州也、吳、蘇州也、廣陵、楊州也、言從徐州彭城歷楊州至蘇州、竝東楚之地、朐·繒以北、俗則齊。浙·江南則越。正義朐、其俱反、縣在海州、故繒縣、在沂州之承縣、言二縣之北、風俗同於齊、考證南下省俗字、張文虎曰、正義之各本作亟、官本作之、疑皆誤衍、承譌丞、依郡縣志改、夫吳自闔廬·春申·王濞三人、招致天下之喜游子弟、東有海鹽之饒、章山之銅、三江五湖之利。亦江東一都會也。衡山、集解徐廣曰、都邾、邾縣屬江夏、正義故邾城、在潭州東南百二十里、考證張文虎曰、項紀正義引括地志、故邾城在黃州黃岡縣東南二十里、此作潭州、蓋涉下長沙正義而誤、而此文百字與郡縣志合、可補彼注之闕、九江、正義九江郡都陰陵、陰陵故城、在濠州定遠縣西六十五里、江南、集解徐廣曰、高帝所置、江南者、丹陽也、秦置爲鄣郡、武帝改名丹陽、正義案徐說非、秦置鄣郡、在湖州長城縣西南八十里、鄣郡故城是也、漢改爲丹陽郡、徙郡宛陵、今宣州地也、上言吳有章山之銅、明是東楚之地、此言大江之南豫章長沙二郡南楚之地耳、徐裴以爲江南丹陽郡、屬南楚、誤之甚矣、豫章、正義今洪州也、長沙、正義今潭州也、十三州

志云、有萬里沙祠、而西自湘州至東萊萬里、故曰長沙也、淮南衡山、九江二郡、及江南豫章、長沙二郡、竝爲楚也、是南楚也。其俗大類西楚。郢之徙壽春、亦一都會也。【正義】楚考烈王二十二年、自陳徙都壽春、號之曰郢、故言郢之徙壽春也、而合肥受南北潮、【集解】徐廣曰、在臨淮、【正義】合肥縣、廬州治也、言江淮之潮、南北俱至廬州也、【考證】漢書地理志云、壽春合肥、受南北湖、與史義異、皮革鮑木輸會也。【考證】顏師古曰、鮑、鮑魚也、與閩中于越雜俗。故南楚好辭巧說、少信。江南卑溼、丈夫早夭。多竹木。豫章出黃金、長沙出連錫。【考證】徐廣曰、黃金鄱陽有之、【正義】括地志云、江州潯陽縣有黃金山、山出金、【考證】錢大昕曰、江南卑溼、丈夫早夭、賈生傳、言長沙卑溼、是也、又曰、豫章出黃金、長沙出連錫、卽上文所謂江南出金錫連也、篇中江南、皆謂豫章長沙南楚之地、非今之江南、然菫菫。物之所有、取之不足以更費。【集解】應劭曰、菫、少也、更、償也、言金少少耳、取之不足用、顧費用也、【正義】菫音謹、【考證】菫讀爲僅、中井積德曰、採取之費多而金出少、故得不償失、九疑・蒼梧以南、至儋耳者、與江南大同俗、而楊越多焉。【集解】徐廣曰、蒼梧山、在營道縣南、【正義】今儋州、在海中廣州南、去京七千餘里、言嶺南至儋耳之地、與江南大同俗、而楊州之南、越民多焉、【考證】

多楊越、楊越之俗多也、番禺、亦其一都會也。【正義】番禺、潘虞二音、今廣州、珠璣犀瑇瑁果布之湊。【集解】韋昭曰、果、謂龍眼離支之屬、布、葛布、潁川・南陽、夏人之居也。【集解】徐廣曰、禹居陽翟、【正義】禹居陽城、潁川南陽、皆夏地也、夏人政尚忠朴。猶有先王之遺風。潁川敦愿。秦末世遷不軌之民於南陽。南陽西通武關・鄖關、東南受漢・江・淮。【集解】徐廣曰、案鄖關、漢中、亦作隕字、【索隱】鄖、音雲、【正義】武關、在商州、地理志云、宛西通武關、而無鄖關、蓋鄖當爲徇、徇水上有關、在金州徇陽縣、徐案漢中是也、徇亦作郇、與鄖相似也、【考證】凌稚隆曰、鄖關、是古鄖國、今鄖陽也、宛、亦一都會也。俗雜。好事業、多賈。其任俠交通潁川。故至今謂之夏人。夫天下物所鮮所多、人民謠俗。【考證】劉辰翁曰、夫天下物所鮮所多、人民謠俗、猶具題目、其說見下、山東食海鹽、山西食鹽鹵、【正義】謂西方鹹池也、堅且鹹、卽出石鹽及池鹽、領南・沙北、固往往出鹽。【正義】沙北、謂池漢之北也、【考證】楓本領作嶺、大體如此矣。總之楚・越之地、地廣人希、飯稻羹魚、或火耕而

水耨。【集解】徐廣曰、耨、乃遘反、除草也、【正義】言風草下種、苗正大、而草生小、以水灌之、則草死而苗無損也、耨、除草也、【考證】平準書、江南火耕水耨、集解引應劭云、燒草下水種稻、草與稻竝生、高七八寸、因悉芟去、復下水灌之、草死獨稻長、所謂火耕水耨也、中井積德曰、蓋苗初生、與草俱生、燒之以火、則苗與草皆燼、乃灌之以水、則草死而苗長以肥、此之謂火耕水耨、愚按先以火焚草、然後耕之、植以苗、灌以水、則土肥而苗長、及雜草生、輒除去之、諸說恐非、果隋蠃蛤、不待賈而足。【集解】徐廣曰、地理志、隋作蓏、【索隱】果隋、下音徒火反、注蓏、音郎果反、【正義】隋、今爲種、音同、上古少字也、蠃、力和反、果種猶種疊包裹也、今楚越之俗、尙有裹種之語、楚越水鄉、足螺魚鼈、民多採捕積聚種疊包裹、煑而食之、班固不曉裹種之方言、脩太史公書述地志、乃改云果蓏蠃蛤、非太史公意、班氏失之也、賈、音古、言楚越地勢饒食、不用他賈而自足、無飢饉之患、【考證】張文虎曰、索隱本毛本作隋、王引之曰、說卦傳、艮爲果蓏、京房作果墮、墮與隋通、則果隋卽果蓏、地埶饒食、無飢饉之患。以故呰窳偸生、【集解】徐廣曰、音紫、呰窳、苟且墮嬾之謂也、駰案、應劭曰、呰、弱也、晉灼曰、窳、病也、【索隱】上音紫、下音庾、苟且懶惰之謂、應劭云、呰、弱也、晉灼曰、窳、病也、【正義】案食螺蛤等物、故多蠃弱而足病也、淮南子云、古者民食蠃蛙之肉、多疹毒之患也、【考證】呰窳以偸生、承之、徐說長、漢書地理志、呰字從兩口、無積聚而多貧。【正義】言江淮以南、有水族、民多食物、朝夕取給以偸生而已、不爲積聚、乃多貧也、【考證】此句亦承上、正義得之、是故江・淮以南、無凍餓之人、亦無千金之家。沂・

泗水以北、宜五穀桑麻六畜、地小人衆、數被水旱之害、民好畜藏。故秦・夏・梁・魯、好農而重民。【考證】楓三本、而下有爲字、三河・宛・陳亦然。加以商賈。齊・趙設智巧仰機利。燕・代田畜而事蠶。【考證】以上說天下物所鮮所多人民謠俗、由此觀之、賢人深謀於廊廟、論議朝廷、守信死節、隱居巖穴之士、設爲名高者、安歸乎。歸於富厚也。【考證】中井積德曰、巖穴之士、非論眞隱、乃所謂仕宦之捷徑、其人耳、愚按言賢人巖穴之士、皆以富厚爲歸、又按名高富厚、對言、韓非子說難篇、陰爲厚利而顯爲名高、厚利卽富厚、是以廉吏久久更富、廉賈歸富。【集解】駰案、歸者取利而不停貨也、【考證】岡白駒曰、歸、上文安歸之歸、集解誤、富者人之情性、所不學而俱欲者也。故壯士在軍、攻城先登、陷陣卻敵、斬將搴旗、前蒙矢石、不避湯火之難者、爲重賞使也。【正義】搴、拔也、【考證】蒙、冒通、其在閭巷、少年攻剽椎埋、劫人作姦、掘冢鑄幣、任俠

并兼、借交報仇、篡逐幽隱、不避法禁、走死地如騖者、其實皆爲財用耳。【集解】徐廣曰、騖、一作流、【考證】椎埋、謂椎殺而埋之、篡、奪取也、幽隱、無人之地、騖下者字、依南宋中統舊刻游毛本及讀書雜志所引宋本補、今夫趙女・鄭姬、設形容、揳鳴琴、揄長袂、躡利屣、目挑心招、出不遠千里、不擇老少者、奔富厚也。【集解】徐廣曰、揄、音臾、躡、一作跕、跕、音吐協反、屣、音山耳反、舞屣也、【正義】挑、音田鳥反、【考證】岡白駒曰、揳、與戞通、揄、引也、揚也、游閑公子、飾冠劍、連車騎、亦爲富貴容也。弋射漁獵、犯晨夜、冒霜雪、馳阬谷、不避猛獸之害、爲得味也。博戲馳逐、鬬雞走狗、作色相矜、必爭勝者、重失負也。醫方諸食技術之人、焦神極能、爲重糈也。【考證】糈、糧也、日者傳、不見奪糈、吏士舞文弄法、刻章僞書、不避刀鋸之誅者、沒於賂遺也。農工商賈畜長、固求富益貨也。此有知盡能索耳。終不餘力而讓財

矣。【考證】李笠曰、此言富之可重、雖其智能盡殫、不留餘力而讓財也、沈家本曰、索、盡也、諺曰、百里不販樵、千里不販糴。居之一歲、種之以穀。十歲、樹之以木。百歲、來之以德。德者人物之謂也。【考證】穀木德、韻、管子權修篇、一年之計、莫如樹穀、十年之計、莫如樹木、終身之計、莫如樹人、今有無秩祿之奉、爵邑之入、而樂與之比者。命曰素封。【索隱】謂無爵邑之人祿秩之奉則曰素封、素、空也、【正義】言不仕之人、自有園田收養之給、其利比於封君、故曰素封也、封者食租稅。歲率戶二百。千戶之君、則二十萬。朝覲聘享出其中。【索隱】千戶之邑、戶率二百、故千戶二十萬、【正義】率、音律、【考證】錢大昕曰、漢書富平侯張安世、國在陳留、別邑在魏郡、租入歲千餘萬、子延壽嗣、上書讓減戶口、徙封平原、幷一國、戶口如故、而租稅減半、然則漢時戶口租稅、固有多寡之殊、史公云歲率戶二百者、舉其大畧耳、庶民農工商賈、率亦歲萬息二千、戶百萬之家、則二十萬、而更傜租賦出其中。衣食之欲、恣所好美矣。【索隱】息二千、故百萬之家、亦二十萬、【考證】漢書食貨志、二千下無戶字、此衍、故曰。陸地牧馬二百蹏、【集解】漢書音義曰、五十匹、【索隱】

案、馬有四足、二百蹏有五十匹也、漢書則云、馬蹏蹴千、所記各異、【考證】中井積德曰、漢書亦云馬二百蹏矣、如下條比千乘者、乃云蹏蹴千、史漢皆然、索隱謬、牛蹏角千、【集解】漢書音義曰、百六十七頭也、馬貴而牛賤、以此爲率、【索隱】牛足角千、案、馬貴而牛賤、以此爲率、則牛有百六十六頭有奇也、千足羊、澤中千足彘、【集解】韋昭曰、二百五十頭、【索隱】韋昭云、二百五十頭、水居千石魚陂、【集解】徐廣曰、魚以斤兩爲計也、【索隱】陂、音詖、漢書作皮、音披、【正義】言陂澤養魚、一歲收得千石魚賣也、山居千章之材、【集解】徐廣曰、一作楸、駰案、韋昭曰、楸木所以爲轅、音秋、【索隱】漢書作千章之萩、音秋、服虔云、章、方也、如淳云、言任方章者千枚、謂章、大材也、樂產云、萩、梓木也、可以爲轅、【考證】中井積德曰、材木一根、謂之章、不必論方圓、愚按、下文有千畝萩、此作材爲是、安邑千樹棗、燕・秦千樹栗、蜀漢・江陵千樹橘、淮北・常山已南、河・濟之閒千樹萩、【考證】梁玉繩曰、顏師古云、萩即楸字、二字多譌、陳・夏千畝漆、齊・魯千畝桑麻、渭川千畝竹、及名國萬家之城、帶郭千畝畝鍾之田、【集解】徐廣曰、六斛四斗也、【考證】顏師古曰、一畝收鍾者、凡千畝也、若千畝卮茜、【集解】徐廣曰、卮、音支、鮮支也、茜、音倩、一名紅藍、其花染繒赤黃也、【索隱】卮、音支、鮮支也、茜、音倩、一名紅藍花、染繒赤黃也、【考證】若、猶及也、卮、卮子、可染黃、千畦薑韭、

【集解】徐廣曰、千畦、二十五畝、駰案、韋昭曰、畦、猶隴、【索隱】韋昭云、埒中畦、猶隴也、謂五十畝也、劉熙注孟子云、今俗以二十五畝爲小畦、五十畝爲大畦、王逸云、畦、猶區也、此其人皆與千戶侯等。然是富給之資也。不窺市井、不行異邑、坐而待收、身有處士之義而取給焉。若至家貧親老、妻子軟弱、歲時無以祭祀進醵、飲食被服、不足以自通。如此不慙恥、則無所比矣。【集解】徐廣曰、醵、會聚食、【索隱】音渠略反、【考證】進、讀爲贐、孟子公孫丑篇、予將有遠行、行者必以贐、比、上文樂與之比之比、是以無財作力、少有鬬智、既饒爭時。此其大經也。【正義】少有鬬智、言少有錢財、則鬬智巧而求勝也、既饒爭時、既饒足錢財、乃逐時爭利也、今治生不待危身取給、則賢人勉焉。是故本富爲上、末富次之、姦富最下。【考證】岡白駒曰、本富、農種而富、坐而待收者是也、末富、以賈富者、姦富、姦巧鬬智而富者是也、無巖處奇士之行、而長貧賤、好語仁義、亦足羞也。【考證】中井積德曰、苟有巖處奇士之行、則雖長貧賤無所羞、而太史公固不說之也、文意自周匝、後人輒生貶議者、不曉文義之故耳、凡編戶之

民、富相什則卑下之、伯則畏憚之、千則役、萬則僕、物之理也。夫用貧求富、農不如工、工不如商、刺繡文、不如倚市門。此言末業貧者之資也。【考證】刺繡文、工之事、倚市門、商之事、顏師古曰、言其易以得利也、通邑大都、酤一歲千釀、【正義】釀千瓮、酤醯醋云酒酤、【考證】此段就都邑中約計一歲所需之數、卽市肆中一歲所出之數、乃本業之資也、中井積德曰、酤字爲一條之冒、下文所稱皆賣買之貨、顏師古曰、千瓮以釀酒、愚按從顏說、當云釀千瓮、一歲二字亦貫下、張文虎曰、正義醯醋云三字、乃下句正義、云當作也、醯醬千瓨、【集解】徐廣曰、長頸罌、【索隱】醯醢千瓨、閑江反、漿千甔。【集解】徐廣曰、大罌缶、【索隱】醬千檐、下都甘反、漢書作儋、孟康曰、儋、石甖、石甖受一石、故云儋石、一音都濫反、【考證】各本漿作醬、涉上文而訛、今從南宋本毛本、漢書亦作漿、屠牛羊彘千皮、販穀糶千鍾、【集解】徐廣曰、出穀也、糶、音掉也、薪稾千車、船長千丈、【索隱】按積數長千丈、【考證】中井積德曰、船車竹木畜僮布帛、皆賣買之貨、非蓄藏、木千章、【集解】漢書音義曰、洪洞方稾章材也、舊將作大匠掌材曰章曹掾、【索隱】案將作大匠掌材曰章曹掾、洪、胡孔反、洞、音動、又竝如字也、竹竿萬个、【集解】徐廣曰、古賀反、【索隱】竹干萬个、釋名云、竹曰箇、木曰枚、方言曰、个、枚也、儀禮禮記、字爲个、又功臣表楊僕入竹三萬箇、箇个古

今字也、【正義】釋名云、竹曰个、木曰枚、其軺車百乘、【集解】徐廣曰、馬車也、【正義】軺、音遙、說文云、軺、小車也、【考證】漢書無其字、中井積德曰、疑衍、牛車千兩、【正義】車一乘爲一兩、風俗通云、箱轅及輪、兩兩而偶之、稱兩也、【考證】車兩輪、故謂之兩、木器髤者千枚、【集解】徐廣曰、髤、音休、漆也、【索隱】髤者千、上音休、謂漆也、千、謂千枚也、【正義】顏云、以漆漆物謂之髤、又音許昭反、今關東俗器物一再漆者謂之稍漆、卽髤聲之轉耳、今關西俗云黑髤盤朱髤盤、兩義竝通、銅器千鈞、【集解】徐廣曰、三十斤、素木鐵器若巵茜千石、【集解】徐廣曰、百二十斤爲石、駰案漢書音義曰、素木、素器也、馬蹄躈千、【集解】徐廣曰、躈、音苦弔反、馬八髎也、音料、【索隱】徐廣音苦弔反、馬八髎也、音料、埤倉云、尻骨謂八髎、一曰夜蹄、小顏云、躈、口也、蹄與口共千、則爲二百匹、若顧胤則云、上文馬二百蹄、比千乘之家、不容亦二百、則躈謂九竅、通四蹄爲十三而成一馬、所謂生之徒十有三是也、凡七十六匹馬、案亦多於千戶侯比、則不知其所、【考證】沈欽韓曰、內經骨空論、八髎在腰尻分間、呂覽觀表、古之善相馬者許鄙相服、注、脈後竅也、躈卽尻竅、愚按是都邑所賣買之貨、與上文千戶侯沒交涉、牛千足、羊彘千雙、僮手指千、【集解】漢書音義曰、僮、奴婢也、古者無空手游日、皆有作務、作務須手指、故曰手指、以別馬牛蹄角也、筋角丹沙千斤、其帛絮細布千鈞、文采千匹、榻布皮革千石、【集解】徐廣曰、榻、音吐合反、駰案漢書音義曰、榻布、白疊也、【索隱】荅布、注音吐合反、大

顏音吐盍反、案以爲麤厚之布、與皮革同以石而秤、非白疊布也、吳錄云、有九眞郡布、名曰白疊、廣志云、疊、毛織也、【正義】顏師古曰、麤厚之布也、其價賤、故與皮革同重耳、非白疊也、荅者、厚之貌也、案白疊、木綿所織、非中國有也、【考證】其字疑衍、索隱本榻布作答布、楓三本作荅布、漢書亦作荅布、沈欽韓曰、上文言細布、則知是麤布、愚按兪正燮癸巳類考卷四、有木棉考、漆千斗、【索隱】漢書作漆大斗、案謂大斗、大量也、言滿量千斗、卽今之千桶也、【考證】顧炎武曰、漢時已有大斗、但用之量麁貨耳、櫱麴鹽豉千荅、【集解】徐廣曰、或作台、器名有瓵、孫叔然云、瓵、瓦器、受斗六升、合爲瓵、音貽、【索隱】鹽豉千蓋、下音貽、炎反、說文云、瓵、瓦器、受斗六合、以解此蓋、非也、案尚書大傳云、文皮千合、則數兩謂之合也、三倉云、榼、盛鹽豉器、音他果反、則蓋或榼之異名耳、【考證】王引之曰、台、瓵、同作荅、乃苔字之譌、苔台古同聲、故得通用、漢書作合、又台之譌也、張文虎曰、南宋本毛本作瓵、蓋後人依集解改、鮐鮆千斤、【集解】漢書音義曰、音如楚人言薺、鮆魚與鮐魚也、鯫千【索隱】說文云、鮐、海魚、音胎、鮆魚、飲而不食、刀魚也、爾雅謂之鱭魚也、鮆、音才爾反、又音薺、【正義】鮐音臺、又音貽、說文云、鮐、海魚也、鮆、音齊禮反、刀魚也、石、鮑千鈞、【集解】徐廣曰、鯫、音輒、膊魚也、【索隱】鯫、音輒、一音昨苟反、鯫、小魚也、鮑、音抱、步佨反、今之鯫魚也、膊、音鋪博反、案破鮑不相離、謂之膊、兒漬云鮑、聲類及韵集、雖爲此解、而鯫生之字、見與此同、案鯫者小雜魚也、【正義】鯫、音族苟反、謂雜小魚也、鮑、白也、然鮐鮆以斤論、鮑鯫以千鈞論、乃其九倍多、故知鮐是大好者、鯫鮑是雜者也、徐云、鯫、膊魚也、膊、竝各反、謂破開中頭尾不相離爲鮑、謂之膊關者也、此亦大魚爲之也、【考證】漢書、作鯫鮑千鈞、王念孫曰、此文以鮐鮆爲一類、鯫、音輒、從耴、不從取、當

作鯫鮑千鈞、中井積德曰、駘鮆是食料、鯫鮑只壅糞、則貴賤懸隔、棗栗千石者三之、【索隱】案三之者、三千石也、必三之者、取類上文故也、以棗栗賤、故三之爲三千石也、【正義】謂三千石也、言棗栗三千石、乃與上物相等、狐鼦裘千皮、【索隱】狐鼦、下音雕也、【正義】鼦、音彫、羔羊裘千石、【索隱】羔羊千石、謂秤皮重千石、【考證】顏師古曰、狐貂貴、故計其數、羔羊賤、故稱其量也、旃席千具、佗果菜千鍾、【索隱】果菜千種、千種者言其多也、【正義】鍾、六斛四斗、果菜、謂雜果菜、於山野采取之、【考證】張文虎曰、佗字疑衍、漢書無、愚按正義本作鍾、索隱本及漢書作種、以上敘都邑中一歲所需之數、子貸金錢千貫。【索隱】案子、謂利息也、貸、音土代反、節駔會。【集解】徐廣曰、駔、音祖朗反、馬儈也、駰案漢書音義曰、會、亦是儈也、節、節物貴賤也、謂估儈其餘利比千乘之家、【索隱】案節者、節貴賤也、駔、舊音祖朗反、今音鬻、駔者度牛馬市、云駔儈者合市也、儈、音古外反、淮南子云、段干木晉國之大駔、注云、干木、度市之魁也、【考證】顏師古曰、儈者合會二家交易者也、駔者其首率也、中井積德曰、節、截取也、節取駔儈之利耳、愚按與子貸家別此一事、貪賈三之、廉賈五之。【集解】漢書音義曰、貪賈、未當賣而賣、未可買而買、故得利少、而十得三、廉賈貴而賣、賤乃買、故十得五、【考證】三之、五之、劉奉世李光地以爲三分取一、五分取一、自下文什二語推之、舊說爲長、中井積德曰、貪賈貪贏之多、故貯貨壅滯、歲計爲少利、廉賈不多取贏、故流通無滯貨、歲計爲多利、此亦比千乘之家。其大率也。【正義】率、音律、【考證】中井積德

曰、千乘之家、卽上文千戶之君矣、故曰亦此、或云、千乘、千戶之訛、佗雜業不中什二、則非吾財也。正義言雜惡業、而不在什分中得二分之利者、非世之美財也、請略道當世千里之中、賢人所以富者、令後世得以觀擇焉。考證楓本、請下有且、以下舉貨殖事以爲證、蜀卓氏之先、趙人也。用鐵冶富。集解徐廣曰、卓、一作淖、索隱注、卓、一作淖、竝音踔、一音鬧、淖亦音泥、淖、亦是姓、故齊有淖齒、漢有淖蓋、與卓氏同出、或以同音淖也、考證周壽昌曰、此卽卓王孫之祖或父也、至孝武時、尙有僮客八百人、秦破趙、遷卓氏。卓氏見虜略。獨夫妻推輦行、詣遷處。諸遷虜少有餘財、爭與吏、求近處、處葭萌。集解徐廣曰、屬廣漢、正義葭萌、今利州縣也、唯卓氏曰。此地狹薄。吾聞汶山之下沃野。下有蹲鴟、至死不飢。集解徐廣曰、古蹲字作踆、駰案、漢書音義曰、水鄉多鴟、其山下有沃野灌溉、一曰、大芋、索隱汶山下、上音崏也、正義汶、音珉、蹲鴟、芋也、言邛州臨邛縣其地肥又沃、平野有大芋等也、華陽國志云、汶山郡安上縣有大芋、如蹲鴟也、考證蹲鴟以充糧、凶歲不飢、民工於市、易賈。乃求遠遷。致之臨邛。大喜。傾滇·蜀之民。卽鐵山鼓鑄、運籌

策。索隱漢書云、運籌以買滇、正義滇一作沮、漢書亦作滇池、今益州郡有蜀州、亦因舊名、及漢江爲名、江在益州南入導江、非漢中之漢江也、考證今本漢書、作滇蜀、中井積德曰、運籌策、自與鼓鑄別、非販鐵、富至僮千人。田池射獵之樂、擬於人君。索隱漢書及相如列傳竝云、八百人也、程鄭、山東遷虜也。亦冶鑄、賈椎髻之民。索隱魋結之人、上音椎髻、謂通賈南越也、考證中井積德曰、賈椎髻之民、自別販貨物也、非鐵、王念孫曰、索隱本、椎髻作魋結、陸賈傳、朝鮮傳、西南夷傳、皆用魋結字面、富埒卓氏。俱居臨邛。索隱埒者鄰畔、言鄰相次、正義埒、微減、宛孔氏之先、梁人也。用鐵冶爲業。秦伐魏、遷孔氏南陽。大鼓鑄、規陂池、連車騎游諸侯、因通商賈之利。有游閑公子之賜與名。集解韋昭曰、優游閑暇也、索隱謂通賜與於游閒公子得其名、正義言與游賞閑暇公子賜與、各相交通也、考證漢書、陂池作陂田、姚範曰、游閑公子、卽云孔氏也、中井積德曰、游於諸侯、所以爲賈、而雍容游閑、賜予於人之優、如貴介公子、然取贏更多也、非資給餉遺於諸侯、漢書、無賜與二字、家致富數千金。然其贏得過當、愈於纖嗇。索隱謂孔氏以資給諸侯公子、既已得賜與之名、又蒙其所得之贏、過於本資、故云過當、乃勝於細碎儉嗇之賈也、纖、細也、方言云、纖、小也、愈、勝也、正義音色、

嗇、吝也、言孔氏連車騎游於諸侯、以資給之、兼通商賈之利、乃得游閑公子交名、然其通計贏利、過於所資給餉遺之當、猶有交游公子雍容而勝於慳悋也、考證連車騎游諸侯、賜與不嗇、而因此得贏利、還多於所費、故曰過當、此所得之贏、多於纖嗇者、故南陽行賈、盡法孔氏之雍容。魯人俗儉嗇。而曹邴氏尤甚。索隱邴、音柄也、以鐵冶起、富至巨萬。集解徐廣曰、魯縣出鐵、然家自父兄子孫約。俛有拾。仰有取。貰貸行賈徧郡國。考證漢書、孫作弟、蘇輿曰、俛拾仰取、言人不閒遊、物無遺利、蘇軾荅梁先詩、學如富賈在博收、仰取俯拾無遺籌、約、如下約非田畜所生不衣食之約、言家約如此、是以行賈徧郡國、鄒魯以其故多去文學而趨利者、以曹邴氏也。齊俗賤奴虜。而刁閒獨愛貴之。桀黠奴、人之所患也。唯刁閒收取使之。索隱刁閒、上音雕、姓也、閒如字、正義刁、丁遙反、姓名、逐漁鹽商賈之利、或連車騎、交守相。然愈益任之、終得其力、起富數千萬。故曰。寧爵毋刁。言其能使豪奴自饒、而盡其力。集解漢書音義曰、奴自相謂曰、寧欲免去作民有爵邪、將止爲刁氏作奴乎、毋、發聲語助、索隱

案奴自相謂曰、寧免去求官爵邪、曰無刁、無刁、相止之辭也、言不去止、爲刁氏作奴也、考證中井積德曰、爵、謂仕者高爵也、非民爵、是他人稱之也、非奴言、又曰、宜言毋寧爵毋寧刁、今各省一字耳、是相比擬而言、若無輕重、然重刁之意自見、錢大昕曰、刁爵合韻、古音爵與醮近、崔適曰、說文噍或作嚼、是爵焦同聲也、古謠云、嚼復嚼、今年猶可、後年饒、嚼與饒爲韻、猶爵與刁爲韻也、周人既纖。而師史尤甚。集解漢書音義曰、纖、儉嗇也、索隱師姓、史名、正義師史、人姓名、轉轂以百數。賈郡國、無所不至。考證顏師古曰、轉轂、謂以車載物而逐利者、洛陽街居、在齊·秦·楚·趙之中。貧人學事富家、相矜以久賈。數過邑不入門。集解漢書音義曰、謂街巷居民無田地、皆相矜久賈、在此諸國也、正義洛陽在齊秦楚趙之中、其街巷貧人、學於富家、相矜以久賈、諸國皆數歷里邑、不入其門、故前云洛陽東賈齊魯、南賈梁楚、是也、考證正義得之、說文、街、四通道、學事、習商賈也、過邑不入門、不還己家也、漢書、刪貧人學事四字、下文終不可解、設任此等、故師史能致七千萬。考證漢書、作十千萬、宣曲任氏之先、爲督道倉吏。集解徐廣曰、高祖功臣有宣曲侯、督道倉吏、漢書音義曰、若今吏督租穀、使上道輸在所也、韋昭曰、督道、秦時邊縣名、索隱韋昭云、宣曲、地名、高祖功臣有宣曲侯、上林賦云、西馳宣曲、當在京輔、今闕其地、正義案其地合在關內、張揖云、宣曲、宮名、在昆池西也、考證劉奉世曰、督道者、倉所在地名耳、猶稱細柳倉也、爲倉吏、故能藏粟致

富也、秦之敗也、豪傑皆爭取金玉。而任氏獨窖倉粟。【集解】徐廣曰、窖音校、穿地以藏也、楚・漢相距滎陽也、民不得耕種、米石至萬。而豪傑金玉、盡歸任氏。任氏以此起富。富人爭奢侈。而任氏折節爲儉、力田畜。田嗇、人爭取賤賈、【索隱】晉灼云、爭取賤賈金玉也、【正義】賈音價也、【考證】取賤價、承田畜、索隱爲金玉、非是、王念孫曰、賈讀爲鹽、與貴善對文、愚按不必讀爲鹽、任氏獨取貴善。【索隱】謂買物必取貴而善者、不爭賤價也、富者數世。然任公家約、非田畜所出弗衣食。公事不畢、則身不得飲酒食肉。以此爲閭里率。故富而主上重之。【考證】顏師古曰、任公、任氏之父也、塞之斥也、【集解】漢書音義曰、邊塞主斥候卒也、唯此人能致富若此、【索隱】孟康云、邊塞主斥候之卒也、又案斥開也、相如傳云、邊塞益斥、是也、【正義】孟康云、邊塞主斥候卒也、唯此人能致富若此、顏云、塞斥者、言國斥開邊塞、更令寬廣、故橋姚得恣其畜牧也、【考證】斥、索隱又案是、劉攽曰、塞之斥也、公私皆有費用、故橋姚得以致富、豈謂待廣地恣其畜牧哉、以下言橋姚事、唯橋姚已致馬千匹。牛倍之、羊萬頭、粟以萬鍾

計。【索隱】橋姓、姚名、言橋姚因斥塞而致此貲、風俗通云、馬稱匹者、俗說云、相馬及君子、與人相匹、故云匹、或說馬夜行、目照前四丈、故云一匹、或說度馬縱橫適得一匹、又韓詩外傳云、孔子與顏回登山、望見一匹練、前有藍、視之果馬、馬光景一匹長也、【正義】姓橋、名姚也、【考證】漢書、姚作桃、中井積德曰、已以也、愚按周書文侯之命、既有馬四匹、文、文心雕龍云、古之正名、車兩而馬匹、匹兩稱目、以並耦爲用、蓋車貳佐乘、馬儷驂服、服乘不隻、故名號必雙、名號一匹、則雖單爲匹矣、比索隱較長、以上橋姚事、吳・楚七國兵起時、長安中列侯封君、行從軍旅、齎貸子錢。【索隱】齎、音子稽反、貸、假也、音吐得反、與人物云齎、周禮注、齎、所給與也、【考證】中井積德曰、齎、衣服器具糧食金錢、凡旅中所資皆是、皆假貸子錢、具之而行也、子錢家以爲侯邑國在關東。關東成敗未決。莫肯與。唯無鹽氏出捐千金貸。其息什之。【索隱】貸、吐代反、什之、謂出一得十倍、三月吳・楚平。一歲之中、則無鹽氏之息什倍。用此富埒關中。【考證】岡白駒曰、關中之富、己一人敵之、愚按漢書、删埒字、亦通、關中富商大賈、大抵盡諸田。田嗇・田蘭。韋家栗氏、安陵・杜杜氏、亦巨萬。【集解】徐廣曰、安陵及杜、二縣名、各有杜姓也、宣帝以杜爲杜陵、【考證】漢書、嗇作牆、不重杜字、此其章章尤異

者也。【集解】徐廣曰、異一作淑、又作較、皆非有爵邑奉祿、弄法犯姦而富。盡推理去就、與時俯仰、獲其贏利。【考證】各本推理作椎埋、凌稚隆曰、二字疑有誤、顧炎武曰、當是推理移之誤、中井積德曰、當作推理、愚按楓三本、正作推理、今依改、推理、言推測物理也、以末致財、用本守之、以武一切、用文持之、變化有概。故足術也。【正義】有概、有節概也、【考證】岡白駒曰、概、節也、臨時不失去就之節、愚按術、述通、若至力農畜工虞商賈、爲權利以成富、大者傾郡、中者傾縣、下者傾鄉里者、不可勝數。【考證】權利、權力利益、夫纖嗇筋力、治生之正道也。而富者必用奇勝。田農掘業。而秦陽以蓋一州。【集解】徐廣曰、古拙字、亦作掘也、【索隱】漢書、作甲一州、服虔云、富爲州之中第一、【正義】掘業、上求月反、言曲折田外、掘地爲民作冢、【考證】各本掘作拙、王念孫曰、班馬字類引此拙作掘、蓋拙本作掘、故徐廣曰、古拙字、亦作掘、今依改、掘當讀爲拙、與奇相反、言其因力田以致富耳、陽、索隱本作揚、漢書作楊、掘冢、姦事也。而田叔以起。【考證】張文虎曰、南宋舊刻毛本、作田叔、它本作曲叔、博戲、惡業也。而桓發用之富。【索隱】漢書、作稽發、

【正義】桓發、人姓名、【考證】王念孫曰、用亦以也、與上下三以字互文、後人於用字下加之字、則失其句法矣、行賈、丈夫賤行也。而雍樂成以饒。販脂、辱處也。而雍伯千金。【集解】徐廣曰、雍、一作翁、【索隱】雍、於恭反、漢書、作翁伯也、【正義】說文云、戴角者脂、無角者膏也、【考證】楓本、伯下有致字、賣漿、小業也。而張氏千萬。【考證】楓三本、漿作醬、與漢書合、洒削、薄技也。而郅氏鼎食。【集解】徐廣曰、洒或作細、駰案、漢書音義曰、治刀劍名、【索隱】洒削、上音先禮反、削刀者名洒削、謂摩刀以水洒之、又方言云、劍削、關東謂之削、音肖、削一依字讀也、【考證】漢書、郅作質、顏師古曰、洒、濯也、削、謂刀劍室也、謂人有刀劍削故惡者、主爲洒刷之、去其垢穢、更飾令新也、中井積德曰、削、小割刀也、可以削果實、供諸用、洒、磨之也、書刀亦削也、愚按洒削、未詳、錢大昕亦有別解、姑錄顏中二說、胃脯、簡微耳。濁氏連騎。【索隱】晉灼云、太官常以十月作沸湯燖羊胃、以末椒薑粉之訖、暴使燥、則謂之脯、故易售而致富、【正義】案胃脯、謂和五味而脯美、故易售、馬醫、淺方。張里擊鍾。【考證】楓本、方下有也字、此皆誠壹之所致。由是觀之、富無經業、則貨無常主。能者輻湊、不肖者瓦解。千金之家、比一都之君。巨萬者、乃與王者同樂。豈所謂素封者邪、非

也。考證凌稚隆曰、結應前、

索隱述贊、貨殖之利、工商是營、廢居善積、倚市邪贏、白圭富國、計然強兵、倮參朝請、女築懷清、素封千戶、卓鄭齊名、

貨殖列傳第六十九　史記百二十九

史記會注考證卷一百三十

漢　太　史　令　司　馬　遷　撰

宋　中　郎　外　兵　曹　參　軍　裴　駰　集　解

唐　國　子　博　士　弘　文　館　學　士　司　馬　貞　索　隱

唐　諸　王　侍　讀　率　府　長　史　張　守　節　正　義

日　本　出　雲　瀧　川　資　言　考　證

太史公自序第七十　　史記一百三十

考證盧文弨曰、太史公自序、卽史記之目錄也、班固之敘傳、卽漢書之目錄也、古書目錄、往往置於末、淮南之要略、法言之十三篇序、皆然、吾以爲易之序卦傳、非卽六十四卦之目錄歟、史漢諸序、殆昉於此、俞樾曰、紀事之體、本於尚書、故太史公作自序一篇云、爲某事作某本紀某表某書某世家某列傳、猶尚書之有序也、古人之文、其體裁必有所自、愚按史公百三十篇序、倣書序、

昔在顓頊、命南正重以司天、北正黎以司地。索隱南正重以司天、火正黎以司地、案張晏云、南方、陽也、火、水配也、水爲陰、故命南正重司天、火正黎兼地職、臣瓚以爲重黎氏是司天地之官、司地者宜曰北正、古文作北字、非也、楊雄譙周竝以爲然、案國語黎爲火正、以淳曜敦大光照四海、又幽通賦云、黎淳曜於高辛、則火正爲是也、考證梁玉繩曰、此本楚語、然今本國語及經疏中所引、皆作火正、漢書遷傳同、自史公有北正之文、後儒如鄭康成韋昭臣瓚皆從之、隋天文志同、其實史曆書序仍是火正、顏師古司馬貞據鄭語與班固幽通賦、作火正爲是、**唐・虞之際、紹重・黎之後、使復典之。至于夏・商。故重・黎氏世序天地。其在周、程伯休甫其後也。**集解應劭曰、封爲程國伯、休甫、字也、索隱案重司天、而黎司地、是代序天地也、據左氏、重是少昊之子、黎乃顓頊之胤、二氏二正、所出各別、而史遷意欲合二氏爲一、故總云在周程伯休甫其後、非也、然後案彪之序及干寶皆云、司馬氏黎之後、是也、今總稱伯休甫是重黎之後者、凡言地卽舉天、稱黎則兼重、自是相對之文、其實二官亦通職、然休甫則黎之後也、亦是太史公欲以史爲己任、言先代天官、所以兼稱重耳、正義括地志云、安陵故城、在雍州咸陽東二十一里、周之程邑也、

當周宣王時、失其守而爲司馬氏。正義司馬彪序云、南正黎後世爲司馬氏、考證楓三本、時下有官字、與漢書合、楚語云、少皞之衰也、九黎亂德、顓頊受之、乃命南正重司天以屬神、命火正重司地以屬民、使復舊常、無相侵瀆、其後三苗復九黎之德、堯復重黎之後不忘舊者、使復典之、以至于夏商、故重黎氏世敘天地、而別其分主者也、其在周、程伯林父其後也、當宣王時、失其官守、而爲司馬氏、愚按此史公所據、又按楚語已以重黎爲二族、又以休父爲重黎後、語欠分明、索隱非之綦是、而司馬氏之出於休父則無疑也、譜牒多類此者、何止史公敍傳、何焯曰、詩常武、王謂尹氏、命程伯休父、毛傳、尹氏掌命卿氏、程伯林父始命爲大司馬、正當宣王之時、已失典司天地之守、故僅以時王所命之官、別爲司馬氏也、**司馬氏世典周史。**索隱案司馬夏官卿、不掌國史、自是先代兼爲史、衞宏云、司馬氏、周史佚之後、不知何據、考證世典周史、未知何據、中井積德曰、嘗有爲司馬者、因氏焉、其後世不必司馬、索隱仍以夏官解、何哉、又曰、宣王之時失職、後更復之也、**惠・襄之閒、司馬氏去周適晉。**集解張晏曰、周惠王襄王、有子穨叔帶之難、故司馬氏奔晉、**晉中軍隨會奔秦、而司馬氏入少梁。**索隱案左氏、隨會自晉奔秦、後乃奔魏、自魏還晉、故漢書云、會奔秦魏也、少梁、古梁國也、秦滅之、改曰少梁、後名夏陽、正義案春秋、隨會奔秦、其後自秦入魏、而還晉也、隨會爲晉中軍將、少梁、古梁國也、嬴姓、在同州韓城縣南二十二里、是時屬晉、考證隨會奔秦、左傳文公七年、梁玉繩曰、齊召南云、奔秦、漢書誤作奔魏、又隨會奔秦時、未爲中軍將、史文以後官冠其名、**自司馬氏**

去周適晉、分散或在衞、或在趙、或在秦。其在衞者、相中山。集解徐廣曰、名喜也、考證中山策云、司馬憙三相中山、**在趙者、以傳劒論顯。**集解服虔曰、世善傳劒也、蘇林曰、傳手搏論而釋之、晉灼曰、史記吳起贊曰、非信仁廉勇、不能傳劍論兵書也、索隱案何法盛晉書、及司馬氏系本、名凱、服虔云、代善劒也、按解所以稱傳也、蘇林云、傳作搏、言手搏論而釋之所以知名也、正義何法盛晉書及晉譙王司馬無忌司馬氏系本、皆云名凱、**蒯聵其後也。**正義聵、五怪反、如淳云、刺客傳之蒯聵也、考證沈欽韓曰、淮南主術訓、握術劒鋒以離、北宮司馬蒯聵不使應敵、非刺客傳中人、張文虎曰、刺客傳、荊軻嘗游過楡次、與蓋聶論劍、疑蓋聶卽蒯聵之誤、楡次本趙地、蓋傳寫錯亂、如淳魏時人、或尚見史記舊文、**在秦者名錯。與張儀爭論。於是惠王使錯將伐蜀。遂拔。因而守之。**集解蘇林曰、守、郡守也、考證中井積德曰、已拔之、留而鎭之、不必郡守、**錯孫靳、事武安君白起。**集解徐廣曰、靳、一作蘄、索隱錯孫靳、上音七各反、下音紀毄反、漢書作蘄、**而少梁更名曰夏陽。**考證沈欽韓曰、秦紀惠文王十二年、更名少梁曰夏陽、張儀傳、說魏王入上郡少梁以謝秦、是入秦卽名夏陽、上句云、事武安君白起、則爲昭襄王時、此語殊乖次第、王先謙曰、少梁更名、尚在惠文後九年錯拔之前、此文補述之也、愚按、夏陽、史公先塋之地、故詳之、**靳與武安君阬趙長平軍。**

【集解】文穎曰、趙孝成時、【考證】楓本阮作拔、還而與之俱賜死杜郵。【索隱】下音尤、李奇曰、地名、在咸陽西、按三秦記、其地後改爲李里者也、葬於華池。【集解】晉灼曰、地名在鄠縣、【索隱】晉灼云、在鄠縣、非也、案司馬遷碑、在夏陽西北四里、【正義】括地志云、華池在同州韓城縣西南七十里、在夏陽故城西北四里、靳孫昌。昌爲秦主鐵官。當始皇之時。【考證】漢書、主作王、恐非、蒯聵玄孫卬、爲武信君將、而徇朝歌。【集解】徐廣曰、張耳傳云、武臣自號武信君、【索隱】案晉譙國司馬無忌作司馬氏系本云、蒯聵生昭豫、昭豫生憲、憲生卬也、案漢書、武臣號武信君、諸侯之相王、王卬於殷。漢之伐楚、卬歸漢。以其地爲河內郡。【索隱】漢書云、項羽封卬爲殷王、昌生無澤。無澤爲漢市長。【索隱】漢書、作毋擇、竝音亦也、【考證】今本漢書作毋懌、王先謙曰、百官表、長安四市、有四長、無澤生喜。喜爲五大夫。卒、皆葬高門。【集解】蘇林曰、長安北門也、瓚曰、長安城無高門、【索隱】案蘇說非也、案遷碑在夏陽西北、去華池三里、【正義】括地志云、高門原俗名馬門原、在同州韓城縣西南十八里、漢司馬遷墓、在韓城縣南二十二里、夏陽縣故城東南、有司馬遷冢、在高門原上也、喜生談。談爲太史公。【集解】如淳曰、漢儀注、太史公武帝置、位在丞相上、天下計書、先上太史公、副上丞相、序事如古春秋、遷死後、宣帝

以其官爲令、行太史公文書而已、瓚曰、百官表無太史公、茂陵中書、司馬談以太史丞爲太史令、【索隱】案茂陵書、談以太史丞爲太史令、則太史公者、遷所著書尊其父云公也、然稱太史公、皆遷稱述其父所作、其實亦遷之詞、而如淳引衞宏儀注、稱位在丞相上、謬矣、案百官表又無其官、且修史之官、國家別有著撰、則令州縣所上圖書皆先上之、而後人不曉、誤以爲在丞相上耳、【正義】虞喜志林云、古者主天官者皆上公、自周至漢、其職轉卑、然朝會坐位、猶居公上、尊天之道、其官屬仍以舊名、尊而稱也、案下文、太史公既掌天官不治民、有子曰遷、又云、卒三歲、而遷爲太史公、又云、太史公遭李陵之禍、又云、汝復爲太史則續吾祖矣、觀此文、虞喜說爲長、乃書談及遷爲太史公者、皆遷自書之、漢舊儀云太史公秩二千石、卒史皆秩二百石、然瓚及韋昭桓譚之說、皆非也、以桓譚之說、釋在武本紀也、【考證】宋祁曰、遷與任安書自言僕之先人文史星歷、近乎卜祝之間、故上所戲弄、倡優畜之、流俗之所輕也、若其位在丞相上、安有此言耶、吳仁傑曰、韋昭云、史記稱遷爲太史公者、外孫楊惲所稱、志林以爲古者主天官皆上公、至漢官屬仍以舊名尊而稱公、案遷報任少卿書、亦以太史公自稱、則非官屬與外孫尊之矣、李慈銘曰、太史公自是當時官府通稱、非官名、亦非尊加、如後世之稱太史氏、非有此官名也、流俗相沿、如晉之中書令稱令君、唐之御史稱端公、不必以其尊官也、衞說不過因公字而附會之、朱一新曰、衞宏所說謂位在丞相上者、蓋謂朝會之位、以其國史所關、使之密邇至尊、以便記注、非以其爵秩、亦非必以尊寵也、百官志、太史令六百石、而漢舊儀言太史公秩二千石、此則或談任職時、增其秩以示寵、或官秩尊卑、隨時升降、或記者偶失其實、闕疑可矣、愚按說又見五帝本紀、太史公學天官於唐都、【正義】天官書云、星則唐都也、【考證】王鳴盛曰、自談爲太史公一段、叙其父談事、

凡六稱太史公、皆指談也、受易於楊何、【集解】徐廣曰、菑川人、【正義】何字叔元、菑川人、見儒林傳也、習道論於黃子。【集解】徐廣曰、儒林傳曰、黃生好黃老之術、太史公仕於建元元封之閒、愍學者之不達其意而師悖、乃論六家之要指曰。【正義】悖、布內反、顏云、悖、惑也、各習師書、惑於所見也、【考證】李笠曰、師悖者、謂以悖爲師也、易大傳、天下一致而百慮、同歸而殊塗。【集解】張晏曰、謂易繫辭、【正義】張晏云、謂易繫辭、案下二句是繫辭文也、【考證】漢書、傳下有曰字、夫陰陽・儒・墨・名・法・道德、此務爲治者也。直所從言之異路、有省不省耳。【索隱】案六家同歸於正、然所從之道殊塗、學或有傳習省察、或有不省者耳、【考證】顏師古曰、直、但也、郭嵩燾曰、言六家同務爲治、而所施異宜、不相爲用、務此則忽彼、故曰、有省有不省、嘗竊觀陰陽之術、大祥而衆忌諱。使人拘而多所畏。【集解】徐廣曰、祥、一作詳、駰案李奇曰、月令星官、是其枝葉也、【索隱】案漢書、作大詳、言我觀陰陽之術大詳、而今此作祥、於義爲疏也、【正義】顧野王云、祥、善也、吉凶之先見也、拘而多畏、言拘束於日時、令人有所忌畏也、【考證】詳、亦讀爲祥、衆、多也、漢書無所字、與下文合、藝文志、陰陽家者流、蓋出於羲和之官、敬順昊天、歷象日月星辰、敬授民時、此其所長也、及拘者爲之、則牽於禁忌、泥於小數、陰陽二十一

家三百六十九篇、李楨曰、褚補史記日者傳、言孝武時聚會占家問之、某曰可取婦乎、五行家曰、可、堪輿家曰、不可、建除家曰、不吉、叢辰家曰、大凶、曆家曰、小凶、天人家曰、小吉、太一家曰、大吉、辨訟不決、以狀聞、制曰、避諸死忌、以五行家爲主、人取諸五行者也、据此知忌諱拘畏、西漢時已如是、然其序四時之大順、不可失也。儒者、博而寡要、勞而少功。是以其事難盡從。【考證】中井積德曰、當時儒者多趙綰王臧之倫、治國以明堂辟雍爲首務、其他莫非制度文飾訓詁名物、不知儒術爲何物、宜乎毀之曰寡要少功也、然其序君臣父子之禮、列夫婦長幼之別、不可易也。【考證】司馬談亦依孟子、墨者、儉而難遵。【正義】韋云、墨翟之術也、尚儉、後有隨巢子、傳其術也、【考證】漢書藝文志、墨六家、八十六篇、是以其事不可偏循。【索隱】偏、音遍、偏循言難盡用也、然其彊本節用、不可廢也。法家、嚴而少恩。然其正君臣上下之分、不可改矣。【考證】漢傳、矣作也、藝文志、法家者流、出於理官、信賞必罰、以輔禮制、易曰、先王以明罰飭法、此其所長也、及刻者爲之、則無教化、去仁義、專任刑法、以致治、至於殘害至親、傷恩薄厚、法十家、二百一十七篇、名家、使人儉而善失眞。然其正名實、不可不察也。【索隱】案名家流出於禮官、古者名位不同、禮亦異數、孔子必也正

名乎、案名家知禮、亦異數、是儉也、受命不受辭、或失其眞也、[考證]慶長本標記引劉伯莊云、儉當作檢、謂拘檢人、中井積德曰、拘於名而離於情、故曰失其眞也、愚按、儉檢、通用、下文所謂苛察是也、失眞、合同異、離堅白、使人失眞、下文所謂繳繞是也、又按索隱前案依藝文志文、志又云、名七家三十六篇、 道家、使人精神專一、動合無形、贍足萬物。[索隱]贍、音市豔反、漢書作澹、古今字異也、 其爲術也、因陰陽之大順、采儒·墨之善、撮名·法之要、與時遷移、應物變化。立俗施事、無所不宜。指約而易操、事少而功多。儒者則不然。以爲人主、天下之儀表也。主倡而臣和、主先而臣隨。如此、則主勞而臣逸。至於大道之要、去健羨、[集解]如淳曰、知雄守雌、是去健也、不見可欲、使心不亂、是去羨也、[考證]老子二十九章、聖人去甚去奢去泰、 絀聰明。[索隱]如淳云、不尙賢、絕聖弃智也、[考證]漢書、絀作黜、 釋此而任術。夫神大用則竭、形大勞則敝。形神騷動、欲與天地長久、非所聞也。[考證]老子五十九章、治人事天、莫若嗇、長生久視之道、七章、天長地久、天地所以能長且久者、以其不自生、以上略敍六家、歸重道德、以爲下論地、漢書、騷動作

蚤衰、義殊、 夫陰陽、四時八位十二度二十四節、各有教令。順之者昌、逆之者不死則亡。未必然也。故曰、使人拘而多畏。[集解]張晏曰、八位、八卦位也、十二度、十二次也、二十四節、就中氣也、各有禁忌、謂日月也、[考證]楓本、令下有曰字、與漢書合、 夫春生夏長、秋收冬藏。此天道之大經也。弗順、則無以爲天下綱紀。故曰、四時之大順、不可失也。[考證]以上陰陽、 夫儒者、以六藝爲法。六藝經傳以千萬數、累世不能通其學。當年不能究其禮。故曰、博而寡要、勞而少功。[正義]六藝、謂五禮六樂五射御、六書、九數也、[考證]六藝、六經也、晏子春秋外篇載晏子沮景公封仲尼云、絫壽不能殫其教、當年不能究其禮、墨子非儒篇云、累壽不能盡其學、當年不能行其禮、是史談所本、當年、猶言當生當身、列子楊朱篇、且趣當生、奚遑死後、當身之事、或聞或見、孫氏墨子閒詁以爲丁壯之義、恐非、 若夫列君臣父子之禮、序夫婦長幼之別、雖百家弗能易也。[考證]以上儒、 墨者、亦尙堯·舜道、言其德行。曰、堂高三尺、[索隱]案自此已下韓子

之文、故稱曰、[考證]此依韓子、以擧墨者之說也、 土階三等、茅茨不翦、[正義]屋蓋曰茨、以茅覆屋、 采椽不刮、[索隱]韋昭云、采椽、櫟榱也、[正義]採取爲椽、不刮削也、[考證]刮、漢書作斲、始皇紀作刮、注云、一作斲、言質素也、韓非子亦作斲、 食土簋、[集解]徐廣曰、一作塯、駰案、服虔曰、土簋、用土作此器、 啜土刑、[正義]顏云、簋、所以盛飯也、刑、所以盛羹也、土、謂燒土爲之、卽瓦器也、 糲粱之食、[集解]張晏曰、一斛粟七㪷米爲糲、瓚曰、五斗粟三斗米爲糲、音剌、韋昭曰、糲、礲也、[索隱]服虔云、糲、麤米也、三倉云、粱、好粟、[正義]糲、麤米也、脫粟也、粱、粟也、謂食脫粟之麤飯也、[考證]王念孫曰、粱當作粢、粢與糲皆食之粗者、李斯傳、堯之有天下也、粢糲之食、藜藿之羹、韓子五蠹篇、堯之王天下也、糲粢之食、藜藿之羹、淮南精神訓、珍怪奇味、人之所美也、而堯糲粢之飯、藜藿之羹、皆其證也、 藜藿之羹、[正義]藜、似藿而表赤、藿、豆葉也、 夏日葛衣、冬日鹿裘。[考證]以上用韓非五蠹篇文、 其送死桐棺三寸、[正義]以桐木爲棺、厚三寸也、 擧音不盡其哀。教喪禮必以此、爲萬民之率。使天下法若此、則尊卑無別也。[考證]漢書、法作非、韓非子顯學篇云、墨者之葬也、冬日冬服、夏日夏服、桐棺三寸、服喪三月、 夫世異時移。事業不必同。故曰、儉而難遵。要曰彊本節用、則人給家足之道也。此

墨子之所長、雖百家弗能廢也。[考證]以上墨家、 法家、不別親疏、不殊貴賤、一斷於法。則親親尊尊之恩絕矣。[索隱]案禮、親親父爲首、尊尊君爲首也、[考證]漢書、一作壹、 可以行一時之計、而不可長用也。故曰、嚴而少恩。若尊主卑臣、明分職、不得相踰越。雖百家弗能改也。[考證]以上法家、 名家、苛察繳繞、使人不得反其意、專決於名、而失人情。[集解]服虔曰、繳、音近叫呼、謂煩也、如淳曰、繳繞、猶纏繞、不通大體也、[考證]苛察、上文所謂儉、繳繞、使善失其眞、漢書、而作時、 故曰、使人儉而善失眞。若夫控名責實、參伍不失、此不可不察也。[集解]晉灼曰、引名責實、參錯交互、明知事情、[考證]以上名家、沈欽韓曰、鄧析子無厚篇、循名責實、君之事也、 道家、無爲。又曰、無不爲。[正義]無爲者、守清淨也、無不爲者、生育萬物也、[考證]老子三十七章、道常無爲、而無不爲、侯王若能守之、萬物將自化、化而欲作、吾將鎭之以無名之樸、四十八章、爲學日益、爲道日損、損之又損、以至於無爲、無爲而無不爲、 其實易行。[正義]各守其分、故易行也、 其辭難知。[正義]幽深微妙、故難知也、 其術

以虛無爲本、以因循爲用。正義 任自然也、考證 老子十一章、有之以爲利、無之以爲用、二十五章、人法地、地法天、天法道、道法自然、慎子因循篇云、天道因則大、化則細、因也者因人之情也、人莫不自爲也、化而使之爲我、則莫可得而用矣、揚倞云、慎子本黃老歸刑名、無成埶、無常形。故能究萬物之情。不爲物先、不爲物後、故能爲萬物主。集解 韋昭曰、因物爲制、考證 漢書、作不爲物先後、蓋脫文、有法無法、因時爲業。正義 因時之物、成法爲業、考證 王先謙曰、法度與時物爲變通、神而明之、有度無度、因物與合。正義 因其萬物之形、成度與合也、考證 因物與合、漢書作因物與舍、後漢書馮衍傳下引作與物趣舍、愚按因物與合、與因時爲業相對成文、業合韻、史文爲長、故曰。聖人不朽、時變是守。索隱 故曰、聖人不朽、至因者君之綱、此出鬼谷子、遷引之以成其章、故稱故曰也、正義 言聖人教迹不朽滅者、順時變化、考證 漢書、朽作巧、顏師古曰、無機巧之心、但順時也、王念孫曰、史記原文蓋亦作巧、今文作朽者、後人以巧與守韻不相協而改之也、不知巧者古讀若糗、正與守爲韻、愚按索隱引鬼谷子、今本無之、虛者、道之常也。因者、君之綱也。正義 言因百姓之心以敎、唯執其綱而已、考證 承虛無因循、羣臣竝至、使各自明也。考證 常綱明韻、其實中其聲者謂之端。實不中其聲者謂

之窾。集解 徐廣曰、音款、空也、駰案李奇曰、聲則名也、索隱 窾、音款、漢書作款、款、空也、故申子云、款言無成、是也、聲者名也、以言實不稱名、則謂之空、空有聲也、考證 端窾韻、李奇司馬貞解聲爲名、名、形名之名、非名譽之名、端、正也、窾言不聽、姦乃不生。賢不肖自分、白黑乃形。在所欲用耳。何事不成。乃合大道。混混冥冥、光燿天下、復反無名。正義 混、胡本反、混混者、元氣神者之貌也、考證 聽生形成冥名韻、凡人所生者神也。所託者形也。神大用則竭。形大勞則敝。形神離則死。死者不可復生。離者不可復反。故聖人重之。由是觀之、神者生之本也。形者生之具也。集解 韋昭曰、聲氣者神也、枝體者形也、不先定其神、而曰我有以治天下。何由哉。考證 漢書、神下有形字、顏師古曰、凡此皆言道家之敎爲長也、中井積德曰、司馬談喜道家者、故著六家指要而主張道家也、遷直述其言於自序、冀其不朽也、其實遷之學、未必同於父也、王鳴盛曰、太史公自序、述其父談論六家要指、其意以五家各有所長、亦各有所短、竝致其不滿之詞、而獨推崇老氏道德、謂其能兼有五家之長而去其所短、且又特舉道家之指約易操、事少功多、與儒之博而寡要、勞而少功兩兩相校、以明孔不如老、此談之學也、而遷意則尊儒、父子異尚、猶

劉向好穀梁、而子歆明左氏也、觀下文稱引董仲舒之言、隱隱以己上承孔子、其意可見、又曰、漢初黃老之學極盛、君如文景、宮闈如竇太后、宗室如劉德、將相如曹參陳平、名臣如張良、汲黯、鄭當時、直不疑、斑嗣、處士如蓋公、鄭章、王生、黃子、楊王孫、安丘望之等、皆宗之、東方朔戒子、以首陽爲拙、柱下爲工、是亦宗黃老、而遷獨不然、漢書司馬遷傳贊、謂遷謂論大道先黃老而後六經、此本班彪之言、見後漢本傳、而固述之、桓譚謂大司空王邑納言嚴尤曰、老聃著虛無之言兩篇、薄仁義、非禮樂、然好之者、以爲過於五經、自漢文景之君、及司馬遷、皆有是言、班彪桓譚、皆誤以談之言卽遷之意、太史公既掌天官、不治民。有子曰遷。考證 王鳴盛曰、張守節云、司馬遷字子長、案遷之自序及漢書本傳不見、惟見法言寡見篇、後漢張衡傳、晉書干寶傳、文選載其報任安書、亦著司馬子長、魏收魏書、附收上書啓、亦稱之、班氏豈有所不知、而竟不著於本傳、蓋史例雖至班氏而定、每人概冠以字某、而遷傳則用自序元文、例不盡一、故漏其字、愚按子長之稱、又見法言君子篇、論衡變動須頌二篇、漢紀、後漢書、潘岳西征賦、說詳梁氏志疑、遷生龍門、集解 徐廣曰、在馮翊夏陽縣、駰案蘇林曰、禹所鑿龍門也、正義 括地志云、龍門、在同州韓城縣北五十里、其山更黃河、夏禹所鑿者也、龍門山在夏陽縣、遷卽漢夏陽縣人也、至唐改曰韓城縣、考證 龍門、在今陝西同州韓城縣、耕牧河山之陽。正義 河之北、山之南也、案在龍門山南也、年十歲、則誦古文。索隱 案遷及事伏生、是學誦古文尚書、劉氏以爲左傳國語系本等書、是亦名古文也、考證 古文、古書以古文書者、以分今文也、下文云、周道廢、秦撥去古文、五帝紀贊、不離古文者近是、儒林傳、孔氏有古文尚書、安國以今文

讀之、許慎說文序、易孟氏、書孔氏、詩毛氏、禮周官、春秋左氏、論語、孝經、皆古文也、皆同、周壽昌曰、遷生於景帝後元年、距鼂錯之死十一年、錯孝文時受書伏生、生已九十餘、孝文在位二十三年、計伏生當遷生時應百三十餘歲、遷十歲誦古文及事伏生、生不已百四十餘耶、伏生不聞有此大年、揆之情事亦不合、史公從安國問故、索隱蓋誤以孔爲伏、二十而南游江淮、上會稽、探禹穴、集解 張晏曰、禹巡狩至會稽而崩、因葬焉、上有孔穴、民閒云、禹入此穴、索隱 越絕書云、禹上茅山、大會計、更名曰會稽、張勃吳錄云、本名苗山、一名覆釜、禹會諸侯計功、改曰會稽、上有孔、號曰禹穴也、正義 括地志云、石簣山、一名玉笥山、又名宛委山、卽會稽山一峯也、在會稽縣東南十八里、吳越春秋云、禹案黃帝中經、九山東南天柱號曰宛委、赤帝左闕之塡、承以文玉、覆以盤石、其書金簡、青玉爲字、編以白銀、皆瑑其文、禹乃東巡登衡山、血白馬以祭、禹乃登山仰天而笑、忽然而臥、夢見繡衣男子、自稱玄夷倉水使者、卻倚覆釜之山、東顧謂禹曰、欲得我山神書者、齋於黃帝之岳岩岩之下、三月季庚、登山發石、禹乃登宛委之山、發石乃得金簡玉字、以水泉之脈、山中又有一穴、深不見底、謂之禹穴、史遷云、上會稽探禹穴、卽此穴也、闚九疑、索隱 山海經云、南方蒼梧之丘、蒼梧之泉、在營道南、其山九峯、皆相似、故曰九疑、張晏云、九疑舜葬、故窺之、尋上探禹穴、蓋以先聖所葬處有古冊文、故探窺之、亦搜採遠矣、正義 九疑山、在道州、浮於沅・湘、正義 沅水出朗州、湘水出道州北、東北入海、北涉汶・泗、正義 兩水出兗州東北、而南歷魯、講業齊・魯之都、觀孔子之遺風、鄉射鄒・嶧、戹困鄱・薛・彭

城、過梁・楚以歸。【集解】徐廣曰、嶧、音亦、縣名、有山也、鄱、音皮、鄒鄱薛三縣屬魯、【索隱】郡、本音蕃、今音皮、案田褒魯記云、靈帝末有汝南陳子游、爲魯相、子游、大尉陳蕃子也、國人諱而改焉、若如其說、則蕃改鄱、鄱皮、聲相近、後漸訛耳、然地理志、魯國蕃縣、應劭曰、邾國也、音皮、【正義】鄒、縣名、嶧、山名、嶧山在鄒縣北二十二里、地近曲阜、於此行鄉射之禮、括地志云、徐州滕縣、漢蕃縣、音翻、漢末陳蕃子逸爲魯相、改音皮、田褒魯記曰、靈帝末、汝南陳子游爲魯相、陳蕃子也、國人爲諱而改焉、 於是遷仕爲郎中。奉使西征巴・蜀以南、南略邛・筰・昆明、還報命。【集解】徐廣曰、元鼎六年、平西南夷、以爲五郡、其明年、元封元年是也、 是歲、天子始建漢家之封。而太史公留滯周南、不得與從事。【集解】徐廣曰、摯虞曰、古之周南、今之洛陽、【索隱】張晏云、自陝已東、皆周南之地也、【正義】與、音預、【考證】從事、猶言佐史也、 故發憤且卒。【正義】且卒、言欲將死、【考證】中井積德曰、按封禪書、武帝初、與諸儒議封事、命草其儀、及且封、盡罷諸儒不用、談之滯周南、以罷不用之故也、非疾、又曰、封禪出乎術士之妄、豈儒者所可言哉、談罷、可謂幸矣、乃發憤至死、何惑之甚、雖遷亦未知封禪之爲非也、是漢儒之通病矣、梁玉繩志疑引咫聞錄云、太史談且死、以不及與封禪爲恨、相如且死、遺封禪書以勸、當時不獨世主有侈心、士大夫皆有以啓之、 而子遷適使反、見父於河・洛之閒。太史公執遷手而泣曰。余先、周室之太史

也。自上世嘗顯功名於虞・夏、典天官事。後世中衰。絕於予乎。汝復爲太史、則續吾祖矣。今天子接千歲之統、封泰山。而余不得從行。是命也夫。命也夫。余死、汝必爲太史。爲太史、無忘吾所欲論著矣。且夫孝始於事親、中於事君、終於立身。揚名於後世、以顯父母、此孝之大者。【考證】孝經首章之文、 夫天下稱誦周公、言其能論歌文・武之德、宣周・邵之風、達太王・王季之思慮、爰及公劉、以尊后稷也。【考證】漢書、稱下無誦字、 幽・厲之後、王道缺、禮樂衰。孔子脩舊起廢、論詩書、作春秋。則學者至今則之。自獲麟以來、四百有餘歲。【集解】駰案年表、魯哀公十四年獲麟、至漢元封元年、三百七十一年、【考證】百下有字、各本脫、依楓本淩引一本補、漢書亦有、梁玉繩曰、獲麟至元封元年、凡三百七十二年、 而諸侯相兼、史記放絕。今漢興、海內一統。明

主賢君忠臣死義之士、余爲太史而弗論載、廢天下之史文。余甚懼焉。汝其念哉。【考證】漢書、死義之士作義士、之下無史字、 遷俯首流涕曰。小子不敏、請悉論先人所次舊聞、弗敢闕。【考證】先人、猶言父祖、司馬氏世爲史官、故云、非斥談、 卒三歲、而遷爲太史令。【索隱】博物志、太史令、茂陵顯武里大夫司馬遷、年二十八、三年六月乙卯、除六百石、【考證】周壽昌曰、談卒於元封元年、錢大昕曰、令當作公、 紬史記石室金匱之書、【集解】徐廣曰、紬、音抽、【索隱】如淳云、抽、徹舊書故事而次述之、徐廣音抽、小顏云、紬、謂綴集之也、案石室金匱、皆國家藏書之處、【考證】李慈銘曰、紬即籀字、亦作抽、詩鄘風、不可讀也、毛傳、讀、抽也、說文、籀、讀書也、方言、抽、讀也、故亦曰紬繹、言讀而尋繹之也、 五年而當太初元年。【集解】李奇曰、遷爲太史後五年、適當於武帝太初元年、此時述史記、【正義】案遷年四十二歲、 十一月甲子朔旦冬至、天歷始改、建於明堂、諸神受紀。【集解】徐廣曰、封禪序曰、封禪則萬靈罔不禋祀、駰案韋昭曰、告於百神、與天下更始、著紀於是、【索隱】虞喜志林云、改歷於明堂、班之於諸侯、諸侯羣神之主、故曰諸神受紀、孟康云、句芒祝融之屬、皆受瑞紀、【考證】漢書、紀作記、何焯曰、天歷始改、謂自此初用夏正也、 太史公曰。先人有言。【索隱】先人、

謂先代賢人也、【正義】太史公、司馬遷也、先人、司馬談也、【考證】王鳴盛曰、自太史公曰先人有言以下、既述父談之言、又與上大夫壺遂相往復、又自述遭李陵之禍作史記事、凡四稱太史公、皆自謂、 自周公卒、五百歲而有孔子。孔子卒後、至於今五百歲。【索隱】按孟子稱堯舜至湯五百餘歲、湯至文王五百餘歲、文王至孔子五百餘歲、按太史公略取於孟子、而揚雄孫盛深所不然、所謂多見不知量也、以爲淳氣育才、豈有常數、五百之期、何異瞬息、是以上皇相次、或有萬齡爲閒、而唐堯舜禹、比肩竝列、降及周室、聖賢盈朝、孔子之沒、千載莫嗣、安在於千年五百乎、其述作者、蓋記注之志耳、豈聖人之倫哉、【正義】案孔子卒五百歲者、欲取孟子以應一聖符也、不言文王而言周公者、孔子是述作設教之聖、故方於己、【考證】上文云、自獲麟以來四百有餘載、中井積德曰、孔子卒至元封元年、三百七十五年、而云五百歲、牽合誇張之言耳、王鳴盛曰、此言雖夸、而其尊慕孔子、則可以解先黃老後六經之疑矣、崔適曰、云五百歲者、此以祖述之意相比、所謂斷章取義、不必以實數求也、由今觀之、有孔子、而堯舜藉以祖述、文武以憲章、有太史公、而孔子列於世家、儒林表其經業、是孔子後不可無太史公、猶周公後不可無孔子也、下文正易傳、繼春秋、本詩書禮樂之際等語、惟以述作相比耳、豈謂比其聖德哉、索隱謂揚雄孫盛深所不然、以爲述作者記注之志耳、豈聖人之倫、非通論也、 有能紹明世、正易傳、繼春秋、本詩書禮樂之際。意在斯乎。意在斯乎。小子何敢讓焉。【索隱】讓、漢書作攘、晉灼云、此古讓字、言己當述先人之業、何敢自嫌值五百歲而讓也、【考證】漢書、紹

明世、作紹而明之、索隱嫌當作謙、讓、退讓之讓、上大夫壺遂曰。昔孔子何爲而作春秋哉。【索隱】案遂爲詹事、秩二千石、故爲上大夫也、【考證】錢大昕曰、十二諸侯年表、稱上大夫董仲舒、封禪書敍新垣平云、于是貴平上大夫、萬石君傳、以上大夫祿歸老于家、佞幸傳、鄧通官至上大夫、韓嫣官至上大夫、似漢時本有上大夫之官、又封禪書拜公孫卿爲中大夫、愚按韓長孺傳云、韓安國所推舉皆廉士、賢於己者也、於梁舉壺遂臧固郅他、皆天下名士、又云、余與壺遂定律歷、遂官至詹事、天子方倚以爲漢相、遂卒、不然壺遂之內廉行修、斯鞠躬君子也、太史公曰。余聞董生曰。【集解】服虔曰、仲舒也、【考證】漢書、聞下有之字、周壽昌曰、生、先生也、遷自居後學、故稱先生、周道衰廢、孔子爲魯司寇。諸侯害之、大夫壅之。孔子知言之不用、道之不行也、是非二百四十二年之中、以爲天下儀表。【索隱】案是非、謂褒貶諸侯之得失也、【考證】漢書、言作時、貶天子、退諸侯、討大夫、以達王事而已矣。【考證】漢書、無天子退三字、李笠曰、三字衍、孔子作春秋、所以扶君抑臣、明上下之分、故曰達王事也、貶天子、非其義矣、子曰。我欲載之空言、【索隱】案孔子之言、見春秋緯、太史公引之以成說也、空言、謂褒貶是非也、空立此文而亂臣賊子懼也、不如見之於行事之深切著明也。

【索隱】案孔子言我徒欲立空言設褒貶、則不如附見於當時所因之事、人臣有僭侈篡逆、因就此筆削以褒貶、深切著明、而書之以爲將來之誡者也、【考證】春秋繁露俞序篇、仲尼之作春秋也、引史記、理往事、正是非、序王公、史記十二公之間、皆衰世之事、故門人惑、孔子曰、吾因其行事、而加乎王心焉、以爲見之空言、不如行事博深切明、吳翌鳳曰、趙岐注孟子曰、仲尼有云、我欲託空言、不如載之行事之深切著明也、蓋取之太史公自序、而太史公又取之春秋繁露、中井積德曰、孔子言別立言說道理、不如就時事褒貶之道理著明也、又曰、董生之言蓋止于此、夫春秋、上明三王之道、下辨人事之紀、別嫌疑、明是非、定猶豫、善善惡惡、賢賢賤不肖、存亡國、繼絕世、補敝起廢。王道之大者也。【索隱】公羊傳曰、善善及其子孫、惡惡止其身也、易、著天地陰陽四時五行。故長於變。【考證】顏師古曰、以變化之道爲長也、中井積德曰、易不陳五行、今云然者、豈出於緯書之謬邪、馮班曰、易著天地陰陽四時五行以下、方是子長言六經、與史談父子意不同、禮、經紀人倫。故長於行。【考證】漢書、經作綱、書、記先王之事。故長於政。詩、記山川谿谷禽獸草木牝牡雌雄。故長於風。樂、樂所以立。故長於和。春秋、辯是非。故長於治人。【考證】春秋繁露玉

杯篇、詩道志、故長於質、禮制節、故長於文、樂詠德、故長於風、書著功、故長於事、易本天地、故長於數、春秋正是非、故長於治人、愚按與史文相似、而意頗異、是故禮以節人、樂以發和、書以道事、詩以達意、易以道化、春秋以道義。【考證】道、言也、撥亂世反之正、莫近於春秋。春秋文成數萬、其指數千。【集解】張晏曰、春秋萬八千字、當言減、而云成數、字誤也、駰謂太史公此辭、是述董生之言、董仲舒自治公羊春秋、公羊經傳凡有四萬四千餘字、故云文成數萬也、不得如張議、但論經萬八千字、便謂之誤、【索隱】案張晏曰、春秋萬八千字、此云文成數萬字、誤也、裴駰以遷述仲舒所論、公羊經傳凡四萬四千、故云數萬、又非也、小顏云、史遷豈以公羊傳爲春秋乎、又春秋經一萬八千、亦足稱數萬、非字之誤也、【考證】王觀國曰、今世所傳春秋萬六千五百餘字、張晏云萬八千、非、張文虎曰、說文、數、計也、徐音爽主切、蓋云文以萬計、指以千計、沈欽韓曰、案公羊春秋爲董生所習、合經與師說、故文有數萬、又其條例舛雜猥瑣、如三科九旨五始七等六輔二類七缺之目、故云其指數千、中井積德曰、數萬者謂多也、此元矢口之語、初不用算計、故有不合也、萬物之散聚、皆在春秋。【考證】郭嵩燾曰、物、猶事也、萬物之散聚、謂會盟侵伐、散見諸國、合而聚之、其事皆可觀、而其義皆可尋、下云弒君亡國舉其重者、春秋之中、弒君三十六、亡國五十二、諸侯奔走不得保其社稷者、不可勝數。察其所以、

皆失其本已。【索隱】案弒君亾國及奔走者、皆是失仁義之道本耳、已者、語終之辭也、【考證】春秋繁露滅國篇上、弒君三十六、亡國五十二、蘇輿繁露義證云、舊本三十六誤作三十一、弒君上疑奪春秋二字、滅國篇下、弒君三十六、亡國五十二、漢書楚元王傳引劉向封事云、春秋二百四十二年之間、弒君三十六、亡國五十二、諸侯奔走不得保其社稷者、不可勝數也、皆與史文同、蓋史公依董生、而劉向襲之也、楚元王傳顏注、一一舉其名、梁玉繩駁之云、通經傳而數之、弒君者三十七、亡國止四十一、顏強合其數、說見志疑、故易曰。失之豪釐、差以千里。【集解】徐廣曰、一云、差以毫釐、一云、繆以千里、駰案今易無此語、易緯有之、【考證】釐里、韻、大戴禮禮察篇、禮記經解篇、竝云、易曰、君子愼始、差若毫釐、繆以千里、阮元云、今在易緯通卦驗、故曰。臣弒君、子弒父、非一旦一夕之故也。其漸久矣。【考證】漢書無曰字也字、顏師古曰、易坤卦文言之辭、故有國者、不可以不知春秋。前有讒而弗見、後有賊而不知。爲人臣者、不可以不知春秋。守經事而不知其宜、遭變事而不知其權、【考證】顏師古曰、經、常也、愚按春秋繁露俞序篇、至於殺君亡國奔走不得保社稷、其所以然、是皆不明於道、不覽於春秋也、故衞子夏言、有國家者不可不學春秋、史公所本、爲人君父而不通於春秋之義者、必蒙首惡之名。

爲人臣子而不通於春秋之義者、必陷簒弑之誅、死罪之名。其實皆以爲善爲之、不知其義。[正義]其心實善爲之、不知其義理、則陷於罪咎、[考證]漢書作必陷簒弑誅死之罪、其實皆以善爲之、而不知其義、史文爲長、被之空言而不敢辭。[集解]張晏曰、趙盾不知討賊、而不敢辭其罪也、[考證]晉趙盾弑其君夷皋、事詳見宣二年左傳、宣六年公羊傳、春秋繁露玉杯篇、夫不通禮義之旨、至於君不君、臣不臣、父不父、子不子。夫君不君則犯。[正義]顏云、爲臣下所干犯也、一云、違犯禮義、[考證]張文虎曰、夫字南宋中統游毛本有、臣不臣則誅。父不父則無道。子不子則不孝。此四行者、天下之大過也。以天下之大過予之、則受而弗敢辭。故春秋者、禮義之大宗也。夫禮禁未然之前、法施已然之後。法之所爲用者易見、而禮之所爲禁者難知。[考證]漢書賈誼傳、誼陳政治疏云、夫禮者禁於將然之前、而法者禁於已然之後、是故法之所用易見、而禮之所爲生難知也、大戴禮禮察篇同、蓋古有此語、而史公用之也、壺遂曰。孔子

之時、上無明君、下不得任用。故作春秋、垂空文以斷禮義、當一王之法。[考證]史儒林傳云、仲尼因史記作春秋以寓王法、其辭微而指博、春秋繁露玉杯篇云、孔子立新法之道、其義竝同、史公既奉公羊說、故壺遂亦依公羊說、以問之、今夫子上遇明天子、下得守職、萬事既具、咸各序其宜。[考證]岡白駒曰、一王有法、夫子所論、欲以何明。太史公曰。唯唯。否否。不然。[集解]晉灼曰、唯唯、謙應也、否否、不通者也、余聞之先人曰。伏羲至純厚、作易八卦。堯・舜之盛、尚書載之、禮樂作焉。湯・武之隆、詩人歌之。春秋采善貶惡、推三代之德、褒周室。非獨刺譏而已也。漢興以來、至明天子、獲符瑞、封禪、改正朔、易服色、受命於穆清。[集解]加淳曰、受天命清和之氣、[正義]於、音烏、顏云、於、歎辭也、穆、美也、言天子有美德而教化清也、[考證]岡白駒曰、易服色、尚赤、劉攽曰、穆清、天也、愚按、於、語辭、澤流罔極、海外殊俗、重譯款塞、請來獻見者、不可勝道。[集解]應劭曰、款、叩也、皆叩塞門來服從

也、如淳曰、款、寬也、請除守塞者自保、不爲寇害、[正義]重譯、更譯其言也、罔、無也、極、止也、[考證]楓本、來作求、臣下百官、力誦聖德、猶不能宣盡其意。且士賢能而不用、有國者之恥。主上明聖、而德不布聞、有司之過也。[考證]漢書、能下有矣字、用下有也字、且余嘗掌其官、廢明聖盛德不載、滅功臣世家賢大夫之業不述、墮先人所言、罪莫大焉。[考證]漢書、無世家二字、余所謂述故事、整齊其世傳、非所謂作也。而君比之於春秋。謬矣。[考證]論語述而篇、述而不作、於是論次其文七年。[集解]徐廣曰、天漢三年、[正義]案從太初元年至天漢三年、乃七年也、[考證]漢書、七年作十年、瞿鴻禨曰、乾道本漢書作七年、而太史公遭李陵之禍、幽於縲紲。[正義]太史公擧李陵、李陵降也、[考證]朱一新曰、李陵降在天漢二年冬、豈史公受刑以三年春歟、梁玉繩曰、七年者、自太初之元至天漢三年也、觀報任安書、史公征和中尚存、其史成于天漢、而實以太初爲限、漢書遷傳贊、史訖天漢、張守節正義序、吳仁傑刊誤補遺從之、殊失攷、史公高祖功臣表序云、至太初、此傳云、漢興至太初百年、又云、至太初而訖、他若荀紀、後書班彪傳、及史通六家篇古今正史篇、皆云訖太初、卽漢書敍傳亦云、太初以後、闕而

不錄、則遷傳贊辭、明屬妄談、蓋誤以李陵之降爲斷、復見諸處後人增加之語、遂認史不終太初矣、乃喟然而歎曰。是余之罪也夫。是余之罪也夫。身毀不用矣。[考證]孝經、身體髮膚、不敢毀傷、退而深惟曰。夫詩書隱約者、欲遂其志之思也。[索隱]案謂其意隱微而言約也、[正義]詩書隱微而約省者、遷深惟、欲依其隱約而成其志意也、[考證]岡白駒曰、欲遂其志之思、而不能顯言、故隱約焉、中井積德曰、詩書、通擧諸書之意、下文所列皆是、唯尙書於隱約無所當、是以意逆之可也、不當泥文作解、愚按下文昔西伯拘羑里一段、班史以其與答任安書複刪之、大失情意、昔西伯拘羑里、演周易、[集解]徐廣曰、羑里、在湯陰、孔子戹陳・蔡、作春秋、[考證]梁玉繩曰、春秋之作、史公于孔子世家儒林傳序、言作獲麟之歲、此又言作于戹陳蔡之年、孔叢子居衞篇、爲子思之言曰、祖君屈于陳蔡作春秋、史通探賾篇從之、謂攖薾而擬辭、乃泣麟而絕、其然豈其然乎、愚按答任安書無羑里陳蔡四字、屈原放逐、著離騷。左丘失明、厥有國語。[考證]崔述曰、史記自序云、左丘失明、厥有國語、由是世儒皆謂國語與春秋傳爲一人所撰、東漢之儒、遂題之曰春秋外傳、余按左傳之文、年月井井、事多實錄、而國語荒唐誣妄、自相矛盾者甚多、左傳紀事簡潔、措詞亦多體要、而國語文詞支蔓、冗弱無骨、斷不出於一人之手明甚、且國語、周魯多平衍、晉楚多尖穎、吳越多恣放、卽國語亦非一人之所爲也、蓋左傳一書、采各國之史、師春一篇、其明驗也、國語則後人取古人之事、而

擬之爲文者、是以事少而詞多、左傳一言可畢者、國語累章而未足也、故名之曰國語、語也者、則別於紀事而爲言者也、黑白迴殊、雲泥遼隔、而世以爲一人所爲、亦已異矣、又按史記自序、自文王孔子以下凡七事、文王羑里之誣、余固已辨之矣、孔子之作春秋、亦不在於陳蔡、離騷兵法呂覽說難之作、皆與本傳之說互異、然則此言亦未可信也、且列左丘於屈原後、言失明、而不言名明、尚未知其意果以爲作傳之左丘明否、不得强指爲一人也、梁玉繩曰、左傳哀十三年疏引傳玄云、國語非丘明作、當是困學紀聞六、引劉炫說同、孫子臏腳、而論兵法、不韋遷蜀、世傳呂覽、韓非囚秦、說難孤憤。[正義]呂覽、卽呂氏春秋也、[考證]張文虎曰、案列傳、呂覽之作、在不韋相秦時、說難孤憤、亦韓非未入秦時所作、詩三百篇、大抵賢聖發憤之所爲作也。[考證]楓三本、無篇字、此人皆意有所鬱結、不得通其道也。故述往事、思來者、於是卒述陶唐以來、至于麟止。[集解]張晏曰、武帝獲麟、遷以爲述事之端、上紀黃帝、下至麟止、猶春秋止於獲麟也、[索隱]服虔云、武帝至雍、獲白麟、而鑄金作麟足形、故云麟止、遷作史記止於此、猶春秋終於獲麟然也、史記以黃帝爲首、而云述陶唐者、案五帝本紀贊云、五帝尚矣、然尚書載堯以來、而百家言黃帝、其文不雅馴、故述黃帝爲本紀之首、而以尚書雅正、故稱起於陶唐、[考證]梁玉繩曰、案史公作史、終于太初、而成于天漢、其歿在征和間、一部史記、惟自序傳後定、其曰至太初而訖者、史作始于太初元年、卽以太初終也、曰論次其文、七年遭禍

者、明未遭禍以前、已爲史記、至是乃成也、若所稱麟止者、取春秋絕筆獲麟之意也、武帝因獲白麟改號元狩、下及太初四年、凡廿二歲、再及太始二年、凡廿八歲、後三歲而爲征和之元、太始二年、更黃金爲麟趾褭蹏、蓋追紀前瑞焉、而史公借以終其史、假設之辭耳、愚按、梁說略是、但以史公歿在征和間、特無確證、當作至征和尙存、又按近時崔適著史記探源、解麟止爲獲麟、云元狩元年冬十月以後紀事、皆後人所竄入、而高祖功臣表序、至太初百年、此傳漢興至太初百年等語、終不可解、故今不取、自黃帝始。維昔黃帝、法天則地、四聖遵序、各成法度。[集解]徐廣曰、四聖、顓頊、帝嚳、堯、舜、唐堯遜位、虞舜不台。[索隱]台、音怡、悅也、或音胎、非也、厥美帝功、萬世載之。作五帝本紀。第一。[索隱]應劭云、有本則紀、有家則代、有年則表、有名則傳、[考證]帝地序度位台載韻、維禹之功、九州攸同。光唐虞際、德流苗裔。夏桀淫驕、乃放鳴條。作夏本紀。第二。[考證]功同、際裔驕條韻、維契作商、爰及成湯。[正義]契、音薛也、太甲居桐、德盛阿衡。武丁得說、乃稱高宗。帝辛湛湎、諸侯不享。作殷本紀。第三。[考證]商湯、桐衡宗享韻、維弃作稷、德盛西伯。武王牧野、實撫天下。幽·厲

昏亂、旣喪酆鎬。陵遲至赧、洛邑不祀。作周本紀。第四。[考證]稷、伯、野、下、韻、維秦之先、伯翳佐禹。穆公思義、悼豪之旅。[索隱]案、豪、卽崤之異音、旅、師旅也、[正義]穆公封崤山軍旅之尸、以人爲殉、詩歌黃鳥。[正義]傳云、秦伯任好卒、以子車氏之三子奄息仲行鍼虎爲殉、國人哀之、作黃鳥之詩也、昭襄業帝。作秦本紀。第五。[考證]業帝下、疑脫一句、崔適曰、禹旅爲韻、無與鳥字爲韻者、下文惟云昭襄業帝、語不可解、脫誤明矣、自此以下至列傳第六十九、或失韻、或不可句讀、無從校訂、間有完密者、始皇旣立、幷兼六國。銷鋒鑄鐻、[集解]徐廣曰、嚴安上書、銷其兵、鑄以爲鍾鐻也、[索隱]下音巨、鐻、鐘也、維偃干革、尊號稱帝、矜武任力。二世受運、子嬰降虜。作始皇本紀。第六。[考證]國、革、力、韻、秦失其道、豪桀並擾。項梁業之、子羽接之。殺慶救趙、[集解]徐廣曰、宋義爲上將、號慶子冠軍、[正義]子羽、項羽也、[考證]張文虎曰、中統游本吳校金板、慶作卿、諸侯立之。誅嬰背懷、天下非之。作項羽本紀。第七。[考證]道、擾、業、接、立、懷、非、韻、子羽暴虐、漢行功德。憤發蜀漢、還定

三秦。誅籍業帝、天下惟寧。改制易俗。作高祖本紀第八。[考證]虐、德、漢、秦、帝、寧、韻、惠之早霣、諸呂不台。[集解]徐廣曰、無台輔之德也、一曰、怡、懌也、不爲百姓所說、[索隱]徐廣音胎、非也、案一音怡、此贊本韵、則怡懌爲是、[正義]霣、音殞、[考證]上文云、虞舜不台、索隱亦讀台爲怡、崇彊祿產、諸侯謀之。[考證]王念孫曰、諸侯謀之、本作諸侯之謀、之、是也、言呂后崇彊祿產、而謀劉氏、故下文卽云、殺隱幽友也、謀字古讀若媒、正與台疑爲韻、且呂后稱制之時、諸侯未敢謀之也、殺隱·幽友、大臣洞疑。遂及宗禍。作呂太后本紀。第九。[集解]徐廣曰、趙隱王如意、趙幽王友、[索隱]案、洞、是洞達爲義、言所共疑也、[考證]中井積德曰、洞、恫通、王引之曰、恫疑、恐懼也、呂后殺隱王幽王、而大臣皆恐也、梁玉繩曰、案太字衍、漢書遷傳、是呂后、蓋太后乃一時臣下之稱、不曰高后者、不與其爲高帝之后也、愚按史本紀亦無太字、漢旣初興、繼嗣不明。迎王踐祚、天下歸心。蠲除肉刑、開通關梁。廣恩博施、厥稱太宗。作孝文本紀。第十。[考證]明、心、梁、宗、韻、諸侯驕恣、吳首爲亂。京師行誅、七國伏辜。天下翕然、大安殷富。作孝景本紀。第十一。漢興五世、隆在建

元。外攘夷狄、內脩法度。封禪、改正朔、易服色。作今上本紀。第十二。維三代尚矣、年紀不可考。蓋取之譜牒舊聞、本于茲。於是略推、作三代世表。第一。幽·厲之後、周室衰微、諸侯專政、春秋有所不紀。而譜牒經略、五霸更盛衰。欲睹周世相先後之意、作十二諸侯年表。第二。【考證】岡白駒曰、譜牒經略、案譜牒所載之經略也、愚按微紀衰意、韻、 春秋之後、陪臣秉政、彊國相王、以至于秦。卒并諸夏、滅封地、擅其號。作六國年表。第三。秦既暴虐、楚人發難。項氏遂亂、漢乃扶義、征伐八年之閒、天下三嬗。事繁變衆。故詳著秦楚之際月表。第四。【考證】張文虎曰、南宋毛本、作嬗、它本作擅、中井積德曰、表作嬗、梁玉繩曰、案擅與嬗同、荀子正論、凡禪讓皆作擅字、岡白駒曰、三禪、謂陳涉項氏漢高祖也、愚按楓三本、繁作煩、 漢興已來、至于太初百年。諸侯廢立分削、譜紀不明。

有司靡踵、彊弱之原云以世。【集解】徐廣曰、一作云已也、天漢序曰、敞義依霍、無幾云已、【索隱】案踵、謂繼也、以字當作已、世當作也、並誤耳、云已也、皆語助之辭也、【正義】言漢興已來百年、諸侯廢立分削、譜紀不能明、其嗣有司無所踵繼其後、乃云彊弱之原云以世相代相、不能有所錄紀也、【考證】張文虎曰、集解敞義二句、見漢書序傳、天字衍、序下脫傳字、又曰、正義相不能之相疑衍、 作漢興已來諸侯年表。第五。【考證】梁玉繩曰、案遷傳無興已來三字、是也、此後人所增、而索隱本、侯下有王字、凡兩見、并引應劭曰、雖名爲王、其實如古諸侯、各本脫之、史文必云漢諸侯王年表、 維高祖元功、輔臣股肱、剖符而爵、澤流苗裔。忘其昭穆、或殺身隕國。作高祖功臣侯者年表。第六。【考證】王念孫曰、文選注引此維高祖、作維祖、應劭漢文帝紀曰、始取天下者高祖、故唯言祖、而其義已明、無庸加高字、下文述荆燕世家云、維祖師旅、劉賈是與、又其一證也、愚按功肱穆國、韻、 惠·景之閒、維申功臣、宗屬爵邑。作惠景閒侯者年表。第七。【考證】梁玉繩曰、此表不曰功臣者、蒙前表省之也、遷傳、作惠景閒功臣年表、非、 北討彊胡、南誅勁越。征伐夷蠻、武功爰列。作建元以來侯者年表。第八。【考證】楓三本、列作烈、越列、韻、 諸侯既彊、七國爲從。子

弟衆多、無爵封邑。推恩行義、其埶銷弱、德歸京師。作王子侯者年表。第九。【考證】李笠曰、封字當在邑下、與上句韻、梁玉繩曰、王子上無建元以來四字、承前表省之、 國有賢相良將、民之師表也。維見漢興以來將相名臣年表、賢者記其治、不賢者彰其事。作漢興以來將相名臣年表。第十。維三代之禮、所損益各殊務。然要以近情性、通王道。故禮因人質爲之節文、略協古今之變。作禮書。第一。樂者所以移風易俗也。【考證】孝經、移風易俗、莫善於樂、 自雅頌聲興、則已好鄭·衞之音。鄭·衞之音、所從來久矣。【考證】詩三百篇既采鄭衞、 人情之所感、遠俗則懷。【集解】徐廣曰、樂者所以感和人情、人情既感、則遠方殊俗、莫不懷柔向化也、 比樂書以述來古。【索隱】案來古、卽古來也、言比樂書以述自古已來樂之興衰也、【正義】比、次也、【考證】王念孫曰、來古、卽往古也、 作樂書。第二。非兵不彊。非德不昌。【索隱】案此律書之贊、而云非兵不

强者、則此律書卽兵書也、古者師出以律、則凡出軍皆聽律聲、故云聞聲效勝負、望敵知吉凶也、 黃帝·湯·武以興、桀·紂·二世以崩。可不愼歟。【索隱】黃帝有阪泉之師、湯武有鳴條牧野之戰、而克桀紂、【考證】彊昌興崩、韻、 司馬法所從來尚矣。【正義】古者師出以律、凡軍出皆吹律聽聲、律書云、六律爲萬事根本、其於兵械尤所重、望敵知吉凶、聞聲效勝負、故云、司馬兵法所從來尚矣乎、 太公·孫·吳·王子、能紹而明之、切近世、極人變。作律書。第三。【集解】徐廣曰、王子成甫、 律居陰而治陽、歷居陽而治陰。律歷更相治、閒不容翲忽。【索隱】案忽者、總文之微也、翲者、輕也、言律歷窮陰陽之妙、其閒不容絲忽也、言翲恐衍字耳、【正義】翲、匹遙反、今音匹沼反、字當作秒、秒、禾芒表也、忽、一蠶口出絲也、言律歷相治之閒、不容此微細之物也、【考證】大戴禮曾子天圓篇云、律居陰而治陽、歷居陽而治陰、律歷迭相治也、其閒不容髮、方苞曰、神化之幽潛爲陰、形象之顯見爲陽、律存天地微妙之神、而能感神人、格鳥獸、知吉凶勝負、故曰、居陰而治陽、歷用象數之顯、以推步日月星辰之行、四時五氣之變、故曰、居陽而治陰、更相治、卽治陰治陽也、律失之忽微、則氣不應、歷失之忽微、則度必忒、故曰、閒不容翲忽、中井積德曰、翲、卽秒也、不必改字、又曰、翲忽、是算數之至少者、此擧算數之微細爲言、猶言毫釐也、非指微細之物、 五家之文怫異。維太初之元論、作歷書。第四。【集解】徐廣曰、論一作編、【索隱】怫、音悖、一音扶物反、

佛、亦悖也、言金木水火土五家之文、各相悖異不同也、【正義】五家、謂黃帝顓頊夏殷周之歷、其文相戾乖異不同、維太初之元論歷律爲是、故歷書自太初之元論之也、【考證】五家、正義爲是、 星氣之書、多雜禨祥、不經。推其文、考其應、不殊。比集論其行事、驗于軌度以次。作天官書。第五。受命而王、封禪之符罕用。【集解】徐廣曰、一云苔應、 用則萬靈罔不禋祀。追本諸神名山大川禮、作封禪書。第六。維禹浚川、九州攸寧。爰及宣防、決瀆通溝。作河渠書。第七。【考證】岡白駒曰、宣防、或宣通之、或堤防之、 維幣之行、以通農商。【索隱】維獘之行、上獘音幣、帛之幣、錢也、 其極則玩巧、幷兼茲殖。爭於機利、去本趨末。作平準書以觀事變。第八。【索隱】杬巧、上五官反、下苦孝反、巧、濫惡也、爭於機利、謂機巧之利也、【正義】玩、謂替也、【考證】楓三本、玩作杬、與索隱本合、王念孫曰、其極則玩巧、句、兼并茲殖、句、爭於機利、句、貨殖傳曰、其民益玩好而事末也、愚按、玆讀爲滋、 太伯避歷、江蠻是適。文武攸興、古公王跡。闔廬弒僚、賓服荊楚。夫差克齊、子

胥鴟夷。信嚭親越、吳國既滅。嘉伯之讓、作吳世家。第一。【考證】歷適跡越滅韻、 申呂肖矣。尚父側微。卒歸西伯、文武是師。【集解】徐廣曰、肖、音痟、痟猶衰微、【索隱】案徐廣注肖音痟、痟猶衰微、其音訓不可知從出也、今案肖謂微弱而省少、所謂申呂雖衰也、【正義】肖、音痟、呂尚之祖、封於申、申呂後痟微、故尚父微賤也、【考證】楓三本、側作則、顧炎武曰、肖即削字、脫其旁耳、與孟子魯之削也滋甚義同、愚按、楓三本、肖作省、 功冠羣公、繆權于幽。【集解】徐廣曰、繆、錯也、猶云纏結也、權智潛謀、幽昧不顯、所謂太公陰謀、【索隱】案繆、謂綢繆也、音亡又反、又謂太公綢繆爲權謀於幽昧不明著、謂太公之陰謀也、【正義】繆、音武彪反、言呂尚綢繆於幽權之策、謂六韜三略陰符七術之屬也、 番番黃髮、爰饗營丘。【集解】番、音婆、毛萇云、番番、威勇武貌也、案黃髮、言老人髮白而更黃也、【考證】中井積德曰、番番、與皤皤同、白貌、岡白駒曰、爰饗營丘、封於齊營丘、 不背柯盟、桓公以昌。九合諸侯、霸功顯彰。田闞爭寵、姜姓解亡。【集解】徐廣曰、闞一云監、解一作還、【考證】謂田恆與闞止爭寵、弒簡公專齊政、而姜姓滅亡也、解讀如死解之解、微師幽丘、盟昌彰亡韻、 嘉父之謀、作齊太公世家。第二。【考證】父、尚父、 依之違之、周公綏之。憤發文德、天下和之。輔翼成王、

諸侯宗周。隱桓之際、是獨何哉。【考證】違綏和、王周際哉韻、 三桓爭彊、魯乃不昌。【考證】彊昌韻、 嘉旦金縢、作周公世家。第三。【考證】桓公弒兄、三桓爭彊、與周公代武王死者異、索隱本、周公上有魯字、與世家及漢書合、 武王克紂、天下未協而崩。成王既幼、管蔡疑之、淮夷叛之。於是召公率德、安集王室、以寧東土。燕易之禪、乃成禍亂。【索隱】謂王噲禪其相子之後卒危亂也、【考證】梁玉繩曰、禪位致亂者、是王噲、非易王也、易字必噲之誤、 嘉甘棠之詩、作燕世家。第四。【考證】索隱本、世家及漢書、燕下有召公二字、 管蔡相武庚、將寧舊商。及旦攝政、二叔不饗。殺鮮放度、周公爲盟。【索隱】案系家云、管叔名鮮、蔡叔名度、霍叔名處也、【考證】岡白駒曰、饗享通、奉上謂享、 大任十子、周以宗彊。【索隱】太任、文王妃、十子、伯邑考武王管蔡霍魯衞毛聃曹是也、【考證】庚商政饗盟彊韻、 嘉仲悔過、作管蔡世家。第五。【正義】蔡叔度之子蔡仲也、 王後不絕、舜禹是說。維德休明、苗裔蒙烈。百世享祀、爰周陳杞、楚實滅

之。齊田既起、舜何人哉。作陳杞世家。第六。【考證】陳、舜之後、杞、禹之後、至周得封、皆爲楚所滅、而田氏以陳後篡齊、絕說烈、祀杞起哉韻、楓三本、享作禋、 牧殷餘民、叔封始邑。【考證】楓三本、柯本、毛本、牧作收、周紀亦云、收殷餘民、各本作牧、 申以商亂、酒材是告。及朔之生、衞頃不寧。【索隱】衞頃公也、【考證】傾、索隱本作頃、愚按頃侯、惠公朔五世之祖、事不相涉、索隱誤、傾、傾危也、言朔讒殺太子、而衞亂也、 南子惡蒯聵、子父易名。周德卑微、戰國既彊。衞以小弱、角獨後亡。【考證】角、衞元君名、生寧名彊亡韻、 嘉彼康誥、作衞世家。第七。【考證】索隱本、世家、漢書作衞康叔世家、梁玉繩曰、康誥乃書名、何嘉之有、 嗟箕子乎、嗟箕子乎。正言不用、乃反爲奴。武庚既死、周封微子。襄公傷於泓、君子孰稱。【正義】泓、水名、公羊傳云、宋與楚人期戰於泓之陽、宋師大敗、君子大其不鼓不成列、臨大事而不忘禮、雖文王之戰亦不過此也、 景公謙德、熒惑退行。剔成暴虐、宋乃滅亡。【集解】徐廣曰、一云偃、宋剔成君生偃、【索隱】上音逖成、【考證】梁玉繩曰、暴虐滅亡者王偃、非剔成君也、疑剔成乃王偃之譌、乎奴、死子、泓稱行亡韻、 嘉微子問太師、作宋

世家。第八。【考證】索隱本、世家、漢書、作宋微子世家、　武王既崩、叔虞邑唐。君子譏名、卒滅武公。【正義】謂晉穆侯太子名仇、少子名成師也、【考證】岡白駒曰、曲沃武公滅晉、卒代之也、愚按唐公、韻、　驪姬之愛、亂者五世。【考證】愛世韻、　重耳不得意、乃能成霸、六卿專權、晉國以秏。【正義】六卿、智伯范中行韓魏趙、　嘉文公錫珪鬯、作晉世家。第九。【考證】索隱本、作晉唐叔世家、梁玉繩曰、當書唐叔世家、　重黎業之、吳回接之。殷之季世、粥子牒之。【考證】楚世家云、殷末世滅彭祖氏、其後中微、其苗裔曰粥熊、從此世次可牒、　周用熊繹、熊渠是續。莊王之賢、乃復國陳。【正義】楚莊王都陳、【考證】余有丁曰、按楚莊克陳、以申叔之諫而復之、故曰復國陳、　既赦鄭伯、班師華元。懷王客死、蘭咎屈原。好諛信讒、楚并於秦。【考證】業接牒繹續賢陳元原秦韻、　嘉莊王之義、作楚世家。第十。　少康之子、實賓南海。【正義】吳越春秋云、啓使歲時祭禹於越、立宗廟南山之上、封少康庶子無餘於越、使祠禹、至句踐遷都山陰、立禹廟爲始祖廟、越亡遂廢也、案今禹廟在會稽山下、【考證】張文虎曰、賓當讀爲擯、岡白駒曰、封遠避地、如棄之、故曰賓、

文身斷髮、黿鱓與處。【索隱】蚖鱓、元蟺二音、　既守封禺、奉禹之祀。【集解】徐廣曰、封禺山在武康縣南、　句踐困彼、乃用種·蠡。【考證】子海祀蠡韻、　嘉句踐夷蠻、能脩其德、滅彊吳以尊周室、作越王句踐世家。第十一。【考證】漢書、作越世家、　桓公之東、太史是庸。【考證】岡白駒曰、庸、用也、桓公問太史而從其言、　及侵周禾、王人是議。祭仲要盟、鄭久不昌。【考證】楓本、要作壓、　子產之仁、紹世稱賢。三晉侵伐、鄭納於韓。【考證】岡白駒曰、爲韓所滅、愚按東庸、禾議、盟昌、仁賢韓韻、　嘉厲公納惠王、作鄭世家。第十二。　維驥騄耳、乃章造父。趙夙事獻、衰續厥緒。【正義】衰、楚爲反、【考證】獻、晉獻公、衰、趙衰、夙子、　佐文尊王、卒爲晉輔。【考證】文、晉文公、　襄子困辱、乃禽智伯。主父生縛、餓死探爵。王遷辟淫、良將是斥。【考證】良將、李牧、父緒輔、辱伯縛爵斥、韻、　嘉鞅討周亂、作趙世家。第十三。　畢萬爵魏、卜人知之。及絳戮干、

戎翟和之。文侯慕義、子夏師之。惠王自矜、齊·秦攻之。既疑信陵、諸侯罷之。卒亡大梁、王假廝之。【考證】岡白駒曰、秦虜魏王假爲廝養卒、愚按六之字語助、　嘉武佐晉文申霸道、作魏世家。第十四。【考證】楓本嘉下有魏字、　韓厥陰德、趙武攸興。紹絕立廢、晉人宗之。昭侯顯列、申子庸之。疑非不信、秦人襲之。【考證】申子、申不害、非、韓非、興宗庸襲韻、　嘉厥輔晉匡周天子之賦、作韓世家。第十五。　完子避難、適齊爲援。陰施五世、齊人歌之。成子得政、田和爲侯。王建動心、乃遷于共。嘉威·宣能撥濁世而獨宗周。作田敬仲完世家。第十六。【考證】索隱本、作田敬叔世家、漢書、作田完世家、梁玉繩曰、史記篇題、未有名謚兼書者、此必後人妄增、滑稽傳曰、語在田完世家中、尤可證已、　周室既衰、諸侯恣行。仲尼悼禮廢樂崩、追脩經術、以達王道。【考證】楓本、追作退、　匡亂世反之於正。見其文辭、爲

天下制儀法、垂六藝之統紀於後世。作孔子世家。第十七。　桀·紂失其道、而湯·武作。周失其道、而春秋作。【正義】周失其道、至秦之時、諸侯力事乎爭彊、　秦失其政、而陳涉發迹、諸侯作難、風起雲蒸、卒亡秦族。【考證】楓本、難作亂、作迹族韻、　天下之端、自涉發難。作陳涉世家。第十八。【考證】岡白駒曰、三代已來、無以匹夫起兵者、自陳涉創之、太史公比之湯武春秋、雖非倫乎、著所始則一也、　成皋之臺、薄氏始基。【考證】岡白駒曰、漢王坐成皋臺、兩美人笑薄姬、漢王憐之、召幸、　詘意適代、厥崇諸竇。栗姬偩貴、王氏乃遂。【正義】負、恃也、【考證】正義本、偩作負、錢大昕曰、偩與負同、恃也、武安侯傳贊、武安負貴而好權、與此同義、下文述梁孝王云、偩愛矜功、亦同、岡白駒曰、遂爲皇后、　陳后太驕、卒尊子夫。【考證】岡白駒曰、衞夫人、字子夫、陳皇后以太驕廢、子夫代爲皇后、　嘉夫德若斯、作外戚世家。第十九。　漢既譎謀、禽信於陳。越·荊剽輕、乃封弟交爲楚王。爰都彭城、以彊淮·泗、爲漢宗藩。戊溺於邪、禮復紹之。嘉游

輔祖。作楚元王世家第二十。【正義】游、楚王交字也、祖、高祖也、【考證】中井積德曰、爲楚王句、疑脫一字也、上下皆四言、此不得獨作三言、 維祖師旅、劉賈是與。【考證】維祖師旅、高祖興兵也、 爲布所襲、喪其荊・吳。營陵激呂、乃王琅邪。【考證】岡白駒曰、營陵侯劉澤、激呂后、封琅邪王、 怵午信齊、往而不歸。【正義】謂祝午也、【考證】岡白駒曰、齊王使祝午怵琅邪王、留齊不還、 遂西入關、遭立孝文、獲復王燕。【考證】楓本、遭作連、旅與吳、邪、齊、歸、關、文燕韻、 天下未集、賈・澤以族、爲漢藩輔。作荊燕世家第二十一。【考證】漢書、作荊燕王世家、梁玉繩曰、此脫王字、 天下已平、親屬既寡、悼惠先壯、實鎭東土。哀王擅興、發怒諸呂。駟鈞暴戾、京師弗許。厲之內淫、禍成主父。【考證】岡白駒曰、厲王與其姊姦、主父偃發其事、愚按、寡土呂許父韻、 嘉肥股肱、作齊悼惠王世家第二十二。楚人圍我滎陽、相守三年。蕭何塡撫山西、【正義】謂華山之西也、【考證】顧炎武曰、古之所謂山西、卽今關中、史記太史公自序、蕭何塡撫山西、方言、自山而東、五國之郊、郭璞解曰、六國惟秦在山西、

王應麟地理通釋曰、秦漢之間稱山北山南山東山西者、皆指太行、以其在天下之中、故指此山以表地勢、正義以爲華山西、非也、 推計踵兵、給糧食不絕。使百姓愛漢、不樂爲楚。作蕭相國世家第二十三。與信定魏、破趙拔齊、遂弱楚人。續何相國、不變不革、黎庶攸寧。嘉參不伐功矜能、作曹相國世家第二十四。【考證】老子上經、不自伐、故有功、不自矜、故長、 運籌帷幄之中、制勝於無形。子房計謀其事、無知名、無勇功。圖難於易、爲大於細。作留侯世家第二十五。【考證】孫子虛實篇、形兵之極、至於無形、人皆知我所以勝之形、而莫知吾所以制勝之形、形篇、善戰者之勝也、無智名、無勇功、老子下經、圖難於其易、爲大於其細、 六奇既用、諸侯賓從於漢。呂氏之事、平爲本謀。終安宗廟、定社稷。作陳丞相世家第二十六。【考證】楓三本、平作卒、中井積德曰、此多不押韻、不曉其意、 諸呂爲從、謀弱京師。【正義】從、足松反、 而勃反經合於權。吳・楚之兵、亞夫駐於昌邑、以戹齊・

趙、而出委以梁。【正義】以梁付吳楚也、【考證】楓三本、駐作拄、 作絳侯世家第二十七。七國叛逆、蕃屏京師、唯梁爲扞。【考證】楓三本、屛作蔽、 偩愛矜功、幾獲于禍。嘉其能距吳・楚、作梁孝王世家第二十八。五宗既王、親屬洽和。【考證】凌本、洽作協、 諸侯大小爲藩、爰得其宜、僭擬之事、稍衰貶矣。作五宗世家第二十九。三子之王、文辭可觀。作三王世家第三十。末世爭利、維彼奔義。讓國餓死、天下稱之。作伯夷列傳第一。【考證】利義死之韻、 晏子儉矣、夷吾則奢。齊桓以霸、景公以治。作管晏列傳第二。李耳無爲自化、淸淨自正。韓非揣事情、循埶理。作老子韓非列傳第三。自古王者而有司馬法。穰苴能申明之。作司馬穰苴列傳第四。非信廉仁勇、不能傳兵論劍。與道

同符。【考證】王念孫曰、上文在趙者以傳劍論顯、集解、晉灼曰、史記吳起贊曰、非信仁廉勇不能傳劍論兵書也、史記原文如此、今本錯誤、信仁爲一類、廉勇爲一類、劍論與兵書對文、言非信仁廉勇之人、不能傳此二術也、愚按、楓三本、無劍字、亦通、孫吳傳、未嘗及劍論、 內可以治身、外可以應變。君子比德焉。作孫子吳起列傳第五。維建遇讒、爰及子奢。尙既匡父、伍員奔吳。【考證】匡、救也、 作伍子胥列傳第六。孔氏述文、弟子興業、咸爲師傅、崇仁厲義。作仲尼弟子列傳第七。鞅去衞適秦、能明其術、彊霸孝公、後世遵其法。作商君列傳第八。天下患衡、秦毋饜。而蘇子能存諸侯、約從以抑貪彊。作蘇秦列傳第九。六國既從親、而張儀能明其說、復散解諸侯。作張儀列傳第十。秦所以東攘雄諸侯、樗里・甘茂之策。【集解】徐廣曰、攘、一作襄、 作樗里甘茂列傳第十一。苞河山、圍大梁、【集解】徐廣曰、苞、一作施、 使諸侯

斂手而事秦者、魏丼之功。作穰侯列傳第十二。南拔鄢郢、北摧長平、遂圍邯鄲、武安爲率。【考證】率、帥也、 破荊滅趙、王翦之計。作白起王翦列傳第十三。獵儒墨之遺文、明禮義之統紀、絕惠王利端、列往世興衰。【集解】徐廣曰、一作壞、 作孟子荀卿列傳第十四。【考證】何焯曰、獵儒墨句、謂附見諸子也、明禮義、謂荀、絕利端、謂孟、李笠曰、獵儒墨遺文、明禮儀統紀二句、總孟荀而言、下絕利端、始專指孟子、列興衰、始專指荀子、孟荀與墨子、宗旨雖相反、學理則相因也、愚按王氏困學紀聞、方氏補正、梁氏志疑、各有別解、李說較長、 好客喜士、士歸于薛、爲齊扞楚・魏。作孟嘗君列傳第十五。爭馮亭以權、【集解】徐廣曰、以、一作反、太史公譏平原曰、利令智昏、故云、爭馮亭反權、 如楚以救邯鄲之圍。【正義】如、往也、言平原君往楚求救邯鄲之圍、 使其君復稱於諸侯。作平原君虞卿列傳第十六。能以富貴下貧賤、賢能詘於不肖。唯信陵君爲能行之。作魏公子列傳第十七。

【考證】列傳、魏公子、作信陵君、 以身徇君、遂脫彊秦、使馳說之士、南鄉走楚者、黃歇之義。作春申君列傳第十八。能忍訽於魏齊、而信威於彊秦。【集解】徐廣曰、訽、音詬、【索隱】訽、火候反、訽、辱也、 推賢讓位。二子有之。作范雎蔡澤列傳第十九。率行其謀、連五國兵、爲弱燕報彊齊之讎、雪其先君之恥。作樂毅列傳第二十。能信意彊秦、而屈體廉子、用徇其君、俱重於諸侯。【正義】以身從物曰徇、 作廉頗藺相如列傳第二十一。湣王既失臨淄而奔莒。唯田單用卽墨破走騎劫、遂存齊社稷。作田單列傳第二十二。能設詭說、解患於圍城、輕爵祿樂肆志。作魯仲連鄒陽列傳第二十三。【考證】漢書、無鄒陽二字、 作辭以諷諫、連類以爭義、離騷有之。作屈原賈生列傳第二十四。結子楚

親、使諸侯之士斐然爭入事秦。【考證】斐、靡通、 作呂不韋列傳第二十五。曹子匕首、魯獲其田、齊明其信。豫讓義不爲二心。作刺客列傳第二十六。【考證】梁玉繩曰、史詮謂儒林、循吏、酷吏、刺客、游俠、佞倖、滑稽、醫方、日者、龜策、貨殖、雜傳也、以類相從、合在後、此說甚是、蓋十一傳、當在司馬相如傳後、以儒林、循吏、酷吏、貨殖、刺客、游俠、滑稽、佞倖、醫方、日者、龜策爲次、愚按刺客傳以荊軻爲主、以終六國事也、故其次在呂不韋李斯間、說在本傳、 能明其畫、因時推秦、遂得意於海內、斯爲謀首。作李斯列傳第二十七。爲秦開地益衆、北靡匈奴、據河爲塞、因山爲固、建榆中。作蒙恬列傳第二十八。塡趙、塞常山、以廣河內、弱楚權、明漢王之信於天下。作張耳陳餘列傳第二十九。收西河上黨之兵、從至彭城。【考證】毛本、西作兩、 越之侵掠梁地、以苦項羽。作魏豹彭越列傳第三十。以淮南叛楚歸漢。漢用得大司馬殷、卒

破子羽于垓下。【集解】徐廣曰、隄塘之名也、 作黥布列傳第三十一。楚人迫我京索、而信拔魏・趙、定燕・齊、使漢三分天下有其二、以滅項籍。作淮陰侯列傳第三十二。【考證】梁玉繩曰、漢書遷傳、侯下有韓信二字、非也、蓋史公于本朝諸臣以罪誅黜者、例不稱爵、惟淮陰之死爲寃、故書其降貶之爵而不名、以微見意云、愚按極稱淮陰之功、不及其貶誅之事、史公之意可見、 楚・漢相距鞏洛。而韓信爲塡潁川、盧綰絕籍糧餉。【考證】楓三本、餉作饟、 作韓信盧綰列傳第三十三。【考證】張文虎曰、南宋游凌本、韓下有王字、梁玉繩曰、索隱本無王字、震澤本同、則遷傳及諸史記本、有王字者、妄加之也、蓋叛臣削爵、卽盧綰不稱燕王、可見、 諸侯畔項王、唯齊連子羽城陽。漢得以閒遂入彭城。【考證】王陽城韻、 作田儋列傳第三十四。攻城野戰、獲功歸報。噲・商有力焉。非獨鞭策、又與之脫難。【考證】焉難韻、 作樊酈列傳第三十五。【考證】世家、索隱單本、漢書、酈下有滕灌二字、此脫、 漢既初定、文理未明。蒼爲主計、整齊度量、

序律歷。作張丞相列傳第三十六。【考證】楓三本、整作正、梁玉繩曰、遷傳誤、相下增倉字、結言通使、約懷諸侯。諸侯咸親、歸漢爲藩輔。作酈生陸賈列傳第三十七。欲詳知秦・楚之事、維周緤常從高祖、平定諸侯。作傅靳蒯成列傳第三十八。【索隱】蒯成、上音裴、其字音從崩邑、又音浮、【正義】蒯古怪反、括地志曰、蒯亭、洛州河南縣西十四里苑中也、【考證】梁玉繩曰、遷傳、成下有侯字、非、合傳無書侯者、徙彊族都關中、和約匈奴、明朝廷禮、次宗廟儀法。作劉敬叔孫通列傳第三十九。能摧剛作柔、卒爲列臣、欒公不劫於埶而倍死。作季布欒布列傳第四十。敢犯顏色、以達主義、不顧其身、爲國家樹長畫。作袁盎朝錯列傳第四十一。【考證】游本、作鼂錯、守法不失大理、言古賢人、增主之明。作張釋之馮唐列傳第四十二。敦厚慈孝、訥於言、敏於行。務

在鞠躬。君子長者。【考證】論語里仁篇、君子欲訥於言而敏於行、鄉黨篇、入公門、鞠躬如也、儀禮聘禮記、執圭入門、鞠窮焉、釋文云、窮又作躬、群經音辨云、鞠躬、容謹也、作萬石張叔列傳第四十三。守節切直、義足以言廉、行足以厲賢。任重權、不可以非理撓。作田叔列傳第四十四。扁鵲言醫、爲方者宗。守數精明、後世修序、弗能易也。而倉公可謂近之矣。【考證】楓本、修作循、王念孫曰、修當作循、序、緒也、言後世皆循其緒、莫之能易也、作扁鵲倉公列傳第四十五。維仲之省、厥濞王吳。【集解】徐廣曰、吳王之王、由父省、【考證】錢大昕曰、省、訓善、言仲以罪奪王爵、而高帝猶善之、故又封其子也、遭漢初定、以塡撫江・淮之閒。【考證】楓本、以下有族字、作吳王濞列傳第四十六。吳・楚爲亂、宗屬唯嬰、賢而喜士、士鄉之。率師抗山東滎陽。作魏其武安列傳第四十七。【考證】全祖望曰、竇田薰蕕、相去遠甚、史公喜道人盛衰榮枯之際、自寫其不平、而不論史法、故以灌夫之故、强合竇田爲一傳也、智足以應近世之變、寬足

用得人。作韓長孺列傳第四十八。勇於當敵、仁愛士卒、號令不煩、師徒鄉之。作李將軍列傳第四十九。自三代以來、匈奴常爲中國患害。欲知彊弱之時、設備征討。作匈奴列傳第五十。【考證】楓三本、備作脩、梁玉繩曰、史詮謂匈奴南越東越朝鮮西南夷大宛、四夷也、以類相從、當在雜傳之後、此說是、小司馬亦云、司馬相如汲鄭、不宜在西夷下、大宛、不合在酷吏游俠之閒、又遷傳衞將軍驃騎列傳第五十、平津主父列傳第五十一、匈奴列傳第五十二、則今本史記有譌、正義反謂舊本匈奴傳在第五十、非也、說者遂言司馬相如開西南夷者、故次西南夷後、匈奴傳後、繼以衞霍公孫弘、而全錄主父偃諫伐匈奴書、史公有深意、竝曲解耳、愚按、後說得之、梁氏以爲曲解、非也、直曲塞、廣河南、破祁連、通西國、靡北胡。作衞將軍驃騎列傳第五十一。大臣宗室、以侈靡相高。唯弘用節衣食、爲百吏先。作平津侯列傳第五十二。【考證】列傳、侯下有主父二字、梁玉繩曰、案索隱本、作平津侯主父傳、遷傳亦作平津主父、但缺侯字耳、則此脫主父二字、史詮云、太史公、平津傳附主父偃徐樂嚴安三人、然行事終不相合、主父以下、當別爲一傳、漢既平中國、而佗能集楊

越、以保南藩、納貢職。作南越列傳第五十三。吳之叛逆、甌人斬濞、葆守封・禺爲臣。【集解】徐廣曰、甌、今之永寧、是東甌也、【索隱】葆守、上音保、言東甌被越攻破之後、保封禺之山、今在武康縣也、【正義】封禺二山、在湖州武康縣之西也、然案年表東越傳云、東越徙處廬江郡、而守禺、未詳也、【考證】漢書、東越作閩越、作東越列傳第五十四。燕丹散亂遼閒、滿收其亡民、厥聚海東、以集眞藩、葆塞爲外臣。【集解】徐廣曰、眞蕃作莫藩、音普寒反、作朝鮮列傳第五十五。唐蒙使略通夜郎、而邛笮之君、請爲內臣受吏。作西南夷列傳第五十六。子虛之事、大人賦說、靡麗多誇。然其指風諫、歸於無爲。作司馬相如列傳第五十七。黥布叛逆、子長國之、以塡江・淮之南。安剽楚庶民。作淮南衡山列傳第五十八。奉法循理之吏、不伐功矜能。百姓無稱、亦無過行。作循吏列傳第五十九。

正衣冠立於朝廷、而羣臣莫敢言浮說。長孺矜焉。〔考證〕楓三本、羣作君、浮作淫、 好薦人、稱長者。壯有溉。〔集解〕徐廣曰、一作慨、〔正義〕溉、量也、〔考證〕楓三本、壯作莊、凌稚隆曰、按上文以長孺推之、則壯當作莊、此鄭當時字也、溉字下疑有闕文、陳仁錫曰、溉下缺乎字、張文虎曰、疑有焉字、與上長孺矜焉對、岡白駒曰、慨、氣節也、 作汲黯列傳。第六十。自孔子卒、京師莫崇庠序。唯建元元狩之閒、文辭粲如也。作儒林列傳。第六十一。民倍本多巧、姦軌弄法、善人不能化。〔考證〕軌、讀爲宄、 唯一切嚴削、爲能齊之。作酷吏列傳。第六十二。漢既通使大夏。而西極遠蠻、引領內鄉、欲觀中國。作大宛列傳。第六十三。救人於戹、振人不贍。仁者有乎。〔考證〕楓三本、乎作釆、 不既信、不倍言、義者有取焉。〔集解〕徐廣曰、一云、不慨信、〔考證〕岡白駒曰、既、失也、王念孫曰、方言廣雅竝云、既、失也、 作游俠列傳。第六十四。夫事人君、能說主耳目、和主顏色、而獲親近。

非獨色愛。能亦各有所長。作佞幸列傳。第六十五。不流世俗、不爭埶利。上下無所凝滯、人莫之害。以道之用。作滑稽列傳。第六十六。〔考證〕楓本、以作似、當依改、 齊・楚・秦・趙、爲日者、各有俗所用。欲循觀其大旨。〔集解〕徐廣曰、循、一作總、〔索隱〕案日者傳、亡無以知諸國之俗、今褚先生唯記司馬季主之事也、〔考證〕方苞曰、各有俗所用爲句、言日者因其國俗、各有所用卜筮之法、欲循觀其大旨、故作此傳也、天官書、國殊窟穴、家占物怪、卽各有俗所用之謂、 作日者列傳。第六十七。三王不同龜、四夷各異卜。〔考證〕楓三本、無各字、愚按各字與下文複、然褚少孫龜策補傳、引太史公傳、亦有各字、索隱本亦有、 然各以決吉凶。略闚其要、作龜策列傳。第六十八。〔索隱〕三王不同龜、四夷各異卜、其書既亡、無以紀其異、今褚少孫唯取太卜占龜之雜說、詞甚煩蕪、不能裁剪、妄皆穿鑿、此篇不才之甚也、 布衣匹夫之人、不害於政、不妨百姓、取與以時、而息財富。智者有釆焉。作貨殖列傳。第六十九。維我漢繼五帝末流、接三代統業。〔考證〕漢書、統作絕、王念

孫曰、絕業、與末流相對成文、文選李善注引史作絕業、 周道廢、秦撥去古文、焚滅詩書。〔考證〕漢書、道下有既字、 故明堂石室、金匱玉版、圖籍散亂。〔集解〕如淳曰、刻玉版以爲文字、 於是漢興、蕭何次律令、韓信申軍法、張蒼爲章程、叔孫通定禮儀。則文學彬彬稍進、詩書往往閒出矣。〔集解〕如淳曰、章、歷數之章術也、程者、權衡丈尺斛斗之平法也、瓚曰、茂陵書、丞相爲工用程數其中、言百工用材多少之量、及制度之程品者是也、〔考證〕漢書、無於是二字、漢藝文志、兵書略權謀家、韓信三篇、又云、漢興、張良韓信、序次兵法、凡百八十二家、刪取要用、定著三十五家、諸呂用事而盜取之、上文張丞相傳序云、蒼爲主計、整齊度量、序律歷、 自曹參薦蓋公言黃・老、〔索隱〕蓋、姓也、古合反、〔考證〕見曹相國世家、 而賈生・晁錯明申・商、〔考證〕漢書、申商作申韓、賈誼傳云、誼居河南守吳公門下、吳公與李斯同邑、嘗學事焉、而漢書藝文志、列賈誼五十八篇於儒家、傳所謂通諸子百家者邪、鼂錯傳云、錯學申商刑名於軹張恢先所、藝文志亦列鼂錯三十一篇於法家、梁玉繩曰、史公言賈生明申商、與晁竝稱、似未當、 公孫弘以儒顯。百年之閒、天下遺文古事、靡不畢集太史公。〔考證〕楓三本、無公字、漢書、無太史公三字、愚按楓三本爲長、 太史公仍父子相

續纂其職。曰、於戲、余維先人嘗掌斯事、顯於唐・虞。至于周復典之。故司馬氏世主天官。至於余乎。欽念哉。欽念哉。〔索隱〕案此天官、非周禮冢宰天官、乃謂知天文星歷之事爲天官、且遷實黎之後、而黎氏後亦總稱重黎、以重本司天、故太史公代掌天官、蓋天官統太史之職、言史是歷代之職、恐非實事、然衞宏以爲司馬氏周史佚之後、故太史談云、予之先人、周之太史、蓋或得其實也、〔考證〕太史公、史遷自謂、索隱引衞宏云、司馬氏、史佚之後、臆說不足據、岡白駒曰、纂亦續也、與纘通、何焯曰、敍當代文獻足徵、以見述而不作之意、仍推本先世、以終前文之意、 罔羅天下放失舊聞、〔索隱〕案舊聞有遺失放逸者、網羅而考論之也、 王迹所興、原始察終、見盛觀衰、論考之行事、〔考證〕史公報任安書、敍以言獲罪之由、且云、僕竊不遜、近自託於無能之辭、網羅天下放失舊聞、考之行事、稽其成敗興壞之理、凡百三十篇、欲曰究天人之際、通古今之變、成一家之言、草創未就、適會此禍、惜其不成、是以就極刑而無慍色、僕誠已著此書、藏之名山、傳之其人通邑大都、則僕償前辱之責、雖萬被戮、豈有悔哉、比之史文、情事特詳、據此、征和二年任安得罪時、編摩未竣功也、 略推三代、錄秦・漢、上記軒轅、下至于茲。著十二本紀。既科條之矣。〔考證〕王先謙曰、科分條例、大綱已舉也、 竝時異世、年差不明。作十表。

〔索隱〕案竝時則年歷差殊、亦略言、難以明辯、故作表也、〔正義〕言本紀世家及諸傳、年月差別不同、故作十表以明之也、**禮樂損益、律歷改易、兵權山川鬼神、天人之際、承敝通變、作八書。**〔索隱〕案兵權卽律書也、其曰兵、今律書亦略言兵也、山川卽河渠書也、鬼神封禪書也、故云山川鬼神也、〔考證〕梁玉繩曰、兵權卽律書、似複出、當衍兵權二字、愚按、三注合刻本索隱、律書也、下、無其曰兵三字、有遷沒之後亡、褚少孫以律書補之十三字、今依單本、李笠曰、案漢傳云、十篇缺、有錄無書、注張晏謂遷沒後亡兵書、師古曰、序目本無兵書、張云亡失、非也、劉奉世云、兵書卽律書、今案上文序律書云、非兵不強、索隱云、此律書之贊、而云非兵不強者、則此律書卽兵書也、此注云兵書亡、少孫以律書補之、是復以兵律歧而爲二、非僕爲少顏所非、抑亦前後矛盾矣、索隱本卽兵書也、兵作律、無遷沒至補之十三字、今上有其云兵三字、較是、然贊云、百三十篇、索隱亦云、兵書亡不補、畧述而言兵、誤同、**二十八宿環北辰、三十輻共一轂、運行無窮。**〔集解〕駰案漢書音義曰、象黃帝以下三十世家、老子言車三十輻、運行無窮、以象王者如此、〔正義〕顏云、此說非也、言衆星共繞北辰、諸輻咸歸車轂、羣臣尊輔天子也、〔考證〕顏說得之、三十輻共一轂、老子上經文、二十八三十、概言、不必拘、**輔拂股肱之臣配焉。忠信行道、以奉主上。作三十世家。**〔考證〕漢書拂作弼、梁玉繩曰、諸侯有國、大夫有家、古之制也、史以諸侯王爲世家、至若虛骨譏之、今既定公侯傳國曰世家、卿士特起曰列傳、則當條次不紊、編著無遺、蓋周時、

列邦當先吳魯管蔡衛晉燕鄭、乃及陳杞宋越楚齊韓趙魏田氏、而以孔子殿焉、漢代以外戚居首、乃及楚荊燕齊梁五宗三王、然後蕭曹張陳周、而陳涉附焉、此條次也、史似不得其序、若編著、則鄒莒竝春秋時、次國世系足攷其事迹、較詳于曹杞、安得云滕薛騶以小弗論耶、又吳芮至忠、著于令甲、五代稱王、侯封支庶、何獨缺如乎、愚按、太史公敍帝王則曰本紀、公侯傳國曰世家、卿士特起曰列傳、此宋人王安石之語、史公未嘗自言之也、諸人據之以論史公、旣失其本末、梁氏志疑三十六卷、史評中最稱精善、而亦襲此誤、何也、**扶義俶儻、不令己失時、立功名於天下。作七十列傳。**〔索隱〕己、音紀、言扶義俶儻之士、能立功名於當代、不後於時者也、〔考證〕梁玉繩曰、史公自序、在七十列傳中、索隱本作太史公自序傳、各本篇題俱缺傳字、愚按、漢書錄是序云、遷之自敍云爾、則班氏所見之本、無傳字、**凡百三十篇。**〔考證〕梁玉繩曰、史通雜說、仍班彪之論、謂太史公上起黃帝、下盡宗周、事跡殊略、戰國已下、始有可觀、其間詳備者、唯漢興而已、余謂此但議其煩省失宜爾、豈知史公變編年之例、突起門戶、著目曰本紀、曰表、曰書、曰世家、曰列傳、史臣相續、稱爲正史、蓋鑿荒難而遵塗易、創始恒不若續撰之精密也、班固本其父彪之語、譏史公是非頗繆于聖人、論大道、則先黃老而後六經、序游俠、則退處士而進姦雄、述貨殖、則崇勢利而羞賤貧、晁公武郡齋讀書志曾辨之、補筆談亦云、班固所譏甚不慊、夫史公攷信必于六藝、造次必衷仲尼、是以孔子儕之世家、老子置之列傳、尊孔子曰至聖、評老子曰隱君子、六家指要之論、歸重黃老、乃司馬談所作、非子長之言、不然、胡以次李耳在管晏下、而竊其弊于申韓乎、固非先黃老而後六經矣、游俠傳首云、以武犯禁、又云、行不軌于正義、而稱季次原憲爲獨行君子、

蓋見漢初公卿以武力致貴、儒術未重、舉世任俠干禁、歎時政之缺失、使若褚無所取材也、豈退處士而進姦雄者哉、貨殖與平準相表裏、敍海內土俗物產、孟堅地理志所本、且掘冢博戲賣漿胃脯、竝列其中、鄙薄之甚、三代貧富不甚相遠、自井田廢、而稼穡輕、貧富懸絕、漢不能挽移、故以諷焉、其感慨處、乃有激言之、識者讀其書、因悲其遇、奚得斥爲崇勢利而羞貧賤耶、況孟堅於史公舊文、未嘗有所增易、不退處士、不羞賤貧、何以不立逸民傳、又何以仍傳游俠貨殖、此文人之習氣、各自彈射、遞相瘡痏、蹈襲抵牾、目睫不見、所謂笑他人之未工、忘己事之有拙、晉張輔論漢書三不如史記、有以也、**五十二萬六千五百字、爲太史公書。**〔索隱〕案桓譚云、遷所著書成、以示東方朔、朔皆署曰太史公、則謂太史公是朔稱也、亦恐其說未盡、蓋遷自尊其父著述、稱之曰公、或云、遷外孫楊惲所稱、事或當爾也、〔正義〕史記起黃帝、訖漢武帝天漢四年、合二千四百一十三年、百三十篇、象一歲十二月及閏餘也、後漢書楊終受詔刪太史公書爲十餘萬言、〔考證〕漢書藝文志春秋略云、太史公百三十篇、注云、十篇有錄無書、隋經籍志史部正史云、史記一百三十篇、注云、目錄一卷、漢中書令司馬遷撰、梁玉繩曰、遷傳同、通考百九十一引李方叔師友談記作七十萬言、余三番計之、字數都不能合、因今本史記、歷經後人增刪、非史公之舊、增者猶可辨、其僞刪者無從得之、其眞如朱建傳述平原君諫淮南王反事云、語在黥布語中、而布傳無之、滑稽傳敘淳于髡以隱說齊威王事云、語在田完世家中、而世家無之、皆裁割未盡者、是以晉書張輔傳西京雜記史通竝稱史記五十萬字、但舉成數言爾、至於逸文墜句、往往見于他書、如漢書五行志中上中下屢稱史記、師古謂皆指遷所撰、或未盡然、但志中下引史記曰、秦武王三年、渭水赤者三日、昭王三十四年、渭水又赤三日、水經注十

九引之、明言是史記秦本紀、御覽五十九六十二引史竝同、又論衡命祿篇、引太史公曰、富貴不違貧賤、貧賤不違富貴、此皆漢人所引、得毋被楊終刪之、而世猶有眞本在耶、左傳僖五年注、傳說星、孟子離婁疏、西施入市、經典釋文莊子字子休、及駢拇音義、師曠無目、史通敍事篇之立轉、說文繫傳杲字注之反景桑榆、儻字注之代王償債、今本俱無、他若水經注、後漢書注、文選注、廣韻注、太平御覽、初學記、藝文類聚、通志氏族略等書、均有引史之語、不能盡錄、而御覽尤多、雖未免舛譌、究難盡沒、豈歷經傳寫、復有損削歟、錢大昕曰、案太史公以官名書、桓譚云、遷著書示東方朔、朔署曰太史公、署之者、書其名也、漢志太史公百三十篇、馮商所續太史公七篇、俱入春秋家、後漢范升傳、楊終傳、俱稱太史公、無稱史記者、梁玉繩曰、史記之名、當起叔皮父子、觀漢五行志及後書班彪傳、可見、蓋取古史記之名、以名遷之書、尊之也、愚按、正義依玉海四十六注所引補、**序略、以拾遺補藝、成一家之言。**〔集解〕李奇曰、六藝也、〔索隱〕案漢書作補闕、此云藝、謂補六藝之闕也、〔考證〕序字、通行本皆屬上讀、漢書同、張文虎曰、索隱本引爲太史公書五字、不連序字、疑當屬下句、董份曰、序略句、愚按、今本漢書亦作補藝、與下文六經複、作補闕義長、**厥協六經異傳、**〔索隱〕遷言以所撰取協於六經異傳諸家之說耳、謙不敢比經藝也、異傳者、如子夏易傳、毛公詩及韓嬰外傳、伏生尚書大傳之流者也、〔考證〕王先謙曰、協、合也、言稽合同異、折衷取裁、**整齊百家雜語、**〔正義〕太史公撰史記、言其協于六經異文、整齊諸子百家雜說之語、謙不敢比經藝也、異傳、謂如丘明春秋外傳國語、子夏易傳、毛公詩傳、韓詩外傳、伏生尚書大傳之流也、**藏之名山、副在京師。**〔索隱〕言正本藏之書府、

副本留京師也、穆天子傳云、天子北征、至于羣玉之山、阿平無險、四徹中繩、先王所謂策府、郭璞云、古帝王藏策之府、則此謂藏之名山是也、【考證】顏師古曰、藏於山者、備亡失也、其副貳本迺留京師也、

俟後世聖人君子。【索隱】以俟後聖君子、此語出公羊傳、言夫子制春秋以俟後聖君子、亦有樂乎此也、【考證】王念孫曰、俟後世聖人君子、本作俟後聖君子、哀十四年公羊傳曰、制春秋以俟後聖、以君子之爲、亦有樂乎此也、史公之語、卽本於此、索隱本出以俟後聖君子六字曰、此語出公羊傳、是其證、漢書正作以俟後聖君子、愚按、玉海引史、亦作俟後聖君子、

第七十。【集解】駰案、衛宏漢書舊儀注曰、司馬遷作景帝本紀、極言其短、及武帝過、武帝怒而削去之、後坐舉李陵、陵降匈奴、故下遷蠶室、有怨言、下獄死、【考證】自維我漢繼五帝末流以下、史第七十自序序、王鳴盛曰、今觀景紀、絕不言其短、又遷下蠶室、在天漢三年、後爲中書令、尊寵任職、其卒在昭帝初、距獲罪被刑葢已十餘年矣、何得謂下蠶室有怨言、下獄死乎、與情事全不合、皆非是、

太史公曰。余述歷黃帝以來至太初、而訖百三十篇。【集解】駰案、漢書音義曰、十篇缺、有錄無書、張晏曰、遷沒之後、亡景紀、武紀、禮書、樂書、律書、漢興已來將相年表、日者列傳、三王世家、龜策列傳、傅靳蒯成列傳、元成之閒、褚先生補闕、作武帝紀、三王世家、龜策、日者列傳、言辭鄙陋、非遷本意也、【索隱】案漢書曰、十篇有錄無書、張晏曰、遷沒之後、亡景紀、武紀、禮書、樂書、兵書、將相表、三王世家、日者、龜策傳、傅靳等列傳也、案景紀取班書補之、武紀專取封禪書、禮書取荀卿禮論、樂書取禮樂記、兵書亡、不補、略述律而言兵、遂分曆述以次之、三王系家空取其策文、以緝此篇、何率略且重、非當也、日者、不能記諸國之同異、而論司馬季主、龜策、直太卜所得占龜兆雜說、而無筆削之功、何蕪鄙也、【考證】中井積德曰、述歷當作歷述、又曰、末段似歇後而意複、無所發明、無所結束、豈下脫數句邪、不然、是一段全屬衍文、何妙之有、漢書亦無此一段、方苞曰、序既終、而復出此十六字、葢舉其凡計、綴於篇終、猶衛霍列傳特標左方兩大將軍、及諸裨將名目、

【索隱】述贊、太史良才、寔纂先德、周游歷覽、東西南北、事覈詞簡、是稱實錄、報任投書、申李下獄、惜哉殘缺、非才妄續、

太史公自序第七十　史記一百三十

史記總論

史記總論

日本出雲　瀧川資言考證

太史公事歷

漢書司馬遷傳云。昔在顓頊、命南正重司天、火正黎司地。唐・虞之際、紹重・黎之後、使復典之、至於夏・商。故重・黎氏世序天地。其在周、程伯休甫其後也。當宣王時、官失其守、而爲司馬氏。（以上敍司馬氏所自出、）司馬氏世典周史。惠・襄之間、司馬氏適晉。晉中軍隨會犇魏、而司馬氏入少粱。自司馬氏去周適晉、分散或

在衞、或在趙、或在秦。其在衞者相中山。在趙者以傳劒論顯。蒯聵其後也。在秦者錯、與張儀爭論。於是惠王使錯將兵伐蜀。遂拔。因而守之。錯孫蘄事武安君白起。（史記太史公自序、蘄作靳、）而少粱更名夏陽。蘄與武安君阬趙長平軍。還而與之俱賜死杜郵。葬於華池。蘄孫昌爲秦王鐵官。當始皇之時。（史記、王作主、）蒯聵玄孫卬、爲武信君將而徇朝歌。諸侯之相王、王卬於殷。漢之伐楚、卬歸漢。漢以其地爲河內郡。昌生毋懌。（史記、作無澤、）毋懌爲漢市長。毋懌生喜。喜爲五大夫。卒、皆葬高門。（以上敍父祖、）喜生談。談爲太史公。太史公學天官於唐都、受易於楊何、習道論於黃子。（仲尼弟子列傳云、東武人王同傳易菑川人楊何、何元朔中、以治易爲漢中大夫、儒林傳、元朔作元光、黃子、儒林傳所謂黃生、）太史公仕於建

元元封之間。愍學者不達其意而師誖、（史記、誖作悖、）乃論六家之要指曰。云云。（文全與史記同、今略、）太史公既掌天官、不治民。有子曰遷。（以上敍父太史公談事、史公字子長、見揚雄法言、王充論衡、）遷生龍門、耕牧河山之陽。年十歲、則誦古文。二十、而南游江・淮、上會稽、探禹穴、窺九疑、浮沅・湘、北涉汶・泗、講業齊・魯之都、觀夫子遺風、鄉射鄒嶧、（敍齊魯事特詳、）阸困蕃・薛・彭城、過粱・楚以歸。於是遷仕爲郎中、奉使西征巴・蜀、以南略邛・筰・昆明。還報命。（史公游涉之蹟、具之別條、）是歲、天子始建漢家之封。而太史公留滯周南、不得與從事。（太史公、司馬談、下同、）發憤且卒。而子遷適反、見父於河・洛之間。太史公執遷手而泣曰。予先周室之太史也。自上世嘗顯功名虞・夏、典天官事。後世中衰、絕於予乎。

汝復爲太史、則續吾祖矣。今天子接千載之統封泰山、而予不得從行。是命也夫。命也夫。予死、爾必爲太史。爲太史、毋忘吾所欲論著矣。且夫孝始於事親、中於事君、終於立身。揚名於後世、以顯父母。此孝之大也。夫天下稱周公、（史記稱下有誦字、）言其能論歌文・武之德、宣周・召之風、達大王・王季思慮、爰及公劉、以尊后稷也。幽・厲之後、王道缺、禮樂衰。孔子脩舊起廢、論詩書、作春秋、則至今則之。自獲麟以來四百有餘載。而諸侯相兼、史記放絕。今漢興、海內壹統、明主賢君、忠臣義士、（史記、忠臣義士作死義之士、）予爲太史而不論載、廢天下之文。予甚懼焉。爾其念哉。（史記、文上有史字、）遷俯首流涕曰。小子不敏、請悉論先人所次舊聞、不

敢闕。卒三歲而遷爲太史令。紬史記石室金鐀之書。（索隱本史記紬作抽、鐀作匱、談卒於元封元年、）五年而當於太初元年。十一月甲子朔旦冬至、天歷始改、建於明堂、諸神受記。（史公爲太史令五年、史記記作紀、）太史公曰。先人有言。（太史公、史公自稱、下同、先人謂談、）自周公卒五百歲而有孔子。孔子至於今五百歲、有能紹而明之、正易傳、繼春秋、本詩書禮樂之際、意在斯乎。意在斯乎。小子何敢攘焉。（史記至上有卒後二字、紹而明之作紹明世、攘作讓、讓、謙也、）上大夫壺遂曰。昔孔子爲何作春秋哉。（壺遂見下文史公交游條、）太史公曰。余聞之董生。（董生卽董仲舒、見史公交游條、）周道廢、孔子爲魯司寇。諸侯害之、大夫壅之。孔子知時之不用、道之不行也。是非二百四十二年之中、㠯爲天下儀表。貶諸侯、討大夫、以達王事而已矣。子曰。

我欲載之空言、不如見之於行事之深切著明也。春秋上明三王之道、下辨人事之經紀、（史記、無紀字、）別嫌疑、明是非、定猶與、善善惡惡、賢賢賤不肖、存亡國、繼絕世、補弊起廢。王道之大者也。易、著天地陰陽四時五行。故長於變。禮、綱紀人倫。故長於行。書、記先王之事。故長於政。詩、記山川谿谷禽獸草木牝牡雌雄。故長於風。樂、樂所㠯立。故長於和。春秋、辯是非。故長於治人。是故禮㠯節人、樂㠯發和、書以道事、詩㠯達意、易㠯道化、春秋㠯道義。撥亂世反之正、莫近於春秋。春秋文成數萬、其指數千、萬物之散聚、皆在春秋。春秋之中、弒君三十六、亡國五十二、諸侯奔走不得保社稷者、不可勝數。察其所㠯、

皆失其本已。故易曰。差㠯豪氂、謬以㠯千里。（史記氂作釐、釐里韻、）故臣弒君、子弒父、非一朝一夕之故。其漸久矣。有國者、不可㠯不知春秋。前有讒而不見、後有賊而不知。爲人臣者、不可㠯不知春秋。守經事而不知其宜、遭變事而不知其權。爲人君父、而不通於春秋之義者、必蒙首惡之名。爲人臣子、不通於春秋之義者、必陷簒弒誅死之罪。其實皆㠯善爲之而不知其義、被之空言不敢辭。夫不通禮義之指、至於君不君、臣不臣、父不父、子不子。夫君不君則犯、臣不臣則誅、父不父則無道、子不子則不孝。此四行者、天下之大過也。㠯天下大過予之、受而不敢辭。故春秋者、禮義之大宗也。夫禮禁未然之前、法施

已然之後。法之所爲用者易見、而禮之所爲禁者難知。壺遂曰。孔子之時、上無明君、下不得任用。故作春秋、垂空文、㠯斷禮義、當一王之法。今夫子上遇明天子、下得守職、萬事既具、咸各序其宜。夫子所論、欲㠯何明。太史公曰。唯唯。否否不然。余聞之先人曰。虙戲至純厚、作易八卦。堯·舜之盛、尙書載之、禮樂作焉。湯·武之隆、詩人歌之。春秋采善貶惡、推三代之德、褒周室。非獨刺譏而已也。漢興已來、至明天子、獲符瑞封禪、改正朔、易服色、受命於穆清、澤流罔極、海外殊俗、重譯款塞、請來獻見者、不可勝道。臣下百官、力誦聖德、猶不能宣盡其意。且士賢能矣、而不用、有國者恥也。主上明聖、德不布聞、有

司之過也。且余掌其官、廢明聖盛德不載、滅功臣賢大夫之業不述、墮先人所言、罪莫大焉。余所謂述故事、整齊其世傳。非所謂作也。十年而太史公遭李陵之禍、幽於纍紲。乾道本、十年作七年、與史記合、當依訂、李陵降在天漢二年冬、史公受刑以三年春歟、迺喟然而歎曰。是余之辠夫。身虧不用矣。史記、作是余之罪也夫、重一句、虧作毀、退而深惟曰。夫詩書隱約者、欲遂其志之思也。史記、此下有昔西伯拘羑里一段、班氏刪之、卒述陶唐以來、至於麟止。自黃帝始。五帝本紀第一。中略、貨殖列傳第六十九。惟漢繼五帝末流、接三代絕業。史記、漢上有我字、絕作統、秦撥去古文、焚滅詩書。故明堂石室金鐀玉版圖籍散亂。史記、鐀作匱、漢興、蕭何次律令、韓信申軍法、張倉爲章程、孫叔通定禮儀、史記、漢興上有於是二字、則文學彬彬稍進、

詩書往往間出。史記、出下有矣字、自曹參薦蓋公言黃・老、而賈誼・朝錯明申・韓、公孫弘以儒顯、百年之間、天下遺文古事、靡不畢集。史記、集下有太史二字、太史公仍父子相繼纂其職。曰。於戲、余維先人嘗掌斯事、顯於唐・虞。至於周復典之。故司馬氏世主天官、至於余乎。欽念哉。史記重欽念哉三字、罔羅天下放失舊聞、王迹所興、原始察終、見盛觀衰、論考之行事、略三代、錄秦・漢、史記、略下有推字、上記軒轅、下至於茲、著十二本紀、既科條之矣。竝時異世、年差不明、作十表。禮樂損益、律歷改易、兵權山川、鬼神天人之際、承敝通變。作八書。二十八宿環北辰、三十輻共一轂、運行無窮。輔弼股肱之臣配焉、忠信行道、以奉主上。作三十世家。扶義俶儻、

不令已失時、立功名於天下。作七十列傳。凡百三十篇、五十二萬六千五百字、爲太史公書。序略以拾遺補藝、成一家言。史記、家下有之字、協六經異傳、齊百家雜語、史記、協上有厥字、齊上有整字、藏之名山、副在京師。以竢後聖君子。第七十。以上皆史記太史公自序之辭、以下乃班氏傳語、遷之自叙云爾。而十篇缺、有錄無書。張晏曰、遷沒之後、亡景紀、武紀、禮書、樂書、兵書、漢興以來將相年表、日者列傳、三王世家、龜策列傳、傅靳列傳、元成之間、褚先生補缺、作武帝紀、三王世家、龜策、日者傳、言辭鄙陋、非遷本意也、顏師古曰、序目本無兵書、張云亡失、此說非也、愚按史記存佚、具于各篇題下及下文、此唯錄舊說、遷既被刑之後、爲中書令、尊寵任職。故人益州刺史任安、責以古賢臣之義。遷報之曰。少卿足下。少卿、任安字、征和二年、安坐戾太子事繫獄、文選、起句作太史公牛馬走司馬遷再拜言、少卿足下、曩者辱賜書、教以愼於接物、推賢進士爲務。意氣勤勤懇懇、若望僕不相師用、而流俗人之言。文選、用而

二字倒、義長、包世臣曰、推賢薦士、非少卿來書中本語、史公諱少卿求援、故以四字約來書之意、而斥少卿爲天下豪儁以表其寃、中間述李陵事者、明與陵非素相善、尚力爲引救、況少卿有許死之誼乎、實緣自被刑後、所爲不死者、以史記未成之故、是史公之身、乃史記之身、非史公所得自私、史公可爲少卿死、而史記必不能爲少卿廢也、結以死日是非乃定、則史公與少卿所共者、以廣少卿而釋其私憾、是故文瀾雖壯、而滴水歸源、一線相生、字字皆有歸著也、僕非敢如是也。雖罷駑、亦嘗側聞長者遺風矣。文選、者下有之字、顧自以爲身殘處穢、動而見尤、欲益反損。是以抑鬱而無誰語。諺曰。誰爲爲之、孰令聽之。蓋鍾子期死、伯牙終身不復鼓琴。事見呂氏春秋、列子、何則士爲知己用、女爲說己容。趙策、豫讓曰、士爲知己者死、女爲悅己者容、若僕大質已虧缺。雖材懷隨・和、行若由・夷、隨、隨侯珠、和、和氏璧、由、許由、夷、伯夷、終不可以爲榮、適足以發笑而自點耳。書辭宜答。會東從上來、又迫賤事、相見日淺、卒卒無須臾之間、得竭指意。今少卿抱不測之罪、涉旬月、迫季冬。僕

又薄從上上雍。文選不重上字、恐卒然不可諱、是僕終已不得舒憤懣、以曉左右。則長逝者魂魄、私恨無窮。戾太子事、在征和二年七月、三年正月、武帝行幸雍、任安以懷貳心要斬、而猶繫至冬盡、漢法蓋異於後也、請略陳固陋。闕然不報、幸勿過。僕聞之、修身者、智之府也。文選、府作符、愛施者、仁之端也。取予者、義之符也。文選、符作表、恥辱者、勇之決也。立名者、行之極也。士有此五者、然後可以託於世、列於君子之林矣。故禍莫憯於欲利、悲莫痛於傷心、行莫醜於辱先、而詬莫大於宮刑。刑餘之人、無所比數、非一世也。所從來遠矣。昔衛靈公與雍渠載。孔子如陳。商鞅因景監見。趙良寒心。同子參乘。爰絲變色。同子、宦者趙同、爰絲、袁盎、自古而恥之。夫中材之人、事關於宦豎、莫不傷氣。況忼慨之士乎。如

今朝雖乏人、柰何令刀鋸之餘、薦天下豪雋哉。承上文推賢進士、天下豪雋、言任安、僕賴先人緒業、得待罪輦轂下二十餘年矣。所以自惟、上之、不能納忠效信、有奇策材力之譽、自結明主。次之、又不能拾遺補闕、招賢進能、顯巖穴之士。外之、不能備行伍、攻城戰野、有斬將搴旗之功。下之、不能累日積勞、取尊官厚祿、以爲宗族交遊光寵。四者無一遂、苟合取容。無所短長之效、可見於此矣。鄉者僕亦厠下大夫之列、陪外廷末議。百官志、太史令六百石、不以此時、引維綱盡思慮。今已虧形爲埽除之隸、在闒茸之中。迺欲卬首信眉、論陳是非。不亦輕朝廷羞當世之士邪。嗟乎、嗟乎、如僕尚何言哉。尚何言哉。且事本末未易明也。僕少負不

羈之材、長無鄉曲之譽。主上幸以先人之故、使得奉薄技出入周衛之中。僕以爲戴盆何以望天。故絕賓客之知、忘室家之業、日夜思竭其不肖之材力、務壹心營職、以求親媚於主上。而事迺有大謬不然者。夫僕與李陵俱居門下。李陵侍中、則太史公亦以太史令侍中也、素非相善也。趣舍異路、未嘗銜盃酒、接殷勤之歡。然僕觀其爲人、自奇士、事親孝、與士信、臨財廉、取予義、分別有讓、恭儉下人。常思奮不顧身、以徇國家之急。其素所畜積也、僕以爲有國士之風。夫人臣出萬死不顧一生之計、赴公家之難。斯已奇矣。今舉事壹不當。而全軀保妻子之臣、隨而媒孼其短。僕誠私心痛之。且李陵提步卒不滿五千、深踐戎馬之

地、足歷王庭、垂餌虎口、橫挑彊胡、卬億萬之師、北方地高、故曰仰、與單于連戰十餘日、所殺過當。虜救死扶傷不給、旃裘之君長咸震怖、迺悉徵左右賢王、舉引弓之民、一國共攻而圍之。轉鬬千里、矢盡道窮、救兵不至、士卒死傷如積。然李陵一呼勞軍、士無不起躬流涕、沬血飲泣、張空弮冒白刃、北首爭死敵。空弮、無弦之弓、陵未沒時、使有來報。漢公卿王侯、皆奉觴上壽。後數日陵敗書聞。主上爲之食不甘味、聽朝不怡。大臣憂懼不知所出。僕竊不自料其卑賤、見主上慘悽怛悼、誠欲効其款款之愚。以爲李陵素與士大夫絕甘分少、能得人之死力。雖古名將不過也。身雖陷敗、彼觀其意、且欲得其當而報漢。事已無

可柰何。其所摧敗功、亦足以暴於天下。僕懷欲陳之、而未有路。適會召問、卽以此指推言陵功、欲以廣主上之意、塞睚眥之辭。 廣、猶開也、 未能盡明。明主不深曉、以爲僕沮貳師而爲李陵游說、遂下於理。 貳師將軍李廣利、李善曰、漢書曰、初上遣貳師李廣利出、令李陵爲助兵、及陵與單于相値、而貳師少功、上以遷誣罔欲沮貳師、而爲陵遊說、下遷腐刑、顏師古曰、沮、毀壞也、 拳拳之忠、終不能自列。因爲誣上、卒從吏議。家貧財賂不足以自贖、交游莫救、左右親近、不爲壹言。身非木石、獨與法吏爲伍、深幽囹圄之中、誰可告愬者。此正少卿所親見、僕行事、豈不然邪。李陵既生降、隤其家聲、而僕又茸以蠶室、重爲天下觀笑。 文選、茸作佴、佴、次也、 悲夫、悲夫。夫事未易一二爲俗人言也。僕之先人非有剖符丹書之功。文史星歷、近

乎卜祝之閒、固主上所戲弄、倡優畜之、流俗之所輕也。假僕伏法受誅、若九牛亡一毛、與螻蟻何異。而世又不與能死節者比。特以爲智窮罪極、不能自免、卒就死耳。何也。素所自樹立使然。人固有一死。死有重於泰山。或輕於鴻毛。用之所趨異也。太上不辱先。其次不辱身。其次不辱理色。 理、肌膚之文理、色、顏色、 其次不辱辭令。其次詘體受辱。其次易服受辱。其次關木索被箠楚受辱。其次鬄毛髮嬰金鐵受辱。其次毀肌膚斷支體受辱。 謂劓刖臏黥之屬、 最下腐刑極矣。傳曰。刑不上大夫。 傳、禮記、 此言士節不可不厲也。猛虎處深山、百獸震恐。及其在穽檻之中、搖尾而求食。積威約之漸也。 威約二字連文、人以威制約之也、 故士有畫地

爲牢、勢不入。削木爲吏、議不對。定計於鮮也。 鮮、明也、其身未受辱也、 今交手足受木索、暴肌膚受榜箠、幽於圜牆之中。當此之時、見獄吏則頭槍地、視徒隸則心惕息。何者積威約之勢也。及已至此、言不辱者、所謂彊顏耳。曷足貴乎。且西伯、伯也。拘牖里。李斯、相也。具五刑。淮陰、王也。受械於陳。彭越・張敖、南鄉稱孤。繫獄具罪。 文選、具作抵、顏師古曰、或繫於獄、或至大罪也、 絳侯、誅諸呂權傾五伯、囚於請室。魏其、大將也。衣赭關三木。季布、爲朱家鉗奴。灌夫、受辱居室。此人皆身至王侯將相、聲聞鄰國。及罪至罔加、不能引決自財、在塵埃之中。 財、裁通、 古今一體。安在其不辱也。由此言之、勇怯、勢也、彊弱、形也。審矣。曷足怪乎。 勇怯二語、孫子兵勢篇、 且人不能蚤

自財繩墨之外、 先罪至罔加、引決自裁也、 已稍陵夷至於鞭箠之間、迺欲引節、不亦遠乎。古人所以重施刑於大夫者、殆爲此也。夫人情莫不貪生惡死、念親戚、顧妻子。至激於義理者不然。迺有不得已也。今僕不幸蚤失二親、無兄弟之親、獨身孤立。少卿視僕於妻子何如哉。 言己輕妻子、 且勇者不必死節。怯夫慕義、何處不勉焉。僕雖怯耎欲苟活、亦頗識去就之分矣。何至自湛溺累紲之辱哉。且夫臧獲婢妾、猶能引決。況若僕之不得已乎。 不得已、言當須自裁也、 所以隱忍苟活、函糞土之中、而不辭者、恨私心有所不盡、鄙沒世而文采不表於後也。 函、讀爲陷、鄙、恥也、與恨相對、文選、鄙下有陋字、屬上句讀、 古者富貴而名摩滅、不可勝記。唯俶儻非常之人稱焉。蓋西伯

拘而演周易、仲尼戹而作春秋、屈原放逐、迺賦離騷、左丘失明、厥有國語、孫子臏脚、兵法修列、不韋遷蜀、世傳呂覽、韓非囚秦、說難孤憤。詩三百篇大氐賢聖發憤之所爲作也。此人皆意有所鬱結、不得通其道。故述往事思來者。及如左丘明無目、孫子斷足、 文選、及作乃、 終不可用。退論書策、以舒其憤思、垂空文以自見。僕竊不遜、近自託於無能之辭、網羅天下放失舊聞、考之行事、稽其成敗興壞之理、凡百三十篇。 稽、計也、文選、事下有綜其終始四字、理作紀、紀下有上計軒轅、下至于玆、爲十表、本紀十二、書八章、世家三十、列傳七十、二十六字、 亦欲以究天人之際、通古今之變、成一家之言。草創未就、適會此禍。惜其不成、是以就極刑而無慍色。僕誠已著此書、藏之名山、傳之其人通邑

大都、則僕償前辱之責、雖萬被戮、豈有悔哉。然此可爲智者道。難爲俗人言也。 文選、智作知、 且負下未易居、下流多謗議。 負下、猶言所憑汙下、 僕以口語遇遭此禍、重爲鄉黨戮笑、汙辱先人。亦何面目復上父母之丘墓乎。雖累百世、垢彌甚耳。是以腸一日而九回、居則忽忽若有所亡、出則不知所如往。 顏師古曰、如亦往也、文選、作不知其所往、 每念斯恥、汗未嘗不發背霑衣也。身直爲閨閤之臣。寧得自引深臧於巖穴耶。故且從俗浮湛、與時俯仰、以通其狂惑。今少卿迺教以推賢進士。無迺與僕之私指謬乎。今雖自彫琢曼辭以自解、無益於俗不信、祇取辱耳。要之死日然後是非迺定。書不能盡意。故略陳固陋。

愚按史公觸武帝怒、不敢引決自裁、甘下蠶室、遂編太史公書一百三十卷、以就父之志。其情誠可悲也。史記自序、答任安書、說之甚悉。而史中往往有言及此事者。見老子韓非傳、 韓非知說之難、作說難之書甚具、然死於秦、不能脫、申子韓子、皆著書傳於後世、學者多有、余獨悲韓子爲說難書而不能自脫耳、 孫子吳起傳贊、 孫子籌策龐涓明矣、然不能蚤救患於被刑、 伍子胥傳贊、 怨毒之於人、甚矣哉、王者尚不能行之於臣下、況同列乎、向令伍子胥從奢俱死、何異螻蟻、棄小義雪大恥、名垂後世、悲夫、方子胥窘於江上道乞食、志豈嘗須臾忘郢邪、故隱忍就功名、非烈丈夫孰能致此哉、 平原君虞卿傳贊、 虞卿料事揣情、爲趙畫策、何其工也、及其不忍魏齊、卒苦於大梁、庸夫且知其不可、況賢人乎、然虞卿非窮愁、亦不能著書以自見於後世云、 范睢蔡澤傳贊、 士亦有偶合、賢者多如此二子、不得盡意、豈可勝道哉、然二子不困尼、惡能激哉、 廉頗藺相如傳贊、 知死必勇、非死者難也、處死者難、 魏豹彭越傳贊、 魏豹彭越雖故賤、然已席卷千里、南面稱孤、喋血乘勝、日有聞矣、懷畔逆之意、及敗不死、而虜囚身被刑戮、何哉、中材已上、且羞其行、況王者乎、彼無異故、智略絕人、獨患無身耳、得攝尺寸之柄、其雲蒸龍變、欲

有所會其度、以故幽囚而不辭云、 季布欒布傳贊。 以項羽之氣、而季布以勇顯、身屨典軍搴旗者數矣、可謂壯士、然被刑戮、爲人奴而不死、何其下也、彼必自負其材、故受辱而不羞、欲有所用、其材未足也、故終爲漢名將、賢者誠重其死、夫婢妾賤人、感慨而自殺者、非能勇也、其計畫無復之耳、

遷既死後、其書稍出。宣帝時、遷外孫楊惲祖述其書、遂宣布焉。 漢書楊敞傳、敞薨、子忠嗣、忠弟惲、字子幼、以忠任爲郎、補常侍騎、惲母、司馬遷女也、惲始讀外祖太史公記、頗爲春秋、以材能稱、好交英俊諸儒、名顯朝廷、擢爲左曹、後坐大逆無道腰斬、王楙野客叢書云、司馬遷報任安書、情事淵深、委蛇遜避、使人讀之、爲之傷惻、可以想像其當時亡聊之況、蓋抑鬱之氣、隨筆發露、初非矯爲、故爾厥後其甥楊惲以口語坐廢、其友人孫會宗與書、戒以大臣廢退闔門皇懼之意、惲報書委曲敷敍、其怏怏不平之氣、宛然有外祖風致、蓋其平日讀外祖太史公記、故發詞旨、不期而然、人之筆力高下、本於其材、然師友淵源、未有不因漸染而成之者、 至王莽時、求封遷後、爲史通子。 史公未刑時既有子女、上文視僕妻子、一語可證、

贊曰。自古書契之作、而有史官。載籍博矣。至孔氏纂之、上繼唐堯、下訖秦繆。唐·虞以前、雖有遺文、其語不經。故言黃帝·顓頊之事、未可明也。及孔子因魯史記而作春

秋。而左丘明論輯其本事以爲之傳。又纂異同爲國語。又有世本。錄黃帝以來至春秋時帝王公侯卿大夫祖世所出。春秋之後、七國竝爭、秦兼諸侯、有戰國策。漢興、伐秦定天下、有楚漢春秋。故司馬遷據左氏·國語、采世本·戰國策、述楚漢春秋、接其後事、訖於天漢。(諸本、天漢作大漢、史記集解序、漢興將相年表集解、竝云班固云司馬遷記事訖于天漢、此裴駰所見漢書作天漢、今依訂、)其言秦漢詳矣。至於采經摭傳、分散數家之事、甚多疏略、或有抵梧。(梧讀曰牾、)亦其涉獵者廣博、貫穿經傳、馳騁古今上下數千載間、斯以勤矣。又其是非頗繆於聖人、論大道、則先黃·老而後六經、序遊俠、則退處士而進姦雄、述貨殖、則崇勢利而羞賤貧。此其所蔽也。然自劉向·揚雄博極羣書、皆

稱遷有良史之材、服其善序事理、辨而不華、質而不俚、其文直、其事核、不虛美、不隱惡。故謂之實錄。烏呼、以遷之博物洽聞、而不能以知自全。既陷極刑、幽而發憤、書亦信矣。迹其所以自傷悼、小雅巷伯之倫。(巷伯、奄官名、遇讒作巷伯詩、列在小雅、)夫唯大雅既明且哲、能保其身。(詩大雅烝民、)難矣哉。

梁玉繩曰。班固本其父彪之言、(見後漢書班彪傳、)譏史公是非繆于聖人。晁公武郡齋讀書志曾辨之。補筆談亦云。班固所譏甚不慊。夫史公考信必于六藝、造次必衷仲尼。是以孔子儕之世家、老子置之列傳。尊孔子曰至聖、評老子曰隱君子。六家指要之論、歸重黃·老、乃司馬談所作、非子長之

言。不然、胡以次李耳在管·晏下、而竆其弊於申·韓乎。固非先黃·老而後六經矣。游俠傳首云。以武犯禁。又云。行不軌于正義。而稱季次原憲、爲獨行君子。蓋見漢初公卿以武力致貴、儒術未重、擧世任俠干禁、歎時政之缺失、使若輩無所取材也。豈退處士而進姦雄者哉。貨殖、與平準相表裏。敍海內土俗物產。孟堅地理志所本。且掘冢博戲賣漿胃脯、竝列其中。鄙薄之甚。三代貧富不甚相遠。自井田廢而稼穡輕、貧富懸絕。漢不能挽移。故以諷焉。其感慨處、乃有激言之。識者讀其書因悲其遇。安得斥爲崇勢利而羞貧賤耶。(史記志疑)

趙翼曰。司馬遷報任安書、謂身遭腐刑、而隱忍苟活者、恐沒世而文采不表於後世也。論者遂謂遷遭李陵之禍、始發憤作史記。而不知非也。其自序謂父談臨卒屬遷論著列代之史。父卒三歲、遷爲太史令。卽紬石室金匱之書。爲太史令五年、當太初元年。改正朔。正值孔子春秋後五百年之期。於是論次其文。會草創未就、而遭李陵之禍。惜其不成、是以就刑而無怨。是遷爲太史令、卽編纂史事五年爲太初元年。則初爲太史令時、乃元封二年也。元封二年至天漢二年遭李陵之禍、已十年。又報任安書內謂安抱不測之罪、將迫季冬、恐卒然不諱、則僕之意終不得達、故略陳之。安所抱不測之罪、

緣戾太子以巫蠱事斬江充、使安發兵助戰、安受其節而不發兵、武帝聞之、以爲懷二心、故詔棄市。此書正安坐罪將死之時。則征和二年間事也。自天漢二年至征和二年、又閱八年。統計遷作史記、前後共十八年。况安死後遷尙未亡、必更有刪訂改削之功。蓋書之成、凡二十餘年也。其自敍末謂自黃帝以來至太初而訖。乃指所述歷代之事、止於太初。非謂作史歲月至太初而訖也。二十二史劄記、

王鳴盛曰。司馬遷自言生長龍門、二十、南游江·淮、上會稽、探禹穴、闚九疑、浮沅·湘、北涉汶·泗、講業齊·魯之都、鄉射鄒嶧、戹困鄱·薛·彭城、過梁·楚以歸。此游所涉歷甚多、閱時甚必久。約計當有數年。歸後始仕爲

郞中。又奉使巴·蜀、南略卬·笮·昆明、還報命。徐廣以爲平西南夷、在元鼎六年。其明年、爲元封元年。約計是時遷之年必在四十左右。元封初、其父談卒。遷使還見父。父卒三歲、始爲太史令、而紬石室金匱書。又五年、當太初元年。始論次其文。是時遷之年、蓋已五十。又七年、遭李陵之禍。徐廣以爲天漢三年。旣腐刑、乃卒述黃帝至太初。則書成時必六十餘矣。後爲中書令、卒必在武帝之末。或更至昭帝也。十七史商榷、

修太史公祠碑。太史公爲記錄之宗。表表而矜文辭者、皆不能出其囿。吾得觀其書矣。至于廟像冢藏之古、吾弗得而見之。宣和七年秋、予始官韓城。尋遺訪古、乃在少梁之南、芝川

之西、得太史公之遺像焉。予咨嗟而致式之、因低徊周覽、則棟宇其傾頹、階戺其卑壞、埏隧其荒茀。惟是享嘗缺然不至。予乃愀然發喟、屬其耆老而告之曰。司馬公文、爲百世之英。而所居不能蔽風雨。學爲繼述之源。而所藏不能去荊榛。今洪河汩流漾乎前也。中條崛起峙乎東也。河嶽深崇、氣象雄渾。公文實似之。而家廟卑庳如此。其不稱公之辭與學也甚矣。猶不爲邦人之恥歟。予乃率芝川之民、擇其俶儻而好事者、凡一楹一桷、至于瓦甓門疏之用、悉以資之。卽公之墓、爲五架四楹之室、又爲複屋以崇之。旣宏旣完矣。於是直榮光之澳、眈禹鑿之山、面汾陰之脽、縱望遐觀、豈不快哉。嗚呼、惟

公之文、大肆于炎漢之間、馳騁于千世之前。其力贔屭。實斡造物。欲談而悉之、吾所不敢動吾喙。觀其卜葬於茲、豈非洪河巨嶽、實稱公之文也哉。乃作述事享神之歌、俾邦人習之、歲時以樂公之神。其詞曰。公詞有如黃河流。黃河吐溜崑崙丘。上貫星躔經斗牛。下連地軸橫九州。崩崖搏石轉洑流。騰煙跳霧飛蛟虬。邇來宏放三千秋。班沿范襲非公儔。公鑿混沌開雙眸。力敵造化窮冥搜。公祠慘澹連古丘。甍摧瓦落風蕭飀。我獨來兮爲公愁。新公祠兮去榛杞。殽甚豐兮酒甚旨。民髣髴兮公燕喜。韓之原兮山之趾。雲亭亭兮河瀰瀰。公之來兮歲豐美。雲爲車兮飈爲轡。公之來兮福滂被。雲滅沒兮

風不留。公曷往兮俾我憂。 宋、尹陽。依高似孫史略、古今圖書集成經籍典、

太史公年譜

漢景帝中元五年丙申 日紀五一一六 西紀前一四五 **一歲**

獲麟之後、三百三十六年、叔孫通、伏勝、陸賈、張蒼、賈誼、鼂錯諸人、皆既卒、史記儒林傳云、孝文本好刑名之言、及至孝景、不任儒者、而竇太后又好黃老之術、故諸博士具官待問、未有進者、博士轅固稱老子爲家人言、竇太后怒、使入圈刺豕、

自序、生於龍門。

中元六年丁酉 日紀五一一七 西紀前一四四 **二歲**

後元元年戊戌 日紀五一一八 西紀前一四三 **三歲**

後元二年己亥 日紀五一一九 西紀前一四二 **四歲**

衞綰爲丞相、

後元三年庚子 日紀五一二〇 西紀前一四一 **五歲**

景帝崩、武帝卽位、枚乘死、

武帝建元元年辛丑 日紀五一二一 西紀前一四〇 **六歲**

儒林傳云、今上卽位、趙綰王臧之屬、明儒學、上亦鄉之、○詔丞相御史列侯中二千石二千石諸侯相、擧賢良方正直言極諫之士、丞相衞綰奏、所擧賢良、或治申韓蘇張之言、亂國政者、請皆罷、奏可、愚按衞綰不及黃老者、蓋憚竇太后也、○武帝善董仲舒對、爲江都王相、莊助亦以對策爲中大夫、○丞相衞綰免、竇嬰爲丞相、田蚡爲太尉、嬰蚡俱好儒術、趙綰爲御史大夫、王臧爲郎中令、綰請立明堂以朝諸侯、薦其師申公、

建元二年壬寅 日紀五一二二 西紀前一三九 **七歲**

淮南王安來朝、安爲人好書、招致賓客方術之士數千人、作爲內書二十一篇、外書甚衆、初入朝、獻所作、上使爲離騷傳、○竇太后治黃老言、不好儒術、以事下趙綰王臧獄、

綰、臧皆自殺、丞相竇嬰太尉田蚡免、

建元三年癸卯 日紀五一二三 西紀前一三八 **八歲**

中山王勝上聞樂對、○武帝卽位、招選文學材智之士、莊助先進、後又得朱買臣吾丘壽王司馬相如東方朔終軍等、並在左右、每令與大臣辨論、

建元四年甲辰 日紀五一二四 西紀前一三七 **九歲**

自序、耕牧河山之陽。

建元五年乙巳 日紀五一二五 西紀前一三六 **十歲**

置五經博士、

自序、年十歲則誦古文。 按司馬談仕於建元元封間、是歲當既入官、公亦隨父在京師、

建元六年丙午 日紀五一二六 西紀前一三五 **十一歲**

竇太后崩、田蚡爲丞相、絀黃老刑名百家之言、延文學儒者數百人、愚按、至此始絀黃老、以竇太后崩也、○擊閩越、淮南王安上書、○汲黯爲主爵都尉、

司馬談論六家指要、當在此前。○自序、太史公學天官於唐都、受易於楊何、習道論於黃子、太史公仕於建元元封之間、愍學者不達其意、而師悖、乃論六家之指要。 太史公、司馬談、

元光元年丁未 日紀五一二七 西紀前一三四 **十二歲**

從董仲舒言、初令郡國擧孝廉各一人、又詔擧賢良文學、親策之、○詔五丘壽王、從董仲舒受春秋、○楊何以易徵、官至中大夫○李陵生、

元光二年戊申 日紀五一二八 西紀前一三三 **十三歲**

太平御覽卷二百三十五引漢舊儀云。武帝置太史公。司馬遷父談、世爲太史。遷年十三、使乘傳行天下、求古諸侯之史。 十三、年少、不宜有此事、姑錄備考、

元光三年己酉 日紀五一二九 西紀前一三二 **十四歲**

元光四年庚戌 日紀五三〇 西紀前一三一 竇嬰刑死、○田蚡卒、○河間獻王德修古、招求四方善書、是時淮南王安亦好書、所招致率多浮辨、獻王所得書皆古文先秦舊書、 十五歲

元光五年辛亥 日紀五三一 西紀前一三〇 河間獻王德薨、○通西南夷、司馬相如等諭巴蜀民、○以張湯爲太中大夫、與趙禹共定諸律令、○徵吏民有明當世之務、習先聖之術者、天子擢公孫弘策爲第一、拜爲博士、轅固年九十餘、亦以賢良徵、 十六歲

元光六年壬子 日紀五三二 西紀前一二九 匈奴入寇、衛青等擊却之、 十七歲

元朔元年癸丑 日紀五三三 西紀前一二八 定不舉孝廉罪、○主父偃嚴安徐樂皆上書、武帝拜爲郎中、主父偃尤親幸、 十八歲

元朔二年甲寅 日紀五三四 西紀前一二七 十九歲

孔臧爲太常、其從弟孔安國爲侍中、孔子十三世孫、

漢書儒林傳云、孔氏有古文尙書。孔安國以今文字讀之、因以起其家逸書得十餘篇。蓋尙書玆多於是矣。遭巫蠱、未立於學官。安國授都尉朝、而司馬遷亦從安國問故。故遷書載堯典禹貢洪範微子金滕諸篇、多古文說。不詳史公從游之年、錄于是年、

元朔三年乙卯 日紀五三五 西紀前一二六 公孫弘爲御史大夫、張湯爲廷尉、儒林傳云、公孫弘以春秋白衣爲天子三公、天下學士、靡然鄉風、酷吏傳云、上方鄉文學、張湯決大獄、欲傳古義、諸博士弟子治尙書春秋、補廷尉史、○漢書馮衍傳云、仲舒言道德、見嫉於公孫弘、 二十歲

自序、二十而南游江・淮、上會稽、浮沅・湘、北涉汶・泗、阸困蕃・

薛・彭城、過梁・楚以歸。於是遷爲郎中、遊涉之廣、想當費歲月、是歲必不還家、爲郎中、又在其後、

元朔四年丙辰 日紀五三六 西紀前一二五 二十一歲

元朔五年丁巳 日紀五三七 西紀前一二四 公孫弘爲丞相、○董仲舒爲膠西王相、 二十二歲

元朔六年戊午 日紀五三八 西紀前一二三 公孫弘請爲博士置弟子員、 二十三歲

元狩元年己未 日紀五三九 西紀前一二二 行幸雍、祠五時、獲白麟、○淮南王謀反、事覺自殺、 二十四歲

元狩二年庚申 日紀五四〇 西紀前一二一 丞相公孫弘卒、○董仲舒免歸、○張湯爲御史大夫、○霍去病爲票騎將軍、匈奴渾邪王降、 二十五歲

元狩三年辛酉 日紀五四一 西紀前一二〇 得神馬、上方立樂府、使司馬相如等造爲詩賦、 二十六歲

元狩四年壬戌 日紀五四二 西紀前一一九 前將軍李廣從大將軍衛青伐匈奴、軍不利、自殺、廣、陵父也、○李少翁以鬼神方見武帝、 二十七歲

元狩五年癸亥 日紀五四三 西紀前一一八 武帝病鼎湖、上郡有巫、能下鬼神、帝祠之甘泉壽宮、病愈、幸甘泉、 二十八歲

封禪書贊、余從巡祭天地諸神名山川、而封禪焉。入壽宮侍祠神語、究觀方士祠官之意。史公先是已爲郎中、故得從巡祭天地諸神也、

元狩六年甲子 日紀五四四 西紀前一一七 票騎將軍霍去病卒、遣博士褚大徐偃等、分循郡國、諭三老孝弟、以爲民師、 二十九歲

元鼎元年乙丑（日紀五四五 西紀前一一六）　三十歲

元鼎二年丙寅（日紀五四六 西紀前一一五）　三十一歲
（御史大夫張湯有罪自殺、〇起柏梁臺、〇桑弘羊爲大農中丞、稍置均輸、〇張騫自西域還、拜爲大行、）

元鼎三年丁卯（日紀五四七 西紀前一一四）　三十二歲

元鼎四年戊辰（日紀五四八 西紀前一一三）　三十三歲
（武帝幸雍祠五畤、立后土祠於汾陰、〇得大鼎於汾陰、〇方士欒大爲五利將軍、〇中山靖王勝薨、）
封禪書、有司與太史公・祠官寬舒等議祠后土。始立后土祠汾陰脽上、如寬舒等議。（太史公即司馬談、）

元鼎五年己巳（日紀五四九 西紀前一一二）　三十四歲
（列侯坐酎祭宗廟不如法、奪爵者百六人、〇欒大以誣罔腰斬、）

封禪書、天子始郊、拜太一。太史公・祠官寬舒等曰。宜因此地立太畤壇、三歲天子一郊見。詔從之。（太史公、司馬談、）

元鼎六年庚午（日紀五五〇 西紀前一一一）　三十五歲
（司馬相如有遺書、言封禪、武帝與公卿諸生議封禪、紬徐偃周霸等、而盡罷諸儒不用、）

元封元年辛未（日紀五五一 西紀前一一〇）　三十六歲
（武帝登封泰山、）
自序、奉使西征巴・蜀以南、南畧卭・筰・昆明、還報命。是歲天子始建漢家之封。而太史公（司馬談）留滯周南、不得與從事。故發憤且卒。而子遷使反、見父於河・洛之間。太史公執遷手而泣。

元封二年壬申（日紀五五二 西紀前一〇九）　三十七歲
（河決瓠子、武帝自泰山還、自臨決河、令羣臣從官自將軍以下、皆負薪寘河隄、築宮其上、名曰宣房、〇作明堂於汶上、）
河渠書贊、余從負薪塞宣房、悲瓠子之詩。

元封三年癸酉（日紀五五三 西紀前一〇八）　三十八歲
史公繼職爲太史令〇史記自序索隱、博物志、太史令、茂陵顯武里大夫司馬遷年二十八、三年六月乙卯除六百石也。（二十八、當作三十八、傳寫誤、）

元封四年甲戌（日紀五五四 西紀前一〇七）　三十九歲

元封五年乙亥（日紀五五五 西紀前一〇六）　四十歲
（大將軍衛青卒、〇詔令州郡察吏民有茂才異等、可爲將相及使絕國者、）

元封六年丙子（日紀五五六 西紀前一〇五）　四十一歲

太初元年丁丑（日紀五五七 西紀前一〇四）　四十二歲
（造漢太初歷、以正月爲歲首、色尚黃、數用五、定官名、協音律、定宗廟百官之儀、〇先是董仲舒卒、）
史、韓長孺傳贊、余與壺遂定律歷。漢書律歷志、武帝元封七年、漢興百二歲矣。大中大夫公孫卿・壺遂・太史公司馬遷等、言歷紀壞廢、宜改正朔。上詔兒寬、與博士賜等共議、其以七年爲元年。卿・遂・遷、與侍御尊大・典星射姓等議、造漢歷。（即太初歷、）史記自序太初元年正義云、遷年四十二歲。

太初二年戊寅（日紀五五八 西紀前一〇三）　四十三歲
（御史大夫兒寬卒、）

太初三年己卯 日紀五五九 西紀前一〇二 四十四歲

太初四年庚辰 日紀五六〇 西紀前一〇一 四十五歲

自序、余述歷黃帝、至太初而訖。○史記記事、止於是歲。班固司馬貞張守節竝云、訖於天漢、蓋讀後人改修之書也、

天漢元年辛巳 日紀五六一 西紀前一〇〇 四十六歲

中郎將蘇武使匈奴、

天漢二年壬午 日紀五六二 西紀前九九 四十七歲

侍郎李陵戰敗降匈奴、

資治通鑑、李陵降匈奴。羣臣皆罪陵。上以問太史令司馬遷。遷盛言陵事親孝、與士信、常奮不顧身、以徇國家之急。

其素所畜積也。有國士之風。今舉事一不幸、全軀保妻子之臣、隨而媒蘗其短。誠可痛也。且陵提步卒、不滿五千、深蹂戎馬之地、抑數萬之師。虜救死扶傷不暇、悉擧引弓之民、共攻圍之。轉鬪千里、矢盡道窮、士張空弮、冒白刃、北首爭死敵。得人之死力、雖古名將不過也。身雖陷敗、然其所摧敗、亦足暴於天下。彼之不死、宜欲得當以報漢也。上以遷爲誣罔、欲沮貳師、爲陵游說、下遷腐刑。

天漢三年癸未 日紀五六三 西紀前九八 四十八歲

史公悲士不遇賦云、悲夫士生之不辰。愧顧影而獨存。恒克己而復禮。懼志行之無聞。諒才韙而世戾、將逮死而長

勤。雖有形而不彰、徒有能而不陳。何窮達之易惑、信美惡之難分。時悠悠而蕩蕩、將遂屈而不伸。使公于公者彼我同兮、私于私者自相悲兮。天道微哉嚴可均曰、文選張衡歸田賦注、作天道悠昧、又司馬彪贈山濤詩注、陸機塘上行注、作天道悠昧人理促兮、則跨涉下句、吁嗟闊兮。人理顯然相傾奪兮。好生惡死、才之鄙也。好貴夷賤、哲之亂也。炤炤洞達、胸中豁也。昏昏罔覺、內生毒也。我之心矣、哲已能忖。我之言矣、哲已能選。沒世無聞、古人惟恥。朝聞夕死、孰云其否。逆順還周、乍沒乍起。理不可據、智不可恃。嚴可均曰、二句從文選江淹詣建平王上書注補、無造福先、無觸禍始。委之自然、終歸一矣。藝文類聚三十、○史公尤好詞賦、讀屈原賈生司馬相如諸傳所收、可以知之、漢書藝文志云、司馬遷賦八篇、今止存此一篇而亦殘缺、今錄之是歲、以悲公志云、

天漢四年甲申 日紀五六四 西紀前九七 四十九歲

漢書司馬遷傳、遷既刑之後、爲中書令、尊寵任職。

太始元年乙酉 日紀五六五 西紀前九六 五十歲

太始二年丙戌 日紀五六六 西紀前九五 五十一歲

太始三年丁亥 日紀五六七 西紀前九四 五十二歲

太始四年戊子 日紀五六八 西紀前九三 五十三歲

征和元年己丑 日紀五六九 西紀前九二 五十四歲

征和二年庚寅 日紀五七〇 西紀前九一 五十五歲

巫蠱獄起、戾太子據擧兵斬使江充、自殺、司直田仁護北軍使者任安、坐腰斬、

益州刺史任安、贈書史公。史公答之。書見漢書史公傳文選、其書云。僕

薄從上上雍。此武帝祠雍五時、而史公從之也。又云。僕近自託於無能之辭、網羅天下放失舊聞、考之行事、稽其成敗興壞之理、凡百三十篇。據此則此時百三十篇草稿粗畢、但未經潤飾也。

征和三年辛卯　日紀五七一 西紀前九〇　五十六歲

征和四年壬辰　日紀五七二 西紀前八九　五十七歲

後元元年癸巳　日紀五七三 西紀前八八　五十八歲

後元二年甲午　日紀五七四 西紀前八七　五十九歲

孝武帝崩、孝昭帝卽位。

史公沒年不詳。或昭帝卽位之後猶在。

史記資材

史記一百三十篇、五十餘萬言。其依文籍勿論也已。又得諸遊涉、徵之交游。

文籍　史公自序云。周道既廢、撥去古文、焚滅詩書。故明堂石室金匱玉版圖籍散亂。漢興、蕭何次律令、韓信申軍法、張倉爲章程、叔孫通定禮義、則文學彬彬稍進、詩書閒出。自曹參薦蓋公言黃・老、而賈誼・朝錯明申・韓、公孫弘以儒顯。百年之間、天下遺文古事、靡不畢集太史公。太史公父子、相續纂其職。此史公自敍其官職當徵當代文獻也。漢書史公本傳云、史公資左氏、國語、世本、戰國策、楚漢春秋。

世本　漢書藝文志云、世本十五篇、卽史記所采也、史記集解序索隱引劉向曰、世本古史官明於古事者所記、錄黃帝以來帝王諸侯及卿大夫系謚名號、凡十五篇、史通正史篇云、楚漢之際、有好事者、錄自古帝王公侯卿大夫之世、終乎秦末、號曰世本、十五篇、所傳不同、其書今亡、清孫馮翼、雷學淇、張澍、秦嘉謨、各有世本輯本、

戰國策　漢書藝文志云、戰國策三十三篇、劉向校定、史公所資、未經校定者、且未有戰國策之名、漢書傳贊、從劉向所稱也、劉向序錄云、中書本號、或曰國策、或曰國事、或曰短長、或曰事語、或曰長書、或曰修書、臣向以爲戰國時游士輔所用之國、爲之策謀、宜爲戰國策、王應麟曰、隋志、三十四卷、劉向錄、唐志、缺二卷、今世所傳三十三卷、史通、其篇有東西二周、秦、齊、燕、楚、三晉、宋、衞、中山、合十二國、分爲三十三篇、姚氏校正、總四百八十餘條、太史公所采九十餘條、其事異者、止五六條、朱一新曰、今高誘、姚宏注本、雖分三十三卷、實已缺一篇、蓋後人分析以求合三十三篇之數也、愚按、史記田儋傳云、蒯通者、善爲長短說、論戰國之權變、爲八十一首、後人或采其書入之於戰國策中、亦未可知、近時吳汝綸疑今本戰國策、云、昔者嘗怪子長能竄易尚書及五帝德、帝繫姓等之文、成一家言、獨至戰國策、則一因舊文、多至九十餘事、何至乖異如是、及紃察國策中、若趙武靈王、平原、春申君、范睢、蔡澤、魯仲連、蘇秦、荊軻諸篇、皆取太史敍論之語、而幷藏之、而曾子固亦稱崇文總目有高誘注者、僅八篇、乃知劉向

所校戰國策亡久矣、後之人、反取太史公書充之、非史公盡取材於戰國策、決也、說見吳摯甫文集、愚按、史公竄易尚書五帝德帝繫姓、以今文易古文也、至國策、則時代甚近、詞氣相似、故多仍其舊、而樂毅傳、毅答燕惠王書、蔡澤傳、澤說應侯諸條、竄易之迹、昭然不可掩、史取策、非策取史也、荊軻傳、非悉取策、昔人既論之、吳說非、愚又按韓策序聶政事云、政姊嫈聞之曰、弟至賢、不可愛妾之軀、滅弟之名、非弟意也、乃之韓視之曰、勇哉、氣矜之行、是其軼賁育而高成荊矣、云云、乃抱屍而哭之、曰、此吾弟軹深井里之聶政也、亦自殺於屍下、方苞評之云、韓衞懸隔、聶政自刑以絕蹤、其姊非聞而駭且疑無緣遂如韓市也、國策之文、疎且拙、刺客傳其姊嫈聞之下、補乃於邑曰其是吾弟與、唯嚴仲子知吾弟數語、辭意始完、遠過本文、此亦以史爲出于策者、示其裁割更易之法也、書刺客傳後、

楚漢春秋　楚漢春秋、漢志、九篇、注云、陸賈所記、隋志、九卷、舊唐志、二十卷、御覽引之、經籍考不載、蓋亡於南宋也、章宗源曰、後書班彪傳、漢興、大中大夫陸賈記錄時功、作楚漢春秋、史通內篇曰、楚漢春秋九篇、文心雕龍史傳篇曰、漢滅嬴項、武功積年、陸賈稽古、作楚漢春秋、史通內篇曰、晏子、虞卿、呂氏、陸賈、其書篇第、本無年月、而亦謂之春秋、又曰、呂陸二氏、乃子書、雜記、而皆號曰春秋、又外篇曰、劉氏初興、書惟陸賈而已、子長述楚漢之事、專據此書、譬夫行不由徑、出不由戶、未之聞也、然觀遷之所載、往往與舊不同、如酈生之初謁沛公、高祖之長歌鴻鵠、非惟文句有別、遂乃事理皆殊、又韓王名信都而輒去、都留信用、使稱其名姓、全與淮陰不別、史記序索隱云、楚漢春秋、陸賈撰、記項氏與漢高祖及說惠文間事、又云、高祖功臣侯者年表、楚漢春秋與史記漢書不同者、陸賈記事、高祖、惠帝時、漢書是後定功臣等列、及陳平受呂后命而定、或已改邑號、

故人名亦別、愚按、水經渭水注、項王在鴻門、亞父曰、吾使人望沛公、其氣衝天、五色相繆、或似龍、或似雲、此非人臣之義、可誅之、藝文類聚地部、沛公遣將軍閉函谷關、亞父至關不得入、怒曰、沛公欲反耶、卽令家發薪一束、欲燒關門、關門乃開、史記劉敬叔孫通傳索隱、蕭何云、臣三諫不從、請以身當之、撫一劍將自殺、上離席云、吾定計不易太子、太平御覽兵部人事部、上過陳留、酈生求見、使者入通、公方洗足、問何如人、曰狀類大儒、上曰、吾方以天下爲事、未暇見大儒也、使者出告、酈生瞋目按劍曰、入言高陽酒徒、非儒者也、又兵部、高祖向咸陽、南趣宛、匿其旌旗、人銜枚、馬束口、雞未鳴、圍宛城三匝、宛城降、史記高祖紀索隱語較略、人事部、薛人丁固追上、上被髮顧曰、丁公何相急之甚、乃罵而去、上卽位欲陳功、上曰、使項王失天下、是子也、爲人臣兩心、非忠也、下吏笞之、又曰、項梁陰養士最高者、多力拔樹以擊地、又云、淮陰武王反、上自擊之、張良居守、上體不安、臥輜車中、行三四里、留侯走東追上、簪墮被髮、及輜車、排戶曰、陛下卽棄天下、欲以王葬乎、以布衣葬乎、上罵曰、若翁天子也、何故以王及布衣葬乎、良曰、淮南反於東、淮陰害於西、恐陛下倘溝壑而終也、刑法部、正疆數言事而當、上使參乘、解玉劍以佩之、天下定、以爲守、有告之者、上曰、天下方急、汝何在、曰、亡、上曰、正疆沐浴霜露、與我從事、而汝亡告之、何也、下廷尉劓、服章部、北郭先生獻帶於淮陰侯曰、牛爲人任用力盡、猶不置其革、賫產部、項梁陰養士九十人、參木者、所與計謀者也、木佯疾、於室中鑄大錢、以具甲兵、此十一事、並引楚漢春秋、多班馬所不載、困學紀聞所引四事、項羽美人和歌、見史記羽紀正義、高祖封侯、賜丹書鐵券詞、見御覽治道部、東陽侯諫呂太后爲惠帝高墳、見藝文類聚人部、御覽人事部同、下蔡亭長詈淮南王、見文選五等論注、惟史通所稱高祖鴻鵠歌、未見徵引、漢書注引韓申都作信都、高惠

高侯文功臣表注、史記韓彭傳索隱曰、楚漢春秋韓王信都、恐謬也、諸書不言有韓信都、擊項籍孔將軍居左、同上表注、高祖之臣、別有絳灌、禮樂志注、陳平傳注、舍人謝公得罪韓信、韓彭傳注、史記索隱引晉灼言亦同、齊人田生字子春、荊燕吳傳注、丁公薛人名固、季布傳注、鯫生、鯫姓也、張良傳注、史記集解索隱並同、封緤爲憑城侯、周緤傳注、叔孫通名何、叔孫通傳注、史記索隱同、會稽假守通、通姓殷、項籍傳注、史記集解同、史記索隱、樊噲請殺秦王、高祖紀、解先生云、遣守函谷、無內項王、同上、項燕爲王翦所殺、項羽本紀、定侯王吸爲清陽侯、王隆、陽陵景侯作陰陵、漢興諸侯年表、南宮侯張耳、高祖功臣表、高祖封許負爲鳴雌亭侯、絳侯周勃世家、幾是乎作豈是乎、黥布傳、南昌亭長作新昌亭長、淮陰侯傳、筆山作卑山、同上、蒯成侯作憑成侯、傅靳蒯成列傳、吳太子名賢、字德明、吳王濞傳、又韓生說項王居關中、裴駰集解、案楚漢春秋云、說者是蔡生、皆足考異、文選移書太常博士注引云、漢定天下、論羣臣破敵禽將、活死不衰、絳灌樊噲是也、功成名立、臣爲爪牙、百世無邪、世世相屬、絳侯周勃是也、此可作漢書注高祖臣別有絳灌之證、

而史公所資、不止於此。

詩 孔子世家、古者詩三千餘篇、及至孔子、去其重、取可施於禮義、上采后稷、中述殷周之盛、至幽厲之缺、云云、三百五篇、孔子皆弦歌之、以求合韶武之音、禮樂自此可得而述、愚按、史記殷周以後記事、采諸三百篇尤多、今不一一列舉之、

韓詩內外傳 儒林傳、韓生推詩之意、而爲內外傳數百言、其語頗與齊魯間異、

書 儒林傳、伏生故爲秦博士、秦時焚書、伏生壁藏之、其後兵大起流亡、漢定、伏生求其書、亡數十篇、獨得二十九篇、卽以敎于齊魯之間、學者由是頗言尙書、

古文尙書 儒林傳、孔氏有古文尙書、而孔安國以今文讀之、因以起其家逸書、得十餘篇、蓋尙書滋多於是矣、漢書儒林傳、司馬遷從安國問故、遷書載堯典禹貢洪範微子金縢諸篇、多古文說、

書序 三代世表序、孔子至於序尙書、則無日月、愚按史公堯舜三代記事、采書序尤多、書序蓋周史官之筆、非孔子也、

易 孔子世家、孔子晚而喜易、序彖繫象說卦文言、讀易韋編三絕、曰、假我數年、若是我於易則彬彬矣、儒林傳、自魯商瞿受易孔子、孔子卒、商瞿傳易、六世至田何、漢興、田何傳東武人王同子仲、子仲傳菑川人楊何、何以元光元年徵、官至中大夫、太史公自序、太史公(司馬談)受易於楊何、

禮 儒林傳、諸學者多言禮、而魯高堂生最本、禮固自孔子時、而其經不具、及秦焚書、書散亡益多、於今獨有士禮、高堂生能言之、愚按士禮卽儀禮、史記中引禮者、見今大小戴記者甚多、

周官 封禪書序、周官曰、冬日至、祀天於南郊、迎長日之至、夏日至、祭地祇、皆用樂舞、而神乃可得而禮也、愚按此約言周禮大師文、

春秋。春秋左氏傳。春秋公羊傳。春秋穀梁傳。國語 三代世表序、孔子因史文、次春秋、紀元年、正時日月、蓋其詳哉、十二諸侯年表序、孔子明王道、干七十餘君、莫能用、故西觀周室、論史記舊聞、興於魯而次春秋、上記隱、下至哀之獲麟、約其辭文、

去其繁重、以制義法、王道備、人事浹、七十子之徒、口受其傳指、爲有所刺譏褒諱挹損之文辭、不可以書見也、魯君子左丘明懼弟子人人異端、各安其意、失其眞、故因孔子史記、具論其語、成左氏春秋、孔子世家、乃因史記作春秋、上至隱公、下訖哀公十四年、十二公、據魯親周故殷、運之三代、約其辭而指博、匈奴傳贊、孔子著春秋、隱桓之間則章、至定哀之際則微、爲其切當世之文、罔褒忌諱之辭也、吳太伯世家贊、余讀春秋古文、乃知中國之虞與荊蠻勾吳兄弟也、儒林傳、漢興至於五世之間、唯董仲舒名爲明於春秋、其傳公羊氏也、瑕丘江生爲穀梁春秋、自公孫弘得用、嘗集比其義、卒用董仲舒、五帝本紀贊、予觀春秋國語、其發五帝德帝繫姓章矣、太史公自序、左丘失明厥有國語、愚按、春秋古文、言左氏傳也、史記記事、取左氏傳國語最多、而其義則概用公羊傳、歷書云、周襄公二十六年閏三月、而春秋非之、事止見左氏傳、陳世家、甲戌己丑陳桓公鮑卒、國亂再訃、亦左氏之說也、孔子世家夾谷之會、本穀梁傳、史公蓋幷用三傳也、

鐸氏微 十二諸侯年表序、鐸椒爲楚威王傳、爲王不能盡觀春秋、采取成敗、卒四十章、爲鐸氏微、漢藝文志云、鐸氏微三卷、今亡、

虞氏春秋 十二諸侯年表序、趙孝成王時、其相虞卿、上采春秋、下觀近世、亦著八篇、爲虞氏春秋、平原君虞卿傳、虞卿既以魏齊之故、不重萬戶侯卿相之印、與魏齊間行、卒去趙、困於梁、魏齊已死、不得意、乃著書、上採春秋、下觀近世、曰節義稱號揣摩政謀、凡八篇、以刺譏國家得失、世傳之曰虞氏春秋、愚按左氏傳正義引別錄云、九卷、漢藝文志儒家虞氏春秋十五篇、今佚、

呂氏春秋 十二諸侯年表序、呂不韋者、秦莊襄王相、亦上觀尚古、刪拾春秋、集六國時事、以爲八覽六論十二紀、爲呂氏春秋、呂不韋列傳、是時諸侯多辯士、如荀卿之徒、著書布天下、呂不韋乃使其客人人著所聞、集論以爲八覽六論十二紀二十餘萬言、以爲備天地萬物古今之事、號曰呂氏春秋、太史公自序、不韋遷蜀、世傳呂覽、愚按、今存、秦本紀繆公脫晉軍阨一條、他書不載、蓋依呂氏春秋愛士篇、

春秋雜說 平津侯主父列傳、公孫弘年四十餘、乃學春秋雜說、漢書藝文志、春秋公羊雜說八十三篇、儒家公孫弘八篇、今佚、

董仲舒春秋災異記 儒林列傳、董仲舒以春秋災異之變、推陰陽所以錯行、故求雨閉諸陽、縱諸陰、其止雨反是、中廢爲中大夫居舍、災異之記、以修學著書爲事、漢書藝文志、公羊董仲舒治獄十六卷、儒家、董仲舒百二十三篇、

論語。孝經。中庸。弟子籍 仲尼弟子列傳、論言弟子籍、出孔子古文者、近是、余以弟子姓名文字、悉取論語弟子問、幷次爲篇、疑則闕焉、又云、曾參作孝經、孔子世家、子思作中庸、

五帝德。帝繫姓 五帝本紀贊、孔子所傳宰予問五帝德及帝繫姓、儒者或不傳、予觀春秋國語、其發明五帝德帝繫姓章矣、仲尼弟子列傳、宰予問五帝之德、子曰、予非其人也、愚按、五帝德帝繫姓二篇、見大戴禮記、

夏小正 夏本紀、孔子正夏時、學者多傳夏小正云、愚按、夏小正、見大戴禮記、

王制 封禪書、文帝使博士取六經作王制、

諜記。五帝繫諜。尚書集世。春秋歷譜牒。五德歷譜 三代世表序、余讀諜記、黃帝以來、皆有年數、稽其歷譜諜、終始五德之傳、古文咸不同乖異、夫子之弗論次其年月、豈虛哉、於是以五帝繫諜、尚書集世、紀黃帝以來訖共和、爲世表、十二諸侯年表序、太史公讀春秋歷譜諜、至周厲王、未嘗不廢書而歎也、譜諜獨記世謚、其辭略、欲一觀諸要難、漢相張蒼歷譜五德、愚按、或云、諜記卽世本、

禹本紀。山海經 大宛列傳贊、禹本紀言河出崑崙、崑崙其高二千五百餘里、日月所相避隱爲光明也、其上有醴泉瑤池、今自張騫使大夏之後也、窮河源、惡睹本紀所謂崑崙者乎、故言九州山川、尙書近之、至禹本紀山海經所有怪物、余不敢言之也、

秦記 六國表序、太史公讀秦記、至犬戎敗幽王、周東徙洛邑、秦襄公始封爲諸侯、作西畤用事上帝、僭端見矣、又云、秦既得意、燒天下詩書、諸侯史記尤甚、獨有秦記、又不載日月、其文略不具、又云、余因秦記、踵春秋之後、起周元王、表六國時事、訖二世、凡二百七十年、著諸所聞興壞之端、

蒯通長短說 田儋列傳贊、蒯通者善爲長短說、論戰國之權變、爲八十一首、愚按、蒯通八十一首、今不傳、或云、後人採入之於戰國策、

令甲。功令 惠景間侯者年表、長沙王著令甲、稱忠焉、儒林傳、余讀功令、至厲學官之路、未嘗不廢書而歎也、

列侯功藉 高祖功臣侯者年表序、余讀高祖功臣、審其首封、惠景間侯年表序、太史公讀列侯至便侯、曰、有以夫、愚按、當時諸臣上其功狀、下某城、取某邑、斬某將之類、此也、樊酈滕灌諸人列傳、蓋取事於此、以事言之曰狀、以書言之曰籍、故曰讀也、

太公兵法 齊世家、後世之言兵、及周之陰謀、皆宗太公爲本謀、留侯世家、視其書、乃太公兵法也、太史公自序、司馬法所由來尙矣、太公孫吳王子能紹之、漢書藝文志、齊太公二百三十七篇、謀八十一篇、言七十一篇、兵八十五篇、

司馬法 司馬穰苴傳、齊威王用兵行威、大放穰苴之法、威王使大夫追論古者司馬兵法、而附穰苴於其中、因號曰司馬穰苴兵法、贊、余讀司馬兵法、閎廓深遠、雖三代征伐、未能竟其義、如其文也、亦少褎矣、若夫穰苴區區爲小國行師、何暇及司馬兵法之揖讓乎、世多司馬兵法、故以不論、著穰苴之列傳焉、太史公自序、司馬兵法所從由來尙矣、太公孫吳王子、能紹而明之、

管子。晏子春秋 管晏列傳、管仲旣用任政於齊、其稱曰、倉廩實而知禮節、衣食足而知榮辱、上服度則六親固、四維不張、國乃滅亡、下令如流水之原、令順民心、云云、故曰、知與之爲取、政之寶也、贊、吾讀管氏牧民山高乘馬輕重九府、及晏子春秋、詳哉、其言之也、旣見其著書、欲觀其行事、故次其傳、至其書世多有

之、故論其軼事、貨殖傳、齊中衰、管仲修之、設輕重九府、

孫子。吳子 孫子吳起列傳、孫子武者齊人也、以兵法見於吳王闔閭、闔閭曰、子之十三篇、吾盡觀之矣、世傳其兵法、又云、孫臏以此名顯天下、世傳其兵法、贊、世俗所稱師旅、皆道孫子十三篇、吳起兵法、世多有、故論行事所施設者、

魏公子兵法 魏公子列傳、魏公子名振天下、諸侯之客進兵法、公子皆名之、故世稱魏公子兵法、

老子。老萊子 老莊申韓列傳、老子去至關、關令尹喜曰、子將隱矣、彊爲我著書、於是老子迺著書上下篇、言道德之意五千餘言而去、又云、老萊子亦楚人也、著書十五篇、言道家之用、與孔子同時、

墨子 孟子荀卿列傳、蓋墨翟宋之大夫、善守禦、爲節用、或曰竝孔子時、或曰在其後、

李悝李克書 孟子荀卿列傳、魏有李悝盡地力之教、貨殖傳、當魏文侯時、李克務盡地力、愚按、漢食貨志、述李悝之法頗詳、或云、貨殖傳李克當作李悝、或云、李克爲相、行李悝之法也、

商君書 商君列傳、余讀商君開塞耕戰書、與其人行事相類、

申子 老莊申韓列傳、申子學本黃老、而主刑名、著書二篇、號曰申子、

莊子 老莊申韓列傳、莊子者蒙人也、其學無所不闚、然其要本歸於老子之言、故其著書十餘萬言、大抵率寓言也、作漁父盜跖胠篋、以詆訿孔子之徒、以明老子之術、畏累虛亢桑子之屬、皆空語無事實、

孟子 孟子荀卿列傳、天下方務於合從連衡、以攻伐爲賢、而孟軻乃述唐虞三代之德、是以所如者不合、退而與萬章之徒、序詩書、述仲尼之意、作孟子七篇、又云、余讀孟子書、至梁惠王問何以利吾國、未嘗不廢書而歎也、

騶衍子。騶奭子 孟子荀卿列傳、齊有三騶子、其前騶忌、先孟子、其次騶衍、後孟子、騶衍睹有國者益淫侈、不能尚德、乃深觀陰陽消息、作怪迂之變、終始大聖之篇、十餘萬言、云云、自騶衍與齊之稷下先生如淳于髡愼到環淵接子田駢騶奭之徒、各著書言治亂之事、以干世主、又云、騶奭者、齊諸騶子、亦頗采騶衍之術以紀文、於是齊王嘉之、自如淳于髡以下、皆命曰列大夫、爲開第康莊之衢、高門大屋、尊寵之、歷書序、其後戰國竝爭、是時獨有騶衍明於五德之傳、而散消息之分、

淳于子 孟子荀卿列傳、淳于髡齊人也、博聞強記、學無所主、其陳說慕晏嬰之爲人也、云云、梁惠王欲以卿相位待之、髡因謝去、終身不仕、愚按滑稽傳所載髡對齊威王問、全篇有韻之文、或是淳于子遺佚、

愼子。田駢子。接子。環淵子。劇子。尸子。長盧子。吁子 孟子荀卿列傳、愼到、趙人、田駢、接子、齊人、環淵、楚人、皆學黃老道德之術、愼到著十二論、環淵著上下篇、而田駢、接子、皆有所論焉、又云、楚有尸子長盧、阿之吁子焉、

公孫固子 十二諸侯年表序、如荀卿孟子公孫固韓非之徒、各往往捃摭春秋之文以著書、漢志、公孫固一篇十八章、今亡、班固云、齊閔王失國問之公孫固爲陳古今成敗也、

公孫龍子 孟子荀卿列傳、趙有公孫龍、爲堅白同異之辯、平原君虞卿列傳、平原君厚待公孫龍、公孫龍善爲堅白之辯、及鄒衍過趙言至道、乃絀公孫龍、

荀子 孟子荀卿列傳、荀卿趙人、年五十、始來游學於齊、襄王之時、荀卿最爲老師、齊尙脩列大夫之缺、而荀卿三爲祭酒焉、齊人或讒荀卿、荀卿乃適楚、而春申君以爲蘭陵令、李斯嘗爲弟子、已而相秦、荀卿嫉濁世之政、亡國亂君相屬、云云、於是推儒墨道德之興壞、序列著數萬而卒、因葬蘭陵、

韓子 老莊申韓列傳、韓非韓諸公子也、爲人口吃、不能道說、而善著書、云云、故作孤憤五蠹內外儲說林說難十餘萬言、人或傳其書至秦、秦王見孤憤五蠹之書曰、嗟乎、寡人得見此人與之遊、死不恨矣、李斯曰、此韓非之所著書也、秦因急攻韓、韓王乃遣非使秦、秦王下吏治非、李斯使人遺非藥、使自殺、

新語 酈生陸賈列傳、高帝乃謂陸生曰、試爲吾著秦所以失天下、吾所以得之者何、及古今成敗之國、陸賈乃粗述存亡之徵、凡著書十二篇、每奏一篇、高帝未嘗不稱善、左右呼萬歲、號其書曰新語、又云、余讀陸生新語、書十二篇、固當世之辯士、

離騷 屈原賈生傳、屈原憂愁幽思作離騷、乃作懷沙之賦、又云、余讀離騷天問招魂哀郢、

宋玉唐勒景差賦 屈原賈生傳、屈原既死之後、楚有宋玉唐勒景差之徒、皆好辭而以賦見稱、

賈誼賦及論著 屈原賈生傳、及度湘水、爲賦以弔屈原、有鵩飛入賈生舍、乃爲賦以自廣、愚按秦本紀贊、陳涉世家贊載賈誼過秦論、

司馬相如賦 司馬相如傳、乃著子虛之賦、云云、請爲天子游獵賦、云云、臣嘗爲大人賦、愚按傳中又載喩巴蜀檄、難蜀父老、諫獵書、過宜春宮賦、封禪文、

右略舉史記所引文籍、使知史公所據。孔子世家云、適魯、觀仲尼廟堂車服禮器。留侯世家云、余以爲其人計魁梧奇偉。至見其圖、狀貌如婦人好女。是以車服圖畫資史也。魏其武

安侯傳所謂田蚡所學槃盂諸書、亦在所不棄。禹域金石之學、既胚胎乎此矣。但所謂天下遺文古事、靡不畢集太史公者、今不可復見。尤爲可憾。

遊涉　太史公自序云、遷生龍門、耕牧河山之陽。年二十而南遊江淮、上會稽、探禹穴、闚九疑、浮沅・湘、北涉汶・泗、講業齊・魯之都、觀孔子之遺風、鄉射鄒嶧、戹困鄱・薛・彭城、適梁・楚以歸。又云、奉使西征巴・蜀以南、畧邛・笮・昆明。史公遊涉之迹、略具于此。又見五帝本紀 余嘗西至空峒、北過涿鹿、東漸於海、南浮江淮矣、至長老皆各往往稱黃帝堯舜之處、風教固殊焉、 封禪書 余從巡祭天地諸神名山川、而封禪焉、入壽宮侍祠神語、究觀方士祠官之意、 河渠書 余南登廬山、觀禹疏九江、遂至于會稽太湟、上姑蘇、東闚洛汭大邳、迎河、行淮泗濟漯洛渠、西瞻蜀之岷山及離碓、北自龍門至于朔方、曰、甚哉、水之爲利害也、余從負薪塞宣房、悲瓠子之詩、而作河渠書、 齊太公世

家 吾適齊、自泰山屬之琅邪、北被于海、膏壤千里、其民闊達多匿知、其天性也、以太公之聖建國本、桓公之盛修善政、以爲諸侯會盟稱伯、不亦宜乎、洋洋哉、大國之風也、

魏世家 吾適大梁之墟、墟中人曰、秦之破梁、引河溝而灌大梁、三月城壞、王請降、遂滅魏、

孔子世家 余讀孔氏書、想見其爲人、適魯觀仲尼廟堂車服禮器、諸生以時習禮其家、余祗回留之、不能去云、

伯夷列傳 余登箕山、其上蓋有許由冢云、

孟嘗君列傳 吾嘗過薛、其俗閭里、率多暴桀子弟、與鄒魯殊、問其故、曰、孟嘗君招致天下任俠姦人入薛中、蓋六萬餘家矣、世之傳孟嘗好客自喜、名不虛矣、

魏公子列傳 吾過大梁之墟、求問其所謂夷門、夷門者城之東門也、

春申君列傳 吾適楚、觀春申君故城宮室、盛矣哉、

屈原賈生傳 余適長沙、觀屈原所自沈淵、未嘗不垂涕想見其爲人、

蒙恬列傳 吾適北邊、自直道歸、行觀蒙恬所爲秦築長城亭障、塹山堙谷通直道、固輕百姓力矣、

淮陰侯傳 吾如淮陰、淮陰人爲余言、韓信雖爲布衣時、其志與衆異、其母死、貧無以葬、然乃行營高敞地、令其旁可置萬家、余視其母冢、良然、

樊酈灌嬰列傳 吾適豐沛、問其故老、觀故蕭曹樊噲滕公之家、及其素、異哉所聞、

龜策列傳 余至江南、觀其行事、問其長老、云、龜千歲乃遊蓮葉之上、蓍百莖共一根、又其所生、獸無虎狼、草無毒螫、江傍家人、常畜龜飲食之、以爲能導引致氣、有益於助衰養、

讀貨殖列傳所敍、土地開塞、產業盛衰、物貨聚散、人民醇醨、多得

諸目睹。凡全漢郡國、概莫不有史公足迹。蘇轍云。太史公行天下、周覽四海名山大川、與燕・趙間豪俊交遊。故其文疏蕩頗有奇氣。上樞密韓太尉書、顧炎武云。秦・楚之際、兵所出入之塗、曲折變化、唯太史公序之如指掌。以山川郡國不易明、故曰東曰西、曰南曰北、一言之下、而形勢瞭然。蓋自古史書兵事地形之詳、未有過此者。太史公胸中固有一天下大勢。非後代書生之所能幾也。日知錄二十六、此言其一端耳。史公所獲於遊涉、固不止乎此。

交游　史公交游必廣。今不能悉知之。就史文所引、得若而人。又補以漢書。

周生 周生蓋周霸、項羽本紀贊、吾聞之周生曰、舜目蓋重瞳子、又聞項羽亦重瞳子、衞將軍列傳、議郎周霸、儒林傳、魯人周霸、以易至二千石、

馮遂 趙世家贊、吾聞馮王孫曰、趙王遷、其母倡也、嬖於悼襄王、悼襄王廢適子嘉而立遷、素無行、信讒、故誅其良將李牧、用郭解、張釋之馮唐列傳贊、馮唐子遂字王孫、亦奇士、與余善、

賈嘉 屈原賈生傳、賈生之孫二人、至郡守、而賈嘉最好學、世世其家、與余通書、

公孫季功 刺客傳贊、世言荊軻其稱太子丹之命、天雨粟、馬生角也、太過、又言荊軻傷秦王、皆非也、始公孫季功董生與夏無且游、具知其事、爲余道之、

樊他侯 樊酈滕灌列傳贊、余與他侯通、爲言高祖功臣起時若此、愚按他侯樊噲孫、承後爲舞陽侯、後廢爲庶人、

平原君子 酈生陸賈傳贊、至平原君子、與余善、是以得論之、愚按平原君、朱建、

田仁 田叔列傳贊、仁與余善、余故并論之、漢書田叔傳、田叔少子仁、以壯勇爲衞將軍舍人、數從擊匈奴、衞將軍進言仁、爲郎中、至二千石丞相長史、失官後使刺三河還、奏事稱意、拜爲京輔都尉、月餘遷司直、數歲戾太子舉兵、仁部閉城門、令太子得亡、坐縱反者族、愚按田仁、田叔子、曾國藩云、壺遂田仁皆與子長交、故敘梁趙事多深切、

壺遂 韓長孺列傳贊、余與壺遂定律歷、觀韓長孺之義、壺遂之深中隱厚、世之言梁多長者、不虛哉、壺遂官至詹事、天子方倚以爲漢相、會遂卒、不然、壺遂之內廉行修、斯鞠躬君子也、又云、韓安國爲人多大略、所推舉皆廉士賢於己者也、於梁舉壺遂、臧固、郅他、皆天下名士、太史公自序、上大夫壺遂曰、昔孔子何爲而作春秋哉、太史公曰、余聞董生曰、周道衰廢、孔子爲魯司寇、云云、

李廣 李將軍傳贊、余睹李將軍、悛悛如鄙人、口不能道辭、

蘇建 衞將軍驃騎列傳贊、蘇建語余曰、吾嘗責大將軍至尊重、而天下賢士大夫毋稱焉、願將軍觀古名將所招選擇賢而勉之哉、云云、

郭解 游俠傳贊、吾視郭解、狀貌不及中人、言語不足採者、然天下無賢與不肖、知與不知、皆慕其聲、言俠者皆引以爲名、

董仲舒 儒林傳、董仲舒廣川人也、以春秋孝景時爲博士、今上卽位、爲江都相、相膠西王、疾免、居家至卒、漢興至于五世之間、惟董仲舒名爲明於春秋、其傳公羊氏也、太史公自序、太史公曰、余聞董生曰、周道衰廢、孔子爲司寇、諸侯害之、大夫壅之、孔子知言之不用、道之不行也、是非二百四十二年之中、以爲天下儀表、云云、

孔安國 漢書儒林傳、孔氏有古文尚書、孔安國以今文字讀之、因以起其家逸書、得十餘篇、蓋尚書玆多於是矣、遭巫蠱、未立於學官、安國爲諫大夫、授都尉朝、而司馬遷亦從安國問故、故遷書載堯典禹貢洪範微子金縢諸篇、多古文說、孔子世家、孔安國爲今帝博士、至臨淮太守、蚤卒、

李陵太史公自序、太史公遭李陵之禍、幽於縲紲、乃喟然而歎曰、是余之罪也夫、是余之罪也夫、身毀不用矣、愚按史公遭禍本末、見荅任安書、

任安衛將軍驃騎列傳、官令、令驃騎將軍秩祿與大將軍等、自是之後、大將軍青日退、而驃騎日益貴、舉大將軍故人門下、多去事驃騎、唯任安不肯、褚少孫田叔補傳、田仁故與任安相善、任安、滎陽人也、少孤貧困、爲衛將軍舍人、與田仁會、俱居門下、有詔召見衛將軍舍人、此二人前見、武帝使任安護北軍、使田仁護田穀於河上、其後任安爲益州刺史、田仁爲丞相司直、逢太子有兵事、司直下吏誅死、任安爲北軍使者護軍、太子立車北軍南門外、召任安、與節令發兵、安拜受節、入閉門不出、武帝以爲佯邪、下吏誅死、愚按史公答任安書、見漢書史公傳、

史記名稱

朱鍔曰。古之王者必有史官。其所書爲史記、尚矣。記曰。動則左史書之、言則右史書記之。藝文志曰。左史記言、右史記事。

事爲春秋、言爲尚書。史記之名、不始于遷。猶春秋不始于孔子也。杜預云。春秋者、魯史記之名。楚謂之檮杌、晉謂之乘、而魯謂之春秋。其實一也。孔穎達云。據周世法、則國有史記。當同名春秋。獨言魯史記者、仲尼修魯史所記、以爲春秋也。賈逵云。周禮盡在魯矣。史法最備。故史記與周禮同名。如三說者信、可謂史記始于遷乎。不獨史記之名、不自遷始、而遷書之名史記、或反出於後世。遷之自序其父談之書曰。自獲麟以來四百餘載、諸侯相兼、史記放絕。又曰。遷爲太史令、紬史記石室金匱之書。李奇注亦云。遷爲太史令五年、適當武帝太初元年。此時述史記、曰放絕、曰紬、曰述。則知當時實有其

書、而非遷始作之明甚。至其歷舉所著本紀表書世家列傳之名、既皆列于篇、而又曰。凡百三十篇、五十二萬六千五百字、爲太史公書。未嘗自列之爲史記也。班固作傳亦仍之云。遷死後其書稍出。宣帝時、遷外孫平通侯楊惲祖述其書、遂宣布焉。贊稱遷有良史之材、其善序理、謂之實錄。而藝文志春秋家、有太史公百三十篇。十篇有錄無書。未嘗云史記百三十篇也。至隋經籍志云。史記漢書、師法相傳、竝有解釋。於是竝列裴駰徐野民鄒誕生三家注撰。始以遷書謂之史記。然遷書自名太史書、不名史記。而後人特重其書、以爲自黃帝以來、訖於楚漢、古史記之書、皆賴是以存。遂以史記之名

當之、相傳於世、與賈雲臣論史記書、梁玉繩曰。漢藝文志亦云。太史公百三十篇。又云。馮商所續太史公七篇。蓋史公作書、不名史記。史記之名、當起叔皮父子。觀漢五行志、及後書班彪傳、可見。蓋取古史記之名以名遷之書。尊之也。史記志疑 愚按史記之名、朱氏以爲始於隋書、梁氏以爲出於班彪父子。後說爲是。

史記記事

漢興以來諸侯年表序云。臣遷謹記高祖以來至太初諸侯。高祖功臣侯者年表序云。天下初定、至太初、百年之間、見侯

五。太史公自序云。述陶唐以來至于麟止。又云。漢興已來、至於太初百年。諸侯廢立分削、譜記不明。又云。太史公曰。余述歷黃帝以來至太初而訖。服虔解麟止云。武帝至雍獲白麟、而鑄金作麟足形。故曰麟止。遷作史記止於此。猶春秋終於獲麟然也。史記索隱引。梁玉繩申服說云。武帝因獲白麟改號元狩、下及太初四年。凡廿二歲。再及太始二年凡廿八歲。更黃金爲麟趾褭蹏。蓋紀前瑞焉。而史公借以終其史。假設之辭耳。史記志疑。愚按、史訖於太初。史公自言。不待辨說。麟止、依元狩事、假周南詩、以表作史之時。非言訖史之年也。與太始二年黃金鑄麟趾、元無交涉。其不言獲麟者、避嫌也。崔適史記探

源、以麟止爲元狩元年獲白麟事、以史記嗣後記事、爲後人附益。若然、則漢興以來諸侯、高祖功臣侯者年表兩序、太史公自序、皆可廢乎。求奇競新、務爲異說、以驚人耳目。近時講學之徒、往往而然。不獨崔氏。非實事求是之旨也。班固曰。司馬遷據左氏國語、采世本戰國策、述楚漢春秋、接其後事訖於天漢。漢書司馬遷傳。裴駰集解序、漢興將相年表集解。司馬貞索隱序、索隱後序。張守節正義序。皆從之。蓋就後人附益之書而言。

史記體製

史公自序云。略推三代、錄秦漢、上記軒轅、下至于茲、著十二本紀。既科條之矣。並時異世、年差不明。作十表。禮樂損益、律歷改易、兵權山川鬼神天人之際、承敝通變。作八書。二十八宿環北辰、三十輻共一轂、運行無窮、輔弼股肱之臣配焉。忠信行道、以奉主上。作三十世家。扶義俶儻、不令已失時、立功名於天下。作七十列傳。凡百三十篇。索隱補史記序云。本紀十二、象歲星之一周。八書有八篇、法天時之八節。十表放剛柔十日。三十世家比月有三旬。七十列傳、取懸車之暮齒。百三十篇、象閏餘而成歲。愚按或取之天象、或徵諸人事。附會未巧、固非史公之意也。

趙翼曰。古者左史記言、右史記事。言爲尚書、事爲春秋。其後沿爲編年記事二種。記事者、以一篇記一事、而不能統貫一代之全。編年者、又不能卽一人而各見其本末。司馬遷參酌古今、發凡起例、創爲全史。本紀以序帝王、世家以記侯國、十表以繫時事、八書以詳制度、列傳以誌人物。然後一代君臣政事賢否得失、總彙於一編之中。自此例一定、歷代作史者、遂不能出其範圍。信史家之極則也。二十二史劄記。

鄭樵曰。仲尼既沒、諸子百家興焉。各效論語、以空言著書。至於歷代實迹、無所統繫。迨漢建元元封之後、司馬氏父子出焉。世司典籍、工於制作。故能上稽仲尼之意、會詩書左傳國

語世本戰國策楚漢春秋之言、通黃帝・堯・舜至於秦漢之世、勒成一書、分爲五體。本紀紀年、世家傳代、表以正歷、書以類事、傳以著人、使百代而下、史官不能易其法、學者不能捨其書。六經之後、惟有此作。故謂周公五百歲而有孔子、孔子五百歲而在斯乎。是其所以自待者已不淺。(通志序、)

本紀　大宛列傳引禹本紀、則本紀之目、自古有之。但與書表世家列傳竝稱、自史公創也。敍帝王當國者事。

十二本紀、以先後次第。王子嬰未降之前、天下之權在秦。既降之後在楚。故列項羽於本紀也。不爲孝惠立本紀、倂之於呂后者、由政之所出也。

表　索隱引禮記鄭注云。表、明也。趙翼曰。史記作表、昉之譜牒。沈濤曰。表猶言譜。表譜、一聲之轉。

趙翼曰。史記作十表、昉於周之譜牒、與紀傳相爲出入。凡列侯將相三公九卿功名表著者、既爲立傳。此外大臣無功無過者、傳之不勝傳、而又不容盡沒。則於表載之。作史體裁、莫大於是。故漢書因之、亦作七表。以史記中三代世表、十二諸侯年表、六國表、皆無與於漢也。其餘諸侯、皆本史記舊表、而增武帝以後沿革、以續之。惟外戚恩澤侯表、史記所無。又增百官公卿表。最爲明晰。別有古今人表。既非漢人、何煩臚列。且所分高下、亦非定評。殊屬贅設也。(二十二史箚記、)　梁章鉅曰。史之有表、經緯相牽、或連或斷、可以考證、而不可以誦讀。學者往往不觀。故劉知幾史通、有廢表之論。其實表之爲用、與紀傳相爲表裏。凡王侯將相公卿、其功名表著者、既爲立傳。此外無積勞、又無顯過、傳之不可勝書。而姓名爵里存沒盛衰之跡、要不容以遽泯、則於表乎載之。又其功罪事實、傳中有未能悉備者、亦於表乎載之。年經月緯、一覽了然。作史體裁、莫大於是。(退菴隨筆、)愚謂史記以人紀、不以年編。三代・秦・漢事蹟、先後錯出、彼是互見。史公自序所謂竝時異世、年差不明者、安能知之。史記之有表、以紀傳兼編年也。趙・梁二氏、專就將相表言之。未悉。

書　趙翼曰。八書乃史遷所創。以紀朝章國典也。漢書因之作十志。律歷志、則本於律書歷書也。禮樂志、則本於禮書樂書也。食貨志、則本於平準書也。郊祀志、則本於封禪書也。天文志、則本於天官書也。溝洫志、則本於河渠書也。此外又增刑法五行地理藝文四志。(二十二史箚記、)

世家　孟子云。仲子、齊之世家也。猶言世祿之家。以爲史目、與本紀列傳竝稱、蓋自史公創。

三十世家、亦皆以先後次第。其以孔子爲世家者、自伯魚子思以下、學業功勳、不墜其緒、以至于漢、與管・晏・衛・李輩自別。陳涉起於謫戍、蜂起侯王將相、皆奉其命。非區區管・蔡・陳・杞之比。何得不爲世家乎。

列傳　趙翼曰。古書凡記事立論及解經者、皆謂之傳。非專記一人事蹟也。其專記一人爲一傳者、則自遷始。又於傳之中、分公卿將相爲列傳。其儒林循吏酷吏刺客游俠佞幸滑稽日者龜策貨殖等、又別立名目、以類相從。自後作史者、各就一朝所有人物傳之。固不必盡拘遷史舊名也。（二十二史劄記、）

蘇洵曰。遷之傳廉頗也、議救閼與之失不載焉。見之趙奢傳。傳酈食其也、謀橈楚權之繆不載焉。見之留侯傳。夫廉頗・酈食其、皆功十而過一者也。後之庸人、必曰智如廉頗、辨如酈食其、而十功不能贖一過、則將苦其難而怠矣。是故本傳晦

之、而他傳發之、則其與善也、不亦隱而彰乎。遷論蘇秦、稱其知過人、不使獨蒙惡聲。論北宮伯子、多其愛人長者。夫秦・伯子、皆過十而功一者也。苟舉十以廢一、後之凶人必曰蘇秦・北宮伯子、雖有善不錄矣。吾復何望哉。是窒其自新之路、而堅其肆惡之志者也。故於傳詳之、於論於贊復明之。則其懲惡也、不亦直而寬乎。（諫論、）

李笠曰。史臣敍事、有闕於本傳而詳於他傳者、是曰互見。史公則以屬辭比事而互見焉。以避諱與嫉惡、不敢明言其非、不忍隱蔽其事、而互見焉。游俠傳、不詳朱家之事。而述於季布傳。高祖紀、不言過魯祀孔子、而著於孔子世家。此皆引物

連類而舉遺漏者也。封禪書、盛推神鬼之異。而大宛傳云。張騫通大夏、惡睹本紀所謂崑崙者乎。又云。所有怪物、余不敢言之也。高祖紀、謂高祖豁達大度。而佞幸傳云、漢興、高祖至暴抗也。此皆恐犯忌諱、以雜見錯出、而見正論也。（史記訂補、）

七十列傳、略以先後次第。而索隱云。司馬相如・汲黯傳、不宜在西南夷之下。大宛傳、不宜在酷吏・游俠之間。愚謂相如事與西南夷涉。故相次。儒林・酷吏二傳、敍崇文教嚴刑法、大宛傳、述通西域。武帝大業、於是略備。故次之以游俠・滑稽諸雜傳。蓋先大後小、自上及下也。趙翼云。史記列傳次第、皆無意義。可知隨得編次。（二十二史劄記）豈其然乎哉。梁玉繩引程一枝云。儒

林・循吏・酷吏・刺客・游俠・佞幸・滑稽・醫方・日者・龜策・貨殖、雜傳也。以類相從、合在後。匈奴・南越・東越・朝鮮・西南夷・大宛、四夷也。以類相從、當在雜傳之後。（史記志疑、）愚謂此欲使史記法漢書也。未得史公之旨。

盧文弨曰。史漢數人合傳、自成一篇文字。雖間有可分析者、實不盡然。蓋數人同一事、彼此互見、自無重複之弊。即如史記廉・藺列傳、首敍廉頗事、無幾即入藺相如事、獨多。而後及二人之交驩、又間以趙奢、末又以頗之事終之。此必不可分也。漢書張周趙任申屠傳、皆爲御史大夫、遷丞相、則又詳敍其始末、乃終之以申屠嘉。此一本史記之舊。唯申屠爲可分。

其餘皆不可分也。後世史成於衆人。若删彼傳以入此傳、則有欲掩其名之嫌。以故史漢之法、不可復覩耳。(鍾山札記、)愚按、史記合傳、原是一篇之文。各本或分儒林酷吏大宛游俠諸傳、以人以國提行。皆非史公之舊。盧說得之。

柯維騏曰。按太史公自序云、作老子韓非列傳。其莊子・申子、特附載之耳。凡世家列傳附載者極多。如陳平世家、附王陵、如楚元王世家、附趙王。如張儀傳、附陳軫・犀首。如樗里甘茂傳、附甘羅。如孟子荀卿傳、附淳于髡・愼到・騶奭。如廉頗藺相如傳、附趙奢・李牧。如韓王信盧綰傳、附陳豨。如樊酈傳、附滕公灌嬰。如傅靳傳、附周緤。如張丞相傳、附周昌・任敖・申屠嘉、

如酈生陸賈傳、附朱建。如萬石張叔傳、附衛綰・直不疑・周文、如平津傳、附主父偃。如魏其武安傳、附灌夫。其論贊、或專或兼、無定體也。(史記考要、)

論贊　賴襄曰。史中論贊、自是一體。不可與後人史論同視也。史氏本主敍事。不須議論。特疏己立傳之意、又補傳所未及。而有停筆躊躇俯仰今古處。足以感發讀者心。是論贊所以有用。子長以後、少得此意者。(山陽先生書後、)

汪師韓曰。史記贊、往往有用韻者。若南越尉佗傳循吏兩贊、人共知之。又若魏其武安侯列傳贊、其用亦顯然者。前以變遜亂爲韻、中以權賢延爲韻、後以哉來爲韻。(詩學纂聞、)

王鳴盛曰。司馬遷刱立本紀表書世家列傳體例。後之作史者、遞相祖述、莫能出其範圍。即班・范稱書、陳壽稱志、李延壽南北朝稱史、歐陽子五代稱史記。小異其目。書之名、各史皆改稱志。五代又改稱考。世家之名、晉書改稱載記。要皆不過小小立異。大指總在司馬氏牢籠中。司馬取法尙書及春秋內外傳、自言述而非作。其實以述兼作者。(十七史商榷、)

齋藤正謙曰。史記、張耳・陳餘・魏豹・彭越・樊噲・灌嬰之類、直擧姓名。蕭相國・陳丞相、則稱其官。留侯・絳侯・淮陰侯、則稱其爵。至萬石君、則從其諢名稱之。雖質朴可喜、似無定例。漢書盡書其姓名。傳中又皆去其姓曰信曰耳之類、竝爲後世史氏

之式。(拙堂文話、)愚按史公依人立題、或擧姓名、或稱官爵、不必一律。韓信與彭越同誅。仍稱淮陰侯。石奮曰萬石君。依景帝言。讀史者、當求史公所以立題之意。

袁枚曰。史遷敍事、有明知其不確、而貪所聞新異、以助己之文章。則通篇以幻忽之語序之、使人得其意于言外。讀史者不可無識也。即如屠岸賈一事、三傳所無。史遷不忍割愛。故趙世家入手、即序鳥身人面之中衍、隨即序周穆王見西王母、以下將妖夢鬼神之事、重疊言之。皆他世家所無也。若曰屠岸賈之有無亦若是云爾。張良傳、曰黃石公、曰滄海君、曰赤松子。皆莫須有之人。以見四皓之傳聞亦如是云爾。(隨園隨筆、)

愚按史中多此類。揚雄所謂子長愛奇者。愚又按史記以堯・舜・禹爲黃帝後、以殷爲契後、以周爲后稷後、以秦・趙爲伯翳後、以齊爲四嶽後、以楚爲顓頊後、以陳・田齊爲舜後、以杞・越・匈奴・閩越爲禹後。項羽本紀云、舜目蓋重瞳子。項羽亦重瞳子。羽豈其苗裔邪。何其興之暴也。黥布列傳云、英布者、其先春秋所見楚滅英六、皋陶之後哉。身被刑法、何其拔興之暴也。史公蓋以爲王侯將相、起身建國者、皆其父祖積善餘慶所致也。白起王翦列傳、武安君引劍將自剄。曰、我何罪于天而至此哉。良久曰、我固當死。長平之戰、趙卒降者數十萬人、我詐而盡阬之。是足以死。又云、陳勝之反秦、秦王翦之孫王

離擊趙、圍趙王及張耳鉅鹿城。或曰、王離、秦之名將也。今將彊秦之兵、攻新造之趙。舉之必矣。客曰、不然。夫爲將三世者必敗。必敗者何也。以其所殺伐多矣。其後受其祥。今王離已三世將矣。居無何、項羽救趙擊秦軍、果虜王離。李將軍傳、李廣嘗與望氣王朔燕語。曰、自漢擊匈奴、而廣未嘗不在其中。然無尺寸之功以得封邑者。何也。朔曰、將軍自念、豈嘗有所恨乎。廣曰、吾嘗爲隴西守。羌嘗反。吾誘而降。降者八百餘人。吾詐而同日殺之。至今大恨獨此耳。朔曰、禍莫大於殺已降。此乃將軍所以不得侯者也。陳丞相世家、陳平曰、我多陰謀。是道家之所禁。吾世即廢亦已矣。終不能復起。以吾多陰禍

也。韓世家、韓厥之感晉景公、紹趙之孤子武、以成程嬰・公孫杵臼之義。此天下之陰德也。韓氏之功於晉、未覩其大者也。然與趙・魏終爲諸侯十餘世。宜乎哉。蓋積善餘慶、陰謀陽禍、史記一貫之旨。而於伯夷事、不得其說。遂爲未了之語云、儻所謂天道是邪非邪。史公不敢自斷。使人思之。

史記文章

揚雄曰、或問周官。曰、立事。左氏。曰、品藻。太史遷。曰、實錄。（揚子法言重黎篇。）又曰、淮南說之用、不如太史公之用也。太史公、聖人將

有取焉。淮南鮮取焉爾。必也儒乎。又曰、乍出乍入、淮南也。文麗用寡、長卿也。多愛不忍、子長也。仲尼多愛。愛義也。子長多愛。愛奇也。（君子篇、）

班固曰、自劉向・揚雄、博極羣書、皆稱遷有良史之材、服其善序事理、辨而不華、質而不俚、其文直、其事核、不虛美、不隱惡。故謂之實錄。（漢書司馬遷傳、）

劉知幾曰、人之著述、雖同自一手、其間則有善惡不均、精麤非類。若史記之蘇・張・蔡澤等傳、是其美者、至於三五本紀、日者・太倉公・龜策傳、固無所取焉。觀子長之敍事也、自周已往、言所不該。其文闊略、無復體統。洎秦・漢已下、條貫有倫、則煥

炳可觀、有足稱者。衛青傳後、太史公曰。蘇建嘗責大將軍不薦賢待士。此傳之與紀、竝所不書。而史臣發言別出其事。所謂假讃論而自見者。史通敍事篇節錄、

洪邁曰。太史公不待稱說。若云褒贊其高古簡妙處、殆是摹寫星日之光輝、多見其不知量也。然予每展讀至魏世家·蘇秦·平原君·魯仲連傳、未嘗不驚呼擊節、不自知其所以然。魏公子無忌與王論韓事曰。韓必德魏愛魏、重魏畏魏。韓必不敢反魏。十餘語之間、五用魏字。蘇秦說趙肅侯曰。擇交而得、則民安。擇交而不得、則民終身不安。齊·秦爲兩敵、而民不得安。倚秦攻齊、而民不得安。倚齊攻秦、而民不得安。平原君使

楚、毛遂願行。君曰。先生處勝之門下、幾年于此矣。曰。三年于此矣。君曰。先生處勝之門下、三年于此矣。左右未有所稱誦。勝未有所聞。是先生無所有也。先生不能。先生留。遂力請行、面折楚王。再言吾君在前、叱者何也。至左手持盤血、而右手招十九人於堂下。其英姿雄風、千載下尚可想見。使人畏而仰之。卒定從而歸至于趙。平原君曰。勝不敢復相士。勝相士、多者千人、寡者百數。今乃于毛先生而失之。毛先生一至楚、而使趙重于九鼎大呂。毛先生以三寸之舌、强于百萬之師。勝不敢復相士。秦圍趙。魯仲連見平原君曰。事將奈何。君曰。勝也何敢言事。魏客新垣衍令趙帝秦。今其人在是。勝也何

敢言事。仲連曰。吾始以君爲天下之賢公子也。吾今然後知君非天下之賢公子也。魯仲連見新垣衍。衍曰。吾視居此圍城之中者、皆有求于平原君者也。今吾觀先生之玉貌、非有求于平原君者也。又曰。始以先生者爲庸人。吾乃今日知先生爲天下之士也。是數者、重沓熟復、如駿馬下駐千丈坡。其文勢正爾。風行于上、而水波。眞天下之至文也。容齋五筆、

羅大經曰。太史公伯夷傳·蘇東坡赤壁賦、文章絕唱也。其機軸略同。伯夷傳以求仁得仁、又何怨之語設問。謂夫子稱其不怨、而采薇之詩、猶若未免於怨。何也。蓋天道無親、常與善人、而達觀古今、操行不軌者、多富樂。公正發憤者、每遇禍。是

以不免於怨也。雖然、富貴何足求。節操爲可尙。其重在此、則其輕在彼。況君子疾沒世而名不稱。伯夷·顏子、得夫子而名益彰、則所得亦已多矣。又何怨之有。赤壁賦、因客吹簫而有怨慕之聲、以此設問。謂擧酒相屬、凌萬頃之茫然、可謂至樂。而簫聲乃若哀怨。何也。蓋此乃周郞破曹公之地。以曹公之雄豪、亦終歸於安在。況吾與子寄蜉蝣於天地、哀吾生之須臾。宜其託遺響而悲怨也。雖然、自其變者而觀之、雖天地曾不能以一瞬。自其不變者而觀之、則物與我皆無盡也。又何必羡長江而哀吾生哉。矧江風山月、用之無盡。此天下之至樂。於是洗盞更酌、而向之感慨、風休氷釋矣。東坡步驟太史

公者也。鶴林玉露、

王世貞曰、太史公之文有數端焉。帝王紀、以己釋尙書者也。文多引圖緯子家言。其文衍而虛。春秋諸世家、以己損益諸史者也。其文暢而雜。儀・秦・鞅・雎諸傳、以己損益戰國者也。其文雄而肆。劉項紀・信・越傳、志所聞也。其文宏而壯。河渠・平準諸書、志所見也。其文核而詳、婉而多風。刺客・游俠・貨殖諸傳、發所寄也。其文精嚴而工篤、磊落而多感慨。史記評林、

賴襄曰、遷史入漢敘事變、最大者兩次。諸呂之亂與七國之反、是也。事散在諸處。而呂后紀・文帝紀・吳王濞傳・周亞夫傳、其薈蕞處。彼視天下事勢機會緩急之際、明如掌紋。故順敘

倒敘正敘側敘、而讀者無不了然。然而平淡看過。余修私史、每敘到大事、輒取法于此。山陽先生書後、

齋藤正謙曰、入崑崙之山、滿目莫非美玉。然有千金之珍、有連城之寶。不能無差等。一部史記、固爲羣玉圃。然本紀、則高祖・項羽、世家、則陳涉・蕭・曹・留侯、列傳、則伯夷・屈原・范蔡・廉藺・張陳・淮陰・李廣・刺客・貨殖諸篇、殊爲絕佳。是連城之寶也。

又曰、子長同敘智者、子房有子房風姿、陳平有陳平風姿。同敘勇者、廉頗有廉頗面目、樊噲有樊噲面目。同敘刺客、豫讓之與專諸、聶政之與荊軻、纔出一語、乃覺口氣各不同。高祖本紀、見寬仁之氣、動於紙上、項羽本紀、覺喑噁叱咤來薄人。

讀一部史記、如直接當時人、親覩其事、親聞其語。使人乍喜乍愕、乍懼乍泣、不能自止。是子長敘事入神處。

又曰、史記敘事議論、淋漓盡致。故有重沓者。漢書或刪之、以取齊整。此可以見班・馬之優劣也。史記張耳傳、寫趙王謹敬之狀曰、朝夕袒韝蔽、自上食。禮甚卑、有子壻禮。以反襯高祖倨慢。而漢書刪袒韝蔽三字。又寫泄公與貫高相問勞之狀曰、箯輿前。仰視曰、泄公邪。泄公邪三字、極有情致。而漢書刪去之。韓信傳、敘信出少年袴下曰、俛出袴下蒲伏。蒲伏二字、駭狀如見。所以反襯他日榮達。而漢書又刪之。張良傳、敘良進履老人曰、父曰履我。良業爲取履、因長跪履之。極力摹寫

良之卑屈。所以反襯老人倨傲。而漢書盡刪之、唯曰因跪進而已。如此之類、皆不若其舊也。

又曰、文章有斷續之法。史記屈原傳、屈平既嫉之云云下、揷人君無愚智賢不肖數十句、接上文屈平既嫉之一段。是續法也。乍斷乍續、有雲擁中峯之態。宋景濂讀本以爲位置失宜、移其繫心懷王一段于後、移其人君無愚知賢不肖一段于前、又删其楚人既咎子蘭勸王入秦三句。或謂、潔淨明爽、誠勝原本。何不深察耶。果如其說、則平平無奇、凡手所辨耳。

歐陽公王彥章畫像記、論德勝之戰曰、莊宗之善料、公之出奇、何其神哉。其下忽曰、今國家罷兵四十年云云。說入時事、

俯仰感慨。其言未畢、又忽曰。及讀公家傳云云、以接前段。猶黃河之水、伏而復見。妙不可言。是葢得於太史者也。（拙堂文話）

長野確曰。修史者、知記歷代事實、及文物制度、而不知摸寫其人之氣象好尚文章言語之各殊、固不足以爲史矣。故修史之難、在不失其時世之本色、使千載之下讀者、如身在其時、親見其事也。司馬子長作史記、自黃帝迄漢武、上下三千餘年、論著緫五十餘萬言。而三代之時、自是三代之時、春秋戰國之時、自是春秋戰國之時、下至秦漢之際、又自是別樣、時人之氣象好尚、各時不同、使讀者想見其時代人品。是所以爲良史也。（松陰快談）

梁章鉅曰。今考據家作文字、率喜繁徵博引、以長篇炫人。然氣不足以舉之。每令閱者不終篇而倦。其意自謂源於史漢。然史公文字精采、雖長不厭、漢書則冗沓處實多。馬班之高下、卽在於此、史記中長短亦不一律、如項羽本紀長八千八百餘字。趙世家長一萬一千一百餘字、而顏淵列傳、僅一百四十字、仲弓列傳僅六十三字、何嘗以長爲貴乎。（退庵隨筆）

史記殘缺

漢書司馬遷傳云、著十二本紀十表八書三十世家七十

列傳、凡百三十篇。而十篇缺、有錄無書。西京雜記云、司馬遷作景帝本紀、極言其短、及武帝之過。帝怒而削去之。後坐舉李陵降匈奴、下遷蠶室。有怨言、下獄死。（西京雜記、葛洪錄劉歆遺書也、魏王肅亦引此事、見魏書、）裴駰注漢書云、衛宏漢書儀注云、司馬遷作景帝本紀、極言其短、及武帝過。武帝怒而削去之。後坐舉李陵、陵降匈奴、故下蠶室。有怨言。下獄死。（此依西京雜記、）

張晏曰。遷沒之後、亡景紀、武紀、禮書、樂書、兵書、漢興以來將相年表、日者列傳、三王世家、龜策列傳、傳靳蒯成列傳。元、成之閒、褚先生補缺、作武帝紀、三王世家、龜策日者列傳。言辭鄙陋。非遷本意也。（此漢傳所謂所缺十篇之目也、序目無兵書、兵書卽律書、觀史公自序自明、）

張守節曰。褚少孫補景武紀、將相表、禮、樂、律書、三王世家、傳靳、日者、龜策傳。

司馬貞曰。景紀、取班書補之。武紀、專取封禪書。禮書、取荀卿禮論。樂書、取禮樂記。兵書、亡不補。略述律而言兵。遂分歷述以次之。三王世家、空取其策文續此篇。日者、不能記諸國之同異、而論司馬季主。龜策、直太卜所得占龜兆雜說。而無筆削功。何蕪鄙也。

李陵降匈奴、在天漢二年。其後六年、（征和二年、）史公與任安書、言編史事。則非坐李陵事死也。西京雜記所記、非事實。漢傳所謂十篇有目無書之言、亦未可信。據今本考之、孝景本紀、漢

興以來將相年表太初以前紀事、（依例、此表當有序、失之、）禮書序、樂書序、律書序、（張晏所謂兵書、）三王世家贊、傅靳蒯成列傳、龜策列傳序、仍是史公之筆。說詳于各篇。

史記附益

楊惲。漢書司馬遷傳、司馬遷既死後、其書稍出。宣帝時、遷外孫楊惲、祖述其書、遂宣布焉。（楊惲事、漢書楊敞傳附載、）

褚少孫。張晏曰、遷歿之後、元·成之間、褚先生補缺、作武帝紀·三王世家·龜策·日者列傳、言辭鄙陋、非遷本意也。四庫

全書提要云、日者·龜策二傳、竝有太史公曰、又有褚先生曰、有臣爲郎時云云。是補綴殘稿之明證。必當經奏進。愚按漢書儒林傳云、王式爲昌邑王師。昌邑王廢、羣臣皆下獄誅。式得減死論、歸家。山陽張長安幼君、先事式。後東平唐長賓、沛褚少孫、亦來事式。唐生·褚生、應博士弟子選、詣博士。頌禮甚嚴。試誦說有法。諸博士、驚問何師。對曰、事式。共薦式。詔爲博士。張生唐生·褚生、皆爲博士。由是魯詩有張·唐·褚氏之學。（褚少孫事、詳于三代世表考證、）

漢書云祖述者、其義未詳。各篇改今上爲武帝、天漢以後所死諸王、往往書其謚、賈生列傳、昭帝時列爲九卿等語、或是楊惲所附益。秦本紀、孝明帝十七年至死生之義備矣、平津侯主父偃列傳後、太皇太后詔大司徒大司空至亦其次也、司馬相如列傳贊、揚雄以爲以下二十八字、非褚少孫所補。蓋附益史記者、非一人也。今略條列之。說詳各篇。（劉知幾史通古今正史篇云、史記所書年、止漢武太初已後、闕而不錄、其後劉向、向子歆、及諸好事者、若馮商、衛衡、揚雄、史岑、梁審、肆仁、晉馮、段肅、金丹、馮衍、韋融、蕭奮、劉恂等、相續迄於哀平間、猶名史記、至建武中、司徒班彪以爲其言鄙俗、不足以踵前史、云云、於是採其舊事、旁貫異聞、作後傳六十五篇、其子固以父所撰未盡、云云、爲漢書紀表志傳百篇、蓋馮衛諸人、紀天漢至哀平、上以續史公、下以起班掾者、於史記文字、無所增損也、）

秦始皇本紀贊　秦幷兼諸侯、至攻守之勢異也一段、賈誼過秦論上篇、史公取以爲陳涉世家論、此後人附益、贊後襄公立享國十二年、至二世六百一十歲、蓋秦記文、孝明帝十七年至嬰死生之義備矣一段、亦皆後人附益、

今上本紀　後人附益、漢興已六十餘歲以下、全采封禪書文、

三代世表　篇後張先生問褚先生至豈不偉哉、褚少孫附益、

漢興諸侯年表　孝景前四年第十二格、是爲孝武帝五字、後人附益、下文孝武、皆當作今上、五年第十五格、廣川王彭祖徙趙、四年、是爲敬肅王、彭祖大始四年薨、史訖於太初、作史時、彭祖未卒、安得稱謚乎、是爲敬肅王五字、亦後人附益、表中多類此者、今不一一載之、

高祖功臣侯者年表　表首第六格、太初元年盡、後元二年、十八、十一字、後人附益、

惠景間侯者年表　表首第八格、太初已後、已後二字、後人附益、

漢興以來將相年表　天漢以後紀事、後人附益、

建元以來侯者年表　表首第八格、太初已後、已後二字、後人附益、表後右太史公本表至卷末、後人附益、

禮書　首序、史公手筆、禮由人起至卷末、後人取荀子禮論篇附益、

樂書　首序、史公手筆、凡音之起、自人心生也、至夫樂不妄興也、後人取荀子禮記韓非子附益、太史公曰卷末論贊亦然、

律書　首序、史公手筆、書曰七正二十八舍、至卷末、後人附益、

歷書　歷術甲子篇、焉逢攝提格至祝犂大荒建始四年、年號年數、後人附益、

天官書　卷末、蒼帝行德、至客星出天廷有奇令、後人附益、

封禪書　卷末、其後五年、復至泰山脩封、還過祭恆山十五字、及今上封禪、其後十二歲而還、徧於五岳四瀆矣十八字、後人附益、

陳涉世家　贊、褚先生曰、當作太史公曰、秦始皇本紀附載班氏奏事可證、蓋後人誤改、

外戚世家　李夫人有寵、有男一人、爲昌邑王、後人附益、卷末褚先生曰至謚爲武、豈虛哉、褚少孫附益、

楚元王世家　王純立、地節二年中、人上表告楚王謀反、王自殺、國除、入漢爲彭城郡二十七字、後人附益、

齊悼惠王世家　是爲惠王至十五歲四十八字、是爲頃襄王至十一歲卒四十四字、後人附益、

曹相國世家　征和二年中、至國除十一字、後人附益、

梁孝王世家　襄立三十九年卒至立爲襄王也十九字、後人附益、卷末、褚先生曰至少

見之人如從管中闚天也、褚少孫附益、

三王世家　褚先生曰至以奉燕王祭祀、褚少孫附益、

賈生列傳　卷末、孝武皇帝立、舉賈生之孫二人、至郡守、而賈嘉最好學、世其家、與余通書、至孝昭時、列爲九卿、孝武宜作今上、至孝昭時列爲九卿八字、後人附益、

酈商列傳　爲太常、坐法國除七字、後人附益、

張丞相列傳　卷後、孝武時丞相多甚不記、至困戹不得者、衆甚也、前不言褚先生曰、亦褚少孫附益、

酈生陸賈列傳　平原君傳末、初沛公引兵過陳留、至遂入破秦一段、既與酈生本傳有出入、其文與御覽三百四、十二所引楚漢春秋相合、後人附益、

田叔列傳　數歲爲二千石、至陘城今在中山國、後人附益、褚先生曰、至後進者愼戒之、褚少孫附益、

李將軍列傳　李陵既壯、選爲建章監、至皆以爲恥焉、後人附益、

衛將軍驃騎列傳　卷末錄從軍諸將事、後人附益、

平津侯主父偃列傳　太皇太后詔至朕親臨拜焉、班固稱曰至亦其次也、皆後人附益、

司馬相如列傳　贊、揚雄以爲靡麗之賦至不已虧乎二十八字、後人附益、

酷吏列傳　周中廢至家貲累數百萬矣、後人附益、

滑稽列傳　褚先生曰、至辯治者當能別之、褚少孫附益、

日者列傳　卷首至余志而著之、或是褚少孫附益、褚先生曰、至人取於五行者也、亦少孫之筆、

龜策列傳　褚先生曰、至內高而外下也、褚少孫附益、

史記流傳

史公既著史記、藏之名山、副在京師。宣帝時、公外孫楊惲、祖述其書、遂宣布焉。當時有桓寬、既引其言、鹽鐵論毀學篇云、大夫曰、司馬子言天下穰穰皆爲利往、蓋用貨殖傳語、褚少孫亦補其遺、獻帝時、揚雄評其書。揚子法言、自此其

後、流傳益盛、至今莫不家藏人讀。略述史藉所記。

禹域　漢楊惲述史記。漢書楊敞傳、敞子忠、忠弟惲、惲母司馬遷女也、惲始讀外祖太史公記、頗爲春秋、以材能稱、好交英俊諸儒、名顯朝廷、

褚少孫補史記。史記龜策傳、褚先生曰、臣以通經術、受業博士、以高第爲郞、幸得宿衞、出入宮殿中十有餘年、竊好太史公傳、

後漢東平王請史記。東平思王宇傳、元帝崩後三載、詔復所削縣、後年來朝、上疏求諸子及太史公書、上以問大將軍王鳳、對曰、臣聞諸侯朝聘、考文章正法度、非禮不言、今東平王幸得來朝、不思制節謹度、以防危失、而求諸書、非朝聘之義也、諸子書、或反經術、非聖人、或明鬼神信物怪、太史公書、有縱橫權譎之謀、漢興之初、謀臣奇策、天官災異、地形阸塞、皆不宜在諸侯王、不可予、不許之、辭宜曰、五經聖人所制、萬事靡不畢載、王審樂道、傅相皆儒者、旦夕講誦、足以正身虞意、夫小辨破義、小道不通、致遠恐泥、皆不足以留意、諸益于經術者、不愛于王、對奏、天子如鳳言、遂不與、

范升奏太史公違戾。范升傳、建武二年、遷博士、時韓歆欲爲費氏易左氏春秋立博士、升

退而奏左氏之失、凡十四事、時難者、以太史公多引左氏、升又上太史公違戾五經謬孔子、言及左氏春秋不可錄三十一事、詔以下博士、

楊終刪史記。楊終傳、顯宗時徵詣蘭臺、拜校書郎、後受詔刪太史公書爲十餘萬言、

張裍史記注。龍城錄、沈休文有龍山史記注、卽張裍著、裍後漢末大儒、世亦不稱譽、余少時在江南、李育之來訪、余求借此文、後爲火所焚、更不復得、豈斯文天欲祕耶、

王肅對魏帝問。三國志魏書王肅傳、肅以常侍領祕書監、帝問司馬遷以受刑之故、內懷隱切著史記、非貶孝武、令人切齒、對曰、司馬遷記事、不虛美、不隱惡、劉向・揚雄、服其善敍事、有良史之才、謂之實錄、漢武帝聞其述史記、取孝景及己本紀覽之、于是大怒、削而投之、于今此兩紀、有錄無書、後遭李陵事、遂下遷蠶室、此爲隱切在孝武、而不在于史遷也、

說本劉歆西京雜記、

張裔涉史漢。蜀書張裔傳、裔字君嗣、蜀郡成都人也、治公羊春秋、博涉史漢、汝南許文休入蜀、謂裔幹理敏捷、是中夏鍾元常之倫也、

張輔論班馬異同。晉書張輔傳、輔歷梁州刺史、嘗論班固司馬遷云、遷之著述、辭約而事擧、敍三千年事、唯五十萬言、班固敍二百年事、乃八十萬言、煩省不同、不如遷一也、良史

述事、善足以獎勸、惡足以監誡、人道之常、中流小事、亦無取焉、而班皆書之、不如二也、毀貶晁錯、傷忠臣之道、不如三也、遷既造創、固又因循、難易蓋不同矣、又遷爲蘇秦張儀范睢蔡澤作傳、逞辭流離、亦足以明其大才、故述辯士則辭藻華靡、敍實錄則隱核名檢、此所以遷稱良史也、

劉殷授一子史記。晉書孝友傳、劉殷有七子、五子各授一經、一子授太史公、一子授漢書、一門之內、七業俱興、北州之學、殷門爲盛、

裴駰史記集解。宋書裴松之傳、松之子駰、南中郎參軍、注司馬遷史記、行於世、今存、

崔慰祖欲注史漢。南齊書文學崔慰祖傳、慰祖與從弟緯書云、常欲更注遷固二史、採史漢書漏二百餘事在廚簏、可檢寫之以存大意、

曹景宗讀穰苴樂毅傳。梁書曹景宗傳、景宗字子震、頗愛史書、每讀穰苴樂毅傳、輒放卷嘆息曰、丈夫當如是、

袁峻抄史記漢書。梁書文學傳、袁峻字孝高、天監六年、直文德學士省、抄史記漢書名爲二十卷、

陸從典續史記、陸慶學史記。陳書陸瓊傳、第三子從典、仕隋除著作佐郎、右僕射楊素奏

從典續司馬遷史記迄于隋、其書未就、蘇州府志、陸慶字士季、從同郡顧野王學司馬史、仕陳桂陽府左常侍、

包愷通史記。隋書儒林傳、包愷從王仲通受史記、尤稱精究、李密傳、密師事國子助教包愷受史記、勵精忘倦、愷門徒、皆出其下、

齊顏之推顏氏家訓書證篇、梁劉勰文心雕龍史傳封禪諸篇、頗言史記、至唐中宗景龍四年、劉知幾著史通二十卷、論述史記尤博、其自序云、昔漢世諸儒集論經傳、定之於白虎觀、因名曰白虎通、予既在史館而成此書、故便以史通爲目、且漢求司馬遷後、封爲史通子、是知史之稱通、其來自久、博采衆議、爰定玆名、其後玄宗開元中司馬貞有史記索隱、張守節有史記正義、二人事、既具本書、

王綝受史記。唐書王綝傳、綝字方慶、以字顯、起越王府參軍、受司馬遷班固二史于記室任希古、希古它遷、就卒其業、

郗士美誦史記。郗士美傳、父純字高卿、擧進士、拔萃制策、皆高弟、士美年十二、通史記漢書、皆能成誦、

陸士季學史記。孝友傳、陸南金祖士季、從同郡顧野王學司馬史、仕隋爲越王侗記室、兼

侍讀、貞觀初學士、

劉伯莊撰史記音義史記地名考。舊唐書劉伯莊傳、龍朔中兼授崇賢館學士、撰史記音義史記地名各二十卷、行于代、

劉氏史記音義既佚、索隱正義、多取之、

高子貢精史記。唐書儒學傳、高子貢弱冠游太學、徧涉六經、尤精史記、

王元感注史記。舊唐書王元感傳、元感雖年老、猶能燭下看書、通宵不寐、長安三年、表上其所撰尙書糾繆、春秋振滯、禮記繩愆、幷所注孝經史記藁草、請官給紙筆、寫上祕書閣、詔令弘文崇賢兩館學士、及成均博士詳其可否、

褚無量著講史記至言。舊唐書儒學褚無量傳、刻意墳典、尤精禮司馬史記、歿後有於書殿得講史記至言十二篇、上之、帝歎息、以絹五百匹賜其家、事在玄宗開元中、

殷侑言三史。日知錄、唐穆宗長慶三年二月、諫議大夫殷侑言、司馬遷班固范曄三史、爲書勸善懲惡、亞於六經、比來史學廢絕、至有身處班列、而朝廷舊章、無能知者、於是立三史科及三傳科、通典擧人條例、其史書史記爲一史、漢書爲一史、後漢書爲一史、三國史爲一史、李延壽南史爲一史、北史爲一史、習南史者、兼通宋齊志、習北史者、通後魏隋書

志、自宋以後、史書煩碎冗長、請但問政理成敗所因、及人物損益、關於當代者、其餘一切不問、國朝自高祖以下及睿宗實錄、幷貞觀政要、共爲一史、今史學廢絕、又甚於唐時、若能依此法擧之、十年之間、可得通達政體之士、未必無益於國家也、

杜鎬等校史記。玉海、淳化五年七月、詔選官、分校史記前後漢書、杜鎬・舒雅・吳淑潘謹修校史記、朱昂再校、陳充・阮思道・尹少連・趙況・趙安仁・孫何校前後漢書、

摹印史記。文獻通考、石林葉氏曰、唐以前、凡書籍皆寫本、未有模印之法、五代時馮道始奏請官鏤版印行、國朝淳化中、復以史記前後漢書付有司摹印、自是書籍刊鏤者益多、任隨等上覆校史記刊誤。玉海、景德元年正月丙午、任隨等上覆校史記刊誤文字五卷、

眞宗作讀史記詩。玉海、大中祥符八年七月辛未、作史記詩三首、其讀十九史也、起八年七月辛未、成于天禧元年二月辛未、

仁宗校正史記。玉海、景祐元年九月癸卯、詔選官校正史記、

劉敞進講史記。劉敞傳、敞進讀史記、至堯授舜以天下、拱而言曰、舜至側微也、堯禪之以位、天神享之、百姓戴之、非有他道、惟孝友之德、光于上下耳、帝竦體改容、知其以義理諷也、

高宗親寫史記。玉海、紹興十二年十二月庚辰、上曰、朕一無所好、惟閱書作字、自然無倦、尙書・史記・孟子寫畢。尙書寫兩過、左傳亦節一本、

宣宗御書史記列傳。玉海、紹興十三年二月、內出御書左氏春秋及史記列傳于祕書省、宣示館職、觀畢、皆作詩以進、

王涉校史記。宋史王涉傳、涉爲國子監說書、改直講、校史記、

高斯得罷自實田。高斯得傳、遷福建路計度轉運副使、朝廷行自實田、斯得言、按史記、秦始皇三十一年、令民自實田、主上臨御適三十一年、而異日書之史冊、自實之名、正與秦同、丞相謝方叔大媿、卽爲之罷、

婁機著班馬字類。婁機傳、機所著有班馬字類、人多藏焉、

馮椅著讀史記。馮去非傳、父椅家居授徒、著孔子弟子傳讀史記等書、

徐得之著史記年紀。儒林傳、徐夢父弟得之字思叔、淳熙十年進士、著史記年紀、

崔遵度問史漢紀傳。文苑傳、崔遵度七歲、受經于叔父憲、嘗以春秋編年史漢紀傳之例問于憲、憲曰、此兒他日成令名矣、

姚寬注史記。揮麈後錄、姚宏弟寬、字令威、問學詳博、注史記、

頒史記裴駰集解。金廢帝天德三年、置國子監、史記用裴駰註、自國子監印之、授諸學校、

按選擧志、凡養士之地曰國子監、史記用裴駰註、自國子監印之、授諸學校、

以女眞字譯史記。世宗大定六年進所譯史記、詔頒行之、按徒單鎰傳、大定四年、詔以女直字譯書籍、五年、翰林侍講學士徒單子溫進所譯貞觀政要等書、六年、復進史記西漢書、詔頒行之、

蕭貢注史記。金史蕭貢傳、貢好學讀書、至老不倦、有注史記一百卷、

李汾讀史記左傳。文藝傳、李汾元光間游大梁、爲史館書寫。汾旣爲之、殊不自聊、趙秉文爲學士、雷淵・李獻能皆在院、刊修之際、汾在旁、正襟危坐、讀太史公左丘明一篇、或數百言、音吐洪暢、旁若無人、

柯維騏・歸有光。明外史儒林傳、柯維騏惟嗜讀書、著史記考要、行于世、　歸有光爲古文、原本經術、好太史公書、得其神理、以上概依古今圖書集成、別補數條、

日本　近藤守重曰。續日本紀云、天平寶字元年十一月癸未勅曰。須講經者。經生者五經、傳生者三史。又神護景雲三

年冬十月、太宰府言、府庫但蓄五經、未有三史正本。勅賜史記漢書後漢書三國志晉書各一部。續日本後紀云、承和九年九月丙申、勅使相摸武藏常陸上野下野陸奥等國、寫進三史。拾芥抄云、史記前漢書東漢記、謂之三史、吉備大臣三史櫃、入此三史、守重案、初學記、世以史記班固漢書及東觀漢紀爲三史矣、又案吉備大臣三史櫃、蓋言吉備大臣唐土將來之櫃也、　三代實錄云。貞觀十七年四月廿八日、帝始讀史記。扶桑略記云、延喜六年五月十六日、天皇始讀史記。延長三年五月、伊豫權守公統講史記於北堂。天慶二年記云、十一月十四日、主上始讀史記。岡屋關白記云。建長三年八月十一日、小童六歲初有讀書事。前中納言經光卿授之五帝本紀。可以知當時已有史記鈔本也。台記云、久安六年四月廿

八日、皇后權大夫初讀五帝本紀、立黑漆書机、其上敷紙、以檀紙二枚裹五帝本紀置其上、其右置角筆。是亦疑卷子鈔本。久安六年、値南宋紹興二年。觀其講筵之式、亦可以知古人尊重經史矣。右文故事、愚按、寛平中陸奥守藤原佐世所著日本國現在書目云、史記八十卷漢中書令司馬遷、宋南中郎兵參軍裴駰集解、史記音梁輕車錄事參軍鄒誕生撰、史記音義廿卷唐大中大夫劉伯莊撰、史記索隱卅卷唐朝散大夫司馬貞撰、史記新論陸藻撰 太史公史記問一卷。寛平先久安二百五十年、値唐昭宗時。而集解音義索隱諸書、既傳於我邦。本朝文粹卷九、載後江相公大江朝綱、村上天皇時人、春日侍前鎭西都督大王讀史記序云、古人有言、荊山之璞雖美、不琢不成其寶。顏·閔之才

雖茂、非學非弘其量。是故鎭西都督大王、受史記於吏部江侍郎。蓋尋聖訓也。大王仁義有餘、百行無失。雖習馬遷之史不忘車胤之勤。復樂在爲善、豈非東平之後身。業只好文、則是曹子建之再誕。于時綠觴頻傾、絃管緩調。春花面面、欒入酣暢之筵、晚鶯聲聲、與參講誦之座。朝綱質謝水光、文慙雕虎。猥奉大王之敎、聊獻小子之詞。謹序。台記康治二年九月二十九日條、記講習書目云、史記五十一卷、保延三年本紀一至六、世家一至十七、列傳一至廿八。此諸王諸臣、亦講史記也。史記桃源鈔識語云、余昔壯年就牧中翁而學史記。本紀至周之半、列傳及相如之末、書其所聞者。今也講之、抄以

補其缺也。文明丁酉孟夏十又二、書于翠微所深軒。又云、余舊所聞、止乎相如傳之半矣。今世季玉藏主就余講此書、且又講補所抄缺者。鄉者纔記所聽焉耳。今之抄者、百倍于昔焉。豈無小司馬譏褚小孫之言哉。余亦不敢辭之。蓋貽于後世所不愧者。余之言、乃自彊·北禪·玉渚三大老、及一條臺閣一條兼良清家環翠翁清原宣賢之言也。知我罪我、其唯春秋乎。季玉復幷書余之所講之與所抄。可謂勤矣。吾史記之意、其在季玉乎。文明丁酉夏五初九日。亦庵村僧書于翠微深處之軒。此僧徒亦講史記也。兵範記云、今日仁平四年三月二十五日依入學吉日、冠者信政、同車向文章博士第受寮試、讀書三卷端端。高祖本

紀、蕭相國世家、張儀列傳。已上各十行許、讀始之。此入學試史記也。又見源氏物語乙女篇。 明治二年、副知學事兼侍讀秋月種樹、序增訂史記評林云、新刊史記評林、鶴牧藩主水野忠順、命田中篤實豐田一貫等、校正刊刻者。蓋字畫之楷正、校勘之精到、較之從前坊刻諸本、太完善矣。余以謭劣、忝備員今皇帝侍讀。嚮與三條右府謀、進讀史記。以世無善本爲憾、欲別刊一本以具御前。適忠順蒙官准、此本刊始成、將獻呈一本、乞序於余。余大善資維新文明之皇治也。爲題數言。維新之後、朝廷講筵用史記、蓋仍古例也。明治天皇御製云。古乃史見留度遍思布哉。已加治牟留國波何如遍登。治國之道、讀書

之法、皆備于此矣。

史記鈔本刊本

鈔本　隋唐以來、刊刻文籍、至宋益盛。蘇軾云。余猶及見老儒先生。自言少時欲求史記漢書、而不可得。幸而得之、皆手自書、日夜誦讀、惟恐不及。近市人轉相摸刻、諸子百家之書、日傳萬紙。李氏山房藏書記。蓋刊史記、自北宋始也。而隋唐之舊、不可復見。我邦幸有古鈔本數種。概皆卷子。仍存往時面目、文字間與今本異。可以資於校勘。

五帝本紀 宮內省圖書寮藏、

夏本紀 求古樓舊藏、今歸岩崎文庫、

殷本紀 高山寺舊藏、今歸內藤文庫、羅振玉景印、文字與今本異者、太丁太甲太庚太戊字、皆作大、有娀氏之女下、有也字、簡狄取吞之、取下有而字、殷復興、殷下有道字、盤庚乃告諭諸侯大臣、乃下有偏字、決家宰、決上有事字、帝甲作帝祖甲、弟沃甲作帝沃甲、白旗上有大字、愚草殷本紀考證時、景印未行、補記、

周本紀 經籍訪古志云、正和五年鈔本、崇蘭館藏、

秦本紀 高山寺舊藏、今歸岩崎文庫、

高祖本紀 宮內省圖書寮藏、

呂后本紀 毛利文庫藏、有延久五年學生大江家國識語、

文帝本紀 東北帝國大學文庫藏、有延久五年學生大江家國識語、

景帝本紀 野村氏舊藏、今歸久原文庫、亦有大江家國識語、

孝武本紀 經籍訪古志云、崇蘭館藏、

河渠書 神田文庫藏、藤原忠平手澤本、或云、唐人鈔、羅振玉景印、

范睢蔡澤列傳 宮內省圖書寮藏、

張丞相列傳 高山寺藏、羅振玉景印、

酈食其陸賈列傳 同上、

官庫私倉、所存尚多。錄予所聞見。

刊本　北宋刊本存于今者數種。南渡之後、乾道有蔡夢弼本。淳熙有耿平本。而或卷帙既缺、或行密字小、或諸注不備。黃善夫本最稱完好。

宋黃善夫本。　經籍訪古志云。史記一百三十卷。宋槧本。米澤上杉氏藏。宋裴駰集解、唐司馬貞索隱、張守節正義。天祿琳琅書目云、史記六十冊、宋裴駰集解、唐司馬貞索隱、並補張守節正義、集解索隱正義、本各單行、至宋始合刻、據校書官張文潛、知元祐時槧、愚按、據此、北宋既合刻三注、每半版十行、行十八字、注二十三字。序目錄、每半版九行、行十五字、注二十字。界長六寸五分、幅四寸一分。四周雙邊、烏絲外標題。玄貞讓愼殷徵弘等字闕筆。每卷末、記史注字數。集解序後有建安黃善夫刊于家塾之敬堂木記。傳稱此本係直江兼續遺物。訪古志又錄黃善夫本漢書云。目錄末有識語云、集諸儒校本三十餘家、及五六友、澄思靜慮、讎對同異、是正舛訛、始甲寅之春、畢丙辰之夏。建安黃宗仁善夫謹啓。

（宗仁其名、善夫其字、）列傳第一卷末、有建安黃善夫刊于家塾之敬室記。甲寅、蓋即宋紹熙五年、丙辰、則慶元二年也。行款體式、一與史記同。愚按史漢二書、黃氏竝行。但未詳其上梓先後。而松崎明復慊堂日歷、稱曰慶元本史記。愚又按明嘉靖六年、震澤王延喆覆刻黃善夫本。（跋云、吳中刻左傳、郢中刻國語、閩中刻漢書、而史記未版行、延喆因取舊藏宋刻史記、重加校讎、翻刻於家塾、與三書竝行於世、工始嘉靖乙酉蜡月、迄丁亥之三月、林屋山人王延喆識於七十二峯深處、目錄後有篆書震澤王氏刻梓六字、）　至清同治九年、崇文書局重雕王本。而去眞逾遠。上海商務印書館、藏黃刻零本。近者請上杉伯、以補其闕、景印行之。於是人人得掬古香。亦快事也。

劉氏百衲宋本史記。　清錢曾恨不得獲史記宋槧全帙、輯

綴零本斷册、合爲一百三十卷、稱曰百衲本。其書今不傳。劉喜海亦倣之、因作此書。蓋輯宋槧四種。一、北宋本。（但有集解、桓字不避、知北宋刊本、）二、宋本。（但有集解、桓字愼字不避、蓋南宋以前刊本、）三、南宋本。（有集解索隱、桓字愼字避缺、）四、南宋蔡夢弼刊本。（有集解索隱、三皇本紀後、有建溪三峯蔡夢弼傳卿親校刊於家塾、時歲乾道七年春王正上日書識語、）說詳於錢泰吉甘泉鄉人稿、張文虎札記。上海商務印書館景印。

元中統本。（張文虎曰、有集解索隱、述贊首有中統二年校理董浦序、稱平陽道參幕段子成刊行、蓋當宋理宗景定時、明豐城游明刻本、蓋自此本出、）

元彭寅翁本。　經籍訪古志云。首有中統二年董浦序、補史記序、集解序、索隱序、論例、謚法解、目錄。卷首體例、與黃善夫本同。但注文間加删略。每半板十行、行十六字至十七八字。界長六寸一二分、幅四寸一二分、左右雙邊、目錄末雙邊。篋

中題安成郡彭寅翁栞于崇道精舍。列傳十三卷末、又題時至元戊子安成彭寅翁新栞。年表第二卷末、題安成郡彭寅翁鼎新刊行。正義序後、有□同寅翁翠峯彭氏三印。求古樓藏。現存四十二本。缺三十一卷。按楓山文庫亦藏足本。卷末有至元戊子菖節吉州安福彭寅翁刊于崇道精舍木記。即與此同種。朝鮮國刊本、及今行活字板、俱原此本。愚按、楓山文庫本求古樓本、今皆入宮內省圖書寮。永正中三條西實隆手寫彭本。一百三十卷。首一卷。四十三册。亦入圖書寮。圖書寮善本書目云。景鈔元彭寅翁本全册、係三條西實隆手筆。本紀末副葉有實隆跋云、史記本紀、（加補史記九册、）去冬以來凌

老眼染惡筆、使諫議羽林郎公條卿模點了。所謂舊本者、紀傳朱點也。而今爲令易讀、倣江湖之新樣。蓋非不存固實。於其點者無毫釐之差。後昆可知之而已。永正辛未孟秋上澣、槐陰逃虛子。（辛未、後柏原天皇永正八年、實隆永正三年任內大臣、敍正二位、致仕祝髮號堯空、槐陰逃虛子其別號、公條、其子、）近藤守重右文故事、又紀三條本事云、七十卷末有識語云、本云、著雍困敦之曆、仲秋月夕天、臨鶴髮五旬有六載之頹齡、終馬氏一百三十篇之就寫。細書欺老眼、苦學樂貧身而已。上章蘞念點畢。英房。蓋實隆公以至元本寫、又以英房本校。即舊本此也。遊仙窟有文保三年四月十四日文章生英房跋。愚按文保三年、卽後醍醐天皇元應元年。以此推之、著雍困敦、

後村上天皇正平三年戊子。史記博士異字所引楓山本、蓋英房手校本。我邦得存中古師儒之學者、賴有此本耳。

明柯維熊校本。有集解索隱正義、嘉靖四年九月費懋中序、金臺汪諒得舊本重刻、大行人柯維熊徧求諸家舊本、參互考訂、歷兩載而始成、世稱柯本、

明秦藩刻本。有集解索隱正義、首有嘉靖十三年秦藩鑒抑道人序、每冊以千字文爲次、自天字至往字止、凡二十字、行款大小字數、大致與王本柯本同、蓋皆俱從一宋本出、

明南監本。張氏札記又稱南雍本、有集解索隱正義、多刪削、首萬歷二十四年南京國子監祭酒檇李馮禎新鐫史記序、次萬歷丙申司業江夏黃汝良南雍重刻史記序、每葉板心上方標萬歷二十四年刊、下方標字數刻工姓名、四庫提要稱南監本、又有北監本、亦萬歷二十四年刊、國子祭酒劉應秋等校刊、比諸南監本較劣、

明凌稚隆評林本。有集解索隱正義、吳郡王世貞序無年月、萬歷五年歲丁丑八月天目徐中行序、萬曆四年丙子冬十二月歸安茅坤序、半葉界長九寸、幅四寸九分、左右雙邊、十行、行十九字、注雙行、標記評林、二十四行、行七字、稚隆評林凡例云。史記刻本、

自宋·元迄今不下數十家。但近時見行杭本無索隱述贊。白鹿本無正義。柯本費懋中序云、江西有白鹿書院新刻本、陝西本、缺封禪河渠平準三書。惟金臺汪本、蒲田柯氏所校、頗少差謬。茲刻以宋本與汪本字字詳對、間有不合者、又以他善本參之、反覆讐校。又云。史記舊本每相牴牾。涉于兩是者、不敢妄爲改竄、悉依宋本、仍傍注一本某字作某字、以俟博古者訂之。錢泰吉論評林本云。評林本、藏書家不以爲重。今以乾隆四年殿本校勘、乃知勝明監本多矣。凡例以宋本與汪本詳對。非虛語也。

明李光縉增補史記評林。　是本全依凌稚隆本、標補吳國倫徐中行數人說、無所發明。我邦所行八尾版寬永十三年、八尾助左衛門尉初版、

紅屋版寬文十二年初版、鶴牧版明治二年、水野忠順校、鳳文館版、明治十六年、依張裕釗本補記歸方二家說、皆依李本。

明徐孚遠陳子龍同撰史記測義。徐·陳、明史有本傳、陳子龍自序、署云庚辰。庚辰、崇禎十三年。依凌氏評林、刪略注文。間有發明。

清乾隆四年經史館本。附考證。或稱館本官本殿本、首有乾隆十二年朔御製重刻二十一史序、蓋明監本爲據、校以各本、考證成於張照杭世駿等、間有發明、

同治十一年金陵書局校刊史記集解索隱正義。附張文虎札記。集解索隱、多據毛晉本、正義、多據王延喆本。金陵本參以明豐城游明刻本、明金臺汪諒刻本、明吳興凌稚隆刻本、北宋本、宋本、南宋本、南宋建安蔡夢弼刻本、元中統本、明南雍本、明秦藩刻本、錢塘汪小米舍人遠孫校宋本、海寧吳子撰春照

校柯本、乾隆四年經史館校刊本、校訂頗精。愚著史記會注考證、以金陵本爲底本、正文以我邦所存鈔本校、正義以僧幻雲所錄補。

史記集解索隱正義

依隋書經籍志·日本現在書目·唐書藝文志、隋·唐以前注史記者、裴駰集解八十卷、徐廣音義二十卷、王元感注一百三十卷、義林二十卷、劉伯莊注一百三十卷、地名二十卷、陳伯宣注一百三十卷、韓琬續史記一百三十卷、司馬貞索隱三十卷、張守節正義三十卷、竇羣名臣疏三十四卷、裴安纂訓

二十卷、陸蒙史記新論、（見在書目不載卷數）太史公史記問一卷。（現在書目不著作者、）槪皆亡佚、今止存集解索隱正義三書。（徐廣鄒誕生劉伯莊音義散見三書中、）

宋裴駰史記集解八十卷。

四庫全書提要曰。史記集解一百三十卷、宋裴駰撰。駰字龍駒。河東聞喜人。官至南中郎參軍。其事蹟附見於宋書裴松之傳。（宋書裴松之傳云、子駰南中郎參軍注司馬遷史記行於世、）駰以徐廣史記音義、粗有發明、殊恨省略。乃採九經諸史、并漢書音義、及衆書之目、別撰此書。其所引證、多先儒舊說。張守節正義、嘗備述所引書目次。然如國語多引虞翻注、孟子多引劉熙注、韓詩多引薛君注、而守節未著於目。知當日援據浩博、守節不能徧數也。原本八

十卷。隋唐志著錄竝同。此本爲毛氏汲古閣所刊、析爲一百三十卷。原第遂不可考。然註文猶仍舊本。自明代監本、以索隱正義附入其後、又妄加刪削。訛舛遂多。（愚按合刻三注、蓋始於北宋。）

毛本史記集解　明常熟毛晉刊。晉記重鐫緣起云。崇禎辛巳開雕司馬遷史記一百三十卷。裴駰集解。順治甲午補緝脫簡周本紀一卷、禮、樂、律、曆書四卷、儒林傳五六七葉。蓋據宋板也。會注集解、多據此本。

唐司馬貞史記索隱三十卷　四庫全書提要曰。唐司馬貞撰。貞、河內人。開元中官朝散大夫弘文館學士。貞初受史記於崇文館學士張嘉會。病褚少孫補司馬遷書、多傷踳駁、又

裴駰集解、舊有音義、年遠散佚、諸家音義、延篤音隱、鄒誕生柳顧言等書、亦失傳、而劉伯莊、許子儒等、又多疏漏。乃因裴駰集解撰爲此書。首注駰序一篇、載其全文。其注司馬遷書、則如陸德明經典釋文之例、惟標所注之字。蓋經傳別行之古法。凡二十八卷。末二卷爲述贊一百三十篇、及補史記條例。欲降秦本紀項羽本紀爲系家。而呂后・孝惠各爲本紀。補曹・許・邾・吳芮・吳濞・淮南系家、而降陳涉於列傳。蕭何・曹參・張良・周勃・五宗・三王各爲一傳、而附國僑・羊舌肸於管晏、附尹喜・莊周於老子、附鄒陽・枚乘於賈生、又謂司馬相如・汲・鄭傳、不宜在西南夷後。大宛傳、不合在游俠酷吏之間。欲更其次

第。其言皆有條理。（考證　史公編次、極有深意、小司馬不解其旨、以己刺譏、提要以爲皆有條理、非也、說既詳于各篇、）至謂司馬遷述贊不安、而別爲之、則未喻言外之旨。終以三皇本紀自爲之註。亦未合闕疑傳信之意也。此書本於史記之外別行。及明代刊刻監本、合裴駰、張守節及此書、散入句下、恣意刪削。（考證　集解索隱正義合刻之書、宋時既有、提要似爲創明監本者、非也、）如高祖本紀母媼母溫之辨、有關考證者。乃以其有異舊說除去不載。又如燕世家啓攻益事、貞註曰。經傳無聞。未知其由。雖失於考據竹書、亦當存其原文。乃以爲冗句、亦刪汰之。此類不一。漏略殊甚。然至今沿爲定本。與成矩所刊朱子周易本義、人人明知其非。而積重不可復返。此單行之本、爲北宋祕省刊板。毛晉得而重刻

者、錄而存之。猶可以見司馬氏之舊、而正明人之疎舛焉。

毛本史記索隱　此書四庫全書提要所謂北宋祕省刊板、而毛晉重刻者也。毛晉䟦其後云。讀史家多尙索隱、宋儒尤推小司馬史記、與小顏氏漢書、如日月竝照。中略 遂訂裴駰集解而重新焉。每讀至舛逸同異處、宰我未嘗不從田常之類、不能忘情于小司馬。幸又遇一索隱單行本子。凡三十卷。自序綴於二十八卷之尾、後二卷、爲贊述、爲三皇本紀。乃北宋祕省大字刊本。晉亟正其譌謬、重刻附于裴駰集解之後。眞讀史第一快事也。倘有問張守節正義者、有王震澤先生行本在。愚按會注索隱多據此本。

唐張守節史記正義一百三十卷

四庫全書提要曰。唐張守節撰。守節始末未詳。據此書所題、則其官爲諸王侍讀率府長史也。是書據自序三十卷。晁公武·陳振孫二家所錄、則作二十卷。蓋其標字列注、亦必如索隱。後人散入句下、已非其舊。至明代監本、採附集解索隱之後、更多所刪節。失其本旨。四庫全書提要云、張守節所長在於地理、故自序曰、郡國城邑、委曲詳明、而監本於周本紀子帶自立爲王句下、脫左傳云、周與鄭人蘇忿生十二邑、溫其一也十七字、秦本紀反秦於淮南句下、脫楚淮北之地、盡入於秦九字、項羽本紀、項王自立爲西楚霸王句下、脫孟康云、舊名江陵爲南楚、吳爲東楚、彭城爲西楚十九字、呂后本紀、呂平爲扶柳侯句下、脫漢扶柳縣也、有澤七字、孝景本紀、遂西圍梁句下、脫梁孝王都睢陽、今宋州九字、立楚元王子平陸侯句下、脫應劭云、平陸西河縣八字、孝武本紀見五畤句下、脫或曰、在雍州雍縣南、孟康曰、畤者、神靈上帝也十八字、晉世家是爲晉侯句下、脫其城南半入州城、中割爲坊、城牆北半見在十七字、趙世家吾國東有河薄洛之水句下、脫案安平縣屬定州也八字、餓死沙邱宮句下、脫括地志云、趙武靈王墓、在蔚州靈邱縣東三十里、應說是也二十三字、韓

世家得封於韓原句下、脫古今地名云、韓武子食采於韓原故城也十六字、淮陰侯列傳家在伊盧句下、脫韋昭及括地志皆說之也十字、貨殖列傳殷故人都河西句下、脫盤庚都殷墟、地屬河西也十字、周人都河南句下、脫周自平王以後都洛陽九字、自序尼困鄱句下、脫漢末陳蕃子逸爲魯相、改音皮、田褒魯記曰、靈帝末、汝南陳子游爲魯相、陳蕃子也、國人爲諱而改焉三十九字、又如秦本紀樗里疾相韓句下、此本作福昌縣東十四里、監本脫十四里三字、貨殖傳夫燕亦勃碣之間句下、此本作碣石渤海在西北、監本脫北字、又守節徵引故實、頗爲賅博、故自序曰、古典幽微、竊探其美、而監本夏本紀臯陶作士句下、脫士若大理卿也六字、於是夔行樂句下、脫應劭云、太僕、周穆王所置、蓋大御衆僕之長、中大夫也二十一字、以應爲太后養地句下、脫太后秦昭之母宣太后芈氏十一字、秦始皇本紀爲我遺鎬池君句下、脫張晏云、武王居鎬、鎬池君則武王也、伐商故神云、始皇荒淫若紂矣、今武王可伐矣三十二字、敘論孝明皇帝句下、脫班固典引云、後漢明帝永平十七年、詔問班固、太史遷贊語中、寧有非耶、班固上表陳秦過失、及賈誼言、奏之四十二字、項羽本紀會稽守句下、脫守音狩、景帝中二年七月、更郡守爲太守十六字、孝景本紀伐馳道樹殖蘭池句下、脫案馳道、天子道、秦始皇作之、丈而樹、十四字、孝武本紀是時上求神君句下、脫漢武帝故事云、起柏梁臺以處神君、長陵女子也、先是嫁爲人妻、生一男、數歲死、女子悼痛之、歲中亦死、而靈宛若祠之、遂聞言宛若爲主、民人多往請福、說家人小事、有驗、平原君亦祠之、至後子孫尊貴、及上卽位、太后延於宮中祭之、聞其言不見其人、至是神君求出、爲營柏梁臺舍之、初霍去病微時、自禱神君、及見其形、自修飾、欲與去病交接、去病不肎、謂神君曰、吾以神君精潔、故齊戒祈福、今欲婬、此非也、自絕不復往、神君慙之、乃去也、一百七十字、見安期生句下、脫列仙傳云、安期生、瑯琊阜鄉亭人也、賣

藥海邊、秦始皇謂語三夜、賜金數千萬、出於阜鄉亭、皆置去、留書以赤玉舄一量爲報、曰、後千歲、求我於蓬萊山下五十九字、李少君病死句下、脫漢書起居注云、李少君將去、武帝夢與共登嵩高山、半道、有使乘龍、時從雲中云、太一請少君、帝謂左右、將舍我去矣、數月而少君病死、又發棺看、惟衣冠在也六十一字、史寬舒受其方句下、脫姓史名寬舒五字、禮書疏房牀第句下、脫疏謂窗也四字、律書其於十二支爲丑句下、脫徐廣曰、此中闕不說大呂及丑也、案此下闕文、或一本云、丑者紐也、言陽氣在上未降、萬物厄紐未敢出也四十一字、天官書氐爲天根句下、脫星經云、氐四星爲露寢、聽朝所居、其占明大則臣下奉度、合誠圖云、氐爲宿宮也三十一字、其內五星五帝坐句下、脫羣下從謀也五字、楚世家伐申過鄧句下、脫服虔云、鄧曼姓也七字、趙世家事有所止句下、脫爲人君止於仁、爲人臣止於敬、爲人子止於孝、爲人父止於慈、與國人交止於信三十一字、封廉頗爲信平君句下、脫言篤信而平和也七字、韓世家公何不爲韓求質於楚句下、脫質子蟣蝨四字、又脫公叔嬰知秦楚不以蟣蝨爲事、必以韓合於秦楚、王聽入質子於韓二十六字、又脫次下云、知秦楚不以蟣蝨爲事重明脫不字十七字、田叔列傳相常從入苑中句下、脫堵牆也三字、田蚡列傳其春武安侯病句下、脫然夫子作春秋、依夏正九字、衞將軍列傳平陽人也句下、脫漢書云、其父鄭季、河東平陽人、以縣吏給事平陽侯之家也二十三字、至守節於六書五音、至爲詳審、故書首有論字例論音例二條、而監本於周本紀懼太子劍之不任句下、脫劍音、招又吉堯反、任而針反十一字、秦始皇本紀彗星復見句下、脫復扶富反、見行見反八字、以發縣卒句下、脫子忽反、下同五字、佐弋竭句下、脫弋音翊三字、二十人皆梟首句下、脫梟古堯反、縣首於木上曰梟十一字、體解軻以徇句下、脫紅賁反三字、東收遼東而王之句下、脫玉于放反四字、故歸其質子句下、脫質音致三字、衣服旌

旄節旗句下、脫旄音精、旄音毛、旗音其九字、祇誦功德句下、脫祇音脂三字、豬井山句下、脫豬音者三字、僕射周青臣句下、脫音夜二字、上樂以刑殺爲威句下、脫五孝反三字、二世紀以安邊覓句下、脫音境二字、敍論爲君討賊句下、脫于僞反三字、項羽本紀將秦軍爲前行句下、脫胡郎反三字、高祖本紀時時冠之正義音館句下、脫下同二字、孝景紀天下乂安句下、脫乂音魚廢反五字、龍頟拔墮句下、脫徒果反三字、攀龍胡頟號句下、脫戶高反、下同五字、爲且用事泰山句下、脫爲于僞反、將爲封禪也九字、鄭世家段出奔鄒句下、脫音假二字、田叔列傳喜游諸公句下、脫喜許記反、諸公、謂丈人行也十一字、其他一兩字之出入、殆千有餘條、尤不可毛擧、苟非震澤王氏刊本具存、無由知監本之妄刪也、

史記正義佚存

張守節正義不傳、四庫全書提要既論之矣。錢大昕十駕齋養新錄亦云。吳郡志人物門云、前漢角里先生、吳人、史記正義引周樹洞歷云。姓周、名術、字元道、太伯之後、漢高祖時、與

東園公、綺里季・夏黃公俱出定太子、號四皓。史記正義、角里先生一號霸上先生。又云。今太湖中洞庭山西南中有祿里村是。今史記南北雍刻、於留侯世家但載索隱說、以周術爲河內軹人、初不載正義之文。蓋正義之散落多矣。圈稱陳留耆舊傳自序、圈公爲秦博士。避地南山。惠太子以爲司徒。至稱十一世。洪氏隸釋、有圈公神坐圈公神祚机。此卽四皓之東園公也。會稽典錄載虞仲翔云。鄞大里黃公潔己、暴秦之世、高祖卽阼、不能一致。惠帝恭讓、出則濟難。此卽四皓之黃公也。稱漢人。自述其先代、仲翔生於漢末、追溯鄉賢。所言皆當不妄。而索隱止載東園公姓庾、黃公姓崔、於圈氏虞氏說、

置而不取。愚謂四皓之姓名里居、太史公既無明文。安知庾・崔之必是、而圈・黃之必非乎。安知周術之必居河內、而不居吳乎。史記正義失傳、宋人合索隱正義兩書、散入正文之下、妄加刪削、使不得見守節眞面目。良可歎也。錢泰吉甘泉鄉人稿亦云。楚世家悼王二年、三晉來伐我、至乘邱。誤也。解在年表中。今年表無正義。可見正義之殘闕。伍子胥列傳正義、於姑蘇（謂當作檇李、）夫湫皆云。解在吳世家。今本吳世家、檇李但有集解、姑蘇有集解有索隱、夫椒有集解有索隱。皆無正義。太史公自序、太史公下正義云。以桓譚之說、釋在武本紀。今武本紀、亦未見。皆缺失也。張文虎史記札記亦云、吳郡志考

證門、引史記正義云。吳地記云、笠澤江、松江之別名。又云。笠澤卽太湖。今本正義此文失。吾讀三家書、益知三注本所錄正義多削落甚多也。偶繙東北大學所藏慶長寬永活字本史記。（狩野亨吉舊藏、蓋依元彭寅翁本、）上欄標記正義一千二三百條。皆三注本所無。但缺十表。其後又得桃源史記抄（僧桃源、名瑞仙、又號竹處、萬菴蕉雨、亦菴春雨村僧、永享九年生於近江、寬正中作梅岑軒於相國寺居之、應仁中、避亂江州飯高山下、依京極氏小倉將監、延德元年寂、年五十七、東京帝國大學藏其原稿、館長云、獲諸相國寺、卷首有漢文史記源流考一卷、其餘皆國文、與今時講義錄相似、大正震災失之、近藤守重云、寬永三年、陰山立佐活刷發行、余未見其書、米澤文庫足利學校皆藏其零本、皆合綴幻雲抄）幻雲抄（幻雲名壽桂、亦五山僧徒、後於桃源、）博士家史記異字（或題天朝傳本史記說、前田侯爵藏、說詳後章、）所載正義略與此合。幻雲標記桃源抄云。幻謂、小司馬・張守節、皆唐明皇時人也。而索隱不知正義、正義不知索隱。各出己

意而注正之。今合索隱正義爲一本者、出于何人乎哉。蕉了翁亦未詳焉。（蕉了卽蕉雨、桃源別號、）況其餘哉。吾邦有索隱本。有正義本。索隱與此注所載大同。正義者此注所不載者夥。故諸本之上書之。（識語、依米澤文庫藏桃源抄、）余於是知大學本標記之所由、欣喜不能措、手錄以爲二卷、題曰史記正義佚存。留侯世家上有不能致天下有四人條下云、皇甫謐高士傳、四皓、一曰、東園公、二曰、綺里季、三曰、甪里先生、四曰、夏黃公、皆河內軹人。漢書外傳云、園公、陳留園縣。是其先則爲園公。陳留風俗傳云。園唐字宣明。公羊春秋□□東園家單父、爲秦博士、遭秦亂、避地於南山。惠帝爲太子、卽拜園公爲司徒。遜位。太子封廣襄

邑南鄉侯。陳留志云。唐始常居園中。因謂之園公。周樹洞曆云。甪里先生名術、字元道。太伯之後、京師號霸上先生。周氏世譜云。甪里先生河內軹人。太伯之後。姓周氏、名術、字元道。京師號曰霸上先生、一曰甪里先生。□□俗云。是黃人。今太湖中西有□□祿里村。是漢書外傳云秦聘之。逃匿南山。歌曰。商洛深谷、咸夷暐暐（脫誤）紫芝、可以療飢。四馬高蓋。其憂甚大。富貴而畏人、如貧賤而樂肆志。夏黃公或爲大里黃公。會稽典錄云。書佐朱育對邵將濮陽府君云。大里黃公墓、在鄞縣。輿地云。鄞有大里。夏黃公所居也。今鄞縣有黃公廟。崔氏譜云。夏里黃公、姓崔、名廣、字子連。齊人。隱居夏里、修道。故曰

黃公。用音祿。此養新錄所謂佚者也。吳太伯世家報姑蘇也條下云。越世家云、吳師敗於檇李。言報姑蘇。誤也。姑蘇乃是夫差敗處。太史公甚疎。笠澤條下云。笠澤江、松江之別名。在蘇州南三十五里。（不云笠澤卽太湖、）封禪書太史公條下云。（太史公自序正義云武本紀者、偶失之、）按二家之說、皆非也。如淳云。漢儀注、太史公武帝置。位在丞相上。天下計書、先上太史公、副上丞相。茂陵中書、司馬談以太史丞爲太史公。自敘傳云。喜生談爲太史公、仕於建元元封之閒。又云。太史公既掌天官、不治民。有子曰遷。又云。太史公遭李陵之禍。又云。余述黃帝以來至太初訖。凡百三十篇。後此而料明司馬遷父子爲太史公。（後字疑訛、）太史公乃司

馬遷自題。（吳世家正義無夫湫解、鈔者失之、）此鄉人稿札記所謂佚者也。我邦幸存之。豈不亦愉快乎。宋世家害于而家、凶于而國條下云。孔安國曰。家謂臣、國謂君也。爲上無制、爲下逼上、凶害之道。今本孔安國書傳、無此文。讀經者、當講其異同。又引括地志者若干條。可以補孫星衍（岱南閣叢書、）曹元咨（南菁札記、）輯本。引世本七略七錄者亦若干條。可以資于考據。其餘一千餘條、不可悉舉。今錄之會注正義各條、略復張氏之舊云。

司馬貞張守節事歷（裴駰事歷、見上文、）

錢大昕曰。司馬貞・張守節二人、新舊唐書皆無傳。守節正義序、稱開元二十四年八月、殺青斯竟。而貞前後序、不見年月。按唐書劉知幾傳、開元初、嘗議孝經鄭氏學非康成注、當以古文爲正。易無子夏傳、老子無河上公注。請存王弼學。宰相宋璟等不然其論奏、與諸儒質辨。博士司馬貞等阿意共黜其言、請二家兼存。唯子夏易傳請罷。詔可。今補史記序、自題國子博士弘文館學士。唐制、弘文館皆以他官兼領、五品以

上爲學士、六品以下曰直學士。國子博士係正五品上。故得學士之稱。神龍以後、避孝敬皇帝諱、或稱昭文、或稱修文。開元七年、仍爲弘文。以題銜驗之、貞除學士、當在開元七年以後也。高祖本紀母劉媼索隱云。近有人云母溫氏。貞時打得班固泗水亭長古碑。其字分明作温字、云母温氏。貞與賈膺復・徐彥伯・魏奉古等執對、反覆沈歎。膺復、當是膺福之譌。先天二年、爲右散騎常侍昭文館學士、以預太平公主逆謀誅。（見唐書公主傳、）今河內縣有大雲寺碑。即膺福書也。徐彥伯卒於開元二年。（見唐書本傳、）貞與賈・徐諸人談議。當在中・睿之世。計其年輩、蓋在張守節之前矣。唐書藝文志又稱貞開元潤州別駕。蓋由

文館出爲別駕、遂蹭蹬以終也。（十駕齋養新錄、）愚按索隱後序云。崇文館學士張嘉會獨善此書、而無注義。貞少從張學、晚更研尋。此小司馬師張嘉會也。梁孝王世家郎中尹霸等士通辭正義云。張先生舊本有士字。先生疑是衍文、又不敢除。故以朱大點其字中心。今按、食官長及郎中尹霸等是士人。太后與通亂。其義亦通也。匈奴列傳題下正義云。今第五十者、先生舊本如此。劉伯莊音亦然。張守節不名其師。筆迹所存、一朱點且不敢忽之。其尊師重史、誠可尙也。所謂張先生、無乃索隱所謂張嘉會乎。則馬・張二人同其師也。

史記考證引用書目舉要

索隱正義以後、宋王應麟・洪邁、明柯維騏・陳仁錫・徐孚遠・顧炎武・淸方苞・王鳴盛・趙翼・錢大昕・梁玉繩・王念孫・沈家本・錢泰吉・張文虎・李笠各有著作。訂補漸精。在我邦中井積德甄采尤詳、發明甚多。其餘可資於參考者數百種。今掲其要。

日本

恩田仲任（稱新治、號蕙樓、尾張人、）　史記考

村尾元融　讀史記稿本

岡白駒 字千里、號龍洲、播磨人、居京都、　史記觽

皆川愿 字伯恭、號洪園、京都人、　史記戾柁

中井積德 字處叔、稱德三、號履軒、大阪人、　史記左傳雕題

近藤守重 號正齋、稱重藏、江戶人、　右文故事、正齋書籍考

龜井昱 字元鳳、號昭陽、稱昱太郎、福岡人、　左傳纘考、國語考

豬飼彥博 字文卿、號敬所、京都人、　史記三書管窺

古賀煜 字季曄、稱小太郎、江戶人、　史記匡謬稿本

安藤維寅 尾張人、　扁鵲倉公傳割解

多紀元堅 字廉夫、號桂山、江戶人、 元簡 字安叔、號茝亭、　扁鵲倉公傳補注

僧瑞仙 號桃源、　史記桃源抄

僧壽桂 號幻雲、　史記幻雲抄

編者未詳　博士家本史記異字

又題曰天朝傳本史記說、天朝傳本史記異文引楓山本、三條本、中彭本、南化本、中韓本、以校今本、其曰楓山本者、文章生京房所手校、三條本、永正中三條西實隆手寫、南化本、僧南化所藏、中彭本、蓋彭寅翁本、中韓本蓋朝鮮刊本、天保十三年、松崎明復贈林大學頭書云、去今二十七年前加賀藩有校刊二十一史之議、使藩儒大島忠藏當其事、偏校各本、遂請及楓山文庫本、此書蓋忠藏手錄、

岡本保孝 稱縫殿介、號況齋、江戶人、　史記傳本考

安井朝衡 字仲平、號息軒、日向人、居江戶、　左傳輯釋、論語集說

竹添光鴻 字漸卿、稱進一郎、號井井、天草人、居東京、　左氏會箋

新城新藏 福島人、居京都、　東洋天文學史研究

禹域

唐、劉知幾 字子玄、彭城人、　史通

洪邁 字景廬、號容齋、鄱陽人、　容齋五筆

王觀國 長沙人、　學林

吳仁傑 字斗南、崑山人、　兩漢刊誤補遺

鄭樵 字漁仲、號夾際、莆田人、　通志

倪思 字正甫、歸安人、　班馬異同

婁機 字彥發、嘉興人、　班馬字類

王應麟 字伯厚、祥符人、　困學紀聞、藝文志考證、通鑑地理通釋、玉海

金、王若虛 字從之、藁城人、　滹南遺老集

元、馬端臨 字貴與、樂平人、　文獻通考

胡三省 字身之、天台人、　資治通鑑注

明、楊愼 字用修、號升庵、新都人、　丹鉛總錄

柯維騏 字奇純、莆田人、　史記考要 依評林所引

程一枝 字仲木、號巢父、休寧人、　史詮 依志疑所引、與陳氏史記考略同、

凌稚隆 字以棟、吳興人、　史記評林

胡應麟 字元瑞、蘭谿人、　少室山房筆叢

焦竑 字弱侯、江寧人、　焦氏筆乘

陳子龍 字臥子、 徐孚遠 字闇公、華亭人、　史記測義

陳仁錫 字明卿、　史記考 與史詮略同、

顧炎武 字甯人、號亭林、崑山人、　日知錄

清高宗 乾隆皇帝、　御批通鑑輯覽
馬驌 字宛斯、鄒平人、　繹史
全祖望 字紹衣、號謝山、鄞縣人、　經史問答
方苞 字靈皋、號望溪、桐城人、　史記注補正、望溪文集
何焯 字屺瞻、號義門、長洲人、　義門讀書記
顧祖禹 字景范、號宛溪、崑山人、　讀史方輿紀要
顧棟高 字震范、又復初、無錫人、　春秋大事表
汪越 字師退、春穀人、　讀史記十表
王懋竑 字予中、號白田、寶應人、　白田山房雜著
趙翼 字崧松、號甌北、陽湖人、　廿二史劄記、陔餘叢考

王鳴盛 字鳳喈、號西莊、嘉定人、　十七史商榷
查慎行 字悔餘、號初白、海寧人、　得樹樓雜鈔
張照 字得天、華亭人、　館本史記考證
杭世駿 字大宗、號堇浦、仁和人、　史記考證
趙一清 字誠夫、仁和人、　水經注釋
沈濤 字西雍、嘉興人、　銅熨斗軒隨筆
錢大昕 字曉徵、號辛楣、一號竹汀、嘉興人、　廿二史考異、三史拾遺、十駕齋養新錄、
錢大昭 大昕弟、字晦之、號竹廬、　漢書辨疑
王元啓 字惺齋、嘉興人、　三書正譌、月表正譌
崔述 字武承、號東壁、大名人、　補上古唐虞夏商豐鎬洙泗考信錄、孟子事實錄、

梁玉繩 字曜北、錢塘人、　史記志疑、瞥記、
洪頤煊 字筠軒、臨海人、　讀書叢錄
王昶 字德甫、號述菴、字蘭皐、松江人、　金石萃編
洪亮吉 字稚存、號北江、陽湖人、　四史發伏
桂馥 字未谷、曲阜人、　晚學集、札樸
姚範 字南青、號薑塢、桐城人、　援鶉堂筆記
姚鼐 字姬傳、範姪、桐城人、　惜抱軒筆記
汪中 字容甫、江都人、　述學
盧文弨 字紹弓、號抱經堂、杭州人、　龍城札記、鍾山札記、
孫星衍 字淵如、陽湖人、　問字堂岱南閣諸集

戴震 字愼修、號東原、休寧人、　東原文集
王念孫 字懷祖、高郵人、　讀書雜志
惲敬 字子居、陽湖人、　大雲山房文集
章宗源 字逢之、會稽人、　隋書經籍志考證
沈欽韓 字文起、號小宛、吳縣人、　漢書疏證
林春溥 字鑑塘、號三山居士、閩中人、　竹柏山房十五種
包世臣 字愼伯、涇人、　藝舟雙楫
俞正燮 字理初、黟人、　癸巳存稿、類稿、
黃式三 字薇香、號儆居、定海人、　周季編年、儆居集、
黃以周 式三子、字儆季、定海人、　儆季雜著

沈家本 字子惇、號枕碧樓、歸安人、

吳裕垂 字以燕、涇縣人、

吳熙載 字讓之、儀徵人、

李兆洛 字申耆、武進人、

張惕愉 儀徵人、

成孺 寶應人、

丁晏 字儉卿、山陽人、

曾國藩 字伯涵、號滌笙、湘鄉人、

兪鴻漸 號印雪軒、德清人、

兪樾 字蔭甫、號曲園、德清人、

史記漢書瑣言、刑法総考、分考、赦考、

史案

資治通鑑地理今釋

歷代地理韻編

史記功比說

史漢駢枝

史記毛本正譌

求闕齋讀書錄

印雪軒文鈔

湖海筆談

周壽昌 字荇農、長沙人、

梁章鉅 字閎中、號退菴、福州人、

錢泰吉 字輔宜、號警石、嘉興人、

張文虎 字孟彪、又字嘯山、南匯人、

孫詒讓 字仲容、瑞安人、

王先謙 字益吾、號葵園、長沙人、

李慈銘 字炁伯、會稽人、

丁謙 字益甫、仁和人、

朱錦綬 字建侯、吳縣人、

查德基 字南鄉、長洲人、

漢書注補正

退菴隨筆

甘泉鄉人稿、曝書雜記、

校史記札記、舒藝室隨筆、

述林

漢書補注

越縵堂日記

漢書匈奴西南夷兩粤西域傳地理考證、

讀史記漢書日記

讀史記日記

徐鴻鈞 字圭菴、吳縣人、

崔適 字觶甫、歸安人、

李笠 瑞安人、

梁啓超 字任公、新會人、

讀漢書日記

史記探源

史記訂補

史傳今義

史記總論終

書史記會注考證後

大正二年、予得史記正義遺佚於東北大學、始有纂述之志。編摩多年。仙臺齋藤報恩會、捐財以充資料探訪之費、久保得二君校古鈔於祕閣、藤塚鄰君購新刊於燕京以贈、服部宇之吉・市村瓚次郎二君、謀之東方文化學院、刷印行世。校讎之勞、前則阿部吉雄君、後則勝又憲治郎君當之。諸君子之誼、不可諼也。

昭和九年孟春　君山瀧川資言識。時年七十。

史記會注考證 / 瀧川龜太郎著. -- 初版. -- 臺
北市 : 文史哲, 民82
面 ; 公分.
ISBN 957-547-826-6

610.11

史記會注考證

著者：瀧川龜太郎
出版者：文史哲出版社
登記證字號：行政院新聞局局版臺業字五三三七號
發行人：彭正雄
發行所：文史哲出版社
台北市羅斯福路一段七十二巷四號
郵撥〇五一二八八一二彭正雄帳戶
電話：三五一一〇二八
印刷者：文史哲出版社

定價新台幣一〇〇〇元

中華民國八十六年十月再版

ISBN 957-547-826-6